D0610536

Der FISCHER WELTALMANACH berichtet in der Länderchronik über wichtige politische Ereignisse in ausgewählten Staaten und liefert jährlich neue Angaben zur Landesstruktur, zum politischen System und zur Wirtschaftslage aller souveränen Staaten. Die deutschsprachigen Länder werden besonders ausführlich behandelt. Biographien politischer Persönlichkeiten des Auslands geben Auskunft über ihren Werdegang.
Internationale Organisationen werden in Zusammensetzung und Zielen vorgestellt. Der Schwerpunkt liegt in dieser Ausgabe bei den wirtschaftlichen Zusammenschlüssen. Der Wirtschaftsteil präsentiert umfassende Informationen über Industrie, Landwirtschaft, Bergbau und Energiewirtschaft sowie über die weltweite Entwicklung des Handels und des Verkehrs.
Kulturpreise und ihre Preisträger, historische Gedenktage 1994, verstorbene Persönlichkeiten 1992/93 sowie die Weltbevölkerungsentwicklung, Religionen und Sprachen sind weitere Themen dieses Buches. Zahlreiche graphische Darstellungen, schwarzweiße und farbige Karten und Tabellen ergänzen die Texte.
Durch Sachlichkeit, Themenvielfalt und Aktualität ist dieses Jahrbuch nicht nur als Ergänzung zu jedem Lexikon, sondern auch als eigenständiges Nachschlagewerk unentbehrlich.

Die Autorinnen und Autoren

Baratta, *Dr. Mario von,* geb. 1936; Studium der Zeitungswissenschaften in Wien. 1964–82 stellvertretender bzw. Chefredakteur des »Archiv der Gegenwart«, 1983–90 freier Journalist und Publizist, seit 1991 Verlagsleiter in Rheinbach/Bonn. Herausgeber des »Fischer Weltalmanach« und verantwortlich für die europäischen Staaten im Kapitel »Länderchronik«.

Baumann, *Dr. Wolf-Rüdiger,* geb. 1948; Studium der Wirtschaftswissenschaften (Diplom-Ökonom). Seit 1983 wissenschaftlicher Referent. Verschiedene Veröffentlichungen zur Wirtschaftsgeschichte sowie zur Außen- und Deutschlandpolitik. Verantwortlich für das Kapitel »Biographien«.

Böhm, *Adolf,* geb. 1919; Studium an der Hochschule für Bildende Künste in München. Freischaffender Graphiker und Kartograph. Verantwortlich für die kartolithographische Ausführung vieler Karten und Figuren.

Brander, *Sibylle,* geb. 1955; Studium der Volkswirtschaftslehre. Wissenschaftliche Mitarbeiterin an der Universität-Gesamthochschule Wuppertal und freie Journalistin in München. Verantwortlich für die Länder Asiens und der ehemaligen Sowjetunion sowie für Australien und Ozeanien im Kapitel »Länderchronik«.

Clauss, *Dr. Jan Ulrich,* geb. 1950; Studium der Staatswissenschaften. 1985–88 Pressereferent der Alexander von Humboldt-Stiftung, seit 1988 Referatsleiter Europa bei der Hochschulrektorenkonferenz in Bonn. Seit 1978 verantwortlich für die Kapitel »Internationale Organisationen«, »Weltbevölkerung – Religionen – Sprachen« und »Historische Gedenktage«.

Gutberlet, *Caroline,* geb. 1963; Studium am Fachbereich Angewandte Sprachwissenschaften, Germersheim (Dipl.-Übersetzerin). Seit 1989 freie Literatur-Übersetzerin und Mitarbeiterin verschiedener Verlage, insbesondere im Bereich Lektorat und Werbung. Verantwortlich für das Kapitel »Staaten, Länder und Gebiete«.

Lederbogen, *Utz,* geb. 1956; Studium der Politikwissenschaft, Journalistik, Landespflege und Biologie. Freier Journalist und Medienwissenschaftler in Dortmund. Veröffentlichungen zur Umwelt-, Medien- und Entwicklungspolitik. Verantwortlich für die amerikanischen und afrikanischen Staaten im Kapitel »Länderchronik«.

Paesler, *Dr. Reinhard,* geb. 1942; Studium der Geographie, Geschichte, Anglistik und Amerikanistik. Akademischer Oberrat am Institut für Wirtschaftsgeographie der Univ. München. Veröffentlichungen zur Wirtschafts- und Sozialgeographie, Raumplanung und Landeskunde Süddeutschlands, Ost- und Südosteuropas; Redaktionsmitglied des »Staatslexikons« der Görres-Gesellschaft. Seit 1978 verantwortlich für die Kapitel »Wirtschaft« und »Verkehr«.

Zick, *Susanne,* geb. 1941; Redakteurin an Tageszeitungen in Heidelberg und Stuttgart. Mitarbeiterin bei den Stuttgarter Buchwochen; Autorin von »Bild der Wissenschaft« mit medizinischen und sozialwissenschaftlichen Beiträgen. Verantwortlich für die Kapitel »Kulturpreise« und »Verstorbene Persönlichkeiten«.

DER
FISCHER WELTALMANACH
1994

Begründet von Prof. Dr. Gustav Fochler-Hauke

Herausgegeben von Dr. Mario von Baratta

Autoren:
Dr. Wolf-Rüdiger Baumann
Sibylle Brander
Dr. Jan Ulrich Clauss
Caroline Gutberlet
Utz Lederbogen
Dr. Reinhard Paesler
Susanne Zick

Kartographie: Adolf Böhm und Christiane Bodentien

Redaktionsschluß: 1. 9. 1993

FISCHER TASCHENBUCH VERLAG

Redaktion: Heide Kobert und Anke Rasch

Originalausgabe
des Fischer Taschenbuch Verlags
November 1993

Umschlagentwurf: Rambow, Lienemeyer, van de Sand

© Fischer Taschenbuch Verlag GmbH, Frankfurt am Main 1993
Herstellung: Jutta Hecker
Satz: Fotosatz Otto Gutfreund GmbH, Darmstadt
Druck und Bindung: Clausen & Bosse, Leck
Printed in Germany
ISBN-3-596-19094-0
ISSN 0430-5973

Vorbemerkung

1993 wurden weltweit rund 50 kriegerische Konflikte gezählt, doch nur wenige haben eine ähnlich große Aufmerksamkeit in der Weltöffentlichkeit gefunden wie der Bürgerkrieg in Bosnien-Herzegowina. In zahlreichen Republiken der ehemaligen UdSSR führten personelle und ideologische Machtkämpfe, Nationalitätenkonflikte und Minderheitenprobleme, lokale und regionale Herrschaftsansprüche zu Kriegshandlungen. So u. a. in der nach Unabhängigkeit strebenden georgischen Autonomen Republik Abchasien, im russischen Nordossetien, in der moldauischen Dnjestr-Region, in Tadschikistan oder in der von Armeniern und Aserbaidschanern umkämpften Region Nagornij Karabach. Die Bürgerkriege und gewalttätigen Konflikte in zahlreichen afrikanischen Staaten geraten angesichts der internationalen Militärintervention in Somalia nur allzuleicht in Vergessenheit *(→ Farbkarte VIII: »Krisenkontinent Afrika 1993«).*

▶ Die LÄNDERCHRONIK berichtet ausführlich über die Entwicklung in diesen Staaten wie auch über wichtige Ereignisse in anderen Teilen der Welt – so z. B. über den zwischen Israel und der PLO ausgehandelten Plan einer palästinensischen Selbstverwaltung im Gazastreifen und im Gebiet der Stadt Jericho und die Anerkennung des Existenzrechts Israels durch die PLO.

▶ Das Kapitel STAATEN; LÄNDER UND GEBIETE informiert über aktuelle Grunddaten zur Landesstruktur, zum politischen System und zur Wirtschaft der 192 Staaten sowie abhängigen Länder und Gebiete. An den Kapitelanfang sind synoptische Tabellen mit weiteren Strukturdaten zu allen Staaten mit mehr als 1 Million Einwohnern, zu den europäischen Staaten (»Europa auf einen Blick«) und zu den Geber- und Empfängerstaaten von Entwicklungshilfe gestellt.

▶ Die im »Staatenteil« nur knappen wirtschaftlichen Eckdaten werden im Kapitel WIRTSCHAFT nebst einem Überblick über die Lage der Weltwirtschaft und die wirtschaftliche Entwicklung ausgewählter Staaten durch Details zu Landwirtschaft, Bergbau, Industrie und Welthandel vertieft und durch das Kapitel VERKEHR ergänzt.

▶ Das Kapitel BIOGRAPHIEN enthält den Werdegang wichtiger politischer Persönlichkeiten des Auslands, die im Sommer 1993 hohe Staatsämter oder sonstige wichtige Führungspositionen bekleideten.

▶ Das Kapitel INTERNATIONALE ORGANISATIONEN ist zweigeteilt: Teil I behandelt die »Europäische Gemeinschaft/EG« und wird durch Sonderbeiträge über die weitgehende Vollendung des Europäischen Binnenmarktes, über das Europäische Währungssystem/EWS und über den künftigen, die beitrittswilligen EFTA-Staaten einschließenden Europäischen Wirtschaftsraum erweitert. Teil II enthält eine Auswahl internationaler Organisationen mit dem diesjährigen Schwerpunkt »Wirtschaftliche Zusammenschlüsse«, nicht zuletzt wegen der zunehmenden, durch die Schwierigkeiten beim GATT-Abschluß geförderten Tendenz zur Schaffung neuer Wirtschafts- und Freihandelsräume – wie z. B. der nordamerikanischen NAFTA, des südamerikanischen MERCOSUR, der mitteleuropäischen CEFTA und der südostasiatischen AFTA.

▶ In das Kapitel WELTBEVÖLKERUNG – RELIGIONEN – SPRACHEN wurde diesmal ein Beitrag über die Turkvölker Zentralasiens aufgenommen.

▶ Das Kapitel KULTURPREISE enthält neben einer Auswahl der bedeutendsten Ehrungen aus allen Bereichen der Kunst und Literatur die Nobelpreise 1992 sowie die Aufstellung der bisherigen Gewinner des Friedenspreises des Deutschen Buchhandels.

Allen Autoren des FISCHER WELTALMANACH wie auch den langjährig bewährten, ebenso erfahrenen wie hilfreichen Redakteurinnen des Almanachs, Anke Rasch und Heide Kobert, sowie den Kartographen – hier sei besonders Adolf Böhm erwähnt – gebührt ebenso Dank wie den zahlreichen Lesern, deren kenntnisreiche Anregungen und Hinweise wertvolle Verbesserungen ermöglichten.

Bonn, im September 1993   Mario von Baratta

Inhaltsverzeichnis

VERZEICHNIS DER KARTEN UND GRAPHISCHEN DARSTELLUNGEN

Abkürzungen der Staaten, Länder und Gebiete

Kursiv gedruckte Abkürzungen haben keinen offiziellen Charakter; sie wurden eingesetzt, weil es entweder noch keine internationalen Vereinbarungen darüber gibt oder weil sie im deutschen Schriftgebrauch üblich sind (z. B. RSA statt ZA für die Republik Südafrika).

A	**Österreich:** engl. *Austria*	DZ	**Algerien:** *Djazairia*
AFG	**Afghanistan**	E	**Spanien:** kastilisch *España*
AG	**Antigua und Barbuda**	EAK	**Kenia:** engl. *East Africa Kenya*
AL	**Albanien**	EAT	**Tansania:** engl. *East Africa Tanzania*
AND	**Andorra**	EAU	**Uganda:** engl. *East Africa Uganda*
ANG	**Angola**	EC	**Ecuador**
ARM	**Armenien**	*ERI*	**Eritrea**
ASE	**Aserbaidschan**	ES	**El Salvador**
AUS	**Australien**	ET	**Ägypten:** engl. *Egypt*
B	**Belgien**	ETH	**Äthiopien:** engl. *Ethiopia*
BD	**Bangladesch**	EV	**Estland:** estn. *Eesti Vabariik*
BDS	**Barbados**	F	**Frankreich**
BEN	**Benin**	FJI	**Fidschi:** engl. *Fiji*
BF	**Burkina Faso**	FL	Fürstentum **Liechtenstein**
BG	**Bulgarien**	FR	Faröer-Inseln (zu Dänemark)
BHT	**Bhutan**	FSM	Föderierte Staaten von **Mikronesien**
BiH	**Bosnien-Herzegowina**	G	**Gabun**
BLR	**Weißrußland:** weißrussisch *Belarus*	GB	**Großbritannien** (→ auch UK)
BOL	**Bolivien**	GBA	Kronlehnsgut **Alderney** (nicht Teil des UK)
BR	**Brasilien**	GBG	Kronlehnsgut **Guernsey** (nicht Teil d. UK)
BRN	**Bahrain**	GBI	Provinz Nordirland (integraler Teil des UK)
BRU	**Brunei Darussalam**	GBJ	Kronlehnsgut **Jersey** (nicht Teil des UK)
BS	**Bahamas**	GBM	Kronlehnsgut **Isle of Man** (nicht Teil d. UK)
BUR	**Myanmar:** engl. früher *Burma*	GBZ	Kolonie Gibraltar (gehört zum UK)
BZ	**Belize**	GCA	**Guatemala:** engl. *G. Central America*
C	**Kuba:** span. *Cuba*	GEO	**Georgien**
CAM	**Kamerun:** französ. *Cameroun*	GH	**Ghana**
CDN	**Kanada:** engl. früher *Canadian Dominion*	GNB	**Guinea-Bissau**
CH	**Schweiz:** *Confoederatio Helvetica*	GQ	**Äquatorialguinea**
CI	**Côte d'Ivoire**	GR	**Griechenland**
CL	**Sri Lanka:** früher Ceylon	GUY	**Guyana**
CO	**Kolumbien:** span. *Colombia*	H	**Ungarn:** engl. *Hungary*
COM	**Komoren:** französ. *Comores*	HCA	**Honduras:** engl. *H. Central America*
CR	**Costa Rica**	HK	Hongkong (Brit. Kronkolonie bis 1996)
ČSFR	Tschechische und Slowakische Föderative	HR	**Kroatien:** kroat. *Hrvatska*
	Republik (bis 31. 12. 1992)	I	**Italien**
ČSSR	Tschechoslowakische Sozialistische	IL	**Israel**
	Republik (bis 20. 4. 1990)	IND	**Indien**
CV	**Kap Verde:** portugies. *Cabo Verde*	IR	**Iran**
CY	Republik **Zypern:** engl. *Cyprus*	IRL	**Irland**
CZ	**Tschechische Republik:** engl. *Czech Rep.*	IRQ	**Irak:** aus arab. Transkription *Iraqiya*
D	**Deutschland**	IS	**Island**
DARS	**Sahara,** Demokratische Arabische	J	**Japan**
	Republik	JA	**Jamaika**
DDR	**Deutsche Demokratische Republik**	JOR	**Jordanien**
	(bis 2. 10. 1990)	K	**Kambodscha**
DJI	**Dschibuti:** französ. Djibouti	*KAS*	**Kasachstan**
DK	**Dänemark**	*KGZ*	**Kirgisistan:** kirgis. *Kyrgyzstan*
DOM	**Dominikanische Republik**	*KIR*	**Kiribati**
DVRK	Demokrat. Volksrep. **Korea**	KWT	**Kuwait**

L	Luxemburg	RPC	Republik **Kongo:** französ. früher *Républi-*
LAO	Laos		*que Populaire du Congo*
LAR	Libyen (*Libysch-Arab. Dschamahirija*)	*RSA*	Republik **Südafrika:** engl.; offiziell → ZA
LB	Liberia	RSM	Republik **San Marino**
LS	Lesotho	RU	**Burundi:** *Republika y'Uburundi*
LT	Litauen	RWA	**Ruanda:** *Republika y'u Rwanda*
LV	**Lettland:** lett. *Latvijas Republika*	S	**Schweden**
M	Malta	SA	**Saudi-Arabien**
MA	Marokko	SCN	**St. Kitts und Nevis:** früher S. Christopher
MAK	**Makedonien,** frühere jugoslaw. Republik		und N.
MAL	Malaysia	SD	**Swasiland**
MC	Monaco	SF	**Finnland:** finn. *Suomi;* schwed. *Finland*
MEX	Mexiko	SGP	**Singapur**
MH	Marshallinseln	SK	**Slowakei** (auch: SQ)
MNG	Mongolei	SLO	**Slowenien**
MOC	**Mosambik:** portugies. *Moçambique*	SME	**Suriname**
MOL	Moldau	SN	**Senegal**
MS	Mauritius	SO	**Somal**ia
MV	Malediven	STL	**St. Lucia**
MW	Malawi	*STP*	**São Tomé und Príncipe**
N	Norwegen	SUD	**Sudan**
NAM	Namibia	SY	**Seychellen**
NAU	Nauru	SYR	**Syrien**
NEP	Nepal	T	**Thailand**
NIC	Nicaragua	*TAD*	**Tadschikistan**
NL	Niederlande	TCH	**Tschad:** französ. *Tchad*
NZ	**Neuseeland:** engl. *New Zealand*	TG	**Togo**
OM	Oman	TN	**Tunesien**
P	Portugal	TO	**Tonga**
PA	Panama	TR	**Türkei**
PE	Peru	TT	**Trinidad und Tobago**
PK	Pakistan	*TUR*	**Turkmenistan**
PL	Polen	TUV	**Tuvalu**
PNG	Papua-Neuguinea	UAE	**Vereinigte Arabische Emirate**
PY	Paraguay	UdSSR	Sowjetunion *Union d. Soz. Sowjetre-*
Q	**Katar:** arab. *Qátar*		*publiken*
R	**Rußland** (Russische Föderation)	UK	**Großbritannien:** engl. *United Kingdom* ...
RA	Republik **Argentinien**	UKR	**Ukraine**
RB	Republik **Botsuana**	USA	**Vereinigte Staaten von Amerika**
RCA	**Zentralafrikan. Rep.:** französ. *Rép.*	*USB*	**Usbekistan**
	Centrafricaine	V	**Vatikanstadt**
RCH	Republik **Chile**	VN	**Vietnam**
RG	Republik **Guinea**	*VRC*	Volksrepublik **China**
RH	Republik **Haiti**	WAG	Westafrika **Gambia**
RI	Republik **Indonesien**	WAL	Westafrika **Sierra Leone**
RIM	**Mauretanien:** französ. *République Isla-*	WAN	Westafrika **Nigeria**
	mique de M.	WD	Westindien **Dominica**
RL	Republik **Libanon**	WG	Westindien **Grenada**
RM	Republik **Madagaskar**	WS	**Samoa:** engl. *Western Samoa*
RMM	**Mali**	WV	Westindien **St. Vincent/Grenadinen**
RN	Republik **Niger**	Y	**Jemen:** engl. *Yemen* (auch YAR)
RO	**Rumänien:** rumän. *România*	YU	**Jugoslawien:** engl. *Yugoslavia*
ROC	**Republik China** (Taiwan): engl. *Republic*	YV	**Venezuela:** Abk. aus dem Luftverkehr
	of China	Z	**Sambia:** engl. *Zambia*
ROK	Republik **Korea:** engl. *Republic of K.*	ZA	Rep. **Südafrika:** afrikaans *Zuid-Afrika*
ROU	**Uruguay:** span. *Rep. Oriental del U.*	ZRE	**Zaire**
RP	Republik **Philippinen**	ZW	**Simbabwe:** engl. *Zimbabwe*

Länderchronik

Chronik der souveränen Staaten (Afghanistan – Zypern). Besonders ausführlich dargestellt sind dieses Mal der Bürgerkrieg in Bosnien-Herzegowina, die Entwicklung in einzelnen Nachfolgestaaten der Ex-UdSSR (insbesondere Aserbaidschan, Armenien und Georgien), Iseael und die Nahostkonferenz sowie das Abkommen Israels mit der PLO über den Gazastreifen und Jericho. Staaten, in denen die Regierung gewechselt hat und/oder Parlamentswahlen stattgefunden haben und über die hier nicht berichtet wird, → *Kapitel »Staaten, Länder und Gebiete«, Sp. 215ff.*

AFGHANISTAN Trotz der großen Aufgabe, mit dem Wiederaufbau des Landes zu beginnen, kommt es wegen ethnischen und religiösen Gegensätzen zwischen den Mudschaheddin-Gruppen immer wieder zu bewaffneten Konflikten. – Die Übergangsregierung stimmt am 18. 10. **1992** dem von *Gulbuddin Hekmatyar*, dem Führer der fundamentalistischen »Hisb-i-Islami«, geforderten Abzug der die Regierung unterstützenden Truppen des Usbekengenerals *Rashid Dostam* aus Kabul zu; *Dostam* hatte durch seinen Wechsel auf die Seite der Mudschaheddin maßgeblich zum Sturz des kommunistischen Regimes im April 1992 beigetragen. – Interimspräsident *Burhanuddin Rabbani*, der politische Führer der »Dschamiat-i-Islami«, und die ihn unterstützenden Mudschaheddin-Führer im 9köpfigen Höchsten Rat einigen sich im Oktober auf die Einberufung einer Großen Schura (Rat der Weisen), die u. a. *Rabbanis* Nachfolger zu wählen hat. Der Paschtune *Hekmatyar* protestiert gegen das Auswahlverfahren der Delegierten der Großen Schura und die vom Höchsten Rat beschlossene Verlängerung von *Rabbanis* am 28. 10. abgelaufener Amtszeit um 6 Wochen. Er blockiert deshalb die Zufahrtsstraßen nach Kabul und nimmt Anfang Dezember nach 3monatiger relativer Ruhe die Raketenangriffe auf die Hauptstadt wieder auf. Kurz darauf geht er ein Zweckbündnis mit der von Iran unterstützten schiitischen »Hisb-i-Wahdat« ein, mit der sich bereits General *Dostam* zusammengeschlossen hatte, um die Truppen von Verteidigungsminister *Ahmed Shah Massud*, einem Tadschiken und Verbündeten *Rabbanis*, zu bekämpfen. – Alle Versuche von *Rabbanis* Gegnern, ein Zusammentreten der Großen Schura zu verhindern, scheitern. Am 30. 12. wird der Tadschike **Rabbani** mit 916 gegen 59 Stimmen bei 360 Enthaltungen **für 2 Jahre zum Präsidenten gewählt**. *Rabbani* erklärt den Höchsten Rat für aufgelöst. Die Große Schura bestimmt 267 ihrer Delegierten für ein zu bildendes Parlament. Die »Hisb-i-Islami« *Hekmatyars* und 4 weitere Mudschaheddin-Gruppen boykottieren die Wahlversammlung. – *Hekmatyar* setzt inzwischen den Raketenbeschuß Kabuls fort; zugleich liefern sich rivalisierende Mudschaheddin-Gruppen erneut Gefechte. Am 19. 1. **1993** beginnt eine neue Offensive *Hekmatyars* und seiner wechselnden Verbündeten. Nach UN-Angaben fordern die 4wöchigen Kämpfe 3000–5000 Menschenleben; 80 000 Menschen fliehen aus dem zeitweise völlig von der Außenwelt abgeschnittenen Kabul. – An den Friedensverhandlungen der verfeindeten Mudschaheddin-Gruppen in Islamabad (Pakistan) vom 3.–8. 3. nehmen auch Vertreter Pakistans, Irans und Saudi-Arabiens teil. Das am 7. 3. von den Führern der 8 anwesenden Mudschaheddin-Gruppen, darunter den beiden Hauptkontrahenten *Rabbani* und *Hekmatyar*, unterzeichnete **Friedensabkommen** sieht u. a. vor: Verkürzung der Amtszeit von Präsident *Rabbani* auf 18 Monate, Ernennung *Hekmatyars* zum Ministerpräsidenten, allgemeine Wahlen im Herbst, Waffenstillstand und Abzug der schweren Waffen aus Kabul. Zur Besiegelung ihrer Vereinbarung pilgern die Mudschaheddin am 12. 3. gemeinsam nach Medina und Mekka; König *Fahd* von Saudi-Arabien und Pakistans Ministerpräsident *Nawaz Sharif* unterzeichnen in Mekka das Abkommen vom 7. 3. als Garanten für den Friedensschluß. – *Hekmatyar* erklärt am 2. 4. die Regierung für entlassen. – Die Kämpfe in Kabul von »Hisb-i-Islami« und »Hisb-i-Wahdat« gegen die von Usbekenmilizen unterstützten Regierungstruppen fordern Mitte Mai über 900 Menschenleben. – Das Abkommen von Jalalabad vom 19. 5., das v. a. zustande kam, weil Präsident *Rabbani* dem von Ministerpräsident *Hekmatyar* geforderten Rücktritt von Verteidigungsminister *Massud* zustimmte, sieht die **Beteiligung aller Mudschaheddin-Gruppen an der Koalitionsregierung** vor; Außenminister wird *Hidayat Amin Arsallah* von der »Nationalen Islamischen Front«; 2 Ministerposten erhält die im April 1992 von General *Dostam* gegründete »Janbash Milli«/Bewegung des Nordens. *Dostam*, dessen Anhänger rd. ein Drittel Afghanistans kontrollieren, hatte an den Friedensverhandlungen in Islamabad nicht teilgenommen. *Hekmatyar* und 12 seiner Minister werden am 17. 6. in Anwesenheit von Präsident *Rabbani* in einem Dorf bei Kabul vereidigt;

7 weitere Minister konnten wegen anhaltender Kämpfe nicht erscheinen. – Vom 26.–28. 6. und am 31. 7. schlagen erneut Raketen in Kabul ein.

ÄGYPTEN Wiederholt kommt es zu **Anschlägen islamischer Extremisten** auch auf ausländische Touristen. Am 6. 11. **1992** rufen Prediger in einer Moschee in Assiut erstmals offen zum bewaffneten Kampf gegen die »ungerechte und korrupte« Regierung auf. Sie fordern die Errichtung eines islamischen Staats auf der Grundlage des Korans. 154 mutmaßliche Mitglieder der Gamaa al-Islamiya (Islamische Gemeinschaft) werden am 11. 11. verhaftet; sie sollen Anschläge auf Polizeistationen, Banken und Verwaltungsgebäude geplant haben. Zugleich **stellt die Regierung alle Moscheen und Gebetsräume unter ihre Kontrolle** und verbietet politische Erklärungen in Gotteshäusern. Bei einer zweiten Verhaftungswelle werden in Oberägypten 250 und in Alexandria 34 islamische Extremisten festgenommen. Vor dem Parlament wirft Präsident *Mohamed Hosni Mubarak* am 14. 11. Medien und Oppositionsparteien vor, die demokratische Freiheit und Toleranz zu mißbrauchen, um Gewalt zu schüren. Er warnt den Iran davor, sich in die inneren Angelegenheiten Ä. s einzumischen. – Die **Beziehungen zum Sudan** werden durch den **Grenzkonflikt um Hala'ib** (→ *Sudan*) und die Infiltration islamischer Extremisten aus dem Sudan belastet. – Erstmals seit 12 Jahren beteiligen sich am 3. 11. (mit Ausnahme der linken »Tagammu«) wieder alle Oppositionsparteien an den **Kommunalwahlen**, bei denen wieder das Listenwahlrecht angewendet wird, obwohl es 1990 vom Obersten Gerichtshof für ungültig erklärt wurde. Bei einer geringen Beteiligung der 17 Mio. Wahlberechtigten gewinnt die »Nationaldemokratische Partei«/NDP in 2370 Wahlkreisen die Mehrheit. Die islamisch-fundamentalistische »Partei der Arbeit« wird mit rd. 10 % der Mandate stärkste Oppositionspartei. – Im Kampf gegen den islamischen Fundamentalismus ernennt *Mubarak* am 18. 4. **1993** den bisherigen Gouverneur der Provinz Assiut, Gen. *Hassan Mohammed al-Alfi*, zum **neuen Innenminister**. Der parteilose Polizeioffizier war als Chef der Behörde zur Bekämpfung der Korruption hervorgetreten. – Der **Oberste Gerichtshof verurteilt** zu gleicher Zeit **7** islamische Extremisten wegen der Anschläge auf Touristen in Oberägypten **zum Tode**; die Hinrichtung erfolgt am 8. 7. – **Präsident** *Mubarak* wird am 21. 7. von den Parlamentsabgeordneten mit 439 gegen 7 Stimmen **für eine 3. Amtszeit nominiert**.

ALBANIEN Mitte September **1992** wird der letzte kommunistische Staats- und Parteichef *Ramiz Alia* unter Hausarrest gestellt. Ihm wird von der Staatsanwaltschaft »**Veruntreuung von Staatsver-**

mögen sowie gemeinschaftlicher Machtmißbrauch mit anderen bereits verhafteten früheren kommunistischen Führern« vorgeworfen. Im ersten großen Prozeß gegen ein Mitglied der früheren kommunistischen Führung wird am 27. 1. 1993 die Witwe des 1985 verstorbenen Staats- und Parteichefs *Enver Hoxha*, *Nexhmije Hoxha*, von einem Gericht in Tirana wegen Veruntreuung von Staatsgeldern zu 9 Jahren Haft verurteilt. Am 28. 7. 1993 hebt das Parlament die Immunität des früheren Ministerpräsidenten (1991) und derzeitigen Vorsitzenden der oppositionellen Sozialistischen Partei/PPSH (Ex-Kommunisten), *Fatos Nano*, auf, um die Einleitung eines Verfahrens gegen ihn wegen Korruption zu ermöglichen. – Am 20. 9. 1992 formiert sich in Tirana eine neue **demokratische Partei** »Alternative Demokratie«, die sich teilweise aus ehem. Mitgliedern der regierenden Demokratischen Partei Albaniens/PDA zusammensetzt, sich nachdrücklich von den ehem. Kommunisten distanziert und sich nach Europa orientiert. Am 3. 11. spaltet sich von der PDA eine »Demokratische Allianz« ab. – Mit der **EFTA** wird am 10. 12. eine gemeinsame Erklärung über die Vertiefung der wirtschaftlichen Zusammenarbeit unterzeichnet. – Beim Besuch im Brüsseler **NATO**-Hauptquartier beantragt Präsident *Sali Berisha* am 16. 12. die Aufnahme A. s in die NATO. – Anläßlich eines Besuchs des **bulgarischen** Staatspräsidenten *Schelju Schelew* wird am 14. 2. **1993** ein Freundschafts- und Kooperationsvertrag unterzeichnet, der die Bereiche Wirtschaft, regionale Sicherheit, Militär, Kulturgüter und Umweltschutz umfaßt. – Der **türkische** *Turgut Özal* legt am 19. 2. in Tirana ein 15-Jahres-Programm zur wirtschaftlichen Entwicklung A. s vor, das v. a. dem Ausbau der Häfen und dem Tourismus dienen soll. Zuvor war bereits ein Abkommen über militärische Zusammenarbeit unterzeichnet worden. – Im Februar 1993 beginnt Griechenland mit der Abschiebung illegal eingereister Albaner (→ *Griechenland*).

ALGERIEN Auch nach dem Wechsel an der Staatsspitze kommt es nicht zur Beruhigung der inneren Lage. Am 3. 10. **1992** treten mit der Unterzeichnung durch Staatschef *Ali Kafi* neue **Antiterrorgesetze** in Kraft, die die Vollmachten der Polizei erweitern. – Zusätzlich zum Ausnahmezustand wird am 5. 12. für Algier und 6 benachbarte Provinzen eine nächtliche **Ausgangssperre** verhängt; in 26 Städten, in denen die »Islamische Heilsfront«/FIS die Macht ausübt, werden die kommunalen Entscheidungsträger abgesetzt. Gleichzeitig läuft das Angebot der Regierung an Oppositionelle aus, sich freiwillig den Behörden zu stellen und im Gegenzug Straffreiheit zu erhalten. – Ein Militärgericht in Bechar verhängt am 8. 1. **1993** wegen Gefährdung der Staatsgewalt **19 Todesurteile**. Insgesamt waren 79

Militärangehörige und 8 Zivilisten angeklagt, Kontakte zur verbotenen FIS gehabt zu haben. – Am 7. 2. **verlängert** das Hohe Staatskomitee/HCE den **Ausnahmezustand** auf unbestimmte Zeit. – Wegen Hochverrats und Polizistenmord verurteilt am 7. 8. ein Sondergericht 34 muslimische Extremisten zum Tode; seit Beginn des Ausnahmezustandes (9. 2. 1992) wurden gegen die FIS 214 Todesurteile gefällt. – **Regierungschef** Belaïd Abdessalam wird am 21. 8. vom HCE **seines Amtes enthoben.** Außenminister Redha Malek, selbst Mitglied des HCE, tritt seine Nachfolge an. Malek gilt im Gegensatz zu Abdessalam, dem eine zu große Gesprächsbereitschaft gegenüber den islamischen Fundamentalisten vorgeworfen wurde, als Verfechter eines harten Kurses. Am selben Tag fällt der frühere Regierungschef Kasdi Merbah einem **Mordanschlag** zum Opfer. Merbah, früherer Chef des militärischen Sicherheitsdienstes, hatte offen gegen den Islamismus Stellung bezogen. Seit der von der Armee unterstützten Machtübernahme des HCE (→ WA '93, Sp. 28) wurden bei Auseinandersetzungen zwischen Sicherheitskräften und Fundamentalisten mehr als 1200 Menschen getötet.

ANDORRA   Am 14. 3. **1993** stimmen 6910 bzw. 74,2% der 9123 Wahlberechtigten in einem Referendum für eine **demokratische Verfassung,** die das seit 1278 bestehende Feudalsystem abschafft. Die Souveränität geht vom französischen Staatspräsidenten (z. Z. François Mitterrand) und dem Bischof der katalanischen Stadt Seo de Urgel (z. Z. Joan Martí Alanis) auf die Bürger und die Volksvertretung an Andorra über. Die beiden bleiben allerdings traditionsgemäß als »Co-Princeps« Staats-

Andorra wird als souveräner Staat als 184. Mitglied in die UNO aufgenommen

oberhaupt, mit Vetorechten bei internationalen Verträgen und der Gesetzgebung. Der Verfassungsentwurf war von den beiden Lehnsherren am 19. 12. 1992 formell angenommen und am 2. 2. 1993 von den 28 Mitgliedern des Generalrats der Täler (= Parlament von Andorra) einstimmig gebilligt worden; er tritt am 4. 5. formell in Kraft. Erstmals werden damit Menschenrechte und politische Freiheiten garantiert und die Gründung von Parteien und Gewerkschaften zugelassen. Als Landessprache wird das Katalanische festgeschrieben. Die Regierung kann künftig Abgaben auf Einkommen erheben, was besonders die rd. 35 000 im »Steuerparadies Andorra« gemeldeten Ausländer trifft. – Am 4. 6. wird ein Vertrag über gute Nachbarschaft, Freundschaft und Zusammenarbeit mit Frankreich und Spanien geschlossen; am 28. 7. wird A. 184. UNO-Mitgliedstaat.

ANGOLA   Nach Jahren des Bürgerkriegs gelingt es nur mühsam, auf der Basis des im Mai 1991 vereinbarten Friedensabkommens Fortschritte im Demokratisierungsprozeß des Landes zu erzielen. Am 29. und 30. 9. **1992** sind die Angolaner aufgerufen, erstmals seit der Unabhängigkeit von Portugal 1975 den Staatspräsidenten und das Parlament in einer **freien Wahl** zu bestimmen. Der amtierende Staatspräsident José Eduardo dos Santos von der »Movimento Popular de Libertaçao de Angola«/MPLA verfehlt mit 49,5% knapp die absolute Mehrheit; Jonas Savimbi erhält als Kandidat der »Uniao Nacional para Independência Total de Angola«/UNITA 40%. Für den hierdurch erforderlichen 2. Wahlgang gibt es keine Einigung. In der Nationalversammlung erhält die MPLA mit einem Stimmenanteil von 53,74% die absolute Mehrheit; die UNITA kommt auf 34,1%. Die **UNITA weigert sich, das Wahlergebnis** wegen angeblicher Wahlfälschungen **anzuerkennen** und nimmt den Bürgerkrieg wieder auf. In Luanda kommt es zu **schweren Gefechten** zwischen UNITA-Aktivisten und Regierungssoldaten, die **mehrere tausend Todesopfer** fordern; das UNITA-Hauptquartier wird am 31. 10. bei einem Artillerieangriff völlig zerstört. Einer **Allparteienkonferenz** am 21. 11. zur Beilegung des Konflikts bleibt die UNITA fern. Die **Nationalversammlung konstituiert sich** am 26. 11. **ohne die** Abgeordneten der **UNITA.** Am gleichen Tag vereinbaren MPLA und UNITA unter UNO-Vermittlung einen **erneuten Waffenstillstand.** Dennoch gehen die Kampfhandlungen weiter; bis Jahresende kontrolliert die UNITA rd. $^2/_3$ des Landes. – Staatspräsident dos Santos ernennt am 27. 11. den MPLA-Generalsekretär Marcolino José Carlos Moco zum **neuen Premierminister** und Nachfolger von Fernando José de Franca Dias van Dunem, der Parlamentspräsident wird. Neuer Außenminister

Bürgerkrieg in Angola

wird *Venancio de Moura*. Das Kulturressort sowie die Ämter von vier Vizeministern reserviert *dos Santos* für die UNITA, die sich trotz anfänglich signalisierter Kompromißbereitschaft zu keiner Koalition bereit erklären. – In den ersten Monaten des Jahres **1993 eskaliert der Bürgerkrieg aufs neue**: Besonders umkämpft ist Huambo, die zweitgrößte Stadt des Landes. Der vorübergehenden Einnahme durch Regierungstruppen am 10. 1. folgt eine 56 Tage dauernde Belagerung, bis die UNITA-Einheiten »ihre Hauptstadt« am 7. 3. zurückerobern. Die Regierung spricht von 12 000 Toten und 15 000 Verletzten. Mehrmals angesetzte **Friedensgespräche scheitern**. – Nach 18jähriger Gegnerschaft zu der einstmals marxistischen Regierung in Luanda normalisieren die USA am 19. 5. mit der Anerkennung der Regierung *dos Santos* ihre Beziehungen zu A. Das US-Waffenembargo bleibt jedoch bestehen. Gleichzeitig **beenden die USA die jahrelange Unterstützung der UNITA**. – Das Parlament beschließt am 18. 6. die **Generalmobilmachung**.

ARGENTINIEN Präsident *Carlos Saúl Menem* übergibt am 3. 2. **1992** dem Generalarchiv der Nation **Unterlagen über** ins Land geflohene **Naziverbrecher** wie *Adolf Eichmann, Josef Mengele* und *Martin Bormann*. – Nach mehreren Jahren der Rezession führen die **Wirtschaftsreformen** zu einer Konjunkturbelebung. Das Wirtschaftswachstum liegt 1992 bei etwa 6,5 %, die Inflationsrate von 1344 % (1990) auf etwa 10,5 % zurück. Der neu eingeführte Peso, der an den US-Dollar gebunden ist, trägt zur Senkung der Inflationsrate bei. Allein die **Privatisierung der Staatsunternehmen** bringt dem

Staat Einnahmen von 20 Mrd. $. – Mit den Gläubigerbanken unterzeichnet A. am 6. 12. die im April vereinbarte **Umschuldung** von 29,2 Mrd. $ Altschulden und Zinsrückständen. Die Banken verzichten im Rahmen der Brady-Initiative auf rd. 30 % ihrer Forderungen, was den Schuldendienst um jährlich rd. 980 Mio. $ entlastet. Darüber hinaus gewährt der IWF einen Kredit von rd. 460 Mio. $ zur Zinstilgung. – Zur Belebung der Wirtschaft will die Regierung mehr als 250 000 Einwanderer, insbesondere Wolgadeutsche, Russen, Ukrainer und Kroaten, im Süden des Landes ansiedeln. Die EG fördert das Projekt. – Am 10. 12. versammeln sich rd. 10 000 Menschen auf der Plaza de Mayo in Buenos Aires, um an die über **20 000 Verschwundenen** des »schmutzigen Krieges« zu erinnern. Die Führerin der »Mütter der Plaza de Mayo«, *Hebe de Bonafini*, beschuldigt die Justiz der Korruption und der Komplizenschaft mit den Verbrechern der Militärdiktatur.

ARMENIEN Die Ministerpräsidenten Rußlands und Armeniens, *Jegor Gaidar* und *Chosrow Arutunjan*, unterzeichnen am 30. 9. **1992** einen Wirtschaftsvertrag. Ein von den Präsidenten beider Staaten, *Boris Jelzin* und *Lewon Ter-Petrosjan*, am 11. 1. **1993** in Moskau unterzeichnetes **Abkommen über Freundschaft und Zusammenarbeit** sieht auch russische Hilfe bei der Versorgung Armeniens mit Rohstoffen, Energie und Lebensmitteln sowie eine Beteiligung Rußlands an der Lösung des Konflikts um Nagornij Karabach vor. – Am 1. 2. werden die Preise für Brot, Strom und Gas um das 3–10fache erhöht; am 15. 10. 1992 war Brot rationiert worden. Wegen des von Aserbaidschan seit Ausbruch der Kämpfe um Nagornij Karabach verhängten Wirtschaftsembargos leidet A. unter erheblichem Mangel an Lebensmitteln und Energie; infolgedessen mußten viele Betriebe schließen. – Wegen Differenzen in der Wirtschaftspolitik entläßt Präsident *Ter-Petrosjan* am 2. 2. 1993 Ministerpräsident *Arutunjan*. Der bisherige stellv. Regierungschef und Wirtschaftsminister **Grant Bagratjan**, der für einen schnellen Übergang zur Marktwirtschaft eintritt, wird am 12. 2. zum **neuen Ministerpräsidenten** ernannt; *Vagan Papasian* wird Außenminister. – Am 5. 2. fordern rd. 100 000 Menschen in Eriwan den Rücktritt von Präsident *Ter-Petrosjan*, Parlamentsneuwahlen und die Einberufung einer Verfassunggebenden Versammlung. – Nach der Einnahme der aserbaidschanischen Stadt Kelbadschar am 3. 4. durch armenische Selbstverteidigungseinheiten aus Nagornij Karabach stoppt die Türkei den Anfang Februar erstmals zugelassenen Transport europäischer Hilfsgüter an Armenien durch ihr Gebiet. – Die Erdgasversorgung ist am 6. 4. nach einem erneuten Anschlag in Georgien auf die Pipeline, die Erdgas über Georgien in das rohstoffarme Armenien leitet, zum 5. Mal in diesem Jahr unterbrochen; nach der Einstellung der aserbaidschanischen Energielieferungen ist diese Pipeline die einzige Energiequelle für A.

ASERBAIDSCHAN Der **Nationalrat lehnt** am 7. 10. **1992** mit 43 gegen eine Stimme die **Ratifizierung des Vertrags über den Beitritt zur GUS ab** (→ *Kap. Internationale Organisationen*); zugleich kündigt Präsident *Abulfas Eltschibei* an, A. werde der GUS als Beobachter oder als assoziiertes Mitglied angehören. – Am 22. 12. beschließt der Nationalrat, **Türkisch als Amtssprache** einzuführen; damit wird auch die lateinische Schrift übernommen. – General *Dadasch Rsajew* wird am 21. 2. **1993** neuer Verteidigungsminister als Nachfolger von *Rachim Gasijew*, der nach erneuten militärischen Rückschlägen im Krieg um Nagornij Karabach zurücktreten mußte. – Nach der Einnahme der Stadt Kelbadschar durch Armenier am 3. 4. verhängt Präsident *Eltschibei* einen auf 60 Tage befristeten **Ausnahmezustand**. – Die türkische Regierung bestätigt am 15. 4. erstmals Waffenlieferungen an Aserbai-

dschan unter Verweis auf das 1992 geschlossene, jedoch noch nicht ratifizierte aserbaidschanisch-türkische Abkommen. – Am 4. 6. 1993 bringen bewaffnete Anhänger von *Surat Husseinow* die westaserbaidschanische Stadt Gjandscha unter ihre Kontrolle; *Husseinow*, der Mitte Februar nach militärischen Niederlagen in den Kämpfen um Nagornij Karabach sein Amt als Sonderbeauftragter von Präsident *Eltschibei* für die Enklave verlor, fordert den Rücktritt des Präsidenten und dessen Regierung, die er für die Niederlagen im Krieg um Nagornij Karabach verantwortlich macht. Zur Beilegung der innenpolitischen Krise bietet Präsident *Eltschibei* am 9. 6. *Gaidar Alijew* den Posten des Ministerpräsidenten an; *Alijew* lehnt ab. Der Nationalrat wählt am 15. 6. *Alijew*, den ehem. KP-Chef Aserbaidschans und früheres Mitglied des sowjetischen Politbüros, zum neuen Parlamentspräsidenten; er löst den am 12. 6. zurückgetretenen *Isa Gambarow* ab. **Präsident Eltschibei flieht** am 18. 6. vor der unter Führung *Surat Husseinows* auf Baku vorrückenden Rebellen in die Exklave Nachitschewan, erklärt aber nicht seinen Rücktritt. Nach seiner Flucht er-

Kämpfe um Nagornij Karabach

Die seit 1988 andauernden Kämpfe zwischen Armeniern und Aserbaidschanern um die in Aserbaidschan gelegene, vorwiegend von Armeniern bewohnte Region Nagornij Karabach werden zunehmend auf aserbaidschanisches Territorium außerhalb der Enklave ausgedehnt. – Im September und Oktober **1992**, aber auch im Januar **1993** wehren die Selbstverteidigungskräfte Nagornij Karabachs mehrere Offensiven zur Rückeroberung des strategisch wichtigen Korridors von Latschin ab. – Nach tagelangen Kämpfen erobern Armenier am 3. 4. die westaserbaidschanische Stadt Kelbadschar und schaffen damit einen **2. Landkorridor zum Territorium Armeniens**. Damit kontrollieren Armenier jetzt rund 10 % des Territoriums Aserbaidschans. Das UN-Flüchtlingswerk berichtet am 6. 4., Zehntausende von Menschen seien auf der Flucht, 27 000 Personen seien im umkämpften Gebiet eingeschlossen. – Der UN-Sicherheitsrat äußert in der am 30. 4. verabschiedeten Resolution 822 v. a. Besorgnis über die Intensivierung der bewaffneten Auseinandersetzungen. – Am 16. 4. verkünden die Armenier eine einseitige Feuerpause. – Armenier erobern am 27. 6. Mandakert, die letzte bisher von Aserbaidschan gehaltene Stadt in Nagornij Karabach. – Eine revidierte Fassung des von Rußland, der Türkei

und den USA ausgearbeiteten KSZE-Friedensplans, dessen erster Version die Regierungen in Baku und Eriwan Ende Mai zustimmten, wird am 11. 7. von beiden akzeptiert, die Führung von Nagornij Karabach dagegen äußert Bedenken aufgrund der instabilen politischen Lage in Aserbaidschan. Der Friedensplan sieht einen Waffenstillstand, den Rückzug der Armenier aus dem Bezirk Kelbadschar und die Stationierung von KSZE-Beobachtern vor. – Am 23. 7. erobern Armenier die östlich der Enklave gelegene aserbaidschanische Stadt Agdam. – Vertreter Aserbaidschans und Nagornij Karabachs vereinbaren bei ihren ersten Direktgesprächen am 28. 7. eine Verlängerung der Waffenruhe vom 25. 7. – Der UN-Sicherheitsrat verurteilt am 29. 7. erneut die Gebietseroberungen »örtlicher armenischer Streitkräfte« und die Angriffe auf Zivilisten; er fordert die Einhaltung des Waffenstillstands sowie den Rückzug der armenischen Einheiten aus allen besetzten Gebieten in Aserbaidschan. – Am 23. 8. erobern Armenier die südlich der Enklave gelegene aserbaidschanische Stadt Fusuli; armenische Einheiten aus Nagornij Karabach hatten in den vergangenen 3 Wochen die Kontrolle über mindestens 45 weitere aserbaidschanische Orte südlich der Enklave übernommen.

nennt *Eltschibei* am 21. 6. *Wachid Achmedow* zum 4. Ministerpräsidenten in diesem Jahr. Am 24. 6. stimmt der Nationalrat mit 33 gegen 3 Stimmen bei einer Enthaltung für die **Entmachtung von Präsident** *Eltschibei*, 10 Abgeordnete der Volksfront boykottieren die Abstimmung. **Parlamentspräsident Alijew** werden die **Machtbefugnisse des Präsidenten übertragen**. Der amtierende Staatspräsident *Alijew* beginnt am 26. 6. mit der Regierungsbildung; neuer Außenminister wird der bisherige stellv. Außenminister Albert Salsamow. *Alijew* und *Husseinow*, der noch am 21. 6. alle Macht für sich forderte, einigen sich am 27. 6. auf den Rückzug der bis Baku vorgedrungenen Rebellen. Der Nationalrat wählt am 30. 6. den von *Alijew* nominierten **Husseinow** mit 36 gegen eine Stimme zum **neuen Ministerpräsidenten**, der auch die Ministerien für Inneres, Innere Sicherheit und Verteidigung übernimmt. – Der amtierende Präsident *Alijew* verfügt am 1. 7. die Generalmobilmachung für alle 18–26jährigen Männer. – General *Wachid Musajew* wird Mitte August zum 6. Verteidigungsminister in weniger als 2 Jahren ernannt. – Bei einem Referendum, dessen Durchführung der Nationalrat am 29. 7. beschlossen hatte, sprechen am 29. 8. 97,5 % der Teilnehmer dem geflüchteten und entmachteten, aber nicht zurückgetretenen Präsidenten *Eltschibei* das Mißtrauen aus. Nach einem Beschluß des Nationalrats werden am 3. 10. Präsidentschaftswahlen stattfinden.

AUSTRALIEN Premierminister *Paul Keating* gibt am 17. 12. **1992** bekannt, daß Einwanderer künftig keinen Treueeid mehr auf die britische Königin ablegen müssen, sondern nur noch einen Loyalitätseid auf Australien; *Keating* strebt die Umwandlung Australiens in eine Republik mit eigenem Staatsoberhaupt bis 2001 an. – Nach Niederlagen der Labor Party bei den Wahlen zu den Parlamenten der Gliedstaaten Victoria am 3. 10. und Westaustralien am 6. 2. **1993** stellt die Labor Party nur noch in 2 der 8 Teilstaaten und Territorien die Regierung. Bei den daraufhin vorgezogenen **Wahlen zum Repräsentantenhaus** am 13. 3. siegt die Labor Party überraschend zum 5. Mal in Folge. Im 30köpfigen Kabinett von Premierminister *Keating*, das am 24. 3. vereidigt wird, sind 11 neue Minister; *Gareth Evans* bleibt Außenminister, *Robert Ray* Verteidigungsminister. Seine wichtigsten Aufgaben sieht *Keating* in der Wirtschaftspolitik und in Maßnahmen zur Überwindung der Rezession. – Der Ausbau der bilateralen Wirtschafts- und Handelsbeziehungen steht im Mittelpunkt des Besuchs des vietnamesischen Ministerpräsidenten *Vo Van Kiet* vom 26.–30. 5. in A.. Anfang Mai hatte A. Vietnam Finanzhilfe in Höhe von 100 Mio. aust. $ gewährt. – Nach jahrelangen Verhandlungen einigen sich die britische

und die australische Regierung Ende Juni, die Kosten von 101 aust. $ für die Dekontaminierung eines Atomwaffentestgeländes gleichmäßig zu teilen; die britischen Streitkräfte hatten in A. von 1953–63 oberirdische Atomwaffentests durchgeführt. – Die Regierung senkt die Einwandererquote für das am 1. 7. beginnende Fiskaljahr 1993/94 um 4000 auf 76 000. Nach offiziellen Angaben sind 85 404 Menschen zwischen März 1992 und März 1993 eingewandert, 20 % weniger als im Vorjahr.

BELGIEN Am 4. 11. **1992** verabschiedet der Senat mit 115 gegen 26 (Grüne, Volksunie und Vlaams Blok) Stimmen bei 1 Enthaltung das **Vertragswerk von Maastricht** über die Europäische Union, dem die Abgeordnetenkammer am 16. 7. zugestimmt hatte. Am 23. 11. billigt auch der Rat der Deutschsprachigen Gemeinschaft den Vertrag, worauf die Ratifizierungsurkunde am 26. 11. vom König unterzeichnet wird. – Der letzte Parteitag der flämischen Partei für Freiheit und Fortschritt/PVV vom 12. bis 15. 11. billigt die Umwandlung der PVV in »**Flämische Liberale und Demokraten/VLD**«, die für die Aufteilung der Staatsschuld und der Sozialversicherung auf Flandern und die Wallonie sowie für ein selbständiges Flandern in einem föderalen Europa eintreten. – Da es Ministerpräsident *Jean-Luc Dehaene*/CVP am 11. 11. nicht gelingt, die Vierparteienkoalition zur Senkung des Budgetdefizits im **Haushalt 1993**, der Ausgaben von 1713,1 Mrd. bfr und Einnahmen von 1359,4 Mrd. bfr vorsieht, um 110 Mrd. bfr zu bewegen, kommt es zu einer mehrmonatigen Regierungskrise. – Am 30. 3. **1993** einigen sich die Koalitionsparteien schließlich auf einen Kompromiß, der bis Ende 1994 **höhere Steuern und Sparmaßnahmen** von je 42 Mrd. bfr sowie zusätzliche Einnahmen von 29 Mrd. bfr durch die Privatisierung von Staatsbetrieben vorsieht. Mit dem Sparprogramm soll das Haushaltsdefizit sukzessive auf 3 % des BSP gesenkt werden, Bedingung für die Teilnahme an der Europäischen Wirtschafts- und Währungsunion/WWU im Rahmen des Maastrichter Vertrages, nicht jedoch die Voraussetzung bei der **Staatsschuld** zu schaffen, die mit rd. 10 Bill. bfr 139 % des BSP ausmacht, während der Maastrichter Vertrag nur eine Verschuldung von 60 % erlaubt. – Die Abgeordnetenkammer billigt am 11. 6. die Einführung einer **Umweltsteuer**; der Senat stimmt am 14. 6. zu. Danach müssen die Bürger vom 1. 4. 1994 an je nach Produkt zwischen 7 und 300 bfr an den Staat abführen. – Am 23. 4. billigt das Parlament die beiden letzten von insgesamt 34 Verfassungsänderungen zur **Umwandlung des Königreichs in einen Bundesstaat** aus 3 autonomen Regionen (»Ländern«): Flandern, Wallonien und Brüssel-Hauptstadt. Mit der Unterschrift des Königs in den 3 Landessprachen (französisch: *Baudouin*, niederländisch: *Boudewijn* und deutsch: *Balduin*) und der Veröffentlichung im Staatsblatt wird der Übergang vom Einheits- zum föderalen Staat am 8. 5. rechtskräftig und mit der Verabschiedung der nötigen Ausführungsgesetze durch das Parlament am 14. 7. vollendet. Mehr als 30 Jahre hatten die Parteien aus dem reicheren Flandern und dem ärmeren Wallonien um die Umgestaltung des 1831 entstandenen Königreichs zu einem Bundesstaat nach deutschem Vorbild gerungen. Nachdem die 3 Sprachgemeinschaften – Flamen, Frankophone, Deutschsprachige – 1970 eine beschränkte kulturelle Autonomie erhalten hatten, 1980 mit der Schaffung regionaler Exekutiven und Parlamente für Flandern und Wallonien die Grundlage für die Staatsreform gegeben war, wurde 1988/89 eine eigene Region Brüssel-Hauptstadt gebildet, 40 % der Staatsfinanzen sowie die Zuständigkeiten für Bildung, Wissenschaft, Energie, Wasserwirtschaft und Infrastruktur an die Exekutiven der nunmehr 3 Regionen abgegeben. Kernstück der von der Koalitionsregierung unter

Jean-Luc Dehaene/CVP am 28. 9. 1992 vereinbarten und verwirklichten 3. Reformphase ist die Änderung des parlamentarischen Systems: Alle Abgeordneten auf Bundes- und Regionalebene werden – erstmals 1994 – direkt gewählt. Die Abgeordnetenkammer ist nach der Verkleinerung auf 150 (vorher 212) Sitze die wichtigste gesetzgebende Instanz für die nationale Politik, während der auf 71 (174) Sitze verkleinerte Senat vorrangig der Konfliktregelung zwischen den Regionen dient. Die Regionen haben weitreichende Kompetenzen bei Landwirtschaft, Wissenschaft, Sozialem und Umweltschutz sowie das Recht, mit Drittstaaten Verträge zu schließen; sie werden stärker in den Außenhandel einbezogen und dürfen einige Steuern selbst erheben, darunter die Erbschafts- und Immobiliensteuer sowie einen Zuschlag zur Einkommensteuer. Die deutsche Sprachgemeinschaft, die weiterhin der Region Wallonien angehört, behält ihre Eigenständigkeit in den Bereichen Kultur, Jugend, Bildung und Tourismus. – Am 5. 7. findet in Brüssel die

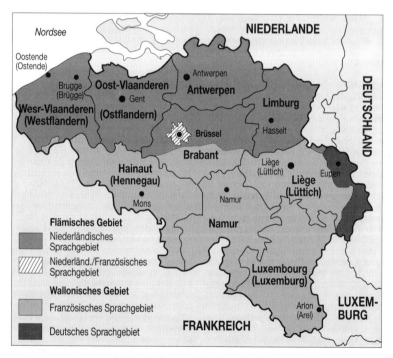

Belgien: Regionen und Sprachgemeinschaften

erste Konferenz der Regierungschefs der 3 Teilstaaten (Regionen) statt. Die Teilnehmer vereinbaren regelmäßige Treffen; in der Zwischenzeit sollten die Fachminister mit Projekten von gemeinsamem Interesse befaßt sein, damit die Teilstaaten in den Verhandlungen mit der Zentralregierung möglichst gemeinsame Standpunkte vertreten könnten. Sie beschlossen, daß Belgien bei Diskussionen im EG-Ministerrat über Themen, die in die alleinige Kompetenz der Teilstaaten fallen, durch einen Fachminister aus ihren Reihen vertreten sein soll. In Ländern, mit denen Belgien einen großen Teil seines Außenhandels abwickelt, sollen Flandern, Wallonien und Brüssel durch eigene Handelsattachés vertreten sein. – Nach dem Tod des kinderlosen Königs *Baudouin I.* am 31. 7. wird am 9. 8. dessen Bruder, *Prinz Albert von Lüttich,* vor dem Parlament als **König Albert II.** vereidigt..

BOLIVIEN Am 17. 2. **1993** unterzeichnen die brasilianische Petrobras und die bolivianische Erdölfirma YPFB in Anwesenheit der Präsidenten beider Länder in Cochabamba einen **Erdgas-Vertrag.** Er sieht vor, daß B. ab 1997 für 20 Jahre täglich 16 Mio. m^3 Erdgas an Brasilien liefert. Hierzu wird eine 2233 km lange Gasleitung von den Erdgasfeldern bei Campo Grande in den Bundesstaaten São Paulo und Paraná gebaut. Die Baukosten in Höhe von 2 Mrd. US-$ will Brasilien zu 80% tragen. – Nach langwierigen Verhandlungen mit der Gewerkschaftszentrale COB erklärt sich die Regierung am 24. 3. mit Lohnerhöhungen für die 250000 Arbeiter und Angestellten des öffentlichen Dienstes einverstanden. Außerdem sicherte sie der COB zu, daß die Erdöl-, Bergbau-, Eisenbahn-, Telekommunikations- und Flughafenunternehmen weiterhin im Staatsbesitz bleiben. – Am 12. 5. beschließt die Regierung, mit dem Bau des Staudamms Misicuni in der Provinz Cochabamba zur Gewinnung von Energie und Trinkwasser sowie zur Bewässerung von 15000 Hektar Land zu beginnen. Seine Kosten werden auf 236 Mio. $ veranschlagt, und er zählt damit zum bisher teuerste staatliche Entwicklungsvorhaben. – Das Oberste Gericht verurteilt am 21. 4. den ehemaligen Militärdiktator *Luis Garcia Meza* in Abwesenheit zu 30 Jahren Haft ohne die Möglichkeit der Begnadigung. Ihm werden 49 Verbrechen zur Last gelegt, darunter Völkermord, Freiheitsberaubung, Folter und Bereicherung. – Bei den **Parlamentswahlen** am 6. 6. gewinnt mit 34% der Stimmen die oppositionelle National-Revolutionäre Bewegung/ MNR des Bergwerksbesitzers *Gonzalo Sánchez de Lozada;* für das Bündnis Patriotische Übereinstimmung, für das Ex-Diktator *Hugo Banzer Suarez* angetreten ist, stimmen 20%. Bei der erforderlichen Stichwahl um die **Präsidentschaft** wird *Sán-*

chez de Lozada am 6. 8. vom Kongreß zum neuen Staatsoberhaupt gewählt. – Am 19. 7. paraphieren die Außenminister B.s und Chiles ein **bolivianisch-chilenisches Abkommen** über die verstärkte Zusammenarbeit in den Bereichen Wirtschaft, Verkehr, Tourismus und Bekämpfung des Drogenhandels. Zudem wollen sich beide Seiten um die Lösung aller Probleme im Zusammenhang mit der Grenzziehung (Anspruch Boliviens auf einen Zugang zum Pazifik) bemühen. – Am 30. 7. übergibt der peruanische Präsident *Alberto Fujimori* wie im Januar 1992 vereinbart *(→ WA '93, Sp. 34)* seinem bolivianischen Amtskollegen **in der peruanischen Hafenstadt Ilo** eine 162 ha große **Freihandelszone** sowie bestimmte Nutzungsrechte an den dortigen Hafenanlagen. B. hat damit über einen 1400 km langen Transitkorridor vom bolivian. Grenzort Suárez nach Ilo erstmals seit 1879, als es im Salpeterkrieg (1879–1883) gegen Chile seine Küstenprovinz verlor, wieder einen **Zugang zum Pazifik.**

BOSNIEN-HERZEGOWINA Durch das Kriegsgeschehen *(→ Kasten Sp. 39 ff.)* ist der Rechtsstaat Bosnien-Herzegowina zusammengebrochen; die meisten staatlichen Institutionen haben sich aufgelöst, Parlament und Regierung sind weitgehend handlungsunfähig, der Staat hat de facto zu existieren aufgehört. Die bosnischen Kroaten und Serben haben einseitig eigene »Republiken« auf dem von ihnen kontrollierten Territorium proklamiert: die »Kroatische Gemeinschaft Herceg-Bosna« (am 3. 7. 1992) bzw. die »Serbische Republik« (am 7. 4. 1992). – Unbeeindruckt von internationalen Protesten setzen die Serben und Kroaten, aber auch die Muslime, in den von ihnen eroberten Gebieten »ethnische Säuberungen«, verbunden mit zahlreichen Greueltaten, fort. – Am 1. 11. **1992** beschließen die bosnischen Serben die Vereinigung ihrer »Serbischen Republik« mit der »Serbischen Republik Krajina« in → *Kroatien; am 24. 4. 1993* proklamieren sie eine »gemeinsame Versammlung« der »Parlamente« der Serben in Bosnien-Herzegowina und in Kroatien (Krajina). – Am 10. 11. 1992 wird Mile Akmadžić von der Kroatischen Demokratischen Gemeinschaft/HDZ zum neuen bosnischen Ministerpräsidenten einer Koalitionsregierung mit der muslimischen Demokratischen Aktionspartei/SDA ernannt. – Die im Januar 1993 aufgenommenen Genfer Friedensverhandlungen blieben bisher ohne Erfolg: Während der *Vance-Owen*-Friedensplan vom 2. 1. **1993** noch einen Einheitsstaat mit 10 autonomen gemischt-ethnischen Provinzen vorsah, geht der Teilungsplan der Jugoslawien-Vermittler *David Owen* und *Thorvald Stoltenberg* vom 20. 8. von 3 nach Nationa-

(Fortsetzung → Sp. 51).

Der Krieg um Bosnien-Herzegowina

Nach der Anerkennung der Unabhängigkeit von Bosnien-Herzegowina (serbokroatisch: Bosna i Hercegovina/**BiH**) durch die EG-Staaten im April 1992 eskalierte der Bürgerkrieg in der ehemaligen jugoslawischen Teilrepublik *(Vorgeschichte →* *WA '93, Sp. 34 ff. u. 88 ff.).* Die bosnischen Serben (Bevölkerungsanteil vor Kriegsbeginn: 32 %) weigerten sich, in einem von bosnischen Muslimen (44 %) dominierten unabhängigen Staat zu leben. Die Losung des serbischen Präsidenten *Slobodan Milošević,* »alle Serben in einen Staat«, wurde von den bosnischen Serben fortan mit Waffengewalt verfolgt. Die bosnischen Kroaten (17 %) wahrten ihre Interessen in dem Gebiet nahe der Grenze zu Kroatien und rund um Mostar, das auch Hauptstadt der von ihnen ausgerufenen »Republik Herceg-Bosna« ist. Kriegsverlierer sind die bosnischen Muslime, die im Gegensatz zu den Serben und Kroaten über keine schlagkräftige Armee verfügen. Bis September 1993 wurden 2,8 Mio. Menschen aus ihren Heimatorten vertrieben, fast 200 000 fanden den Tod. Bemühungen von UNO und EG um eine politische Lösung des Konflikts blieben – behindert durch gegensätzliche Interessen – erfolglos. Man beschränkte sich auf eine unzureichende Verteilung von Nahrungsmitteln und Medikamenten – überwiegend über eine internationale Luftbrücke nach Sarajevo und durch Abwurf aus der Luft; UN-Hilfskonvois zu Lande wurden durch die Kriegsparteien behindert, geplündert oder abgewiesen. Erst als Berichte über die von allen Konfliktparteien begangenen »ethnischen Säuberungen« und Greueltaten immer mehr in die Weltöffentlichkeit drangen, entschloß man sich im April 1993 zu einer Verschärfung der Wirtschaftssanktionen gegen Rest-Jugoslawien. Westliche Politiker forderten einen Militärschlag; doch mit Blick auf ihre in BiH stationierten UNO-Kontingente lehnten vor allem Großbritannien und Frankreich Luftangriffe gegen serbische Stellungen ab. Alle bisher von den Jugoslawien-Vermittlern der UNO und EG unterbreiteten Friedenspläne scheiterten an der territorialen Frage: Keine der 3 Konfliktparteien ist bereit, von den eigenen Vorstellungen einer ethnischen Dreiteilung der Republik abzurücken. Nach dem am 20. 8. 1993 in Genf vorgelegten Teilungsplan sollen die Serben 52 %, die Muslime 31 % und die Kroaten 17 % des ehemaligen Staatsgebietes erhalten; vor Kriegsbeginn war das Verhältnis 32 : 44 : 17.

Die Chronik der wichtigsten Ereignisse:

3. 9. 1992 In Genf beginnt eine neue **Jugoslawien-Konferenz** unter Vorsitz von Lord *David Owen* und *Cyrus Vance* (Londoner Konferenz → *WA '93, Sp. 96*). Nach zunächst getrennten Gesprächen der Vermittler mit Vertretern der 3 bosnischen Konfliktparteien kommt es am 19. 10. zum ersten Treffen zwischen dem bosnischen Präsidenten und Muslimen-Führer *Alija Izetbegović* und dem Präsidenten von Rest-Jugoslawien (FRJ), *Dobrica Ćosić.* Am 28. 10. legen *Vance* und *Owen* dem UN-Sicherheitsrat einen von *Martti Ahtisaari,* dem Schöpfer der Verfassung von Namibia, ausgearbeiteten Verfassungsentwurf für BiH vor, der die Aufteilung der Republik in bis zu 10 autonome Regionen vorsieht und deren Grenzen v. a. an den wirtschaftlichen Gegebenheiten orientieren (später **Vance-Owen-Friedensplan** genannt; → 2. 1. 1993).

14. 9. Die Präsidenten **Bosniens und Kroatiens,** *Izetbegovic* und *Tudjman,* vereinbaren in Genf die Einstellung aller Feindseligkeiten in BiH, einen Gefangenenaustausch, die freie Durchfahrt für humanitäre Konvois und ein Programm zur Normalisierung der Beziehungen. Die am 18. 9. in Kraft getretene Waffenstillstandsvereinbarung zeigt jedoch vorerst geringe Wirkung. Aus dem von Kroaten eingeschlossenen Mostar fliehen immer mehr Moslems unter hohen Verlusten nach Norden.

20. 9. Bei Geheimgesprächen der Kriegsparteien auf dem britischen Flugzeugträger »Invincible«, an der neben *Owen* und *Stoltenberg* auch die Präsidenten Kroatiens, Serbiens und Montenegros teilnehmen, wird **den Muslimen ein Zugang zur Adria zugesichert;** die muslimische Seite fordert aber einen größeren Gebietsanteil in der zu bildenden Union aus 3 Volksgruppen-Republiken.

22. 9. NATO-Generalsekretär *Manfred Wörner* erklärt die grundsätzliche Bereitschaft des Bündnisses, unter einem klaren UNO-Mandat ein Bosnien-Friedensabkommen mit rd. 50 000 Mann auf 2 Jahre abzusichern.

23. 9. Die Präsidenten **Kroatiens und Bosniens,** *Franjo Tudjman* und *Alija Izetbegović,* unterzeichnen in New York einen Zusatz zum Kooperationsabkommen vom 21. 7., die Einsetzung einer Kommission zur **Koordinierung der Verteidigungsbemühungen** beider Länder gegen die serbischen Kräfte in BiH vorsieht.

2. 10. Im kroatischen Karlovać trifft ein Rotkreuz-Konvoi mit 1561 von den Serben **freigelassenen**

Gefangenen des Lagers Trnopolje ein. Die Konfliktparteien hatten sich gegenüber dem Internationalen Komitee vom Roten Kreuz/IKRK verpflichtet, bis Ende Oktober alle Insassen der 52 Gefangenenlager – 24 serbische, 19 muslimische und 9 kroatische – freizulassen, denen keine schweren Menschenrechtsverletzungen vorgeworfen werden.

6. 10. Serbische Truppen besetzen nach mehrwöchigen Kämpfen die bisher von Kroaten und Muslimen gehaltene strategisch wichtige nordbosnische Stadt **Bosanski Brod**; die Brücke über die Save und damit nach Kroatien wird gesprengt.

9. 10. Der **UN-Sicherheitsrat verhängt** mit Res. 781 ein **Flugverbot** für militärische Flüge über BiH, um den Einsatz serbischer Kampfflugzeuge gegen Bodenziele zu unterbinden. Die UNPROFOR erhält das Mandat, die Einhaltung des Flugverbots (unter Einsatz von AWACS-Flugzeugen der NATO) zu überwachen; es können auch Beobachter auf Flugplätze entsandt werden. Die Serben ignorieren das Verbot wiederholt (→ *31. 3. 1993*).

19. 10. In den zentralbosnischen Städten Novi Travnik, Vitez und Prozor brechen **Kämpfe zwischen** den nominell bisher verbündeten **muslimischen und kroatischen Einheiten** aus.

27. 10. Erstmals verläßt ein UNO-Hilfskonvoi die serbische Hauptstadt Belgrad und transportiert auf dem Landweg **Hilfsgüter nach Sarajevo**, wo rd. 300 000 Menschen eingeschlossen sind. Die bosnische Hauptstadt wird seit Monaten fast täglich von serbischer Artillerie beschossen. Über die immer wieder bedrohte internationale Luftbrücke wird die Stadt notdürftig mit Lebensmitteln und Medikamenten versorgt.

28. 10. Die bosnischen **Serben erobern** die seit 5 Monaten hart umkämpfte, strategisch wichtige mittelbosnische Stadt **Jajce**, die frühere Krönungsstadt der bosnischen Könige, in der *Tito* 1943 die Föderative Republik Jugoslawien ausrief. Rd. 30 000 muslimische Einwohner fliehen in das 40 km entfernte Travnik. Die **Serben kontrollieren** dank ihrer überlegenen Ausrüstung nunmehr **70 % der Fläche von BiH**, vermögen aber vorerst nicht jene Städte zu bezwingen, die nördlich und östlich von Sarajevo den Weg zur serbischen Enklave im Hinterland Dalmatiens versperren: Goražde, Gradačac und Bihać.

16. 11. Der UN-Sicherheitsrat beschließt mit Res. 787 (bei Stimmenthaltung Chinas und Sambias) **schärfere Kontrollen zur Einhaltung des Handelsembargos** gegen Rest-Jugoslawien auf der Donau und in der Adria. Die zur Überwachung der Sanktionen in der Adria eingesetzten Schiffe dürfen Zwang anwenden. – Der NATO-Rat beschließt

am 18. 11. einstimmig, die **Seeblockade in der Adria** in Zusammenarbeit mit der Westeuropäischen Union/WEU durchzuführen; am 22. 11. werden erste Handelsschiffe kontrolliert.

18. 12. Der UN-Sicherheitsrat verurteilt mit Res. 798 einstimmig die **systematische Vergewaltigung** insbesondere muslimischer Frauen in BiH als »Akte unaussprechlicher Brutalität« und verlangt die sofortige Schließung aller Internierungslager. – Der Sonderbeauftragte der UN-Menschenrechtskommission, *Tadeusz Mazowiecki*, erklärt am 17. 1. 1993 nach einem Besuch in BiH, eine Sonderkommission führe die Ermittlungen bezüglich der Vergewaltigung moslemischer und auch serbischer Frauen durch; bei diesen Gewalttaten handele es sich nicht um Ausschreitungen einzelner, sondern um eine zielgerichtete und methodisch durchgeführte Aktion.

2. 1. 1993 Auf der **Genfer Konferenz** (→ *oben*) treffen erstmals die Präsidenten Jugoslawiens, Bosniens und Kroatiens, *Ćosić, Izetbegović* und *Tudjman*, sowie die Volksgruppenführer *Radovan Karadžić* (Serben) und *Mate Boban* (Kroaten) zusammen; sie beraten über den von *Vance* und *Owen* am 28. 10. 1992 vorgelegten, aus 3 Teilen bestehenden **Friedensplan**: (1.) eine Landkarte für die Aufteilung BiHs in 10 weitgehend autonome Provinzen – je 3 für die Moslems (1,9 Mio.), Serben (1,4 Mio.) und Kroaten (750 000) sowie dazu die multi-nationale Hauptstadt Sarajevo mit 2 Gemeinden im Westen –, (2.) ein Entwurf für die staatliche Ordnung der Republik sowie (3.) Bestimmungen über einen Waffenstillstand. Der »*Vance-Owen*-Friedensplan« wird in der Folge nur von den Kroaten angenommen, die bosnischen Serben und die Muslime lehnen ihn wegen Kritik an der Grenzziehung ab. Am 30. 1. ist die Konferenz vorerst **gescheitert**.

8. 1. Der stellv. bosnische Ministerpräsident *Hakija Turajlić* wird in Sarajevo von serbischen Milizen erschossen, obwohl er sich in einem gepanzerten UNPROFOR-Fahrzeug befand.

10. 1. In **Mittelbosnien** (Gornij Vakuf, Travnik, Vitez) brechen **erneut Kämpfe zwischen Moslems und Kroaten** aus, die zum Teil mit Artillerie geführt werden.

12. 2. Die Behörden von Sarajevo stoppen die Verteilung der Hilfsgüter, um die UNO zur Versorgung der von den Serben eingeschlossenen muslimischen Städte in Ostbosnien – Srebrenica, Goražde und Žepa – zu zwingen.

25. 2. US-Präsident *Bill Clinton* ordnet den **Ab-**

wurf von Hilfsgütern über Ostbosnien durch in Frankfurt/M. stationierte C–130-Transportflugzeuge an (»Operation Provide Promise«). Die ersten 21 t Nahrungsmittel und Medikamente werden am 1. 3. von 3 Flugzeugen aus großer Höhe abgeworfen. Ab 29. 3. beteiligt sich auch die deutsche Bundesluftwaffe an der Luftbrücke.

19. 3. Ein aus 17 Lastwagen bestehender UNO-Konvoi mit Lebensmitteln und Medikamenten erreicht erstmals Srebrenica, wo rd. 60 000 Menschen eingeschlossen sind. Auf dem Rückweg werden rd. 700 Schwerverletzte, Frauen und Kinder aus der Stadt evakuiert.

25. 3. Der bosnische Staatspräsident und Muslimen-Führer **Izetbegović unterzeichnet** in New York den **Vance-Owen-Friedensplan.** – Serbenführer *Karadžić* verweigert weiterhin die Zustimmung.

31. 3. Der **UN-Sicherheitsrat genehmigt** mit der nach wochenlangen Beratungen bei Stimmenthaltung Chinas angenommenen Res. 816 die **militärische Durchsetzung des Flugverbots** über BiH »im Fall neuer Verstöße«. NATO-Flugzeuge können künftig Maschinen abschießen, die ohne Erlaubnis der UNPROFOR in den Luftraum BiHs eindringen. Eine Bombardierung von Bodenzielen wird nicht erlaubt. Die Bekämpfung von Flugabwehrstellungen am Boden ist dagegen zugelassen, wenn NATO-Maschinen vom Zielradar erfaßt werden. Einsätze von NATO-Flugzeugen sollen durch AWACS-Maschinen geleitet werden. Seit dem vom UN-Sicherheitsrat am 9. 10. 1992 erlassenen Flugverbot (→ oben) waren fast 500 Verstöße gegen das Verbot registriert worden, vor allem durch serbische Maschinen.

2. 4. Der norwegische Außenminister *Thorvald Stoltenberg* wird Nachfolger von *Cyrus Vance* als UNO-Vermittler im ehem. Jugoslawien. Der frühere US-Außenminister *Vance* hatte aus Gesundheitsgründen um seine Ablösung ersucht.

12. 4. Die **NATO beginnt ihren ersten Kampfeinsatz** (»Operation Flugverbot«): Von italienischen Luftwaffenstützpunkten und vom US-Flugzeugträger »*Theodore Roosevelt*« in der Adria steigen rd. 50 US-amerikanische, französische und niederländische Maschinen auf, um den Luftraum über BiH zu kontrollieren. Am 16. 4. schließen sich Großbritannien und die Türkei der Operation an.

16. 4. Der UN-Sicherheitsrat erklärt mit Res. 819 einstimmig die ostbosnische Stadt **Srebrenica** zur »**Schutzzone**«. Am folgenden Tag vereinbaren Serbengeneral *Ratko Mladić* und der bosnische Armeechef *Sefer Halilović* unter UNO-Vermittlung eine Waffenruhe und die Entwaffnung der

bosnischen Verteidiger bis zum 21. 4. Am 22. 4. bezeichnet der Kommandeur der UNPROFOR, *Lars-Eric Wahlgren*, die **Entmilitarisierung von Srebrenica** als abgeschlossen.

17. 4. Der UN-Sicherheitsrat beschließt mit Res. 820 (Stimmenthaltung Rußlands und Chinas) eine **Verschärfung der** politischen und wirtschaftlichen **Sanktionen** gegen Rest-Jugoslawien für den Fall, daß die bosnischen Serben den *Vance-Owen*-Friedensplan nicht bis 26. 4. unterzeichnen, »wie seitens der anderen Parteien bereits geschehen«.

25. 4. Nach den seit Mitte April eskalierten blutigen Auseinandersetzungen zwischen **Muslimen und Kroaten** in BiH beschließen der bosnische Präsident *Izetbegović* und der bosnische Kroatenführer *Boban* einen Waffenstillstand und die Schaffung einer gemeinsamen militärischen Kommandostruktur.

26. 4. Das »Parlament« der bosnischen Serben in Pale lehnt die Unterzeichnung des *Vance-Owen*-Friedensplans ab.

27. 4. Mit der Ablehnung treten automatisch die **verschärften UNO-Sanktionen gegen Rest-Jugoslawien** in Kraft, d. h. die totale Abriegelung von Serbien und Montenegro. Die **EG** leitet die Umsetzung der UNO-Sanktionen rechtlich ein. – US-Präsident *Clinton* kündigt eine härtere Gangart gegenüber den bosnischen Serben an.

28. 4. Der Ständige NATO-Rat beschließt, daß Schiffe des Bündnisses auf Blockadebrecher in der Adria notfalls schießen dürfen.

2. 5. Der bosnische Serbenführer **Karadžić unterzeichnet** nach Verhandlungen mit den beiden Jugoslawien-Vermittlern in Athen den **Vance-Owen-Friedensplans** unter dem Vorbehalt, daß das selbsternannte Parlament der bosnischen Serben in Pale seinem Schritt zustimmen müsse. – Ungeachtet dessen unternehmen serbische Truppen weitere Artillerieangriffe gegen Sarajevo, die moslemischen Enklaven Goražde im Osten sowie Bihać im Westen Bosniens; Kämpfe werden auch aus den moslemisch-kroatischen Bollwerken Gradačać und Brčko in der Save-Tiefebene im Norden des Landes gemeldet.

6. 5. Das **Parlament der bosnischen Serben lehnt** in Pale mit 51 gegen 2 Stimmen bei 12 Enthaltungen den **Vance-Owen-Friedensplan ab** und überläßt die endgültige Entscheidung einem Referendum der Bevölkerung. Als Hauptgrund für das Nein der bosnischen Serben gilt die Tatsache, daß aufgrund der vorgeschlagenen Aufteilung BiHs in 10 Provinzen über 40 % der bosnischen Serben außerhalb jener 3 Provinzen leben sollten, die den Serben zufallen würden. An dem **Referendum** am

15./16. 5. beteiligen sich 92% der bosnischen Serben. Sie lehnen den Friedensplan mit 96% der Stimmen ab und sprechen sich für die Unabhängigkeit ihrer Republik bzw. die Vereinigung mit der »Serbischen Republik Krajina« oder mit Serbien aus. – Während die Kämpfe um die ostbosnische Stadt Goražde, die trotz der Zusagen des bosnischen Serbenführers *Karadžić*, den Waffenstillstand einzuhalten, weitergehen, beschließt der UN-Sicherheitsrat mit Res. 824 die **Einrichtung von 6 Zonen zum Schutz bosnischer Muslime**, und zwar um Sarajevo, Bihać, Tuzla, Srebrenica, Goražde und Žepa.

16. 5. Die Militärführer der **Serben und Kroaten**, *Mladić* und *Milivoje Petković*, unterzeichnen unter Vermittlung von Gen. *Philippe Morillon* auf dem Flugplatz von Sarajevo einen **Waffenstillstand**, der vom 18. 5. an für die Truppen beider Seiten in der ganzen Republik gilt.

22. 5. Die Außenminister der **USA, Rußlands, Frankreichs, Großbritanniens und Spaniens** vereinbaren in New York ein **gemeinsames Aktionsprogramm**, das die bosnischen Muslime vor weiteren Antriffen von Serben und Kroaten schützen, ein Übergreifen der Kämpfe auf andere Regionen des Balkans verhindern und die Basis für eine Beendigung des Krieges bilden soll. Die verbliebenen muslimischen Enklaven sollen zu »Schutzzonen« erklärt, die UNO-Truppen von den USA aus der Luft geschützt werden. Außerdem soll die Lieferung von Hilfsgütern fortgesetzt und der Nachschub von Kriegsmaterial von Jugoslawien an die bosnischen Serben unterbunden werden. Auf eine militärische Option wird verzichtet. – *Izetbegović* weist die Initiative als eine Belohnung des serbischen Aggressors zurück. – Serbenführer *Karadžić* begrüßt sie, weil sie eine Militärintervention ausschließt.

25. 5. Der UN-Sicherheitsrat beschließt mit Res. 827 einstimmig die Einsetzung eines **internationalen Gerichtshofs** »zu dem ausschließlichen Zweck, die Personen zu verfolgen, die für die zwischen dem 1. 1. 1991 und einem vom Sicherheitsrat festzusetzenden Zeitpunkt im Hoheitsgebiet des ehemaligen Jugoslawien begangenen schweren Verstöße gegen das humanitäre Völkerrecht verantwortlich sind«.

4. 6. Der UN-Sicherheitsrat beschließt mit Res. 836 (Stimmenthaltung von Pakistan und Venezuela) die Entsendung bewaffneter Truppen in die in Res. 824 genannten Schutzzonen; sie sollen vor Angriffen auf diese Zonen abschrecken und eine Truppenentflechtung durchführen.

8./9. 6. Bei heftigen **Kämpfen zwischen Kroaten und Muslimen** um die Städte Travnik, Ženiča und Turbe kommen nach kroatischen Angaben 450 Menschen ums Leben. Mehrere tausend kroatische Zivilisten flüchten und etwa 6000 suchen bei serbischen Einheiten Zuflucht.

17. 6. Auf der wiederaufgenommenen Genfer Konferenz beschließen die Delegationsleiter der **Serben und Kroaten**, *Karadžić* und *Boban*, die **Aufteilung von BiH in 3 ethnische Einheiten** in einer losen Konföderation. Der muslimische bosnische Präsident *Izetbegović* lehnt den Plan, der den Muslimen nur 2 Gebiete (Region Bihać und Zentrum) zugesteht, ab. Serbenführer *Karadžić* droht 28. 6. mit der Zweiteilung Bosniens, falls die Muslime nicht dem Plan einer Dreier-Konföderation zustimmten. – Das Bündnis der ehemaligen Kriegsgegner am Verhandlungstisch spiegelt sich im Kampfgebiet wider: Bei Gefechten um das Städtedreieck Maglaj, Žepče und Žavidović kämpft die **neue Allianz von Serben und Kroaten gegen die Muslime**.

18. 6. Bei Sarajevo wird ein kanadischer UNO-Soldat erschossen; er ist der **47. Tote der UNPROFOR** seit ihrer Stationierung in Ex-Jugoslawien im März 1992.

30. 6. Der UN-Sicherheitsrat lehnt eine von den USA und blockfreien Staaten geforderte Aufhebung des Waffenembargos gegen Bosnien ab und verlängert das UNPROFOR-Mandat in Kroatien und damit auch das der UNO-Truppen in BiH um weitere 3 Monate.

1.–4. 7. Die Kriegsparteien liefern sich **an fast allen Fronten erbitterte Kämpfe**. Sarajevo steht unter dem heftigsten serbischen Artilleriebeschuß seit Mitte Mai. Am 3. 7. schlagen dort innerhalb von 3 Stunden über 1000 Granaten ein. In Mostar, das die Kroaten als »Hauptstadt« ihrer selbsterklärten »Republik Herceg-Bosna« betrachten, bekämpfen sich Kroaten und Muslime; am 2. 7. melden die Kroaten die Eroberung der von muslimischen Einheiten verteidigten mittelbosnischen Stadt Žepče im strategisch wichtigen Bogen der Bosna.

14. 7. Die NATO beginnt mit der Verlegung von rd. 60 Kampfflugzeugen der USA, Großbritanniens, Frankreichs und der Niederlanden nach Italien und bereitet damit Einsätze zur Sicherung der Schutzzonen in BiH vor.

25. 7. Ein französischer UNO-Stützpunkt in Sarajevo wird von serbischen Truppen mit Panzern und Panzerabwehrraketen beschossen; 10 UNO-Fahrzeuge werden schwer beschädigt. Der belgische General *Francis Briquemont* (er löste am 12. 7. Gen. *Morillon* als Oberkommandierender der UNPROFOR in BiH ab) befiehlt im Wiederholungsfall sofortige Gegenschläge.

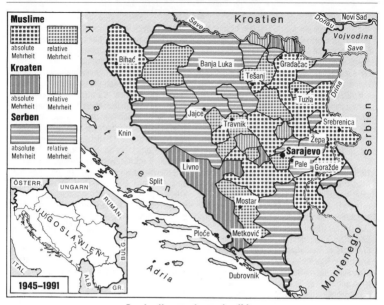

Bosnien-Herzegowina vor dem Krieg

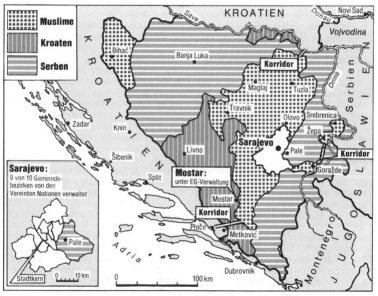

Owen-Stoltenberg-Plan vom August 1993

27. 7. Im Zeichen eines starken militärischen und politischen Drucks auf die bosnischen Muslime beginnt in Genf eine zweimal verschobene **neue Verhandlungsrunde** über die Zukunft BiHs. Die Vermittler *Owen* und *Stoltenberg* wollen mit den Kriegsparteien in »Dauerverhandlungen« eine endgültige Einigung erzielen. Sie legen einen **Kompromißplan** vor, der die Bildung einer »**Union der vereinigten bosnischen Republiken**« aus 3 Republiken der Volksgruppen innerhalb einer Konföderation vorsieht.

30. 7. Trotz einer in Genf vereinbarten Waffenruhe erobern serbische Truppen die um Sarajevo gelegenen Berge Igman und Bjelasnica und schneiden die Stadt damit von jeglicher Versorgung ab. – Bosniens Präsident *Izetbegović* boykottiert daraufhin die »Dauerverhandlungen« in Genf.

3. 8. Die **USA** kündigen im NATO-Rat in Brüssel die **Bereitschaft zu Luftangriffen** auf die serbischen Belagerer von Sarajevo – notfalls im Alleingang – an. Die NATO-Partner können sich allerdings nur auf die Ausarbeitung von Zielplänen einigen. – Wegen der Kämpfe und Blockaden kann der Hohe Flüchtlingskommissar/UNHCR im Juni und Juli nur knapp 60 % der benötigten Hilfsgüter nach Sarajevo transportieren – größtenteils über die internationale Luftbrücke.

9. 8. Der **NATO-Rat billigt militärische Pläne für Luftangriffe gegen Stellungen der bosnischen Serben**, wenn diese weiterhin die humanitäre Hilfe für Sarajevo und andere UNO-Schutzgebiete blockieren und UNO-Truppen angreifen. Rußland warnt den Westen vor einer derartigen Reaktion. Auch der UNPROFOR-Kommandeur *Briquemont* bekräftigt seine ablehnende Haltung gegenüber Luftangriffen. – Am 16. 8. bezeichnet UNO-Sprecher Gen. *Barry Frewer* Sarajevo nach dem weitgehend abgeschlossenen Abzug serbischer Einheiten von den Bergen Igman und Bjelasnica als nicht mehr »belagert«, sondern nur noch als »militärisch eingekreist«.

18. 8. Die Kriegsparteien einigen sich auf der am 16. 8. wiederaufgenommenen Genfer Konferenz darauf, **Sarajevo als entmilitarisierte** Stadt für ein bis 2 Jahre **unter UNO-Kontrolle** zu stellen. 9 der 10 Bezirke Sarajevos sollen unter Kontrolle eines UNO-Verwalters gestellt werden, der von einem Beratungsgremium aus 4 Moslems, 3 Serben, 2 Kroaten und einem Mitglied einer »anderen« Minderheit unterstützt wird; der 10. Bezirk, die Serbenhochburg Pale, soll von der Stadt abgetrennt werden. – In der nur kroatischen besetzten **eingekesselten Stadt Mostar**, geraten die rd. 50 000 Moslems in große Not.

20. 8. *Owen* und *Stoltenberg* legen in Genf einen **neuen Teilungsplan** vor, dem die bereits grundsätzlich gebilligte Teilung von BiH in 3 nach Nationalitäten getrennte Kleinstaaten unter dem Dach einer schwachen Zentralgewalt zugrunde liegt; er sieht für die Muslime 31 %, für die Serben 52 % und die Kroaten 17 % des bosnischen Territoriums vor (→ *Skizze Sp. 47*).

28. 8. Kroaten und Serben akzeptieren den neuen Teilungsplan: Die bosnischen Kroaten stimmen auf der konstituierenden Sitzung ihres Parlaments in Grude, auf der sie zugleich offiziell den bereits am 3. 7. 1992 ausgerufenen Staat »Herceg-Bosna« proklamieren, dem neuen Plan zu. Die bosnischen Serben billigen ihn durch ihr in Pale tagendes Parlament mit 55 gegen 14 Stimmen bei 3 Enthaltungen (11 Abgeordnete waren nicht anwesend). – Die bosnischen Muslime machen ihre Zustimmung von territorialen Zugeständnissen abhängig.

31. 8. Die Muslime in Mostar lassen 53 spanische UNO-Soldaten frei, die 6 Tage lang von Bewohnern der Stadt festgehalten worden waren; diese hatten befürchtet, daß nach dem Abzug der »Blauhelme« die Stadt wieder von den Kroaten bombardiert werde. Der UN-Sicherheitsrat hatte die Geiselnahme verurteilt.

1. 9. Die am 31. 8. wieder zusammengetretene Genfer **Bosnien-Konferenz scheitert** nach anfänglicher Hoffnung auf Einigung. **Bosniens Präsident** *Izetbegović* **lehnt den** *Owen-Stoltenberg*-**Teilungsplan** vom 20. 8. mit der Begründung **ab**, er garantiere nicht das Überleben des muslimischen Staates; der bosnisch-muslimischen Seite bliebe nur ein Torso des Staatsgebiets: Inseln, die durch verwundbare Korridore miteinander verbunden und von »Feindesland« umgeben sind. *Izetbegović* nimmt zwar seine früheren Landansprüche (40 % der Fläche von BiH für die Moslems) zurück, fordert aber 3 Städte: Foča am Oberlauf der Drina, Prijedor im Norden und den von bosnischen Kroaten kontrollierten Adriahafen Ploče.

2.–14. 9. In Süd- und Zentralbosnien liefern sich kroatische und muslimische Einheiten **schwere Gefechte**. Laut UN-Angaben haben die kroatischen Verbände innerhalb von 2 Wochen Tausende von Moslems vertrieben. 7000 bis 10 000 Moslems hätten in Jablanica und Umgebung Zuflucht gesucht. Eine am 14. 9. in Genf zwischen den Präsidenten Bosniens und Kroatiens, *Izetbegović* und *Tudjman*, vereinbarte Einstellung der Feindseligkeiten in BiH zeigt vorerst keine Wirkung.

litäten getrennten Kleinstaaten unter einer schwachen Zentralregierung aus (→ *Kasten Sp. 39 ff. u. Skizze Sp. 47*). Der bosnische Präsidenten und Muslimen-Führer *Alija Izetbegović* lehnte diesen Teilungsplan bisher mit der Begründung ab, er garantiere nicht das Überleben des muslimischen Staates.

BRASILIEN Präsident *Fernando Collor de Mello*, der 1990 sein Amt mit dem Versprechen angetreten hatte, wirtschaftliche Reformen einzuleiten und in der Regierung die Korruption zu bekämpfen, rückt im Juni **1992** selbst in den Mittelpunkt einer **Korruptionsaffäre**. Ihm wird vorgeworfen, 6,5 Mio. $ aus einem Schmiergeldfonds seines Freundes und ehemaligen Wahlkampfhelfers *Cesar Farias* bezogen zu haben. Am 29. 9. beschließt die Abgeordnetenkammer mit 441 gegen 38 Stimmen bei einer Enthaltung die **Einleitung eines Amtsenthebungsverfahrens** vor dem Senat. *Collor de Mello* wird für 180 Tage vom Präsidentenamt suspendiert; die Amtsgeschäfte übernimmt sein Stellvertreter *Itamar Franco*. Um künftig die »exzessive Zentralisierung« der öffentlichen Verwaltung beim Präsidenten zu beenden, erfolgt am 15. 10. eine Kabinettsreform. Am 2. 12. wird der Bericht des Untersuchungsausschusses mit 67 gegen 3 Stimmen vom Senat gebilligt und **Präsident** *Collor de Mello* damit offiziell **der Korruption und des Amtsmißbrauchs beschuldigt**. *Collor de Mello* erklärt am 29. 12. seinen **Rücktritt**. Der Senat beharrt jedoch auf einer Verurteilung des Ex-Präsidenten und verbietet ihm mit 76 zu 3 Stimmen, in den nächsten 8 Jahren bei Wahlen zu kandidieren. Der Oberste Gerichtshof beschließt am 28. 4. 1993 einstimmig, ihn wegen »passiver Korruption« anzuklagen. Noch am Tag des Rücktritts wird *Franco* offiziell als **neuer Präsident vereidigt**. – Bei den **Kommunalwahlen** am 3. 10. und 15. 11. 1992 kann die der politischen Mitte zugeordnete »Demokratische Bewegung«/PMDB über 2000 der 4875 Bürgermeisterposten erringen. 16 der 26 Provinzhauptstädte werden von Kandidaten linker bzw. sozialistischer Prägung erobert. – Am 20. 1. **1993** sichert sich Präsident *Franco* per Dekret die Entscheidung über die wichtigsten Fragen der Privatisierung (Auslandskapital, staatliche Aktienmehrheit). Die öffentliche **Gesamtschuld** wurde Ende 1992 auf 149 Mrd. $ beziffert, 32,1 % des BIP. – **An der Amtsführung des neuen Präsidenten** kommt zunehmend **Kritik** auf. Finanzminister *Gustavo Krause*, der bisher eine strikte Antiinflationspolitik betrieb, tritt aus Protest gegen das Bestreben *Francos*, einen neuen Staatsdirigismus einzuführen, von seinem Amt zurück. Auch sein Nachfolger, Planungsminister *Paulo Haddad*, schafft es nicht, die wirtschaftlichen Probleme kurzfristig in den Griff zu bekommen und

wird durch *Eliseu Resende* ersetzt, der nach seiner Amtseinführung am 1. 3. eine einmonatige **Preiskontrolle für Grundnahrungsmittel** sowie die Heraufsetzung des Mindestlohns um etwa 100 DM im Monat verordnet. – Die gleichzeitig vorgelegten dramatischen Ergebnisse der Volkszählung von 1991 veranlassen Präsident *Franco*, Ende März den **sozialen Notstand auszurufen**. 32 von 140 Mio. Brasilianern leben unterhalb der Armutsgrenze. – Ein 1988 bei Einführung der Verfassung beschlossenes **Referendum über die Staatsform** bzw. das Regierungssystem findet am 21. 4. unter Beteiligung von 80 % der 90 Mio. Wahlberechtigten statt. 66,1 % votieren für eine Republik und nur 10,2 % für die Rückkehr zur Monarchie; 56,4 % sprechen sich für die Beibehaltung des Präsidialsystems und 27,7 % für die Einführung eines parlamentarischen Systems aus. – Am 20. 5. kommt es wegen einer weiteren Korruptionsaffäre zur **Kabinettsumbildung**. Neuer Außenminister wird der bisherige Botschafter in Portugal, *José Luiz Aparecido*; neuer Finanz- und Wirtschaftsminister der bisherige Außenminister und Mitbegründer der PSDB, *Fernando Enrique Cardoso*, der am 14. 6. sein **Wirtschaftsprogramm** (»Plan der Wahrheit«) vorlegt, das im wesentlichen die Kürzung des Staatsbudgets um 6 Mrd. $, die Bekämpfung der Steuerhinterziehung und die Fortsetzung der Privatisierungspolitik vorsieht.

BULGARIEN Der frühere Staats- (1954–1989) und Parteichef (1971–1989) *Todor Shiwkow* wird am 4. 9. **1992** vom Obersten Gericht in Sofia wegen **Amtsmißbrauchs und Veruntreuung** öffentlicher Gelder zu 7 Jahren Haft und zur Rückzahlung von 23,2 Mio. Lewa (= rd. 1,5 Mio. DM) verurteilt. Shiwkow muß sich u. a. noch für die Verfolgung politischer Gegner, die in Internierungslagern zu Tode kamen, verantworten. Am 3. 11. werden *Georgi Atanassow*, ehemaliger Ministerpräsident, und der ehemalige Wirtschaftsminister *Stojan Owtscharow* wegen Veruntreuung öffentlicher Gelder zu einer 10- bzw. 9jährigen Haftstrafe verurteilt. Am 30. 12. wird der frühere Ministerpräsident *Andrej Lukjanow* aus der Haft entlassen. – Am 15. 9. wird ein **Abkommen mit Deutschland** über die Zusammenarbeit bei der Bekämpfung der organisierten Kriminalität und der illegalen Einschleusung von Menschen unterzeichnet. – Die Regierung unter Ministerpräsident *Filip Dimitrow*/UDK tritt am 28. 10. zurück, nachdem ihm das Parlament (Sobranje) zuvor mit 120 gegen 111 Stimmen das Vertrauen verweigert hatte. Die Abstimmung war von *Dimitrow* beantragt worden, nachdem ihn u. a. die Sozialistische Partei/BSP beschuldigt hatte, den Kollaps der Wirtschaft nicht aufgehalten zu haben. Am 30. 12. wird der von der Bewegung für Rechte und Freiheiten/BRF, der Vertretung der türkischen Minderheit, vorgeschlagene parteilose Politiker *Ljuben Berow* zum **neuen Ministerpräsidenten** gewählt. 110 Abgeordnete der UDK boykottierten die Abstimmung. In der neuen Regierung sind mehr als die Hälfte der Minister parteilos; 3 gehören der UDK an, die daraufhin aus der Partei ausgeschlossen werden. In der Folge kommt es zur Spaltung der UDK und zur Bildung einer neuen Fraktion. – Mit Wirkung vom 1. 1. **1993** gelten Einreisebeschränkungen für Bürger aus den Staaten der der ehem. UdSSR mit Ausnahme der baltischen Staaten. – Am 8. 3. unterzeichnet Ministerpräsident *Berow* in Brüssel ein Abkommen über die **Assoziierung Bulgariens an die EG**. Der Vertrag sieht die Errichtung einer Freihandelszone und den Abbau von Handelsbeschränkungen innerhalb von 10 Jahren vor. – Am 29. 3. wird ein **Freihandelsabkommen mit den 7 EFTA-Staaten** unterzeichnet, das am 1. 7. in Kraft tritt und den Abbau der Zölle bis Ende des Jahres 2002 vorsieht. – Ende März werden die Mindestlöhne um 29 % auf 1200 Lewa (rd. 75 DM) als Ausgleich für Preissteigerungen (40 %) erhöht. – Ministerpräsident *Berow* schließt im Verlauf eines offiziellen Besuchs in Rußland (18.–20. 4.) eine Reihe bilateraler Vereinbarungen in den Bereichen Bildung, Wissenschaft und Kultur ab. Gleichzeitig werden die Ratifikationsurkunden des am 4. 8. 1992 unterzeichneten bulgarisch-russischen Freundschafts- und Kooperationsvertrages ausgetauscht. – Bundeskanzler *Helmut Kohl* unterzeichnet am 11. 6. in Sofia ein Umweltschutz- und ein Luftverkehrsabkommen. – Am 23. 6. nimmt Ministerpräsident *Berow* aufgrund der Vakanz mehrerer Ministerämter eine **Regierungsumbildung** vor. Zum Außenminister beruft er *Stanislaw Daskalow*.

CHILE Der frühere DDR-Staats- und -Parteichef *Erich Honecker* trifft am 14. 1. **1993** in Santiago de Chile ein, wo er von seiner Familie und Mitgliedern eines »Solidaritätskomitees« begrüßt wird. Das gegen ihn in Deutschland angestrengte Gerichtsverfahren wegen der Todesschüsse an der innerdeutschen Grenze war wegen seines schlechten Gesundheitszustandes eingestellt worden (→ *Deutschland*). – Am 16. 3. **scheitert** der Versuch der Regierungskoalition, im Kongreß **eine Verfassungsänderung** durchzusetzen, die den Präsidenten ermächtigt, die Befehlshaber der Streitkräfte auszuwechseln. Vor dem Gebäude des Oberkommandos in Santiago de Chile zieht am 28. 5. eine schwerbewaffnete Sondereinheit des Heeres auf, um eine Beratung der Generalität vor Störungen durch Demonstranten zu schützen, was in der Bevölkerung Angst vor einem Putsch auslöst. Die Militärs verlangen ein Gesetz, das die Neuaufnahme von Prozessen untersagt, sowie eine Zusage der

Regierung, die oberen Ränge der Streitkräfte sowie die von *Pinochet* ernannten Senatoren auf ihren Posten zu belassen. Am 2. 6. wird eine Einigung erzielt: Die Regierung ist bereit, die Prüfung der Anträge auf Begnadigung der wegen des Attentatsversuchs auf *Pinochet* 1986 verurteilten Personen zu verschieben; die Militärs versprechen im Gegenzug, die Autorität der Gerichte bei Prozessen über Menschenrechtsverletzungen zu respektieren. – Am 4. 8. kündigt Präsident *Aylwin* die Bildung von Sondergerichten an, vor denen die Prozesse um Menschenrechtsverletzungen verhandelt werden sollen.

CHINA, Republik (Taiwan) Bei den **Wahlen zur Gesetzgebenden Versammlung** am 19. 12. **1992**, bei denen erstmals seit 1948 alle 161 Parlamentssitze neu besetzt werden, davon 125 direkt und 36 nach dem Proporzsystem (davon 6 für Übersee-Chinesen), erhält die regierende Kuomintang/KMT nur noch 96 Sitze; die oppositionelle Democratic Progressive Party/DPP kann ihre Mandate auf 50 verdoppeln (Wahlbeteiligung: 71 %). – Nach parteiinternen Auseinandersetzungen tritt der dem konservativen Flügel der KMT zugerechnete Ministerpräsident *Hau Pei-tsun* am 3. 2. **1993** zurück. Der von der KMT am 10. 2. nominierte *Lien Chan* wird am 23. 2. vom Parlament mit 109 gegen 33 Stimmen zum **neuen Ministerpräsidenten** gewählt; er ist der erste Taiwaner in diesem Amt. In seinem am 26. 2. vorgestellten 33köpfigen Kabinett, dem 14 neue Minister angehören, bleibt *Fredrick Chien* Außenminister. – Vom 27.–28. 2. halten sich erstmals 2 hohe Beamte aus der VR China aus offiziellem Anlaß in Taipeh auf; sie nehmen an einem Seminar der asiatisch-pazifischen Wirtschaftsgemeinschaft teil. – *Koo Chen-Fu*, Mitglied des ZK der KMT und persönlicher Berater des taiwanesischen Präsidenten *Lee Teng-hui*, und *Wang Daohan*, ehem. Bürgermeister von Shanghai und enger Vertrauter des chinesischen Staats- und Parteichefs *Jiang Zemin*, vereinbaren vom 27.–29. 4. in Singapur regelmäßige Gespräche, v. a. über Wirtschaftsfragen; bei dieser ersten Begegnung zwischen Vertretern der VR China und Taiwans seit 1949 handelt es sich formal um Kontakte zwischen privaten, von den jeweiligen Regierungen finanzierten Stiftungen. Am 30. 8. beginnt eine weitere Gesprächsrunde zwischen Vertretern beider Stiftungen. – Der Vorsitzende der regierenden KMT, Staatspräsident *Lee Teng-hui*, wird auf dem 14. Parteitag vom 14.–23. 8. in seinem Amt bestätigt; erstmals wird der Parteivorsitzende, dessen Macht zuvor eingeschränkt worden war, von den Parteitagsdelegierten in geheimer Abstimmung gewählt.

CHINA, Volksrepublik Als erster Präsident Südkoreas besucht *Roh Tae Woo* vom 27.–30. 9.

1992 die VR China. Am 24. 8. waren diplomatische Beziehungen aufgenommen worden. – Auf dem **XIV. Parteitag der KP Chinas** (12.–18. 10.) in Peking kommt es erneut zu einer Verjüngung der Führungsgremien und zu einer Stärkung des reformorienten Parteiflügels. In geheimer Abstimmung wählen die Delegierten am 18. 10. die 189 Vollmitglieder und 130 nicht voll stimmberechtigten alternierenden Mitglieder des neuen Zentralkomitees der KP; 46,7 % der Sitze werden neu besetzt. Auf seiner 1. Plenarsitzung am 19. 10. wählt das ZK das um 6 auf 20 Mitglieder erweiterte Politbüro der KP, in dem u. a. Staatspräsident *Yang Shangkun* nicht mehr vertreten ist. Dem von 6 auf 7 Mitglieder erweiterten Ständigen Ausschuß des Politbüros gehören als neue Mitglieder der Wirtschaftsreformer *Zhu Rongji*, General *Liu Huaqing* und der Parteichef von Tibet, *Hu Jintao*, an; damit sind die Anhänger der von *Deng Xiaoping* eingeleiteten Wirtschaftsreformen in der Mehrzahl. *Jiang Zemin* wird als Generalsekretär der KP bestätigt. Auf Initiative *Dengs* wird am 19. 10. auch die zentrale Militärkommission, deren Vorsitzender *Jiang Zemin* bleibt, weitreichend umbesetzt; u. a. scheidet Präsident *Yang Shangkun* aus. – Beim **ersten Besuch eines japanischen Kaisers** in der VR China (23.–28. 1.) äußert Kaiser *Akihito* tiefes Bedauern über das Leid, das Japan dem chinesischen Volk während der Besetzung (1931–45) zugefügt habe; eine Entschuldigung erfolgt jedoch nicht. – Als erster russischer Staatspräsident seit dem Zerfall der UdSSR besucht *Boris Jelzin* vom 17.–19. 12. die VR China. Am 18. 12. unterzeichnen Präsident *Jelzin* und Außenminister *Andrej Kosyrew* zusammen mit dem chinesischen Präsidenten *Yang Shangkun* und Außenminister *Qian Qichen* fast 30 Verträge und Abkommen über Zusammenarbeit in Politik, Wirtschaft und Kultur sowie über militärische Zusammenarbeit; **in einer gemeinsamen Erklärung bezeichnen sich Rußland und die VR China als Freunde.** Rußland gewährt der VR China in Form von Materiallieferungen und Know-how einen Kredit über 2,85 Mrd. US-$ zum Bau zweier Atomkraftwerke. – Von der Ende Dezember abgeschlossenen größten Umbesetzungsaktion in der Armeeführung sind über 300 Generale und hohe Offiziere betroffen. – Der tadschikische Präsident *Imomali Rachmanow*, der vom 7.–11. 3. **1993** die VR China besucht, und sein Amtskollege *Yang Shangkun* unterzeichnen u. a. eine gemeinsame Erklärung über den Ausbau ihrer gutnachbarlichen Beziehungen sowie der wirtschaftlichen Zusammenarbeit. – Vom 15.–31. 3. findet in Peking die **1. Tagung des VIII. Nationalen Volkskongresses/NVK** statt. Der von Finanzminister *Liu Zhongli* vorgelegte Haushaltsentwurf für 1993 sieht Einnahmen von 452,2 Mrd. RMB.¥ (+8 % gegenüber 1992) und Ausgaben

von 472,7 Mrd. RMB.¥ Yuan (+6,8 %) vor; der Verteidigungsetat soll um 14,9 % auf 42,5 RMB.¥ erhöht werden. Der NVK billigt vom 27.–28. 3. in geheimer Abstimmung die vom ZK-Plenum vom 5.–7. 3. in Peking gemachten Vorschläge für personelle Veränderungen. Parteichef **Jiang Zemin,** der bereits Parteichef und Vorsitzender der Zentralen Militärkommission ist, wird mit 2858 Stimmen **zum neuen Staatspräsidenten gewählt;** er löst *Yang Shangkun* ab. Ministerpräsident *Li Peng* wird mit 2573 von 2909 Stimmen im Amt bestätigt. Der NVK stimmt der bisher umfassendsten Regierungsumbildung zu; Außenminister *Qian Qichen* bleibt im Amt. Nach dem Beschluß des NVK vom 29. 3. wird **in der Verfassung der Begriff »Planwirtschaft« durch »sozialistische Marktwirtschaft« ersetzt.** Zum Abschluß billigen die Delegierten den Rechenschaftsbericht der Regierung, den Wirtschaftsplan, der für 1993 ein Wachstum von 6 % vorsieht, und den Staatshaushalt für 1993. – Nach Angaben von Justizminister *Cai Cheng* vom 22. 3. sind alle Studenten, die in die Ereignisse vom 4. 6. 1989 verwickelt waren, entlassen worden. Die verstärkte Freilassung von Dissidenten begann am 25. 11. 1992 mit der vorzeitigen Haftentlassung des Historikers *Bao Zunxin.* Weitere Freilassungen folgten im Januar und Februar 1993, u. a. die des Studentenführers *Wang Dan,* Symbolfigur der Demokratiebewegung von 1989. Die chinesische Nachrichtenagentur Xinhua bestätigt jedoch, daß sich Intellektuelle und Arbeiterführer der konterrevolutionären Rebellion noch in Haft befinden. ai berichtet am 16. 4., die bedrückende Menschenrechtslage habe sich gegenüber dem am 9. 12. 1992 vorgelegten Bericht nicht verbessert. – Am 10. 5. 1993 werden, wie schon zuvor in vielen anderen Städten und Bezirken, in Peking die Preise für Getreide und andere Lebensmittel freigegeben. – Nach Gesprächen des israelischen und des chinesischen Außenministers, *Shimon Peres* und *Qian Qichen,* sagt die VR China am 20. 5. Israel erneut zu, keine Raketen mehr in den Nahen Osten zu liefern. – In Lhasa, der Hauptstadt Tibets, kommt es vom 24.–25. 5. zu den schwersten Unruhen seit 1989; ein anfänglich friedlicher Protest gegen Preiserhöhungen entwickelte sich zu einer Demonstration für die Unabhängigkeit Tibets. Das vom Staatsrat am 22. 9. 1992 in Peking veröffentlichte Weißbuch »Die Souveränitätszugehörigkeit Tibets und seine Menschenrechtssituation« verteidigt die **Tibet-Politik Pekings;** Tibet sei ein untrennbarer Teil Chinas. Ende August 1993 fordert die Regierung den *Dalai-Lama* zur Rückkehr aus dem indischen Exil auf; über alle Fragen außer der Unabhängigkeit Tibets könne verhandelt werden. – Ohne spürbare Fortschritte endet am 17. 8. die 9. Runde der britisch-chinesischen Gespräche über die Vorschläge des

Gouverneurs von Hongkong, *Chris Patten*; die chinesische Regierung lehnt die von *Patten* am 7. 10. 1992 angekündigten und dem Parlament in Hongkong am 12. 3. 1993 formell vorgelegten Pläne zur Demokratisierung als Verletzung des britisch-chinesischen Abkommens ab. Der Nationale Volkskongreß hatte am 31. 3. mit großer Mehrheit die vorzeitige Bildung eines rein chinesischen Gremiums beschlossen, das sich ab sofort mit der für 1997 vorgesehenen Übergabe Hongkongs befassen soll. – In dem von der Regierung am 30. 8. veröffentlichten Weißbuch »Die Taiwan-Frage und die Wiedervereinigung Chinas« wird erneut der Souveränitätsanspruch auf die Inselrepublik betont; erstmals wird die Möglichkeit des Einsatzes militärischer Mittel zur »Wiederherstellung der territorialen Integrität des Vaterlandes« erwähnt.

DÄNEMARK   *Poul Schlüter*/Konservative Partei, seit 1990 Ministerpräsident einer Minderheitsregierung aus Konservativen und Liberalen, tritt am 14. 1. **1993** zurück. Anlaß ist ein Untersuchungsbericht des Obersten Gerichtshofs, der *Schlüter* bezichtigt, das Parlament im April 1989 über eine 2 Jahre zuvor vom Justizministerium rechtswidrig gestoppte Familienzusammenführung tamilischer Asylbewerber falsch bzw. unvollständig informiert zu haben. Der am 11. 4. 1992 zum Vorsitzenden der Sozialdemokratischen Partei (mit 69 Sitzen stärksten Partei im Parlament) gewählte *Poul Nyrup Rasmussen* wird am 25. 1. 1993 Ministerpräsident einer **Mitte-Links-Regierung** aus Sozialdemokraten (15 Ressorts), Zentrumsdemokraten (4), Radikalliberalen (3) und Christlicher Volkspartei (2). – Beim zweiten Referendum über das für D. abgeänderte **Vertragswerk von Maastricht** stimmen am 18. 5. bei einer Wahlbeteiligung von 86,6% der knapp 4 Mio. Stimmberechtigten 56,8% mit Ja und 43,2% mit Nein. Das Parlament gab seine Zustimmung bereits am 30. 3. 1992. Beim ersten Referendum am 2. 6. 1992 hatte die Bevölkerung mit 50,7% der abgegebenen Stimmen gegen das Vertragswerk gestimmt und die EG in eine tiefe Krise gestürzt. D. wurden daraufhin auf dem Edinburgher EG-Gipfel am 11./12. 12. 1992 Ausnahmeregelungen zugestanden: Es bleibt Mitglied der EG, wird aber nicht die bis zum Jahr 2000 geplante Einführung einer einheitlichen EG-Währung mitvollziehen und muß sich auch nicht an einer europäischen Verteidigungspolitik beteiligen (→ *Kasten Sp. 791*). Unmittelbar nach dem positiven Votum kommt es im Kopenhagener Stadtteil Nörrebro zu schweren Ausschreitungen, bei denen die Polizei gezielt Schußwaffen gegen militante EG-Gegner einsetzt. – Der Internationale Gerichtshof (IGH) in Den Haag spricht sich am 14. 6. im **Streit mit Norwegen über den Kontinentalsockel** und die Fischereizonen im

Seegebiet zwischen Ost-Grönland und der norwegischen Insel Jan Mayen für das Prinzip der Mittellinie aus und lehnt die von D. verlangte uneingeschränkte Durchführung der 200-sm-Zone ab. Die strittige Gesamtfläche von 65 000 km², in der auch Erdgas- und Erdöllager vermutet werden, wird etwa zur Hälfte beiden Staaten zugesprochen. – Mit 65 gegen 64 Stimmen bei 50 Enthaltungen billigt das Parlament am 25. 6. ein **neues Steuergesetz**, das zwar eine Senkung der Spitzensteuersatzes in Stufen von derzeit 68 auf 58% und des Steuersatzes für schlechter Verdienende von 52 auf 38%, aber eine Erhöhung fast aller anderen Steuern und Abgaben vorsieht. Mit der Steuerreform erhofft sich die Regierung eine Konjunkturbelebung und damit eine Senkung der **Arbeitslosigkeit**.

DEUTSCHLAND

Außen- und Sicherheitspolitik: In einer beim Besuch des **kasachischen** Staatspräsidenten *Nursultan Nasarbajew* vom 21.–23. 9. **1992** in Bonn vereinbarten Gemeinsamen Erklärung sagt die kasachische Regierung den Deutschstämmigen freie Religionsausübung und die Pflege ihrer Sprache und Kultur zu. – Bundesinnenminister *Rudolf Seiters*/CDU unterzeichnet am 24. 9. in Bukarest ein Abkommen, das die **Rückführung abgelehnter Asylbewerber nach Rumänien** erleichtert. Darin verpflichten sich D. und Rumänien, eigene Staatsangehörige wieder aufzunehmen, die sich illegal im Land des Vertragspartners aufhalten. Die Zahl der Antragsteller aus Rumänien betrug in den ersten 8 Monaten 1992 57 446, bei nur 0,2% dieser Personen wurde dem Asylantrag stattgegeben. – Als erster EG-Staat nimmt Deutschland am 13. 11. **diplomatische Beziehungen zu Bosnien-Herzegowina** auf. – Bundestag (2. 12.) und Bundesrat (18. 12.) verabschieden den **Vertrag von Maastricht** (→ *Innenpolitik*). – Bundeskanzler *Kohl* und der russische Präsident *Boris Jelzin* einigen sich am 16. 12. in Moskau auf eine zinslose **Stundung russischer Schulden** in der Bundesrepublik aus sog. Transferrubel-Geschäften in Höhe von 17,5 Mrd. DM bis zum Jahr 2000. Überdies stellt Bonn zu den schon vereinbarten 7,8 Mrd. DM weitere 500 Mio. DM für heimkehrende Offiziere zur Verfügung. Der Abzug der ehemaligen Sowjetarmee soll bereits Ende August 1994 und nicht, wie ursprünglich vorgesehen, erst zum Jahresende 1994 abgeschlossen sein. Liegenschaften der ehemaligen Sowjetarmee in den neuen Bundesländern werden kostenlos vom Bund übernommen. – Der Generalinspekteur der Bundeswehr, *Klaus Naumann*, der Generalstabschef der französischen Streitkräfte, *Jacques Lanxade*, und der NATO-Oberbefehlshaber in Europa, *John Shalikashvili*, unterzeichnen am 21. 1. **1993** in Brüssel ein Abkommen zur Regelung des Einsatzes des deutsch-französischen **Eurokorps** unter dem Befehl der westlichen Allianz. Am 2. 6. stimmen Deutschland und Frankreich einer Beteiligung Belgiens zu. Frankreich löst am 27. 8. das Oberkommando seiner Streitkräfte in Rastatt/Baden-Württemberg auf; von den ursprünglich 50 000 Soldaten bleiben 15 000 als Teil des künftigen Eurokorps in der Bundesrepublik. – Das Bundeskabinett beschließt am 2. 4. aufgrund einer Vereinbarung der Koalitionsparteien CDU, CSU und FDP die **deutsche Beteiligung an** der von der UNO beschlossenen **Überwachung des Flugverbots über Bosnien-Herzegowina** durch den NATO-AWACS-Verband; am 20. 4. einigt sich das Bundeskabinett auf die **Entsendung deutscher Soldaten nach Somalia** (→ *Innenpolitik*). – Der **usbekische** Präsident *Islam Karimow* erörtert am 28. 4. in Bonn mit Bundeskanzler *Kohl* die Lage in den GUS-Staaten, die Möglichkeit deutscher Investitionen in Usbekistan und die Situation der 40 000 Deutschstämmigen in Usbekistan. – Der **chinesische** Außenminister *Qian Qichen* macht am 11. 5. bei seinem Besuch in Bonn deutlich, daß China an intensiveren wirtschaftlichen Kontakten zu D. interessiert ist. Bundesaußenminister *Klaus Kinkel*/FDP betont im Gespräch mit *Qian*, daß Deutschland ein stärkeres Engagement Chinas besonders im Hinblick auf die regionale Sicherheit in Asien wünsche. Die Koalitionsfraktionen im Bundestag hatten am 10. 12. 1992 die Normalisierung der Wirtschaftsbeziehungen mit der VR China beschlossen und damit die vom Bundestag 1989 nach der blutigen Niederschlagung der Studentenbewegung verhängten Sanktionen aufgehoben. Am 28. 1. 1993 hatte der Bundessicherheitsrat den Export deutscher U-Boote nach Taiwan abgelehnt, um dadurch das Verhältnis zur VR China nicht zu belasten. – Bundesinnenminister *Seiters*/CDU und der polnische Innenminister *Andrzej Milczanowski* unterzeichnen am 7. 5. in Bonn ein **Abkommen zur Rücknahme von Asylbewerbern durch Polen**, deren Antrag in D. abgewiesen wurde (→ *Innenpolitik*). Polen erhält als Ausgleich für Mehrbelastungen 120 Mio. DM bis Ende 1994. – *Seiters* und der **russische** Minister für innere Sicherheit *Viktor Barannikow* unterzeichnen am 25. 5. ein Abkommen über verstärkte Zusammenarbeit bei der Bekämpfung der organisierten Kriminalität. – Bundeskanzler *Kohl* und der **ukrainische** Präsident *Leonid Krawtschuk* unterzeichnen am 9. 6. in Kiew eine Erklärung über eine umfassende politische, wirtschaftliche und kulturelle Zusammenarbeit. Die Ukraine will Deutschstämmigen die Ansiedlung auf ihrem Territorium ermöglichen.

Innenpolitik: Die Mehrheit der SPD-Bundestagsfraktion stellt sich am 21. 9. **1992** bei einer Aussprache in der **Stolpe-Affäre** hinter den brandenburgi-

schen Ministerpräsidenten *Manfred Stolpe*/SPD, der sich wegen seiner früheren Kontakte zum DDR-Ministerium für Staatssicherheit/MfS (»Stasi«) rechtfertigen muß. *Stolpe* wird durch 2 Gutachten belastet, die *Joachim Gauck* als Leiter der »Stasi«-Untersuchungsbehörde am 10. 4. und 14. 10. vorlegt. Danach soll *Stolpe*, der 1959 in den Dienst der Ev. Kirche in Berlin-Brandenburg trat, 1969 das Sekretariat des Bundes der evangelischen Kirchen in der DDR übernahm und 1982 Konsistorialpräsident wurde, als IM (= Informeller Mitarbeiter) »Sekretär« seit 1964 Informationen aus dem Bereich der ev. Kirche, unter deren Dach sich der politische Widerstand organisierte, an das MfS weitergegeben haben. Am 5. 10. wurde bekannt, daß *Stolpe* 1978 auf Anordnung von »Stasi«-Chef *Erich Mielke* der Verdienstorden der DDR verliehen wurde. Die brandenburgische Bildungsministerin *Marianne Birthler*/Bündnis 90 tritt am 29. 10. aus Kritik am Verhalten *Stolpes* im Zusammenhang mit dessen ungeklärten »Stasi«-Kontakten zurück. Die Evangelische Kirche in Deutschland (EKD) stellt sich auf ihrer Synode in Suhl am 1. 11. hinter *Stolpe*. – Der ehemalige Regierende Bürgermeister von Berlin (1957–66), SPD-Vorsitzende (1964–87), Bundesaußenminister (1966–69) und Bundeskanzler (1969–74) **Willy Brandt stirbt** am 8. 10. 78jährig in seinem Wohnort Unkel bei Bonn. Er wird nach einem Staatsakt am 17. 10. in Berlin beigesetzt. – Der Bundestag billigt am 2. 12. in einer Sondersitzung mit 543 gegen 17 Stimmen bei 8 Enthaltungen das **Vertragswerk von Maastricht** über die Europäische Union. Der Bundesrat läßt das Vertragswerk am 18. 12. ohne Gegenstimme passieren. – Am 9. 12. billigt der Bundestag mit den Stimmen von Koalition und SPD das **Gesundheitsstrukturgesetz**, mit dem die gesetzlichen Krankenkassen von 1993 an pro Jahr mehr als 10 Mrd. DM einsparen sollen. Der Bundesrat stimmt am 18. 12. zu. Die Gesundheitsberufe üben scharfe Kritik. – Der Bundeswirtschaftsminister und Vizekanzler Jürgen W. **Möllemann/FDP tritt** am 3. 1. **1993 zurück**, nachdem er u. a. im Zusammenhang mit der »Briefbogen-Affäre« in die Kritik geraten war. Als Nachfolger nominieren Parteivorstand und Bundestagsfraktion der FDP das bisherige Vorstandsmitglied der Berliner Treuhandanstalt, *Günter Rexrodt*. – Bundeskanzler *Kohl* gibt am 19. 1. die **Umbildung der Bundesregierung** bekannt: 4 neue Minister kommen, 7 Parlamentarische Staatssekretäre scheiden aus. Der bisherige Chef der CSU-Landesgruppe im Bundestag *Wolfgang Bötsch*/CSU wird Nachfolger des am 14. 12. aus Protest gegen die Jugoslawien-Politik der Bundesregierung zurückgetretenen Bundesministers für Post und Telekommunikation *Christian Schwarz-Schilling*/CDU, *Jochen Borchert*/CDU rückt an die Stelle des einvernehmlich ausgeschiedenen Bundesministers für Ernährung, Landwirtschaft und Forsten *Ignaz Kiechle*/CSU, und *Matthias Wissmann*/CDU wird anstelle von *Heinz Riesenhuber*/CDU Bundesminister für Forschung und Technologie. Bestätigt wird die Ernennung von *Günter Rexrodt*/FDP zum Wirtschaftsminister. Vizekanzler ist auf Wunsch der FDP nunmehr Bundesaußenminister *Klaus Kinkel*/FDP. – Bei den **Tarifverhandlungen** für den Öffentlichen Dienst einigen sich Arbeitgeber und Arbeitnehmer am 4. 2. auf eine Erhöhung der Löhne und Gehälter um 3,0 %. – Bei der **Kommunalwahl in Hessen** am 7. 3. muß die SPD bei einer Wahlbeteiligung von 71,3 % starke Verluste gegenüber 1989 hinnehmen (–8,4 %), die CDU einigen sich (–2,3 %), während die Republikaner ihren Stimmenanteil von 0,7 % auf 8,3 % erhöhen können. Die Grünen verbessern sich um 1,9 % auf 11,0 % und die FDP um 0,3 % auf 5,1 %. *(→ Skizze rechts).* – Das Bundeskabinett beschließt am 2. 4. einer Vereinbarung der Koalitionsparteien CDU, CSU und FDP die deutsche Beteiligung an der von der UNO beschlossenen **Überwachung des Flugverbots über Bosnien-Herzegowina** durch den NATO-AWACS-Verband. Die der FDP angehörenden Minister stimmen »aus verfassungsrechtlichen Gründen« dagegen und rufen zur Klärung den Bundesverfassungsgerichtshof (BVG) an. Der 2. Senat des BVG autorisiert am 8. 4. in einer vorläufigen Eilentscheidung die Mitwirkung deutscher Soldaten an dem AWACS-Einsatz. Am 20. 4. einigt sich das Bundeskabinett – einem Ersuchen des UN-Generalsekretärs vom 12. 4. entsprechend – auf die Entsendung von 1640 **Bundeswehrsoldaten nach Somalia** im Rahmen der UNOSOM *(→ Somalia),* hauptsächlich Transportkapazitäten, Instandsetzer und Pioniere zur humanitären Hilfe. Wehrpflichtige werden nur als Freiwillige abkommandiert *(→ Skizze Sp. 179).* Am 21. 4. billigt der Bundestag mit 341 gegen 206 Stimmen bei 8 Enthaltungen die deutsche Beteiligung an der UNO-Mission in Somalia und mit 338 gegen 208 Stimmen bei 9 Enthaltungen die weitere Präsenz deutscher Besatzungen in AWACS-Flugzeugen der NATO im Einsatz über Bosnien-Herzegowina. Der Bundeswehreinsatz in Somalia läuft am 12. 5. mit der Entsendung militärischen Materials und Vorkommandos an. Die SPD versucht die Bundeswehr-Mission mit einem Eilantrag beim BVG zu verhindern und erweitert die anhängige Adria- und AWACS-Klage um den Somalia-Einsatz. Am 23. 6. entscheidet das BVG in einer Einstweiligen Verfügung, daß der Bundestag über den Einsatz der Bundeswehr in Somalia abstimmen solle. Bis zum endgültigen Urteil über die Verfassungsmäßigkeit von UNO-Einsätzen der Bundeswehr außerhalb des NATO-Gebietes verlangt das Gericht ein Zusammenwirken der Bundesregierung und des Bundes-

tages. Der Bundestag spricht sich am 2. 7. in namentlicher Abstimmung mit 337 gegen 185 Stimmen bei 13 Enthaltungen erneut für den Einsatz der Bundeswehr in Somalia aus. Die SPD kritisiert den fehlenden verfassungspolitischen Konsens, versichert aber den deutschen Soldaten ihre Unterstützung. – Der schleswig-holsteinische Ministerpräsident **Björn Engholm/SPD tritt am 3. 5. von allen politischen Ämtern zurück** (Ministerpräsident, SPD-Parteivorsitzender und Kanzlerkandidat) und zieht damit die Konsequenz aus seinem Verhalten vor dem *Barschel*-Untersuchungsausschuß: Er habe vor dem Ausschuß verschwiegen, daß er 1987 bereits vor der Landtagswahl über die gegen seine Person gerichteten Aktivitäten des damaligen Ministerpräsidenten *Uwe Barschel*/CDU informiert gewesen sei. Am 19. 5. wählt der schleswig-holsteinische Landtag mit 46 gegen 41 Stimmen die bisherige Finanzministerin *Heide Simonis*/SPD als Nachfolgerin *Engholms* zur Ministerpräsidentin. – Die seit Monaten anhaltende Kritik an seinem Verhalten, resultierend aus dem Vorwurf, sich wirtschaftliche Vorteile verschafft zu haben, führt am 6. 5. zum **Rücktritt von** Bundesverkehrsminister **Günther**

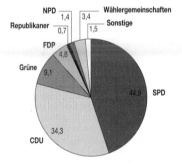

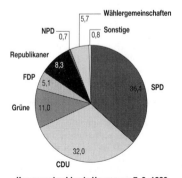

Kommunalwahlen in Hessen am 7. 3. 1993

Krause/CDU. Nachfolger wird der erst im Januar zum Bundesminister für Forschung und Technologie ernannte *Matthias Wissmann*/ CDU; neuer Bundesforschungsminister wird mit *Paul Krüger*/CDU erneut ein Abgeordneter aus den neuen Bundesländern. – Das Hamburger Verfassungsgericht entscheidet am 4. 5., daß die **Hamburger Bürgerschaftswahl** vom 2. 6. 1991, bei der die SPD mit Bürgermeister *Henning Voscherau* knapp die absolute Mehrheit errang, sowie 5 von 7 Bezirksversammlungswahlen wegen schwerwiegender Verstöße der CDU bei der Kandidatenauswahl **ungültig** sind und wiederholt werden müssen. – Die am 14. 5. im Schweriner Landtag mit großer Mehrheit verabschiedete **Landesverfassung von Mecklenburg-Vorpommern** tritt am 23. 5. vorläufig in Kraft; sie wird erst durch einen Volksentscheid im Juni 1994 dauerhafte Geltung erlangen. Als wichtigste Staatsziele sind darin u. a. der Umweltschutz, die Gleichstellung von Frau und Mann sowie der besondere Schutz von Kindern und Jugendlichen verankert. – Am 1. 6. tritt die vom Landtag in Hannover am 13. 5. mit großer Mehrheit bei nur einer Gegenstimme verabschiedete neue **Landesverfassung von Niedersachsen** in Kraft, die das vorläufige Grundgesetz für das Bundesland von 1951 ablöst. Sie ermöglicht erstmals Volksinitiativen und Volksentscheide; der Umweltschutz ist als »Staatsgrundsatz« verankert. – Der IG-Metall-Vorsitzende *Franz Steinkühler* tritt am 25. 5. wegen umstrittener Aktiengeschäfte zurück. Ihm waren Insider-Geschäfte an der Börse als Aufsichtsratsmitglied der Daimler-Benz AG vorgeworfen worden. Nachfolger wird sein bisheriger Stellvertreter *Klaus Zwickel*. – Nach einem internen **Machtkampf in der CSU** einigen sich am 21. 5. Parteivorstand und Fraktionsspitze darauf, daß der bisherige bayerische Innenminister *Edmund Stoiber*/CSU Nachfolger des wegen Gratisreisen (»Amigo-Affäre«) in die Kritik geratenen bayerischen Ministerpräsidenten *Max Streibl*/CSU wird; der Parteivorsitzende und Bundesfinanzminister *Theo Waigel* soll in seiner Position als Parteichef gestärkt werden. *Streibl* tritt am 27. 5. zurück, und *Stoiber* wird am 29. 5. vom Bayerischen Landtag mit 120 Ja-Stimmen von 184 anwesenden Abgeordneten – die Opposition enthielt sich der Stimme – zum neuen Ministerpräsidenten des Freistaats gewählt. – Unter Polizeischutz beschließt der Bundestag am 26. 5. die Grundgesetzänderung betreffend die **Asylgewährung** (Art. 16 GG) sowie das Asylverfahrensgesetz und das Gesetz über Leistungen an Asylbewerber. 521 Abgeordnete stimmen für, 132 gegen das neue Asylrecht. Der Bundesrat stimmt dem Gesetz am 28. 5. zu, das am 1. 7. in Kraft tritt. CDU, CSU, FDP und SPD hatten sich am 6. 12. 1992 auf einen Kompromiß zur Änderung des Asylartikels im Grundgesetz geeinigt. Politisch Ver-

folgte genießen auch künftig Asylrecht in Deutschland, die Möglichkeiten des Zustroms von Flüchtlingen werden jedoch deutlich eingeschränkt: Ausländer, die über einen EG-Mitgliedsstaat oder einen sicheren Drittstaat einreisen, haben keinen Anspruch mehr auf Asyl; die Möglichkeiten, den Rechtsweg zu beschreiten, werden eingeschränkt. Als sichere Drittstaaten gelten Finnland, Norwegen, Österreich, Polen, Schweden und die Schweiz, in denen Schutz entsprechend der Genfer Flüchtlingskonvention/ GFK und der Europäischen Menschenrechtskonvention/EMRK gewährt wird. Ausländern, die aus einem Staat einreisen, in dem weder politische Verfolgung noch unmenschliche Behandlung stattfinden, ist der Asylantrag als offensichtlich unbegründet abzulehnen. Als solche sog. sicheren Herkunftstaaten gelten Bulgarien, Gambia, Ghana, Polen, Rumänien, Senegal, die Slowakei, Tschechische Republik und Ungarn. Zudem werden künftig die Leistungen an Asylbewerber grundsätzlich als Sachleistungen erbracht und die derzeit geltenden Sätze gekürzt. – Nach monatelangem Streit zwischen Bund und Ländern und einer kontroversen Debatte beschließt der Bundestag am 27. 5. mit den Stimmen der Koalition und der SPD das Föderale Konsolidierungsprogramm/FKP (»**Solidarpakt**«). Der Bundesrat stimmt am 28. 5. einstimmig zu. Das Solidarpaktkonzept sieht vor, daß von 1995 an jährlich mehr als 100 Mrd. DM vom Westen in den Osten fließen. – Das BVG erklärt am 28. 5. die vom Bundestag am 26. 6. 1992 verabschiedete **Reform des Abtreibungsrechts** (→ *WA ʼ93, Sp. 47*) in entscheidenden Punkten für **verfassungswidrig**. Nach dem Urteil gilt vom 16. 6. an bis zum Inkrafttreten eines neuen Gesetzes in ganz Deutschland eine Übergangsregelung: Die Krankenkassen zahlen den Schwangeschaftsabbruch nur noch, wenn Lebensgefahr für die Mutter besteht, eine Schädigung des Embryos vorliegt oder eine Vergewaltigung Ursache der Schwangerschaft war. Eine Abtreibung aus sozialer Not oder aus anderen Gründen bleibt straffrei, wenn sie in den ersten 12 Wochen der Schwangerschaft erfolgt und wenn sich die Frau mindestens 3 Tage vor dem Eingriff hat beraten lassen. Das BVG gibt damit in großen Teilen einer Klage von 249 Unionsabgeordneten und des Freistaats Bayern statt. – Die Bundesregierung billigt am 23. 6. das umstrittene Gesetzespaket zur Einführung einer **Pflegeversicherung** und von Karenztagen bei der Lohnfortzahlung im Krankheitsfall. Sie soll in 2 Stufen 1994 (häusliche Pflege) und 1996 (Pflege in Heimen) in Kraft treten; den Beitragssatz von 1 bzw. 1,7 % müssen sich Arbeitnehmer und Arbeitgeber teilen. Die Vorschläge zur Entlastung der Wirtschaft – Verzicht auf Lohnfortzahlung in den ersten 2 Krankheitstagen oder Wegfall von Feiertagen u. ä. – sind umstritten. – 13 **Kurden besetzen** am 25. 6. **das türkische**

Generalkonsulat in München und nehmen 23 Geiseln. Sie fordern, Bundeskanzler *Kohl* solle in einer Fernsehansprache auf das Kurdenproblem in der Türkei aufmerksam machen. Die Täter geben am Abend des gleichen Tages auf. In einer offenbar zentral gesteuerten Aktion kommt es auch in anderen Städten zu kurdischen Angriffen auf türkische Einrichtungen: In Hamburg, Frankfurt/M., Köln, Bremen und Berlin werden Banken, Reisebüros und Fluggesellschaften verwüstet. – Bei der Festnahme von 2 mutmaßlichen Mitgliedern der **»Rote Armee-Fraktion«/RAF** werden am 27. 6. in **Bad Kleinen**/Mecklenburg-Vorpommern das mutmaßliche RAF-Mitglied *Wolfgang Grams* und ein Beamter der Anti-Terrorgruppe GSG-9 erschossen; ein weiteres angebliches RAF-Mitglied, *Birgit Elisabeth Hogefeld*, wird verhaftet. 1992 hatten einzelne RAF-Gefangene der Gewalt abgeschworen – als Reaktion auf die Initiative des damaligen Justizministers *Klaus Kinkel* zur vorzeitigen Haftentlassung von Terroristen, die $^2/_3$ ihrer Strafe abgesessen haben. Nachdem diese Haftentlassungen offenbar ins Stocken geraten waren, änderte sich im Frühjahr 1993 die Stimmungslage im RAF-Umfeld: Am 27. 3. wurde der noch nicht in Betrieb befindliche Gefängnisneubau in Weiterstadt/Hessen durch einen Bombenanschlag schwer beschädigt (Sachschaden ca. 100 Mio. DM). Wegen zahlreicher Fehler und Ungereimtheiten bei der Polizeiaktion von Bad Kleinen übernimmt Innenminister *Rudolf Seiters*/CDU am 4. 7. die politische Verantwortung und tritt zurück. Als sein Nachfolger wird am 12. 7. der hessische CDU-Vorsitzende *Manfred Kanther* vereidigt. Generalbundesanwalt *Alexander von Stahl*/FDP wird am 6. 7. von Bundesjustizministerin *Sabine Leutheusser-Schnarrenberger*/FDP in den einstweiligen Ruhestand versetzt. – Als erstes der neuen Bundesländer richtet der Freistaat **Sachsen** am 12. 7. ein **Verfassungsgericht** ein. Am 16. 7. wird ein **Landeswahlgesetz** verabschiedet. Die Zahl der ab 1994 für 5 Jahre zu wählenden Landtagsabgeordneten wird von 160 auf 120 verringert, außerdem ist eine 5-%-Sperrklausel festgelegt. Kandidaten für ein Landtagsmandat müssen vor Wahlen erklären, daß sie nicht für die »Stasi« gearbeitet haben. – Bei der **Wiederholung der Hamburger Bürgerschaftswahl** am 19. 9. verliert die bisher alleinregierende SPD mit 40,4 (1991:48) % der Stimmen und 58 (61) Mandaten ihre absolute Mehrheit; auch die CDU erleidet mit 25,1 (53,1) % und 36 (44) Mandaten das schlechteste Ergebnis seit Kriegsende. Wahlgewinner sind die Grünen/GAL mit 13,5 (7,2) % und 19 (9) Sitzen und die STATT-Partei mit rund 5,6 (–) % und 8 (–) Sitzen. Die FDP ist mit 4,2 (5,4) % der Stimmen nicht mehr in der Bürgerschaft vertreten; Republikaner und DVU scheitern mit 4,8 bzw. 2,8 % an der 5 %-Klausel.

Rechtsradikalismus/Ausländerfeindlichkeit: Die Welle rechtsradikaler Gewalt (→ *WA '93, Sp. 48*) reißt nicht ab. Neonazis setzen am 26. 9. **1992** die Baracke 38 in der Gedenkstätte des ehemaligen KZ Sachsenhausen in Brand. Das Gebäude, in dem ein »Museum für die Leiden der jüdischen Kameraden« untergebracht war, wird zerstört. – In Berlin demonstrieren am 8. 11. rd. 300 000 Menschen unter dem Motto »Die Würde des Menschen ist unantastbar« gegen Ausländerhaß und Fremdenfeindlichkeit. Bundespräsident *Richard von Weizsäcker* wird bei seiner Abschlußrede von etwa 300 Mitgliedern autonomer Gruppen gestört. – Der Wehrbeauftragte des Deutschen Bundestages, *Manfred Biehle*/CSU, bestätigt am 11. 11., daß sich Bundeswehrsoldaten bei gewalttätigen Auseinandersetzungen mit ausländerfeindlichem Hintergrund am Tod von 3 Menschen schuldig gemacht haben. – Bei einem **Brandanschlag** auf 2 von Türken bewohnte Häuser **in Mölln** (Schleswig-Holstein) am 23. 11. kommen 3 Bewohnerinnen, eine Frau und 2 Mädchen, ums Leben, 9 weitere Personen werden zum Teil schwer verletzt. Der Generalbundesanwalt übernimmt die Ermittlungen und damit erstmals ein Verfahren im rechtsradikalen Bereich. Wenige Tage später werden 2 Rechtsradikale als Täter festgenommen, die die Tat gestehen. – Gegen die fremdenfeindlichen Vorfälle gehen in den Wochen vor Weihnachten in mehreren deutschen Großstädten (u. a. Hamburg, Frankfurt, Berlin) Hunderttausende zu **Demonstrationen und** kilometerlangen **Lichterketten** auf die Straße. Auch im Ausland gibt es besorgte Reaktionen über ein Wiedererstarken des Rechtsradikalismus in D. – Am 27. 11. wird erstmals seit 1989 wieder eine **rechtsextremistische Organisation verboten**: Bundesinnenminister *Seiters*/CDU verbietet die »Nationalistische Front«. Am 10. 12. folgt das Verbot der neonazistischen Vereinigung »Deutsche Alternative«, am 22. 12. das der »Nationalen Offensive« (rd. 140 Mitglieder). Am 9. 12. beschließt die Bundesregierung, 2 führenden Rechtsextremisten die Grundrechte auf freie Meinungsäußerung, Pressefreiheit, Versammlungs- und Vereinigungsfreiheit sowie das passive Wahlrecht entziehen zu lassen. Über den Antrag nach Grundgesetzartikel 18 muß das Bundesverfassungsgericht entscheiden. Die Innenminister von Bund und Ländern beschließen am 15. 12. einstimmig, die rechtsradikalen Republikaner bundesweit von den Verfassungsschutzbehörden beobachten zu lassen. Das Bundesinnenministerium erklärt, daß bei der Partei »Anhaltspunkte für Bestrebungen gegen die freiheitliche demokratische Grundordnung der Bundesrepublik« vorlägen. Der am 6. 2. **1993** vorgelegte Jahresbericht des Bundesamtes für Verfassungsschutz (BfV) berichtet über einen deutlichen **Anstieg rechtsextremistischer Straftaten** im Jahre 1992 auf 2285 (1991:

1483); dabei wurden 17 Personen getötet. 90 % der Anschläge und Übergriffe richteten sich gegen Ausländer. – Eine **neue Welle der Gewalt gegen Ausländer** beginnt am 30. 5. mit einem Brandanschlag auf ein von Türken bewohntes Haus in **Solingen** (Nordrhein-Westfalen), bei dem 5 Frauen und Mädchen den Tod finden. Noch am selben Abend wird ein aus der Nachbarschaft stammender 16jähriger Tatverdächtiger verhaftet; die Festnahme von 3 weiteren mutmaßlichen Attentätern im Alter von 20 und 23 Jahren erfolgt am 4. 6., alle 4 gehören der rechtsextremen Szene an, und der Anlaß der Tat war offenbar ein Kneipenrausschmiß. Als Reaktion auf die Morde demonstrieren in Solingen an den folgenden Tagen Türken und Deutsche gegen Ausländerhaß. In der Nacht zum 31. 3. kommt es in der Innenstadt zu Krawallen, bei denen Sachschaden in Millionenhöhe entsteht. Am 1. 6. finden in mehreren Städten Protestkundgebungen statt. Bei der Trauerfeier in der Kölner Moschee am 3. 6. fordert Bundespräsident *Richard von Weizsäcker*, Ausländer nicht als mitarbeitende Bürger zweiter Klasse zu behandeln und ihnen die doppelte Staatsbürgerschaft zu gewähren. In der Folge kommt es zu weiteren Brandanschlägen und Übergriffen gegen Ausländer. – Nach dem ungehinderten Aufmarsch von rd. 600 Rechtsextremisten am 14. 8. in Fulda versetzt die hessische Landesregierung den Staatssekretär im Innenministerium, *Christoph Kulenkampff*/SPD, der die Tatenlosigkeit der Polizei verteidigt hatte, in den einstweiligen Ruhestand.

Justiz: Vor der 27. Strafkammer des Berliner Landgerichts beginnt am 12. 11. **1992** der **Prozeß gegen Erich Honecker** und 5 weitere Mitglieder der früheren DDR-Führung: *Erich Mielke* (Minister für Staatssicherheit 1957–1989), *Willi Stoph* (Ministerpräsident 1964–1973 und 1976–1989), *Heinz Keßler* (Verteidigungsminister 1985–1989), *Fritz Streletz* (stellv. Verteidigungsminister 1979–1989) und *Hans Albrecht* (Erster Sekretär des SED-Bezirks Suhl 1968–1989). Sie sind die noch lebenden Mitglieder des DDR-Verteidigungsrats in der Zusammensetzung von 1974; eine schießbefehlähnliche Notiz des damaligen Sekretärs dieses Gremiums, *Streletz*, trägt das Datum vom 3. 5. 1974. Die Anklageschrift wirft den früheren DDR-Spitzenfunktionären vor, gemeinschaftlich des Totschlags in 13 Fällen an der innerdeutschen Grenze sowie an der Berliner Mauer schuldig zu sein. *Honecker* bekennt sich am 3. 12. zur politischen Verantwortung für den Mauerbau, lehnt aber jede persönliche Schuld für die Todesopfer ab. Am 7. 1. **1993** beschließt die 27. Strafkammer die Abtrennung des Verfahrens gegen *Honecker* vom Verfahren gegen die Mitangeklagten *Albrecht*, *Keßler* und *Streletz*

unter Hinweis auf den schlechten Gesundheitszustand *Honeckers*. Nach 169 Tagen Untersuchungshaft wird **Honecker** schließlich am 13. 1. **aus dem Gefängnis** Berlin-Moabit **entlassen**, nachdem die beiden Haftbefehle gegen ihn – sie lauteten auf Totschlag sowie auf Untreue und Amtsmißbrauch – aufgehoben worden waren. Der Berliner Verfassungsgerichtshof hatte der Beschwerde *Honeckers* mit der Begründung stattgegeben, eine weitere Haft sei mit dem Gebot der Menschenwürde unvereinbar. Am 14. 1. fliegt *Honecker* in die chilenische Hauptstadt Santiago, wo Frau und Tochter leben. Nachdem das Verfahren gegen *Stoph* am 13. 11. 1992 wegen dessen Herzerkrankung und am 17. 11. gegen *Mielke* wegen dessen Doppelbelastung – er hat sich in einem 2. Prozeß wegen der angeblichen Tötung zweier Polizisten in Berlin 1931 zu verantworten – vom Hauptprozeß abgetrennt und vorläufig eingestellt wurden, verbleibt der ebenfalls in Untersuchungshaft sitzende *Streletz* der letzte prominente Vertreter der ehemaligen DDR-Regierungsmannschaft auf der Anklagebank. – Der 5. Strafsenat des Bundesgerichtshofs lehnt am 3. 11. das Revisionsverlangen zweier ehemaliger DDR-Grenzsoldaten, die vor dem Berliner Landgericht in einem »**Mauerschützenprozeß**« wegen Totschlags verurteilt worden waren, mit der Begründung ab, elementare Rechtsprinzipien seien von höherem Rang als das in Gesetze und Verordnungen gefaßte Recht eines Staates, in diesem Falle der DDR. Das Bezirksgericht in Potsdam verurteilt am 9. 12. einen ehemaligen DDR-Grenzsoldaten wegen Totschlags zu 6 Jahren Haft – der bislang härtesten Strafe in einem Mauerschützenprozeß. – Der Bundestag verlängert am 10. 12. mit der Koalitionsmehrheit die 1989 eingeführte **Kronzeugenregelung** für Straftaten von Terroristen um 3 Jahre; sie sieht Strafmilderung für Straftäter vor, die gegen Mittäter aussagen. – Am 22. 1. **1993** verabschiedet der Bundestag gegen die Stimmen der PDS einen Gesetzentwurf des Bundesrates über die Aussetzung der Verjährung von Straftaten, die in der DDR aus politischen Gründen nicht verfolgt worden sind. – Am 12. 5. stellt das Landgericht Berlin das Verfahren wegen Amtsmißbrauchs gegen das ehemalige SED-Politbüro-Mitglied *Günter Mittag* unter Hinweis auf dessen angegriffene Gesundheit ein. – Der PDS-Bundestagsabgeordnete und Ex-DDR-Ministerpräsident **Hans Modrow** wird am 27. 5. vor dem Dresdner Landgericht wegen Anstiftung zur Fälschung der DDR-Kommunalwahlen vom Mai 1989 **schuldig gesprochen**, aber nicht bestraft. Die Strafkammer spricht lediglich eine Verwarnung und eine Bewährungsauflage von 20 000 DM aus. Die Staatsanwaltschaft legt Revision ein. – 10 Monate nach dem Überfall auf 2 albanische Gastarbeiter in Kemnat, bei dem einer erschlagen worden ist, verhängt eine

Jugendstrafkammer des Landgerichts Stuttgart am 13. 5. das Urteil über 7 der rechtsextremistischen »Skinhead-Szene« zugerechnete Jugendliche. Ein vielfach Vorbestrafter erhält eine lebenslange Freiheitsstrafe; die übrigen Freiheits- bzw. Jugendstrafen zwischen 9 Jahren und 6 Monaten. – Der 1988 wegen Geiselnahme (*Rudolf Cordes* und *Alfred Schmidt*) und unerlaubten Sprengstofbesitzes zu 13 Jahren Haft verurteilte Libanese **Ali Abbas Hamadi** wird am 6. 8., nach Verbüßung von knapp der Hälfte seiner Strafe, aus der Haft entlassen und in seine Heimat **abgeschoben**. Sein Bruder *Mohammed Ali Hamadi* verbüßt seit 1989 eine lebenslange Haftstrafe wegen Entführung einer TWA-Maschine und Ermordung eines US-Marinetauchers.

Parteien: Die **FDP** leitet auf ihrem Bundesparteitag in Bremen am 2. und 3. 10. **1992** einen Kurswechsel in der Asylpolitik ein. Die Liberalen sind nunmehr bereit, das Recht auf Asyl im Kern aufzuheben. – *Helmut Kohl* wird auf dem **CDU**-Bundesparteitag in Düsseldorf am 26. 10. für weitere 2 Jahre als Parteivorsitzender bestätigt. Überraschend wird der sächsische Innenminister *Heinz Eggert* zu einem seiner 4 Stellvertreter gewählt. – Die Delegierten des **CSU**-Parteitags in Nürnberg fordern am 7. 11. die Abschaffung des individuellen Grundrechts auf Asyl. – Die **SPD** votiert auf ihrem Sonderparteitag in Bonn am 17. 11. für eine Ergänzung des Asylartikels im Grundgesetz und für die Teilnahme der Bundeswehr an friedlichen »Blauhelm«-Einsätzen. – Am 22. 1. **1993** wird *Michael Glos* zum neuen Vorsitzenden der **CSU**-Landesgruppe im Bundestag und damit als Nachfolger von *Wolfgang Bötsch* gewählt, der Postminister wurde (→ *Innenpolitik*). – Der thüringische Ministerpräsident *Bernhard Vogel* wird am 23. 1. zum **CDU**-Landesvorsitzenden gewählt. Er löst *Willibald Böck* ab, der 1992 im Zusammenhang mit der »Raststätten-Affäre« als Innenminister des Landes zurückgetreten war. – Der schleswig-holsteinische Ministerpräsident *Björn Engholm/*SPD gibt am 3. 5. in Bonn seinen Rücktritt von allen politischen Ämtern bekannt (→ *Innenpolitik*). – Nach seinem Rücktritt als Bundesverkehrsminister legt *Günther Krause/*CDU am 14. 5. auch sein Amt als **CDU**-Vorsitzender von Mecklenburg-Vorpommern nieder. – Die in Westdeutschland organisierten **GRÜNEN** und das aus der ostdeutschen Bürgerbewegung hervorgegangene **BÜNDNIS 90** schließen sich auf ihrem Vereinigungsparteitag in Leipzig (14.–16. 5.) zu einer neuen Partei **»BÜNDNIS 90/DIE GRÜNEN«** zusammen. Die frühere brandenburgische Bildungsministerin *Marianne Birthler/*BÜNDNIS 90 und *Ludger Vollmer/*GRÜNE werden als Sprecher an die Spitze der neuen Partei gewählt. – Nach einem internen **Machtkampf in der CSU** einigen sich am 21. 5. Par-

teivorstand und Fraktionsspitze der CSU darauf, daß der bisherige bayerische Innenminister *Edmund Stoiber/*CSU Nachfolger des bayerischen Ministerpräsidenten *Max Streibl/*CSU wird; der Parteivorsitzende und Bundesfinanzminister *Theo Waigel* hatte ebenfalls Interesse an der Nachfolge *Streibls* bekundet (→ *Innenpolitik*). – Auf dem **FDP**-Bundesparteitag in Münster (11.–13. 6.) wird Bundesaußenminister *Klaus Kinkel* zum neuen Parteivorsitzenden und Nachfolger des freiwillig ausscheidenden *Otto Graf Lambsdorff* gewählt. Der bisherige Parlamentarische Geschäftsführer der FDP-Bundestagsfraktion *Werner Hoyer* wird zum neuen Generalsekretär gewählt. – Der rheinland-pfälzische Ministerpräsident *Rudolf Scharping/*SPD wird vom **SPD**-Vorstand am 14. 6. einmütig als Kandidat für die Wahl des neuen Parteichefs in Essen nominiert. Er folgt damit einer erstmals in der Parteigeschichte durchgeführten SPD-Mitgliederbefragung, bei der sich am 13. 6. bei einer Wahlbeteiligung von 56,5 % der rd. 870 000 Parteimitglieder 40,3 % für *Scharping* ausgesprochen haben. Seine Mitbewerber, der niedersächsische Ministerpräsident *Gerhard Schröder* und die Bundestagsabgeordnete *Heidemarie Wieczorek-Zeul*, waren nur auf 33,2 bzw. 28,5 % gekommen. *Scharping* meldet am 21. 6. auch offiziell seinen Anspruch auf die Kanzlerkandidatur an. Auf dem SPD-Sonderparteitag in Essen wird *Scharping* am 25. 6. mit 362 gegen 54 Stimmen bei 40 Enthaltungen **zum neuen SPD-Vorsitzenden gewählt**. Mitte August löst der SPD-Bundestagsabgeordnete *Günter Verheugen* *Karlheinz Blessing* als SPD-Bundesgeschäftsführer ab. – In Halle gründet sich am 8. 7. die **Arbeitslosen-Partei** Deutschlands/ALP. Sie will eine parlamentarische Lobby für Arbeitslose schaffen und setzt sich für die Verankerung des Rechts auf Arbeit im Grundgesetz ein.

Finanzen/Währung/Wirtschaft (*Einzelheiten* → *Sp. 358 ff.*): Der Zentralbankrat der Deutschen Bundesbank gibt am 14. 9. **1992** eine leichte **Senkung der Leitzinsen** bekannt und lockert damit erstmals seit 4 Jahren seine im In- und Ausland kritisierte Geldpolitik. Die Senkung erfolgte im Anschluß an die Neufestsetzung der Leitkurse im Europäischen Währungssystem (*EWS;* → *Sp. 783*). In 4 weiteren Zinsreduktionen wird der Diskontsatz bis Ende Juli 1993 auf 6,75 % und der Lombardsatz auf 7,75 % weiter abgesenkt. – Der Bundesrat stimmt am 25. 9. einem Kompromiß über die **Besteuerung von Zinseinkünften** zu. Das Gesetz, das eine 30 %ige Steuer auf Zinsen vorsieht, tritt am 1. 1. 1993 in Kraft. – Das Bundesverfassungsgericht (BVG) erklärt am 14. 10. in einer Entscheidung den geltenden steuerlichen Grundfreibetrag für zu niedrig und fordert eine Orientierung am Sozialhilfebedarf. – Der Bundestag verabschiedet am 3. 12. 1992 mit den Stimmen der Koalition den **Bundeshaushalt 1993** mit einem Ausgabenvolumen von 435,6 Mrd. DM (+ 2,5 %), einer **Nettokreditaufnahme von 43 Mrd. DM**. Der Bundesrat läßt den Etat am 18. 12. passieren. Durch einen vom Bundestag am 27. 5. 1993 und vom Bundesrat am Tag darauf gebilligten Nachtragshaushalt für 1993 erhöht sich das Gesamtvolumen auf 458 Mrd. DM, die Nettokreditaufnahme steigt auf 67,57 Mrd. DM. – Der Aufsichtsrat der Krupp Stahl AG beschließt am 29. 4. in Essen die endgültige **Schließung des Stahlwerks Duisburg-Rheinhausen** mit 2100 Arbeitnehmern zum 15. 8. Parallel dazu protestieren in Bochum rd. 100000 Kumpels gegen Abstriche an den Abmachungen der Kohlerunde von 1991. – Nach der mit »unzumutbaren Kostenerhöhungen« durch den 1991 vereinbarten Stufentarifvertrag, der zum 1. 4. 1993 Einkommenserhöhungen von 26 % und die völlige Anpassung der Ostlöhne an das Westniveau bis 1994 vorsah, begründeten Kündigung der ostdeutschen Metall-Tarifverträge durch die Arbeitgeber beginnt am 3. 5. der **erste Arbeitskampf in Ostdeutschland** seit mehr als 60 Jahren: Fast 18000 Metaller legen in Sachsen und Brandenburg die Arbeit nieder. Am 14. 5. einigen sich die Verhandlungsführer der sächsischen Metallindustrie auf einen **neuen Stufen-Tarifvertrag** zur Angleichung der Ost-Tarife an das West-Niveau bis 1996. Der Vertrag sieht vor, die Tarife zum 1. 6. auf 75 %, zum 1. 9. auf 77 % und zum 1. 12. 1993 auf 80 % des bayerischen Ecklohnes zu erhöhen. In weiteren Stufen sollen die Tarife bis zum 1. 7. 1996 auf 100 % der bayerischen Tarife gebracht werden. Die Streiks, deren Ausweitung auf ganz Deutschland die Gewerkschaft am 13. 5. beschlossen hatte, werden daraufhin beendet. – Der Bundestag beschließt am 2. 7. mit den Stimmen der Koalition das sog. **Gewinnaufspürungsgesetz**, das die Banken verpflichtet, bei Einzahlungen von mehr als 25000 DM die Paßnummer des Kunden zu registrieren, um die Geldwäsche von Drogenhändlern und Bandenkriminellen zu erschweren. – Die EG-Außenminister sichern am 2. 7. Ostdeutschland für 1994–1999 Hilfen aus dem Brüsseler Regionalentwicklungsfonds von real 27,44 Mrd. DM zu. – Die **Arbeitslosenquote steigt** im Juli in Westdeutschland auf 7,5 %, in den neuen Ländern auf 15,6 %. – Die Bundesregierung verabschiedet am 13. 7. den **Haushaltsentwurf für 1994** und die mittelfristige **Finanzplanung bis 1997**. Die Ausgaben werden danach einschl. der Mittel für die Bahnreform 1994 um 1,4 % auf 478,4 Mrd. DM steigen. Die Neuverschuldung wird 1994 und 1995 mit rd. 67 Mrd. auf dem Niveau von 1993 gehalten; sie soll jedoch bis 1997 auf 38 Mrd. DM gesenkt werden. Am 11. 8. stimmt das Bundeskabinett dem **Sparpaket** von Bundesfinanzminister *Waigel*/CSU zu, mit dem

im Haushaltsjahr 1994 22,6 Mrd. DM eingespart werden sollen – größtenteils durch Kürzungen im Sozialbereich und bei der Arbeitsmarktpolitik, während 6 Mrd. DM aus der Bekämpfung von Steuermißbrauch gezogen werden sollen.

DSCHIBUTI Die Bevölkerung des seit 1977 diktatorisch gelenkten Staates spricht sich am 4. 9. **1992** in einem **Referendum** mit 96,8 % der abgegebenen Stimmen für eine Verfassungsänderung zur **Einführung des Mehrparteiensystems** aus. Die Zahl der zugelassenen Parteien ist jedoch auf 4 begrenzt. – Bei den **Parlamentswahlen** am 18. 12. erhält die seit 1981 regierende »Volkspartei für den Fortschritt«/RPP 72 % der Stimmen und gewinnt alle 65 Sitze. Durch den Boykott oppositioneller Gruppierungen liegt die Wahlbeteiligung unter 50 %. – Trotz des vereinbarten Waffenstillstands zwischen der Regierung und den Rebellen der »Front für die Wiederherstellung der Einheit und Demokratie«/FRUD kommt es immer wieder zu **Kampfhandlungen**; die Friedensgespräche werden vertagt. – Bei den **Präsidentschaftswahlen** am 7. 5. erhält der seit 1977 amtierende Staatschef *Hassan Gouled Aptidon* mit einem Stimmenanteil von 60 % die absolute Mehrheit. Sein aussichtsreichster Gegenkandidat *Mohamed Djama Elabe* von der »Partei für demokratische Erneuerung«/PRD erhält lediglich 22 %. – Bei einer einwöchigen **Großoffensive** erobert die Armee Mitte Juli alle Stellungen der FRUD-Rebellen im Norden des Landes. Zehntausende von Zivilisten flüchten ins benachbarte Äthiopien.

EL SALVADOR Der Internationale Gerichtshof in Den Haag verkündet am 11. 9. **1992** das Urteil zur **Beendigung des Grenzstreits zwischen El Salvador und Honduras**, der 1969 zu einem kurzen Krieg zwischen beiden Staaten geführt hatte. Von den 6 umstrittenen Gebieten mit zusammen 420 km^2 im Norden El Salvadors und an der Mündung des Rio Goascoran werden rd. $^2/_3$ Honduras und $^1/_3$ El Salvador zugesprochen. – Nach dem durch den Friedensvertrag vom 1. 2. 1992 beendeten Bürgerkrieg konstituiert sich die 1980 von 5 Guerillabewegungen gegründete »Nationale Befreiungsfront« Frente Farabundo Martí de Liberacion Nacional/**FMLN** als **politische Partei**. 1600 ehemalige FMLN-Kämpfer legen am 21. 9. die Waffen nieder. Eine für den 30. 9. vorgesehene weitere Demobilisierung wird von der FMLN ausgesetzt, da die Regierung zahlreiche Vereinbarungen, darunter die Zuweisung von Land an die Ex-Guerillas, nicht eingehalten habe. Regierung und FMLN billigen am 17. 10. einen Vorschlag der UN-Beobachterkommission ONUSAL, wonach 7500 ehemalige Guerillas, 15000 frühere Armeemitglieder und 35000 Siedler in den ehemaligen Kampfgebieten Grundstücke erhalten sollen.

– Mit einem Festakt in San Salvador, an dem u.a. UN-Generalsekretär *Boutros Boutros-Ghali* teilnimmt, wird am gleichen Tag der **Bürgerkrieg** (1979–92; rd. 80000 Tote) **formell** für **beendet** erklärt. – Am 18. 1.**1993** wird die **Wehrpflicht abgeschafft**. Präsident *Alfredo Cristiani* bittet am 27. 1. das Ausland um Hilfe, da die Regierung finanziell nicht in der Lage sei, die vertraglich vereinbarte Übergabe von Land zu verwirklichen. – Die 3köpfige UN-Wahrheitskommission legt am 14. 3. ihren **Bericht über Kriegsverbrechen** vor. 22000 Klagen aus den Jahren 1980 bis 1991 wurden untersucht; die Streitkräfte seien für 85% der während des Bürgerkriegs begangenen Verbrechen verantwortlich; 10% der Vorfälle seien rechtsgerichteten Todesschwadronen anzulasten, darunter auch die Ermordung von Erzbischof *Oscar Romero* 1980. Da die Justiz nicht in der Lage sei, die Verfolgung der Schuldigen zu bewältigen, müßten das gesamte Justizsystem, die Streitkräfte und die Polizei umstrukturiert werden. – Ungeachtet des Berichts verabschiedet das Parlament am 20. 3. mit 47 von 84 Stimmen ein von *Cristiani* vorgelegtes **Amnestiegesetz**, gegen das die Christdemokraten/PDC und die Abgeordneten der linksgerichteten »Demokratischen Konvergenz«/CD protestieren und das von der FMLN als Verstoß gegen das Friedensabkommen bezeichnet wird. – Mit dem Auswechseln der Armeeführung schließt Präsident *Cristiani* am 1. 7. die im Friedensvertrag vorgesehene **Umstrukturierung der Streitkräfte** ab. 103 hohe Offiziere werden schwerer Menschenrechtsverletzungen beschuldigt, 18 von ihnen entlassen.

ERITREA Über 98,8% der 1,1 Mio. Stimmberechtigten des seit 2 Jahren bestehenden »Provisorischen Staat Eritrea« sprechen sich am 25. 4. **1993** in einem **Referendum für die Unabhängigkeit von**

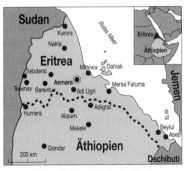

Eritrea als 52. afrikanischer Staat unabhängig

Äthiopien aus. Am 24. 5. – dem 2. Jahrestag der kampflosen Einnahme von Asmara durch die Rebellenbewegung »Eritrean People's Liberation Front«/EPLF – wird in der Hauptstadt Asmara **die Republik Eritrea ausgerufen**. Der Generalsekretär der EPLF, *Isayas Afewerki*, den die Nationalversammlung 3 Tage zuvor an die Spitze des neuen Staates gewählt hatte, leistet den Amtseid als erster Staatspräsident.

ESTLAND Die **ersten freien Parlaments- und Präsidentschaftswahlen** seit über 50 Jahren finden am 20. 9. **1992** statt. Das aus 5 rechten Parteien bestehende Wahlbündnis Isamaa (»Vaterland«) wird mit 30 der 101 Mandate in der Staatsversammlung, die den Obersten Sowjet ablöst, stärkste Fraktion; die Koalition »Kindel Kodu« erreicht 18 Sitze, die Volksfront Rahavarinne 16. 9 der 17 kandidierenden Parteien und Wahlbündnisse scheitern an der 5%-Klausel, darunter die Grünen und die Kommunisten. Wahlberechtigt sind nur diejenigen, die vor der Annexion 1940 estnische Staatsbürger waren und deren Nachkommen. Die meisten Nicht-Esten (38,5% der Einwohner) sind von den Wahlen ausgeschlossen. Bei der Direktwahl des Präsidenten erreicht keiner der 4 Kandidaten die erforderliche absolute Mehrheit. Verfassungsgemäß wählt die Staatsversammlung auf ihrer konstituierenden Sitzung am 5. 10. in einer Stichwahl den Präsidenten; für den in der Direktwahl deutlich unterlegenen ehem. Außenminister *Lennart Meri* (Isamaa) stimmen 59 der 101 Abgeordneten, Parlamentspräsident *Arnold Rüütel* (Kindel Kodu) erhält 31 Stimmen. *Meri* wird am 6. 10. als Präsident vereidigt und ernennt am 10. 10. *Mart Laar* (Isamaa) zum **neuen Ministerpräsidenten**. Kündigt eine Beschleunigung von Preisreform und Wirtschaftsliberalisierung an. Die Koalitionsregierung aus Isamaa, Estnischer Nationaler Unabhängigkeitspartei und der Partei Moodukad (»Moderate«), eine Allianz aus Sozialdemokraten und der agrarischen Zentrumspartei, verfügt über 53 der 101 Sitze. In dem am 22. 10. vereidigten Kabinett ist *Trivimi Velliste* (Isamaa) Außenminister. – Die Staatsversammlung verabschiedet am 8. 7. **1993** mit 69 Stimmen bei einer Gegenstimme und 2 Enthaltungen ein zugunsten der nicht-estnischen Einwohner (darunter rd. 500000 Russen) geändertes **Ausländergesetz**. Danach erhalten Personen, die dem am 1. 7. 1990 in der Republik ihren Wohnsitz hatten, eine uneingeschränkte Aufenthalts- und Arbeitsgenehmigung; Angehörigen ausländischer Streitkräfte und deren Familien wird eine ständige Aufenthaltsgenehmigung versagt. Präsident *Meri*, der die 1. Fassung des umstrittenen Ausländergesetzes zurückgewiesen hatte, unterzeichnet das geänderte Gesetz am 12. 7. – Bei Referenden in den jeweils zu rd. 90%

von Russen bewohnten Städten Narwa und Sillimäe am 18. 7. sprechen sich 97,7 % bzw. 98,6 % der Teilnehmer für eine Autonomie aus (Stimmbeteiligung: 54,8 % bzw. 59 %). Das Staatsgericht erklärt Mitte August die Referenden für verfassungswidrig; über eine Autonomie könne nur das Parlament entscheiden.

FINNLAND   Die Reichsbank gibt am 8. 9. **1992** die im Juni 1991 einseitig erfolgte Bindung der Finnmark an das Europäische Währungssystem/EWS auf und läßt die **Währung** frei floaten, was zu einer Abwertung gegenüber der DM um rd. 13 % führt. In der **schwersten Wirtschaftskrise** seit 17 Jahren, die in einem 1991 um 7,1 % und 1992 um 4 % geschrumpften BIP und einer Arbeitslosenrate von fast 15 % 1992 (20,4 % im Juli 1993) ihren Ausdruck findet, hatte die Fmk zuletzt ständig unter Abwertungsdruck gestanden. Am 14. 10. legt die Regierung *Esko Aho* ein neues **Krisenprogramm** vor, mit dem das Haushaltsdefizit vermindert, die Arbeitslosigkeit bekämpft, die Zahl der Konkurse verringert und den 5 notleidenden Banken, deren Verluste auf insgesamt 7 Mrd. Fmk beziffert werden, Unterstützung gewährt werden soll. Es werden Abgaben für den Schul- und den Arztbesuch sowie eine Straßenbenutzungsgebühr eingeführt; die Benzinsteuer wird erhöht. Personen mit einem Jahreseinkommen von über 100 000 Fmk müssen eine unverzinste Zwangsanleihe zeichnen. – **Kommunalwahlen** am 18. 10. bringen der Opposition Erfolge: Die Sozialdemokraten kommen auf 27,1 % der Stimmen (+1,8 % gegenüber 1988), die Linksalternativen (Kommunisten und Sozialisten) auf 11,7 % (– 1 %) und die Grünen auf 6,9 % (+4,5 %); die Zentrumspartei von Ministerpräsident *Aho* erhält 19,2 % der Stimmen (–2,2 %), die Konservativen 19 % (–3,9 %), der kommunistische Linksverbund 11,7 % und die populistische Landvolkspartei 2,5 % der Stimmen. – Am 27. 10. ratifiziert der Reichstag mit 154 gegen 12 Stimmen bei einer Enthaltung den **EWR-Vertrag** (→ *Kasten Sp. 799*). – Am 1. 2. **1993** beginnen in Brüssel die **Beitrittsverhandlungen mit der EG.**

FRANKREICH   Die Bevölkerung spricht sich am 20. 9. **1992** in einem Referendum mit 51,05 % Ja- und 48,95 % Nein-Stimmen **für das Vertragswerk von Maastricht** über die Europäische Union aus. – **Teilwahlen zum Senat** am 27. 9. verändern die Machtverhältnisse in dieser 1. Parlamentskammer nur unbedeutend. Am 2. 10. wird der frühere Minister *René Monroy*/UC im 2. Wahlgang mit 200 gegen 76 Stimmen zum **neuen Senatspräsidenten** gewählt; die Amtszeit dieser zweithöchsten Position der Republik beträgt 3 Jahre. – Das von der Nationalversammlung am 23. 11. gebilligte **Staatsbud-**

get 1993 sieht Ausgaben von 1,376 Bill. FF (= rd. 413 Mrd. DM) und Einnahmen von 1,210 Bill. FF (363 Mrd. DM) vor. Trotz des Rekorddefizits von 166 Mrd. FF bzw. 2,2 % des BIP liegt Frankreich als einziges großes europäisches Land unter der Schwelle von 3 % des BIP, die im Vertrag von Maastricht für die Aufnahme eines Landes in das Europäische Währungssystem/EWS vorgesehen ist (→ *Kasten Sp. 783 ff.*). – Am 15. 10. beschließt die Nationalversammlung ein **Antikorruptionsgesetz.** Es sieht u. a. vor, daß Firmenspenden künftig bis zu einem Viertel der nationalen Guthaben der Parteien zulässig sind, jedoch öffentlich zu deklarieren sind. Für einen Sitz im Parlament dürfen künftig 350 000 FF (bisher 500 000 FF) ausgegeben werden, wovon rd. 100 000 FF durch die staatliche Wahlkampfkostenerstattung gedeckt sind. – Im Skandal um **mit Aids-Viren verseuchte Blutkonserven** ergehen am 23. 10. erste Urteile: Ein Pariser Gericht verurteilt den Leiter des nationalen Blutspendezentrums (CNTS), *Michel Garretta*, einen Forscher der Behörde sowie einen ehemaligen Generaldirektor der staatlichen Gesundheitsbehörde zu Haftstrafen von je 4 Jahren, die z. T. zur Bewährung ausgesetzt werden. Das Gericht sah es als erwiesen an, daß *Garretta* zwischen März und Oktober 1985 die ungeprüfte Verwendung gelagerter Blutkonserven und deren Export in Drittländer auch noch zu einem Zeitpunkt anordnete, als deren Infizierung mit dem HIV-Virus bereits nicht mehr auszuschließen war. Etwa 1200 Bluterkranke wurden infiziert, 250 von ihnen sind gestorben. *Garretta* wird am 28. 10. bei seiner Rückkehr aus den USA verhaftet. – Durch ein am 1. 11. in Kraft getretendes Gesetz tritt ein **Rauchverbot** an öffentlichen Plätzen in Kraft; Zuwiderhandelnde müssen mit Bußgeld bis zu 6000 FF rechnen. – Am 2. 12. wird ein 16köpfiges Konsultativkomitee zur **Verfassungrevision** gebildet; es soll die von Präsident *François Mitterrand* am 30. 11. vorgetragenen Änderungsvorschläge (u. a. Stärkung des Parlaments, Unabhängigkeit der Justiz, Reform des Obersten Gerichtshofs) ausarbeiten. – Am 1. 3. **1993** tritt eine **revidierte Strafprozeßordnung** in Kraft, welche die bisher sehr weitgehenden Kompetenzen der Kriminalpolizei und der Untersuchungsrichter einschränkt. Neben Belgien war Frankreich das bisher einzige EG-Land, das keinen Rechtsbeistand der Verdächtigen während der in Polizeigewahrsam verbrachten Zeit vorsah. – Die Regierung beschließt am 10. 3. auf Vorschlag *Mitterrands* die **Abschaffung des Notstandsartikels 16** der Verfassung von 1958. Der umstrittene Artikel, der dem Staatspräsidenten in nationalen Krisensituationen umfangreiche Sondervollmachten verleiht, wurde in der V. Republik nur einmal – während des Militärputsches von Generälen gegen Präsident *Charles de Gaulle* und dessen Algerienpolitik – angewandt. – Am 10. 3., knapp 2 Wochen vor den Parlamentswahlen *(→ unten),* scheidet Verteidigungsminister *Pierre Joxe*/PS, ein enger Vertrauter *Mitterrands,* aus dem Kabinett aus und teilt mit, daß er für die neue Nationalversammlung nicht mehr kandidieren werde. Er wird unmittelbar darauf von *Mitterrand* zum Präsidenten des Rechnungshofes ernannt. In diesem überaus einflußreichen Amt hat er die uneingeschränkte Kontrolle über alle Ressorts der französischen Regierung. – Bei den **Wahlen zur Nationalversammlung** am 21. und 28. 3. erringen die bürgerlichen Gruppierungen RPR und UDF einen hohen Sieg; die regierenden Sozialisten von Präsident *Mitterrand* erleiden eine schwere Niederlage *(Grafik → Sp. 409).* Die neogaullistische RPR, die liberale UDF und parteilose bürgerliche Kandidaten kommen zusammen auf 484 der 577 Sitze und erhalten so die stärkste parlamentarische Mehrheit in der Geschichte der 1958 gegründeten V. Republik. Die Sozialisten/PS entsenden in die neue Nationalversammlung lediglich 54 Deputierte und verlieren damit rd. 80 % ihrer bisherigen Fraktionsstärke von 260 Mitgliedern der Kammer. 15 Mitglieder der bisherigen PS-Regierung verlieren ihr Mandat. Präsident *Mitterrand* entschließt sich zu einer neuen Phase der »Cohabitation« und ernennt nach dem Rücktritt von *Pierre Bérégovoy* am 29. 3. den Neogaullisten und früheren Wirtschafts- und Finanzminister *Edouard Balladur* zum neuen Premierminister. Dieser stellt am 31. 3. sein **Kabinett aus RPR und UDF** vor, das auf 29 Mitglieder (bisher 42) gestrafft wurde; auf Staatssekretäre wird ganz verzichtet. – Als Reaktion auf die Wahlniederlage wird am 4. 4. der seit 1992 amtierende PS-Vorsitzende *Laurent Fabius* vom erweiterten Parteiausschuß abgewählt und durch ein provisorisches kollektives Leitungsgremium unter *Michel Rocard* ersetzt. – 5 Wochen nach der Wahlniederlage nimmt sich *Pierre Bérégovoy*/PS am 2. 5. in der Nähe von Nevers das Leben. – Zwischen dem 7. und 10. 4. kommt es im 18. Pariser Arrondissement mit einem hohen afrikanischen und maghrebinischen Bevölkerungsanteil sowie in den Städten Lille und Tourcoing zu schweren **Straßenschlachten** zwischen Jugendlichen und der Polizei-Spezialeinheit CRS, ausgelöst durch die Tötung zweier mutmaßlicher jugendlicher Straftäter durch die Sicherheitsbeamten. – Zur Entschärfung der gespannten Lage auf dem Arbeitsmarkt legt Arbeitsminister *Michel Giraud* am 17. 5. einen auf 5 Jahre angelegten Aktionsplan zur Eindämmung der **Arbeitslosigkeit** vor. Er hat ein Volumen von 14 Mrd. FF und sieht für Mindestlohnempfänger die teilweise Übernahme der Sozialabgaben durch den Staat vor, wenn sich ein Unternehmen zur Einstellung ungelernter oder geringer qualifizierter Bewerber entschließt *(zur*

Wirtschaftslage → Kap. »Wirtschaft«). – Am 25. 6. verabschiedet die Nationalversammlung mit 486 gegen 89 Stimmen eine **Reform des Staatsbürgerschaftsrechts,** die den Erwerb der französischen Staatsbürgerschaft erschwert. So erhält ein in F. geborenes Kind ausländischer Eltern mit 18 Jahren (Volljährigkeit) nicht mehr automatisch die französische Staatsbürgerschaft. Um Scheinehen vorzubeugen, können ausländische Ehepartner französischer Staatsbürger erst 2 Jahre nach der Eheschließung die Einbürgerung beantragen. Am 14. 7. nimmt die Nationalversammlung als weiteres Element der Neuordnung des Ausländerrechts das umstrittene **Einwanderungsgesetz** an. Flüchtlingen kann künftig die Einreise verweigert werden, wenn sie aus einem sicheren Drittstaat (alle an Frankreich angrenzenden Länder) einreisen, eine »schwere Bedrohung der öffentlichen Ordnung« darstellen oder ihr Asylgesuch nicht stichhaltig begründen können. Der von den Sozialisten angerufene **Verfassungsrat entschärft das neue Ausländerrecht:** Er hebt am 21. 7. die Bestimmung auf, derzufolge ein in Frankreich geborenes Kind nicht-französischer Eltern keinen Anspruch auf formlose Zuerkennung der französischen Staatsangehörigkeit erheben kann, wenn gegen den zwischen 18 und 21 Jahre alten Betroffenen Maßnahmen zur Einschränkung seiner Freizügigkeit oder ein Ausweisungsbeschluß vorliegen.

GEMEINSCHAFT UNABHÄNGIGER STAATEN – GUS

Auf dem **7. Gipfeltreffen** der Staatschefs der GUS-Länder am 9. 10. **1992** in der kirgisischen Hauptstadt Bischkek wird keine Einigung über die Gründung eines zentralen wirtschaftlichen Kooperationsrats mit weitreichenden Vollmachten erzielt; beschlossen wird die Einrichtung eines beratenden Wirtschaftskomitees. Die Präsidenten von 6 der 10 GUS-Staaten unterzeichnen ein Abkommen über den Erhalt des Rubels als gemeinsamer Währung und einigen sich im Grundsatz, aber ohne Zeitplan auf die Einrichtung einer gemeinsamen Zentralbank. Beschlossen wird auch die Entsendung einer zunächst aus 450 kirgisischen Soldaten bestehenden GUS-Friedenstruppe nach Tadschikistan. Nach dem Beschluß des aserbaidschanischen Nationalrats vom 7. 10., den Vertrag über den Beitritt zur GUS nicht zu ratifizieren, nimmt Aserbaidschan am Gipfeltreffen nur noch als Beobachter teil. – Auf dem **8. Gipfeltreffen** der GUS-Staatschefs am 22. 1. **1993** in der weißrussischen Hauptstadt Minsk unterzeichnen die Präsidenten bzw. Parlamentspräsidenten *Lewon Ter-Petrosjan* (Armenien)«, *Nursultan Nasarbajew* (Kasachstan), *Askar Akajew* (Kirgisistan), *Boris Jelzin* (Rußland), *Imomali Rachmanow* (Tadschikistan), *Islam Karimow* (Usbekistan) und *Stanislas Schuschkewitsch* (Weißrußland) einen v. a. auf Betreiben Rußlands ausgearbeiteten **GUS-Grundlagenvertrag**; dieser sieht die Koordinierung von Außen-, Sicherheits-, Verteidigungs- und Finanzpolitik der Mitgliedsstaaten sowie die Errichtung entsprechender übernationaler, mit politischen Kompetenzen ausgestatteter Organe vor. *Mircea Snegur* (Moldau), *Leonid Krawtschuk* (Ukraine) und *Saparmurad Nijasow* (Turkmenistan) lehnen das Statut, das den GUS-Organen mehr Befugnisse einräumt und ein engeres Bündnis schaffen soll, aus Furcht vor zentralistischen Strukturen und Bevormundung durch Rußland ab; sie beharren auf nationalstaatlicher Unabhängigkeit. Aserbaidschan entsendet erneut Beobachter. – Ende Februar beklagt der russische Präsident *Jelzin*, viele der 270 Abkommen der GUS stünden nur auf dem Papier. – Die Verteidigungsminister der 6 Republiken Armenien, Kasachstan, Kirgisistan, Rußland, Tadschikistan und Usbekistan vereinbaren am 1. 3. eine enge militärische Zusammenarbeit. – Wichtigstes Ergebnis des Sondergipfels der GUS-Staatschefs in Minsk am 16. 4., 9 Tage vor dem Referendum in Rußland, ist die **Unterstützung** der Staatschefs **für den russischen Präsidenten** *Jelzin*; die Präsidenten Kirgisistans und Turkmenistans nehmen nicht teil. – Die Verteidigungsminister der 6 Republiken Armenien, Kasachstan, Rußland, Tadschikistan, Turkmenistan und Usbekistan, die am 15. 5. 1992 den Vertrag über kollektive Sicherheit unterzeichnet haben, können sich am 13. 5. 1993 in Moskau nicht auf die Schaffung vereinigter Streitkräfte einigen; insb. Rußland wendet sich aus Kostengründen gegen gemeinsame Streitkräfte in Friedenszeiten. – Auf dem **9. Gipfeltreffen** der GUS-Staatschefs am 14. 5. in Moskau, bei dem sich einige Republiken durch ihre Regierungschefs vertreten lassen, unterzeichnen Vertreter von 9 GUS-Staaten eine **Absichtserklärung zur** Schaffung einer **Wirtschaftsunion** nach dem Vorbild der EG. Der turkmenische Präsident *Nijasow*, der bilaterale Verträge vorzieht, lehnte diese, insb. vom russischen und kasachischen Präsidenten, *Jelzin* und *Nasarbajew*, befürwortete Form der Wirtschaftskooperation ab. – Die Verteidigungsminister der GUS-Staaten beschließen am 15. 6. in Moskau die Abschaffung des Amts eines Oberkommandierenden der **GUS-Streitkräfte** und die Bildung eines »Vereinigten Stabs für die Koordierung der militärischen Zusammenarbeit in der GUS«; die Leitung des Stabs übernimmt vorerst bis zum Jahresende Generaloberst *Viktor Samsonow*. Der bisherige Oberbefehlshaber der GUS-Streitkräfte, Marschall *Jewgenij Schaposchnikow*, hatte am 11. 6. den ihm vom russischen Präsidenten *Jelzin* angebotenen Posten des Sekretärs des russischen Sicherheitsrats angenommen. – Die Präsidenten Kasachstans, Rußlands und Usbekistans, *Jelzin*, *Nasarbajew* und *Karimow*, unterzeichnen am 7. 8. in

Moskau ein Abkommen, das für diese 3 Republiken die Schaffung einer für weitere Staaten offenen Wirtschafts- und Währungsunion mit dem Rubel als gemeinsamer Währung vorsieht. Am 20. 8. schließen Vertreter dieser 3 Staaten und Armeniens ein weiteres Abkommen zur Bildung einer Rubelzone. (→ *GUS, Kap. Internationale Organisationen*)

GEORGIEN Nach der Eskalation der Kämpfe in Abchasien verfügt der Staatsrat am 3. 10. **1992**, das gesamte Militärmaterial sowie andere Vermögenswerte der auf georgischem Territorium stationierten russischen Truppen unter die Jurisdiktion Georgiens zu stellen. Der russische Verteidigungsminister *Pawel Gratschow* erklärt, dies sei ein Bruch früherer Abmachungen, nach denen Georgien ein bestimmtes Kontingent des ehem. sowjetischen Militärmaterials zustehe; die russischen Einheiten erhalten den Befehl, die Übernahme ihres Eigentums zu verhindern. Am 7. 10. beginnt Rußland mit dem Abzug seiner Waffen aus Georgien. – Die Regierung wirft den russischen Truppen mehrfach vor, die Abchasen zu unterstützen; Rußland weist diese Beschuldigungen zurück und betont die Neutralität der russischen Truppen. – Spannungen zwischen Georgien und Rußland bestehen auch deshalb, weil Freiwillige der Konföderation Kaukasischer Bergvölker, der überwiegend in Rußland beheimatete Volksgruppen angehören, auf seiten der Abchasen kämpfen. – Bei der **Direktwahl des Parlamentspräsidenten**, der die Vollmachten eines Staatspräsidenten hat, wird der ehem. sowjetische Außenminister und bisherige Staatsratsvorsitzende *Eduard Schewardnadse* am 11. 10. ohne Gegenkandidaten mit 95,9 % der Stimmen gewählt. Bei den zugleich stattfindenden **Parlamentswahlen** bewerben sich keine Gruppierungen, die den regierenden Staatsrat grundsätzlich ablehnen; die Mitglieder des Staatsratspräsidiums, *Dschaba Iosseliani*, Verteidigungsminister *Tengis Kitowani* und Ministerpräsident *Tengis Sigua*, die am 2. 1. Präsident *Swiad Gamsachurdia* stürzten, erringen als unabhängige Kandidaten Parlamentsmandate (Wahlbeteiligung: 84 %). In Abchasien wird in den von Abchasen kontrollierten Gebieten nicht gewählt. Auch die Süd-Osseten, die am 28. 11. 1991 einseitig ihre Unabhängigkeit von Georgien erklärten, sowie die Anhänger des gestürzten Präsidenten *Gamsachurdia* boykottieren die Wahl. – Auf der konstituierenden Sitzung des neuen Parlaments am 4. 11. 1992 wird die Wahl *Schewardnadses* als Parlamentspräsident und damit als **neuer Staatschef** bestätigt. – Staatschef *Schewardnadse* und der Präsident Aserbaidschans, *Abulfas Eltschibei*, unterzeichnen Anfang Februar **1993** einen aserbaidschanisch-georgischen Vertrag über Freundschaft, Sicherheit und Zusammenarbeit. – Präsident

Schewardnadse entläßt am 6. 5. Verteidigungsminister *Kitowani*, Nachfolger wird *Georgi Karkaraschwili*, der Kommandant der georgischen Truppen in Abchasien. Zugleich löst *Schewardnadse* den mit weitreichenden Vollmachten ausgestatteten 8köpfigen Verteidigungsrat auf. In diesem Gremium war *Iosseliani* Stellvertreter *Schewardnadses*. Mit diesen Entscheidungen verlieren 2 führende Politiker, die inzwischen zu Widersachern von Präsident *Schewardnadse* geworden sind, ihre Ämter. – Ein großer Teil der Nationalgarde gehorcht jedoch weiterhin dem entlassenen Verteidigungsminister *Kitowani*. *Iosseliani* ist der Kommandeur der berüchtigten Mchedrioni (»Reiter«), der größten von rund 15 paramilitärischen Freischärlergruppen, die Georgien beherrschen. Sowohl der Nationalgarde als auch den Mchedrioni, denen zahlreiche Menschenrechtsverletzungen, Gewalt- und Willkürakte vorgeworfen werden, stehen Parlament und Präsident machtlos gegenüber. – Der russische und der georgische Verteidigungsminister, *Gratschow* und *Karkaraschwili*, unterzeichnen am 15. 5. 1993 ein Abkommen, das den vollständigen Abzug der russischen Truppen aus Georgien bis Ende 1995 vorsieht. – Das **Parlament bewilligt** am 2. 7. 1993 einstimmig weitreichende **Sondervollmachten für Staatschef** *Schewardnadse*. – **Georgien verläßt** am 2. 8. die **Rubelzone**; die am 5. 4. als Parallelwährung zum Rubel eingeführten Coupons werden zum einzigen gesetzlichen Zahlungsmittel. – Die Regierung *Sigua* tritt am 6. 8. zurück, nachdem das Parlament am Vortag den Budgetentwurf der Regierung abgelehnt hatte. Das Parlament wählt am 20. 8. den von Staatschef *Schewardnadse* nominierten *Otar Pazazia* mit 126 gegen 17 Stimmen zum **neuen Ministerpräsidenten**.

GHANA Staatschef *Jerry John Rawlings* wird bei den **Präsidentschaftswahlen** mit 58,3 % der Stimmen im Amt bestätigt. Erst kurz zuvor war das Verbot der Gründung politischer Parteien aufgehoben worden. *Rawlings* wird von 3 der 9 zugelassenen politischen Gruppierungen unterstützt. Die Opposition boykottiert mehrheitlich die **Parlamentswahlen** am 29. 12. **1992** , bei denen der regierende »National Democratic Congress«/ NDC von Staatspräsident *Rawlings* 190 von 200 Sitzen erringt. Die Wahlbeteiligung liegt bei nur 30 %. Am 7. 1. **1993** wird die **IV. Republik proklamiert**. Um künftig als ziviles Staatsoberhaupt amtieren zu können, legt *Rawlings* seinen Rang eines Hauptmanns ab.

GRIECHENLAND Im August und September **1992** rufen die Gewerkschaften aus Protest gegen die Wirtschafts- und Sozialpolitik der Regierung zu 4 **Generalstreiks** auf, die das öffentliche Leben landesweit lahmlegen. Die Regierung will mit **Einsparungen** im Rentensystem, mit Abgabenerhöhungen und dem Verkauf von Staatsunternehmen der Verschuldung begegnen, als deren Hauptverursacher hohe Sozialausgaben und Gehaltszahlungen für Staatsbedienstete sowie Steuerhinterziehung gelten. Ein angesichts der Verschuldung der Rentenversicherung – 40 % der Staatsausgaben waren für Pensionen und Renten bestimmt – vom Parlament am 9. 9. gebilligtes neues **Rentengesetz** sieht u. a. die Anhebung der Arbeitnehmerbeiträge von 3 auf 10 % der Bruttogehälter, die Heraufsetzung des Pensionsalters für Männer auf 65 und für Frauen auf 60 Jahre sowie die Abschaffung der Sonderkategorie der schweren und ungesunden Berufe vor, die eine vorzeitige Pensionierung ermöglichte und der bisher 40 % aller Arbeitnehmer angehörten. Am 23. 12. billigt das Parlament mit 151 gegen 144 Stimmen bei 1 Enthaltung den **Haushaltsentwurf 1993**, der ein Defizit von 1,37 Bill. Dr (= 11 Mrd. DM) vorsieht – nach einem Minus von 1,19 Bill. Dr 1992 – und den Sparkurs fortsetzt, der den Beschäftigten im öffentlichen Dienst Reallohnkürzungen von 3 bis 7 % zumutet und neue Steuern im Umfang von 3 Mrd. Dr enthält. – Griechenland verhinderte bisher die Anerkennung der ehemaligen jugoslawischen Republik **Makedonien** durch die EG und deren Aufnahme in die UNO und verlangte die vorherige Änderung des Staatsnamens, da dieser Gebietsansprüche auf die nordgriechische Region gleichen Namens impliziere. 1,3 Mio. Menschen demonstrieren am 10. 12. in Athen gegen die Anerkennung Makedoniens unter dem Namen. Am 27. 3. **1993** billigt die Regierung einen von Frankreich, Großbritannien und Spanien vorgeschlagenen Namenskompromiß – »Frühere jugoslawische Republik Makedonien«. Oppositionsführer *Andreas Papandreou* wirft der Regierung zu große Kompromißbereitschaft vor und beantragt ein Mißtrauensvotum gegen *Mitsotakis*. In der Debatte warnt *Mitsotakis* vor einer Isolation Griechenlands, das sich einem Schiedsspruch der UNO nicht verweigern dürfe. Daraufhin spricht das Parlament dem Regierungschef am 30. 3. mit 152 gegen 145 Stimmen das Vertrauen aus. – Anfang Februar wird mit einer neuen Aktion zur **Abschiebung albanischer Flüchtlinge** in ihr Heimatland begonnen. Bis Ende Juni werden rd. 13 000 sich illegal in G. aufhaltende Albaner abgeschoben. In G. halten sich schätzungsweise 200 000–300 000 Albaner auf, die in den letzten beiden Jahren vor der Wirtschaftsmisere in Albanien geflohen sind. – Beim **Besuch des russischen Präsidenten** *Boris Jelzin* (29. 6.–1. 7.) werden am 30. 6. ein Vertrag über Freundschaft und Zusammenarbeit sowie 12 weitere Abkommen über die Zusammenarbeit in Wirtschaft, Kultur, Wissenschaft, Verteidigung und Tourismus unterzeichnet.

Georgien, Armenien, Aserbaidschan und Rußland mit autonomen Republiken

Abchasien-Konflikt: Nachdem das georgische Parlament im April 1991 die Verfassung aus dem Jahre 1921 wieder in Kraft gesetzt hatte und damit der in Westgeorgien am Schwarzen Meer gelegenen Republik Abchasien jede Form der Autonomie entzog, stellt der Oberste Sowjet dieser Republik am 21. 7. **1992** die abchasische Verfassung von 1925 wieder her und erklärt Abchasien für unabhängig. Abchasien war von 1921–1931 eine eigene Sowjetrepublik. Die heftigen Kämpfe zwischen georgischen und abchasischen Einheiten, die mit dem Einmarsch georgischer Nationalgardisten und Freischärler am 14. 8. 1992 begannen, fordern bis Ende Juli 1993 mind. 3000 Tote. – Mehrfach vereinbarte Waffenruhen werden nicht eingehalten. Nach heftigen Kämpfen zwischen georgischen und abchasischen Einheiten verlieren die georgischen Einheiten am 2. 10. 1992 die Kontrolle über die abchasische Stadt Gagra. Daraufhin verfügt das Präsidium des georgischen Staatsrats die Mobilmachung von 40 000 Reservisten. Mitte Oktober ist die abchasische Hauptstadt Suchumi einer der letzten Stützpunkte der Georgier in Abchasien. Die Kämpfe gehen in den folgenden Monaten weiter. Seit Anfang Juli **1993** ist insbesondere Suchumi heftig umkämpft. – Am 6. 7. verhängt der georgische Staatschef *Eduard Schewardnadse* zunächst auf 2 Monate befristet das Kriegsrecht über Abchasien. – Das am 27. 7. von Vertretern Georgiens und Abchasiens unter russischer Vermittlung in Sotchi unterzeichnete Waffenstillstandsabkommen sieht eine Waffenruhe ab dem 28. 7. vor, den vollständigen Abzug der georgischen Truppen aus Abchasien und den Rückzug der abchasischen Einheiten aus der Konfliktzone; die auf seiten der Abchasen kämpfenden nordkaukasischen Freischärler haben das Territorium zu verlassen. Am 1. 8. flauen die Kämpfe in Abchasien ab. Der UN-Sicherheitsrat beschließt am 6. 8. die Entsendung von rd. 50 Militärbeobachtern nach Abchasien; am 8. 8. treffen 9 UN-Beobachter zum 1. UN-Einsatz auf dem Gebiet der ehemaligen UdSSR ein. Am 14. 8. beginnt die **Truppenentflechtung**, die von einer gemischten abchasisch-georgisch-russischen, von UN-Inspektoren unterstützten Beobachtergruppe überwacht wird. Mitte September ist Suchumi wieder heftig umkämpft.

– In der nordwestgriechischen Hafenstadt Alexandroupolis treffen am 19. 8. im Rahmen einer »**Heimkehraktion**« der Regierung unter der Bezeichnung »Goldenes Vlies« 1013 griechischstämmige Flüchtlinge aus Georgien ein.

GROSSBRITANNIEN Am 17. 9. 1992 schert das Pfund als Reaktion auf einen drastischen Kursverfall aus dem EWS aus *(→ Kasten Sp. 783 ff.).* – Vor dem Hintergrund der schwersten Rezession seit den 30er Jahren *(zur Wirtschaftslage → Kap. »Wirtschaft«)* mit einer Rekordarbeitslosigkeit von 10,1 % (im Oktober) stellt Schatzkanzler *Norman Lamont* am 12. 11. ein **10-Mrd.-£-Paket zur Konjunkturbelebung** vor, das neben einer Zinssenkung auch zeitlich auf das Jahr 1993 begrenzte Förderungsprogramme umfaßt. Milliardeninvestitionen sollen dem Bauwesen, den Kommunen – zum Ankauf von Wohnraum – sowie dem Straßenbau und dem Ausbau des öffentlichen Verkehrs zufließen; die Anhebung der Gehälter von Beamten und Angestellten im öffentlichen Dienst wird auf 1,5 % begrenzt, Ausgaben im sozialen und militärischen Bereich werden gekürzt. – Premierminister *John Major* setzt sich am 4. 11. mit einem Regierungsantrag zu seiner **Europapolitk** im Unterhaus knapp durch: 319 Abgeordnete stimmen für, 316 dagegen. *Major*, der seine politische Zukunft an das Zustimmung zu seinem Europa-Kurs gebunden hatte, verschob jedoch am 5. 11. die 3. Lesung der Maastrichter Verträge über die Europäische Union bis nach dem 2. Referendum in Dänemark *(→ unten).* – Am 10. 11. werden in Dublin die bisher umfassendsten **Verhandlungen über die Zukunft Nordirlands** ergebnislos **abgebrochen**. Sie fanden seit April zunächst unter den gegnerischen Parteien Ulsters statt, seit Juni nahmen auch Vertreter der Republik Irland teil: Damit saßen bei der 2. Phase erstmals seit 1973 Vertreter des katholischen Irischen Freistaates mit Vertretern der nordirischen Unionisten (Protestanten) an einem Tisch. Die Gespräche brachten jedoch keine grundlegende Annäherung der Standpunkte. Die Sinn Fein, die politische Vertretung der militanten Untergrundorganisation IRA, war von der Teilnahme an den Verhandlungen ausgeschlossen, während die von *Ian Paisley* geführte DUP die Gespräche vorübergehend boykottierte. – In der 2. Jahreshälfte 1992 kommt es erneut zu zahlreichen **politischen Morden** und Bombenanschlägen in Ulster sowie in Großbritannien. Besonders London ist Schauplatz mehrerer Sprengstoffattentate, für die die IRA die Verantwortung übernimmt. In der nordirischen Stadt Coleraine löst ein Anschlag am 13. 11. einen Großbrand aus, der weite Teile der Innenstadt zerstört. Bei 2 Bombenexplosionen in der Innenstadt von Manchester werden am 3. 12. über 60 Personen verletzt. Ein Bombenanschlag der IRA am 20. 3. in Warrington bei Liverpool, bei dem 2 Kinder getötet und zahlreiche Personen z. T. schwer verletzt werden, löst eine **neue Welle der Gewalt in Nordirland** aus. 6 Katholiken, unter ihnen ein bekanntes IRA-Mitglied, werden von britischen Sicherheitskräften sowie von protestantischen Untergrundaktivisten getötet; in Castlerock werden am 25. 3. bei einem Überfall protestantischer Extremisten 4 katholische Bauarbeiter erschossen. Am 28. 3. nehmen in Dublin rd. 20 000 Menschen an einer **Friedenskundgebung** teil und fordern ein Ende des Terrors, der Gewalt und des Blutvergießens in Ulster. Ein Bombenanschlag im Londoner Banken- und Geschäftsviertel am 24. 4. verursacht den Tod einer Person sowie Sachschaden von mehreren hundert Mio. £. – Beim **Besuch des russischen Präsidenten** *Boris Jelzin* in London am 9./10. 11. werden ein Vertrag über Freundschaft und Zusammenarbeit sowie 5 Abkommen über technische Hilfe, militärische und direkte Regierungskontakte und den Transport von Nuklearwaffen unterzeichnet. – Premierminister *Major* gibt am 9. 12. vor dem Unterhaus die formelle **Trennung des Thronfolgerpaares** bekannt: Prinz *Charles* und Lady *Diana* (Prince and Princess of Wales) würden gemäß einem »im freundschaftlichen Einvernehmen« gefaßten Beschluß fortan getrennt leben, ihre offiziellen Pflichten jedoch gemeinsam wahrnehmen, die beiden Söhne gemeinsam erziehen und von einer Scheidung absehen. Am 26. 11. hatte der Premierminister als Reaktion auf die wachsende Kritik an den Kosten des Königshauses angekündigt, Königin *Elizabeth II.* und ihr Ehemann hätten sich bereit erklärt, künftig auf das umstrittene Privileg der Steuerfreiheit zu verzichten und ab 1993 auf ihre persönliche Apanage Einkommensteuer zu bezahlen. – Die durch die staatliche Bergbaugesellschaft British Coal Mitte Oktober **angekündigten Zechenschließungen** führen zu Protesten der Bergarbeitergewerkschaft NUM sowie breiter Bevölkerungskreise. Die Gesellschaft plante die Privatisierung des 1947 verstaatlichten Unternehmens, die Schließung von 31 ihrer 50 Kohlengruben wegen Unrentabilität und einen Personalabbau von bis zu 75 % der Stellen innerhalb von 5 Monaten. Am 19. 10. teilt der Handels- und Industrieminister *Michael Heseltine* vor dem Unterhaus mit, daß zunächst nur 10 Kohlengruben stillgelegt werden sollen. Die Regierung erhält am 21. 10. im Unterhaus eine knappe Mehrheit für ihre Kohlepolitik. Am Tag der Abstimmung demonstrieren etwa 50 000 Bergleute in London gegen die Kohlepolitik der Regierung; eine weitere Großkundgebung folgt am 25. 10. Am 21. 12. erklärt der Hohe Gerichtshof in London sowohl die ursprüngliche Absicht der Regierung, 31 Bergwerke stillzulegen, als auch den revidierten Beschluß, zunächst nur 10 Gruben zu schließen, überraschend für illegal. Der Richterspruch bedeutet eine erneute Niederlage für die Regierung *Major*. – Das Unterhaus verabschiedet am 12. 1. **1993** mit 293 gegen 243 Stimmen ein Gesetz zum **Asylrecht**, das Flüchtlingen die Anerkennung erschwert und u. a. das Prüfverfahren für Asylanträge beschleunigt. – Am 8. 3. muß die Regierung *Major* erstmals seit ihrem Amtsantritt eine Abstimmungsniederlage im Unterhaus hinnehmen: Mit 314 gegen 292 Stimmen beschließen die Abgeordneten, daß die britischen Mitglieder des Komitees der Regionen, das in den EG-Verträgen von Maastricht vorgesehen ist und England und Schottland sowie Wales vertreten wird, gewählt und nicht von der Regierung ernannt werden sollen. – Bei **Regionalwahlen in England und Wales** für 47 Grafschaftssitze am 6. 5. müssen die Konservativen – wie auch bei einer Nachwahl zum Unterhaus – eine schwere Niederlage hinnehmen. Die Labour Party wird auf regionaler Ebene stärkste Kraft und erhöht ihre Sitze in den Grafschaftsräten von 1296 auf 1386, während die Konservativen von 1459 auf 965 Mandate zurückfallen. – Im Rahmen einer **Regierungsumbildung** wird am 27. 5. Schatzkanzler *Norman Lamont* entlassen. Dessen Nachfolger wird der bisherige Innenminister *Kenneth Clarke*, dessen Ressort der bisherige Umweltminister *Michael Howard* übernimmt. – Mit der Hinterlegung der notwendigen Dokumente beim italienischen Außenministerium in Rom am 2. 8. ist der **Vertrag von Maastricht formell ratifiziert**. Das Unterhaus stimmte am 20. 5. als letztes Parlament der 12 EG-Staaten mit 292 gegen 112 Stimmen dem Vertragswerk über die Europäische Union zu. Premierminister *Major* war auf Stimmen der Opposition angewiesen, da zahlreiche EG-Kritiker in den Reihen seiner Konservativen Partei mit Nein votierten. Das Oberhaus stimmte am 21. 7. in 3. Lesung mit 141 gegen 29 Stimmen zu. Am 22. 7. lehnte das Unterhaus einen Antrag der Regierung, den Maastricht-Vertrag ohne die Sozialcharta zu billigen, ab. *Major* stellt daraufhin die Vertrauensfrage zu seiner Europapolitik, die mit mit 339 gegen 299 Stimmen zu seinen Gunsten ausgeht.

GUATEMALA Die **indianische Bürgerrechtlerin** *Rigoberta Menchú* nimmt am 10. 12. **1992** in Oslo den **Friedensnobelpreis** entgegen. Am gleichen Tag wird sie von UN-Generalsekretär *Boutros Boutros-Ghali* zur **UN-Sonderbotschafterin** für das »Internationale Jahr der eingeborenen Völker 1993« ernannt. *R. Menchú* will ihre Stellung nutzen, um eine neue Initiative zur Beendigung des seit 30 Jahren dauernden Bürgerkriegs in ihrer Heimat zu starten. – Zur gleichen Zeit droht Präsident *Jorge Serrano Elías*, gegen Zeitungen vorzugehen, die über »angebliche« Menschenrechtsverletzun-

gen berichten. Der vom Staat bestallte Anwalt für Menschenrechte, *Ramiro de Leon Carpio*, stellt demgegenüber fest, daß 1992 insgesamt **387 politische Morde** und 99 Fälle von »Verschwinden« registriert wurden. – Am 23. 2. **1993** werden die seit August 1992 unterbrochenen **Friedensverhandlungen** zwischen Regierung und der »Nationalrevolutionären Guatemaltekischen Einheit«/URNG in Mexiko-Stadt **wieder aufgenommen**. Die Regierungsvertreter lehnen eine aktive Beteiligung der UNO an einer Untersuchungskommission über Menschenrechtsverletzungen ab; die Rebellen weigern sich, ein Datum für einen Waffenstillstand festzusetzen, bevor nicht alle anderen Verhandlungspunkte geklärt sind. – Die Einführung eines Ausweises für die Benutzung von öffentlichen Verkehrsmitteln führt am 12. 5. zu **Schüler- und Studentenunruhen**. Ferner wenden sich die Demonstranten gegen die Kürzung von Subventionen und die massive Erhöhung der Strompreise. Die Gewerkschaften schließen sich am 21. 5. mit landesweiten **Streiks** den Protestaktionen an. Rund 10000 Menschen fordern in der Hauptstadt den Rücktritt des Präsidenten. – Am 25. 5. löst Präsident *Serrano* das Parlament und den Obersten Gerichtshof auf, schränkt die Verfassungsrechte ein und verhängt eine Pressezensur. Der Vorsitzende des Parlaments und des Obersten Gerichts sowie der vom Parlament eingesetzte Menschenrechtsanwalt *Ramiro de Leon Carpio* werden unter Hausarrest gestellt. Truppen umstellen das Parlaments- und Gerichtsgebäude. Präsident *Serrano* begründet seinen **»Staatsstreich von oben«** damit, daß er Demokratie und Ordnung nach den gewaltsamen Protesten wiederherstellen wolle. Innerhalb von 60 Tagen solle das oberste Wahlgericht eine verfassungsgebende Versammlung einsetzen. Dieses weigert sich jedoch, den »ungesetzlichen« Plan zu erfüllen. 9 der 10 Richter des Obersten Gerichts veröffentlichen am 26. 5. eine Erklärung, in der *Serranos* Putsch als »Bruch der verfassungsmäßigen Ordnung« verurteilt wird. – Am 1. 6. wird **Präsident Serrano vom Militär entmachtet**; in Panama erhält er politisches Asyl. *Serranos* Stellvertreter, *Gustavo Espina Salguero*, erklärt sich am 2. 6. mit Unterstützung des Verteidigungsministers General *José Domingo Garcia* zum neuen Staatschef. 44 Abgeordnete sowie Tausende von Demonstranten protestieren gegen diese Lösung und fordern die Wahl eines neuen Präsidenten. Auch das Verfassungsgericht verweigert am 4. 6. *Espina* das Recht auf die Nachfolge. Am 5. 6. wird daraufhin der Menschenrechtsanwalt *Leon* mit 106 von 113 Stimmen vom Parlament in einer Stichwahl gewählt, bei der er sich gegen den Präsidenten des Wahlgerichts, *Arturo Herberger*, und den früheren Außenminister *Mario Quinonez* durchsetzt. Am 6. 6. tritt *Leon*, der in der Öffentlichkeit breite Sympathien genießt, sein Amt als **neues Staatsoberhaupt** an. Am 22. 6. klagt die Staatsanwaltschaft *Serrano* und *Espina* des Hochverrats an, weil sie durch die Anerkennung Belizes 1991 die Rechte G.s auf dieses Land aufgegeben hätten. *Espina* kann sich einer Festnahme durch Flucht in die Botschaft Costa Ricas entziehen, wo er politisches Asyl erhält. – Präsident *Leon* ernennt am 23. 6. den Maya-Indianer *Celestino Alfredo Tay Coyoy* als Erziehungsminister, wodurch erstmals ein Vertreter der Ureinwohner der Regierung angehört. – Am 9. 7. stellt *Leon* einen **neuen Friedensplan** zur Beendigung des Bürgerkrieges vor. Danach soll die Armee nicht mehr direkt, sondern nur noch über eine vom Präsidenten ernannte Verhandlungsdelegation an den Gesprächen beteiligt sein.

HAITI Die Organisation Amerikanischer Staaten/OAS bemüht sich weiterhin, den Dialog zwischen den Anhängern des gestürzten Präsidenten *Jean-Bertrand Aristide* und der vom Militär kontrollierten neuen Regierung zu fördern. Am 9. 9. **1992** teilt Außenminister *François Benoit* mit, die Regierung sei bereit, 18 zivile OAS-Delegierte einreisen zu lassen, die sich um die Einhaltung der Menschenrechte, humanitäre Hilfe und Überwindung der politischen Krise kümmern sollen. Die Vertreter der OAS-Staaten fordern am 13. 12. den UN-Sicherheitsrat auf, ein internationales Handelsembargo gegen die Militärdiktatur zu verhängen. – Am 11. 1. **1993** ruft der gestürzte Präsident *Aristide* seine Landsleute zum gewaltlosen Widerstand auf, um die Rückkehr zur Demokratie zu erzwingen. Ein Sonderbeauftragter der UN-Menschenrechtskommission konstatiert zu gleicher Zeit ein **wachsendes Massenelend** und eine **brutale Repression** auf der Insel. – US-Präsident *Bill Clinton* teilt am 14. 1. im Widerspruch zu seinen Ankündigungen im Wahlkampf mit, daß seine Regierung haitianische Flüchtlinge ohne Anhörung in ihr Heimatland zurückbringen werde. Die US-Küstenwaffe errichtet zwischen dem US-amerikanischen Festland und H. eine **See-Barriere**. – Gemäß der Verfassung finden am 18. 1. **Nachwahlen** für 9 der 27 Sitze **im Senat** statt, die von einem Großteil der Bevölkerung boykottiert werden. 2 Tage später kommt es erstmals seit dem Putsch (29. 9. 1991) zu einer politisch motivierten **Meuterei innerhalb der Armee**. – Aus Furcht vor UN-Sanktionen stimmt *Bazin* am 9. 2. der Entsendung weiterer Beobachter von OAS und UNO für ein Jahr zu. – Am 8. 6. **tritt Regierungschef** *Marc Bazin* überraschend **zurück**. Er hatte für eine geplante Kabinettsumbildung nicht die Unterstützung seitens der Armeeführung bekommen. – Abgeordnetenhaus und Senat beschließen am 15. 6. die **Anerkennung von Aristide als verfassungsmäßigen Präsidenten**. Der in den USA im Exil lebende *Aristide* müsse al-

lerdings vor seiner Rückkehr eine Generalamnestie zusichern und die Aufhebung aller gegen H. verhängten Sanktionen erwirken. – Der UN-Sicherheitsrat beschließt am 16. 6. ein **Erdöl- und Waffenembargo** sowie die **Einfrierung des Auslandsvermögens** des Karibikstaates; das Embargo tritt an 23. 6. in Kraft. – Nach schwierigen Verhandlungen unterzeichnen Putschistenführer General *Cédras* und Ex-Präsident *Aristide* am 3. 7. in New York einen vom UN-Sonderbeauftragten *Dante Maria Caputo* ausgehandelten **Zehn-Punkte-Plan zur** schrittweisen **Wiederherstellung der demokratischen Ordnung**. Er sieht die **Rückkehr des gestürzten Präsidenten** für den 30. 10. vor. – Als Ministerpräsidenten nominiert *Aristide* den 50jährigen Verleger *Robert Malval*. Sein **Regierungsprogramm** wird am 25. 8. vom Senat und am 26. 8. vom Abgeordnetenhaus gebilligt. Die Einsetzung eines neuen Ministerpräsidenten ist die Vorbedingung für die Aufhebung des UN-Wirtschaftsembargos.

INDIEN Der seit vielen Jahren schwelende **Konflikt um die Babri-Moschee** im nordindischen Ayodhya (Uttar Pradesh) (→ *WA '92, Sp. 66, WA '93, Sp. 70 f*) erreicht am 6. 12. **1992** einen Höhepunkt. Die Hindus verlangen, auf dem Platz der 1528 errichteten Moschee wieder einen Tempel für den Hindu-Gott Ram zu errichten, obwohl der Oberste Gerichtshof jede Bautätigkeit in der Umgebung der Moschee untersagt hatte. Der Welt-Hindu-Rat (Vishwa Hindu Parishad/VHP) ruft zwar noch am 5. 12. zu gewaltfreiem Vorgehen auf, doch wird am 6. 12. im Verlauf einer zunächst friedlichen Großkundgebung mit 300 000 Gläubigen die **Moschee von fanatischen Hindu-Gruppen vollständig zerstört**. In den folgenden Tagen kommen bei **blutigen Auseinandersetzungen zwischen Hindus und Muslimen in vielen Städten Indiens**, v. a. in Bombay, über 1200 Menschen ums Leben; über zahlreiche Städte wird ein Ausgehverbot verhängt. Erst am 8. 12. wird das Tempelgelände von Sicherheitskräften gewaltsam geräumt. Führende Politiker der Hindu-Partei Bharatiya Janata Party/BJP, darunter der am Vortag als BJP-Vorsitzender zurückgetretene *Lal Krishna Advani* und VHP-Generalsekretär *Ashok Singhal*, werden festgenommen unter dem Vorwurf, für die Ausschreitungen in Ayodhya verantwortlich zu sein. Am 10. 12. verbietet die Regierung 3 hinduistische und 2 muslimische Extremistenorganisationen, u. a. den VHP. Präsident *Shankar Dayal Sharma* entläßt am 15. 12. auf Empfehlung von Premierminister *Narasimha Rao* auch die Regierungen der 3 anderen von der BJP geführten Bundesstaaten (Madhya Pradesh, Rajasthan und Himachal Pradesh), löst die Landesparlamente auf und unterstellt die Gliedstaaten der Zentralregierung; die BJP-Regierung im Bundesstaat Uttar Pradesh war bereits am 6. 12. entlassen worden. – Premierminister *Rao* übersteht im Unterhaus am 21. 12. ein von der BJP eingebrachtes Mißtrauensvotum mit 334 gegen 106 Stimmen. – Gegen den Beschluß der Regierung vom 28. 12., auf dem Gelände der Babri-Moschee sowohl einen Tempel als auch eine Moschee zu errichten, protestieren Hindus und Muslime. Am 7. 1. **1993** verfügt Präsident *Sharma* die Unterstellung des Tempelgeländes unter die Kontrolle der Zentralregierung. **Blutige Ausschreitungen zwischen Hindus und Muslimen in Bombay** (Maharashtra) vom 5.–13. 1. fordern über 600, nach amtlichen Angaben 343 Menschenleben. Zehntausende, zumeist Muslime, flüchten aus Bombay. Auch im benachbarten Bundesstaat Gujarat kommt es zu religiös motivierten Gewalttaten – Dem neuen, von Premierminister *Rao* am 18. 1. vorgestellten Kabinett gehören 14 neue Minister an. Außenminister wird *Dinesh Singh*, die beiden wegen der Unruhen nach der Zerstörung der Babri-Moschee umstrittenen Minister *Shankaro B. Chavan* (Inneres) und *Sharad Pawar* (Verteidigung) bleiben im Amt. – Beim Besuch des russischen Präsidenten *Boris Jelzin* vom 27.–29. 1. in Delhi wird ein **indisch-russischer Vertrag über Freundschaft und Zusammenarbeit** unterzeichnet; dieser Vertrag, der den indisch-sowjetischen Friedens- und Freundschaftsvertrag von 1971 ersetzt, enthält keine Beistandsklausel mehr. Der langjährige Streit um indische Schulden von rund 16 Mrd. US-$ wird beigelegt. – Eine von der Regierung verbotene Massendemonstration von BJP-Anhängern in Delhi wird am 25. 2. mit einem großen Aufgebot an Sicherheitskräften verhindert; Zehntausende werden vorübergehend festgenommen. – Eine Serie von 13 Bombenanschlägen in Bombay, zu der sich Angehörige der Religionsgemeinschaft der Sikhs bekennen, fordert am 12. 3. über 300 Menschenleben; mehr als 1000 Menschen werden verletzt. Am 17. 3. werden bei einer Bombenexplosion in Kalkutta mind. 60 Menschen getötet. – Premierminister *Rao* wird am 28. 3. auf einem außerordentlichen Parteitag der Kongreßpartei als Partei- und Regierungschef bestätigt. – Ende März verzichtet die Regierung auf einen Weltbankkredit für das Staudammprojekt Sardar Sarovar; im Herbst 1992 hatte die Weltbank weitere Kredite von der Erfüllung ökologischer und umsiedlungspolitischer Auflagen abhängig gemacht. Die Anlage am Narmada soll jetzt mit eigenen Mitteln beendet werden. – Gewalttätige Auseinandersetzungen zwischen Hindus und Muslimen fordern Anfang Mai 1993 im Bundesstaat Manipur mind. 100 Menschenleben. – Anfang Juni hebt ein Gericht das Verbot vom 10. 12. 1992 für 2 muslimische Organisationen wieder auf; das Verbot des VHP wird bestätigt. – Ein Mißtrauensantrag gegen die Minder-

heitsregierung von Premierminister *Rao* wird am 28. 7. 1993 vom Unterhaus mit 262 gegen 248 Stimmen abgelehnt; die Opposition wirft der Regierung Korruption, verfehlte Wirtschaftspolitik und Untätigkeit angesichts landesweiter religiös motivierter Ausschreitungen vor.

IRAK An dem 1. Treffen der irakischen Opposition auf irakischem Territorium in Salaheddin (Nordirak) vom 23.–27. 9. **1992** nehmen Vertreter fast aller Oppositionsgruppen teil, darunter neben kurdischen und sunnitischen erstmals auch schiitische Gruppierungen; beschlossen wird die Bildung einer Oppositionsregierung und eines Gegenparlaments. Auf einem weiteren Treffen des »Irakischen Nationalkongresses« vom 27.–31. 10. in Salaheddin einigen sich die rd. 300 Delegierten auf die Schaffung eines demokratischen Irak auf föderativer Grundlage. Es wird ein 25köpfiger Exekutivrat (18 Araber, 5 Kurden, je ein Assyrer und Turkmene) gewählt und ein 3köpfiger Präsidialrat berufen. – Regierung und UN einigen sich am 17. 10. nach 3monatigen Verhandlungen grundsätzlich auf die Fortsetzung des humanitären UN-Hilfsprogramms für notleidende Bevölkerungsgruppen im Irak. – Am 13. 11. beschließt die FAO Lebensmittellieferungen für 750 000 Menschen im Nordirak (v. a. Kurden) und 450 000 Menschen in den übrigen Landesteilen. – Vom 10.–14. 1. **1993** kommt es mehrfach zu irakischen Übergriffen auf kuwaitisches Gebiet. – Kampfflugzeuge der westlichen Golfkriegsalliierten (USA, Frankreich und Großbritannien) bombardieren am 13. 1. irakische Raketenstellungen in der Flugverbotszone südlich des 32. Breitengrads. Bagdad war zunächst einem am 6. 1. von den Golfkriegsalliierten gestellten Ultimatum zum Abzug seiner Flugabwehrraketen entlang und südlich des 32. Breitengrads nachgekommen, brachte dann aber bereits abgezogene Batterien erneut in Stellung. Die Luftangriffe der Alliierten werden im Nord- und Südirak vom 17.–23. 1. fortgesetzt, obwohl der regierende Revolutionäre Kommandorat, als Geste guten Willens zum Amtsantritt von US-Präsident *Bill Clinton*, am 19. 1. einen einseitigen Waffenstillstand angeboten hatte. Zur Entschärfung des Konflikts trägt auch die Bereitschaft Bagdads bei, UN-Inspektionen wieder zuzulassen. – Zur Durchsetzung eines neuen Währungsgesetzes schließt die Regierung vom 5.–10. 5. die Landesgrenzen. In dieser Zeit können im Inland die vor dem Golfkrieg in der Schweiz gedruckten 25-Dinar-Noten, sog. Schweizer, in neue Scheine umgetauscht werden. Die Kurden im Nordirak, bei denen die jetzt für ungültig erklärten Schweizer wichtigstes Zahlungs- und Wertaufbewahrungsmittel waren, sind wegen der Abriegelung ihrer Provinzen von der Umtauschaktion ausgeschlossen. Die Verluste im Ausland werden auf 1,2 Mrd. US-$ geschätzt. – Mit Genehmigung der UN nimmt der Irak am 11. 5. den Erdölexport nach Jordanien wieder auf. – Die **Auswirkungen des UN-Embargos** lassen sich immer deutlicher dokumentieren: wachsende Verarmung, Unterernährung, unzureichende medizinische Versorgung und hohe Sterblichkeit, v. a. bei Kindern. – Nach Angaben der UN-Menschenrechtskommission vom 2. 3. 1993 werden im Irak Oppositionelle und Minderheiten weiterhin mit grausamer Härte verfolgt; von dem Terror betroffen sei fast die gesamte Bevölkerung mit Ausnahme der Anhänger der Baath-Partei. – Ab 21. 4. 1993 gehen irakische Regierungstruppen erneut gegen die in den südirakischen Sumpfgebieten lebende schiitische Bevölkerung vor. UNHCR bestätigt am 23. 7., daß seit Anfang Juli etwa 3000 Schiiten aus dem Südirak vor den anhaltenden Angriffen in den Iran geflohen seien. – Der UN-Sicherheitsrat bestätigt am 27. 5. mit der Resolution 833 die endgültige, zugunsten Kuwaits geänderte irakisch-kuwaitische Grenze. – Am 27. 6. werden 23 US-Marschflugkörper auf das Hauptquartier des irakischen Geheimdienstes in Bagdad abgefeuert. US-Präsident *Bill Clinton* erklärt, es handele sich um einen Vergeltungsschlag für einen vom Irak geplanten Anschlag auf den ehem. US-Präsidenten *George Bush*, der anläßlich dessen Besuchs in Kuwait (14.–16. 4.) ausgeführt werden sollte. – Der UN-Sicherheitsrat beschließt am 21. 7. erneut eine 2monatige Verlängerung der seit 6. 8. 1990 bestehenden Sanktionen mit der Begründung, der Irak erfülle immer noch nicht alle UN-Resolutionen vollständig. Die Regierung akzeptiert am 22. 7. erstmals offiziell grundsätzlich eine langfristige Rüstungskontrolle gemäß UN-Resolution 715. – Präsident *Saddam Hussein* ernennt am 6. 9. den bisherigen Finanzminister *Ahmed Hussein el Chodair* zum **neuen Ministerpräsidenten**.

Kurden: Das kurdische Regionalparlament in Erbil im Nordirak beschließt am 4. 10. **1992** einstimmig die Bildung eines kurdischen Teilstaats innerhalb eines föderativen Iraks. Dem Beschluß stimmt auch Kurdenführer *Massoud Barzani* von der Demokratischen Partei Kurdistans/DPK zu. – Ebenfalls am 4. 10. beschließt das kurdische Regionalparlament, die Anhänger der türkischen Arbeitspartei Kurdistans/PKK aus dem Nordirak zu vertreiben, um deren von dort ausgeführte, als Gefährdung für die Autonomie des nordirakischen Kurdengebiets betrachtete militärische Aktivitäten gegen die Türkei zu unterbinden. Nach der Niederlage der Kämpfer der PKK unterzeichnen Vertreter der kurdischen Regionalregierung und die Führung der PKK am 31. 10. ein Abkommen, das die Beendigung des kurdischen Bruderzwists besiegelt. – Unabhängig von den blutigen Auseinandersetzungen unter den Kurden be-

ginnen türkische Streitkräfte am 16. 10. mit Land- und Luftangriffen auf Stellungen der PKK im Nordirak. Ende Oktober befinden sich nach Angaben des türkischen Generalstabschefs *Güres* rd. 20 000 türkische Soldaten im Nordirak; diese ziehen sich nach der Zerstörung wichtiger PKK-Stützpunkte am 18. 11. wieder zurück. – Obwohl die am 31. 12. 1992 ablaufende Schutzgarantie der Alliierten verlängert wird, steigt die Spannung in den infolge der weiterhin bestehenden Blockade durch die irakischen Behörden unter schlechter Versorgung leidenden kurdisch besiedelten Gebieten wieder an. Nach der Ankündigung des irakischen Verteidigungsministers *Ali Hassan Majid* vom 6. 1. **1993**, den Nordirak befreien zu wollen, häufen sich die Bombenattentate, die nach kurdischen Angaben von irakischen Agenten mit dem Ziel, die Lage im Nordirak zu destabilisieren, ausgeführt werden. Kurdischen Berichten zufolge verstärkt die Regierung in Bagdad im Januar ihre Truppen an der Grenze zum Kurdengebiet. In den folgenden Monaten kommt es immer wieder zu bewaffneten Auseinandersetzungen. – In dem vom neuen Ministerpräsidenten Irakisch-Kurdistans, *Abdullah Rassul* (Patriotische Union Kurdistans/PUK), am 26. 4. vorgestellten Kabinett gehören je 8 Minister der PUK und der KDP an; *Rassul* löst *Fuad Maassum* ab. – Der im August in Erbil stattfindende 11. Parteitag der DPK, an dem über 1500 Delegierte teilnehmen, ist der erste Parteitag seit 23 Jahren auf irakischem Territorium.

IRAN Der türkische Innenminister *Ismet Sezgin*, der vom 11.–15. 9. **1992** Teheran besucht, unterzeichnet mit seinem iranischen Amtskollegen *Abdollah Nuri* am 15. 9. ein Sicherheitsabkommen, das u. a. den gemeinsamen Kampf gegen Terrorismus vorsieht. Zum Abschluß des 2tägigen Besuchs des türkischen Ministerpräsidenten *Süleyman Demirel* in Teheran werden am 27. 10. bilaterale Abkommen unterzeichnet; darin werden u. a. verstärkter Handel, Ausbau der Verkehrsverbindungen zwischen beiden Ländern und Kulturaustausch vereinbart. – Präsident *Ali Akbar Hashemi Rafsanjani*, Ayatollah *Ali Khamenei* und das Parlament bekräftigen zwischen 31. 1. **1993** und 17. 2. das von Revolutionsführer Ayatollah *Khomeini* vor 4 Jahren gegen *Salman Rushdie* verhängte Todesurteil. – Die UN-Menschenrechtskommission verurteilt am 10. 3. die Menschenrechtsverletzungen im Iran. Der Sonderbotschafter der UN-Menschenrechtskommission, dessen Mandat zugleich verlängert wird, hatte am 22. 2. von häufigen Folterungen bei Verhören, nicht fairen Prozessen und Auspeitschungen von Verurteilten berichtet; das Schicksal von rund 500 verschwundenen Personen sei weiterhin ungeklärt, die Todesstrafe werde in sehr vielen

Fällen verhängt. Die UN-Unterkommission zum Schutz der Minderheiten verurteilt den Iran in einer Mitte August verabschiedeten Resolution erneut wegen anhaltender Menschenrechtsverletzungen. – Am 27. 3. beschließt die Regierung, den Rial voll konvertibel zu machen; zugleich wird der Rial um 95,6 % abgewertet. – Das Parlament ratifiziert am 13. 4. das von Präsident *Rafsanjani* am 10. 9. 1992 in Peking unterzeichnete Abkommen über chinesisch-iranische Zusammenarbeit bei der friedlichen Nutzung der Kernenergie, das auch Technologietransfer vorsieht. Am 4. 7. 1993 einigen sich Vertreter des Irans mit dem chinesischen Vizeaußenminister *Lee Langing* in Teheran, daß die VR China ein 300-Megawatt-Atomkraftwerk im Iran baut. – Die Regierung läßt am 19. 5. 200 irakische Kriegsgefangene frei. Nach Angaben eines offiziellen Sprechers hält der Iran noch 20 000 irakische Kriegsgefangene aus der Zeit des Golfkriegs von 1980 bis 1988 fest; deren Freilassung von der Rückkehr der iranischen Gefangenen im Irak abhängig gemacht wird. – Bei den **Präsidentschaftswahlen** am 11. 6. wird *Rafsanjani* mit 63,2 % der Stimmen in seinem Amt bestätigt. Das Parlament lehnt am 16. 8. überraschend Finanz- und Wirtschaftsminister *Mohsen Nurbaksh* als einzigen von 23 Ministern im neuen Kabinett ab; *Nurbaksh* gilt als entschiedenster Vertreter von *Rafsanjanis* Wirtschaftsreformen.

IRLAND Bei den durch den Bruch der Regierungskoalition notwendig gewordenen vorgezogenen **Parlamentswahlen** am 25. 11. **1992** büßt die Fianna Fáil unter Vorsitz des am 11. 2. 1992 zum Ministerpräsidenten gewählten *Albert Reynolds* 9 Sitze ein und entsendet nur noch 69 Abgeordnete ins Repräsentantenhaus; Wahlgewinner sind die Labour Party (+ 18 Sitze) und die Progressiven Demokraten (+ 2 Sitze). Bei einer gleichzeitigen Volksstimmung sprechen sich 65,5 % der Wahlberechtigten **gegen** eine Regierungsvorlage aus, die den **Schwangerschaftsabbruch** im Fall der akuten Lebensgefahr für die Mutter erlaubt hätte; 62,6 % sprechen sich dagegen für die ungehinderte Ausreise schwangerer Frauen aus und 60 % für den Zugang zu Informationen über Abtreibungskliniken im Ausland. Bereits am 18. 6. 1992 hatten in einer Volksabstimmung 68,7 % der Bevölkerung **für eine** Verfassungsänderung zur **Ratifizierung des Vertragswerks von Maastricht** gestimmt, die am 24. 11. erfolgt. – Am 12. 1. **1993** gelingt Premierminister *Reynolds* die Bildung eines **Koalitionskabinetts**, in dem die Fianna Fáil sowie erstmals die Labour Party vertreten sind. Die neue Regierung wird vom Repräsentantenhaus am gleichen Tag mit 102 gegen 60 Stimmen bestätigt. Im gemeinsamen Regierungsprogramm verpflichten sich die Koalitions-

partner insbesondere auf effiziente Maßnahmen zum Abbau der Arbeitslosigkeit.

ISRAEL Ministerpräsident *Yitzhak Rabin* bekräftigt im September **1992** mehrfach, die neue Regierung sei bereit, für einen umfassenden Friedensvertrag mit Syrien einem Teilrückzug von den Golan-Höhen zuzustimmen. – Als erster hoher Regierungsvertreter der VR China seit der Aufnahme diplomatischer Beziehungen zwischen beiden Staaten besucht Außenminister *Qian Qichen* vom 16.–17. 9. Jerusalem. *Qian* erklärt, China werde keine Waffen mehr in den Nahen Osten verkaufen. – Die Militärbehörden riegeln den Gazastreifen am 8. 12. vorübergehend vollständig ab und verhängen über alle größeren Palästinenserlager ein Ausgehverbot; am Vortag waren im Gazastreifen 3 israelische Soldaten von Anhängern der islamisch-fundamentalistischen Hamas-Bewegung erschossen worden. – Der 5. Jahrestag des Beginns der Intifada wird am 9. 12. in den besetzten Gebieten mit einem Generalstreik begangen. Nach Angaben der israelischen Menschenrechtsorganisation Betselem sind der Intifada bisher 98 Israelis zum Opfer gefallen; Armee und Betselem schätzen die Zahl der getöteten Palästinenser auf 1600, davon rd. die Hälfte wegen angeblicher Kollaboration mit den israelischen Besatzungsbehörden. – Nach der Entführung und Ermordung eines israelischen Grenzpolizisten werden am 15. 12. 1200 mutmaßliche Hamas-Mitglieder festgenommen. Am 16. 12. beschließt die Regierung die **Ausweisung von 415 Palästinensern** aus dem Gazastreifen und aus dem Westjordanland für die Dauer von 2 Jahren. Der Oberste Gerichtshof billigt die Maßnahme am 17. 12. mit 5 gegen 2 Stimmen. Am selben Tag werden die mutmaßlichen Aktivisten der Hamas und des Islamischen Jihad nach Südlibanon gebracht. Da die libanesische Regierung den Deportierten die Einreise nach Libanon verweigert und Einheiten der von Israel unterstützten Südlibanesischen Armee/SLA die Rückkehr der Palästinenser in die von Israel beanspruchte Sicherheitszone im Südlibanon mit Waffengewalt verhindern, müssen die Deportierten in Zeltlagern im sog. Niemandsland zwischen südlibanesischer Sicherheitszone und libanesisch kontrolliertem Gebiet ausharren. Der UN-Sicherheitsrat verurteilt die Deportation scharf; in der am 18. 12. einstimmig verabschiedeten Resolution 799 wird Israel beschuldigt, gegen die 4. Genfer Konvention zu verstoßen, und zur unverzüglichen Rückführung der Deportierten aufgefordert. Aus Protest gegen die Abschiebung der 415 Palästinenser schließen sich die meisten der 900 000 arabischen Israelis am 22. 12. dem Streik der 1,8 Mio. Palästinenser in den besetzten Gebieten an. Eine Einigung über die Versorgung der Deportierten mit dem Internationalen Komitee vom

Roten Kreuz kommt erst am 15. 1. **1993** zustande; sowohl Libanon als auch Israel hatten zunächst Hilfskonvois die Durchfahrt zu dem Zeltlager verweigert. Das Oberste Gericht, das am 22. 12. 1992 die Rückführung der Deportierten einstimmig abgelehnt hatte, erklärt am 28. 1. 1993 einstimmig die Ausweisung der Palästinenser aus den besetzten Gebieten grundsätzlich für legal, jedem Ausgewiesenen müsse jedoch die Möglichkeit zur Berufung gegeben werden. Auf Druck der USA bietet die Regierung am 1. 2. an, 101 der 415 Palästinenser sofort in die besetzten Gebiete zurückkehren zu lassen und für die anderen die Ausweisung bis zum Jahresende zu verkürzen. Der UN-Sicherheitsrat akzeptiert am 13. 2. diesen Kompromißvorschlag. Die Deportierten lehnen das Angebot sowie die von der Regierung vom 11. 5. angebotene sofortige Rückkehr von weiteren 25 Ausgewiesenen ab und erklären, nur mit der Gruppe als Ganzes zurückzukehren; am 25. 8. stimmen die Deportierten einer Rückkehr in 2 Etappen zu. – Nach Angaben der Jewish Agency vom 21. 12. 1992 ist die Zahl der Einwanderer 1992 gegenüber dem Vorjahr von 170740 auf 75000 zurückgegangen; die Zahl der aus der ehem. UdSSR immigrierten Personen ist von 145000 auf 63500 gesunken. – Die Knesset beschließt am 19. 1. 1993 mit 39 gegen 20 Stimmen in 3. Lesung die **Aufhebung des** seit 1986 bestehenden gesetzlichen **Verbots von Kontakten israelischer Bürger zu Vertretern »feindlicher Organisationen«**, v. a. zur Palästinensischen Befreiungsorganisation/PLO. Die Regierung von Ministerpräsident *Rabin*, auf deren Initiative das Kontaktverbot aufgehoben wurde, lehnt direkte Verhandlungen mit der PLO jedoch weiterhin ab. – In 2 am 19. 2. verabschiedeten Resolutionen verurteilt die UN-Menschenrechtskommission mit 27 gegen 16 Stimmen, darunter die USA, Israel wegen anhaltender Menschenrechtsverletzungen in den besetzten Gebieten und beschließt erstmals die Entsendung eines UN-Sonderberichterstatters. Die israelische Menschenrechtsorganisation Betselem hatte in einem am 28. 10. 1992 vorgelegten Bericht die israelische Praxis, Palästinenser aus den besetzten Gebieten ohne Gerichtsverfahren für 6 Monate und länger in Gefängnissen festzuhalten, scharf kritisiert. – Nach der Ermordung zweier Israelis durch einen Palästinenser aus Gaza am 1. 3. in Tel Aviv ordnet die Regierung erneut eine 1wöchige Abriegelung des Gazastreifens an. – Der zunehmenden Gewalt in den besetzten Gebieten, aber auch im Kernland, fallen allein im März 13 Israelis und 26 Palästinenser zum Opfer. Nach der Ermordung eines weiteren jüdischen Siedlers im Gazastreifen und zweier Polizisten in Nordisrael beschließt die Regierung die **Absperrung des Gazastreifens** ab 29. 3. **und des Westjordanlands** ab 31. 3. **auf unbestimmte Zeit**. Die zugleich von

der Armee angeordnete Ausweitung des Schießbefehls erlaubt Soldaten künftig ohne Vorwarnung auf bewaffnete Araber zu schießen. Ab 26. 4. dürfen täglich 8000 der 120000 Palästinenser aus den besetzten Gebieten, die von ihren Arbeitsplätzen ausgesperrt sind, nach Israel einreisen; bis Mitte Juni werden 45000 Arbeitsgenehmigungen erteilt. Nach UN-Angaben vom 8. 5. beträgt das jährliche Durchschnittseinkommen in Israel 10290 US-$, im Westjordanland 1400 US-$ und im Gazastreifen 780 US-$. Nach Angaben eines Mitglieds des PLO-Zentralkomitees vom 24. 5. hat die PLO beschlossen, zum Aufbau einer eigenen Wirtschaft künftig Generalstreiks in den besetzten Gebieten auf einen Tag pro Monat zu begrenzen. Ministerpräsident *Rabin* bezeichnet am 2. 6. die Abriegelung der besetzten Gebiete als Erfolg. Am 5. 6. gibt *Rabin* die Verhaftung von 120 mutmaßlichen Hamas-Mitgliedern in den besetzten Gebieten bekannt. – Die Mitglieder des Likud wählen am 24. 3. mit 52,4 % der Stimmen *Benjamin Netanyuha* zum neuen Parteivorsitzenden; er löst den früheren Ministerpräsidenten *Yitzhak Shamir* ab. – Die Knesset wählt am 24. 3. *Ezer Weizman*, den Kandidaten der regierenden Arbeitspartei, mit 66 der 120 Stimmen zum **neuen Staatspräsidenten**; der vom Likud nominierte *Dov Shilansky* erhält 53 Stimmen. *Weizman* wird am 13. 5. als 7. Präsident Israels vereidigt; er löst *Chaim Herzog* ab. – Als erster österreichischer Bundeskanzler seit der Aufnahme diplomatischer Beziehungen zwischen beiden Staaten 1959 besucht *Franz Vranitzky* vom 8.–11. 6. Israel. Anläßlich der Verleihung der Ehrendoktorwürde der Hebräischen Universität Jerusalem am 9. 6. räumt *Vranitzky* die Mitverantwortung seines Landes für den Nationalsozialismus und die Judenverfolgung ein. – Ministerpräsident *Rabin* erklärt am 28. 6. vor der Knesset, die Zahl der Angriffe auf Nordisrael und die sog. Sicherheitszone in Südlibanon habe mit 518 Vorfällen im 1. Halbjahr 1993 deutlich zugenommen. – Nach 1wöchiger Dauer stellt Israel am 31. 7. seine Angriffe auf Ziele im → *Libanon* ein. – Das Oberste Gericht spricht am 29. 7. den von einem Jerusalemer Gericht am 25. 4. 1988 zum Tode verurteilten *John Demjanjuk* wegen Zweifeln an der Identität des Angeklagten mit dem SS-Aufseher »Iwan der Schreckliche« im KZ Treblinka vom Vorwurf des Massenmordes frei. Seine Abschiebung wird 2 Tage später vom Obersten Gericht ausgesetzt; es wird die Eröffnung eines weiteren Verfahrens wegen mutmaßlicher Kriegsverbrechen im Vernichtungslager Sobibor geprüft. – Ende August wird in Israel erstmals eine religiöse islamische Hochschule staatlich anerkannt. – Am 9. bzw. 10. 9. unterzeichnen PLO-Chef *Yassir Arafat* und Ministerpräsident *Rabin* Dokumente über die **gegenseitige Anerkennung Israels und der PLO**.

Fortsetzung der Nahost-Friedensgespräche

Die am 30. 10. 1991 begonnenen, unter der Schirmherrschaft der USA und Rußlands stehenden Nahost-Friedensgespräche *(→ WA '93, Sp. 77f.)* werden im Berichtszeitraum 1992/93 als bilaterale und als multilaterale Verhandlungen fortgesetzt.

Bilaterale Verhandlungen zwischen Israel und den arabischen Nachbarstaaten Jordanien, Libanon und Syrien sowie zwischen Israel und den Palästinensern in Washington: Die 6. Gesprächsrunde, die vom 24. 8.–24. 9. **1992** mit Unterbrechung vom 3.–14. 9. stattfindet, steht unter dem Eindruck des Regierungswechsels in Israel. Erstmals akzeptiert Israel das Prinzip »Land gegen Frieden« als Grundlage der bilateralen Verhandlungen mit Syrien. Der syrische Außenminister *Faruk al Shara'a* erklärt am 23. 9. bei einem Treffen mit US-Staatssekretär *Lawrence Eagleburger* in New York erstmals, sein Land sei bei einem »totalen Rückzug« Israels aus den besetzten arabischen Gebieten zu einem »totalen Frieden« bereit. Bei den israelisch-palästinensischen Gesprächen über eine Interimsregelung für die von Israel besetzten Gebiete legen beide Seiten Pläne für eine begrenzte palästinensische Autonomie im Gazastreifen und im Westjordanland vor. – Die 7. Runde der bilateralen israelisch-arabischen Gespräche vom 21. 10.–19. 11., die von neuen Gewalttaten im Südlibanon überschattet wird und vom 28. 10.–8. 11. wegen der US-Präsidentschaftswahlen unterbrochen wird, bringt kaum Fortschritte. Die jordanische Delegation erklärt sich erstmals schriftlich zu Verhandlungen mit Israel über einen Friedensvertrag bereit. – Ohne Ergebnisse bleibt die 8. Gesprächsrunde vom 7.–17. 12. Die letzte Sitzung am 17. 12. wird aus Protest gegen die Deportation von 415 Palästinensern aus den besetzten Gebieten nach Südlibanon *(→ Israel)* boykottiert. – Der von den Palästinensern angedrohte Boykott weiterer Verhandlungen kann durch intensive diplomatische Bemühungen abgewendet werden. Israels Ministerpräsident *Yitzhak Rabin* erklärt am 14. 4. **1993** in Ismailia (Ägypten), die derzeitige israelische Regierung akzeptiere im Gegensatz zur vorherigen Regierung von Ministerpräsident *Yitzhak Shamir* die UN-Resolutionen 242 und 338 als Grundlage für die Nahost-Friedensverhandlungen. – Bei der 9. Runde der bilateralen israelisch-arabischen Gespräche vom 27. 4.–13. 5. wird die palästinensische Delegation erstmals von *Feisal al-Husseini* geleitet; bisher hatte Israel den der Palästinensischen Befreiungsorganisation/PLO nahestehenden und aus Ost-Jerusalem kommenden *al-Husseini* nicht als Delegationsmitglied akzeptiert. Der israelische Entwurf einer gemeinsamen Grundsatzerklärung, der u. a. die Übertragung vieler Befugnisse der Verwaltung in den besetzten Gebieten auf eine gewählte palästinensische Selbstverwaltungsbehörde vorsieht, wird von den Palästinensern zurückgewiesen. Ein von der US-Regierung am 12. 5. gemachter Kompromißvorschlag zur begrenzten palästinensischen Selbstverwaltung in den besetzten Gebieten wird abgelehnt. Die israelische Delegation erklärt bei den israelisch-libanesischen Gesprächen erstmals schriftlich die Bereitschaft Israels, im Rahmen einer Regelung gemäß UN-Resolution 425 die Besetzung Südlibanons aufzugeben. – Die 10. Gesprächsrunde vom 15. 6.–1. 7. endet ohne greifbare Ergebnisse. Die Palästinenser verlangen, daß Ost-Jerusalem bereits in die Verhandlungen über eine Übergangsregelung und nicht erst in die Vereinbarungen über den endgültigen Status der besetzten Gebiete einbezogen wird. Meinungsverschiedenheiten über den Status von Ost-Jerusalem bestehen auch zwischen PLO-Zentralrat und der palästinensischen Delegation; die PLO-Führung ist bereit, dem israelischen Wunsch entsprechend die Jerusalem-Frage zunächst aus den Verhandlungen über eine palästinensische Selbstverwaltung auszuklammern. – Die israelische Regierung stimmt am 30. 8. mit 16 Stimmen bei 2 Enthaltungen einem von israelischen Regierungsvertretern mit PLO-Funktionären bei Geheimtreffen in Oslo ausgehandelten, auf eine Initiative der PLO zurückgehenden 5-Stufen-Plan für eine palästinensische Selbstverwaltung zunächst im Gazastreifen und im Gebiet der Stadt Jericho (Westjordanland) zu. Dieses Grundsatzpapier sieht u. a. vor: Rückzug der israelischen Armee aus dem Gazastreifen und aus Jericho, palästinensische Selbstverwaltung in fast allen Bereichen des öffentlichen Lebens in diesen Gebieten, Übertragung der Verantwortlichkeit für die innere Sicherheit auf eine palästinensische Polizeitruppe und Kontrolle des Hafens von Gaza durch Palästinenser; die Außenpolitik sowie die Sicherheit israelischer Bürger und Siedlungen bleibt in der Zuständigkeit Israels. – Am 10. 9. unterzeichnet PLO-Chef *Yassir Arafat* in Tunis ein Dokument, in dem die PLO das von ihnen bisher bestrittene Existenzrecht Israels anerkennt und der Gewalt abschwört. Der norwegische Außenminister *Johann Jörgen Holst*, der bei den monatelangen Geheimverhandlungen zwischen Israel und der PLO vermittelt hatte, überbringt diese Erklärung persönlich nach Israel. Daraufhin unterzeichnet der israelische Ministerpräsident *Rabin* am 10. 9. ein Dokument, mit dem Israel die bisher als »terroristische Organisation« geltende PLO als Vertreterin des palästinensischen Volkes anerkennt. Der israelische Außenminister *Shimon Peres* und *Mahmud Abbas*, Mitglied der PLO-Exekutive, unterzeichnen am 13. 9. in Washington ein Abkommen über eine Teilautonomie der Pallästinenser im Gazastreifen und in der Stadt Jericho, das am 13.10. in Kraft treten soll. Vorgesehen ist u.a. der Rückzug der israelischen Streitkräfte aus Jericho und dem Gazastreifen (außer aus den israelischen Siedlungen) binnen 4 Monaten und die Wahl eines palästinensischen Selbstverwaltungsrates binnen 9 Monaten.

Multilaterale Verhandlungen: Bei den insg. 10 multilateralen Gesprächsrunden im Berichtszeitraum über die ganze Region betreffende Probleme – je 2 über Rüstungskontrolle und Sicherheit in der Region, Wasserressourcen, Flüchtlingsfragen, Umwelt und regionale Wirtschaftsentwicklung – werden im Berichtszeitraum nur sehr geringe Fortschritte erzielt.

PLO: Stationen auf dem Weg zur Anerkennung

▶ 1964: Gründung der Palästinensischen Befreiungsorganisation
▶ 1969: Arafat, Chef der stärksten PLO-Gruppe El Fatah, wird Vorsitzender des PLO-Exekutivkomitees und Oberkommandierender der Palästinenserarmee.
▶ 1974: Ansprache Arafats vor der UNO-Vollversammlung, die das Recht der Palästinenser auf „nationale Unabhängigkeit und Selbstbestimmung" anerkennt.
▶ 1976: Die Arabische Liga beschließt, die PLO als Vollmitglied aufzunehmen.
▶ 1980: Die Europäische Gemeinschaft erkennt den Palästinensern das Recht auf Selbstbestimmung zu und fordert eine PLO-Beteiligung an Friedensverhandlungen.
▶ 1988: Am 15. November ruft der palästinensische Nationalrat einen unabhängigen Palästinenserstaat mit der Hauptstadt Jerusalem aus. Am 7. Dezember Veröffentlichung einer PLO-Erklä-rung, in der das Existenzrecht Israels anerkannt wird. Am 16. Dezember nehmen die USA und die PLO nach 13 Jahren erstmals wieder offizielle Gespräche miteinander auf.
▶ 1989: Die PLO bildet im April eine provisorische Regierung. Arafat wird zum Präsidenten des Staates Palästina gewählt.
▶ 1990: Die USA suspendieren im Juni die Gespräche mit der PLO.
▶ 1991: In Madrid beginnt die internationale Nahost-Friedenskonferenz unter Teilnahme einer palästinisch-jordanischen Delegation. Nach dem Auftakt finden bis über die Mitte des Jahres 1993 hinaus Verhandlungsrunden in Washington statt.
▶ 1993: Unter norwegischer Vermittlung finden streng geheime Direktverhandlungen zwischen Israel und der PLO statt, bis das Abkommen über Teilautonomie der Palästinenser im Gazastreifen und in der Stadt Jericho schließlich im Pariser Hotel Bristol unter Dach und Fach gebracht wird. SZ/dpa

Der Selbstverwaltungsplan

Der Entwurf für das Abkommen zur Selbstverwaltung der Palästinenser, wie er in Geheimverhandlungen zwischen Israel und der PLO erarbeitet wurde, besteht aus einer 17 Artikel umfassenden »Grundsatzerklärung der Bestimmungen für eine Übergangs-Selbstverwaltung, zwei Zusatzprotokollen über wirtschaftliche und regionale Zusammenarbeit sowie einer Aufstellung von »vereinbarten Anmerkungen« zu der Grundsatzerklärung. Deren wichtigste Passagen haben nach einer inoffiziellen Übersetzung der Nachrichtenagentur AP folgenden Wortlaut:

Grundsatzerklärung der Bestimmungen für eine Übergangs-Selbstverwaltung

Die Regierung des Staates Israel und die palästinensische Gruppe (in der jordanisch-palästinensischen Delegation bei der Nahost-Friedenskonferenz) als Vertretung des palästinensischen Volkes stimmen darin überein, daß es an der Zeit ist, den Jahrzehnten der Konfrontation und des Konflikts ein Ende zu setzen, ihre beiderseitigen legitimen und politischen Rechte anzuerkennen und danach zu streben, in friedlicher Koexistenz und wechselseitiger Achtung und Sicherheit zu leben, um in dem vereinbarten politischen Prozeß eine gerechte, dauerhafte und umfassende Friedensregelung und eine historische Versöhnung zu erreichen. Daher stimmen die beiden Seiten in den folgenden Grundsätzen überein.

Artikel I – Ziel:

Das Ziel der israelisch-palästinensischen Verhandlungen im Rahmen des gegenwärtigen Friedensprozesses für den Nahen Osten besteht unter anderem darin, eine Palästinensische Übergangs-Selbstverwaltungskörperschaft zu bilden, einen gewählten Rat für das palästinensische Volk im Westjordanland und im Gaza-Streifen (im folgenden »Rat« genannt). Dieser soll für eine Übergangszeit, die fünf Jahre nicht überschreitet, gebildet werden und zu einer dauerhaften Regelung auf der Grundlage der Resolutionen 242 und 338 des Sicherheitsrates führen. (...)

Artikel III – Wahlen:

1. Damit das palästinensische Volk im Westjordanland und im Gaza-Streifen sich selbst nach demokratischen Grundsätzen regieren kann, wird der Rat in direkten, freien und allgemeinen Wahlen bestimmt. Diese werden unter vereinbarter Aufsicht und internationaler Kontrolle stattfinden, während die palästinensische Polizei die öffentliche Ordnung gewährleistet.
2. Es wird eine Vereinbarung über den genauen Modus und die Bedingungen der Wahl getroffen (...) mit dem Ziel, daß die Wahlen nicht später als

neun Monate nach der Inkraftsetzung dieser Grundsatzerklärung stattfinden.
3. Diese Wahlen werden für eine Übergangszeit einen bedeutenden vorbereitenden Schritt zur Verwirklichung der legitimen Rechte des palästinensischen Volkes und ihrer gerechten Bedürfnisse darstellen.

Artikel IV – Zuständigkeit:

Die Zuständigkeit des Rates erstreckt sich auf Westjordanland und das Gebiet des Gaza-Streifens mit Ausnahme derjenigen Fragen, die bei den Verhandlungen über den dauerhaften Status erörtert werden. Beide Seiten betrachten das Westjordanland und den Gaza-Streifen als eine einzige territoriale Einheit, dessen Integrität während der Übergangsperiode bewahrt wird.

Artikel V – Übergangszeit:

1. Die fünfjährige Übergangszeit beginnt mit dem Rückzug aus dem Gaza-Streifen und dem Gebiet von Jericho.
2. Verhandlungen zwischen der Regierung Israels und den Vertretern des palästinensischen Volkes über den dauerhaften Status werden so bald wie möglich beginnen, aber nicht später als mit Beginn des dritten Jahres der Übergangszeit.
3. Es ist vereinbart, daß sich diese Verhandlungen auf offene Fragen erstrecken wie: Jerusalem, Flüchtlinge, Siedlungen, Sicherheitsvorkehrungen, Grenzen, Beziehungen und Zusammenarbeit mit anderen Nachbarn sowie weitere Fragen von gemeinsamem Interesse.
4. Die beiden Parteien stimmen darin überein, daß das Ergebnis der Verhandlungen über den dauerhaften Status nicht von Vereinbarungen präjudiziert wird, die für die Übergangszeit getroffen wurden.

Artikel VI – Übergabe der Macht:

1. Mit Inkrafttreten dieser Grundsatzerklärung und dem Rückzug vom Gaza-Streifen und dem Gebiet um Jericho wird eine Übergabe der Autorität von der israelischen Militärregierung und ihrer Zivilverwaltung auf die mit dieser Aufgabe be-

trauten Palästinenser beginnen. Diese Übergabe der Macht wird bis zur Einsetzung des Rates vorläufig sein.

2. Sofort nach dem Inkrafttreten dieser Grundsatzerklärung und dem Rückzug vom Gazastreifen und dem Gebiet um Jericho wird die Zuständigkeit in den folgenden Bereichen (...) auf die Palästinenser übertragen: Bildung und Kultur, Gesundheitswesen, Sozialwesen, direkte Besteuerung und Fremdenverkehr. Die palästinensische Seite wird damit beginnen, wie vereinbart eine palästinensische Polizei aufzubauen. Bis zur Einsetzung des Rates können beide Seiten über die Übertragung weiterer Befugnisse verhandeln.

Artikel VII – Übergangsabkommen:

1. Die Delegationen der Israelis und Palästinenser werden in Verhandlungen ein Abkommen über die Übergangszeit schließen. (...)

5. Nach der Einsetzung des Rates wird die Zivilverwaltung aufgelöst und die israelische Militärregierung abgezogen. (...)

Artikel XIII – Streitkräfte:

1. Nach der Inkraftsetzung dieser Grundsatzerklärung und nicht später als am Vorabend der Wahlen für den Rat wird eine Verlegung der israelischen Streitkräfte im Westjordanland und im Gazastreifen erfolgen. (...)

2. Bei der Verlegung der Streitkräfte wird sich Israel von dem Grundsatz leiten lassen, daß seine Streitkräfte außerhalb von bevölkerten Gebieten stationiert werden sollen. (...)

Artikel XIV – Rückzug:

Israel wird sich vom Gazastreifen und dem Gebiet um Jericho zurückziehen, wie es das Zusatzprotokoll II im einzelnen regelt.

Artikel XV – Streitfragen:

Streitfragen, die bei der Umsetzung oder Auslegung dieser Grundsatzerklärung entstehen (...) sollen durch Verhandlungen im Gemeinsamen Verbindungskomitee geklärt werden. (...)

Artikel XVII

Diese Grundsatzerklärung tritt einen Monat nach ihrer Unterzeichnung in Kraft.

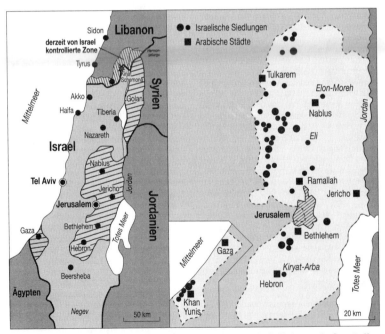

Israel und die besetzten Gebiete: Seit 1. 10. 1993 Selbstverwaltung der Palästinenser im Gazastreifen und im Gebiet der Stadt Jericho

ITALIEN Erfolge bei der Bekämpfung des organisierten Verbrechens, der Niedergang der in Korruptionsskandale verwickelten etablierten politischen Parteien, vor allem der Christdemokraten/DC und der Sozialisten/PSI, sowie eine als »politischer Neuanfang« gedachte Wahlrechtsreform prägen die Entwicklung im Berichtszeitraum.

Bekämpfung der Mafia: Am 4. bzw. 6. 8. **1992** verabschieden Abgeordnetenkammer und Senat ein Anti-Mafia-Gesetz, das den Geheimdiensten eine leichtere Unterwanderung der Mafia ermöglicht, die Festnahme von Personen, die in Verbindung mit dem organisierten Verbrechen stehen sollen, und die Verwendung von Beweismitteln in Prozessen erleichtert, die Vorschriften über die Untersuchungshaft verschärft, Vergünstigungen für Kronzeugen vorsieht sowie die Bestechung von Politikern mit bis zu 6 Jahren Freiheitsentzug bestraft. Zudem wird eine zentrale Untersuchungsbehörde mit rd. 3000 Beamten zur Bündelung der Ermittlungen eingerichtet. Am 10. 8. wird der Richter *Giuseppe Di Gennaro* zum »Superstaatsanwalt« bestellt, der den Kampf gegen die Mafia leiten soll. Bei der größten landesweiten Polizeifahndung gegen die Mafia seit 1984 werden in der Nacht zum 17. 11. von 203 Haftbefehlen über 100 vollstreckt. Die »Operation Leopard«, an der rd. 2000 Polizisten und Carabinieri in Sizilien, Piemont, Ligurien, Latium und Kalabrien mitwirkten, beruhte auf den Aussagen reuiger Krimineller (pentiti). Den Festgenommenen werden v. a. Drogenhandel, Erpressung und illegale Kontrolle öffentlicher Bauaufträge vorgeworfen. Am 3. 12. erlassen die Behörden Haftbefehle gegen 200 mutmaßliche Mafiamitglieder – der Cosa Nostra in Sizilien, der Camorra in Kalabrien und Campanien, der Ndrangheta in Neapel sowie der Sacra Corona Unita in Apulien. Am 15. 1. **1993** wird der seit 23 Jahren gesuchte oberste Chef (capo dei capi) der sizilianischen Cosa Nostra, *Salvatore Riina*, in Palermo festgenommen; zuvor waren bereits der als Nr. 2 hinter *Riina* geltende *Giuseppe Madonia* (am 6. 9. 1992), der Ndrangheta-Chef *Carmine Alfieri* (11. 9. 1992) und *Domenico Libri* (21. 9.1992), der als Nr. 1 der kalabresischen Camorra gilt, inhaftiert worden. Am 17. 5. wird die Nr. 2 der sizilianischen Mafia, *Benedetto Santapaolo*, gefaßt; er war 1987 in Abwesenheit wegen Mordes – u. a. an dem Carabinieri-General *Carlo Alberto Dalla Chiesa* –, Drogenhandel und Verschwörung zu lebenslanger Haft verurteilt worden.

Bestechungsskandale (tangentopoli) breiten sich von Mailand über ganz Italien aus: Am 28. 11. **1992** wird das erste Urteil im sog. Mailänder Schmiergeldskandal gesprochen: Der frühere Verwalter eines Altersheims, *Mario Chiesa*, mit dessen Verhaftung der Skandal in Gang gebracht wurde, wird zu 6 Jahren Haft verurteilt. *Chiesa* legt Berufung ein und bleibt daher auf freiem Fuß. Am 10. 12. hebt die Abgeordnetenkammer die Immunität des früheren Außenministers *Gianni De Michelis*/PSI auf, damit die Staatsanwaltschaft gegen ihn wegen Korruption ermitteln kann. Am 15. 12. teilt die Mailänder Justiz mit, daß gegen PSI-Chef *Bettino Craxi* wegen des Verdachts der Beihilfe zur Korruption, der widerrechtlichen Annahme von Geldern und des Verstoßes gegen das Parteienfinanzierungsgesetz ermittelt werde. Allein in Mailand werden bis Ende Januar **1993** gegen 110 Politiker und Industrielle Untersuchungsverfahren eingeleitet. Viele Unternehmer geben zu, daß sie für öffentliche Aufträge Milliardenbeträge in die Parteikassen gezahlt haben. – Am 27. 3. erklärt der 7fache frühere Ministerpräsident *Giulio Andreotti*/DC, daß die Staatsanwaltschaft Palermo Ermittlungen gegen ihn wegen Beteiligung an Mafia-Aktivitäten eingeleitet habe; die Vorwürfe gegen ihn seien jedoch absurd, weil er in seiner Regierungszeit harte Maßnahmen gegen die Mafia ergriffen habe. In der DC-Hochburg Neapel werden zur gleichen Zeit Untersuchungen gegen 17 Abgeordnete und Senatoren wegen Korruption und Zusammenwirken mit dem organisierten Verbrechen eingeleitet. Seit 4. 4. führt auch die Mailänder Staatsanwaltschaft Ermittlungen gegen *Andreotti* wegen Verstoßes gegen das Parteienfinanzierungsgesetz. Der Senat hebt am 13. 5. auf Wunsch *Andreottis* dessen parlamentarische Immunität auf, damit die gegen ihn erhobenen Vorwürfe gerichtlich geklärt werden können. Am 5. 4. leitet die Staatsanwaltschaft in Rom gegen den früheren Ministerpräsidenten und DC-Parteichef *Arnaldo Forlani* ein Verfahren wegen Hehlerei und des Verstoßes gegen das Parteienfinanzierungsgesetz ein. Ende Juli kündigt die Mailänder Staatsanwaltschaft die Einleitung neuer Ermittlungen gegen eine Reihe vormals führender Politiker der bisherigen Regierungsparteien an. Betroffen sind neben *Craxi*, gegen den bereits 18 andere Verfahren wegen Korruptionsverdachts, illegaler Parteienfinanzierung und anderer Delikte anhängig sind, der vormalige DC-Chef und kurzzeitige Ministerpräsident *Arnaldo Forlani*, die früheren Minister *Claudio Martelli*/PSI und *Paolo Cirino Pomicino*/DC sowie die vormaligen Chefs der kleineren Regierungsparteien, *Renato Altissimo*/PLI, *Carlo Vizzini*/PSDI und *Giorgio La Malfa*/PRI. Ende 1990/Anfang 1991 und vor den Parlamentswahlen im April 1992 sollen insgesamt 130–135 Mrd. Lire an diese Politiker gegangen sein, davon 50 % an *Craxi*. Ende Juli begehen der frühere Chef des Chemiekonzerns Ferruzzi, *Raul Gardini*, und ENI-Chef *Gabriele Cagliari*, gegen die Verfahren wegen Korruptionsverdachts eingeleitet worden waren, Selbstmord.

Parteien-Entwicklung: Am 12.10. **1992** wählt der 200köpfige DC-Nationalrat den Rechtsanwalt *Mino Martinazzoli* als Nachfolger *Arnaldo Forlanis* zum **neuen DC-Generalsekretär**; am 26.10 wird mit der bisherigen Erziehungsministerin *Rosa Russo Jervolino* erstmals eine Frau zur DC-Parteivorsitzenden gewählt; sie tritt die Nachfolge von *Ciriaco De Mita* an. Auf einem außerordentlichen DC-Parteikongreß in Rom (23.–26.7. 1993) stimmen die Delegierten mit nur einer Gegenstimme für die Neugründung der Partei unter dem Namen **Italienische Volkspartei** (Partito Popolare Italiano); eine Partei dieses Namens war 1919 von dem Priester Don *Luigi Sturzo* gegründet und 1925 unter dem Faschismus aufgelöst worden. – Am 21.11. 1992 bestimmt die **Südtiroler Volkspartei/SVP** auf ihrem 40. Parteitag in Meran den Rechtsanwalt *Siegfried Brugger* mit 55,9 % der Delegiertenstimmen als Nachfolger von *Roland Riz* zu ihrem neuen Obmann. Auf ihrem 41. Parteitag beschließt die SVP am 8.5. 1993 ein neues Parteiprogramm und ein neues Parteistatut. Das Programm definiert die SVP als ethnisch bestimmte Sammelpartei, welche die Interessen aller deutschen und ladinischen Südtiroler vertrete. – Am 11. und 12.2. **1993** tritt in Rom die sogenannte Assemblea Nazionale der **Sozialisten/PSI**, das höchste Gremium zwischen den Parteitagen, zusammen, um einen Nachfolger für den seit 1976 amtierenden Parteichef *Craxi* zu wählen, der zu Beginn der Sitzung zurücktrat. Mit 306 gegen 223 Stimmen wird der Gewerkschafter und Staatssekretär im Finanzministerium *Giorgio Benvenuto* zum neuen Parteichef gewählt. Dieser tritt jedoch am 20.5. seinerseits zurück, weil er bei seinen Bemühungen um eine Reform der Partei zu wenig Unterstützung erhalten habe. 6 weitere Führungsmitglieder, darunter Parteipräsident *Gino Giugni*, folgen seinem Beispiel. Am 28.5. wählt der PSI-Nationalrat den Gewerkschaftsfunktionär *Ottaviano del Turco* mit 292 von 334 abgegebenen Stimmen zum neuen Parteichef. – Am 16.3. tritt der Chef der **Liberalen**, *Renato Altissimo*, zurück; er will seine Partei nicht mit einem gegen ihn eingeleiteten Ermittlungsverfahren wegen Korruptionsvorwürfen belasten. Nachfolger wird *Raffaele Costa*.

Regional- und Kommunalwahlen: Die bei den Parlamentswahlen vom April **1992** eingeleitete Veränderung der Parteienlandschaft setzt sich auch bei den folgenden Kommunal- und Regionalwahlen fort. Bei den Regionalwahlen in der norditalienischen Provinz Mantua am 27./28.9. erleiden die Regierungsparteien eine schwere Niederlage; sie erzielen zusammen nicht einmal so viele Stimmen wie die rechtsgerichtete Protestpartei Lega Nord unter Führung von *Umberto Bossi*, für die 33,9 % der Wähler votierten (+11,8 %). Auf die DC entfielen 14,8 % der Stimmen (–7,7 %), auf die PSI 7,2 % (–5,7 %). Die PDS kommt auf 17,8 %, die von *Bossis* Schwester geführte Lega Alpina auf 6,7 % und die Rifondazione Comunista auf 6,1 %. – Bei Wahlen in die örtlichen Parlamente von 55 Städten und Gemeinden und in den Provinzialrat von La Spezia am 13./14.12. erleiden die etablierten Parteien schwere Verluste, während die Protestparteien deutliche Stimmengewinne verzeichnen. So erreicht die Lega Nord 19,4 % der Stimmen. Der Anteil der Christdemokraten/DC sinkt von 35,6 auf 23,6 % und der der Sozialisten/PSI von 18,2 auf 9,9 %. In den norditalienischen Städten Varese und Monza wird die Lega Nord mit 37,3 % bzw. 32,0 % stärkste Partei; die Anti-Mafia-Bewegung La Rete erreichte in fast allen Kommunen, in denen sie antrat, über 5 % der Stimmen. – Aus den Kommunal- und Regionalwahlen am 6. und 20.6. **1993** in 145 Städten und 6 Provinzen geht die Lega Nord erfolgreich hervor. So erringt sie den Posten des Oberbürgermeisters in Mailand mit fast 38 %, ebenso den in Turin. Auch die einst kommunistische Demokratische Partei der Linken/PDS kann sich allein oder in Bündnissen in Turin, Catania, Ancona, Siena, Ravenna sowie zahlreichen anderen mittel- und süditalienischen Orten durchsetzen. DC und PSI erleiden auch diesmal schwere Niederlagen. – Als erste Region wird Friaul-Julisch-Venetien von der Lega Nord regiert: Die Regionalversammlung wählt am 3.8. Pietro Fontanini zum Präsidenten und damit zum Regierungschef von Friaul.

Wahlrechtsreform: Die Wähler sprechen sich am 18. und 19.4. **1993** in einem Referendum mit 83 % der Stimmen für eine Wahlrechtsreform (Einführung des Mehrheitswahlrechts im Senat) aus und unterstreichen damit die Forderung nach einem politischen Neuanfang. Mehrheiten fanden auch die anderen 7 Vorschläge, darunter der zur Reform der Parteifinanzierung und die Forderung nach Abschaffung der Ministerien für Landwirtschaft, Tourismus und Staatsbeteiligungen. Mit der Zustimmung der Abgeordnetenkammer und des Senats zum neuen Wahlrecht am 4.8. wird die Wahlrechtsreform besiegelt. Künftig werden 75 % der Sitze der Abgeordneten und des Senats nach dem Mehrheitswahlrecht, die restlichen 25 % nach dem Verhältniswahlrecht gewählt. Eine 4 %-Klausel verwehrt Splitterparteien den Zugang zum Parlament. 20 Abgeordnete und 10 Senatoren werden von den Auslandsitalienern bestimmt (z. Z. rd. 1,8 Mio. Wahlberechtigte mit Wohnsitz im Ausland). Für das Gesetz stimmten DC, PSI, PSDI und Lega Nord, dagegen die RC, PLI, MSI-DN und La Rete; PDS, Grüne und PRI enthielten sich der Stimme.

Neue Regierung: Ministerpräsident *Giuliano Amato*/PSI gibt als Konsequenz aus dem Ergebnis der Volksabstimmung über die Verfassungsreform am 22. 4. **1993** seinen Rücktritt bekannt. Am 26. 4. beauftragt Staatspräsident *Scalfaro* den parteilosen Notenbankgouverneur *Carlo Azeglio Ciampi* mit der Bildung der 52. Nachkriegsregierung. Dem am 29. 4. vereidigten neuen, verkleinerten Kabinett gehören 8 Christdemokraten, 4 Sozialisten und erstmals seit 1947 auch 3 Vertreter der Reformkommunisten (PDS) an; $1/_5$ der neuen Minister ist parteilos. Am 7. 5. spricht die Abgeordnetenkammer der neuen Regierung mit 309 gegen 60 Stimmen das Vertrauen aus, 185 Abgeordnete enthalten sich der Stimmen, 80 weitere – darunter alle Mitglieder von La Rete, die das Parlament boykottieren, weil es ihrer Meinung nach keine Legitimität mehr besitze – nahmen an der Abstimmung nicht teil. Am 12. 5. erfolgt die Zustimmung durch den Senat mit 162 gegen 36 Stimmen bei 50 Enthaltungen (darunter der SVP-Senatoren).

Bombenanschläge: Bei einem der Mafia zugeschriebenen Sprengstoffanschlag im historischen Zentrum von Florenz am 27. 5. werden 5 Personen getötet und 29 verletzt; an den Uffizien entsteht beträchtlicher Sachschaden. In der Mailänder Innenstadt werden am 28. 7. bei einem Bombenanschlag 5 Menschen getötet und 6 verletzt. Am gleichen Tag explodieren 2 weitere Bomben in Rom, wobei 14 Menschen verletzt werden und schwere Schäden an der päpstlichen Lateran-Basilika entstehen. Der Chef des Inlandgeheimdienstes/SISDE, *Angelo Finocchiaro*, tritt daraufhin zurück. Ministerpräsident *Ciampi* spricht von einem gezielten Versuch, Panik und Unruhe zu erzeugen, um so die politische Erneuerung Italiens zu behindern.

JAPAN Die Regierung beschließt am 8. 9. **1992** im Rahmen einer UN-Friedensmission den ersten Einsatz japanischer Selbstverteidigungskräfte außerhalb des Landesgrenzen. – Bei der Regierungsumbildung am 11. 12. bleiben nur 2 Minister, darunter Außenminister *Michio Watanabe*, im Amt. – Ministerpräsident *Kiichi Miyazawa* besucht vom 11.–18. 1. **1993** die 4 ASEAN-Staaten Indonesien, Malaysia, Thailand und Brunei. – Gegen die Stimmen der Opposition billigt das Unterhaus am 6. 3. den Haushalt für das am 1. 4. beginnende Fiskaljahr 1993/94. Mit 72,4 Bio. Yen ist er um nur 0,2 % höher als im Vorjahr; der Verteidigungsetat steigt um knapp 2 % auf 4,64 Bio. Yen. – *Shin Kanemura*, bis vor kurzem einer der einflußreichsten Politiker Japans, wird am 6. 3. verhaftet; er war am 27. 8. 1992 wegen seiner Verwicklung in einen Parteispendenskandal als stellv. Vorsitzender der regierenden Liberal-Demokratischen Partei/LDP zurück-

getreten und hatte am 14. 10. auch sein Unterhausmandat niedergelegt. – Die japanische Regierung sagt dem vietnamesischen Ministerpräsidenten *Vo Van Kiet*, der als erster Regierungschef Vietnams seit der Wiedervereinigung 1976 vom 24.–28. 3. 1993 Japan besucht, Unterstützung beim Aufbau der Infrastruktur und Finanzhilfen in Höhe von 684 Mio. Yen zu. Am 6. 11. 1992 hatte die japanische Regierung die Wiederaufnahme der seit 1978 eingefrorenen Wirtschaftshilfe beschlossen und einen Handelskredit in Höhe von 45,5 Mrd. Yen gewährt. – Am 6. 4. tritt Außenminister *Michio Watanabe* aus gesundheitlichen Gründen zurück. Nachfolger wird am 7. 4. *Kabun Muto*. – Wegen der anhaltend schlechten Wirtschaftslage verabschiedet die Regierung am 13. 4. erneut ein Konjunkturprogramm mit dem Rekordvolumen von 13,2 Bio. Yen. – Die Regierung kündigt am 13. 4. bilaterale Hilfe für Rußland in Höhe von 1,82 Mrd. US-$ an; bisher hatte Japan bilaterale Finanzhilfen an Rußland von der Einigung über die südlichen Kurilen-Inseln abhängig gemacht. – Das Oberhaus beschließt Anfang Juni eine bereits vom Unterhaus gebillige Änderung des Arbeitsnormengesetzes; danach wird die wöchentliche Regelarbeitszeit ab 1. 4. 1994 auf 40 Stunden an 5 Tagen reduziert. – Am 9. 6. 1993 heiratet Kronprinz *Naruhito* trotz Bedenken des Kaiserlichen Hofamts die nicht adelige Diplomatin *Masako Owada*. – Das **Unterhaus spricht** am 18. 6. der **Regierung** von Ministerpräsident *Miyazawa* mit 255 gegen 220 Stimmen **das Mißtrauen aus**; gegen *Miyazawa* stimmen auch Mitglieder seiner eigenen Partei. Die Regierung beschließt daraufhin die Auflösung des Unterhauses. – Bei den **Unterhauswahlen** am 18. 7. erringt die LDP nur 223 der 511 Sitze und verliert damit die absolute Mehrheit. Die beiden am 19. 6. bzw. 23. 6. von ehem. LDP-Abgeordneten gegründeten Parteien, die »Sakigake« von *Masayoshi Takemura* und die »Erneuerungspartei«/JRP von *Tsutomu Hata*, erhalten 13 bzw. 55 Mandate. Die Sozialdemokraten bleiben zweitstärkste Partei, verlieren aber 66 ihrer bisher 136 Sitze. Die 1992 gegründete Japan New Party/JNP und Sakigake lehnen am 28. 7. das Koalitionsangebot der LDP ab. – *Yohei Kono* wird am 30. 7. mit 208 gegen 159 Stimmen zum neuen LDP-Vorsitzenden gewählt; *Miyazawa* war am 22. 7. von diesem Amt zurückgetreten. – Die Regierung von Ministerpräsident *Miyazawa* tritt am 5. 8. zurück. Unter- und Oberhaus wählen am 6. 8. mit 262 von 501 bzw. 132 von 240 Stimmen den am 29. 7. von 7 im Unterhaus vertretenen Parteien (ohne Kommunisten) und der nur im Oberhaus vertretenen Rengo-Partei nominierten Vorsitzenden der Neuen Partei Japans, *Morihiro Hosokawa*, zum **neuen Ministerpräsidenten**. Erstmals seit 1955 ist die LDP Oppositionspartei. Kaiser *Akihito* vereidigt am 9. 8. das neue Kabinett; in der Koalitionsregierung aus 7 Parteien wird *Tsutomu Hata* Außenminister und *Keisuke Nakanishi* Verteidigungsminister (beide JRP). *Hosokawa* kündigt in seiner Regierungserklärung am 23. 8. u. a. eine Wahlrechtsreform, eine Neuordnung der Parteienfinanzierung, Maßnahmen zum Abbau der japanischen Exportüberschüsse und eine Überprüfung des Steuersystems an; als erster Regierungschef Japans entschuldigt sich *Hosokawa* für das unerträgliche Leid, das japanische Aggression und Kolonialherrschaft bis zum Ende des II. Weltkriegs vielen Menschen zugefügt hätten.

JEMEN Das von Ministerpräsident *Haidar Abu Bakr al-Attas* und einem persönlichen Vertreter von Sultan *Kabus Bin Said* von Oman nach 10jährigen Verhandlungen am 30. 9. **1992** in Sanaa unterzeichnete Abkommen über die omanisch-jemenitische Grenze räumt den Nomaden in der Grenzregion Bewegungsfreiheit ein. – Die 5 größten Parteien einigen sich am 5. 11. auf die Verschiebung der Wahlen und damit auf die Verlängerung der am 21. 11. endenden 30monatigen Übergangsperiode nach der Einigung des Jemens im Mai 1990. – Zunächst friedliche, dann gewalttägige Demonstrationen gegen die steigenden Lebenshaltungskosten und teils blutiges Eingreifen der Sicherheitskräfte in verschiedenen Städten fordern vom 9.–11. 12. 1992 mehrere Menschenleben; die Behörden verhängen eine nächtliche Ausgangssperre. Unter dem Druck der Proteste beschließen Präsidialrat und Regierung am 15. 12. u. a. die Erhöhung der Löhne für Staatsangestellte um über 50 % und die Wiedereinführung von staatlich festgesetzten und kontrollierten Preisen. – Am 31. 12. fordern über 100 000 Demonstranten in Sanaa die Anwendung islamischen Rechts. – Die **ersten freien Parlamentswahlen** der gesamten Arabischen Halbinsel am 27. 4. **1993** finden wegen zahlreicher politisch motivierter Gewalttaten in der Übergangsperiode unter strengen Sicherheitsmaßnahmen statt. Der regierende Allgemeine Volkskongreß/PGC von Präsident *Ali Abdallah Saleh*, dem früheren Präsidenten von Nordjemen, erhält 122 der 301 Sitze; die bisher ebenfalls regierende Jemenitische Sozialistische Partei/JSP von Vizepräsident *Ali Salem al-Beedh*, die frühere Einheitspartei des Südjemen, erzielt 58 Mandate. Zweitstärkste Partei wird mit 62 Sitzen die Jemenitische Vereinigung für Reformen (Al-Islah) von Scheich *Abdallah bin-Hussein al-Ahmar*, dem Führer der Stammesföderation der Hashed. Internationale Wahlbeobachter berichten von zahlreichen Unregelmäßigkeiten bei der Wahl (Wahlbeteiligung: über 80 %). PGC und JSP vereinbaren am 10. 5. eine Koalition und beschließen zugleich, eine Vereinigung der beiden Parteien herbeizuführen. Das Parlament wählt

am 15. 5. Scheich *Abdallah bin-Hussein al-Ahmar* mit 223 von 290 Stimmen ohne Gegenkandidaten zum Parlamentspräsidenten. *Haidar Abu Bakr al-Attas* (JSP) wird erneut Ministerpräsident. In seinem am 29. 5. vorgestellten 29köpfigen Kabinett, dem 17 bisherige Minister angehören, erhalten der PGC 15 Ministerposten, die JSP 9 und die Al Islah 4; ein Oppositioneller von der Baath-Partei wird ebenfalls ins Kabinett aufgenommen. *Mohammed Salem Basandu* (PGC) wird Außenminister, *Haitham Kassem Taher* (JSP) Verteidigungsminister.

JORDANIEN König *Hussein* erläßt am 12. 11. **1992** für den 14. 11., seinen Geburtstag, eine Generalamnestie; sie ist die erste seit 12 Jahren. Ausgenommen sind nur die wegen Mordes, Vergewaltigung, Drogenhandels oder Spionage Inhaftierte. Die Amnestie gilt auch für die beiden am 10. 11. vom Gerichtshof für Staatssicherheit in Amman wegen Waffen- und Sprengstoffbesitzes zu je 20 Jahren Zwangsarbeit verurteilten islamischen Parlamentarier. – Zur Überwindung der durch den Golfkrieg verursachten Wirtschaftskrise und zur Förderung des wirtschaftlichen Strukturwandels bietet die am 28. 1. in Paris gegründete internationale Konsultativgruppe für Jordanien, der 8 Staaten und 9 internationale Organisationen angehören, dem Königreich Hilfe in Höhe von 380 Mio. US-$ an. – Als **erste politische Partei** seit 1957 wird am 3. 12. die Jordanische Nationale Allianz, die ihre Anhänger v. a. unter königstreuen Beduinen im Zentrum und im Süden des Landes hat, offiziell **zugelassen**. Bis Mitte Januar **1993** werden 8 weitere Parteien zugelassen, darunter die Kommunistische Partei Jordaniens und die Arabische Sozialistische Baath-Partei. Am 1. 9. 1992 war das neue Parteiengesetz in Kraft getreten, das Gründung und Aktivität politischer Parteien, sofern sie weder politische noch finanzielle Unterstützung aus dem Ausland erhalten, erlaubt. – Am 29. 5. 1993 entläßt der König die Regierung von Ministerpräsident *Sharif Zaid ben Shakr* und ernennt den bisherigen Leiter der jordanischen Delegation bei den Nahost-Friedensgesprächen, *Abdel Salam Madjali*, zum **neuen Ministerpräsidenten**; *Majali* übernimmt auch das Amt des Außen- und des Verteidigungsministers. Hauptaufgabe der neuen Regierung ist die Vorbereitung der Parlamentswahlen am 8. 11., der ersten Mehrparteien-Wahlen seit 1956. Am 4. 8. löst König *Hussein* das Parlament auf.

JUGOSLAWIEN Im Bundesparlament der seit 29. 4. 1992 nur noch aus den Teilrepubliken Serbien und Montenegro bestehenden Föderativen Republik Jugoslawien (FRJ) scheitert am 4. 9. **1992** ein von der Sozialistischen Partei Serbiens/SPS (ehem. Bund der Kommunisten) des serbischen Präsidenten *Slobodan Milošević* und der ultranationalistischen Serbischen Radikalen Partei/SRS von *Vojislav Seselj* eingebrachter Mißtrauensantrag gegen den Ministerpräsidenten der FRJ, *Milan Panić*. Dieser war angegriffen worden, weil er bei der Londoner Jugoslawien-Konferenz *(→ WA' 93, Sp. 96)* die serbischen Interessen nur ungenügend vertreten habe. – Am 10. 9. tritt Außenminister *Vladislav Jovanović* zurück, da er nicht länger Mitglied einer Regierung bleiben könne, die immer offener eine den Interessen Serbiens und des serbischen Volkes zuwiderlaufende Politik betreibe. Nachfolger wird der Karrierediplomat *Ilja Djukić*. – Vertreter ungarischer, muslimischer und albanischer **Minderheiten in Serbien** rufen am 18. 9. die Genfer Jugoslawien-Konferenz um Hilfe an, weil die Belgrader Führung auch im eigenen Land »ethnische Säuberungen« betreibe. – Die UN-Generalversammlung beschließt am 22. 9. mit 127 gegen 6 Stimmen (Jugoslawien, Kenia, Sambia, Simbabwe, Swasiland und Tansania) bei 26 Enthaltungen den Ausschluß der FRJ aus diesem Gremium. Die FRJ wird später u. a. auch aus dem Wirtschafts- und Sozialrat/ECOSOC (29. 4. 1993) und der Weltgesundheitsorganisation/WHO (3. 5. 1993) ausgeschlossen. – Die vorgezogenen **Parlaments- bzw. Präsidentschaftswahlen** in der FRJ – sowie in den beiden Teilrepubliken Serbien und Montenegro am 20. 12. ändern nichts an den politischen Machtverhältnissen. Bei der Präsidentschaftswahl auf Bundesebene wird Präsident *Milošević*/SPS mit 56,3 % der gültig abgegebenen Stimmen wiedergewählt. In der Niederlage des Oppositionskandidaten *Milan Panić* (34 %) geht eine Hoffnung unter, den Krieg durch Verhandlungen beenden zu können. In **Montenegro** liegt Präsident *Momir Bulatović*/DPS mit 42,3 % vor seinem innerparteilichen Rivalen und *Milošević*-Anhänger *Branko Kostić* (23,7 %); die Entscheidung fällt in der Stichwahl am 10. 1. 1993, in der *Bulatović*, der für die Gleichberechtigung der Republik Montenegro mit Serbien eintritt, mit 148 280 Stimmen über *Kostić* (82 630) siegt. Bei den **Parlamentswahlen** verliert die SPS in Serbien zwar die absolute Mehrheit, behält aber 101 der 250 Sitze, vor der SRS mit 73 und DEPOS mit 49 Sitzen. In Montenegro verteidigt die Demokratischen Partei der Sozialisten/DPS mit 45 Sitzen ihre absolute Mehrheit. – Am 29. 12. spricht das Bundesparlament auf Antrag der SRS *Panić* mit großer Mehrheit das Mißtrauen aus: Der Rat der Bürger votiert mit 95 gegen 2 Stimmen bei 12 Enthaltungen, der Rat der Republiken mit 30 gegen 5 Stimmen. Nach dem Sturz von *Panić* wird entgegen der Verfassung, nach der allein der Präsident den Regierungschef ernennen darf, auf Vorschlag der SRS der bisherige Vizepremier *Radoje Kontić*/DPS, ein Montenegriner, vom Rat der Bürger zum amtierenden Ministerpräsidenten Jugosla-

wiens ernannt. Die **neue Bundesregierung** aus Mitgliedern der serbischen Sozialisten/SPS und der montenegrinischen DPS unter *Kontić* wird vom neugewählten Bundesparlament am 2. 3. **1993** bei 8 Gegenstimmen und in Abwesenheit der oppositionellen DEPOS gebilligt. Ihr Personal und Programm sind stark von *Milošević* geprägt. *Jovanović* wird wieder Außenminister. – Am 11. 2. bestätigt das serbische Parlament mit 162 gegen 12 Stimmen bei 5 Enthaltungen die am 25. 1. gebildete **neue serbische Regierung** unter dem Sozialisten *Nikola Sainović* in ihrem Amt. – Am 8. 3. billigt das **montenegrinische** Parlament mit 62 von 85 Stimmen die **Koalitionsregierung** von Ministerpräsident *Milo Djukanović*. Sie wird von der DPS, der Volkspartei/NS, den Liberalen/LZ und der Allianz Reformistischer Kräfte/SPO gestellt. – Am 10. 4. wird der **Dinar drastisch abgewertet**: Statt bisher 750 Dinar müssen jetzt für 1 US-$ 48 000 Dinar bezahlt werden. – Der **Präsident** der FRJ, *Dobriča Čosić*, wird am 1. 6. **seines Amtes enthoben**. Beide Kammern des Parlaments sprechen ihm das Mißtrauen aus: In der Bürgerkammer stimmen 75 für die Amtsenthebung und 34 dagegen; in der paritätischen Republikenkammer (mit je 20 Sitzen Serbiens und Montenegros) sind es 22 gegen 10. *Čosić* werden Verstöße gegen die Verfassung und Putschpläne vorgeworfen. Am 2. 6. kommt es in Belgrad zu blutigen **Demonstrationen**. Der Oppositionsführer *Vuk Drašcović* von der Serbischen Erneuerungsbewegung wird am 2. 6. schwer mißhandelt und festgenommen. Nach heftigen Protesten im In- und Ausland verfügt *Milošević* am 9. 7. die Freilassung des sich seit 9 Tagen im Hungerstreik befindenden Oppositionspolitikers und dessen Frau *Danica*. – Am 25. 6. wird der bisherige serbische Parlamentspräsident **Zoran Lilić zum neuen Bundespräsidenten gewählt**. Der Sozialist *Lilić*, ein Gefolgsmann des serbischen Präsidenten *Milošević* und einziger Kandidat, erhält die Stimmen von 34 der je 20 Abgeordneten aus Serbien und Montenegro im Rat der Republiken und 92 der 138 Abgeordneten im Rat der Bürger. – Ministerpräsident *Kontić* erklärt am 16. 6. vor dem Belgrader Parlament in einem **Bericht zur Wirtschaftslage**, die FRJ sei mit der UN-Resolution 820 von der Außenwelt hermetisch abgeriegelt worden *(→ Kasten »Krieg um Bosnien-Herzegowina«)*, wodurch alle Entwicklungs- und Reformprozesse gestoppt und die sozialen Probleme beträchtlich vergrößert worden seien. Die Bundesregierung habe deshalb die **Abwertung des Dinar** auf 1,1 Mio. Dinar pro US-$ bzw. 700 000 Dinar pro DM beschlossen. 70 % der Preise würden staatlich überwacht, und der Staat werde die Verteilung strategischer Produkte – Treibstoffe, Medikamente, einzelne Agrarerzeugnisse – vornehmen. Unabhängige Wirtschaftswissenschaftler sehen die Hauptursache für die **Wirt-**

schaftsmisere hingegen in dem eisernen Festhalten des serbischen Präsidenten *Milošević* an der Kommandowirtschaft kommunistischer Prägung. Zur Bezahlung der Löhne und Sozialleistungen sowie zur Finanzierung der serbischen Milizionäre in Kroatien und Bosnien-Herzegowina würden laufend Banknoten gedruckt. Der Dinar sei daher nahezu wertlos geworden, auf dem Schwarzmarkt betrage der Umtauschkurs für einen US-$ bereits 7 Mio. Dinar. Jeder zweite sei im Juli 1993 arbeitslos gewesen, die Industrieproduktion sei innerhalb eines Jahres um 46 % gesunken, die Reallöhne um 60 % zurückgegangen.

KAMBODSCHA Obwohl die Entwaffnung und 70 %ige Demobilisierung der Einheiten der früheren 4 Bürgerkriegsparteien nicht abgeschlossen ist und bis Ende 1992 völlig zum Erliegen kommt, beginnt die United Nations Transitional Authority in Cambodia/UNTAC, die Übergangsverwaltung für Kambodscha, am 5. 10. **1992** mit der Wählerregistrierung. – Der UN-Sicherheitsrat kritisiert am 13. 10. in einer einstimmig verabschiedeten Resolution die Roten Khmer erneut scharf und fordert sie zur Kooperation auf; die Roten Khmer weigern sich, dem Pariser Friedensabkommen vom 23. 10. 1991 entsprechend ihre Truppen zur Entwaffnung und Demobilisierung unter UN-Aufsicht zu stellen und verwehren den UNTAC-Mitarbeitern den Zugang zu den von ihnen kontrollierten, schwer zugänglichen Gebieten entlang der kambodschanisch-thailändischen Grenze. Am 30. 11. 1992 verhängt der UN-Sicherheitsrat mit 14 Stimmen bei Enthaltung der VR China Wirtschaftssanktionen gegen die von den Roten Khmer kontrollierten Gebiete; Exporte von Erdöl und Importe von Hölzern aus diesen Gebieten werden un-

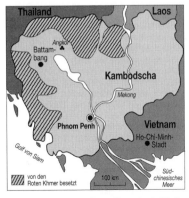

Kambodscha: von den Roten Khmer kontrollierte Gebiete

tersagt. – Die von den Roten Khmer am 30. 11. gegründete Partei »Nationale Einheit Kambodschas«, deren Vorsitzender *Khieu Samphan* ist, löst die bisherige »Partei des Demokratischen Kambodscha« ab. – Wegen der von der UN verhängten Sanktionen gegen die Roten Khmer ordnet die thailändische Regierung am 23. 12. die Schließung der Grenzübergänge zu den von den Roten Khmer kontrollierten Gebieten an. – Am 1. 1. **1993** greifen Freischärler der Roten Khmer in der Provinz Siem Reap erstmals einen Stützpunkt der UNTAC direkt an. – Seit März 1992 sind unter der Schirmherrschaft des UN-Flüchtlingshochkommissariats rd. 370 000 kambodschanische Flüchtlinge aus Lagern in Ostthailand nach Kambodscha zurückgekehrt; am 30. 3. 1993 wird das letzte Lager in Thailand geschlossen. – Die Roten Khmer teilen am 13. 4. ihren Auszug aus dem Obersten Nationalrat/SNC und erneut den Boykott der Wahlen mit. – Die Monate vor den Wahlen, insb. ab März, sind von zunehmender Gewalt gekennzeichnet. Allein im März kommen über 100 Menschen Opfer politischer Gewalt. Bis Mitte Mai kommen insg. 16 UNTAC-Mitarbeiter ums Leben. Für zahlreiche Anschläge werden die Roten Khmer verantwortlich gemacht. – Die **ersten freien Wahlen** seit über 20 Jahren, die unter Aufsicht der UNTAC vom 23.–28. 5. stattfinden, verlaufen entgegen den Befürchtungen weitgehend friedlich. Um die 120 Sitze der Verfassunggebenden Versammlung bewerben sich Kandidaten aus 20 Parteien. Die von Prinz *Norodom Ranariddh*, einem Sohn von Prinz *Norodom Sihanouk*, geführte Front uni national pour un Cambodge indépandant, neutre, pacifique et coopératif/FUNCINPEC erreicht 58 Sitze, die ehem. kommunistische und bisher regierende Cambodian People's Party/CPP von Ministerpräsident *Hun Sen* 51, die Buddhist Liberal Democratic Party/BLDP des ehem. Regierungschefs *Son Sann* 10 und die durch Abspaltung von der FUNCINPEC entstandene Moulinaka-Partei 1 Mandat. Trotz der mit dem Wahlboykott verbundenen Drohungen der Roten Khmer ließen sich über 90 % der Bürger in die Wählerlisten eintragen; davon beteiligen sich rd. 90 % an den Wahlen. UNTAC-Chef *Yashushi Akashi* und ausländische Beobachter bezeichnen die Wahlen als frei und fair. Die 1979 von Vietnam eingesetzte Regierung wird aufgelöst. Die Verfassunggebende Versammlung setzt auf ihrer konstituierenden Sitzung am 14. 6. Prinz *Sihanouk* formell zum **amtierenden Staatsoberhaupt** ein; in einer Resolution wird dessen Absetzung durch die Nationalversammlung am 18. 3. 1970 als illegaler Staatsstreich und damit für ungültig erklärt. Prinz *Sihanouk* erhält für die kommenden 3 Monate Sondervollmachten. Prinz *Ranariddh* und *Hun Sen* einigen sich am 18. 6. darauf, die Übergangsregierung, das Verteidigungs- und das Innenministerium gemeinsam zu leiten; Außenminister wird Prinz *Sirivudh* (FUNCINPEC). Die Verfassunggebende Versammlung bestätigt am 1. 7. die Übergangsregierung, eine Koalition aus allen 4 Parteien. Die Verfassunggebende Versammlung soll binnen 3 Monaten mit Zweidrittelmehrheit eine Verfassung verabschieden und anschließend eine neue Regierung bestimmen. – *Khieu Samphan*, der Führer der Roten Khmer, anerkennt am 16. 6. überraschend das Wahlergebnis; Voraussetzung für eine Unterstützung der Übergangsregierung sei, daß Prinz *Sihanouk* tatsächlich Macht ausüben könne, damit die nationale Versöhnung gelinge. Am 13. 7. erklärt *Shampan* nach Gesprächen mit Prinz *Sihanouk*, die Roten Khmer seien bei einer Regierungsbeteiligung bereit, den bewaffneten Kampf aufzugeben, die von ihnen kontrollierten Gebiete (rd. 20 % des Landes) freizugeben und ihre Kämpfer in die Nationalarmee einzugliedern.

Kanada: Das von den Inuit (Eskimos) bewohnte Gebiet Nunavut

KAMERUN Präsident *Paul Biya* wird bei den ersten freien **Präsidentschaftswahlen** am 11. 10. **1992** mit 39,9 % der Stimmen im Amt bestätigt. Auf den wichtigsten Gegenkandidaten *Ni John Fru Ndi*, einen der führenden Regimekritiker und Vorsitzenden der Sozialdemokratischen Front/SDF, entfallen 35,9 % der Stimmen. Sowohl Opposition als auch internationale Beobachter werfen dem Präsidenten **Wahlfälschung** vor. Nach regierungsfeindlichen Kundgebungen verhängt *Biya* für die Dauer von 3 Monaten über Bamenda sowie die Nordprovinz den **Ausnahmezustand**; Oppositionsführer *Fru Ndi* wird unter Hausarrest gestellt.

KANADA Die am 28. 8. **1992** in Charlottetown unterzeichnete **Verfassungsreform wird** am 26. 10. in einem Referendum (Wahlbeteiligung 72 %) von 54,4 % der Wähler **abgelehnt**. Damit ist ein mühsam errungener Kompromiß (→ *WA '93, Sp. 99*) hinfällig, der vor allem die nach Unabhängigkeit strebenden Frankokanadier in die Föderation einbinden, die Minderheitenrechte von Indianern und Eskimos sowie die Zuständigkeiten der 10 Provinzen stärken sollte. – Am 30. 10. wird das Abkommen über die **Selbstverwaltung der Inuit** (Eskimos), in dem u. a. die Bildung des selbständigen Territoriums Nunavut vorgesehen ist, formell unterzeichnet. In einer anschließenden Volksabstimmung spricht sich eine Mehrheit der Inuit für den Vertrag mit der Bundesregierung aus. Die Autonomie von Nunavut soll im Jahr 2008 abgeschlossen sein. – Premierminister *Mulroney*, US-Präsident *George Bush* und der mexikanische Präsident *Carlos Salinas de Gortari* unterzeichnen am 17. 12. die **Verträge über die Gründung der** nordamerikanischen **Freihandelszone NAFTA** (→ *Kap. »Internat. Organisationen«*); das kanadische

Parlament stimmt dem Vertrag am 27. 5. 1993 zu. – *Mulroney* **bildet** am 4. 1. **1993** seine **Regierung um**; am 24. 2. gibt der **Premierminister** seinen **Rücktritt** bekannt. Ausschlaggebend für sein Scheitern ist die bereits seit 3 Jahren andauernde wirtschaftliche Rezession. – Verteidigungsministerin *Kim Campbell* wird am 13. 6. zur Vorsitzenden der regierenden Progressive Conservative Party/PC und damit auch zur **neuen Premierministerin** gewählt. Sie setzt sich im 2. Wahlgang mit 52,7 % der Stimmen gegen ihren Hauptrivalen, Umweltminister *Jean Charest*, durch und wird am 25. 6. vereidigt.

KASACHSTAN Die Präsidenten Rußlands und Kasachstans, *Boris Jelzin* und *Nursultan Nasarbajew*, unterzeichnen am 10. 10. **1992** in Kotschetaw einen kasachisch-russischen Freundschafts- und Sicherheitsvertrag. Beide Staaten anerkennen darin gegenseitig ihre Souveränität und verpflichten sich zur Anerkennung der Rechte von Minderheiten; im Falle einer Bedrohung durch Dritte ist gegenseitige Hilfeleistung vorgesehen. Vereinbart wird die Bildung eines einheitlichen Zoll- und Wirtschaftsraums mit dem Rubel als gemeinsamer Währung. – Die vom Obersten Sowjet am 28. 1. **1993** verabschiedete **neue Verfassung** sichert dem Präsidenten umfassende Vollmachten zu. Die Exekutive ist dem Präsidenten direkt unterstellt, das Kabinett ist ihm rechenschaftspflichtig; der Präsident ernennt mit Zustimmung des Obersten Sowjets den Ministerpräsidenten, den Außen-, Innen- und Finanzminister; die Vertreter des Präsidenten in den Regionen, die von ihm ernannt und entlassen werden können, üben staatliche Verwaltungsfunktionen aus und sind zugleich Leiter der jeweiligen Exekutivorgane. Der Oberste Sowjet ist das einzige Legislativ- und das höchste Vertretungsorgan. – Am 15. 4. ratifiziert der Oberste Sowjet das beim 8. Gipfeltreffen der GUS-Staatschefs am 22. 1. angenommene GUS-Statut. – Zur Unterstützung der Wirtschaftsreformen sagt der IWF am 25. 7. einen Kredit über 86 Mio. US-$ zu. – Die Regierung verdoppelt Anfang August die Energiepreise. – Bundesverteidigungsminister *Volker Rühe* und sein kasachischer Amtskollege *Nurmabagambetow* unterzeichnen am 19. 8. in Alma Ata ein Abkommen über Kontakte zwischen den Streitkräften beider Länder.

KENIA Staatspräsident *Daniel arap Moi* löst am 28. 10. **1992** das Parlament auf und setzt nach mehrfacher Verschiebung die ersten freien **Präsidentschafts- und Parlamentswahlen** seit 26 Jahren auf den 29. 12. fest. Mit 37,2% der Stimmen wird Präsident *Moi* als Kandidat der Regierungspartei KANU in seinem Amt bestätigt. Ein wesentlicher Faktor für die Niederlage der Opposition ist deren Zerstrittenheit; das Forum zur Wiederherstellung der Demokratie/FORD spaltete sich vor der Wahl in 2 rivalisierende Parteien: Für das von den Luo dominierte »Ford-Kenya« kandidierte *Jaramogi Oginga Odinga*, seit Jahrzehnten einer der führenden Oppositionellen; das »Ford-Asili«, das von den Kikuyu unterstützt wird, stellte den langjährigen Vizepräsidenten *Kenneth Matiba* als Kandidaten auf; er belegte den 2. Platz. Zur Demokratischen Partei/DP schlossen sich abtrünnige KANU-Anhänger zusammen und nominierten Ex-Gesundheitsminister *Mwai Kibaki*, der ebenfalls den Kikuyu angehört. Bei den Parlamentswahlen erringt die KANU – einschließlich der 12 vom Präsidenten laut Verfassung direkt ernannten Abgeordneten – 112 der 200 Mandate und damit die absolute Mehrheit. In Nairobi verliert die KANU dagegen 7 der 8 Mandate; außerdem verlieren 15 Minister ihre Sitze. – Am 4. 1. **1993** wird Staatspräsident *Moi* für weitere 5 Jahre vereidigt. Die 5 Oppositionsparteien beenden gleichzeitig den Boykott der Parlamentsarbeit und schließen sich zu einem Bündnis zusammen. – Die Regierung macht am 23. 3. als Folge eines Disputs mit dem IWF und der Weltbank eine Reihe von **Wirtschaftsreformen rückgängig** und führt wieder einen offiziellen Kurs für den Kenia-Schilling ein; dennoch bestehen weiterhin Freimarktkurse.

KOLUMBIEN Anschläge der Drogenmafia und **neue Offensiven der Guerillabewegungen** erschüttern das Land und veranlassen Präsident *César Gaviría Trujillo*, am 8. 11. **1992** den **Ausnahmezustand** zu verhängen. Am 12. 11. entläßt *Gaviría* die bisherige Militärführung. Die »Demokratische Allianz«/M–19 scheidet am 23. 11. aus Protest gegen die Verhängung des Ausnahmezustands und wegen Differenzen über die Wirtschaftspolitik aus der Regierung aus. – Die Präsidenten von K., Mexiko und Venezuela – die »Gruppe der Drei«/G–3 – beschließen am 11. 2. **1993** bei einem Treffen in Caracas, zum 1. 1. 1994 eine **Freihandelszone** zu bilden, der sich Mitte 1996 auch die mittelamerikanischen Staaten anschließen sollen. Am 12. 2. vereinbaren K. und Venezuela mit den 4 mittelamerikanischen Staaten El Salvador, Honduras, Guatemala und Nicaragua ab Juli die schrittweise **Abschaffung der Zölle auf Importe aus Mittelamerika**. – Bei einer **Bombenexplosion** in Bogotá kommen am 16. 4. mindestens 15 Menschen ums Leben, 100 werden zum Teil schwer verletzt. Präsident *Gaviría* macht den flüchtigen Rauschgifthändler-Boß *Pablo Escobar* dafür verantwortlich. In den vergangenen Monaten forderten 10 Bombenanschläge 50 Todesopfer und mehr als 600 Verletzte. – Am 6. 8. wird der **Ausnahmezustand** wieder **aufgehoben**; die erlassenen Sonderdekrete bleiben jedoch für weitere 90 Tage in Kraft.

KOMOREN Von neuem scheitert am 26. 9. **1992** ein **Umsturzversuch** eines Teils der Streitkräfte gegen Präsident *Said Mohamed Dschohar*. Einzelne Aufständische liefern sich in den folgenden Wochen Kämpfe mit Regierungssoldaten. Am 7. 10. werden 7 führende Regierungsgegner verhaftet, darunter 3 ehemalige Minister. – Die **ersten freien Parlamentswahlen** am 22. und 29. 11. sowie 13. und 20. 12. sind von Zwischenfällen überschattet. Die den Präsidenten unterstützenden Parteien gewinnen die Wahl mit 31 Sitzen, die Opposition erhält 11 Mandate. – Am 1. 1. **1993** ernennt *Dschohar* mit *Halidi Abderamane Ibrahim* einen **neuen Premierminister**, der wenige Tage später eine 11 Mitglieder umfassende Koalitionsregierung vorstellt. – Durch ein **Mißtrauensvotum** kommt es am 20. 5. zum **Sturz des Kabinetts**. Der Staatschef ernennt am 26. 5. den früheren Minister für islamische Angelegenheiten und für Justiz, *Said Ali Mohamed*, zum **neuen Regierungschef**.

KONGO Die Spannungen zwischen dem im August **1992** gewählten Staatspräsidenten *Pascal Lissouba* und einem vom früheren Militärdiktator *Denis Sassou-Nguesso* formierten Oppositionsbündnis führen zur **Auflösung der Nationalversammlung** und vorgezogenen **Parlamentswahlen** am 2. 5. **1993**. Bei der erforderlichen Stichwahl am 6. 6. erhalten die Verbündeten *Lissoubas* (»L'Union panafricaine pour la démocratie sociale«/ UPADS) mit 69 der 125 Mandate die absolute Mehrheit. Die Wahlen sind von schweren **Unruhen** begleitet. – Trotz des Protestes aus Oppositionskreisen ernennt am 23. 6. *Lissouba* seinen Verbündeten *Joachim Yhombi-Opango* zum **neuen Premierminister**. Die Oppositionsparteien kündigen daraufhin die Bildung einer **Gegenregierung** an. Am

16. 7. wird für einen Monat ein landesweiter **Ausnahmezustand** verhängt.

KOREA, Demokratische Volksrepublik (Nordkorea)
Die Oberste Volksversammlung wählt am 11. 12.
1992 Kang Song San zum **neuen Ministerpräsidenten**; er löst Yon Hyong Muk ab. – Der am 7. 4.
1993 der Obersten Volksversammlung vorgelegte
Budgetentwurf für 1993 sieht bei einem Ausgabenwachstum von +2,9% gegenüber dem Vorjahr eine
Erhöhung des Verteidigungsetats um +4,7% vor. –
Kim Jong Il, der Sohn von Staats- und Parteichef
Kim Il Sung, wird am 9. 4. von der Obersten Volksversammlung zum Vorsitzenden des Nationalen
Verteidigungskomitees gewählt; er tritt die Nachfolge seines Vaters an. – Die Internationale Atomenergieorganisation/IAEO, die bereits 6 Atomanlagen in
Nordkorea kontrolliert hat, fordert am 25. 2. Nordkorea ultimativ auf, Inspektionen von 2 Lagerplätzen für radioaktive Abfälle in Yongbyon zuzulassen;
Nordkorea verweigert die Sonderinspektionen mit
der Begründung, daß es sich bei diesen beiden Anlagen um konventionelle militärische Einrichtungen
handele, die nicht unter das mit der IAEO am 31. 1.
1992 geschlossene Abkommen fallen. Die **Regierung kündigt** am 12. 3. 1993, 4 Tage nach Beginn
des gemeinsamen Manövers der USA und Südkoreas (→ Korea, Republik), zur Verteidigung der
»höchsten nationalen Interessen« den **Atomwaffensperrvertrag**. Nach mehrtägigen Verhandlungen
mit den USA wird am 11. 6., einen Tag vor Ablauf
der Frist, an dem das Ausscheiden wirksam geworden wäre, der **Austritt aus dem Atomwaffensperrvertrag suspendiert**, die Kündigung aber nicht
zurückgenommen. Die nordkoreanische Regierung
erklärt sich bei Verhandlungen mit den USA am
19. 7. in Genf zu Gesprächen mit der IAEO über Inspektionen der beiden umstrittenen Atomanlagen in
Yongbyon bereit; die USA verpflichten sich, Nordkorea bei der Umstellung seines Atomprogramms
zu unterstützen.

KOREA, Republik (Südkorea)
Um faire Präsidentschaftswahlen sicherzustellen,
tritt Präsident Roh Tae Woo, der aufgrund der Verfassung keine zweite 5jährige Amtszeit anstreben
darf, am 5. 10. **1992** aus der regierenden Demokratisch-Liberalen Partei/DLP aus und nominiert am
7. 10. den parteilosen Hyun Soong Jong zum
neuen Ministerpräsidenten. Hyun, der am 8. 10.
von der Nationalversammlung mit 266 gegen 9
Stimmen in diesem Amt bestätigt wird, löst Chung
Won Shik ab. – Nach Enttarnung des bisher größten nordkoreanischen Spionagerings (400 Personen, davon werden 95 verhaftet) suspendiert die
Regierung am 14. 10. alle Pläne für eine wirtschaftliche Zusammenarbeit mit Nordkorea. – Der russi-

sche Präsident Boris Jelzin, dessen 1. Reise in ein
asiatisches Land außerhalb der ehem. UdSSR nach
Südkorea führt (18.–20. 11.), und sein südkoreanischer Amtskollege Roh Tae Woo unterzeichnen
am 19. 11. in Seoul einen **russisch-südkoreanischen Grundlagenvertrag über freundschaftliche
Beziehungen**; in diesem 1. bilateralen Abkommen
verpflichten sich beide Seiten zur Beilegung der
langjährigen Feindschaft. Jelzin, der sich u. a. um
engere Wirtschaftskontakte zu Südkorea bemüht,
bietet die Lieferung von Rüstungsgütern und
Militärtechnologie an. Am 20. 11. versichert Jelzin
die Einstellung der Lieferung atomaren Materials
nach Nordkorea und kündigt die Überprüfung des
1961 von der UdSSR mit Nordkorea geschlossenen
Freundschafts- und Beistandspakts an. – Nach dem
fairsten und ruhigsten Wahlkampf in der Geschichte
Südkoreas wird am 18. 12. 1992 der Kandidat der
regierenden DLP, Kim Young Sam, mit 42,0% der
Stimmen **zum ersten zivilen Staatsoberhaupt** seit
1961 **gewählt**; Kim Dae Jung von der Demokratischen Partei erhält 33,9% und Chung Ju Yung
von der Vereinigten Volkspartei 16,2%, die restlichen Stimmen teilen sich 4 weitere Kandidaten, darunter eine Frau (Wahlbeteiligung: 81,9%). – Der designierte Präsident Kim Young Sam ernennt am
22. 2. **1993** den früheren General Hwang In Sung
zum **neuen Ministerpräsidenten**; die Nationalversammlung bestätigt am 23. 2. Hwang in diesem
Amt. In dem von Hwang am 26. 2. vorgestellten
24köpfigen Kabinett, dem je 3 Frauen und Militärs
angehören, wird Han Sung Yoo Außenminister
und Kwon Young Hae Verteidigungsminister. –
Am 6. 3. erläßt Präsident Kim eine **Amnestie** für
41 886 Personen, darunter 5823 wegen politisch
motivierter Taten Verurteilte. 2132 Häftlinge, davon
140 politische Gefangene, werden entlassen; für die
anderen Betroffenen, die ihre Strafen bereits verbüßt
haben, bedeutet die Amnestie die Wiederherstellung
der bürgerlichen Ehrenrechte. In Haft bleiben u. a.
der am 23. 2. wegen Spionage für Nordkorea zu lebenslanger Freiheitsstrafe verurteilte Dissident Kim
Nak Chung. – Nach der Weigerung der nordkoreanischen Regierung, innerkoreanischen Nuklearinspektionen zuzustimmen, findet vom 8.–18. 3. das
gemeinsame Manöver Team-Spirit der USA und
Südkoreas statt, an dem 120 000, darunter 50 000
US-amerikanische, Soldaten teilnehmen. – Am
15. 3., 3 Tage nach Nordkoreas Kündigung des
Atomwaffensperrvertrags, verbietet Südkorea alle
Geschäftsbeziehungen und Reisen nach Nordkorea.
– Das von Präsident Kim Young Sam am 19. 3.
vorgelegte 100-Tage-Programm zur Ankurbelung
der Wirtschaft sieht u. a. eine Lockerung der Geldpolitik sowie einen Lohn- und Preisstopp im öffentlichen Sektor für mindestens ein Jahr vor. – Im
Kampf gegen Korruption verfügt Präsident Kim im

März, daß künftig auch Abgeordnete und hohe DLP-Funktionäre ihre finanziellen Verhältnisse offenlegen müssen. – Der vietnamesische Ministerpräsident *Vo Van Kiet* unterzeichnet während seines Aufenthalts in Seoul vom 14.–16. 5., dem ersten eines vietnamesischen Regierungschefs seit 1975, mit Präsident *Kim Young Sam* mehrere bilaterale Handels- und Verkehrsabkommen; am 22. 12. 1992 waren diplomatische Beziehungen aufgenommen worden. – Präsident *Kim* räumt am 13. 5. 1993 ein, bei der Militärrevolte am 12. 12. 1979 habe es sich um einen Staatsstreich gehandelt. Am 24. 5. 1993 entläßt *Kim* 3 am Militärputsch von 1979 beteiligte Generäle. – Anfang Juli 1993 gibt Verteidigungsminister *Kwon Young Hae* bekannt, daß die Streitkräfte bis 1997 um 100000 auf 500000 Mann reduziert und zugleich durch Neuordnung den Erfordernissen der modernen Kriegführung angepaßt werden sollen.

KROATIEN Auf der konstituierenden Sitzung des neugewählten Parlaments *(→ WA'93/106)* am 7. 9. **1992** wird *Stipe Mesić* zum Vorsitzenden gewählt; am Tag darauf spricht das Parlament der Regierung *Hrvoje Sarinić* das Vertrauen aus. – Bei der **Wahl zur 2. Parlamentskammer** (die nur beschränkte Befugnisse besitzt) am 7. 2. **1993** erringt die »Kroatische Demokratische Gemeinschaft«/ HDZ von Präsident *Franjo Tudjman* mit 37 von 63 gewählten Abgeordneten die absolute Mehrheit. Im Vergleich zur Wahl der 1. Kammer im August 1992 festigen aber Teile der Opposition ihre Positionen gegenüber der regierenden HDZ: Auf die Sozialliberalen/HSLS und die mit ihnen bei der Wahl verbündeten kleineren Parteien entfallen 18, auf die Bauernpartei/HSS 5 und auf die IDS 3 Sitze. – Am 29. 3. tritt Ministerpräsident *Sarinić* nach einer Regierungskrise zurück, als deren Ursache das **Scheitern der Wirtschaftspolitik** und die Verwicklung führender HDZ-Politiker in einen Korruptionsskandal um die Privatisierung der staatlichen Versicherungsgesellschaft Croatia genannt wird. Seit Beginn des serbischen Angriffs auf Kroatien im Juli 1991 kam es als Folge der Kriegshandlungen und des Verlusts der innerjugoslawischen – aber auch der osteuropäischen – Märkte zu einem Rückgang der Industrieproduktion um fast die Hälfte, die Preise stiegen auf das Zehnfache, die Reallöhne halbierten sich; mehr als eine halbe Million Menschen verloren ihren Arbeitsplatz. Zusätzlich belasten rd. 700000 Flüchtlinge aus den serbisch besetzten Gebieten Kroatiens und Bosniens die Staatsfinanzen. Eine Hyperinflation läßt ein geordnetes Wirtschaftsleben nicht mehr zu. – Am 3. 4. wird ein **neues Kabinett** unter dem bisherigen Generaldirektor der staatlichen Erdölgesellschaft INA, *Nikica Valentić*, vereidigt. – Am 30. 9. unterzeichnen Präsident *Franjo*

Tudjman und der jugoslawische Präsident *Dobrića Ćosić* in Genf eine Erklärung über die Konsolidierung und Normalisierung der **kroatisch-jugoslawischen Beziehungen**. Darin erkennen sie die Unverletzlichkeit der bestehenden Grenzen an und vereinbaren die Beendigung der Feindseligkeiten auf der **Prevlaka-Halbinsel**, von der aus montenegrinische Soldaten der jugoslawischen Armee/ JVA monatelang die kroatische Hafenstadt Dubrovnik beschossen hatten. Die JVA erklärt sich bereit, ihre Truppen von der nur ca. 1 km² großen strategisch wichtigen Halbinsel an der Bucht von Kotor, dem letzten Stützpunkt der jugoslawischen Marine an der Adria, abzuziehen und das Gebiet der UNO-Kontrolle zu unterstellen. Der UN-Sicherheitsrat beschließt am 6. 10. 1992 mit Res. 769 eine entsprechende Erweiterung des UNPROFOR-Mandats und übernimmt in der 2. Jahreshälfte 1993 die Überwachung dieses Gebiets. – Die **UNPROFOR** hatte der kroatisch-serbischen Waffenstillstandsvereinbarung vom Januar 1992 *(→ WA'93, Sp. 91f. u. 105f.)* entsprechend in den 4 weitgehend von Serben bewohnten und zum Teil einseitig zur »Serbischen Republik Krajina«/SRK proklamierten Gebieten Kroatiens – in den Sektoren Ost (Ostslawonien und Baranja), West (Westslawonien), Nord (Banija) und Süd (Krajina) – **Schutzzonen** eingerichtet. Die dort stationierten UNO-Soldaten hatten den Auftrag, die aufständischen Serben zu entwaffnen, was ihnen allerdings nicht gelungen ist. Am 22. 1. **1993** beginnt eine **kroatische Offensive gegen serbisch besetzte Gebiete** im Hinterland der dalmatinischen Küstenstadt Zadar, die Ende 1991 von Krajina-Serben eroberte Maslenica-Brücke (einzige kroatische Landverbindung nach Süddalmatien), den Flughafen Zemunik und den 65 m hohen, einen 25 km langen See stauenden Peruća-Damm wieder unter kroatische Kontrolle bringt. Dort stationierte UN-Truppen ziehen sich vorerst zurück. Der **UN-Sicherheitsrat verurteilt** am 25. 1. in Res. 802 einstimmig den **kroatischen Vorstoß**, bei dem auch Stellungen der UNPROFOR beschossen und 2 französische UN-Soldaten getötet wurden, und fordert den Rückzug der kroatischen Streitkräfte aus den UN-Schutzzonen. Mehrere **Waffenstillstandsvereinbarungen** zwischen Vertretern Kroatiens und der RSK über eine Beilegung des Konflikts (u. a. am 4. 3. und 16. 7.) bleiben erfolglos. Der Rückzug der kroatischen Streitkräfte auf die vor Beginn der Feidseligkeiten am 22. 1. bestehenden Demarkationslinien und die vorgesehene Übergabe der eroberten Gebiete an die UNPROFOR kommt nicht zustande. Kroatien verlangt als Vorbedingung die Unterstellung der schweren Waffen der Serben unter UN-Kontrolle, die bisher nicht erfolgte. Die Mitte Mai anstelle der zerstörten Maslenica-Brücke errichtete Behelfsbrücke wird wiederholt durch serbischen Artilleriebeschuß beschädigt und am 1./2. 8. zerstört. *Tudjman* erklärt am 3. 8. bisherige Vereinbarungen für nichtig. – Am 29. 5. vereinbaren die **Serbenrepubliken der RSK** und **Bosniens/SR** bei Beratungen in Bijeljina, alle Fragen, die sie und das gesamte serbische Volk betreffen, künftig gemeinsam zu erörtern und eine Vereinigung der beiden Republiken schrittweise zu verwirklichen. In einem **Referendum in der RSK** am 19./20. 6. beantworten 98,6 % der Wähler die Frage »Sind Sie für eine souveräne Republik Serbische Krajina und ihre Vereinigung mit der Serbischen Republik und danach auch mit den übrigen serbischen Ländern?« mit Ja. 301 000 der 317 000 Stimmberechtigten nahmen nach offiziellen Angaben an der Abstimmung teil. Von der geplanten Vereinigung beider Serbenrepubliken am St.-Veits-Tag (28. 6.) wird jedoch vorerst abgesehen. Gemäßigte Krajina-Serben treten für eine »lose Konföderation« der aus 3 Enklaven bestehenden RSK (Krajina, West- und Ostslawonien) mit Kroatien ein. – Der UN-Sicherheitsrat verlängert am 30. 6. das UNPROFOR-Mandat bis Ende September 1993. – Nach Monaten relativer Ruhe flammen die Kämpfe am 9. 9. wieder auf. Besonders betroffen ist die Stadt Karlovać, die von serbischer Artillerie beschossen wird.

KUBA Am 5. 9. **1992** gibt Präsident *Fidel Castro Ruz* in einer Rede in Cienfuegos bekannt, daß der **Bau des Kernkraftwerks Juragua** nach mehr als 10 Jahren und Investitionen von 1,1 Mrd. $ **eingestellt** wird. Havanna habe von Moskau keine feste Zusage zur Lieferung von Uran für den Betrieb erhalten. – Vom 9. bis 14. 9. verhandelt eine russische Delegation unter Sonderbotschafter *Wjatscheslaw Ustinow* in Havanna über den **Abzug der letzten 1600 russischen Soldaten**; 1200 Soldaten haben bereits die Insel verlassen. *Castro* hatte verlangt, daß der Abzug nur gemeinsam mit dem Rückzug der US-Truppen vom Marinestützpunkt Guantánamo stattfinden solle. – Am 26. 10. wird der gestürzte Chefideologe *Carlos Aldana*, dem ein luxuriöser Lebensstil vorgeworfen wird, aus der Kommunistischen Partei/PCC ausgeschlossen. Ins Politbüro werden sein Nachfolger *José Ramon Balaguer* und Außenminister *Ricardo Alarcón de Quesada* aufgenommen. – Am 29. 10. verabschiedet die Nationalversammlung ein **Wahlgesetz**, demzufolge künftig die Hälfte der Parlamentsabgeordneten direkt und geheim gewählt wird. Die Kandidaten schlägt eine Wahlkommission aus Vertretern verschiedener gesellschaftlicher Gruppen vor. Die andere Hälfte der Abgeordneten wird wie bisher von den Bezirksversammlungen nominiert. – Am 24. 2. **1993** finden die **Wahlen zur Nationalversammlung und** zu den 14 **Provinzparlamenten** statt. Da für die 589 Mandate der Volkskammer nur je ein Kandidat

zur Verfügung steht, kann nur mit der Abgabe ungültiger Stimmzettel (7 %) gegen die Regierung *Castros* protestiert werden. Die Volkskammer bestätigt in ihrer konstituierenden Sitzung am 15. und 16. 3. erwartungsgemäß Staatschef *Castro* für eine weitere Amtszeit von 5 Jahren; Außenminister *Ricardo Alarcón de Quesada* wird einstimmig zum neuen Volkskammerpräsidenten gewählt, das Außenressort übernimmt der 37jährige Vorsitzende der Union der Jungkommunisten, *Roberto Robaina González*. Die US-Regierung bekräftigt unterdessen, die **Sanktionen** gegen K. weiter zu verschärfen, bis ein »wirklicher Wandel« der Politik stattfinde. – Am 26. 7., dem 40. Jahrestag der kubanischen Revolution, kündigt Staats- und Parteichef *Castro* angesichts der schweren **Wirtschaftskrise** umfangreiche ökonomische Reformen an, darunter die Freigabe des US-Dollars als Zahlungsmittel. Zu den Ursachen der Wirtschaftsprobleme gehören die sinkenden Einnahmen aus dem Zuckerexport, der wichtigsten Devisenquelle, die im vergangenen Haushaltsjahr um 450 Mio. $ niedriger als erwartet ausfielen.

KUWAIT Bei den ersten **Wahlen zur Nationalversammlung** seit 1985 am 5. 10. **1992** erringen die Anhänger der Regierung nur 18 der 50 Sitze, 32 Mandate gehen an Kandidaten der Opposition. Wahlberechtigt waren nur über 21jährige männliche Bürger, deren Familien seit mind. 1920 im Emirat ansässig sind (81 444 der rund 600 000 Kuwaiter); ausgeschlossen von der Wahl waren auch die Mitglieder der Herrscherfamilie und Angehörige des Militärs; die Wahlbeteiligung betrug über 80 %. Trotz des Erfolgs der Opposition ernennt der Emir, Scheich *Jaber al-Ahmed Al-Jaber as-Sabah*, am 12. 10. Kronprinz Scheich *Saad Al-Abdullah as-Sabah* erneut zum Ministerpräsidenten. In dem von Scheich *Saad* am 17. 10. vorgestellten 15köpfigen Kabinett, dem 6 oppositionelle Parlamentarier angehören, übernehmen 4 weitere Mitglieder der Herrscherfamilie die Schlüsselressorts; Außenminister wird Scheich *Sabah al-Ahmad as-Sabah*, Verteidigungsminister Scheich *Ali as-Sabah*. – Der UN-Sicherheitsrat billigt am 5. 2. **1993** einstimmig die Verstärkung der UN-Truppe zur Überwachung der entmilitarisierten Zone zwischen Irak und Kuwait; im Januar hatte der Irak die neu festgelegte Grenze mehrfach mißachtet. – Nach Angaben der Nachrichtenagentur Kuna beginnt Kuwait am 10. 6. mit der Sicherung der 207 km langen, zugunsten Kuwaits geänderten irakisch-kuwaitischen Grenze.

LESOTHO Der **frühere König** *Moshoeshoe II.*, der 1990 von der Militärregierung abgesetzt wurde, **kehrt** am 20. 7. **1992 aus dem Exil zurück**. Sein Sohn hatte im November 1990 unter der Auflage, keine politischen Aktivitäten zu entfalten, als König *Letsie III.* seine Nachfolge angetreten. – Bei den **ersten freien Wahlen** seit 23 Jahren gewinnt die »Basutholand Congress Party«/BCP mit ihrem Vorsitzenden *Ntsu Mokhehle* am 27. und 28. 3. **1993** alle 65 Parlamentsmandate. Nach der formellen Anerkennung des Wahlresultats durch König *Letsie III.* und den Chef der bislang herrschenden Junta, General *Elias Phitsoane Ramaema*, überträgt der regierende Militärrat am 2. 4. die Machtbefugnisse an *Mokhehle*. Damit **endet** nach 7 Jahren **die Herrschaft des Militärs.**

LETTLAND Wegen Meinungsverschiedenheiten über den Entwurf des lettischen Staatsbürgerschaftsgesetzes tritt Außenminister *Janis Jurkans* am 28. 10. **1992** zurück; am 10. 11. bestätigt das Parlament *Georg Andrejews* als neuen Außenminister. – Am 5. 3. **1993** beginnt die **Ausgabe einer neuen lettischen Währung**; der Lat soll den am 20. 7. 1992 eingeführten lettischen Rubel schrittweise ablösen. – Ende März 1993 gibt die britische Regierung Lettland 6,58 t Gold zurück, das seit den 30er Jahren bei der Bank of England liegt. – Die 2. Runde der Verhandlungen über den Abzug der russischen Truppen aus Lettland endet am 4. 6. ergebnislos. – Bei den **ersten freien Parlamentswahlen** seit über 50 Jahren vom 5.–6. 6. gewinnt mit 36 der 100 Sitze in der Saeima der »Lettische Weg«, ein Bündnis aus Reformkommunisten und Emigranten; über 20 Parteien und Wahlbündnisse scheitern an der 4%-Klausel, darunter die bisher regierende »Volksfront« von Ministerpräsident *Ivars Godmanis* (Wahlbeteiligung: fast 90 %). Wahlberechtigt waren alle Personen, die am 17. 6. 1940 die lettische Staatsbürgerschaft besaßen, sowie deren Nachkommen; über 75 % der Nicht-Letten (48 % der Einwohner) waren von der Wahl ausgeschlossen. Der »Lettische Weg« von Parlamentspräsident *Anatolis Gorbunovs*, der für einen schnellen Übergang zur Marktwirtschaft eintritt, vereinbart mit dem »Bauernbund« (12 Sitze) eine Koalitionsregierung. Die Saeima wählt am 6. 7. erneut *Gorbunovs* zum Parlamentspräsidenten. Im 3. Wahlgang wählt die Saeima am 7. 7. überraschend mit 53 gegen 26 Stimmen *Guntis Ulmanis* (Bauernbund) zum **neuen Staatspräsidenten**. Nachdem in den ersten beiden Wahlgängen keiner der Kandidaten, *Gunars Meierovics* (Lettischer Weg), *Ulmanis* und *Ivars Jerumanis* (Christdemokraten), die absolute Mehrheit erreicht hatte, zog den aussichtsreichste Bewerber, *Meierovics*, seine Kandidatur zurück. Am 8. 7. stimmt die Saeima der Ernennung des von Präsident *Ulmanis* vorgeschlagenen Juristen *Valdis Birkavs* (Lettischer Weg) zum **neuen Ministerpräsidenten** zu.

LIBANON Das neugewählte Parlament wählt am 20. 10. **1992** mit 105 gegen 14 Stimmen bei 5 Enthaltungen den Führer der prosyrischen schiitischen Amal-Bewegung, *Nabih Berri*, zum neuen Parlamentspräsidenten. Staatspräsident *Elias Hrawi* ernennt am 22. 10. den Milliardär *Rafikal Hariri*, einen sunnitischen Muslim, zum **neuen Ministerpräsidenten**. In dem von *Hariri* am 31. 10. vorgestellten Kabinett, dem je 15 Christen und Muslime angehören, darunter die Christen *Elie Hobeika* und *Suleiman Franjieh* sowie Drusenführer *Walid Joumblatt*, ist *Faris Boueiz* erneut Außenminister; in der Regierung sind weder antisyrische Maroniten, die die Parlamentswahlen boykottiert hatten, noch die schiitische Hisbollah vertreten. *Hariri*, der sich von Anfang an nicht ohne Erfolg um eine Beilegung alter Feindschaften bemüht, spricht sich in seiner Regierungserklärung am 9. 11. für die Fortsetzung der Politik der nationalen Versöhnung aus. Das Parlament bestätigt das neue Kabinett am 12. 11. mit 104 gegen 12 Stimmen der Hisbollah und der Islamischen Gruppe bei 3 Enthaltungen.– Ein Bombenanschlag eines Hisbollah-Kommandos am 25. 10. in der von Israel kontrollierten Sicherheitszone, dem 5 israelische Soldaten zum Opfer fallen, löst eine neue Welle von Gewalt im Südlibanon aus. Auf Drängen Israels, das seine Truppen in der Sicherheitszone verstärkt hat, fordert Verteidigungsminister *Dalloul* Mitte November die nach dem Ende des Bürgerkriegs nicht entwaffneten Hisbollah-Kämpfer auf, ihre Raketenangriffe auf Ziele in Nordisrael einzustellen. – Die Regierung verweigert den von der israelischen Regierung am 17. 12. nach Südlibanon deportierten 415 Palästinensern die Einreise nach Libanon *(→ Israel)*. – Regierungstruppen bringen vom 28.–29. 12. erstmals seit 1984, ohne auf Widerstand zu stoßen, die »grüne Linie« in Beirut und als Hochburgen der Hisbollah geltende Gebiete im Süden Beiruts unter ihre Kontrolle. Der auf politischen Absprachen beruhenden Aktion hatte der Generalsekretär der Hisbollah, Scheich *Hassan Nasrallah*, nach syrischem Druck zugestimmt. – Die Weltbank gewährt Anfang Februar **1993** erstmals seit 1978 einen Kredit in Höhe von 175 Mio. US-$. Aus anderen Quellen stehen für den Wiederaufbau des Landes fast 1 Mrd. US-$ zur Verfügung, darunter Kredite und Schenkungen von Italien, der EG, von arabischen Ländern und von Auslandslibanesen. – Vom 14.–18. 2. liefern sich Freischärler der Hisbollah-Miliz und Einheiten der mit Israel verbündeten Südlibanesischen Armee/SLA erneut blutige Gefechte in der Sicherheitszone. In der Folgezeit kommt es wiederholt zu Einzelaktionen der Hisbollah und israelischen Vergeltungsreaktionen. – Israelische Streitkräfte greifen am 1. 4. Stellungen von 2 Palästinenserorganisationen (Islamischer Jihad und Volksfront zur Befreiung Palästinas-Generalkommando) in Tripolis im Norden des Landes an; diese werden für zahlreiche Anschläge in dem von Israel besetzten Gazastreifen und Westjordanland verantwortlich gemacht. – Die seit Monaten andauernden blutigen Auseinandersetzungen im Südlibanon zwischen verfeindeten Palästinensergruppen fordern im März erneut mehrere Menschenleben; ab 26. 6. läßt die al-Fatah mehrere gefangengenommene Abu-Nidal-Anhänger frei. – **Hisbollah und Volksfront zur Befreiung Palästinas-Generalkommando/PFLP-GC verstärken** Mitte Juli **ihre Angriffe** auf die **in der Sicherheitszone** stationierten israelischen Soldaten und beschießen nordisraelische Ortschaften mit Raketen. Der am 25. 7. beginnende **israelische Vergeltungsschlag** von Land-, Luft- und Seestreitkräften erstreckt sich auf Stellungen der Hisbollah-Miliz und auf Stützpunkte der PFLP-GC **im gesamten Libanon**. Israels Ministerpräsident *Yitzhak Rabin* droht am 27. 7., den Südlibanon unbewohnbar zu machen, wenn die Raketenangriffe der Hisbollah nicht eingestellt werden. Damit löst *Rabin* eine **Massenflucht der Zivilbevölkerung** aus. Auf Druck v. a. von Syrien und der USA wird mit Wirkung zum 31. 7. eine Feuerpause vereinbart. Die Verluste im Libanon gibt die UN mit 130 Toten und 510 Verletzten an; die Regierung berichtet von 10 000 zerstörten und 20 000 beschädigten Häusern im Südlibanon; die Zahl der vorübergehend Geflüchteten wird auf 250 000–300 000 Menschen geschätzt. Auf israelischer Seite werden 2 Tote und etwa 12 Verletzte gezählt. Die Israelis sollen 30 000 Granaten sowie 1200 Fliegerbomben und -raketen und die Hisbollah 360 Katjuschas abgefeuert haben. Nach Absprache mit der UN rücken am 9. 8. rd. 550 libanesische Regierungssoldaten erstmals in das seit 1978 ausschließlich von Einheiten der United Nations Interim Force in Lebanon/UNIFIL kontrollierte Gebiet nördlich der Sicherheitszone ein. – Bei 2 Anschlägen der Hisbollah in der Sicherheitszone am 19. 8. werden 9 israelische Soldaten getötet; Israel reagiert mit Vergeltungsschlägen auf Stellungen der Hisbollah in der Bekaa-Ebene.

LIBERIA Der **Bürgerkrieg** kommt in der 2. Jahreshälfte **1992** erneut zum Ausbruch, bei dem sich Einheiten der »National Patriotic Front of Liberia«/NPFL des Rebellenführers *Charles Taylor* und von Sierra Leone aus operierende Anhänger des ermordeten Präsidenten *Samuel Doe* gegenüberstehen. Schwer umkämpft ist die Hauptstadt Monrovia (rd. 3000 Tote), während das Hinterland weitgehend von *Taylors* Einheiten kontrolliert wird. Auch der von 7000 auf 12 000 Mann verstärkten Friedenstruppe ECOMOG (der westafrikanischen Wirtschaftsgemeinschaft ECOWAS) gelingt es nicht, einen Waffenstillstand herbeizuführen. Die USA und

Frankreich werfen der Friedenstruppe vor, sich nicht neutral zu verhalten, sondern selbst gegen die NPFL militärisch vorzugehen, und fordern eine Ablösung durch UNO-Friedenstruppen. – Am 2. 4. **1993** erobert die ECOMOG die Hafenstadt Buchanan, von der aus *Taylor* seinen Kampf um die Vorherrschaft führt. – Mehr als 250 Flüchtlinge kommen am 6. 6. bei einem **Massaker** auf einer stillgelegten Gummiplantage in Harbel, 60 km von Monrovia entfernt, ums Leben. – Nach einwöchigen **Friedensverhandlungen** unter Aufsicht der UN einigen sich die Bürgerkriegsparteien am 17. 7. in Genf auf einen **Waffenstillstand**, die Kasernierung und Entwaffnung aller Truppen sowie die Stationierung von UNO-Blauhelmen. Ein entsprechendes **Friedensabkommen** wird am 26. 7. in Cotonou (Benin) vom Präsidenten der Übergangsregierung, *Amos Sawyer*, dem stellvertretenden Vorsitzenden der NPFL, *Enoch Dogolea*, sowie dem Führer der »United Liberation Movement for Democracy«/ULIMO, *Alhaji Kromah*, unterzeichnet. Der **Waffenstillstand** tritt am 1. 8. in Kraft. Am 16. 8. bilden die Kriegsparteien eine **Übergangsregierung**, die bis zu den Wahlen im Amt bleiben soll. Der Regierungsunterhändler bei den Friedensgesprächen, *Bismarck Kuyon*, wird zum Vorsitzenden des Staatsrates gewählt.

LIBYEN Die **UN-Sanktionen bleiben in Kraft**. An L. ergeht am 27. 11. **1992** von den USA, Großbritannien und Frankreich erneut die Aufforderung, die beiden für den Flugzeugabsturz von Lockerbie 1988 mutmaßlich verantwortlichen Libyer *(→ WA '93, Sp. 110)* auszuliefern. – Die 3000 Delegierten des Allgemeinen Volkskongresses üben am 15. 11. ungewöhnlich scharfe **Kritik an der Regierung** von Ministerpräsident *Abu Zid Omar Dourda*. Sie werfen ihr Versagen in der Außenpolitik sowie eine unzureichende Versorgung der Bevölkerung mit Medikamenten und Trinkwasser vor. *Dourda* wird dennoch als Generalsekretär des Volkskongresses und damit als **Regierungschef bestätigt**; neuer Außenminister wird der Geschäftsmann *Omar Mustafa Al-Muntassir*. Bereits im Oktober war eine Verringerung der Ministerien (Volkskomitees) von 22 auf 13 beschlossen worden. – Revolutionsführer Oberst *Muammar Al-Gaddafi* gibt Pläne zur **Privatisierung von Staatsbetrieben** bekannt. Durch die UN-Sanktionen habe das Land Verluste von 2,4 Mrd. $ erlitten. Ferner erklärt *Gaddafi*, seine Regierung habe in den vergangenen Jahren 23 Mrd. $ für Waffenkäufe ausgegeben.

LIECHTENSTEIN Am 13. 12. **1992** votieren in einer Volksabstimmung 55,8 % der Stimmbürger **für den EWR-Beitritt** des Fürstentums, das eine Zollunion mit der Schweiz bildet. Der Landtag hatte diesen Schritt bereits am 21. 10. mit 19 gegen 5 Stimmen gutgeheißen. – Nach den **Landtagswahlen** vom 7. 2. 1993 gehören dem Parlament erstmals seit 55 Jahren mehr als 2 Parteien an: die Vaterländische Union/VU bleibt mit 45,43% der abgegebenen Stimmen zwar stärkste Partei, verliert jedoch mit 11 Sitzen (= –2) die absolute Mehrheit. Ihr Koalitionspartner Fortschrittliche Bürgerpartei/FBP behält seine 12 Mandate und wird stärkste Fraktion. Die Freie Liste/FL, die sich besonders für Umweltschutz einsetzt und bei den letzten Wahlen 1989 an der 8%-Klausel gescheitert war, zieht mit 2 Abgeordneten erstmals in den Landtag ein. – Am 7. 5. vereinbaren die beiden großen Parteien die **Fortsetzung der Koalition**. Dabei stellt die FBP den Regierungschef, die VU dessen Stellvertreter. Am 26. 5. wählt der neue Landtag den Juristen Markus Büchel/FBP zum neuen Regierungschef; stellv. Regierungschef wird Mario Frick/VU. Dem Kabinett gehört erstmals eine Frau an. – Erbprinz Alois von und zu Liechtenstein ehelicht am 3. 7. in der Pfarrkirche St. Florian in Vaduz die Herzogin Sophie in Bayern.

LITAUEN Nach monatelangen Verhandlungen einigen sich der russische Präsident Boris Jelzin und der litauische Parlamentspräsident Vytautas Landsbergis am 8. 9. **1992** in Moskau auf den vollständigen Abzug der russischen Truppen aus Litauen bis zum 31. 8. 1993. Am 6. 9. 1992 hatten sich Vertreter beider Länder geeinigt, daß Litauen von Rußland 4 Kriegsschiffe übernimmt und im Gegenzug in Kaliningrad (ehem. Königsberg) 10000 Wohnungen für die abziehenden russischen Soldaten baut. – Als erste der ehem. Sowjetrepubliken erhält Litauen zur Unterstützung der Wirtschaftsreformen am 15. 9. vom IWF einen Beistandskredit über 82 Mio. US-$. – Am 1. 10. wird der **Rubel durch** die **Übergangswährung** Talonas **ersetzt**. An selben Tag werden für viele Lebensmittel wieder Bezugsscheine eingeführt. – Mitte Oktober einigen sich der russische Ministerpräsident Jegor Gaidar und sein litauischer Amtskollege Aleksandras Abisala in Moskau auf die Wiederaufnahme der im Juli wegen Quotenerfüllung gestoppten Erdöllieferungen und der Ende August wegen litauischer Zahlungsrückstände reduzierten Erdgaslieferungen; der Lieferstopp führte in Litauen zu einer Energiekrise. – Bei den **ersten freien Parlamentswahlen** seit über 50 Jahren am 25. 10. gewinnt überraschend die Litauische Demokratische Arbeiterpartei/LDAP, die Nachfolgepartei der litauischen KP. 70 der 141 Abgeordneten werden über Listen, 71 direkt gewählt. In 61 Wahlkreisen findet am 8. 11. eine Stichwahl statt. Die LDAP erhält 73 der 141 Mandate im Sejm, die bisher regierende Sajudis 28. Wahlberechtigt waren alle erwachsenen Bürger der Republik, die vor dem 1. 1. 1989 ihren Wohnsitz in Litauen hatten.

Ebenfalls am 25. 10. 1992 wird mit 83,5% der Stimmen die neue Verfassung, die u. a. ein Präsidialsystem ohne weitgehende Vollmachten des Präsidenten gegenüber dem Parlament vorsieht, angenommen. – Der Sejm beschließt am 19. 11. die Wiederherstellung der 1940 aufgelösten litauischen Armee; sie soll etwa 20000 Mann umfassen. – Am 25. 11. wird der frühere KP-Chef und derzeitige Vorsitzende der LDAP, Algirdas Brazauskas, vom Sejm zum **neuen Parlamentspräsidenten und** damit zum **Staatsoberhaupt** gewählt. Die Regierung unter Ministerpräsident Abisala tritt am 26. 11. zurück. Der Sejm wählt am 2. 12. mit 87 Stimmen bei 40 Enthaltungen den von Brazauskas vorgeschlagenen parteilosen Bronislowas Lubys zum **neuen Ministerpräsidenten**. Von den 18 Ministern der von Parlamentspräsident Brazauskas am 10. 12. gebildeten Regierung unter Ministerpräsident Lubys gehörten 8 bereits der letzten Regierung an. Außenminister wird Povilas Gylys. Lubys sieht seine wichtigste Aufgabe in der Stabilisierung der wirtschaftlichen Situation. – Bei den **ersten Präsidentschaftswahlen** seit dem Zweiten Weltkrieg am 14. 2. **1993** siegt Parlamentspräsident Brazauskas mit 60,1% der Stimmen; der parteilose, von der Volksfront Sajudis unterstützte Stasys Lozoraitis erhält 38,1% (Wahlbeteiligung: 78,6%). Der frühere Parlamentspräsident und Vorsitzende von Sajudis, Landsbergis, hatte am 4. 1. unter Hinweis auf Verleumdungen, die der KGB über ihn verbreitet habe, auf eine Kandidatur verzichtet. Brazauskas, der am 25. 2. vereidigt wird, tritt für einen langsamen Übergang zur Marktwirtschaft ein; er verspricht, für die Menschenrechte und für den Schutz der Rechte aller Bürger einzutreten. Die Regierung von Ministerpräsident Lubys tritt am 26. 2. zurück. Am 10. 3. wählt der Sejm den kurz zuvor aus der LDAP ausgetretenen, von Präsident Brazauskas nominierten Geschäftsmann Adolfas Slezevicius mit 70 gegen 13 Stimmen bei 23 Enthaltungen zum **neuen Ministerpräsidenten** und billigt am 31. 3. das Programm der neuen Regierung. Slezevicius tritt wie Brazauskas für vorsichtige marktwirtschaftliche Reformen und für eine enge Zusammenarbeit mit dem Westen und mit Rußland ein. – Die neugegründete konservative Oppositionspartei »Vaterlandsverband«, der auch die ehem. Ministerpräsidenten Gediminas Vagnorius und Abisala angehören, wählt am 1. 5. den früheren Parlamentspräsidenten Landsbergis zum Vorsitzenden. – Am 25. 6. wird eine **eigene Währung**, der Litas, **eingeführt**; er ersetzt die Übergangswährung Talonas. – Die **letzten russischen Soldaten verlassen** vereinbarungsgemäß am 31. 8. **das Land**; Litauen hatte Mitte August von Rußland 146 Mrd. US-$ Entschädigung für die Jahre seit dem Einmarsch der sowjetischen Truppen 1940 verlangt.

MADAGASKAR Bei den **Präsidentschaftswahlen** am 25. 11. **1992** kandidieren außer dem seit 1975 regierenden sozialistischen Präsidenten Admiral *Didier Ratsiraka*, der 1991 zu einer schrittweisen Beteiligung der Opposition an der Regierung gezwungen wurde, 7 Oppositionspolitiker. 45% der Stimmen entfallen auf den Oppositionsführer und Vorsitzenden der »Hohen Staatsbehörde«/HCE, *Albert Zafy*, für *Ratsiraka* votieren nur 29% der Wähler. Bei der erforderlichen Stichwahl am 10. 2. **1993** gewinnt *Zafy* mit 66,7% der Stimmen. Am 27. 3. legt er vor dem Obersten Gerichtshof den Amtseid als Staatspräsident ab. Unmittelbar danach erläßt er eine **Generalamnestie** für alle politischen Gefangenen. – Durch die **Wahlen zur Nationalversammlung** am 16. 6. wird der mehrjährige Demokratisierungsprozeß abgeschlossen. Das Parlament wählt am 10. 8. mit 55 von 134 Stimmen *Francisque Ravony* zum **neuen Ministerpräsidenten**.

MAKEDONIEN (»Frühere jugoslawische Republik Makedonien«) Am 5. 9. **1992** wählt das Parlament *Branko Crvenkovski* von der »Sozialdemokratischen Allianz« (ehem. KP) mit 72 gegen 5 Stimmen zum **neuen Ministerpräsidenten**. Seinem 22köpfigen Kabinett gehören auch 5 Minister der »Partei der demokratischen Prosperität«/PDP, der Vertretung der albanischen Minderheit, an. Am 27. 10. billigt das Parlament ein Gesetz über die **makedonische Staatsbürgerschaft**, das jedem Bürger der ehemaligen SFRJ, der 15 Jahre in Makedonien gelebt hat, einen makedonischen Paß zuerkennt. – Am 6. 11. werden bei Auseinandersetzungen zwischen Albanern und der Polizei in Skopje 4 Menschen getötet, 36 verletzt. – Der UN-Sicherheitsrat erteilt am 11. 12. mit Res. 795 der **UNPROFOR** das Mandat, auf makedonischem Territorium die **Grenze zu Serbien zu überwachen**, um eine mögliche Grenzverletzung und ein Übergreifen des Krieges von Bosnien-Herzegowina (→ »Krieg um Bosnien-Herzegowina«, Sp. 39 ff.) zu verhindern. In der Folge werden 700 skandinavische UN-Blauhelme im Grenzgebiet zu Serbien stationiert; sie werden im Juli 1993 durch 300 US-Infanteristen verstärkt. – Am 21. 2. **1993** kommt es in Skopje zu Zusammenstößen zwischen der Polizei und rd. 3000 Demonstranten, die gegen die Aufnahme muslimischer Flüchtlinge aus Bosnien-Herzegowina protestieren. – Griechenland verhinderte bisher eine **Anerkennung Makedoniens** durch die EG, solange die ehemalige jugoslawische Teilrepublik nicht den Namen ändere, der gleichlautend mit der angrenzenden griechischen Provinz sei. Am 27. 3. billigt die griechische Regierung jedoch den von Frankreich, Großbritannien und Spanien vorgeschlagenen Namenskompromiß »Die frühere jugoslawische Republik Makedonien«, wobei vereinbart wird, daß der endgültige Staatsname in Verhandlungen mit den Jugoslawien-Vermittlern der EG und UNO gefunden werden soll. – Am 7. 4. befürwortet der UN-Sicherheitsrat mit Res. 817 die **Aufnahme** Makedoniens **in die UNO** unter der vereinbarten vorübergehenden Bezeichnung; die UN-Generalversammlung billige diese Regelung am 8. 4. per Akklamation.

MALAWI Gegen den Widerstand des seit 1966 regierenden Diktators *Hastings Kamuzu Banda* gründen Regimekritiker im September **1992** die »Alliance for Democracy«/AFORD. – Unter dem Druck der kirchlichen Opposition und westlicher Geberländer von Entwicklungshilfe kündigt Präsident *Banda* am 18. 10. ein Referendum über die künftige Regierungsform an. Mehrere Oppositionelle, die zur Vorbereitung der Volksabstimmung aus dem Exil zurückkehren, werden noch am Flughafen verhaftet. Der AFORD-Vorsitzende, *Chakufwa Chihana*, von vielen Malawiern als künftiger Staatschef favorisiert, wird am Tag vor dem Referendum wieder auf freien Fuß gesetzt. – Mit einer klaren **Mehrheit** von 63,5% sprechen sich die Malawier am 14. 6. **1993 für das Ende des Einparteiensystems** und die politische Öffnung des Landes aus. An dem Referendum beteiligen sich 67% der 4 Mio. Wahlberechtigten. Regierung und Opposition einigen sich am 21. 6., bis zu Neuwahlen gemeinsam ein **»National Executive Council«** zu bilden. Das 14köpfige Gremium, besetzt je zur Hälfte von der Regierungspartei/MCP sowie den Oppositionsgruppierungen AFORD und »United Democratic Front«/UDF, wird einen Teil der Regierungsvollmachten übernehmen. Am 30. 6. beschließt das Parlament die **Abschaffung des** seit 1965 bestehenden **Einparteiensystems**.

MALI Der frühere Staatschef, General *Moussa Traore*, wird am 12. 2. **1993** zusammen mit dem ehemaligen Verteidigungsminister General *Mamadou Coulibaly* sowie den früheren Innenminister *Sékou Ly* und dem Generalstabschef der Streitkräfte Oberst *Ousmane Coulibaly* **zum Tode verurteilt**. Der Ex-Präsident muß sich für ein Massaker verantworten, bei dem im März 1991 106 Personen den Tod fanden. – In Bamako kommt es am 5. 4. zu schweren **Studentenunruhen** gegen die Regierung von Präsident *Alpha Oumar Konare*. Hintergrund für die Ausschreitungen sind die Kürzung der staatlichen Sozialleistungen. 4 Tage später gibt *Konare* den **Rücktritt der** von *Younoussi Toure* geführten **Regierung** bekannt; am 12. 4. wird der bisherige Verteidigungsminister, *Abdoulaye Sékou Sow*, zum **neuen Regierungschef** ernannt.

MAROKKO Die von König *Hassan II.* ausgearbeiteten Verfassungsänderungen, die am 4. 9. **1992** in einem **Referendum** mit 99,9%iger Zustimmung (Wahlbeteiligung 97%) angenommen werden, bestätigen mit geringen Einschränkungen die **Machtstellung des Königs**. Das Parlament erhält zusätzliche Vollmachten, so das Recht, Untersuchungsausschüsse einzusetzen; bei Verhängung des Ausnahmezustandes wird es nicht mehr automatisch aufgelöst. 3 der 5 im »Demokratischen Block« zusammengeschlossenen Oppositionsparteien riefen zum Boykott auf, da sie die Demokratisierung als ungenügend kritisieren; ausländische Beobachter sprechen von umfangreichen Wahlfälschungen. – Einen deutlichen Stimmenzuwachs für das Oppositionsbündnis »Demokratischer Block« bringen am 25. 6. **1993** die **Neuwahlen zum Parlament**. Die Gruppierungen der bisherigen rechten Mehrheit verlieren rd. 25% der Stimmen. – Am 17. und 18. 7. kommt es in Laayoune unter UN-Vermittlung erstmals wieder zu Gesprächen zwischen der Regierung in Rabat und der sahrauoischen Unabhängigkeitsbewegung Polisario über die **Zukunft der Westsahara**. Die Aussichten auf ein vom UN-Sicherheitsrat gefordertes Referendum verbessern sich allerdings nicht.

MEXIKO   Bei **Wahlen** in 12 von 31 Bundesstaaten im 2. Halbjahr **1992** löst die konservative »Partei der Nationalen Aktion«/PAN die »Partei der Institutionalisierten Revolution«/PRI als Regierungspartei in Chihuahua und Guanajuato ab. Der PRI wird in mehreren Bundesstaaten Wahlfälschung vorgeworfen. Erst aufgrund von massiven Protesten der Bevölkerung verzichtet der PRI-Gouverneur im Bundesstaat Michoacán auf sein Amt. – Staatschef *Carlos Salinas de Gortari*, US-Präsident *George Bush* und der kanadische Premierminister *Martin Brian Mulroney* unterzeichnen am 17. 12. **1992** die **Verträge über die Gründung der** nordamerikanischen **Freihandelszone NAFTA** (→ *Kap. »Internat. Organisationen«*). – Die Präsidenten von Venezuela, Kolumbien und M. – die »Gruppe der Drei«/G–3 – beschließen am 11. 2. **1993** in Caracas, zum 1. 1. 1994 eine **Freihandelszone** zu bilden (→ *Kolumbien*). – Das Abgeordnetenhaus verabschiedet am 25. 8. mit 386 zu 56 Stimmen eine Reihe von **Verfassungsreformen**, die das Wahlrecht auf eine demokratischere Grundlage stellen.

MOLDAU   Präsident *Mircea Snegur* und sein Amtskollege aus der Ukraine, *Leonid Krawtschuk*, unterzeichnen am 21. 12. **1992** in Chisinau einen moldauisch-ukrainischen Freundschaftsvertrag. Während des Besuchs des ukrainischen Ministerpräsidenten, *Leonid Kutschma*, werden am 20. 3. **1993** mehrere bilaterale Wirtschafts- und Handelsabkommen für 1993 unterzeichnet. – Zur Beschleunigung der Wirtschaftsre-

formen bewilligt das Parlament am 4. 8. Präsident *Snegur* Sondervollmachten. – Das **Parlament lehnt** am 4. 8. mit 162 gegen 22 Stimmen die **Ratifizierung des Vertrags über den Beitritt zur GUS ab**; 91 der die GUS ablehnenden Abgeordneten boykottieren die Abstimmung (→ *auch Gemeinschaft unabhängiger Staaten*).

MOSAMBIK   Staatspräsident *Joaqim A. Chissano* und der Führer der rechtsgerichteten RENAMO-Rebellen, *Alfonso Dhlakama*, unterzeichnen am 4. 10. **1992** in Rom den im August vereinbarten **Friedensvertrag** (→ *WA '93, Sp. 118*). Zur Beendigung des seit 1977 andauernden Bürgerkriegs, in dem rd. 1 Mio. Menschen getötet wurden und 6 Mio. geflohen sind, sollen sowohl die Regierungssoldaten als auch die RENAMO-Rebellen kaserniert und von der UNO überwacht werden. – Der UN-Sicherheitsrat beschließt am 16. 12. mit Res. 797 die Entsendung einer 7500 Mann starken **UN-Friedenstruppe ONUMOZ** nach M. zur Überwachung der Waffenruhe, Demobilisierung der Kämpfer der ehemaligen Bürgerkriegsparteien, Wiederansiedlung der Flüchtlinge und Vorbereitung freier Parlaments- und Präsidentschaftswahlen. – Der Waffenstillstand wird von Abtrünnigen aus Armee und RENAMO wiederholt gebrochen. – Der UN-Sicherheitsrat richtet am 14. 4. **1993** mit Res. 818 an beide Parteien den Appell zur uneingeschränkten Zusammenarbeit mit der ONUMOZ bei der Demobilisierung der Truppen und der Aufstellung neuer Einheiten aus Angehörigen der Regierungsstreitkräfte und der RENAMO. – Am selben Tag verlassen vertragsgemäß die letzten der seit 1984 stationierten 5000 simbabwischen Soldaten das Land. – Die für Oktober 1993 geplanten Wahlen werden auf 1994 verschoben.

NAMIBIA   Die ersten **Regional- und Kommunalwahlen** seit der Unabhängigkeit (1990) zwischen dem 30. 11. und 3. 12. **1992** enden mit einem **Sieg der Regierungspartei** SWAPO von Staatspräsident *Samuel Nujoma*. Sie erreicht die Mehrheit in 9 von 13 Regionalparlamenten sowie in 39 der 48 Stadt- und Gemeinderäten und setzt sich damit deutlich gegen die größte Oppositionspartei, die von *Dirk Mudge* geführte »Demokratische Turnhallen-Allianz«/DTA, durch. Die SWAPO verfügt damit in der neu konstituierten 2. Kammer des Parlaments über eine Zweidrittelmehrheit. An den Wahlen nehmen auch die Bewohner der **Walvis Bay** teil, die seit dem 1. 11. von N. und Südafrika gemeinsam verwaltet und voraussichtlich 1994 ganz an N. übergeben wird. – Die Wirtschaft litt 1992 unter der **Dürre**, die den größten Teil der für den Handel bestimmten Maisernte vernichtete. – Die Ablösung des südafrikanischen Rand durch eine **neue Währung** ist im September **1993** vorgesehen.

NICARAGUA Wegen ausbleibender Finanzhilfe der USA spitzt sich die Wirtschaftskrise zu. Präsidentin *Violeta Barrios de Chamorro* verfügt im September **1992** einschneidende **Sparmaßnahmen**; die Mehrwertsteuer wird von 10 auf 15 % erhöht, die Tarife für Strom und Telefon um 15 %. Die Kaufkraft der Löhne ist in den vergangenen 12 Monaten um 32 % zurückgegangen; mehr als 1 Viertel der Bevölkerung ist arbeitslos. Der US-Kongreß hatte die Finanzhilfe in Höhe von 116 Mio. $ im Juni eingefroren, weil Präsidentin *Chamorro* den Sandinisten immer noch zuviel Macht in Armee und Polizei einräume und die Rückgabe des von den Sandinisten enteigneten Besitzes verzögere. – 39 Abgeordnete der **Sandinisten** und 9 Mitglieder der **Zentrumsgruppe** (Sozialisten, Liberale, Christdemokraten) **ziehen** am 2. 9. **aus dem Parlament aus** und verhindern damit das für Beschlüsse notwendige Quorum von 47 Stimmen aus Protest gegen die Amtsführung des Parlamentspräsidenten *Alfredo César Aguirre*, eines der schärfsten Gegner des konzilianten Kurses der Regierung gegenüber den Sandinisten. – Die Regierung **unterstellt** am 29. 12. die **Nationalversammlung der Kontrolle einer** »**Junta**«, die aus den 2 ältesten und den 2 jüngsten Abgeordneten (davon 3 Sandinisten) besteht. Die ehemals mit der Regierung verbündeten Parteien der UNO-Koalition sprechen von einem »**technischen Staatsstreich**«. – Am 9. 1. **1993** bildet Präsidentin *Chamorro* ihre Regierung um und beruft **2 Sandinisten ins Kabinett.** – Auf Anregung internationaler Finanzinstitutionen **wird** am 10. 1. die Landeswährung **Córdoba um 20 % abgewertet.** – Am 3. 4. gibt die US-Regierung 60 Mio. $ Finanzhilfe frei; im Gegenzug verspricht die Präsidentin, den Armeechef General *Humberto Ortega* bereits 1995, zwei Jahre vor Ablauf seines Mandats, zu entlassen. – Die rechtsgerichteten **Contra-Rebellen** werden am 9. 5. offiziell **als politische Partei** unter der Bezeichnung »Nicaraguanischer Widerstand«/RN **zugelassen.** – Am 20. 5. verhängt die Regierung nach anhaltenden Gewalttaten bewaffneter Rebellengruppen erstmals in 14 Gemeindebezirken den **Ausnahmezustand**; am 21. 7. kommt es zu den bisher heftigsten Gefechten seit Beendigung des Bürgerkrieges. Eine Offensive der Rebellen in der Provinzhauptstadt Estelí beantwortet die Regierung mit einem massiven **Militäreinsatz**. Bei den Aufständischen handelt es sich in der Mehrzahl um antisandinistische Widerstandskämpfer (Recontras), die von der Regierung die versprochene Zuteilung von Land und Krediten fordern. – Die Nationalversammlung beschließt am 17. 8. eine Generalamnestie für alle Rebellen, die bis Ende des Monats ihre Waffen abgeben. – Eine zweifache **Geiselnahme** beginnt am 19. 8., als Recontras 38 Abgeordnete, Regierungsvertreter und Soldaten in ihre Gewalt bringen. Sie fordern die sofortige Entlassung von Armeechef *Ortega*. Einen Tag später stürmen Recompas (wiederbewaffnete ehemalige sandinistische Soldaten) den Sitz der UNO-Koalition und nehmen 40 Geiseln, unter ihnen Vizepräsident *Virgilio Godoy* und den ehemaligen Parlamentspräsidenten *César*. Nach einwöchigen Vermittlungsgesprächen, bei denen die Regierung den Kidnappern freien Abzug zusichert, werden alle Geiseln freigelassen.

NIEDERLANDE Der am 15. 9. **1992** vom Finanzminister vorgelegte **Haushaltsentwurf** für 1993 weist bei Ausgaben von 209,4 Mrd. hfl und Einnahmen von 189,7 Mrd. hfl einen Fehlbetrag von 19,7 Mrd. hfl auf. Die Staatsschuld steigt damit 1993 auf 72,1 % des BSP. – Am 2. 1. **1993** tritt *Pieter Kooijmans*/CDA als **neuer Außenminister** die Nachfolge von *Hans van den Broek* an, der in die EG-Kommission eingetreten ist. – Die 2. Kammer des Parlaments billigt am 9. 2. ein Gesetz zur **aktiven Sterbehilfe** (Euthanasie). Danach soll ein Arzt Euthanasie auf ausdrücklichen Wunsch des Patienten, bei Patienten im Koma oder bei Neugeborenen mit schweren Geburtsfehlern nach Konsultierung eines 2. Arztes straffrei ausüben können. – Am 24. 4. beschließt die Regierung ein **Sparprogramm**: Einfrieren der Beamtengehälter, des Kindergeldes und der Sozialhilfe für mindestens 1 Jahr; höhere Besteuerung von Einkommen ab 40 000 hfl; Erhöhung der Mineralölsteuer; Streichung des Arbeitslosengeldes für Jugendliche von 18 bis 21 Jahren (bisher 900 hfl monatlich); Reduzierung der Studienfinanzierung. Gewerkschaften, Studentenverbände und Jugendorganisationen protestieren gegen die geplanten sozialen Einschnitte; die Jungsozialisten kündigen die Zusammenarbeit mit der Mutterpartei PvdA auf. Bei schweren Auseinandersetzungen zwischen rd. 20 000 demonstrierenden Studenten und 5000 Polizisten werden am 8. 5. in Den Haag 40 Jugendliche und 2 Polizisten verletzt.

NIGER In einem **Referendum** am 26. 12. **1992** wird mit 89,9 % der gültig abgegebenen Stimmen (Wahlbeteiligung 56,6 %) eine neue **demokratische Verfassung** für das seit 1974 von einem Militärregime geführte Land gebilligt. – Bei ersten freien **Parlamentswahlen** am 14. 2. **1993** gewinnt das Oppositionsbündnis »Kräfte des Wandels«/AFC mit 50 der 83 Sitze die absolute Mehrheit. Die frühere Einheitspartei bleibt allerdings mit 29 Sitzen die stärkste Einzelfraktion. – Die Wahlen werden von der seit Jahren andauernden **Rebellion der Tuareg** überschattet. Sie kämpfen für Hoheitsrechte in dem an Bodenschätzen reichen Norden des Landes. – Am 19. 3. gelingt es der Übergangsregierung, mit der »Tuareg-Befreiungsfront von Air und Azawad«/FLAA in Niamey einen **Waffenstillstand** zu unterzeichnen. – Die **Präsidentschaftswahlen** gewinnt am 27. 3. in einer Stichwahl (erster Wahlgang 27. 2.) mit 55% der Stimmen der Sozialdemokrat *Mahamane Ousmane*, der am 16. 4. vereidigt wird. Zum neuen Premierminister ernennt er den Vorsitzenden der »Parti nigérien pour la démocratie et le socialisme«/PNDS, *Mahamadou Issoufou*; Außenminister wird *Abdourahmane Hama*.

NIGERIA Die geplante Machtübergabe an eine zivile Führung gestaltet sich nach 9 Jahren Militärherrschaft äußerst schwierig: Ein weiteres Mal werden die für den 5. 12. **1992** vorgesehenen **Präsidentschaftswahlen verschoben**. Staatschef General *Ibrahim Babangida* hatte bereits das Ergebnis von 2 Vorwahlen für ungültig erklärt, nachdem es zu Manipulationen und Stimmenkauf gekommen war. Alle 23 Kandiaten werden von einer neuen Bewerbung um das höchste Staatsamt ausgeschlossen. – Am 4. 1. **1993 übernimmt ein Übergangsrat** aus 27 Zivilisten **die Regierungsgeschäfte**. Er löst den bisherigen Militärrat (AFRC) ab und soll die politische Führung des Landes bis zum Antritt einer Zivilregierung ausüben. Zum Vorsitzenden und damit faktisch zum Premierminister wird *Ernest Adegunle Oladeinde Shonekan* bestimmt. – Fast 40 Mio. wahlberechtigte Nigerianer sind am 12. 6. aufgerufen, einen **zivilen Präsidenten** zu **wählen**. Bis zuletzt versuchen Anhänger *Babangidas*, per Gerichtsbescheid die Wahl erneut zu verschieben. Die »National Electoral Commission«/NEC, Nigerias Wahlbehörde, setzt sich jedoch über das Urteil hinweg und beharrt auf dem Termin. Nachdem sich ein klarer Sieg für *Moshood Abiola* von der »Social Democratic Party«/SDP vor seinem konservativen Rivalen von der »National Republican Convention«/NRC, *Basham Otham Tofa*, abzeichnet, **verbietet** der Oberste Gerichtshof am 17. 6. die **Veröffentlichung der Wahlergebnisse**. Am 23. 6. löst das Militärregierung die Wahlkommission auf und **annulliert die Präsidentschaftswahl**. Es kommt zu blutigen **Protestdemonstrationen**; Menschenrechtsgruppen sprechen von 100 Toten, offiziell wird die Zahl von 24 Opfern genannt. Der Kompromißvorschlag des Militärmachthabers *Babangida*, eine Übergangsregierung zu bilden, wird am 28. 7. von den Sozialdemokraten und Republikanern akzeptiert. – Am 26. 8. gibt *Babangida* nach achtjähriger Amtszeit die **Macht an die Übergangsregierung** ab. Der bisherige Chef des Übergangsrats *Shonekan* wird als **neuer Ministerpräsident vereidigt**. Das Kabinett besteht aus 13 Mitgliedern, unter ihnen 5 hochrangige Militärs.

NORWEGEN Der am 6. 10. **1992** vorgelegte **Haushaltsentwurf** 1993 weist bei Ausgaben von 371,8 Mrd. nkr (+5,4%) und Einnahmen von 322,6 Mrd. nkr (+3,5%) ein **Rekorddefizit** von 49,2 Mrd. nkr auf. – Am 16. 10 ratifiziert das Parlament den **EWR-Vertrag** mit 130 gegen 35 Stimmen. – Auf dem Parteitag der **Arbeiterpartei** in Oslo (5.–8. 11.) gibt die Regierungs- und Parteichefin *Gro Harlem Brundtland* aus persönlichen Gründen ihren Rücktritt aus der Parteiführung bekannt. Zum neuen Parteivorsitzenden wird *Thorbjörn Jagland* gewählt, der als enger Vertrauter von Frau *Brundtland* gilt und die EG-Mitgliedschaft befürwortet. Der Parteitag spricht sich mit 183 gegen 106 Stimmen für ein EG-Beitrittsgesuch aus. – Am 25. 11. beantragt Norwegen die EG-Mitgliedschaft. Am 5. 4. **1993** werden die **EG-Beitrittsverhandlungen** bei einer Tagung der EG-Außenminister in Luxemburg offiziell **eröffnet**.

ÖSTERREICH Der Nationalrat billigt am 22. 9. **1992** den Vertrag über einen Beitritt des EFTA-Mitglieds Ö. zum den Europäischen Wirtschaftsraum/ **EWR** (→ *Kasten, Sp. 799*). – Bei **Gemeinderatswahlen in Salzburg** am 8. 10. erhält die SPÖ von Bürgermeister *Harald Lettner*, die 1987 mit 49,2% der Stimmen die absolute Mehrheit der Sitze errungen hatte, nur noch 28,0% und 12 Mandate (–9); die ÖVP kommt auf 24,8% (+2,2%) und 11 Mandate (+2), die FPÖ auf 14,5% (–0,6%), die (grüne) Bürgerliste auf 16,5% (+6,4%) und 7 Mandate (+3), die erstmals angetretene Autofahrer-Partei auf 5,8% und 2 Mandate, die Liste eines früheren FPÖ-Stadtrats auf 5,3% und 2 Mandate. Bei den Gemeindewahlen **im Burgenland** am 18. 10. erhält die SPÖ 46,5% der Stimmen (–1,5%) und 1128 Mandate (–37), die ÖVP 44,5% der Stimmen (–1,4%) und 1064 Mandate (–13), die FPÖ 5,3% der Stimmen und 84 Mandate (+51). Bei Gemeindewahlen **in Graz** am 24. 1. 1993 verlieren die Regierungsparteien SPÖ und ÖVP je 4 Mandate; die FPÖ gewinnt 5 Mandate hinzu. Bei Landtagswahlen in **Niederösterreich** am 16. 5. 1993 verliert die ÖVP mit 26 Sitzen (–3) die absolute Mehrheit; die SPÖ kommt nur noch auf 20 (–2) Sitze, die FPÖ verbessert sich auf 7 Sitze (+2), und das am 4. 2. 1993 gegründete Liberale Forum (→ *unten*) schafft mit 3 Sitzen den Einzug in den Landtag. – Am 17./18. 10. finden in Wien und Graz die Gründungsparteitage der von der FPÖ abgespaltenen **Freien Demokratischen Partei Österreichs**/FDP statt, zu deren Sprecher der ehemalige Staatssekretär *Mario Ferrari-Brunnenfeld* gewählt wird. Dieser wirft dem FPÖ-Vorsitzenden *Jörg Haider* vor, die FPÖ in eine »Führerpartei« verwandelt zu haben. – Am 6. 10. beschließt die Regierung ein neues Fremdengesetz, das u. a. den Zuzug von Einwanderern regeln soll (→ *unten*). *Haider* bezeichnet die Gesetzesvorlage als ungenügend und startet am 10. 1. 1993 in Graz das **Volksbegehren »Österreich zuerst«**. Es strebt die

Verschärfung der Ausländerpolitik u. a. durch eine Verfassungsbestimmung an, die festschreibt, daß Österreich kein Einwanderungsland ist. Bis zur Beseitigung der Wohnungsnot und Senkung der Arbeitslosigkeit auf 5 % wird ein Einwanderungsstopp verlangt. In Wien demonstrieren am 24. 1. 1993 mehr als 200 000 Menschen mit einer Lichterkette gegen Fremdenfeindlichkeit. Am 1. 2. endet die achttägige Einschreibungsfrist für das Volksbegehren. Die Initiative wird von 417 278 Wahlberechtigten (= 7,37 %) unterstützt und bleibt damit weit hinter dem Ziel *Haiders* zurück. Am meisten Unterstützung fand das Volksbegehren in Kärnten (13,4 %), wo wenig Ausländer leben, am geringsten in Niederösterreich (4,6 %), im Burgenland (4,7 %) und in Tirol (5,0 %); in Wien mit seinem hohen Ausländeranteil wurde es nur von 8,9 % der Wähler unterstützt. Am 4. 2. erklären 5 FPÖ-Parlamentsabgeordnete, darunter die Generalsekretärin der Partei und Stellvertreterin *Haiders, Heide Schmidt,* ihren Austritt aus der FPÖ und die Gründung einer eigenen Partei **»Liberales Forum«.** Begründung: Die FPÖ unter *Haider* könne nicht mehr ihre politische Heimat sein. Am 19. 2. entscheidet Nationalratspräsident *Ernst Fischer/* SPÖ, daß das Liberale Forum neben SPÖ, ÖVP, FPÖ und Grünen eine 5. Fraktion mit »Klubstatus« im Nationalrat bilden kann. – Am 14. 10. 1992 entscheidet sich Bundeskanzler *Franz Vranitzky*/SPÖ dafür, **keine Soldaten nach Somalia** zu entsenden, wo sie als UN-»Blauhelme« Lebensmitteltransporte schützen sollten. Er begründete dies mit der unsicheren militärischen Lage und dem nicht abzuschätzenden Risiko für die Soldaten (→ *Somalia).* – Am 13. 11. verabschiedet der Nationalrat mit Stimmen der Regierungsparteien SPÖ und ÖVP eine Resolution, die die Regierung auffordert, sicherzustellen, »daß Österreich **an der** Entwicklung eines Systems der **kollektiven Sicherheit in Europa teilnehmen** kann«. Das Wort »Neutralität« kommt in dem Text nicht vor; ein Antrag der FPÖ, diese ausdrücklich aufzugeben, wurde abgelehnt. Außenminister *Alois Mock*/ÖVP erklärte, die Neutralität sei für Ö. immer nur ein Mittel, kein Ziel der Außen- und Sicherheitspolitik gewesen, und er sehe keinen Grund, jetzt auf dieses wertvolle Instrument zu verzichten. Eine auf den militärischen Kern reduzierte Neutralität – d. h. Bündnisfreiheit, Nichtstationierung fremder Truppen, eigenständige Verteidigung – sei mit der EG-Mitgliedschaft vereinbar. – Am 23. 11. unterzeichnen die 4 Sozialpartner – Bundeswirtschaftskammer, Arbeiterkammer, Gewerkschaftsbund und Landwirtschaftskammer – erstmals einen **»Sozialpartner-Pakt«** zur künftigen Zusammenarbeit. Gemeinsames Ziel: Sicherung der internationalen Wettbewerbsfähigkeit der Wirtschaft und Wiederherstellung der Vollbeschäftigung, die bei 3 % Arbeits-

losigkeit gegeben sei. – Am 29. 1. **1993** legt die Regierung eine **»Wachstumsinitiative«** vor, die das für 1993 erwartete niedrige Wirtschaftswachstum von rd. 1 % beschleunigen soll. Vorgesehen sind eine geringere Besteuerung von Unternehmensgewinnen (durch Anhebung des steuermindernden Investitionsbeitrags von 20 auf 30 %), staatliche Mittel für Bauvorhaben im Wissenschafts- und Bildungswesen (1,5 Mrd. öS) sowie Investitionen zur Renovierung öffentlicher Bauten (500 Mio. öS); die Initiative soll 20 000 Arbeitsplätze schaffen. – Am 1. 2. beginnen in Brüssel die **Beitrittsverhandlungen mit der EG** (→ *Kasten Sp. 791 f.).* – Am 8. 6. beschließt die Regierung die **2. Stufe der Steuerreform,** die am 1. 1. 1994 in Kraft treten soll. Sie schafft 5 Steuern – die Vermögens-, Gewerbe-, Bankplatz- und Kreditsteuer sowie das Erbschaftssteueräquivalent – ab und soll den Unternehmern eine Entlastung von 4 Mrd. S und Privatpersonen eine solche von 13 Mrd. S bringen. Monatseinkommen bis zu 11 500 S – betroffen sind rd. 2 Mio. Arbeiter und Rentner – werden steuerfrei. Zur Finanzierung der Steuerreform wird die Körperschaftssteuer von 30 auf 34 %, die Lohnsummensteuer von 2 auf 3 % und die Steuer auf Lebensversicherung von 3 auf 5 % angehoben. – Der **Noricum-Prozeß** (um Waffenlieferung der Firma Noricum in Kriegsgebiete) vor dem Wiener Landesgericht endet am 24. 6. mit dem Freispruch des früheren Bundeskanzlers *Fred Sinowatz*/SPÖ, seines Außenministers *Leopold Gratz* und seines Innenministers *Kurt Blecha* vom Vorwurf des Amtsmißbrauchs und der Neutralitätsgefährdung durch die 8 Geschworenen. Blecha wird jedoch wegen Anstiftung zur falschen Beurkundung im Amt, der Fälschung eines Beweismittels und der Urkundenunterdrückung zu 9 Monaten Haft mit 3jähriger Bewährung verurteilt. – Das von der Regierung am 6. 10. 1992 beschlossene (→ *oben)* und vom Nationalrat am 3. 12. mit der Mehrheit der Regierungsparteien SPÖ und ÖVP – FPÖ und Grüne stimmten dagegen – verabschiedete **Fremdengesetz** tritt am 1. 7. 1993 in Kraft. Es soll den illegalen Aufenthalt von Ausländern beenden. Ausländer, die sich unrechtmäßig in Österreich aufhalten, können jederzeit ausgewiesen werden. Aufenthaltsberechtigte Ausländer erhalten einen Ausweis, der routinemäßig kontrolliert wird. Der Polizei ist es erlaubt, Wohnungen zu betreten, in denen mehr als 5 Ausländer untergebracht sind, sofern der begründete Verdacht besteht, daß sich unter ihnen illegal in Ö. lebende Personen befinden. Außerdem werden Touristenvisa nicht mehr verlängert. Dies soll die illegale Beschäftigung von Ausländern verhindern. – Nach 7jähriger Diskussion verabschiedet der Nationalrat am 9. 7. ein Regionalrundfunkgesetz, das **erstmals kommerzielle Rundfunksender** zuläßt. Eine Gesetzesnovelle regelt überdies eine künftige stufenweise Ausweitung von Werbezeiten im öffentlich-rechtlichen ORF. – Am 19. 8. führen Staatspolizei und Sicherheitsdirektionen in den Bundesländern Niederösterreich, Oberösterreich und Steiermark erfolgreich Hausdurchsuchungen »im Rahmen laufender Verfahren wegen des Verdachts auf neonazistische Betätigung« durch.

PAKISTAN Der iranische Präsident *Ali Akbar Hashemi Rafsanjani* unterzeichnet während seines Aufenthalts in Pakistan vom 6.–9. 9. **1992** mit seinem pakistanischen Amtskollegen *Ghulam Ishaq Khan* mehrere Abkommen im Bereich Politik und Wirtschaft. – Erstmals seit 6 Jahren wird am 15. 11. wieder die Todesstrafe vollstreckt. – Auf dem Höhepunkt landesweiter Proteste gegen die Regierung von Premierminister *Nawaz Sharif* scheitert am 18. 11. ein von *Benazir Bhutto* angeführter, von der Regierung verbotener Demonstrationszug zum Parlamentsgebäude in der Hauptstadt Islamabad. *Bhutto*, Vorsitzende der Pakistan People's Party/PPP und Oppositionsführerin, die den Rücktritt der Regierung und Neuwahlen erzwingen will, und mind. 1300 weitere Oppositionelle werden vorübergehend festgenommen. – Nach der Zerstörung der Babri-Moschee im nordindischen Ayodyha *(→ Indien)* am 6. 12. kommt es in Pakistan zu Ausschreitungungen gegen Hindus. Der Generalstreik am 8. 12., zu dem die Regierung wegen der Vorfälle in Indien aufgerufen hatte und der weitgehend befolgt wird, ist von Gewalttätigkeiten begleitet. – Der von Premierminister *Sharif* im März **1993** vorgelegte Entwurf einer Verfassungsänderung sieht u. a. die Einschränkung der Vollmachten des Präsidenten vor. – Die Pakistan Muslim-Liga/PML wählt Anfang April Premierminister *Sharif* zu ihrem neuen Vorsitzenden und nominiert zugleich Amtsinhaber *Khan* als ihren Kandidaten für die Präsidentschaftswahlen. Die Nominierung *Sharifs* zum PML-Vorsitzenden hatte zu einem offenen Bruch innerhalb des Regierungsbündnisses Islamic Democratic Alliance/IDA, in dem die PML die größte Partei ist, geführt; vom 27. 3.–12. 4. traten 7 Minister zurück. Sie werfen *Sharif* u. a. schlechte Amtsführung, Korruption und Duldung terroristischer Gruppen im Sindh vor. – **Präsident** *Khan* **entläßt** am 18. 4. die **Regierung** von Premierminister *Sharif*, der er u. a. Korruption und Unfähigkeit vorwirft, **und löst die Nationalversammlung auf.** Am selben Tag setzt *Khan* eine Interimsregierung unter dem PML-Politiker *Balakh Sher Mazari* ein und schreibt Neuwahlen aus. In dem am 22. 4. vorgestellten 19köpfigen Kabinett sind die bisher regierende PML und die PPP etwa gleich stark vertreten. – Zur Unterstützung der Wirtschaftsreformen sagt der Internationale Währungsfonds/IWF Mitte Mai Pakistan eine Bürgschaft in

Höhe von 1 Mrd. US-\$ zu; der IWF fordert Haushaltskürzungen und eine Erhöhung der Sozialausgaben. – Der **Oberste Gerichtshof erklärt** am 26. 5. mit 10 gegen eine Stimme die **Entlassung der Regierung** unter *Sharif* **für verfassungswidrig; Premierminister, Regierung und Nationalversammlung werden wieder eingesetzt,** die Übergangsregierung ihrer Funktion enthoben und die Neuwahlen abgesagt. Die Nationalversammlung spricht Premierminister *Sharif* am 27. 5. mit 120 der 204 anwesenden Abgeordneten ihr Vertrauen aus; die oppositionelle PPP boykottiert die Abstimmung. – **Premierminister** *Sharif* **und Präsident** *Khan* **treten** nach monatelangem Machtkampf am 18. 7. auf Vermittlung des Oberkommandierenden der Streitkräfte, General *Abdul Wahid*, **zurück**; unmittelbar davor löst *Khan* die Nationalversammlung auf. Am 19. 7. werden in Islamabad und in den 4 Gliedstaaten neutrale Übergangsregierungen eingesetzt. Amtierender Premierminister wird *Moeen Qureshi;* Interimspräsident *Wasim Sajjad*, der Senatsvorsitzende, beruft am 23. 7. eine Übergangsregierung, deren Aufgabe die Vorbereitung und Überwachung der für den 6. 10. geplanten Neuwahlen für die Nationalversammlung ist. Neuwahlen für die 4 Provinzparlamente werden am 9. 10. stattfinden.

PANAMA Die von der Regierung im Juni beschlossenen **Verfassungsänderungen,** darunter die Auflösung der Armee, werden am 15. 11. **1992** in einem **Referendum** (Wahlbeteiligung 36 %) mit 66 % der abgegebenen Stimmen abgelehnt. Die oppositionelle »Revolutionär-Demokratische Partei«/PRD befürchtet, daß die USA nach der formellen Abschaffung der Armee – sie existiert tatsächlich seit der US-Intervention von 1989 nicht mehr – versucht sein könnten, über das Jahr 2000 hinaus Stützpunkte am Panamakanal zu erhalten, da die panamaische Polizei kaum in der Lage wäre, den Kanal wirksam zu schützen. – Der erste **Vizepräsident**, *Ricardo Arias Calderon*, **tritt** am 17. 12. **zurück**, weil Präsident *Endara* seine Forderung nach einem politischen Wandel im Lande ignoriere. Nachfolger wird der bisher zweite Vizepräsident, *Guillermo Ford.* – Der Oberste Gerichtshof der **USA weist** am 11. 1. **1993 eine Schadensersatzklage im Zusammenhang mit der US-Intervention** von 1989 kommentarlos **zurück**. Die klagenden Panamaer hatten sich auf den Kanal-Vertrag berufen, in dem P. das Recht auf Entgelt für Schäden durch US-Personal zuerkannt wird.

PARAGUAY Mitte Januar **1993** ergeht ein **Haftbefehl gegen** den im brasilianischen Exil lebenden **Ex-Präsidenten** *Alfredo Stroessner*, der für Morde, illegale Verschleppungen und Folterungen sowie Amtsmißbrauch verantwortlich gemacht wird.

Gleichzeitig wird bekannt, daß die Polizei die Mißhandlung und das Verschwindenlassen von Gegnern der Militärdiktatur in geheimen »Akten des Schreckens« festgehalten hat, die z. T. bei der Durchsuchung von Polizeikasernen entdeckt worden sind. – Bei den **ersten freien Wahlen** in der 182jährigen Geschichte des Landes am 9. 5. entfallen 39,9 % der Stimmen auf den Präsidentschaftskandidaten *Juan Carlos Wasmosy* von der ANR-Partido Colorado, 32,1 % auf *Domingo Laino* von der »Authentischen Radikal-Liberalen Partei«/PRLA und 23,1 % auf *Guillermo Caballero Vargas* von der »Partei der Nationalen Begegnung«/PEN. Bei den Wahlen zum Abgeordnetenhaus erhalten die Colorados 38, die Liberalen 29 und die PEN 10 Mandate; 3 Sitze werden später der Opposition zuerkannt. Im Senat gewinnen die Colorados 20, die Liberalen 17 und die PEN 8 Sitze; 12 Gouverneure der Departements werden von den Colorados und 5 von den Liberalen gestellt. Am 15. 8. übergibt General *Rodriguez* die Amtsgeschäfte an den **neu** gewählten **Präsidenten Wasmosy**.

PERU Den Behörden gelingt am 12. 9. **1992** die **Festnahme des Führers der** maoistischen **Terrororganisation Sendero Luminoso/SL** (»Leuchtender Pfad«), *Abimael Guzman*. Ein Militärgericht **verurteilt** *Guzman* und weitere Komplizen am 7. 10. **zu lebenslanger Haft**; zudem sollen sie die Schäden in Höhe von 25 Mrd. $ begleichen, die während des Guerillakriegs entstanden sind. Der Oberste Gerichtshof bestätigt das Urteil am 15. 10. Das Kabinett beschließt gleichzeitig, den »Pakt von San José« über Menschenrechte aufzukündigen, um bei terroristischen Straftaten **künftig die Todesstrafe verhängen** zu können. Der »Leuchtende Pfad« reagiert auf die Verurteilung *Guzmans* mit einer Serie von Anschlägen in Lima. – Am 13. 11., 10 Tage vor der geplanten Wahl einer verfassunggebenden Versammlung, versucht eine Gruppe von Offizieren, Präsident *Alberto Fujimori* abzusetzen, seinen Stellvertreter *Maximo San Roman* zum Staatschef zu ernennen und das am 5. 4. aufgelöste Parlament wieder einzuberufen. *Fujimori* erklärt am folgenden Tag, das Komplott sei vom Geheimdienst vereitelt worden; 25 Offiziere wurden festgenommen. Die Opposition bezeichnet den **Putschversuch** als Propagandatrick, mit dem der Präsident versuche, seine Wahlchancen zu verbessern. – 78,8 % der rund 11 Mio. Wahlberechtigten beteiligen sich am 22. 11. trotz einzelner Anschläge der Guerilla an der **Wahl der Verfassungsgebenden Versammlung.** Die Partei des Präsidenten, die Cambio 90/Nueva Mayoria (»Neue Mehrheit«) erhält 37 % der Stimmen und 44 der 80 Sitze in der Versammlung. Zweitstärkste Kraft wird die Christliche Volkspartei/PPC mit 7,5 % der Stimmen und 8

Sitzen, gefolgt von der »Unabhängigen Moralisierungsfront« von *Fernando Olivera* mit 7 Sitzen. 25 % der Wähler geben aus Protest gegen die Politik des Präsidenten leere oder ungültige Stimmzettel ab. *Jaime Yoshiyama* wird von der regierenden Cambio 90 und der mit ihr verbundenen Gruppe Renovacion am 29. 12. zum Präsidenten der Versammlung gewählt. Die Opposition stellt keinen Kandidaten auf. – Durch Präsidialbeschluß wird das **Dekret über die Notstandsregierung** vom 8. 4. **außer Kraft** gesetzt. – Am 7. 1. **1993** bestätigt die Verfassungsgebende Versammlung gegen den Widerstand der Opposition *Fujimori* als verfassungsmäßigen Staatspräsidenten. Er billigt zugleich die rund 300 Erlasse der Notstandsregierung. – Der Oberste Gerichtshof erläßt Haftbefehl gegen Ex-Präsident *Alan García* wegen illegaler Bereicherung im Amt; Kolumbien lehnt eine Auslieferung *Garcías* ab. – Wirtschaftsminister *Jorge Camet* vereinbart am 27. 1. mit den USA eine **Umschuldung von Krediten** in Höhe von 152 Mio. $. Der **Internationale Währungsfonds/IWF hebt** am 18. 3. seine **Kreditsperre auf**; er bewertet es als positiv, daß die Inflationsrate seit 1990 auf 57 % gefallen und das Budgetdefizit auf 2,5 % des BIP zurückgegangen ist. Ein dreijähriger Kredit über 1395 Mio. $ wird gewährt, der es P. ermöglicht, Schulden in Höhe von 860 Mio. $ beim IWF zu begleichen. Auch der Pariser Klub gewährt am 4. 5. eine Umschuldung für die bis März 1996 fälligen Zins- und Tilgungszahlungen in Höhe von 3,1 Mrd. $. Die gesamte Auslandsschuld beträgt 23,6 Mrd. $. – Die Verfassungsgebende Versammlung beschließt nach mehrmonatiger Beratung am 27. 8. eine **neue Verfassung**, die u. a. die **Todesstrafe** für Vaterlandsverrat und Terrorismusverbrechen vorsieht. Außerdem ermöglicht sie eine Wiederwahl des Präsidenten und führt das **Ein-Kammer-System** ein. In einem Referendum soll über die Verfassung abgestimmt werden.

PHILIPPINEN Präsident *Fidel Ramos* unterzeichnet am 22. 9. **1992** ein Gesetz zur Aufhebung des seit 1957 bestehenden Verbots der Kommunistischen Partei; danach ist die Mitgliedschaft in der KP nicht mehr strafbar. KP-Führer *Rodolfo Salas* wird am 24. 9. von Präsident *Ramos* nach 6jähriger Haft begnadigt. Bis zum 24. 9. läßt *Ramos* 23 Putschisten aus den Reihen des Militärs frei. – Die **USA geben** am 30. 9. offiziell ihren **letzten Stützpunkt** auf den Philippinen, die Marinebasis Subic Bay, **zurück** (→ *WA '93, Sp. 126*). Am 24. 11. verlassen die letzten US-Soldaten Subic Bay. Damit endet die fast 100jährige Militärpräsenz der USA.

POLEN Beim Besuch des **russischen** Ministerpräsidenten *Jegor Gajdar* vom 6.–10. 10. **1992** in Warschau kommt es überraschend zu einer **gegen-**

seitigen Schuldenannullierung. P.s Schulden gegenüber Moskau, v. a. aus Krediten seit der Verhängung des Kriegsrechts 1981, belaufen sich auf 1,8 Mrd.$ und 4,9 Mrd. Transferrubel (im Verhältnis 1 : 1 zum $); die russischen Schulden gegenüber P., hauptsächl. aus der Lieferung nicht bezahlter Waren der letzten 2 Jahre, betragen etwa 7,5 Mrd.$. Am 13. 10. läßt der russische Präsident *Boris Jelzin* Präsident *Lech Walesa* Geheimdokumente über die Ermordung von 4000 polnischen Offizieren 1940 bei **Katyn** in der Nähe von Smolensk überbringen. – Am 28. 10. verlassen die letzten Kampfeinheiten der aufgelösten UdSSR das Land; rd. 6000 **russische Soldaten**, die Transport- und Nachrichteneinheiten angehören, bleiben noch bis Ende 1993 zur Sicherung des Transits für die aus Ostdeutschland abziehenden Truppen der ehem. UdSSR in P. – Bei ihren Besuchen bei der EG-Kommission und der NATO in Brüssel am 9. 10. und in Deutschland am 5. 11. wirbt Ministerpräsidentin *Hanna Suchocka*/UD um eine Vollmitgliedschaft P.s in EG und NATO. – Mitte Oktober schafft der Sejm mit 192 gegen 129 Stimmen das Rundfunk- und Fernsehmonopol des Staates ab. – **Privatsender**, die es seit 1990 ohne rechtlich gesicherte Grundlage gab, werden **legalisiert** und die Arbeitsweise des öffentlichen Rundfunks geregelt. – Am 18. 11. unterzeichnet Präsident *Lech Walesa* eine sog. **»kleine Verfassung«**, die die Rechte des Präsidenten beschneidet und die Befugnisse der Regierung stärkt. Sie löst die kommunistische Verfassung von 1952 ab und gilt bis zur Verabschiedung einer definitiven Verfassung. – Am 21. 12. wird in Krakau mit Polen und der ČSFR ein Vertrag über das **Mitteleuropäische Freihandelsabkommen/CEFTA** geschlossen, das die Abschaffung der Zölle zwischen den 4 Staaten bis 2001 vorsieht (→ *Kapitel »Internationale Organisationen«/CEFTA).* – 3wöchige **Streiks** der Arbeiter in den Kohlengruben für bessere Sozialleistungen, höhere Löhne und die Restrukturierung der Kohleindustrie werden am 4. 1. **1993** beendet, nachdem die Regierung eine Erhöhung des Reallohns der Bergarbeiter und staatliche Subventionen von 1,7 Bio. Zloty für die von Stillegungen bedrohte Krisenbranche zugesagt hat. – Nach 2 Jahren Rückgang ist die **Industrieproduktion** 1992 um 3,5 % gegenüber 1991 **gestiegen** – ein Anzeichen für eine sich abzeichnende wirtschaftliche Erholung. – Am 7. 1. verabschiedet der Sejm mit 213 gegen 171 Stimmen bei 29 Enthaltungen (der Senat am 30. 1. mit 35 gegen 34 Stimmen bei 29 Enthaltungen) ein neues **Abtreibungsgesetz**. Es ersetzt die seit 1956 geltende Fristenregelung durch eine restriktivere Regelung, die den Schwangerschaftsabbruch nur legalisiert, wenn das Leben der Mutter gefährdet, eine starke Behinderung beim Ungeborenen zu erwarten oder die Schwangerschaft Folge einer Vergewaltigung oder eines Inzests ist. Wird der Abbruch aus anderen Gründen vorgenommen, droht dem Arzt eine Haftstrafe von bis zu 2 Jahren, die Frau bleibt jedoch straffrei. – Der Sejm billigt am 12. 2. mit 230 gegen 207 Stimmen den von ihm im Dezember 1992 zwecks Änderung zurückgewiesenen **Sparhaushalt 1993**, der eine Defizitbegrenzung auf 81 Bill. Zloty bzw. 5 % des BSP vorsieht. Die bei 44 % liegende Inflationsrate soll auf 32 % gedrückt werden. – Durch den Rücktritt des Landwirtschaftsministers und Vorsitzenden der »Bauernpartei«/PL, *Gabriel Janowski,* Anfang April aus Protest gegen die nach seiner Ansicht zu hohen staatlichen Preise für Landwirtschaftsprodukte und den Auszug der Partei aus der Regierungskoalition am 29. 4. verliert das ohnehin auf instabilen Mehrheitsverhältnissen beruhende Regierungsbündnis weiter an Unterstützung im Parlament. Nach der Aufkündigung der Koalition durch die PL, die über 19 Abgeordnete verfügt, besteht das **Regierungsbündnis** nur noch aus 6 Parteien und kann mit einer Basis von 177 der 460 Mandate rechnen, ist also bei Gesetzesvorhaben **auf wechselnde Mehrheiten angewiesen.** – Am 30. 4. verabschiedet der Sejm im 2. Anlauf mit 215 gegen 178 Stimmen bei 22 Enthaltungen ein Gesetz über die **Privatisierung** von rd. 600 großen und mittleren Staatsbetrieben. Die Mehrheit kommt durch die Unterstützung von 28 Abgeordneten des postkommunistischen Linksbündnisses SDL zustande, das insgesamt 55 Parlamentarier stellt. Ende 1992 waren noch $2/3$ der rd. 8200 Unternehmen und 770 Gesellschaften in Staatsbesitz. Vertreter der Regierung, der Gewerkschaften und der Konföderation der Arbeitgeber hatten am 22. 2. einen **»Pakt über die Staatsunternehmen«** geschlossen, der die Umstrukturierung der staatlichen Betriebe beschleunigen soll und den Arbeitnehmern 10 % der Aktien sowie ein Mitspracherecht bei der Wahl der Privatisierungsform garantiert. – Am 20. 5. nimmt P. den **Schuldendienst** gegenüber den westlichen Gläubigerbanken wieder auf; monatlich sollen 5 Mio. $ abgeführt werden. Die Gesamtschulden gegenüber dem Londoner Club betragen rd. 12 Mrd.$. – Ein von Abgeordneten der Fraktion der »Solidarność« wegen Differenzen mit dem Kabinett über Lohnerhöhungen und eine Budgetrevision im Sejm eingebrachter Mißtrauensantrag führt am 28. 5. zum **Sturz der Regierung Suchocka:** 223 von 445 anwesenden Abgeordneten sprechen dem Kabinett das Mißtrauen aus, 198 Abgeordnete stimmten für die Regierung, 24 enthalten sich. Am 29. 5. löst Präsident *Walesa* das erste demokratisch gewählte Parlament mit Wirkung vom 31. 5. auf; am 2. 6. ordnet er Neuwahlen für den 19. 9. 1993 an. Ein am 1. 6. in Kraft getretenes Wahlgesetz sieht die Einführung der 5 %-Klausel (für Wahlbündnisse 8 %-Klausel) vor. – Am 5. 6. geben 12 Abgeordnete der

Solidarność-Fraktion im Sejm ihren Übertritt zu dem von Präsident *Walesa* ins Leben gerufenen neuen »Überparteilichen Block zur Unterstützung der Reformen«/BBWR bekannt. – Am 5. 7. wird die **Mehrwertsteuer** eingeführt: Ein Großteil der Waren- und Dienstleistungen wird mit 22 % besteuert, ein verminderter Satz von 7 % gilt lediglich für einige Agrarprodukte, für Pharmaerzeugnisse, Musikinstrumente, Zeitungen/Zeitschriften, Artikel für Kinder, Energierohstoffe, Baustoffe sowie verschiedene Dienstleistungen. Gleichzeitig wird ein neues **Zolltarifsystem** für etwa 15 000 Waren mit dem Ziel eingeführt, den polnischen Markt gegen ausländische Agrarprodukte besser zu schützen und ausländische Investitionen zu fördern. – Nach fast 13jährigen Verhandlungen wird am 28. 7. in Warschau ein neues **Konkordat mit dem Vatikan** unterzeichnet. Es bestätigt u. a. die **Trennung von Staat und Kirche**, regelt Finanzfragen und räumt der kirchlichen Eheschließung die gleiche Rechtsgültigkeit wie die Zivilehe ein. Umstritten war die Teilnahme am Religionsunterricht an staatlichen Schulen, der nun weiter freiwillig bleibt. Um in Kraft zu treten, muß das Dokument noch vom neu zu wählenden Parlament gebilligt werden. – Am 7. 5. wird in Bonn ein **Abkommen zur Rücknahme von Asylbewerbern**, deren Antrag von den deutschen Behörden abgewiesen wurde, unterzeichnet *(→ Deutschland)*. Am 25. 7. wird in Warschau ein polnisch-rumänisches Rückführungsabkommen abgeschlossen, in dem sich Rumänien zur Übernahme aller aus Deutschland nach P. abgeschobenen rumänischen Asylbewerber verpflichtet. Am 24. 8. wird eine analoge Vereinbarung mit Bulgarien unterzeichnet. Bereits am 9. 7. war ein Rückführungsabkommen mit der Slowakei vereinbart worden *(→ Slowakei)*. – Die Nationalbank gibt am 27. 8. eine **Abwertung des Zloty** gegenüber dem US-$ und den wichtigsten europäischen Währungen um 8 % bekannt.

PORTUGAL Am 26. 9. **1992** setzt Präsident *Mario Soares* ein im Juli vom Parlament verabschiedetes und am 2. 9. vom Obersten Gericht für verfassungskonform erklärtes Gesetz über die **Einschränkung des Streikrechts** in Kraft; die Regierung kann nunmehr einen Streik in wichtigen öffentlichen Sektoren wie dem Personenverkehr, der Energieversorgung und dem Gesundheitsdienst per Dekret die Einrichtung eines Notdienstes verlangen. – Bei Regionalwahlen auf **Madeira und den Azoren** am 11. 10. erreicht die regierende PSD erneut die absolute Mehrheit der Mandate. In Madeira erhält sie 39 von 55 Sitzen, die Sozialisten/PS 12; auf den Azoren gewinnt die PSD 28 der 51 Mandate, die PS 21. – Am 13. 10. tritt ein Gesetz in Kraft, das **illegalen Einwanderern**, die sich seit mehr als 6 Monaten im

Lande aufhalten und ihren Lebensunterhalt selbst verdienen, eine 4monatige Frist einräumt, um sich bei den Behörden zu melden und eine Aufenthaltserlaubnis zu erhalten. Das Gesetz kommt den rd. 100 000 Billigarbeitern zugute – meist Staatsangehörige aus den früheren afrikanischen Kolonien –, die durch den wirtschaftlichen Aufschwung P. s nach dem EG-Beitritt angelockt wurden und vorwiegend in Elendsquartieren am Rande von Großstädten leben. – Am 4. 12. tritt der Generalsekretär der **Kommunistischen Partei**/PCP, *Alvaro Cunhal*, auf eigenen Wunsch von seinem Amt zurück, das er seit 1943 faktisch und seit 1961 formell innegehabt hatte. Er wird am 6. 12. durch seinen bisherigen Stellvertreter *Carlos Carvalhas* ersetzt. – Als Präsident des neugeschaffenen Nationalen Rates der KP wird *Cunhal* weiterhin über starken Einfluß in der rd. 163 000 Mitglieder starken Partei verfügen. – Am 10. 12. billigt das Parlament mit 200 gegen 21 Stimmen von PCP und CDS das **Vertragswerk von Maastricht** *(→ Kasten Sp. 791 f.)*. – Am 5. 11. wird *José Manuel Durão Barroso* zum neuen Außenminister ernannt. Er tritt die Nachfolge von *Joao de Deus Pinheiro* an, der als EG-Kommissar nach Brüssel geht. – Mit Wirkung vom 16. 12. werden die letzten Kapitalverkehrskontrollen aufgehoben; P. erfüllt damit die Bedingungen des am 1. 1. 1993 in Kraft tretenden EG-Binnenmarktes. – Die Bank von P. führt am 21. 5. **1993** einen festen Diskontsatz ein und setzt ihn auf 13,5 % fest. – Das Parlament verabschiedet am 19. 8. ein zuvor vom Staatspräsidenten *Mario Soares* abgelehntes neues **Asylgesetz**, das die Ausweisung von Zuwanderern ohne Anrufung der Gerichte erlaubt. *Soares* kann das Inkrafttreten des Gesetzes jetzt nur noch durch Anrufung des Verfassungsgerichts verhindern.

RUANDA Trotz des von der Regierung und der Patriotischen Front Ruandas/FPR unterzeichneten Friedensabkommens *(→ WA '93, Sp. 130)* kommt es **immer wieder zu bewaffneten Auseinandersetzungen**. Ursache der Kämpfe ist ein ethnischer Konflikt zwischen dem Bauernvolk der Hutu, die mehrheitlich die Regierung stellen, und dem Nomadenvolk der Tutsi, die aus ihrem angestammten Gebiet vertrieben worden sind. – Am 31. 10. **1992** wird in Arusha (Tansania) ein **Abkommen** unterzeichnet, in dem die **Einbeziehung der FPR in die Regierung** vereinbart wird. – Ungeachtet dessen rücken am 8. 2. **1993** die FPR-Kämpfer bis auf 50 km an den Regierungssitz heran. Französische Elitetruppen, die die Regierung von Präsident *Juvénal Habyarimana* stützen, haben zusammen mit ruandischen Soldaten einen Verteidigungsring um Kigali gezogen, um sowohl die vorrückenden Aufständischen als auch Flüchtlinge von der Hauptstadt fernzuhalten. – Am 16. 3. beginnen in Arusha erneut **Frie-**

densgespräche, um sowohl eine neue Verfassung auszuarbeiten, als auch für die Rückführung der über 900000 Flüchtlinge eine Lösung zu finden. Neue Kämpfe führen mehrmals zum Abbruch der Gespräche; durch die Vermittlung des OAU-Generalsekretärs *Salim Ahmed Salim* und des tansanischen Staatschefs *Hassan Mwinyi* kommt es schließlich am 4. 8. in Arusha zur **Unterzeichnung eines** erneuten **Friedensabkommens** zwischen Staatspräsident *Habyarimana* und den beiden FPR-Rebellenführern *Alexis Kanyarengwe* und *Paul Kagame*. Die von *Habyarimana* Mitte Juli eingesetzte Ministerpräsidentin *Agathe Uwilingimana* soll so lange im Amt bleiben, bis eine von beiden Kriegsparteien gebildete Übergangsregierung ihr Amt antritt.

RUMÄNIEN   Mit Wirkung vom 10. 9. **1992** verschärft die Regierung die **Einreisebestimmungen** für Bürger von 24 Staaten, die nun für geschäftliche und private Besuche eine behördlich beglaubigte Einladung vorlegen müssen. Dies gilt v. a. für arabische Staaten und Länder der Dritten Welt; als einzige Europäer sind die Albaner davon betroffen. Ab 7. 1. 1993 müssen auch Bürger der ehemaligen UdSSR mit Ausnahme Moldaus eine beglaubigte Einladung, eine Rückfahrkarte und einen Mindestgeldbetrag pro Aufenthaltstag vorweisen. – Beim Besuch des deutschen Innenministers *Rudolf Seiters* wird am 24. 9. 1992 ein Regierungsabkommen unterzeichnet, das Deutschland die Abschiebung abgelehnter Asylbewerber aus R. erleichtert (→ *Deutschland*). – Bei den **Präsidentschafts- und Parlamentswahlen** am 27. 9. behauptet sich der bisherige Amtsinhaber *Ion Iliescu*. Er wird sowohl in der Präsidentschaftswahl am 27. 9. als auch in der Stichwahl am 11. 10. als Präsident bestätigt. Auf ihn entfielen im 1. Wahlgang 47,34% der Stimmen, auf *Emil Constantinescu* von der oppositionellen »Demokratischen Konvention«/CD 18,88%. Da keiner der beiden Kandidaten die absolute Mehrheit erzielen konnte, entschied die Stichwahl am 11. 10.: 60% für *Iliescu*, 40% für *Constantinescu*. Bei den Parlamentswahlen (Abgeordnetenhaus und Senat) wird *Iliescus* »Demokratische Front der nationalen Rettung«/FDSN, ein Sammelbecken von links-konservativen Kräften und Altkommunisten (es nennt sich im Juli 1993 in »Sozialdemokratische Partei Rumäniens« um), im Abgeordnetenhaus mit 27,7% der Stimmen und 117 Sitzen stärkste Partei. Im Senat hält sie nunmehr 28,3%. – *Iliescu* beruft am 4. 11. den parteilosen Wirtschaftsexperten *Nicolae Vacaroiu* zum neuen Ministerpräsidenten, der am 13. 11. seine **neue Regierung** vorstellt. Von den insgesamt 22 Mitgliedern gehören 12 der FDSN an; die übrigen 10 Kabinettsmitglieder sind parteilos. Die Minderheitsregierung ist im Parlament auf

die Unterstützung durch die Opposition angewiesen. Kritik ruft die Berufung mehrerer Vertreter des *Ceausescu*-Regimes (Industrieminister *Dumitru Popescu*, Wirtschaftsminister *Misu Negritoiu* und der Ministerpräsident selbst, der in führender Position im ehemaligen staatlichen Planungsausschuß tätig war) in die Regierung hervor. Am 19. 11. erhält die neue Regierung bei einer gemeinsamen Sitzung der Zustimmung beider Kammern des Parlaments. Für die Regierung stimmen 260 Senatoren und Abgeordnete, u. a. die regierende FDSN, die ehemaligen Kommunisten sowie konservative Parteien; 203 Parlamentsmitglieder stimmen gegen sie. – Der Senat lehnt auf einer Sondersitzung am 30. 10. die vom »Demokratischen Verband der Ungarn Rumäniens«/UDMR erhobene Forderung nach »territorialer Autonomie auf ethnischer Grundlage in Rumänien« als verfassungsfeindlich ab. – Mit der ehemaligen Sowjetrepublik **Moldau** wird am 27. 11. ein gemeinsamer Parlamentsausschuß geschaffen, der die rechtlichen Grundlagen für die wirtschaftliche, kulturelle und geistige Integration schaffen soll. – Am 1. 2. **1993** wird in Brüssel ein Abkommen über die **Assoziierung Rumäniens an die EG** unterzeichnet. Der »Europa-Vertrag« sieht vor, daß beide Seiten innerhalb von 10 Jahren eine Freihandelszone errichten.

RUSSLAND

Außen- und Sicherheitspolitik: Zum Abschluß eines 3tägigen Besuchs von Bundeskanzler *Helmut Kohl* unterzeichnen *Kohl* und Präsident *Boris Jelzin* am 16. 12. **1992** in Moskau ein Abkommen, das die zinslose Stundung der russischen Schulden aus sog. Transferrubelgeschäften in Höhe von 17,6 Mrd. DM bis zum Jahr 2000 vorsieht; Moskau verpflichtet sich, den Abzug der ehem. Sowjettruppen aus der ehem. DDR bereits bis zum 31. 8. 1993 abzuschließen und erhält zum Wohnungsbau für die heimkehrenden Soldaten die zu den bisher vereinbarten 7,8 Mrd. DM weitere 550 Mio. DM. – Die Präsidenten der USA und Rußlands, *George Bush* und *Boris Jelzin*, unterzeichnen am 3. 1. **1993** in Moskau den **START-II-Vertrag** über eine weitere Reduzierung der strategischen Atomwaffen (→ *Sp. 157*). Am 4. 11. 1992 hatte der Oberste Sowjet mit 157 gegen eine Stimme bei 26 Enthaltungen den US-amerikanisch-sowjetischen START-Vertrag (→ *WA '92, Sp. 149f.*) ratifiziert. – Ministerpräsident *Viktor Tschernomyrdin* und sein ukrainischer Amtskollege *Leonid Kutschma* unterzeichnen am 14. 1. 1993 in Moskau mehrere Abkommen zur Verbesserung der wirtschaftlichen Beziehungen. Die Grenze zwischen beiden Staaten wird seit dem 1. 1. durch 64 Zollstationen markiert. Wichtigstes Ergebnis des Gipfeltreffens des ukrainischen Präsidenten *Leonid Krawtschuk* mit seinem russischen Amtskollegen *Jelzin* am 15. 1. in Moskau ist die von *Krawtschuk* schon lange geforderte Sicherheitsgarantie; Rußland sichert mündlich zu, die Ukraine vor einem Atomangriff zu schützen und die Unverletzlichkeit ihrer Grenzen zu garantieren. Damit ist eine wesentliche Forderung der Ukraine zur Ratifizierung des START-Vertrags erfüllt. – Während des Besuchs des mongolischen Präsidenten *Punsalmaagiyn Otschirbat* in Moskau wird am 20. 1. ein russischmongolischer Vertrag über Freundschaft und Zusammenarbeit unterzeichnet. – Der Oberste Sowjet lehnt am 21. 1. die Ratifizierung des russisch-ungarischen Freundschaftsvertrags von 1991 ab; die Präambel des Vertrags enthält eine Entschuldigung für den Einmarsch sowjetischer Truppen in Ungarn 1956. – Nach einem Mitte Februar 1993 zwischen Vertretern Rußlands und der USA geschlossenen Abkommen erhalten die USA 500 t Uran aus abgebauten ehemals sowjetischen Atomsprengköpfen; die Erlöse sollen zwischen Kasachstan, Rußland, der Ukraine und Weißrußland geteilt werden. – Der kasachische und der russische Präsident, *Nursultan Nasarbajew* und *Jelzin*, vereinbaren am 27. 2. bei Moskau eine engere Zusammenarbeit in Verteidigungs-, Finanz-, Kredit- und Zollpolitik; der Rubel soll gemeinsame Währung bleiben. – Regierungsvertreter von 12 der 15 ehem. Sowjetrepubliken (Armenien, Aserbaidschan, Georgien, Kasachstan, Kirgisistan, Litauen, die Moldau, Rußland, Tadschikistan, die Ukraine, Usbekistan und Weißrußland) beschließen am 2. 3. im westsibirischen Surgut die Gründung eines gemeinsamen Erdölund Erdgasrats; dieser soll v. a. Investitionen im Bereich der Energiewirtschaft koordinieren. Estland, Lettland und Turkmenistan schließen sich dem Abkommen nicht an. – Die im Pariser Club zusammengeschlossenen staatlichen Gläubiger und der russische stellv. Ministerpräsident *Alexander Schonin* unterzeichnen am 2. 4. in Paris ein Abkommen, das eine 10jährige Umschuldung der auf 70–80 Mrd. US-$ geschätzten Auslandsschulden der ehemaligen UdSSR vorsieht. Zuvor hatten sich die Ukraine und Rußland darauf geeinigt, daß Rußland gegenüber den internationalen Gläubigern alleiniger Schuldner wird. Am 3. 8. vereinbaren Rußland und die im Londoner Club zusammengefaßten privaten Geschäftsbanken eine Tilgungsstreckung der Gesamtverbindlichkeiten von 24 Mrd. US-$. – USAußenminister *Warren Christopher* teilt am 14. 4. in Tokio mit, daß die USA ihre von US-Präsident *Bill Clinton* beim Gipfeltreffen mit dem russischen Präsidenten *Jelzin* in Vancouver (Kanada) vom 3.–4. 4. zugesagte Soforthilfe zur Unterstützung von *Jelzins* Reformen von 1,6 Mrd. auf 3,4 Mrd. US-$ erhöhen wollen. – Auf dem Weltwirtschaftsgipfel vom 7.–9. 7. in Tokio sagen die Staats- und Regierungschefs der sieben führenden Industrieländer (G–7)

Präsident *Jelzin* die bereits am 15. 4. von den Außen- und Finanzministern der G–7-Länder angekündigten Finanzhilfen von 43,4 Mrd. US-$ zu, darunter nur 3 Mrd. US-$ neue Mittel; außerdem werden weitere 3 Mrd. US-$ für die Unterstützung bei der Privatisierung russischer Staatsbetriebe gebilligt, darunter 2 Mrd. US-$ neue Mittel. – Der Oberste Sowjet verabschiedet am 9. 7. mit 160 Stimmen bei einer Enthaltung eine Resolution, die das ukrainische Sewastopol auf der Krim, den Hauptstützpunkt der ehem. sowjetischen Schwarzmeerflotte, zur russischen Stadt erklärt. Sowohl Präsident *Jelzin* als auch sein ukrainischer Amtskollege *Krawtschuk* kritisieren den Beschluß scharf. – *Jelzin* und *Krawtschuk*, die am 17. 6. ein Abkommen über die Aufteilung der umstrittenen Schwarzmeerflotte unterzeichnet hatten, vereinbaren am 3. 9., daß Rußland die ukrainische Hälfte der Flotte kauft und die Flottenstützpunkte auf ukrainischem Territorium pachtet (→ *Ukraine*).

Innenpolitik: Präsident *Boris Jelzin* gibt am 18. 9. **1992** auf Druck des IWF vorzeitig die Preise für Erdöl- und Erdölprodukte frei; die anderen Energiepreise werden um 30–50 % angehoben. – Präsident *Jelzin* erlaubt am 2. 10. per Dekret erstmals privaten Landerwerb; mit der Versteigerung von Grundstücken im Bezirk Ramenskoje bei Moskau sollen Bewertungskriterien für staatlichen Grundbesitz gewonnen werden. – Präsident *Jelzin*, der am 6. 10. vor dem Obersten Sowjet die Reformpolitik der Regierung unter Ministerpräsident *Jegor Gaidar* verteidigt, räumt Fehler bei den Wirtschaftsreformen ein und kündigt Korrekturen an. – Zur besseren Einbindung in die Regierungspolitik ernennt Präsident *Jelzin* am 17. 11. den Direktor der dem Parlament unterstellten Zentralbank, *Viktor Geraschtschenko*, zum Regierungsmitglied; Ministerpräsident *Gaidar* und andere Vertreter des Reformkurses hatten *Geraschtschenko* mehrfach vorgeworfen, die Politik des knappen Geldes und die Sparanstrengungen der Regierung zu unterlaufen und die Inflation anzuheizen. – Ministerpräsident *Gaidar*, der am 26. 11. im Obersten Sowjet ein an den Prinzipien der Marktwirtschaft orientiertes Antikrisenprogramm für die Wirtschaft vorstellt, will zwar u. a. wichtige Betriebe und Branchen mit Subventionen unterstützen und den sozialen Schutz der Bevölkerung verbessern, aber in bezug auf die Kernpunkte der Wirtschaftsreformen ist *Gaidar* nicht zu einem Kompromiß bereit. Der Oberste Sowjet, der noch am 20. 11. mit 137 gegen 8 Stimmen für die Unterstützung von *Jelzins* Reformkurs gestimmt hatte, fordert Nachbesserungen beim Antikrisenprogramm; das Konzept wird jedoch grundsätzlich angenommen und die Regierung mit der Überarbeitung beauftragt. – Nach dem Urteil des Verfas

Die wichtigsten Bestimmungen des START-II-Vertrags

Der am 3.1.1993 vom russischen Präsidenten *Boris Jelzin* und von US-Präsident *George Bush* unterzeichnete START-II-Vertrag sieht vor, daß Rußland und die USA die Gesamtzahl ihrer strategischen Atomgefechtsköpfe auf ballistischen Interkontinentalraketen sowie auf see- und luftgestützten ballistischen Raketen bis zum 1.1.2003 von rund 11 000 auf 3000 (Rußland) bzw. von rund 10 000 auf 3500 (USA) verringern. Nach dem Vertrag werden die destabilisierendsten strategischen Waffen, die landgestützten Interkontinentalraketen mit Mehrfachsprengköpfen, beseitigt und die bestehenden Bestände an strategischen Atomwaffen beider Staaten um rund zwei Drittel abgebaut. Falls Rußland finanziell dazu in der Lage ist, sollen die Bestimmungen des START-II-Vertrags bereits bis zum Jahr 2000 erfüllt werden. Die auf dem Territorium Kasachstans, der Ukraine und Weißrußlands stationierten Atomwaffen sind nicht Bestandteil des START-II-Vertrags; sie sollen nach den Bestimmungen des am 31.7.1991 vom damaligen sowjetischen Präsidenten *Michail Gorbatschow* und von US-Präsident *George Bush* unterzeichneten START-Vertrags (meist als START-I-Vertrag bezeichnet; → WA '92, Sp. 149f) entweder vernichtet oder an Rußland übergeben werden. Voraussetzung für die Umsetzung des START-II-Vertrags ist die Ratifizierung des START-Vertrags durch alle beteiligten Staaten. Diesen haben bisher die USA, Rußland, Kasachstan und Weißrußland ratifiziert, nicht aber die Ukraine. Im einzelnen sieht der START-II-Vertrag vor:

▷ Alle ballistischen Interkontinentalraketen mit Mehrfachsprengköpfen werden vernichtet.
▷ Jede Seite reduziert die Zahl der Atomsprengköpfe auf seegestützten ballistischen Raketen auf 1700 bis 1750.
▷ Die schweren Bomber beider Seiten dürfen mit 750 bis 1250 Sprengköpfen auf Kurzstreckenraketen und Marschflugkörpern sowie Atombomben ausgerüstet werden. Eingeführt wird damit ein grundsätzlich neuer Berechnungsmodus.
▷ Jede Seite kann die Zahl der Sprengköpfe, die von ballistischen Interkontinentalraketen mit Mehrfachsprengköpfen getragen werden, bis auf einen reduzieren; ausgenommen hiervon sind die schweren ballistischen Interkontinentalraketen. Rußland hat das Recht, 105 der bisher mit 6 Sprengköpfen versehenen SS-19-Raketen zu Einzelträgern umzubauen.
▷ Die Startanlagen für die Interkontinentalraketen können zur Stationierung von Raketen mit Einfachsprengköpfen umgerüstet werden. Rußland hat also die Möglichkeit, die Silos der schweren ballistischen Interkontinentalraketen für Raketen mit einem Sprengkopf umzurüsten.
▷ Jede Seite hat das Recht, bis zu 100 schwere Bomber für die Erfüllung nichtatomarer Aufgaben umzurüsten. Diese werden bei den festgelegten Obergrenzen nicht angerechnet.
▷ Vorgesehen ist die Verwirklichung des START-II-Vertrags in 2 Etappen. Binnen 7 Jahren nach Inkrafttreten soll jede Seite die Gesamtzahl ihrer Atomsprengköpfe auf 3800 bis 4250 verringern; auf keiner Seite soll die Zahl der Sprengköpfe auf ballistischen Interkontinentalraketen mit Mehrfachsprengköpfen, auf schweren ballistischen Interkontinentalraketen und auf seegestützten ballistischen Raketen 1200, 650 bzw. 2160 übersteigen. In der 2. Etappe bis 1.1.2003 reduzieren beide Seiten ihr strategisches Atomwaffenarsenal entsprechend den vertraglich festgelegten Obergrenzen.

sungsgerichts vom 30.11. ist *Jelzins* **Verbot der KPdSU** und damit auch der rechtlich als Unterorganisation der KPdSU geltenden KP Rußlands von 1991 in bezug auf Führungsgremien und Enteignung des Parteibesitzes **verfassungsgemäß**; verfassungswidrig waren jedoch Verbot und Enteignung der Basisparteiorganisationen auf lokaler Ebene. Das Verfahren zur Überprüfung der Verfassungsmäßigkeit der KPdSU wird eingestellt. – Der **7. Kongreß der Volksdeputierten** vom 1.–14.12. in Moskau ist geprägt von Auseinandersetzungen über die unterschiedlichen politischen und wirtschaftlichen Reformvorstellungen. Am 5.12. nehmen die Deputierten mit 471 gegen 284 Stimmen eine Resolution an, in der die Wirtschaftsreform der Regierung als nicht zufriedenstellend kritisiert wird; sie stehe im Widerspruch zu den Interessen der Mehrheit der Bevölkerung; gefordert wird u.a. mehr staatliche Regulierung der Wirtschaft. Mit 690 gegen 134 Stimmen verfehlt das vom Obersten Sowjet am 13.11. mit großer Mehrheit verabschiedete Regierungsgesetz, das *Jelzin* das Recht auf alleinige Regierungsbildung nehmen sollte und das Kabinett sowohl dem Präsidenten als auch dem Parlament rechenschaftspflichtig gemacht hätte, am 5.12. die erforderliche Zweidrittelmehrheit um 4 Stimmen.

Die Deputierten lehnen am 9. 12. die Wiederwahl des von *Jelzin* am Vortag zum neuen Regierungschef nominierten *Gaidar* ab; *Gaidar* war nicht bereit, von den Grundsätzen seiner Reformpolitik abzurücken. Nach seiner Niederlage kündigt Jelzin am 10. 12. eine Volksabstimmung über die Machtverteilung zwischen dem Präsidenten und den beiden mehrheitlich von Nationalisten und Altkommunisten beherrschten Legislativen (Kongreß der Volksdeputierten und Oberster Sowjet) an. Nach dem am 12. 12. unter Vermittlung des Obersten Verfassungsrichters *Walerij Sorkin* von Präsident *Jelzin* und Parlamentspräsident *Chasbulatow*, dem entschiedensten politischen Gegner *Jelzins*, ausgehandelten und vom Kongreß mit 541 gegen 98 Stimmen bei 67 Enthaltungen gebilligten Kompromiß wird der Ministerpräsident unter Beteiligung von Präsident und Volksdeputierten in einem mehrstufigen Verfahren ernannt und am 11. 4. ein Referendum über die Grundlagen einer neuen Verfassung abgehalten; die in den vergangenen Tagen zum Nachteil *Jelzins* vom Kongreß beschlossenen Verfassungsänderungen werden aufgehoben. Von den 5 von *Jelzin* aus den 17 vom Kongreß vorgeschlagenen Kandidaten für den Regierungschef erhalten in einer Vorabstimmung *Jurij Skokow*, *Viktor Tschernomyrdin* und *Jegor Gaidar* mit 637, 621 bzw. 400 Stimmen von den Deputierten die meisten Stimmen. Am 14. 12. wählen die Volksdeputierten den von *Jelzin* nominierten *Tschernomyrdin*, einen Vertreter der staatlichen Großindustrie, mit 721 gegen 172 Stimmen bei 48 Enthaltungen zum **neuen Ministerpräsidenten**; die formelle Ernennung durch *Jelzin* erfolgt am 17. 12. Damit ist die Staatskrise vorerst beigelegt. *Jelzin* behält zunächst das Recht, die Minister ohne Zustimmung des Parlaments zu ernennen und Wirtschaftsreformen per Dekret zu verfügen. – Nach *Jelzins* Verzicht auf eine erneute Nominierung *Gaidars* zum Ministerpräsidenten verzichtet dieser auf jede Mitarbeit in der neuen Regierung. In dem von *Jelzin* am 23. 12. per Dekret bestätigten neuen Kabinett bleiben jedoch die meisten Reformer der Regierung *Gaidar* im Amt. *Tschernomyrdin* spricht sich für eine Fortsetzung des Reformkurses bei stärkerer Berücksichtigung des sozialen Bereichs aus; die Großindustrie soll eine zentrale Rolle beim gesamtwirtschaftlichen Aufschwung übernehmen. *Tschernomyrdin*, der die Senkung der Inflationsrate (1992: 2500%) als eine der wichtigsten Aufgaben der neuen Regierung bezeichnet, tritt für eine strenge Geld- und Kreditpolitik ein. Die von ihm am 31. 12. im klaren Widerspruch zum Reformkurs seines Amtsvorgängers *Gaidar* verfügte Wiedereinführung staatlich festgelegter Preise, v. a. für Grundnahrungsmittel, wird am 17. 1. 1993 von der Regierung aufgehoben. – Am 1. 1. **1993** tritt ein neues Krankenversicherungssystem in Kraft; danach ist die medizinische Versorgung nur noch in bestimmten Fällen (u. a. Infektionskrankheiten, psychische Krankheiten, Krebs sowie die Versorgung von Mutter und Kind) kostenlos. – Der Oberste Sowjet beschließt am 11. 1. die Erhöhung der Mindestrenten auf durchschnittlich 4275 Rubel monatlich; erst im Oktober 1992 waren sie auf 2250 Rubel erhöht worden. – Der Machtkampf zwischen Präsident *Jelzin* und den Legislativen geht in den folgenden Monaten weiter. Führende Vertreter der Linkskonservativen, darunter Parlamentspräsident *Chasbulatow* am 16. 1. 1993, stellen das geplante Verfassungsreferendum über die Machtverteilung zwischen den Staatsorganen und damit den im Dezember 1992 erzielten Kompromiß in Frage. Mehrere Treffen eines »Runden Tisches« zwischen 5. 2. 1993 und 9. 3., bei denen Vertreter aller Parteien und gesellschaftlicher Organisationen, der Industrie, der Armee und der Arbeiterorganisationen über Wege aus der wirtschaftlichen und politischen Krise beraten, enden ergebnislos. – Das Verfassungsgericht hebt am 12. 2. das von *Jelzin* am 28. 10. 1992 verfügte Verbot des von nationalistischen und kommunistischen Parteien am 24. 10. in Moskau gegründeten Oppositionsbündnisses »Front der Nationalen Rettung« auf; Ziel der Rettungsfront ist der Sturz des Präsidenten und der Regierung. – An dem »Wiederherstellungs- und Vereinigungskongreß« der **KP Rußlands** vom 13.–14. 2. 1993 bei Moskau nehmen u. a. die Anführer des gescheiterten Putsches vom August 1991 teil. Nach Angaben von *Valentin Kupzow*, Führungsmitglied der russischen KP, geht es um die Rehabilitation der kommunistischen Bewegung. – Der Oberste Sowjet beschließt am 18. 2. die Streichung von Verbannung und Zwangsarbeit aus dem Strafgesetzbuch. – Nach dem vom Präsident *Jelzin* am 23. 2. unterzeichneten Wehrdienstgesetz ist erstmals auch ein **ziviler Ersatzdienst** anstelle des Wehrdienstes möglich. – Am 23. 2., dem »Tag der Verteidiger des Vaterlandes«, früher der »Tag der Sowjetarmee«, demonstrieren in Moskau nach Polizeiangaben 50 000, nach Angaben der Veranstalter 150 000 Menschen gegen die Politik *Jelzins* und der Regierung. – Seit dem 1. 3. können Bürger, die einen russischen Paß besitzen, **ohne Visum ausreisen**; ausgenommen sind Geheimnisträger. – Der **8. außerordentliche Kongreß der Volksdeputierten** vom 10.–13. 3. in Moskau **endet mit** einer **weitgehenden Entmachtung Jelzins**. Die Deputierten beschließen am 12. 3. die Aufhebung ihres Beschlusses vom 12. 12. 1992 über ein Verfassungsreferendum am 11. 4. 1993 und eine drastische Einschränkung der Vollmachten des Präsidenten; u. a. kann das Parlament künftig Erlasse *Jelzins* beim Verfassungsgericht anfechten und damit bis zur Überprüfung ihrer Verfassungskonformität aussetzen; dem Präsidenten wird außerdem eine Veränderung des Staatsaufbaus sowie die Auflösung gewählter Staatsorgane untersagt. Der Kongreß macht nur unbedeutende Zugeständnisse, u. a. erhält die Regierung wieder das Recht auf Gesetzesinitiative. Nach diesen Beschlüssen verläßt *Jelzin* zusammen mit den demokratischen Abgeordneten (rd. 20 % aller Delegierten) und Ministerpräsident *Tschernomyrdin* den Kongreß und kündigt ein Referendum über die Einführung eines Präsidialsystems an. Diesen Vorschlag *Jelzins* lehnen die Deputierten am 13. 3. mit 422 gegen 286 Stimmen bei 121 Enthaltungen ab und sprechen sich gegen Neuwahlen aus. Die Abgeordneten halten eine Volksbefragung generell für unzweckmäßig und gefährlich für die territoriale Integrität der Russischen Föderation. – Der Konflikt zwischen Präsident und Legislative eskaliert erneut. Nach seiner Niederlage beim 8. Volksdeputiertenkongreß kündigt Präsident *Jelzin* in einer Fernsehrede am 20. 3. zur Überwindung der Machtkrise die Einführung einer befristeten Präsidialherrschaft bis zu einem Referendum am 25. 4. über das Vertrauen zum Präsidenten, über einen Verfassungsentwurf und Neuwahlen zu einem Zweikammerparlament an. Die Regierung stellt sich am 21. 3. bis auf Justizminister *Nikolaj Fjodorow*, der am 24. 3. zurücktritt, hinter *Jelzin*. Nach dem Urteil des vom Obersten Sowjet angerufenen Verfassungsgerichts vom 23. 3. verstößt *Jelzin* mit der Einführung einer Präsidialverwaltung teilweise gegen das Prinzip der Gewaltenteilung und den Föderationsvertrag; das Gericht erklärt aber ein Referendum über die Vertrauensfrage für zulässig. – Der **9. außerordentlichen Kongreß der Volksdeputierten** findet vom 26.–29. 3. in Moskau statt. Ein Antrag auf **Amtsenthebung des Präsidenten** *Jelzin* am 28. 3. **scheitert** mit 617 gegen 268 Stimmen; zur erforderlichen Zweidrittelmehrheit fehlen 72 Stimmen. Für die Amtsenthebung von Parlamentspräsident *Chasbulatow* sprechen sich 339 Deputierte aus, 588 dagegen. Zuvor hatten die Deputierten mit 687 gegen 130 Stimmen einen von *Jelzin* und *Chasbulatow* am Vortag ausgehandelten Kompromißvorschlag zur Lösung der Verfassungskrise abgelehnt, der für den 22. 11. Neuwahlen zu einem Zweikammerparlament (also Auflösung von Kongreß der Volksdeputierten und Oberstem Sowjet) und des Präsidenten sowie *Jelzins* Verzicht auf ein Referendum vorsah. Mit den Beschlüssen vom 29. 3. werden *Jelzins* Vollmachten weiter eingeschränkt und einige Erlasse des Präsidenten aufgehoben; u. a. wird ein Dekret *Jelzins* von 1991 für ungültig erklärt, mit dieser in allen Regionen ihm unterstehende Vertreter zur Durchsetzung seiner Wirtschaftsreformen eingesetzt hatte. *Jelzin* wird aufgefordert, alle von ihm geschaffenen, nicht in der Verfassung vorgese-

henen Institutionen, v. a. also den von Jelzin am 4. 3. 1992 als einflußreichstes Beratungsorgan gegründeten Sicherheitsrat, dem Parlament zu unterstellen. Zugleich stimmt der Kongreß einem Referendum am 25. 4. 1993 zu; im Gegensatz zu *Jelzins* wiederholter Forderung beinhalten die von den Deputierten formulierten 4 Fragen jedoch keine Volksabstimmung über eine neue Verfassung, die keinen Kongreß der Volksdeputierten mehr vorsieht. – Vom 26.–29. 3. findet in Moskau der 29. Parteitag der wiedergegründeten KPdSU statt; der 28. Parteitag hatte im Juli 1990 stattgefunden. *Oleg Schenin*, Teilnehmer am Augustputsch von 1991, wird zum Vorsitzenden gewählt. – Der Oberste Sowjet ratifiziert am 15. 4. das am 22. 1. beim 8. GUS-Gipfeltreffen angenommene GUS-Statut. – **Bei** dem **Referendum** am 25. 4. **sprechen** 58,7 % der **Teilnehmer Präsident** *Jelzin* das **Vertrauen aus;** überraschend **billigen** 53,0 % der Teilnehmer die **Wirtschafts- und Sozialpolitik** der Regierung und des Präsidenten seit 1992. **Vorgezogene Wahlen des Präsidenten und der Volksdeputierten** werden **abgelehnt**; Neuwahlen des Präsidenten halten 49,5 % der Teilnehmer bzw. 31,7 % der Wahlberechtigten für erforderlich, für Neuwahlen der Volksdeputierten sprechen sich 67 % der Teilnehmer bzw. 43,1 % der Wahlberechtigten aus (Stimmbeteiligung: 64,1 %). Am 21. 4. hatte das Verfassungsgericht mit 8 gegen 5 Stimmen zugunsten *Jelzins* entschieden, daß nur für die Fragen nach Neuwahlen die absolute Mehrheit der 107,3 Mio. Wahlberechtigten erforderlich ist; für die Annahme der anderen beiden Fragen reicht eine Mehrheit der abgegebenen Stimmen aus. Die Volksdeputierten hatten dagegen am 29. 3. die Annahme aller 4 Fragen jeweils von der Zustimmung von mehr als 50 % der Wahlberechtigten und einer Mindeststimmbeteiligung von 50 % abhängig gemacht. Die Republik Tschetschenien nahm an der Volksabstimmung nicht teil. – In Moskau kommt es am 1. 5. bei einer Mai-Kundgebung, zu der nationalistische und kommunistische Organisationen aufgerufen hatten, zu einer Straßenschlacht zwischen Demonstranten und Sicherheitskräften. – Das Verfassungsgericht bestätigt am 27. 5. den Beschluß des Volksdeputiertenkongresses vom 28. 3., die staatlichen Medien (Rundfunk, Fernsehen sowie die Nachrichtenagenturen Itar-Tass und RIA) parlamentarischen Überwachungsorganen zu unterstellen und das von *Jelzin* geschaffene Föderale Informationszentrum aufzulösen. Das hatte am 26. 12. 1992 per Dekret die staatlichen Medien seiner Kontrolle unterstellt. – Das Verfassungsgericht bestimmt am 31. 5. 1993, daß alle Verfügungen und Gesetze zur automatischen Indexierung von Sparguthaben jetzt verwirklicht werden müssen. – Präsident *Jelzin* ordnet am 21. 6. die Freigabe der Kohlepreise zum 1. 7. an. –

Der am 14. 4. vor dem Militärtribunal des Obersten Gerichtshofs in Moskau eröffnete Prozeß gegen die Hauptverantwortlichen des gescheiterten Putschs vom 19. 8. 1991 gegen den damaligen sowjetischen Präsidenten *Michail Gorbatschow*, darunter die 7 Mitglieder des sog. »Notstandskomitees«, wird am 7. 7. 1993 erneut vertagt; die Angeklagten haben sich wegen Verrats am Vaterland zu verantworten. – Entgegen den Empfehlungen der Regierung beschließt der Oberste Sowjet am 14. 7. die **Erhöhung der Mindestlöhne** und -gehälter mit Wirkung vom 1. 8. von monatlich 4275 auf 7740 Rubel; der bisherige Mindestlohn lag unter dem Existenzminimum. Nach Angaben vom Arbeitsminister *Melikjan* von Anfang Juni lebt ein Drittel der Bevölkerung unter der Armutsgrenze. – Das vom Obersten Sowjet am 14. 7. beschlossene Religionsgesetz sieht eine Registrierung von Religionsgemeinschaften mit Sitz im Ausland bei der Regierung vor; nicht-registrierten Kirchen und Sekten ist jede Missionsarbeit untersagt. – Nach den vom Obersten Sowjet Mitte Juli verabschiedeten Grundlagen der Bodengesetzgebung der Russischen Föderation sind als Privateigentum auch Grundstücke für den individuellen Wohnungsbau und für gewerbliche Tätigkeit erlaubt. Eine Veräußerung der Grundstücke ist frühestens nach 5 Jahren zulässig. Ausländer können Grund und Boden bis zu 99 Jahren pachten. Am 20. 11. 1992 hatte der Oberste Sowjet ein Gesetz verabschiedet, mit dem Privateigentum an kleineren Land- und Gartengrundstücken eingeführt wird; das Gesetz betrifft Millionen bewirtschafteter Parzellen mit einer Standardgröße von rd. 600 m². – Die Weltbank gewährt Rußland am 14. 8. 1993 zum Aufbau der Erdölförderung einen Kredit in Höhe von 610 Mio. US-$; dies ist der höchste Kredit, den die Weltbank bisher für ein Einzelprojekt einräumte.

Verfassungskonferenz: Präsident *Jelzin*, der schon lange auf die Verabschiedung einer neuen Verfassung drängt, ist nach seinem Teilerfolg beim Referendum vom 25. 4. **1993** entschlossen, ein neues Grundgesetz ohne den Kongreß der Volksdeputierten – nach der geltenden Verfassung von 1977 das höchste Verfassungsorgan – durchzusetzen und beruft per Dekret am 21. 5. gegen den Willen seiner Gegner eine Verfassungskonferenz für den 5. 6. ein. In weiteren Dekreten legt *Jelzin* die Zusammensetzung der rd. 760 Delegierten fest, darunter je 4 Vertreter der 89 »Subjekte der Russischen Föderation« (21 Republiken und 68 Regionen, Gebiete, Kreise sowie Städte), das 95 Mitglieder der Verfassungskommission des Obersten Sowjets, 50 Vertreter des Präsidenten und 250 Vertreter von Massenorganisationen. Bis zum 28. 5. stimmen die Chefs von 87 Föderationssubjekten *Jelzins* geplanter Verfassungskonferenz zu; den Republiken hatte

Jelzin am 26. 5. eine Stärkung ihrer Rechte gegenüber der Zentralregierung zugesagt. Die Republik Tschetschenien und ab 24. 6. auch die Republik Tatarstan nehmen an der Konferenz nicht teil. Am 10. 6. lädt *Jelzin* auch alle Abgeordneten des Obersten Sowjets zur Teilnahme an der Verfassungskonferenz ein und erklärt sich bereit, auch den Verfassungsentwurf des Obersten Sowjets zu beraten. Umstritten sind insbesondere die Machtverteilung zwischen den Staatsorganen, das Verhältnis der Föderationssubjekte zur Zentralregierung und deren unterschiedlicher Status. Die von *Jelzin* einberufene **Verfassungskonferenz billigt** am 12. 7. mit 433 gegen 62 Stimmen bei 63 Enthaltungen einen **Entwurf eines neuen Grundgesetzes**; zur Abstimmung waren nur 558 Delegierte erschienen. Der Verfassungsentwurf, dessen Bestimmungen über die weitreichenden Vollmachten des Staatschefs im wesentlichen Präsident *Jelzins* Vorschlägen folgen, sieht u. a. vor: Privateigentum auch an Grund und Boden. Volksdeputiertenkongreß und Oberster Sowjet werden von einem für 4 Jahre gewählten Zweikammerparlament (Staatsduma mit 400 Mitgliedern und Föderationsrat mit 2 Abgeordneten je Föderationssubjekt) abgelöst. Der für 4 Jahre gewählte Präsident schlägt der Staatsduma den Ministerpräsidenten sowie den Zentralbankpräsidenten und dem Föderationsrat die Kandidaten für die höchsten Richterämter zur Bestätigung vor; das Kabinett wird auf Vorschlag des Ministerpräsidenten vom Präsidenten ernannt; der Präsident kann die Staatsduma auflösen, wenn der von ihm vorgeschlagene Kandidat für das Amt des Regierungschefs nach dreimaliger Abstimmung nicht gebilligt wird; wenn die Staatsduma der Regierung das Mißtrauen ausspricht, kann der Präsident entweder die Regierung entlassen oder die Staatsduma auflösen und Neuwahlen ausschreiben. Der Präsident hat das Recht, ein Referendum anzuordnen. Eine Amtsenthebung des Präsidenten ist bei Zweidrittelmehrheit in beiden Parlamentskammern möglich. Die Republiken erhalten das Recht auf eine eigene Verfassung, eigene Staatsbürgerschaft und eigene Staatssprache; andere Verfassungsbestimmungen garantieren jedoch, daß sich daraus kein Sonderstatus der Republiken ableiten läßt und alle Bürger der Russischen Föderation auf dem gesamten Staatsgebiet dieselben Rechte haben. Unklar bleibt weiterhin, wie die neue Verfassung angenommen und in Kraft gesetzt werden soll. Als Alternativen zur Verabschiedung durch den Kongreß der Volksdeputierten werden eine Volksabstimmung, die Annahme durch eine Verfassunggebende Versammlung oder durch ein bereits nach der neuen Verfassung gewähltes Parlament diskutiert.

Privatisierung: Am 1. 10. **1992** beginnt die Privatisierung von zunächst 5500 Staatsbetrieben mit der

Ausgabe sog. »Voucher«. Bis Ende 1992 erhält jeder russische Staatsbürger unabhängig vom Alter einen Privatisierungsscheck im Wert von 10000 Rubel, der zum Erwerb von Aktien an den dann in Aktiengesellschaften umgewandelten Staatsbetrieben genutzt werden kann. Der Verkauf der Voucher ist (außer an Ausländer) zulässig. Der Gesamtwert der ausgegebenen Voucher beträgt 1,5 Bio. Rubel. Ausgeschlossen von der Privatisierung sind Energieversorgungs- und Rüstungsbetriebe, staatliche Medien und Bodenschätze. Am 5. 10. verfügt Präsident *Jelzin*, daß die Voucher auch zum Erwerb von Grundbesitz und Wohnraum berechtigen. – Die Regierung beschließt am 30. 11., die Privatisierung 1993 auch auf Betriebe aus den Bereichen Militär, Transport, Energie, Edelmetalle und Banken auszudehnen. – In einer vom Obersten Sowjet am 28. 4. **1993** verabschiedeten Resolution werden die Maßnahmen zur Privatisierung als zu weitgehend bezeichnet. – Anfang Juni überschreitet der Marktwert der Privatisierungscoupons erstmals ihren Nennwert. – Am 21. 7. beschließt der Oberste Sowjet mit großer Mehrheit, das für die Umsetzung des Privatisierungsprogramms der Regierung verantwortliche Komitee für Staatseigentum der direkten Kontrolle der Regierung zu unterstellen; der Leiter dieses Komitees, *Anatolij Tschubaijs*, bezeichnet dies als Versuch, die Privatisierung zu stoppen. – Im 1. Halbjahr 1993 wurden nach Angaben der Regierung 2621 Staatsbetriebe mit mehr als 1000 Beschäftigten privatisiert, das sind rd. 12 % aller Unternehmen. 1992 wurden nach Angaben des Privatisierungsministeriums rd. 47000 kleinere und mittlere Betriebe wie Geschäfte und Gaststätten privatisiert. – Am 6. 8. 1993 hebt der Oberste Sowjet zum 2. Mal ein Dekret von Präsident *Jelzin* zur Privatisierung auf und leitet es zur Überprüfung an das Verfassungsgericht weiter.

Finanzen/Währung: Der Obersten Sowjet verabschiedet am 22. 7. **1993** mit großer Mehrheit den **Staatshaushalt** für 1993. Bei Einnahmen von 22,3 Bio. Rubel und Ausgaben von 44,7 Bio. Rubel beträgt das Budgetdefizit 22,4 Bio. Rubel (rd. 25 % des BSP). Die im Budgetentwurf der Regierung vorgesehenen Einnahmen und Ausgaben werden damit mehr als verdoppelt; erhöht wird insb. der Militäretat. Zu den geplanten Mehreinnahmen soll eine stärkere Belastung des Außenhandels beitragen. – Die Zentralbank kündigt am 24. 7. unerwartet eine **partielle Währungsreform** an; ab 26. 7. sind alle vor 1993 ausgegebenen Rubelnoten ungültig. Nach heftigen Protesten ordnet Präsident *Jelzin* am 26. 7. per Dekret u. a. eine Erhöhung der Umtauschsumme von 35000 auf 100000 Rubel und eine Verlängerung der Umtauschfrist bis Ende August an; darüber hinaus gehende Bargeldbeträge müssen

weiterhin für 6 Monate auf ein Sperrkonto eingezahlt werden. Ziel der u. a. von Parlamentspräsident *Chasbulatow* und Finanzmininister *Boris Fjodorow* abgelehnten Maßnahme ist die Bekämpfung der Inflation und die Verhinderung des Zustroms von Bargeld nach Rußland aus anderen Staaten der Rubelzone; die russische Zentralbank hatte diesen Staaten keine Banknoten des Jahres 1993 zur Verfügung gestellt. Am 6. 8. kritisiert auch Ministerpräsident *Tschernomyrdin*, der sich zunächst hinter die Maßnahme der Zentralbank gestellt hatte, die Rubelreform. Von den noch zur Rubelzone gehörenden ehemaligen Sowjetrepubliken übernehmen Armenien, Kasachstan, Tadschikistan und Usbekistan den russischen Rubel als nationale Währung; in Georgien wird der georgische Coupon am 2. 8. zum einzigen Zahlungsmittel; Aserbaidschan setzt am 31. 8. den Beschluß, am 1. 9. die Parallelwährung Manat zum einzigen gesetzlichen Zahlungsmittel zu machen, aus; Turkmenistan und die Moldau, in der bereits Coupons als Parallelwährung umlaufen, planen die Einführung einer eigenen Währung 1. 11. bzw. bis Ende 1993; die Zentralbank Weißrußlands empfiehlt die baldige Einführung einer Nationalwährung (bisher Coupons als Parallelwährung zum Rubel). Estland, Lettland, Litauen, Kirgisistan und die Ukraine hatten die Rubelzone bereits vor der Rubelreform verlassen.

Republik Kalmückien: Die ersten Präsidentschaftswahlen in der zur Russischen Föderation gehörenden Republik Kalmückien am 11. 4. **1993** gewinnt mit über 65 % der Stimmen der Industrielle und Millionär *Kirsan Iljumschinow*, *Walerij Otschirow*, ein früherer KP-Chef und Generalmajor, erhält 29 %. *Iljumschinow* tritt für radikale marktwirtschaftliche Reformen ein.

Republik Mordwinien: Der Oberste Sowjet der zur Russischen Föderation gehörenden Republik Mordwinien beschließt am 4. 4. **1993** mit 116 von 153 Stimmen die Abschaffung des Präsidentenamts in der Republik und damit indirekt die Absetzung des reformfreundlichen, vom Volk gewählten mordwinischen Präsidenten *Wassilij Gusljannikow*. Das Dekret des russischen Präsidenten *Jelzin* vom 8. 4. über die Wiedereinsetzung des mordwinischen Präsidenten wird am 27. 4. vom russischen Obersten Sowjet aufgehoben. Nach dem Urteil des russischen Verfassungsgerichts vom 3. 6. ist der Beschluß des mordwinischen Obersten Sowjets nicht verfassungswidrig.

Republik Tschetschenien: Nach der Intervention Rußlands im Konflikt zwischen Nordosseten und Inguschen verhängt der Präsident der Kaukasusrepublik Tschetschenien, *Dschochar Dudajew*, am

Nationalitätenkonflikt im Nordkaukasus

Am 31. 10. **1992** beginnen erneut blutige Auseinandersetzungen zwischen Inguschen und Osseten um die ehemaligen inguschischen Siedlungsgebiete in der zur Russischen Föderation gehörenden Republik Nordossetien. Die Kämpfe, die v. a. nahe der nordossetischen Hauptstadt Wladikawkas stattfinden, fordern innerhalb weniger Tage über 200 Menschenleben. Die Inguschen waren 1944 neben anderen nordkaukasischen Volksgruppen von *Stalin* wegen angeblicher Kollaboration mit der Deutschen aus ihrer Heimat deportiert worden; ein Teil ihres Siedlungsgebiets – 39 Dörfer im Prigorodnij-Bezirk bei Wladikawkas und Teile der Region Malgobek – wurde Nordossetien zugesprochen und blieb 1957, nach der Rückkehr der Inguschen, nordossetisch. Die Inguschen gaben ihre Gebietsansprüche nie auf. Der Territorialkonflikt hatte bereits früher, v. a. 1973 und 1982, zu schweren Auseinandersetzungen geführt. – Der russische Präsident *Boris Jelzin* verhängt am 2. 11. 1992 über die Republiken Nordossetien und Inguschetien den Ausnahmezustand und verfügt die Einsetzung einer direkten Übergangsverwaltung im Krisengebiet unter dem russischen Vizeministerpräsidenten *Georgij Chischa* und ab 10. 11. unter dem am 5. 11. zum neuen Vorsitzenden des Staatskomitees für Nationalitätenfragen ernannten *Sergej Schachraj*. Der nordossetische Oberste Sowjet billigt diese Maßnahme. In die Konfliktzone am 1. 11. entsandte russische Truppen (3000 Mann) beziehen in Nordossetien und am 10. 11. auch in Inguschetien Stellung; wegen der andauernden Kämpfe versetzt *Schachraj* die russischen Truppen am 17. 11. in Gefechtsbereitschaft. Inguschen und Tschetschenen, aber auch die Untersuchungskommission des russischen Obersten Sowjets, beschuldigen die russischen Soldaten, Partei für die Osseten zu ergreifen. – Schwierigster Punkt der am 15. 1. **1993** aufgenommenen Verhandlungen zwischen den Konfliktparteien ist die Rückkehr der bei den Auseinandersetzungen aus Nordossetien vertriebenen Inguschen; die Inguschen sprechen von 70000 Flüchtlingen, die Osseten von höchstens 32000. – Die Republik Inguschetien, durch ein vom russischen Obersten Sowjet verabschiedetes Gesetz am 4. 6. 1992 gegründet, hat noch kein definiertes Territorium. Die Inguschen, die bisher mit den Tschetschenen in der Republik Tschetscheno-Inguschetien lebten, wollen im Gegensatz zu den Tschetschenen in der Russischen Föderation bleiben. Am 28. 2. 1993 wird General *Ruslan Auschew* mit 99,4% der Stimmen ohne Gegenkandidaten zum 1. Präsidenten der Republik Inguschetien gewählt (Wahlbeteiligung: 97,2%). – Präsident *Jelzin* verlängert am 28. 7. erneut den Ausnahmezustand in der Konfliktzone um 2 Monate; der russische Oberste Sowjet billigt diese Entscheidung. Die russischen Truppen werden um 5000 Mann verstärkt. – *Viktor Poljanitschko*, von Präsident *Jelzin* im Juli zum neuen Chef der Übergangsverwaltung für Nordossetien eingesetzt, und der Militärkommandeur von Wladikawkas fallen am 1. 8. in dem zwischen Osseten und Inguschen umstrittenen Gebiet einem Attentat zum Opfer. 2 Tage später ordnet *Jelzin* die Entwaffnung der illegalen bewaffneten Gruppen in Nordossetien und Inguschetien an.

---

10. 11. **1992** den Ausnahmezustand über die Republik; er fordert den Rückzug der russischen Truppen aus Inguschetien. Das Parlament in der tschetschenischen Hauptstadt Grosny hebt den Ausnahmezustand im Februar **1993** auf. Die auf dem Gebiet der Russischen Föderation/RF liegende Republik Tschetschenien hat den Föderationsvertrag nicht unterzeichnet und betrachtet sich als unabhängige Republik außerhalb der Russischen Föderation. – Bei einem Referendum Anfang März sprechen sich über 90 % der Teilnehmer für die von Präsident *Dudajew* gewünschte und vom Parlament in Grosny abgelehnte Erweiterung der Vollmachten des Staatschefs aus; die Stimmbeteiligung liegt unter 10 %. – Nach wochenlangen Protesten der Bevölkerung gegen Präsident *Dudajew* und dem Beschluß des tschetschenischen Parlaments, ein Amtsenthebungsverfahren gegen den Präsidenten einzuleiten, löst *Dudajew* am 17. 4. das Parlament in Grosny auf, verfügt eine Präsidialherrschaft und verhängt über Grosny eine Ausgangssperre; die Regierung wird entlassen und der bisherige Vizeministerpräsident *Mahirbek Mugadejew* mit der Regierungsneubildung beauftragt. Die Demonstranten und die Opposition hatten Neuwahlen und Maßnahmen gegen die Wirtschaftskrise gefordert. Nach der vom tschetschenischen Verfassungsgericht für verfassungswidrig erklärten Parlamentsauflösung finden fast täglich von der Opposition veranstaltete Protestkundgebungen in Grosny statt. Blutige Zusammenstöße zwischen Anhängern und Gegnern von Präsident *Dudajew* am 4. 6. fordern mind. 14 Men-

schenleben. Am folgenden Tag wird ein von der Opposition geplantes Referendum über Präsidentschafts- und Parlamentsneuwahlen und über die Abschaffung des Präsidentenamts abgesagt. – Anfang August kommt es zu blutigen Auseinandersetzungen zwischen tschetschenischen Regierungstruppen und Einheiten der Region Nadtereschni. Die zur Republik Tschetschenien gehörende, nach Unabhängigkeit strebende **Region Nadtereschni** hatte im Juni die Abspaltung von Tschetschenien beschlossen.

SAMBIA In der Bevölkerung breitet sich zunehmend **Unzufriedenheit über die** von Präsident *Frederick Chiluba* in Angriff genommenen **Wirtschaftsreformen** aus. Die Regierung hatte dem Internationalen Währungsfonds/IWF sowie der Weltbank u. a. den Abbau von Preiskontrollen, die Abwertung der Landeswährung, die Privatisierung von Staatsbetrieben und die Straffung des Verwaltungsapparats zugesagt. Die **Privatisierung** soll einen **Stellenabbau** bis zu 50 % mit sich bringen. Hinzu kommt die bislang **schwerste Dürre** in diesem Jahrhundert; der Preis für Grundnahrungsmittel steigt bis zur Jahreswende 1992/93 um mehrere 100 %. – *Kenneth David Kaunda* legt am 27. 9. **1992** – 11 Monate nach seiner Abwahl als Präsident – den Vorsitz der »United National Independence Party«/UNIP nieder. Nachfolger wird am 1. 10. *Kebby Sililo Kabulu Musokotwane*, der 1985–89 unter *Kaunda* Ministerpräsident war. – Anfang März **1993** werden **Pläne für den Sturz der Regierung** aufgedeckt. Drahtzieher war angeblich der Sohn *Kaunda*s; sowohl der Iran als auch der Irak sollen daran beteiligt gewesen sein. Staatspräsident *Chiluba* verhängt am 4. 3. (bis zum 25. 5.) den **Ausnahmezustand** und läßt 20 führende Oppositionspolitiker verhaften. Am 11. 3. bricht die Regierung die diplomatischen Beziehungen zu Iran und zu Irak ab.

SCHWEDEN Regierung und sozialdemokratische Opposition einigen sich angesichts einer Banken- und Währungskrise am 20. 9. **1992** auf ein **Sparprogramm** zur Stabilisierung von Wirtschaft und Währung, das Steuererhöhungen, Einsparungen und Kürzungen der Sozialleistungen im Umfang von 40 Mrd. skr (= 2 % des BSP) vorsieht *(zur Wirtschaftslage → Kap. »Wirtschaft«).* Am 30. 9. verabschieden sie ein zweites Sparpaket, das die Lohnnebenkosten um 4 % reduziert (die Arbeitgeber hatten 7 % verlangt) und die Streichung von 2 bezahlten Urlaubstagen von insgesamt 25 vorsieht und damit insbes. die Privatwirtschaft entlastet. Ein neuerlicher Versuch der Regierung, die **Währungskrise** am 18. 11. durch ein weiteres Sparpaket zu entschärfen, bleibt erfolglos. Die Reichsbank hebt den Leitzins von 11,5 auf 20 % an, um den Devisenabfluß, der in den letzten 6 Tagen rd. 160 Mrd. skr erreicht hatte, zu stoppen. Da die Parität der Krone gegenüber dem ECU nicht mehr zu verteidigen ist, gibt die Reichsbank am 19. 11. den Kurs frei, der seit Mai 1991 einseitig an den ECU gebunden war, und nimmt den Leitzins auf 12,5 % zurück. Dies führt zu einer Abwertung der skr um rd. 11 %. Am 11. 1. **1993** teilt Finanzministerin *Anne Wibble* mit, im Finanzjahr 1992/93 sei statt des von ihr vor einem Jahr geschätzten Fehlbetrags von 70,8 Mrd. skr ein Defizit von 198,3 Mrd. skr (= 15,4 % des BIP) zu erwarten. Der zugleich vorgelegte **Haushaltsentwurf** für 1993/94 sieht bei Ausgaben von 520,7 Mrd. skr (1992/93: 579,5 Mrd.) ein Defizit von 162,3 Mrd. vor. Eine von der Regierung eingesetzte Expertenkommission legt am 9. 3. Vorschläge für eine **Wirtschaftsreform** vor: flexiblere Arbeitsmarktgestaltung (u. a. durch leistungsbezogene Löhne und höhere Arbeitnehmerbeiträge) zur Sozialversicherung sowie Abschaffung der bisher von den Tarifpartnern bestellten Gerichte, darunter das Arbeitsgericht), Privatisierung der Unfall- und Krankenversicherung und Übernahme notleidender Banken durch den Staat. Am 17. 3. spricht der Reichstag der Regierung *Bildt* mit 172 gegen 154 Stimmen das Vertrauen aus und billigt damit die Richtlinien der Wirtschaftspolitik sowie den Budgetrahmen für 1993/94. Die 23 Abgeordneten der »Neuen Demokratie«/ND enthalten sich der Stimme. Am 2. 4. billigt der Reichstag mit den Stimmen der Koalition und der ND (184 gegen 144) die Begrenzung des Arbeitslosengeldes auf 80 % des Lohns und die Einführung von 5 Karenztagen, was das Defizit um 7 Mrd. skr verringern soll. Die Arbeitslosenquote steigt im Juli 1993 auf 9,6 %. – Am 17. 9. 1992 legt die Aufsichtsbehörde für die Atomkraft (SKI) 5 von 12 Reaktoren, die bisher 15 % der Elektrizität des Landes produzierten, wegen schwerer Mängel am Kühlsystem still. – Am 18. 11. stimmt der Reichstag mit 308 gegen 13 Stimmen bei 6 Enthaltungen dem **EWR-Vertrag** zu *(→ Kasten Sp. 799).* – Ende Oktober einigt sich die Regierung mit den 17 000 **Saamen** (Lappen) Nordschwedens über eine **Autonomie**. Die Saamen sollen in Kiruna ein eigenes Parlament und von der Regierung in Stockholm jährlich 11,5 Mio. skr für den Betrieb ihrer eigenen Schulen sowie zur Wahrung ihrer Kultur und ihrer 3 Hauptsprachen erhalten. (Die 5000 Saamen in Finnland erhielten bereits 1973 ein eigenes Parlament, die 40 000 Lappen Norwegens 1989.) – Am 30. 11. 1992 kam es in Stockholm und in der südschwedischen Universitätsstadt Lund anläßlich der traditionellen Feierlichkeiten zum Todestag des »Kriegerkönigs« Karl XII. (1697–1718), einer Kultfigur der extremen Nationalisten, zu schweren Auseinandersetzungen zwischen **rechtsradikalen**

Gruppen, Gegendemonstranten und der Polizei. – Am 1. 2. 1993 begannen in Brüssel die **Beitrittsverhandlungen mit der EG**.

SCHWEIZ   Der Nationalrat billigt am 27. 8. **1992** mit 132 gegen 57 Stimmen bei 3 Enthaltungen den Vertrag über den **Europäischen Wirtschaftsraum/EWR**. Die eidgenössischen Räte stimmen dem Bundesbeschluß am 9. 10. mit 127 gegen 61 Stimmen bei einer Enthaltung (im Nationalrat) bzw. mit 39 gegen 4 Stimmen (im Ständerat) zu; dieser wird jedoch am 6. 12. in einer Volksabstimmung mit 50,3 % der Stimmen und einer Mehrheit von 18 der 26 Kantone und Halbkantone abgelehnt. Während sich die francophonen Kantone deutlich für den EWR entschieden, lehnten ihn die meisten Kantone der Deutschschweiz ab. – Am 13. 1. **1993** kündigt der für die Außenpolitik zuständige Bundesrat *René Felber* (Sozialdemokratische Partei/SPS) aus gesundheitlichen Gründen seinen Rücktritt zum 31. 3. an. Am 10. 3. wählt die Vereinigte Bundesversammlung im 3. Wahlgang *Ruth Dreifuss*/SPS, seit 1981 Generalsekretärin des Schweizerischen Gewerkschaftsbundes, mit 144 von 190 Stimmen als Nachfolgerin *Felbers* zur Bundesrätin. *Christiane Brunner*, eine weitere Kandidatin der SPS-Fraktion, hatte sich nach dem 2. Wahlgang zurückgezogen; in einer Sitzung hatte der am 3. 3. mit 130 von 242 gültigen Stimmen bereits zum Bundesrat gewählte *Francis Matthey*/SPS erklärt, er dürfe die Wahl »aus Pflichtgefühl und Verantwortungsbewußtsein« nicht annehmen. Bei der Ressortverteilung im Bundesrat erhält Frau *Dreifuss* das Innenministerium, dessen bisheriger Amtsinhaber *Flavio Cotti* mit dem Departement für auswärtige Angelegenheiten betraut wurde. – Der Bundesrat legt am 25. 2. ein Programm von 27 Gesetzentwürfen (sog. **Swisslex-Vorlagen**) vor, die trotz Ablehnung des EWR-Vertrages *(→ oben)* eine Angleichung des Schweizer Rechts an das in der EG geltende ermöglichen sollen. 16 der ursprünglich 50 für den EWR vorgesehenen Vorlagen werden ohne inhaltliche Änderung übernommen, 11 weitere werden mit einem Reziprozitätsvorbehalt ausgestattet, d. h. sie treten nur in Kraft, wenn die EG-Staaten der Schweiz das gleiche Recht einräumen. – Die außenpolitische Kommission des Nationalrats spricht sich am 23. 3. mit 9 gegen 4 Stimmen bei 2 Enthaltungen gegen einen UNO-Beitritt des Landes und damit gegen eine entsprechende Initiative der Sozialdemokraten aus. – In einer Reihe von **eidgenössischen Volksabstimmungen** wird am 27. 9. 1992 mit 63,6 % der abgegebenen Stimmen der Bau der **Neuen Eisenbahn-Alpentransversale** (NEAT) gebilligt, d. h. von 2 Bahntunnelen durch den Gotthard (49,3 km) und den Lötschberg (28 km). Nur im Kanton Uri und in den beiden Appenzell wird das Projekt, dessen Kosten auf 15 Mrd. sfr geschätzt werden, mehrheitlich abgelehnt. Am 7. 3. 1993 spricht sich die Bevölkerung mit 54,6 % der abgegebenen Stimmen für die Erhöhung des Treibstoffzolls um 0,20 sfr pro Liter aus. Von der Steuererhöhung auf Benzin und Diesel erhofft sich die Regierung in Bern jährliche Mehreinnahmen von 1,3 Mrd. sfr. Die Hälfte davon soll für den Bau der NEAT und von Autobahnen, die andere Hälfte zur Deckung der Staatsschuld verwendet werden. Mit 72,5 % der Stimmen befürworten die Wähler die Aufhebung des am 19. 4. 1874 erlassenen und 1928 per Volksabstimmung in der Verfassung verankerten Verbots der Spielbanken. Ihre Zulassung – bisher durften in 17 Kursälen nur wenige Glücksspiele mit einem Höchsteinsatz von 5 sfr und einem Höchstgewinn von 35 sfr pro Spiel getätigt werden – soll der Bundeskasse bei einem geplanten Abgabensatz von 80 % des Spielertrags jährlich 150 Mio. sfr einbringen, die zur Finanzierung der Rentenkassen dienen und zur Förderung des Fremdenverkehrs beitragen sollen. Eine Volksinitiative zur Abschaffung der Tierversuche wird mit 72,2 % der Stimmen abgelehnt. In einer weiteren Volksabstimmung stimmen am 6. 6. 57,3 % der Stimmbürger und 21 Kantone gegen einen von einer Volksinitiative geforderten Beschaffungsstopp für Kampfflugzeuge bis ins Jahr 2000 und damit gleichzeitig für den **Kauf 34 neuer US-Abfangjäger** des Typs Hornet F/A-18 zum Preis von 3,5 Mrd. sfr; 42,7 % sowie 5 Kantone (die beiden Basel sowie die Kantone Jura, Genf und Tessin) waren dagegen. Auch eine 2. Initiative – »40 Waffenplätze sind genug« –, die den Bau neuer Ausbildungsanlagen für die Armee verhindern sollte, wird von 55,3 % der Stimmbürger und 18 Kantonen abgelehnt. Für die Initiative sprachen sich neben den 5 bereits genannten Kantonen auch Neuenburg, Waadt und Freiburg aus. – Die Bundesräte *Flavio Cotti* (Äußeres) und *Jean-Pascal Delamuraz* (Volkswirtschaft) erörtern bei einem Arbeitsbesuch bei der **EG-Kommission** in Brüssel am 28. 6. den Abschluß sektoreller Abkommen auf bilateraler Ebene und die Möglichkeit multilateraler Beziehungen der Schweiz zur EG, z. B. im Rahmen des EWR nach der Volksabstimmung vom 6. 12. 1992.

SENEGAL   Im Süden des Landes, der **Casamance**, kommt es im September/Oktober **1992** zu **Überfällen der Rebellenbewegung** »Mouvement des forces démocratiques de Casamance«/MFDC auf Militärstützpunkte und Dörfer. Am 18. 10. **zerbricht die Regierungskoalition**. 4 Minister der »Parti Démocratique Sénégalais«/PDS verlassen das Kabinett. Sie beklagen die mangelnde Einbeziehung ihrer Partei in Regierungsentscheidungen. – Während der Präsidentschaftswahlen, bei denen **Staatsprä-**

sident *Abdou Diouf* am 21. 2. **1993** bereits im 1. Wahlgang mit 58,4% der abgegebenen Stimmen **wiedergewählt** wird, kommt es zu Unruhen in Dakar. – Bei den **Parlamentswahlen** am 9. 5. bleibt die regierende »Parti Socialiste Sénégalais«/PS von Staatspräsident *Diouf* stärkste Partei, muß allerdings einen Rückgang ihrer Mandate von 103 auf 84 hinnehmen. Die PDS kann ihre Sitze von 17 auf 27 erhöhen; die übrigen 9 Mandate gehen an 4 kleinere Gruppierungen. – Einen Tag nach der Bekanntgabe des Wahlergebnisses kommt es erneut zu **Spannungen**; der Vizepräsident des Verfassungsrates wird in Dakar erschossen. – Am 2. 6. stellt Premierminister *Habib Thiam* sein 17 Mitglieder umfassendes **neues Kabinett** vor, dem keine Oppositionspolitiker mehr angehören. Neuer Außenminister wird *Moustapha Niasse*. – Regierung und Separatisten vereinbaren am 9. 7. in der **Unruheprovinz Casamance** (→ *Karte*) zum 3. Mal einen **Waffenstillstand**. Damit soll der seit 10 Jahren andauernde Konflikt in der als Touristengebiet bekannten Enklave beendet werden.

Senegal mit der Provinz Casamance

SIERRA LEONE Der regierende »National Provisional Ruling Council«/NPRC wird im Juli **1992** durch den »Supreme Council of State«/SCS ersetzt, in dem nur noch Angehörige des Militärs vertreten sind. – Nach Angaben des Militärregimes wird am 28. 12. ein **Umsturzversuch** von Teilen der Streitkräfte vereitelt. Es soll sich um Anhänger des gestürzten Präsidenten *Joseph Saidu Momoh* gehandelt haben. **17 Putschisten** werden von einem militärischen Sondergericht **zum Tode verurteilt**. – Anläßlich des ersten Jahrestages der Machtergreifung durch das Militär (→ *WA'93, Sp. 140*) kündigt Staatschef Hauptmann *Valentine E. M. Strasser* am 29. 4. **1993** die Demokratisierung des Landes innerhalb der nächsten 3 Jahre an.

SLOWAKEI Zum 1. 1. 1993 gehen alle Kompetenzen der ehemaligen Tschechoslowakei *(Auflösung → Kasten Sp. 191)* auf die Parlamente und Regierungen der Tschechischen bzw. der Slowakischen Republik über. – Mit der Annahme einer **eigenen Verfassung** hatte das slowakische Parlament am 2. 9. **1992** einen entscheidenden Schritt zur Auflösung des Föderalstaates getan. Mit der Zustimmung der Bewegung für eine demokratische Slowakei/ HZDS, der Slowakischen Nationalpartei/SNS und der Mehrheit der Partei der demokratischen Linken/SDL wurde die erforderliche $^2/_3$-Mehrheit erreicht. Dagegen stimmten die Abgeordneten der Christdemokratischen Bewegung/KDH, die insbesondere kritisiert, daß die neue Verfassung nationalen Minderheiten (den Ungarn) keinen ausreichenden Schutz biete. Die 14 Abgeordnete der ungarischen Minderheit boykottierten die Abstimmung. Der slowakische Ministerpräsident *Vladimír Mečiar* und Parlamentspräsident *Ivan Gasparovič* unterzeichneten die Verfassung am 3. 9., die damit in Kraft trat. – Die UN-Generalversammlung nimmt am 19. 1. **1993** die Slowakei als UNO-Mitglied auf. – Am 2. 2. beschließen die Parlamente der Tschechischen und der Slowakischen Republik die **Auflösung der** bei der staatlichen Trennung eingeführten **Währungsunion** mit Wirkung vom 8. 2.; ab diesem Zeitpunkt existieren die tschechische und die slowakische Krone. – Am 15. 2. wird im Nationalrat der national gesinnte **Michal Kovač**, ein Kompromißkandidat der meisten im Parlament vertretenen Parteien, im 2. Anlauf mit 106 der 150 Stimmen **zum Staatspräsidenten gewählt**. *Kovač* blieb, nachdem sich die Opposition nicht auf einen gemeinsamen Kandidaten verständigen konnte, der einzige Kandidat. In seiner Inaugurationsrede bekennt er sich zur sozialen Marktwirtschaft und plädiert für eine Einbindung der S. in den europäischen Raum. – Am 23. 2. überträgt das tschechische Parlament der Slowakei die Entscheidungsbefugnis über das **Donaukraftwerk Gabčíkovo** (→ *Skizze*) und macht sie zum alleinigen Verhandlungspartner Ungarns. Trotz ungarischer Proteste und laufender EG-Vermittlungen leitete die S. am 3. 11. 1992 die Donau in einen 25 km langen und bis zu 730 m breiten Kanal um, der das 1977 mit der ČSFR vertraglich vereinbarte Wasserkraftwerk speist. Ungarn versucht seit 1987, das Großprojekt wegen der zu erwartenden Umweltschäden zu stoppen. Die slowakische Regierung verweist dagegen auf die bisher geleisteten Investitionen und die Leistungsfähigkeit des Kraftwerks, das 16% der von der S. benötigten Energie produzieren werde. Am 2. 7. rufen die Regierungen beider Staaten den Internationalen Gerichtshof in Den Haag an; sie wollen dessen Entscheidung anerkennen. – Am 18. 3. reicht Wirtschaftsminister *Ludovít Černak* wegen Differenzen mit Ministerpräsi-

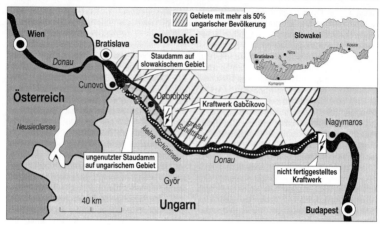

Slowakei: Gebiete mit überwiegend ungarischer Bevölkerung und das Donaukraftwerk Gabčíkovo

dent *Mečiar* seinen Rücktritt ein und löst dadurch eine **Regierungskrise** aus. Durch die Demission des einzigen Ministers der »Slowakischen National-partei«/SNS und die nun fehlende Unterstützung der SNS (15 Abgeordnete) wird das nur noch aus HZDS-Mitgliedern bestehende Kabinett zur Minder-heitsregierung. Hintergrund des Rücktritts *Čer-naks* ist neben der ungenügenden Abgrenzung *Mečiars* von ehemaligen Exponenten des kommu-nistischen Systems der **Niedergang der Wirtschaft**: Die Arbeitslosigkeit liegt über 12%, die Privatisie-rung kommt nicht voran, ebensowenig wird die Um-strukturierung der Rüstungsindustrie auf die Pro-duktion ziviler Güter vorangetrieben. Mit der Abbe-rufung von Außenminister *Milan Knazko* am 19. 3. werden monatelange, die politische Effektivität läh-mende Auseinandersetzungen in der Regierung zunächst beigelegt. Neuer Außenminister wird *Jo-zef Moravčik*, neuer Wirtschaftsminister *Jaro-slav Kubečka*, beide von der HZDS. Am 17. 6. bil-ligt die HZDS der SNS in einer Koalitionsvereinba-rung 4 Ministerien zu. *Ludovít Černak* kehrt in das Wirtschaftsressort zurück. – Die EG-Kommission paraphiert am 23. 6. getrennte Assoziierungsverträ-ge mit der S. und der Tschechischen Republik. Sie sollen das im Dezember 1991 zwischen der EG und der damals noch bestehenden ČSFR geschlosse-nene Abkommen ablösen. – Am 30. 6. wird die S. **Vollmitglied des Europarats.** Mit der Aufnahme setzt sich dessen Ministerkomitee über die Beden-ken Ungarns hinweg, das den seiner Ansicht nach unzureichenden Schutz der Minderheiten in der S. kritisiert. Die Parlamentarische Versammlung des Europarats stimmte der Aufnahme unter dem Vor-

behalt zu, daß der Europarat die Lage der Minder-heiten regelmäßig überprüft und darüber alle 6 Mo-nate Bericht erstattet. In der S. leben rd. 650000 Personen ungarischer Abstammung (= 10% der Gesamtbevölkerung); die Ungarn fordern u. a. un-garische Ortsschilder und ein Gesetz, das die Zuläs-sigkeit ungarischer Vornamen garantiert. – **Mit Po-len** wird am 9. 7. in Preßburg ein Abkommen über die **Rückführung illegaler Grenzgänger** unterzeich-net. Es soll Probleme lösen, die mit dem Inkrafttre-ten des Asylgesetzes in Deutschland entstanden sind. Flüchtlinge, die über die S. und Polen illegal nach Deutschland einreisen, können nach den deutsch-polnischen (*→ Polen*) und den polnisch-slowakischen Vereinbarungen nun in die S. zurück-geschickt werden.

SLOWENIEN   Ende Nov. **1992** verabschiedet das Parlament ein Gesetz über die **Privatisierung** der selbstverwalteten Unternehmen. 40% des Kapitals werden über eine Privatisierungsagentur und den staatlichen Entwicklungsfonds, der vorübergehend als Eigentümer auftritt, an Interessenten verkauft. Je 20% des Kapitals werden den Mitarbeitern der Firmen bzw. öffentlichen Investitionsfonds, je 10% dem staatlichen Pensionsfonds bzw. einem Ent-schädigungsfonds für Opfer früherer Verstaatli-chungen überlassen. – Bei den ersten **Wahlen zur Nationalversammlung** am 6. 12. setzen sich ins-besondere die aus dem früheren kommunistischen Jugendverband hervorgegangenen Liberaldemo-kraten/LDS von Ministerpräsident *Janez Drnov-šek* mit 23,3% der Stimmen durch, gefolgt von den Christdemokraten/SKD seines Vorgängers *Lojze*

Peterle mit 14,5% und der »Vereinigten Liste«/LZ der ehemaligen Kommunisten mit 13,6%. Die »Demokratische Partei Sloweniens«/DSS, die sich große Verdienste im Kampf um die Unabhängigkeit erworben hatte, kommt nur auf 5%. Die gleichzeitig abgehaltenen **Präsidentschaftswahlen** gewinnt der amtierende Präsident *Milan Kučan* mit 63,8% der gültig abgegebenen Stimmen vor *Ivo Bizjak*/DSS (21,2%). – Am 25. 1. **1993** bestätigt das Parlament die neue Regierung von *Janez Drnovšek*/LDS, eine »**Koalition des historischen Kompromisses**« aus LDS, SKD, LZ und Sozialdemokraten/SDSS. Das Kabinett wird von den Grünen/ZS und den beiden (italienischen und ungarischen) Minderheitenvertretern unterstützt und hat damit 63 der 90 Abgeordneten hinter sich. – Am 16. 3. enden in Zagreb 2tägige **slowenisch-kroatische Verhandlungen** über die genaue Festlegung der 546km langen gemeinsamen Grenze. Noch strittige Fragen (u. a. bezüglich der Bucht von Piran) sollen durch eine Expertenkommission beraten werden. Am selben Tag vereinbaren die Arbeits- und Sozialminister im Grenzort Otocac die Ausarbeitung einer Konvention über soziale Fragen und eines Abkommens über den Schutz von Kriegsopfern. – Am 26. 4. billigt das Parlament den **Haushalt 1993**, der bei Ausgaben von 293 Mrd. Tolar (= rd. 4,3 Mrd. DM) ein Defizit von 22 Mrd. Tolar (= 1,8% des BIP) aufweist. Das BIP sank 1992 um 6,5% (1991: 9,3%), die Produktion um 30%; die Arbeitslosenquote betrug 12%. Die Inflationsrate erreichte wegen der weitgehenden Freigabe der Preise und der Lohnsteigerungen von 30% im Jahresdurchschnitt über 210% (1991: 118%). Im Export konnte jedoch ein Überschuß von 542 Mio.$ und im Fremdenverkehr ein solcher von 932 Mio.$ erwirtschaftet werden. Die Devisenreserven stiegen auf 1,17 Mrd.$, so daß die Auslandsschuld von 1,74 Mrd.$ bedient werden kann. Anzeichen für eine **Belebung der Wirtschaft** und einen Rückgang der Inflation mehren sich. – Am 14. 5. wird S. **Mitglied des Europarats**. Außenminister *Peterle* hatte zuvor die europäische Menschenrechtskonvention unterzeichnet. Bereits am 19. 1. wurde S. mit einer Quote von 136 Mio.$ in den Internationalen Währungsfonds/**IWF** und am 25. 3. (rückwirkend zum 25. 2.) in die **Weltbank** aufgenommen. Mit der **EG** wurden am 5. 4. ein Kooperationsvertrag, ein Protokoll über die finanzielle Zusammenarbeit und ein Verkehrsabkommen unterzeichnet. – Der **deutsche** Außenminister *Klaus Kinkel* sagt bei einem Kurzbesuch in Ljubljana am 18. 6. weitere bilaterale **Unterstützung** zu. Dies gelte sowohl für die Heranführung an die EG als auch für Gespräche über eine Mitgliedschaft im NATO-Kooperationsrat.

SOMALIA Alle Bemühungen der UNO, einen Waffenstillstand zwischen den verfeindeten Gruppen in S. zu erreichen, bleiben ohne Erfolg. Der UN-Sicherheitsrat schafft am 3. 12. **1992** mit Res. 794 die Voraussetzung für eine umfangreiche **Militärintervention**. Die »**Operation Restore Hope**« zur Rettung der unter den Folgen des Bürgerkriegs leidenden Zivilbevölkerung beginnt in den frühen Morgenstunden des 9. 12. mit der Landung von US-Marineverbänden an der somalischen Küste. Ohne auf Widerstand zu stoßen, übernehmen sie die Kontrolle in der Hauptstadt Mogadischu. Neben den USA mit 21 000 Mann beteiligen sich an der knapp 30 000 Mann zählenden Friedenstruppe 20 Staaten (→ *Karte*). UN-Verbände erreichen am 16. 12. Baidoa. Schon wenige Stunden nach Einnahme der »Stadt des Todes«, wo täglich Hunderte von Menschen an Entkräftung sterben, landen die ersten Hilfsflugzeuge mit Nahrungsmitteln. Am 20. 12. bringen US-amerikanische und belgische Militäreinheiten den Hafen und Flughafen der wiederholt von plündernden Banden heimgesuchten Stadt Kismayojo unter ihre Kontrolle. – Der somalische Übergangspräsident *Ali Mahdi Mohamed* und sein Widersacher, USC-Parteichef General *Mohammed Farah Aidid*, unterzeichnen am 26. 12. ein **Friedensabkommen**. – Trotz dieses Erfolgs kommt es über das Ziel der »Operation Restore Hope« zum offenen Dissens: Während UN-Generalsekretär *Boutros Boutros-Ghali* auf eine angeblich von Washington gemachte vertrauliche Zusage verweist, wonach die kämpfenden Milizen entwaffnet werden sollen, betont der mit der UN-Militäraktion beauftragte US-General *Robert B. Johnston*, die Truppen seien lediglich zur Sicherung der Hilfstransporte ins Land gekommen. Die US-Regierung erklärt sich schließlich bereit, die Entwaffnung zu unterstützen. – Am 28. 12. beendet die UN-Friedenstruppe mit der Besetzung von 8 weiteren Städten und dem Aufbau von Zentren für die Lebensmittelverteilung die erste Phase der »Operation Restore Hope«. – Im Februar und März **1993** kommt es zu **neuen Kämpfen** in Kisimayjo, woraufhin 500 US-Soldaten in die Hafenstadt entsandt werden. In Mogadischu versuchen am 24. 2. Demonstranten die US-Botschaft zu stürmen. Bei der Verteidigung des Gebäudes werden mehrere Somalier getötet. Die bewaffneten Auseinandersetzungen bringen auch die seit Jahresbeginn in Addis Abeba stattfindenden **Friedensgespräche** vorübergehend ins Stocken. Am 28. 3. einigen sich schließlich die 15 Bürgerkriegsparteien auf einen **Waffenstillstand** und die **Bildung eines Nationalen Übergangsrats**. – Verschiedene Geberländer sagen S. eine finanzielle **Wiederaufbauhilfe** von 142 Mio.$ zu. Deutschland beteiligt sich mit 20 Mio.$. – 5 Monate nach Beginn ihres Militäreinsatzes **übertragen die USA** am 4. 5. **das Kommando der internationalen Eingreiftruppe auf die UNO** (gemäß Res. 814 des UN-Sicherheitsrates vom 26. 3.). Neu-

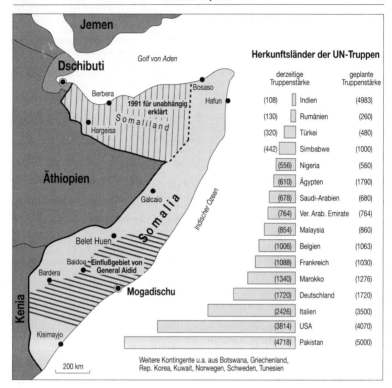

Bürgerkrieg in Somalia: Mehr als 20 000 Blauhelme aus 21 Staaten
beteiligen sich an der UN-Friedensmission.

er Kommandeur der künftig 30 000 Blauhelme zählenden Friedenstruppe (UNOSOM II) ist der türkische General *Cevik Bir*. Deutschland beteiligt sich erstmals in größerem Umfang an einer friedenssichernden UN-Operation (→ *Deutschland*). – Am 5. 6. locken in Mogadischu Milizangehörige, die offenbar General *Aidid* unterstehen, einen UN-Mannschaftstransport in einen Hinterhalt; **23 pakistanische Blauhelm-Soldaten** werden **getötet** und Dutzende verletzt. Pakistan fordert eine Strafaktion gegen die Verbände *Aidids*; UN-Generalsekretär *Boutros-Ghali* spricht sich für eine »entschlossene und schnelle Aktion« aus. Die UN-Militärverbände beginnen am 12. 6. unter US-Führung mit einem **sechstägigen Vergeltungsschlag**. Kampfflugzeuge bombardieren mehrfach Stellungen *Aidids*; UN-Soldaten erobern das Hauptquartier und den Rundfunksender des Rebellenführers; General *Aidid* selbst festzunehmen, mißlingt jedoch. Hunderte von Somaliern protestieren gegen die USA und die

UN-Mission. **Pakistanische UN-Soldaten eröffnen** am 13. 6 ohne Vorwarnung das **Feuer auf demonstrierende Somalier**, mindestens **20 Menschen** werden **getötet**. Unterdessen wächst die **internationale Kritik am Einsatz der UNO**. Italien, das mit 2400 Soldaten das zweitgrößte UN-Kontingent stellt, distanziert sich am 14. 7. von den »Stadtguerilla-Operationen« und plant, seine Truppen in den Norden des Landes zu verlegen. – Die Anhänger des Rebellenführers *Aidid* verstärken Anfang August ihren Druck auf die UNO-Verbände. 4 US-Soldaten werden am 8. 8. durch einen ferngesteuerten Sprengsatz getötet; die USA schicken Anfang September eine Anti-Terror-Einheit von 400 Mann in die somalische Hauptstadt.

SPANIEN Die Peseta wird am 17. 9. **1992** innerhalb des EWS abgewertet (→ *Kasten Sp. 783*). – Der am 29. 9. vorgelegte Haushaltsentwurf 1993 sieht **drastische Einsparungen** vor, um das Defizit auf 2,3 %

des BIP zu verringern und die Inflation zu bremsen. Die Staatsausgaben steigen gegenüber dem Voranschlag 1992 zwar um nominell 8,2 % auf 14,83 Bill. Pta, tatsächlich jedoch nur um 3,7 %, da im laufenden Jahr ursprünglich nicht vorgesehene Mehreinnahmen zu verzeichnen waren *(zur Wirtschaftsentwicklung → Kap. »Wirtschaft«)*. Am 9. 10. beschließt die Regierung die **Senkung der MWSt** für Artikel des täglichen Bedarfs wie Grundnahrungsmittel, Bücher, Zeitungen und Zeitschriften ab 1. 1. 1993 von 6 auf 3 % sowie die Abschaffung des MWSt-Satzes für Luxusgüter (bisher 28 %). Dafür wird bei der Neuzulassung von Autos eine 13-%-Sondersteuer erhoben. – Am 29. 10. billigt das Abgeordnetenhaus mit 314 gegen 3 Stimmen (HB) bei 8 Enthaltungen (kommunistische Abgeordnete) den **Vertrag von Maastricht** über die Europäische Union; der Senat stimmt am 25. 11. ohne Gegenstimme bei 3 Enthaltungen (2 Kommunisten und der Vertreter der Regionalpartei der Kanarischen Inseln) zu. – Am 13. 11. wird in einer Notunterkunft im Madrider Vorort Aravaca eine 33jährige **Einwanderin** aus der Dominikanischen Republik von 4 maskierten Unbekannten **getötet**. Es ist der erste Ausländermord dieser Art, der dem Umfeld der ultrarechten »Junta Espanoles« bzw. der »Jungen Nation« zugeschrieben wird, die eine ausländerfeindliche Kampagne gestartet haben. Über 10 000 Menschen demonstrieren am 21. 11. in Madrid, rd. 16 000 am 29. 11. in Barcelona gegen Intoleranz, Rassismus und Fremdenhaß. Der mutmaßliche Mörder der Einwanderin, ein 25jähriger Beamter der Guardia Civil, wird am 27. 11. verhaftet. – Am 13. 11. treten gesetzliche Bestimmungen in Kraft, die eine **Gleichstellung von Protestanten, Muslimen und Juden mit den Katholiken** garantieren sollen. – Am 26. 2. **1993** beschließt die Regierung die Bereitstellung von 710 Mrd. Pta, um den Verlust (1992: über 400 000) weiterer Arbeitsplätze einzudämmen. Vorgesehen sind u. a. öffentliche Investitionen (Autobahnen und Staudämme), die Umwandlung von zeitlich befristeten in unbefristete Arbeitsverträge sowie Steuererleichterungen für Investitionen und finanzielle Zuschüsse für den Mittelstand. Ein am 8. 3. vorgelegter Plan zum **Ausbau der Infrastruktur** bis 2007 sieht Investitionen von 18 Bill. Pta vor – u. a. für den Bau von 5000 km neuen Autobahnen bzw. Schnellstraßen sowie von 2 neuen Hochgeschwindigkeitszügen von Madrid nach Barcelona und zur französischen Grenze bzw. von Zaragoza nach Irun/Bilbao. – Am 5. 3. beenden Zehntausende **Bauern** in Madrid einen 2wöchigen »grünen Marsch« mit einer Kundgebung, auf der sie von der Regierung Maßnahmen zur Sicherung der Landwirtschaft fordern. Der Agrarsektor ist mit rd. 2 Bill. Pta verschuldet, was fast der Hälfte der gesamten Produktion des Jahres 1991 entspricht. – Am 29. 3.

billigt die Abgeordnetenkammer gegen die Stimmen des Zentrums/CDS und der vereinigten Linken/IU ein Gesetz über die **Bank von Spanien**, das die Zentralbank vom Finanzministerium löst und ihr eine **Autonomie gewährt**, die mit jener der Deutschen Bundesbank vergleichbar ist. – Am 22. 3. übergeben 3 Experten des Finanzministeriums dem Untersuchungsrichter *Marino Barbero* einen 500 Seiten starken Bericht über die **illegale Finanzierung der Regierungspartei PSOE**. Danach kamen 1989–1991 über 2 von PSOE-Parlamentariern kontrollierte Firmen über 1 Mrd. Pta illegal in die Parteikasse. – Angesichts der sich verschlechternden Wirtschaftslage und der Korruptionsvorwürfe gegen seine Partei gibt Ministerpräsident *Felipe González* am 12. 4. nach einer außerordentlichen Sitzung des 31köpfigen PSOE-Vorstands die Abhaltung vorzeitiger Parlamentswahlen bekannt. – Aus den um 6 Monate **vorgezogenen Parlamentswahlen** am 6. 6. geht Ministerpräsident *Felipe González* als Sieger hervor: Zwar verliert seine seit 1982 regierende PSOE die absolute Mehrheit, aber sie bleibt mit 38,68 % der Stimmen und 159 Sitzen stärkste Partei im Parlament; die »Konservative Volkspartei«/PP kommt auf 141 Sitze. Am 9. 7. wird *González* vom Abgeordnetenhaus mit 181 gegen 165 Stimmen bei einer Enthaltung als Ministerpräsident wiedergewählt; die absolute Mehrheit erreichte er im 1. Wahlgang mit Hilfe der 159 PSOE-Stimmen sowie von 17 Stimmen der katalanischen Convergencia i Unio/CiU und 5 der »Baskisch-Nationalistischen Partei«/PNV. Die neue 17köpfige Minderheitsregierung wird von König *Juan Carlos* am 14. 7. vereidigt. 8 der 17 Kabinettsmitglieder sind neu, 6 von ihnen sind parteilos; die Schlüsselressorts bleiben unverändert, mit Ausnahme des Wirtschafts- und Finanzministeriums, das der parteilose EG-Experte *Pedro Solbes* (bisher Landwirtschaftsminister) übernimmt. – In Madrid werden am 21. 6. 5 Offiziere und 2 Zivilisten durch **2 Autobomben** getötet sowie 27 Personen verletzt. Der Anschlag wird der für die Unabhängigkeit des Baskenlandes (unter Einschluß Navarras und der französischen Baskenprovinzen) kämpfenden **Terrororganisation ETA** (*Euskadi ta akatasuna* = »Baskenland und Freiheit«) zugeschrieben.

SRI LANKA   Der Oberste Gerichtshof bestätigt am 1. 9. **1992** das Ergebnis der Präsidentschaftswahlen vom 19. 12. 1988: Präsident *Ranasinghe Premadasa* sei zu Recht im Amt. Oppositionsführerin *Sirimavo Bandaranaike* hatte wegen Beeinflussung der Wahlen durch Gewalttakte geklagt. – Bombenanschläge im Osten und Nordosten der Insel am 1. 9. 1992 und 10. 9. fordern mindestens 61 Menschenleben; die Behörden machen die Liberation Tigers of Tamil Eelam/LTTE, die für einen von Sri Lanka unabhängigen Staat der tamilischen Volksgruppe kämpfen, für die Anschläge verantwortlich. – Während einer Maikundgebung in Colombo am 1. 5. **1993** werden **Präsident Premadasa** und 23 weitere Personen **bei einem Bombenanschlag getötet.** Am 23. 4. war der führende Oppositionspolitiker, *Lalith Akhulathmudali,* Vorsitzender der im Januar 1992 gegründeten Democratic United National Front, bei einer Wahlkampfveranstaltung in Colombo erschossen worden, am 16. 11. 1992 war der Oberfehlshaber der Marine in der Hauptstadt einem Attentat zum Opfer gefallen. Ministerpräsident *Dingiri Banda Wijetunge* von der regierenden United National Party/UNP, der unmittelbar nach dem Tod *Premadasas* vom Obersten Richter zum amtierenden Staatsoberhaupt vereidigt wird, verhängt zunächst eine landesweite Ausgangssperre und am 3. 5. 1992 den Ausnahmezustand. *Wijetunge* wird ohne Gegenkandidaten am 7. 5. vom Parlament einstimmig zum **neuen Staatspräsidenten** gewählt. Er ernennt *Ranil Wickramasinghe* zum **neuen Ministerpräsidenten.** – Bei den Wahlen zu den Regionalparlamenten am 17. 5. verliert die UNP in 3 der 7 Provinzen, in denen gewählt wird, die absolute Mehrheit. – Die Kämpfe zwischen Regierungstruppen und LTTE im Nordosten und Osten der Insel werden im gesamten Berichtszeitraum 1992/93, v. a. aber von September 1992 bis Januar 1993 und im August, fortgesetzt. Der seit 1983 andauernde Bürgerkrieg hat bisher rund 30 000 Menschenleben gefordert.

SÜDAFRIKA Am 7. 9. **1992** kommt es erneut zu einer Eskalation der Gewalt: Soldaten des Homelands Ciskei eröffnen das Feuer auf die Teilnehmer einer Kundgebung, zu der die Südafrikanische Kommunistische Partei/SACP sowie der Afrikanische Nationalkongreß/ANC aufgerufen hatten und die den Rücktritt des Militärregimes von Brigadegeneral *Josh Oupa Giqozo* fordern. Dabei finden 28 Menschen den Tod. – Am 10. 9. legt *Winnie Mandela* alle Ämter innerhalb des ANC nieder, nachdem ihr vorgeworfen wurde, Gelder des ANC veruntreut zu haben. – Staatspräsident *Frederik Willem de Klerk* und ANC-Präsident *Nelson Mandela* einigen sich am 26. 9. auf die Wiederaufnahme der Verfassungsgespräche mit dem Ziel, eine Regierung der nationalen Einheit zu bilden und die Wahl einer verfassunggebenden Versammlung durchzuführen. Die Verhandlungen waren vom ANC am 23. 6. als Reaktion auf das Massaker von Boipatong *(→ WA '93, Sp. 148)* abgebrochen worden. – **Präsident** *de Klerk* **entschuldigt sich** am 7. 10. auf einer Parteiveranstaltung in Winburg formell **für die** jahrzehntelange **Apartheid.** – Der **ANC gesteht** am 20. 10. seinerseits **Folterungen** in ausländischen Internierungslagern ein. – Im Parlament von Kap-

stadt muß *de Klerk* am 16. 10. eine Niederlage hinnehmen. Er erhält erst in einem 2. Wahlgang am 20. 10. die notwendige Mehrheit für eine **Verfassungsänderung,** die die **Aufnahme Schwarzer in das Kabinett** erlaubt. – In seiner Rede zur Parlamentseröffnung am 29. 1. **1993** warnt Präsident *de Klerk* vor dem Scheitern der Verfassungsgespräche; ein »verheerender Bürgerkrieg« sei dann vorhersehbar. Durch den Übertritt eines Abgeordneten der regierenden Nationalen Partei/NP zur **Inkatha-Freiheitspartei/IFP** ist letztere **erstmals im Parlament** mit einem Sitz vertreten. – Der Botschafter bei der UNO wird angewiesen, noch am Tage der Parlamentseröffnung 6 Menschenrechtskonventionen zu unterzeichnen; gleichzeitig tritt S. der Anti-Folter-Konvention der UNO bei. Die Expertengruppe der UN-Menschenrechtskommission veröffentlicht am 8. 2. einen Bericht, in dem der Fortbestand der Apartheid und die Verletzung von Menschenrechten dokumentiert sind. 1992 registrierten die UN-Experten 3150 Todesfälle durch politisch motivierte Gewalt. – Präsident *de Klerk* gesteht am 24. 3. vor dem Parlament in Kapstadt ein, daß die Republik S. in den siebziger und achtziger Jahren 6 atomare Sprengsätze produziert habe; die in der Nähe Pretorias gelagerten Bomben seien 1990 zerstört worden. Experten gehen jedoch davon aus, daß die Kaprepublik noch über 200 bis 300 Gramm hochangereicherten Urans verfügt. – Am 1. 4. beruft *de Klerk* **erstmals farbige Minister** in sein Kabinett. Am gleichen Tag werden von 26 Parteien und Organisationen in Kempton Park bei Johannesburg die unterbrochenen **Verfassungsverhandlungen wieder aufgenommen.** – Der ANC-Politiker und Generalsekretär der Kommunistischen Partei, *Martin Thembisile (»Chris«) Hani,* wird am 10. 4. vor seinem Haus in Boksburg erschossen. Der Täter ist aktives Mitglied der rechtsextremistischen Afrikanischen Widerstandsbewegung/AWB. Nach dem Mord kommt es im ganzen Land zu Streiks und schweren Krawallen. – Am 25. 6. stürmen bewaffnete AWB-Mitglieder mit einem gepanzerten Fahrzeug das Welthandelszentrum bei Johannesburg, wo die Vielparteienkonferenz über die Demokratisierung des Landes berät. AWB-Chef *Eugene Terre Blanche* droht, S. in einen Bürgerkrieg zu stürzen, falls die Weißen nicht ihr eigenes Homeland erhalten. – Am 2. 7. setzt die Allparteienkonferenz den **Termin für die ersten freien Wahlen** auf den 27. 4. **1994** fest. – Zwischen dem ANC und der Zulupartei Inkatha kommt es erneut zu Auseinandersetzungen, bei denen allein in den ersten Julitagen 140 Menschen sterben. Bei einem Anschlag auf eine in ihrer Kirche beim Abendgottesdienst versammelte anglikanische Gemeinde in Kenilworth (Vorort von Kapstadt) werden am 25. 7. elf Menschen erschossen und 48 verletzt. – Am 26. 7. unterbreiten Rechtsexperten der Allparteienkonferenz einen **ersten Verfassungsentwurf**. Er sieht ein Parlament mit 2 Kammern vor, in dem regionalen Vertretern weitreichender Einfluß eingeräumt wird. IFP-Führer *Buthelezi* und Zulukönig *Goodwill Zwelithini* geht die Regionalisierung nicht weit genug. Sie fordern eine »Selbstverwaltung der Zulu« und damit quasi eine Autonomie des Homelands KwaZulu und der benachbarten Provinz Natal. Die ultrarechte Konservative Partei/CP besteht auf einem autonomen Teilstaat für Weiße.

SUDAN   Die Beziehungen zu Ägypten werden durch den **Grenzkonflikt um Hala'ib** belastet. Die Regierung spricht in einem Memorandum an den UN-Sicherheitsrat (27. 12. **1992**) von einer »ägyptischen Aggression gegen Hala'ib«; seit Beginn der Eskalation habe sich die Zahl der dort stationierten ägyptischen Soldaten von 1000 auf 5000 erhöht. – Im März **1993** kommt es zwischen der von *John Garang* geführten Torit-Faktion der »Sudanese People's Liberation Army«/SPLA (Hauptgruppe der zersplitterten Rebellenbewegung) und der von ihr abgespaltenen Nasir-Faktion unter *Riek Machar* zu **neuen Kämpfen**. Die von *Garang* geführten Einheiten, die überwiegend dem Stamm der Dinka angehören, rücken nach Norden vor und bringen die Städte Ayod, Kongor und Yuai unter ihre Kontrolle. Am 17. 3., dem islamischen Feiertag Aid al-Fitr zur Beendigung des Fastenmonats Ramadan, verkündet die SPLA eine einseitige **Waffenruhe**, um eine Wiederaufnahme der Gespräche mit der Zentralregierung über die Beendigung des Bürgerkriegs zu

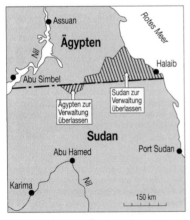

Streitobjekt zwischen Ägypten und dem Sudan ist die 18 000 Quadratkilometer große Wüstenprovinz Hala'ib am Roten Meer

ermöglichen. Am 26. 4. werden in der nigerianischen Hauptstadt Abuja die **Friedensverhandlungen fortgesetzt** ($\rightarrow$ *WA '93, Sp. 152*). Überraschend erklärt sich die Zentralregierung bereit, auf eine Islamisierung des gesamten Landes zu verzichten. – Die USA setzen den S. am 22. 8. wegen Unterstützung radikaler arabischer Gruppen auf die »Liste terroristischer Staaten«. Damit erhält der S., abgesehen von humanitärer Hilfe, keinerlei weitere Unterstützung mehr von den USA.

TADSCHIKISTAN   Mit dem am 7. 9. **1992 erzwungenen Rücktritt von Präsident** *Rachman Nabijew*, dem früheren KP-Chef Tadschikistans ($\rightarrow$ *WA '93, Sp. 155)*, ist der Machtkampf, an dem sich fundamentalistische und gemäßigte Muslime, Demokraten, Nationalisten, Kommunisten, Milizen von Clans und kriminelle Banden beteiligen, nicht beigelegt. – **Parlamentspräsident** *Akbarscho Iskandarow*, von Regierung und Parlamentspräsidium **zum amtierenden Staatschef ernannt**, fordert am 16. 9. die im Land stationierten russischen Truppen zur Unterstützung gegen regierungsfeindliche Kräfte auf. – Interimspräsident *Iskandarow* ernennt am 21. 9. *Abdulmalik Abdulaschanow* zum **neuen Ministerpräsidenten**. – Usbekistan schließt im Herbst die Grenze zum Nachbarland Tadschikistan, um ein Übergreifen des islamischen Fundamentalismus zu verhindern. – Parlamentsführung und Regierung stimmen am 11. 10. der auf dem 7. Gipfeltreffen der GUS-Staatschefs am 9. 10. beschlossenen, von Interimspräsident *Iskandarow* am 30. 9. beantragten Stationierung von GUS-Friedenstruppen in Tadschikistan zu. – Nach heftigen Kämpfen erobern am 25. 10. die Truppen des muslimischen Übergangspräsidenten *Iskandarow* den am Vortag von Anhängern des gestürzten Präsidenten *Nabijew* besetzten Präsidentenpalast in der Hauptstadt Duschanbe zurück. – Übergangsregierung und Interimspräsident *Iskandarow* erklären am 10. 11. ihren Rücktritt. Das Parlament, dessen Abgeordnete mehrheitlich Kommunisten sind und das am 16. 11. erstmals seit dem Sturz *Nabijews* wieder tagt, nimmt am 19. 11. den Rücktritt von *Iskandarow* mit 140 gegen 54 Stimmen an und wählt mit 186 gegen 11 Stimmen den aus Südtadschikistan stammenden Altkommunisten *Imomali Rachmanow* zum **neuen Parlamentspräsidenten und damit** zum **amtierenden Staatschef**. Der **amtierende Regierungschef** *Abdulaschanow* wird vom Parlament am 20. 11. mit der Regierungsbildung beauftragt und am 27. 11. **in seinem Amt** als Ministerpräsident **bestätigt**; er muß jedoch hinnehmen, daß alle Schlüsselressorts von Anhängern *Rachmanows* besetzt werden. – Das Parlament beschließt am 27. 11. die Abschaffung des Präsidialsystems. – Ende November ratifiziert das Parlament den am 15. 5.

von 6 GUS-Staaten unterzeichneten Vertrag über kollektive Sicherheit. – Weder der am 25. 11. zwischen Staatschef *Rachmanow* mit den Führern der rivalisierenden Gruppen vereinbarte Waffenstillstand noch die vom Parlament am 26. 11. beschlossene Generalamnestie kann weitere Kämpfe zwischen den jetzt an die Macht gekommenen prokommunistischen und den bisher in der Regierung dominierenden islamischen Gruppen verhindern. – Am 2. 12. fordert auch die neue Führung Kasachstan, Kirgisistan, Rußland und Usbekistan auf, Friedenstruppen nach Tadschikistan zu entsenden. – Die Regierung kann am 12. 12. in das 2 Tage zuvor von prokommunistischen Einheiten eingenommene Duschanbe einziehen. Wenige Tage später übernehmen die offiziell zur Neutralität verpflichteten russischen Truppen den Schutz öffentlicher Gebäude und wichtiger Betriebe. – Auch nach dem erneuten Machtwechsel werden die mit Härte und Grausamkeit auf beiden Seiten v. a. in Südtadschikistan geführten Kämpfe fortgesetzt. Die muslimischen Kräfte werden immer weiter in den Pamir zurückgedrängt; viele Widerstandskämpfer fliehen nach Afghanistan. – Die Regierung verhängt am 8. 1. **1993** über das seit Monaten umkämpfte Duschanbe und Umgebung, am 29. 1. über die afghanisch-tadschikische Grenzregion und am 31. 3. über die südtadschikische Provinz Chatlon den Ausnahmezustand; über Kurgan-Tjube wird am 31. 3. eine Ausgangssperre verhängt. – Der frühere Präsident *Nabijew* erliegt am 10. 4. einem Herzversagen. – ai berichtet am 5. 5., der seit einem Jahr andauernde Bürgerkrieg habe bisher rund 20 000 Menschenleben gefordert; über 600 000 Personen seien auf der Flucht. Die von Ministerpräsident *Abduladschanow* im Dezember 1992 genannten Zahlen gingen noch darüber hinaus: 800 000 Flüchtlinge und Obdachlose, 100 000 Vermißte und 100 000 nach Afghanistan geflüchtete Personen; Schäden in Höhe von 300 Mrd. Rubel; 80 % aller Industriebetriebe seien zerstört, im Süden des Landes fast 100 %. – Das Oberste Gericht verbietet am 21. 6. 1993 die 4 wichtigsten Oppositionsbewegungen des Landes, darunter die »Demokratische Partei Tadschikistans«, die »Islamische Partei der Wiedergeburt« und die »Nationalbewegung Rastoches«. – Die blutigen Auseinandersetzungen in Südtadschikistan dauern an. Die über 1000 km lange, praktisch unkontrollierbare afghanisch-tadschikische Grenze ermöglicht es den muslimischen Widerstandskämpfern, nach Afghanistan überzuwechseln, um von dort aus mit neuen Waffen nach Tadschikistan zurückzukehren. Seit Mitte Juli kommt es im Grenzgebiet zu Afghanistan fast täglich zu Gefechten zwischen tadschikischen Regierungstruppen, die v. a. von russischen Truppen unterstützt werden, und Einheiten muslimischer Gruppierungen sowie afghanischen Mud-

schaheddin, die gemeinsam von Afghanistan aus operieren. – Die Präsidenten Rußlands und der 4 zentralasiatischen Staaten Kasachstan, Kirgisistan, Tadschikistan und Usbekistan sowie ein Vertreter des turkmenischen Präsidenten beschließen am 7. 8. in Moskau die Verstärkung ihrer Truppen an der afghanisch-tadschikischen Grenze. – Nach 9tägigen schweren Kämpfen nehmen Regierungseinheiten am 10. 8. einen bisher von muslimischen Freischärlern besetzten strategisch wichtigen Gebirgspaß, der Duschanbe mit dem Autonomen Gebiet Berg-Badachschan verbindet, ein; die überwiegend schiitischen Rebellen kämpfen für die Unabhängigkeit ihrer Region von der Zentralregierung.

TOGO Die innenpolitische Entwicklung ist auch in der 2. Jahreshälfte **1992** durch eine Reihe von **Attentaten** auf Politiker geprägt; die ersten freien **Präsidentschaftswahlen** werden **abgesagt**. Die Opposition beschuldigt die Streitkräfte, hinter den Gewalttaten zu stehen, um den Demokratisierungsprozeß zu blockieren. Dem Staatschef General *Gnassingbé Eyadéma* gelingt es, seine Machtstellung erheblich zu stärken und einen Großteil der ihm entzogenen Exekutivvollmachten zurückzuerhalten. Der demokratisch gewählte Ministerpräsident *Joseph Kokou Koffigoh* beugt sich schließlich dem Druck *Eyadéma*s, **löst** seine **Übergangsregierung auf** und bildet ein **drittes Kabinett**, in dem Mitglieder der früheren Staatspartei »Rassemblement du Peuple Togolais«/RPT alle Schlüsselressorts übernehmen. Die Armee läßt Oppositionelle verhaften, besetzt Rundfunksender, um Kommuniqués zu verlesen und nimmt am 22. 10. 2 Minister und 40 Parlamentsabgeordnete als Geiseln, um die Freigabe gerichtlich gesperrter Konten der früheren Einheitspartei in Höhe von 35 Mio. $ zu erzwingen. Frankreich bricht aufgrund der innenpolitischen Entwicklung am 30. 10. die militärische Zusammenarbeit ab. Die EG sperrt die gesamte Finanzhilfe, die USA geben am 13. 11. die Suspendierung ihrer Hilfsprogramme bekannt. – Gewerkschaften und Opposition rufen am 16. 11. zum **Generalstreik** auf, um gegen die Einmischung der Militärs in den Demokratisierungsprozeß zu protestieren. – In Lomé finden über 20 Menschen am 25. 1. **1993** den Tod, als Angehörige von Polizei und Streitkräften gegen die Teilnehmer einer regimefeindlichen Kundgebung vorgehen. – Zu einer vorläufigen Einigung zwischen *Eyadéma* und *Koffigoh* kommt es am 12. 2., als der Premierminister eine **neue Krisenregierung** vorstellt. In einem 7-Punkte-Plan wird vereinbart, daß die Streitkräfte künftig politisch neutral bleiben sollen. 8 der 18 Regierungsmitglieder gelten als Anhänger des Präsidenten *Eyadéma*. Der »Hohe Rat der Republik«/HCR und mehrere Parteien erklären die neue Regierung für illegal, sprechen von einem »**Staatsstreich des Premierministers**« und rufen das Ausland auf, das neue Kabinett nicht anzuerkennen. – Die Opposition bildet am 22. 3. im benachbarten Benin eine **Exilregierung** und wählt einstimmig *Jean-Lucien de Touve*, den Chef der »Partei der Demokraten für die Einheit«/PDU, zu ihrem Premierminister. Am 25. 3. scheitert der Versuch, mit einem Angriff auf einen Stützpunkt der Streitkräfte das Regime von Staatschef *Eyadéma* zu stürzen. – Bei den kurzfristig am 25. 8. angesetzten **Präsidentschaftswahlen** wird *Eyadéma* in seinem Amt bestätigt. Die Oppositionsparteien hatten ihre Kandidaturen zurückgezogen, da sie die Regierung beschuldigen, durch Manipulation die Registrierung hunderttausender Wahlberechtigter verhindert zu haben.

TSCHAD Staatspräsident *Idriss Déby* eröffnet am 15. 1. **1993** eine **Nationalkonferenz**, die unter Einbeziehung aller politischen Kräfte über die weitere Entwicklung des Landes nach dem Friedensabkommen (→ *WA '93, Sp. 158*) beraten soll. Sie erklärt sich nach mehrtägigen heftigen Debatten zur »Souveränen Nationalkonferenz«/CNS und damit für unabhängig von Weisungen der Regierung. – Am 24. 1. scheitert ein **Putschversuch** von Anhängern des ehemaligen Diktators *Hissan Habré*. – Anfang Februar kommt es am Tschadsee zu heftigen **Kämpfen** zwischen der regierungstreuen Nationalarmee und Einheiten der oppositionellen Bewegung für Demokratie und Entwicklung/MDD. 215 Soldaten und 19 MDD-Kämpfer werden getötet. – Die Nationalkonferenz beendet Anfang April ihre Arbeit; am 6. 4. tritt eine **Übergangscharta** in Kraft, die das politische Leben für die Dauer von 12 Monaten regeln soll. Präsident *Déby* wird zwar im Amt bestätigt, seine Machtbefugnisse sind jedoch eingeschränkt. Zudem wählt die CNS ein 57 Mitglieder umfassendes Übergangsparlament. Neuer Regierungschef wird *Fidèle Moungar*. – Wie schon im Bürgerkrieg 1979 brechen im August wieder ethnische Konflikte auf. Etwa 60 Menschen sterben bei einem Massaker in der Ortschaft Chakoyam im Osten des Landes, 41 weitere kommen bei anschließenden Protestmärschen in der Hauptstadt ums Leben.

TSCHECHISCHE REPUBLIK Zum 1. 1. **1993** gehen alle Kompetenzen der ehemaligen Tschechoslowakei *(Auflösung → Kasten Sp. 191)* auf die Parlamente und Regierungen der Tschechischen bzw. der Slowakischen Republik über. – Die am 1. 1. in Kraft getretene **neue Verfassung** sieht ein Abgeordnetenhaus aus den 200 Abgeordneten des bestehenden Nationalrats und einen 81 Mitglieder umfassenden Senat vor. Der von Abgeordnetenhaus und Senat für 5 Jahre gewählte Staatspräsident (einmalige Wiederwahl möglich) hat ein Vetorecht im Ge-

setzgebungsprozeß und wird am Abschluß internationaler Verträge beteiligt. Die Volksabstimmung als Mittel der politischen Willensbildung und die Menschenrechte – u. a. das Recht auf Arbeit – sind in der Verfassung verankert. – Die UN-Generalversammlung nimmt am 19. 1. die Tschechische Republik als UNO-Mitglied auf. – Trotz vermehrter Spannungen zwischen der Regierungskoalition und **Václav Havel** wird dieser am 26. 1. vom Parlament mit 109 Stimmen für 5 Jahre **zum Präsidenten** der Republik **gewählt**. 49 Abgeordnete stimmten für die linksgerichtete Gegenkandidatin *Marie Stiborovo*, 14 für den rechtsradikalen republikanischen Kandidaten *Miroslav Sladek*. An der Vereidigung *Havels* auf der Prager Burg am 2. 2. nehmen die Präsidenten Österreichs, Ungarns, Deutschlands und Polens sowie der slowakische Vizeministerpräsident teil. – Am 2. 2. beschließen die Parlamente der Tschechischen und Slowakischen Republik die **Auflösung der** bei der staatlichen Trennung eingeführten **Währungsunion** mit Wirkung vom 8. 2.; ab diesem Zeitpunkt existieren die tschechische und die slowakische Krone. – Am 23. 2. überträgt das tschechische Parlament der Slowakei die Entscheidungsbefugnis über das **Donaukraftwerk Gabčíkovo** und macht sie zum alleinigen Verhandlungspartner Ungarns (→ *Slowakei*). Am 11. 3. billigt die Regierung die Fertigstellung des Atomkraftwerks Temelin als »ökologisch und ökonomisch günstigste Alternative« zur Kohle. Die Schwefeldioxid-Emissionen in Nordböhmen sollen dadurch um 33 % reduziert werden. – **Der slowakische Präsident** *Michal Kováč* weilt am 30./31. 3. zu Gesprächen mit Präsident *Havel* in Prag. Damit sollte in erster Linie ein positives Zeichen in der in letzter Zeit problembeladenen Atmosphäre zwischen den beiden Staaten gesetzt werden. Zu den immer noch ungeklärten Fragen gehört die Teilung des Vermögens des aufgelösten Föderalstaates. Die Slowakei hat gegenüber der Tschechischen Republik Schulden von rd. 40 Mrd. $. – Die Regierung beschließt neue **Visaregelungen** zur Verhinderung einer unkontrollierten Einwanderung: Ab 1. 7. dürfen Bürger aus Serbien/Montenegro, Bosnien-Herzegowina, Armenien, Aserbaidschan, Tadschikistan und Georgien nur noch mit Sichtvermerken nach T. einreisen. – Die EG-Kommission paraphiert am 23. 6. getrennte Assoziierungsverträge mit T. und der Slowakei. Sie sollen das im Dezember 1991 zwischen der EG und der damals noch bestehenden ČSFR ablösen. – Polizeisondereinheiten beginnen am 13. 7. an insgesamt 20 Grenzstationen zur Slowakei mit der **Kontrolle von Ausländern**. Unerwünschte Personen müssen das Land innerhalb von 48 Stunden wieder verlassen. Am 26. 8. setzt die Grenzpolizei eine mobile elektronische Überwachungsanlage an der deutsch-tschechischen Grenze ein, um illegale

Teilung der Tschechoslowakei

17. 7.1992 Die **Slowak erklärt sich souverän**.

2. 9.1992 Mit der Annahme einer eigenen Verfassung (in Kraft: 3. 9.) macht das slowakische Parlament einen entscheidenden Schritt zur Auflösung des Föderalstaates *(→ Slowakei)*.

29. 10. 1992 Die Ministerpräsidenten der Slowakischen und der Tschechischen Republik, *Vladimir Mečiar* und *Václav Klaus*, unterzeichnen 16 bisher ausgehandelte Verträge über die Zusammenarbeit nach der staatlichen Teilung; u. a. über eine **Zollunion**, die den freien Verkehr von Personen und Waren garantiert.

13. 11. 1992 Das Bundesparlament billigt im 3. Anlauf das Gesetz über die **Aufteilung des Vermögens** der ČSFR auf die Tschechische und die Slowakische Republik. Es sieht als Grundprinzip vor, daß »bewegliches und unbewegliches Eigentum« Besitz der jeweiligen Republik bleibt.

19. 11. 1992 Der tschechische Nationalrat übernimmt gemeinsam mit der tschechischen Regierung die Verantwortung für die Kontinuität der Staatsmacht und für die Wahrung der Rechte und Pflichten der tschechischen Bürger.

25. 11. 1992 Nach langwierigen Auseinandersetzungen um die Modalitäten der staatlichen Trennung der ČSFR, während denen das Bundesparlament die Auflösung mehrfach blockierte und die slowakische Seite die Umwandlung der Föderation in eine Union vorschlug, nimmt das Bundesparlament das **Teilungsgesetz** mit knapper Dreifünftelmehrheit an.

16. 12. 1992 Der tschechische Nationalrat verabschiedet die Verfassung der Tschechischen Republik mit 172 gegen 16 Stimmen bei 10 Enthaltungen *(→ Tschechische Republik)*.

17. 12. 1992 Die beiden Kammern des Bundesparlaments tagen zum letzten Mal. Zum Stichtag 1. 1. 1993 gehen alle Kompetenzen auf die Parlamente und Regierungen der Tschechischen und der Slowakischen Republik über *(→ Tschechische Republik bzw. Slowakei)*.

Übertritte zu unterbinden. – Präsident *Havel* unterzeichnet am 23. 7. das umstrittene, Mitte Juli vom Parlament gebilligte Gesetz über die **»Unrechtmäßigkeit des Kommunismus«**, das somit am 1. 8. in Kraft tritt. Das Gesetz macht die Kommunistische Partei der Tschechoslowakei/KPČ, ihre Führung und Mitglieder für die undemokratische Regierungsweise in den Jahren 1948 bis 1989 verantwortlich und stuft sie als »verbrecherisch, illegitim und verabscheuungswürdig« ein. Eine Klausel hebt zudem die Verjährungsfrist für in den 42 Jahren KPC-Herrschaft begangene Straftaten auf, die aus politischen Gründen nicht strafrechtlich verfolgt wurden. – Die Zahl der für die **Privatisierung** vorgesehenen staatlichen Unternehmen betrug Ende 1992 rd. 16 600, davon waren bis Mitte 1993 rd. 10 800 abgewickelt. Eine 2. Privatisierungswelle beginnt ab 1. 10. 1993.

TÜRKEI Nach der Auflösung der UdSSR bemüht sich die Türkei um engere **Beziehungen zu den muslimischen Nationen** Zentralasiens und zu Aserbaidschan. Auf einem Präsidententreffen in Ankara am 30./31. 10. **1992** *(→ OATC im Kap. »Internationale Organisationen«)* bekunden die 5 mehrheitlich turksprachigen Republiken Kasachstan, Usbekistan, Turkmenistan, Kirgisistan und Aserbaidschan sowie die Türkei ihr Interesse an einer wirtschaftlichen Kooperation. Die Absichten Ankaras, die Zusammenarbeit rasch bis zu einer politischen Union und einem einheitlichen Wirtschaftsraum voranzutreiben, stoßen bei den zentralasiatischen Staatschefs und dem aserbaidschanischen Präsidenten jedoch auf eine reservierte Haltung. – Am 9. 9. nimmt in Ankara die 1981 von den Militärs aufgelöste **Republikanische Volkspartei/CHP** des Republikgründers *Kemal Atatürk* (Staatspräsident 1923–38) ihre Tätigkeit wieder auf. – Am 18. 11. verabschiedet das Parlament eine **Justizreform**, die u. a. Folterungen in Polizeihaft verhindern soll. Einzelpersonen dürfen künftig nur noch 24 Stunden (bisher 30 Tage) in Polizeihaft gehalten werden. Bei Verhören soll ein Anwalt anwesend sein; mittellose Beschuldigte erhalten einen Rechtsbeistand auf Staatskosten. Bei einer von einer Gruppe begangenen Straftat beträgt die zulässige Haftdauer 4, bei mutmaßlichen Terroristen bis 15 Tage. ai hatte am 10. 11. berichtet, seit dem Amtsantritt der Regierung *Süleyman Demirel* im Sept. 1991 habe es eine beispiellos hohe Zahl politischer Morde gegeben; v. a. im Südosten des Landes arbeiteten die Sicherheitskräfte unkontrolliert und ohne strafrechtliche Konsequenzen. Folter sei, obwohl offiziell verboten, auf Polizeistationen tägliche Routine. Nach einem Bericht der türkischen Menschenrechtsvereinigung kamen 1992 in der Türkei 2933 Menschen durch **politisch motivierte Gewalttaten** ums Leben, die meisten davon im Südosten des Landes. 747 Angehörige der Sicherheitskräfte seien im Kampf gegen die PKK getötet worden, der kurdischen Freischärler hätten 972 Kämpfer verloren. 594 Personen, darunter Kinder und Frauen, seien von den Sicherheitskräften gefoltert worden. Ferner seien 189 Ausgaben von Zeitungen und Zeitschriften beschlagnahmt worden. – Am 20. 11. wird ein für die linksgerichtete Wochenzeitung Gercek (Die Wahrheit) schreibender Journalist in Diyarbakir auf offener Straße erschossen. Er ist bereits der 12. im laufenden Jahr unter ähnlichen Umständen getötete Journalist. – Präsident *Turgut Özal* erliegt am 17. 4. **1993** in Ankara einem Herzinfarkt. Am 16. 5. wählt das Parlament im 3. Wahlgang mit 244 von 431 abgegebenen Stimmen der regierenden Partei des Rechten Weges/DYP, der Sozialdemokratischen Volkspartei/SHP und der Nationalistischen Bewegungs-Partei den bisherigen Ministerpräsidenten *Demirel*/DYP zum **neuen Präsidenten**; dieser wird anschließend für eine 7jährige Amtszeit vereidigt. Staatspräsident *Demirel* beauftragt am 14. 6. die am Vortag auf einem Sonderparteitag der konservativen Partei des Rechten Weges/DYP in Ankara im 2. Wahlgang mit 933 der 1169 Delegiertenstimmen zu ihrer Vorsitzenden gewählte Wirtschaftswissen-

schaftlerin und bisherige Staatsministerin *Tansu Ciller* mit der Regierungsbildung. *Demirel* billigt am 25. 6. die von *Ciller* vorgelegte Kabinettsliste aus Mitgliedern der DYP (20 Minister) und der SHP (12 Minister). Das Parlament spricht der **Koalitionsregierung** am 5. 7. mit 247 gegen 184 Stimmen das Vertrauen aus. – Die **Anschläge auf Türken in Deutschland** (→ *Deutschland*) belasten die bilateralen Beziehungen. Der deutsche Außenminister *Kinkel* ruft am 4. 6. bei den Trauerfeiern für die 5 Mordopfer von Solingen in der Stadt Tasova dazu auf, die Freundschaft zwischen Deutschen und Türken zu bewahren. Die deutsche Bevölkerung distanziere sich von dieser furchtbaren Tat und von der verbrecherischen Gesinnung, die dahinterstecke. – Bei einem religiös motivierten Brandanschlag **islamischer Extremisten** auf ein von Teilnehmern eines Kulturfestivals progressiver Moslems bewohntes Hotel im osttürkischen **Sivas** kommen am 2. 7. 36

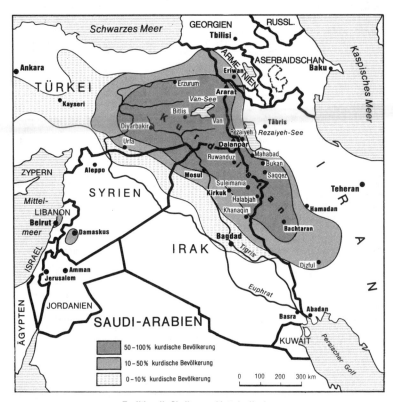

Traditionelle Siedlungsgebiete der Kurden

50–100% kurdische Bevölkerung

10–50% kurdische Bevölkerung

0–10% kurdische Bevölkerung

0　100　200　300 km

Menschen in den Flammen um, rd. 60 werden z. T. schwer verletzt.

Bekämpfung der Kurden: Die bewaffneten Auseinandersetzungen in der Ost- und Südosttürkei zwischen der Armee und Guerillas der verbotenen, seit 1984 für einen unabhängigen sozialistischen Kurdenstaat kämpfenden Arbeiterpartei Kurdistans/ PKK (kurdisch: Partiya Karkeren Kurdistan) gehen im Berichtszeitraum weiter: Bei einer Großoffensive gegen PKK-Ausbildungslager dringen am 1. 11. **1992** Armee-Einheiten unter Einsatz von Kampfflugzeugen und Panzern rd. 25 km in den Norden des Irak vor und töten über 1000 kurdische Kämpfer. – Am 16. 3. **1993** gibt PKK-Führer *Abdullah Öcalan* in Bar Elias, seinem Hauptquartier in der syrischen Bekaa-Ebene, einen **einseitigen Waffenstillstand der PKK** bekannt. Während sich die PKK zunächst an den Waffenstillstand hält, setzen die türkischen Sicherheitskräfte ihre Anti-Terror-Kampagne fort. Daraufhin ermorden radikale PKK-Kämpfer am 24. 5. bei Bingöl in der Osttürkei 33 unbewaffnete Soldaten und 2 Zivilisten. Ankara antwortet mit massiven Militäraktionen. *Öcalan* kündigt am 8. 6. den Waffenstillstand auf, weil Ankara auf sein Angebot mit der Zerstörung kurdischer Dörfer geantwortet habe und den Vernichtungsfeldzug fortsetze, und ruft zum »allumfassenden Krieg« gegen den türkischen Staat auf; die PKK werde gegen **wirtschaftliche und touristische Ziele** losschlagen. – Bei Sprengstoffexplosionen im südtürkischen Ferienzentrum **Antalya** am 27. 6. und 17. 7. wird ein Mensch getötet, 26 weitere Personen, darunter 12 Touristen, werden verletzt; bei der Explosion einer Bombe vor einem Hotel in **Kusadasi** an der ägäischen Küste am 30. 6. erleiden 18 Menschen, darunter 6 Touristen, Verletzungen. Die Polizei macht die PKK für die Anschläge verantwortlich. – Das Parlament in Ankara verlängert am 29. 6. mit 207 gegen 71 Stimmen bei Enthaltung der meisten Abgeordneten der Mutterlandspartei/ANAP den seit 1987 bestehenden **Ausnahmezustand** über die 10 überwiegend von Kurden bewohnten Provinzen im Osten und Südosten des Landes um weitere 4 Monate. Der für diese Provinzen verantwortliche Regionalgouverneur *Ünal Erkan* teilt mit, die Zahl der PKK-Anschläge sei im 1. Halbjahr 1993 gegenüber dem Vorjahreszeitraum um über 50 % gestiegen. Dabei seien 448 Rebellen getötet und 249 festgenommen worden; 88 militante Kurden hätten sich ergeben, und mehr als 1000 Personen seien unter dem Verdacht der Unterstützung der PKK verhaftet worden. – Das Verfassungsgericht in Ankara spricht am 15. 7. wegen Verstoßes gegen die Verfassung und das Parteiengesetz das **Verbot der kurdischen Arbeiterpartei des Volkes/HEP** aus, die in Teilen als parlamentarische Ersatzorganisation für die verbo-

tene PKK gilt. Die 15 HEP-Abgeordneten werden aus dem Parlament verwiesen. – Am 5. 7. überfallen kurdische Rebellen das **Dorf Basbaglar** in der Provinz Erzincan und erschießen 27 »Dorfwächter«; danach zünden sie die Häuser an, wobei 5 Frauen in den Flammen umkommen. – Die Armee startet im Juli, unterstützt durch Panzer, Kampfflugzeuge und mehr als 100 000 Soldaten, eine **Großoffensive gegen die PKK**, die bisher hunderte Menschenleben forderte. – In dem seit 1984 währenden Kampf der PKK für einen eigenen Kurdenstaat starben bereits mehr als 6250 Menschen; hunderte Dörfer wurden zerstört, zehntausende Personen verschleppt.

UKRAINE Die seit 1920 bestehende Exilregierung der Ukraine löst sich Anfang September **1992** auf. – Das **Parlament spricht** am 1. 10. mit 295 gegen 6 Stimmen der **Regierung das Mißtrauen aus**. Ministerpräsident *Witold Fokin*, dem die Verzögerung von Wirtschaftsreformen vorgeworfen und die Schuld für die Wirtschaftskrise gegeben wird, war am Vortag zurückgetreten. Am 13. 10. wählt das Parlament mit 316 gegen 23 Stimmen den von Präsident *Leonid Krawtschuk* vorgeschlagenen *Leonid Kutschma* zum **neuen Ministerpräsidenten**. *Kutschma*, der die Einführung der Marktwirtschaft als wichtigste Aufgabe der neuen Regierung sieht, tritt für einen langsamen Übergang zur Marktwirtschaft ein. Das Parlament bestätigt am 27. 10. mit 296 gegen 62 Stimmen bei 11 Enthaltungen *Kutschmas* Kabinett, in dem erstmals auch die oppositionelle Volksfront Ruch vertreten ist; Außenminister *Anatolij Slenko* und Verteidigungsminister *Konstantin Mosorow* bleiben im Amt. Am 19. 11. billigt das Parlament mit 308 gegen 16 Stimmen das Reformprogramm *Kutschmas*, das bei Sicherung eines Mindestlebensstandards die Senkung der Inflationsrate von derzeit monatlich 30 % auf 2–3 % binnen eines Jahres und die Reduzierung des Haushaltsdefizits von 44 % auf 5–6 % des BSP vorsieht; das Parlament bewilligt **zur Durchsetzung der Wirtschaftsreformen** auf 6 Monate befristete **Sondervollmachten für Ministerpräsident** *Kutschma*. Zugleich lehnt es zusätzliche Vollmachten für den Präsidenten ab. – Wegen Wirtschaftskrise und Energieknappheit gehen am 16. 10. Block 3 und am 13. 12. Block 1 des Atomkraftwerks Tschernobyl wieder ans Netz. – Die **Ukraine verläßt** am 13. 11. die **Rubelzone**. Der bargeldlose Zahlungsverkehr wird auf die Übergangswährung Karbowanez umgestellt; bis zur Emission einer ausreichenden Menge an Karbowanzy werden im Bargeldverkehr nur noch die am 10. 1. als Parallelwährung zum Rubel eingeführten mehrfach verwendbaren Coupons akzeptiert. Die neue nationale Währung Griwna soll erst nach der Stabilisierung der Wirtschaft eingeführt werden. – Die Privatisierung großer Staatsbetriebe erfolgt über gutscheinähnliche Sonderkonten; seit dem 1. 12. werden an Bürger, die Unternehmensanteile erwerben möchten, 30 000 Karbowanzy auf spezielle Konten ausgegeben. Im Mai 1993 sind rd. 100 der über 68 000 Staatsbetriebe privatisiert. – Auf dem 4. Nationalkongreß der Volksfront Ruch in Kiew wird *Wjatscheslaw Tschornowil* zum Vorsitzenden gewählt und am 6. 12. 1992 die Umwandlung in eine Partei beschlossen. – Ministerpräsident *Kutschma* ordnet am 26. 12. per Dekret eine **weitgehende Preisfreigabe**, darunter für die meisten Nahrungsmittel, zum 2. 1. **1993** an. – Das Parlament lehnt am 26. 1. in einer Resolution mit 267 gegen 6 Stimmen die Wirtschaftsreformen von Ministerpräsident *Kutschma* als übereilt ab; gefordert werden die Wiedereinführung von Preiskontrollen für Milch und Zucker sowie die Rücknahme eines Dekrets zur Privatisierung von Grund und Boden. – Mitte Februar schließen Vertreter der Ukraine und der Moldau ein Verteidigungsabkommen, das u. a. den Austausch von Rüstungsgütern und gemeinsame Manöver vorsieht. – Der georgische Präsident *Eduard Schewardnadse* unterzeichnet zum Abschluß seines Besuchs in Kiew am 13. 4. mit seinem ukrainischen Amtskollegen *Krawtschuk* rd. 20 bilaterale Abkommen auf allen nicht-militärischen Gebieten. – Das mehrheitlich reformfeindliche Parlament lehnt am 20. 5. eine Verlängerung der Sondervollmachten für Ministerpräsident *Kutschma* ab und bewilligt am 21. 5. mit 354 gegen 6 Stimmen **Sondervollmachten in Wirtschaftsfragen für Präsident** *Krawtschuk*; *Kutschmas* Rücktrittsgesuch wird mit 212 gegen 90 Stimmen abgelehnt. *Krawtschuk* bezeichnet die Eindämmung der Inflation als wichtigste Aufgabe der Wirtschaftspolitik; die Rolle des Staates bei der Durchführung der Wirtschaftsreformen müsse gestärkt werden. Die von Präsident *Krawtschuk* am 20. 5. vorgeschlagenen Verfassungsänderungen zur Erweiterung des Präsidialvollmachten, die u. a. vorsehen, daß der Präsident auch Regierungschef werden kann, erreichen bei der Abstimmung im Parlament am 2. 6. nicht die erforderliche Zweidrittelmehrheit. – Die Regierung gibt am 6. 6. die Erhöhung der Mieten sowie der Preise für Strom und Heizung um das 8–10fache bekannt. – Im ostukrainischen Kohlerevier Donbass beginnt am 7. 6. ein unbefristeter **Streik** gegen Preiserhöhungen und für Anpassung der Löhne an die Inflation. Dem Streik der Bergleute, der in den folgenden Tagen die meisten der 250 Zechen erfaßt, schließt sich ein großer Teil der Industriearbeiter in der Ostukraine an. Bald treten politische Forderungen in den Vordergrund: mehr Autonomie für die Bergbauregion sowie eine Vertrauensabstimmung über Präsident und Parlament. Am 17. 6. beschließt das Parlament mit 228 gegen 18 Stimmen für den 26. 9. die von den Streikenden geforderte Vertrau-

ensabstimmung. Als die Regierung weitere politische Zugeständnisse macht und Lohnerhöhungen verspricht, wird der Streik am 19. 6. weitgehend abgebrochen. Präsident *Krawtschuk* nimmt am 21. 6. ein Dekret zurück, mit dem er sich am 16. 6. die Regierung direkt unterstellt hatte. Das Parlament läßt die am 9. 8. ablaufende gesetzliche Frist zur Vorbereitung des Referendums jedoch verstreichen; daraufhin drohen die Bergarbeiter mit einem neuen Streik. – Während des Aufenthalts von Bundeskanzler *Helmut Kohl* vom 9.–10. 6. werden eine Erklärung über die Grundlagen der künftigen deutsch-ukrainischen Beziehungen und 10 bilaterale Abkommen zur Zusammenarbeit in Wirtschaft, Verkehr, Umweltschutz, Reaktorsicherheit und Wissenschaft unterzeichnet; darin wird u. a. deutsche Unterstützung bei der nuklearen Abrüstung zugesagt. Bundesverteidigungsminister *Volker Rühe* unterzeichnet am 16. 8. zu Beginn seines 2tägigen Besuchs in Kiew mit seinem ukrainischen Amtskollegen *Mosorow* ein Abkommen über Zusammenarbeit in Militär- und Sicherheitspolitik. – Auf dem 1. Parteitag der seit 15. 5. wieder zugelassenen Kommunisten, der am 19. 6. in Donezk endet, beschließen die Delegierten die Neugründung der Ende August 1991 verbotenen KP der Ukraine. – Regierungsdelegationen Rußlands und der Ukraine unterzeichnen am 17. 6. ein Freihandelsabkommen. Die Ministerpräsidenten beider Länder, *Viktor Tschernomyrdin* und *Kutschma*, unterzeichnen am 24. 6. in Kiew weitere bilaterale Wirtschaftsabkommen; die zugleich vereinbarten neuen Preise für die Gaslieferungen Rußlands an die weitgehend von russischen Energielieferungen abhängige Ukraine liegen weiterhin unter dem Weltmarktniveau. Wegen Zahlungsrückständen der Ukraine hatte Rußland seine Erdöl- und Erdgaslieferungen an die Ukraine reduziert. – In einer vom Parlament am 2. 7. verabschiedeten **Grundsatzerklärung** heißt es, die Ukraine besitze **Atomwaffen** auf ihrem Territorium, verzichte aber auf deren Anwendung und wolle ein atomwaffenfreier Staat werden. – Nach Angaben von Verteidigungsminister *Mosorow* beginnt die Ukraine am 15. 7. mit dem Abbau der auf ihrem Territorium stationierten Interkontinentalraketen vom Typ SS-19. Mit 130 Raketen vom Typ SS-19 und 46 vom Typ SS-24 ist die Ukraine nach dem Zerfall der UdSSR die drittgrößte Atommacht der Welt. Die Raketenteile werden zur Vernichtung nach Rußland gebracht, die Atomsprengköpfe sollen bis zur Beilegung des Streits mit Rußland um die ehem. sowjetischen Atomwaffen im Land bleiben. Die Ukraine fordert für die vollständige Vernichtung ihrer Nuklearwaffen Sicherheitsgarantien der Atommächte und finanzielle Unterstützung. Die USA haben bisher 175 Mio. US-$ angeboten, die Kosten für die Zerstörung der Atomsprengköpfe schätzt *Mosorow* auf 3 Mrd. US-$. Am 3. 9. einigen sich Präsident *Krawtschuk* und sein russischer Amtskollege, *Boris Jelzin*, bei Jalta darauf, daß die Ukraine alle strategischen Atomwaffen an Rußland übergibt; die Ukraine erhält Uran für ihre Atomkraftwerke. Eine Zustimmung des Parlaments steht noch aus. – Der russische und der ukrainische Präsident, *Jelzin* und *Krawtschuk*, unterzeichnen am 17. 6. in Moskau ein weiteres Abkommen über die seit dem Ende der UdSSR umstrittene **Schwarzmeerflotte**. Vereinbart wird die Aufteilung der über 300 Schiffe umfassenden Flotte sowie der Gebäude und Hafenanlagen 1995 im Verhältnis 1:1; bis 1995 wird die Flotte gemeinsam verwaltet und finanziert; für die Übergangszeit untersteht der Oberbefehlshaber der Flotte im Prinzip beiden Präsidenten gemeinsam. Am 3. 9. einigen sich *Jelzin* und *Krawtschuk* bei Jalta auf der Krim, daß die Ukraine ihren Anteil an der Schwarzmeerflotte an Rußland verkauft; Rußland wird die auf ukrainischem Territorium liegenden Flottenstützpunkte, v. a. Sewastopol, pachten; die russischen Zahlungen sollen gegen die Schulden der Ukraine bei Rußland verrechnet werden. Den Wert der Flotte und die Pachtsumme wird eine gemische Kommission ermitteln. Diese Vereinbarung zwischen *Jelzin* und *Krawtschuk* wird u. a. von ukrainischen Regierungsmitgliedern und Parlamentariern heftig kritisiert.

UNGARN In einer Bilanz zur Halbzeit seiner Amtsperiode hebt Ministerpräsident *József Antall* am 16. 9. **1992** erste Erfolge des Wirtschaftskonzepts hervor, räumt jedoch gleichzeitig harte soziale Folgen für die Bevölkerung ein. Aufgrund der marktwirtschaftlichen Umgestaltung der Wirtschaft wächst die Zahl der Arbeitslosen (Anfang 1993: 640 000) und der unter der Armutsgrenze lebenden Menschen (rd. 2 Mio. der insgesamt 10,4 Mio. Einw.). – Das Parlament ratifiziert am 6. 11. die Europäische Menschenrechtskonvention und am 17. 11. den **Assoziierungsvertrag mit der EG**, den Budapest am 16. 12. 1991 zusammen mit Polen und der ČSFR in Brüssel unterzeichnet hatte. – Am 21. 12. wird in Krakau mit Polen und der ČSFR ein Vertrag über das **Mitteleuropäische Freihandelsabkommen/CEFTA** geschlossen, der die Abschaffung der Zölle zwischen den 4 Staaten bis 2001 vorsieht *(→ Kapitel »Internationale Organisationen«/CEFTA)*. Am 29. 3. **1993** wird ein asymmetrisches **Freihandelsabkommen mit den 7 EFTA-Staaten** unterzeichnet, das am 1. 7. 1993 in Kraft tritt und den Abbau der Zölle bis Juni 2003 vorsieht. – Entgegen Abmachungen leitet die Slowakei am 3. 11. die Donau in das fertiggestellte **Wasserkraftwerk bei Gabčíkovo** um *(→ Slowakei)*. – Bei seinem ersten Besuch in U. am 11. 11. verurteilt der russische Präsident *Boris Jelzin* die Intervention

der sowjetischen Truppen 1956. Beide Seiten einigen sich auf den Verzicht gegenseitiger Forderungen nach dem Abzug der sowjetischen Truppen. Außerdem wird ein Rückführungsabkommen für Kulturgüter – fast 4000 Kunstwerke wurden nach dem Ende des II. Weltkriegs von U. in die Sowjetunion gebracht –, ein Investitionsschutz- und ein Doppelbesteuerungsabkommen unterzeichnet. – Auf dem 6. Parteikongreß des »Ungarischen Demokratischen Forums«/UDF vom 22. bis 24. 1. **1993** wird Ministerpräsident *Antall* einstimmig als Parteivorsitzender bestätigt; die Spaltung der starkem rechtsradikalem Druck ausgesetzten Partei kann verhindert werden. Im Hinblick auf die 1994 stattfindenden Parlamentswahlen bildet *Antall* am 23. 2. die Regierung auf 6 Ministerposten um. – Die Nationalversammlung ratifiziert am 12. 5. mit 233 gegen 39 Stimmen bei 17 Enthaltungen den **Grundlagenvertrag mit der Ukraine**, der am 6. 12. 1991 unterzeichnet und durch das Parlament der Ukraine bereits gebilligt wurde. Die Mehrheit kam mit den Stimmen aller Abgeordneten der 3 Oppositionsparteien und eines Teils der Regierungskoalition zustande; 56 Koalitionsabgeordnete verweigerten die Zustimmung, und 55 UDF-Parlamentarier blieben der Abstimmung fern. Die Vertragsgegner fanden sich ausschließlich im rechten Flügel der Regierungskoalition, insbesondere in der UDF. Innenpolitisch umstritten ist der Vertrag wegen der Textpassage, wonach beide Seiten auf gegenseitige territoriale Ansprüche sowohl jetzt als auch in Zukunft verzichten. Dies schließt nach Ansicht nationalistisch und rechts orientierter Vertreter des Regierungsbündnisses die Möglichkeit einer Wiedereingliederung für die Ungarn in der Ukraine aus. Etwa $1/_3$ aller Ungarn, rd. 5 Mio., lebt außerhalb der Landesgrenzen, hauptsächlich in den Nachbarstaaten, darunter 2 Mio. in Rumänien, 650 000 in der Slowakei, 400 000 auf dem Gebiet des ehem. Jugoslawien und 200 000 in der Karpato-Ukraine. – Der rechtspopulistische Abgeordnete und frühere Vizepräsident des UDF, *Istvan Csurka*, gründet am 22. 6. in Budapest die Partei »Ungarische Wahrheit« und besiegelt damit die Abspaltung von der Regierungskoalition auch formell. Außer *Csurka* haben sich 10 weitere Parlamentsabgeordnete zu Gründungsmitgliedern erklärt. *Csurka* war wegen teilweise antisemitischer Ansichten im Mai aus der Fraktion ausgeschlossen worden. – Anläßlich der für 1994 anstehenden Parlamentswahlen vereinbaren die größte Oppositionspartei, der »Bund Freier Demokraten«/SZDSZ, und der »Verband Junger Demokraten«/Fidesz am 16. 7. ein Wahlbündnis. – Die Nationalbank richtet den **Kurs des Forint** ab 2. 8. nach einem je zur Hälfte aus US-$ und DM bestehenden Währungskorb; bisher wurde zu 50 % der ECU *(→ Kasten Sp. 783)* berücksichtigt.

USBEKISTAN Die Präsidenten Kirgisistans und Usbekistans, *Askar Akajew* und *Islam Karimow*, unterzeichnen am 29. 9. **1992** in Taschkent einen Vertrag über Freundschaft, Zusammenarbeit und gegenseitige Hilfe mit einer Laufzeit von 10 Jahren sowie ein Abkommen über Zusammenarbeit in Handel und Wirtschaft für 1993. – Am 8. 12. 1992 tritt eine **neue Verfassung**, die ein Präsidialsystem etabliert, in Kraft; darin sind die Freiheiten des Glaubens, des Gewissens und des Gedankens sowie das Bekenntnis zur pluralistischen Demokratie verankert; das Staatsoberhaupt hat das Recht auf Ernennung der regionalen Verwaltungschefs; er kann vom Parlament nicht abgesetzt werden. – Die Staats- und Regierungschefs sowie die Wirtschafts- und Verteidigungsminister der 5 zentralasiatischen GUS-Staaten Kasachstan, Kirgisistan, Tadschikistan, Turkmenistan und Usbekistan beschließen am 4. 1. **1993** in Taschkent als ersten Schritt zur Bildung eines gemeinsamen mittelasiatischen Markts die Gründung eines Koordinationsrats, dessen Aufgabe die Abstimmung nationaler wirtschaftspolitischer Beschlüsse und die Kontrolle der Erfüllung von Abkommen ist. Die Staatschefs bekennen sich ausdrücklich zur GUS. Der usbekische Präsident *Karimow* und der tadschikische Parlamentspräsident *Imomali Rachmanow* unterzeichnen am 4. 1. einen Vertrag über Freundschaft und gute Nachbarschaft sowie Abkommen über Handel und Wirtschaft. Vertreter Kasachstans und Usbekistan vereinbaren ein Handelsabkommen. – Der Oberste Gerichtshof suspendiert im Januar die Aktivitäten der Oppositionsbewegung Birlik für 3 Monate. – Präsident *Karimow* ernennt am 3. 2. *Sadik Safajew* zum neuen Außenminister; er löst *Ubaidulla Abdurassakow* ab. – Die Verdoppelung der staatlich festgesetzten Preise und Löhne zum 1. 6. soll verhindern, daß Ausländer, v. a. Kirgisen, subventionierte usbekische Waren erwerben. Nachdem das Nachbarland Kirgisistan am 10. 5. als erste der zentralasiatischen Republiken die Rubelzone verlassen hatte und seit 15. 5. der Kirgisistan-Som als einziges gesetzliches Zahlungsmittel in Kirgisistan gilt, reduziert U. seine Erdgaslieferungen an Kirgisistan und schließt vorübergehend die Grenzübergänge.

VATIKAN Papst *Johannes Paul II.* gibt am 1. 11. **1992** die offizielle **Rehabilitierung von Galileo Galilei** (1564–1642) bekannt: Die Kirche habe in »tragischem gegenseitigem Nichtverstehen« geirrt, als sie den Physiker und Mathematiker durch die Inquisition in einem ersten Prozeß von 1616 zum Schweigen und in einem zweiten am 22. 6. 1633 zu Widerruf und zu Haft wegen seiner Aussage verurteilte, daß die Erde sich um die Sonne drehe und nicht umgekehrt, wie es nach damaliger offizieller Kirchenlehre hieß. – Am 7. 12. veröffentlicht der

Papst den **neuen Katechismus** der katholischen Kirche. Dieser wurde entsprechend den Leitlinien des II. Vatikanischen Konzils (1962–1965) ab 1986 von 12 Kardinälen und Bischöfen unter Federführung des deutschen Präfekten der vatikanischen »Kongregation für die Glaubenslehre«, *Joseph* Kardinal *Ratzinger*, erarbeitet und löst die vielfach überarbeitete Glaubenslehre von 1566 ab. Der neue Katechismus enthält auch Stellungnahmen zu aktuellen Problemen in Staat und Gesellschaft. So bekräftigt er z. B. den Schutz des menschlichen Lebens vom Zeitpunkt der Befruchtung an, die Unauflösbarkeit der Ehe und den Zölibat für Priester. – Auf seiner 56. **Auslandsreise** außerhalb Italiens weilt der Papst vom 9.–13. 10. in der **Dominikanischen Republik**, wo er die IV. Generalversammlung der lateinamerikanischen Bischofskonferenz eröffnet. In einer Messe zum Gedenken an 500 Jahre Evangelisierung des amerikanischen Kontinents bittet der Papst um Vergebung für die Sünden gegen die Menschenrechte während dieser Jahrhunderte. Auf der 10. apostolischen Visite in afrikanischen Ländern hält sich der Papst vom 3.–10. 2. **1993** in **Benin**, **Uganda** und **Sudan** auf. Er ruft zum Aufbau einer Gesellschaft ohne Diskriminierung durch Rasse, Klasse oder Religion auf. Am 25. 4. unternimmt der Papst in Begleitung der albanischstämmigen Nobelpreisträgerin Mutter *Teresa* eine Pastoralreise nach **Albanien**. In der Kathedrale von Shkoder weiht der Papst 4 neue Bischöfe. Er verurteilt den »absurden Bruderkrieg« in Bosnien. Der Vatikan hat erst am 7. 9. 1991 diplomatische Beziehungen zu Albanien aufgenommen, das sich 1967 zum ersten atheistischen Staat proklamiert hatte. Vom 13.–17. 6. besucht der Papst **Spanien** und weiht in Madrid die Kathedrale »La Almudena«, die bereits im 19. Jhd. gebaut, aber erst jetzt fertiggestellt wurde. In seinen Reden und Predigten beklagt er den raschen Säkularisierungsprozeß in S., der zu Konsumdenken, Drogensucht, Scheidungen, Abtreibungen und einem Wirtschaftssystem geführt habe, das wegen seines vorrangigen Gewinnstrebens zur »Tragödie der Arbeitslosigkeit« führe. Auf seiner 60. Auslandsreise besucht der Papst **Jamaika** (9.–10. 8.), **Mexiko** (11.–13. 8.) und die **USA**. In Jamaika betont er u. a. die Bedeutung der Ehelosigkeit für Priester, auf der mexikanischen Halbinsel Yucatan weist er auf das während der spanischen Eroberung verübte Unrecht hin; in den USA nimmt er am katholischen »Weltjugendtag« in Denver/Col. teil und trifft mit US-Präsident *Bill Clinton* zusammen. Der Vatikan hatte erst am 21. 9. 1992 die diplomatischen Beziehungen zu Mexiko wiederaufgenommen, die 1858 nach der Verstaatlichung der Kirchenbesitzes durch Präsident *Benito Suarez* abgebrochen worden waren.

VENEZUELA Die innenpolitische Lage ist durch **Unruhen** gekennzeichnet. – Ein **Putschversuch** aufständischer Militärs wird am 27. 11. **1992** von loyalen Regierungstruppen niedergeschlagen; 142 Zivilisten und 27 Militärs werden getötet, 95 Soldaten verletzt sowie 500 Offiziere und 700 Soldaten verhaftet. – Am 6. 12. finden **Kommunal- und Gouverneurswahlen** statt. Das christlich-soziale Comité de Organización Politica Electoral Independiente/-COPEI erringt bei den Gouverneurswahlen in 22 Provinzen 44 % der Stimmen und damit 11 Gouverneursämter; sie stellt künftig auch 102 der 280 Bürgermeister des Landes. Die regierende Acción Democrática/AD muß sich mit 32 % der Stimmen und 5 Gouverneursposten zufriedengeben. – Am 23. 1. **1993** kommt es in den Bundesstaaten Barinas und Sucre zu schweren **Ausschreitungen** zwischen den Anhängern der Regierungspartei AD und der oppositionellen Movimiento al Socialismo/MAS, die beide den Sieg ihres Kandidaten bei den Gouverneurswahlen für sich in Anspruch nehmen. Präsident *Pérez* verhängt daraufhin in den beiden Provinzen den administrativen Notstand. Der Oberste Wahlrat beschließt, die Gouverneurswahlen in beiden Bundesstaaten zu wiederholen. – Die Präsidenten von Kolumbien, Mexiko und V. – die »Gruppe der Drei«/G–3 – vereinbaren am 11. 2. in Caracas, zum 1. 1. 1994 eine **Freihandelszone** zu bilden (→ *Kolumbien*). – Generalstaatsanwalt *Ramon Escovar Salom* beantragt am 11. 3., ein Gerichtsverfahren gegen Präsident *Pérez*, den früheren Innenminister *Alejandro Izaguirre* sowie *Reinaldo Figueiredo* vom Präsidialamt wegen Unterschlagung einzuleiten. Es geht um den Verbleib von 11,4 Mio. $ aus einer Devisentransaktion der Regierung im Februar 1989. **Präsident Pérez** weist den Vorwurf der illegalen Bereicherung entschieden von sich, wird aber am 21. 5. **vom Senat seines Amtes enthoben**, nachdem der Oberste Gerichtshof der Einleitung eines Verfahrens gegen ihn zugestimmt hatte. Der unabhängige Senator und Historiker *Ramón José Velásquez Mujica* wird am 4. 6. von beiden Häusern des Kongresses mit 205 von 235 Stimmen zum **Übergangspräsidenten gewählt**. Mit Sondervollmachten, die er zur Bedingung für seine Kandidatur gemacht hatte, will *Velásquez* insbesondere das Steuersystem reformieren; V. hat mit einem Steueranteil von 3 % am Bruttosozialprodukt die geringste Quote in Lateinamerika. Dem **neuen Kabinett** – die Minister werden am 9. und 15. 6. vereidigt – gehören fast ausschließlich unabhängige Fachleute an.

VEREINIGTE STAATEN VON AMERIKA Der 46jährige Demokrat *Bill Clinton* geht als Sieger aus den **Präsidentschaftswahlen** am 3. 11. **1992** hervor. Der Gouverneur von Arkansas erreicht 43 % der Stimmen, der bisherige Amtsinhaber *George Bush* 39 % und der unabhängige texanische Milliardär *Ross Perrot* 19 %. *Clinton* gewinnt in 32 Staaten und der Hauptstadt Washington 370 der 538 Wahlmännerstimmen; *Bush* obsiegt in 18 Staaten mit 168 Elektoren. Die Wahlbeteiligung lag bei 55 % (1988: 50,1 %). Bei den gleichzeitigen **Kongreßwahlen** wird die Mehrheit der Demokraten sowohl im Repräsentantenhaus als auch im Senat bestätigt. In parallel durchgeführten **Volksabstimmungen** sprechen sich die Wähler in 15 Bundesstaaten für eine Begrenzung der Amtszeit für Kongreßmitglieder aus. Im District of Columbia der Hauptstadt Washington lehnen die Wähler die Wiedereinführung der Todesstrafe ab; in New Jersey wird dagegen die Todesstrafe auch auf Kriminelle ausgedehnt, die ihr Opfer unbeabsichtigt getötet haben. – **Gouverneure** werden gleichzeitig **in 12 Bundesstaaten und in Puerto Rico gewählt**. In Delaware, Missouri und North Carolina stellen die Demokraten den neuen Gouverneur, in North Dakota die Republikaner. In Indiana, Rhode Island, Vermont, West Virginia und im Bundesstaat Washington werden demokratische Amtsinhaber, in Montana, New Hampshire und Utah jeweils republikanische Gouverneure bestätigt. In der pazifischen **Inselrepublik Palau**, die unter UN-Treuhandschaft steht und durch eine Reihe von Verträgen an die USA gebunden ist, wählen die Bürger mit knapper Mehrheit den bisherigen Vizepräsidenten *Kuniwo Nakamura* zum **neuen Staatspräsidenten**. In **Puerto Rico** geht *Pedro Rossello* von der »Partido Nuevo Progresista«/PNP als Sieger aus der Gouverneurswahl hervor. Er befürwortet die Umwandlung Puerto Ricos zum 51. US-Bundesstaat und will die Bürger in einer neuen Volksabstimmung über diesen Schritt entscheiden lassen. – Am 8. 12. beschließt das Repräsentantenhaus die Ausdehnung des Stimmrechts für die Vertreter des District of Columbia der Bundeshauptstadt Washington sowie der US-Territorien Puerto Rico, Guam, American Samoa und Virgin Islands. Diese dürfen künftig nicht nur in den Ausschüssen, sondern auch in den Plenarabstimmungen votieren. – Präsident *Bush*, der mexikanische Staatschef *Carlos Salinas de Gortari* und der kanadische Premierminister *Martin Brian Mulroney* unterzeichnen am 17. 12. die **Verträge über die Gründung der** nordamerikanischen **Freihandelszone NAFTA** (→ *Kap.* »*Internat. Organisationen*«). – Als eine seiner letzten Amtshandlungen hebt Präsident *Bush* das 1989 gegen die Volksrepublik China verhängte Waffenembargo auf und amnestiert den früheren Verteidigungsminister *Caspar W. Weinberger*, der beschuldigt wurde, im Zusammenhang mit der Iran-Contra-Affäre vor dem Kongreßausschuß die Unwahrheit gesagt zu haben. Die am 24. 12. bekanntgewordene Entscheidung wird von der US-amerikanischen Presse heftig kritisiert. – In Moskau unterzeichnen am 3. 1. **1993** Präsident *Bush* und der russische Präsident *Boris Jelzin* den zweiten Vertrag über die Verringerung der Atomwaffen (START II) (→ *Rußland, Sp. 157*). – Am 20. 1. wird **Clinton als 42. US-Präsident vereidigt.** Dem neuen Kabinett gehören Vertreter aller ethnischen Gruppen an; zum Außenminister wird der 67jährige *Warren Minor Christopher* und zum Verteidigungsminister *Les Aspin* berufen. – Als eine seiner ersten Maßnahmen hebt *Clinton* am 22. 1. Beschränkungen zum Schwangerschaftsabbruch auf. – *Clinton* trägt am 17. 2. vor beiden Häusern des Kongresses seinen **Bericht zur Lage der Nation** vor und erläutert die Kernpunkte seines Programms zur wirtschaftlichen Sanierung. Bis zum Budgetjahr 1997 will der Präsident den Fehlbetrag im US-Haushalt von derzeit 320 Mrd. $ um 140 Mrd. reduzieren und die Staatsausgaben um 246 Mrd. $ kürzen. – Am 31. 3. billigt das Repräsentantenhaus mit 240 gegen 184 Stimmen den **Haushaltsplan** für das am 1. 10. beginnende Budgetjahr 1994; am 1. 4. stimmt auch der Senat mit 55 gegen 45 Stimmen zu. Das Staatsbudget 1994 hat einen Gesamtumfang von 1515,3 Mrd. $ und geht von einer Deckungslücke von 254,7 Mrd. $ aus. Die Verteidigungsausgaben betragen 250,7 Mrd. $; sie werden im Vergleich zum Vorjahr deutlich gekürzt. – Im Vordergrund des 1. **Gipfeltreffens** *Clintons* **mit dem russischen Präsidenten** *Jelzin* stehen am 3./4. 4. in Vancouver die wirtschaftlichen und demokratischen Reformen in Rußland. *Clinton* sagt eine Soforthilfe in Höhe von 1,6 Mrd. $ zu. Den aus der ehemaligen Sowjetunion hervorgegangenen Atommächten – außer Rußland sind das die Ukraine, Weißrußland und Kasachstan – wird Unterstützung für die Vernichtung der Nuklearwaffen in Aussicht gestellt, wenn sie die beiden START-Abkommen ratifizieren und dem Kernwaffensperrvertrag beitreten. – Ende Mai treten **Handelssanktionen gegen die EG** in Kraft als Reaktion auf die nach Ansicht der Regierung diskriminierenden Regelungen bei der Vergabe von öffentlichen Aufträgen. – Gut 2 Jahre nach Ende des Golfkriegs unternehmen die USA am 26. 6. einen **Militärschlag gegen den Irak.** Die Aktion gilt der Zentrale des irakischen Geheimdienstes in Bagdad und ist nach den Worten von Präsident *Clinton* ein Vergeltungsschlag für ein vom Irak geplantes Mordkomplott gegen seinen Vorgänger *Bush* während einer Kuwait-Visite im April (→ *Irak*). – Nach langwieriger Verhandlungen schließen die **USA und Japan** am Rande des Weltwirtschaftsgipfels in Tokyo am 11. 7. ein **bilaterales Wirtschafts- und Handelsabkommen.** Japan verpflichtet sich, seine Außenhandelsüberschüsse mittelfristig deutlich zu reduzieren und vermehrt ausländische Waren und Dienstleistungen

einzuführen. – Nach einer eher zurückhaltenden Linie im **Bürgerkrieg in Bosnien-Herzegowina** erklären die USA im Juli, sie seien zu Luftangriffen auf die serbischen Belagerer Sarajevos bereit (→ *Bosnien-Herzegowina*). Am 12. 7. treffen erste US-Kampfeinheiten in der makedonischen Hauptstadt Skopje ein, um die Ausweitung des Bürgerkriegs nach Makedonien zu verhindern. – Knapp 3 Wochen nach der Verkündung eines **Stopps von Atomwaffentests** (3. 7.) startet die Administration *Clinton* am 19. 7. eine diplomatische Initiative für ein weltweites Moratorium der Atomversuche. – In dem wiederaufgenommenen Prozeß um die Mißhandlung des schwarzen Autofahrers *Rodney G. King* spricht ein Gericht in Los Angeles (am 17. 4.) 2 der 4 angeklagten Polizisten schuldig. Das am 4. 8. verkündete milde Strafmaß von 2 Jahren Haft ohne Bewährung versetzt die Polizei erneut in höchste Alarmbereitschaft. Der Fall *King* hatte zu den bisher schlimmsten Rassenunruhen in den USA geführt, nachdem am 29. 4. 1992 die 4 Polizeibeamten von einem weißen Geschworenengericht freigesprochen worden waren (→ *WA '93, Sp. 167*). – Das umstrittene **Sparprogramm** von Präsident *Clinton* nimmt am 6. 8. im Repräsentantenhaus mit 218 zu 216 Stimmen und einen Tag später im Senat mit 51 zu 50 Stimmen nach zähen Verhandlungen die parlamentarische Hürde. Das Sparpaket soll das Haushaltsdefizit in den nächsten 5 Jahren um 496 Mrd. $ reduzieren.

VIETNAM Die Nationalversammlung wählt am 23. 9. **1992** einstimmig General *Le Duc Anh*, den einzigen Kandidaten, zum **neuen Staatspräsidenten**; er löst *Vo Chi Cong* ab. Am 24. 9. wird **Ministerpräsident** *Vo Van Kiet* von der Nationalversammlung mit 389 von 393 Stimmen **in seinem Amt bestätigt.** – Außenminister *Wong Kan Seng* besucht als erstes Regierungsmitglied Singapurs vom 19.–21. 10. Vietnam. – Als erster Regierungschef der VR China seit 1971 besucht Ministerpräsident *Li Peng* vom 30. 11.–4. 12. Vietnam. Im Mittelpunkt der Gespräche von *Li Peng* mit seinem Amtskollegen *Vo Van Kiet*, mit KP-Chef *Do Muoi* und mit Präsident *Le Duc Anh* stehen u. a. strittige Grenz- und Territorialfragen (insb. die Paracel- und Spratly-Inseln im Südchinesischen Meer) und die Lage in Kambodscha. Am 2. 12. werden Abkommen über Zusammenarbeit in Wirtschaft, Technik und Wissenschaft und Kultur unterzeichnet. – Die USA lockern am 14. 12. ihr 1964 gegen Nordvietnam und 1975 über ganz Vietnam verhängtes Handelsembargo. – Am 22. 12. unterzeichnen Außenminister *Nguyen Manh Cam* und sein südkoreanischer Amtskollege *Lee Sang Ock* in Hanoi ein Abkommen über die Aufnahme diplomatischer Beziehungen. – Frankreichs Präsident *François Mitterrand* besucht als erstes Staatsoberhaupt eines westlichen Staates seit 1954 vom 9.–10. 2. **1993** Vietnam. *Mitterrand* sagt die Verdoppelung der Finanzhilfen auf 360 Mio. FF zu; es werden 7 Kooperationsabkommen unterzeichnet. – Ein von der Nationalversammlung Mitte Juli verabschiedetes Gesetz erlaubt Bauern künftig Erwerb und Veräußerung von Bodennutzungsrechten; Eigentümer der Ackerflächen bleibt der Staat.

WEISSRUSSLAND   Das Parlament hebt das im August 1991 verhängte Verbot der KP am 3. 2. **1993** mit 220 gegen 10 Stimmen wieder auf; das eingezogene Eigentum der KP bleibt in Staatsbesitz. – Am 4. 2. ratifiziert das Parlament den START-Vertrag *(→ WA '92, Sp. 149f)*; die in Weißrußland stationierten SS-25-Raketen der ehem. UdSSR sollen an Rußland übergeben werden. – Nach heftigen Auseinandersetzungen beschließt das Parlament am 9. 4. den Beitritt Weißrußlands zu dem GUS-Verteidigungsbündnis; am 15. 5. 1992 hatten die Präsidenten der 6 GUS-Staaten Armenien, Kasachstan, Rußland, Tadschikistan, Turkmenistan und Usbekistan einen Vertrag über kollektive Sicherheit unterzeichnet. Parlamentspräsident *Stanislaw Schuschkewitsch*, der ebenso wie die oppositionelle Volksfront einen Beitritt zu dem Verteidigungsbündnis wegen Unvereinbarkeit mit der in der Verfassung erklärten Neutralität ablehnt, kündigt sein Referendum über diese Frage an. – Am 4. 6. 1993 gibt die Regierung die Verdoppelung der Lebensmittelpreise und die Verfünffachung der Mieten sowie der Preise für Strom und Heizung bekannt. – Das Parlament billigt am 10. 6. ein bei der Gründung der GUS am 21. 12. 1991 zwischen Kasachstan, Rußland, der Ukraine und Weißrußland geschlossenes Abkommen über die Atomwaffen der ehem. UdSSR. – Obwohl 166 von 204 Abgeordneten am 1. 7. 1993 einem Mißtrauensvotum gegen Parlamentspräsident *Schuschkewitsch* zustimmen, scheitert der Antrag wegen fehlender absoluter Mehrheit aller 346 Abgeordneten knapp. – Der Internationale Währungsfonds gewährt am 29. 7. Weißrußland einen Kredit über 98 Mio. US-$.

ZAIRE   Die **Nationalkonferenz wählt** am 6. 12. **1992** einen 453 Mitglieder umfassenden »**Hohen Rat der Republik**«/HCR und löst sich anschließend auf. Dem Rat obliegt es, in einer Übergangsperiode die Aufgaben der Legislative zu übernehmen und die Regierung sowie Staatspräsident *Mobutu Sésé-Séko* zu kontrollieren. – *Mobutu* gibt am 11. 12. die Auflösung des Kabinetts sowie die Entlassung des gegen seinen Willen gewählten Ministerpräsidenten *Etienne Tshisekedi* bekannt. *Tshisekedi* hatte sich geweigert, Vertraute des Präsidenten in sein Kabinett aufzunehmen. Die Entlas-

sung wie auch die **Auflösung des Kabinetts** wird jedoch **vom HCR zurückgewiesen**. – Am 15. 1. **1993** klagt der HCR Präsident *Mobutu* des Hochverrats an. – Die **Ausgabe eines neuen Geldscheines** im Wert von 5 Mio. Zaire (knapp 3 DM), der zur Bezahlung des Wehrsolds von Angehörigen der Streitkräfte eingeführt, von vielen Ladenbesitzern in Kinshasa jedoch nicht akzeptiert wird, führt **erneut zu schweren inneren Unruhen**. Der französische Botschafter in Kinshasa, *Philippe Bernard*, wird in seinem Amtssitz getötet. Am 30. und 31. 1. evakuieren französische Truppeneinheiten rd. 500 Bürger westlicher Staaten. Erst am 3. 2. kommt es zur Normalisierung der gespannten Lage. In einer gemeinsamen Erklärung fordern die USA, Frankreich und Belgien *Mobutu* mit Nachdruck auf, die Macht an Premierminister *Tshisekedi* abzugeben. Präsident *Mobutu* erklärt daraufhin am 5. 2. *Tshisekedi* erneut für abgesetzt, ernennt am 18. 3. den ehemaligen Oppositionspolitiker *Faustin Birindwa* zum neuen Ministerpräsidenten und beauftragt ihn mit der **Bildung einer Gegenregierung**. Damit amtieren in Z. zwei Premierminister. *Mobutus* Vorstoß erfolgt jedoch nicht im Einvernehmen mit dem HCR. Nach der Übergangscharta, der auch Präsident *Mobutu* zugestimmt hat, ist lediglich der HCR befugt, eine Regierung zum Rücktritt aufzufordern und eine neue einzusetzen. Um den Machtkampf zu beenden, stellt der **legale Ministerpräsident** *Tshisekedi* am 23. 3. eine **neue Regierung** vor, der auch 3 Anhänger *Mobutus* angehören. *Mobutu* setzt die Entmachtung seines Rivalen *Tshisekedi* fort. – Bei **Kämpfen zwischen** verschiedenen **Volksgruppen** in der Kivu-Region an der Grenze zu Ruanda kommen nach UNO-Angaben bis Mitte August über 6500 Menschen ums Leben, 200 000 werden vertrieben. Die belgische Regierung wirft Präsident *Mobutu* vor, die ethnischen Konflikte als Vorwand zu benutzen, um die Demokratisierung des Landes zu verhindern. Nach den USA und Frankreich setzt auch Belgien seine Unterstützung aus, solange sich der Präsident weigert, die Übergangsregierung anzuerkennen.

ZENTRALAFRIKANISCHE   REPUBLIK   Schwere Zusammenstöße führen am 25. 10. **1992** zum **Abbruch der Präsidentschafts- und Parlamentswahlen**, die für ungültig erklärt werden. Den Wahlen war vom 1. bis 31. 8. eine »Große nationale Debatte« über die Zukunft des Landes vorausgegangen; Oppositionsparteien hatten das Diskussionsforum boykottiert, so daß sich das Gremium fast ausschließlich aus Vertretern der regierenden »Demokratischen Sammlungspartei«/RDC zusammensetzte. – Am 6. 2. **1993** wird der frühere Präsident *David Dacko* zum Vorsitzenden eines neugebildeten **Nationalen Provisorischen Politischen Rats**

der Republik/CNPPR berufen. Das Gremium soll bis zu neuen Präsidentschafts- und Parlamentswahlen als oberstes Organ amtieren. – Staatspräsident General *André Kolingba* ernennt am 26. 2. *Enoch Derant Lakoue*, den Präsidentschaftskandidaten der Sozialdemokratischen Partei/PSD, zum **Premierminister**. Im neuen, 24 Mitglieder umfassenden Kabinett, das als »Regierung des politischen Konsenses« bezeichnet wird, gehen alle Schlüsselressorts an Vertreter der Regierungs- und früheren Einheitspartei RDC. – Am 17. 5. kommt es zu einer **Meuterei** von Teilen der Präsidentengarde. Die Soldaten besetzen für mehrere Stunden den Amtssitz *Kolingbas* und drohen damit, Ex-Kaiser *Jean-Bedel Bokassa* aus der Internierung zu befreien; *Bokassa* wird im August bei einer Generalamnestie freigelassen. – Die oppositionellen politischen Gruppierungen schließen sich am 20. 5. zum Bündnis »Union des forces acquises au changement«/UFAC zusammen. – Bei den neu angesetzten Präsidentschafts- und Parlamentswahlen am 22. 8. 1993 erhält der amtierende Präsident *Kolingba* nur 10,0% der Stimmen; Sieger ist der frühere Ministerpräsident *Ange-Felix Patasse* mit 37,32%, der gegen den Arzt *Abel Goumba* in einer Stichwahl antreten muß.

ZYPERN Die im Juli **1992** unter Leitung des UN-Generalsekretärs aufgenommenen ersten Gespräche seit 2 Jahren zwischen Staatspräsident *Georgios Vassiliou* und dem Präsidenten der 1983 ausgerufenen, bisher international nur von der Türkei anerkannten »Türkischen Republik Nordzypern«/KKTC, *Rauf Denktasch*, enden im November 1992 ohne Annäherung. *Denktasch* beharrte auf der Forderung nach einem souveränen Staat im Nordteil der Insel. Der UN-Sicherheitsrat macht am 25. 11. in einer einstimmig angenommenen Resolution (789) die kompromißlose Haltung der türkisch-zypriotischen Seite für den Mißerfolg der Verhandlungen verantwortlich und fordert eine Reduzierung der 35 000 seit der Invasion von 1974 im Norden stationierten türkischen Soldaten. – Bei den **Präsi-**dentschaftswahlen am 7. und 14. 2. **1993** unterliegt der seit 1988 amtierende Staats- und Regierungschef *Georgios Vassiliou* mit 49,72% der Wählerstimmen knapp dem Kandidaten und Vorsitzenden der oppositionellen konservativen »Demokratischen Sammlungsbewegung«/DISY, *Glafkos John Klerides*, auf den im 2. Wahlgang 50,28% der Stimmen entfallen. Am 28. 2. stellt *Klerides* seine 11köpfige **Regierung** vor, der 6 Minister seiner DISY und 5 Angehörige der »Demokratischen Partei«/DIKO angehören. Vor dem Parlament befürwortet er die Schaffung eines föderalen Staates Zypern mit weitgehender Autonomie für beide Bevölkerungsgruppen, den Abzug der türkischen Truppen und einen baldigen EG-Beitritt. – Eine am 24. 5. in New York aufgenommene neue Runde der **Friedensgespräche** zwischen *Klerides* und *Denktasch* wird am 7. 6. **unterbrochen**, um *Denktasch* Gelegenheit zu geben, mit seinen Landsleuten über die von UN-Generalsekretär Boutros *Boutros-Ghali* vorgeschlagenen vertrauensbildenden Maßnahmen – darunter die Wiedereröffnung des Flughafens von Nikosia unter UN-Kontrolle und der Abzug der schweren Waffen von der Demarkationslinie – zu beraten. *Klerides* hatte die Vorschläge angenommen. Am 5. 7. legt *Denktasch* nach Meinungsverschiedenheiten mit der in der KKTC regierenden »Partei der nationalen Einheit«/UBP sein Verhandlungsmandat nieder: Er sei nicht willens, sich vom türkischen Mutterland, von der UN oder sonst irgend jemandem unter Druck setzen zu lassen, »Lösungsmöglichkeiten zu akzeptieren, die die Inseltürken mehrheitlich ablehnen«. – Der UN-Sicherheitsrat verlängert am 11. 6. das Mandat der UN-Friedenstruppen (UNFICYP) einstimmig bis zum 15. 12. 1993. – Die EG-Kommission verkündet am 30. 6. in einer offiziellen Stellungnahme zu dem von der Regierung der (griechischen) Republik Zypern 1990 eingereichten EG-Beitrittsantrag, es sei zuvor eine Klärung der politischen Verhältnisse mit dem türkisch besetzten Nordteil unter UN-Auspizien erforderlich.

Weltkonferenz über Menschenrechte in Wien
Menschenrechtspolitik der UNO

Die von der UN-Generalversammlung am 18. 12. 1990 beschlossene Weltkonferenz über Menschenrechte fand vom 14. bis 25. 6. 1993 in Wien statt und diente der Bestandsaufnahme und Weiterentwicklung der Menschenrechtspolitik der UNO. Sie fand 25 Jahre nach der Internationalen Menschenrechtskonferenz in Teheran (2. 4. bis 13. 5. 1968) statt, auf der die seit der »Allgemeinen Erklärung der Menschenrechte« von 1948 erzielten Fortschritte beurteilt und die Grundlage für die daraus folgenden Maßnahmen und Mechanismen gelegt wurden.

1. Weltkonferenz über Menschenrechte in Wien

Das von den Delegationen der 171 in Wien vertretenen Staaten im Konsensverfahren verabschiedete Abschlußdokument (»**Wiener Erklärung**«) schreibt die Allgemeingültigkeit der Menschenrechte (trotz aller Widerstände aus dem asiatischen Raum) fest, betont den Zusammenhang zwischen Demokratie und Menschenrechten, schreibt die Rechte der Minderheiten sowie der Frauen und Kinder fest und beauftragt die UN-Generalversammlung, sich vorrangig mit dem umstrittenen Thema eines UNO-Hochkommissars für Menschenrechte zu beschäftigen. Zahlreiche Entwicklungsländer unter Führung Chinas verhinderten dagegen, daß eine zweite zentrale Forderung der Industriestaaten durchgesetzt wurde: Die Schaffung eines Internationalen Gerichtshofs zur Ahndung von Menschenrechtsverstößen. – Die in Wien anwesenden rd. 4000 Vertreter von fast 1400 privaten Menschenrechtsorganisationen (INGOs) kritisierten in einer Erklärung das magere Ergebnis der Konferenz: »Wir bedauern, daß die [Wiener] Erklärung auf den Gebieten der Förderung, des Schutzes und der Erfüllung der Menschenrechte nicht deutlich genug ist.«

2. Menschenrechtsinstrumente der UNO

Die universelle Achtung der Menschenrechte als legitimes Anliegen der internationalen Gemeinschaft wird erstmals in der **UN-Charta** anerkannt. Eines der Hauptziele der UNO ist laut Art. 1 Abs. 3 die Förderung und Festigung der »Menschenrechte und Grundfreiheiten« für alle Menschen »ohne Unterschied der Rasse, des Geschlechts, der Sprache oder der Religion«; in weiteren Artikeln wird ein entsprechendes Engagement der Organisation gefordert.

Den Kern des von der Generalversammlung entwickelten »**Internationalen Menschenrechtskodex**«, der sowohl bürgerliche und politische als auch wirtschaftliche und soziale Rechte umfaßt, bilden folgende miteinander verbundene Rechtsinstrumente, die durch zahlreiche Einzelabkommen ergänzt werden:

▶ Die von der Menschenrechtskommission (→ unten) ausgearbeitete und von der Generalversammlung am 10. 12. 1948 ohne Gegenstimme bei Enthaltung von 6 Ostblockstaaten, Saudi Arabiens und der Rep. Südafrika beschlossene »Allgemeine Erklärung der Menschenrechte« (sog. **Menschenrechtsdeklaration**), die in einer Präambel und 30 Artikeln einen Katalog von Freiheitsrechten, politischen Rechten und sozialen Rechten (sog. Grundrechte) enthält. Sie ist kein völkerrechtlich bindender Vertrag, sondern eine Empfehlung der Generalversammlung; jedoch wurden wichtige Teile der Menschenrechtsdeklaration Bestandteil des Völkerrechts. Die Menschenrechtsdeklaration wurde durch zwei Folgedokumente ergänzt:

▶ Den am 3. 1. 1976 in Kraft getretenen »Internationalen Pakt über wirtschaftliche, soziale und kulturelle Rechte« (Kurzbez.: **Sozialpakt**) und
▶ den am 23. 3. 1976 in Kraft getretenen »Internationalen Pakt über bürgerliche und politische Rechte« (sog. **Zivilpakt**) mit dem dazugehörigen *1. Fakultativprotokoll* über die Beschwerdemöglichkeit für Einzelpersonen (in Kraft seit März 1976). Er garantiert eine Vielfalt von Rechten wie z. B. das Recht auf Leben, Verbot der Folter, Glaubens- und Meinungsfreiheit, Gleichheit vor dem Gesetz, Schutz der Familie, Minderheitenschutz. Am 15. 12. 1989 verabschiedete die UN-Generalversammlung das *2. Fakultativprotokoll* über die Abschaffung der Todesstrafe (in Kraft Juli 1991). Beide Pakte sind für die sie ratifizierenden Staaten rechtsverbindliche Verträge (inzwischen haben fast 100 Staaten den Sozialpakt und über 100 den Politischen Pakt ratifiziert). Die Zweiteilung war die Folge unterschiedlicher Auffassungen zwischen West und Ost über die Vorrangigkeit von Individualrechten oder sozialen Rechten. Inhaltlich entsprechen die Pakte im wesentlichen der »[Europäischen] Konvention zum Schutz der Menschenrechte und Grundfreiheiten« vom 4. 11. 1950 bzw. der »Europäischen Sozialcharta« vom 18. 10. 1961.

▶ Neben dem völkerrechtlich seit 4. 1. 1969 gültigen »**Internationalen Übereinkommen zur Beseitigung jeder Form von Rassendiskriminierung**« verabschiedete die Generalversammlung inzwischen über 20 weitere Einzelvereinbarungen zum internationalen Menschenrechtsschutz, darunter die »Konvention über die Beseitigung der Diskriminierung von Frauen« (3. 9. 1981 in Kraft), die »Konvention gegen Folter und andere grausame, unmenschliche oder erniedrigende Behandlung oder Strafe« (26. 6. 1987 in Kraft) und die »Konvention über die Rechte des Kindes« (2. 9. 1990 in Kraft). Am 4. 12. 1986 verabschiedete die Generalversammlung die »Erklärung zum Recht auf Entwicklung«.

3. Menschenrechtsgremien der UNO

Bei der Ausarbeitung von Standards und bei der Schaffung von Durchsetzungsmechanismen spielt die UN-Generalversammlung eine führende Rolle – unterstützt durch die 1946 als Fachkommission des ECOSOC eingerichtete
▶ **Menschenrechtskommission** *(Commission on Human Rights)* in Genf zur Überprüfung systematischer Menschenrechtsverletzungen, ein seit 1947 mit der Ausarbeitung von Entwürfen zur völkerrechtlichen Kodifizierung und Weiterentwicklung der Menschenrechte befaßtes, heute aus 53 Regierungsvertretern bestehendes zentrales Gremium für die Menschenrechtspolitik der UNO. Eine 1947 geschaffene *Unterkommission zur Verhütung von Diskriminierung und für Minderheitenschutz* setzt sich aus 26 unabhängigen Experten zusammen und tagt einmal jährlich in Genf.
▶ Während die Menschenrechtskommission und die Unterkommission keine selbständigen Vertragsorgane sind, sehen die wichtigsten Konventionen **Spezialorgane** vor, deren Mitglieder von den Vertragsstaaten gewählt werden. Die wichtigsten:
– *Menschenrechtsausschuß* (*Human Rights Committee*/HRC) aus 18 unabhängigen Sachverständigen; er ist seit 1977 tätig und überwacht den Zivilpakt *(→ oben)*;
- *Ausschuß für wirtschaftliche, soziale und kulturelle Rechte*, seit 1987 für die Einhaltung des Sozialpakts *(→ oben)* zuständig;
– *Ausschuß gegen Folter*, seit 1988 tätig;
– *Ausschuß für Beseitigung der Diskriminierung der Frau*, 1982 eingerichtet;
– *Ausschuß für die Rechte des Kindes*, der seit 1991 besteht.

4. Angaben zur Lage der Menschenrechte

Eine vom UNO-Menschenrechtszentrum in Genf vor Beginn der Wiener Konferenz veröffentlichte Studie über die weltweite Lage der Menschenrechte stellt fest, daß zumindest die Hälfte der Weltbevölkerung an ernstlichen Verletzungen oder dem Entzug ihrer grundlegenden wirtschaftlichen, sozialen, kulturellen, politischen und bürgerlichen Rechte leidet, und führt u. a. folgende Beispiele an:
– In den ersten 5 Monaten 1993 erreichten das Zentrum bereits mehr als 125 000 Beschwerden über Folter, Hinrichtungen, Vergewaltigungen, willkürliche Festnahmen und das Verschwindenlassen von Menschen; damit ist die Zahl schon fast dreimal höher als im ganzen Vorjahr.
– Als Folge von Hunger, Armut, Bürgerkrieg und anderen Formen von Gewalt stieg die Zahl der Flüchtlinge 1992 weltweit auf rd. 17 Mio. an. Dazu kommen noch 25 Mio. Menschen, die in ihrem eigenen Heimatland vertrieben wurden.
– Zwischen 150 und 200 Mio. Kinder werden gegenwärtig in über 150 Ländern gegen internationales Recht als Arbeitskräfte beschäftigt.
– Etwa 700 Mio. Menschen sind weltweit entweder arbeitslos oder unterbeschäftigt.
– Bis zu 1,4 Mrd. Menschen leben in absoluter Armut eine weitere Mrd. am Rande der Armut.

5. Gegenwärtige Menschenrechtsproblematik

Auch bei den Menschenrechten ist an die Stelle des Ost-West-Konflikts eine ideologische Front zwischen »Nord« und »Süd« getreten. Durch die veränderten weltpolitischen Machtverhältnisse nach dem Zusammenbruch der sozialistischen Staatenwelt in Europa können die Entwicklungsländer Ost und West nicht länger gegeneinander ausspielen. Die Folge: Der Westen knüpft seine Entwicklungshilfe heute offiziell an weitreichende politische Bedingungen, obenan die Achtung der Menschenrechte, gefolgt von demokratischen Reformen und einer Begrenzung der Rüstungsausgaben. Das Wiener Treffen spiegelt den Grundkonflikt in der Menschenrechtspolitik wider: Auf der einen Seite die westlichen Industriestaaten, die versuchen, ihr Menschenrechtsbild für allgemeinverbindlich erklären zu lassen und bessere Instrumente für ihre Durchsetzung zu schmieden; auf der anderen Seite eine Anzahl von »Dritte Welt«-Ländern, die die Entwicklung zurückschrauben und schon gar nicht neue Kontrollgremien beschließen wollen, die sich notwendigerweise auch mit ihnen beschäftigen müßten.

Staaten, Länder und Gebiete

ERLÄUTERUNGEN

1. Allgemeine Probleme bei der Erstellung und Beurteilung statistischen Datenmaterials
Leserbriefe weisen manchmal auf vermeintliche Unstimmigkeiten im Datenmaterial des WELTALMANACHs
hin. Daher soll im folgenden versucht werden, einige Probleme beim Umgang mit statistischem Daten-
material darzustellen und zugleich deutlich zu machen, wie diese Daten im WELTALMANACH zu lesen sind.
Auf nationaler wie internationaler Ebene bestehen zahlreiche Institutionen, die statistische Daten ermitteln.
In der **Bundesrepublik** ist die Organisation der statistischen Arbeit dem **Statistischen Bundesamt**, den
Statistischen Landesämtern und nachgeordneten Stellen übertragen. In fast allen Staaten bestehen ähn-
liche Institutionen, ergänzt durch **internationale statistische Ämter** (z. B. von EG, OECD, Weltbank, UNO).
Um möglichst zuverlässige Daten über Staaten, Wirtschaft und Kultur zu erhalten, ziehen die Autoren des
WELTALMANACHs vorrangig **amtliche Statistiken** heran, weshalb die jeweiligen Bezugsjahre unterschied-
lich lang zurückliegen können. Da in vielen Staaten (auch mit hohem statistischem Erfassungs- und Be-
arbeitungsstand) bzw. internationalen Organisationen unterschiedliche statistische Konzepte zugrunde liegen,
ist das Datenmaterial zumeist nicht ohne weiteres vergleichbar. Im einzelnen ist folgendes zu beachten:
▷ **Fläche:** Daten können erheblich schwanken; mögliche Ursachen: unterschiedliche Quellen (Weltbank,
UNO, nationale statistische Jahrbücher), die Zuordnung politisch umstrittener Gebiete, unterschiedliche
Abgrenzung von Binnengewässern, Rundungsfehler (insbesondere bei der Umrechnung von Quadratmei-
len in km^2, gerundete Teilflächen addieren sich nicht zur genauer berechneten Gesamtfläche usw.); in Auf-
listungen der administrativen Einheiten fehlen manchmal geringbesiedelte »Territorien« u. ä.
▷ **Einwohner** (wichtigste Quellen: Weltbankbericht, Europa World Year Book, Länderberichte des Statistischen Bundesamtes): die Probleme sind denen bei Flächenangaben ähnlich; wichtigste Ursachen: unterschiedliche Definition der Wohnbevölkerung (z. B. einschließlich oder ausschließlich Nomaden, Arbeits-
migranten, »Illegalen«, Auslandsbürgern); verschiedene Fortschreibungskoeffizienten (UNO, Weltbank,
national); Problematik der »Flüchtlingsgruppen«; wenn nicht anders angegeben, beziehen sich die Angaben
auf die Jahresmitte; bei Angaben zur städtischen Bevölkerung weltweit große Unterschiede bei der Abgrenzung von Stadt und Land, der Definition von Agglomeration, der administrativen Einheit »Stadt« usw.
▷ **Analphabetenrate:** verstecktes Analphabetentum (auch in Industrieländern) erlaubt zumeist nur
Schätzungen. Alle Angaben gehen auf Erhebungen der UNESCO zurück, wenn nicht anders angegeben Fortschreibungszahlen 1991.
▷ **Bruttosozialprodukt (BSP)/Bruttoinlandsprodukt (BIP)** (wichtigste Quelle: Weltentwicklungsbericht
der Weltbank, Weltbankatlas): die Vergleichbarkeit ist bei verschiedenen Wirtschaftssystemen (Marktwirtschaft, Staatswirtschaft, Selbstversorgung[Subsistenz]wirtschaft) besonders schwierig; ein weiteres
Problem ist die Umrechnung in US-$ (z. B. Wechselkursschwankungen, Kaufkraftunterschiede, binnenlän-
disches und außenwirtschaftliches Preisniveau); ein anderes das der »Schattenwirtschaft«. Die starken
Wechselkursänderungen des Dollar können dazu führen, daß die Absolutzahlen des BSP/BIP in $ abneh-
men (bei Kursanstieg des $) und dennoch eine reale Zuwachsrate in % ausgewiesen wird; neuere Zahlen
sind nationalen Statistiken bzw. internationalen Berichten (vornehmlich OECD-Raum) entnommen.
▷ **Bergbauproduktion:** hier spielen die unterschiedlichen Metallgehalte der Erze eine Rolle: daher
voneinander abweichende Angaben entweder in Erz- bzw. Verhüttungsgewicht oder in Metallgewicht.
▷ **Agrarproduktion:** hier entstehen Aussageunterschiede u. a. durch Angaben ausschließlich zur Markt-
produktion oder unter Einschluß des Eigenverbrauchs (viele Entwicklungsländer produzieren kaum für den
Markt, sondern sind vorwiegend auf Selbstversorgung ausgerichtet [Subsistenzwirtschaft]); außerdem
unterschiedliche Gewichtsangaben je nach Bearbeitungszustand, z. B. Reis (geschält), Wolle (entfettet),
Baumwolle (entkernt), Fleisch (Schlacht- oder Verkaufsgewicht) usw.
▷ **Industrieproduktion:** große Probleme durch traditionell unterschiedliche Zählweisen z. B. bei Textilien
(in laufenden m, m^2, Gewicht), Maschinen und Geräten (Stückzahl, Wert, Gewicht), Kraftfahrzeugen (nur
Eigenproduktion oder auch Montage importierter Teile), besonders schwierig im Energiebereich: eingesetz-
te Primärenergie oder nur nutzbare Energie, Umrechnungsverluste je nach Angabe in Steinkohle-/SKE oder
(Erd)Öleinheiten/ÖE oder TJ (= Terajoule) mit nicht immer einheitlichen Umrechnungsfaktoren, unterschiedliche Berücksichtigung der industriellen Eigenerzeugung und nichtkommerzieller Energieträger wie
Holz, getrockneter Dung, Biogas, Solarenergie in Eigennutzung usw.
▷ **Inflationsrate:** unterschiedliche »Warenkörbe« als Berechnungsgrundlage, unterschiedliche Behandlung staatlicher Einflußnahmen wie z. B. Steueränderungen, Saisonbereinigungen usw.

▷ **Terms of Trade:** das Verhältnis der gewogenen Preisindizes von Aus- und Einfuhrgütern eines Landes; steigen z.B. die Ausfuhr- stärker als die Einfuhrpreise, so verbessern sich die T.o.T., da aus den Erlösen der gleichen Ausfuhr größere Einfuhren bezahlt werden können. Da weltweit meistens in US-$ verrechnet (fakturiert) wird, weisen je nach $-Kurs die T.o.T. in den letzten Jahren starke Schwankungen auf.

▷ **Währung:** notiert ist der Kurs für den *Ankauf* der jeweiligen Währung. Die *Mittelkurse* bzw. die z.T. errechneten *Vergleichskurse* basieren ausschließlich auf Angaben der Deutschen Bundesbank, Stand Ende Juni 1993, offizieller Kurs (ohne Gewähr), wenn nichts anderes vermerkt ist.

▷ **1 SZR-Einheit** (= Sonderziehungsrecht beim Weltwährungsfonds/IMF) = 2,34079 DM; **1 ECU** (= Europäische Währungseinheit/European Currency Unit) = 1,91471 DM (1.9.1993).

2. Spezielle Hinweise zu diesem Kapitel

▷ In einer **synoptischen Tabelle** werden zunächst Strukturdaten von Staaten mit mehr als 1 Mio. Einwohner **vergleichbar** präsentiert. Die Daten stammen alle aus den **aktuellsten Weltbankstatistiken.** Neu hinzu kommen verschiedene Übersichtstabellen zu **Europa**.

Bei den einzelnen Staaten, Ländern und Gebieten sind die Angaben folgendermaßen strukturiert:

NAME DES STAATES bzw. **LANDES** etc. *(geographische Lage)* – offiz. deutsche Bezeichnung (nach Ang. des Auswärtigen Amtes), offiz. Bezeichnung in d. Landessprache(n); Internat. Kfz-Kennzeichen, auch im Postverkehr gültig, oder sonst. gebräuchliche Abkürzung.

▷ Es folgen die Angaben zur **LANDESSTRUKTUR,** u.a.:

Fläche ( ): in Klammern die Rangstelle innerhalb der bis 1.9.1993 unabhängigen 192 Staaten

Einwohner ( ): in Klammern ebenfalls die Rangstelle; F = Fortschreibung, S = Schätzung, Z = Zählung; bei Städten: m. V. = mit Vororten, A = Agglomeration

Kindersterblichkeit: Kinder, die im Zeitraum von der Geburt bis zum fünften Lebensjahr sterben

▷ sodann zu **STAAT,** u.a.:

Angaben zu Staatsform, Verfassung, Regierung, Wahlergebnissen (Informationen laut Mitteilungen der deutschen u. internat. Presse sowie Botschaften der Staaten).

Unabh.: erster Tag d. Unabhängigkeit.

▷ Wichtige politische Entwicklungen werden im Kapitel **LÄNDERCHRONIK** Sp. 23ff. referiert.

▷ und zu **WIRTSCHAFT,** u.a.:

BSP: Bruttosozialprodukt insgesamt und pro Ew., in Klammern folgt die Rangliste für 184 Staaten innerhalb der bis 1.9.1993 unabhängigen 192 Staaten; **BIP:** Bruttoinlandsprodukt; realer Zuwachs ($\varnothing$) bezieht sich immer auf die zuletzt genannten Angaben; die Zuordnung der Anteile nach Sektoren ist unterschiedlich.

Erwerbstät.: die Statistiken zur Erwerbstätigkeit unterscheiden nicht immer klar zwischen Erwerbstätigen, Erwerbspersonen und Beschäftigten. Die Zuordnung zu den einzelnen Sektoren findet ähnlich wie beim BIP nicht einheitlich statt bzw. ist nur sehr schwer möglich (»informeller Erwerbssektor«).

1 kg ÖE = 1 kg Öleinheit (auch Rohöleinheit/RÖE) = 42000 kJ (Kilojoule) = 10000 kcal (Kilokalorien) = 1,4 SKE (Steinkohleneinheiten); Angaben der Weltbank.

Ausl.-Verschuld.: ausstehende und ausgezahlte Auslandsverschuldung, soweit nicht anders vermerkt.

Außenhandel: die meisten Angaben stammen von der Bundesstelle für Außenhandelsinformation in Köln bzw. aus dem Europa World Year Book 1993. Eine Trennung nach Gütern u. Gütergruppen, Ländern (mit BRD sind bis 1991 nur die alten Bundesländer gemeint, danach die gesamte Bundesrepublik) u. Ländergruppen ist nicht in jedem Fall möglich; u.U. wird auch nur der Handel mit OECD-Ländern erfaßt oder den verschiedenen Angaben, etwa zu einzelnen Gütern bzw. Ländern und zum Import/Export insgesamt, liegen unterschiedliche Erhebungszeitpunkte zugrunde.

Daten zur Wirtschaft der unabhängigen Staaten der ehem. Sowjetunion basieren vornehmlich auf Veröffentlichungen des Wiener Instituts für Internationale Wirtschaftsvergleiche.

▷ Angaben zur **PRESSE** (wichtigste Quelle: Europa World Year Book 1993) finden sich nur bei den europäischen Staaten und einigen wenigen außereuropäischen Ländern, der VR China, von Japan, Rußland und den USA, wobei es sich um eine Auswahl handelt.

Im Sept. 1993 gibt es – bei getrennter Zählung der politisch geteilten Länder China u. Korea – insgesamt **192 Staaten,** davon 184 UN-Mitglieder, ohne das völkerrechtlich allgemein nicht anerkannte Land *Nordzypern* u. *mit* den international bislang nicht bzw. nur teilweise anerkannten Staaten Jugoslawien (Serbien u. Montenegro) u. Makedonien. Diese Gesamtzahl von 192 Staaten ist maßgebend für die **Rangstellen** bei Fläche und Bevölkerung; bei den Rangstellen des BSP/Ew. sind 3 kleine Staaten nicht berücksichtigt: *Monaco, San Marino* u. *Vatikanstadt* (offene Wirtschaftsgrenzen zu Frankreich/Italien) sowie *Bosnien-Herzegowina, Eritrea, Dem. Arab. Rep. Sahara* und *Slowenien.* Die Nachfolgestaaten der ČSFR, Slowakei u. Tschechische Rep., haben aufgrund der Daten von 1991 eine gemeinsame Rangstelle, gekennzeichnet mit a bzw. b.

	Fläche in 1000 km²	Bev. in Mio. (Stand Mitte 1991)	Jährl. Bev.-Wachstum (Ø 1980–1991)	Säuglingssterblichkeit 1991 (Jahresrate in ‰)	Zahl der Grundschüler in % der Altersgruppe 1990[7]	Ärzte je 10 000 Ew. 1988–92[8]	BSP pro Kopf 1991 in US-$	Jährl. BSP Pro-Kopf-Zuwachs in % (Ø 1980–1991)	Jährl. Pro-Kopf-Zuwachs Nahrungsmittelproduktion (1979–81 = 100) Ø 1979–1991
Afghanistan	652	21,0	..	..	24[h]	1,1	155[e]	..	..
Ägypten	1 001	53,6	2,5	59	98	7,7	610	1,9	1,1
Albanien	29	3,3	2,0[i]	28[h]	99[h]	13,9	710[e]	..	92,0[h]
Algerien	2 382	25,7	3,0	64	95	2,6	1 980	−0,7	0,6
Angola	1 247	9,5	2,6[i]	130[h]	94[h]	0,7	620[g]	..	..
Argentinien	2 767	32,7	1,3	25	111	29,9	2 790	−1,5	−0,6
Armenien	30	3,4	0,9	22	..	42,8	2 150	..	..
Aserbaidschan	87	7,1	1,4	33	..	39,3	1 670	..	..
Äthiopien[1]	1 222	52,8	3,1	130	38	0,3	120	−1,6	−1,4
Australien	7 687	17,3	1,5	8	105	22,9	17 050	1,6	−0,4
Bangladesch	144	110,6	2,2	103	73	1,5	220	1,9	−0,6
Belgien	31	10,0	0,1	8	102	32,1	18 950	2,0	1,4
Benin	113	4,9	3,2	111	61	0,7	380	−0,9	1,5
Bhutan	47	1,5	2,1	132	26	..	180	..	−0,6
Bolivien	1 099	7,3	2,5	83	82	4,8	650	−2,0	0,7
Botsuana	582	1,3	3,5	36	110	..	2 530	5,6	−3,7
Brasilien	8 512	151,4	2,0	58	108	14,6	2 940	0,5	1,7
Bulgarien	111	9,0	0,1	17	96	31,9	1 840	1,7	−0,9
Burkina Faso	274	9,3	2,6	133	36	0,3	290	1,2	2,4
Burundi	28	5,7	2,9	107	72	0,6	210	1,3	−0,6
Chile	757	13,4	1,7	17	98	4,6	2 160	1,6	1,5
China, Rep.	36	20,5	..	11[e]	..	..	7 500[h]	..	..
China, VR	9 561	1 149,5	1,5	38	135	13,7	370	7,8	3,0
Costa Rica	51	3,1	2,7	14	102	..	1 850	0,7	−0,7
Côte d'Ivoire	322	12,4	3,8	95	..	0,6	690	−4,6	−0,1
Dänemark	43	5,2	0,1	8	98	25,6	23 700	2,2	2,6
Deutschland	357	80,1	0,1	7	105	27,3	23 650[d]	2,2[d]	1,6
Dominik. Rep.	49	7,2	2,2	54	95	10,8	940	−0,2	−2,6
Ecuador	284	10,8	2,6	47	..	10,4	1 000	−0,6	0,0
El Salvador	21	5,3	1,4	42	78	6,4	1 080	−0,3	0,3
Estland	45	1,6	0,6	14	..	..	3 830	..	..
Finnland	338	5,0	0,4	6	99	24,7	23 980	2,5	0,1
Frankreich	552	57,0	0,5	7	111	28,9	20 380	1,8	0,3
Gabun	268	1,2	3,5	95	..	..	3 780	−4,2	−1,4
Georgien	70	5,5	0,7	16	..	59,2	1 640	..	..
Ghana	239	15,3	3,2	83	75	0,4	400	−0,3	0,2
Griechenland	132	10,3	0,5	10	100	17,3	6 340	1,1	0,3
Großbritannien[2]	245	57,6	0,2	7	107	14,0	16 550	2,6	0,4
Guatemala	109	9,5	2,9	60	79	4,4	930	−1,8	−0,7
Guinea	246	5,9	2,6	136	37	0,2	460	..	−0,5
Haiti	28	6,6	1,9	94	..	1,4	370	−2,4	−1,2
Honduras	112	5,3	3,3	49	108	3,2	580	−0,5	−1,6
Indien	3 288	866,5	2,1	90	97	4,1	330	3,2	1,6
Indonesien	1 905	181,3	1,8	74	117	1,4	610	3,9	2,2
Irak	438	18,6	3,6[i]	65[h]	96[e]	5,8	1 800[e]	..	..
Iran	1 648	57,7	3,6	68	112	3,2	2 170	−1,3	1,3
Irland	70	3,5	0,2	8	100	15,8	11 120	3,3	1,5
Israel	21	4,9	2,2	9	93	29,0	11 950	1,7	−0,5
Italien	301	57,8	0,2	8	97	46,9	18 520	2,2	−0,5

Nahrungsmittel in % des Imports 1991	Rohstoffanteil in % des Exports 1991	Düngemittel (in 100g Pflanzennährstoffe) je ha 1990/91	Leistungsbilanzsaldo in Mio. US-$ 1991	Bruttowährungsreserven in Mio. US-$ 1991	Auslandsschulden in % d. Exports v. Waren u. Dienstleistungen 1991	Terms of Trade 1991 (1987 = 100)	Energieproduktion (jährl. Wachstumsrate in %) Ø 1980–1991	Energieverbrauch (jährl. Wachstumsrate in %) Ø 1980–1991	
..	..	69[h]	−142[e]	638[h]	..	..	2,4[i]	8,3[i]	Afghanistan
29	60	3722	2404[a]	6185	280,0	93	4,6	4,6	Ägypten
..	..	1506[h]	−154[h]	..	..	..	1,7[i]	3,1[i]	Albanien
26	97	167	2555[a]	3460	214,8	95	4,9	15,1	Algerien
14[h]	87[h]	74[h]	..	..	..	..	12,5[i]	2,5[i]	Angola
4	72	61	−2832	8073	433,0	113	3,2	3,6	Argentinien
..	..	..	..	..	..	..	..	..	Armenien
..	..	..	..	..	..	..	..	..	Aserbaidschan
14	97	80	−222[a]	106	464,7	60	5,2	3,4	Äthiopien[1]
5	63	238	−9853	19339	..	107	5,7	2,2	Australien
26	30	1022	−210[a]	1308	443,7	105	11,3	7,7	Bangladesch
10[b]	20[b]	4902	4731[b]	..	..	95[b]	..	..	Belgien
16	70	38	−89	196	262,2	85	7,4	3,7	Benin
..	..	8	17[a]	99	95,4	..	..	..	Bhutan
14	95	58	−262	422	432,4	73	0,8	−0,1	Bolivien
..[c]	..[c]	7	47	3772	23,0	..[c]	1,2	3,0	Botsuana
10	44	525	−3071[a]	8749	324,9	119	7,3	4,7	Brasilien
..	..	1728	−718[a]	..	237,9	..	2,3	0,8	Bulgarien
23	88	39	−90	350	188,8	89	..	1,1	Burkina Faso
17	98	16	−31[a]	147	758,8	43	6,6	7,4	Burundi
6	85	653	142	7700	153,5	122	3,1	3,1	Chile
6	8	..	12015	74548	..	106	..	..	China, Rep.
6	24	2777	13272	48165	87,1	111	5,3	5,3	China, VR
9	74	2091	−82	931	177,8	109	6,3	3,7	Costa Rica
18	90	97	−1451	29	566,1	67	4,5	2,7	Côte d'Ivoire
12	36	2463	2167	7990	..	104	34,0	0,0	Dänemark
10[d]	10[d]	2637	−19497	96657	..	95[d]	0,0[d]	0,4[d]	Deutschland
17	80	614	−58	448	193,1	112	4,2	0,9	Dominik. Rep.
8	43	232	−467	1081	362,7	90	2,9	3,7	Ecuador
16	98	1027	−168	453	155,4	103	3,7	2,4	El Salvador
..	..	..	..	..	..	..	..	..	Estland
6	18	1819	−6695	8317	..	99	4,3	2,8	Finnland
10	22	2953	−6148	60227	..	102	6,3	1,2	Frankreich
17	96	25	−160	332	152,5	79	4,6	2,5	Gabun
..	..	..	..	..	..	..	..	..	Georgien
9	99	48	−220[a]	644	384,5	62	−0,1	0,4	Ghana
13	48	1741	−1521	6400	..	107	5,9	2,8	Griechenland
10	18	3680	−11438	48373	..	104	0,4	0,7	Großbritannien[2]
12	72	700	−184	881	142,9	103	4,5	0,6	Guatemala
..	..	7	−236[a]	..	351,0	..	4,1	1,4	Guinea
24	58	11	−11	24	186,5	77	5,7	1,7	Haiti
13	94	273	−220	112	330,8	113	4,1	2,0	Honduras
5	27	743	−3026[a]	7616	295,3	100	6,6	7,2	Indien
5	59	1141	−4080	10358	223,2	101	1,6	4,8	Indonesien
15[h]	76[h]	395[h]	..	..	..	..	7,5[i]	5,3[i]	Irak
13	97	771	−7806[a]	..	57,3	88	6,2	4,5	Iran
11	26	7323	921	5867	..	92	2,7	0,8	Irland
7	12	2343	−822	6428	..	104	−7,4	2,3	Israel
13	11	1480	−21454	72254	..	101	1,0	0,9	Italien

	Fläche in 1000 km²	Bev. in Mio. (Stand Mitte 1991)	Jährl. Bev.-Wachstum (Ø 1980–1991)	Säuglingssterblichkeit 1991 (Jahresrate in ‰)	Zahl der Grundschüler in % der Altersgruppe 1990[7]	Ärzte je 10 000 Ew. 1988–92[8]	BSP pro Kopf 1991 in US-$	Jährl. BSP Pro-Kopf-Zuwachs in % (Ø 1980–1991)	Jährl. Pro-Kopf-Zuwachs Nahrungsmittelproduktion (1979–81 = 100) Ø 1979–1991
Jamaika	11	2,4	1,0	15	105	..	1380	0,0	−0,5
Japan	378	123,9	0,5	5	101	16,4	26930	3,6	−0,1
Jemen	528	12,5	3,8	109	..	1,8	520	..	..
Jordanien[3]	89	3,7	4,7	29	..	15,4	1050	−1,7	−1,2
Jugoslawien[4]	256	23,9	0,6	21	95	26,3	..	..	−0,7
Kambodscha	181	8,8	2,6[i]	117[h]	..	0,4	200	..	..
Kamerun	475	11,9	2,8	64	101	0,8	850	−1,0	−1,8
Kanada	9976	27,3	1,2	7	105	22,2	20440	2,0	1,2
Kasachstan	2717	16,8	1,2	32	..	41,2	2470	..	..
Kenia	580	25,0	3,8	67	94	1,4	340	0,3	0,5
Kirgisistan	199	4,5	1,9	40	..	36,7	1550	..	..
Kolumbien	1139	32,8	2,0	23	110	8,7	1260	1,2	0,6
Kongo	342	2,4	3,4	115	..	..	1120	−0,2	−0,1
Korea, Dem. VR	121	22,2	1,7[i]	26[h]	103[e]	27,2	987[g]	..	..
Korea, Rep.	99	43,3	1,1	16	108	7,3	6330	8,7	−0,1
Kuba	111	10,7	0,9[i]	12[h]	103[e]	37,5	918[e]	..	..
Kuwait	18	1,5	4,4[i]	14[h]	100[e]	..	16150[g]	−4,0[i]	..
Laos	237	4,3	2,7	100	104	2,3	220	..	0,8
Lesotho	30	1,8	2,8	81	107	..	580	−0,5	−1,7
Lettland	65	2,6	0,3	16	..	..	3410	..	..
Libanon	10	3,7	..	..	..	..	2450[e]	..	..
Liberia	111	2,6	3,1[i]	136[h]	..	..	450[e]	..	..
Libyen	1760	4,7	4,1[i]	74[h]	..	10,4	5310[g]	−3,0[g]	..
Litauen	65	3,7	0,8	14	..	..	2710	..	..
Madagaskar	587	12,0	3,0	114	92	1,2	210	−2,5	−1,4
Malawi	118	8,8	3,3	143	71	0,2	230	0,1	−2,7
Malaysia	330	18,2	2,6	15	93	3,7	2520	2,9	4,1
Mali	1240	8,7	2,6	161	24	0,5	280	−0,1	−0,7
Marokko	447	25,7	2,6	57	68	2,1	1030	1,6	2,3
Mauretanien	1026	2,0	2,4	119	51	..	510	−1,8	−1,5
Mauritius	2	1,1	1,0	19	106	..	2410	6,1	−0,6
Mexiko	1958	83,3	2,0	36	112	5,4	3030	−0,5	0,2
Moldau	34	4,4	0,9	23	..	40,0	2170	..	..
Mongolei	1567	2,2	2,8[i]	62[h]	98[h]	..	660[f]	..	..
Mosambik	802	16,1	2,6	149	58	0,2	80	−1,1	−3,1
Myanmar	677	42,8	2,1[i]	64[h]	..	0,8	200[e]	..	..
Namibia	824	1,5	3,1	72	94	..	1460	−1,2	−2,9
Nepal	141	19,4	2,6	101	86	0,6	180	2,1	2,2
Neuseeland	271	3,4	0,7	9	106	17,4	12350	0,7	0,1
Nicaragua	130	3,8	2,7	56	98	6,0	460	−4,4	−5,1
Niederlande	37	15,1	0,6	7	117	24,3	18780	1,6	0,8
Niger	1267	7,9	3,3	126	29	0,3	300	−4,1	−3,4
Nigeria	924	99,0	3,0	85	72	1,5	340	−2,3	1,5
Norwegen	324	4,3	0,4	8	99	24,3	24220	2,3	0,5
Oman	212	1,6	4,3	31	103	..	6120	4,4	..
Österreich	84	7,8	0,2	8	103	43,4	20140	2,1	0,7
Pakistan	796	115,8	3,1	97	37	3,4	400	3,2	0,2
Panama	77	2,5	2,1	21	107	..	2130	−1,8	−2,0
Papua-Neuguinea	463	4,0	2,3	55	71	0,8	830	−0,6	−0,1

Nahrungsmittel in % des Imports 1991	Rohstoffanteil in % des Exports 1991	Düngemittel (in 100g Pflanzennährstoffe) je ha 1990/91	Leistungsbilanzsaldo in Mio. US-$ 1991	Bruttowährungsreserven in Mio. US-$ 1991	Auslandsschulden in % d. Exports v. Waren u. Dienstleistungen 1991	Terms of Trade 1991 (1987 = 100)	Energieproduktion (jährl. Wachstumsrate in %) Ø 1980–1991	Energieverbrauch (jährl. Wachstumsrate in %) Ø 1980–1991	
20	44	710	−198	106	186,3	91	4,3	−1,4	Jamaika
15	2	4001	72905	80626	..	99	3,9	2,2	Japan
..	..	..	22[a]	..	292,5	..	..	7,9	Jemen
26	54	475	−712[a]	1105	283,4	116	..	5,3	Jordanien[3]
10	21	991	−1161	3360	87,8	107	3,2	3,6	Jugoslawien[4]
..	..	..	..	..	..	..	4,9[i]	2,5[i]	Kambodscha
14	..	31	−658[a]	43	252,7	81	11,5	4,4	Kamerun
6	36	451	−25529	20836	..	105	3,3	2,0	Kanada
..	..	..	..	..	..	..	..	..	Kasachstan
6	80	477	−231	145	318,4	87	6,4	1,6	Kenia
..	..	..	..	..	..	..	..	..	Kirgisistan
7	67	1112	2349	6335	167,7	84	10,6	3,1	Kolumbien
18	97	119	−169	9	386,3	84	6,9	3,3	Kongo
..	..	..	..	..	..	..	..	..	Korea, Dem. VR
6	7	4601	−8726	13815	47,6	108	9,5	7,9	Korea, Rep.
..	96[e]	..	..	..	..	..	..	..	Kuba
18[h]	12[h]	2000[h]	..	..	..	..	1,6[i]	5,0[i]	Kuwait
..	..	16	−52	61	996,2	..	−0,4	2,3	Laos
..[c]	..[c]	144	63	115	73,2	..[c]	..[c]	..[c]	Lesotho
..	..	..	..	..	..	..	..	..	Lettland
..	..	917[h]	..	4210[h]	..	..	−1,5[i]	4,1[i]	Libanon
24[h]	99[h]	107[h]	..	..	..	111[h]	1,8[i]	−4,1[i]	Liberia
16[h]	100[h]	367[h]	2203[a]	7225[h]	..	97[h]	−1,7[i]	7,1[i]	Libyen
..	..	..	..	..	..	..	..	..	Litauen
13	93	26	−192	89	744,6	85	6,8	1,8	Madagaskar
7	96	198	−184[a]	158	318,8	87	4,2	1,3	Malawi
6	39	1950	−4530	11717	53,7	93	13,5	7,9	Malaysia
18	93	73	−37	326	442,7	99	6,1	2,1	Mali
11	49	332	−396	3349	257,5	98	1,5	2,9	Marokko
23	95	93	−125	72	458,2	109	..	0,3	Mauretanien
27	70	2616	−37	915	53,2	104	8,1	3,4	Mauritius
14	55	631	−13282	18052	224,1	100	1,2	1,4	Mexiko
..	..	..	..	..	..	..	..	..	Moldau
..	..	124[h]	−640[h]	..	..	..	3,0[i]	3,1[i]	Mongolei
..	..	8	−245	240	1117,1	..	−39,3	1,0	Mosambik
9[h]	97[h]	86[h]	−136[a][h]	410[h]	..	127[h]	4,4[i]	4,8[i]	Myanmar
..[c]	..[c]	..	82[a]	..	..	..[c]	..[c]	..[c]	Namibia
9	11	274	−320[a]	451	370,0	85	10,9	8,0	Nepal
8	73	8796	−20	2950	..	94	6,1	5,0	Neuseeland
16	88	314	−5	..	2917,8	107	2,6	2,7	Nicaragua
13	37	6160	8760	33335	..	100	−2,4	1,4	Niederlande
15	98	3	−4	207	466,8	82	13,5	2,3	Niger
18	99	124	1203	4678	257,1	82	1,0	4,4	Nigeria
6	67	2355	4939	13651	..	90	7,8	1,8	Norwegen
..	..	1554	1095	1765	42,1[h]	..	8,6	10,1	Oman
5	11	1997	−252	17415	..	89	−0,2	1,4	Österreich
17	27	912	−1558	1220	244,9	80	6,5	6,5	Pakistan
10	79	588	135	499	106,4	112	9,5	0,2	Panama
17	97	311	−838[a]	345	160,7	80	5,6	2,4	Papua-Neuguinea

	Fläche in 1000 km²	Bev. in Mio. (Stand Mitte 1991)	Jährl. Bev.-Wachstum (∅ 1980–1991)	Säuglingssterblichkeit 1991 (Jahresrate in ‰)	Zahl der Grundschüler in % der Altersgruppe 1990[7]	Ärzte je 10000 Ew. 1988–92[8]	BSP pro Kopf 1991 in US-$	Jährl. BSP Pro-Kopf-Zuwachs in % (∅ 1980–1991)	Jährl. Pro-Kopf-Zuwachs Nahrungsmittelproduktion (1979–81 = 100) ∅ 1979–1991
Paraguay	407	4,4	3,1	35	107	6,2	1270	−0,8	1,1
Peru	1285	21,9	2,2	53	126	10,3	1070	2,4	−0,6
Philippinen	300	62,9	2,4	41	111	1,2	730	−1,2	−1,9
Polen	313	38,2	0,7	15	98	20,6	1790	0,6	1,1
Portugal	92	9,9	0,1	11	119	25,7	5930	3,1	1,5
Ruanda	26	7,1	3,0	111	69	0,2	270	−2,4	−1,8
Rumänien	238	23,0	0,4	27	91	17,9	1390	0,0	−2,3
Rußland	17075	148,7	0,6	20	..	46,9	3220	..	..
Sambia	753	8,3	3,6	106	93	0,9	420[h]	..	−0,7
Saudi-Arabien	2150	15,4	4,6	32	78	15,2	7820	−3,4	9,4
Schweden	450	8,6	0,3	6	107	27,3	25110	1,7	−0,6
Schweiz	41	6,8	0,6	7	..	15,9	33610	1,6	−0,1
Senegal	197	7,6	3,0	81	58	0,5	720	0,1	0,4
Sierra Leone	72	4,2	2,4	145	48	0,7	210	−1,6	−1,1
Simbabwe	391	10,1	3,4	48	117	1,6	650[a]	−0,2	−1,0
Singapur	1	2,8	1,7	6	110	10,9	14210	5,3	−5,1
Somalia	638	8,1	3,1[i]	126[h]	..	0,7	120[h]	−0,1[i]	..
Spanien	505	39,0	0,4	8	109	36,0	12450	2,8	1,3
Sri Lanka	66	17,2	1,4	18	107	1,4	500	2,5	−1,3
Südafrika	1221	38,9	2,5	54	..	6,1	2560	0,7	−1,1
Sudan	2506	25,8	2,7	101	49	0,9	420[i]	..	−2,8
Syrien	185	12,5	3,3	37	109	8,5	1160	−1,4	−2,9
Tadschikistan	143	5,5	3,0	50	..	27,1	1050	..	..
Tansania[5]	945	25,2	3,0	115	63	0,3	100	−0,8	−1,4
Thailand	513	57,2	1,9	27	85	2,0	1570	5,9	0,5
Togo	57	3,8	3,4	87	103	0,8	410	−1,3	−1,0
Trinidad u. Tob.	5	1,3	1,3	19	95	..	3670	−5,2	−1,7
Tschad	1284	5,8	2,4	124	57	0,3	210	3,8	−0,4
Tschechosl.[6]	128	15,7	0,3	11	93	32,3	2470	0,5	1,5
Tunesien	164	8,2	2,4	38	116	5,3	1500	1,1	0,5
Türkei	779	57,3	2,3	58	110	7,4	1780	2,9	−0,2
Turkmenistan	488	3,8	2,5	56	..	35,7	1700	..	..
Uganda	236	16,9	2,5	118	76	0,4	170	..	−0,6
Ukraine	604	52,0	0,4	18	..	44,0	2340	..	..
Ungarn	93	10,3	−0,2	16	94	29,8	2720	0,7	1,2
Uruguay	177	3,1	0,6	21	106	29,0	2840	−0,4	0,8
USA	9373	252,7	0,9	9	105	23,8	22240	1,7	−0,6
Usbekistan	447	20,9	2,4	44	..	35,8	1350	..	..
Venezuela	912	19,8	2,6	34	92	15,5	2730	−1,3	0,0
Ver. Arab. Emirate	84	1,6	4,3[i]	23[h]	111[h]	..	20140	−6,3	..
Vietnam	332	67,7	2,1[i]	42[h]	..	3,5	180[e]	..	..
Weißrußland	208	10,3	0,6	15	..	40,5	3110	..	..
Zaire	2345	38,6	3,2[i]	94[h]	..	0,7	220[h]	−2,2[i]	..
Zentralafr. Rep.	623	3,1	2,7	106	67	0,4	390	−1,4	−1,0

Daten (inkl. Einwohner) stammen fast alle aus dem aktuellen Weltentwicklungsbericht der Weltbank (vorläufige Schätzungen für die Staaten der ehem. Sowjetunion)
.. keine Daten greifbar oder Daten unveröffentlicht oder zu komplex (westl. Industriestaaten)
[1] mit Eritrea – [2] und Nordirland – [3] ohne Westjordanland (West-Bank) – [4] ehem. Gesamt-Jugoslawien aus Bosnien-Herzegowina, Kroatien, Makedonien, Slowenien und Neu-Jugoslawien (Serbien u. Montenegro); keine Angaben für die Einzelstaaten erhältlich – [5] BSP-

Nahrungsmittel in % des Imports 1991	Rohstoffanteil in % des Exports 1991	Düngemittel (in 100 g Pflanzennährstoffe) je ha 1990/91	Leistungsbilanzsaldo in Mio. US-$ 1991	Bruttowährungsreserven in Mio. US-$ 1991	Auslandsschulden in % d. Exports v. Waren u. Dienstleistungen 1991	Terms of Trade 1991 (1987 = 100)	Energieproduktion (jährl. Wachstumsrate in %) Ø 1980–1991	Energieverbrauch (jährl. Wachstumsrate in %) Ø 1980–1991	
8	89	65	−476[a]	974	125,7	117	12,9	4,9	Paraguay
20	82	336	−1478	3090	483,6	67	−1,6	1,4	Peru
7	29	738	−1034	4436	215,6	91	6,3	1,9	Philippinen
7	36	1046	−1282	3800	281,4	104	0,9	1,1	Polen
13	18	877	−716	26239	103,2	112	3,2	2,9	Portugal
..	..	26	−34	110	591,8	..	4,0	1,8	Ruanda
..	..	1099	−1184	1219	39,3	..	−0,4	0,6	Rumänien
..	..	..	..	..	..	..	..	..	Rußland
8	99	113	1[a]	186	624,8	116	1,8	1,3	Sambia
15	99	2068	−25738	13298	..	79	−1,7	9,3	Saudi-Arabien
7	15	1162	−3243	20477	..	103	4,2	1,3	Schweden
6	7	4075	9847	58451	..	96	1,0	1,4	Schweiz
26	78	50	−133	23	224,6	93	..	−1,6	Senegal
24	67	20	−95	10	773,7[h]	116	..	0,1	Sierra Leone
5	68	606	−552[a]	295	164,9	101	3,0	3,0	Simbabwe
6	26	56000	4208	34133	..	101	..	5,6	Singapur
19[h]	95[h]	26[h]	−81[h]	..	2576,2[h]	..	..	2,0[i]	Somalia
11	24	979	−15954	71345	..	108	2,6	1,7	Spanien
17	35	901	−268	724	211,0	87	8,5	4,9	Sri Lanka
3[c]	..[c]	592	2664	3187	..	86[c]	4,0[c]	2,9[c]	Südafrika
22	99	63	−1652[a]	8	3465,6	94	2,2	0,6	Sudan
17	77	539	1827	..	..	182	8,0	3,9	Syrien
..	..	..	..	..	..	..	..	..	Tadschikistan
11	89	144	−284[a]	204	1207,8	84	3,2	2,0	Tansania[5]
5	34	471	−7564	18393	94,9	91	24,1	7,4	Thailand
20	91	172	−83	369	187,2	80	..	0,8	Togo
15	71	650	−17	358	105,4	97	−2,5	1,7	Trinidad u. Tob.
17	96	18	−80	124	251,1	..	..	0,4	Tschad
8	10	2558	947[a]	4176	68,9	137	0,0	0,6	Tschechosl.[6]
15	32	181	−191	866	137,2	95	−0,2	4,5	Tunesien
7	33	676	272	6616	194,7	108	7,7	6,5	Türkei
..	..	..	..	..	..	..	..	..	Turkmenistan
8	99	0	−182[a]	59	1429,4	48	2,8	4,1	Uganda
..	..	..	..	..	..	..	..	..	Ukraine
5	36	1269	403[a]	4028	180,8	102	0,2	0,7	Ungarn
7	60	551	105	1146	175,3	105	7,2	0,8	Uruguay
6	20	970	−3690	159273	..	102	0,7	1,4	USA
..	..	..	..	..	..	..	..	..	Usbekistan
12	88	1137	1663	14719	187,0	101	0,7	2,3	Venezuela
..	..	1615[h]	..	4891	..	..	4,0[i]	13,9[i]	Ver. Arab. Emirate
..	..	841[h]	−213[h]	..	..	..	2,5[i]	2,6[i]	Vietnam
..	..	..	..	..	..	..	..	..	Weißrußland
20[h]	93[h]	10[h]	−643[h]	261[h]	438,0[h]	163[h]	3,1[i]	1,7[i]	Zaire
17	56	4	−80[a]	107	671,9	111	2,6	3,3	Zentralafr. Rep.

Angaben nur für Festland von Tansania – [6] seit 1.1.1993 die Nachfolgestaaten Slowakei u. Tschechische Republik (noch keine Daten vorhanden) – [7] Anteil kann 100 % überschreiten, da es Grundschüler über u. unter der willkürlich festgelegten Altersgrenze gibt – [8] Die Angaben gelten jeweils für eines der Jahre zwischen 1988 u. 1992 – [a] Schätzung der Weltbank – [b] mit Luxemburg – [c] Angaben beziehen sich auf die Südafrikanische Zollunion (Südafrika, Botsuana, Lesotho, Namibia, Swasiland) – [d] alte Bundesländer – [e] vor 1988 – [f] 1988 – [g] 1989 – [h] 1990 – [i] 1980–1990

EUROPA auf einen Blick (Quelle: OECD in figures 1993)

	Fläche in 1000 km²	Bevölkerung in 1000 Ew. 1981	Bevölkerung in 1000 Ew. 1991	Ew. je km² 1991	Bev.- Wachstum 1991/92 in %	Bev.-Anteil unter 15 J. 1960	Bev.-Anteil unter 15 J. 1991
Belgien	30,5	9853	10005	328,0	0,4	23,5	18,2
Dänemark	43,1	5122	5154	119,6	0,3	25,2	17,0
Deutschland[1]	256,9	61682	79819	257,0	1,0	21,3	15,2[2]
Finnland	338,0	4800	5029	14,9	0,9	30,4	19,2
Frankreich	549,0	54182	57050	103,9	0,6	26,4	20,0
Griechenland	132,0	9730	10269	77,8	1,3	26,1	19,4[3]
Großbritannien	244,8	56379	57649	235,5	0,4	23,3	19,2
Irland	70,3	3443	3524	50,1	0,6	30,5	26,8
Island	103,0	231	258	2,5	1,2	34,8	24,8
Italien	301,2	56503	57114	189,6	−0,9	23,4	16,6
Luxemburg	2,6	390	366	150,0	2,1	21,4	17,7
Niederlande	40,8	14247	15070	369,4	0,8	30,0	18,3
Norwegen	324,2	4100	4262	13,1	0,5	25,9	19,0
Österreich	83,9	7565	7823	93,2	1,4	22,0	17,4
Portugal	92,4	9851	9814	106,2	0,1	29,0	19,0
Schweden	450,0	8324	8617	19,1	0,7	22,4	18,1
Schweiz	41,3	6429	6792	164,5	1,2	23,5	16,7
Spanien	504,8	37751	39025	77,3	0,2	27,3	19,1
Türkei	780,6	45864	57693	73,9	2,2	41,2	35,5

[1] Fläche und Bevölkerung für Gesamtdeutschland, alle anderen Angaben nur alte Bundesländer; [2] 1990; [3] 1989; [4] 1988

	BIP in Mio. $[1] 1991	BIP in Mio. $[1] 1992	Jährl. Veränd. in % 1981–91	Jährl. Veränd. in % 1991/92	BIP 1991 je Ew. in $[1]	BIP-Entstehung 1991 in % Land- wirtsch.	BIP-Entstehung 1991 in % Industrie	BIP-Entstehung 1991 in % Dienst- leist.
Belgien	196870	217500	2,2	1,3	20007	1,8[3]	30,1[3]	68,1[3]
Dänemark	130250	142700	2,3	1,2	25271	3,9[3]	24,4[3]	71,7[3]
Deutschland	1574320	1762600	2,5	0,6	24585	1,5[3]	38,7[3]	59,8[3]
Finnland	124420	112700	2,3	−1,8	24845	4,8	27,0	68,3
Frankreich	1199290	1335600	2,2	1,8	21022	3,1	28,7	68,2
Griechenland	70580	79100	1,7	1,2	6873	13,5[3]	24,1[3]	62,5[3]
Großbritannien	1009490	1039400	2,5	−0,9	17596	2,0[4]	29,2[4]	68,8[4]
Irland	43430	48600	3,6	2,6	12338	9,0[3]	33,4[3]	57,6[3]
Island	6490	6700	2,4	−2,8	24960	10,1[3]	23,4[3]	66,5[3]
Italien	1150520	1225900	2,3	1,2	19911	3,3	32,1	64,6
Luxemburg	9340	10500	3,9	2,4	24698	1,4	33,7	64,9
Niederlande	290730	323000	2,2	1,4	19298	4,2[3]	31,5[3]	64,2[3]
Norwegen	105930	112600	2,6	2,9	24854	2,9[3]	35,5[3]	61,6[3]
Österreich	163990	186000	2,5	2,0	20963	2,8	36,3	60,9
Portugal	68610	83400	2,8	1,9	6991	5,8[3]	37,8[3]	56,4[3]
Schweden	236950	245900	1,8	−1,2	27498	2,6[3]	29,5[3]	67,9[3]
Schweiz	232000	244200	1,9	0,2	33819	k. Ang.	k Ang.	k. Ang.
Spanien	527130	579800	3,2	1,4	13508	5,3[4]	35,0[4]	59,7[4]
Türkei	108000	113200	5,1	5,3	1872	16,6[3]	35,4[3]	48,0[3]

[1] zu laufenden Preisen und Wechselkursen; [2] zu laufenden Preisen; [3] 1990; [4] 1988; [5] Wirtschaftsunion Belgien–Luxemburg (BLEU)

Lebenserwartung 1991		Kindersterblichkeit		Öffentl. Erziehung 1989/90			
Männer	Frauen	1960	1991	BIP-Anteil in %	Schüler/Studenten je 1000 Ew.	Lehrer je 1000 Ew.	
72,4	79,1	3,12	0,84	4,94	216	19,7	Belgien
72,0	77,7	2,15	0,75	7,02	197	11,9	Dänemark
72,6	79,0	3,38	0,71	3,88	193	10,8	Deutschland[1]
71,4	79,3	2,10	0,58	5,65	219	k. Ang.	Finnland
73,0	81,1	2,74	0,73	4,68	247	13,8	Frankreich
74,1	78,9	4,01	0,90	2,71[4]	204[4]	11,7[4]	Griechenland
73,2	78,8	2,25	0,74	4,69	216	12,6	Großbritannien
71,0	77,0	2,93	0,82	5,35	281	12,3	Irland
75,7	80,3	1,30	0,55	k. Ang.	k. Ang.	k. Ang.	Island
73,5	80,0	4,39	0,83	k. Ang.	197	17,3	Italien
70,6	77,9	3,15	0,92	6,54[4]	k. Ang.	k. Ang.	Luxemburg
74,0	80,3	1,79	0,65	6,42	231	13,0	Niederlande
73,4	79,8	1,89	0,70	6,97	225	k. Ang.	Norwegen
72,6	79,2	3,75	0,74	5,48	199	19,7	Österreich
70,9	77,9	7,75	1,08	4,80	187	13,2	Portugal
74,8	80,4	1,66	0,61	7,11	197	30,4	Schweden
74,0	80,9	2,11	0,62	4,67	187	k. Ang.	Schweiz
73,2	80,3	4,37	0,78	3,72	247	12,5	Spanien
64,1	68,4	19,74	5,65	1,77	204	7,6	Türkei

BIP-Verwendung Privater Endverbrauch in % 1992[2]	Außenhandel 1992				Terms of Trade Jährl. Veränd. in % 1981–91	
	Import (c.i.f.)		Export (f.o.b.)			
	in Mio. $	Jährl. Veränd. in % 1981–91	in Mio. $	Jährl. Veränd. in % 1981–91		
62,7	119700[5]	5,3[5]	118000[5]	6,3[5]	k. Ang.	Belgien
52,5	31600	5,0	33800	7,5	0,9	Dänemark
54,4	341100	6,3	397800	7,6	1,4	Deutschland
55,1	27100	5,7	26700	6,6	1,9	Finnland
60,4	232500	5,6	209500	6,6	0,9	Frankreich
70,3	19700	6,5	8000	4,5	0,3	Griechenland
63,9	224900	6,7	185900	5,0	−0,1	Großbritannien
55,8	20700	6,4	23800	10,9	0,4	Irland
62,3	1700	5,2	1600	5,5	k. Ang.	Island
62,1	174700	5,9	166900	7,8	1,9	Italien
57,3	119700[5]	5,3[5]	118000[5]	6,3[5]	k. Ang.	Luxemburg
59,4	126100	5,1	131800	6,0	0,5	Niederlande
50,8	27200	4,8	34000	6,3	−1,4	Norwegen
55,3	50000	7,4	41900	9,1	k. Ang.	Österreich
63,3	25300	10,6	16400	13,5	k. Ang.	Portugal
54,2	54500	5,0	57200	6,4	1,0	Schweden
57,5	70600	6,9	65000	8,2	k. Ang.	Schweiz
62,3	87300	9,9	55500	10,3	1,8	Spanien
57,2	22300	11,4	13000	16,1	k. Ang.	Türkei

EUROPA auf einen Blick (Quelle: OECD in figures 1993)

	Staats-Einnahmen in % des BIP 1991	Staats-Ausgaben in % des BIP 1991	Gesamt	Endverbrauch des Staates in % des BIP 1991 Verteidigung	Erziehung	Gesundheit
Belgien	49,5[1]	53,1[1]	16,8	2,6	6,2	0,5
Dänemark	56,1[1]	56,5[1]	25,5[4]	2,0[4]	5,4[4]	4,9[4]
Deutschland	44,9	44,6	18,4[1]	2,2[1]	3,5[1]	5,6[1]
Finnland	41,5	44,8	23,9	1,6	5,9	5,3
Frankreich	46,3	46,8	18,0[4]	2,9[4]	4,6[4]	3,0[4]
Griechenland	36,5	48,1	20,2[2]	5,9[2]	2,8[2]	2,3[2]
Großbritannien	40,0[1]	38,1[1]	20,0[1]	4,0[1]	3,7[1]	4,7[1]
Irland	40,3[1]	41,9[1]	k. Ang.	k. Ang.	k. Ang.	k. Ang.
Island	35,2	32,6	19,5	0,0	4,1	6,9
Italien	43,3	49,8	1,9	4,8	3,6	0,8
Luxemburg	52,9	45,0	k. Ang.	k. Ang.	k. Ang.	k. Ang.
Niederlande	49,5[1]	51,7[1]	15,3[4]	2,7[4]	4,6[4]	k. Ang.
Norwegen	56,2[1]	51,6[1]	21,0[1]	3,3[1]	5,4[1]	4,7[1]
Österreich	47,4	45,9	17,8[1]	1,0[1]	4,0[1]	4,6[1]
Portugal	37,6[1]	39,3[1]	15,4	2,6	3,9	3,3
Schweden	64,0	59,1	25,9[4]	2,5[4]	5,0[4]	6,4[4]
Schweiz	34,0	32,3	k. Ang.	k. Ang.	k. Ang.	k. Ang.
Spanien	38,1[4]	36,2[4]	15,1[3]	2,2[3]	2,8[3]	3,5[3]
Türkei	k. Ang.	k. Ang.	k. Ang.	k. Ang.	k. Ang.	k. Ang.

[1] 1990; [2] 1989; [3] 1988; [4] 1986

	Erwerbs-personen 1991 in 1000	Veränderung seit 1981	Frauen-Erwerbs-quote in % der weibl. Bev. 1991[1]	Beschäftigung nach Sektoren 1991 Landwirtsch.[2]	Industrie	Dienstleist.
Belgien	4210	2,8	53,2	2,6	28,1	69,3
Dänemark	2912	8,9	78,9	5,7	27,7	66,6
Deutschland	30678	8,4	57,9	3,4	39,2	57,4
Finnland	2559	2,1	71,8	8,5	29,2	62,3
Frankreich	24619	4,6	56,8	5,8	29,5	64,7
Griechenland	4000[3]	8,7	43,4[3]	23,9[3]	27,7[3]	48,4[3]
Großbritannien	28264	5,7	64,5	2,2	27,8	70,0
Irland	1334	4,9	39,9	13,8	28,9	57,3
Island	143	28,8	80,5	10,7	26,4	62,9
Italien	24598	8,4	45,8	8,5	32,3	59,2
Luxemburg	165	3,1	44,7	3,3[3]	30,5[3]	66,2[3]
Niederlande	7011	k. Ang.	54,8	4,5	25,5	70,0
Norwegen	2126	7,6	71,1	5,9	23,7	70,4
Österreich	3607	13,8	56,3	7,4	36,9	55,7
Portugal	4869	12,3	62,8	17,3	33,9	48,8
Schweden	4552	5,1	80,3	3,2	28,2	68,6
Schweiz	3602	11,0	59,9	5,5	34,4	60,1
Spanien	15382	13,6	41,2	10,7	33,1	56,2
Türkei	20289	k. Ang.	35,4	46,6	20,3	33,1

[1] Frauen im Alter zwischen 15 und 64 Jahren; [2] Mit Forst- und Fischwirtschaft; [3] 1990; [4] 1989; [5] Stand Februar/März 1993; [6] nur alte Bundesländer
Quelle: Labour Force Statistics: 1971–1991, OECD, Paris 1993; FR vom 22. 6. 1993

Staatsbedienstete 1991 %-Anteil an der Gesamterwerbsquote	Steuer 1990 Gesamteinnahmen in % des BIP	Steuer auf das Einkommen 1990 in %		Öffentliche Entwicklungshilfe 1991		
		Minimalsatz	Höchstsatz	in Mio. $	in % des BIP	
19,5[1]	44,9	25,0	55,0	831	0,42	Belgien
30,5[1]	48,6	22,0	40,0	1200	0,96	Dänemark
14,8	37,7	19,0	53,0	6890	0,41	Deutschland
23,8	38,0	9,0	43,0	930	0,76	Finnland
22,6	43,7	5,0	56,8	7386	0,62	Frankreich
k. Ang.	36,5	18,0	50,0	k. Ang.	k. Ang.	Griechenland
19,9	36,7	25,0	40,0	3248	0,32	Großbritannien
13,7[1]	37,2	30,0	53,0	72	0,19	Irland
18,4[1]	32,6	32,8	32,8	k. Ang.	k. Ang.	Island
15,5	39,1	10,0	50,0	3352	0,30	Italien
10,8	50,3	10,0	56,0	k. Ang.	k. Ang.	Luxemburg
14,7[1]	45,2	13,0	60,0	2517	0,88	Niederlande
28,7	46,3	10,0	19,0	1170	1,14	Norwegen
20,6[1]	41,6	10,0	50,0	547	0,34	Österreich
13,6[1]	34,6	16,0	40,0	213	0,31	Portugal
31,7[1]	56,9	17,0	35,0	2116	0,92	Schweden
11,3	31,7	1,0	13,0	863	0,36	Schweiz
14,7	34,4	25,0	56,0	1170	0,23	Spanien
k. Ang.	27,8	25,0	50,0	k. Ang.	k. Ang.	Türkei

Erwerbslosigkeit 1991						Jugendarbeitslosigkeit (unter 25 Jahren)			
in % aller Ewerbspers.		in % aller weibl. Erwerbspers.		in % aller männl. Erwerbspers.		Frauen 1991	Männer 1991	Gesamt Mai 1993	
1981	1991	1981	1991	1981	1991				
10,2	9,3	15,4	13,2	7,0	6,5	k. Ang.	k. Ang.	20,1	Belgien
10,3	9,1	10,7	10,0	10,0	8,3	k. Ang.	k. Ang.	11,9	Dänemark
4,5	5,5	5,6	6,3	3,8	5,0	6,8[4]	6,0[4]	4,8[6]	Deutschland
4,8	7,5	4,6	5,7	5,0	9,1	11,3	15,4	k. Ang.	Finnland
7,4	9,3	10,6	12,1	5,3	7,2	24,0	11,6	23,0	Frankreich
4,0	7,0[3]	5,7	11,7[3]	3,3	4,3[3]	k. Ang.	k. Ang.	k. Ang.	Griechenland
9,0	7,9	6,0	4,4	10,9	10,5	8,6	16,5	17,2	Großbritannien
9,9	15,7	8,9	12,1	10,3	17,3	17,4[3]	21,2[3]	28,5	Irland
0,4	2,1	k. Ang.	1,5	k. Ang.	1,4	k. Ang.	k. Ang.	k. Ang.	Island
7,8	10,8	13,4	16,7	5,0	7,4	36,0	26,5	27,9	Italien
1,3	1,2	1,3	2,0	0,8	1,1	k. Ang.	k. Ang.	6,0	Luxemburg
8,5	7,0	9,0	9,5	8,2	5,3	10,9	10,1	13,1	Niederlande
2,0	5,5	2,7	5,0	1,6	5,8	12,0	13,6	k. Ang.	Norwegen
2,5	3,5	3,6	3,6	1,9	3,3	k. Ang.	k. Ang.	k. Ang.	Österreich
7,4	4,1	12,3	5,8	4,0	2,7	12,4	5,9	11,2[5]	Portugal
2,5	2,7	2,6	2,3	2,3	3,0	5,4	6,7	k. Ang.	Schweden
0,2	1,2	0,3	1,2	0,2	1,1	k. Ang.	k. Ang.	k. Ang.	Schweiz
13,8	16,0	15,8	23,5	12,9	12,0	37,9	25,7	36,9	Spanien
11,3	8,0	k. Ang.	7,3	k. Ang.	8,3	k. Ang.	k. Ang.	k. Ang.	Türkei

Öffentliche Entwicklungshilfe (ODA)[1] der OECD-Mitglieder

	1970	1980	1990	1991	1970	1980	1989	1990	1991
		(in Mio. US-$)					(in % des BSP)		
Australien	212	667	955	1050	0,59	0,48	0,38	0,34	0,38
Belgien	120	595	889	831	0,46	0,50	0,46	0,45	0,42
Dänemark	59	481	1171	1300	0,38	0,74	0,93	0,93	0,96
Deutschland	599	3567	6320	6890	0,32	0,44	0,41	0,42	0,41
Finnland	7	110	846	930	0,06	0,22	0,63	0,64	0,76
Frankreich	971	4162	9380	7484	0,66	0,63	0,78	0,79	0,62
Großbritannien . . .	500	1854	2638	3348	0,41	0,35	0,31	0,27	0,32
Irland	0	30	57	72	0,00	0,16	0,17	0,16	0,19
Italien	147	683	3395	3352	0,16	0,15	0,42	0,32	0,30
Japan	458	3353	9069	10952	0,23	0,32	0,31	0,31	0,32
Kanada	337	1075	2470	2604	0,41	0,43	0,44	0,44	0,45
Neuseeland	14	72	95	100	0,23	0,33	0,22	0,23	0,25
Niederlande	196	1630	2592	2517	0,61	0,97	0,94	0,94	0,88
Norwegen	37	486	1305	1178	0,32	0,87	1,05	1,17	1,14
Österreich	11	178	394	548	0,07	0,23	0,23	0,25	0,34
Schweden	117	962	2012	2116	0,38	0,78	0,96	0,90	0,92
Schweiz	30	253	750	863	0,15	0,24	0,30	0,31	0,36
USA	3153	7138	11394	11262	0,32	0,27	0,15	0,21	0,20
Gesamt	*6968*	*27396*	*55632*	*55519*	*0,34*	*0,35*	*0,32*	*0,33*	*0,33*

[1] ODA: Official development assistance; gesamte Nettoabflüsse
Quelle: Weltbankbericht 1993

Empfänger öffentlicher Entwicklungshilfe (über 10 % des BSP), BSP und Schuldenlast 1991[1]

	Nettoauszahlungen aus allen Quellen			BSP		Gesamte Auslandsschulden		Schuldendienst
	in Mio. US-$	pro Kopf in US-$	in % des BSP	in Mio. US-$	pro Kopf in US-$	in Mio. US-$	in % des Exports von Waren u. Dienstleistungen	in % des Exports von Waren u. Dienstleistungen
Mosambik	920	57,0	69,2	1219	80	4700	1117,1	10,6
Guinea-Bissau . . .	101	101,3	48,2	211	180	653	–	–
Tansania	1076	42,7	39,2	2223	100	6460	1207,8	24,6
Bhutan	64	43,8	25,9	240	180	87	95,4	7,2
Malawi	495	56,2	22,6	1986	230	1676	318,8	25,0
Ruanda	351	49,2	22,2	1579	270	845	591,8	17,6
Jordanien	905	247,1	22,0	3524	1050	8641	283,4	20,9
Burundi	253	44,7	21,8	1035	210	961	758,8	31,5
Tschad	262	44,9	20,2	1236	210	606	251,1	4,5
Uganda	525	31,1	19,5	2527	170	2830	1429,4	70,0
Lesotho	123	67,9	18,9	578	580	428	73,2	4,6
Mali	455	52,2	18,5	2451	280	2531	442,7	4,6
Mauretanien	208	102,9	18,4	1030	510	2299	458,2	16,8
Äthiopien	1091	20,7	16,5	5982	120	3475	464,7	18,6
Niger	376	47,5	16,5	2284	300	1653	466,8	50,4
Madagaskar	437	36,3	16,4	2488	210	3715	744,6	32,0
Ägypten	4988	93,1	15,2	30265	610	40571	280,0	16,7
Burkina Faso . . .	409	44,1	14,8	2629	290	956	188,8	9,1
Sambia	884	106,3	14,0[2]	3831	420[2]	7279	624,8	50,3
Nepal	453	23,4	13,8	3063	180	1769	370,0	13,6
Zentralafr. Rep. . .	174	56,5	13,8	1202	390	884	671,9	11,4
Benin	256	52,4	13,6	1886	380	1300	262,2	6,2
Sierra Leone . . .	105	24,7	12,9	743	210	1291	–	–
Laos	131	30,8	12,8	1027	220	1121	996,2	7,6
Guinea	371	63,1	12,6	2937	460	2626	351,0	17,9
Togo	204	54,0	12,5	1633	410	1356	187,2	7,3
Nicaragua	826	217,8	12,0	6950	460	10446	2917,8	109,3
Ghana	724	47,2	11,3	6413	400	4209	384,5	26,9
Kenia	873	34,9	10,6	7125	340	7014	318,4	32,7
Papua Neuguinea .	397	100,1	10,6	3734	830	2755	160,7	29,6
Senegal	577	75,7	10,0	5774	720	3522	224,6	19,9

[1] Keine Angaben für Somalia und Zaire; [2] Angaben 1990
Quelle: Weltbankbericht 1993

AFGHANISTAN West-Asien

Islamischer Staat Afghanistan; De Afghánistán Djamhuriare (Paschtu) bzw. Djamhurie-e Afghánistán (Dari) – AFG

LANDESSTRUKTUR **Fläche** (40): 652090 km² – **Einwohner** (41): (F 1991) 20979000 = 32 je km²; (Z 1979) 13051358 – Afghanen; rd. 43% Paschtunen, das eigentl. Staatsvolk (bes. Gilsai u. Durrani), 28% Tadschiken, 9% Usbeken, 8% mongolstämm. Hesoren [Hazaren]; Nuristani (»Kafire«), Kasachen, Balutschen, Turkmenen, Aimak, Kirgisen; Perser i. e. S. – rd. 12% Afghanen sind Nomaden (»Koochis«) od. Halbnomaden; insg. mind. 32 ethnische Gruppen (*Ethnische Gliederung* → *WA '93, Karte Sp. 187f.*) – **Leb.-Erwart.:** 43 J. – **Säugl.-Sterbl.:** ca. 21% – **Analph.:** 71% – **Jährl. Bev.-Wachstum** (∅ 1985–90): 2,6% (Geb.- u. Sterbeziffer 1985: 4,9%/2,7%) – **Sprachen:** Paschtu [Pushtu] u. Dari (= Farsi bzw. Persisch) als Amtsspr. – **Religion:** 99% Muslime (Vorrechte d. Islam d. sunnit. Hanafi-Lehre), darunter 80% Sunniten, 14% Schiiten (u. a. Hesoren), ferner Ismaeliten – **Städt. Bev.:** 18% – **Städte:** Kabul (Hptst.; S 1988; A) 1424000 Ew.; (S 1984) Kandahár [Qandahár] 203000, Herát 160000, Mazár-i-Sharif 118000; (S 1982) Jalálábád 58000, Kunduz 57000, Baghlan 41000, Maimana 40200

STAAT (→ *Chronik)* Islamische Republik – Verfassung von 1987 mit Änderung 1990 – »Leitender Rat des islamischen Staates Afghanistan« (Interimsrat) aus 10 Mudschaheddin-Gruppen (64 Mitgl.) seit 16. 4. 1992 als Konsultativorgan – Höchstes Exekutivorgan seit 24. 4. 1992 der 10köpfige »Höchste Führungsrat« aus Vors. d. wichtigsten Mudschaheddin-Gruppen – Übergangsparlament mit 205 Mitgl. seit 11. 1. 1993 (Vertreter der Landesbezirke) bis zur Abhaltung von Neuwahlen – Nationalversammlung (Meli Schura) aus 2 Kammern: Senat (Sena) mit 192 u. Repräsentantenhaus (Wolasi Jirgah) mit 234 Mitgl., seit Juni 1992 aufgelöst – Allg. Wahlrecht – 33 Provinzen (Welayat) – **Staatsoberhaupt:** Burhanuddin Rabbani (Vors. d. Dschamiat-i-Islami-ye Afgh.), seit 28. 6. 1992; am 30. 12. 1992 als Interimspräs. vereidigt – **Regierungschef:** Gulbuddin Hekmatyar (Führer. d. Hisb-i-Islami), seit 7. 3. 1993, vereidigt am 17. 6. 1993 (Koalitionsreg. aus allen Mudschaheddin-Fraktionen zur Vorbereitung demokrat. Wahlen) – **Äußeres:** Hidayat Amin Arsallah – **Parteien:** Letzte Wahlen 1988; Verbot der kommunist. Watan-Partei (Heimat-P.) am 12. 5. 1992 – Im wesentlichen 9 große polit. Gruppierungen (Fundamentalisten, Gemäßigte u. Traditionalisten) – **Unabh.:** Wiederherstell. d. Zentralgewalt unter Abdur Rahman Khan (1881–1901); nach d. völligen Unabh.-Erkl. v. 13. 4.

1919 durch Amanullah v. Großbrit. im Vertrag v. Rawalpindi (8. 8. 1919) anerkannt – **Nationalfeiertag:** 19. 8.

WIRTSCHAFT (keine neueren Angaben verfügbar) **BSP** (S 1987): 240 $ je Ew. (164); realer Zuwachs ∅ 1980–86: 2,0%; **BIP** (S 1988): 2800 Mio. $; realer Zuwachs ∅ 1980–88: 2,9%; Anteil 1989: **Landwirtsch.** 59%, **Industrie** 24% – **Erwerbstät.** 1990: Landw. 55%, Ind. ca. 10% – **Energieverbrauch** 1990: 90 kg ÖE/Ew. – **Währung:** 1 Afghani (Af) = 100 Puls (Pl); 1 US-$ = 50,00 Afs; 100 Afs = 3,38 DM – **Ausl.-Verschuld.** 1987: 1501 Mio. $ – **Inflation** ∅ 1983–88: 26,5% – **Außenhandel** 1990: **Import:** 936,4 Mio. $; Güter (1989): 40% Maschinen u. Anlagen, 7% mineral. Brennstoffe u. Erzeugn.; Länder (1989): 55% UdSSR, 9% Japan; **Export:** 235,1 Mio. $; Güter (1989): 52% Erdgas, 8% Nahrungsmittel u. Früchte; Länder (1989): 63% UdSSR, 12% EG-Länder (dar. 6% BRD)

ÄGYPTEN Nordost-Afrika

Arabische Republik Ägypten; Dschumhûrîja Misr El Arabija bzw. Jumhûrîjyt Misr Al-'Arabîya; Egypt – ET

LANDESSTRUKTUR **Fläche** (29): 1001449 km² (einschl. Gasa [Gazastreifen] mit 378 km² u. [S 1993] 800000 Ew., dar. 5000 israelische Siedler; seit 1967 von Israel besetzt) – **Einwohner** (21): (F 1991) 53600000 = 54 je km²; (Z 1986) 48254238 (auf den 35189 km² Kulturland über 1558 je km²) – Ägypter; rd. 80000 arab. Beduinen; im S Nubier; kleine Minderheiten von Berbern u. Sudanern, Griechen u. Italienern – **Leb.-Erwart.:** 60 J. (m58/w60); Bev.-Anteil 0–14 J.: 39,1% – **Säugl.-Sterbl.** (1988): 5,9% – **Kindersterbl.:** 8,9% – **Analph.:** 52% – Jährl. **Bev.-Wachstum** (∅ 1980–91): 2,5% (Geb.- u. Sterbeziffer 1991: 3,2%/0,9%) – **Sprachen:** Arabisch als Amtsspr.; Nubisch u. Berberdialekte sowie Französ. u. Engl. als Handelsspr. – **Religion:** 94,1% Muslime (fast nur Sunniten), Islam ist Staatsreligion; 5,9% Christen, darunter rd. 3 Mio. koptische Christen, griech.-orthodoxe u. kathol. (rd. 50000) sowie protestant. (rd. 15000) Minderh. – **Städt. Bev.:** 47% – **Städte** (Z 1986/F 1990): El-Qahira [Kairo] (Hptst.) 6052836 Ew./6452000; El Iskandariya [Alexandria] 2917327/3170000, El-Gîza [Gise] 1857508/2156000, Shobna el-Kheima 710794/810000, Port Said 399793, El-Mahalla el-Kubrâ 358844/355000, Tanta 334505, Suez 326820, El-Mansûra 316870, Assiut 273191, Zagazig 245496, Ismailia 212567, El-Faiyûm 212523

STAAT Präsidialrepublik – Verfassung von 1970, Änderungen 1981 – Nationalversammlung aus 2 Kammern: Rat des Volkes mit 454 Mitgl., davon 444 für 5 J. gewählt u. 10 vom Staatsoberh. ernannt, sowie Schura-Rat als beratendes Organ mit 210 Mitgl., davon 57 v. Staatsoberh. ernannt – Direktwahl d. Staatsoberh. alle 6 J. – Allg. Wahlrecht – Ausnahmezustand seit 1981 – 26 Provinzen, 8 Wirtschaftsregionen – **Staatsoberhaupt:** Mohamed Hosni Mubarak (NDP-Vors.), seit 1981, Wiederwahl 1987 – **Regierungschef:** Atef Mohamed Naguib Sidki, seit 12. 11. 1986 – **Äußeres:** Amre Mussa – **Parteien:** Wahlen zum Rat des Volkes 1990: Nationaldemokrat. Partei/NDP 348 Sitze, linksorientierte Fortschrittl. Nationale Unionspartei 6, Unabh. 83 – Wahlen zum Schura-Rat 1989: NDP 143 von 153 Sitzen, Sonstige 10 – *Präs.-Wahlen für Okt. 1993 vorgesehen* – **Unabh.:** 28. 2. 1922 – **Nationalfeiertage:** 23. 7. u. 6. 10. (Tag d. Streitkräfte)

WIRTSCHAFT **BSP** 1991: 33063 Mio. $ = 610 $ je Ew. (130); realer Zuwachs ⌀ 1980–91: 4,5 %; **BIP** 1991: 30265 Mio. $; realer Zuwachs ⌀ 1980–91: 4,8 % (S 1992: +0,3 %); Anteil 1991 **Landwirtsch.** 18 %, **Industrie** 30 %, **Dienstlst.** 52 % – **Erwerbstät.** 1991: Landw. 40 %, Ind. 21 % – **Arbeitslosigkeit** ⌀ 1992: rd. 17,5 % – **Energieverbrauch** 1991: 594 kg ÖE/Ew. – **Währung:** 1 Ägypt. Pfund (ägypt£) = 100 Piasters (PT); Freimarktkurs: 1 US-$ = 3,35 ägypt£; 100 ägypt£ = 50,37 DM – **Ausl.-Verschuld.** 1991: 40571 Mio. $ = 133,1 % d. BSP – **Inflation** ⌀ 1980–91: 12,5 % (S 1992: 35 %) – **Außenhandel** 1991: **Import:** 14210 Mio. $; Güter: 73 % versch. Güter (v. a. Maschinen, Nahrungsmittel u. Getränke, Holz, Papier u. Textilien), 9 % chem. Erzeugn., 6 % Weizen; Länder: 20 % USA, 11 % Frankr., 9 % Italien, 8 % BRD, 5 % Saudi-Arabien, 4 % Japan; **Export:** 4330 Mio. $; Güter: 54 % Erdöl u. Erdölprodukte, 8 % Baumwolle u. -garne, 8 % Fertigkleidung, 4 % Aluminium; Länder: 26 % Italien, 10 % Ex-UdSSR, 8 % Rumänien, 6 % BRD, 5 % Frankr., 5 % Großbrit. – Einnahmen aus Suezkanalgebühren 1992 (1991): 1,9 (1,8) Mrd. $

ALBANIEN *Südost-Europa*
Republik Albanien; Republika Shqipërisë; Shqiperia (gegisch bzw. nordalbanisch), Shqipnija (toskisch bzw. südalbanisch) – AL

LANDESSTRUKTUR **Fläche** (141): 28748 km² (mit 1350 km² Binnengewässern) – **Einwohner** (123): (F 1991) 3301000 = 115 je km²; (Z 1989) 3182417 – 98 % Albaner (Tosken im S u. Gegen im N); (Z 1989) 58758 Griechen (offiz. Angaben, nach eig. Hochrechnungen rd. 200000 u. nach griech.

Angaben über 400000), and. Minderh. 5958 – Über ¹⁄₃ d. alb. Volkes im Ausl. (450000 in westl. Staaten; 1753600 im ehem. Jugoslawien, davon 1,5 Mio. im Kosovo u. 180000 in Montenegro); rd. 200000 in N-Griechenland – 1987–1992 (S): Auswanderung von 500000 Albanern – **Leb.-Erwart.:** 73 J.; Bev.-Anteil 0–14 J. (1990): 32,7 % – **Säugl.-Sterbl.:** 2,8 % – **Kindersterbl.:** 3,0 % – **Analph.** (1986): 25 % – Jährl. **Bev.-Wachstum** (⌀ 1980–91): 2,0 % (Geb.- u. Sterbeziffer 1990: 2,5 %/0,6 %) – **Sprache:** Albanisch – **Religion** (1980, offizielle Ang.): 21 % Muslime (fast nur Sunniten; dazu Bektaschiiten), 5 % Christen (Orthodoxe u. Katholiken) – **Städt. Bev.:** 36 % – **Städte** (F 1990): Tiranë [Tirana] (Hptst.) 244200 Ew.; Durrës (Durazzo) 85400, Elbasan 83300, Shkodër (Skutari) 81900, Vlorë (Vlonë, Valona) 73800, Korçë (Koritza) 65400, Fier 45200, Berat 43800

STAAT Parlamentarische Republik – Verfassung von 1991 – Neue Verfassung in Ausarbeitung – Parlament (Volksversammlung) mit 140 Mitgl., Wahl alle 4 J.; wählt d. Staatsoberh. (= Vors. d. Präsidiums der Volksvers.) – Allg. Wahlpflicht ab 18 J. – 36 Kreise (Rrethët) jeweils mit Volksrat (Wahl alle 3 J.) u. Hauptstadt mit Sonderstatus – **Staatsoberhaupt:** Sali Berisha, seit 9. 4. 1992 – **Regierungschef:** Vors. d. Min.-Rates Aleksander Meksi (PDA), seit 11. 4. 1992 – **Äußeres:** Alfred Sarreqi – **Parteien:** Wahlen vom 22./29. 3. 1992: Demokrat. Partei Albaniens/PDA 92 Sitze (1991: 75 von 250), Sozialist. Partei A./PPSH (Nachfolgepartei der Kommunist. Partei der Arbeit) 38 (169), Sozialdemokrat. P. 7 (–), Union für die Menschenrechte/EAD (griech. Minderheit) 2 (5), Sonstige 1 (1) – **Unabh.:** 28. 11. 1912 – **Nationalfeiertag:** 29. 11. (Verkündung d. Befreiung Albaniens 1944)

WIRTSCHAFT *(Übersicht → Tab. Sp. 567)* **BSP** 1988: 1930 Mio. $ = 740 $ je Ew. (121); **BIP** 1990: 13122 Mio. Lek (= 4030 Lek je Ew.); realer Zuwachs ⌀ 1985–89: 2,9 % (S 1992: –10,0 %); Anteil 1990 **Landwirtsch.** 36 %, **Industrie** 48 % – **Erwerbstät.** 1990: Landw. 47 %, Ind. 30 % – **Arbeitslosigkeit** ⌀ 1991: 9,1 % (offiziell) 1992: rd. 70 % (inoffiziell, in d. Städten) – **Energieverbrauch** 1990: 1152 kg ÖE/Ew. – **Währung:** 1 Lek = 100 Qindarka; 1 US-$ = 105,50 Lek; 100 Lek = 1,60 DM – **Ausl.-Verschuld.** 1992 (brutto): 600 Mio. $ – **Inflation** ⌀ 1980–91: –0,4 % (1992: 249,1 %) – **Außenhandel** 1991: **Import:** 403 Mio. $; Güter (1990): 31 % Maschinen u. Ausrüst., 25 % Brennstoffe, Mineralien u. Metalle, 10 % Nahrungsmittel, 10 % Rohstoffe pflanzl. u. tier. Ursprungs, 9 % chem. Erzeugn., 8 % Konsumgüter; Länder: 20 % Italien, 12 % BRD, 10 % Frankr., 7 % Jugoslawien, 5 % ČSFR (EG 51 %); **Export:** 148 Mio. $; Güter (1990): 47 %

Brennstoffe, Mineralien u. Metalle (v. a. Erdöl u. Chromerz), 20% Nahrungsmittel (Früchte, Oliven u. a.); Länder: 20% Italien, 15% BRD, 8% Griechenland, 10% Jugoslawien, 5% Japan – 1991/92 erstmals Steigerung d. Industrieprod. (lt. Reg.-Bericht) um 8% (1990/91: –60%) – 1992 (S): 400 Mio. $ Überweisungen von Auslandsalbanern an Familienangehörige

ALGERIEN *Nord-Afrika*

Demokratische Volksrepublik Algerien; République Algérienne Démocratique et Populaire; El Dschamhurija el Dschasarija el demokratija escha'abija bzw. Al-Jumhûrîya al-Jazã'irîya ad-dîmûqrãtîya ash-sha'bîya – DZ

LANDESSTRUKTUR Fläche (11): 2381741 km² – **Einwohner** (34): (F 1991) 25798000 = 11 je km² (Süd-A. weniger als 1 je km²); (Z 1987) 22971558 – Algerier; arabisch sprech. Mischbevölkerung sowie Berber, ca. 19% als Araber einzustufen; im S schwarzafrikan. Einflüsse; über 60000 Europäer, meist Franzosen – **Leb.-Erwart.:** 66 J. (m65/w67); Bev.-Anteil 0–14 J.: 43,1% – **Säugl.-Sterbl.** (1985): 6,4% – **Kindersterbl.:** 8,1% – **Analph.:** 43% – Jährl. **Bev.-Wachstum** (∅ 1980–91): 3,0% (Geb.- u. Sterbziffer 1991: 3,4%/0,7%) – **Sprachen:** Arabisch (83,5%) als Amtsspr.; Französ. als Handels- u. Bildungsspr.; Berberdialekte (18–25%) – **Religion:** 99% Muslime (Sunniten), Islam ist Staatsreligion; rd. 50000 Katholiken u. 1500 Protestanten; außerd. Marabutismus (Berber) – **Städt. Bev.:** 53% – **Städte** (Z 1987): El Djaza'ir [Algier bzw. Alger] (Hptst.) 1483000 Ew. (m. V. 3 Mio.); Ouahrân [Wahran, Oran] 590000, Ksontina [Qussantîna, Constantine] 438000; (S 1983) Annaba 348000, El-Boulaïda [Blida] 191000, Sétif 187000, Sidi-Bel-Abbès 147000, Tlemcen 146000, Skikda 141000, Béjaia 124000, Batna 123000, El-Asnam 119000, Tizi-Ouzou 101000

STAAT (→ *Chronik*) Republik – Verfassung von 1989 – Verfassungsreformen angekündigt – 5köpfiger Oberster Staatsrat (Haut Conseil d'Etat/HCE) aus 3 Militärs u. 2 Zivilisten als Exekutivorgan – Nationaler Konsultativrat (Conseil Consultatif National) mit 60 Mitgl. seit 22. 4. 1992 Ersatzparlament – Nationalversammlung mit 430 Mitgl. seit Jan. 1992 aufgelöst – Amtszeit d. Staatsoberh. 5 J. – Allg. Wahlrecht – Ausnahmezustand seit 9. 2. 1992 – 48 Bezirke (Wilayat) – **Staatsoberhaupt:** HCE-Vors. Ali Kafi (FLN), seit 2. 7. 1992 – **Regierungschef:** Redha Malek, seit 21. 8. 1993 – **Äußeres:** nicht bekannt – **Parteien:** Erste freie Wahlen vom 26. 12. 1991 (1. Wahlgang): Islamische Heilsfront (Front Islami-que du Salut/FIS) 188 von 231 Sitzen, Front der Sozialist. Kräfte (Front des Forces Socialistes/FFS) 25, Nationale Befreiungsfront (Front de Libération Nationale/FLN, ehem. Einheitspartei) 15, Unabh. 3; ausstehende Stichwahl durch HCE annulliert – Verbot der FIS am 4. 3. 1992 – *Wahlen frühestens 1995 geplant* – **Unabh.:** 5. 7. 1962 – **Nationalfeiertag:** 1. 11. (Tag der Revolution)

WIRTSCHAFT BSP 1991: 52239 Mio. $ = 1980 $ je Ew. (78); realer Zuwachs ∅ 1980–91: 2,1%; **BIP** 1991: 32678 Mio. $; realer Zuwachs ∅ 1980–91: 3,0% (1992: +2,7%); Anteil 1992 **Landwirtsch.** 12%, **Industrie** 50%, **Dienstlst.** 38% – **Erwerbstät.** 1990: Landw. 24%, Ind. ca. 27% – **Arbeitslosigkeit** ∅ 1992: rd. 30% – **Energieverbrauch** 1991: 1956 kg ÖE/Ew. – **Währung:** 1 Alger. Dinar (DA) = 100 Centimes (CT); 1 US-$ = 23,56 DA; 100 DA = 7,21 DM – **Ausl.-Verschuld.** 1991: 28636 Mio. $ = 70,4% d. BSP – **Inflation** ∅ 1980–91: 10,1% (1992: 32%) – **Außenhandel** 1991: **Import:** 9260 Mio. $; Güter: 33% Investitionsgüter, 25% Agrargüter, 24% Halbwaren, 9% Verbrauchsgüter; Länder: 26% Frankr., 14% Italien, 9% BRD, 9% USA, 8% Spanien, 4% Japan; **Export:** 12560 Mio. $; Güter: 96,6% Kohlenwasserstoffe, 0,9% Metalle u. -erzeugn., 0,4% Phosphate, 0,3% Wein; Länder: 22% Italien, 17% USA, 15% Frankr., 8% BRD, 7% Niederl., 6% Spanien, 4% Belgien/Lux.

AMERIKA → VEREINIGTE STAATEN VON AMERIKA

ANDORRA *Südwest-Europa*

Fürstentum Andorra; Principat d'A. (katalan.), Principauté d'Andorre (franz.), Principado de A. (span.); Valls D'A, Les Vallées d'Andorre (franz.), Talschaft Andorra – AND

LANDESSTRUKTUR Fläche (177): 453 km² (n. eig. Ang. 467,76 km²) – **Einwohner** (184): (F 1991) 51000 = 108 je km²; (Z 1986) 46976 – (F 1990) 15616 Andorraner (ethn. Katalanen; wahlberechtigt); 27066 Spanier, 4130 Franzosen u. 7695 Andere – **Leb.-Erwart.:** 77 J. – **Säugl.-Sterbl.:** 3% – Jährl. **Bev.-Wachstum** (∅ 1980–86): 4,7% (Geb.- u. Sterbziffer 1990: 1,2%/0,4%) – **Sprachen:** Katalanisch (35%) als Amtsspr.; Spanisch (58%) u. Französisch (7%) – **Religion:** 99% Katholiken – **Städt. Bev.:** 65% – **Städte** (F 1990): Andorra la Vella (Hptst.) 20437 Ew.; (Z 1986) Les Escaldes 11955, St. Julià de Lorio 4647, Encamp 4558, La Massana 2705

STAAT (→ Chronik) Fürstentum (Principat), seit 4. 5. 1993 souveräner Staat: Inkrafttreten der neuen Verfassung nach Referendum vom 14. 3. 1993 – Staatsoberhäupter haben nur noch Repräsentativfunktion – Einkammerparlament vorgesehen, das die Regierungsmitgl. wählt – Derzeitiges Parlament (Consell General [katalan.] bzw. Conseil Général [franz.] bzw. Consejo General [span.] »Generalrat«) mit 28 »Conseilleurs«, je 4 pro »Tal«, für 4 J. gewählt u. alle 2 J. zur Hälfte erneuert – Allg. Wahlrecht ab 18 J. – 7 »Täler« als Gemeindebezirke (Paroisse, Kirchspiel) – **Staatsoberhäupter:** 2 »Co-Fürsten« (Co-Princeps [katalan.]): der Präs. d. Französ. Rep. u. der (span.) Bischof v. Seo de Urgell (z. Zt. Joan Martí Alanís) – **Regierungschef:** Oscar Ribas Reig, seit 12. 1. 1990, am 4. 5. 1992 im Amt bestätigt – **Parteien:** Wahlen vom 5. 4. u. 12. 4. 1992 zum Generalrat (8593 Wahlberechtigte = ca. 10 % d. Bev.): Partit demòcrata Andorrà/PDA-Erneuerungsblock 17 Sitze (1989: 22), konservative Opposition 6 (4), Sonstige 5 (2) – **Unabh.:** 8. 9. 1278 (Paréage-Vertrag, v. Papst bestätigt); durch Frankr. u. Spanien am 3. 6. 1993 als souveräner Staat anerkannt – **Nationalfeiertag:** 8. 9.

WIRTSCHAFT (keine neueren Angaben verfügbar) **BSP** 1990: 1062 Mio. $ = 21 150 $ je Ew. (12); Fremdenverkehr 1988: 12 Mio. Touristen – **Erwerbstät.** 1990: **Landwirtsch.** 1 %, **Industrie** 31 % – **Währung:** Franz. Franc und span. Peseta – **Außenhandel** 1989: **Import:** 105 207 Mio. Pesetas; Länder: 35 % Frankr., 32 % Spanien; **Export:** 2743 Mio. Pesetas; Länder: 52 % Frankr., 31 % Spanien

ANGOLA Südwest-Afrika

Volksrepublik Angola; República Popular de Angola – ANG

LANDESSTRUKTUR Fläche (22): 1 246 700 km² (n. UNO-Ang.; mit d. Exklave Cabinda: 7270 km² mit 138 400 Ew., F 1986) – **Einwohner** (74): (F 1991) 9 461 000 = 8 je km²; (Z 1970) 5 646 166 – Angolaner; haupts. Bantu (rd. 120 Gruppen), u. a. 40 % Mbundu (Ubundu, Ovibundu) u. bis 25 % Kimbundu, außerd. Muschikongo im N, Imbangala im O, Ambo, Njanjeka im S u. SW, Watwa (keine Bantu) im SW u. Khoisaniden (Buschmanngruppen) im S; kl. weiße Minderh. (meist Portugiesen) u. rd. 150 000 Mischlinge – **Leb.-Erwart.:** 46 J. – **Säugl.-Sterbl.:** 13,0 % – **Kindersterbl.:** 21,5 % – **Analph.:** 58 % – Jährl. **Bev.-Wachstum** (∅ 1980–91): 2,6 % (Geb.- u. Sterbeziffer 1990: 4,7 %/1,9 %) – **Sprachen:** Portugiesisch als Amtsspr., z. T. auch als Umgangsspr.; im übr. Bantu-Sprachen (38 % Umbundu, 27 % Kimbundu, 13 % Lwena, 11 % Kikongo) – **Religion:**

5,6 Mio. Katholiken, 150 000 Protestanten; mehrheitl. Anh. v. Naturrel. – **Städt. Bev.:** 28 % – **Städte** (S 1988): Luanda (Hptst.; A) 1 134 000 Ew.; (S 1983) Huambo 203 000, Benguela 155 000, Lobito 150 000

STAAT (→ Chronik) Sozialistische Volksrepublik – Verfassung von 1975, letzte Änderung 1992 – Gemeinsame Politisch-Militärische Kommission/ CCPM aus Vertretern von MPLA u. UNITA seit 31. 5. 1991 als Exekutivorgan – Parlament mit 220 Mitgl., Proporzwahl alle 4 J. – Allg. Wahlrecht – 18 Províncias u. 161 Municípios – **Staatsoberhaupt:** José Eduardo dos Santos (MPLA-Vors.), seit 1979, verfehlt bei ersten Direktwahlen am 29. 9. 1992 die erforderl. absolute Mehrheit; Stichwahl nicht erfolgt – **Regierungschef:** Marcolino Moço, seit 27. 11. 1992 (MPLA-Gen.-Sekr.); »Regierung der Nationalen Einheit« aus 21 Ministern, davon 5 Vertreter d. UNITA geplant – **Äußeres:** Venancio da Silva Moura – **Parteien:** Erste freie Parl.-Wahlen seit d. Unabh. unter UN-Aufsicht vom 29./30. 9. 1992: Movimento Popular de Libertaçao de Angola/MPLA 53,7 % u. 129 Sitze, Union für die völlige Unabhängigkeit Angolas/UNITA (Vors. Jonas Savimbi) 34,1 % u. 70, Frente Nacional de Libertaçao 2,4 % u. 5, Sonstige 9,8 % u. 16 – **Unabh.:** 11. 11. 1975 – **Nationalfeiertag:** 11. 11.

WIRTSCHAFT (keine neueren Angaben verfügbar) **BSP** 1989: 5996 Mio. $ = 620 $ je Ew. (129); realer Zuwachs ∅ 1980–89: 8,8 %; **BIP** (S 1988): 7700 Mio. $; realer Zuwachs ∅ 1980–88: 2,9 %; Anteil 1990 **Landwirtsch.** 13 %, **Industrie** 44 % – **Erwerbstät.** 1990: Landw. 70 %, Ind. ca. 10 % – **Energieverbrauch** 1990: 203 kg ÖE/Ew. – **Währung:** 1 Neuer Kwanza (NKz) = 100 Lwei (Lw); 1 US-$ = 3960,00 NKz; 1000 NKz = 0,43 DM (Bindung an US-$) – **Ausl.-Verschuld.** 1990: 7710 Mio. $ – **Außenhandel** 1990: **Import:** 1200 Mio. $; Güter (1988): 28 % Maschinen, elektrotechn. Erzeugn. u. Fahrzeuge, 11 % Nahrungsmittel u. leb. Tiere; Länder (1988): 56 % EG-Länder (dar. 25 % Frankr.), 12 % Brasilien; **Export:** 3000 Mio. $; Güter (1988): 71 % (1991: ca. 90 %) Erdöl u. -erzeugnisse (aus d. Exklave Cabinda), ferner Diamanten u. Kaffee; Länder (1988): 37 % USA, 31 % EG-Länder (dar. 12 % Spanien), 16 % Bahamas

ANTIGUA UND BARBUDA *Karibik (Kleine Antillen)*

Antigua and Barbuda; früher zur brit. Kolonie Leewards Islands gehörend – AG

LANDESSTRUKTUR Fläche (179): 442 km² (davon Barbuda 161,5 km² u. Redonda 0,5 km²) – **Einwohner** (183): (Z 1991, vorl. Ang.) 63 880 = 145 je km² – Antiguaner; 94% Schwarze, 3,5% Mulatten, ca. 1,3% Weiße – **Leb.-Erwart.:** 74 J. – **Säugl.-Sterbl.:** 0,8% – **Kindersterbl.:** 2,3% – **Analph.** (1990): 10% – Jährl. **Bev.-Wachstum** (∅ 1980–91): 0,5% (Geburtenziffer 1990: 1,9%) – **Sprachen:** Englisch als Amtsspr.; Kreolisch – **Religion:** überw. Anglikaner, 14 000 Katholiken – **Städt. Bev.:** 32% – **Städte** (S 1986): Saint John's (Hptst., auf Antigua) 36 000 Ew., Codrington (auf Barbuda)

STAAT Konstitutionelle Monarchie im Commonwealth – Verfassung von 1981 – »Antigua Parliament« aus Senat (17 ernannte Mitgl.) u. Repräsentantenhaus (17 für 5 J. gewählte Mitgl.) – Teilautonomie für Barbuda; eig. Inselparlament (»Barbuda Council«) – **Staatsoberhaupt:** Königin Elizabeth II., vertr. durch den einheim. Gouverneur Sir Wilfred Ebenezer Jacobs, seit 1981 – **Regierungschef:** Vere Cornwall Bird sen. (ALP), seit 1981 – **Äußeres:** Lester Bryant Bird – **Parteien:** Wahlen von 1989: Antigua Labour Party/ALP 15 Sitze, United National Democratic Party/UNDP 1, Unabh. Vertreter von Barbuda 1 Sitz – **Unabh.:** 1. 11. 1981 – **Nationalfeiertag:** 1. 11.

WIRTSCHAFT BSP 1991: 355 Mio. $ = 4430 $ je Ew. (45); realer Zuwachs ∅ 1980–91: 4,4%; **BIP** 1990: 918,4 Mio. EC$; realer Zuwachs ∅ 1983–88: 7,5%; Anteil 1990 **Landwirtsch.** 4%, **Industrie** 18%, Dienstl. 78%– **Erwerbstät.** 1988: rd. 30% Tourismus – **Arbeitslosigkeit** (S 1984): 21% – **Energieverbrauch** 1984: 595 kg ÖE/Ew. – **Währung:** 1 Ostkarib. Dollar (EC$) = 100 Cents; 1 US-$ = 2,69 EC$; 100 EC$ = 56,80 DM – **Inflation** ∅ 1980–91: 6,9% – **Außenhandel** 1990: **Import:** 967,1 Mio. EC$; Länder (1987): 32% USA; Großbrit., Kanada, Caricom-Staaten; **Export:** 89,6 Mio. EC$; Güter: Textilien, Elektronik; Länder: Caricom-Staaten, Kanada, USA, Großbrit. – **Tourismus:** 50% d. BSP

ÄQUATORIALGUINEA *Zentral-Afrika*

Republik Äquatorialguinea; República de Guinea Ecuatorial; »E-Chê e República rê Guinea Ecuatorial« (Bubi) – GQ

LANDESSTRUKTUR Fläche (142): 28 051 km² – Festlandgebiet Mbini (Río Muni), mit Elobey-Inseln 26 017 km² sowie d. Inseln Bioko 2017 km² u. Pagalu 17 km² – **Einwohner** (160): (F 1991) 427 000 = 15 je km²; (Z 1983) 300 000 auf dem Festland – Äquatorialguineer (span. Ecuato Guineanos): 80% Bantu (u. a. Fang od. Pamúes, Benga), auf Bioko ca. 45 000 Bubi u. 3000 Mischlinge (Fernandinos), rd. 4000 Weiße (vorw. Spanier) – **Leb.-Erwart.:** 47 J. – **Kindersterbl.:** 19,8% – **Analph.:** 50% – Jährl. **Bev.-Wachstum** (∅ 1980–91): 2,1% (Geburtenziffer 1990: 5,5%) – **Sprachen:** Spanisch als Amtsspr.; Fang, Bubi, Noowe, kreol. Portugies. als Verkehrsspr.; auf Pagalu Pidgin-Englisch – **Religion:** 99% Katholiken, protest. Minderheit; Anhänger v. Naturreligionen – **Städt. Bev.:** 61% – **Städte** (S 1986): Malabo (Hptst.) 33 000 Ew.; Bata, auf Mbini 40 000, Luba 15 000

STAAT Präsidialrepublik – Verfassung von 1982, Änderung 1991 (Einführung d. Mehrparteiensystems) – 11köpfiger Staatsrat – Nationalversammlung mit 41 Mitgl. (Wahl alle 5 J. vorgesehen) – 7 Provinzen – **Staatsoberhaupt:** Oberst Teodoro Obiang Nguema Mbasogo, seit 1979, 1989 durch Wahlen im Amt bestätigt – **Regierungschef:** Silvestre Siale Bileka, seit 23. 1. 1992 (Übergangsreg.) – **Äußeres:** Miko Benjamín Mba Ekua – **Parteien:** Partido Democrático de Guinea Ecuatorial/PDGE (ehem. Einheitspartei); alle Kandidaten bisher durch Staatsoberh. ernannt – Seit 1991 Zulassung von Oppositionsparteien: Union Populaire/UP, Union démocratique, Fortschrittspartei u. a. – *Freie Wahlen für 12. 9. 1993 vorgesehen* – **Unabh.:** 12. 10. 1968 – **Nationalfeiertag:** 12. 10.

WIRTSCHAFT BSP 1991: 142 Mio. $ = 330 $ je Ew. (157); realer Zuwachs ∅ 1980–89: 1,9%; **BIP** realer Zuwachs ∅ 1985–89: 2,4%; Anteil 1991 **Landwirtsch.** 55%, **Industrie** 11% – **Erwerbstät.** 1990: Landw. 56%, Ind. ca. 11% – **Energieverbrauch** 1990: 73 kg ÖE/Ew. – **Währung:** 1 CFA-Franc = 100 Centimes (c); 1 FF = 50 CFA-Francs (Wertverh. zum FF); 100 CFA-Francs = 0,59 DM – **Öff. Ausl.-Verschuld.** 1990: 237,4 Mio. $ – **Inflation** ∅ 1980–91: –0,9% – **Außenhandel** 1986: **Import:** 21 075 Mio. CFA-Francs; **Export:** 11 298 Mio. CFA-Francs; Güter: 70% Kakao u. Kaffee, 25% Holz; Länder: bis 50% (stark zurückgehend) Spanien, weitere EG-Länder (v. a. Frankr.), VR China

ARGENTINIEN *Süd-Amerika*
Argentinische Republik; República Argentina – RA

LANDESSTRUKTUR **Fläche** (8): 2780092 km² (nach offiz. Ang. 2780470 km²); A. beansprucht d. Malwinen (Falkland-I.), die Süd-Antillen u. einen Antarktissektor mit insg. rd. 1,2 Mio. km² – **Einwohner** (31): (F 1991) 32700000 = 12 je km²; (Z 1991) 32608687 – Argentinier; über 90% europäischer (vorw. span. od. ital.) Abstammung, ca. 35000 indianische Ureinwohner, rd. 7% Ausl. (haupts. Italiener u. Spanier), ca. 500000 deutscher Abstammung – **Leb.-Erwart.:** 71 J. (m68/w75); Bev.-Anteil 0–14 J.: 29,4% – **Säugl.-Sterbl.** (1988): 2,5% – **Kindersterbl.:** 3,0% – **Analph.:** 5% – Jährl. **Bev.-Wachstum** (⌀ 1980–1991): 1,3% (Geb.- u. Sterbeziffer 1991: 2,1%/0,9%) – **Sprachen:** Spanisch (Castellano) als Amtsspr.; Sprachen der indian. Ureinwohner – **Religion:** 95% Katholiken, 2% Protestanten, jüdische (500000) u. islam. Minderheiten – **Städt. Bev.:** 87% – **Städte** (Z 1991): Buenos Aires (Hptst., C. F.) 2960976 Ew., als Groß-Buenos Aires 12582321; Córdoba 1179067, Rosario 1078374, Mendoza 721696, La Plata 542567, Santa Fé 442214, Salta 373857, Resistencia 297646, Bahía Blanca 271467, Paraná 277338, Corrientes 267742, Neuquén 265050, Posadas 219824, Santiago del Estero 201709, Ushuaia 29696 (Hptst. auf Feuerland) – Neue Hptst. geplant: Viedma

STAAT Präsidiale Bundesrepublik – Verfassung von 1853 – Direktwahl eines Wahlmännerkollegiums (600 Mitgl.), wählt den Staatspräs. u. den Vizepräs. für 6 J. – Parlament (Congreso de la Nación) aus 2 Kammern: Abgeordnetenhaus mit 257 Mitgl. (Wahl alle 4 J.; Teilwahlen alle 2 J. für die Hälfte d. Mitgl.) u. Senat mit 48 Mitgl. (je 2 pro Provinz +1 Bundesdistrikt; Ernennung alle 9 J., Wechsel im Dreijahresturnus entspr. Provinzwahlen) – 22 Provinzen, Bundesdistrikt Buenos Aires u. Nationalterritorium Tierra del Fuego (Feuerland) – **Staats- u. Regierungschef:** Carlos Menem (PJ), seit 8. 7. 1989 – **Äußeres:** Guido di Tella – **Parteien:** Sitzverteilung im Abgeordnetenhaus nach Teilwahlen vom 2. 12. 1991: Partido Justicialista/PJ (Peronisten) 117, Unión Cívica Radical/UCR (Radikale Bürgerunion) 84, Unión Centro Democrática 10, Parteien der Provinzen 17, Sonstige 29; Verteilung im Senat: PJ 27, UCR 14, Parteien der Provinzen 7 – *Nächste*

Argentinien: Bevölkerung und Bevölkerungsdichte nach Provinzen

Provinz/Hauptort	Fläche in km²	Bevölkerung in 1000			Einwohner je km²	
		Z 1970	Z 1980	Z 1991	1970	1990
Buenos Aires (Bundesdistrikt)	200	2906	2923	2961	14530	14610
Buenos Aires/La Plata	307571	8784	10865	12582	28,6	44,9
Catamarca/Catamarca	100967	172	208	265	1,7	2,4
Córdoba/Córdoba	168766	2087	2408	2764	12,4	16,1
Corrientes/Corrientes	88199	574	661	795	6,5	8,5
Chaco/Resistencia	99633	562	701	838	5,6	8,4
Chubut/Rawson	224686	195	263	356	0,9	1,6
Entre Ríos/Paraná	78781	821	908	1023	10,4	12,5
Formosa/Formosa	72066	232	296	404	3,2	5,0
Jujuy/Jujuy	53219	306	410	514	5,7	10,1
La Pampa/Santa Rosa	143440	169	208	260	1,2	1,7
La Rioja/La Rioja	89680	137	164	221	1,5	2,1
Mendoza/Mendoza	148827	979	1196	1414	6,6	9,5
Misiones/Posadas	29801	447	589	790	15,0	25,0
Neuquén/Neuquén	94078	164	244	389	1,7	4,0
Río Negro/Viedma	203013	263	383	507	1,3	2,7
Salta/Salta	154775	507	663	867	3,3	5,4
San Juan/San Juan	89651	391	466	530	4,4	6,1
San Luis/San Luis	76748	183	214	286	2,4	3,2
San Cruz/Río Gallegos	243943	83	115	160	0,3	0,6
Santa Fé/Santa Fé	133007	2122	2466	2797	16,0	20,7
Santiago del Estero/Santiago del Estero . .	135254	507	595	672	3,7	5,1
Tierra del Fuego (Nationalterritorium Feuerland)/Ushuaia	21263	14	27	69	0,7	2,3
Tucumán/Tucumán	22524	781	973	1142	34,7	52,9
Argentinien/Buenos Aires	*2780092*	*23390*	*27947*	*32609*	*8,4*	*11,9**

* F 1992

Quelle: Länderbericht Argentinien 1992, Statist. Bundesamt u. INDEC, Buenos Aires 1991

Teilwahlen am 3. 10. 1993 – **Unabh.:** 9. 7. 1816 – **Nationalfeiertage:** 25. 5. u. 9. 7.

WIRTSCHAFT BSP 1991: 91211 Mio. $ = 2790 $ je Ew. (57); realer Zuwachs ⌀ 1980–91: –0,2 % (je Ew. –1,5 %); **BIP** 1991: 114344 Mio. $ (1992: 229000 Mio. $); realer Zuwachs ⌀ 1980–91: –0,4 % (S 1992: +8,6 %); Anteil 1991 **Landwirtsch.** 15 %, **Industrie** 38 %, **Dienstlst.** 42 % – **Erwerbstät.** 1990: Landw. 10 %, Ind. ca. 34 % – **Arbeitslosigkeit** ⌀ 1992: 6,9 % – **Energieverbrauch** 1991: 1764 kg ÖE/Ew. – **Währung:** 1 Argentinischer Peso (arg$) = 100 Centavos; Freimarktkurs: 1 US-$ = 0,998 arg$; 100 arg$ = 169,16 DM – **Ausl.-Verschuld.** 1991: 63707 Mio. $ = 49,2 % d. BSP – **Inflation** ⌀ 1980–91: 416,9 % (1991: 172 %, 1992: 17,5 %) – **Außenhandel** 1992: **Import:** 14838 Mio. $; Güter: 38 % Investitionsgüter, 27 % Konsumgüter (dar. 5 % Kfz); Länder: 29 % USA, 11 % Brasilien, 10 % BRD, 7 % Japan, 7 % Italien; **Export:** 11965 Mio. $; Güter: 13 % Getreide, 8 % Fette u. Öle, mineral. Brennstoffe u.ä., 6 % chem. Erzeugnisse, 5 % Metalle u. Metallerzeugn.; Länder: 12 % Brasilien, 10 % USA, 9 % BRD, 7 % Niederl.

ARMENIEN *Vorder-Asien*
Republik Armenien; Hajastani Hanrapetuthjún – ARM

LANDESSTRUKTUR *(Karte → WA '93, Sp. 361f.)* **Fläche** (139): 29800 km² – **Einwohner** (122): (F 1991) 3360000 = 111 je km²; (Z 1989) 3287677 – (Z 1989) 93,3 % Armenier [Eigenbezeichnung: Hai], 2,6 % Aseri (Aserbaidschaner; Anteil durch Vertreibung verringert), 1,7 % Kurden, 1,6 % Russen, Georgier u. a. – rd. 1,5 Mio. Armenier leben auf dem Gebiet d. ehem. UdSSR, 650000 im Nahen Osten, 600000 in den USA, 400000 in Frankreich, 70000 in der Türkei – (Anf. 1993): rd. 360000 Flüchtlinge aus Aserbaidschan u. Karabach – **Leb.-Erwart.:** 72 J. (m68/w75); Bev.-Anteil 0–14 J.: 30,1 % – **Säugl.-Sterbl.:** 2,2 % – **Kindersterbl.:** 2,7 % – **Analph.:** k. Ang. – Jährl. **Bev.-Wachstum** (⌀ 1980–91): 0,9 % (Geb.- u. Sterbeziffer 1991: 2,3 %/0,7 %) – **Sprachen:** Armenisch als Amtsspr.; Russisch als Verkehrsspr., Kurdisch – **Religion:** mehrheitl. armenische Christen; russ. Orthodoxe u. Muslime – **Städt. Bev.:** 68 % – **Städte** (F 1991): Jerewan [Erewan] (Hptst.) 1300000 Ew.; Kirowakan 159000, Kumajri (ehem. Leninakan) 120000

STAAT *(→ Chronik)* Republik – Verfassung der ehem. Armen. SSR in Kraft u. Staatsorgane weitgehend erhalten – Neue Verfassung in Ausarbeitung – Parlament (Oberster Sowjet) mit 260 Mitgl. – Allg.

Wahlrecht ab 18 J. – 57 Bezirke (Rajon) sowie bezirksfreie Städte – **Staatsoberhaupt:** Lewon Ter-Petrosjan, seit 4. 8. 1990 (1991 in ersten freien Wahlen im Amt bestätigt) – **Regierungschef:** Grant Bagratjan, seit 12. 2. 1993 – **Äußeres:** Vagan Papasjan – **Parteien:** Nach d. Wahlen von 1990 nichtkommunist. Mehrheit in Parl. u. Reg. – Selbstauflösung der KP am 7. 9. 1991; Parteien: Demokratische Partei (von ehem. KP-Mitgl. gegr.), Armenische Nationale Bewegung, Nationale Allianz, Vereinigung für Nationale Selbstbestimmung u. a. – **Unabh.:** Unabh.-Erkl. am 23. 8. 1990, formell seit 20. 10. 1991 – **Nationalfeiertag:** 23. 8.

WIRTSCHAFT *(Entwicklung → Tab. Sp. 475)* BSP 1991: 7233 Mio. $ = 2150 $ je Ew. (75); **BIP** (Nettomaterialprodukt) 1991: 12329 Mio. Rbl; realer Zuwachs 1991/92: –42,6 %; Anteil (S 1991) **Landwirtsch.** 26 %, **Industrie** 48 % – 1991/92: Rückgang der Brutto-Industrieprod. um 52,5 %, der Brutto-Agrarprod. um 10 % – **Erwerbstät.** 1991: Landw. 19 %, Ind. 39 %, Handel/Verkehr 19 %, Dienstl. 23 % – **Arbeitslosigkeit** ⌀ 1991: rd. 10 % – Bev.-Anteil mit Monatseink. unter d. **Armutsgrenze** (1991): 67 % – **Währung:** Rubel *(→ Rußland)*; Währungsunion mit Rußland, Kasachstan, Usbekistan – **Ausl.-Verschuld.** 1991: 750 Mio. $ – **Inflation** ⌀ (Konsumentenpreise): 800 % – **Außenhandel** 1992: **Import:** 300 Mio. $; Güter: Erdöl, Erdgas, Prod. d. Schwarzmetallurgie, Vorprod. der Landwirtschaft, Getreide u. a.; Länder: k. Ang.; **Export:** 30 Mio. $; Güter: elektrotechn. Anlagen, Prod. der Leichtind., Werkzeugmasch., Präzisionsgeräte u. a.; Länder: k. Ang.

ASERBAIDSCHAN *Vorder-Asien*
Aserbaidschanische Republik; Azärbajdžan Respublikasy – ASE

LANDESSTRUKTUR *(Karte → WA '93, Sp. 361f.)* **Fläche** (112): 86600 km² – **Einwohner** (86): (F 1991) 7219000 = 86 je km²; (Z 1989) 7037867 – (F 1993) 85,4 % Aserbaidschaner (Aseri); 4 % Russen, 2 % Armenier (Anteil durch Vertreibung verringert), 392000 Tataren, 171000 Lesgier, Ukrainer, Georgier, Juden u. a. – (S 1993) 8 Mio. Aserbaidschaner leben im Iran, 2 Mio. in der Türkei, 1 Mio. auf dem Gebiet der ehem. UdSSR – **Leb.-Erwart.:** 71 J. (m67/w75); Bev.-Anteil 0–14 J.: 33,1 % – **Säugl.-Sterbl.:** 3,3 % – **Kindersterbl.:** 4,0 % – **Analph.:** k. Ang. – Jährl. **Bev.-Wachstum** (⌀ 1980–91): 1,4 % (Geb.- u. Sterbeziffer 1991: 2,7 %/0,6 %) – **Sprachen:** Türkisch seit Dez. 1992 Amtsspr.; Armenisch, Russisch – **Religion:** Islam (75 % Schiiten, rd. 25 % Sunniten); kleine christl. Gruppen – **Städt. Bev.:** 54 % – **Städte** (F 1990):

Baku [Baki] (Hptst.) 1149000 Ew. (A: 1,76 Mio.); Gjandža (ehem. Kirowabad) 281000, Sumgait 235000

STAAT (→ *Chronik*) Republik – Verfassung d. ehem. Aserb. SSR in Kraft – Seit 6. 3. 1992 Exekutivmacht beim Nationalrat der Volksvertretung (Milli Madschlis mit 50 Mitgl.) – Parlament (Oberster Sowjet) mit 360 Mitgl. – Allg. Wahlrecht ab 18 J. – 74 Bezirke (Rajon) sowie bezirksfreie Städte – Zum Territorium gehören d. Autonome Rep. Nachitschewan u. das Autonome Gebiet Nagornyj Karabach – **Staatsoberhaupt:** kommissar. Gejdar A. Alijew (Parl.-Präs.), seit 25. 6. 1993 (als Nachf. von Abulfas Eltschibei vom Parl. gewählt) – **Regierungschef:** Oberst Surat Husseinow, seit 30. 6. 1993 – **Äußeres:** Albert Salsamow – **Parteien:** Nach d. Wahlen 1990 konservative kommunist. Mehrheit im Parl.; Nationale Volksfront (Bündnis aus 12 Oppos.-Gruppierungen, u. a. Unabhängigkeitspartei Istklal, Bund Demokrat. Kräfte) 31 d. 360 Sitze – Selbstauflösung d. KP im Aug. 1991, Nachfolgeorganis. Republikanische Demokrat. Partei – **Unabh.:** Unabh.-Erkl. am 30. 8. 1991, formell seit 18. 10. 1991 – **Nationalfeiertag:** 28. 5.

WIRTSCHAFT (*Entwicklung*→ *Tab. Sp. 475*) **BSP** 1991: 12065 Mio. $ = 1670 $ je Ew. (88); **BIP** (Nettomaterialprodukt) 1991 (S): 17752 Mio. Rbl; realer Zuwachs 1991/92: –28,2%; Anteil 1991 **Landwirtsch.** 26%, **Industrie** 54% – 1991/92: Rückgang der Brutto-Industrieprod. um 24%, der Brutto-Agrarprod. um 30% – **Erwerbstät.** 1991: Landw. 34%, Ind. 26%, Handel/Verkehr 20%, Dienstl. 20% – **Arbeitslosigkeit** ∅ 1991: rd. 20% – Bev.-Anteil mit Monatseink. unter d. **Armutsgrenze** (1991): 71% – **Währung:** Rubel; Manat als eigene Währung geplant – **Ausl.-Verschuld.** (S 1992): 985 Mio. $ – **Inflation** ∅ 1992 (Konsumentenpreise): 1100% – **Außenhandel** 1992: **Import:** 300 Mio. $; Güter: metallurg. Prod. u. Maschinenbauerzeugn., Getreide u. a.; Länder (S 1991): 45% Rußland, 28% Ukraine, 4% Kasachstan (insg. 80% Ex-UdSSR); **Export:** 800 Mio. $; Güter: Erdöl u. Erdgas, Erzeugn. der Leicht- u. Nahrungsmittelind., Textilien u. a.; Länder (S 1991): 56% Rußland, 12% Ukraine, 6% Georgien (insg. 94% Ex-UdSSR)

Zum Territorium gehören:

Autonomes Gebiet Nagornyj (Berg-) Karabach Fläche 4400 km^2 – *Einwohner* (Z 1989): 188000 Ew., davon rd. 145000 Armenier u. 40000 Aseri (aufgrund von Vertreibung rückgängig) – *Hauptstadt* (Z 1976): Chankendi (ehem. Stepanakert) 35000 Ew. – Eigene Verfassung, Gesetzgebung u. Parlament – Staatlicher Verteidigungsrat seit 15. 8.

1992 mit Präs. Robert Kotscharjan als Exekutive – Friedensverhandlungen zwischen Armenien u. Aserbaidschan seit Mai 1993 (→ *Chronik*)

Autonome Republik Nachitschewan (Enklave in Armenien) *Fläche* 5500 km^2 – *Einwohner* (F 1990): 300000 Ew. = 55 je km^2; (Z 1989) 295000 – 280000 Aseri u. 1% Armenier – *Hauptstadt* (Z 1976): Nachitschewan 37000 Ew. – Eigene Verfassung, Gesetzgebung, Parlament u. Regierung

ÄTHIOPIEN *Nordost-Afrika*
Demokratische Volksrepublik Äthiopien; Ye Ethiopia Hizebawi Democraciyawi Republic – ETH

LANDESSTRUKTUR **Fläche** (27): 1097900km^2 (Sahel-Anteil 15%) – (folgende Ang. alle inkl. → *Eritrea*) *Einwohner* (22): (F 1991) 52892000 = 40 je km^2; (Z 1984) 42184952 – Äthiopier; rd. 25–35% Amharen u. Tigray, ca. 40% Oromo, außerd. Danakil-Afar, Sidama, Somali, Niloten; knapp 10000 Italiener – **Leb.-Erwart.:** 48 J. (m47/w50); Bev.-Anteil 0–14 J.: 45,9% – **Säugl.-Sterbl.:** 13,0% – **Kindersterbl.:** 19,5% – **Analph.** (1985): 38% – Jährl. **Bev.-Wachstum** (∅ 1980–91): 3,1% (Geb.- u. Sterbeziffer 1991: 5,0%/2,1%) – **Sprachen:** Amharisch (Amharigna) als Amtsspr.; Engl., Italien., Franzö́s. u. Arab. als Bildungs- u. Handelssprachen; insg. 50% semit. u. 45% kuschit. Sprachen (insg. rd. 70 Sprachen mit 200 Dialekten) – **Religion:** 55% äthiop. Christen (Koptische Kirche, bes. Amharen u. Tigray), 35% sunnit. Muslime (v. a. Somali, Danakil, Teile d. Oromo) u. 10% Anhänger von Naturreligionen (im SW); etwa 600000 Protestanten, rd. 329000 Katholiken; Minderh. von Hindus u. Sikhs – **Städt. Bev.:** 13% – **Städte** (Z 1984): Addis Abeba (Hptst.) 1412577 Ew., Diredaua 98104, Nazret (Adama) 76284, Gonder 68958, Dessie 68848, Harar 62160, Mekele 61583, Jimma 60992

STAAT (→ *Chronik*) Republik – Verfassung von 1987 außer Kraft; neue Verfassung in Vorbereitung – Übergangsparlament mit 87 Mitgl. – 13 Regionen, davon 2 Stadtregionen (Harar u. Addis Abeba) mit eig. Parlament u. Exekutive – **Staatsoberhaupt:** Provisor. Präs. Meles Zenawi (EPRDF), seit 28. 5. 1991 (gewählt am 23. 7. 1991) – **Regierungschef:** Tamirat Layne, seit 6. 6. 1991 (Übergangsreg.) – **Äußeres:** Seyoum Mesfin – **Parteien:** Ethiopian People's Revolutionary Democratic Front/EPRDF, OROMO People Liberation Front/OLF, Volksdemokratische Organisation der Oromo/OPDO, All Amhara People's Organization/AAPO u. a. – Demokrat. Wahlen bis Ende 1993 vorgesehen – **Unabh.:**

Reich von Axum 4.–6. Jh.; völlige Unabh. durch Friedensabkommen v. Addis Abeba 1896 – **Nationalfeiertag**: 12. 9. (Julian. Kalender gültig)

WIRTSCHAFT *(alle Angaben inkl. → Eritrea)*
BSP 1991: 6144 Mio. $ = 120 $ je Ew. (180); realer Zuwachs ∅ 1980–91: 1,5 %; **BIP** 1991: 5982 Mio. $; realer Zuwachs ∅ 1980–91: 1,6 %; Anteil 1991 **Landwirtsch.** 47 %, **Industrie** 22 %, **Dienstlst.** 40 % – **Erwerbstät.** 1990: Landw. 75 %, Ind. ca. 8 % – **Energieverbrauch** 1991: 20 kg ÖE/Ew. – **Währung**: 1 Birr (Br) = 100 Cents (ct.); 1 US-$ = 5,10 Br; 100 Br = 33,10 DM – **Ausl.-Verschuld.** 1991: 3475 Mio. $ = 53,4 % d. BSP – **Inflation** ∅ 1980–91: 2,4 % – **Außenhandel** 1991: **Import**: 1031 Mio. $; Güter: 45 % Maschinen u. Transportausrüst., 14 % Nahrungsmittel, 10 % Brennstoffe; Länder (1989): 20 % UdSSR; **Export**: 276 Mio. $; Güter (1989): 58 % Kaffee, 8 % Viehzuchtprod., Ölsaaten, Erdölprod.; Länder (1989): 20 % USA, 7 % Japan, Italien, BRD, Saudi-Arabien, Ex-UdSSR, Dschibuti

AUSTRALIEN *Ozeanien*
Australia; Commonwealth of Australia – AUS

LANDESSTRUKTUR   Fläche (6): 7 713 364 km² (mit Tasmanien u. vorgelagerten Inseln) – **Einwohner** (48): (F 1991) 17 341 000 = 2 je km²; (Z 1991) 16 849 500 (vorl. Ergeb.) – Australier; rd. 90 % brit./irischer Abstammung, 500 000 Italo-Australier, Austr. griech. Abst., Deutsch-Austr.; Chinesen, ca. 130 000 Vietnamesen; (1986) 228 000 Autochthone (Aborigines); ¹/₅ der Bev. Australiens in Übersee geboren; Einwanderer aus über 120 Ländern (März 1991/92: 111 133, März 1992/93: 85 404) – **Leb.-Erwart.**: 77 J. (m73/w80); Bev.-Anteil 0–14 J.: 22,1 % – **Säugl.-Sterbl.** (1990): 0,8 % – **Kindersterbl.**: 0,9 % – **Analph.**: unter 5 % – Jährl. **Bev.-Wachstum** (∅ 1980–91): 1,5 % (Geb.- u. Sterbeziffer 1991: 1,5 %/0,7 %) – **Sprachen**: Englisch als Amtsspr.; insg. werden in A. über 200 versch. Sprachen gesprochen – **Religion**: 71 % Christen, davon 26 % Katholiken, 24 % Anglikaner, 17 % versch. protestant. Kirchen (Methodisten, Presbyterianer, Kongregationalisten, Lutheraner, Baptisten, Anh. der Uniting Church); 3 % Orthodoxe; 76 000 Muslime, 62 000 Juden, rd. 35 000 Buddhisten; ferner Anh. v. Naturreligionen – **Städt. Bev.**: 86 % – **Städte** (F 1990): Canberra (Hptst.) 310 100 Ew.; (Z 1991, vorläufig) Sydney 3 698 500, Melbourne 3 153 500, Brisbane 1 327 000; (F 1990) Perth 1 193 100, Adelaide 1 049 900, Newcastle 428 800, Gold Coast 265 500, Wollongong 238 200, Hobart 183 500, Geelong 151 400, Townsville 114 100, Sunshine Coast 109 500

STAAT   Konstitutionelle Monarchie im Commonwealth (verfassungsmäßige Bindung an Großbritannien seit 1986 praktisch aufgehoben, Ausrufung d. Republik für 26. 1. 2001 vorgesehen) – Verfassung von 1901; Umwandlung in eine Föderalistische Republik vorgesehen – Parlament aus 2 Kammern: Repräsentantenhaus mit 148 auf 3 J. gewählten Mitgl. u. Senat mit 76 Mitgl., je 12 pro Bundesstaat u. 2 je Territorium (Ernennung alle Jahre bzw. die Hälfte d. Sitze alle 3 J. erneuerbar) – Allg. Wahlpflicht – 6 Bundesstaaten mit Parlament, Exekutivrat u. Gouverneur sowie 2 Territorien *(Einzelheiten → WA '93, Tab. Sp. 205 f.)* – **Staatsoberhaupt:** Königin Elizabeth II., vertreten durch einheim. Generalgouverneur William George »Bill« Hayden, seit 16. 2. 1989 – **Regierungschef:** Paul J. Keating (ALP-Vors.), seit 19. 12. 1991 – **Äußeres:** Gareth J. Evans – **Parteien:** Wahlen zum Repräs.-Haus vom 13. 3. 1993 (1990): Australian Labor Party/ALP 51,8 % u. 80 (78) Sitze, Liberal Party (konservat.) 35,1 % u. 49 (55), National P. 16 (14), Unabh. 3 (1) – Senat: Sitzverteilung nach Teilwahlen vom 13. 3. 1993 (40 der 76 Sitze): ALP 32 (1990: 32), Liberal P. 29 (29), National P. 4 (4), Austral. Democrates 8 (7), Unabh. u. Sonstige 3 (4) – **Unabh.:** 1. 1. 1901 de facto, 11. 12. 1931 nominell (Westminster Statut) – **Nationalfeiertag:** 26. 1.

WIRTSCHAFT *(Einzelheiten → Kap. Wirtschaft, Sp. 923 f.)* **BSP** 1991: 287 765 Mio. $ = 17 050 $ je Ew. (20); realer Zuwachs ∅ 1980–91: 2,8 %; **BIP** 1991: 299 800 Mio. $; realer Zuwachs ∅ 1980–91: 3,1 % (1992: +2,5 %); Anteil 1991 **Landwirtsch.** 3,7 %, **verarb. Industrie u. Bergbau** 24,4 %, **sonst. Industrie u. Dienstlst.** 72,1 % – **Erwerbstät.** 1990: Landw. 5,6 %, Ind. 25,4 % – **Arbeitslosigkeit** 5/1993: 10,7 % – **Energieverbrauch** 1991: 5211 kg ÖE/Ew. – **Währung:** 1 Austral. Dollar ($A) = 100 Cents (c); 1 $A = 0,67 US-$; 100 $A = 112,77 DM – **Ausl.-Verschuld.** 3/1993 (netto): 160 700 Mio. $ = 40,6 % d. BSP – **Inflation** ∅ 1980–91: 7,0 % – **Außenhandel** 1992: **Import**: 51 000 Mrd. $A; Güter: 33 % Maschinen u. Anlagen, 16 % Transportausrüst., 12 % Chemikalien u. Erdölderivate, 5 % Rohmetallprod. (u. a. Stahl), 5 % Papier u. -prod.; Länder: 23 % USA, 18 % Japan, 6 % Großbrit., 6 % BRD, 5 % Neuseeland, 4 % Rep. China, 4 % VR China; **Export**: 55 100 Mrd. $A; Güter: 12 % Kohle, 7 % Gold, 6 % Wolle, 5 % Eisenerz, 5 % Rindfleisch, 4 % Aluminiumoxid (Tonerde); Länder: 27 % Japan, 10 % USA, 6 % Rep. Korea, 6 % Singapur, 5 % Neuseeland, 2 % BRD

AUSSENBESITZUNGEN:
1. *Christmas Island* (Weihnachtsinsel) im Indischen Ozean, 135 km² u. (Z 1991) 1275 Ew.; Austr. Terr. seit 1. 10. 1958; Admin.: A. D. Taylor; Hauptort: Flying Fish Cove; Phosphatexport

2. *Kokos-Inseln* bzw. *Keeling-Inseln* (Terr. of Cocos-Islands), 14,2 km² u. (Z 1991) 647 Ew.; vorw. Cocos Malays; Admin.: A. D. Lawrie; Hauptort: Bantam; Kopraexport, Kokosnüsse
3. *Norfolk-Inseln* (seit 1983 »Territory of Norfolk Island«), 36,3 km² u. (Z 1986) 2367 Ew.; Admin.: A. Kerr; Hauptort: Kingston; Bounty-Meuterer-Nachkommen (Islanders) u. Zugewanderte (Mainlanders); Außenhandel 1990: Import: 25,8 Mio. $A; Export: 2,9 Mio. $A; Norfolk Island Council: Tourismus (1991: 28712 Besucher), Einnahmen aus Zollfreiheit, Briefmarken; Nat.-Feiertag: 8. 6. (»Bounty Day«)
4. *Coral Sea Islands Territory* (v. Norfolk aus verwaltet); Meteor. Station auf Willis Island
5. Verschiedene austr. Inseln: *Ashmore-I.* (1,89 km²) u. *Cartier-I.* in der Timor-See (zum North. Terr. gehörend) – *Heard-I.* und *McDonald-I.* in der Antarktis, ca. 417 km², unbewohnt – *Macquari-I.*, Dependence von Tasmanien, 176 km², nur Wetterstation – *Lord Howe Island* u. *Ball's Pyramid*, 13 km²

BAHAMAS *Mittel-Amerika; Karibik*
Commonwealth der Bahamas; The Commonwealth of the Bahamas – BS

LANDESSTRUKTUR Fläche (155): 13 939 km² – 690 Inseln, dar. 29 bewohnt, sowie 2387 Riffe – **Einwohner** (166): (F 1991) 259 000 = 18 je km²; (Z 1990) 254 685 – Bahamaer; 72 % Schwarze u. 14 % Mulatten; 12 % Weiße (v. a. brit. Abst.) – **Leb.-Erwart.:** 69 J. – **Säugl.-Sterbl.:** 2,6 % – **Kindersterbl.:** 2,9 % – **Analph.** (1989): 5 % – Jährl. **Bev.-Wachstum** (∅ 1980–91): 1,9 % (Geburtenziffer 1990: 2,2 %) – **Sprache:** Englisch – **Religion** (Z 1980): 32 % Baptisten, 20 % Anglikaner (Staatskirche), 19 % Katholiken, 6 % Methodisten; kl. jüdische u. muslim. Minderheiten; Reste afrikan. Naturreligionen – **Städt. Bev.:** 59 % – **Städte** (Z 1990): Nassau (Hptst.) 171 542 Ew.; (S 1985) Freeport 25 000

STAAT Konstitutionelle Monarchie im Commonwealth – Verfassung von 1973 – Parlament aus 2 Kammern: Abgeordnetenhaus (House of Assembly) mit 49 gewählten u. Senat (Senate) mit 16 ernannten Mitgl.; Wahl alle 5 J. – Allg. Wahlrecht – 18 Distrikte – **Staatsoberhaupt:** Königin Elizabeth II., vertreten durch einheim. Generalgouverneur Sir Clifford Darling, seit 2. 1. 1992 – **Regierungschef:** Hubert A. Ingraham (FNM-Vors.), seit Aug. 1992 – **Äußeres:** Orville Alton Turnquest – **Parteien:** Wahlen vom 19. 8. 1992 (1987): Free National Movement/FNM 33 (16) Sitze, Progressive Liberal Party/PLP 16 (31), Unabh. 0 (2) – **Unabh.:** 10. 7. 1973 – **Nationalfeiertag:** 10. 7.

WIRTSCHAFT BSP 1991: 3044 Mio. $ = 11 750 $ je Ew. (29); realer Zuwachs ∅ 1980–91: 3,3 %; **BIP** 1989: 2697 Mio. B$; realer Zuwachs ∅ 1965–88: 1,0 %; Anteil 1988 **Landwirtsch.** 5 %, **Industrie** 11 %, **Dienstlst.** 84 % – **Erwerbstät.** 1990: Landw. 6 %, Ind. 14 %, Tourismus 43 % – **Arbeitslosigkeit** ∅ 1992: über 20 % – **Energieverbrauch** 1986: 1675 kg ÖE/Ew. – **Währung:** 1 Bahama-Dollar (B$) = 100 Cents (c); 1 US-$ = 0,99 B$; 100 B$ = 155,09 DM – **Ausl.-Verschuld.** 1992: 1196 Mio. B$ – **Inflation** ∅ 1980–91: −5,9 % – **Außenhandel: Import** (1990): 2920 Mio. B$; Güter (1988): 48 % Rohöl, 10 % Maschinen u. Transportausrüst.; Länder (1988): 40 % USA u. Puerto Rico, 18 % Saudi-Arabien, 17 % Nigeria; **Export** (1989): 2786 Mio. B$; Güter (1988): 64 % Rohöl, 17 % chem. Prod. sowie Krustentiere, Fische, Gemüse, Holz, Zement, Rum, Salz; Länder (1988): 91 % USA u. Puerto Rico, Japan, Kanada – **Tourismus:** rd. 50 % des BIP

BAHRAIN *Vorder-Asien*
Staat Bahrain; Dawlat al-Bahrein; Mashhyaka al-Bahrain – BRN

LANDESSTRUKTUR Fläche (174): 678 km² – 3 größere u. 30 kleinere Inseln, u. a. Bahrain 572 km², Muharraq 17,4 km² u. Sitra 9,9 km² – **Einwohner** (155): (F 1991) 516 000 = 761 je km²; (Z 1981) 350 798 – (F 1990) 336 165 Bahrainer u. 166 857 Ausländer, davon rd. 75 % Araber, 16 % Inder, 5 % Pakistaner, 2 % Europ., bes. Briten – **Leb.-Erwart.:** 69 J. – **Säugl.-Sterbl.:** 3,2 % – **Kindersterbl.:** 3,7 % – **Analph.:** 23 % – Jährl. **Bev.-Wachstum** (∅ 1981–91): 4,0 % (Geburtenziffer 1990: 4,7 %) – **Sprachen:** Arabisch als Amtsspr.; Englisch als Handelsspr. – **Religion:** 85 % Muslime, davon 60 % Schiiten, 40 % Sunniten; 7 % Christen, ca. 5 % Hindus – **Städt. Bev.:** 83 % – **Städte** (F 1990): Manama (Hptst.) 138 800 Ew.; Al Muharraq 75 900; (F 1986) Lidhafs 50 000, Rifa'a 25 000, Isa Town 21 300

STAAT Emirat – Absolute Monarchie – Verfassung von 1973 seit 1975 außer Kraft – Parlament (30 Mitgl., Wahl alle 4 J.) seit 1975 aufgelöst – Konsultativorgan mit 30 Mitgl. (Ernennung durch den Staatsoberh. alle 4 J.) seit 16. 1. 1993 – 11 Regionen – **Staatsoberhaupt u. Regierungschef:** Scheich Isa Ibn Salman Al-Khalifa [Chalifa], seit 1961 – **Äußeres:** Scheich Mohammed Ibn Mubarak Ibn Hamad Al-Khalifa [Chalifa] – **Parteien:** keine zugelassen – **Unabh.:** 14. 8. 1971 (Proklamation) – **Nationalfeiertag:** 16. 12.

WIRTSCHAFT　BSP 1991: 3679 Mio. $ = 7130 $ je Ew. (37); realer Zuwachs ∅ 1980–91: 0,1 %; **BIP:** realer Zuwachs ∅ 1980–86: 2,5 %; Anteil 1991 **Landwirtsch.** 1 %, **Industrie** (1986) 40 % – **Erwerbstät.** 1981: Landw. 3 %, Ind. 35 % – **Energieverbrauch** 1990: 11 813 kg ÖE/Ew. – **Währung:** 1 Bahrain-Dinar (BD) = 1000 Fils; 1 US-$ = 0,37 BD; 100 BD = 453,21 DM – **Inflation** ∅ 1980–91: –0,3 % – **Außenhandel** 1991: **Import:** 1531,3 Mio. BD; Güter: Rohöl u. a.: Länder (1990): v. a. USA, Großbrit., Australien, Japan; **Export:** 1304,3 Mio. BD; Güter (1986): 88 % Erdöl- u. Erdölprodukte, 5 % Aluminiumprod.; Länder (1990): v. a. Saudi-Arabien, USA, Irak, Japan, Katar

BANGLADESCH *Süd-Asien*
Volksrepublik Bangladesch; Ghana-Praja Tantri Bangladesh; People's Republic of Bangladesh – BD

LANDESSTRUKTUR　Fläche (92): 143 998 km² – **Einwohner** (9): (F 1991) 110 600 000 = 768 je km²; (Z 1991) 107 766 143 – Bangladescher: 98 % Bengalen, außerd. 1,2 Mio. Bihári u. 1 Mio. tibetobirman. Ethnien (Chakmá, Gáro, Khási, Sántal u. a.) – **Leb.-Erwart.:** 51 J. (m51/w52); Bev.-Anteil 0–14 J.: 42,3 % – **Säugl.-Sterbl.** (1989): 10,3 % – **Kindersterbl.:** 13,3 % – **Analph.:** 65 % – Jährl. **Bev.-Wachstum** (∅ 1980–91): 2,2 % (Geb.- u. Sterbeziffer 1991: 3,4 %/1,3 %) – **Sprachen:** Bengali bzw. Bangla als Amtsspr. (95 %); Englisch teilw. als Handelsspr., außerd. Urdu, indoarische u. tibetobirman. Sprachen – **Religion:** 87 % Muslime (meist Sunni-

ten), Islam ist Staatsreligion; 12 % Hindus; buddhist. u. christl. Minderh. – **Städt. Bev.:** 17 % – **Städte** (Z 1991) Dhaka (Hptst.) 3 637 892 Ew.; Chittagong [Tschittagong] 1 566 070, Khulna 601 051, Radschschahi 324 532, Rangpur 220 849, Barisal 180 014, Dschessur 176 398, Komilla 164 509, Sylhet 114 282, Saidpur 110 494

STAAT　**Volksrepublik (auf der Basis des Islam u. des Sozialismus) – Verfassung von 1972, letzte Änderung 1991 – Parlament mit 330 Abg., davon 300 direkt gewählt, 30 für Frauen reserviert (gewählt von den 300 Mitgl.) – Wahl d. Staatsoberh. durch Parl. – 4 Verwaltungsgebiete (divisions): Chittagong, Dhaka, Khulna, Radschschahi) mit 21 Bezirken (regions) – **Staatsoberhaupt: Abdur Rahman Biswas (BNP), seit 8. 10. 1991 – **Regierungschefin:** Begum Khaleda Zia (BNP), seit 19. 3. 1991 – **Äußeres:** A. S. M. Mustafizur Rahman – **Parteien:** Wahlen vom 12. 9. 1991: Nationalpartei (Bangladesh National Party/BNP) 170 Sitze (davon 28 Frauen), Awami-Liga 84, Jatiya-Partei/JP 39, Jammaati-Islam 20 (davon 2 Frauen), Sonstige 17 (Opposition insg. 158) – **Unabh.:** 17. 12. 1971 (nach d. Proklamation vom 26. 3. 1971) – **Nationalfeiertage:** 21. 2. (Tag d. Märtyrer), 26. 3. (Tag d. Unabh.) u. 16. 12. (Tag d. Sieges)

WIRTSCHAFT　BSP 1991: 23 449 Mio. $ = 220 $ je Ew. (166); realer Zuwachs ∅ 1980–91: 4,2 %; **BIP** 1991: 23 394 Mio. $; realer Zuwachs ∅ 1980–91: 4,3 % (1992: +4,0 %); Anteil 1991 **Landwirtsch.** 36 %, **Industrie** 16 %, **Dienstlst.** 48 % – **Erwerbstät.** 1989: Landw. 60 %, Ind. 12 % – **Unterbeschäftigung** (S 1990): 50 % – Bev.-Anteil unter d. **Armuts-**

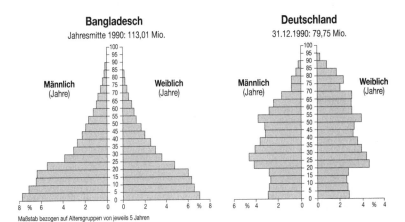

Bangladesch	Deutschland
Jahresmitte 1990: 113,01 Mio.	31.12.1990: 79,75 Mio.

Maßstab bezogen auf Altersgruppen von jeweils 5 Jahren

Bangladesch: Altersaufbau der Bevölkerung
Quelle: Statistisches Bundesamt

grenze (1990): rd. 60 % – **Energieverbrauch** 1991: 57 kg ÖE/Ew. – **Währung:** 1 Taka (Tk.) = 100 Poisha (ps.); 1 US-$ = 39,75 Tk.; 100 Tk. = 4,25 DM – **Ausl.-Verschuld.** 1991: 13051 Mio. $ = 56,0 % d. BSP – **Inflation** ∅ 1980–91: 9,3 % – **Außenhandel** 1991: **Import:** 3470 Mio. $; Güter: 26 % Nahrungsmittel, 17 % Maschinen u. Transportausrüst., 13 % Brennstoffe; Länder (1990): 19 % EG-Staaten, 16 % Japan, Singapur; **Export:** 1718 Mio. $; Güter (1989): über 60 % Jute u. -produkte, 10 % Häute u. Felle, 9 % Fische, Krebse u. Weichtiere, 8 % Tee; Bekleidung u. -produkte; Länder (1990): 34 % USA, 33 % EG-Länder (v. a. Großbrit., BRD, Italien)

1,99 BDS$; 100 BDS$ = 84,67 DM – **Inflation** ∅ 1980–91: 5,2 % – **Außenhandel** 1991: **Import:** 1396,1 Mio. BDS$; Länder (1988): 35 % USA, 11 % Großbrit., 9 % Trinidad u. Tob. sowie Kanada, Japan; **Export:** 411,7 Mio. BDS$; Güter (1986): 17 % Elektronik-Bauteile u. elektr. Geräte, 13 % Erdöl, 10 % Zucker u. Melasse, 10 % Bekleidung, Krustentiere, Rum; Länder (1988): 27 % CARICOM-Staaten, 21 % USA, 19 % Großbrit.

BELARUS → WEISSRUSSLAND

BARBADOS Mittel-Amerika; Karibik
BDS

LANDESSTRUKTUR Fläche (179): 431 km² – **Einwohner** (167): (F 1991) 258000 = 599 je km²; (Z 1990) 257082 – Barbadier; 92 % Schwarze, 3 % Mulatten, 3 % Weiße – **Leb.-Erwart.:** 75 J. – **Säugl.-Sterbl.:** 1,3 % – **Kindersterbl.:** 1,3 % – **Analph.:** 2 % – Jährl. **Bev.-Wachstum** (∅ 1980–91): 0,3 % (Geburtenziffer 1990: 1,8 %) – **Sprachen:** Englisch als Amtsspr.; »Bajan« als Umgangsspr. – **Religion:** rd. 40 % Anglikaner, 8 % Anh. d. Pfingstbewegung, 7 % Methodisten, 6 % Katholiken; insg. rd. 140 Kirchen u. Sekten; kleine jüdische, islam. u. hinduist. Minderh. – **Städt. Bev.:** 45 % – **Städte** (Z 1980): Bridgetown (Hptst.) 7466 Ew., mit Umgebung (St. Michael) 102000; 40 % d. Bevölk. leben im Großraum Bridgetown

STAAT Konstitutionelle Monarchie im Commonwealth – Verfassung von 1966 – Parlament aus 2 Kammern: Repräsentantenhaus (House of Assembly) mit 28 gewählten u. Senat (Senate) mit 21 ernannten Mitgl.; Wahl alle 5 J. – Allg. Wahlrecht – 11 Bezirke – **Staatsoberhaupt:** Königin Elizabeth II., vertreten durch einheim. Generalgouverneurin Dame Nita Barrow, seit 6. 6. 1990 – **Regierungschef:** Lloyd Erskine Sandiford, seit 1987 (1991 im Amt bestätigt) – **Äußeres:** Maurice A. King – **Parteien:** Wahlen vom 22. 1. 1991 (1986): Democratic Labour Party/DLP 18 (24) Sitze, Barbados Labour Party/BLP 10 (3) – **Unabh.:** 30. 11. 1966 – **Nationalfeiertag:** 30. 11.

WIRTSCHAFT BSP 1991: 1711 Mio. $ = 6630 $ je Ew. (38); realer Zuwachs ∅ 1980–91: 1,6 %; **BIP** realer Zuwachs ∅ 1980–87: 0,8 % (1989: +3,7 %); Anteil 1988 **Landwirtsch.** 4 %, **Industrie** 19 % – **Erwerbstät.** 1990: Landw. 7 %, Ind. ca. 25 % – **Energieverbrauch** 1990: 1853 kg ÖE/Ew. – **Währung:** 1 Barbados-Dollar (BDS$) = 100 Cents; 1 US-$ =

BELGIEN West-Europa
Königreich Belgien; Royaume de Belgique (franz.); Koninkrijk België (niederl.) – B

LANDESSTRUKTUR Fläche (137): 30519 km² – **Einwohner** (70): (Z 1991) 9978681 = 328 je km² – Belgier; (Z 1991) 5765856 niederländischsprech. Flamen, 3258795 französischsprech. Wallonen, rd. 1 Mio. fläm.- u. französischsprech. Bew. Brüssels u. 66445 deutschsprechende; 904528 Ausländer, davon 60 % aus EG-Staaten – **Leb.-Erwart.:** 76 J. (m73/w80); Bev.-Anteil 0–14 J.: 17,7 % – **Säugl.-Sterbl.:** 0,8 % – **Kindersterbl.:** 1,1 % – **Analph.** (1988): 1 % – Jährl. **Bev.-Wachstum** (∅ 1980–91): 0,1 % (Geb.- u. Sterbeziffer 1991: 1,3 %/1,1 %) - **Sprachen:** Französ., Niederländisch u. regional Deutsch als Amtsspr. – **Religion:** 84,1 % Katholiken, rd. 250000 Muslime, 38000 Protestanten u. 35000 Juden – **Städt. Bev.:** 97 % – **Städte** (Z 1991): Brussel/Bruxelles [Brüssel] (Hptst.) 960324 Ew. (mit Schaerbeek, Anderlecht u. a. Vororten); Antwerpen 467875 (mit Deurne u. a. Vororten), Gent 230446, Charleroi 206928, Liège/Luik [Lüttich] 185201, Brugge [Brügge] 117100, Namur 103935, Bergen [Mons] 92158, Leuven/Louvain [Löwen] 85028, Alost/Aalst 77293, Kortrijk 76121, Mechelen 75352, Oostende 68534, Tournai/Doornik 66971, Hasselt 66559, St. Niklaas/St. Nicolas 68234

STAAT Parlamentarische Monarchie, seit 14. 7. 1993 Bundesstaat aus 3 Regionen (Bundesregierung de facto nur noch für Außen-, Sicherheits- u. Steuerpolitik zuständig) – Bundesparlament aus 2 Kammern: Abgeordnetenhaus (Chambre des Représentants bzw. Kamer van Volksvertegenwoordigers) mit 212 Mitgl. u. Senat (Sénat bzw. Senaat) mit 184 Mitgl., davon 106 direkt gewählt; Wahl alle 4 J. – Allg. Wahlpflicht ab 18 J. – Gliederung in 3 Regionen bzw. 2 Gemeinschaften (5 Teilstaaten) mit Parl. (Direktwahl) u. Exekutive: *Flandern*

(13511km², umfaßt flämische Sprachregion u. 1986 5676194 Ew.), *Wallonien* (16848 km², umfaßt die frankophone Gemeinschaft mit 3206165 Ew. sowie die deutschspr. Gemeinschaft mit 854 km² u. 66445 Ew.) und die zweispr. Region *Brüssel* (162 km² u. 976536 Ew.) – **Staatsoberhaupt:** König Albert II., seit 9. 8. 1993 (Vereidigung) – **Regierungschef:** Jean-Luc Dehaene (CVP), seit 7. 3. 1992 – **Äußeres:** Willy Claes – **Parteien:** Wahlen vom 24. 11. 1991: Abg.-Haus: Christelijke Volkspartij/CVP 39 Sitze (1987: 43), Parti Socialiste/PS 35 (40), Socialistische Partij/SP 28 (32), Partij voor Vrijheid en Vooruitgang/PVV 26 (25), Parti Réformateur Libéral/PRL 20 (23), Volksunie/ VU 10 (16), Parti Social Chrétien/PSC 18 (19), Vlaams Blok/VB 12 (2), Ecolo (wallon. Grüne) 10 (3), Agalev (fläm. Grüne) 7 (6), Front Démocratique des Francophones/Rassemblement Wallon/FDF 3 (3), Liste van Rossem (Anarchisten) 3 (–), Front National (wallon. Rechtsextremisten) 1 (–) – Senat: CVP 20 (22) Sitze, PS 18 (20), SP 14 (17), PVV 13 (11), PRL 9 (12), PSC 9 (9), Ecolo 6 (2), Agalev 5 (3), VU 5 (8), VB 5 (1), FDF 1 (1), Rossem 1 (–) – **Unabh.:** 4. 10. 1830 – **Nationalfeiertag:** 21. 7. (Amtseid d. ersten Königs Leopold I. 1831)

WIRTSCHAFT BSP 1991: 192370 Mio. $ = 18950 je Ew. (17); realer Zuwachs ∅ 1980–91: 2,2%; **BIP** 1991: 196873 Mio. $; realer Zuwachs ∅ 1980–91: 2,1%; Anteil 1991 **Landwirtsch.** 2%, **Industrie** 30%, **Dienstlst.** 68% – **Erwerbstät.** 1991: Landw. 2,6%, Ind. 28,1%, Dienstl. 69,3% – **Arbeitslosigkeit** ∅ 1992: 10,4% – **Energieverbrauch** 1991: 2793 kg ÖE/Ew. – **Währung:** 1 Belg. Franc (bfr) = 100 Centimes (c); 1 US-$ = 34,70 bfrs; 100 bfrs = 4,87 DM – **Ausl.-Verschuld.** Ende 1992: 8179,2 Mrd. bfr – **Inflation** ∅ 1980–91: 4,2% (1992: 2,4%) – **Außenhandel** 1991 *(alle Ang. zus. mit Luxemburg):* **Import:** 4024 Mrd. bfr; Güter: 16% Maschinen, Apparate u. elektr. Geräte, 14% Transportmittel, 10% mineral. Prod., 9% Metalle u. -erzeugnisse, 9% chem. Erzeugn.; Länder: 24% BRD, 17% Niederl., 16% Frankr., 8% Großbrit., 5% USA, 5% Italien; **Export:** 4120 Mrd. bfr; Güter: 16% Transportmittel, 12% Metalle u. -prod., 11% Maschinen, Apparate u. elektr. Geräte, 10% chem. Erzeugn., 7% Kunststoff, Gummi; Länder: 24% BRD, 19% Frankr., 14% Niederl., 8% Großbrit., 6% Italien, 4% USA

PRESSE (Aufl. i. Tsd.) *Tageszeitungen:* Brüssel: La Dernière Heure/Les Sports (93) – L'Echo (29) – Het Laatste Nieuws/De Nieuwe Gazet (288) – La Lanterne/La Meuse (129) – La Libre Belgique (85)/kath. – De Morgen (43) – De Nieuwe Gids/Het Volk (186) – Le Soir (182) – De Standaard/Het Nieuwsblad/De Gentenaar (375) – Antwerpen: Gazet van Antwerpen (189)/christdem. – De Nieuwe Gazet (344) – Charleroi: Nouvelle Gazette/Le Journal et Indépendance/Le Peuple/La Province (107) – Eupen: Grenz-Echo (14)/dt.-sprachig – Gent: De Gentenaar (375) – Het Volk/De Nieuwe Gids (179)/kath. – Lüttich: La Libre Belgique/Gazette du Liège (90) – La Meuse/La Lanterne (132) – La Wallonie (48) – Mechelen: Gazet van Mechelen (191) – Namur: Vers l'Avenir (150) – *Nachrichtenagenturen:* BELGA, Agence Europe (EG)

BELIZE *Mittel-Amerika*
Bis 1973 Britisch-Honduras – BZ

LANDESSTRUKTUR **Fläche** (148): 22965 km², davon 820 km² kl. Inseln (Cays) – **Einwohner** (171): (F 1991) 194000 = 8 je km²; (Z 1990) 190792 (vorl. Ergeb.) – Belizer; 40% Kreolen, 33% Mestizen, 10% Maya, 7% Garifuna (Indianer), 4% Weiße – **Leb.-Erwart.:** 68 J. – **Säugl.-Sterbl.:** 2,2% – **Kindersterbl.:** 5,1% – **Analph.** (1990): 6% – Jährl. **Bev.-Wachstum** (∅ 1980–91): 2,7% (Geburtenziffer 1990: 4,7%) – **Sprachen:** Englisch als Amtsspr.; daneben Spanisch, Creole, Carib u. Maya – **Religion** (Z 1980): 62% Katholiken, 29% Protestanten (12% Anglikaner, 6% Methodisten, 4% Mennoniten u. a.); außerd. Juden, Buddhisten, Bahai, Muslime u. Hindu – **Städt. Bev.:** 52% – **Städte:** Belmopan (Hptst.; Z 1990) 5256 Ew.; (F 1988) Belize City 50000, Orange Walk 10500, Corozal 8500, Dangriga 8100

STAAT Konstitutionelle Monarchie im Commonwealth – Verfassung von 1981 – Parlament aus 2 Kammern: Repräsentantenhaus mit 28 alle 4 J. gewählten u. Senat mit 9 durch d. Gen.-Gouv. ernannten Mitgl. – Allg. Wahlrecht – 6 Distrikte – **Staatsoberhaupt:** Königin Elizabeth II., vertreten durch einheim. Generalgouverneurin Dame Elmira Minita Gordon, seit 1981 – **Regierungschef:** Manuel Esquivel (UDP), seit 2. 7. 1993 – **Äußeres:** Dean Barrow – **Parteien:** Wahlen vom 30. 6. 1993 (1989): United Democratic Party/UDP 16 (13) der 29 (28) Sitze, People's United Party/PUP 13 (15) – **Unabh.:** 21. 9. – **Nationalfeiertage:** 21. 9. u. 10. 9. (Schlacht von St. George)

WIRTSCHAFT BSP 1991: 389 Mio. $ = 2010 $ je Ew. (77); realer Zuwachs ∅ 1980–91: 5,3%; **BIP** 1990: 516,8 Mio. Bz$; realer Zuwachs ∅ 1965–88: 2,4%; Anteil 1987 **Landwirtsch.** 18%, **Industrie** 21%, **Dienstlst.** 51% – **Erwerbstät.** 1985: Landw. 50%, Ind. 15% – **Energieverbrauch** 1986: 383 kg ÖE/Ew. – **Währung:** 1 Belize-Dollar (Bz$) = 100 Cents (c); 1 US-$ = 1,98 Bz$; 100 Bz$ = 85,16 DM –

Ausl.-Verschuld. 1986: 87,9 Mio. $ – **Inflation** ∅ 1980–91: 2,9% – **Außenhandel** 1990: **Import:** 211,2 Mio. Bz$; Länder: 58% USA, 8% Großbrit., 7% Mexiko; **Export:** 104,6 Mio. Bz$; Güter: 41% Zucker, 20% Zitrusfrüchte, 15% Bekleidung, 9% Bananen; Länder: 49% USA, 33% Großbrit.

BENIN West-Afrika
Republik Benin; République du Bénin; bis 1975 Dahomey – BEN

LANDESSTRUKTUR Fläche (100): 112622 km^2 – **Einwohner** (103): (F 1991) 4883000 = 43 je km^2; (Z 1979) 3331210 – Beniner; über 50% Kwa-Gruppen (u. a. Fon, Yoruba, Gun, Bariba, Adja, Somba), außerd. Fulbe, Haussa; insg. 60 Ethnien; 3000 Europäer, meist Franzosen – **Leb.-Erwart.:** 51 J. (m49/w52); Bev.-Anteil 0–14 J.: 47,5% (Altersaufbau → WA '92, Sp. 234) – **Säugl.-Sterbl.** (1982): 11,1% – **Kindersterbl.:** 16,6% – **Analph.:** 77% – Jährl. **Bev.-Wachstum** (∅ 1980–91): 3,2% (Geb.- u. Sterbeziffer 1991: 4,5%/1,5%) – **Sprachen:** Französisch als Amtsspr., z. T. Umgangsspr. d. gebild. Schicht; 60 Sprachen, u. a. Ewe, Fon, Gun, Yoruba, Dendi; im Norden Haussa, Bariba u. Fulani als Handelsspr. wichtig – **Religion:** 70% Anh. v. Naturrel.; 19% Katholiken, 16% Muslime; protestant. Minderh. – **Städt. Bev.:** 38% – **Städte** (S 1984): Porto-Novo (Hptst.) 164000 Ew., Cotonou (Reg.-Sitz) 478000; Parakou 92000, Abomey 53000, Ouidah 40000, Natitingou 15000

STAAT Präsidialrepublik – Verfassung von 1990 – Parlament mit 64 Mitgl., Wahl alle 5 J. – Direktwahl d. Staatsoberh. alle 5 J. – Allg. Wahlrecht – 6 Provinzen u. 78 Distrikte – **Staats- u. Regierungschef:** Nicéphore Soglo (UDFP), seit 4. 4. 1991 – **Äußeres:** Saturnin Soglo – **Parteien:** Erste freie Wahlen am 17. 2. 1991: Union Démocratique des Forces du Progrès/UDFP, Mouvement pour la Démocratie et le Progrès Social/MDPS u. Union pour la Liberté et le Développement/ULD zus. 12 Sitze, Parti National pour la Démocratie et le Développement/PNDD u. Parti du Renouveau Démocratique/PRD zus. 9, Parti Social Démocrate/PSD u. Union Nationale pour la Solidarité et le Progrès/UNSP zus. 8, weitere 8 Listenverbindungen aus insg. 8 Parteien 35 Sitze – **Unabh.:** 1. 8. 1960 – **Nationalfeiertag:** 1. 8.

WIRTSCHAFT **BSP** 1991: 1848 Mio. $ = 380 $ je Ew. (151); realer Zuwachs ∅ 1980–91: 2,1%; **BIP** 1991: 1886 Mio. $; realer Zuwachs ∅ 1980–91: 2,4%; Anteil 1991 **Landwirtsch.** 37%, **Industrie** 14%, **Dienstlst.** 49% – **Erwerbstät.** 1990: Landw.

61%, Ind. ca. 7% – **Energieverbrauch** 1991: 46 kg ÖE/Ew. – **Währung:** 1 CFA-Franc = 100 Centimes (c); 1 FF = 50 CFA-Francs (Wertverh. zum FF); 100 CFA-Francs = 0,59 DM – **Ausl.-Verschuld.** 1991: 1300 Mio. $ = 70,1% d. BSP – **Inflation** ∅ 1980–91: 1,6% – **Außenhandel** 1991: Import: 398 Mio $; Güter: 21% Maschinen u. Transportausrüst., 16% Nahrungsmittel, 7% Brennstoffe; Länder (1989): 40% EG-Länder (v. a. Frankr.), 15% USA; **Export:** 103 Mio. $; Güter (1989): 43% Nahrungsmittel (bes. Kaffee, Kakao, pflanzl. Öle), 27% Rohstoffe (Baumwolle), 27% Erdöl u. -erzeugnisse; Länder (1989): 93% EG-Länder (dar. 29% Spanien, 23% BRD)

BHUTAN Süd-Asien
Königreich Bhutan; Druk Gaykhab (Dsongha) – BHT

LANDESSTRUKTUR Fläche (129): 47000 km^2 – **Einwohner** (142): (F 1991) 1467000 = 31 je km^2; (Z 1980) 1165000 – Bhutaner; rd. 60% Bhotia [Bhutija] u. tibet. Lhopa, 25% nepales. Leptscha (Rong); Inder – **Leb.-Erwart.:** 48 J. (m47/w49); Bev.-Anteil 0–14 J.: 40,6% – **Säugl.-Sterbl.:** 13,2% – **Kindersterbl.:** 19,4% – **Analph.:** 62% – Jährl. **Bev.-Wachstum** (∅ 1980–91): 2,1% (Geb.- u. Sterbeziffer 1991: 3,9%/1,7%) – **Sprachen:** Dsongha [Dzongkha] als Amtsspr.; Bumthangkha, Sarchopkha u. a. Sprachen d. Minderh.; Nepali seit 1989 verboten – **Religion:** 75% Buddhisten (lamaistischer Buddh. d. alten Rotmützen-Observanz d. Pantschen-Lama) ist Staatsreligion; ca. 25% Hindus – **Städt. Bev.:** 6% – **Städte** (S 1990): Thimbu [Thimphu] (Hptst. u. Residenz) 27000 Ew.; (S 1987) Phuntsholing (Grenzstadt) 20000

STAAT Konstitutionelle Erbmonarchie ohne geschriebene Verfassung – Souveräner Staat, der lt. Vertrag v. 1949 von Indien außenpolit. beraten u. in den Bereichen Verteidigung u. wirtschaftl. Entwickl. unterstützt wird – Nationalversammlung (Tsogdu) mit 151 Mitgl. als Ständeparlament, davon 105 Dorfnotabeln, 40 Reg.-Beamte, z. T. v. König ernannt, 10 Vertr. buddhist. Klöster – Königl. Rat (Lodoi Tsokde) mit 10 Mitgl. – 18 Distrikte mit je 1 vom König ernannten Gouverneur – **Staats- u. Regierungschef:** König (»Druk-Gyalpo« = Drachenkönig) Jigme Singye Wangchuk [Wangtschuk], seit 1972 – **Äußeres:** Dawa Tsering – **Parteien:** keine – **Unabh.:** Altes Fürstentum; Außenvertretung durch Indien 1949–1971; endgültig seit 28. 9. 1971 (Aufnahme in die UNO) – **Nationalfeiertag:** 17. 12.

WIRTSCHAFT **BSP** 1991: 260 Mio. $ = 180 $ je Ew. (175); realer Zuwachs ∅ 1980–91: 9,0%; **BIP**

1991: 240 Mio. $; realer Zuwachs ∅ 1980–91: 7,6%; Anteil 1991 **Landwirtsch.** 43%, **Industrie** 27%, **Dienstlst.** 29% – **Erwerbstät.** 1989: Landw. 91%, Ind. 5% – **Energieverbrauch** 1991: 15 kg ÖE/Ew. – **Währung:** 1 Ngultrum (NU) = 100 Chetrum (CH); 100 NU = 3,20 US-$ = 5,40 DM; 1 NU = 1 ind. Rupie, ebenf. gesetzl. Zahlungsmittel – **Ausl.-Verschuld.** 1991: 87 Mio. $ = 38,8% d. BSP – **Inflation** ∅ 1980–91: 8,4% – **Außenhandel** 1988: **Import:** 1108,7 Mio. NU; Länder (1990): 83% Indien; **Export:** 989,8 Mio. NU; Güter: 34% Strom, 25% Hölzer u. Holzprod., 11% Zement sowie Kardamom, Kartoffeln, Orangen; Länder (1990): 90% Indien

BIRMA → MYANMAR

BOLIVIEN *Süd-Amerika*
Republik Bolivien; Republica de Bolivia; Staatsname nach Simón Bolívar – BOL

LANDESSTRUKTUR Fläche (26): 1098 581 km² – **Einwohner** (91): (Z 1992) 6 420 792, davon 60% auf dem Altiplano = 7 je km² – Bolivianer; 42% Indianer, 31% Mestizen, 27% Weiße u. Kreolen – **Leb.-Erwart.:** 59 J. (m57/w61); Bev.-Anteil 0–14 J.: 41,2% – **Säugl.-Sterbl.:** 8,3% – **Kindersterbl.:** 12,2% – **Analph.:** 23% – Jährl. **Bev.-Wachstum** (∅ 1980–91): 2,5% (Geb.- u. Sterbeziffer 1991: 3,6%/1,0%) – **Sprachen:** Spanisch u. die Indianersprachen Ketschua (etwa 40%) u. Aimará (über 30%) als Amtsspr.; im Tiefland Guaraní – **Religion:** 94% Katholiken (Staatsreligion); rd. 50 000 Protest. (darunter ca. 12 000 Mennoniten) u. 2000 Juden – **Städt. Bev.:** 52% – **Städte** (F 1990): Sucre (verfassungsmäß. Hptst.) 101 400 Ew., La Paz (fakt. Hptst.) 1 125 600 (m. V. 2,3 Mio.); Santa Cruz de la Sierra 669 000, Cochabamba 413 000, Oruro 208 000, Potosí 120 000

STAAT Präsidialrepublik – Verfassung von 1967 – Parlament aus 2 Kammern: Deputiertenkammer (Cámara de Deputados) mit 130 u. Senat (Senado) mit 27 Mitgl.; Wahl alle 4 J. – Allg. Wahlrecht – 9 Departamentos mit 102 Provinzen – **Staats- u. Regierungschef:** Gonzalo Sánchez de Lozada (MNR), seit 8. 8. 1993 (am 6. 6. 1993 in Direktwahl mit 36% d. Stimmen gewählt) – **Äußeres:** Antonio Aranibar Quiroga – **Parteien:** Wahlen vom 6. 6. 1993: Deputiertenkammer: Movimiento Nacionalista Revolucionario/MNR 36% u. 52 (1989: 40) Sitze, Acuerdo Patriotico/AP (Patriot. Übereinstimmung) 21% u. 35 (–), UCS 20 (–), Conciencia de Patria/CONDEPA 13 (9), MBL 7 (–), Sonstige 3 (81) – Senat: MNR 17

(9) Sitze, AP 8 (–), CONDEPA 1 (2), UCS 1 (–), Sonstige 0 (16) – **Unabh.:** 6. 8. 1825 – **Nationalfeiertag:** 6. 8.

WIRTSCHAFT BSP 1991: 4799 Mio. $ = 650 $ je Ew. (127); realer Zuwachs ∅ 1980–91: 0,5%; **BIP** 1991: 5019 Mio. $; realer Zuwachs ∅ 1980–91: 0,3%; Anteil 1991 **Landwirtsch.** 21%, **Industrie** 30% – **Erwerbstät.** 1990: Landw. 42%, Ind. ca. 13% – **Arbeitslosigkeit** ∅ 1990: 19,9% (städtisch 1992: 6,8%) – **Energieverbrauch** 1991: 251 kg ÖE/Ew. – **Währung:** 1 Boliviano (Bs) = 100 Centavos (c.); 1 US-$ = 3,87 Bs; 100 Bs = 39,24 DM – **Ausl.-Verschuld.** 1991: 4075 Mio. $ = 85,3% d. BSP – **Inflation** ∅ 1980–91: 263,4% (1992: 11%) – **Außenhandel** 1992: **Import:** 885 Mio. $; Güter (1991): 43% Kapitalgüter, 38% Zwischenprod., 18% Konsumgüter; Länder: 24% USA, 15% Brasilien, 14% Chile, 9% BRD, 9% Argentinien, 6% Japan; **Export:** 620 Mio. $; Güter (1991): 40% Erze (dar. Zink, Zinn, Gold, Silber), 29% nichttraditionelle Prod., 26% Erdöl u. Erdgas; Länder: 31% Argentinien, 19% USA, 12% Großbrit., 10% Belgien/ Lux., 6% Peru, 5% Brasilien, 3% BRD – Kokainwirtschaft (illegal) erwirtschaftet rd. 13–15% d. BSP (S Gatt 1992) bzw. beträgt 23–43% am Gesamtexport (Ang. boliv. Experten)

BOSNIEN-HERZEGOWINA
Südost-Europa
Republik Bosnien-Herzegowina; Republika Bosna i Hercegovina – BIH

LANDESSTRUKTUR Fläche (125): 51 129 km² (Bosnien 42 010 km², Herzegowina 9119 km²) – **Einwohner** (109): (Z 1991) 4 364 574 = 85 je km² – (Z 1991): 43,7% Bosniaken (ethn. Muslime), 31,4% Serben, 17,3% Kroaten, 5,5% Jugoslawen [Eigenbezeichnung], Montenegriner u. a. – 2,3 Mio. Flüchtlinge (S nach UNHCR 9/1993) – **Säugl.-Sterbl.:** 2,1% – **Analph.:** 15% – Jährl. **Bev.-Wachstum** (∅ 1980–91): 0,6% – **Sprache:** Serbokroatisch – **Religion:** 39,5% Muslime, 33% Serb.-Orthodoxe, 19% Katholiken – **Städt. Bev.:** 40% – **Städte** (Z 1991): Sarajevo (Hptst.) 415 631 Ew. (S 1993: 380 000); Banja Luka 142 644, Mostar 126 067; (S 1990) Tuzla 132 000 (1993: plus rd. 60 000 Flüchtlinge), Bihac 71 000 (1993: rd. 300 000), Gorazde 37 000 (1993: 70 000), Srebrenica 30 000 (1993: 70 000)

STAAT (→ *Chronik*) Republik seit 9. 1. 1992 – Verfassung der Republik des ehem. Jugoslawien von 1974, letzte Änderung 1991 – 7köpfiges Staatspräsidium aus direkt gewählten stellvertr. Präs. (seit

Ende 1992 mit 10 Mitgl.), deren Vors. der Staatspräs. ist; Rotation d. Staatspräs. alle 2 J. – Parlament aus 2 Kammern: Sozio-Ökonom. Kammer mit 130 u. Kommunalkammer mit 110 Mitgl. – Allg. Wahlrecht – **Staatsoberhaupt:** Alija Izetbegović (SDA), seit 28. 11. 1990 – **Regierungschef:** Mile Akmadžić (HDZ), seit 11. 11. 1992 (Reg. aus Muslimen u. Kroaten) – **Äußeres:** Haris Silajdžić – **Parteien:** Wahlen vom 18. 11. u. 2./9. 12. 1990: Demokrat. Aktionspartei/SDA (Muslime) 86 Sitze, Serbische Dem. Partei/SDS 72, Kroat. Dem. Gemeinschaft/HDZ (Vors. Milan Boban) 44, Kommunisten 20, Bund der Reformkräfte 13, Sonstige 5 – Verbot d. serbischen Partei SDS am 14. 7. 1992 – **Unabh.:** Souveränitätserklärung am 15. 10. 1991; Ausrufung d. Republik am 9. 1. 1992 – **Nationalfeiertag:** noch nicht festgelegt

WIRTSCHAFT (keine aktuellen Angaben erhältlich) **BIP** (S 1990): 1600 $ je Ew. – Rückgang der Industrieprod. 1990/91 um 24% – **Währung:** teils jugosl. Dinar (→ *Jugoslawien*), kroat. Dinar (→ *Kroatien*), serb. Dinar (seit 5. 7. 1992 durch die Serben eingeführt), bosnischer Dinar (seit 17. 8. 1992) – **Brutto-Verschuld.** Sept. 1990: 1677 Mio. $ – **Außenhandel** (1989: 12,2% d. Gesamt-Jugosl. Volkseinkommens): **Import:** k. Ang.; **Export** (1991): 2187 Mio. $; Güter: Eisenerze, Holzkohle, Steinsalz, Blei, Zink, Mangan, Bauxit, Baryt u. a.

Von den ethnischen Minderheiten einseitig proklamierte Gebiete (→ Chronik)

»Serbische Republik«: Proklamation durch Serben am 7. 4. 1992 (Name seit 12. 8. 1992) – Ziel: Anschluß an die Serbengebiete in Kroatien – Selbsternanntes Parlament (Versammlung des serbischen Volkes in B.-H.) mit 88 Mitgl. mit Sitz in Banja Luka – »Staatsführung« mit Sitz in Pale seit 24. 10. 1991 – »Staatsoberhaupt«: Präs. Radovan Karadžić (Vors. der Serb. Demokrat. Partei/SDS), am 18. 12. 1992 durch Parl. im »Amt« bestätigt – Reg.-Chef: Vojin Lukić, seit 18. 12. 1992 – 27. 3. 1992 förmliche Inkraftsetzung einer eig. Verfassung – Deklaration über Vereinigung mit der »Serbischen Rep. Krajina« in → Kroatien am 1. 11. 1992

»Kroatische Gemeinschaft Herceg-Bosna«: Proklamation durch Kroaten am 3. 7. 1992 (umfaßt alle mehrheitl. von Kroaten im Südwesten von B.-H. bewohnten Gebiete) – Ziel: Anschluß an Kroatien – Eigene »Staatsführung« mit provisor. Exekutive mit Sitz in Mostar; Präs.: Mate Boban (Vors. der Kroat. Demokrat. Gemeinschaft in Bosnien/HDZ)

BOTSUANA *Süd-Afrika*
Republik Botsuana [Botswana]; Republic of Botswana; früher Betschuanaland – RB

LANDESSTRUKTUR **Fläche** (45): 581 730 km² – **Einwohner** (145): (Z 1991) 1 325 291 = 2 je km² (vorl. Ang.) – Botsuaner; 95% Bantu, bes. Sotho-Tswana (u. a. Bamangwato, Bakwena); 2,4% Sar (= 30 000 Buschmänner), 1,3% Sonstige (= 16 500 Weiße, Inder u. Coloureds) – **Leb.-Erwart.:** 68 J. (m66/w70); Bev.-Anteil 0–14 J.: 45,7% – **Säugl.-Sterbl.** (1988): 3,6% – **Kindersterbl.:** 4,0% – **Analph.:** 26% – Jährl. **Bev.-Wachstum** (∅ 1980–91): 3,5% (Geb.- u. Sterbeziffer 1991: 3,6%/0,6%) – **Sprachen:** SeTswana u. a. Bantu-Spr. als Amtsspr. sowie Englisch z. T. als Amts-, Bildungs- u. Handelsspr. – **Religion:** 49% Anh. v. Naturrel.; Christen verschied. Konfess., v. a. Protestanten (ca. 30%), Muslime, Hindus – **Städt. Bev.:** 29% – **Städte** (S 1991): Gaborone (Hptst.) 138 500 Ew.; Francistown 59 100, Selebi-Phikwe 55 400, Serowe 46 600, Mahalapye 40 700, Kanye 35 200, Molepolole 33 500, Mochudi 30 000, Lobatse 28 900

STAAT Präsidialrepublik im Commonwealth – Verfassung von 1966 – Nationalversammlung mit 38 Mitgl., davon 34 alle 5 J. gewählt u. 4 kooptierte Mitgl.; beratendes »House of Chiefs« (15 Mitgl., davon Häuptl. der 8 großen Stämme ständig vertr.) – Allg. Wahlrecht – 11 Distrikte – **Staats- u. Regierungschef:** Quett Ketumile Joni Masire (BDP), seit 1980, zuletzt 1989 im Amt bestätigt – **Äußeres:** Gaositwe K. T. Chiepe – **Parteien:** Wahlen von 1989: Botswana Democratic Party/BDP 27 + 4 vom Präs. ernannt (1984: 28) Sitze; B. National Front/BNF 3 (5) – **Unabh.:** 30. 9. 1966 – **Nationalfeiertag:** 30. 9.

WIRTSCHAFT **BSP** 1991: 3335 Mio. $ = 2530 $ je Ew. (62); realer Zuwachs ∅ 1980–91: 9,3%; **BIP** 1991: 3644 Mio. $; realer Zuwachs ∅ 1980–91: 9,8%; Anteil 1991 **Landwirtsch.** 5%, **Industrie** 54%, **Dienstlst.** 41% – **Erwerbstät.** 1990: Landw. 63%, Ind. ca. 11% *(Beschäftigte in d. Rep. Südafrika → WA '93, Tab. Sp. 219 f.)* – **Arbeitslosigkeit** ∅ 1989: rd. 25% – **Energieverbrauch** 1991: 408 kg ÖE/Ew. – **Währung:** 1 Pula (P) = 100 Thebe (t); 1 P = 0,41 US-$; 100 P = 68,95 DM – **Ausl.-Verschuld.** 1991: 543 Mio. $ = 15,7% d. BSP – Inflation ∅ 1980–91: 13,2% – **Außenhandel** 1989: **Import:** 1385 Mio. $; Güter (S 1990): 20% Maschinen u. elektrotechn. Ausrüst., 20% Beförderungsmittel, 16% Treibstoffe, 15% Nahrungsmittel, Getränke u. Tabak; Länder: 78% Rep. Südafrika, 9% EG-Länder, 2% USA; **Export:** 1884 Mio. $; Güter: 80% Diamanten, 9% Kupfer-Nickel-Konzentrate, 3% Fleisch u. -produkte; Länder: 91% europ. Länder (dar. 8% EG-Länder u. v. a. Schweiz), 3% Rep. Südafrika

BRASILIEN *Süd-Amerika*
Föderative Republik Brasilien; República Federativa do Brasil – BR

LANDESSTRUKTUR Fläche (5): 8 511 996 km² (einschl. 55 457 km² Binnengewässer) – **Einwohner** (6): (Z 1991) 146 154 502 = 17 je km² – Brasilianer; 54 % Weiße meist. portugies., italien. oder span. Abst., rd. 2 Mio. Deutschstämmige; 39 % Mulatten, Caboclos (aus Verbind. zw. Weißen u. Indianern), 5,9 % Schwarze u. Cafuzos (aus Verbind. zw. Indianern u. Schwarzen), 0,9 % Asiaten (über 1 Mio. Japaner), 350 000 Indianer (= 0,2 %); die Indianer leben in 467 eig. Gebieten (625 000 km²) – **Leb.-Erwart.**: 66 J. (m63/w69); Bev.-Anteil 0–14 J.: 34,2 % – **Säugl.-Sterbl.** (1986): 5,8 % – **Kindersterbl.**: 6,6 % – **Analph.**: 19 % – Jährl. **Bev.-Wachstum** (∅ 1980–91): 2,0 % (Geb.- u. Sterbeziffer 1991: 2,4 %/ 0,7 %) – **Sprachen:** Portugiesisch mit brasil. Eigenarten als Amtsspr.; Idiome der Indianer – **Religion:** 89 % Katholiken; 6 % Protestanten, Orthodoxe u. Buddhisten sowie 160 000 Juden; Naturrelig. d. Indianer; afrobrasilian. Kulte (»Umbanda« usw.) – **Städt. Bev.:** 76 % – **Städte** (S 1991; A = S 1985): Brasilia (Hptst.) 1 841 000 Ew.; São Paulo 9 700 100 (A 15 221 000), Rio de Janeiro 5 487 400 (A 10 190 000), Belo Horizonte 2 103 400 (A 3 056 000), Salvador (fr. Bahia) 2 075 400, Fortaleza 1 708 700 (A 1 935 000), Recife 1 335 700 (A 2 495 000), Porto Alegre 1 254 600 (A 2 596 000), Curitiba 1 248 400 (A 1 768 000), Nova Iguaçu 1 246 800, Belém 1 235 600 (A 1 207 000), Goiânia 998 500, Manaus 996 716, Campinas 835 100, São Luis 781 400, São Gonçalo 720 700, Maceió 699 800, Guarulhos 679 400, Santo André 610 400, Natal 606 300, Duque de Caxias 594 400, Teresina 591 200, Osasco 573 300, Santos 546 600, São Bernardo do Campo 545 300

STAAT Föderative Präsidialrepublik – Verfassung von 1988 – Parlament (Congresso Nacional) aus 2 Kammern: Abgeordnetenkammer (Câmara dos Deputados) mit 503 nach Proporzwahl für 4 J. gewählten u. Senat (Senado Federal) mit 81 Mitgl. (nach Mehrheitswahl mit Rotationsprinzip für 8 J. gewählt) – Allg. Wahlpflicht ab 16 J. – 26 Bundesstaaten, jew. mit eig. Parl. u. direkt gewähltem Gouverneur, 1 Bundesdistrikt (Brasilia) – *(Einzelheiten → WA '92, Sp. 242)* – **Staatsoberhaupt u. Regierungschef:** Itamar Augusto C. Franco (parteilos), seit 2. 10. 1992, vereidigt am 29. 12. 1992; Reg. aus Parteilosen u. Mitgl. von PFL, PSDB, PDT – **Äußeres:** Celso Amorim – **Parteien:** Wahlen vom 3. 10. 1990: Abgeordnetenkammer: Partido do Movimento Democrático Brasileiro/PMDB 109, P. da Frente Liberal/PFL 92, P. Democrático Trabalhista/PDT 46, P. de Reconstrução Nacional/PRN 41, P. Democráti-

co Social/PDS 40, P. Trabalhista Brasileiro/PTB 38, P. Socialista Democrático Brasileiro/PSDB 37, P. dos Trabalhadores/PT 34, P. Democrata Cristão/ PDC 21, P. Liberal/PL 15, P. Socialista Brasileiro/ PSB 11, Sonstige 24 – Teilwahlen des Senats (31 Mitgl., endgültige Sitzverteilung): PMDB 9 (1986: 25), PFL 8 (16), PDS 2 (2), PDT 1 (5), PTB 4 (9), PRN 2 (4), Sonstige 5 (19) – *Präs.-Wahlen für Nov. 1994 geplant* – **Unabh.:** 7. 9. 1822 – **Nationalfeiertag:** 7. 9.

WIRTSCHAFT BSP 1991: 447 324 Mio. $ = 2940 $ je Ew. (55); realer Zuwachs ∅ 1980–91: 2,5 %; **BIP** 1990: 414 060 Mio. $ (S 1992: 460 000 Mio. $); realer Zuwachs ∅ 1980–91: 2,5 % (1992: –1,4 %); Anteil 1990 **Landwirtsch.** 7 %, **Industrie** 35 %, **Dienstlst.** 58 % – **Erwerbstät.** 1990: Landw. 24 %, Ind. ca. 24 % – **Arbeitslosigkeit** ∅ 1992: 5,8 % – **Energieverbrauch** 1991: 908 kg ÖE/Ew. – **Währung:** 1 Cruzeiro real (Cr$) = 100 Centavos; Freimarktkurs: 1 US-$ = 54,34 Cr$; 100 Cr$ = 3,11 DM – **Ausl.-Verschuld.** 1991: 116 514 Mio. $ = 28,8 % d. BSP – **Inflation** ∅ 1980–91: 327,6 % (1992: 1178 %); 1993: tägl. rd. 1 % – **Außenhandel** 1992: **Import:** 20 500 Mio. $; Güter (1991): 24 % Maschinen u. Apparate, 23 % Brenn- u. Schmierstoffe, 19 % Rohöl u. -derivate; Länder (1991): 23 % USA, 8 % BRD, 8 % Saudi-Arabien, 7 % Argentinien, 6 % Iran; **Export:** 36 200 Mio. $; Güter (1991): 8 % Eisenerz, 8 % Maschinen u. Apparate, 7 % Transportmittel, 5 % Eisen- u. Stahlerzeugn., 4 % Sojakleie; Länder (1991): 21 % USA, 9 % BRD, 9 % Japan, 5 % Italien, 5 % Frankr. – Rückgang der Industrieprod. 1991/92 um 5,6 % – Umsätze der Parallelwirtschaft (Rauschgifthandel, Schmuggel usw.) werden auf rd. 490 Mrd. $ (1992) veranschlagt

BRUNEI DARUSSALAM *Südost-Asien*
Brunei; Negara Brunei Darussalam (Malaiisch) – BRU

LANDESSTRUKTUR Fläche (162): 5765 km² – **Einwohner** (165): (F 1991) 264 500 = 46 je km²; (Z 1981) 192 832 – Bruneier; (F 1991) 185 200 Malaien, 45 000 Chinesen, 7900 Protomalaien (Iban, Dusun, Murut u. a.), 26 500 Sonstige (Europäer, Indonesier, Thailänder, Inder) – **Leb.-Erwart.:** 74 J. – **Säugl.-Sterbl.:** 0,9 % – **Kindersterbl.:** 1,0 % – **Analph.:** 10 % – Jährl. **Bev.-Wachstum** (∅ 1980–91): 3,3 % (Geb.- u. Sterbeziffer 1989: 2,8 %/3,3 %) – **Sprachen:** Malaiisch als Amtsspr.; Englisch u. Chinesisch als Handelsspr., Iban – **Religion:** 63 % Muslime (meist Malaien), 14 % Buddhisten, Konfuzianer (meist Chinesen), 10 % Christen – **Städt. Bev.:** 64 % – **Städte:** Bandar Seri Begawan (Hptst.;

S 1986) 50500 Ew.; (S 1985) Tutong 43000, Seria 23500, Kuala Belait 20000

STAAT Sultanat – Verfassung von 1959, Änderung 1965 – Gesetzgebender Rat mit 20 vom Sultan ernannten Mitgl., seit 1962 aufgelöst – Ministerrat unter Vors. des Sultans, der prakt. absolut regiert – Ausnahmezustand seit 1962 – 4 Distrikte (Brunei/Muara, Belait, Tutong, Temburong) – **Staats- u. Regierungschef:** Sultan Haji Hassan al-Bolkiah Mu'izzaddin Waddaulah [Sultan Muda Hassanal Bolkiah], seit 1967, gekrönt 1968 – **Äußeres:** Prinz Haji Muda Mohamed Bolkiah – **Parteien:** Verbot seit 1988 – **Unabh.:** 1.1.1984 – **Nationalfeiertage:** 23.2., 15.7. (Geburtstag d. Sultans) u. 5.10. (Thronbesteigung d. Sultans 1967)

WIRTSCHAFT (keine neueren Angaben verfügbar) **BSP** 1987: 3317 Mio.$ = 14120$ je Ew. (25); realer Zuwachs ∅ 1980–87: –0,7% (1991: +4,5%); **BIP** 1990: 7146 Mio. BR$; realer Zuwachs ∅ 1983–90: 2,9%; Anteil 1990 **Industrie** (mit Öl- u. Gassektor) 53%, **Dienstlst.** 42% – **Erwerbstät.** 1986: Landw. 3%, Ind. 23% – **Arbeitslosigkeit** ∅ 1992: 6,3% – **Energieverbrauch** 1990: 7912 kg ÖE/Ew. – **Währung:** 1 Brunei-Dollar (BR$) = 100 Cents (¢); 1 US-$ = 1,61 BR$; 100 BR$ = 104,76 DM; 1 BR$ = 1 Singapur-$ (zusätzl. Zahlungsmittel) – **Inflation** ∅ 1980–90: –6,9% (1992: 1,4%) – **Außenhandel** 1991: Import: 900 Mio.$; Güter (1990): 38% Maschinen u. Transportausrüst., 31% Fertigwaren, 20% Nahrungsmittel; Länder: 34% Singapur, 23% Großbrit., 8% Japan, 7% Malaysia, 4% Schweiz, 3% BRD; **Export:** 1800 Mio.$; Güter (1990): 98% Erdgas, Öl u. Mineralölerzeugn.; Länder: 63% Japan, 10% Rep. Korea, 9% Großbrit., 7% Thailand, 6% Singapur

BULGARIEN Südost-Europa
Republik Bulgarien; Republika Balgarija – BG

LANDESSTRUKTUR **Fläche** (103): 110993 km² – **Einwohner** (76): (F 1991) 8798000 = 81 je km²; (Z 1985) 8948649 – 92% Bulgaren; 900000 ethnische Türken, 2,5% (rd. 650000) Sinti u. Roma, Minderheit von Pomaken (rd. 260000); Rückgang d. Bev. auf 8,518 Mio. (Mitte 1992) v. a. aufgrund von Emigration – **Leb.-Erwart.:** 72 J. (m68/w75); Bev.-Anteil 0–14 J.: 20,1% – **Säugl.-Sterbl.:** 1,7% – **Kindersterbl.:** 2,0% – **Analph.** (1988): 2% – Jährl. **Bev.-Wachstum** (∅ 1980–91): 0,1% (Geb.- u. Sterbeziffer 1991: 1,1%/1,2%) – **Sprachen:** Bulgarisch als Amtsspr.; Umgangsspr. d. Minderheiten, u.a. Türkisch, Makedonisch – **Religion:** 88% orthodoxe Christen, 9% Muslime (Sunniten), rd.

90000 Katholiken, 80000 and. christl. Bekenntnisse – **Städt. Bev.:** 68% – **Städte** (F 1990): Sofia (Hptst.) 1141140 Ew.; Plovdiv [Plowdiw] 379100, Varna [Warna] 314900, Burgas 205000, Ruse 192400, Stara Zagora [Sagora] 164500, Pleven 138300, Dobrich [ehem. Tolbuchin] 115800, Sliven 112200, Sumen 110750

STAAT Republik – Verfassung von 1991 – Parlament (Volksversammlung, Narodno sabranje) mit 240 Mitgl., Wahl alle 4 J. – Direktwahl d. Staatsoberh. alle 5 J. – Allg. Wahlpflicht ab 18 J. – 9 Regionen (Oblasti) mit eig. Gouverneur – **Staatsoberhaupt:** Schelju Schelew, seit 1.8. 1990 (am 12.1. 1992 im Amt bestätigt) – **Regierungschef:** Ljuben Berow (parteilos), seit 30.12. 1992 – **Äußeres:** Stanislaw Daskalow – **Parteien:** Wahlen vom 13.10. 1991: Union Demokrat. Kräfte/SDS 110 Sitze (1990: 211 von 467), Bulgarische Sozialist. Partei/BSP (ehem. KP) 106 (211), Bewegung für Rechte und Freiheiten/DPS (türkisch) 24 (23), Sonstige 0 (22) – **Unabh.:** endgültig 5.10. 1908 – **Nationalfeiertage:** 3.3. u. 9.9.

WIRTSCHAFT (Übersicht → Tab. Sp. 567) **BSP** 1991: 16316 Mio.$ = 1840$ je Ew.(82); realer Zuwachs ∅ 1980–91: 1,7% (je Ew. 1,7%); **BIP** 1991: 7909 Mio.$ (S 1992: 200000 Mio. LW); realer Zuwachs ∅ 1980–91: 1,9% (1992: –7,7%); Anteil 1991 **Landwirtsch.** 13%, **Industrie** 50%, **Dienstlst.** 37% – 1991/92: Rückgang der Industrieprod. um 21,9%, der Brutto-Agrarprod. um 13% – **Erwerbstät.** 1990: Landw. 12%, Ind. ca. 36% – **Arbeitslosigkeit** Ende 1992: rd. 15% – **Energieverbrauch** 1991: 3540 kg ÖE/Ew. – **Währung:** 1 Lew (Lw) = 100 Stótinki (St); 1 US-$ = 26,68 Lw; 100 Lw = 6,33 DM – **Ausl.-Verschuld.** 1991: 11923 Mio.$ = 151,7% d. BSP – **Inflation** ∅ 1980–91: 7,8% (1992: 79,5%) – **Außenhandel** (1992: **Import:** 80600 Mrd. Lw; Güter (Jan.–Sept.): 43% Brennstoffe u. Metalle, 23% Maschinen u. Ausrüst., 9% chem. Erzeugn., 9% Konsumgüter; Länder (Jan.–Sept.): 24% GUS, 13% BRD, 7% Griechenland, 5% Italien, 4% Ukraine, 3% Österreich, 3% Frankr. (EG 34%); **Export:** 81600 Mrd. Lw; Güter (Jan.–Sept.): 23% landwirtschaftl. Erzeugn., 22% Brennstoffe u. Metalle, 18% Maschinen u. Ausrüst., 14% chem. Erzeugn., 12% Konsumgüter; Länder (Jan.–Sept.): 17% GUS, 9% BRD, 6% Italien, 5% Griechenland, 3% Ukraine, 3% Frankr. (EG 33%)

BURKINA FASO *West-Afrika*
République Démocratique de Burkina Faso; bis 1984 Republik Obervolta, frz. Haute-Volta – BF

LANDESSTRUKTUR Fläche (72): 274200 km² (Sahel-Anteil: 42%) – **Einwohner** (72): (F 1992) 9634000 = 35 je km²; (Z 1985) 7964705 – Burkiner: Volta-Völker (u. a. 48% Mossi), Mande-Gruppen (17% Bobo u. Verwandte, Sanike, Diula), außerd. 10% Fulbe [Fulani], 7% Dagara u. Lobi, 5% Gourmantché (Gur); insg. rd. 160 Ethnien; rd. 5000 Europ., meist Franzosen – 1 bis 2 Mio. Burkiner sind Wanderarbeiter (überw. in Côte d'Ivoire) – **Leb.-Erwart.:** 48 J. (m46/w50); Bev.-Anteil 0–14 J.: 45,7% – **Säugl.-Sterbl.** (1976): 13,3% – **Kindersterbl.:** 19,9% – **Analph.:** 82% – Jährl. **Bev.-Wachstum** (∅ 1980–91): 2,6% (Geb.- u. Sterbeziffer 1991: 4,7%/1,8%) – **Sprachen:** Französ. als Amtsspr.; Arabisch u. z. T. Englisch als Handelsspr.; More (Gur-Sprache d. Mossi), Mande-Sprachen (Manding, Soninke u. a.) u. Ful als Umgangsspr. – **Religion:** 40% Muslime, 10% Christen (meist Katholiken); rd. 40% Anh. v. Naturrel. – **Städt. Bev.** 9% – **Städte** (Z 1985): Ouagadougou (Hptst.) 441514 Ew.; Bobo-Dioulasso 228668, Koudougou 51926, Ouahigouya 38902, Banfora 35319, Kaya 25814

STAAT Präsidialrepublik – Verfassung von 1991 – Parlament (Assemblée des Députés populaires) mit 107 Mitgl. – Allg. Wahlrecht – 30 Provinzen – **Staatsoberhaupt:** Hauptmann Blaise Compaoré (ODP-MT), seit 1987 (1991 in Direktwahlen im Amt bestätigt) – **Regierungschef:** Youssouf Ouédraogo (ODP-MT), seit 16. 6. 1992 (Übergangsreg. mit 5 Vertretern der Oppos.) – **Äußeres:** Prosper Vokouma – **Parteien:** Erste freie Parl.-Wahlen am 24. 5. 1992: Organisation pour la démocratie populaire-Mouvement du travail/ODP-MT 78 Sitze; 5 mit dem Präs. sympathisierende Parteien mit je 1 Sitz; Opposition insg. 24 Sitze: Convention nationale des patriotes progressistes/Parti socialdémocrate/CNPP-PSD 12, Rassemblement démocratique africain/RDA 6, Alliance pour la démocratie et la fédération/ADF 4, Sonstige 2 – **Unabh.:** 5. 8. 1960 – **Nationalfeiertag:** 4. 8.

WIRTSCHAFT BSP 1991: 3213 Mio. $ = 290 $ je Ew. (161); realer Zuwachs ∅ 1980–91: 4,0%; **BIP** 1991: 2629 Mio. $; realer Zuwachs ∅ 1980–91: 4,0%; Anteil 1991 **Landwirtsch.** 44%, **Industrie** 20%, **Dienstlst.** 36% – **Erwerbstät.** 1990: Landw. 84%, Ind. ca. 12% – **Energieverbrauch** 1991: 17 kg ÖE/Ew. – **Währung:** 1 CFA-Franc = 100 Centimes (c); 1 FF = 50 CFA-Francs (Wertverh. zum FF); 100 CFA-Francs = 0,59 DM – **Ausl.-Verschuld.** 1991: 956 Mio. $ = 34,9% d. BSP – **Inflation** ∅ 1980–91:

3,8% – **Außenhandel** 1991: **Import:** 602 Mio. $; Güter (1989): 24% Fertigwaren, 24% Maschinen u. Transportausrüst., 23% Nahrungsmittel; Länder (1990): 47% EG-Länder (davon 30% Frankr.), 30% Côte d'Ivoire, 4% Japan, 3% USA; **Export:** 116 Mio. $; Güter (1989): 47% Baumwolle, 23% Gold; Länder: 52% EG-Länder (davon 30% Frankr.), 6% Japan

BURMA → **MYANMAR**

BURUNDI *Ost-Afrika*
Republik Burundi; Republika y'Uburundi, République du Burundi – RU

LANDESSTRUKTUR Fläche (143): 27834 km² (einschl. Tanganyika-See 1885 km²) – **Einwohner** (94): (F 1991) 5700000 = 205 je km²; (Z 1990) 5458000 (vorl. Ergeb.) – Burundier (Burundi; Einzahl »Murundi«); 85% Bantu (bes. Hutu), 14% hamitische Watussi [Tutsi], 1% Twa; über 3000 Europ., meist Belgier, etwa 1500 Asiaten (überw. Inder) – **Leb.-Erwart.:** 48 J. (m46/w50); Bev.-Anteil 0–14 J.: 45,6% – **Säugl.-Sterbl.** (1987): 10,7% – **Kindersterbl.:** 17,9% – **Analph.:** 50% – Jährl. **Bev.-Wachstum** (∅ 1980–91): 2,9% (Geb.- u. Sterbeziffer 1991: 4,6%/1,7%) – **Sprachen:** KiRundi (Bantu-Spr.) u. Französ. als Amtsspr.; sonst einheim. Sprachen, z. T. KiSuaheli – **Religion:** 63% Katholiken, 5% Protestanten; 40% Anhänger von Naturreligionen; muslim. Minderh., auch Bahai – **Städt. Bev.** 6% – **Städte** (S 1987): Usumbura [Bujumbura] (Hptst.) 215300 Ew.; Kitega [Gitega] 95300 (ehem. Residenz)

STAAT Präsidialrepublik – Neue Verfassung vom 13. 3. 1992 (Einführung des Mehrparteiensystems, Verbot von ethnisch bestimmten Parteien) – Parlament (Assemblée Nationale) mit 81 Mitgl.; Wahl alle 5 J. – Direktwahl d. Staatsoberh. alle 5 J. – 15 Provinzen – **Staatsoberhaupt:** Melchior Ndadaye (Hutu, FRODEBU), seit 10. 7. 1993 (am 1. 6. 1993 in ersten freien Wahlen mit 65% d. Stimmen gewählt) – **Regierungschefin:** Sylvie Kinigi (Tutsi, UPRONA), seit 10. 7. 1993 – **Äußeres:** Libéré Bararunyeretse – **Parteien:** Wahlen vom 29. 6. 1993 (Kandidatur von 6 der 10 zugelassenen Parteien mit 740 Kandidaten; 5%-Klausel): Front pour la démocratie au Burundi/FRODEBU 71,4% u. 65 Sitze, Unité pour le progrès national/UPRONA (ehem. Einheitspartei der Tutsi) 21,4% u. 16, Sonstige 7,2% u. 0 – **Unabh.:** 1. 7. 1962 – **Nationalfeiertag:** 1. 7.

WIRTSCHAFT BSP 1991: 1210 Mio. $ = 210$ je Ew. (169); realer Zuwachs ∅ 1980–91: 4,3%; **BIP** 1991: 1035 Mio. $; realer Zuwachs ∅ 1980–91: 4,0%; Anteil 1991 **Landwirtsch.** 55%, **Industrie** 16%, **Dienstlst.** 29% – **Erwerbstät.** 1991: Landw. 75%, Ind. 15% – **Energieverbrauch** 1991: 24 kg ÖE/Ew. – **Währung:** 1 Burundi-Franc (F. Bu.) = 100 Centimes; 1 US-$ = 237,57 F. Bu.; 100 F. Bu. = 0,71 DM – **Ausl.-Verschuld.** 1991: 961 Mio. $ = 83,8% d. BSP - **Inflation** ∅ 1980–91: 4,3% – **Außenhandel** 1991: **Import:** 254 Mio. $; Güter: 28% Maschinen u. Transportausrüst., 17% Nahrungsmittel, 7% Brennstoffe; Länder: 14% Belgien-Lux., 10% Frankr., 9% BRD, 8% Japan; **Export:** 91 Mio. $; Güter: 81% Kaffee, 9% Tee; Länder: 19% USA, 17% BRD, 5% Frankr., 3% Niederl.

CEYLON → SRI LANKA

CHILE *Süd-Amerika*
Republik Chile; República de Chile – RCH

LANDESSTRUKTUR Fläche (37): 756945 km²; Chile beanspr. den zwischen 53° u. 90° w. L. geleg. Antarktis-Sektor (1250000 km², Stützp. mit rd. 200 Mann) als Hoheitsgebiet – **Einwohner** (56): (Z 1992) 13231803 = 18 je km² – Chilenen; 91,6% Mestizen u. Weiße (großteils span. Abst.; ca. 100000 deutscher Abst.), 6,8% Indianer u. -mischlinge, davon 1,5% Araukaner-Indianer, 0,3% andere (Ketschua, Aimara, Chonos, Alacalufes, Feuerländer) – **Leb.-Erwart.:** 72 J. (m68/w76); Bev.-Anteil 0–14 J.: 30,6% – **Säugl.-Sterbl.** (1990): 1,7% – **Kindersterbl.:** 2,0% – **Analph.:** 7% – Jährl. **Bev.-Wachstum** (∅ 1980–91): 1,7% (Geb.- u. Sterbeziffer 1991: 2,3%/0,6%) – **Sprachen:** Spanisch als Amtsspr.; Idiome der Indianer – **Religion:** 89% Katholiken; 6% Protestanten u. 23000 Juden; Animisten – **Städt. Bev.:** 86% – **Städte** (F 1992): Santiago de Chile (Hptst.) 4545800 Ew. (A 5455500); Viña del Mar 316700, Concepción 315000, Valparaíso 276800 (F 1988), Temuco 255200, Talcahuano 254500, Antofagasta 244200, Puente Alto 209200, San Bernardo 208500, Rancagua 205400, Arica 199900, Talca 186800, Chillán 164500, Iquique 156500, Osorno 138500, Punta Arenas 128200

STAAT Republik – Verfassung von 1981, Reformen u. a. des Wahlrechts vorgesehen – Parlament aus 2 Kammern: Abgeordnetenkammer mit 120 u. Senat mit 38 gewählten u. 9 von d. Reg. ernannten Mitgl.; Wahl alle 4 J. – Allg. Wahlpflicht – 13 Regio-

nen, davon 1 Hauptstadtregion sowie 50 Provinzen u. 334 Gemeinden (Comunas) – **Staats- u. Regierungschef:** Patricio Aylwin Azócar (PDC), seit 11. 3. 1990 – **Äußeres:** Enrique Silva Cimma – **Parteien:** Wahlen vom 14. 12. 1989: Concertación Democrática insg. 72 Sitze in d. Abg.-Kammer u. 22 im Senat (Oppos.-Bündnis aus Partido Demócrata Cristiano/PDC 38 u. 13, P. por la Democracia/PPD 17 u. 4, P. Socialista de Chile Almeida/PS-A 6 u. 1, P. Radical/PR 5 u. 2, Sonst. 6 u. 2); das Rechtsbündnis Democracia y Progreso insg. 48 u. 16 Sitze (Renovación Nacional/RN 29 u. 11, Unión Demócrata Independiente/UDI 11 u. 2, Unabh. 8 u. 3) – *Nächste Präs.- u. Parl.-Wahlen am 11. 12. 1993* – **Unabh.:** 12. 2. 1818 (formelle Proklamation) – **Nationalfeiertag:** 18. 9.

WIRTSCHAFT BSP 1991: 28897 Mio. $ = 2160$ je Ew. (74); realer Zuwachs ∅ 1980–91: 3,4%; **BIP** 1991: 31311 Mio. $; realer Zuwachs ∅ 1980–91: 3,6% (1992: +10,4%); Anteil 1991 **Landwirtsch.** 9%, **Industrie** 34%, **Handel** 19% – **Erwerbstät.** 1990: Landw. 13%, Ind. ca. 25% – **Arbeitslosigkeit** ∅ 1992: 4,9% – Bev.-Anteil unter d. **Armutsgrenze** (1993): 10% – **Energieverbrauch** 1991: 892 kg ÖE/Ew. – **Währung:** 1 Chilen. Peso (chil$) = 100 Centavos; Freimarktkurs: 1 US-$ = 351,66 chil$; 100 chil$ = 0,44 DM – **Ausl.-Verschuld.** 1991: 17902 Mio. $ = 60,7% d. BSP – **Inflation** ∅ 1980–91: 20,5% (1992: 12,7%) – **Außenhandel** 1992: **Import:** 9170 Mio. $; Güter (1991): 58% Rohstoffe u. Zwischengüter, 24% Kapitalgüter, 15% Konsumgüter; Länder (1991): 22% USA, 8% Japan, 7% Brasilien, 6% Argentinien, 6% BRD; **Export:** 9965 Mio. $; Güter: 38% Kupfer (ca. 40% d. Weltvorkommens), 18% Nahrungsmittel, 13% landwirtschaftl. Prod., 6% chem. Produkte u. Kunststoffe; Länder (1991): 18% Japan, 17% USA, 8% BRD, 5% Brasilien, 5% Großbrit.

Zu Chile gehören folg. pazif. Inseln:
Osterinsel (Isla de Pascua, Rapanui), 162,5 km² u. 1800 Ew. – *Juan-Fernández-Inseln* (Robinsón Crusoe/Más a Tierra, A. Selkirk/Más Afuera, Santa Clara), 185 km² u. ca. 1000 Ew. – *Islas Desaventuradas* (San Félix, San Ambrosio, Gonzales), 3,33 km² – *Sala y Gómez*, 0,12 km², unbewohnt

CHINA, Republik *Ost-Asien*
Taiwan; früher: Formosa, Nationalchina bzw. Ta Chung-Hwa Min-Kuo – ROC

LANDESSTRUKTUR Fläche (134): 36981 km² (einschl. d. unten genannten Inseln) – **Einwohner** (43): (F 1991) 20454500 = 567 je km²; (Z 1980)

17 968 797 – Chinesen, u. a. etwa 20 % Festland-chin.; außerd. rd. 200 000 malaio-polynesische Gaoschan – **Leb.-Erwart.:** 73 J. – **Säugl.-Sterbl.:** 1,1 % – **Analph.:** 8 % – Jährl. **Bev.-Wachstum** (∅ 1985–90): 1,1 % (Geb.- u. Sterbeziffer 1987: 1,8 %/0,5 %) – **Sprachen:** Chinesisch als Amtsspr., z. T. Fukien-(Amoy-)Dialekte (»Min-nan-hua«) – **Religion:** Konfuzian. Lehre; ca. 4,8 Mio. (Mahajana-) Buddhisten, 3,7 Mio. Taoisten, 428 000 Protestan-ten, 300 000 Katholiken, 52 000 Muslime – **Städt. Bev.:** 51 % – **Städte** (F 1991): Taibei [Taipeh], als provisor. Hptst. v. China betrachtet, seit 1967 »Stadtstaat«, 2 718 000 (A: 4,2 Mio.) Ew.; Kaohsi-ung 1 396 400, Taichung [Taitschung] 774 200, Tainan 689 500, Panchiao 542 900, Chungho 380 000, Shanchung [Schantschung] 378 400, Kee-lung [Kilung] 355 900, Hsinchu [Hsintschu] 328 900, Hsinchuang 308 300, Fengshan 293 500, Chungli 276 900, Chiayi [Tschiaji] 258 500

STAAT   Republik – Verfassung von 1947; Reform in Ausarbeitung – Nationalversammlung (Kuo-Min Ta-Hui) mit 325 Mitgl. (1991 Aufhebung der lebens-langen Mandate), Wahl alle 6 J.; Gesetzgebender Yuan [Li-Fay Juan] mit 161 Mitgl. (davon 125 in Di-rektwahl u. 36 nach Proporz gewählt) als eigentli-ches Parlament, sowie Staatsprüfungs-Yuan, Auf-sichts-Yuan, Justiz-Yuan u. Vollzugs-Yuan (nach Drei-Gewalten-Lehre des Sun Yat-sen) – Außerd. Parlamente für d. Provinz Taiwan u. den Stadtstaat Taipeh – Wahl d. Staatsoberh. durch Nationalvers. alle 6 J. – Allg. Wahlrecht – 5 Stadtkreise u. 16 Landkreise (Hsien) sowie 2 Sonderstadtkreise (spe-cial municipality): Taipeh u. Khaosiung – **Staats-oberhaupt:** Lee Teng-hui [Li Denghui], einheim. Tai-wanese (KMT-Vors.), seit 1988, wiedergewählt 1990 – **Regierungschef** bzw. Präs. d. Vollzugs-Yuan: Lien Chan, seit 23. 2. 1993 – **Äußeres:** Frede-rick F. Chien – **Parteien:** Erste freie Wahlen zum Ge-setzgeb. Yuan seit 1949 vom 19. 12. 1992: Kuomin-tang/KMT (= nationale »Chines. Volkspartei«) 53 % u. 96 Sitze, Democratic Progressive Party/DPP 31 % u. 50, Sonstige 15 – Erste direkte u. freie Wahlen zur Nationalvers. seit 1947 vom 21. 12. 1991: KMT 71 % u. 254 Sitze, DPP 23 % u. 66, Son-stige 5 – **Dipl. Bez.:** nicht zur BRD, aber zu 29, meist kleinen Staaten, inoffizielle Beziehungen zu den meisten Staaten, auch zur VR China – **Unabh.:** Fort-führung d. Tradition der am 1. 1. 1912 in Peking nach d. Sturz d. Mandschu-Herrschaft proklam. Re-publik; als souveräner Staat durch UNO, BRD u. a. nicht anerkannt – **Nationalfeiertag:** 10. 10. (Tag d. Aufstands von Wutschang 1911)

WIRTSCHAFT   *(Einzelheiten → Kap. Wirt-schaft, Sp. 921)* **BSP** 1992 (S): 4527 Mrd. NT$ = 10 196 $ je Ew. (31); realer Zuwachs 1991/92:

6,1 %; **BIP** 1991: 4712,5 Mrd. NT$; realer Zuwachs ∅ 1982–91: 7,7 % (1992: +6,6 %); Anteil 1992 **Landwirtsch.** 4 %, **Industrie** 41 % – **Erwerbstät.** 1991: Landw. 13 %, Ind. 40 % – **Arbeitslosigkeit** ∅ 1992: 1,5 % – **Energieverbrauch** 1989: 2347 kg ÖE/Ew. – **Währung:** 1 Neuer Taiwan-Dollar (NT$) = 100 Cents (¢); 1 US-$ = 24,35 NT$; 100 NT$ = 6,41 DM; Währung d. VR China Renminbi Yuan als zu-sätzl. gesetzl. Zahlungsmittel – **Ausl.-Verschuld.** (brutto) 1992: 20 500 Mio. $ – **Inflation** ∅ 1986–91: 2,4 % (1992: 4,5 %) – **Außenhandel** 1992: **Import:** 71 700 Mio. $; Güter: 13 % Elektronik, 11 % Trans-portausrüst., 11 % Metalle u. -waren, 10 % Maschi-nen (o. elektr. M.), 9 % Chemikalien; Länder: 30 % Japan, 22 % USA, 6 % BRD, 3 % Rep. Korea, 3 % Australien (EG 13 %); **Export:** 81 480 Mio. $; Güter: 11 % Elektronik, 9 % Maschinen (o. elektr. M.), 9 % Fasern, Garne u. Gewebe, 8 % Metalle u. -waren, 8 % Informationstechnik, 7 % Kunststoffe u. -wa-ren; Länder: 29 % USA, 19 % Hongkong, 11 % Ja-pan, 5 % BRD (EG 15 %)

Zu Taiwan gehören die *Pescadores-Inseln* (chin.: Penghu Lieh Tao) aus 64 Inseln in d. Formosa-Straße 127 km^2, 112 672 Ew. (1979) – Besetzt sind eine der *Spratly (Nanscha)-Inseln* (0,7 km^2) u. die *Pratas (Tungscha)-Inseln* (1,5 km^2) – Außerd. mehrere Inselgruppen vor d. Festland d. VR China, darunter die zur Provinz Fukien zählenden Landkreise *Jinmen- (Kinmen-, Quemoy-)*, d. h. 12 Inseln (175,4 km^2 u. 53 944 Ew. 1979) u. *Matsu-Inseln* (Lienkiang, 27,1 km^2 u. 10 980 Ew. 1979) mit eigenem Gouverneur – *Tung-Yin-Insel* (2,6 km^2 u. 800 Ew.) – *(→ auch China, Volksrepublik)*

CHINA *Ost-Asien*

Volksrepublik China; Zhonghua Renmin Gonghe-guo bzw. Tschung-Hua Jen-Min Kung-Ho Huo – VRC

LANDESSTRUKTUR   **Fläche** (3): 9 560 980 km^2 (einschl. Tibet mit 1 221 600 km^2 u. 2 080 000 Ew. [F 1987]); nach UNO-Ang. 9 596 961 km^2 mit Taiwan, das von der VR als integraler Teil angesehen wird – **Einwohner** (1): (F Ende 1991) 1 158 230 000 = 121 je km^2; (Z 1990) 1 130 510 638 (ohne Taiwan, Hong-kong und Macao) – 92 % Chinesen (»Han-Nationa-lität«), außerd. Turkvölker (u. a. 1 Mio. Kasachen), Thai-Gruppen, Mongolen, Tibeter, Mandschu; insg. 55 nationale Minderheiten (»Nationalitäten«) mit großen Unterschieden in den Bevölkerungsanteilen *(Ergebnisse d. Z 1990 im einzelnen → WA '92, Sp. 253 f.)* – **Leb.-Erwart.:** 69 J. (m67/w71); Bev.-Anteil 0–14 J.: 27,0 % – **Säugl.-Sterbl.** (1990): 3,8 % – **Kindersterbl.:** 4,2 % – **Analph.:** 27 % –

Jährl. **Bev.-Wachstum** (∅ 1980–91): 1,5% (Geb.- u. Sterbeziffer 1991: 2,2%/0,7%) – **Sprachen:** Chinesisch (Standard-Hochchinesisch: Putonghua bzw. Guoyu) als Amtsspr., in d. autonomen Gebieten auch and. Amtsspr. zugelassen; chines. Dialekte; Englisch wichtig als Handelsspr. – **Religion:** Konfuzian. Lehre; 150 Mio. (Mahajana-)Buddhisten, 30 Mio. Taoisten, 48 Mio. Muslime, 5 Mio. Protestanten, 4 Mio. Katholiken (inoff. 63 Mio. Prot. u. 12 Mio. Kath.), Lamaismus der Tibeter (rd. 1,3 Mio.) – **Städt. Bev.:** 60% – **Städte** (F 1990): Beijing [Peking] (Hptst.) 7,0 Mio. Ew. (A: 10,8); Shanghai [Schanghai] 7,8 (A: 13,3), Tianjin [Tientsin] 5,8 (A: 8,7), Shenyang [Schenjang, früh. Mukden] 4,5, Wuhan 3,8, Guangzhou [Kanton] 3,6, Chongqing [Chungking bzw. Tschungking] 3,0, Harbin 2,8, Chengdu [Tscheng-tu] 2,8, Xi'an [Sian] 2,8, Nanjing [Nanking] 2,5, Zibo [Tzepo] 2,5, Dalian [Dairen] 2,4, Jinan [Tsinan] 2,3, Chang-chun [Tschang-tschun] 2,1, Qingdao [Tschingtau] 2,0, Taiyuan [Taijuan] 2,0, Zhengzhou [Tschengtschou] 1,7, Guiyang [Kweiyang] 1,5, Kunming 1,5, Tangshan 1,5, Lan-

zhou [Lantschou] 1,5, Anshan 1,4, Qiqihar [Tsitsihar] 1,4, Fushun [Fuschun] 1,4, Nanchang 1,4, Hangchou 1,3, Changsha 1,3, Shijiazhuang [Shihkiachwang] 1,3 u.a.; (S 1988) Lhasa 0,1 Mio. (davon 0,06 Mio. Tibeter)

STAAT   Volksrepublik – Verfassung von 1982 mit Zusätzen vom 29. 3. 1993 (Verankerung des Ziels einer »sozialistischen Marktwirtschaft«) – Parlament (Nationaler Volkskongreß/NVK) mit 2978 von den Provinzparl. gewählten Mitgl. (davon 267 Delegierte der Volksbefreiungsarmee); ständiges Organ ist d. Ständige Ausschuß d. NVK mit 154 Mitgl. (135 Abg. u. 19 Vizepräs.); Wahl alle 5 J. *(zum Staatsaufbau → unten)* – Allg. Wahlrecht – **Nationalitätenstaat:** 147 territ. Einheiten mit regionaler Autonomie (5 auton. Gebiete, 31 aut. Bezirke [Chou] u. 111 aut. Kreise oder Banner [Hsien]) mit insg. 6,1 Mio. km² (über 60% d. Fläche Ch.) u. 120 Mio. Einw. (davon über 70 Mio. nationale Minderh.) – 22 (mit Taiwan 23) Provinzen (Ch'ü), 3 unmittelb. Städte, 5 auton. Gebiete *(Übersicht → WA '93, Sp.*

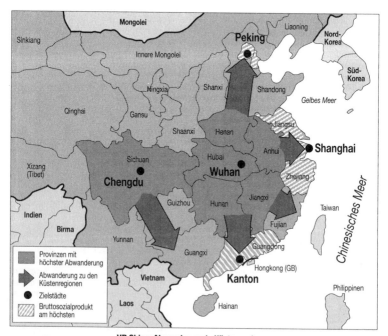

VR China: Abwanderung in Küstenregionen
Quelle: nach Die Woche, El Pais

China – Provinzen, regierungsunmittelbare Städte sowie autonome Gebiete: Fläche und Bevölkerung

Verwaltungseinheit/ Hauptort	Fläche in 1000 km²	Einw. in 1000 Z 1990¹	Einw. je km²	Einw. d. Hauptorte in 1000²
Provinzen (Ch'ü)³				
Anhui/Hefei	139	56181	404	980
Fujian/Fuzhou⁴	121	30040	248	1270
Gansu/Lanzhou	454	22371	49	1480
Guangdong (Kanton)/Guangzhou	178	62829	353	3540
Guizhou/Guiyang	176	32392	184	1490
Hainan (Insel)/Haikou⁵	34	6557	193	–
Hebei/Shijiazhuang	188	61082	325	1300
Heilongjiang/Harbin	469	35215	75	2800
Henan/Zhengzhou	167	85510	512	1660
Hubei/Wuhan	186	53969	290	3710
Hunan/Changsha	210	60660	289	1300
Jiangsu/Nanjing	103	67057	651	2470
Jiangxi/Nanchang	169	37710	223	1330
Jilin/Changchun	187	24659	132	2070
Lianoning/Shenyang	146	39460	270	4500
Qinghai/Xining	721	4457	6	640
Shaanxi/Xian	206	32882	160	2710
Shandong/Jinan	153	84393	552	2290
Shanxi/Taiyuan	156	28759	184	1900
Sichuan/Chengdu	567	107218	189	2780
Yunnan/Kunming	394	36973	94	1500
Zhejiang/Hangzhou	102	41446	406	1330
Reg.-unmittelbare Städte				
Beijing (Peking)/Beijing	17	10819	636	6920
Shanghai (Schanghai)/Shanghai	6	13342	2224	7780
Tianjin (Tientsin)/Tianjin	11	8785	799	5700
Autonome Gebiete⁶				
Guangxi Zhuang/Nanning	236	42246	179	1050
Nei Monggol (Innere Mongolei)/Hohhot	1183	21457	18	870
Ningxia Hui/Yinchuan	66	4655	71	576⁷
Xinjiang Uygur/Urumqi	1600	15156	9	1110
Xizang (Tibet)/Lhasa	1228	2196	2	105⁷
Volksrepublik China	9571	1133682	118	

¹ 4. Volkszählung vom 1. 7. 1990 (Endergebnis ohne Armeeangehörige, insg. 3199100); ² Fortschreibungszahlen vom 31. 12. 1989; ³ Das hier nicht aufgeführte Taiwan (Republik China) wird von VR China als 23. Provinz behandelt; ⁴ Ohne die von Taiwan verwalteten Inseln Jinmen (Quemoy) u. Mazu (Matsu) mit insg. 49050 Einw. (F 1990); ⁵ Bis 1988 Teil der Provinz Guangdong, seitdem eigene Provinz; ⁶ Gebiete mit teilweise hohem Anteil an nichtchinesischer Nationalität: Tibet 96,9% tibetische Nationalität; Xinjiang 62,3% uigurische Nat.; Guangxi 38,9% Nat. der Zhuang; Ningxia 33,5% Nat. der Hui; Innere Mongolei 18,6% mongolische Nat.; ⁷ Fortschreibungszahlen 1982

235f.); mit eingerechnet werden die Provinz Taiwan, Xianggang (Hongkong) u. Aomen (Macao) – 5 Sonderwirtschaftszonen (weitere in Planung) – **Staatsoberhaupt:** Jiang Zemin, am 27. 3. 1993 durch VIII. NVK gewählt; Stellvertr. Rong Yiren

Oberste Führung
(Angaben der Botschaft der VR China)
a) **Nationaler Volkskongreß/NVK** höchstes Macht-

organ der VR China, Wahl alle 5 J., Tagung 1x jährlich; während d. Tagungspause führt ein **Ständiger Ausschuß** die versch. Ausschüsse (Vors. des Ständ. Ausschusses des VIII. NVK: Qiao Shi, seit 27. 3. 1993). Die Regierung ist dem NVK rechenschaftspflichtig.
b) **Ständiger Ausschuß des Politbüros** höchstes Entscheidungsgremium der KPCh (Okt. 1992: über 51 Mio. Mitgl.) mit **Generalsekretär** der Partei an

dessen Spitze (Jiang Zemin, seit Juni 1989) u. insg.
7 Mitgl.: Jiang Zemin, Li Peng, Qiao Shi, Li Ruihuan,
Zhu Rongji, Gen. Liu Huaqing, Hu Jintao (Parteichef
von Tibet).
c) 16köpfiges **Politbüro** (Ständiger Ausschuß + 9
Mitgl.), **Zentralkomitee** (184 Vollmitgl., 125 alter-
nierende Mitgl. u. 49 nicht stimmberechtigte Partei-
genossen), **Zentrale Militärkommission** (Vors.
Jiang Zemin, seit Nov. 1989).
d) Staatliche Organe: Staatsrat (Regierung), mit
Ministerpräsident Li Peng, seit 1988; Oberstes
Volksgericht und Oberste Volksstaatsanwaltschaft –
Äußeres: Qian Qichen – **Unabh.:** fast 4000 Jahre
staatl. Überlieferung; Gründung der Volksrep. durch
Mao Tsetung am 1. 10. 1949 – **Nationalfeiertag:**
1. 10.

WIRTSCHAFT (Einzelheiten → Kap. Wirtschaft, Sp. 921) **BSP** 1991: 424012 Mio. $ = 370 $
je Ew. (152); realer Zuwachs ⌀ 1980–91: 9,4%;
(1992: +7,7%); **BIP** 1991: 369651 Mio. $ (1992:
2393800 Mio. ¥uan); realer Zuwachs ⌀ 1980–91:
9,4% (1991/92: +12,8%); Anteil 1992 **Landwirtsch.** 27%, **Industrie** 42%, **Dienstlst.** 31% –
Privatbetriebe (Ende 1992): 139000 (1991/92:
+28,8%) – **Erwerbstät.** 1990: Landw. 67%, Ind. ca.
22% – **Arbeitslosigkeit** 1992 (S): rd. 8 Mio. in d.
Städten, einschl. Unterbeschäft. auf dem Lande
insg. rd. 135 Mio. Pers. (= 15–30%) – **Armut:** 70
Mio. Pers. (8/93 lt. KP-Organ), ca. 120 Mio. (S Weltbank) – **Energieverbrauch** 1991: 602 kg ÖE/Ew. –
Währung: 1 Renminbi ¥uan (RMB.¥) = 10 Jiao =
100 Fen; 100 US-$ = 574,68 RMB.¥; 100 RMB.¥ =
29,38 DM – **Ausl.-Verschuld.** 1991: 60802 Mio. $ =
16,4% d. BSP – **Inflation** ⌀ 1980–91: 5,8% (1992:
6,4%) – **Außenhandel** 1992: **Import:** 80600 Mio. $;
Güter: 38% Maschinen, Anlagen u. Ausrüst., Geräte
u. Transportmittel, 13% Textilien, 10% Eisen u.
Stahl, 9% chem. Prod.; Länder: 26% Hongkong,
17% Japan, 12% EG-Länder (dar. 5% BRD), 11%
USA, 7% Rep. China; **Export:** 85000 Mio. $; Güter:
35% Textilien, Bekleidung u. Schuhe, 16% Maschinen u. Transportmittel, 12% Nahrungsmittel, 7%
Brennstoffe u. Schmieröle, 6% Eisen u. Stahl, 5%
chem. Prod.; Länder: 44% Hongkong, 14% Japan,
10% USA, 9% EG-Länder (dar. 3% BRD), 3% Rep.
Korea

PRESSE (Aufl. i. Tsd.) Tageszeitungen: Beij-
jing: Beijing Ribao (1000) – Beijing Wanbao
(500)/Abendz. – China Daily (150)/Engl. – Dazhong
Ribao (600) – Gongren Ribao (2500) – Guangming
Ribao (1500) – Jiefangjun Bao (800)/Org. d. Befreiungsarmee – Jingji Ribao (1590) – Nongmin Ribao
(1000) – Renmin Ribao (5000, mit Ortsausga-
ben)/Org. d. KPCh – Zhongguo Qingnian Bao (3000;
4x wö.)/Jugendz. – Xin Min Wan Bao (1626) –

Hubei: Hubei Ribao (600) – Nanfang: Nanfang Ribao (1000) – Shanghai: Jiefang Ribao (1000) –
Wenhui Bao (1700) – Sichuan: Sichuan Ribao
(1350) – Tianjin: Tianjin Ribao (600) –
Nachrichtenagenturen: Xinhua/NCNA (New China News Agency) – Zhongguo Xinwen She (China
News Agency)

Die nordöstl. v. Taiwan geleg. Tiaoyütai-Inseln
(jap. Sengaku, 6,3 km²) werden v. Peking u. Taiwan
als chines. angesehen, jedoch v. Japan faktisch kontrolliert. Die Paracel-Inseln (chines. Xisha [Hsi-
cha], 5,9 km²) sind von d. VR China besetzt, desgl.
zeitw. einige d. in erdölhöffigem Gebiet gelegenen
Spratly-Inseln (chines. Nansha [Nanscha],
0,7 km²; philippin. Kalagan), v. denen aber Itu-Abu
von Taiwan, Rurok, Binago und Pugad von Vietnam
u. Panata (u. a.) von d. Philippinen okkupiert sind
(→ auch China, Republik)

COSTA RICA Mittel-Amerika
Republik Costa Rica; República de Costa Rica – CR

LANDESSTRUKTUR **Fläche** (126): 51100 km²
– **Einwohner** (126): (F 1991) 3100000 = 61 je km²;
(Z 1984) 2416809 – Costaricaner (span. Costarri-
censes od. Costarriqueños); über 75% Kreolen
überw. altspan. Abstammung; außerd. 7% Mesti-
zen, 3% Schwarze u. Mulatten, 0,5% Indianer; rd.
250000 Ausländer – **Leb.-Erwart.:** 76 J.
(m74/w78); Bev.-Anteil 0–14 J.: 48,2% – **Säugl.-
Sterbl.** (1990): 1,4% – **Kindersterbl.:** 1,5% –
Analph.: 7% – Jährl. **Bev.-Wachstum** (⌀ 1980–91):
2,7% (Geb.- u. Sterbeziffer 1991: 2,7%/0,4%) –
Sprache: Spanisch – **Religion:** 89% Katholiken (Staatskirche), 7,6% Protestanten u. 1500
Juden – **Städt. Bev.:** 48% – **Städte** (F 1991): San
José (Hptst.) 296630 Ew.; Provinzhauptstädte mit
A: Alajuela 158300, Cartago 109000, Puntarenas
92400, Limón 67800, Heredia 67400, Liberia
36400

STAAT Präsidialrepublik – Verfassung von 1949
– Gesetzgebende Versammlung (Congreso Consti-
tucional) mit 57 Mitgl., Wahl alle 4 J. – Allg. Wahlpflicht ab 18 J. – 7 Provinzen – **Staats- u. Regierungschef:** Rafael Angel Calderón Fournier (PUSC),
seit 8. 5. 1990 – **Äußeres:** Bernd Niehaus Quesada –
Parteien: Wahlen vom 4. 2. 1990: Partido Unidad
Socialcristiana/PUSC 29 (1986: 26), Partido de Liberación Nacional/PLN 25 (29), Unabh. 3 Sitze –
Unabh.: 15. 9. 1821 (Proklamation), endgültig
14. 11. 1838 (Austritt aus der Zentralamerik. Konföderation) – **Nationalfeiertag:** 15. 9.

WIRTSCHAFT BSP 1991: 6156 Mio. $ = 1850 $ je Ew. (81); realer Zuwachs ⌀ 1980–91: 3,4 % (je Ew. 0,7 %); **BIP** 1991: 5560 Mio. $; realer Zuwachs ⌀ 1980–91: 3,1 % (S 1992: +2,0 %); Anteil 1991 **Landwirtsch.** 18 %, **Industrie** 26 %, **Dienstlst.** 56 % – **Erwerbstät.** 1991: Landw. 26 %, Ind. 26 % – **Energieverbrauch** 1991: 570 kg ÖE/Ew. – **Währung:** 1 Costa-Rica-Colón (₡) = 100 Céntimos (c); Freimarktkurs: 1 US-$ = 139,83 ₡; 100 ₡ = 1,21 DM – **Ausl.-Verschuld.** 1991: 4043 Mio. $ = 74,9 % d. BSP – **Inflation** ⌀ 1980–91: 22,9 % (1992: rd. 18 %) – **Außenhandel** 1991: **Import:** 1864 Mio. $; Güter: 20 % Maschinen u. Transportausrüst., 17 % Brennstoffe, 9 % Nahrungsmittel; Länder (1990): 40 % USA, 8 % Japan, 8 % Venezuela; **Export:** 1590 Mio. $; Güter (1990): 22 % Bananen, 17 % Kaffee, 3 % Fleisch, 2 % Zucker; Länder (1990): 43 % USA, 14 % zentralamerikan. Länder (Guatemala, El Salvador u. a.), 12 % BRD, 4 % Italien – Tourismus 1991 als zweitwichtigste Devisenquelle (336 Mio. $ = 16 % aller Einnahmen)

CÔTE D'IVOIRE *West-Afrika*
Republik Côte d'Ivoire; République de la Côte d'Ivoire (darf lt. Dekret vom 1. 1. 1986 nicht Elfenbeinküste genannt werden) – CI

LANDESSTRUKTUR Fläche (67): 322 463 km² – **Einwohner** (59): (F 1991) 12 400 000 = 38 je km²; (Z 1988) 10 815 694 – Ivorer; vornehml. Gur- u. Mande-Gruppen (insg. 60 Ethnien); 23 % Baule, 18 % Bete, 15 % Senufo, 11 % Malinke, ca. 14 % Agni-Aschanti u. ca. 10 % Kru, Mande, Dan Gouro, Koua, Fulbe; rd. 100 000 Libanesen u. Syrer; 60 000 Europäer, meist Franzosen – **Leb.-Erwart.:** 52 J. (m50/w53); Bev.-Anteil 0–14 J.: 48,2 % – **Säugl.-Sterbl.** (1979): 9,5 % – **Kindersterbl.:** 15,4 % – **Analph.:** 46 % – Jährl. **Bev.-Wachstum** (⌀ 1980–91): 3,8 % (Geb.- u. Sterbeziffer 1991: 4,6 %/1,4 %) – **Sprachen:** Französ. als Amtsspr.; einheim. Verkehrsspr. Diula, Gur- u. Mande-Sprachen (More, Manding; an der Küste: Kwa) – **Religion:** 65 % Anh. v. Naturrel., 34 % Muslime, 22 % Katholiken, 5 % Protestanten – **Städt. Bev.:** 41 % – **Städte:** Yamoussoukro (Hptst.; S 1990) 130 000 Ew.; (S 1986) Abidjan [Abidschan], Reg. Sitz 1 900 000 (A: 2 534 000), Bouaké 333 000, Daloa 102 000, Korhogo 88 000, Man 59 000, Grand Bassam 32 000

STAAT Präsidialrepublik – Verfassung von 1960, letzte Änderung 1990 – Parlament (Nationalversammlung) mit 175 Mitgl., Wahl alle 5 J. – Direktwahl d. Staatsoberh. alle 5 J. – Allg. Wahlrecht – 49 Départements – **Staatsoberhaupt:** Félix Hou-

phouët-Boigny (PDCI), seit 1960, 7. Wiederwahl am 28. 10. 1990 – **Regierungschef:** Alassane Dramane Ouattara (PDCI), seit 7. 11. 1990 – **Äußeres:** Amara Essy – **Parteien:** Erste freie Wahlen vom 25. 11. 1990: Parti Démocratique de Côte d'Ivoire/PDCI (ehem. Einheitspartei) 163 Sitze, Front Populaire Ivoirien/FPI 9, Parti Ivoirien des Travailleurs/PIT 1, Unabh. 2 – **Unabh.:** 7. 8. 1960 – **Nationalfeiertag:** 7. 12.

WIRTSCHAFT BSP 1991: 8523 Mio. $ = 690 $ je Ew. (125); realer Zuwachs ⌀ 1980–91: 0,3 %; **BIP** 1991: 7283 Mio. $; realer Zuwachs ⌀ 1980–91: –0,5 %; Anteil 1991 **Landwirtsch.** 38 %, **Industrie** 22 %, **Dienstlst.** 40 % – **Erwerbstät.** 1990: Landw. 55 %, Ind. ca. 8 % – Bev. unter d. **Armutsgrenze** 1990: 3,3 Mio. – **Energieverbrauch** 1991: 170 kg ÖE/Ew. – **Währung:** 1 CFA-Franc = 100 Centimes (c); 1 FF = 50 CFA-Francs (Wertverh. zum FF); 100 CFA-Francs = 0,59 DM – **Ausl.-Verschuld.** 1991: 18 847 Mio. $ = 222,6 % d. BSP – **Inflation** ⌀ 1980–91: 3,8 % – **Außenhandel** 1991: **Import:** 2240 Mio. $; Güter: 40 % Rohstoffe u. Halbfertigwaren (dar. 27 % Erdölerzeugn.), 24 % Nahrungsmittel, Getränke u. Tabak, 19 % sonstige Konsumgüter, 18 % Investitionsgüter; Länder: 30 % Frankr., 10 % Nigeria, 5 % Niederl., 4 % BRD, 4 % USA, 4 % Italien, 3 % Spanien; **Export:** 3510 Mio. $; Güter: 41 % Kakao u. -produkte, 12 % Erdölerzeugn., 10 % Holz u. -erzeugnisse, 6 % Baumwolle, 3 % Fischkonserven; Länder: 15 % Frankr., 8 % BRD, 8 % Italien, 7 % Ex-UdSSR, 7 % Niederl., 6 % USA, 5 % Burkina Faso, 5 % Mali

DÄNEMARK *Nord-Europa*
Königreich Dänemark; Kongeriget Danmark – DK

LANDESSTRUKTUR Fläche (131): 43 093 km² (mit 700 km² Binnengewässern): Halbinsel Jütland (23 814 km²) u. 474 Inseln, davon 100 bewohnt – **Einwohner** (100): (F 1992) 5 162 100 = 120 je km²; (Z 1981) 5 123 989 – 97,3 % Dänen; 1,7 % Deutsche (v. a. in N-Schleswig), 0,4 % Schweden – **Leb.-Erwart.:** 75 J. (m72/w78); Bev.-Anteil 0–14 J.: 17,0 % – **Säugl.-Sterbl.:** 0,8 % – **Kindersterbl.:** 1,0 % – **Analph.** (1988): 1 % – **Bev.-Wachstum** (⌀ 1980–91): 0,1 % (Geb.- u. Sterbeziffer 1991: 1,3 %/1,2 %) – **Sprachen:** Dänisch als Amtsspr.; Deutsch teilw. Schulsprache in N-Schleswig – **Religion:** 88 % Anh. der Ev.-Luth. Kirche (Staatskirche); 29 900 Katholiken, 6000 Baptisten, 8000 Juden – **Städt. Bev.:** 87 % – **Städte** (F 1992): København [Kopenhagen] (Hptst.) 464 600 Ew. (A 1 339 400); Århus 267 900, Odense 179 500, Ålborg 156 600, Frederiksberg 86 400, Esbjerg 81 800, Randers 61 400, Kolding

58 000, Herning 57 300, Helsingør 56 800, Horsens 55 100, Vejle 51 800, Roskilde 50 200, Næstved 45 200

STAAT Konstitutionelle Monarchie auf parlamentarisch-demokratischer Grundlage – Verfassung von 1953 – Parlament (Folketing) mit 179 Mitgl. (davon je 2 Vertr. Grönlands u. der Färöer-Inseln), Wahl alle 4 J. – Allg. Wahlrecht ab 18 J. – 12 Verwaltungsbezirke (Amtskommuner) sowie die Stadtbezirke Frederiksberg u. Kopenhagen; außerdem Faröer u. Grönland *(s. unten)* – **Staatsoberhaupt:** Königin Margrethe II., seit 1972 (Vors. des Staatsrats [Statsrådet]) – **Regierungschef:** Poul Nyrup Rasmussen (Vors. der Sozialdem.), seit 25. 1. 1993 – **Äußeres:** Niels Helveg Petersen – **Parteien:** Wahlen vom 12. 12. 1990: Det socialdemokratiske parti (Sozialdemokrat. Partei) 69 Sitze (1988: 55), Det konservative Folkeparti (Konserv. Volkspartei) 30 (35), Liberale Venstre (Liberale Partei) 29 (22), Sozialist. Volkspartei 15 (24), Fortschrittspartei 12 (16), Zentrumsdemokraten 9 (9), Radikale Venstre (Radikalliberale) 7 (10), Christl. Volkspartei 4 (4) – **Unabh.:** rund 1200jährige staatliche Tradition – **Nationalfeiertage:** 16. 4. u. 5. 6. (Verfassungstag 1953)

WIRTSCHAFT BSP 1991: 121 695 Mio. $ = 23 700 $ je Ew. (8); realer Zuwachs ∅ 1980–91: 2,2 %; **BIP** 1991: 112 084 Mio $; realer Zuwachs ∅ 1980–91: 2,3 % (1992: +1,9 %); Anteil 1991 **Land-**

wirtsch. 4 %, **Industrie** 28 %, **Dienstlst.** 69 % – **Erwerbstät.** 1991: Landw. 5,7 %, Ind. 27,7 %, Dienstl. 66,6 % – **Arbeitslosigkeit** ∅ 1992: 9,5 % – **Energieverbrauch** 1991: 3747 kg ÖE/Ew. – **Währung:** 1 Dänische Krone (dkr) = 100 Øre; 1 US-$ = 6,496 dkr; 100 dkr = 25,99 DM – **Ausl.-Verschuld.** 1991: 92 339 Mio. dkr – **Inflation** ∅ 1980–91: 5,2 % (1992: 2,1 %) – **Außenhandel** 1992: **Import:** 203 000 Mio. dkr; Güter: 30 % Maschinen u. Transportmittel, 20 % bearb. Waren, 14 % Fertigerzeugn., 13 % Nahrungsmittel u. leb. Tiere, 12 % chem. Erzeugn., 6 % mineral. Brennstoffe, 4 % Rohstoffe, 2 % sonst. Waren; Länder: 23 % BRD, 11 % Schweden, 8 % Großbrit., 6 % USA, 6 % Frankr., 6 % Niederl., 5 % Norwegen, 4 % Italien, 4 % Japan; **Export:** 239 000 Mio. dkr; Güter: 27 % Maschinen u. Transportmittel, 26 % Nahrungsmittel u. leb. Tiere, 17 % Fertigerzeugn., 11 % bearb. Waren, 10 % chem. Erzeugn., 5 % Rohstoffe, 4 % mineral. Brennstoffe, 1 % sonst. Waren; Länder: 23 % BRD, 11 % Schweden, 10 % Großbrit., 6 % Frankr., 6 % Norwegen, 5 % USA, 5 % Italien, 5 % Niederl., 4 % Japan

PRESSE (Aufl. i. Tsd.) *Tageszeitungen:* Kopenhagen: Berlingske Tidende (132, so. 192)/kons. – B. T. (195, so. 225) – Det Fri Aktuelt (45) – Ekstra Bladet (203, so. 198)/lib. – Information (25) – Politiken (151, so. 189)/lib. – Ålborg: Ålborg Stiftstidende (132, so. 192)/lib. – Århus: Århus Stiftstidende (64, so. 80)/lib. – Esbjerg: Jydske Vestkysten

Fläche, Bevölkerung und Bevölkerungsdichte nach Verwaltungseinheiten

Bezirke	Fläche in km²	Einwohner in 1000			Einwohner je km²		Veränderung
		Z 1970	Z 1981	F 1992	1970	1992	1970–92 in %
Stadtbezirke							
Kopenhagen (København)	88	623	494	465	7080	5284	−25,4
Frederiksberg (Frederiksbørg) . .	9	102	88	86	11 333	9556	−15,7
Verwaltungsbezirke							
Kopenhagen (København)	526	615	625	603	1169	1146	−2,0
Frederiksberg (Frederiksborg) . .	1347	259	330	345	192	256	+33,3
Roskilde	891	153	203	220	172	247	+43,6
Westseeland (Vestsjaelland) . . .	2984	259	279	285	87	96	+10,3
Storström (Storstrøm)	3398	252	260	257	74	76	+2,7
Bornholm	588	47	47	45	80	77	−3,8
Fünen (Fyn)	3486	433	454	463	124	133	+7,3
Südjütland (Sønderjylland) . . .	3938	238	251	251	60	64	+6,7
Ripen (Ribe)	3131	198	213	220	63	70	+11,1
Vejle	2997	306	327	333	102	111	+8,8
Ringkøbing	4853	241	263	268	50	55	+10,0
Århus	4561	533	576	605	117	133	+13,7
Viborg	4122	221	232	230	54	56	+3,7
Nordjütland (Nordjylland)	6173	456	482	486	74	79	+6,8
Dänemark	*43 093*	*4 937,6*	*5 124,0*	*5 162,1*	*114,6*	*119,8*	

Quelle: Länderbericht Dänemark, Statistisches Bundesamt 1993

(79)/lib. – HjØrring: Vendyssel Tidende (24, so. 90)/lib. – Odense: Fyens Stiftstidende (65, so. 97) – Viby: Jyllands-Posten Morgenavisen (144, so. 236) – *Nachrichtenagentur:* Ritzaus Bureau I/S

**AUSSENBESITZUNGEN
MIT SELBSTVERWALTUNG:**

FÄRÖER, dän.: Færøerne, färöisch: Føroyar (Schaf-Inseln) – FR

LANDESSTRUKTUR Fläche: 1398,9 km^2 (24 Inseln, davon 18 bewohnt) – *Einwohner:* (F 1992) 47946 = 34 je km^2; (Z 1989) 47840 – *Leb.-Er-wart.:* 76 J. – Jährl. *Bev.-Wachstum* (∅ 1980–91): 1,0% – *Sprachen:* Färöisch, Dänisch (Schulpflichtspr.) – *Religion:* 98% Protestanten (Ev.-Lutheraner) – *Städt. Bev.:* rd. 32% – *Städte* (F 1991): Thórshavn (Hptst.) 16223 Ew.; (F 1988) Klaksvik 4979, Runavik 2443, Tvoroyri 2131

REGIERUNGSFORM Autonomes Land unter der dänischen Krone (Autonomie seit 1. 4. 1948) – Parlament (Løgting) mit 32 Mitgl., Wahl alle 4 J. – 2 Abg. im dänischen Parl.- Allg. Wahlrecht ab 18 J. – 7 Kreise (Syslur) – *Regierungschef:* Atli P. Dam (Sozialdem.) – *Parteien:* Wahlen 1990 (1984): Sozialdemokrat. Partei 10 (7) Sitze, Volkspartei 7 (8), Zugehörigkeitspartei 6 (7), Republikanische P. 4 (6), Selbstverwaltungs-P. 3 (2), Christl. Volksp. 2 (2), Sonstige 0 (1) – *Nationalfeiertag:* 29. 6.

WIRTSCHAFT BSP 1988: 840 Mio. $ = 17650 $ je Ew.; realer Zuwachs ∅ 1973–86: 4,3%; *BIP* realer Zuwachs ∅ 1980–89: 1,1%; Anteil 1988 *Land-wirtsch.* 17%, *Industrie* 33% – *Währung:* 1 Färöische Krona = 100 oyru = 1 Dänische Krone (auch eigene Geldzeichen im Umlauf) – Öff. *Ausl.-Verschuld.* 1988: 125 Mio. $ – *Inflation* ∅ 1988: 3,6% – *Außenhandel* 1991: *Import:* 1936,2 Mio. dkr; Länder: 45% Dänemark, 18% Norwegen; *Ex-*

port: 2781,4 Mio. dkr; Güter (1989): 85% Fische u. Fischprodukte, 11% Schiffe; Länder: 19% Däne-mark, 18% BRD, 12% Großbrit., 9% Frankr., 8% Italien

GRÖNLAND Grønland, Kalaallit Nunaat (Land der Menschen, GrØnlændernesland) – GRØ

LANDESSTRUKTUR Fläche: 2175600 km^2, davon nur rd. 341700 km^2 (= 15,8%) eisfrei – *Ein-wohner:* (Z 1990) 55558 – Grönländer u. Eskimos, über 8000 and. Europäer – Jährl. *Bev.-Wachstum* (∅ 1980–91): 1,1% – *Sprachen:* Dänisch, Eng-lisch u. Eskimoisch – *Religion:* überw. Anh. d. Ev.-Luth. Kirche, kl. kathol. Minderh. – *Städte* (F 1992): Nuuk (dän.: Godháb; Hptst.) 12233 Ew.; (F 1991) Holsteinsborg 5172, Jakobshavn (eskimoisch: Ilu-lissat) 4519

REGIERUNGSFORM Seit 1963 gleichberech-tigter Teil Dänemarks; seit 1985 autonome Region (nur Außen- u. Verteidigungspolitik bei Dänemark) – Parlament (Landsråd) mit 27 Mitgl., Wahl alle 4 J. – 2 Abg. im dänischen Parl. – Allg. Wahlrecht ab 18 J. – *Regierungschef:* Lars Emil Johansen (Vors. der Siumut-Partei), seit 5. 3. 1991 – *Parteien:* Wahlen vom 5. 3. 1991 (1987): sozialdemokrat. Si-umut-Partei 11 Sitze (11), konserv. Atassut (Bin-deglied)-Partei 8 (11), Inuit Ataqatigiit (Eskimo-föderation) 5 (4), Sonstige 3 (1) – *Nationalfeier-tag:* 21. 6.

WIRTSCHAFT BSP 1986: 465 Mio. $ = 8780 $ je Ew.; realer Zuwachs ∅ 1973–86: 0,5% – *Währung:* Dänische Krone – *Inflation* ∅ 1991: 4,5% – *Finanzhilfe* Dänemarks 1991: 3027 Mio. dkr – *Außenhandel* 1991: *Import:* 2609 Mio. dkr; Länder: 67% Dänemark, 10% Norwegen; *Export:* 2179 Mio. dkr; Güter: 84% Fischereiprod. sowie Kryolith, Graphit, Blei u. Zink; Länder: 33% Däne-mark, 27% Japan, 15% Großbrit.

DEUTSCHLAND Mittel-Europa
Bundesrepublik Deutschland; »deutsch« von althochdeutsch »diutisc«. Adjektiv zu »diot(a)« = Volk;
»Deutsche« also etwa »Die unseres Volkes sind«, Deutschland = Land unseres Volkes – D

LANDESSTRUKTUR Fläche (61): 356945 km^2 – Nord-Süd-Ausdehnung 876 km – **Einwohner** (12): (Stand 31. 12. 1992) 80980343 = 227 je km^2, (Z 1987 aBl: 61077000) – Deutsche 91,9%; Minderheiten mit einigen Sonderrechten: Sorben [Wenden] (S 60000), Dänen in Schleswig (S 30000), Sinti und Roma (S 30000); Ausländer → *Sp. 355 f.* – **Leb.-Erwart.:** 77 J. (m73/w79); Bev.-Anteil 0–14 J.: 16,2% – **Säugl.-Sterbl.** (1991): 0,7% – **Kindersterbl.:** 0,9% – **Analph.** (1988): 1% – **Bev.-Wachstum** (∅ 1980–91): 0,1% (Geb.- u. Sterbeziffer 1991: 1,0%/1,1%) – **Sprachen:** Deutsch; in Schleswig teilw. Dänisch als Schulsprache; Sorbisch – **Religion** (Ang. in Tsd.) 1991: Evang. Kirche 29050, Röm.-Kathol. Kirche 28200, Islam. Bewegung 1740, Neuapost. Kirche 430, Griech. Orthod. 350, Zeugen Jehovas 151, Serb. Orthod. 150, Juden 40 – **Städt. Bev.:** 84% – **Städte** (mit mehr als 100000 Ew.) → *Tab. Sp. 309 ff.*

STAAT Demokratisch-parlamentarischer Bundesstaat – Grundgesetz von 1949, letzte Änderung vom 1. 7. 1993 (Ergänzung GG Art. 16, Asyl) – Parlament (Bundestag), außerdem Bundesrat als Ländervertretung (Zustimmung für bestimmte Gesetze erforderlich); Wahl alle 4 J. – Allg. Wahlrecht ab 18 J. – 16 Bundesländer – **Staatsoberhaupt:** Bundespräs. Richard von Weizsäcker, seit 1. 7. 1984 (am 23. 5. 1989 im Amt bestätigt) – **Regierungschef:** Bundeskanzler Helmut Kohl (CDU), seit 1. 10. 1982 – **Äußeres:** Klaus Kinkel – **Parteien:** → *Sp. 341 ff.* – **Unabh.:** Beginn der Staatsgeschichte unter Karl d. Gr. bzw. 843 mit Vertrag v. Verdun; Gründung d. Dt. Reiches 18. 1. 1871, der Bundesrepublik Deutschland am 24. 5. 1949 (Grundgesetz-Verkündung am 23. 5. 1949, Wiedervereinigung am 3. 10. 1990)

WIRTSCHAFT BSP (aBl) 1991: 1516785 Mio. $ = 38160 DM (23650 $) je Ew. (9); realer Zuwachs ∅ 1980–91 (aBl): 2,3%; realer Zuwachs 1992 (Basis 1985): 0,9%; **BIP** 1992: 3003,5 Mrd. DM (dar. 231,5 Mrd. DM nBl) = 37264 DM je Ew.; realer Zuwachs ∅ 1980–91: 2,3% (aBl); Anteil 1992 **Landwirtsch.** 1,2%, **Industrie** 36,7%, **Dienstlst.** 62,1% – **Erwerbstät.** 1991: Landw. 3,4%, Ind. 39,2%, Dienstl. 57,4% – **Arbeitslosigkeit** ∅ 1992: 6,6% (aBl), 14,8% (nBl) – **Energieverbrauch** 1991: 3463 kg ÖE/Ew. – **Währung** (1. 9. 1992): 1 Deutsche Mark (DM) = 100 Pfennig (Pf); 1 $ = 1,3977 DM; 1 Sonderziehungsrecht (SZR), (DM-Anteil 19%) = 2,074484 DM, 1 ECU = 2,02635 DM – **Inflation** ∅ 1980–91 (aBl): 2,8% (1992: 4,0%) – **Außenhandel** 1992 *(Einzelheiten, s. auch → Kap. Wirtschaft):* **Import:** 637800 Mio. DM (dar. 9600 Mio. DM nBl); Güter: 11% Straßenfahrzeuge, 10% elektrotechn. Erzeugn., 9% Textilien u. Bekleidung, 9% chem. Erzeugn., 7% Maschinenbauerzeugn., 6% Ernährungsgewerbe, 6% bergbaul. Erzeugn., 5% Land-, Forst- u. Fischwirtschaft; Länder: 12% Frankr., 10% Niederl., 9% Italien, 7% Belgien/Lux., 7% Großbrit., 7% USA, 6% Japan, 4% Österreich, 4% Schweiz; **Export:** 670600 Mio. DM (dar. 13500 Mio. DM nBl); Güter: 18% Straßenfahrzeuge, 15% Maschinenbauerzeugn., 13% chem. Erzeugn., 12% elektrotechn. Erzeugn., 5% Textilien u. Bekleidung, 5% Ernährungsgewerbe; Länder: 13% Frankr., 9% Italien, 8% Niederl., 8% Großbrit., 7% Belgien/Lux., 6% USA, 6% Österreich, 5% Schweiz, 2% Japan

DER BUNDESPRÄSIDENT
Dr. Richard von Weizsäcker (Amtsantritt 1. 7. 1984, Wiederwahl am 23. 5. 1989)
Adenauerallee 135 – Villa Hammerschmidt – 53113 Bonn – T 0228/200–0 – FS 886 393 – Tfax 200–200 u. 200–300

Bundespräsidialamt: Kaiser-Friedrich-Str. 16–18, 53113 Bonn, F/FS/Tfax s. oben
Chef des Bundespräsidialamtes: Staatssekretär Dr. Andreas Meyer-Landrut
Gemäß Art. 54 GG wurde von Weizsäcker am 23. 5. 1989 von der Bundesversammlung erneut zum Präsidenten d. Bundesrepublik Deutschland gewählt. 86,2% (1984: 84,8%) der 1022 anwesenden Delegierten stimmten dafür – Amtsdauer 5 Jahre – Wiederwahl nach Art. 54 Abs. 2 GG einmal zulässig – Die Bundesversammlung besteht aus den Mitgl. des Bundestages u. einer gleichen Zahl v. Vertretern, die von den Länderparlamenten nach Verhältniswahl gewählt werden (insg. 1312 Mitgl.) und deren Zahl sich nach der jeweiligen Bevölkerungsstärke richtet. Sie wird vom Präsidenten des Bundestages einberufen.

DER DEUTSCHE BUNDESTAG

Görresstr. 15 – Bundeshaus – 53113 Bonn – T 0228/16–1 – FS 886 808 – Tfax 16–78 78

Der Deutsche Bundestag ist die Volksvertretung der Bundesrepublik Deutschland. Mitgliederzahl 656, darunter 144 aus den neuen Bundesländern (nach der Bundestagswahl vom 2. 12. 1990 wegen 6 Überhangmandaten 662 Sitze). Die Abgeordneten werden auf Grund allgemeiner, unmittelbarer, freier, gleicher und geheimer Wahl für die Dauer einer Wahlperiode (4 Jahre) gewählt.

12. Wahlperiode, vorgezogene Bundestagswahl vom 2. 12. 1990 (zuletzt 1987). 40 Parteien und eine Listenvereinigung zur Wahl zugelassen, davon sind 23 Parteien und das Bündnis 90/Grüne mit Landeslisten vertreten, 30 Anträge auf Wahlzulassung wurden abgelehnt. 3696 Kandidaten, darunter 894 Frauen. 60,4 Mio. Wahlberechtigte, darunter 12 Mio. aus den neuen Bundesländern. 328 Abgeordnete wurden direkt gewählt, darunter 72 aus den neuen Bundesländern. Wahlkreisgröße durchschnittlich 225000 Einwohner. 5 %-Sperrklausel, getrennt für alte und neue Bundesländer. Seit Jan. 1987 Wahlrecht auch für ca. 550000 Deutsche mit Wohnsitz im Ausland.
(Zu den Wahlen 1987 u. 1983→ WA '92, Sp. 265f.)

Wahlergebnisse und Sitzverteilung 12. Wahlperiode (Wahl vom 2. 12. 1990)[1]

Partei	Deutschland gesamt in %	12. Deutscher Bundestag[2] Sitze	Wahlgebiet West m. Berlin-W. in %	Ost m. Berlin-Ost in %
CDU/CSU	43,8	319[3]	44,3	41,8
SPD	33,5	239	35,7	24,3
FDP	11,0	79	10,6	12,9
GRÜNE	3,9	–	4,8	–
B'90/GRÜNE	1,2	8	–	6,0
PDS/Linke Liste	2,4	17[4]	0,3	11,1

[1] Wahlbeteiligung: 77,8 % im gesamten Bundesgebiet, 78,4 % im früheren Bundesgebiet (ohne Berlin-West), 74,5 % in den neuen Bundesländern – [2] Mit 6 Überhangmandaten für die CDU – [3] davon 1 Parteiloser u. 1 Wechsel zur REP – [4] davon 1 Parteiloser

b) Das **Präsidium des Deutschen Bundestages** in der 12. Wahlperiode: Präsidentin: Prof. Dr. Rita Süssmuth (CDU/CSU)
Vizepräs.: Helmuth Becker (SPD), Hans Klein (CDU/CSU), Renate Schmidt (SPD), Dieter-Julius Cronenberg (FDP)

c) **Alterspräsident** z. Z. ältestes Mitglied des 12. Deutschen Bundestages: Dr. Alfred Dregger (CDU)

d) Der **Ältestenrat** des Deutschen Bundestages in der 12. Wahlperiode:
Präsidentin, ihre 4 Vizepräsidenten, 25 von den Fraktionen benannte Abgeordnete sowie als Vertreter der Bundesregierung der Bundesminister für besondere Aufgaben, Friedrich Bohl

e) Die **Fraktionsvorsitzenden** des Deutschen Bundestages in der 12. Wahlperiode CDU/CSU: Dr. Wolfgang Schäuble – Landesgruppe CSU: Michael Glos – SPD: Hans-Ulrich Klose – FDP: Dr. Hermann Otto Solms – Gruppenvorstände (keine Fraktion): PDS/Linke Liste: Dr. Gregor Gysi – BÜNDNIS 90/DIE GRÜNEN: Werner Schulz

f) **Ständige Ausschüsse** (25) des Deutschen Bundestages in der 12. Wahlperiode (Mitgliederzahl): Ausschuß für Wahlprüfung, Immunität u. Geschäftsordnung (19) – Petitionsausschuß (33) – Auswärtiger Ausschuß (41) – Innen- (41) – Sport- (19) – Rechts- (29) – Finanz- (41) – Haushaltsausschuß (39) – Ausschuß f. Wirtschaft (41) – Ernährung, Landwirtschaft u. Forsten (35) – Arbeit u. Sozialordnung (37) – Verteidigungsausschuß (37) – Ausschuß f. Familie u. Senioren (29) – Frauen u. Jugend (29) – Gesundheit (29) – Verkehr (41) – Umwelt, Naturschutz und Reaktorsicherheit (41) – Post- u. Telekommunikation (19) – Raumordnung, Bauwesen u. Städtebau (31) – Forschung, Technologie u. Technikfolgenabschätzung (35) – Bildung u. Wissenschaft (31) – Wirtschaftliche Zusammenarbeit (35) – Fremdenverkehr und Tourismus (19) – EG-Ausschuß (33) – Ausschuß Treuhandanstalt (24)

g) Gemeinsame Ausschüsse von Bundestag und Bundesrat

Gemeinsamer Ausschuß gemäß Artikel 53a GG (Notparlament) 16 Mitglieder des Bundesrates und 32 Mitglieder des Bundestages (16 CDU/CSU, 12 SPD, 4 FDP) – **Vermittlungsausschuß** gemäß Artikel 77 GG – ein vom Bundestag und Bundesrat gebildeter Ausschuß folgender Mitglieder: Bundesrat 16 und Bundestag 16 (CDU/CSU 8, SPD 6, FDP 2). Von den 16 Mitgliedern des Bundesrates stellt jede Landesregierung 1 Mitglied. Vorsitzende: im vierteljährlichen Wechsel je ein Mitglied des Bundestages und des Bundesrates – **Gemeinsame Verfassungskommission**, eine vom Bundestag und Bundesrat jeweils mit 32 Mitgliedern besetzte Kommission (insgesamt 64 Mitglieder; Bundestag: CDU/CSU 15, SPD 11, FDP 4, PDS/Linke Liste 1, Bündnis 90/Die Grünen 1); Vorsitzende: Dr. Rupert Scholz, MdB u. Dr. Henning Voscherau, Erster Bürgermeister u. Präs. des Senats von Hamburg

h) Der **Wehrbeauftragte** des Deutschen Bundestages: Alfred Biehle, Basteistr. 70, 53173 Bonn, T 0228/824–1, FS 885 613, Tfax 824–28 3

i) Der **Direktor** beim Deutschen Bundestag: Dr. Rudolf Kabel

DER BUNDESRAT
53106 Bonn – T 0228/91 00–0 – Tfax 91 00–400 – FS 886 841 – Ttex 22 83 57

Durch den Bundesrat wirken die Länder bei der Gesetzgebung und Verwaltung des Bundes und in Angelegenheiten der Europäischen Union mit. Der Bundesrat besteht aus Mitgliedern der Regierungen der Länder, die sie bestellen und abberufen.

Jedes Land hat mindestens 3 Stimmen, Länder mit mehr als 2 Mio. Einwohnern haben 4, Länder mit mehr als 6 Mio. Ew. 5, mit mehr als 7 Mio. Ew. 6 Stimmen. Gesamtzahl der Mitglieder des Bundesrates z. Z. 68:

Baden-Württemberg	6	Niedersachsen	6
Bayern	6	Nordrhein-Westfalen	6
Berlin	4	Rheinland-Pfalz	4
Brandenburg	4	Saarland	3
Bremen	3	Sachsen	4
Hamburg	3	Sachsen-Anhalt	4
Hessen	4	Schleswig-Holstein	4
Mecklenburg-Vorpommern	3	Thüringen	4

Ausschüsse – Die dem Bundesrat zugehenden Vorlagen werden durch den Präsidenten oder in dessen Auftrag durch den Direktor des Bundesrates unmittelbar an die zuständigen Ausschüsse überwiesen.

Agrarausschuß – Ausschuß für Arbeit und Sozialpolitik – Ausschuß für Auswärtige Angelegenheiten – Ausschuß Deutsche Einheit – Ausschuß für Fragen der Europäischen Gemeinschaften – Ausschuß für Familie und Senioren – Finanzausschuß – Ausschuß für Frauen und Jugend – Gesundheitsausschuß – Ausschuß für Innere Angelegenheiten – Ausschuß für Kulturfragen – Rechtsausschuß – Ausschuß für Städtebau, Wohnungswesen und Raumordnung – Ausschuß für Umwelt, Naturschutz und Reaktorsicherheit – Ausschuß für Verkehr und Post – Ausschuß für Verteidigung – Wirtschaftsausschuß

Präsidium des Bundesrates: Präsident: bis 31. 10. 1993 Oskar Lafontaine, Min.-Präs. des Saarlandes (3 Vizepräsidenten), ab 1. 11. 1993 bis 31. 10. 1994: Klaus Wedemeier, Bürgermeister der Freien Hansestadt Bremen u. Präs. des Senats – Direktor des Bundesrates: Georg-Berndt Oschatz – Der Bundesrat wählt seinen Präsidenten jeweils auf 1 Jahr. Lt. Vereinbarung der Regierungschefs der Länder wechselt das Amt unter ihnen in der Reihenfolge der Einwohnerzahl der Länder.

BUNDESREGIERUNG
Adenauerallee 139–141 – 53113 Bonn – T 0228/56–0

Die Bundesregierung besteht aus Bundeskanzler und Bundesministern. Der Bundeskanzler bestimmt nach Art. 65 GG die Richtlinien der Politik und trägt dafür die Verantwortung. Innerhalb dieser Richtlinien leitet jeder Bundesminister seinen Geschäftsbereich selbständig in eigener Verantwortung.

DIE OBERSTEN BUNDESBEHÖRDEN (Stand 1. 9. 1993)

Bundeskanzler
Dr. Helmut Kohl (CDU), seit 1. 10. 1982, zuletzt wiedergewählt am 17. 1. 1991 mit 378 von 644 Stimmen

Stellvertreter des Bundeskanzlers:
Bundesminister des Auswärtigen Dr. Klaus Kinkel (FDP)

Kabinettsausschüsse der Bundesregierung
Adenauerallee 139–141, 53113 Bonn
T 0228/56–0, FS 886 750
Rechtsgrundlage sind die Beschlüsse der Bundes-regierung vom 26. 3. 1985, 16. 7. 1986 und 23. 9. 1992. Vorsitzender der Kabinettsausschüsse ist der Bundeskanzler. Ständige Mitglieder eines Kabinetts-ausschusses sind jene Bundesminister, deren Ge-schäftsbereiche regelmäßig und nicht unwesentlich betroffen sind. Folgende 7 Ausschüsse bestanden im September 1993: Bundessicherheitsrat – Kabi-nettsausschuß für Europapolitik – K. f. Raumfahrt – K. f. Wirtschaft – K. f. Zukunftstechnologien – K. f. Umwelt und Gesundheit – K. Neue Bundesländer

Bundeskanzleramt
Adenauerallee 139–141, 53113 Bonn
T 0228/56–0, Tfax 56–23 57, FS 886 750
Chef des Bundeskanzleramtes und Bundesminister für besondere Aufgaben: Bundesminister Friedrich Bohl (CDU)
Parlamentarische Staatssekretäre
Staatsminister beim Bundeskanzler: Bernd Schmid-bauer (CDU); Anton Pfeifer (CDU)
Beauftragte der Bundesregierung für die Belange der Ausländer: Cornelia Schmalz-Jacobsen (FDP)

Presse- und Informationsamt
der Bundesregierung
Welckerstr. 11, 53113 Bonn / Pf. 21 60, 53105 Bonn
T 0228/208–0, Tfax 208–25 55, FS 886 741
Chef des Presse- u. Informationsamtes:
Staatssekretär Dietrich Vogel (Sprecher der Bun-desregierung)
Stellv. Chef: Ministerialdirektor Wolfgang G. Gi-bowski
Stellv. Sprecher: Ministerialdirektor Norbert Schäfer

Auswärtiges Amt
Adenauerallee 99–103, 53113 Bonn / Pf. 11 48, 53001 Bonn
T 0228/17–0, Tfax 17–34 02, FS 886 591
Der Bundesminister des Auswärtigen u. Stellvertre-ter des Bundeskanzlers: Dr. Klaus Kinkel (FDP)
Parl. Staatssekr.:
Staatsminister: Helmut Schäfer (FDP),

Staatsministerin: Ursula Seiler-Albring (FDP)
Staatssekr.: Dr. Jürgen Trumpf, Dr. Dieter Kastrup

Bundesministerium des Innern
Graurheindorfer Str. 198, 53117 Bonn /
Pf. 17 02 90, 53108 Bonn
T 0228/681–1, Tfax 681–46 65, FS 886 896, Ttex 228 341
Der Bundesminister: Manfred Kanther (CDU)
Parl. Staatssekr.: Eduard Lintner (CSU), Dr. Horst Waffenschmidt (CDU)
Staatssekr.: Franz Kroppenstedt, Dr. Walter Pries-nitz, Kurt Schelter

Bundesministerium der Justiz
Heinemannstr. 6, 53175 Bonn
T 0228/58–0, Tfax 58–45 25, FS 8 869 679, Ttex 2 283 759
Die Bundesministerin: Sabine Leutheusser-Schnar-renberger (FDP)
Parl. Staatssekr.: Rainer Funke (FDP)
Staatssekr.: Ingo Kober

Bundesministerium der Finanzen
Graurheindorfer Str. 108, 53117 Bonn / Pf. 13 08, 53003 Bonn
T 0228/682–0, Tfax 682–44 20, FS 886 645, Ttex 2 283 735
Der Bundesminister: Dr. Theodor Waigel (CSU)
Parl. Staatssekr.: Dr. Joachim Grünewald (CDU), Jürgen Echternach (CDU)
Staatssekr.: Dr. Peter Klemm, Dr. Franz-Christoph Zeitler, Dr. Gert Haller

Bundesministerium für Wirtschaft
Villemombler Str. 76, 53123 Bonn
T 0228/615–1, Tfax 615–44 36, FS 886 747, Ttex 228 340
Der Bundesminister: Dr. Günter Rexrodt (FDP)
Parl. Staatssekr.: Dr. Reinhard Göhner (CDU), Dr. Heinrich L. Kolb (FDP)
Staatssekr.: Prof. Dr. Johann Eekhoff, Dr. Dieter von Würzen

Bundesministerium für Ernährung, Landwirtschaft und Forsten
Rochusstr. 1, 53123 Bonn / Pf. 14 02 70, 53107 Bonn
T 0228/529–1, Tfax 529–42 62, FS 886 844, Ttex 2 283 655
Der Bundesminister: Jochen Borchert (CDU)
Parl. Staatssekr.: Wolfgang Gröbl (CSU)
Staatssekr.: Dr. Franz-Josef Feiter, Dr. Helmut Scholz

Bundesministerium für Arbeit und Sozialordnung
Rochusstr. 1, 53123 Bonn
T 0228/527–0, Tfax 527–29 65, FS 886 641,
Ttex 2 283 650
Der Bundesminister: Dr. Norbert Blüm (CDU)
Parl. Staatssekr.: Horst Günther (CDU), Rudolf
Kraus (CSU)
Staatssekr.: Dr. Werner Tegtmeier, Dr. Bernhard
Worms

Bundesministerium der Verteidigung
Hardthöhe, 53125 Bonn / Pf. 13 28, 53003 Bonn
T 0228/12–1, Tfax 12–53 57, FS 886 575
Der Bundesminister: Volker Rühe (CDU)
Parl. Staatssekr.: Bernd Wilz (CDU), Michaela Geiger
(CSU)
Staatssekr.: Jörg Schönbohm, Dr. Peter Wichert
Generalinspekteur der Bundeswehr: General Klaus
Naumann

Bundesministerium für Familie und Senioren
Godesberger Allee 140, 53175 Bonn / Pf. 12 06 09,
53048 Bonn
T 0228/306–0, Tfax 306–22 59, FS 885 673
Die Bundesministerin: Hannelore Rönsch (CDU)
Parl. Staatssekr.: Roswitha Verhülsdonk (CDU)
Staatssekr.: Albrecht Hasinger

Bundesministerium für Frauen und Jugend
53107 Bonn
T 0228/930–0, Tfax 930–22 21, FS 888 517
u. 885 437
Die Bundesministerin: Dr. Angela Merkel (CDU)
Parl. Staatssekr.: Cornelia Yzer (CDU)
Staatssekr.: Dr. Willi Hausmann
Bundesbeauftragter für den Zivildienst:
Dieter Hackler

Bundesministerium für Gesundheit
Am Probsthof 78 a, 53121 Bonn
T 0228/941–0, Tfax 941–49 00, FS 8 869 355
Der Bundesminister: Horst Seehofer (CSU)
Parl. Staatssekr.: Dr. Sabine Bergmann-Pohl (CDU)
Staatssekr.: Baldur Wagner

Bundesministerium für Verkehr
Robert-Schuman-Platz 1, 53175 Bonn
T 0228/300–0, FS 885 700, Tfax 300–34 28
Der Bundesminister: Matthias Wissmann (CDU)
Parl. Staatssekr.: Manfred Carstens (CDU)
Staatssekr.: Dr. Wilhelm Knittel

**Bundesministerium für Umwelt, Naturschutz
und Reaktorsicherheit**
Postfach 12 06 29, 53048 Bonn
T 0228/305–0, Tfax 305–32 25, FS 885 790,
Ttex 2 283 854
Der Bundesminister: Prof. Dr. Klaus Töpfer (CDU)
Parl. Staatssekr.: Dr. Bertram Wieczorek (CDU)
Staatssekr.: Clemens Stroetmann

**Bundesministerium für Post und
Telekommunikation**
Heinrich-v.-Stephan-Str. 1, 53175 Bonn
T 0228/14–0, Tfax 14–88 72, FS 8 861 101,
Ttex 228 59 = BPM, Btx 0228/14–1
Der Bundesminister: Dr. Wolfgang Bötsch (CSU)
Parl. Staatssekr.: Dr. Paul Laufs (CDU)
Staatssekr.: Frerich Görts

**Bundesministerium für Raumordnung, Bauwesen
und Städtebau**
Deichmanns Aue 31–37, 53179 Bonn
T 0228/337–0, FS 885 462, Tfax 337–30 60
Die Bundesministerin: Dr. Irmgard Schwaetzer
(FDP)
Parl. Staatssekr.: Joachim Günther (FDP)
Staatssekr.: Gerhard von Loewenich, Herbert
Schmülling

Bundesministerium für Forschung u. Technologie
Heinemannstr. 2, 53175 Bonn / Pf. 20 02 40, 53170
Bonn
T 0228/59–0, Tfax 59–36 01, Ttex 2 283 628
Der Bundesminister: Dr. Ing. Paul Krüger (CDU)
Parl. Staatssekr.: Bernd Neumann (CDU)
Staatssekr.: Dr. Gebhard Ziller

Bundesministerium für Bildung und Wissenschaft
Heinemannstr. 2, 53175 Bonn / Pf. 20 01 08,
53170 Bonn
T 0228/57–0, Tfax 57–20 96, Ttex 2 283 832
Der Bundesminister: Prof. Dr. Rainer Ortleb (FDP)
Parl. Staatssekr.: Dr. Norbert Lammert (CDU)
Staatssekr.: Dr. Fritz Schaumann

**Bundesministerium für wirtschaftliche
Zusammenarbeit und Entwicklung**
Friedrich-Ebert-Allee 114–116, 53045 Bonn
T 0228/535–1, Tfax 535–202
Der Bundesminister: Carl-Dieter Spranger (CSU)
Parl. Staatssekr.: Hans-Peter Repnik (CDU)
Staatssekr.: Wighard Härdtl

Bundesminister für besondere Aufgaben
→ *Bundeskanzleramt, Sp. 301*

OBERSTE ORGANE DER RECHTSPRECHUNG

Bundesverfassungsgericht
Schloßbezirk 3, 76131 Karlsruhe
T 0721/91 01–0, Tfax 91 01–382, FS 7 826 749,
Ttex 721 369
Das Bundesverfassungsgericht ist ein allen übrigen
Verfassungsorganen gegenüber selbständiger und
unabhängiger Gerichtshof des Bundes
Präsident: Prof. Dr. Roman Herzog
Vizepräsident: Prof. Dr. Ernst Gottfried Mahrenholz
Direktor beim BVerfG: Dr. Karl-Georg Zierlein

Bundesgerichtshof
Herrenstr. 45a, 76133 Karlsruhe
T 0721/159–0, Tfax 159–830, FS 7 825 828
Präsident: Prof. Dr. Walter Odersky
Vizepräsident: Hanskarl Salger
Sitz des 5. (Berliner) Strafsenats:
Witzlebenstr. 4–5, 14057 Berlin
T 030/32 09 21, Tfax 030/322 81 64
Leiter: Bundesanwalt Rolf Heldenberg

Der Generalbundesanwalt beim Bundesgerichtshof
Herrenstr. 45a, 76133 Karlsruhe
T 0721/159–0, Tfax 159–606, FS 7 826 826
Generalbundesanwalt: Kay Nehm (voraussichtl.)

Bundesverwaltungsgericht
Hardenbergstr. 31, 10623 Berlin
T 030/31 97–1, Tfax 312 30 21
Präsident: Dr. Everhardt Franßen
Vizepräsident: Prof. Dr. Otto Schlichter
Oberbundesanwalt: Dr. Franz Rudolf Schaefer

Wehrdienstsenate des Bundesverwaltungsgerichts
Schwere-Reiter-Str. 37, 80797 München
T 089/30 10 81

Bundesfinanzhof
Ismaninger Str. 109, 81675 München
T 089/92 31–0, Tfax 92 31–201
Präsident: Prof. Dr. Franz Klein
Vizepräsident: Prof. Dr. Klaus Offerhaus

Bundesarbeitsgericht
Graf-Bernadotte-Platz 5, 34119 Kassel
T 0561/31 06–1, Tfax 31 06–867
Präsident: Prof. Dr. Otto Rudolf Kissel
Vizepräsidentin: Gisela Michels-Holl

Bundessozialgericht
Graf-Bernadotte-Platz 5, 34119 Kassel
T 0561/31 07–1, Tfax 31 07–475
Präsident: Prof. Dr. Heinrich Reiter
Vizepräsident: Prof. Dr. Otto Ernst Krasney

Bundespatentgericht
(oberste Instanz Bundesgerichtshof)
Balanstr. 59, 81541 München
T 089/41 767–0, Tfax 41 767–299
Präsidentin: Antje Sedemund-Treiber
Vizepräsident: Dipl.-Ing. Norbert Haugg

SONSTIGE BUNDESBEHÖRDEN (Auswahl)

Bundesamt für Post und Telekommunikation
Templerstr. 2–4, 55116 Mainz
T 06131/18–0, Tfax 18–56 00, FS 4 187 319
Präsident: Dipl.-Ing. Hans Meierhofer

Bundesamt für Verfassungsschutz
Merianstr. 100, 50765 Köln
T 0221/792–0, Tfax 79 83 65, FS 8 882 211
Präsident: Dr. Eckart Werthebach

Bundesanstalt für Arbeit
Regensburger Str. 104, 90478 Nürnberg
T 0911/179–0, Tfax 179–21 23, FS 622 348,
Ttex 9 118 197
Präsident: Bernhard Jagoda
Vizepräsident: Dr. Klaus Leven

Bundesarchiv
Potsdamer Str. 1, 56075 Koblenz
T 0261/505–0, Tfax 505–226, Ttex 261 852
Präsident: Prof. Dr. Friedrich P. Kahlenberg

Bundeskartellamt
Mehringdamm 129, 10965 Berlin
T 030/69 580–0, Tfax 69 580–400, FS 184 321
Präsident: Dieter Wolf
Vizepräsident: Stefan Held

Bundeskriminalamt
Thaerstr. 11, 65193 Wiesbaden
T 0611/55–1, Tfax 55–21 41, FS 4 186 867
Präsident: Hans-Ludwig Zachert

Bundesnachrichtendienst
Heilmannstr. 30, 82049 Pullach
T 089/793 15 67
Präsident: Konrad Porzner
Vizepräsident: Paul Münstermann

Bundesrechnungshof
Berliner Str. 51, 60311 Frankfurt am Main
T 069/21 76–0, Tfax 21 76–24 68, FS 412 981
Präsident: Dr. Heinz Günter Zavelberg
Vizepräsident: Ernst Heuer

Deutsche Bundesbahn
Zentrale Hauptverwaltung, Friedrich-Ebert-Anlage
43–45, 60327 Frankfurt am Main
T 069/265–1, Tfax 265–64 80, FS 414 087
Vors. d. Vorstandes (u. Leitung der Deutschen
Reichsbahn): Heinz Dürr

Deutsche Bundesbank
Wilhelm-Epstein-Str. 14, 60431 Frankfurt am Main
T 069/95 66–1, FS 41 227 (Inland), 414 431
(Ausland), TA Notenbank Frankfurt
Präsident: Prof. Dr. Hans Tietmeyer
Vizepräsident: Dr. Johann Wilhelm Gaddum

Deutscher Städtetag
Lindenallee 13–17, 50968 Köln
T 0221/37 71–0, Tfax 37 71–128
Präsident: Norbert Burger
Vizepräsident: Manfred Rommel

Deutsches Patentamt
Zweibrückenstr. 12, 80331 München
T 089/21 95–0, Tfax 21 95–22 21, FS 523 534
Präsident: Prof. Dr. Erich Häußer

Statistisches Bundesamt
G.-Stresemann-Ring 11, 65189 Wiesbaden
T 0611/75–1, Tfax 72 40 00, FS 4 186 511,
Ttex 611 86
Präsident: Günther Merk
Vizepräsident: Dr. Gerhard Bürgin

Treuhandanstalt
Leipziger Str. 5–7, 10100 Berlin
T 030/31 54–01 u. 23 23–01, Tfax 31 54–29 22 u.
23 23–29 22
Präsidentin: Birgit Breuel
Vizepräsident: Hero Brahms

Umweltbundesamt
Postfach 33 00 22, 14191 Berlin
T 030/89 03–0, Tfax 89 03–22 85, FS 183 756
Präsident: Dr. Heinrich Freiherr von Lersner
Vizepräsident: Dr. Andreas Troge

WICHTIGE VERBÄNDE DER ARBEITGEBER

Bundesvereinigung der Deutschen Arbeitgeberverbände
Gustav-Heinemann-Ufer 72, 50968 Köln
T 0221/37 95–0, Tfax 37 95–235, FS 8 881 466
Präsident: Dr. Klaus Murmann
Hauptgeschäftsführer: Dr. Fritz-Heinz Himmelreich

Bundesverband der Deutschen Industrie e. V./BDI
Gustav-Heinemann-Ufer 84–88, 50968 Köln
T 0221/37 08–00, Tfax 37 08–730, FS 8 882 601,
Ttex 2 214 058
Präsident: Dr. Tyll Necker
Hauptgeschäftsführer: Dr. Ludolf-Georg v.
Wartenberg

Deutscher Industrie- und Handelstag/DIHT
Adenauerallee 148, 53113 Bonn
T 0228/104–0, Tfax 104–158, FS 886 805,
Ttex 228 301
Präsident: Dipl.-Ing. Hans Peter Stihl
Hauptgeschäftsführer: Dr. Franz Schoser

WICHTIGE VERBÄNDE DER ARBEITNEHMER

Deutscher Gewerkschaftsbund/DGB
Hans-Böckler-Str. 39, 40476 Düsseldorf
T 0211/43 01–0, Tfax 43 01–324/471, FS 8 584 822
Vorsitzender: Heinz-Werner Meyer
Stellv.: Dr. Ursula Engelen-Kefer, Ulf Fink

Deutsche Angestellten-Gewerkschaft/DAG
Karl-Muck-Platz 1, 20355 Hamburg
T 040/349 15–1, Tfax 349 15–400, FS 211 642
Vorsitzender: Roland Issen
Stellv. Vors.: Hubert Gartz, Ursula Konitzer

Deutscher Beamtenbund/DBB
Peter-Hensen-Str. 5–7, 53175 Bonn
T 0228/811–0, Tfax 811–171 (bis Okt. 1993)
Vorsitzender: Werner Hagedorn
Stellv. Vors.: Karl Klein, Heinz Ossenkamp,
Otto Regenspurger, Ursula Vossenkuhl

DIE GROSSSTÄDTE UND IHRE OBERBÜRGERMEISTER

»Großstädte« sind nach d. Begriffsbestimmung d. Internat. Statistikerkonferenz 1987 alle Städte mit mind. 100 000 Ew. – Angaben: Bevölkerung Stand 1. 1. 1992, Fortschreibung = F – Bm = Bürgermeister, OBm = Oberbürgermeister, Präs. d. StV: Präsident der Stadtverordneten, OStd = Oberstadtdirektor, Std = Stadtdirektor, StV = Stadtverordnetenvorsteher, ptl = parteilos. Die Auflistung d. Städte erfolgt nach der Einwohnerzahl in abnehmender Reihenfolge.

STADT	Einwohner F'92	Oberbürgermeister
Städte über 1 Mio. Ew.		
Berlin	3 446 031	Reg. Bm Eberhard Diepgen, CDU
		Präs. d. Abgeordnetenhauses:
		Dr. Hanna-Renate Laurien, CDU
Hamburg	1 668 757	Präs. d. Hamb. Bürgerschaft: Elisabeth Kiausch, SPD
		Präs. d. Senats: Erster Bm Dr. Henning Voscherau, SPD
München	1 229 052	Christian Ude, SPD
Städte über 500 000 Ew.		
Köln	956 690	OBm Norbert Burger, MdL, SPD
		OStd: Lothar Ruschmeier
Frankfurt a. M.	654 079	OBm Andreas von Schoeler, SPD
		StV'in: Petra Roth, CDU
Essen	626 989	OBm'in Annette Jäger, SPD
		OStd: Kurt Busch
Dortmund	601 007	OBm Günter Samtlebe, SPD
		OStd: Dr. Hans-Gerhard Koch
Stuttgart	591 946	OBm Manfred Rommel, CDU
Düsseldorf	577 561	OBm Klaus Bungert, SPD
		OStd: Dr. Peter Hölz
Bremen	552 764	Präs. d. Brem. Bürgerschaft: Dr. Dieter Klink, SPD
		Präs. d. Senats: Bm Klaus Wedemeier, SPD
Duisburg	537 441	OBm Josef Krings, SPD
		OStd: Dr. Richard Klein
Hannover	517 476	OBm Herbert Schmalstieg, MdL, SPD
		OStd: Jobst Fiedler
Leipzig		OBm Dr. Hinrich Lehmann-Grube, SPD
		Präs. d. StV. Friedrich Magirius, ptl.
Städte über 250 000 Ew.		
Nürnberg		
Dresden		
Bochum		
Wuppertal		
Bielefeld		
Mannheim	314 069	
Halle/Saale	303 019	OBm Dr. Klaus Peter Rauen, CDU
		Präs. d. StV: Heidemarie Eckert, BFD
Bonn	296 244	OBm Dr. Hans Daniels, CDU
		OStd: Dieter Diekmann
Gelsenkirchen	293 839	OBm Kurt Bartlewski, SPD
		OStd: Dr. Klaus Bussfeld
Chemnitz	287 511	OBm Dr. Joachim Pilz, CDU (bis 30. 9.1993)
		Präs. d. Stadtparl.: Reinhold Breede, CDU
Karlsruhe	278 579	OBm Prof. Dr. Gerhard Seiler, CDU
Magdeburg	275 238	OBm Dr. Wilhelm Polte, SPD
		Präs. d. Stadtparl.: Konrad Mieth, SPD
Münster	264 181	OBm Dr. Jörg Twenhöven, MdL, CDU
		OStd: Dr. Tilman Pünder
Wiesbaden	264 022	OBm Joachim Exner, SPD
		StV: Günter Retzlaff, SPD

STADT	Einwohner F'92	Oberbürgermeister
Mönchengladbach	262 581	OBm Heinz Feldhege, CDU
		OStd: Helmut Freuen
Augsburg	259 884	OBm Dr. Peter Menacher, CSU
Braunschweig	259 127	OBm Werner Steffens, SPD
		OStd: Dr. Jürgen Bräcklein
Städte über 100 000 Ew.		
Kiel	247 107	OBm Dr. Otto Kelling, SPD
		Stadtpräs.: Silke Reyer, SPD
Krefeld	245 772	OBm Willi Wahl, SPD
		OStd: Heinz-Josef Vogt
Rostock	244 452	OBm Dr. Manfred-Klaus Kilimann, SPD
		Präs. d. Bürgersch.: Christoph Kleemann, Bünd. 90
Aachen	244 442	OBm Dr. Jürgen Linden, SPD
		OStd: Dr. Heiner Berger
Oberhausen	224 559	OBm Friedhelm van den Mond, SPD
		OStd: Dr. Burkhard Drescher
Lübeck	215 999	Bm Michael Bouteiller, SPD
		Stadtpräs.: Peter Oertling, SPD
Hagen	214 085	OBm Dietmar Thieser, SPD
		OStd: Dietrich Freudenberger
Erfurt	204 912	OBm Manfred Ruge, CDU
		StV: Karl-Heinz Kindervater, CDU
Kassel	196 828	OBm Georg Lewandowski, CDU
Freiburg i. Br.	193 775	OBm Dr. Rolf Böhme, SPD
Saarbrücken	192 030	OBm Hajo Hoffmann, SPD
Mainz	182 867	OBm Herman-Hartmut Weyel, SPD
Hamm	180 323	OBm'in Prof. Sabine Zech, SPD
		OStd: Dr. Dieter Kraemer
Herne	179 137	OBm Willi Pohlmann, SPD
		OStd: Dr. Roland Kirchhof
Mülheim a. d. Ruhr	177 042	OBm'in Eleonore Güllenstern, SPD
		OStd: Ernst Gerlach
Solingen	165 924	OBm Gerd Kaimer, SPD
		OStd: Dr. Ingolf Deubel
Ludwigshafen	165 365	OBm Werner Ludwig, SPD
Osnabrück	165 143	OBm Hans-Jürgen Fip, SPD
		OStd: Prof. Dierk Meyer-Pries
Leverkusen	161 147	OBm Horst Henning, MdL, SPD
		OStd: Dr. Walter Mende
Neuss	147 663	Bm Dr. Bertold Reinartz, MdB, CDU
		Std: Bernhard Wimmer
Oldenburg	145 161	OBm Dieter Holzapfel, SPD
		OStd: Heiko Wandscher
Darmstadt	140 040	OBm Peter Benz, SPD
		StV: Eike Ebert, SPD
Heidelberg	139 392	OBm'in Beate Weber, SPD
Potsdam	139 025	OBm Dr. Horst Gramlich, SPD
		StV: Dr. Helmut Przybilski, SPD
Bremerhaven	130 938	OBm Karl Willms, SPD
Wolfsburg	128 995	OBm Werner Schlimme, CDU
		OStd: Prof. Dr. Peter Lamberg
Würzburg	128 512	OBm Jürgen Weber, ptl
Gera	126 521	OBm Michael Galley, CDU
		Präs. d. StV: Dr. Bernhard Gantenbein, NF

STADT	Einwohner F'92	Oberbürgermeister
Recklinghausen	125 966	Bm Jochen Welt, MdB, SPD
		Std: Peter Borggraefe
Schwerin	125 959	OBm Johannes Kwaschik, SPD
		Präs. d. StV: Dr. Wulf Lammert, SPD
Paderborn	125 730	Bm Wilhelm Lüke, MdL, CDU
		Std: Dr. Werner Schmeken
Göttingen	124 331	OBm Dr. Rainer Kallmann, SPD
		OStd: Hermann Schierwater
Remscheid	123 618	OBm Reinhard Ulbrich, SPD
		OStd: Wilhelm Ellerbrake
Cottbus	123 321	OBm Waldemar Kleinschmidt, CDU
		StV: Klaus-Bernhard Friedrich, CDU
Regensburg	123 002	OBm'in Christa Meier, SPD
Bottrop	118 758	OBm Kurt Schmitz, SPD
		OStd: Ernst Löchelt
Heilbronn a. N.	117 427	OBm Dr. Manfred Weinmann, CDU
Offenbach a. M.	115 790	OBm Wolfgang Reuter, SPD
		StV: Manfred Wirsing, SPD
Pforzheim	115 547	OBm Dr. Joachim Becker, SPD
Salzgitter	115 381	OBm Hermann Struck, SPD
		OStd: Detlef Engster
Zwickau	112 565	OBm Rainer Eichhorn, CDU
		StV: Dr. Claus-Steffen Reitzenstein, CDU
Ulm	112 173	OBm Ivo Gönner, SPD
Siegen	110 374	Bm'in Hilde Fiedler, SPD
		Std: Dr. Otto-Werner Rappold
Koblenz	109 046	OBm Willi Hörter, CDU
Ingolstadt	107 375	OBm Peter Schnell, CSU
Reutlingen	105 835	OBm Dr. Manfred Oechsle, CDU
Hildesheim	105 674	OBm Kurt Machens, CDU
		OStd: Dr. Wilhelm Buerstedde
Moers	105 322	Bm Wilhelm Brunswick, SPD
		Std: Karl-Friedrich Wittrock
Fürth	105 297	OBm Uwe Lichtenberg, SPD
Witten	105 242	Bm Klaus Lohmann, MdB, SPD
		Std: Reinhard Wiederhold
Bergisch Gladbach	104 470	Bm Dipl.-Ing. Holger Pfleger, SPD
		Std: Otto Fell
Erlangen	102 433	OBm Dr. Dietmar Hahlweg, SPD
Jena	100 967	OBm Dr. Peter Röhlinger, BFD
		StV: Dr. Rainer Oloff, DA
Kaiserslautern	100 541	OBm Gerhard Piontek, SPD

Schuldenlast ausgewählter Großstädte und Gemeinden: pro Einwohner in DM (31. 12. 1991, nach Statist. Jahrbuch Deutscher Gemeinden 1992): a) Städte **über 500 000 Ew.:** Frankfurt a. M. 8255, Düsseldorf 5488, Hannover 4640, Köln 4554, Duisburg 3228, Stuttgart 3050, Essen 2803, München 2446, Dortmund 2151;
b) Städte **200 000 bis 500 000 Ew.:** Bonn 3834, Mannheim 3609, Aachen 3555, Bielefeld 3351, Mönchengladbach 3322, Lübeck 3014, Wiesbaden 3002, Bochum 2928, Krefeld 2899, Kiel 2562, Nürnberg 2439, Braunschweig 2436, Augsburg 2377, Hagen 2226, Oberhausen 2170, Gelsenkirchen 1925, Wuppertal 1917, Karlsruhe 1780, Münster 1509;
c) Gemeinden **100 000 bis 200 000 Ew.:** Neuss 4109, Offenbach a. M. 3860, Kassel 3854, Saarbrücken 3505, Koblenz 3446, Göttingen 3375, Solingen 3294, Darmstadt 3133, Oldenburg 3057, Remscheid 2987, Erlangen 2979, Freiburg i. Br. 2947, Mülheim a. d. Ruhr 2906, Osnabrück 2877, Moers 2797, Mainz 2791, Bergisch Gladbach 2702, Würzburg 2700;
d) Gemeinden mit **50 000 bis 100 000 Ew.:** Hanau 5560, Gießen 4428, Neumünster 4152, Landshut 4115, Trier 4102, Wilhelmshaven 3299, Düren 3639, Lüneburg 3035, Velbert 3173

DIE BUNDESLÄNDER MIT IHREN PARLAMENTEN UND REGIERUNGEN (Stand: 1. 9. 1993)

Landeshauptstädte sind die angegebenen Regierungssitze. Die Länderparlamente werden alle 4 (in Berlin, im Saarland u. in Nordrhein-Westf. alle 5) Jahre neu gewählt, die Wahljahre differieren in den Bundesländern (Stand: die letzte Landtagswahl). Fläche der neuen Bundesländer gem. dem Ländereinführungsgesetz v. 22. 7. 1990 (wenn nicht anders angegeben) – Einw.-Zahl Stand 30. 6. 1992 (davon m = männl./w = weibl.)

BADEN-WÜRTTEMBERG

Fläche: 35 751,39 km², Einw.: 10 148 708
(4 966 597 m/5 182 111 w) = 283,9 je km²

1. Der Landtag von Baden-Württemberg
Präsident: Dr. Fritz Hopmeier, CDU
Haus des Landtags, Konrad-Adenauer-Str. 3,
70173 Stuttgart
T 0711/20 63–0, Tfax 20 63–299, FS 722 341,
Ttex 7 111 329
Mitglieder: 146
Verteilung d. Sitze: CDU 64 (39,6 % d. Stimmen) –
SPD 46 (29,4 %) – Die Republikaner/REP 15
(10,9 %) – Die Grünen 13 (9,5 %) – FDP/DVP 8
(5,9 %)

Letzte Landtagswahl: 5. 4. 1992
nächste Wahl: Frühjahr 1996

2. Die Regierung des Landes Baden-Württemberg
Ministerpräsident Erwin Teufel, CDU
Richard-Wagner-Str. 15, 70184 Stuttgart
T 0711/21 53–0, Tfax 21 53–340, FS 723 711
Minister im Staatsministerium: Dr. Erwin Vetter,
CDU
Regierungssprecher: Ministerialdirigent Hans
Georg Koch
Adresse u. T: s. oben

Wirtschaftsminister u. Stellvertreter d. Min.-Präs.
Dr. Dieter Spöri, SPD
Theodor-Heuss-Str. 4, 70174 Stuttgart
T 0711/123–0, Tfax 123–24 60, FS 723 931,
Ttex 7 111 545

Innenminister
Frieder Birzele, SPD
Dorotheenstr. 6, 70173 Stuttgart
T 0711/20 72–1, Tfax 20 72–36 79, FS 722 305

Ministerin für Kultus und Sport
Dr. Marianne Schultz-Hector, CDU
Schloßplatz 4 (Neues Schloß), 70173 Stuttgart
T 0711/279–0, Tfax 279–25 50, Ttex 7 111 375

Minister für Wissenschaft und Forschung
Klaus von Trotha, CDU
Königstr. 46 (Mittnachtbau), 70173 Stuttgart

T 0711/279–0, Tfax 279–30 81, FS 721 585,
Ttex 7 111 398

Justizminister
Dr. Thomas Schäuble, CDU
Schillerplatz 4, 70173 Stuttgart
T 0711/279–0, Tfax 2 26 15 60, Ttex 7 111 379

Finanzminister
Gerhard Mayer-Vorfelder, CDU
Schloßplatz 4 (Neues Schloß), 70173 Stuttgart
T 0711/279–0, Tfax 279–38 93, Ttex 7 111 390

Minister für Ländlichen Raum, Ernährung,
Landwirtschaft und Forsten
Dr. h. c. Gerhard Weiser, CDU
Kernerplatz 10, 70182 Stuttgart
T 0711/126–0, Tfax 126–23 79, FS 721 608,
Ttex 7 111 383

Ministerin für Arbeit, Gesundheit u. Sozialordnung
Helga Solinger, SPD
Rotebühlplatz 30, 70173 Stuttgart
T 0711/66 73–0, Tfax 66 73–70 06, Ttex 7 111 033

Umweltminister
Harald B. Schäfer, SPD
Kernerplatz 9, 70182 Stuttgart
T 0711/126–0, Tfax 126–28 80, FS 723 162,
Ttex 7 111 643

Verkehrsminister
Hermann Schaufler, CDU
Hauptstätterstr. 67, 70178 Stuttgart
T 0711/647–1, FS 722 305, Ttex 7 111 278

Ministerin für Familie, Frauen, Weiterbildung und
Kunst
Brigitte Unger-Soyka, SPD
Hauptstätterstr. 67, 70178 Stuttgart
T 0711/647–1

Staatssekretär in der Vertretung des Landes
Baden-Württemberg beim Bund
Gustav Wabro, CDU
Hauptstätterstr. 67, 70178 Stuttgart
T 0711/647–1
u. Schlegelstr. 2, 53113 Bonn
T 0228/503–0, Tfax 503–227, Ttex 228 501

Freistaat BAYERN

Fläche: 70553,97 km², Einw.: 11770257
(5741559 m/6028693 w) = 164,1 je km²

1. Bayerischer Landtag
Präsident: Dr. Wilhelm Vorndran, CSU
Maximilianeum, 81627 München
T 089/41 26–0, Tfax 41 26–392, FS 529 015
Mitglieder: 204
Verteilung der Sitze: CSU 127 (54,9% d. Stimmen)
– SPD 58 (26,0%) – Die Grünen 12 (6,4%) – FDP 7
(5,2%)

Letzte Landtagswahl: 14. 10. 1990
nächste Wahl: Herbst 1994

2. Der Bayerische Senat
Präsident: Dr. Hans Weiß
Maximilianeum, 81627 München
T 089/41 26–0
Mitglieder: 60

3. Die Bayerische Staatsregierung
Ministerpräsident Dr. Edmund Stoiber, CSU
Franz-Josef-Strauß-Ring 1, 80539 München
T 089/21 65–0, Tfax 21 65–459, FS 523 809,
524 345
(Mitgl. der Regierung sind auch die Staatssekre-
täre)
Pressesprecher in der Staatskanzlei:
Dr. F. W. Rothenspieler
Adresse: s. o. u. T 089/21 65–22 91,
Tfax 21 65–21 15

Staatsministerium des Innern
StMin. Dr. Günther Beckstein, CSU
Odeonsplatz 3, 80539 München
T 089/21 92–01, Tfax 21 92–12 721, Ttex 898 342

Staatsministerium der Justiz
StMin. Hermann Leeb, CSU
Justizpalast, 80335 München
T 089/55 97–1, Tfax 55 97–23 22, Ttex 896 091

Staatsministerium für Unterricht, Kultus, Wissenschaft und Kunst
StMin. u. Stellv. des Min.-Präs. Hans Zehetmair,
CSU
Salvatorplatz 2, 80333 München
T 089/21 86–0, Tfax 21 86–28 88, Ttex 8 983 002

Staatsministerium der Finanzen
StMin. Dr. Georg von Waldenfels, CSU
Odeonsplatz 4, 80539 München
T 089/23 06–0, Tfax 28 09–327, Ttex 8 971 410

Staatsministerium für Wirtschaft und Verkehr
StMin. Dr. Otto Wiesheu, CSU
Prinzregentenstr. 28, 80538 München
T 089/21 62–01, Tfax 21 62–26 14, Ttex 897 188

Staatsministerium für Ernährung, Landwirtschaft und Forsten
StMin. Reinhold Bocklet, CSU
Ludwigstr. 2, 80539 München
T 089/21 82–0, Tfax 21 82–604, Ttex 898 413

Staatsministerium für Arbeit und Sozialordnung, Familie, Frauen und Gesundheit
StMin. Dr. Gebhard Glück, CSU
Winzererstr. 9, 80797 München
T 089/12 61–01, Tfax 12 61–20 78, Ttex 896 045

Staatsministerium für Landesentwicklung und Umweltfragen
StMin. Dr. Peter Gauweiler, CSU
Rosenkavalierplatz 2, 81925 München
T 089/92 14–1, Tfax 92 14–22 66, Ttex 898 551

Staatsministerium für Bundes- und Europaangelegenheiten
StMin. Dr. Thomas Goppel, CSU
Schlegelstr. 1, 53113 Bonn
T 0228/202–0, Tfax 22 98 00, FS 886 771
u. Kardinal-Döpfner-Str. 4, 80333 München
T 089/28 85–0, Tfax 29 26 60

BERLIN

Fläche: 889,1 km², Einw.: 3465748
(1 656471 m/1 809277 w) = 3898,6 je km²

1. Abgeordnetenhaus von Berlin (ehem. Preußi-scher Landtag)
Präsidentin: Dr. Hanna-Renate Laurien, CDU
10117 Berlin
T 030/783–1, FS 183 798, Tfax 783–80 88
Mitglieder: 241
Verteilung der Sitze: CDU 101 (40,4% d. Stimmen)
– SPD 76 (30,4%) – PDS 22 (9,2%) – FDP 18
(7,1%) – Bündnis 90/Die Grünen (AL)/UFV 19
(9,4%) – Parlamentar. Gruppe NEUES FORUM 3 –
Fraktionslos 2 – Vereinigung von Bündnis 90/Die
Grünen und Alternative Liste/AL am 20. 6. 1993

Letzte Wahl zum Abgeordnetenhaus: 2. 12. 1990
nächste Wahl: Herbst 1995

2. Senat von Berlin
Regierender Bürgermeister
Eberhard Diepgen, CDU
Berliner Rathaus, Jüdenstr., 10178 Berlin

T 030/24 01–0, Tfax 24 01–24 18/22/23,
FS 183 798
Pressesprecher: Dr. Michael-Andreas Butz

Bürgermeisterin und Senatorin für Arbeit und Frauen
Dr. Christine Bergmann, SPD
Storkower Str. 134, 10407 Berlin
T 030/21 74–30 10 u. 424–29 81, Tfax 21 74–26 17
u. 24 32–26 17, FS 183 798

Senatorin für Justiz
Prof. Dr. Jutta Limbach, SPD
Salzburger Str. 21–25, 10825 Berlin
T 030/783–1, Tfax 783–39 36, FS 183 798

Senator für Inneres
Prof. Dr. Dieter Heckelmann, CDU
Fehrbelliner Platz 2, 10707 Berlin
T 030/867–1, Tfax 867–31 05, FS 183 798

Senator für Kulturelle Angelegenheiten
Ulrich Roloff-Momin, parteilos
Europa-Center, 10789 Berlin
T 030/21 23–1, FS 183 798, Tfax 21 23–32 88

Senator für Jugend und Familie
Thomas Krüger, SPD
Am Karlsbad 8–10, 10785 Berlin
T 030/2 60 41, Tfax 21 22–23 23, FS 183 798

Senator für Verkehr und Betriebe
Prof. Dr. Herwig Haase, CDU
An der Urania 4/10, 10787 Berlin
T 030/2 12 21, Tfax 21 22–33 20, FS 183 798

Senator für Bau- und Wohnungswesen
Wolfgang Nagel, SPD
Württembergische Str. 6, 10707 Berlin
T 030/867–1, Tfax 867–73 31, FS 183 798

Senatorin für Soziales
Ingrid Stahmer, SPD
An der Urania 12–14, 10787 Berlin
T 030–212–21, Tfax 21 22–33 53, FS 183 798

Senator für Wirtschaft und Technologie
Dr. Norbert Meisner, SPD
Martin-Luther-Str. 105, 10825 Berlin
T 030/783–1, Tfax 783–455, FS 183 798

Senator für Finanzen
Elmar Pieroth, CDU
Nürnberger Str. 53–55, 10789 Berlin
T 030/21 23–1, Tfax 21 23–21 06, FS 183 798

Senator für Gesundheit
Dr. Peter Luther, CDU
Rauchstr. 17–18, 10787 Berlin
T 030/21 22–30 18, Tfax 21 22–33 00, FS 183 798

Senator für Schule, Berufsbildung und Sport
Jürgen Klemann, CDU
Bredtschneiderstr. 5, 14057 Berlin
T 030/30 32–1, Tfax 30 32–898, FS 183 798

Senator für Stadtentwicklung und Umweltschutz
Dr. Volker Hassemer, CDU
Lindenstr. 20–25, 10117 Berlin
T 030/25 86–0, Tfax 25 86–22 11, FS 183 798

Senator für Wissenschaft und Forschung
Prof. Dr. Manfred Erhardt, CDU
Bredtschneiderstr. 5, 14057 Berlin
T 030/30 32–1, Tfax 30 32–433, FS 183 798

Senator für Bundes- u. Europaangelegenheiten
Peter Radunski, CDU
Joachimstr. 7, 53113 Bonn
T 0228/22 82–0, Tfax 22 82–100, FS 886 895

BRANDENBURG

Fläche: 29 052,53 km^2, Einw.: 2 548 527
(1 241 268 m/1 307 259 w) = 87,7 je km^2

1. Der Landtag von Brandenburg
Präsident: Dr. Herbert Knoblich, SPD
Am Havelblick 8, 14473 Potsdam
T 0331/966–0, Tfax 966–12 86, FS 15 461
Mitglieder: 88
Verteilung der Sitze: SPD 36 (38,2 % d. Stimmen) –
CDU 27 (29,4 %) – PDS 13 (13,4 %) – FDP 6 (6,6 %)
– Bündnis 90 u. NEUES FORUM 6 (6,4 %)

Letzte Landtagswahl: 14. 10. 1990
nächste Wahl: Herbst 1994

2. Die Regierung des Landes Brandenburg
Ministerpräsident Dr. Manfred Stolpe, SPD
Heinrich-Mann-Allee 107, 14473 Potsdam
T 0331/866–12 00, Tfax 22 521
Chef der Staatskanzlei: Dr. Jürgen Linde
Adresse u. Tfax: s. oben, T 0331/866–12 04
Regierungssprecher: Erhard Thomas
Adresse: s. oben, T 0331/866–12 07,
Tfax 866–14 15

Ministerium des Innern u. Stellv. d. Min.-Präs.
Min. Alwin Ziel, SPD
Henning-von-Tresckow-Str. 9–13, 14467 Potsdam
T 0331/866–20 00, Tfax 866–26 66

Ministerium der Justiz u. Der Bevollmächtigte des Landes Brandenburg für Bundesangelegenheiten u. Europa
Min. Dr. Hans Otto Bräutigam, parteilos
Heinrich-Mann-Allee 107, 14473 Potsdam
T 0331/866–30 00, Tfax 866–30 80/81
u. Schedestr. 1, 53113 Bonn
T 0228/915 00–24/43, Tfax 915 00–35/36

Ministerium der Finanzen
Min. Klaus-Dieter Kühbacher, SPD
Steinstr. 104–106, 14480 Potsdam
T 0331/866–60 00, Tfax 866–60 09 u. 62 41 88

Ministerium für Wirtschaft, Mittelstand und Technologie
Min. Walter Hirche, FDP
Heinrich-Mann-Allee 107, 14473 Potsdam
T 0331/866–15 00, Tfax 866–17 26

Ministerium für Arbeit, Soziales, Gesundheit und Frauen
Ministerin Dr. Regine Hildebrandt, SPD
Heinrich-Mann-Allee 103, 14473 Potsdam
T 0331/866–50 00/12, Tfax 866–51 98

Ministerium für Ernährung, Landwirtschaft und Forsten
Min. Edwin Zimmermann, SPD
Heinrich-Mann-Allee 107, 14473 Potsdam
T 0331/866–40 00, Tfax 866–40 03

Ministerium für Bildung, Jugend und Sport
Min. Roland Resch, Bündnis 90
Heinrich-Mann-Allee 107, 14473 Potsdam
T 0331/866–35 00, Tfax 866–35 12/13

Ministerium für Wissenschaft, Forschung und Kultur
Min. Hinrich Enderlein, FDP
Friedrich-Ebert-Str. 4–7, 14467 Potsdam
T 0331/866–45 00, Tfax 866–45 45

Ministerium für Umwelt, Naturschutz und Raumordnung
Min. Matthias Platzeck, Bündnis 90
Albert-Einstein-Str. 42–46, 14473 Potsdam
T 0331/866–70 00, Tfax 22 585 u. 22 300

Ministerium für Stadtentwicklung, Wohnen und Verkehr
Min. Hartmut Meyer, SPD
Dortustr. 30–33, 14467 Potsdam
T 0331/866–80 00, Tfax 866–83 68/69

FREIE HANSESTADT BREMEN

Fläche: 404,23 km², Einw.: 685 845
(329 987 m/355 858 w) = 1696,7 je km²

1. Bremische Bürgerschaft (Landtag)
Präsident: Dr. Dieter Klink, SPD
Haus der Bürgerschaft, 28069 Bremen
T 0421/36 07–150, Tfax 36 07–133 u. 36 07–233 (Presse), FS 244 804
Mitglieder: 100
Verteilung d. Sitze: SPD 41 (38,8% d. Stimmen) – CDU 32 (30,7%) – Die Grünen 11 (11,4%) – FDP 10 (9,5%) – DVU 6 (6,2%) – Bis Anf. Juni 1993: Austritt von 3 Abg. aus der DVU

Letzte Bürgerschaftswahl: 29. 9. 1991
nächste Wahl: Herbst 1995

2. Senat der Freien Hansestadt Bremen
Präsident des Senats und Senator für kirchliche Angelegenheiten
Bürgermeister Klaus Wedemeier, SPD
Stellvertreter: Bürgermeister Claus Jäger, FDP
Rathaus, 28195 Bremen
T 0421/361–22 04, Tfax 361–63 63, FS 244 804
Pressesprecher: Dr. Klaus Sondergeld

Senator für Wirtschaft, Mittelstand und Technologie
Bürgermeister Claus Jäger, FDP
Zweite Schlachtpforte 3, 28195 Bremen
T 0421/397–84 00, Tfax 397–87 17, FS 244 804

Senator für Inneres und Sport
Friedrich van Nispen, FDP
Contrescarpe 22–24, 28203 Bremen
T 0421/362–20 00, Tfax 362–32 13, FS 244 804

Senator für Justiz und Verfassung
Dr. Henning Scherf, SPD
Richtweg 16/22, 28195 Bremen
T 0421/361–24 84, Tfax 361–25 84, FS 244 804

Senator für Bildung und Wissenschaft
Dr. Henning Scherf, SPD
Rembertiring 8–12, 28195 Bremen
T 0421/361–47 77, Tfax 361–41 76 u. 361–28 39, FS 244 804

Senator für Kultur und Ausländerintegration
Dr. Helga Trüpel, Bündnis90/Die Grünen
Herdentorsteinweg 7, 28195 Bremen
T 0421/361–40 78, Tfax 361–40 91, FS 244 804

Senatorin für Arbeit und Frauen
Sabine Uhl, SPD
Contrescarpe 73, 28195 Bremen
T 0421/361–47 20, Tfax 361–20 72, FS 244 804

Senator für Gesundheit, Jugend und Soziales
Irmgart Gaertner, SPD
Birkenstr. 34, 28195 Bremen
T 0421/361–92 67, Tfax 361–93 21, FS 244 804

Senator für Umweltschutz und Stadtentwicklung
Ralf Fücks, Bündnis 90/Die Grünen
Ansgaritorstr. 2, 28195 Bremen
T 0421/361–60 04, Tfax 361–60 13, FS 244 804

Senator für das Bauwesen
Eva-Maria Lemke-Schulte, SPD
Ansgaritorstr. 2, 28195 Bremen
T 0421/361–22 27, Tfax 361–20 50, FS 244 804

Senator für Häfen, Schiffahrt und Außenhandel
Uwe Beckmeyer, SPD
Kirchenstr. 4–5a, 28195 Bremen
T 0421/361–22 02, Tfax 361–66 02, FS 244 804

Senator für Finanzen
Volker Kröning, SPD
Rudolf-Hilferding-Pl. 1, 28195 Bremen
T 0421/361–23 98, Tfax 361–29 65, FS 244 804

Senator für Bundesangelegenheiten der Freien Hansestadt Bremen
Uwe Beckmeyer, SPD
Schaumburg-Lippe-Str. 7–9, 53113 Bonn
T 0228/26 05–0, Tfax 26 05–100, FS 886 883

FREIE UND HANSESTADT HAMBURG

Fläche: 755,31 km², Einw.: 1 688 785
(809 568 m/879 217 w) = 2235,9 je km²

1. Bürgerschaft der Freien und Hansestadt Hamburg – Präsidentin: Elisabeth Kiausch, SPD
Rathausmarkt 1, 20095 Hamburg
T 040/36 81–0, Tfax 3 68–24 67, FS 212 121
Mitglieder: 121
Verteilung d. Sitze: SPD 61 (48,0 % d. Stimmen) –
CDU 44 (35,1 %) – Grüne/GAL 9 (7,2 %) – FDP 7
(5,4 %) – Statt Partei

Letzte Bürgerschaftswahl: 2. 6. 1991 (vom Landes-verfassungsgericht am 4. 5. 1993 aufgrund von Wahlrechtsverstößen für ungültig erklärt)
Wahlergebnisse vom 19. 9. 1993 → Chronik

2. Der Senat der Freien und Hansestadt Hamburg
Präsident des Senats und Erster Bürgermeister
Dr. Henning Voscherau, SPD
Chef der Senatskanzlei u. des Staatsarchivs:
Senator Dr. Thomas Mirow, SPD
Senatsamt für den Verwaltungsdienst u. Senatsamt
für Bezirksangelegenheiten,
Europa-Beauftragter des Senats:
Senator Peter Zumkley, SPD
Rathausmarkt, 20095 Hamburg
T 040/36 81–0, Tfax 36 81–21 80, FS 212 121

Senatsamt für den Verwaltungsdienst
Senatsamt für Bezirksangelegenheiten
Steckelhörn 12, 20457 Hamburg
T 040/36 81–0, Tfax 36 81–24 60

Staatsarchiv
ABC-Straße 19a, 20354 Hamburg
T 040/36 81–18 62, Tfax 36 81–25 14

Senatsamt für die Gleichstellung
Senatorin Traute Müller, SPD
Alter Steinweg 4, 20459 Hamburg
T 040/35 04–30 02, Tfax 35 04–30 10

Zweiter Bürgermeister
Prof. Dr. Hans-Jürgen Krupp, SPD
Rathausmarkt 1, 20095 Hamburg
T 040/36 81–0, FS 212 121

Behörde für Wirtschaft
Zweiter Bürgermeister
Prof. Dr. Hans-Jürgen Krupp, SPD
Alter Steinweg 4, 20459 Hamburg
T 040/35 04–0, Tfax 35 04–17 17, FS 211 100

Behörde für Arbeit, Gesundheit u. Soziales
Senator Ortwin Runde, SPD
Hamburger Str. 47, 22083 Hamburg
T 040/291 88–30 01/2, Tfax 291 88–32 15,
FS 212 121

Baubehörde
Senator Eugen Wagner, SPD
Stadthausbrücke 8, 20355 Hamburg
T 040/349 13–1, FS 211 100, Tfax 349 13–31 96

Finanzbehörde
Senator Wolfgang Curilla, SPD
Gänsemarkt 36, 20354 Hamburg
T 040/35 98–1, Tfax 35 98–402, FS 212 121

Stadtentwicklungsbehörde
Senatorin Traute Müller, SPD
Alter Steinweg 4, 20459 Hamburg
T 040/35 04–30 02, Tfax 35 04–30 10

Behörde für Inneres
Senator Werner Hackmann, SPD
Johanniswall 4, 20095 Hamburg
T 040/24 86–48 00/45 00, Tfax 24 86–37 35,
FS 02 162 106

Justizbehörde
Senatorin Dr. Lore Maria Peschel-Gutzeit, SPD
Drehbahn 36, 20354 Hamburg
T 040/34 97–600/1, Tfax 34 97–35 72, FS 2 162 235

Kulturbehörde
Senatorin Dr. Christina Weiss, parteilos
Hamburger Str. 45, 22083 Hamburg
T 040/291 88–1, Tfax 299–65 60

Behörde f. Schule, Jugend u. Berufsbildung
Senatorin Rosemarie Raab, SPD
Hamburger Str. 31, 22083 Hamburg
T 040/291 88–20 03, Tfax 291 88–41 32,
FS 212 121

Umweltbehörde
Senator Dr. Fritz Vahrenholt, SPD
Steindamm 22, 20099 Hamburg
T 040/24 86–0, Tfax 24 86–32 84, FS 2 164 742

Behörde für Wissenschaft und Forschung
Senator Prof. Dr. Leonhard Hajen, SPD
Hamburger Str. 37, 22083 Hamburg
T 040/291 88–1, Tfax 291 88–37 22

Der Bevollmächtigte der Freien und Hansestadt Hamburg beim Bund
Senator Peter Zumkley, SPD
Rathausmarkt, 20095 Hamburg
T 040/36 81–0, Tfax 36 81–25 54, FS 212 121
u. Kurt-Schumacher-Str. 12, 53113 Bonn
T 0228/22 87–0, Tfax 22 87–128, FS 886 809

HESSEN

Fläche: 21 114,35 km², Einw.: 5 922 639
(2 898 330 m/3 024 309 w) = 280,5 je km²

1. Hessischer Landtag
Präsident: Karl Starzacher, SPD
Schloßplatz 1–3, 65183 Wiesbaden
T 0611/350–0, Tfax 350–434, FS 4 186 222
Mitglieder: 110
Verteilung der Sitze: SPD 46 (40,8% d. Stimmen) –
CDU 46 (40,2%) – Die Grünen 10 (8,8%) – FDP 8
(7,4%)

Letzte Landtagswahl: 20. 1. 1991
nächste Wahl: Frühjahr 1995

2. Die Hessische Landesregierung
Der Hessische Ministerpräsident
Hans Eichel, SPD
Bierstadter Str. 2, 65189 Wiesbaden
T 0611/32–0, Tfax 32–38 00/01, FS 4 186 693
Regierungssprecher: Staatssekr. Erich Stather

Der Hessische Minister des Innern
Dr. Herbert Günther, SPD
Friedrich-Ebert-Allee 12, 65185 Wiesbaden
T 0611/353–0, Tfax 353–608, FS 4 186 814

Die Hessische Ministerin der Finanzen
Dr. Annette Fugmann-Heesing, SPD
Friedrich-Ebert-Allee 8, 65185 Wiesbaden
T 0611/32–0, Tfax 32–24 33, FS 4 186 814

Die Hessische Ministerin der Justiz
Dr. Christine Hohmann-Dennhardt, SPD
Luisenstr. 13, 65185 Wiesbaden
T 0611/32–0, Tfax 32–27 63, Ttex 26 276 121/253

Der Hessische Kultusminister
Hartmut Holzapfel, SPD
Luisenplatz 10, 65185 Wiesbaden
T 0611/368–0, Tfax 368–20 99, Ttex 6 121 803

Der Hessische Minister für Wirtschaft, Verkehr und Technologie
Ernst Welteke, SPD
Kaiser-Friedrich-Ring 75, 65185 Wiesbaden
T 0611/815–0, Tfax 815–22 27, Ttex 6 121 922/846

Die Hessische Ministerin für Wissenschaft und Kunst
Prof. Dr. Evelies Mayer, SPD
Rheinstr. 23–25, 65185 Wiesbaden
T 0611/165–0, Tfax 165–766, FS 4 186 814

Der Hessische Minister für Umwelt, Energie u. Bundesangelegenheiten u. Stellvertreter d. Min.-Präsidenten
Joseph (Joschka) Fischer, Bündnis 90/Die Grünen
Mainzer Str. 80, 65189 Wiesbaden
T 0611/815–0, Tfax 815–19 40
u. Kurt-Schumacher-Str. 2–4, 53113 Bonn
T 0228/260 06–0, Tfax 260 06–69, FS 228 334

Die Hessische Ministerin für Jugend, Familie und Gesundheit
Iris Blaul, Bündnis 90/Die Grünen
Dostojewskistr. 4, 65187 Wiesbaden
T 0611/817–0, Tfax 80 91 48, Ttex 6 121 998

Die Hessische Ministerin für Frauen, Arbeit und Sozialordnung
Ilse Stiewitt, SPD

Dostojewskistr. 4, 65187 Wiesbaden
T 0611/32–0, Tfax 390 75

Der Hessische Minister für Landesentwicklung, Wohnen, Landwirtschaft, Forsten u. Naturschutz
Jörg Jordan, SPD
Hölderlinstr. 1–3, 65187 Wiesbaden
T 0611/817–0, Tfax 817–28 00, Ttex 6 121 988

MECKLENBURG-VORPOMMERN

Fläche: 23 598,21 km², Einw.: 1 864 815
(911 031 m/953 784 w) = 79,0 je km²

1. Der Landtag von Mecklenburg-Vorpommern
Präsident: Rainer Prachtl, CDU
Lennéstr. 1, 19053 Schwerin
T 0385/88 81 00, Tfax 81 23 94 u. 88 81 21
Mitglieder: 66 (werden nach der am 23. 5. 1993 vorläufig in Kraft getretenen Verfassung auf 71 erhöht)
Verteilung der Sitze: CDU 30 (38,3 % d. Stimmen) – SPD 20 (27,0 %) – PDS 12 (15,7 %) – FDP 4 (5,5 %)

Letzte Landtagswahl: 14. 10. 1990
nächste Wahl: Herbst 1994

2. Die Landesregierung von Mecklenburg-Vorpommern
Ministerpräsident Dr. Berndt Seite, CDU
Schloßstr. 2–4, 19053 Schwerin
T 0385/588–0, Tfax 588–10 06
Chefin der Staatskanzlei:
Staatssekretärin Dr. Gabriele Wurzel
Adresse u. T s. oben, Tfax 0385/588–10 06
Regierungssprecherin: Barbara Tewaag
Stellv. Regierungssprecher: Thomas Ellerbeck
Adresse u. T s. oben, Tfax 0385/588–10 39

Der Innenminister
Rudi Geil, CDU
Karl-Marx-Str. 1, 19055 Schwerin
T 0385/588–0, Tfax 588–29 71

Minister für Justiz, Bundes- und Europaangelegenheiten
Herbert Helmrich, CDU
Demmlerplatz 1–2, 19053 Schwerin
T 0385/588–0, Tfax 588–35 50
Vertretung des Landes Mecklenburg-Vorpommern beim Bund
Godesberger Allee 18, 53175 Bonn
T 0228/95 85–02, Tfax 95 85–202

Der Sozialminister u. Stellv. d. Min.-Präsidenten
Dr. Klaus Gollert, FDP
Werderstr. 124, 19055 Schwerin
T 0385/588–0, Tfax 588–90 09

Die Finanzministerin
Bärbel Kleedehn, CDU
Schloßstr. 9–11, 19053 Schwerin
T 0385/588–0, Tfax 588–45 82

Der Wirtschaftsminister
Conrad-Michael Lehment, FDP
Johannes-Stelling-Str. 14, 19053 Schwerin
T 0385/588–0, Tfax 588–58 64

Der Landwirtschaftsminister
Martin Brick, CDU
Paulshöher Weg 1, 19061 Schwerin
T 0385/588–0, Tfax 588–60 24

Die Kultusministerin
Steffie Schnoor, CDU
Werderstr. 124, 19055 Schwerin
T 0385/588–0, Tfax 588–70 80

Der Umweltminister
Frieder Jelen, CDU
Schloßstr. 6–8, 19053 Schwerin
T 0385/588–0, Tfax 588–80 08

NIEDERSACHSEN

Fläche: 47 363,59 km², Einw.: 7 577 520
(3 692 928 m/3 884 592 w) = 160,0 je km²

1. Der Niedersächsische Landtag
Präsident: Horst Milde, SPD
Hinrich-Wilhelm-Kopf-Platz 1, 30159 Hannover
T 0511/30 30–1, Tfax 30 30–380, Ttex 5 118 302
Mitglieder: 155
Verteilung der Sitze: SPD 71 (44,2 % d. Stimmen) – CDU 67 (42,0 %) – FDP 9 (6,0 %) – Die Grünen 8 (5,5 %)

Letzte Landtagswahl: 13. 5. 1990
nächste Wahl: Sommer 1994

2. Die Niedersächsische Landesregierung
Niedersächsische Staatskanzlei
Ministerpräsident Gerhard Schröder, SPD
Planckstr. 2, 30169 Hannover
T 0511/120–1, Tfax 120–21 96, FS 923 414 60,
Ttex 511 899 62
Pressesprecher: Staatssekr. Uwe-Karsten Heye
Adresse: s. o. u. T 0511/120–69 46/47,
Tfax 120–69 41/42

Innenministerium u. Stellv. d. Min.-Präsidenten
Min. Gerhard Glogowski, SPD
Lavesallee 6, 30169 Hannover
T 0511/120–61 00, Tfax 120–62 54, FS 923 414 77,
Ttex 511 899 76

Finanzministerium
Min. Hinrich Swieter, SPD
Schiffgraben 10, 30159 Hannover
T 0511/120–81 01, Tfax 120–82 36, FS 923 414 70,
Ttex 5 118 570

Sozialministerium
Min. Walter Hiller, SPD
Hinrich-Wilhelm-Kopf-Pl. 2, 30159 Hannover
T 0511/120–401, Tfax 120–443, FS 923 414 45

Kultusministerium
Min. Prof. Rolf Wernstedt, SPD
Schiffgraben 12, 30159 Hannover
T 0511/120–84 01, Tfax 120–84 36, FS 923 414 65,
Ttex 511 899 65

Ministerium für Wissenschaft und Kunst
Ministerin Helga Schuchardt, parteilos
Leibnizufer 9, 30169 Hannover
T 0511/120–24 01, Tfax 120–23 93, FS 923 414 55,
Ttex 511 899 56

Ministerium für Wirtschaft, Technologie und Verkehr
Min. Dr. Peter Fischer, SPD
Friedrichswall 1, 30159 Hannover
T 0511/120–64 01, Tfax 120–64 27, FS 923 414 35

Ministerium für Ernährung, Landwirtschaft und Forsten
Min. Karl-Heinz Funke, SPD
Calenberger Str. 2, 30169 Hannover
T 0511/120–22 01, Tfax 120–21 52, FS 923 414 10,
Ttex 511 899 13

Justizministerium
Ministerin Heidi Alm-Merk, SPD
Am Waterlooplatz 1, 30169 Hannover
T 0511/120–67 01, Tfax 120–68 11, FS 923 414 30

Ministerium für Bundes- u. Europaangelegenheiten
Min. Jürgen Trittin, Bündnis 90/Die Grünen
Clemensstr. 17, 30169 Hannover
T 0511/120–27 01, Tfax 120–28 07, FS 923 414 40,
Ttex 511 899 40
u. Kurt-Schumacher-Str. 19, 53113 Bonn
T 0228/22 83–0, Tfax 22 83–237, Ttex 2 283 855

Umweltministerium
Ministerin Monika Griefahn, SPD
Archivstr. 2, 30169 Hannover
T 0511/104–33 01, Tfax 104–33 99, Ttex 5 118 380

Frauenministerium
Ministerin Waltraud Schoppe, Bündnis 90/Die Grünen
Schiffgraben 44, 30175 Hannover
T 0511/120–88 01, Tfax 120–88 47

NORDRHEIN-WESTFALEN

Fläche: 34 070,6 km^2, Einw.: 17 679 166
(8 561 996 m/9 177 170 w) = 518,9 je km^2

1. Der Landtag von Nordrhein-Westfalen
Präsidentin: Ingeborg Friebe, SPD
Platz des Landtags, 40221 Düsseldorf
T 0211/884–1, Tfax 884–22 58, FS 8 586 498,
Ttex 2 114 112
Mitglieder: 237
Verteilung der Sitze: SPD 122 (50,0 % d. Stimmen)
– CDU 89 (36,7 %) – FDP 14 (5,8 %) – Die Grünen
12 (5,0 %)

Letzte Landtagswahl: 13. 5. 1990
nächste Wahl: Sommer 1995

2. Die Landesregierung Nordrhein-Westfalen
Ministerpräsident u. Minister für Bundesangelegenheiten
Dr. h. c. Johannes Rau, SPD
Minister für besondere Aufgaben u. Chef
der Staatskanzlei: Wolfgang Clement, SPD
Mannesmannufer 1a, 40213 Düsseldorf
T 0211/837–01, Tfax 837–12 36, FS 8 581 894
Regierungssprecher: Dr. Wolfgang Lieb

Innenminister u. Stellv. d. Min.-Präsidenten
Dr. Herbert Schnoor, SPD
Haroldstr. 5, 40213 Düsseldorf
T 0211/871–1, Tfax 871–33 55

Finanzminister
Heinz Schleußer, SPD
Jägerhofstr. 6, 40479 Düsseldorf
T 0211/49 72–0, Tfax 49 72–27 50

Justizminister
Dr. Rolf Krumsiek, SPD
Martin-Luther-Platz 40, 40212 Düsseldorf
T 0211/87 92–1, Tfax 87 92–456, Ttex 2 114 184

Kultusminister
Hans Schwier, SPD
Völklinger Str. 49, 40221 Düsseldorf
T 0211/896–03, Tfax 896–32 20

Ministerin für Wissenschaft und Forschung
Anke Brunn, SPD
Völklinger Str. 49, 40221 Düsseldorf
T 0211/896–04, Tfax 896–45 55, Ttex 2 114 688

Minister für Wirtschaft, Mittelstand und Technologie
Günther Einert, SPD
Haroldstr. 4, 40213 Düsseldorf
T 0211/837–02, Tfax 837–22 00

Minister für Arbeit, Gesundheit und Soziales
Franz Müntefering, SPD
Horionplatz 1, 40213 Düsseldorf
T 0211/837–03, Tfax 837–36 83

Minister für Umwelt, Raumordnung und Landwirtschaft
Klaus Matthiesen, SPD
Schwannstr. 3, 40476 Düsseldorf
T 0211/45 66–0, Tfax 45 66–388

Minister für Stadtentwicklung und Verkehr
Franz-Josef Kniola, SPD
Breite Str. 31, 40213 Düsseldorf
T 0211/837–04, Tfax 837–44 44

Ministerin für Bauen und Wohnen
Ilse Brusis, SPD
Elisabethstr. 5–12, 40217 Düsseldorf
T 0211/38 43–0, Tfax 38 43–602

Ministerin für die Gleichstellung von Mann und Frau
Ilse Ridder-Melchers, SPD
Breite Str. 27, 40213 Düsseldorf
T 0211/837–05, Tfax 837–47 08/16

Minister für Bundesangelegenheiten
Min.-Präs. Dr. h. c. Johannes Rau, SPD
Friedrich-Ebert-Allee 30, 53113 Bonn
T 0228/53 03–0, Tfax 53 03–221

RHEINLAND-PFALZ

Fläche: 19 845,78 km², Einw.: 3 880 965
(1 892 925 m/ 1 988 040 w) = 195,6 je km²

1. Der Landtag von Rheinland-Pfalz
Präsident: Christoph Grimm, SPD
Deutschhausplatz 12, 55116 Mainz
T 06131/208–0, Tfax 208–447, FS 4 187 852,
Ttex 6 131 962
Mitglieder: 101
Verteilung d. Sitze: SPD 47 (44,8 %) – CDU 40
(38,7 %) – FDP 7 (6,9 %) – Die Grünen 7 (6,4 %)

Letzte Landtagswahl: 21. 4. 1991
nächste Wahl: Frühjahr 1996

2. Die Landesregierung Rheinland-Pfalz
Ministerpräsident Rudolf Scharping, SPD
Staatskanzlei, Peter-Altmeier-Allee 1, 55116 Mainz
T 06131/16–1, Tfax 16–46 66, FS 4 187 852
Regierungssprecher: Ministerialdirektor Herbert
Bermeitinger
Adresse s. o. u. T 06131/16–47 20, Tfax 16–40 91

Minister des Innern und für Sport
Walter Zuber, SPD
Schillerplatz 3/5, 55116 Mainz
T 06131/16–1, Tfax 16–37 20, FS 4 187 852

Minister für Justiz
Peter Caesar, FDP
Ernst-Ludwig-Str. 3, 55116 Mainz
T 06131/16–1, Tfax 16–48 87, FS 4 187 852

Minister der Finanzen
Gernot Mittler, SPD
Kaiser-Friedrich-Str. 1, 55116 Mainz
T 06131/16–1, Tfax 16–43 31, FS 4 187 852

Ministerin für Bildung und Kultur
Dr. Rose Götte, SPD
Mittlere Bleiche 61, 55116 Mainz
T 06131/16–1, Tfax 16–28 78, FS 4 187 656

**Minister für Wirtschaft u. Verkehr
u. Stellvertreter d. Min.-Präsidenten**
Rainer Brüderle, FDP
Bauhofstr. 4, 55116 Mainz
T 06131/16–1, Tfax 16–21 00, FS 4 187 852

Minister für Landwirtschaft, Weinbau u. Forsten
Karl Schneider, SPD
Große Bleiche 55, 55116 Mainz
T 06131/16–1, Tfax 16–26 44, FS 4 187 852

Ministerin für Umwelt
Klaudia Martini, SPD
Kaiser-Friedrich-Str. 7, 55116 Mainz
T 06131/16–1, Tfax 16–46 49, FS 4 187 852

Minister für Arbeit, Soziales, Familie und Gesundheit
Ulrich Galle, SPD
Bauhofstr. 9, 55116 Mainz
T 06131/16–1, Tfax 16–23 73, FS 4 187 852

Ministerin für die Gleichstellung von Frau und Mann
Jeanette Rott, SPD
Bauhofstr. 4, 55116 Mainz
T 06131/16–1, FS 4 187 656

Minister für Wissenschaft und Weiterbildung
Dr. Jürgen Zöllner, SPD
Mittlere Bleiche 61, 55116 Mainz
T 06131/16–1, FS 4 187 656

Minister für Bundesangelegenheiten und Europa
Florian Gerster, SPD
Heussallee 18–24, 53113 Bonn
T 0228/91 20–0 23/4, Tfax 91 20–222, FS 886 801

SAARLAND

Fläche: 2570,01 km², Einw.: 1 084 007
(525 197 m/558 810 w) = 421,8 je km²

1. Der Landtag des Saarlandes
Präsident: Albrecht Herold, SPD
Franz-Josef-Röder-Str. 7, 66119 Saarbrücken
T 0681/50 02–1, Tfax 50 02–392, Ttex 681 704
Mitglieder: 51
Verteilung der Sitze: SPD 30 (54,4 % d. Stimmen) –
CDU 18 (33,4 %) – FDP 3 (5,6 %)

Letzte Landtagswahl: 28. 1. 1990
nächste Wahl: Frühjahr 1995

2. Die Regierung des Saarlandes
Ministerpräsident Oskar Lafontaine, SPD
Am Ludwigsplatz 14, 66117 Saarbrücken
T 0681/50 06–01, FS 4 421 371, Tfax 50 06–159
u. 50 06–222 (Presse)
Pressesprecher: Jochen Flackus

Minister des Innern
Friedel Läpple, SPD
Franz-Josef-Röder-Str. 21, 66119 Saarbrücken
T 0681/501–1, Tfax 501–22 22, FS (17) 681 724

Minister der Finanzen
u. Stellv. d. Min.-Präsidenten
Hans Kasper, SPD
Am Stadtgraben 6/8, 66111 Saarbrücken
T 0681/30 00–1, Tfax 30 00–702, FS 4 428 687

Minister der Justiz
Dr. Arno Walter, SPD
Zähringer Str. 12, 66119 Saarbrücken
T 0681/505–1, Tfax 505–855, FS 4 428 648

Ministerin für Bildung und Sport
Marianne Granz, SPD
Hohenzollernstr. 60, 66117 Saarbrücken
T 0681/503–1, Tfax 503–227

Minister für Wissenschaft u. Kultur
Prof. Dr. Diether Breitenbach, SPD

Hohenzollernstr. 60, 66117 Saarbrücken
T 0681/503–1, Tfax 503–291

Ministerin für Frauen, Arbeit, Gesundheit
u. Soziales
Christiane Krajewski, SPD
Franz-Josef-Röder Str. 23, 66119 Saarbrücken
T 0681/501–1, Tfax 501–33 35, FS (17) 681 937

Minister für Wirtschaft
Reinhold Kopp, SPD
Hardenbergstr. 8, 66119 Saarbrücken
T 0681/501–1, Tfax 501–42 87, FS (17) 681 966

Minister für Umwelt
Jo(sef) Leinen, SPD
Hardenbergstr. 8, 66119 Saarbrücken
T 0681/501–1, Tfax 501–45 22/1, FS (17) 6 817 506

Der Bevollmächtigte des Saarlandes beim Bund
Staatssekretär Hanspeter Weber, SPD
Kurt-Schumacher-Str. 9, 53113 Bonn
T 0228/2 67 93–0, Tfax 22 13 55, FS 886 553

Freistaat SACHSEN

Fläche: 18 337,74 km², Einw. 4 640 997
(2 439 738 m/2 201 259 w) = 253,1 je km²

1. Sächsischer Landtag
Präsident: Erich Iltgen, CDU
Holländische Str. 2, 01067 Dresden
T 0351/48 55–0, Tfax 48 55–803
Mitglieder: 160 (künftig 120 vorgesehen sowie
Wahl alle 5 statt bisher 4 Jahre)
Verteilung der Sitze: CDU 92 (53,8 % d. Zweit-Stim-
men) – SPD 32 (19,1 %) – Linke Liste/PDS 17
(10,2 %) – Bündnis 90/Die Grünen 10 (5,6 %) – FDP
9 (5,3 %)

Letzte Landtagswahl: 14. 10. 1990
nächste Wahl: Herbst 1994

2. Staatsregierung Freistaat Sachsen
Ministerpräsident Prof. Dr. Kurt Biedenkopf, CDU
Archivstr. 1, 01095 Dresden
T 0351/564–0, Tfax 517 32, FS 32 93 15
Chef der Staatskanzlei:
Staatssekretär Günter Meyer, CDU
Adresse s. o. u. T 0351/564–10 51, Tfax 564–14 01
Regierungssprecher: Michael Sagurna
Adresse s. o. u. T 0351/564–13 00, Tfax 50 22–475

Staatsministerium des Innern
Staatsmin. u. Stellv. des Min.-Präsidenten
Heinz Eggert, CDU
Archivstr. 1, 01095 Dresden
T 0351/564–40 42, Tfax 564–30 49

Staatsministerium der Justiz
Staatsmin. Steffen Heitmann, CDU
Archivstr. 1, 01095 Dresden
T 0351/564–15 01, Tfax 50 22–470

Staatsministerium für Wissenschaft und Kunst
Staatsmin. Prof. Dr. Hans Joachim Meyer, CDU
Postfach 10 09 20, 01076 Dresden
T 0351/564–60 02, Tfax 564–60 40

Staatsministerium der Finanzen
Staatsmin. Prof. Dr. Georg Milbradt, CDU
Postfach 10 09 48, 01076 Dresden
T 0351/564–40 01, Tfax 564–40 09

Staatsministerium für Soziales, Gesundheit und Familie
Staatsmin. Dr. Hans Geisler, CDU
Postfach 10 09 41, 01076 Dresden
T 0351/564–76 02, Tfax 564–76 14

Staatsministerium für Landwirtschaft, Ernährung und Forsten
Staatsmin. Dr. Rolf Jähnichen, CDU
Postfach 10 05 50, 01075 Dresden
T 0351/564–68 01, Tfax 564–67 80

Staatsministerium für Wirtschaft und Arbeit
Staatsmin. Dr. Kajo Schommer, CDU
Postfach 12 09 37, 01008 Dresden
T 0351/497–80 01, Tfax 495–61 09

Staatsministerium für Umwelt und Landes-entwicklung
Staatsmin. Arnold Vaatz, CDU
Postfach 12 01 21, 01002 Dresden
T 0351/48 62–255, Tfax 48 62–209

Staatsministerium für Kultus
Staatsmin. Friedbert Groß, CDU
Postfach 10 09 10, 01076 Dresden
T 0351/564–25 03, Tfax 564–28 89

Der Bevollmächtigte des Freistaates Sachsen beim Bund
Staatssekretär Dr. Günter Ermisch
Godesberger Allee 18, 53175 Bonn
T 0228/95 85–01, Tfax 95 85–145

SACHSEN-ANHALT

Fläche: 20 442,92 km^2, Einw.: 2 796 981
(1 343 254 m/1 453 727 w) = 136,8 je km^2

1. Der Landtag von Sachsen-Anhalt
Präsident: Dr. Klaus Keitel, CDU
Domplatz 6–7, 39104 Magdeburg
T 0391/3 38 95, Tfax 3 18 97
Mitglieder: 106 (inkl. 8 Überhangmandate)
Verteilung der Sitze: CDU 48 (39,0 % d. Stimmen) –
SPD 27 (26,0 %) – FDP 14 (13,5 %) – PDS 12
(12,0 %) – GRÜNE/Neues Forum 5 (5,3 %)

Letzte Landtagswahl: 14. 10. 1990
nächste Wahl: Herbst 1995

2. Die Regierung von Sachsen-Anhalt
Ministerpräsident Prof. Dr. Werner Münch, CDU
Palais am Fürstenwall, Hegelstr. 42,
39104 Magdeburg
T 0391/567–65 00/01, Tfax 567–65 65
Chef der Staatskanzlei: Staatssekr. Walter Link
Adresse s. o. u. T 0391/567–65 25
Regierungssprecher: Gerd Dietrich
Adresse s. o. u. T 0391/567–66 60,
Tfax 567–66 67

Minister für Umwelt und Naturschutz u. Stellvertreter d. Min.-Präsidenten
Wolfgang Rauls, FDP
Pfälzer Platz 1, 39102 Magdeburg
T 0391/567–32 00, Tfax 567–33 66

Minister des Innern
Hartmut Perschau, CDU
Halberstädter Str. 2, 39010 Magdeburg
T 0391/567–55 01, Tfax 567–55 10

Minister der Justiz
Walter Remmers, CDU
Wilhelm-Höpfner-Ring 4, 39043 Magdeburg
T 0391/567–41 38, Tfax 567–42 26 u. 61 30 12

Minister der Finanzen
Dr. Wolfgang Böhmer, CDU
Olvenstedter Str. 1–2, 39012 Magdeburg
T 0391/567–11 00/01, Tfax 567–11 06

Minister für Arbeit und Soziales
Werner Schreiber, CDU
Wilhelm-Höpfner-Ring 4, 39010 Magdeburg
T 0391/567–46 10, Tfax 567–46 22

Minister für Wirtschaft, Technologie und Verkehr
Dr. Horst Rehberger, FDP
Wilhelm-Höpfner-Ring 4, 39043 Magdeburg
T 0391/567–42 90, Tfax 567–44 49

Ministerin für Ernährung, Landwirtschaft u. Forsten
Petra Wernicke, CDU
Olvenstedter Str. 4, 39012 Magdeburg
T 0391/567–19 15, Tfax 567–19 20

Kultusminister
Dr. Werner Sobetzko, CDU
Breiter Weg 31, 39012 Magdeburg
T 0391/567–37 14, Tfax 567–37 74

Minister für Wissenschaft und Forschung
Prof. Dr. Rolf Frick, FDP
Breiter Weg 31, 39017 Magdeburg
T 0391/567–76 00, Tfax 567–76 11

Minister für Raumordnung, Städtebau und Wohnungswesen
Dr. Karl-Heinz Daehre, CDU
Herrenkrugstr. 66, 39011 Magdeburg
T 0391/567–75 03, Tfax 567–75 09

Minister für Bundes- u. Europaangelegenheiten
Hans-Jürgen Kaesler, FDP
Domplatz 2–3, 39011 Magdeburg
T 0391/567–61 00, Tfax 567–61 05
u. Dahlmannstr. 18, 53113 Bonn
T 0228/26 08–0, Tfax 26 08–237

SCHLESWIG-HOLSTEIN

Fläche: 15 731,33 km², Einw.: 2 679 575
(1 306 114 m/1 373 461 w) = 170,3 je km²

1. Schleswig-Holsteinischer Landtag
Präsidentin: Ute Erdsiek-Rave, SPD
Landeshaus, Düsternbrooker Weg 70, 24105 Kiel
T 0431/596–1, Tfax 596–22 37
Mitglieder: 89
Verteilung der Sitze: SPD 45 (46,2 % d. Stimmen) –
CDU 32 (33,8 %) – DVU 6 (6,3 %) – FDP 5 (5,6 %) –
SSW 1 (1,9 %)

Letzte Landtagswahl: 5. 4. 1992
nächste Wahl: Frühjahr 1996

2. Die Landesregierung Schleswig-Holstein
Ministerpräsidentin Heide Simonis, SPD
Landeshaus, Düsternbrooker Weg 70, 24105 Kiel
T 0431/596–1, Tfax 596–25 51
Chef der Staatskanzlei:
Staatssekretär Klaus Gärtner, FDP
Adresse s. o. u. T 0431/596–1, Tfax 596–25 51
Regierungssprecher: Gerhard Hildenbrand

Minister für Bundes- und Europaangelegenheiten
Gerd Walter, SPD
Hohenbergstr. 4, 24105 Kiel
T 0431/596–1, Tfax 596–25 38
u. Kurt-Schumacher-Str. 17–18, 53113 Bonn
T 0228/915 18–0, Tfax 915 18–124/126,
FS 8 869 382, Ttex 2 283 692

Ministerin für Frauen, Bildung, Weiterbildung u. Sport
Gisela Böhrk, SPD
Beselerallee 41, 24105 Kiel
T 0431/596–1, Tfax 596–25 05

Innenminister
Prof. Dr. Hans Peter Bull, SPD
Düsternbrooker Weg 92, 24105 Kiel
T 0431/596–1, Tfax 596–33 02

Justizminister
Dr. Klaus Klingner, SPD
Lorentzendamm 35, 24103 Kiel
T 0431/599–1, Tfax 599–28 15

Minister für Finanzen, Energie und Stellv. d. Min.-Präsidentin
Claus Möller, SPD
Düsternbrooker Weg 64, 24105 Kiel
T 0431/596–1, Tfax 596–35 19

Minister für Wirtschaft, Technik und Verkehr
Peer Steinbrück, SPD
Düsternbrooker Weg 94, 24105 Kiel
T 0431/596–1, Tfax 596–38 25

Minister für Ernährung, Landwirtschaft, Forsten und Fischerei
Hans Wiesen, SPD
Düsternbrooker Weg 104, 24105 Kiel
T 0431/596–1, Tfax 596–44 84

Ministerin für Arbeit, Soziales, Jugend und Gesundheit
Heide Moser, SPD
Brunswiker Str. 16–22, 24105 Kiel
T 0431/596–1, Tfax 596–51 16

Ministerin für Wissenschaft, Forschung und Kultur
Marianne Tidick, SPD
Düsternbrooker Weg 64, 24105 Kiel
T 0431/596–1, Tfax 596–48 35

Minister für Natur und Umwelt
Prof. Dr. Berndt Heydemann, parteilos
Grenzstr. 1–5, 24149 Kiel
T 0431/219–0, Tfax 219–209

Der Bürgerbeauftragte für soziale Angelegenheiten und Landesbeauftragte für Behinderte
Eugen Glombig
Adolfstr. 48, 24105 Kiel
T 0431/596–1, Tfax 596–24 79

THÜRINGEN

Fläche: 16 251,36 km², Einw.: 2 545 808
(1 224 415 m/1 321 393 w) = 156,7 je km²

1. Thüringer Landtag
Präsident: Dr. Gottfried Müller, CDU
Arnstädter Str. 51, 99096 Erfurt
T 0361/37 20 00, Tfax 310 01
Mitglieder: 89 (inkl. 1 Überhangmandat)
Verteilung der Sitze: CDU 43 (45,4 % d. Stimmen) –
SPD 21 (22,8 %) – Linke Liste/PDS 9 (9,7 %) – FDP
9 (9,3 %) – Bündnis 90/Die Grünen (Neues
Forum/Die Grünen/Demokratie Jetzt) 6 (6,5 %) –
fraktionsloser Abg. 1

Letzte Landtagswahl: 14. 10. 1990
nächste Wahl: voraussichtl. Herbst 1994

2. Die Landesregierung Thüringen
Ministerpräsident Dr. Bernhard Vogel, CDU
Joh.-Sebastian-Bach-Str. 1, 99096 Erfurt
T 0361/37 30–01, Tfax 37 30–19
Minister in der Staatskanzlei: Andreas Trautvetter,
CDU
Adresse s. o. u. T 0361/37 30–20/21, Tfax 37 30–19
Chef der Staatskanzlei: Staatssekr. Dr. Michael
Krapp
Adresse s. o. u. T 0361/37 30–06, Tfax 37 30–98

**Minister für Wissenschaft und Kunst
u. Stellvertreter d. Min.-Präsidenten**
Dr. Ulrich Fickel, FDP
Werner-Seelenbinder-Str. 1, 99096 Erfurt
T 0361/38 63–161, Tfax 38 63–154

Innenminister
Franz Schuster, CDU
Schillerstr. 27, 99096 Erfurt
T 0361/39 82–335, Tfax 39 82–219

Finanzminister
Dr. Klaus Zeh, CDU
Wilhelm-Wolff-Str. 9, 99099 Erfurt
T 0361/42 88–825, Tfax 42 88–650

Justizminister
Dr. Hans-Joachim Jentsch, CDU
Alfred-Hess-Str. 8, 99094 Erfurt
T 0361/66 62–302, Tfax 66 62–155

Kultusminister
Dieter Althaus, CDU
Werner-Seelenbinder-Str. 1, 99096 Erfurt
T 0361/38 63–171, Tfax 38 63–179

Minister für Wirtschaft und Verkehr
Dr. Jürgen Bohn, FDP
Joh.-Sebastian-Bach-Str. 1, 99096 Erfurt
T 0361/663–32 01, Tfax 317 15

Minister für Landwirtschaft und Forsten
Dr. Volker Sklenar, CDU
Hallesche Str. 16, 99085 Erfurt
T 0361/529–246, Tfax 64 21–657

Minister für Soziales und Gesundheit
Frank-Michael Pietzsch, CDU
Werner-Seelenbinder-Str. 14, 99096 Erfurt
T 0361/389–42 89–336, Tfax 42 89–289

Minister für Umwelt und Landesplanung
Hartmut Sieckmann, FDP
Richard-Breslau-Str. 11a, 99094 Erfurt
T 0361/65 75–210, Tfax 65 75–219

**Ministerin für Bundes- u. Europaangelegenheiten
und Bevollmächtigte des Landes beim Bund**
Christine Lieberknecht, CDU
Steigerstr. 10, 99096 Erfurt
T 0361/42 68–123, Tfax 42 68–100
u. Simrockstr. 13, 53113 Bonn
T 0228/915 06 10, Tfax 26 32 45

**Ständige Konferenz der Kultusminister der Länder
in der Bundesrepublik Deutschland**
Präsident (jährl. wechselnd eine/e Kultus- bzw. Wissenschaftsminister/in/-senator/in aus einem Land):
bis 31. 12. 1993: Steffie Schnoor (Mecklenburg-Vorpommern); ab 1. 1. 1994: Hans Zehetmair (Bayern); Generalsekretär: Ministerialdirektor
Dr. Schulz-Hardt
Nassestr. 8, 53113 Bonn
T 0228/501–0, Tfax 50 13 01, FS 886 587

Der **Finanzausgleich** (vorläufige Angaben des Bundesfinanzministeriums für 1992) **unter den alten Bundesländern.** Zahlungspflichtige Länder (in Mio. DM): Baden-Württemberg 1555, Hessen 1993, Hamburg 0, Nordrhein-Westfalen 0, Bayern 0; empfangsberechtigte Länder: Niedersachsen 1463, Schleswig-Holstein 440, Bremen 530, Rheinland-Pfalz 704, Saarland 411; **unter den neuen Bundesländern zahlungspflichtig:** Brandenburg 30, Thüringen 27, Mecklenburg-Vorpommern 10; empfangsberechtigt: Sachsen 51, Sachsen-Anhalt 51.

Fläche, Bevölkerung und Verwaltungsgliederung

Land	Fläche in km²	Bevölkerung insgesamt (31.12.1992)	Saldo 1991/92	Einw. je km²	Kreisfreie Städte	Landkreise	Gemeinden¹
01 Schleswig-Holstein	15731,33	2679575	+ 31043	170	4	11	1131
02 Hamburg	755,31	1688785	+ 20028	2236	1	–	1
03 Niedersachsen	47363,59	7577520	+101730	160	9	38	1030
04 Bremen	404,23	685845	+ 2161	1697	2	–	2
05 Nordrhein-Westfalen	34070,68	17679160	+169300	519	23	31	396
06 Hessen	21114,35	5922639	+ 85309	281	5	21	426
07 Rheinland-Pfalz	19845,78	3880965	+ 59730	196	12	24	2303
08 Baden Württemberg	35751,39	10148708	+146868	284	9	35	1111
09 Bayern	70553,97	11770257	+179287	164	25	71	2051
10 Saarland	2570,01	1084007	+ 7128	422	–	6	52
11 Berlin	889,10	3465748	+ 19717	3898	1	–	1
12 Brandenburg	29052,53	2548527	+ 5804	88	6	38	1793
13 Mecklenburg-Vorpommern .	23598,21	1864815	– 26842	79	6	31	1123
14 Sachsen	18337,74	4640997	– 37880	253	6	48	1623
15 Sachsen-Anhalt	20442,92	2796981	– 26343	137	3	37	1361
16 Thüringen	16251,36	2545808	–26261	157	5	35	1694
Deutschland . . .	356732,50	80980343	+705779	227	117	426	16098
Nachrichtlich							
Früheres Bundesgebiet²⁾	248646,44	65289234	+804447	263	91	237	8504
Neue Länder und Berlin-Ost³⁾	108086,06	15691109	– 98668	145	26⁴⁾	189	7594⁴⁾

¹ Einschl. der bewohnten gemeindefreien Gebiete. ² Einschl. Berlin, westl. Stadtbezirke. ³ Einschl. Berlin, östl. Stadtbezirke.
⁴ Ohne Berlin.
Quelle: Statistisches Bundesamt

POLITISCHE PARTEIEN

(Nicht im Bundestag vertretene Parteien erreichten weder 3 Direktmandate noch 5 % der Zweitstimmen – Sonderregelung für die neuen Bundesländer zur Bundestagswahl am 2. 12. 1990)

I. Im Bundestag der 12. Wahlperiode vertretene Parteien:

Christlich Demokratische Union Deutschlands/CDU
Konrad-Adenauer-Haus,
Friedrich-Ebert-Allee 73–75, 53113 Bonn
T 0228/544–1, Tfax 544–216, FS 886 804,
Ttex 2 283 641
Vors.: Dr. Helmut Kohl, MdB, Bundeskanzler
Stellv. Vors.: Dr. Angela Merkel, MdB – Heinz Eggert, MdL, Staatsmin. d. Innern u. stellv. Min.-Präs. von Sachsen – Norbert Blüm, MdB, Bundesmin. für Arbeit u. Sozialordnung – Erwin Teufel, MdL, Min.-Präs. von Baden-Württemberg
Generalsekretär: Peter Hintze, MdB
Bundesschatzmeisterin: Brigitte Baumeister
Bundesgeschäftsführer: Hans Joachim Reck
Pressesprecher: Rolf Kiefer
Mitgliederzahl, Stand 31. 12. 1991: 751163 (incl. neue Bundesländer) – Ende 1992: 714000 –, davon

am 31. 10. 1991 25,6% Frauen; Beschäftigungsstruktur: 28,9% Angestellte, 20,6% Selbständige, 11,2% Beamte, 10,2% Hausfrauen, 12,7% Arbeiter, 3,3% in Ausbildung Stehende, 6,7% Rentner; (1989) 58,8% sind Katholiken und 34,2% Protestanten.

Sozialdemokratische Partei Deutschlands/SPD
Erich-Ollenhauer-Haus, Ollenhauerstr. 1,
53113 Bonn
T 0228/532–1, Tfax 532–410, FS (17) 2 283 620,
Ttex 2 283 620/SOPADE
Vors.: Rudolf Scharping, MdL, Min.-Präs. v. Rheinland-Pfalz
Stellv. Vors.: Johannes Rau, MdL, Min.-Präs. v. Nordrhein-Westfalen – Oskar Lafontaine, MdL, Min.-Präs. v. Saarland – Herta Däubler-Gmelin, MdB – Wolfgang Thierse, MdB
Schatzmeisterin: Inge Wettig-Danielmeier, MdB
Bundesgeschäftsführer: Günter Verheugen
Pressesprecherin: Cornelie Sonntag, MdB
Mitgliederzahl, Stand 31. 5. 1993: 868989 (davon in den neuen Bundesländern: 25765), davon insg. 27,69% Frauen – Beschäftigungsstruktur (insg.): 27,45% Angestellte, 24,98% Arbeiter/Facharbeiter,

Einnahmen- und Ausgabenstruktur der Bundesparteien 1991 (in Mio. DM)

	SPD	CDU	CSU	FDP	PDS	DIE GRÜNEN	Sonstige[1]
Einnahmen							
Beiträge	151,63	93,17	15,49	12,62	14,55	12,01	4,24
Einnahmen aus Vermögen	7,52	5,16	0,92	4,72	27,15	2,22	0,55
Einnahmen aus Veranstaltungen,							
Vertrieb von Druckschriften	4,08	2,83	0,71	0,18	0,94	0,20	0,22
Spenden.	23,22	38,59	14,71	13,14	1,96	7,69	9,80
Chancenausgleichszahlungen	10,12	10,07	2,82	4,01	–	–	2,14
Wahlkampfkostenerstattung	64,49	52,84	16,33	15,90	3,44	8,22	12,18
Zuschüsse von Gliederungen	18,85	14,42	0,85	3,03	51,51	19,02	5,40
Sonstige Einnahmen.	78,56	10,14	0,75	1,65	12,61	2,13	8,79
Gesamteinnahmen	*358,45*	*227,22*	*52,54*	*55,26*	*112,17*	*51,50*	*43,33[2]*
Ausgaben							
Personal.	82,33	73,08	13,02	13,05	57,61	10,65	5,68
Geschäftsbetrieb	46,80	49,83	9,27	13,28	36,20	7,74	6,34
Innerparteiliche Gremienarbeit und							
Information	15,42	23,19	2,07	4,52	3,89	5,40	8,46
Öffentlichkeitsarbeit und Wahlen . .	68,42	50,88	18,85	11,84	5,01	9,58	10,05
Zuschüsse an Gliederungen	18,85	6,23	0,80	3,03	52,66	19,02	4,19
Zinsen	2,35	6,12	0,92	0,20	0,05	0,11	0,74
Sonstige Ausgaben	38,53	7,34	3,50	4,68	2,32	2,00	0,51
Gesamtausgaben	*272,69*	*216,69*	*48,43*	*50,58*	*157,75*	*54,49*	*35,96[3]*

[1] → Tabelle, Sp. 345 f.
[2] Davon Gesamteinnahmen der REP 19,56 DM
[3] Davon Gesamtausgaben der REP 15,81DM
Quelle: Rechenschaftsberichte der Parteien (Bundesdrucksache 12/3950 u. 12/4475)

10,8% Beamte, 0,6% Soldaten/Wehrdienst, 11,7% Hausfrauen/Hausmänner, 9,27% Rentner/Pensionäre, 6,65% Schüler/Studenten, 4,22% Selbständige, 1,8% Auszubildende, 1,31% Arbeitslose, 0,15% Landwirte, 1,04% unbek.

Christlich-Soziale Union in Bayern/CSU
Nymphenburger Str. 64, 80335 München
T 089/12 43–0, Tfax 12 43–274, FS 898 193,
Ttex 898 193

Vors.: Dr. Theo Waigel, MdB
Stellv. Vors.: Dr. Jürgen Warnke, MdB – Dr. Mathilde Berghofer-Weichner, MdL – Gerold Tandler – Dr. Edmund Stoiber, MdL
Generalsekretär: Erwin Huber, MdL
Pressesprecher: Maximilian Schöberl
Mitgliederzahl, Stand 31. 12. 1991: 184513, davon 15,4% Frauen; Beschäftigungsstruktur: 30,4% Angestellte, 19,2% Selbständige, 18,3% Arbeiter, 15,9% Beamte, 12,7% Landwirte; 80,4% sind Katholiken; 3,3% Rentner

Freie Demokratische Partei/F. D. P.
Thomas-Dehler-Haus, Adenauerallee 266,
53113 Bonn
T 0228/547–0, Tfax 547–298
Ehrenvors.: Walter Scheel, Bundespräs. a. D., Dr.

h. c. Hans-Dietrich Genscher, MdB, Außenminister a. D. – Dr. Otto Graf Lambsdorff, MdB
Vors.: Dr. Klaus Kinkel, Vizekanzler u. Bundesminister des Auswärtigen
Stellv. Vors.: Dr. Irmgard Schwaetzer, MdB – Prof. Dr. Rainer Ortleb, MdB – Dr. Wolfgang Gerhardt, MdL
Schatzmeister: Dr. Hermann Otto Solms, MdB
Generalsekretär: Dr. Werner Hoyer, MdB
Bundesgeschäftsführer: Rolf Berndt
Pressesprecher: Hans-Rolf Goebel
Mitgliederzahl, Stand 31. 12. 1992: 103 488 (27,3% Frauen)

Partei des Demokratischen Sozialismus/PDS
Kleine Alexanderstr. 28, 10178 Berlin
T 030/28 40 90, Tfax 2 51 93 63
Ehrenvors.: Dr. Hans Modrow, MdB
Vors.: Lothar Bisky, MdB
Stellv. Vors.: Kerstin Kaiser, Sylvia-Yvonne Kaufmann
Bundesgeschäftsführer: Martin Harnack
Pressesprecher: Roman Hanno Harnisch
Mitgliederzahl, Stand 31. 12. 1993: 146742 (v. a. in Sachsen, Berlin u. Brandenburg) sowie rd. 1000 in den alten Bundesländern; jeweils ca. 50% Frauen, Rentner, Arbeitslose

Einnahmen und Ausgaben der nicht im Bundestag vertretenen Parteien

Partei/Einnahmen in DM	Beiträge	Einnahmen aus Vermögen	Einnahmen aus Veranstaltungen, Druckschriften	Spenden	Zuschüsse von Gliederungen	Sonstige Einnahmen	Summe[1]
Bund Sozialist. Arbeiter/BSA . . .	47 422		74 898	144 563			266 883
Deutsche Kommunist. P./DKP. . . .	1 368 616	20 350	30 421	1 104 409	459 720	122 711	3 106 227
DIE GRÜNEN in Sachsen	38 457	21 855		27 104	32 324	495 478	615 218
Hamburger Liste für Ausländerstop.	3 475		4 218	20 667		2 879	30 247
Nationaldem. P. Deutschlands/NPD.	566 413	12 498	5 690	1 154 796	440 300	15 936	2 195 632
Nationale Liste/NL	4 960		3 970	29 286		1 270	39 487
Patrioten für Deutschland	191 795		3 285	1 108 891	508 140	14 642	1 826 753
Sozialistische Initiative/SI	57 258		4 221	3 761	18 072	122 759	206 071
Südschleswigscher Wählerverband	56 246	14 773	3 978	241 653	4 659	288 205	645 283
Bündnis 90/BÜ 90.	5 304	942	271	11 489	1 242 756	20 407	1 281 169
NEUES FORUM/FORUM	231 146	183 251	74 678	142 608	347 636	236 095	3 455 336
Deutsche Volksunion/DVU	292 713			1 607 582	170 463	42 880	2 839 556
DIE GRAUEN	102 908	1 852	184	2 447 098	339 216	301	3 137 167
DIE REPUBLIKANER/REP	1 068 897	188 665	2 736	1 007 434	1 170 481	7 398 647	19 559 159
Ökologisch-Demokrat. P./ÖDP . . .	207 575	110 290	16 866	745 208	665 239	30 221	4 123 357
Summe	**4 243 185**	**554 476**	**225 416**	**9 796 549**	**5 399 006**	**8 792 431**	**43 327 545**

Parteien/Ausgaben in DM	Personal	Geschäftsbetrieb	Innerparteiliche Arbeit und Information	Öffentlichkeitsarbeit und Wahlen	Zuschüsse an Gliederungen	Sonstige Ausgaben	Summe[2]
BSA		63 981	14 541	203 436		5	281 963
DKP	407 345	1 431 068	191 096	703 162	463 580	61 794	3 258 216
DIE GRÜNEN in Sachsen	34 510	59 911	24 356	34 545	32 324	21 163	207 191
HLA		3 410		25 706		2 124	31 240
NPD	160 927	862 922	79 315	680 891	440 299	63 758	2 328 709
NL		13 451		21 499		4 646	39 596
Patrioten	458 386	163 030	208	681 546	508 140	17 674	1 832 197
SI	41 583	230 697	4 995	60 888	18 072	106 709	462 946
SSW	299 407	58 347	55 854	44 931	1 440	9 481	469 459
BÜ 90	133 220	32 995	26 955	79 201		25	272 575
FORUM	816 738	710 488	76 533	390 787	347 636	194 301	2 536 982
DVU	98 092	186 066		1 494 353	173 413	2 602	2 591 594
DIE GRAUEN	2 346 627	181 199	143 390	513 062	339 216	10 835	3 539 476
REP	656 051	2 095 563	7 626 869	4 214 378	1 170 481		15 808 530
ÖDP	225 804	246 057	214 255	896 976	694 086	19 304	2 301 809
Summe	**5 678 690**	**6 339 185**	**8 458 367**	**10 045 361**	**4 188 687**	**514 421**	**35 962 483**

[1] inkl. Chancenausgleichszahlungen (DIE GRAUEN 202 242 DM, REP 1 809 109 DM, ÖDP 124 273 DM, Wahlkampfkostenerstattung (Südschleswiger Wählerverband 35 767 DM, FORUM 2 239 922 DM, DVU 725 918 DM, DIE GRAUEN 43 364 DM, REP 6 913 189 DM, ÖDP 2 223 684 DM)
[2] inkl. Zinsen, die hier nicht gesondert aufgeführt sind
Quelle: Rechenschaftsberichte der Parteien (Bundesdrucksache 12/3950 u. 12/4475)

Bündnis 90/Die Grünen (Wahlbündnis zur Bundestagswahl von Bürgergruppen der ehemaligen DDR aus: Bündnis 90, Die Grünen [Ost], NEUES FORUM/FORUM, Demokratie Jetzt/DJ, Initiative Frieden und Menschenrechte/IFM, Unabhängiger Frauenverband/UFV, Aktionsbündnis Vereinigte Linke/AVL) – Am 21. 9. 1991 haben sich die DJ, IFM und große Teile des NEUEN FORUM zur gemeinsamen Organisation Bündnis 90 zusammengeschlossen (bis 13. 5. 1993).

Am 17. 1. 1993 beschließen **Bündnis 90** und **DIE GRÜNEN** ihren Zusammenschluß auf getrennten Bundesdelegiertenkonferenzen; als Name für die neue Partei wird **Bündnis 90/Die Grünen** (offizielle Kurzform: Grüne) vereinbart.
Bundesvorstand:
Sprecher/In: Marianne Birthler – Ludger Volmer
Politische Geschäftsführerin: Heide Rühle
Bundesschatzmeister: Henry Selzer
Beisitzer/Innen: Renate Backhaus, Angelika Beer, Eva Mensching, Christiane Ziller, Friedrich Heilmann, Dr. Helmut Lippelt, Eberhard Wagner
Mitglieder, Stand Mai 1993: 36 000

– Bundesgeschäftsstelle Bonn
Haus Wittgenstein, Im Ehrental 2–4,
53332 Bornheim-Roisdorf
T 02222/70 08–0, Tfax 70 08–99
Organisatorische Geschäftsführerin:
Dr. Dorothea Staiger
– Bundesgeschäftsstelle Berlin
Haus der Demokratie, Friedrichstr. 165,
10117 Berlin, T 030/2 29 13 96, Tfax 2 07 16 12
Geschäftsführer: Uwe Dähn

II. Politische Jugendgruppen der im Bundestag der 12. Wahlperiode vertretenen Parteien

Arbeitsgemeinschaft der Jungsozialistinnen und Jungsozialisten in der SPD
Ollenhauerstr. 1, 53113 Bonn
T 0228/532–365/366, Tfax 532–410,
Ttex 2 283 667
Vors.: Thomas Westphal
Bundessekretärin: Anke Stille
Mitgliederzahl, Stand Ende 1990: ca. 172 000

Junge Union Deutschlands
Annaberger Str. 283, 53175 Bonn
T 0228/31 00 11, Tfax 38 45 20
BVors.: Hermann Gröhe
Bundesgeschäftsführer: Axel Wallrabenstein
Pressesprecher: Alex Mänz
Mitgliederzahl, Stand 1. 5. 1993: 190 000

Junge Union Bayern
Nymphenburger Str. 64, 80335 München
T 089/12 43–242/244, Tfax 129 85 31
Landesvors.: Markus Sackmann, MdL
Landesgeschäftsführer: Franz Stangl
Mitgliederzahl, Stand 31. 12. 1992: 42 196

Junge Liberale (offiz. Jugendverband der FDP)
Lennéstr. 30, 53113 Bonn
T 0228/21 50–22/23, Tfax 26 13 26
BVors.: Ralph Lange
Bundesgeschäftsführerin: Susanne Baron
Pressesprecher: Oliver Stirböck
Mitgliederzahl, Stand Anfang 1993: ca. 9500

III. Sonstige Parteien und politische Vereinigungen, die beim Bundeswahlleiter Parteiunterlagen hinterlegt haben (Stand 4. 8. 1993)

Aktuelle Demokratische Partei/ADP
z. H. Josef Adam, Pf. 10 01 30, 63001 Offenbach,
T 069/89 63 01 od. 83 51 56

AUTOFAHRER- und BÜRGERINTERESSEN PARTEI DEUTSCHLANDS/APD
Heuchelbergstr.101, 74080 Heilbronn,
T 07131/ 336 66

Bayernpartei/BP
Untere Weidenstr. 14, 81543 München,
T 089/651 80 51

Bund für Gesamtdeutschland/BGD
Ostdeutsche, Mittel- u. Westdeutsche Wählergemeinschaft/DIE NEUE DEUTSCHE MITTE
z. H. Herrn Zaborowski, Zum Schulhof 8,
47053 Duisburg, T 0203/642 53

Bund Westdeutscher Kommunisten/BWK
Zülpicher Str. 7, 50674 Köln, T 0221/21 64 42

Bürgerrechtsbewegung Solidarität
Pf. 33 66, 55023 Mainz, T 06131/23 73 81

CHRISTLICHE LIGA Die Partei für das Leben/LIGA
Pf. 12 11, 88182 Ravensburg, T 0751/325 29

CHRISTLICHE MITTE/Für ein Deutschland nach GOTTES Geboten/CM
z. H. Herrn Heinrich Kersting, Oststr. 10, 32839 Steinheim

Christlich Soziale Rechte – Partei Deutscher Demokraten/CSR-PDD
z. H. Herrn Albert Teichner, Dieselstr. 1,
86343 Königsbrunn, T 08231/96 16 10

David gegen Goliath/Umweltliste unabhängiger
Bürgerinnen und Bürger/DaGG
Königinstr. 47, 80639 München, T 089/34 82 32

DEMOKRATIE 2000/D–2000
Allianz für Freiheit und Grundgesetz
Frohlinder Str. 93, 44379 Dortmund

Demokratische Republikaner Deutschlands/DRD
Kronsbergstr. 8E, 30880 Laatzen, T 0511/86 10 00

DEUTSCHE DEMOKRATISCHE VEREINIGUNG/
DDV-Politik 2000
z. H. Herrn Günter Harion, Wilhelm-Klein-Str. 11,
51427 Bergisch-Gladbach, T 02204/689 41

Deutsche Familien-Partei e. V./Familie
Pf. 11 94 35, 90104 Nürnberg, T 09122/776 70

Deutsche Heimat Partei/DHP
z. H. Herrn Günter Sellheim, Pf. 63 01 03, 60351
Frankfurt am Main

DEUTSCHE JUGENDPARTEI/DJP
Pf. 10, 13017 Berlin, T 030/979 13 33

Deutsche Kommunistische Partei/DKP
Hoffnungstr. 18, 45127 Essen, T 0201/22 51 48

Deutsche Liga für Volk und Heimat/Deutsche Liga
Pf. 37 05, 78026 Villingen-Schwenningen,
T 07720/374 45 od. 618 08

DEUTSCHE SOLIDARITÄT – ÖKO-Union – Union für
Umwelt- und Lebensschutz
Herrenstr. 10, 23881 Koberg, T 04543/621 od. 658

DEUTSCHE SOZIALE UNION/DSU – Die Vierte/
Deutsche Partei
Bergstr. 27, 53639 Königswinter, T 0228/66 04 28

DEUTSCHE VOLKSUNION/DVU
Paosostr. 2, 81238 München, T 089/834 80 65

Deutsche Zentrumspartei/ZENTRUM
Schulstr. 58, 41363 Jüchen, T 02181/428 96

Die Blauen »Freiheit, die wir meinen«
Altensteinerstr. 5, 65232 Taunusstein,
T 06128/23397

DIE BÜRGER – National-liberale Partei für Dtld.
Pf. 91 02 08, 51072 Köln, T 0221/41 05 92

DIE DEMOKRATEN/DEMOKRATEN
Große Deichstr. 31, 25348 Glückstadt,
T 04124/36 53

DIE GRAUEN – Graue Panther/GRAUE
Fichtenstr. 87–93, 40233 Düsseldorf,
T 0211/737 05 55

Die Mündigen Bürger/Mündige Bürger
Schloßweg 2, 90537 Feucht, T 09128/31 26

DIE NATURGESETZ-PARTEI, AUFBRUCH ZU NEU-
EM BEWUSSTSEIN/NATURGESETZ
Ringstr. 46, 74626 Schwabbach, T 07946/10 60

DIE REPUBLIKANER/REP
Plittersdorfer Str. 91, 53173 Bonn, T 0228/35 80 17

DMark-Partei/DM-Partei
z. H. Herrn Norbert Kloidt, Hattinger Str. 240,
44795 Bochum, T 0234/45 23 53

Europäische Föderalistische Partei – Europa Partei/
EFP – Die Föderalisten
Hopfensack 6, Pf. 11 18 27, 20457 Hamburg,
T 040/33 85 04

FREIE WÄHLER
Müllerstr. 4, 80469 München, T 089/26 38 38

Freiheitliche Deutsche Arbeiterpartei/FAP
Pf. 11 34, 25463 Halstenbek, T 04101/485 57

Freiheitliche Volkspartei/FVP
z. H. Herrn Helmut Koelbel, Gablonzer Str. 26,
76185 Karlsruhe, T 0721/55 66 11

Freiheitlich-Sozialistische Deutsche Volkspartei/
FSDVP
Pf. 11 68, 71287 Weissach

FREISOZIALE UNION – Demokratische Mitte/FSU
Feldstr. 46, 20357 Hamburg, T 040/439 97 17

Hamburger Liste für Ausländerstopp/HLA
Pf. 11 15 21, 20415 Hamburg, T 040/36 46 64

Liberale Demokraten/LD – Die Sozialliberalen
Pf. 11 65, 79190 Gundelfingen, T 0761/58 38 78 od.
58 98 80

Linke Liste/Partei des Demokratischen Sozialismus
– Linke Liste/PDS
Palmaille 24, 22767 Hamburg, T 040/389 21 64

Mensch Umwelt Tierschutz/MUT
Curtiusstr. 5, 86165 Augsburg

Nationaldemokratische Partei Deutschlands/NPD
Pf. 10 35 28, Stuttgart, T 0711/61 06 05

Nationale Alternative/NA
Pf. 228, 13020 Berlin, T 030/ 923 44 41

NATIONALE LISTE/NL
Pf. 60 19 24, 22219 Hamburg, T 040/730 20 64

NATIONALE OFFENSIVE/NO
Pf. 11 15 20, Augsburg

NATIONALISTISCHE FRONT/NF
Pf. 61 10, Bielefeld

Neues Bewußtsein/Bewußtsein – die spirituell
orientierte politische Vereinigung
Pf. 63 02 26, 44850 Bochum, T 02327/32 15 53

NEUES FORUM/FORUM
Haus der Demokratie, Friedrichstr. 165,
10117 Berlin, T 030/229 23 17

Ökologisch-Demokratische Partei/ÖDP
Clemens-August-Str. 75a, 53115 Bonn, T 0228/26
33 23 od. 26 34 39

ÖKOLOGISCHE LINKE/ÖkoLi
z. H. Herrn Zieran, Neuhofstr. 42, 60318 Frankfurt
am Main, T 069/59 92 70

Partei Bibeltreuer Christen/PBC
Pf. 49 69, Karlsruhe

Senatspartei Deutschland e. V./Senatspartei
Sterntalerstr. 1, 81739 München, T 089/60 40 95
od. 601 43 02

Südschleswigscher Wählerverband/SSW
Norderstr. 74, 24939 Flensburg, T 0461/174 21

UNABHÄNGIGE ARBEITER-PARTEI (Deutsche Sozialisten)/UAP
Pf. 10 38 13, 45038 Essen

Unabhängige Wählergemeinschaften Niedersach-
sen/UWN
Wallmodenstr. 36, 30625 Hannover, T 0511/55 14
77

Unabhängige Wählergemeinschaft Schleswig Hol-
stein/UWSH
Illerweg 41, 24156 Kiel, T 0431/789 07 50

Vereinigte Sozialistische Partei/VSP
Dasselstr. 75–77, 50674 Köln

WEITERE DATEN ZUR BEVÖLKERUNGS-, WIRTSCHAFTS- UND SOZIALSTRUKTUR DER BUNDESREPUBLIK DEUTSCHLAND

Die statistische Erfassung der ehemaligen beiden deutschen Staaten ist inzwischen auf eine gemeinsame Erhebungsmethodik umgestellt worden, wobei allerdings in manchen Fällen kein direkter Vergleich mit den vor 1990 erhobenen Daten möglich ist. Dennoch werden weiterhin auch getrennte Statistiken geführt, um die unterschiedliche Entwicklung im früheren Bundesgebiet (aBl) und neuen Bundesländern inkl. Berlin-Ost (nBL) deutlich zu machen.

Landwirtschaft, Bergbau, Industrie, Außenhandel, Verkehr → die entsprechenden Sachkapitel ab Sp. 901 ff.

Die **Bevölkerungszahl der BR Deutschland** betrug am 31. 12. 1992 (31. 12. 1991) nach den Angaben des Statistischen Bundesamtes 80 980 343 (80 274 564), davon Frauen 41 677 444 (41 435 461) bzw. Männer 39 802 899 (38 839 103), davon lebten in den alten Bundesländern 65 289 234 (64 484 787)

und in den neuen Bundesländern (inkl. Berlin-Ost) 15 691 109 (15 789 777). Die Bevölkerungszunahme war überwiegend durch einen positiven Wanderungssaldo verursacht, der 1990 mit über einer Mio. einen Höchststand erreicht hatte (Angaben jeweils zum 31. 12.): 1992 +788 025 (darunter Ausländer u. Staatenlose +592 855) – 1991 +600 687 (+423 015) – 1990 +1 040 998 (+376 326). Die Zahl der eingetroffenen Aussiedler, die bis 1990 angestiegen ist, ist 1992 wie bereits im Vorjahr zurückgegangen *(→ dazu Sp. 355 u. Abbildung)*. Die Abwanderung aus den neuen Bundesländern hat sich seit 1991 erheblich abgeschwächt *(→ dazu im einzelnen Sp. 354)*.

Der Einfluß der **natürlichen Bevölkerungsveränderung** auf die Bevölkerungszahl war bei der deutschen Bevölkerung negativ, bei der ausländischen Bevölkerung positiv, wobei die Ursache nicht nur in der höheren Geburtenquote, sondern auch in der Altersstruktur der ausländischen Bevölkerung zu sehen ist. Die Zahl der *Lebendgeborenen* betrug

1992 (vorläufige Angaben) insgesamt 809083 (1991: 830019/1990: 905675), die der Totgeborenen 2660 (2741/3202). Die darin enthaltene Zahl der Lebendgeborenen von Ausländern betrug 97963 (89502/86320), d. h. 13,59 (12,39/11,87) %, deren Eltern hatten folgende Staatsangehörigkeit 1992 (1991): Türkei 43971 (43921), Italien 5629 (6096), Jugoslawien 5888 (4870), Griechenland 3491 (3124), Polen 1396 (2271). Die Zahl der *nichtehelich Lebendgeborenen* betrug 1992 120432 (1991: 125187/1990: 138755), d. h. 14,88 (15,08/15,32) % aller Lebendgeborenen. – Die Zahl der *Gestorbenen* betrug 1992 885439 (1991: 911245/1990: 921445), davon Ausländer 11258 (10604/9482). Damit ergab sich 1992* erneut ein Sterbeüberschuß von 76356 (1991: 81226/1990: 15770), wobei die einzelnen Bundesländer erhebliche Unterschiede aufweisen. Für die alten Bundesländer ergibt sich für 1992 sogar ein Geburtenüberschuß von 25526 (1991: 13432), der auf die ausländische Wohnbevölkerung zurückzuführen ist. In den neuen Bundesländern, die 1985 noch einen Geburtenüberschuß aufwiesen, zeigt der Sterbeüberschuß seit 1989 eine steigende Tendenz: 1989: 6789 – 1990: 29634 – 1991: 94658 – 1992: 101882; dabei sind natürlich Fortzüge in die neuen Bundesländer zu berücksichtigen, die in diesem Zusammenhang eine wesentliche Rolle spielen. – Die durchschnittliche *Lebenserwartung* eines im früheren Bundesgebiet geborenen Säuglings beträgt nach Berechnungen des Statistischen Bundesamts z. Z. rd. 72,5 (männlich) bzw. 79,0 Jahre (weiblich) (Sterbetafel 1988/90), im Durchschnitt 5 Jahre mehr als Anfang der achtziger Jahre, vor allem ein Effekt gesunkener Säuglingssterblichkeit. Die Zahl der **Eheschließungen** betrug nach vorläufigen Berechnungen für 1992 453422 (aBl 405190/nBl 48232). Die Zahl der *Ehescheidungen* betrug 1992/1991 (aBl) 124698/127341, (nBl) 10312/8976.

Die häufigsten **Todesursachen** waren 1991 zur Hälfte (50,0 %) der Sterbefälle Krankheiten des Herzens und des Kreislaufsystems, während Krebserkrankungen in knapp einem Viertel (23,1 %) der Fälle den Tod zur Folge hatten. 1991 (1990) starben an Aids 1507 (1301) Personen. Verkehrsunfälle waren für 10983 (10969) Menschen die Todesursache. Opfer von Gewaltverbrechen wurden 1991 (1990) 3086 (2756). – Durch Suizid schieden 1991 (1990) 14011 (13924) Personen aus dem Leben, darunter 9656 (9534) Männer und 4355 (4390) Frauen. Die Suizidquote ist mit 17,5 Gestorbenen je 1000000 Einwohner gegenüber 17,4 (1990) nahezu unverändert. – Bei den Drogentoten verzeichnet das Bundeskriminalamt erstmals seit Jahren für 1992 mit 2035 gegenüber 1991 (2125) Sterbefälle (–4,2 %) wieder rückläufige Zahlen.

Die **Wanderung** zwischen der Bundesrepublik Deutschland und dem **Ausland** weist für 1992 einen positiven Wanderungssaldo von 788025 (Zuzüge 1489449/Fortzüge 701424) aus, wie dies bereits 1991 mit 600687 (Zuzüge 1182927/Fortzüge 582240) der Fall war. Die *Abwanderung* aus den *neuen Bundesländern* in die alten Bundesländer hat sich nach Mitteilungen des Statistischen Bundesamtes seit 1991 erheblich abgeschwächt. Nach 388700 im Jahr 1990 waren es 1991 nur noch 249743 (–37 %) und 1992 199170 (–19 %). Umgekehrt hat sich die Zahl der Fortzüge aus den alten Bundesländern in die neuen 1991 mit 80267 ge-

Aussiedler in der BR Deutschland

Stand 31.12.1992

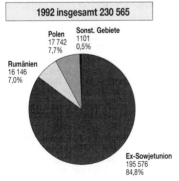

1992 insgesamt 230 565

Polen
17 742
7,7%

Sonst. Gebiete
1101
0,5%

Rumänien
16 146
7,0%

Ex-Sowjetunion
195 576
84,8%

Aussiedler in der BR Deutschland

1950 - 1991

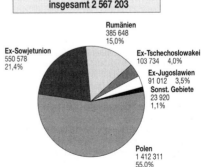

insgesamt 2 567 203

Rumänien
385 648
15,0%

Ex-Sowjetunion
550 578
21,4%

Ex-Tschechoslowakei
103 734　4,0%

Ex-Jugoslawien
91 012　3,5%

Sonst. Gebiete
23 920
1,1%

Polen
1 412 311
55,0%

genüber 35600 (1990) mehr als verdoppelt und nahm auch 1992 mit 111345 weiter zu.

Die Zahl der **Aussiedler** stieg von 221995 (1991) leicht auf 230565 (1992), ging jedoch gegenüber 1990 (397000) insgesamt stark zurück. Zwischen Januar und Ende Juli 1993 betrug die Zahl der Aussiedler 110226, gut 1000 weniger als im Vergleichszeitraum 1992; die Zahl der Aufnahmeanträge ging von 226000 auf 147000 zurück. Stark angestiegen ist die Quote der Rußlanddeutschen insbesondere aus den Bürgerkriegsgebieten der ehem. Sowjetunion; rückläufig ist dagegen der Anteil aus Polen und Rumänien. Die Herkunftsländer der Aussiedler waren 1992 (1991) nach Angaben des Bundesausgleichsamtes: ehem. UdSSR 195576 (147320), Polen 17742 (40129), Rumänien 16146 (32178), sonstige Länder 1101 (2368). Die Zahl der *Aufnahmebescheide* ging 1992 auf rd. 72% des Vorjahres zurück. Insgesamt stellten 402375 Personen in Ost- und Südosteuropa einen Antrag auf Aufnahme in die Bundesrepublik (1991: 557544). Davon entfielen auf die ehem. UdSSR 356233 (1991: 445198), Polen 26684 (66956) und auf Rumänien 15277 (40632). Seit 1950 wurden mehr als 2,6 Mio. Aussiedler in der Bundesrepublik (alte Bundesländer) aufgenommen.

Durch *Einbürgerung* bekamen 1991 (1990) 141630 (101377) Personen die deutsche Staatsangehörigkeit, davon 114335 (81140) »Anspruchseinbürgerungen« (meist deutschstämmige Aussiedler aus Osteuropa) und 27295 (20237) »Ermessenseinbürgerungen« (davon u. a. 1991 (1990): Polen 2328 (2171), Tschechen 1746 (2035), Jugoslawen 2164 (1646), Ungarn 410 (632). Die Zahl der Einbürgerungen im Zeitraum 1977–1991 betrug insgesamt 756671, davon Anspruchseinbürgerungen 519082, Ermessenseinbürgerungen 237589.

Die Zahl der **Ausländer** im Bundesgebiet nahm auch 1992 – wie schon in den Vorjahren – weiter zu, und zwar sowohl aufgrund eines hohen Geburtenüberschusses der hier wohnhaften Ausländer als auch eines starken Überwiegens der Zu- über die Abwanderung. Die Zahl der *Fortzüge* von Ausländern über die Grenzen des Bundesgebietes war 1992 (1991) mit 614747 (497476) geringer als die der *Zuzüge* mit 1207602 (614747), so daß sich wiederum ein *Wanderungsgewinn* von 592855 (423015) ergab. Am 31. 12. 1992 (1991) waren 6495792 (5882267) Ausländer als wohnhaft gemeldet.

Verteilung der Ausländer auf die Bundesländer nach Angaben des Statistischen Bundesamtes am 31. 12. 1992: Nordrhein-Westfalen 1812264 = 10,3% – Baden-Württemberg 1190785 = 11,8% –

Bayern 991859 = 8,5% – Hessen 745570 = 12,6% – Niedersachsen 425801 = 5,6% – Berlin 382792 = 11,1% – Rheinland-Pfalz 258888 = 6,7% – Hamburg 235474 = 14,0% – Schleswig-Holstein 125850 = 4,7% – Bremen 75731 = 9,4% – Saarland 68237 = 6,3% – Brandenburg 54976 = 2,2% – Sachsen 50780 = 1,1% – Sachsen-Anhalt 33929 = 1,2% – Mecklenburg-Vorpommern 22312 = 1,2% – Thüringen 20312 = 0,8%. – Der *Anteil der Ausländer an der Gesamtbevölkerung* der BR Deutschland belief sich am 31. 12. 1992 auf 8,0% (1991: 7,3%); zum Vergleich: Großbritannien (1991) 4,5% – Frankreich (1990) 6,3% – Schweiz (1992) 17,9%.

Ausländer (über 50000) **nach der Staatsangehörigkeit** Ende 1992 (1991): Türkei 1854954 (1779586) – ehem. Jugoslawien 915636 (775082) – Italien 557709 (560090) – Griechenland 345902 (336893) – Polen 285553 (271198) – Österreich 185278 (186885) – Rumänien 167327 (92135) – Spanien 133847 (135234) – Niederlande 113552 (113332) – Großbritannien und Nordirland 107130 (99680) – USA 104368 (99712) – Iran 99069 (97294) – Portugal 98918 (92991) – Frankreich 90877 (88880) – Vietnam 85656 (78139) – Marokko 80278 (75145) – Ungarn 61436 (56401) – ehem. Sowjetunion 61399 (51378) – Libanon 53469 50935).

Die Zahl der **Asylbewerber** erhöhte sich wie schon in den Vorjahren. 1992 (1991) wurden jedoch nur 4,3 (6,9) % als Asylberechtigte anerkannt. Insgesamt reisten 1992 438191 Asylbewerber ein, 71,1% mehr als im Vorjahr (256112), davon 65,1% aus ost- und südosteuropäischen Staaten (1990: 52,6%) und 19,8% aus Asien (31,5%). Die Asylbewerber kamen 1992 (1991) u. a. aus folgenden Herkunftsländern: ehem. Jugoslawien 122666 (74854), Rumänien 103787 (40504), Bulgarien 31540 (12056), Türkei 28327 (23877), Nigeria 10486 (8358), Vietnam 12258 (8133), ehem. Sowjetunion 10883 (5690).

Die Zahl der **Wohnungen** im Bundesgebiet betrug am 31. 12. 1990 (keine neueren Angaben verfügbar) insgesamt 33856222, davon in den alten Bundesländern 26839245 (zum Vergleich Wohnungszählung von 1987: 26276100), in den neuen Bundesländern 7016977. Die Zahl der Wohnungen pro 1000 Einwohner betrug 1990 425, davon aBl 422 mit einer Wohnfläche von 86,5 m² je Wohnung (36,5 m² je Einw.), nBl 436 mit einer Wohnfläche von 64,4 m² je Wohnung (28,1 m² je Einw.). 1992 (1991) wurden in den *alten Bundesländern* 375 (315) Tsd. Wohnungen fertiggestellt. Die Zahl der neuen Wohngebäude mit 1, 2, 3 und mehr Wohnungen betrug 1991 insgesamt 142234, die Zahl der neuen Ein- und Zweifamilienhäuser betrug insgesamt 118468. Hinzu kamen 1991 noch ca. 48000 Wohnungen in bestehenden Gebäuden bzw. in Nichtwohngebäuden (z. B. Fabrik- oder Bürogebäude). *Baugenehmigungen* für Wohnungen wurden 1992 (1991) 459 (401) Tsd. erteilt, darunter Wohnungen in neuerrichteten Wohngebäuden 394 (341), in Einfamilienhäusern 27 (28), in Zweifamilienhäusern 13 (13), in Mehrfamilienhäusern 60 (59). – Für den *Wohnungsbau* in den *neuen Bundesländern* gibt es für 1991 noch keine genauen Angaben; fertiggestellt wurden knapp 50000 Wohnungen, die zu einem nicht unerheblichen Teil bereits vor dem 3. 10. 1990 begonnen wurden. Die Finanzhilfen des Bundes für das Wohnungswesen in den neuen Bundesländern im Programmjahr 1992 betrugen insgesamt 2080 Mio. DM, davon sozialer Wohnungsbau / Modernisierung / Insta ndsetzung 1000 Mio., Gemeinschaftswerk Aufschwung Ost 965 Mio. DM für Modernisierung u. Instandsetzung, 115 Mio. DM für Privatisierung von Mietwohnungen. Für den Aus- und Umbau sowie Modernisierung u. Instandsetzung wurden 1992 (1991) für 605774 (276711) Wohnungen Förderzusagen des Gemeinschaftswerks Aufschwung Ost erteilt, 1991 außerdem Förderzusagen für 425663 Wohnungen im Rahmen des Programms der Kreditanstalt für Wiederaufbau.

Förderung des sozialen Wohnungsbaus
(nach Bundesministerium für Raumordnung, Bauwesen und Städtebau – Angaben in Mio. DM)

Jahr	Insgesamt	Bundesmittel	Mittel der Länder
1980	6834,0	1815,0	5019,0
1981	7949,9	1539,0	6410,9
1982	8193,3	1470,0	6723,3
1983	8887,7	2290,0	6597,7
1984	7378,0	2090,0	5288,0
1985	6138,9	1070,0	5068,9
1986	4894,5	946,5	3948,0
1987	3887,8	700,0	3187,8
1988	3716,1	450,0	3266,1
1989	5973,6	1050,0	4923,6
1990	8273,3	2000,0	6273,3
1991	11731,9[1]	1760,0	9971,9[1]
1992	12779,6[1]	2700,0	...[2]

[1] inkl. Berlin-Ost, [2] noch nicht verfügbar

Die **Wirtschaftsentwicklung** in der BR Deutschland stand 1992 nach Angaben der Deutschen Bundesbank unter »retardierenden Einflüssen von außen, aber auch hausgemachten Bremsfaktoren«, die sich auf Wachstum und Beschäftigung auswirkten. Die anhaltende Flaute im Exportgeschäft und der wachsende Lohnkostendruck wirkten sich hemmend auf die Konjunktur in der westdeutschen Wirtschaft aus. Die ostdeutsche Wirtschaft ist trotz der uner-

wartet großen Rückgänge im Handel mit den osteuropäischen Reformstaaten etwas vorangekommen, dies aber vor allem durch die erneut gestiegenen westdeutschen Transferzahlungen. Umgekehrt trug die Steigerung der Nachfrage aus Ostdeutschland zum Wachstum der westdeutschen Wirtschaft in nicht unerheblichem Maße bei, konnte aber das nachlassende Auslandsgeschäft im Gegensaz zum Vorjahr nicht mehr ausgleichen. Da die Exportlieferungen im wesentlichen auf Auftragsreserven beruhten, schwächte sich die Investitionsbereitschaft der Produktionsunternehmen zunehmend ab. Die Inlandsnachfrage bei Investitionsgüterherstellern ging um 12% zurück, während die Nachfrage nach Wohnungsbauleistungen 1992 real um 7,5% anstieg. Die Ausgaben für den privaten Verbrauch stiegen dem Wert nach um 5%, real jedoch nur um 1%. Die wirtschaftliche Entwicklung in *Ostdeutschland* war durch eine kräftige Zunahme der Binnennachfrage gekennzeichnet, mit der die Produktionsausweitung aber nicht Schritt gehalten hat, sowie durch eine starke Ausweitung der Investitionen um real 24%, bei den Bauten sogar um 34,2%. Das Hauptproblem für die ostdeutsche Industrie war auch 1992 der Zusammenbruch der traditionellen Exportmärkte in Mittel- und Osteuropa, bedingt duch den Devisenmangel in den dortigen Reformstaaten. Ein deutliches Wachstum war 1992 vor allem in den Bereichen Bauwirtschaft und Dienstleistungen zu verzeichnen. Ungeachtet dessen nahm die Zahl der Beschäftigten weiter ab und führte zu einer Arbeitslosenquote von ca. 15%. Die Lebenshaltungskosten sind insbesondere durch die Erhöhung der Wohnungsmieten um durchschnittlich 11% gestiegen. – Von den 11800 Unternehmen, die von der *Treuhandanstalt* verwaltet werden, waren bis Ende 1992 7000 privatisiert bzw. an frühere private oder kommunale Eigentümer zurückgegeben worden; 2000 befanden sich in Liquidation. *Zur Wirtschaftsentwicklung im einzelnen →* *Tabelle, Sp. 359.*

Die **Wirtschaftsentwicklung in Westdeutschland** war 1992 gegenüber dem Vorjahr weiterhin rückläufig; das Bruttosozialprodukt (BSP zu Marktpreisen) wuchs nach Angaben der Deutschen Bundesbank 1992 real (zu Preisen von 1985) um 0,9% (1991: + 3,6, 1990 + 4,95%) auf 2246,3 (2226,8) Mrd. DM. Nominal (in jeweiligen Preisen) nahm das BSP 1992 (1991) um 5,5 (7,9) % zu, was einem Wert von 2774,9 (2631,2) Mrd. DM entspricht. Nominal ergfolgte der größte Zuwachs mit 14,0 (11,3) % im Baugewerbe, gefolgt vom Bereich Dienstleistungen (Kreditinstitute, Versicherungsunternehmen, Wohnungsvermietungen u. Sonst.) mit 11,2 (12,9) %, während im Warenproduzierenden Gewerbe mit 3,6 (5,1) % und im Handel und Verkehr

Gesamtdeutsche Ergebnisse der Volkswirtschaftlichen Gesamtrechnungen für 1992 (1991) in jeweiligen Preisen

Gegenstand der Nachweisung	Deutschland 1992 (1991)	Früheres Bundes- gebiet	Neue Länder und Berlin-Ost	Früheres Bundes- gebiet	Neue Länder und Berlin-Ost
	Mrd. DM			% von Deutschland	
Entstehung des Inlandsprodukts					
Bruttowertschöpfung (unbereinigt)	2926,4 (2719,3)	2679,2	247,2	91,6	8,4
Land- und Forstwirtschaft, Fischerei	36,4	32,8	3,6	90,1	9,9
Produzierendes Gewerbe	1102,6	1019,4	83,2	92,5	7,5
Handel und Verkehr	422,0	383,8	38,2	90,9	9,1
Dienstleistungsunternehmen	947,8	884,2	63,5	93,5	6,7
Staat, private Haushalte u. ä.	417,7	359,0	58,7	86,0	14,0
Bruttowertschöpfung (bereinigt)[1]	2775,5 (2583,4)	2551,6	223,9	91,9	8,1
Bruttoinlandsprodukt[2]	3007,3 (2798,8)	2772,0	235,3	92,2	7,8
+ Einkommen aus der übrigen Welt (Saldo)[3]	14,5	2,9	11,6	–	–
= Bruttosozialprodukt	3021,8 (2826,6)	2774,9	246,9	91,8	8,2
Verwendung des Inlandsprodukts					
u. a. Privater Verbrauch	1708,8 (1607,3)	1492,7	216,1	87,4	12,6
Staatsverbrauch	605,0 (554,3)	499,1	105,9	82,5	17,5
Letzte inländische Verwendung von Gütern	3013,6 (2803,7)	2582,3	431,3	85,7	14,3
Außenbeitrag (Ausfuhr minus Einfuhr)[4]	–6,3 (–4,9)	189,7	–196,0	–	–
Ausfuhr von Waren und Dienstleistungen[4]	712,3 (711,2)	928,5	51,2	–	–
Einfuhr von Waren und Dienstleistungen[4]	718,6 (716,1)	738,8	247,3	–	–
Bruttoinlandsprodukt	3007,3 (2798,1)	2772,0	235,3	92,2	7,8
Einkommen					
Bruttovolkseinkommen[5]	2694,9 (2535,5)	2451,7	243,2	91,0	9,0
dar. Einkommen aus unselbständiger Arbeit	1728,3 (1606,3)	1506,1	222,2	87,1	12,9
Bruttolohn- und -gehaltssumme von Inländern empfangen	1408,4 (1306,3)	1223,6	184,8	86,9	13,1
Verfügbares Einkommen der priv. Haushalte	1954,8 (1839,8)	1709,4	245,4	87,4	12,6
Ersparnis der privaten Haushalte	246,0 (232,5)	216,7	29,3	88,1	11,9
Bevölkerung und Erwerbstätigkeit	Durchschnitt in 1000				
Bevölkerung (Einwohner)	80980 (80046)	65289	15691	80,6	19,4
Erwerbspersonen	38794 (39060)	30923	7871	79,7	20,3
– Arbeitslose	2978 (2602)	1808	1170	60,7	39,3
= Erwerbstätige Inländer	35816 (36458)	29115	6701	81,3	18,7
Selbständige u. mithelfende Familien- angehörige	3615 (3531)	3051	564	84,4	15,6
beschäftigte Arbeitnehmer	32201 (32927)	26064	6137	80,9	19,1
Angaben je Einwohner, je Erwerbstätigen und je beschäftigten Arbeitnehmer	DM				
Bruttoinlandsprodukt					
je Einwohner	37400 (35000)	42900	14900	–	–
je Erwerbstätigen	84000 (76900)	94100	37100	–	–
Bruttosozialprodukt je Einwohner	37600 (35300)	42900	15700	–	–
Bruttolohn- und -gehaltssumme monatlich je beschäftigten Arbeitnehmer (Inländer)	3640 (3310)	3910	2510	–	–

[1] Summe der Bruttowertschöpfung nach Abzug der unterstellten Entgelte für Bankdienstleistungen.
[2] Bereinigte Bruttowertschöpfung zuzüglich nichtabziehbare Umsatzsteuer und Einfuhrabgaben.
[3] Aus der übrigen Welt empfangene abzüglich an die übrige Welt geleistete Erwerbs- und Vermögenseinkommen.
[4] Früheres Bundesgebiet sowie neue Länder und Berlin-Ost einschließlich innerdeutscher Transaktionen.
[5] Einschl. Abschreibungen.
Quelle: Statistisches Bundesamt Wiesbaden, Fachserie 18, Reihe 3, 1. Vj. 1993

Vergleich der Bundesländer nach ihrer Wirtschaftskraft

Bundesland	Einwohner in %	in Mrd. DM	BIP 1992 in %	reale Veränd. gg. 1991 in %
Baden-Württemberg	12,5	457,5	15,2	6,2
Bayern	14,5	509,5	16,9	7,2
Berlin (West)	2,7	105,0	3,5	4,7
Berlin (Ost)	1,6	25,2	0,8	8,0
Brandenburg	3,1	39,0	1,3	5,2
Bremen	0,8	36,3	1,2	3,4
Hamburg	2,1	123,9	4,1	6,5
Hessen	7,3	299,0	9,9	7,3
Mecklenburg-Vorpommern	2,3	27,4	0,9	7,7
Niedersachsen	9,4	270,8	9,0	6,9
Nordrhein-Westfalen	21,8	697,0	23,2	5,1
Rheinland-Pfalz	4,8	136,4	4,5	4,8
Saarland	1,3	39,9	1,3	5,6
Sachsen	5,7	65,8	2,2	5,3
Sachsen-Anhalt	3,5	43,5	1,5	8,5
Schleswig-Holstein	3,3	96,6	3,2	5,3
Thüringen	3,1	34,4	1,1	8,0
Bundesgebiet		*3007,3*		*2,0*
dar. neue Bundesländer	19,5	235,3	7,8	6,8

mit 2,6 (8,0) % ein geringerer Zuwachs als im Vorjahr ermittelt wurde. Im Bereich Landwirtschaft, Forstwirtschaft und Fischerei ergab sich gegenüber 1991 nur eine geringfügige Abnahme von 0,1 % (1991 noch −12,1 %). Die *gesamtwirtschaftliche Situation* war auch 1992 durch Arbeitsmarktprobleme beeinträchtigt; die Arbeitslosigkeit stieg mit 5,9 % (bezogen auf alle Erwerbspersonen) gegenüber 1991 (5,7 %) leicht an; ein weiterer Anstieg auf über 7 % erfolgte im ersten Halbjahr 1993.

Bei der Ausfuhr war auch 1992 ein Zuwachs zu verzeichnen; der Wert der Ausfuhren (fob) betrug 1992 (1991) 670,6 (665,8) Mrd. DM, der Einfuhren (fob) 622,3 (627,3) Mrd. DM, was einen Anstieg des Exportüberschusses auf 48,3 (1991: 38,5) Mrd. DM zur Folge hatte. Der Saldo der Leistungsbilanz, der 1990 noch einen Überschuß von 76,4 Mrd. DM aufgewiesen hatte, wies 1992 erneut ein Defizit auf, das von 32,9 Mrd. DM im Jahr 1991 auf 40,3 Mrd. DM angewachsen ist.

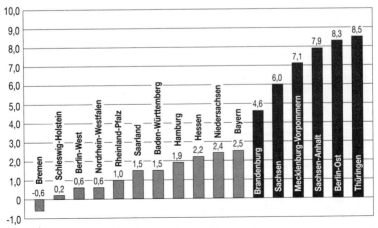

Wirtschaftswachstum nach Bundesländern

Zur **Entstehung des Sozialprodukts** (BIP) 1992 (in jeweiligen Preisen, Angaben in Mrd. DM): Unternehmen insgesamt 2302,2 (1991: 2185,8) – Staat 288,7 (270,8) – Private Haushalte (inkl. privater Organisationen ohne Erwerbszweck) 70,3 (64,3). – **Verteilung des Sozialprodukts** (BIP) 1992 (1991): Einkommen aus unselbständiger Arbeit (inkl. Arbeitgeberbeiträge zur Sozialversicherung u. zusätzl. Sozialaufwendungen der Arbeitgeber) 1506,1 (1422,1) Mrd. DM; die Brutto-Lohn- und Gehaltssumme 1992 ergab 1223,6 Mrd. DM, die Netto-Lohn- und Gehaltssumme 814,4 Mrd. DM; Einkommen aus Unternehmertätigkeit und Vermögen 593,5 (586,7) Mrd. DM; zusammen entspricht das einem Volkseinkommen von 2099,7 Mrd. DM, das mit 4,5% gegenüber 1991 (2008,8 Mrd. DM) zugenommen hat.

Zur **Verwendung des Sozialprodukts** (BIP) 1992 (1991) macht das Statistische Bundesamt folgende Angaben: Der *private Verbrauch* stieg gegenüber dem Vorjahr nominal um 5,1% (1991: +7,5%) und betrug 1492,7 (1420,7) Mrd. DM; davon wurden für Nahrungsmittel, Getränke, Tabakwaren 302,2, Wohnungsmieten (inkl. Mietwert der Eigentumswohnungen) 247,7, Energie (ohne Kraftstoffe) 55,5, Güter für Verkehr und Nachrichtenübermittlung 252,7, Sonstiges (Bekleidung, Haushalt, Gesundheits- u. Körperpflege, Bildung, Unterhaltung, Freizeit u. a) 588,4 Mrd. DM aufgewendet. Real nahm der private Verbrauch lediglich um 1% zu (1991 +3,6%). – Der *Staatsverbrauch* wuchs nominal um 6,6% (1991: +5,3%) mit 499,1 (468,1) Mrd. DM; davon u. a. Käufe von Gütern für die laufende Produktion 306,9 (Gebietskörperschaften 145,5, Sozialversicherung 161,5), Verkäufe von Waren und Dienstleistungen 96,5 Mrd. DM; nachrichtlich: Staatsverbrauch für zivile Zwecke: 453,9 Mrd DM. Real stieg der Staatsverbrauch um 2,5%, während er 1991 nur um 0,5% zugenommen hatte. – Die *Ausrüstungsinvestitionen* nahmen 1992 nominal um 1,1% ab (1991 +11,8) und betrugen insgesamt 258,7 (261,6) Mrd. DM; real sanken sie um 2,7% auf 233,1 (1991: 220,9 = +9,1%) Mrd. DM. – Die *Bauinvestitionen* stiegen 1992 (1991) nominal um 13,0 (11,6) % auf 337,6 (303,5) Mrd. DM; davon Unternehmen 281,6 (Wohnbauten 170,3) bzw. Staat 56,0 Mrd. DM. Real stiegen sie um 5,6 (4,1) % auf 259,1 (145,4) Mrd. DM. Der *Außenbeitrag* (Ausfuhr minus Einfuhr von Waren und Dienstleistungen) stieg 1992 nominal auf 189,7 (1991: 167,5) Mrd. DM; real sank er von 60,9 im Jahr 1991 auf 60,5 1992.

Außenhandel: Die *Einfuhren* (cif) betrugen 1992 (1991) 643,914 (637,546) Mrd. DM, die *Ausfuhren* (fob) stiegen auf 671,203 (665,813) Mrd. DM. Dadurch ergibt sich für 1992 (1991) ein Handelsbilanzüberschuß von 33,656 (21,899) Mrd. DM. Gegenüber den EG-Ländern nahm der Handelsbilanzüberschuß von 25,066 Mrd. DM (1991) auf 32,752 Mrd. DM (1992) zu. Der Außenhandelssaldo gegenüber den USA, der 1991 erstmals ein Defizit von 0,494 Mrd. DM aufgewiesen hatte, wies 1992 wieder ein Plus von 0,236 Mrd. DM auf. Gegenüber Japan war erneut ein Defizit von 20,469 (1991: 23,169) zu verzeichnen.

Die Zahl der **Erwerbspersonen** im Jahresdurchschnitt 1992 betrug in den *alten Bundesländern* 30,923 Mio.; die Zahl der **Erwerbstätigen** (Inländer) belief sich 1992 (1991) auf 29,115 (28,989) Mio., davon Selbständige und mithelfende Familienangehörige 3,051 (3,041) Mio.

Erwerbstätige nach Wirtschaftszweigen (West) im Jahresdurchschnitt 1992 in Tsd.:

	1992	(1991)	Veränd. in %
Land- u. Forstwirtschaft, Fischerei	925	(963)	−3,4
Produzierendes Gewerbe	11320	(11489)	−1,5
Dienstleistungen	17205	(16767)	+2,6
davon Handel und Verkehr	5651	(5545)	+1,9
Sonstige	11554	(11222)	+3,0
Insgesamt	29450	(29219)	+0,8

Erwerbstätige nach Wirtschaftszweigen (Ost) November 1990 – Mai 1992 in Tsd.:

	11/1990	11/1991	5/1992
Land- u. Forstwirtschaft, Fischerei	697,7	391,6	312,3
Bergbau, Energiegewinnung	411,3	282,4	236,1
Verarbeitendes Gewerbe	2419,6	1687,7	1504,7
Dienstleistungen	3537,7	3336,0	3163,7
keine Angaben	77,6	306,1	313,3
Insgesamt	7831,8	6733,7	6209,7

Sozialversicherungspflichtig Beschäftigte nach Wirtschaftszweigen (West) am 30. April 1993 in Tsd. und Veränderung gegenüber Vorjahresmonat in %:

Land- u. Forstwirtschaft, Fischerei	214,5	−3,4
Energie, Bergbau	418,6	−2,2
Verarbeitendes Gewerbe	8144,4	−5,8
Baugewerbe	1558,7	+1,4
Handel	3291,5	−0,8
Verkehr, Nachrichtenübermittlung	1177,8	−1,3
Kreditinstitute, Versicherungen	954,7	+1,0
Dienstleistungen	5228,9	+1,8
private Haushalte u. Org. ohne Erwerbscharakter	560,0	+1,4
Gebietskörperschaften, Sozialversicherungen	1464,1	−1,6
Insgesamt	23013,8	−1,9

Zum Vergleich: Die Gesamtzahl der sozialversicherungspflichtig Beschäftigen (Ost) betrug im September 1992 5688,5 Tsd., im März 1993 (vorläufige Ergebnisse) 5539,8 Tsd.

Der *Personalstand im öffentlichen Dienst* betrug am 30. 6. 1992 (1991) insgesamt 6, 66 (6,74) Mio., davon 5,58 (5,67) Mio. voll- und 1,08 (1,07) Mio. teilzeitbeschäftigt. Bezogen auf die Anzahl aller abhängig Beschäftigten waren 1992 (1991) 20,0 (19,9) % im öffentlichen Dienst beschäftigt. Von der Gesamtzahl entfielen 1992 (1991) (in Tsd. vollzeitbeschäftigt) auf den Bund 601 (629) (einschl. Berufs- und Zeitsoldaten), die Länder 2074 (2129), die Gemeinden und Gemeindeverbände (inkl. kommunale Zweckverbände) 1648 (1631), die Bundespost 521 (532), die Bundesbahn 423 (462) – den mittelbaren öffentlichen Dienst 311 (288). Nach dem *Dienstverhältnis* entfielen (1992 in Tsd. vollbeschäftigt) auf Beamte, Richter und Soldaten 1953 – Angestellte 2440 – Arbeiter 1185.

Die Lage auf den **Arbeitsmärkten** im Westen und im Osten der Bundesrepublik Deutschland *(→ Abbildung)* entwickelte sich auch 1991 gegenläufig.

Die **regionale Verteilung** der Arbeitslosigkeit nach Arbeitsamtsbezirken ließ 1992/93 deutliche Schwerpunkte sowie ein gewisses Ost-West- und Nord-Süd-Gefälle innerhalb des Bundesgebiets erkennen *(→ Abbildung)*.
Nach Angaben der Bundesanstalt für Arbeit in Nürnberg erhöhte sich die durchschnittliche **Arbeitslosenzahl** in den **alten Bundesländern** 1992 (1991) auf 1,808 (1,689 Mio.), davon 982778 (897677) Männer und 825531 (791688) Frauen bzw. 0,607 Mio. Angestellte und 1,082 Arbeiter. Von den Arbeitslosen waren 57895 (54233) Jugendliche unter 20 Jahren; 134649 (139756) waren Aussiedler; 254201 (208094) waren Ausländer; 124825 (116750) waren Schwerbehinderte. Die *Arbeitslosenquote* (Arbeitslose in % der abhängigen zivilen Erwerbspersonen) stieg im Jahresdurchschnitt 1992 auf 6,6% (1991: 6,3%); im Juni 1992 lag sie bei 7,8% und stieg im Juni weiter auf 8,6%. Gemessen an allen Erwerbspersonen betrug die Arbeitslosenquote 1992 (1991) 5,9 (5,7%). Der Anstieg der Arbeitslosigkeit war vor allem auf die Zunahme an Arbeitslosmeldungen im Jahr 1992 zurückzuführen; insgesamt meldeten sich 3,96 Mio. arbeitslos, rd. 300000 oder 8% mehr als 1991, im 4. Quartal waren es sogar 20% mehr als im Vorjahreszeitraum. Der *Abgang* an Arbeitslosen lag dagegen mit 3,67 Mio. nur knapp unter dem des Vorjahres. Gut zwei Drittel aller Arbeitslosen erhielten Lohnersatzleistungen. – Die Zahl der *Kurzarbeiter* erhöhte sich im Jahresdurchschnitt 1992 auf 283 Tsd.

Eckwerte des Arbeitsmarktes für Juli 1993 im Bundesgebiet Ost

Arbeitslose	Juli 1993	Veränd. gegen Juli 1992 in %
Zugang (Meldungen) im Monat . . .	168027	– 6,3
Abgang im Monat	101203	–11,4
Bestand am Ende des Monats	1166520	– 1,8
dar.: 64,4% Frauen	751684	– 1,1
63,5% Arbeiter	740257	6,1
2,2% Jugendliche unter 20 Jahren	26156	–21,5
2,3% Männer, 55 Jahre und älter	26773	–
3,9% Frauen, 55 Jahre und älter	45375	78,2
2,5% Schwerbehinderte . .	28926	– 7,0
4,2% Teilzeitarbeitsuchende	49150	–18,2
0,7% Aussiedler	8541	86,1
1,3% Ausländer	14968	– 3,8

Arbeitslosenquote bezogen auf alle zivilen Erwerbspersonen . . .	*15,3%*	–

Quelle: Bundesanstalt für Arbeit

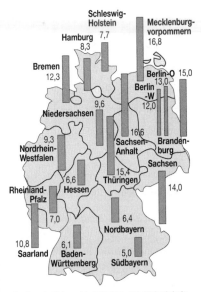

Regionale Unterschiede bei der Arbeitslosigkeit
(Stand: 30. 6. 1992)
Quelle: Bundesanstalt für Arbeit

Arbeitslose (Juni 1993 insgesamt 3 270 000 Mio.)

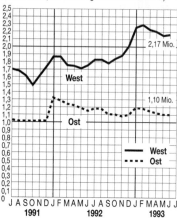

Kurzarbeiter (Juni 1993 insgesamt 1 097 800 Mio.)

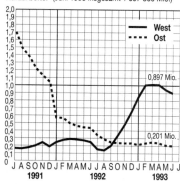

Offene Stellen (Juni 1993 insgesamt 310 300 Tsd.)

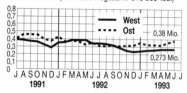

Arbeitslose, Kurzarbeiter und offene Stellen
(Angaben in Mio.)
Quelle: Bundesanstalt für Arbeit

und war damit fast doppelt so hoch wie 1991 mit 145 Tsd.; der durchschnittliche Bestand an *offenen Stellen* betrug 1992 (1991) 323 (331) Tsd. Insgesamt sank 1992 (1991) die Zahl der Arbeitsuchenden auf 2,340 (2,482) Mio.; die Zahl der Arbeitsvermittlungen betrug insgesamt 2,349 (2,399) Mio. – In *Arbeitsbeschaffungsmaßnahmen* waren 1992 (1991) 78,2 (83) Tsd. Personen tätig; an Maßnahmen zur beruflichen Weiterbildung, die vom Arbeitsamt bezahlt wurden, nahmen 1992 (1991) 372 (366) Tsd. Personen teil. Bedingt durch den Rückgang der *Aussiedler* lagen die Teilnehmerzahlen an einem *Deutsch-Sprachlehrgang*, z. T. kombiniert mit beruflicher Qualifikation, nur noch bei 51 Tsd. Rund 28 Tsd. Personen, die über ein Jahr ohne Beschäftigung waren, fanden durch das Programm *Beschäftigungshilfen für Langzeitarbeitslose* eine Arbeit.

Die durchschnittliche **Arbeitslosenzahl** in den **neuen Bundesländern** betrug 1992 (1991) 1 170 261 (912 838), davon 429 116 (382 877) Männer und 741 145 (529 961) Frauen. Von den Arbeitslosen waren 30 257 (41 567) Jugendliche unter 20 Jahren; 15 571 (13 790) waren Ausländer. Die *Arbeitslosenquote* (bezogen auf alle abhängigen zivilen Erwerbspersonen) betrug im Jahresdurchschnitt 1992 (1991) 14,8 (10,3 %); im Januar 1993 lag sie bei 16,4 %, im Juli 1993 bei 16,0 %. Dabei ist zu berücksichtigen, daß sich laut Bundesanstalt für Arbeit das »Arbeitsangebot auch 1992 stark verringert, wenngleich auch deutlich verlangsamt« hat (von 1991 auf 1992 Abnahme der Erwerbspersonen jahresdurchschnittlich um rd. 600 000 auf 7,5 Mio., schätzungsweise –1,0 Mio von 1990 auf 1991). Auch die Beschäftigung hat weiter abgenommen: die Zahl der Erwerbspersonen hat sich schätzungsweise um 0,84 auf 6,34 (1991 –1,7) Mio. verringert: »Systemtransformation und Strukturbruch der Wirtschaft haben die weitere Aufgabe zahlreicher Arbeitsplätze mit sich gebracht ... andererseits ist der Aufbau neuer Arbeitsplätze noch zu wenig in Gang gekommen.« Die Zahl der *Kurzarbeiter* hat zwar im Jahresdurchschnitt 1992 mit 37 000 gegenüber 1,616 Mio. im Vorjahr erheblich abgenommen; dennoch gab es auch 1992 ein hohes Maß nicht registrierter Arbeitslosigkeit, und zwar in einer Größenordnung von jahresdurchschnittlich 1,8 Mio., kaum weniger als 1991. Die Zahl der gemeldeten *offenen Stellen* betrug 1992 im Jahresdurchschnitt 32,7 Tsd.; die Zahl der *Arbeitsvermittlungen* lag bei 616,9 Tsd. – In *Arbeitsbeschaffungsmaßnahmen* waren im Jahresdurchschnitt 1992 (1991) 388 (183) Tsd.) Personen tätig; im Juli 1993 waren es nur noch 178 424, dafür wurden in diesem Monat 19 903 duch ein Sonderprogramm des Bundes gefördert, und 24 794 nahmen an Maßnahmen nach dem Arbeitsförderungsgesetz teil. An Maßnahmen zur *beruflichen Weiterbildung*, die vom Arbeitsamt bezahlt wurden, nahmen 1992 schätzungsweise 491 200 (1991 279 800) Personen teil; *Vorruhestandsgeld* bezogen 294 779 Personen, *Altersübergangsgeld* 515 798 (1991 ca. 215 880) Personen. *Arbeitslosengeld* 1992 (1991) erhielten 841 366 (684 667), *Arbeitslosenhilfe* 116 769 (24 343) Personen.

Der Haushalt der **Bundesanstalt für Arbeit** ergab für 1992 (1991) Einnahmen von 79,681 (70,190) Mrd. DM, darunter Einnahmen aus Beiträgen 76,662 (67,074) Mrd. DM, davon alte Bundesländer 73,365 Mrd. Für die neuen Bundesländer kommen Liquiditätsbeihilfen in Höhe von 8 940 Mrd. DM hinzu. Die Ausgaben beliefen sich auf 93,523 (71,293) Mrd. DM, davon entfielen 1992 47,508 (Saldo +28 860) Mrd. DM auf die alten bzw. auf die neuen Bundesländer 46,015 (Saldo −42 702) Mrd. DM. Ausgaben für Arbeitslosenunterstützung nBl 21 742 – aBl 14,569 Mrd. DM, Winterbauförderung 1,373 bzw. 0,357 Mrd. DM, Maßnahmen zur beruflichen Förderung und Rehabilitation 17,648 bzw. 2,228 Mrd DM. Das Vermögen (ohne Verwaltungsvermögen) betrug 1992 0,072 Mrd. gegenüber 4,973 (davon jedoch 4,894 Zuweisungen des Bundes) Mrd. im Jahr 1991.

Gewerkschaftsmitglieder: Die Zahl der Beschäftigten, die in den Mitgliedsgewerkschaften des Deutschen Gewerkschaftsbundes organisiert waren, war nach der Vereinigung bis Ende 1991 auf 11,8 Mio.

gestiegen, davon in den neuen Bundesländern 4,2 Mio. Bis zum Ende 1992 hatte der DGB jedoch vor allem in den neuen Bundesländern einen Mitgliederrückgang auf 11,015 Mio. zu verzeichnen *(Einzelheiten → Tabelle).* – Nach dem Mitgliederstand vom 31. 12. 1991 betrug der Anteil der Frauen 33 %; Arbeiter 59,4 %, Angestellte 23,6 % u. Beamte 6,9 % (jeweils einschl. Rentner).
Weitere Gewerkschaften: Deutscher Beamtenbund/DBB 1 095 399 (Ende 1991: 1,053 Mio.) – Deutsche Angestellten-Gewerkschaft/DAG 578 352 (Ende 1991: 584 775) – Christlicher Gewerkschaftsbund Dtlds./CGB 310,8 (31. 12. 1991, 1990 304,7)

Die **Entwicklung des Bundeshaushalts** ist seit Mitte der 70er Jahre durch hohe Fehlbeträge und dadurch notwendige Kreditaufnahmen geprägt. Diese Situation hat sich seit der Vereinigung weiter zugespitzt. Der Haushaltsentwurf sieht für 1993 (1992) insgesamt 435,6 (422,1) Mrd. DM vor, was gemessen am Soll inkl. Nachtragshaushalt 1992 (1991) einer Steigerung von 2,5 (2,9) % entspricht *(Einzelheiten → Tabelle Sp. 371).*

Die **Einnahmen/Ausgaben des Bundes** (nach Angaben der Deutschen Bundesbank Ein- u. Auszahlungen bei dortigen Konten, daher Abeichungen von der amtlichen Finanzstatistik) in Mrd. DM:

1980:	199,50/228,25
1985:	257,54/280,45
1990:	332,99/368,86
1991:	405,61/449,33
1992:	438,22/475,10

Mitgliederrückgang der DGB-Gewerkschaften

Einzelgewerkschaften	Mitglieder 1992	Veränd. gg. 1991 in %
IG Metall	3 394 282	−6,3
Öffentl. Dienste, Transport u. Verkehr	2 114 522	−1,1
IG Chemie - Papier - Keramik	818 832	−6,6
IG Bau Steine Erden	695 712	−10,4
Handel, Banken u. Versicherungen	629 727	−14,6
Deutsche Postgewerkschaft	611 244	−0,1
Eisenbahner Deutschlands	474 530	−10,0
IG Bergbau und Energie	457 239	−9,8
Nahrung - Genuß - Gaststätten	394 686	−8,5
Erziehung und Wissenschaft	346 040	−3,8
Textil - Bekleidung	288 198	−17,2
IG Medien	236 306	−3,5
Holz und Kunststoff	204 763	−14,5
Gewerkschaft der Polizei	197 451	−1,8
Gartenbau, Land- und Forstwirtschaft	120 190	−11,0
Leder	31 890	−23,6
DGB insgesamt	11 015 612	−6,7

[1] Mitgliederstand 31.12.1992
[2] Mitgliedergewinne in den alten Bundesländern, jedoch höhere Verluste in den neuen Bundesländern
Quelle: DGB-Bundesvorstand

Die **Netto-Neuverschuldung** des Bundes, die seit 1990 vor allem durch den Finanzbedarf der Vereinigung bzw. der Stützungsmaßnahmen für die neuen Bundesländer beträchtlich zugenommen hat (1990: 46,7, 1991 52,0, 1992 38,6 Mrd. DM – ohne Fonds Deutsche Einheit), soll 1993 auf die Rekordhöhe von 67,5 Mrd. DM begrenzt werden. Nach der mittelfristigen Finanzplanung des Bundes ist eine sukzessive Reduzierung erst ab 1996 möglich.

Die **Verschuldung der Treuhandanstalt** stieg nach eigenen Angaben von 14,058 Mrd. DM (Dez. 1990) über 39,402 (Dez. 1991) auf 106,792 Mrd. DM, davon Kreditmarktverschuldung 54,669, Übernahme von Altkrediten 38,010, Verbindlichkeiten aus Ausgleichsforderungen der Unternehmen 14,113 Mrd. DM. Im Juni 1993 waren die Schulden auf 142,942 Mrd. DM angewachsen. Nach Berechnungen des Instituts der Deutschen Wirtschaft dürften die Schul-

den bis Ende 1994 auf 250 Mrd. DM steigen und damit den größten Anteil in dem ab 1995 geplanten **Erblasten-Tilgungsfonds** ausmachen. Weitere Erblasten sind die Schulden aus dem *Kreditabwicklungsfonds* mit 140 Mrd. DM und und die vom Bund übernommenen *Altschulden aus dem öffentlichen Wohnungsbau* der ehem. DDR mit 30 Mrd. DM.

Die Verschuldung der **Bundesbahn**, die von 47,065 Mrd. DM im Dezember 1990 auf 37,969 Ende 1991 zurückgegangen war, stieg bis zum Dezember 1992 auf 48 017 Mrd. DM. – Die Verschuldung der **Bundespost** stieg von 70,979 Mrd. DM im Dezember 1990 auf 81,271 Mrd. DM im Dezember 1991 und betrug im Dezember 1992 96,646 Mrd. DM.

Der **Staatshaushalt** wies nach Angaben der Deutschen Bundesbank 1992 (geschätzt) ein Finanzierungssaldo von −116,0 (1991: −109,5) Mrd. DM

Bundeshaushalt 1992 (Soll), 1993 und 1994 (Entwurf)

Einzelplan	Ausgaben Soll 1992 Mio. DM	Ausgaben Entwurf Mio. DM	Ausgaben Soll 1993 Mio. DM	Entwurf 1994	Veränderung 1992/93 in %	Veränderung 1993/94 in %
01 Bundespräsidialamt	29,5	29,6	28,6	29,5	0,1	3,3
02 Bundestag	931,5	906,3	935,2	966,8	−2,7	3,4
03 Bundesrat	28,7	30,3	30,2	27,1	5,7	−10,2
04 Bundeskanzleramt	612,8	625,1	610,8	630,5	2,0	3,2
05 Auswärtiges Amt	3445,5	3651,7	3632,5	3838,3	6,0	5,7
06 Inneres	8562,9	8560,6	8789,4	8528,4	0,0	−3,0
07 Justiz	713,0	740,1	732,0	667,0	3,8	−8,9
08 Finanzen	5784,0	5954,7	5814,4	5955,4	2,9	2,4
09 Wirtschaft	15681,0	14924,9	15962,7	14740,7	−4,8	−7,7
10 Ernährung, Landwirtschaft u. Forsten	13950,7	14377,8	13935,8	13485,4	3,1	−3,2
11 Arbeit und Sozialordnung	90766,8	98775,6	119862,1	121848,6	8,8	1,7
12 Verkehr	39975,9	44254,8	43871,5	53871,8	10,7	22,8
13 Post und Telekommunikation	540,8	553,2	558,6	468,6	2,3	−16,1
14 Verteidigung	52106,8	50800,0	49847,0	48600,0	−2,5	−2,5
15 Gesundheit	1051,3	1071,4	1064,3	851,0	−1,9	−20,0
16 Umwelt, Naturschutz u. Reaktorsicherheit	1339,3	1291,9	1262,4	1352,6	−3,5	7,1
17 Frauen und Jugend	2767,1	2825,4	2911,0	2645,9	2,1	−9,1
18 Familie und Senioren	31815,6	31666,7	29906,4	28371,0	−0,5	−5,1
19 Bundesverfassungsgericht	23,2	22,7	22,8	24,6	−1,9	8,1
20 Bunderechnungshof	63,7	68,9	69,6	71,6	8,3	2,9
23 Wirtschaftl. Zus.-Arbeit u. Entwicklung	8317,2	8520,0	8423,9	8391,3	2,4	0,0
25 Raumordnung, Bauwesen u. Städtebau	8190,6	8162,7	7988,9	10569,9	−0,3	32,3
30 Forschung und Technologie	9344,0	9602,7	9611,0	9468,3	2,8	0,0
31 Bildung und Wissenschaft	6420,1	6533,3	6447,6	6187,3	1,8	−4,0
32 Bundesschuld	57696,1	58881,0	60531,6	67280,1	2,1	11,2
33 Versorgung	12039,1	13731,1	13465,2	14349,7	14,1	6,6
35 Verteidigungslasten	1430,9	1284,9	1202,8	1252,7	−10,2	4,1
36 Zivile Verteidigung	937,4	850,0	773,1	667,3	−9,3	−13,6
60 Allgemeine Finanzverwaltung	50534,6	46952,4	49848,6	53258,1	−7,1	6,8
Insgesamt	*425100,0*	*435650,0*	*458140,0*	*478400,0*	*2,5*	*4,4*

[1] Veränderung 1992/93 bezieht sich auf den Soll-Haushalt 1992 und den Entwurf 1993; 1993/94 auf Soll 1993 und Entwurf 1994
[2] Unter Berücksichtigung der Haushaltssperre 1993
[3] Mit Nachtragshaushalt März 1993: 440000,0 Mrd. DM
Quelle: Süddeutsche Zeitung, Frankfurter Rundschau, Frankfurter Allgemeine Zeitung

Fonds »Deutsche Einheit«

	1990	1991	*(Angaben in Mrd. DM)* 1992	1993	1994	1990– 1994	ab 1995
Gesamtleistung¹	22,0	35,0	33,9	35,2	34,6	160,7	–
Finanzierung²							
Haushaltsmittel von Bund u. Ländern:							
– Finanzierung insgesamt	2,0	4,0	9,9	20,2	29,6	65,7	–
– Einsparungen von Kosten der deutschen							
Teilung	2,0	4,0	4,0	5,0	5,0	20,0	–
– Erträge aus MwSt.-Erhöhung 1993	–	–	–	10,5	12,9	23,4	–
– Sonstige³	–	–	5,9	4,7	11,7	22,3	–
Kreditaufnahme	20,0	31,0	24,0	15,0	5,0	95,0	–
Abdeckung des Schuldendienstes (Annuität von 10 %)							
Gesamt	–	2,0	5,1	7,5	9,0	23,6	9,5
Zu Lasten von:							
– Bund⁴	–	1,00	2,55	3,75	4,50	11,80	2,65
– Länder⁵ (Westdeutschland)	–	0,60	1,53	2,25	2,70	7,08	4,11
– Gemeinden⁶ (Westdeutschland)	–	0,40	1,02	1,50	1,80	4,72	2,74

¹ Ohne Kreditbeschaffungskosten, Zinszahlungen, Zuführungen an Tilgungsrücklage
² Ohne Zinsen aus der Zwischenanlage sowie ohne Zuschüsse zur Abdeckung der Schuldendienstverpflichtungen u. der Kreditbeschaffungskosten u. Entnahmen aus der Tilgungsrücklage
³ Einschl. Zuweisungen aus dem erwarteten Mehraufkommen im Zusammenhang mit dem Zinsabschlaggesetz u. der sonstigen Zahlungen gemäß den Vereinbarungen zum Solidarpakt
⁴ Nach Abzug der Ländererstattungen an den Bund. Ohne Bundeszuschuß zur Finanzierung der Kreditbeschaffungskosten
⁵ Nach Abzug der von den Gemeinden zu erbringenden Finanzleistungen zugunsten der Länder
⁶ Finanzbeteiligung bundesdurchschnittlich rd. 40 % der Ländererstattungen an den Bund
Quelle: Deutsche Bundesbank, Monatsbericht Mai 1993

auf. Die Einnahmen betrugen 1992 (1991) 1 487,0 (1324,0) Mrd. DM, davon: Steuern 731,7 (662,0) Mrd. DM. Die Staatsausgaben beliefen sich 1992 (1991) auf 1 603,0 (1 433,5) Mrd. DM und umfaßten u. a. folgende Teilbereiche (in Mrd. DM): Sozialsicherungen 623,5 (545,5), Personalausgaben 314,0 (287,0), lauf. Sachaufwand 151,5 (142,5), lauf. Zuschüsse 305,0 (293,5), Zinsausgaben 101,0 (77,0).

Nach Angaben der Deutschen Bundesbank stiegen die **Schulden der öffentlichen Haushalte** (ohne Verschuldung der Haushalte untereinander, Stand jeweils Jahresende, 1992 vorläufig) 1992 (1991) auf insgesamt 1345,295 (1173,864) Mrd. DM; hiervon entfielen (in Mrd. DM) auf: Bund 611,099 (darin enthalten Anleihen der Deutschen Bundesbahn; 1991 586,493) – Länder (West) 366,805 (347,409) – Länder (Ost) 22,640 (4,937) – Gemeinden und Gemeindeverbände (West, mit Zweckverbänden) 140,750 (132,060) – Gemeinden (Ost) 13,600 (8,642) – Fonds »Deutsche Einheit« 74,371 (50,482) – Kreditabwicklungsfonds 91,747 (27,472) – ERP-Sondervermögen 24,282 (16,368). Nicht enthalten sind hierin die Schulden von Bundesunternehmen (z. B. Deutsche Bundesbahn, der Unternehmen der ehemaligen Deutschen Bun-

despost und bundeseigene Industrieunternehmen). – Gläubiger der öffentlichen Haushalte waren Ende 1992 u. a. (in Mrd. DM): inländische Kreditinstitute 720,300 – ausländische Gläubiger 348,600 – Bundesbank 18,958 – Sozialversicherungen 6,900.

Die Statistik der **Steuereinnahmen** ergab für 1992 (1991) in Mrd. DM nach Angaben der Deutschen Bundesbank: Einnahmen des Bundes 356,849 (321,334) – der Länder insges. 247,372 (224,321), davon neue Bundesländer 23,807 (19,138) – der EG (Anteile an Zöllen und Mehrwertsteuer) 34,203 (31,494) – der Gemeinden 93,337 (84,633) darunter in neuen Bundesländern 4,032 (2,540). – Die gesamten Steuereinnahmen der Gebietskörperschaften betrugen 1992 (1991) 731,739 (661,920) Mrd. DM. Von Januar bis Juni 1993 ergaben sich für Bund, Länder und EG Steuereinnahmen von 306,853 (vorläufig) Mrd. DM, die Gesamteinahmen für 1993 werden auf 748,4 Mrd. DM geschätzt.

Die **Leistungsbilanz** der BR Deutschland im Verhältnis zum Ausland, die bereits 1991 ein Defizit von 33,093 Mrd. DM aufwies, verzeichnete – nach Angaben der Deutschen Bundesbank – 1992 erneut ein Defizit in Höhe von 39,449 Mrd. DM. Im Jahr 1989 schloß die Leistungsbilanz noch mit einem

Steuereinnahmen[1] von Bund, Ländern und Gemeinden

Steuerart	Einnahmen in Mio. DM				
	1970	1980	1990	1991	1992
Gemeinschaftliche Steuern von Bund, Ländern und Gemeinden					
Lohnsteuer	35086	111559	177590	214175	247322
Veranlagte Einkommensteuer	16001	36796	36519	41533	41531
Kapitalertragsteuer	2021	4175	10832	11381	11273
Körperschaftsteuer	8717	21322	30090	31716	31184
Umsatzsteuer (Mehrwertsteuer)	26791	52850	78012	98798	117274
Einfuhrumsatzsteuer	11334	40597	69573	80875	80437
Reine Bundessteuern					
Ergänzungsabgabe	949	39	–	10488	13028
Mineralölsteuer	11512	21351	34621	47266	55166
Tabaksteuer	6536	11288	17402	19591	19253
Branntweinabgaben	2228	3885	4229	5648	5544
Verkehrsteuern	1224	2490	6302	6903	8386
Sonstige Bundessteuern[2] (v. a. übrige Verbrauchsteuern)	4947	2477	3324	3727	3716
Zölle (EG-Anteil)	–	4524	7163	8307	7742
Reine Ländersteuern					
Vermögensteuer	2877	4664	6333	6729	6750
Kraftfahrzeugsteuer	3820	6585	8313	11011	13317
Biersteuer	1175	1262	1355	1647	1625
Erbschaftsteuer	523	1017	3022	2636	3030
Sonstige Ländersteuern	1127	2543	6345	7090	8241
Gemeindesteuern					
Gewerbesteuer (Ertrag/Kapital)	10728	27090	38796	41296	
Lohnsummensteuer	1389	870	–		–
Grundsteuern (A und B)	2683	5804	8724	9905	
Sonstige Gemeindesteuern u. steuerliche Einnahmen	879	1727	1121	1180	
Steuereinnahmen insgesamt	*154245*	*364991*	*549667*	*661902*	

[1] Ab 1991 gesamtdeutsche Angaben.; [2] Einschl. Solidaritätszuschlagsteuer.
Quelle: Deutsche Bundesbank

Überschuß von 107,963 Mrd. DM, 1990 noch mit +76,079 Mrd. DM ab. Ausschlaggebend für das Defizit der Leistungsbilanz war 1991 der starke *Rückgang des Außenhandelsüberschusses*, der lediglich +21,899 Mrd. DM betragen hatte (1990: +105,382; 1989: +134,695 Mrd. DM). Für 1992 weist der Außenhandel einen Wert von 33,656 Mrd. DM auf (→ *Kap. Welthandel, Sp. 1029 ff.*). Der Saldo im *Dienstleistungsverkehr* wies 1992 ein Defizit von 24,339 Mrd. DM auf, verursacht vor allem durch das erneut angestiegene Defizit im Reiseverkehr von inzwischen 40,443 Mrd. DM. Die *Übertragungsbilanz*, die 1991 ein außergewöhnlich hohes negatives Ergebnis von 59,169 Mrd. DM aufwies (zurückzuführen auf die Kostenbeteiligung am Golfkrieg mit ca. 12 Mrd. DM), schloß 1992 mit einem wesentlich geringeren Defizit von 49,933 Mrd. DM ab. Erneut gestiegen sind im öffentlichen Bereich die Beiträge an die EG und andere internationale Organisationen. Der Saldo der privaten Übertragungen belief sich 1992 auf −11, 9 Mrd. DM, darunter der der Überweisungen der Gastarbeiter mit −6,8 Mrd. DM. Neben den Beiträgen zu IWF, Weltbank u. a. internationalen Organisationen wurden für die Reformstaaten weitere Mittel zur Verfügung gestellt (→ *Tabelle*).

Die **Währungsreserven** der Deutschen Bundesbank stiegen gegenüber dem Vorjahr um über 50 % an; sie betrugen zum Jahresende 1992 (1991) 141,351 (94,754) Mrd. DM, darunter Gold unverändert 13,688 Mrd. DM, Devisen und Sorten 85,845 (55,424) Mrd. DM, Reservepositionen im Internationalen Währungsfonds und Sonderziehungsrechte 8,199 (8,313) Mrd. DM, Forderungen an den Europäischen Fonds für währungspolitische Zusammenarbeit im Rahmen des Europäischen Währungssystems 33,619 (17,329) Mrd. DM. Die *Netto-Auslandsposition* der Bundesbank wurde Ende 1991 (1990) mit 117,453 (55,010) Mrd. DM angegeben. Der **Außenwert der DM** gegenüber den Währungen der wichtigsten 18 Industrieländer, der 1991 leicht zurückgegangen war, stieg 1992 wieder an; das gilt auch für den realen Außenwert der DM

Deutsche offizielle Unterstützungsmaßnahmen für die Reformstaaten*
(in Mrd. DM; Ausgaben sowie bestehende und geplante Verpflichtungen seit Anfang 1990)

I. Mittel- und osteuropäische Länder ohne die Nachfolgestaaten der Sowjetunion	
Technische Hilfe des Bundes	0,5
Nahrungsmittel, Medikamente und Energielieferungen	0,4
Zinszuschüsse	0,3
Schuldenerlaß für Polen	5,8
Gewährleistungen für Handels- und Finanzkredite	15,3
Transferrubelsaldo[1])	7,3
Zinskosten für Transferrubelsaldo	1,7
Zusammen	31,3
II. Nachfolgestaaten der Sowjetunion	
Technische Hilfe des Bundes	0,7
Lebensmittel und Medikamente	2,5
Aufwendungen im Zusammenhang mit dem Truppenabzug (einschl. Zinszahlungen für bundesverbürgten Kredit)	14,7
Kreditgarantien	
– Zahlungsbilanzkredit für ehemalige Sowjetunion (einschl. gedeckter Zinsverpflichtungen)	9,2
– Kreditaufnahme der ehemaligen Sowjetunion zur Finanzierung des Truppenabzugs	3,0
– Exportkreditgarantien (einschl. gedeckter Zinsverpflichtungen und noch nicht ausgeschöpfter Plafonds)	28,5
Finanzierung von Investitionen (Jamburg, Kriwoi Rog)	4,2
Transferrubelsaldo[1]	15,0
Zinskosten für Transferrubelsaldo	3,4
Zusammen	81,2
III. Insgesamt (I. + II.)	112,5

* Ohne deutsche Anteile an den Hilfen internationaler Organisationen (IWF, Weltbank, Europäische Bank für Wiederaufbau und Entwicklung, Europäische Investitionsbank, EG). Die sich aus der Umschuldungsvereinbarung mit Rußland von Anfang April 1993 ergebenden Belastungen von insgesamt 8 Mrd. DM sind größtenteils bereits im Rahmen der ausgewiesenen Exportkreditgarantien erfaßt.
[1] Interner Finanzierungsaufwand für hauptsächlich im zweiten Halbjahr 1990 entstandene Außenhandelsforderungen der ehemaligen DDR.
Quelle: Bundesfinanzministerium

(gemessen an den Verbraucherpreisen) mit einem Jahresdurchschnitt von 92,8 (1991: 89,6). Im Vergleich mit den EG-Ländern zeigte sich eine gewisse Zunahme. Gemessen am Wert 1972 = 100 betrug der Außenwert der DM (jeweils im Jahresdurchschnitt) gegenüber den am Europäischen Währungssystem (EWS) beteiligten Ländern 1992 (1991) 183,4 (183,0), gegenüber den 18 wichtigsten westlichen Industrieländern 188,7 (183,1). Gegenüber dem US-$ stieg der Wert der DM 1992 auf 206,8 (194,9), zeigt aber im ersten Halbjahr 1993 wieder eine Abwärtstendenz (Juli 1993: 187,9).

Das **Bruttoeinkommen der privaten Haushalte** (West) betrug nach Angaben des Statistischen Bundesamts 1992 (1991) aus unselbständiger Tätigkeit 1506,1 (1422,1) Mrd. DM, aus Unternehmertätigkeit 471,6 (479,8) und Vermögen 122,0 (106,9).

Das verfügbare Einkommen der privaten Haushalte belief sich auf 1709,4 (1640,0) Mrd. DM, der private Verbrauch auf 1492,7 (1420,6) Mrd. DM. Die Ersparnis ging um 1,2% (1990/91 noch +4,3%, 1989/90 20,9%) auf 216,7 (219,3) Mrd. DM zurück, die Sparquote betrug 12,7 (13,4) %. Das gesamte **Geldvermögen der privaten Haushalte** (West/ Ost) betrug nach Angaben der Deutschen Bundesbank 1992 im Jahresdurchschnitt schätzungsweise 3413,9/189,8 Mrd. DM. Die *Geldvermögensbildung* belief sich 1992 (1991) auf 250,4 (243,3) Mrd. DM, davon u. a. Geldanlage bei Banken 108,9 (80,5) – Geldanlage bei Bausparkassen 18,3 (16,3) – Geldanlage bei Versicherungen 61,4 (52,0) – Erwerb festverzinslicher Wertpapiere 55,2 – Sonstiges (überwieg. Ansprüche aus betrieblichen Pensionszusagen) 6,6 (6,4). Die aufgenommenen *Kredite* (Konsum- und Baukredite) beliefen sich 1992 im Westen auf 1215 Mrd. DM, im Osten auf 38,0 Mrd. DM.

Laut Statistischem Bundesamt haben sich die Lebensverhältnisse zwischen Ost- und Westdeutschland stärker angeglichen. Die **Ost-West-Verdienstrelation** hat sich von Oktober 1991 bis Oktober 1992 bei Arbeitern von 52,6 auf 65,5 %, bei den Angestellten von 43,2 auf 54,4 % verbessert. Das Bruttoeinkommen eines Arbeiterehepaars mit 2 Kindern und einem Gehalt in den neuen Bundesländern betrug im Oktober 1992 2652 DM. Nach Abzug von Lohn- und Kirchensteuer (71,80), Renten- und Arbeitslosenversicherung (318,24), Krankenversicherung (165,75) sowie zuzüglich Kindergeld (200) ergibt sich ein Nettoeinkommen von 2296,21 DM. – In den alten Bundesländern kam die gleiche Familie auf ein Bruttoeinkommen von 4116 DM. Nach Abzug von Lohn- und Kirchensteuern (353,74), Renten- und Arbeitslosenversicherung (493,92), Krankenversicherung (269,60) sowie zuzüglich Kindergeld (200) ergibt sich ein Nettoeinkommen von 3198,74.

Das **Einkommen** (West; neuere Angaben nicht verfügbar) aus beruflicher Tätigkeit (nichtselbständige Arbeit) eines 4-Personen-Arbeitnehmerhaushalts mit mittlerem Einkommen stieg nach Angaben des Statistischen Bundesamts 1991 (1990) um 7,5 (5,4) % auf brutto 4869 (4528) DM pro Monat im Durchschnitt. Nach Zurechnung sonstiger Einkünfte (z. B. Sparzinsen, Vermietung) ergab sich ein durchschnittliches *Haushaltsbruttoeinkommen* von 5962 (5534) DM/Monat. Nach Abzug von Steuern und Sozialversicherungsbeiträgen blieben als *Haushaltsnettoeinkommen* 4581 (4321) DM, das entspricht einer Zunahme von 6,0 (7,6) %. Für den privaten Verbrauch wurden davon 3773 (3452) DM ausgegeben, davon u. a. für Wohnungsmiete und Energie 994 (927) – Nahrungs- und Genußmittel 881 (831) – Verkehr und Nachrichtenübermittlung (z. B. PKW, Telefon) 653 (550) – Bildung und Unterhaltung, Freizeit 388 (366) – Bekleidung und Schuhe 302 (281) – Möbel und Haushaltsgeräte u.ä. 285 (248) – Gesundheits- und Körperpflege 142 (127).

Die **Lebenshaltungskosten** für Privathaushalte stiegen nach Angaben der Deutschen Bundesbank 1992 weiter an. Während die Preise 1990 um 2,7 % angestiegen waren, erhöhten sie sich 1991 im Jahresdurchschnitt um 3,5 %, 1992 um 4,0 %. Ein gemeinsamer Preisindex für die Lebenshaltungskosten ist auch 1991 noch nicht möglich, da in den neuen Bundesländern andere Faktoren berücksichtigt werden mußten. 1992 stiegen die Lebenshaltungskosten um knapp 11 %, die vor allem auf die

Anhebung der Mieten zum 1. 10. 1991 zurückzuführen ist. Ohne Wohnungsmieten war die Preissteigerungsrate nur halb so hoch. Für viele ostdeutsche private Haushalte im unteren Einkommensbereich wurde die Mietbelastung durch staatliche Wohngeldleistungen ausgeglichen.

Die **Sozialleistungen** erreichten nach Angaben des Statistischen Bundesamts 1992 (1991) die Gesamthöhe von 870,007 (793,654) Mrd. DM, d. h. rd. 13 325 (12 387) DM pro Einwohner. Die Sozialleistungsquote, d. h. der Anteil aller Sozialleistungen am Bruttosozialprodukt, betrug rd. 32 (30) %. Finanziert wurden die Sozialleistungen 1992 u. a. (in Mrd. DM) aus Beiträgen der Arbeitgeber 332,084 (1991: 313,239) – öffentlichen Mitteln 268,812 (242,086) – Beiträgen der Versicherten 246,340 (230,543). – Von den gesamten *Sozialleistungen* entfielen 1992 u. a. auf (in Mrd. DM): Gesetzliche Krankenversicherung 176,700 – Rentenversicherung der Arbeiter 128,920 – Rentenversicherung der Angestellten 105,054 – Steuerermäßigungen 59,070 – Arbeitsförderung (Leistungen der Bundesanstalt für Arbeit) 93,233 – Beamtenpensionen 47,827 – Arbeitgeber-Lohnfortzahlung 42,890 – Sozialhilfe 40,103 – knappschaftliche Rentenversicherung 19,003 – betriebliche Altersversorgung 22,530 – Kindergeld 17,011 – Kriegsopferversorgung (1992) 11,067 – gesetzliche Unfallversicherung 15,046 – Vermögensbildung 11,097 – Jugendhilfe 15,110 – Zusatzversorgung im öffentl. Dienst 12,140 – Familienzuschläge für Beamte 10,682 – Beihilfen nach dem Beamtenrecht 11,268 – Vergünstigungen im Wohnungswesen 6,560 – Altershilfe für Landwirte 5,256 – Wohngeld 4,130 – Erziehungsgeld 7,165 – öffentlicher Gesundheitsdienst 2,660 – Wiedergutmachung 1,670 – Lastenausgleich 0,956 – Ausbildungsförderung 2,000.

Die **gesetzliche Rentenversicherung** (Mikrozensus) umfaßte 1992 (1991) 35,235 (33,978) Mio. Versicherte, davon 18,209 (17,739) Mio. männlich und 17,026 (16,239) Mio. weiblich. Es entfielen auf die Rentenversicherung der Arbeiter 17,620 (16,992), der Angestellten 17,315 (16,611) Mio.; Knappschaft 0,301 (0,376) Mio. Versicherte. Der Bestand an laufenden **Renten** betrug Anfang 1992: Arbeiter 9,277 – Angestellte 5,356 – Knappschaft 0,689 Mio.

Die Zahl der **Sozialhilfeempfänger** sank 1990–91 um 0,4 % von 3,754 auf 3,738 (1989–90 Anstieg um 3,5 %, 3,626 Mio.). Rund 74,9 % der Sozialhilfeempfänger waren 1991 Deutsche, 25,1 % Ausländer. – Die *Ausgaben für Sozialhilfe* in den alten Bundesländern betrugen 1991 (1990) 34,119 (31,782) Mrd. DM, d. h. rd. 532 (502) DM pro Einwohner. Von den Hilfeleistungen entfielen 13,3 (13,0) Mrd. DM auf »Laufende Hilfe zum Lebensunterhalt« und 20,9 (18,8) Mrd. DM auf »Hilfe in besonderen Lebenslagen«. Häufigste Ursache für den Bezug von Sozialhilfe war auch 1991 (1990) Arbeitslosigkeit : 28,7 % (30,8 %) aller Fälle.

Die **gesetzliche Krankenversicherung** (West) hatte 1992 39,242 Mio. Mitglieder, davon (in Mio.) Pflichtmitglieder 23,178 – Rentner 11,247 – freiwillig Versicherte 4,817 – 1992 bestanden 1133 Kassen, davon u. a. 690 Betriebskrankenkassen, 259 Ortskrankenkassen, 148 Innungskrankenkassen und 15 Ersatzkassen. – Die *Ausgaben der gesetzlichen Krankenversicherung* betrugen 1991 159,814 Mrd. DM, davon (in Mrd. DM) für Krankenhauspflege 49,124 – Arzneien 40,064 – Behandlung durch Ärzte, Zahnärzte usw. 35,869 – Krankengeld 11,387 – Verwaltungskosten 7,927.

Die Zahl der **Ärztinnen/Ärzte** betrug am 31. 12 1992 insgesamt 307 994 (nBl 47 501); 56 117 (4879) davon übten keine ärztliche Tätigkeit aus. 124 111 Ärztinnen/Ärzte arbeiten im Krankenhaus, 98 067 in freier Praxis, 10 795 in Behörden und Körperschaften, 18 905 in sonstigen Bereichen; im Praktikum befanden sich 20 690. – Ärztinnen/Ärzte nach Fachgebieten u. a.: Alllgemeinmedizin 31 242 (davon nBl 8787), Innere Medizin 34 982 (5763), Chirurgie 15 975 (3376), Frauenheilkunde u. Geburtshilfe 13 383 (2544), Kinderheilkunde 12 502 (3487), Nervenheilkunde 7651 (1392), Augenheilkunde 6562 (1161), Orthopädie 6467 (899), Radiologie u. verwandte Gebiete 5800 (933), Hals-, Nasen-, Ohrenheilkunde 5385 (1042), Haut- u. Geschlechtskrankheiten 4548 (887), Urologie 3806 (580), Arbeitsmedizin 2727 (780), Psychiatrie 2014 (15), Lungen- und Bronchialheilkunde 1491 (176), Pathologie 1303 (334), Neurologie 1278 (48).

Die öffentlichen Ausgaben für **Bildung** betrugen 1991 (1990) 111,103 (102,795) Mrd. DM, davon Bund 8,868, Länder 81,602, Gemeinden und Zweckverbände 17,633. Im einzelnen (in Mrd. DM): Elementarbereich und außerschulische Jugendbildung 7,893 – Schulen 55,797 – Hochschulen 30,723 – Weiterbildung 3,759 – Förderungsmaßnahmen 7,107 – gemeinsame Forschungsförderung 5,824. – Die Ausgaben für **Forschung und Entwicklung** (öffentl. und privat) betrugen 1992 (1991) nach Angaben des Bundesministeriums für Forschung und Technologie insgesamt 80,7 (77,3) Mrd. DM; davon entfielen auf die Wirtschaft 47,5 – Bund 17,8 – Länder 13,0 – private Institutionen ohne Erwerbszweck 0,4 – Ausland (inkl. internat. Organisationen) 1,9 Mrd. DM.

Im Schuljahr 1992/93 (vorläufige Ergebnisse) besuchten 9342 (1991/92 9142) Tsd. **Schülerinnen** (4578,5) **und Schüler** (4763,9) **Allgemeinbildende Schulen**; davon *alte Bundesländer* 7127 (1991/92 6991); hiervon entfielen auf den Vorschulbereich (Schulkindergärten/Vorklassen) 75,1 (73) – Primarbereich: Grundschulen 2599 (2562), Integrierte Gesamtschulen/Freie Waldorfschulen 28,4 (27,4) – Sekundarbereich I: Schulartunabhängige Orientierungsstufe 232,3 (226,8), Hauptschulen 1060,7 (1055,1), Realschulen 903,5 (877,0), Integrierte Klassen für Haupt- und Realschüler 1,8 (–), Integrierte Gesamtschulen/Freie Waldorfschulen 285,6 (263,7), Abendhauptschulen 0,96 (0,83), Abendrealschulen 11,3 (14,8), Gymnasien 1119,2 (1087,9) – Sekundarbereich II: Gymnasien 481,4 (482,2), Integrierte Gesamtschulen/Freie Waldorfschulen 31,9 (29,7), Abendgymnasien/Kollegs 29,8 (32,0) – Sonderschulen 265,4 (258,5).
In den *neuen Bundesländern* waren es 1992/93 (1991/92) insgesamt 2215,4 (1151,1) Tsd. Schülerinnen (1 091,7) und Schüler (11 123,7): hiervon entfielen auf den Vorschulbereich (Schulkindergärten/Vorklassen) 5,2 (3,9) – Primarbereich: Grundschulen 822,5 (823,6), Integrierte Gesamtschulen/Freie Waldorfschulen 27,5 (24,4) – Sekundarbereich I: Schulartunabhängige Orientierungsstufe 162,2 (142,9), Hauptschulen 26,6 (21,3), Realschulen 376,8 (162,0), Integrierte Klassen für Haupt- und Realschüler 131,4 (137,2), Oberschulen – (356,6), Integrierte Gesamtschulen/Freie Waldorfschulen 114,6 (114,8), Abendhauptschulen 0,56 (0,14), Abendrealschulen 0,66 (0,39), Gymnasien 361,3 (227,4) – Sekundarbereich II: Gymnasien 82,6 (66,9), Integrierte Gesamtschulen/Freie Waldorfschulen 2,2 (1,0), Abendgymnasien/Kollegs 5,2 (7,6) – Sonderschulen 93,4 (85,5).

Berufliche Schulen wurden 1992/93 (1991/92) von 2466,8 (2448,3) Tsd. Schülern besucht; hiervon entfielen auf die *neuen Bundesländer (inkl. Berlin (Ost))* 2105,1 (2137,9); nach Schularten: Berufsschulen 1391,9 (1435,2) – Berufsvorbereitungsjahr 27,9 (26,7) – Berufsgrundbildungsjahr 81,2 (83,5) – Berufsaufbauschulen 6,4 (7,8) – Berufsfachschulen 244,6 (243,0) – Berufs-/Technische Oberschulen 5,2 (5,5) – Fachoberschulen 72,2 (75,4) – Fachgymnasien 63,8 (63,1) – Fachschulen 129,5 (121,2) – Fach/Berufsakademien 9,2 (8,8) – Kollegschulen 73,1 (67,6); außerdem Schulen des Gesundheitswesens k. Ang. (101,0). – In den *neuen Bundesländern* waren es 1992/93 (1991/92) 361,7 (310,3) Tsd. Schülerinen und Schüler; nach Schularten: Berufsschulen 283,1 (261,4) – Berufsvorbereitungsjahr 9,1 (5,5) – Berufsgrundbildungsjahr 1,6 (4,1) – Berufsaufbauschulen – (0,11) – Berufsfachschulen 18,9 (5,8) – Fachoberschulen 3,2

(1,1) – Fachgymnasien 14,9 (7,9) – Fachschulen 30,8 (24,3).

Die Zahl der **Studenten** stieg im Wintersemester 1992/93 auf 1 823,1 (aBl 1 681,1 – nBl 0,142) Mio., davon 39,7 % Frauen und 6,8 % Ausländer. 1975 betrug die Zahl in den *alten Bundesländern* erst 0,8408 Mio, d. h. die Zahl der Studenten hat sich in diesem Zeitraum verdoppelt. In den *neuen Bundesländern* blieben die Studentenzahlen nahezu konstant, und gegenüber 1991/92 ist nur eine Zunahme von 4,7 % zu verzeichnen. Die Anzahl der *Studienanfänger*, die 1990/91 noch um 11,5 % zugenommen hatte, nahm 1991/92 um 3,1 % und 1992/93 um 5,7 % ab; sie betrug nur noch 290 300, das entspricht 33,5 (w 29,5/m 37,4) % des Altersjahrgangs der entsprechenden Bevölkerung. Der Prozentsatz, bezogen auf die entsprechenden Altersjahrgänge, betrug bei allen Studenten 1992/93 28,0 (w 19,7/m 23,7).
Von der Gesamtzahl entfielen im Wintersemester 1992/93 (in Tsd.) auf Universitäten und Kunsthochschulen 1 403,4 – Allgemeine Fachhochschulen 372,3 – Verwaltungsfachhochschulen 47,6. – Die größten *Fächergruppen* waren 1992/93 (Studenten in Tsd.): Rechts-, Wirtschafts- und Sozialwissenschaften 520,8 – Ingenieurwissenschaften 394,3 – Sprach- und Kulturwissenschaften, Sport 385,2 – Mathematik, Naturwissenschaften 295,3 – Humanmedizin, Veterinärmedizin 117,2 – Kunst und Kunstwissenschaft 76,6 – Agrar-, Forst- und Ernährungswissenschaften 39,1. – *Hochschulen nach Rangfolge* der Höhe der Studenten im Wintersemester 1992/93 u. a.: Ludwig-Maximilians-Universität München 63 400 Studenten, Freie Universität Berlin 60 900, Köln 46 100, Münster 43 800, Hamburg 43 600, Bochum 37 200, Technische Universität Berlin 37 200, Technische Hochschule Aachen 37 200, Frankfurt/Main 37 100, Gesamthochschule/Fernuniversität Hagen 35 700. – Gemessen an der Stadtbevölkerung weisen Gießen und Tübingen einen Anteil von über 30 %, Göttingen, Marburg und Heidelberg von 25 %, Aachen, Würzburg, Darmstadt, Erlangen, Münster und Regensburg von fast 20 % Studenten auf.

Die Zahl der **Auszubildenden** (West) betrug Ende 1991 (1990) 1,442 (1,477) Mio., davon in Industrie und Handel (einschl. Banken, Versicherungen, Gast- u. Verkehrsgewerbe) 743 100 (756 400) – Handwerk 463 500 (486 900) – freien Berufen 137 400 (130 300) – im öffentlichen Dienst 61 900 (63 400) – in der Landwirtschaft 27 400 (29 700) – Hauswirtschaft (im städtischen Bereich) 8 300 (9 700) – Seeschiffahrt 500 (400). Die Gesamtzahl der Auszubildenden (Ost) belief sich 1991 auf 223 500. – Gegenüber einem zeitweiligen Lehrstel-

lenmangel zu Beginn der 80er Jahre verstärkte sich im Berufsberatungsjahr 1. 10. 1991/30. 9. 1992 das *Überangebot an* **Ausbildungsplätzen** (West) durch weiteren Rückgang der Nachfrage. Der erneute Bewerberrückgang ist nach Angaben der Bundesanstalt für Arbeit zum einen demographisch bedingt; zum anderen lassen längere Schulbesuchszeiten mit höheren Bildungsabschlüssen, breit gefächerte schulische Berufsausbildungsangebote sowie die seit einigen Jahren wieder zunehmende Neigung zum Studieren (1992 [1991] 68 [69] % der Abiturienten) ebenfalls die Nachfrage nach betrieblichen Ausbildungsstellen sinken. – Einem Angebot von 721 804 gemeldeten Stellen stand eine Gesamtnachfrage von 403 451 gegenüber. Ende September 1992 waren noch 123 378 Ausbildungsplätze unbesetzt und 11 756 Bewerber ohne Ausbildungsverhältnis. – Gemeldete Stellen nach Ausbildungsbereich: Industrie- und Handelskammer 334 921 – Handwerkskammer 284 436 – Öffentlicher Dienst 22 503 – Ärztekammer 14 998 – Landwirtschaftskammer 13 770 – Zahnärztekammer 13 443 – Steuerberaterkammer 10 541 – Rechtsanwaltskammer 9 860 – Apothekerkammer 3 322 – Sonstige 14 001.
Die Situation auf dem *Ausbildungsstellenmarkt* (Ost) Ende September 1992 war insgesamt ausgeglichen; es besteht aber nach wie vor ein Mangel an betrieblichen Ausbildungsplätzen, die immer noch deutlich unter der Zahl der gemeldeten Bewerber blieb. Im Zeitraum 1. 10. 1991 – 30. 9. 1992 wurden 109 135 Berufsausbildungsstellen gemeldet, darunter 20 690 (–44,1 %) in überbetrieblichen und 75 084 (+19,8 %) in betrieblichen Einrichtungen sowie 13 361 (–41,0 %) Ausbildungsplätze, die aus wirtschaftlichen Gründen zurückgezogen wurden. Die Zahl der gemeldeten Bewerber betrug 138 342, darunter 4 000 (–86 % gegenüber Vorjahr) Jugendliche, deren Vertrag aus wirtschaftlichen Gründen gelöst wurde (sog. »Konkurslehrlinge«). Bis Ende September 1992 begannen 20 200 (15 %) Bewerber eine Ausbildung in einer überbetrieblichen Einrichtung, 78 500 (57 %) nahmen eine betriebliche Ausbildung auf, die übrigen entschieden sich für einen weiteren Schulbesuch, traten in eine berufsvorbereitende Maßnahme ein oder begannen eine Ausbildung in den alten Bundesländern.

Die **Kriminalität** stieg 1992 erneut an. Nach der »Polizeilichen Kriminalstatistik« der Innenminister des Bundes und der Länder wurden insgesamt 6 291 519 (5 301 386) Fälle erfaßt; davon wurden 2 660 839 aufgeklärt. Die Zahl der erfaßten Fälle erhöhte sich in den alten Bundesländern (einschließlich Gesamt-Berlin) 1991–92 um 9,6 % auf 5 209 060 Fälle. Die Zahl der **Straftaten pro 100 000 Einwohner** (Kriminalitätshäufigkeit) betrug 1992 insgesamt bzw. in den alten Bundesländern inkl. Ge-

Deutschland, Österreich, Schweiz

A **B** **C** **D**

0 50 100 150 km

DÄNEMARK
SCHWEDEN

Ringkøbing
Århus
Helsingborg
Varde
Kopenhagen
Schonen
Fredericia
Kalund-
berg
Esbjerg
Odense
Fünen
Seeland
Malmö
Korsør
Trelleborg
Nordsee
Lolland
Bornholm
(Dän.)
Ostsee
Rügen
Deutsche Bucht
Flensburg
Kieler
Bucht
Saßnitz
SCHLESWIG-
HOLSTEIN
Kiel
Rostock
Lübeck
Stolp
(Słupsk)
Helgoland
MECKLENBURG-
VORPOMMERN
Köslin
(Koszalin)
Ostfriesische In.
Wilhelms-
haven
HAMBURG
Schwerin
Neubrandenburg
Kolberg
(Kołobrzeg)
Bremer-
haven
Emden
Groningen
Oldenburg
BREMEN
Lüneburg
Stettin
(Szczecin)
POLEN
NIEDERLANDE
Apeldoorn
NIEDERSACHSEN
Uelzen
Landsberg
(Gorzów-Wlkp.)
Amsterdam
Arnheim
Osnabrück
Hannover
Wolfsburg
BRANDENBURG
Warthe
Posen
(Poznań)
Nimwegen
Münster
Bielefeld
Braunschweig
BERLIN
Münster
Detmold
Salzgitter
Magdeburg
Potsdam
Frankfurt
NORDRHEIN-
Dortmund
Göttingen
SACHSEN-
ANHALT
Dessau
Cottbus
Grünberg
(Zielona Góra)
Duisburg
Gelsenkirchen
Hagen
Arnsberg
Halle
Leipzig
Glogau
(Głogów)
Krefeld
Witten
Mönchen-
Gladbach
WESTFALEN
Kassel
Erfurt
Jena
Dresden
SACHSEN
Görlitz
Breslau
(Wrocław)
Aachen
Köln
Siegen
Eisenach
Gera
Chemnitz
Liegnitz
(Legnica)
Bonn
HESSEN
Gießen
THÜRINGEN
Suhl
Hof
Reichenberg
(Liberec)
Waldenburg
(Wałbrzych)
Lüttich
Koblenz
Eger
(Cheb)
Elbe
Glatz
(Kłodzko)
Aussig
(Ústí n. L.)
RHEINLAND-
Wiesbaden
Frankfurt
Schweinfurt
Oberfranken
Eger
MÄHREN
Trier
Mainz
Offenbach
Unterfranken
Pilsen
(Plzeň)
Olmütz
(Olomouc)
Luxemb.
PFALZ
Darmstadt
Würzburg
Bayreuth
TSCHECH. REP.
SAAR-
LAND
Saarbrücken
Ludwigs-
hafen
Mannheim
Erlangen
Fürth
Nürnberg
Weiden
BÖHMEN
Brünn
(Brno)
Nancy
Kaisers-
lautern
Neustadt
Heidelberg
Ansbach
Schwandorf
Oberpfalz
B. Budweis
(C. Budějovice)
Iglau
(Jihlava)
Karlsruhe
Heilbronn
Mittelfranken
Regensburg
Straßburg
Pforzheim
Stuttgart
Ingolstadt
Regen
SL.
R.
FRANK-
REICH
BADEN
Tübingen
Ulm
Niederbayern
Gmünd
Preßburg
(Brati-
slava)
Colmar
Offenburg
Neu-Ulm
Augsburg
Landshut
Passau
Hollabrunn
Wien
Epinal
WÜRTTEMBERG
Schwaben
München
BAYERN
Krems
St. Pölten
Eisenstadt
Vesoul
Belfort
Freiburg
Donaueschingen
Bodensee
Kaufbeuren
Kempten
OBER-
ÖSTERREICH
OBER-
Wels
Steyr
Donau
Linz
ÖSTERREICH
Besançon
Doubs
Basel
Rosenheim
Oberbayern
Garm.-Part.
Salzburg
Bad Aussee
Leoben
Kapfenberg
UNGARN
Neuchâtel
Zürich
Bregenz
Reutte
Kufstein
SALZBURG
Enns
STEIERMARK
Bern
Luzern
VORARLBERG
Feldkirch
Innsbruck
Mur
Graz
Lausanne
Chur
TIROL
Mallnitz
Bozen
(Bolzano)
Lienz
KÄRNTEN
Klagenfurt
Marburg
(Maribor)
Sion
Bellinzona
Brenner-P.
Spittal
Villach
Drau
Save
Genfer
See
Lago
Maggiore
Comer See
Etsch
ITALIEN
SLOWENIEN
KROAT.
Rhône

Kantone:

1 Aargau	7 Fribourg (Freiburg)	13 Neuchâtel (Neuenburg)	22 Uri
2 Appenzell A.-Rh.	8 Genf	14 Nidwalden	23 Valais (Wallis)
3 Appenzell I.-Rh.	9 Glarus	15 Obwalden	24 Vaud (Waadt)
4 Baselland	10 Graubünden	16 Sankt Gallen	25 Zug
5 Baselstadt	11 Jura	17 Schaffhausen	26 Zürich
6 Bern	12 Luzern	18 Schwyz	
		19 Solothurn	
		20 Thurgau	
		21 Ticino (Tessin)	

Städte über 1 000 000 Einw.
500 000 – 1 000 000 Einw.
100 000 – 500 000 Einw.
unter 100 000 Einw.

Staatsgrenze
Ländergrenze
Regierungsbezirks- u. Kantonsgrenze
Bern Hauptstadt eines Staates
Graz Hauptstadt eines Bundeslandes
Ansbach Verwaltungssitz eines
Regierungsbezirkes oder Kantons

Europa:

II

Staatsgrenzen

Kairo Hauptstadt eines Landes

Städte
- ⊙ über 1 000 000 Einw.
- ◉ 500 000 bis 1 000 000 Einw.
- ⊙ 100 000 bis 500 000 Einw.
- ∘ unter 100 000 Einw.

0   200   400   600   800 km

ISLAND

Reykjavík

Europäisches

Nordmeer

Nörd. Polarkreis

Bode

Färöer (Dän.)

Shetland-In.

Orkney-In.

NORWEGEN

Trondheim

Lillehammer

Bergen

Drammen

Oslo

Stavanger

Kristiansand

Västerå
Örebro

SCH

Ga

VEREINIGTES KÖNIGREICH

NORDIRLAND

IRLAND

Glasgow

Aberdeen

Dundee

Belfast

Edinburgh

Newcastle u. T.

**DÄNE-
MARK**

Borås

Göteborg

Jönkö

Helsingborg

Ålborg

Århus

Odense

Malmö

Kopenhagen

Dublin

**GROSS-
BRITANNIEN**

Liverpool

Bradford Leeds

Manchester

Sheffield

Kingston u. H.

Birmingham

Coventry

**NIEDER-
LANDE**

Kiel

Hamburg

Schwerin

Stettin

Berlin

Potsdam

Pos

Cardiff

Bristol

Plymouth

Southampton

Portsmouth

Haarlem

Amsterdam

Den Haag

Rotterdam

Groningen Hannover

Bremen

Dortmund

Magde-
burg

Leipzig

Dresden

London

Der Kanal

BELG.

Utrecht

Lüttich

Brüssel

Essig

Bonn

DEUTSCHLAND

Wiesbaden

Erfurt

Frankfurt/M.

Mainz

Prag

Pilsen

**TSCHECH.
REP.**

Brno

Cherbourg

Le Havre

Lille

Amiens

Rouen

Caen

Reims

LUX.

Saarbrücken

Nürnberg

Regensburg

Brest

St-Nazaire

Rennes

Angers

Paris

Nancy

Metz

Straßburg Stuttgart

München

Wien

Nantes

Tours

Orléans

Dijon

Mulhouse

Bern

Salzburg

Innsbruck

LIE.

**ÖSTER-
REICH**

Graz

FRANKREICH

Besançon

SCHWEIZ

Bozen

La Coruña

Gijón

Oviedo

Santander

San Sebastián

Limoges

Clermont-
Ferrand

St.-Étienne

Lyon

Genf

Mailand Brescia Verona

Padua

Trient

Ljubljana

Mari

SL.

Zag

KROA

Golf von
Biscaya

Bilbao

Pamplona

Bordeaux

Toulouse

Grenoble

Turin

Parma

Modena

Bologna

Genua Prato

Ferrara

Venedig

Triest

**BOS.-
H.**

Zadar

ITALIEN

Vigo

Braga

Porto

Nîmes

Montpellier

Marseille

Aix-en-Provence

Toulon

Nice

Livorno

Florenz

Ancona

Split

Coimbra

Salamanca

Valladolid

Zaragoza

A. Sabadell

Perpignan

Bastia

Ajaccio

Korsika

Perugia

Pescara

Po

Adriatisches

Foggia

Bari

Lissabon

Setúbal

PORTUGAL

Madrid

Toledo

SPANIEN

Badalona

Barcelona

Hospitalet

Palma

Rom

Neapel

Salerno

Tarent

Jerez de la Frontera

Sevilla

Córdoba

Granada

Murcia

Valencia

Balearen

Sardinien

Sassari

Cosenza

Cádiz

Málaga

Alicante

Cartagena

Palermo

Messina

Reggio di Calabr.

Tanger

Str. v. Gibraltar

Gibraltar (brit.)

Ceuta (span.)

Tétouan

Melilla

El Djaza'ir
Algier

Quahran

El Asnam

Skikda Annaba

Bizerta

Tunis

Cagliari

M

Catania

Syrakus

Sizilien

Tyrrhenisches Meer

Rabat-Salé

Kénitra

Casablanca

El Jadida

Meknès

Fès

Isph.

Sidi-Bel-Abbès

Sétif

Kénstina

El Boulaida

MALTA

Safi

Marrakesch

Oujda

Tlemcen

Biskra

Kairouan

Sousse

TUNESIEN

Sfax

Sidi Ifni

Agadir

MAROKKO

Fijij

Aïn Sefra

Béchar

Al Khums

Misrátah

Tripolis

L I B F

A L G E R I E N

SAHARA

C

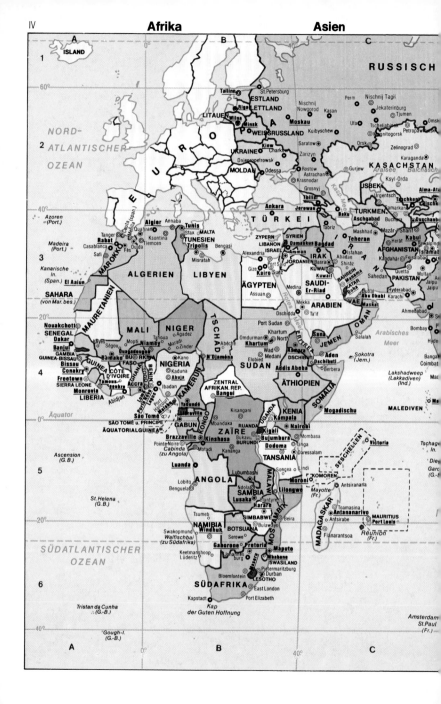

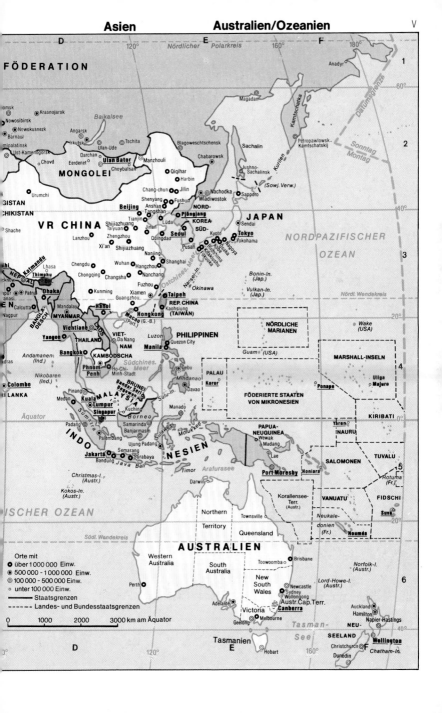

Nord- und Mittelamerika

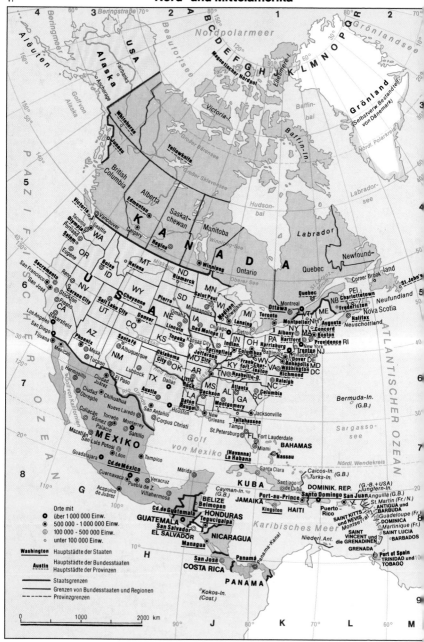

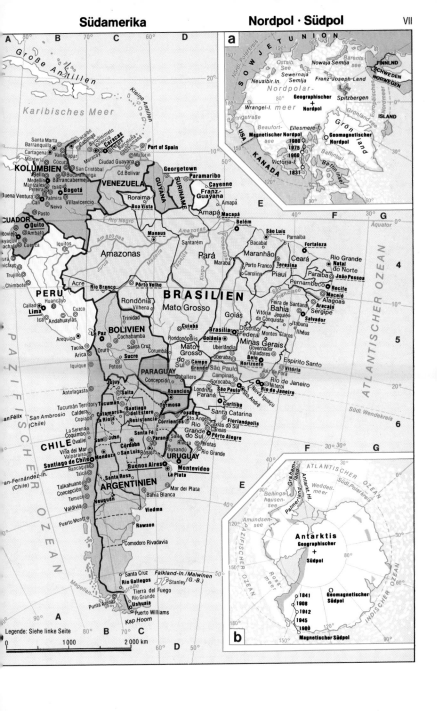

Südamerika

A   80°   B   70°   C   60°   D

Große Antillen

Kleine Antillen

Karibisches Meer

Santa Marta
Barranquilla
Cartagena
Monteria
Cúcuta
Cabimas Valencia Caracas Port of Spain
Maracaibo Barcelona Cumaná
Valledupar
San Cristóbal
Ciudad Guayana
Maturín
Cd. Bolívar

KOLUMBIEN
Bello
Medellín
Manizales
Pereira Ibagué
Buena Ventura Palmira
Cali
Barrancabermeja
Bucaramanga
Bogotá
Neiva
Villavicencio
Pasto

Georgetown
Paramaribo
Cayenne
VENEZUELA
Roraima
Boa Vista
GUYANA
SURINAME
**Franz.-
Guayana**
Amapá
Amapá **Macapá**

ECUADOR
Quito
Esmeraldas
Ambato
Guayaquil
Machala Cuenca

PERU
Iquitos
Chiclayo
Trujillo
Chimbote

Amazonas
Juruá
Purus
Madeira
Tapajós
Xingu
Rio Negro
Amazonas
Manaus
Santarém
Belém
São Luís
Parnaíba
Bacabal
Porto Franco
Carolina
Teresina
Fortaleza

BRASILIEN
Acre
Rio Branco
Pôrto Velho
Rondônia
Vilhena
Mato Grosso

Callao Huancayo
Lima
Ica
Cuzco
Andahuaylas
Arequipa
Tacna
Arica
Iquique

BOLIVIEN
La Paz
Cochabamba
Trinidad
Oruro
Santa Cruz
Sucre
Potosí
Corumbá

Cuiabá
Brasília
Goiânia
**Distrito
Federal**
Uberlândia
Rondonópolis
Uberaba
**Mato
Grosso
do
Sul**
**Campo
Grande**

Maranhão
Ceará
Piauí
Pernambuco
Recife
Natal
João Pessoa
Paraíba
Maceió
Alagoas
Aracaju
Sergipe
Salvador
Itabuna
Ilhéus
Jequié
Feira de Santana
Vitória da Conquista
Bahia
São Francisco
Goiás
Pará
Marabá

Montes Claros
Governador
Valadares
Espírito Santo
Minas Gerais
**Belo
Horizonte**
Vitória
Juiz de Fora

PARAGUAY
Caballero
Concepción

Antofagasta
San Félix
San Ambrosio
(Chile)
Caldera
Copiapó
Tucumán Territory Tucumán
La Serena
Coquimbo
CHILE
Ovalle
Viña del Mar
Valparaíso
Santiago de Chile
Rancagua
Talca

Campinas
Londrina
São Paulo
Paraná
Sto. André
Sto. Angelo
Curitiba
Santa Catarina
Florianópolis
Caxias do Sul
Canoas
Pôrto Alegre
Rivera
Pelotas
Rio Grande

Jujuy
Salta
Catamarca
La Rioja
Santiago
del Estero
Resistencia
Formosa
Asunción
Posadas
Corrientes
Paraná
Santa Fé
San Juan
Córdoba
San Luis
Mendoza
Buenos Aires
Santa Rosa
ARGENTINIEN
Neuquén
Valdivia
Talcahuano
Concepción
Temuco

Rio de Janeiro
Niterói
Nova Iguaçu

URUGUAY
Montevideo
La Plata
Mar del Plata
Bahía Blanca
Paysandú
Salto

Viedma
Rawson

Comodoro Rivadavia

Santa Cruz
Río Gallegos
Falkland-In./Malwinen
(G.-B.)
Stanley
Tierra del Fuego
Rio Grande
Punta Arenas
Ushuaia
Puerto Williams
Kap Hoorn

an Felix
an-Fernández-in.
(Chile)
Puerto Montt

Magellan

PAZIFISCHER OZEAN
ATLANTISCHER OZEAN

Äquator
Südl. Wendekreis

Legende: Siehe linke Seite

0   1 000   2 000 km

---

a — Nordpol

SOWJETUNION
Nördl. Polarkreis
Ostsib. See
Sewernaja Semlja
Nowaja Semlja
Barents see
FINNLND
SCHWEDEN
NORWEGEN
Neusibir. In.
Franz-Joseph-Land
Spitzbergen
**Nordpolar-
meer**
Geographischer
Nord
Wrangel-I.
Beringstraße
Europ. Nordmeer
Grönlandsee
ISLAND
**Grön-
land**
Beaufort-
see
Ellesmere-I.
Magnetischer Nordpol
1980
1975
1960
Victoria-I.
1831
Geomagnetischer
Nordpol
Baffinbai
Baffin Insel
USA
KANADA

E   F   30°   G

---

b — Antarktis

ATLANTISCHER OZEAN
Graham-Land
Antarkt. Hbl.
Weddell-
meer
Südl. Polarkreis
Bellings-
hausen-
see
Palmer-Land
Amundsen-
see
PAZIFISCHER OZEAN
Ross-
see
Antarktis
Geographischer
Südpol
1841
1908
1912
1945
1960
Geomagnetischer
Südpol
Magnetischer Südpol
INDISCHER OZEAN

Krisenkontinent Afrika 1993

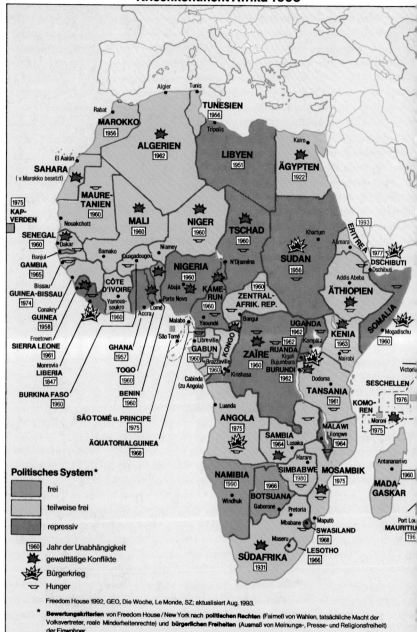

Politisches System*

	frei
	teilweise frei
	repressiv

1960 Jahr der Unabhängigkeit

gewalttätige Konflikte

Bürgerkrieg

Hunger

Freedom House 1992, GEO, Die Woche, Le Monde, SZ; aktualisiert Aug. 1993.

* **Bewertungskriterien** von Freedom House / New York nach **politischen Rechten** (Fairneß von Wahlen, tatsächliche Macht der Volksvertreter, reale Minderheitenrechte) und **bürgerlichen Freiheiten** (Ausmaß von Meinungs-, Presse- und Religionsfreiheit) der Einwohner

samt-Berlin 7838 bzw. 7921 Fälle. Eine Zunahme der registrierten Straftaten ist u. a. in den Deliktsbereichen Betrug mittels rechtswidrig erlangter unbarer Zahlungsmittel (34,4%), Diebstahl von Kraftwagen (30%), Taschendiebstahl (19,6%) und Wohnungseinbruch (14,4%) festzustellen. – Nach wie vor ist Diebstahl mit über drei Fünftel (62,6%) das am häufigsten begangene Delikt, gefolgt von Sachbeschädigung (9,8%) und Betrug (7,3%). – Im Bereich Gewaltkriminalität (Anteil an der Gesamtkriminalität 2,4%) wurden 1992 in den alten Bundesländern inkl. Gesamtberlin 132834 (insgesamt 150678) Fälle registriert; das sind 5,29% mehr als 1991. Bei den Tötungsdelikten (Mord und Totschlag) wurden 3275 Fälle erfaßt, davon 34,8% vollendet. – Aufgeklärt wurden 1992 in der Bundesrepublik insgesamt 2660839 Fälle; das entsprach einer **Aufklärungsquote** von 43,3%. In den alten Bundesländern inkl. Gesamt-Berlin lag die Aufklärungsquote 1992 bei 44,8%; dies entspricht einem Rückgang gegenüber dem Vorjahr um 0,6%, der vor allem auf den höheren Anteil der schwer aufklärbaren Fälle von Diebstahl unter erschwerenden Umständen zurückzuführen ist. Die Aufklärungsquote bei den verschiedenen Straftaten war wiederum sehr unterschiedlich, so z. B. bei Urkundenfäl-

schung 93,2% – Mord und Totschlag 90,7% – Betrug 82,3% – gefährlicher und schwerer Körperverletzung 80,1% – Vergewaltigung 70,5% – einfachem Diebstahl 49,4% – Raub 41,1% – vorsätzlicher Brandstiftung 32,3% – Diebstahl von Kfz 22,5 – Sachbeschädigung 20,6% – schwerer Diebstahl 12,2% (darunter Wohnungseinbruch 14,0%).

Der durch *Diebstahl* entstandene **Schaden** (= Verkehrswert des rechtswidrig erlangten Gutes), der 1992 von der Polizei für die alten Bundesländer und Berlin erfaßt wurde, summierte sich bei 2827170 Fällen auf 4.800 Mio. DM, darunter bei 575249 Wohnungsenrüchen 672 Mio. DM (ohne entstandener Sachschaden). Bei *Betrug* wurde 1992 ein Gesamtschaden von 3100 Mio. DM bei 384397 Fällen registriert; bei *Konkursstraftaten* 356 Mio. DM bei 1236 Fällen, bei Straftaten gegen strafrechtliche Nebengesetze auf dem Wirtschaftssektor 950 Mio. DM bei 16805 Fällen.

Zur *organisierten Kriminalität* liegen keine Angaben vor:»Nach den vorliegenden Erkenntnissen ist jedoch ein Anstieg der organisierten Kriminalität, unter anderem im Bereich der Rauschgiftkriminalität, der Kfz-Verschiebung, der Schutzgelderpressung und des Diebstahls festzustellen. Diese Entwicklung dürfte sich fortsetzen.«

Kriminalitätsverteilung nach Bundesländern

Bundesland	Einwohner (1.1.92)	Bevölke-rungs-anteil in %	erfaßte Fälle 1992	erfaßte Fälle 1991	Steigerungs-rate in %	Straftaten-anteil in % 1992	Häufig-keits zahl 1992
Baden-Württemberg	10001840	12,5	586425	523496	12,0	9,3	5863
Bayern	11595970	14,4	631538	567842	11,2	10,0	5446
Berlin	3446031	4,3	555238	501889	10,6	8,8	16112
Bremen	683684	0,9	116531	118427	–1,6	1,9	17045
Hamburg	1668757	2,1	306643	275027	11,5	4,9	18376
Hessen	5837330	7,3	477922	435894	9,6	7,6	8187
Niedersachsen	7475790	9,3	635326	559902	13,5	10,1	8498
Nordrhein-Westfalen	17509866	21,8	1341835	1242859	8,0	21,3	7664
Rheinland-Pfalz	3821235	4,8	231635	212383	9,1	3,7	6062
Saarland	1076879	1,3	62394	60719	2,8	1,0	5794
Schleswig-Holstein.	2648532	3,3	263533	253737	3,9	4,2	9950
alte Bundesländer einschl. Gesamt-Berlin	*65765914*	*81,9*	*5209060*	*4752175*	*9,6*	*82,8*	*7921*
Brandenburg	2542723	3,2	219688			3,5	8640
Mecklenburg-Vorpommern. .	1891657	2,4	177901			2,8	9405
Sachsen	4678877	5,8	318758			5,1	6813
Sachsen-Anhalt	2823324	3,5	245201			3,9	8685
Thüringen	2572069	3,2	120911			1,9	4701
*neue Bundesländer**	*14508650*	*18,1*	*1082459*			*17,2*	*7461*
Bundesgebiet insgesamt . . .	*80274564*	*100,0*	*6291519*			*100,0*	*7838*

* Durch organisatorische, erfassungs- und programmtechnische Probleme sind die Werte für das Berichtsjahr 1991 zu niedrig ausgefallen, so daß sie keine brauchbare Basis für einen Vergleich mit den Daten des Berichtsjahres 1992 bilden.
Quelle: Polizeiliche Kriminalstatistik für das Jahr 1992.

Die Zahl der Gewaltdelikte mit erwiesener oder zu vermutender *rechtsextremistischer Motivation* (Bundesamt für Verfassungsschutz) ist 1992 gegenüber 1991 mit 54% erheblich gestiegen: insg. 2285 Straftaten (1991: 1483). 17 Menschen wurden getötet, dar. 7 Ausländer. 90% der Anschläge u. Übergriffe waren gegen ausländische Staatsangehörige, v. a. Asylbewerber u. deren Unterkünfte (Brand- u. Sprengstoffanschläge) gerichtet; 77 mal wurden jüdische Friedhöfe, Mahnmale oder andere Baulichkeiten geschändet. Von 894 ermittelten Tatverdächtigen waren 70% Jugendliche u. Heranwachsende und nur 2% älter als 30 Jahre. Nach absoluten Zahlen liegt bei den Taten Nordrhein-Westfalen mit 513 Fällen an der Spitze, es folgen Baden-Württemberg (256), Brandenburg (229), Mecklenburg.-V. (184).

Auch die Zahl der *fremdenfeindlichen Übergriffe* nahm 1992 erheblich zu: insg. registrierte das BKA 6336 Straftaten (160% mehr als 1991 mit 2426). 5174 ereigneten sich in aBl, 1162 in nBl. In den ersten 3 Monaten 1993 wurden insg. 1339 fremdenfeindliche Straftaten registriert.

Umwelt: Während in den alten Bundesländern seit Jahren verstärkte Maßnahmen ergriffen worden sind, die Umweltbelastungen durch die Industrie und den Verkehr zu begrenzen, bibt es in den neuen Bundesländern – bedingt durch die bisher ineffiziente Energieversorgung vor allem durch Braunkohle und die veraltete Produktionsstruktur – Problemregionen unterschiedlichster Art und Gefährlichkeit. Im Februar 1991 wurde daher vom Bundesumweltminister ein Aktionsprogramm »Ökologischer Aufbau« vorgelegt, um kurzfristig Umweltschutzmaßnahmen zur Gefahrenabwehr zu fördern. Neben diesem Umweltschutz-Sofortprogramm wurden allein im Jahr 1991 ein Förder- und Kreditvolumen in Höhe von 17 Mrd. DM bereitgestellt, um die erforderliche Umweltinfrastruktur aufzubauen. An der Entwicklung von Sanierungskonzepten sind darüber hinaus die Deutsche Bundesstiftung Umwelt sowie das Bundesforschungsministerium beteiligt. Schwerpunkte sind dabei die besonders stark belasteten Regionen Mansfelder Land, der Großraum Leipzig/Bitterfeld/Halle/Merseburg, das obere Elbtal, das Niederlausitzer Bergbau- und Energiegebiet sowie der Großraum Rostock (→ *Karte*).

Seit 1990 sind die neuen Länder auch in das Programm zur *Waldschadenserhebung* mit einbezogen, das seit 1986 im Rahmen der Wirtschaftskommission der Vereinten Nationen für Europa (ECE) durchgeführt wird und an dem sich inzwischen 27 europäische Staaten beteiligen. (→ *Tabellen*).

Waldschäden in der Bundesrepublik 1991

Länder	Anteil der Schadstufen[1] in %		
	0	1	2–4
Nordwestdeutsche Länder			
Bremen	48	39	13
Hamburg	46	37	17
Niedersachsen	56	34	10
Nordrhein-Westfalen	58	31	11
Schleswig-Holstein	53	32	15
Ostdeutsche Länder			
Berlin	23	48	29
Brandenburg	29	38	33
Mecklenburg-Vorpommern	19	32	49
Sachsen	37	37	49
Sachsen-Anhalt	28	38	34
Thüringen	19	31	50
Süddeutsche Länder			
Baden-Württemberg	39	44	17
Bayern	27	43	30
Hessen	29	42	29
Rheinland-Pfalz	47	41	12
Saarland	56	27	17

[1] Schadstufen: 0 ohne Schadmerkmale, 1 schwach geschädigt, 2–4 deutlich geschädigt.

Quelle: Bundesminister für Ernährung, Landwirtschaft und Forsten

Waldschäden in Europa 1990 (ECE-Waldschadenserhebung)

Land	Anteil der Schadstufen 2–4 in %
Spanien	3,8
Österreich	3,9
Ukraine	7,3
Frankreich	7,3
Belgien (Flandern)	8,3
Italien	14,8
Schweiz	15,2
Deutschland (aBl)	15,9
Schweden	16,2
Norwegen	17,2
Finnland	17,3
Slowenien	18,2
Belgien (Wallonien)	19,1
Litauen	20,4
Dänemark	21,2
Ungarn	21,7
Rußland (Kaliningrad)	22,5
Bulgarien	29,1
Portugal	30,7
Deutschland (nBl)	35,9
Lettland	36,9
Polen	38,4
Großbritannien	39,0
Tschechoslowakei	46,6
Weißrußland	54,0

Quelle: United Nations Economic Commission for Europe (UN-ECE)

Ökologische Sanierungsgebiete in den neuen Ländern

PRESSE, HÖRFUNK, FERNSEHEN

I. PRESSE

Auswahl wichtiger Tages- und Wochenzeitungen sowie Zeitschriften (Erscheinungsort, Titel, verkaufte Auflage in 1000 Expl. – Daten nach Auflagenliste 2/93 der »Informationsgemeinschaft zur Feststellung der Verbreitung von Werbeträgern e. V./IVW«, Bonn; mo. = montags, sa. = samstags, so. = sonntags).

Tageszeitungen: Aachen: Aachener Volkszeitung/ Aachener Nachrichten (167,2) – Ansbach: Fränkische Landeszeitung (53,2) – Aschaffenburg: Main-Echo (90,7) – Augsburg: Augsburger Allgemeine/ Allgäuer Zeitung (366,0) – Bad Homburg: Taunus Zeitung/Nass. Neue Presse (49,7) – Baden-Baden: Badisches Tagblatt (41,2) – Bamberg: Fränkischer Tag/Volksblatt (76,2) – Oberfrankenpresse (214,7) – Bautzen: Sächsische Zeitung (75,2) – Bayreuth: Nordbayerischer Kurier (43,5) – Berlin: Berliner Kurier (169,1; so. 101,6) – Berliner Morgenpost (180,2; so. 282,6) – Berliner Zeitung (258,1) – B. Z. (324,5; so. 140,5; mo. 340,5) – Junge Welt (48,5) – Neues Deutschland (83,2) – Der Tagesspiegel (128,2; so. 136,9) – die tageszeitung TAZ (61,7) – Bielefeld: Neue Westfälische (220,3) – Westfalen-Blatt (145,4) – Bonn: Bonner Rundschau (21,6) – General-Anzeiger (87,0) – Braunschweig: Braunschweiger Zeitung (220,0; sa. 240,6) – Bremen: Bremer Nachrichten/Weser Kurier (211,2) – Bremerhaven: Nordsee-Zeitung (76,5) – Chemnitz: Chemnitzer Morgenpost (40,6) – Freie Presse/Döbelner Anzeiger (518,1) – Coburg: Neue Presse (35,0) – Cottbus: Lausitzer Rundschau (211,5) – Darmstadt: Darmstädter Echo (109,7; sa. 125,5) – Detmold: Lippische Landeszeitung (45,5) – Dortmund: Ruhr-Nachrichten (222,0) – Dresden: Dresdner Morgenpost (86,4; so. 111,7) – Sächsische Zeitung (447,1) – Düsseldorf: Handelsblatt (127,0) – Rheinische Post (396,3) – Westdeutsche Zeitung WZ (241,5) – Essen: Westdeutsche Allgemeine Zeitung WAZ/Neue Ruhr-Zeitung/Neue Rhein-Zeitung NRZ/Westfälische Rundschau WR/Westfalenpost WP/Iserlohner Kreisanzeiger und Zeitung (1205,6) – Eßlingen: Eßlinger Zeitung (48,9) – Flensburg: Flensburger Tageblatt (165,2) – Frankfurt/Main: Frankfurter Allgemeine (376,2; sa. 479,2; so. 91,8) – Frankfurter Neue Presse (110,9) – Frankfurter Rundschau (177,5; sa. 244,3) – Hürriyet (türk.; 104,4) – Frankfurt/Oder: Märkische Oderzeitung (166,5) – Freiburg: Badische Zeitung (196,5) – Fulda: Fuldaer Zeitung (36,5) – Mitteldeutsche Presse (177,7) – Gießen: Gießener Allgemeine (63,9) – Göppingen: Neue Württembergische Zeitung (42,5) – Göttingen: Göttinger Tageblatt (54,4) – Goslar:

Goslarsche Zeitung/Wernigeröder Zeitung (40,1) – Gummersbach: Oberbergische Volks-Zeitung (30,2) – Halle/Saale: Mitteldeutsche Zeitung/Mitteldeutscher Express (515,0) – Hamburg: Bild-Zeitung (ges. 4489,6; sa. 3979,7) – Hamburger Abendblatt (292,1; sa. 383,8) – Hamburger Morgenpost (164,1) – Die Welt (216,1; sa. 239,6) – Hameln: Deister- und Weserzeitung (70,2; sa. 74,7) – Hamm: Westfälischer Anzeiger (ges. 159,4) – Hannover: Hannoversche Allgemeine Zeitung (545,6; sa. 596,7) – Heidelberg: Rhein-Neckar-Zeitung (105,6) – Heilbronn: Heilbronner Stimme (103,0) – Hildesheim: Hildesheimer Allgemeine Zeitung (48,3) – Ingolstadt: Donau-Kurier (82,9) – Kaiserslautern: Die Rheinpfalz-Westpfalz (84,7) – Karlsruhe: Badische Neueste Nachrichten (167,6) – Kassel: Hessische/ Niedersächsische Allgemeine (356,4) – Kempten: Allgäuer Zeitung (116,4) – Kiel: Kieler Nachrichten (167,2) – Koblenz: Rhein-Zeitung (241,5) – Köln: Express (ges. 423,5) – Kölner Stadtanzeiger (280,3; sa. 320,8) – Kölnische Rundschau (158,9) – Konstanz: Südkurier (141,3) – Landshut: Landshuter Zeitung (55,1) – Leer: Ostfriesen-Zeitung (42,4) – Leipzig: Leipziger Volkszeitung (380,5) – Leutkirch: Schwäbische Zeitung (198,9) – Ludwigsburg: Ludwigsburger Kreiszeitung (48,9) – Ludwigshafen: Die Rheinpfalz (246,0) – Lübeck: Lübecker Nachrichten (120,8) – Lüneburg: Niedersächsisches Tageblatt (141,4; sa. 145,8) – Landeszeitung für die Lüneburger Heide (35,3; sa. 39,7) – Magdeburg: Volksstimme (333,8) – Mainz: Rhein-Main-Presse (233,4) – Mannheim: Mannheimer Morgen (151,9; sa. 164,1) – Marburg: Oberhessische Presse (32,7) – Minden: Mindener Tageblatt (37,1) – München: Abendzeitung (209,3; sa. 258,9) – Münchner Merkur (186,7; sa. 211,1) – Süddeutsche Zeitung (376,4; sa. 526,5) – tz (150,9; sa. 202,4) – Münster: Münstersche Zeitung (65,0) – Westfälische Nachrichten/Zeno-Zeitungen (225,6) – Neubrandenburg: Nordkurier (ges. 154,6) – Nürnberg: Nürnberger Nachrichten (337,0; sa. 376,4) – Oberndorf: Schwarzwälder Bote (140,1) – Oelde: Die Glocke (65,0) – Offenbach: Offenbach-Post (54,1) – Offenburg: Offenburger Tageblatt (72,8) – Oldenburg: Nordwest-Zeitung (324,0) – Osnabrück: Neue Osnabrücker Zeitung (308,2) – Passau: Passauer Neue Presse (179,9) – Pforzheim: Pforzheimer Zeitung (44,0) – Pinneberg: Holsteiner Nachrichten (27,4) – Plauen: Freie Presse Plauen (28,7) – Potsdam: Märkische Allgemeine (241,8) – Potsdamer Tageszeitung (48,5) – Recklinghausen: Recklinghäuser Zeitung/Buersche Zeitung (89,6) – Regensburg: Mittelbayerische Zeitung (124,4) – Rendsburg: Schleswig-Holsteinische Landeszeitung (27,1) – Reutlingen: Reutlinger General-Anzeiger

(46,9) – Rosenheim: Oberbayerisches Volksblatt (75,0; sa. 85,5) – Rostock: Ostsee-Zeitung (222,9) – Saarbrücken: Saarbrücker Zeitung/Pfälzischer Merkur (193,8) – Salzwedel: Altmark Zeitung/Stendaler Nachrichten (39,2) – Schwerin: Schweriner Volkszeitung (180,1) – Siegen: Siegener Zeitung (64,6) – Stade: Stader Tageblatt (26,4) – Straubing: Straubinger Tagblatt (77,6) – Stuttgart: Stuttgarter Zeitung/Stuttgarter Nachrichten (222,2) – Suhl: Thüringer Presse (ges. 206,1) – Syke: Kreiszeitung (81,4) – Trier: Trierischer Volksfreund (99,7) – Ulm: Südwest-Presse (363,1) – Waiblingen: Waiblinger Kreiszeitung (49,2) – Weiden: Der Neue Tag (87,1) – Wetzlar: Mittelhessenpresse (335,4) – Wilhelmshaven: Wilhelmshavener Zeitung (30,1) – Würzburg: Main-Post (154,9) – Zwickau: Freie Presse Zwickau (54,4) – *2. Quartal 1993:* Druckauflage der Tageszeitungen 35,182 u. verkaufte Auflage 30,930 Mio. Expl. pro Tage.

Wochen- und Sonntagszeitungen: Berlin: Freitag (18,9) – Wochenpost (114,7) – Bonn: Rheinischer Merkur (110,8) – Frankfurt/Main: Hafta Sonü (türk; 45,1) – Hamburg: Bild am Sonntag (ges. 2649,9) – Deutsches Allgemeines Sonntagsblatt (90,7) – Das Ostpreussenblatt (40,2) – Welt am Sonntag (ges. 423,4) – Die Zeit (493,3) – Hannover: Nordwestdeutsches Handwerk (74,9) – Magdeburg: Volksstimme am Sonntag (327,9) – München: Bayerische Staatszeitung/Bayerischer Staatsanzeiger (18,9) – Bayernkurier (153,5) – Regensburg: Die Woche (22,4) – Stuttgart: Sonntag aktuell (878,6) – Trier: Das Parlament (97,2) – *2. Quartal 1993:* Druckauflage der Wochenzeitungen 2,493 u. verkaufte Auflage 2,059 Mio. Expl. in der Woche.

Zeitschriften, Illustrierte, Magazine: ADAC-Motorwelt (11 283,1) – die aktuelle (629,4) – Anna (213,4) – auf einen Blick (2899,9) – Auto-Bild (906,5) – auto motor und sport (503,4) – baumagazin (621,2) – bella (660,0) – Das Beste aus Reader's Digest (1631,0) – Bild + Funk (762,4) – Bild der Frau (2000,2) – bild der wissenschaft (130,5) – Bildwoche (537,8) – Blitz Illu (534,2) – Bravo (1218,2) – Bravo-Girl (733,7) – Brigitte (1101,3) – Bruderhilfe Journal (308,2) – Bunte (827,3) – burda moden (520,2) – Capital (305,1) – Carina (315,3) – Chip (212,2) – Concert (246,5) – Cosmopolitan (362,4) – Coupé (575,4) – Deutscher Alpenverein (376,1) – Deutscher Video Ring (510,7) – DM (234,5) – Domus-Magazin (1933,1) – Echo der Frau (457,1) – Ein Herz für Tiere (223,8) – Elle (206,6) – Eltern (630,9) – emma (42,7) – essen & trinken (215,2) – Expression (393,9) – Fernsehwoche (2131,4) – F.F. (610,0) – Flora (227,9) – frau aktuell (381,7) – Frau im Leben (282,5) – Frau im Spiegel (762,0) – Frau mit Herz (207,4) – Frau und Mutter (744,0) – Freizeit Revue (1322,1) – freundin (743,5) – Für Sie

(694,4) – Funk Uhr (1895,8) – GEO (510,2) – Geschäftswelt (225,1) – Glücks-Revue (466,2) – Das Goldene Blatt (453,4) – Gong (925,0) – Die Gute Tat (1175,8) – Das Haus (2327,2) – HÖRZU (2777,1) – Die Johanniter (902,7) – Journal für die Frau (505,2) – Kicker/Sport-Magazin (mo. 336,1; do. 253,8) – Mädchen (461,3) – Max (212,0) – Maxi (401,3) – Mein Eigentum (2184,7) – Mein schöner Garten (528,0) – meine Familie & ich (515,8) – Merian (142,5) – Micky Maus (731,7) – Mini (590,2) – Mosaik (3074,6) – Motorrad (204,7) – das neue (552,1) – Das Neue Blatt (1198,4) – Neue Mode (256,3) – Neue Post (1711,0) – Neue Revue (720,3) – Neue Welt (488,0) – P.M. (453,1) – Penthouse (212,5) – Petra (399,1) – Playboy (211,0) – Pop/Rocky (219,7) – Popcorn (365,1) – Praline (569,3) – Prima (502,1) – Prinz (ges. 208,2) – Ratgeber Frau und Familie (351,1) – scala (367,9) – Schöner Wohnen (344,7) – Selbermachen (252,4) – Selbst ist der Mann (208,2) – Ski (290,8) – Spektrum der Wissenschaft (119,4) – Der Spiegel (1073,1) – Sport-Bild (663,6) – stern (1306,5) – Super Illu (542,3) – Super TV (536,3) – tina (1664,7) – Treffpunkt Kino/Film Tips (256,2) – TV Hören + Sehen (2374,6) – TV-Klar (931,4) – TV-Movie (1753,3) – TV-Neu (638,4) – TV-Spielfilm (1442,3) – Union (596,0) – Verena (309,3) – Video-Tip (219,6) – vital (365,2) – Vorwärts Sozialdemokratisches Magazin (785,3) – Weltbild (261,6) – Wirtschaftswoche (170,9) – Wochenend (337,0) – Wohnen im eigenen Heim (1849,4) – Wohnidee (269,9) – Zuhause Wohnen (246,6) – die zwei (590,0) – *2. Quartal 1993:* Druckauflage der Publikumszeitschriften 160,185 u. verkaufte Auflage 122,117 Mio. Expl. je Erscheinungsdatum.

Nachrichtenagenturen, Pressedienste *(Auswahl):* Allgemeiner Deutscher Nachrichtendienst (ddp/ADN), Hamburg – Deutsche Presse-Agentur (dpa), Hamburg – deutscher nachrichten dienst (dnd), Köln – Evangelischer Pressedienst (epd), Frankfurt/M. – Katholische Nachrichtenagentur (KNA), Bonn – SPD-Pressedienst, Bonn – Sport-Informations-Dienst (sid), Neuss – Vereinigte Wirtschaftsdienste (VWD), Eschborn – Deutscher Dienst von Agence France-Presse (AFP), Bonn – The Associated Press (AP), Frankfurt/M. – TASS, Bonn – Reuters, Bonn – United Press International (UPI), Bonn

II. HÖRFUNK UND FERNSEHEN

Arbeitsgemeinschaft der öffentlich-rechtlichen Rundfunkanstalten der Bundesrepublik Deutschland (ARD)
Geschäftsführende Anstalt 1993: Norddeutscher Rundfunk (NDR); ARD-Vorsitzender 1993: Intendant Jobst Plog

Ständiges ARD-Büro, Bertramstr. 8, 60320 Frankfurt a. M., T 069/59 06 07, Tfax 155–20 75

Der ARD gehören an:

1. Landesrundfunk- und Fernsehanstalten:

Bayerischer Rundfunk (BR)
Rundfunkplatz 1, 80335 München, T 089/59 00–01, Tfax 59 00–23 75

Hessischer Rundfunk (hr)
Bertramstr. 8, 60320 Frankfurt a. M., T 069/155–1, Tfax 155–29 00

Mitteldeutscher Rundfunk (MDR)
Springerstr. 22–24, 04105 Leipzig, T 0341/559–50, Tfax 559–55 40
MDR-TV, Kantstr. 71–73, 04275 Leipzig, T 0341/559–50, Tfax 559–52 84

Norddeutscher Rundfunk (NDR)
Rothenbaumchaussee 132–134, 20149 Hamburg, T 040/41 56–0, Tfax 44 76 02

Ostdeutscher Rundfunk Brandenburg (ORB)
August-Bebel-Str. 26–53, 14482 Potsdam, T 0331/965–10, Tfax 965–35 71

Radio Bremen (RB)
Bürgermeister-Spitta-Allee 45, 28329 Bremen, T 0421/246–0, Tfax 246–10 10 (Hörfunk), 246–20 10 (TV)

Saarländischer Rundfunk (SR)
Funkhaus Halberg, 66100 Saarbrücken, T 0681/602–0, Tfax 602–38 74

Sender Freies Berlin (SFB)
Masurenallee 8–14, 14057 Berlin, T 030/30 31–0, Tfax 301–50 62

Süddeutscher Rundfunk (SDR)
Neckarstr. 230, 70190 Stuttgart, T 0711/929–0, Tfax 929–26 00

Südwestfunk (SWF)
Hans-Bredow-Straße, 76530 Baden-Baden, T 07221/92–0, Tfax 92–20 10

Westdeutscher Rundfunk (WDR)
Appellhofplatz 1, 50667 Köln, T 0221/220–1, Tfax 220–48 00

2. Bundesrundfunkanstalten:

Deutsche Welle-Radio International u. Deutsche Welle TV
Raderberggürtel 50, 50968 Köln, T 0221/389–0, Tfax 389–30 00

Deutschlandfunk (DLF)
Raderberggürtel 40, 50968 Köln, T 0221/345–1, Tfax 38 07 66

3. Mit beratender Stimme:

RIAS BERLIN
Hans-Rosenthal-Platz, 10825 Berlin, T 030/85 03–0, Tfax 85 03–390
RIAS-TV, Voltastr. 5, Berlin, T 030/46 99–0, Tfax 469–92 94

Weitere öffentlich-rechtliche Fernsehanstalten:

Zweites Deutsches Fernsehen (ZDF)
Postfach 40 40, 55100 Mainz, T 06131/70–1, Tfax 70–21 57

3sat (Gemeinsamer Kanal von ZDF, Österreichischem und Schweizer Fernsehen)
Adresse s. ZDF

EINS PLUS (Deutschsprachiges Kulturprogramm der ARD in Europa)
Arnulfstr. 42, 80335 München, T 089/59 00–01, Tfax 59 00–32 49

Fernsehen: Private Anbieter national (Auswahl):

MTV Europe (London)
Büro Deutschland, Widenmayerstr. 18, 80538 München, T 089/29 88 66, Tfax 29 87 77

n-tv
Taubenstr. 1, 10117 Berlin, T 030/23 12 55–00, Tfax 23 12 55–05

Premiere (Pay TV)
Am Stadtrand 52, 22047 Hamburg, T 040/694 45–0, Tfax 694 45–199

PRO 7
Bahnhofstr. 28, 85774 Unterföhring, T 089/950 01–0, Tfax 950 01–230

RTL 1, RTL 2, RTL plus
Aachener Str. 1036, 50858 Köln, T 0221/48 95–0, Tfax 48 95–490

SAT 1
Otto-Schott-Str. 13, 55127 Mainz, T 06131/900–0, Tfax 900–100

Sportkanal
Joseph-Dollinger-Bogen 30, 80807 München, T 089/323 30 72, Tfax 323 47 00

Vox
Richard-Byrd-Str. 6, 50829 Köln, T 0221/95 34–0, Tfax 95 34–800

DOMINICA *Mittel-Amerika; Karibik*
Commonwealth Dominica; Dominique; Commonwealth of Dominica – WD

LANDESSTRUKTUR **Fläche** (170): 751 km² – **Einwohner** (181): (Z 1991) 71 183 = 95 je km² – Dominicaner; rd. 90 % Schwarze, 6 % Mulatten u. Kreolen, 1,5 % Indianer; etwa 500 Kariben in Reservat; kl. weiße Minderh. – **Leb.-Erwart.:** 72 J. – **Säugl.-Sterbl.:** 2,0 % – **Analph.** (1980): 5 % – Jährl. **Bev.-Wachstum** (∅ 1980–91): –0,3 % (Geburtenziffer 1990: 2,8 %) – **Sprachen:** Englisch als Amtsspr.; kreolisches Französ. (Patois) u. im NO engl. Dialekt (Cocoy) als Umgangsspr. – **Religion:** 77 % Katholiken, 16 % Methodisten u. Anglikaner; Minderh. von Muslimen, Hindus, Juden u. Bahai – **Städt. Bev.:** rd. 25 % – **Städte** (Z 1991): Roseau (Hptst.) 20 755 Ew.

STAAT Republik – Verfassung von 1978 – Parlament mit 30 Mitgl. (21 gewählte Abg. u. 9 wahlweise durch den Prem.-Min. bzw. Oppos.-Führer ernannte Senatoren); Wahl alle 5 J. – Allg. Wahlrecht – 10 Verwaltungsbezirke (Parishes) – **Staatsoberhaupt:** Sir Clarence Augustus Seignoret (DFP), seit 1983, Wiederwahl 1988 – **Regierungschef:** Mary Eugenia Charles (DFP), Wiederwahl im Mai 1990 – **Äußeres:** Brian G. K. Alleyne – **Parteien:** Wahlen 1990: Dominica Freedom Party/DFP 11 Sitze (1985: 15), Dominica United Worker's P./UWP 6 (1), Labour Party of Dominica/LPD 4 (5) – **Unabh.:** 3. 11. 1978 – **Nationalfeiertag:** 3. 11.

WIRTSCHAFT **BSP** 1991: 175 Mio. $ = 2440 $ je Ew. (68); realer Zuwachs ∅ 1980–91: 4,4 %; **BIP** realer Zuwachs 1989/90: 6,2 %; Anteil 1991 **Landwirtsch.** 26 %, **Industrie** (1988) 15 % – **Erwerbstät.** 1989: Landw. 26 %, Ind. 21 %, Dienstl. 59 % – **Arbeitslosigkeit** ∅ 1991: 15 % – **Energieverbrauch** 1990: 287 kg ÖE/Ew. – **Währung:** 1 Ostkarib. Dollar (EC$) = 100 Cents; 1 US-$ = 2,69 EC$; 100 EC$ = 62,80 DM – **Inflation** ∅ 1980–91: 6,0 % – **Ausl.-Verschuld.** 1988: 18,1 Mio. EC$ – **Außenhandel** 1990: **Import:** 236 Mio. EC$; Güter: 26 % Maschinen u. Transportausrüst., 25 % Prod. der verarb. Ind. (v. a. Papier), 17 % Nahrungsmittel u. leb. Tiere; Länder: 34 % CARICOM-Länder, 27 % USA, 23 % EG-Länder (dar. 14 % Großbrit.); **Export:** 67 Mio. EC$; Güter: Bananen u. a. landwirtschaftl. Prod. wie Kakao, Kopra, Kokosnüsse, Fruchtsäfte, Gemüse (insg. 63 %); Länder: 50 % Großbrit., 33 % karib. Nachbarn/CARICOM-Länder

DOMINIKANISCHE REPUBLIK
Mittel-Amerika; Karibik
República Dominicana – DOM

LANDESSTRUKTUR **Fläche** (128): 48 734 km² – **Einwohner** (87): (F 1991) 7 197 000 = 148 je km²; (Z 1981) 5 647 977 – Dominikaner; 73 % Mulatten, 16 % Weiße, 11 % Schwarze – **Leb.-Erwart.:** 67 J. (m65/w69); Bev.-Anteil 0–14 J.: 37,4 % – **Säugl.-Sterbl.:** 5,4 % – **Kindersterbl.:** 6,8 % – **Analph.:** 17 % – Jährl. **Bev.-Wachstum** (∅ 1980–91): 2,2 % (Geb.- u. Sterbeziffer 1991: 2,7 %/0,6 %) – **Sprache:** Spanisch – **Religion:** 94 % Katholiken; Protestanten u. Juden (je rd. 2500) – **Städt. Bev.:** 61 % – **Städte** (F 1983): Santo Domingo (Hptst.) 1 410 000 Ew.; Santiago de Los Caballeros 285 000, La Romana 101 000, San Pedro de Macorís 81 000; (Z 1981) San Francisco de Macorís 64 906, Concepción de la Vega 52 432, San Juan 49 764, Barahona 49 334

STAAT Präsidialrepublik – Verfassung von 1966 – Parlament (Congreso Nacional) aus 2 Kammern: Abgeordnetenkammer (Cámara de Diputados) mit 120 u. Senat (Senado) mit 30 Mitgl., Wahl alle 4 J. – Allg. Wahlpflicht ab 18 J. – 26 Provinzen u. Hauptstadtdistrikt (Distrito Nacional) Santo Domingo – **Staats- u. Regierungschef:** Joaquín Balaguer Ricardo (PRSC), seit 1986, Wiederwahl 1990 – **Äußeres:** Juan Aristides Taveras Guzmán – **Parteien:** Wahlen 1990 (Sitzverteilung in Abg.-Kammer/Senat): Partido de la Liberación Dominicana/PLD 44/16 (1986: 16/2), P. Reformista Social Cristiano/PRSC 44/12 (56/21), P. Revolucionario Dominicano/PRD 32/2 (48/7), Partido Revolucionario Independiente/PRI 2/0 (-/-) – **Unabh.:** erstmals unabh. am 27. 2. 1844 (Loslösung v. Haiti), am 18. 3. 1861 wieder spanisch auf eig. Wunsch, endgültig (de facto) 14. 9. 1863 – **Nationalfeiertag:** 27. 2.

WIRTSCHAFT **BSP** 1991: 6807 Mio. $ = 940 $ je Ew. (115); realer Zuwachs ∅ 1980–91: 1,9 %; **BIP** 1991: 7172 Mio. $; realer Zuwachs ∅ 1980–91: 1,7 %; Anteil 1991 **Landwirtsch.** 18 %, **Industrie** 25 %, **Dienstlst.** 57 % – **Erwerbstät.** 1990: Landw. 36 %, Ind. ca. 18 % – **Energieverbrauch** 1991: 341 kg ÖE/Ew. – **Währung:** 1 Dominikan. Peso (dom$) = 100 Centavos (cts); 1 US-$ = 12,50 dom$; 100 dom$ = 13,51 DM – **Ausl.-Verschuld.** 1991: 4492 Mio. $ = 65,7 % d. BSP – **Inflation** ∅ 1980–91: 24,5 % – **Außenhandel** 1991: **Import:** 1713 Mio. $; Güter: 25 % Rohöl- u. Erdölprod., 21 % Maschinen u. Transportausrüst., 17 % Nahrungsmittel; Länder (1986): 38 % USA, 10 % Venezuela, 8 % Mexiko, 8 % Japan; **Export:** 651 Mio. $; Güter: 34 % Mineralien (Roheisen- u. Ferronickel u. a.), 22 % Zucker u. Melasse, 11 % Kaffee u. Kakao; Länder: 56 % USA,

15% Niederl., 8% Puerto Rico, 4% Japan – **Tourismus** (1991): 877 Mio. $ Einnahmen

Japan, 7% Italien; **Export:** 3083 Mio. FD; Güter: 28% Nahrungsmittel u. leb. Tiere; Länder: 57% Frankr. u. Monaco, 16% Jemen, 6% Saudi-Arabien – Wichtiger Transithafen für äthiop. Ausfuhrgüter

DSCHIBUTI *Nordost-Afrika*

Republik Dschibuti (Djibouti); République de Djibouti; Dschumhuriyadi D. (Somali), Gabuutí Doolat (Afar), Al-Jumhûrîya al-Jîbûtîya (Arab.) – DJI

LANDESSTRUKTUR Fläche (147): 23200 km² – **Einwohner** (159): (F 1991) 452000 = 19 je km²; (Z 1960/61) 81000 (davon 30% Nomaden) – Dschibutier; (S 1984) 47% Issa (Nord-Somali), 37% Afar, 8% Europäer (meist Franzosen), 6% Araber – **Leb.-Erwart.:** 49 J. – **Kindersterbl.:** 18,9% – **Analph.** (1985): 88% – Jährl. **Bev.-Wachstum** (∅ 1980–91): 3,5% (Geburtenziffer 1990: 6,6%) – **Sprachen:** Französisch u. Arabisch als Amtsspr.; kuschitische Sprachen der Afar (Danakil) u. Issa – **Religion:** 94% sunnit. Muslime; ca. 24000 Christen (dar. 8200 Katholiken) – **Städt. Bev.:** 81% – **Städte** (S 1984): Djibouti [Dschibuti] (Hptst.) 65000 Ew. (m.V. rd. 220000); Dikhil 30000, Tadjoura [Tadschura], Ali-Sabieh, Obock

STAAT *(→ Chronik)* Präsidialrepublik – Neue Verfassung vom 15. 9. 1992 (max. 4 Parteien zugelassen, 2 bisher als legal anerkannt) – Nationalversammlung mit 65 Abg. (davon 33 Issa, 32 Afar), Wahl alle 5 J. – Wahl d. Staatsoberh. alle 6 J. – Allg. Wahlrecht – 4 Distrikte (Cercles) – **Staatsoberhaupt:** Hassan Gouled Aptidon (Issa; RPP), seit 1977, in ersten freien Wahlen am 7. 5. 1993 mit 60,7% d. Stimmen im Amt bestätigt (Wahlergebnis durch Opposition nicht anerkannt) – **Regierungschef:** Barkad Gourad Hamadou (RPP), seit 1978 (Koal. aus je 6 Afar u. Issa, 1 Araber u. 1 Somali) – **Äußeres:** Mohamed Bolock Abdou – **Parteien:** Wahlen vom 18.12. 1992: Rassemblement Populaire pour le Progrès/RPP (ehem. Einheitspartei) rd. 72% u. alle 65 Sitze, Parti du Renouveau Démocratique/PRD 28% u. 0 – **Unabh.:** 27. 6. 1977 – **Nationalfeiertag:** 27. 6.

WIRTSCHAFT (keine neueren Angaben verfügbar) **BSP** (S 1986): 341 Mio. $ = 750 $ je Ew. (119); **BIP** realer Zuwachs ∅ 1980–85: 2,2%; Anteil 1988 **Landwirtsch.** 3%, **Industrie** ca. 21% – **Erwerbstät.** 1985: Landw. 25%, Ind. 15% – **Energieverbrauch** 1990: 1276 kg ÖE/Ew. – **Währung:** 1 Dschibuti-Franc (FD) = 100 Centimes (c); 1 US-$ 176,84 FD; 100 FD = 0,95 DM – **Ausl.-Verschuld.** 1988: 300 Mio. $ = 73% d. BSP – **Inflation:** k. Ang. – **Außenhandel** 1991: **Import:** 38103 Mio. FD; Güter: 33% Nahrungsmittel, leb. Tiere, Getränke u. Tabak, 12% Textilien; Länder: 26% Frankr., 8% Äthiopien, 7%

ECUADOR *Süd-Amerika*

Republik Ecuador; República del Ecuador – EC

LANDESSTRUKTUR Fläche (71): 283561 km² (mit Galápagos-I. [Archipiélago Colón] 7844 km² u. 6201 Ew. [1982]) – **Einwohner** (62): (F 1991) 10800000 = 38 je km²; (Z 1990) 9648189 – Ecuadorianer (span. Ecuatorianos); ca. 35% Mestizen, 25% Weiße, 20% Indianer, 15% Mulatten u. 5% Schwarze – **Leb.-Erwart.:** 66 J. (m64/w69); Bev.-Anteil 0–14 J.: 38,9% – **Säugl.-Sterbl.** (1989): 4,7% – **Kindersterbl.:** 5,9% – **Analph.:** 14% – Jährl. **Bev.-Wachstum** (∅ 1980–91): 2,6% (Geb.-u. Sterbeziffer 1991: 3,0%/0,7%) – **Sprachen:** Spanisch als Amtsspr.; als Umgangsspr. u. a. Ketschua – **Religion:** 94% Katholiken; 50000 Protestanten; indian. Naturrelig. – **Städt. Bev.:** 57% – **Städte** (Z 1990): Quito (Hptst.) 1100847 Ew.; Guayaquil 1508444, Cuenca 194981, Machala 144197, Portoviejo 132937, Manta 125505, Ambato 124166, Santo Domingo 114847

STAAT Präsidialrepublik – Verfassung von 1979 – Parlament (Cámara de Representantes) mit 77 Mitgl. (65 Abg. auf Provinzebene für 2 J. ohne Erneuerung d. Mandats u. 12 Abg. für 4 J. auf nationaler Ebene gewählt) – Allg. Wahlrecht ab 18 J. – 20 Provinzen einschl. Galápagos-Inseln (v. Verteid.-Min. verwaltet) u. »Zonas no delimitadas« – **Staats-u. Regierungschef:** Sixto Durán Ballén (PUR-PCE), seit 10. 8. 1992 – **Äußeres:** Diego Paredes Peña – **Parteien:** Wahlen vom 17. 5. 1992: Partido Social Cristiano/PSC 21 Sitze (Teilwahlen 1990: 16 von 72), Partido Roldosista Ecuatoriano/PRE (kons.-lib.) 13 (13), Partido Unidad Republicana zus. mit Partido Conservador Ecuatoriano/PUR-PCE 18 (3), Izquierda Democrática/ID (Demokrat. Linke) 7 (14), Democracia Popular/DP-UDC 5 (7), Movimiento Popular Democrático/MPD 4 (1), Partido Socialista Ecuatoriano/PSE 3 (8), Sonstige 6 (12) – **Unabh.:** 10. 8. 1809 (Proklamation), endgültig 13. 5. 1830 (Loslösung v. Großkolumbien) – **Nationalfeiertag:** 10. 8.

WIRTSCHAFT BSP 1991: 10772 Mio. $ = 1000 $ je Ew. (110); realer Zuwachs ∅ 1980–91: 2,0%; **BIP** 1991: 11595 Mio. $; realer Zuwachs ∅ 1980–91: 2,1% (1992: +3,2%); Anteil 1992 **Landwirtsch.** 14%, **Industrie** 33%, **Dienstlst.** 44% – **Erwerbstät.** 1991: Landw. 30%, Ind. ca. 25% – **Ar-**

beitslosigkeit ∅ 1991: 14,8% – **Energieverbrauch** 1991: 598 kg ÖE/Ew. – **Währung:** 1 Sucre (S/.) = 100 Centavos (Ctvs); Freimarktkurs: 1 US-$ = 1885,00 S/.; 1000 S/. = 0,896 DM – **Ausl.-Verschuld.** 1991: 12469 Mio. $ = 114,5% d. BSP – **Inflation** ∅ 1980–91: 38% (1992: 66%) – **Außenhandel** 1992: **Import:** 2491 Mio. $; Güter (1991): 48% Zwischenprod., 37% Kapitalgüter, 4% Konsumgüter, 4% Brenn- u. Schmierstoffe; Länder (1991): 37% USA, 8% Frankr., 8% Japan, 6% BRD, 5% Brasilien, 3% Chile; **Export:** 2979 Mio. $; Güter (1991): 42% Rohöl, 21% Bananen, 17% Garnelen, 12% Industriegüter; Länder: 41% USA, 7% BRD, 4% Kanada, 3% Peru, 3% Rep. China

ELFENBEINKÜSTE → CÔTE D'IVOIRE

EL SALVADOR *Mittel-Amerika*
Republik El Salvador; República de El Salvador – ES

LANDESSTRUKTUR **Fläche** (149): 21041 km² – **Einwohner** (97): (F 1991) 5308000 = 252 je km²; (Z 1971) 3554648 – Salvadorianer (span. Salvadoreños); etwa 70% Mestizen (Ladinos), 10–15% Indianer, 10% Weiße meist altspan. Herkunft – **Leb.-Erwart.:** 66 J. (m63/w68); Bev.-Anteil 0–14 J.: 43% – **Säugl.-Sterbl.** (1988): 4,2% – **Kindersterbl.:** 4,8% – **Analph.:** 27% – Jährl. **Bev.-Wachstum** (∅ 1980–91): 1,4% (Geb.- u. Sterbeziffer 1991: 3,4%/0,7%) – **Sprachen:** Spanisch als Amtsspr.; örtl. indian. Sprachen (Nahua, Maya) – **Religion:** 92% Katholiken, 7% Protestanten – **Städt. Bev.:** 45% – **Städte** (F 1989): San Salvador (Hptst.) 494100 Ew.; Santa Ana 150500, Mejicanos 101100; (F 1987) San Miguel 183500; (F 1985) Nueva San Salvador 55000, Sensuntepeque 51000

STAAT Präsidialrepublik – Verfassung von 1983 – Parlament mit 84 Mitgl., Wahl alle 3 J. – Direktwahl d. Staatsoberh. alle 5 J. – Allg. Wahlpflicht ab 18 J. – 14 Departamentos – **Staats- u. Regierungschef:** Alfredo Félix Cristiani Burkard (ARENA), seit 1. 6. 1989 – **Äußeres:** José Manuel Pacas Castro – **Parteien:** Wahlen vom 10. 3. 1991: Alianza Republicana Nacionalista/ARENA 39 Sitze (1988: 31 von 60), Partido Demócrata Cristiano/PDC 26 (23), Partido de Conciliación Nacional/PCN (Nat. Versöhnungspartei) 9 (6), Convergencia Democrática/CD (Demokrat. Konvergenz, linksorient.) 8 (–), Sonstige 2 (0) – Nationale Befreiungsfront Farabundo Martí/ FMLN seit 15. 12. 1992 als Partei zugelassen – **Unabh.:** 15. 9. 1821 (Proklamation); endgültig 13. 4. 1839 bzw. 30. 1. 1841 – **Nationalfeiertag:** 15. 9.

WIRTSCHAFT **BSP** 1991: 5697 Mio. $ = 1080 $ je Ew. (104); realer Zuwachs ∅ 1980–91: 1,1%; **BIP** 1991: 5915 Mio. $; realer Zuwachs ∅ 1980–91: 1,0%; Anteil 1991 **Landwirtsch.** 10%, **Industrie** 24%, **Dienstlst.** 66% – **Erwerbstät.** 1991: Landw. 36%, Ind. ca. 22% – **Arbeitslosigkeit** 1990: rd. 10% – **Energieverbrauch** 1991: 230 kg ÖE/Ew. – **Währung:** 1 El-Salvador-Colón (¢) = 100 Centavos; Freimarktkurs: 1 US-$ = 8,72¢; 100 ¢ = 19,49 DM – **Ausl.-Verschuld.** 1991: 2172 Mio. $ = 37,4% d. BSP – **Inflation** ∅ 1980–91: 17,4% – **Außenhandel** 1991: **Import:** 885 Mio. $; Güter: 24% Maschinen u. Transportausrüst., 16% Nahrungsmittel, 15% chem. Erzeugn., 13% Rohöl u. a. Rohstoffe; Länder: 40% USA, 12% Guatemala, 8% Mexiko, 6% Venezuela; **Export:** 367 Mio. $; Güter: 38% Kaffee, 14% Textilien u.ä.; Länder: 33% USA, 18% Guatemala, 13% BRD, 8% Costa Rica

ERITREA *Nordost-Afrika*
ERI

LANDESSTRUKTUR **Fläche** (97): 124000 km² – **Einwohner** (120): (S 1992) 3500000 Ew.; (Z 1984) 2614699 – Eritreer; 9 ethnische Gruppen: über 200000 Afar (Nomaden), Bilen, Hadareb, Kunama, Nara, Rashaida, Saho, Tigrer u. Tigriner – rd. 750000 Eritreer leben im Ausland, dar. 500000 in Flüchtlingslagern im Sudan u. 150000 im europ. u. amerikan. Exil – **Sprachen:** Tigrinya u. Arabisch als Amtsspr.; Sprachen d. and. Volksgruppen, u. a. Gurage – **Leb.-Erwart.:** 48 J. – **Religion:** jeweils rd. 50% äthiopisch-orthodoxe Christen u. Muslime – **Städt. Bev.:** rd. 20% – **Stadt** (S 1992): Asmara [Asmera] (Hptst.) 350000

STAAT (→ *Chronik*) Souveräner Staat seit 27. 4. 1993 – Verfassung in Ausarbeitung – Provisorisches Parlament (Nationalrat) mit 104 Mitgl. – Amtszeit d. Staatsoberh. 4 J. – **Staatsoberhaupt u. Regierungschef:** Vors. des Staatsrats (Regierung) Isayas Afewerki (Gen.-Sekr. der EPLF), am 21. 5. 1993 durch den Nationalrat mit 99 von 104 Stimmen gewählt – **Äußeres:** Mahmud Ahmed Mahmud – **Parteien:** Eritreische Volksbefreiungsfront/EPLF u. a.; *freie Wahlen für 1994 geplant* – **Unabh.:** 1890–1941 ital. Kolonie, 1941–1945 brit. Militärverwaltung, 1945–1952 brit. Treuhandgebiet der UN, 1952–1962 autonomes Gebiet in Äthiopien, 1962 Einverleibung als 14. Provinz Äthiopiens durch Kaiser Haile Selassie; erstmals de facto unabhängig seit 25. 4. 1993 (Referendum), formell seit 24. 5. 1993 – **Nationalfeiertag:** 24. 5.

WIRTSCHAFT → *Äthiopien*

ESTLAND *Nordost-Europa*
Republik Estland; Eesti Vabariik – EST

LANDESSTRUKTUR Fläche (130): 45 100 km²; 1520 Inseln (4133 km² = 10 % d. Territoriums), darunter Saaremaa [Ösel] 2673 km², Hiiumaa [Dagö] 989 km², Muhu [Moon] 200 km², Vormsi [Worms] 92,9 km² – **Einwohner** (141): (F 1991) 1 591 000 = 35 je km²; (Z 1989) 1 572 916 – (Z 1989) 61,5 % Esten [Eestlased], 30,3 % Russen, 3,1 % Ukrainer, 1,8 % Weißrussen, 1,1 % Finnen; Tataren, Deutsche, Letten, Polen u. a. Minderh.; rd. 30 000 Esten leben in d. ehem. UdSSR – **Leb.-Erwart.**: 70 J. (m65/ w75); Bev.-Anteil 0–14 J.: 22,3 % – **Säugl.-Sterbl.** (1990): 1,4 % – **Kindersterbl.**: 1,6 % – **Analph.**: k. Ang. – Jährl. **Bev.-Wachstum** (∅ 1980–91): 0,6 % (Geb.- u. Sterbeziffer 1991: 1,4 %/1,2 %) – **Sprachen:** Estnisch als Amtsspr.; Russisch – **Religion:** überw. Ev.-Lutheraner; Russ.-Orthodoxe, Baptisten – **Städt. Bev.:** 72 % – **Städte** (F 1991): Tallinn [Reval] (Hptst.) 497 800 Ew.; Tartu [Dorpat] 114 200, Narva [Narwa] 86 900 (dar. 96 % Russen), Kohtla-Järve 75 000, Pärnu [Pernau] 57 100

STAAT Republik – Neue Verfassung vom 28. 6. 1992 – Parlament (Riigikogu = Reichsversammlung) mit 101 Mitgl.; Wahl alle 4 J. – Direktwahl d. Staatsoberh. alle 5 J. – Wahlrecht für alle Personen u. deren Nachfahren, die vor 1940 estnische Staatsbürger waren, u. für Bürger russischer Abstammung, die bis zum 5. 6. 1992 die estn. Staatsbürgerschaft beantragt haben – 15 Regionen (Maakond) u. 6 »Republiksstädte« (= Stadtbezirke; Vabariiklikud linnad) – **Staatsoberhaupt:** Lennart Meri, seit 5. 10. 1992 (Stichwahl im Parl. mit 59 d. 101 Stimmen) – **Regierungschef:** Mart Laar (Isamaa-Vors.), seit 19. 10. 1992 – **Äußeres:** Trivimi Velliste – **Parteien:** Erste freie Wahlen nach neuem Wahlgesetz vom 20. 9. 1992 (¹/₃ d. Bev. von d. Wahlen ausgeschlossen, 5 %-Klausel, Kandidatur von 17 Parteien u. Wahlverbänden): Wahlverband Isamaa (Vaterland) 21 % u. 29 Sitze, Wahlverband Kindel Kodu (Trautes Heim) 14 % u. 17, Rahvarinne (Volksfront) 12 % u. 15, Wahlallianz Moodukad (Sozialdemokraten u. Agrarier) 9,9 % u. 12, Estnische Nationale Unabhängigkeitspartei 8,4 % u. 10, Unabh. Royalisten 8, Estnische Bürgerallianz 8, Sonstige 2 – **Unabh.:** 1918–1940, erneute Ausrufung d. Unabh. am 30. 3. 1990, endgültig seit 21. 8. 1991 – **Nationalfeiertag:** 24. 2. (Gründung d. Republik Estland 1918)

WIRTSCHAFT BSP 1991: 6088 Mio. $ = 3830 $ je Ew. (47); **BIP** (S 1992): 2486 Mio. $ = 1554 $ je Ew.; (Nettomaterialprodukt) realer Zuwachs 1991/ 92: –28 %; Anteil BSP 1991 **Landwirtsch.** 22 %, **Industrie** 49 % – Rückgang der Brutto-Industrieprod.

1991/92 um 38,9 % – **Erwerbstät.** 1987: Landw. 13 %, Ind. 42 %, Handel/Verkehr 24 %, Dienstlst. 21 % – **Arbeitslosigkeit** Ende 1992: 1,9 % (offiz.; tatsächl. 4–6 %) – **Währung:** 1 Estnische Krone (ekr) = 100 Senti; 1 US-$ = 13,598 ekr; 100 ekr = 12,42 DM – **Ausl.-Verschuld.** (brutto) 1991: 400 Mio. $ (= 685,3 % d. Exports) – **Inflation** ∅ 1992: 1076 % – **Außenhandel** 1992: **Import:** 160 Mio. $; Güter (2. Hj.): 20 % Maschinenbauprod., 17 % Energieträger, 15 % Fahrzeuge, 7 % Nahrungsmittel, 7 % Holz, Papier u. Druckerzeugn., 5 % Metalle; Länder (2. Hj.): 31 % Finnland, 18 % Rußland, 10 % Schweden, 5 % Niederl., 4 % BRD; **Export:** 165 Mio. $; Güter (2. Hj.): 17 % Nahrungsmittel, 16 % Holzprod. u. Möbel, 12 % Papier, Zellstoff u. Druckerzeugn., 11 % Metalle, 11 % Textilien u. Schuhe, 7 % Fahrzeuge, 7 % chem. Prod. u. Plastik, 6 % Maschinenbauprod.; Länder (2. Hj.): 33 % Finnland, 26 % Rußland, 8 % BRD, 7 % Schweden

FIDSCHI *Ozeanien*
Republik Fidschi; Republic of Fiji; Matanitu Ko Viti – FJI

LANDESSTRUKTUR Fläche (152): 18 274 km² (inkl. Rotuma-Inselgruppe): 332 Inseln, davon 105 bewohnt (Viti Levu 10 429 km² mit rd. 70 % der Bev., Vanua Levu 5556 km²) – **Einwohner** (153): (F 1991) 741 000 = 41 je km²; (Z 1986) 715 375 – 48,9 % Fidschianer (zu d. Melanesiern zählend); 46,2 % Inder, 4,9 % Sonstige: Rotumaner (Rotumas), Europäer u. Chinesen – **Leb.-Erwart.:** 71 J. (m68/w73) – **Kindersterbl.:** 2,8 % – **Analph.:** rd. 15 % – Jährl. **Bev.-Wachstum** (∅ 1980–91): 1,6 % (Geburtenziffer 1990: 3,0 %) – **Sprachen:** Englisch u. Fidschianisch (melanes. Sprache) als Amtsspr.; Hindi – **Religion:** 53 % Christen (Methodisten u. a. Protestanten, ca. 67 000 Katholiken), 38 % Hindu, 8 % Muslime – **Städt. Bev.:** 39 % – **Städte** (Z 1986): Suva (Hptst., auf Viti Levu) 69 665 Ew. (A 120 000); Lautoka City 27 728, Nadi 7709, Ba 6515

STAAT Republik – Verfassung von 1990 – Parlament aus 2 Kammern: Repräsentantenhaus mit 70 Mitgl. (davon: Fidschianer 37, fidschian. Inder 27, Rotumanier 1, Europäer, Chinesen usw. 5) u. Senat mit 34 Mitgl. (24 vom Großen Rat d. Stammeshäuptl., 9 vom Präs. u. 1 vom Rotuma-Inselrat ernannt; Wahl alle 5 J. – Großer Rat der Stammeshäuptlinge ernennt Präs. alle 5 J. – frühe u. Min.-Präs. müssen Fidschianer sein – Allg. Wahlrecht ab 21 J. – 4 Verwaltungsbezirke mit insg. 14 Provinzen – **Staatsoberhaupt:** Ratu Sir Penaia Ganilau (parteilos), seit 1987 (1992 im Amt bestätigt) – **Regierungschef:** Brig.-Gen. Sitiveni Rabuka (Vors. d.

FPP-SVT), seit 2. 6. 1992; Koal. aus FPP-SVT u. FLP – **Äußeres:** Filipe Bole – **Parteien:** Wahlen vom 23./30. 5. 1992: Fidschianer: Politische Partei von Fidschi/FPP-SVT (Soqosoqo ni Vakavulewa ni Taukei) 30 Sitze, Nationale Fidschian. Front/FNUF 5, Unabh. 2; Inder: Nationale Föderationspartei/NFP 14, Fidji Labour Party/FLP 13; 1 Rotumanier (STV-Sympathisant); General Votes Party/GVP 5 (Sitze d. ethn. Minderh.) – **Unabh.:** 10. 10. 1970 – **Nationalfeiertag:** 10. 10.

WIRTSCHAFT   **BSP** 1991: 1377 Mio. $ = 1930 $ je Ew. (79); realer Zuwachs ∅ 1980–91: 1,5 %; **BIP** realer Zuwachs ∅ 1980–89: 2,0 % (1990: +3,9 %); Anteil 1990 **Landwirtsch.** 21 %, **Industrie** 16 % – **Erwerbstät.** 1986: Landw. 48 %, Ind. 15 % – **Arbeitslosigkeit** ∅ 1990: 6,4 % – **Energieverbrauch** 1990: 538 kg ÖE/Ew. – **Währung:** 1 Fidschi-Dollar ($F) = 100 Cents (c); 1 $F = 0,66 US-$; 100 $F = 111,02 DM – **Inflation** ∅ 1980–91: 6,1 % (1992: 4,3 %) – **Ausl.-Verschuld.** 1990: 339 Mio. $ – **Außenhandel** 1991: **Import:** 961,8 Mio. $F; Güter: 25 % bearb. Waren, 22 % Maschinen u. Transportausrüst., 15 % Brennstoffe; Länder: 31 % Australien, 18 % Neuseeland, 11 % Japan; **Export:** 661,8 Mio. $F; Güter: 38 % Zucker, 7 % Gold, 7 % Fischkonserven; Länder: 26 % Großbrit., 16 % Australien, 11 % USA – **Tourismus** (1991): 329 Mio. $F Deviseneinnahmen

FINNLAND *Nord-Europa*
Republik Finnland; Suomen Tasavalta (finn.); Republiken Finland (schwed.) – SF

LANDESSTRUKTUR   **Fläche** (63): 338 145 km² (mit 33 553 km² Binnengewässern) – **Einwohner** (101): (F Ende 1991) 5 029 000 = 15 je km²; (Z 1990) 4 998 478 – (F 1989) 93,6 % Finnen; 6 % Finnland-Schweden, 1730 Saamen (eig. Name »Sameh«, Lappen) – **Leb.-Erwart.:** 76 J. (m73/w79); Bev.-Anteil 0–14 J.: 19,2 % – **Säugl.-Sterbl.:** 0,6 % – **Kindersterbl.:** 0,8 % – **Analph.** (1985): 19 % – Jährl. **Bev.-Wachstum** (∅ 1980–91): 0,4 % (Geb.- u. Sterbeziffer 1991: 1,3 %/1,0 %) – **Sprachen:** Finnisch u. Schwedisch als Amtsspr.; Lappisch – **Religion:** 4,62 Mio. Protestanten (= 88,7 % Lutheraner; Staatskirche); 57 000 Finn.-Orthodoxe (2. Staatskirche), 4800 Katholiken; muslim. u. jüdische Minderh. – **Städt. Bev.:** 60 % – **Städte** (F 1991): Helsinki [schwed. Helsingfors] (Hptst.) 497 500 Ew.; Espoo [Esbo] 175 700, Tampere [Tammerfors] 173 800, Turku [Åbo] 159 400, Vantaa [Vanda] 157 300, Oulu [Uleåborg] 102 300, Lahti 93 400, Kuopio 81 600, Pori [Björneborg] 76 400, Jväskylä 67 000, Kotka 56 500, Lappeenranta [Villmanstrand] 55 400, Vaasa [Vasa] 53 800

STAAT   Parlamentarisch-demokratische Republik – Verfassung von 1919, letzte Änderung 1988 – Parlament (Eduskunta, Riksdag) mit 200 Mitgl., Wahl alle 4 J. – Direktwahl d. Staatsoberh. alle 6 J. – Allg. Wahlrecht – 12 Provinzen (darunter Åland [Finnisch: Ahvenanmaa] als autonomes Gebiet: rd. 6500 Inseln, davon 80 bewohnt, insg. 1552 km² u. 24515 Einw. [1991], 95 % der Bev. sind schwedischsprachig [Amtsspr.]; mit eig. Landtag) – **Staatsoberhaupt:** Mauno Koivisto (SDP), seit 1982, Wiederwahl 1988 – **Regierungschef:** Esko Aho (KEPU), seit 26. 4. 1991; Koal. aus KEPU/LIP, KOK, SFP u. SKL – **Äußeres:** Heikki Haavisto – **Parteien:** Wahlen vom 17. 3. 1991: Keskustapuolue/ KEPU/ LIP (Zentrums-P., Zentrum u. Lib.) 55 Sitze (1987: 40), Suomen Sosialidemokraattinen Puolue/SDP 48 (56), Kansalinen Kokoomus/KOK (kons. Nationale

Finnland: Beschäftigte nach Wirtschaftszweigen 1991

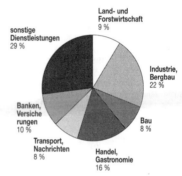

Entstehung des BIP 1991

Sammlungs-P.) 40 (53), Vasemmistoliitto/Vas (Linksverbund) 19 (20), Svenska Folkpartiet/SFP (Schwed. Volkspartei) 12 (13), Vihreä (Grüne) 10 (4), Suomen Kristillinen Liitto/SKL (Christl. Union) 8 (5), Suomen Maaseudun Puolue/SMP (Landvolk-P.) 7 (9), Sonstige 1 (0) – **Unabh.:** 6. 12. 1917 (Proklamation) – **Nationalfeiertag:** 6. 12.

WIRTSCHAFT BSP 1991: 121982 Mio. $ = 23980 $ je Ew. (7); realer Zuwachs ⌀ 1980–91: 2,9%; **BIP** 1991: 110033 Mio. $; realer Zuwachs ⌀ 1980–91: 3,0% (1992: –3,6%); Anteil 1991 **Landwirtsch.** 6%, **Industrie** 34%, **Dienstlst.** 60% – **Erwerbstät.** 1991: Landw. 8,5%, Ind. 29,2%, Dienstl. 62,3% – **Arbeitslosigkeit** ⌀ 1992: 13,1% (7/1993: 20,4%) – **Energieverbrauch** 1991: 5602 kg ÖE/Ew. – **Währung:** 1 Finnmark (Fmk) = 100 Penniä (p); 1 US-$ = 5,66 Fmk; 100 Fmk = 29,85 DM – **Ausl.-Verschuld.** 1991: 179000 Mio. Fmk = 35% d. BIP – **Inflation** ⌀ 1980–91: 6,6% (1992: 2,6%) – **Außenhandel** 1992: **Import:** 94987 Mio. Fmk; Güter: 33% Maschinen u. Transportmittel, 28% bearb. Waren, 13% Brennstoffe, 12% chem. u. verwandte Erzeugn., 6% Rohstoffe (o. Brennstoffe); Länder: 17% BRD, 12% Schweden, 9% Großbrit., 7% Rußland, 6% USA, 6% Japan, 5% Frankr., 4% Norwegen (EG 47%, EFTA 19%); **Export:** 107471 Mio. Fmk; Güter: 43% bearb. Waren, 29% Maschinen u. Transportmittel, 9% Rohstoffe (o. Brennstoffe), 7% sonst. verarb. Waren, 7% chem. u. verwandte Erzeugn., 3% Nahrungsmittel; Länder: 16% BRD, 13% Schweden, 11% Großbrit., 7% Frankr., 6% USA, 5% Niederl., 5% Norwegen, 4% Italien (EG 53%, EFTA 20%)

FRANKREICH *West-Europa*
Französische Republik; République Française – F

LANDESSTRUKTUR Fläche (47): 543965 km² (mit Korsika 8680 km² u. 247300 Ew. [F 1988]; ohne Übersee-Départements) – **Einwohner** (18): (F Mitte 1992) 57400000 = 106 je km² (ohne Übersee-Dép. mit 1,46 Mio. Ew.); (Z 1990) 56651955 – Franzosen; u. a. 1,2 Mio. Elsässer u. Lothringer mit alemann. bzw. moselfränk. Dialekt, 0,9 Mio. mit bretonischer Sprache (Keltisch), 0,3 Mio. Katalanen, 0,2 Mio. italienischspr. (einschl. Korsisch), 0,2 Mio. Flamen, 0,1–0,2 Mio. Basken – (Z 1990) 3607590 Ausländer (= 6,3% d. Gesamtbev., davon 1,309 Mio. aus EG-Ländern): Portugiesen 22%, Algerier 20%, Spanier 14,5%, Italiener 13,4%, Marokkaner 7,6%, Tunesier, Jugoslawen, Türken, Senegalesen, Malier u. a.; zus. 60% Europäer, 35% Afrikaner u. 3,5% Asiaten; Anteil d. Ausl. in Großstädten: Paris 13,7%, Mulhouse 12,7%, Strasbourg 11,6%, Lyon 10,7%, Saint-Étienne 10%, Grasse-Cannes-Antibes 9,9%, Grenoble 9,9%, Nice 8,7%, Lille 7,4%, Marseille 6,5% – (Z 1990) 4,13 Mio. Immigrés (Einwanderer), davon 1,3 Mio. mit französ. Staatsangehörigkeit – **Leb.-Erwart.:** 77 J. (m73/w81); Bev.-Anteil 0–14 J.: 19,9% – **Säugl.-Sterbl.:** 0,7% – **Kindersterbl.:** 0,9% – **Analph.** (1988): 1% – Jährl. **Bev.-Wachstum** (⌀ 1980–91): 0,5% (Geb.- u. Sterbeziffer 1991: 1,3%/0,9%) – **Sprachen:** Französisch als Amtsspr.; als Wahlfach in Schulen Baskisch, Bretonisch, Elsässisch, Flämisch, Katalanisch, Korsisch, Okzitanisch usw. – **Religion:** 76,5% Katholiken, 3,0% sunnit. Muslime, 1,4% Protestanten (v. a. Calvinisten); über 0,7 Mio. Juden, 0,18 Mio. Angehörige d. Armenischen Kirche – **Städt. Bev.:** 74% – **Städte** (Z 1990): Paris (Hptst.) 2152423 (A 9,06 Mio.), Marseille 800550 (A 1,09 Mio.), Lyon 415487, Toulouse 358688, Nice (Nizza) 342439, Strasbourg (Straßburg) 252338, Nantes 244995, Bordeaux 210336, Montpellier 207996, Saint-Étienne 199396, Rennes 197536, Le Havre 195854, Reims 180620, Lille 172142, Toulon 167619, Grenoble 150758, Brest 147956, Dijon 146703, Le Mans 145502, Angers 141404, Clermont-Ferrand 136181, Limoges 133464, Amiens 131872

STAAT Demokratische Republik – Verfassung der V. Rep. von 1958 mit Änderungen 1962, 1992 u. 1993 – Parlament aus 2 Kammern: Senat mit 321 Mitgl. (davon 13 aus d. Übersee-Dép. u. 12 von d. Auslandsfranzosen gestellt) u. Nationalversammlung (Assemblée Nationale) mit 577 Mitgl. (davon 22 aus Übersee-Dép.) für 9 (durch Wahlkollegium, ¹/₃ d. Sitze alle 3 J. erneuert) bzw. 5 J. (Mehrheitswahlrecht) gewählt – Direktwahl d. Staatsoberh. alle 7 J. – Verfassungsrat – Allg. Wahlrecht ab 18 J. – 96 Départements innerhalb v. 22 Regionen u. 5 Übersee-Dép. (DOM), 322 Arrondissements u. 3208 Kantone; Sonderstatus für d. Region Korsika mit 61köpf. Regionalversamml. – **Staatsoberhaupt:** François Mitterrand (PS), seit 1981, Wiederwahl 1988 – **Regierungschef:** Edouard Balladur (RPR), seit 29. 3. 1993 (Koalition aus RPR u. UDF) – **Äußeres:** Alain Juppé (RPR) – **Parteien:** Wahlen zur Assemblée Nationale vom 21. u. 28. 3. 1993 *(Sitzverteilung → Abbildung)*: Rassemblement pour la République/RPR (Gaullisten) 28,27%, Union pour la Démocratie Française/UDF (Liberale Giscardisten) 25,84%, Parti Socialiste/PS 28,25%, Parti Communiste Français/PCF 4,61%, versch. Rechte insg. 3,56%, versch. Linke (u. a. Mouvement pour le Rassemblement de la Gauche/MRG, Majorité Présidentielle) insg. 3,32%, Front National/FN (Rechtsextreme) 5,66% – Teilwahlen zum Senat (Präs. René Monory, UDF-CDS, seit 2. 10. 1992) vom 27. 9. 1992 (Endverteilung): UDF 116 Sitze, RPR

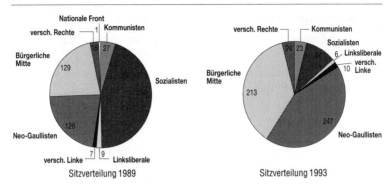

Sitzverteilung 1989 Sitzverteilung 1993

Frankreich: Wahlen zur Nationalversammlung vom 21. u. 28. 3. 1992

88, PS 67, Groupe communiste 15, Sonst. Rechte 22, Sonst. Linke 13 – **Unabh.:** Wurzel d. eigentl. Staatsgeschichte ist der Vertr. v. Verdun (843 n. Chr.) – **Nationalfeiertag:** 14. 7. (Sturm auf die Bastille 1789)

WIRTSCHAFT *(Einzelheiten → Kap. Wirtschaft, Sp. 915)* **BSP** 1991: 1 167 749 Mio. $ = 20 380 $ je Ew. (14); realer Zuwachs ⌀ 1980–91: 2,3 %; **BIP** 1991: 1 119 286 Mio. $; realer Zuwachs ⌀ 1980–91: 2,3 % (1992: +1,1 %); Anteil 1991 **Landwirtsch.** 3 %, **Industrie** 29 %, **Dienstlst.** 68 % – **Erwerbstät.** 1991: Landw. 5,8 %, Ind. 29,5 %, Dienstl. 64,7 % – **Arbeitslosigkeit** ⌀ 1992: 10,3 % – **Energieverbrauch** 1991: 3854 kg ÖE/Ew. – **Währung:** 1 Franz. Franc (FF) = 100 Centimes (c); 1 US-$ = 5,695 FF; 100 FF = 29,64 DM – Öff. **Verschuldung** 1992: 2106 Mrd. FF = 29,8 % d. BIP – **Inflation** ⌀ 1980–91: 5,7 % (1992: 2,4 %) – **Außenhandel** 1992: Import: 1268 Mrd. FF; Güter (1990): 25 % Halbfertigwaren, 17 % Güter d. tägl. Bedarfs, 11 % Transportausrüst., 9 % Energie, 6 % verarb. Lebensmittel; Länder: 19 % BRD, 11 % Italien, 9 % Belgien/Lux., 9 % USA, 8 % Großbrit., 5 % Niederl.; **Export:** 1248 Mrd. FF; Güter (1990): 27 % Investitionsgüter, 23 % Halbfertigwaren, 15 % Güter d. tägl. Bedarfs, 14 % Transportausrüst., 9 % verarb. Lebensmittel, 7 % landwirtschaftl. Prod.; Länder: 17 % BRD, 11 % Italien, 9 % Belgien/Lux., 9 % Großbrit., 6 % USA, 5 % Niederl. – **Tourismus** wichtige Devisenquelle (1991): 52 Mio. Besucher

PRESSE (Aufl. i. Tsd.) *Tageszeitungen:* Paris: L'Aurore (220) – La Croix/L'Evénement (113)/kath. – Les Echos (73)/Wirtsch. u. Finanz. – L'Equipe (301)/Sport – Le Figaro (433)/kons. – France-Soir (302) – L'Humanité (117)/KP – International Herald Tribune (193)/Engl. – Libération (256) – Le Monde (362) – Le Parisien (402) – Le Quotidien de Paris (75) – Bordeaux: Sud-Ouest (366) – Clermont-Ferrand: La Montagne (253) – Grenoble: Le Dauphiné Libéré (294) – Lille: La Voix du Nord (374) – Lyon: Le Progrès (411, so. 540) – Marseille: La Marseillaise (159)/komm. – Le Provençal (162) – Metz: Le Républicain Lorrain (193) – Montpellier: Midi-Libre (186) – Mulhouse: L'Alsace (126) – Nancy: L'Est Républicain (268) – Nice: Nice-Matin (265) – Rennes: Ouest-France (786) – Strasbourg: Dernières Nouvelles d'Alsace (220) – Toulouse: Dépêche du Midi (242) – Tours: La Nouvelle République du Centre-Ouest (267) – *Sonntagszeitungen:* France-Dimanche (706) – L'Humanité-Dimanche (360)/KP – *Wochenzeitungen u. Zeitschriften:* Paris: Le Canard Enchaîné (520)/polit. satir. – Elle (395) – L'Evénement du Jeudi (260) – L'Expansion (201)/Wirtsch. – L'Express (670) – Femme d'aujourd'hui (850) – Ici-Paris (372) – Jours de France (673) – Marie-Claire (599, mtl.) – Marie-France (315, mtl.) – Le Nouvel Economiste (117)/Wirtsch. – Le Nouvel Observateur (324) – Paris-Match (690) – Le Point (330) – Télé-Poche (1800) – Télérama (526) – Télé 7 Jours (3335) – *Nachrichtenagentur:* AFP (Agence France-Presse)

ÜBERSEEGEBIETE (Überblick):

1. Départements d'Outre-Mer/D. O. M. (Gebiete, die als Teile des Mutterlandes gelten): Französisch-Guayana, Guadeloupe, Martinique, Réunion
2. Collectivités territoriales (Gebietskörperschaften): Mayotte, Saint-Pierre und Miquelon
3. Territoires d'Outre-Mer/T. O. M. (Überseeterritorien mit beschränkter Selbstverwaltung): Französisch-Polynesien, Neukaledonien, Wallis und Futuna
4. Les Terres Australes et Antarctiques Françaises/ T. A. A. F. (Französische Süd- und Antarktisgebiete)

1. Départements d'Outre-Mer/D. O. M.

FRANZÖSISCH-GUAYANA *Süd-Amerika*
Guyane Française

LANDESSTRUKTUR Fläche: 90000 km² –
Einwohner: (F 1991) 123000 = 1,4 je km²;
(Z 1990) 114808 – überwiegend Kreolen, ferner
Asiaten, Buschneger, Indianer; rd. 30000 Ausl. –
Leb.-Erwart. (S): 73 J. – *Analph.* (1982): 17 % –
Jährl. *Bev.-Wachstum* (∅ 1982–90): 2,0 % –
Sprachen: Franz. als Amtsspr.; Créole – *Religion:*
haupts. Katholiken – *Städte* (Z 1990): Cayenne
(Hptst.) 41667 Ew.; Kourou 13873; Raketenstart-
platz des CSG: Saint-Laurent-du-Maroni 13606

REGIERUNGSFORM 2 Vertr. in d. Nationalvers.
u. 2 im Senat – Regionalparlament: Conseil général
mit 19 u. Conseil régional mit 31 Mitgl., Wahl alle 6
J. – Allg. Wahlrecht – Vertretung Frankreichs durch
Präfekten: Jean-François Cordet – 2 Arrondissements – *Parteien:* Wahlen vom 22. 3. 1992: Conseil général: Parti Socialiste Guyanais/PSG 10
(1986: 10), Union pour la Démocratie
Française/UDF 1 (1), Rassemblement pour la Répu-
blique/RPR 1 (2), Linke 4 (4), PS 1 (0), Rechte 2
(2); Conseil régional: PSG 16 Sitze (1986: 15), Unabh. Linke 10 (–), Parti Démocratique 3 (–), RPR 2
(9), Sonstige 0 (7)

WIRTSCHAFT BSP (S 1986): 350 Mio. $ (davon
70 % als Reg.-Hilfe) = 4160 $ je Ew.; *BIP* 1986: 231
Mio.$; realer Zuwachs ∅ 1980–86: –0,6 % –
Währung: Franz. Franc – *Ausl.-Verschuld.* 1988:
1200 Mio. $ – *Inflation* ∅ 1980–88: 8,0 % (1990:
3,7 %) – *Außenhandel* 1991: *Import:* 4360 Mio.
FF; Länder (1989) 63 % Frankr.; *Export:* 393 Mio.
FF; Güter (1990): 56 % Krabben u. a. Meeresprod.,
4 % Holz sowie Rum, Essenzen, Kaffee, Gold; Länder (1989): 48 % Frankr.

GUADELOUPE *Karibik*

LANDESSTRUKTUR Fläche: 1705 km² (Basse
Terre 838 km², Grande Terre 595 km² u. Archipel aus
7 Inseln) – zu G. gehört ein Teil d. Insel St.-Martin
mit 53 km² u. 8000 Ew. – *Einwohner:* (F 1991)
395000 = 232 je km²; (Z 1990) 387034 – 77 % Mulatten, 10 % Schwarze, 10 % Kreolen, 25000 Inder
u. a. – *Leb.-Erwart.:* 74 J. – *Kindersterbl.:* 1,8 % –
Analph. (1982): 10 % – Jährl. *Bev.-Wachstum*
(∅ 1980–91): 1,8 % – *Sprachen:* Franz. als Amtsspr.; Créole – *Religion:* 95 % Katholiken – *Städte*
(Z 1990): Basse-Terre (Hptst.) 14107 Ew.; Les Aby-
mes 62809, Pointe-à-Pitre (auf Grande-Terre)
26083, Capesterre 19012, Le Moule 18054

REGIERUNGSFORM 4 Vertr. in d. Nationalvers.
u. 2 im Senat – Regionalparlament: Conseil général
mit 42 u. Conseil régional mit 41 Mitgl.; Wahl alle 6
J. – Vertretung Frankreichs durch *Präfekten:*
Franck Perriez – 3 Arrondissements, 36 Kantone u.
5 Dependenzen: Saint-Barthélemy, Saint-Martin,
Désirade, Marie-Galante u. Iles des Saintes – *Parteien:* Wahlen vom 22. 3. 1992: Conseil général:
Parti Socialiste/PS 10 (1986: 12), Parti Progressiste
Démocratique Guadeloupien/PPDG 8 (8), Rassemblement pour la République/RPR 6 (5), Div. Rechte
5 (6), Unabh. d. PS 4 (2), Parti Communiste
Guad./PCG 3 (3), Div. Linke 3 (3), Union pour la Démocratie Française/UD 2 (2), Union pour la Libération de la Guadeloupe/UPLG 1 (–), Unabh. d. RPR 1
(1); Conseil régional: RPR 15 Sitze (1986: 15), PS
(9, zus. mit 7 unabh. Kandidaten) 16 (12), PCG 3
(10), ehem. PCG-Mitgl. 5 (–), UPLG 2 (–), Sonstige
0 (4); Wahl am 4. 12. 1992 annulliert

WIRTSCHAFT BIP 1989: 2071 Mio. $; realer Zu-
wachs ∅ 1985–89: 6,1 %; Anteil 1986 Landwirtsch.
11 %, Industrie 16 % – *Arbeitslosigkeit* ∅ 1990:
27 % – *Währung:* Franz. Franc – *Inflation* ∅
1980–88: 7,1 % (1991: 3,0 %) – *Außenhandel*
1991: *Import:* 9249 Mio. FF; Länder (1990): 66 %
Frankr.; *Export:* 831 Mio. FF; Güter: 33 % Bananen,
28 % Zucker, Rum; Länder (1990): 76 % Frankr.

MARTINIQUE *Karibik*

LANDESSTRUKTUR Fläche: 1102 km² – *Einwohner:* (F 1991) 363000 = 329 je km²; (Z 1990)
359579 – 87 % Schwarze, Inder – *Leb.-Erwart.:*
76 J. – *Analph.* (1982): 7 % – Jährl. *Bev.-Wachs-
tum* (∅ 1980–91): 1,0 % (Geb.- u. Sterbeziffer
1990: 1,8 %/0,6 %) – *Sprachen:* Franz. als Amtsspr.; Créole – *Religion:* haupts. Katholiken – *Städte* (Z 1990): Fort-de-France (Hptst.) 101540 Ew.; Le
Lamentin 30596, Schoelcher 19874, Sainte-Marie
19760, Le François 17065

REGIERUNGSFORM 4 Vertr. in d. Nationalvers.
u. 2 im Senat – Regionalparlament: Conseil général
mit 45 u. Conseil régional mit 41 Mitgl.; Wahl alle 6
J. – Vertretung Frankreichs durch *Präfekten:* Jean-
Claude Roure – *Parteien:* Wahlen vom 22. 3. 1992:
Conseil général: Parti Progressiste Martiniquais/
PPM 13 (1986: 13), Rassemblement pour la Répu-
blique/RPR 7 (9), div. Rechte 7 (8), Union pour la
Démocratie Française/UDF 5 (5), div. Linke 5 (3),
Parti Communiste M./PCM 2 (2), Parti Socialiste/PS
2 (2), ehem. PS-Mitgl. 2 (1), Unabh. 2 (2); Conseil
régional: Union de gauche insg. 16 (21) (Fédération
Socialiste de la Martinique/FSM 3 [1986: 0], PPM 9
[6], PCM 4 [2]), Union pour la France/RPR-UDP 16

(20), Mouvement pour l'indépendance de la Martinique/MIM 9 (0) – Seit 1635 zu Frankr. gehörig

WIRTSCHAFT BIP 1989: 2612 Mio. FF; realer Zuwachs ∅ 1985–89: 6,1%; Anteil 1986 Landwirtsch. 12%, Industrie 17% – *Erwerbstät.* 1991: Landw. 7%, Ind. 15% – *Arbeitslosigkeit* ∅ 1990: 32,1% – *Währung:* Franz. Franc – *Inflation* ∅ 1980–89: 7,3% (1991: 3,2%) – *Außenhandel* 1991: *Import:* 9552 Mio. FF; *Export:* 1209 Mio. FF; Güter (1989): 50% Bananen, 20% Erdölprod., 10% Zucker, Rum, Ananas; Handelspartner (1989): 63% Frankr. – *Tourismus* wichtig

RÉUNION *Südost-Afrika*
[La Réunion]

LANDESSTRUKTUR Fläche: 2512 km² – *Einwohner:* (F 1991) 602000 = 240 je km²; (Z 1990) 597828 – ca. 40% Mulatten, Schwarze und Madegassen, 25% Weiße (ehem. franz. Siedler), ferner Inder, Chinesen – *Leb.-Erwart.:* 72 J. – *Kindersterbl.:* 1,5% – *Analph.:* rd. 21% – *Jährl. Bev.-Wachstum* (∅ 1980–91): 1,6% (Geb.- u. Sterbeziffer 1990: 2,3%/0,5%) – *Sprachen:* Franz. als Amtsspr.; Créole, Gujurati – *Religion:* haupts. Katholiken – *Städt. Bev.:* 54% – *Städte* (Z 1990): Saint-Denis (Hptst.) 121952 Ew.; Saint-Paul 71608, Saint-Pierre 58832, Le Tampon 47570

REGIERUNGSFORM 5 Vertr. in d. Nationalvers. u. 3 im Senat – Regionalparlament: Conseil général mit 44 u. Conseil régional mit 45 Mitgl.; Wahl alle 6 J. – Vertretung Frankreichs durch *Präfekten:* Hubert Fournier – 5 Arrondissements, 36 Kantone – *Parteien:* Wahlen vom 22. 3. 1992: Conseil général: gesammelte Rechte 20 (1986: 20), Parti Communiste Réunionnais/PCR 12 (9), Parti Socialiste/PS 6 (6), Rassemblement pour la République/RPR 6 (4), Union pour la Démocratie Française/UDF 3 (4), Linke 0 (1); Conseil régional: Free-DOM 17 (1986: 0), gesammelte Rechte (u. a. RPR/UDF) 14 (18), PCR 9 (13), PS 5 (6), Sonstige 0 (8); Wahlen für ungültig erklärt, Neuwahlen vorgesehen

WIRTSCHAFT BSP (S 1991): 40000 FF je Ew.; *BIP* realer Zuwachs ∅ 1973–86: 1,0%; Anteil 1988 Landwirtsch. 7%, Industrie 20% – *Erwerbstät.* 1991: Landw. 11%, Ind. ca. 23% – *Währung:* Franz. Franc – *Inflation* ∅ 1980–88: 6,8% (1991: 4,1%) – *Außenhandel* 1991: *Import:* 1856 Mio. FF; Länder: 65% Frankr., 6% USA sowie Bahrain, Südafrika u. Japan; *Export:* 1208 Mio. FF; Güter: 65% Zucker, 3% Rum, Essenzen, Vanille; Länder: 76% Frankr., 6% Japan

2. Collectivités territoriales

MAYOTTE *Südost-Afrika*
(Mahoré)

LANDESSTRUKTUR Fläche: 374 km² (1 Hauptinsel [Mayotte] u. 18 Eilande) – *Einwohner:* (Z 1991) 94410 = 203 je km² – Überw. Mahorais – *Jährl. Bev.-Wachstum* (∅ 1980–91): 3,6% – *Sprachen:* Franz. als Amtsspr.; Komorisch (KiSuaheli-Dialekt) – *Religion:* 98% Muslime – *Städt. Bev.:* 45% – *Städte* (Z 1985): Dzaoudzi (Hptst., auf Pamanzi) 5865 Ew.; Mamoudzou 12026, Pamauzi-Labattoir 4106

REGIERUNGSFORM Je 1 Vertr. in d. Nationalvers. u. im Senat – Conseil général mit 17 Mitgl., Wahl alle 6 J. – Vertretung Frankreichs durch *Präfekten:* Jean-Jacques Debacq – *Parteien:* Letzte Wahlen vom März 1991: Mouvement Populaire Mahorais/MPM (für Frankr.) 12 Sitze (1988: 9), Parti pour le Rassemblement Démocratique des Mahorais (für Anschl. an Rep. Komoren) 5 – Seit 1841 unter franz. Hoheit, Collectivité territoriale seit 14. 12. 1976, wird von den Komoren beansprucht

WIRTSCHAFT BSP 1991: 4050 FF je Ew. – *Währung:* Franz. Franc – *Außenhandel* 1990: *Import:* 328 Mio. FF; Güter (1988): 22% Nahrungsmittel; Länder: 63% Frankr.; *Export:* 37,6 Mio. FF; Güter: v. a. Vanille, Ylang-Ylang, Kaffee, Kopra; Länder: v. a. Frankr.

SAINT-PIERRE und MIQUELON *Nord-Amerika*

LANDESSTRUKTUR Fläche: 242 km² (mit den Inseln Saint-Pierre, Miquelon u. Landlade, Marin) – *Einwohner:* (Z 1990) 6392 Ew. = 26 je km² – *Sprache:* Französisch – *Religion:* überw. Katholiken – *Städte* (Z 1990): Saint-Pierre (Hptst.) 5683 Ew.; Miquelon-Langlade 709

REGIERUNGSFORM Je 1 Vertr. in. d. Nationalvers. u. im Senat – Conseil général mit 19 Mitgl., Wahl alle 6 J. – Vertretung Frankreichs durch *Präfekten:* Yves Henry – *Parteien:* Letzte Wahlen im Okt. 1988: Parti Socialiste/PS 13 Sitze, Union pour la Démocratie Française/UDF 6 – Seit Juni 1985 »collectivité territoriale«

WIRTSCHAFT Währung: Franz. Franc – *Inflation* ∅ 1981–90: 6,3% – *Außenhandel* 1991: *Import:* 459 Mio. FF; *Export:* 226 Mio. FF; Güter: Fischprod., insb. Kabeljau; Länder: Frankr., Kanada, USA, Spanien

3. Territoires d'Outre-Mer/T. O. M.

Sie haben eine lokale Exekutive (Conseil de gouvernement) und eine beratende Territorialkammer. Im franz. Mutterland verabschiedete Gesetze finden nur Anwendung, wenn dies ausdrücklich vorgesehen ist.

FRANZÖSISCH-POLYNESIEN *Ozeanien*
(Polynésie Française)

LANDESSTRUKTUR Fläche: 4000 km² sowie 4,5 Mio. km² Meeresfläche, bestehend aus 5 Archipelen: Windward Islands (Z 1983): Tahiti 1042 km², 115820 Ew.; Moorea 132 km², 7000 Ew. Maio (Tubuai Manu) 9 km², 200 Ew.; Mehetia u. Tetiaoro – Leeward Islands (Z 1983): Raiatea, Tahaa, Huahine, Boro-Bora, Maupiti u. 4 kl. Atolle zus. 404 km² u. 19060 Ew; Windward u. Leeward Islands auch Gesellschaftsinseln genannt; 120 Inseln (ohne Tuamotu Archipel [78 Atolle, zus. 774 km² u. 11793 Ew.], Austral [Tubuai] Archipel [1300 km lange Kette v. Vulkaninseln u. Riffen, zus. 174 km² u. 6282 Ew.] u. Marquesas Archipel [1274 km² u. 6548 Ew.]) – *Einwohner:* (F 1991) 202000 = 51 je km²; (Z 1988) 188814 – 65 % Polynesier, 30 % Europäer u. Europolynesier, 5 % Chinesen u. a. – *Leb.-Erwart.:* 68 J. – *Kindersterbl.:* 2,3 % – Jährl. *Bev.-Wachstum* (Ø 1980–91): 2,4 % – *Sprachen:* Französ. Tahitisch als Amtsspr.; polynes. Sprachen – *Religion:* 55 % Protestanten, 24 % Katholiken, 5 % Mormonen – *Städt. Bev.:* rd. 39 % – *Städte* (Z 1988): Papéete (Hptst., auf Tahiti) 23555 Ew.; (Z 1983) Faa 21 927, Pirae 12 023, Uturoa (Raiatea) 2733

REGIERUNGSFORM 2 Vertr. in d. Nationalvers. u. 1 im Senat – Assemblée territoriale mit 44 Mitgl., Wahl alle 5 J. – Vertretung Frankreichs durch *Hochkommissar:* Michel Jau – Präs. d. Ministerrats (Reg.-Chef): Gaston Flosse, RPR – *Parteien:* Wahlen vom 17. 3. 1991: Rassemblement pour le Peuple/RPR 18 Sitze (1986: 10), Union Polynésienne 14 (23), Patrie Nouvelle 5 (1), Front Indépendantiste de la Libération de la Polynésie/FLP 4 (2), Sonstige 3 (0)

WIRTSCHAFT BIP 1989: 2761 Mio. $ = 14350 $ je Ew.; Anteil 1987: Tourismus 20 % – *Erwerbstät.* 1988: Landw. 12 %, Ind. 17 %, Dienstlst. 71 % – *Währung:* 1 CFP-Franc = 100 Centimes (c); 1 FF = 18,18 CFP-Francs – *Inflation* Ø 1991: 0,6 % – *Außenhandel* 1990: *Import:* 91 927 Mio. CFP-Fr.; Güter: 35 % Maschinen u. Transportausrüst.; Länder: 52 % Frankr., 12 % USA, 6 % Australien, 5 % Neuseeland; *Export:* 11 011 Mio. CFP-Fr.; Güter: 35 % Zuchtperlen, 2 % Kopra, Vanille; Länder (1989): 36 % Frankr., 14 % USA, 13 % Italien

NEUKALEDONIEN *Melanesien*
(Nouvelle-Calédonie mit Dependenzen)

LANDESSTRUKTUR Fläche: 19 103 km²: Nouvelle Calédonie (Grande-Terre) 16 750 km²; Iles Bélep 70 km²; Ile des Pins 153 km²; Iles Loyautés 2072 km², ferner einige unbew. Inseln – *Einwohner:* (F 1991) 171000 = 9 je km²; (Z 1989) 164173 – 55 % Melanesier (»Kanaken«), 34 % meist franz. Europäer (»Caldoches«), 14 200 Wallisiens u. 4800 Tahiter (Polynesier), 5200 Indonesier u. 11 400 andere – *Leb.-Erwart.:* 70 J. – *Kindersterbl.:* 3,7 % – *Analph.:* rd. 9 % – Jährl. *Bev.-Wachstum* (Ø 1980–91): 1,8 % – *Sprachen:* Franz. als Amtsspr.; melanes. u. polynes. Sprachen – *Religion:* 59 % Katholiken, 16 % Protestanten, 3 % Muslime – *Städt. Bev.:* 59 % – *Städte* (F 1989): Nouméa (Hptst.) 65 110 Ew.; Mont Dore 16 370, Dumbéa 10 000, Lifon 8700, Païta 6000

REGIERUNGSFORM 2 Vertr. in d. Nationalvers. u. 1 im Senat – Verwaltung durch Hochkommissar u. beratendes Komitee der Präfekten der 3 Regionen sowie des Vors. d. Kongresses (Congrès territorial mit 54 Mitgl., Wahl alle 6 J.) – Vertretung Frankreichs durch *Hochkommissar:* Alain Christnacht – *Parteien:* Wahlen von 1989: Rassemblement pour la Calédonie dans la Rep./RPCR 27 Sitze, Front de Libération Nat. Kanake et Socialiste/FLNKS 19, Front National/FN 3, Calédonien Demain 2, Sonstige 3 – Seit 1853 unter franz. Hoheit – Referendum über Unabhängigkeit für 1998 geplant

WIRTSCHAFT BIP 1989: 2233 Mio. $ = 13 400 $ je Ew.; realer Zuwachs Ø 1985–89: 13,3 %; Anteil 1989 Landwirtsch. 1,6 %, Industrie 31 % – *Erwerbstät.* 1989: Landw. 14 %, Ind. 19 % – *Währung:* 1 CFP-Franc = 100 Centimes (c); 1 FF = 18,18 CFP-Francs – *Inflation* Ø 1980–88: 7,4 % (1991: 3,6 %) – *Außenhandel* 1990: *Import:* 86,9 Mrd. CFP-Fr.; Länder: 48 % Frankr., 16 % USA, 9 % Australien, 6 % BRD; *Export:* 43,9 Mrd. CFP-Fr.; Güter: 91 % Nickel; Länder: 33 % Frankr., 25 % Japan, 9 % BRD – *Tourismus* wichtig

WALLIS und FUTUNA *Ozeanien*

LANDESSTRUKTUR Fläche: 274 km² – *Einwohner:* (Z 1990) 13 705 Ew.= 50 je km² – 8973 auf Wallis u. 4732 auf Futuna; überw. Tahiter, 170 Europäer (14 200 Wallisianer u. Futunianer leben in Neukaledonien) – Jährl. *Bev.-Wachstum* (Ø 1980–86): 1,8 % – *Sprachen:* Französisch; polynes. Dialekte – *Religion:* Katholiken – *Städte* (Z 1983): Mata Utu (Hauptort auf Uvéa in der Wallisgruppe) 815 Ew.

REGIERUNGSFORM Je 1 Vertr. in d. National-vers. u. im Senat – Conseil territorial mit 6 Mitgl., davon 3 Stammesoberhäupter (Könige von Wallis, Sigave u. Alo) u. Assemblée territoriale mit 20 Mitgl.; Wahl alle 5 J. – Verwaltung durch *Administrateur Supérieur:* Robert Pommies, seit 1990 – *Partei-en:* Wahlen vom 22. 3. 1992: Versch. lokale Interes-sengruppen 11 (1987: 0) Sitze, Rassemblement pour la République/RPR 9 (7), Sonstige 0 (13)

WIRTSCHAFT BSP (S 1987): 1500 $ je Ew. – *Währung:* 1 CFP-Franc = 100 Centimes (c); 1 FF = 18,18 CFP-Francs – *Außenhandel* 1985: *Import:* 1350 Mio. CFP-Fr.; *Export:* 0,21 Mio. CFP-Fr.; Gü-ter: Kopra

4. Les Terres Australes et Antarctiques Françaises/ T. A. A. F. (Französische Süd- und Antarktisgebiete)

Insgesamt 439603 km² u. 210 Ew. (1985): **Crozet-Inseln** (327 km², Dauersiedlung Alfred-Faure), **Ker-guelen** (7215 km², wiss. Station in Port-aux-Français), **Saint-Paul** (7 km²) und **Amsterdam** (107 km², Dauersiedl. Martin-de-Viviés) sowie **Terres Adélie**, von Frankr. beanspruchtes Hoheits-gebiet in der Antarktis (432000 km², Dauersiedlung Dumont-d'Urville) – Außerdem: **Clipperton** (Isle de la Passion) 1,6 km² (unbew., v. Gouvern. v. Franz.-Polynesien verwaltet) sowie die **»Iles Australes«** (Bassas da India, Europe, Iles Glorieux, Juan de No-va u. Tromelin) mit knapp 160 km², größtenteils un-bewohnt, v. Réunion verwaltet und v. Madagaskar beansprucht

GABUN *Zentral-Afrika*
Gabunische Republik; République Gabonaise – G

LANDESSTRUKTUR Fläche (74): 267667 km² – **Einwohner** (147): (F 1991) 1168000 = 4 je km²; (Z 1980) 1232000 – Gabuner; Bantu-Gruppen (Fang 25%, Eshira 25%, Adouma 17%, Batéké, Omyene u. a.), Pygmäen 1%; 120000 Ausl., davon 17000 Franzosen – **Leb.-Erwart.:** 54 J. (m52/w55); Bev.-Anteil 0–14 J.: 39,7% – **Säugl.-Sterbl.** (1961): 9,5% – **Kindersterbl.:** 15,4% – **Analph.:** 39% – **Bev.-Wachstum** (∅ 1980–91): 3,5% (Geb.- u. Ster-beziffer 1991: 4,2%/1,5%) – **Sprachen:** Franzö-sisch als Amtsspr.; Fang (im N) u. Bantu-Sprachen (bes. Batéké im S) – **Religion:** 65% Katholiken, rd. 19% Protest., 1% Muslime; rd. 40% Anh. von Na-turrel. – **Städt. Bev.:** 47% – **Städte** (S 1988): Libre-ville (Hptst.) 352000 Ew.; Port-Gentil 164000, Fran-ceville 75000; (S 1983) Lambaréné 24000, Moan-da-Mounana 23000

STAAT Präsidialrepublik – Verfassung von 1991 – Nationalversammlung mit 120 Mitgl., Wahl alle 5 J. – Direktwahl d. Staatsoberh. alle 5 J. vorgese-hen – Allg. Wahlrecht – 9 Provinzen u. 37 Präfektu-ren – **Staatsoberhaupt:** El Hadj Omar Albert-Ber-nard Bongo, seit 1967, 1986 zum 3. Mal wiederge-wählt – **Regierungschef:** Casimir Oye Mba (PDG), seit 27. 11. 1990 – **Äußeres:** Pascaline Bongo – **Parteien:** Wahlen vom 30. 10. 1990: Parti Démo-cratique Gabonais/PDG 64 Sitze (davon 61 PDG, 3 Unabh.), Mouvement du Renouveau National/ MORENA-Bûcherons 20, Parti Gabonais du Pro-grès/PGP 18, Mouvement du Renouveau Natio-nal/MORENA-Original 7, Association pour le Socia-lisme au Gabon/APSG 6, Union Socialiste Gabo-naise/USG 4, Cercle pour le Renouveau et le Pro-grès/CRP 1 – *Präs.-Wahlen für Dezember 1993 vorgesehen* – **Unabh.:** 17. 8. 1960 – **Nationalfei-ertag:** 17. 8.

WIRTSCHAFT BSP 1991: 4419 Mio. $ = 3780 $ je Ew. (48); realer Zuwachs ∅ 1980–91: –0,9%; **BIP** 1991: 4863 Mio. $; realer Zuwachs ∅ 1980–91: 0,2%; Anteil 1991 **Landwirtsch.** 9%, **Industrie** 45%, **Dienstlst.** 46% – **Erwerbstät.** 1991: Landw. 67%, Ind. ca. 14% – **Arbeitslosigkeit** 1991: rd. 13% – **Energieverbrauch** 1991: 1154 kg ÖE/Ew. – **Währung:** 1 CFA-Franc = 100 Centimes (c); 1 FF = 50 CFA-Francs; 100 CFA-Francs = 0,59 DM – **Ausl.-Verschuld.** 1991: 3842 Mio. $ = 88,1% d. BSP – **In-flation** ∅ 1980–91: 1,5% – **Außenhandel** 1991: **Im-port:** 960 Mio. $; Güter (1990): 45% Investitionsgü-ter (dar. 44% Maschinen), 28% Fertigprod. (dar. 15% Nahrungsmittel), 27% Rohmaterialien u. Zwi-schenprod.; Länder: 44% Frankr., 10% USA, 7% Japan, 6% Großbrit., 6% Kamerun, 3% Niederl., 3% Italien, 2% BRD; **Export:** 2570 Mio. $; Güter (S 1992): 81% Rohöl, 9% Holz, 7% Mangan, 2% Uran; Länder: 30% Frankr., 26% USA, 8% Chile, 7% Niederl., 5% Japan, 4% BRD, 3% Italien, 2% Rep. China

GAMBIA *West-Afrika*
Republik Gambia; Republic of the Gambia – WAG

LANDESSTRUKTUR Fläche (158): 11295 km² (mit 948 km² Binnengewässern) – **Einwohner** (150): (F 1992) 909000 = 80 je km²; (Z 1983) 698817 – Gambier; 41% Mandingo, 14% Fulbe, 13% Wolof, je 7% Djola u. Sarakole; 22000 Sene-galesen u. kl. Minderh. von Europäern – **Leb.-Er-wart.:** 44 J. (m42/w45); Bev.-Anteil 0–14 J.: 44,0% – **Säugl.-Sterbl.:** 14,3% – **Kindersterbl.:** 22,7% – **Analph.:** 73% – Jährl. **Bev.-Wachstum** (∅ 1980–91): 3,3% (Geb.- u. Sterbeziffer 1990:

4,7%/2,1%) – **Sprachen:** Englisch (über 50%),
Manding (40%), Wolof u. Ful (je 12–15%) als
Amtsspr.; Arabisch teilw. Bildungsspr. u. weitere 20
Sprachen – **Religion:** rd. 95% Muslime (Sunniten),
christl. Minderh. (v. a. Protestanten); ferner Anh.
von Naturrel. – **Städt. Bev.:** 23% – **Städte** (S 1989):
Banjul (Hptst.) 150000 Ew.; (S 1986) Serekunda
102600, Brikama 24300

STAAT Präsidialrepublik – Verfassung von 1970,
Änderung 1982 – Parlament mit 50 Mitgl. (davon 36
alle 5 J. gewählt, 5 Stammeshäuptlinge, 9 ernannte
Mitgl.) – Direktwahl d. Staatsoberh. alle 5 J. – Allg.
Wahlrecht ab 21 J. – 6 Bezirke (divisions u. Haupt-
stadt) sowie 35 Distrikte – **Staats- u. Regierungs-
chef:** Sir Dawda Kairaba Jawara (PPP), seit 1970,
zuletzt wiedergewählt 1992 – **Äußeres:** Alhaji Omar
Sey – **Parteien:** Wahlen vom 29. 4. 1992: People's
Progressive Party/PPP 25 Sitze (1987: 31), National
Convention Party/NCP 6 (5), Gambian People's Par-
ty/PPG 2 (0), Unabh. 3 (0) – **Unabh.:** 18. 2. 1965
(Aufkündigung d. Konföderation mit Senegal am
23. 8. 1989) – **Nationalfeiertag:** 18. 2.

WIRTSCHAFT　BSP 1991: 322 Mio. $ = 360 $ je
Ew. (154); realer Zuwachs ⌀ 1980–91: 3,2%; **BIP**
1990: 2534 Mio. D; realer Zuwachs ⌀ 1980–90:
5,3%; Anteil 1990 **Landwirtsch.** 25%, **Industrie**
12%, **Dienstl./Tourismus** 60% – **Erwerbstät.** 1991:
Landw. 81%, Ind. ca. 4% – **Arbeitslosigkeit** ⌀
1989: rd. 8% – **Energieverbrauch** 1990: 66 kg
ÖE/Ew. – **Währung:** 1 Dalasi (D) = 100 Bututs (b); 1
US-$ = 8,60 D; 100 D = 19,63 DM – Öff. **Ausl.-Ver-
schuld.** 1991: 352 Mio. $ – **Inflation** ⌀ 1980–91:
18,2% – **Außenhandel** 1990: Import: 215 Mio. $;
Güter (1986): 37% Nahrungsmittel u. leb. Tiere,
17% Maschinen u. Fahrzeuge; Länder: 55% EG-
Länder (davon 32% Großbrit., 21% Frankr., 16%
BRD), 14% VR China, 10% USA, 9% Hongkong;
Export: 171 Mio. $; Güter (1986): 43% Erdnüsse,
Erdnußerzeugn. (n. eig. Angaben 80%), Fischprod.;
Länder: EG-Länder (v. a. Belgien/Lux.), Japan

GEORGIEN *Vorder-Asien*
Republik Georgien; Sakartvelos Respublika – GEO

LANDESSTRUKTUR (→ *Karte WA '93, Sp.
361 f.)* **Fläche** (119): 69700 km² – **Einwohner** (95):
(F 1991) 5478000 = 79 je km²; (Z 1989) 5443359 –
(Z 1989) 68,8% Georgier (Eigenbezeichnung »Kart-
veli«), 9% Armenier, 7,4% Russen, 5,1% Aseri
(1993: 340000), 3,2% Osseten, 1,7% Abchasier
(davon ca. 90% in Abchasien), Griechen, Ukrainer,
Juden, Kurden, Kasachen u. a. – **Leb.-Erwart.:** 73 J.
(m68/w76); Bev.-Anteil 0–14 J.: 23,9% – **Säugl.-**

Sterbl.: 1,6% – **Kindersterbl.:** 2,1% – **Analph.:** un-
ter 5% – Jährl. **Bev.-Wachstum** (⌀ 1980–91):
0,7% (Geb.- u. Sterbeziffer 1991: 1,5%/0,8%) –
Sprachen: Georgisch als Amtsspr.; Armenisch,
Russisch u. a. – **Religion:** mehrheitl. Georgisch-
Orthodoxe; sunnit. Muslime – **Städt. Bev.:** 56% –
Städte (F 1990): Tbilissi [Tiflis] 1268000 Ew.;
Kutaisi 236000, Rustavi 160000, Batumi (Hptst.
von Adscharien) 137000, Suchumi (Hptst. von
Abchasien) 122000

STAAT (→ *Chronik*) Präsidialrepublik – Verfassung von 1921 seit 1991 wieder in Kraft – Neue Verfassung in Ausarbeitung – Parlament (Oberster Sowjet) mit 235 Mitgl.; Parl.-Präs. (Direktwahl) hat
Kompetenzen eines Staatsoberh. – Sondervollmachten d. Staatsoberh. seit 2. 7. 1993 – Allg.
Wahlrecht ab 18 J. – 79 Bezirke (Rajon) u. bezirksfreie Städte – Zum Territorium gehören: Abchasische Autonome Republik, Adscharische Aut. Rep.
u. Südossetisches Aut. Gebiet (→ *unten*) – **Staatsoberhaupt:** Eduard G. A. Schewardnadse, seit 10. 3.
1992 (in Direktwahl am 11. 10. 1992 mit 95,9% d.
Stimmen im Amt bestätigt) – **Regierungschef:** Otar
Pazazia, seit 20. 8. 1993 – **Äußeres:** Alexander
Tschikwaidse – **Parteien:** Wahlen vom 11. 10. 1992
(fanden nicht statt in Teilen Abchasiens, in Südos-
setien u. a. Gebieten): Friedensblock 29 Sitze, Koalition 11. Oktober 18, Einheitsblock 14, Nationaldemokrat. Partei 13, Grüne 11, Demokrat. Partei 10,
Charta 91 9, Union Georg. Traditionalisten 7, Sonstige 113, 8 Sitze vakant – Verbot d. KP im Aug.
1991; teilw. Verbot von Oppos.-Parteien – **Unabh.:**
Souveränitätserkl. am 9. 3. 1990; Unabh.-Erkl. am
20. 11. 1990, formell seit 9. 4. 1991 – **Nationalfeiertag:** 20. 11.

WIRTSCHAFT　BSP 1991: 9000 Mio. $ = 1640 $
je Ew. (89); **BIP** (Nettomaterialprodukt) realer Zuwachs 1990/91: –20,0%; Anteil 1990 **Landwirtsch.**
37%, **Industrie** 35% – 1991/92: Rückgang der Industrieprod. um 46%, der Agrarprod. um 19% –
Erwerbstät. 1991: Landw. 27%, Ind. 29%, Han-
del/Verkehr 22%, Dienstlst. 22% – Bev.-Anteil mit
Monatseink. unter d. **Armutsgrenze** (1991): 66% –
Arbeitslosigkeit ⌀ 1992 (offiz.): 6,1% (inoff. rd.
10%) – **Währung:** Kupon seit 3. 8. 1993 einziges
Zahlungsmittel (Kurs 1:1 zum Rubel) bis zur Einführung einer eig. Währung (»Lari«) – **Ausl.-Ver-
schuld.** (S 1991): 1300 Mio. $ – **Inflation** ⌀ 1991:
80% – **Außenhandel** 1990: **Import:** 6839 Mio. Rbl;
Güter: 23% Maschinenbau- u. metallverarb. Prod.,
20% Prod. der Leichtind., 17% Nahrungsmittel;
Länder (1989): 76% Ex-UdSSR, 24% sonst. Ausland; **Export:** 5983 Mio. Rbl; Güter: 47% Nahrungsmittel u. landwirtschaftl. Prod.; Länder (1989): 94%
Ex-UdSSR, 6% sonst. Ausland

Zum Territorium gehören:

Abchasische Autonome Republik
Fläche 8600 km² – *Einwohner:* (F 1990) 538000
= 63 je km²; (Z 1989) 537000 – 44 % Georgier, 17 %
Abchasier (Eigenname »Apsua«), 16 % Russen,
15 % Armenier – rd. 200000 Ew. sind Flüchtlinge
(Stand Juli 1993) – *Hauptstadt* (F 1990): Suchumi
122000 Ew. – Eigene Gesetzgebung, Verfassung u.
Parlament mit 65 Mitgl. – Verfassung von 1925 seit
21. 7. 1992 wieder in Kraft (sieht größere Autonomie für d. Republik vor; vom georg. Staatsrat für illegal erklärt) – *Parl.-Präs.:* Wladislaw Ardsindba –
Min.-Präs.: Leonid Lekerbaya – Unabh.-Bestre-
bungen u. Wunsch nach Eintritt in die Russ. Föder-
tion als autonomer Staat (→ *Chronik*)

Adscharische Autonome Republik
Fläche 3000 km² – *Einwohner:* (Z 1989) 393000
= 127 Ew. je km² – 54 % Adscharen (muslim. Georgier), 324000 Georgier – *Hauptstadt* (F 1990):
Batumi 137000 Ew. – Eigene Verfassung, Gesetzgebung u. Parlament

Südossetisches Autonomes Gebiet
Fläche 3900 km² – *Einwohner:* (F 1991) 125000;
(Z 1989) 99000 – (Z 1989) 66 % Osseten, 29 % Georgier – *Religion:* Muslime u. Christen – *Haupt-*
stadt (Z 1976): Zchinwali 34000 Ew. – Administrative Autonomie durch die Verfassung garantiert, Ende 1990 durch georg. Parl. aufgehoben – Eigenes
Parlament (Vors. Thorez Kulumbekow) – Eigene
Regierung seit 28. 11. 1991: *Reg.-Chef:* Oleg
Tesejew; *Äußeres:* Urismag Dschiojew – Anschluß
an Nordossetien (→ *Rußland*) angestrebt

GHANA *West-Afrika*
Republik Ghana; Republic of Ghana – GH

LANDESSTRUKTUR **Fläche** (78): 238533 km²
– **Einwohner** (54): (F 1991) 15336000 = 64 je km²;
(Z 1984) 12296081 – Ghanaer; fast ausschl. Kwa-
Gruppen: 52 % Aschanti u. Fanti der Akan-Gruppe
(Süd-Gh.) sowie Ga u. Ga-Adangbe, Ewe (im SO),
Gonia (Mittel-Gh.), Dagomba u. Mamprusi der
Volta-Familie (N-Gh.); außerd. u. a. Fulbe u. Haussa
sowie 6000 Europäer – **Leb.-Erwart.:** 55 J. (m53/
w57); Bev.-Anteil 0–14 J.: 46,8 % – **Säugl.-Sterbl.**
(1988): 8,3 % – **Kindersterbl.:** 13,1 % – **Analph.:**
40 % – Jährl. **Bev.-Wachstum** (∅ 1980–91): 3,2 %
(Geb.- u. Sterbeziffer 1991: 4,5 %/1,3 %) – **Spra-**
chen: Englisch als Amtsspr.; Twi, Fanti, Ga, Ewe
(Kwa-Sprachen) u. Dagbani (Gur-Spr.) sowie Ful,
Nzima u. a. westafr. Sprachen – **Religion:** 62,5 %
Christen, davon rd. ²/₃ Protestanten u. ¹/₃ Katholi-

ken, 15,7 % Muslime (im N); 21 % Anh. von Naturrel. – **Städt. Bev.:** 33 % – **Städte:** Accra (Hptst.; S
1988) 949100 Ew. (A 1580000); (Z 1984) Kumasi
376249, Tamale 135972, Tema 131528, Sekondi-
Takoradi 61484, Cape Coast 57224

STAAT   Republik – Neue Verfassung der IV. Republik vom 7. 1. 1993: Einführung des Mehrpartei-
ensystems – Parlament mit 200 Mitgl., Wahl alle 4
J. – Direktwahl d. Staatsoberh. alle 4 J. – Allg. Wahlrecht – 10 Regionen mit 110 Verwaltungsbezirken –
Staats- u. Regierungschef: Hauptmann Jerry John
Rawlings (NDC-Vors.), seit 1982 (in ersten Direktwahlen seit 1979 am 3. 11. 1992 im Amt bestätigt) –
Äußeres: Obed Asamoah – **Parteien:** Erste freie
Wahlen seit 1979 am 29. 12. 1992 (Wahlbeteiligung
rd. 30 %; Boykott seitens aller Oppos.-Parteien):
Demokratischer Nationalkongreß/NDC 189 Sitze, 2
weitere mit Rawlings verbündete Parteien 9, Unabh.
2 – **Unabh.:** 6. 3. 1957 – **Nationalfeiertag:** 6. 3.

WIRTSCHAFT   **BSP** 1991: 6176 Mio. $ = 400 je
Ew. (146); realer Zuwachs ∅ 1980–91: 3,1 %; **BIP**
1991: 6413 Mio. $; realer Zuwachs ∅ 1980–91:
3,2 %; Anteil 1991 **Landwirtsch.** 53 %, **Industrie**
18 %, **Dienstlst.** 29 % – **Erwerbstät.** 1991: Landw.
49 %, Ind. ca. 13 % – **Energieverbrauch** 1991: 130
kg ÖE/Ew. – **Währung:** 1 Cedi (₡) = 100 Pesewas
(p); 1 US-$ = 620 ₡; 100 ₡ = 0,27 DM – **Ausl.-Ver-**
schuld. 1991: 4209 Mio. $ = 66,9 % d. BSP – **Infla-**
tion ∅ 1980–91: 40,0 % – **Außenhandel** 1991: **Im-**
port: 1470 Mio. $; Güter: 40 % Investitionsgüter,
35 % Halbwaren, 12 % Energiewirtschaft, 11 %
Konsumgüter; Länder: 22 % Großbrit., 11 % USA,
9 % BRD, 6 % Japan, 5 % Niederl., 5 % Italien, 4 %
Frankr.; **Export:** 1260 Mio. $; Güter: 36 % Kakao,
30 % Metalle u. Metallwaren, 13 % Holz; Länder:
29 % BRD, 12 % USA, 10 % Großbrit., 9 % Ex-
UdSSR, 5 % Niederl., 5 % Japan

GRENADA *Mittel-Amerika; Karibik*
State of Grenada – WG

LANDESSTRUKTUR   **Fläche** (181): 344 km² –
Einwohner (179): (F 1991) 91000 = 265 je km²; (Z
1981) 89088 – Grenader; 82 % Afroamerikaner
(Schwarze), 13 % Mulatten, 5 % indischer Abstammung, unter 1 % Weiße – **Leb.-Erwart.:** 70 J. –
Säugl.-Sterbl.: 1,5 % – **Kindersterbl.:** 3,6 % – **An-**
alph. (1984): 4 % – Jährl. **Bev.-Wachstum** (∅
1980–91): 0,2 % (Geburtenziffer 1990: 3,0 %) –
Sprachen: Englisch als Amtsspr.; auch kreol. Englisch u. kreol. Französ. – **Religion:** 64 % Katholiken,
21 % Anglikaner, 13 % Protestanten – **Städt. Bev.:**
65 % – **Städte** (S 1987): Saint George's (Hptst.)

10000 Ew. (m. V. 30000); Gouyave 3000, Grenville 2000

STAAT Konstitutionelle Monarchie im Commonwealth – Verfassung von 1974 – Parlament aus 2 Kammern: Repräsentantenhaus mit 15 gewählten u. Senat mit 13 ernannten Mitgl.; Wahl alle 5 J. – Allg. Wahlrecht – **Staatsoberhaupt:** Königin Elizabeth II., vertreten durch einheim. Generalgouverneur Sir Reginald Palmer, seit 6. 8. 1992 – **Regierungschef u. Äußeres:** Nicholas A. Brathwaite, seit 16. 3. 1990 – **Parteien:** Wahlen vom 13. 3. 1990: National Democratic Congress/NDC 8 Sitze, Grenada United Labour Party/GULP 3, New National Party/NNP 2, The National Party/TNP 2 – **Unabh.:** 7. 2. 1974 – **Nationalfeiertag:** 7. 2.

WIRTSCHAFT BSP 1991: 198 Mio. $ = 2180 $ je Ew. (71); realer Zuwachs ⌀ 1980–90: 5,8 %; **BIP** realer Zuwachs ⌀ 1985–89: 5,5 %; Anteil 1991 **Landwirtsch.** 16 %, **Industrie** 19 % – **Erwerbstät.** 1988: Landw. 20 %, Ind. 25 %, Dienstl. 55 % – **Arbeitslosigkeit** 1989: 25–30 % – **Energieverbrauch** 1990: 284 kg ÖE/Ew. – **Währung:** 1 Ostkarib. Dollar (EC$) = 100 Cents; 1 US-$ = 2,69 EC$; 100 EC$ = 62,80 DM – **Ausl.-Verschuld.** 1990: 91,9 Mio. $ – **Inflation** ⌀ 1980–88: 7,4 % (1991: 2,7 %) – **Außenhandel** 1991: **Import:** 316,5 Mio. EC$; Güter: 25 % Maschinen u. Transportausrüst. sowie verarb. Industriewaren, 24 % Nahrungsmittel u. leb. Tiere; Länder: 31 % USA, 16 % Trinidad u. Tob., 14 % Großbrit.; **Export:** 54,1 Mio. EC$; Güter: insg. 77 % landwirtschaftl. Prod. (dar. 20 % Bananen, 18 % Muskatnüsse [ca. 25 % der Weltprod.], 16 % Kakao); Länder: 23 % Großbrit., 14 % USA, 13 % Trinidad u. Tob., 11 % BRD – **Tourismus** (1991): 45,4 Mio. $ Einnahmen

GRIECHENLAND *Südost-Europa*
Griechische Republik (Hellenische Rep.); Ellenikí Dimokratía; »Ellás« (Hellas) Eigenname – GR

LANDESSTRUKTUR **Fläche** (95): 131 957 km² (mit 1243 km² Binnengewässern); über 2000 Inseln, davon 150 bewohnt – **Einwohner** (69): (Z 1991) 10 269 074 = 78 je km² – 98,5 % Griechen – rd. 3 Mio. Griechen im Ausland – **Leb.-Erwart.:** 77 J. (m75/w80); Bev.-Anteil 0–14 J.: 18,6 % – **Säugl.-Sterbl.:** 1,0 % – **Kindersterbl.:** 1,3 % – **Analph.** (1990): 7 % – Jährl. **Bev.-Wachstum** (⌀ 1980–91): 0,5 % (Geb.- u. Sterbeziffer 1991: 1,0 %/0,9 %) – **Sprache:** Griechisch (Neugriechisch) – **Religion:** 98 % Griech.-Orthodoxe; 55000 Katholiken, 5000 Protestanten, 5000 Juden, kl. muslim. Gemeinde – **Städt. Bev.:** 63 % – **Städte** (Z 1981): Athenai [Athen]

(Hptst.) 885 737 Ew. (S 1982; A 3,34 Mio.); Thessaloniki [Saloniki] 406 413, Piräus 196 389, Patras 142 163, Larissa 102 426, Iraklion 102 398, Volos 71 378, Kavala 56 705

STAAT Parlamentarisch-demokratische Republik – Verfassung von 1975, letzte Änderung 1986 – Parlament mit 300 Mitgl. (288 direkt gewählt u. 12 von d. Parteien gestellt); Wahl alle 4 J. – Wahl d. Staatsoberh. alle 5 J. – Allg. Wahlpflicht ab 18 J. – 13 Regionen, unterteilt in 54 Präfekturen (Nomói) sowie die Mönchsrepublik Athos (Aghion Oros; 336 km² mit [Z 1981] 1472 männl. Ew. in 20 Klöstern) als ein sich selbst verwaltender Teil d. Staates – **Staatsoberhaupt:** Konstantinos Karamanlis (ND), seit 4. 5. 1990 – **Regierungschef:** Konstantinos Mitsotakis (ND), seit 10. 4. 1990 – **Äußeres:** Michalis Papakonstantinou – **Parteien:** Wahlen vom 8. 4. 1990: Mandate nach Wahlergebnis/nach Obergerichtsbeschluß vom 14. 11. 1990: Nea Demokratia/ND 150/152 Sitze (1989: 111), Panhellenische Sozialist. Partei/PASOK 123/124 (154), Synaspismos (Linkskoalition) 19/21 (–), Ökologische Alternativen 1/1 (–), Demokrat. Erneuerung/DE. ANA. 1/0 (8), »Unabhängige« 4/0 (–), »Unabh. Moslem. Liste Vertrauen« 1/1 (–), »Unabh. Moslem. Wählerliste« 1/1 (–) – **Unabh.:** 13. 1. 1822 (Proklamation), nominell 3. 2. 1830 (Londoner Protokoll) – **Nationalfeiertage:** 25. 3. (Beginn d. Befreiungskampfes gegen die Türkei) u. 28. 10. (Kriegserkl. 1940)

WIRTSCHAFT BSP 1991: 65504 Mio. $ = 6340 $ je Ew. (39); realer Zuwachs ⌀ 1980–91: 1,6 %; **BIP** 1991: 68 600 Mio. $; realer Zuwachs ⌀ 1980–91: 1,8 % (1992: +1,5 %); Anteil 1991 **Landwirtsch.** 12,6 %, **Industrie** 29,4 %, **Dienstlst.** 58,1 % – **Erwerbstät.** 1991: Landw. 23,9 %, Ind. 27,7 %, Dienstl. 48,4 % – **Arbeitslosigkeit** ⌀ 1992: 9,2 % (dar. 60 % Frauen) – **Energieverbrauch** 1991: 2110 kg ÖE/Ew. – **Währung:** 1 Drachme (Dr.) = 100 Lepta; 1 US-$ = 229,63 Dr.; 100 Dr. = 0,74 DM – Öff. **Ausl.-Verschuld.** 1991: 22 000 Mio. $ = 31,5 % d. BSP – **Inflation** ⌀ 1980–91: 17,7 % (1992: 15,9 %) – **Außenhandel** 1991: **Import:** 3 922 000 Mio. Dr.; Güter: 7 % Pkw, 6 % Erdöl (roh), 3 % Erdölprod., 2 % Lkw, 2 % Papier u. Pappe; Länder: 19 % BRD, 14 % Italien, 8 % Frankr., 7 % Japan, 6 % Niederl., 5 % Großbrit., 4 % USA, 3 % Belgien/Lux.; **Export:** 1 580 000 Mio. Dr.; Güter: 20 % Bekleidung, 8 % Erdölprod., 4 % Tabak (unverarb.), 3 % Obst (verarb.), 3 % Textilgarne, 2 % Olivenöl; Länder: 24 % BRD, 17 % Italien, 7 % Frankr., 7 % Großbrit., 6 % USA, 3 % Zypern, 3 % Niederl. – **Tourismus** (1990): 2570 Mio. $ Einnahmen

PRESSE (Aufl. i. Tsd.) *Tageszeitungen:* Athen: Acropolis (51)/kons. – Apogevmatini (73) – Athens

News (10)/Engl. – Avriani (51) – Eleftheros Typos (167)/kons. – Eleftherotypia (108) – Estia (85) – Ethnos (85) – Express (22)/Wirtsch. – Ta Nea (151)/ lib. – Vradyni (72) – Thessaloniki: Thessaloniki (36) – *Nachrichtenagentur:* ANA (Athenagence)

GROSSBRITANNIEN und NORDIRLAND

West-Europa

Vereinigtes Königreich Großbritannien und Nord-irland; Kurzform: Vereinigtes Königreich; United Kingdom of Great Britain and Northern Ireland – GB bzw. UK (Nordirland: GBI)

LANDESSTRUKTUR Fläche (77): 242 100 km^2 (mit 3085 km^2 Binnengewässern) – **Einwohner** (17): (Z 1991) 57 649 200 = 238 je km^2 (vorl. Ergeb.) – **England:** 130 438 km^2 u. (Z 1991) 48 068 400 Ew. = 369 je km^2 – **Wales:** 20 765 km^2 u. 2 886 400 Ew. = 139 je km^2 – **Schottland** (Scotland): 78 772 km^2 u. 5 100 000 Ew. = 66 je km^2 – **Nordirland** (Ulster): 14 121 km^2 u. 1 594 400 Ew. = 113 je km^2 (seit 1972 Direktverwaltung durch brit. Reg.) – Briten (Engländer, Schotten, Waliser), Iren in Nordirland; rd. 2,6 Mio. Ausländer, dar. (nur England) 2,0 Mio. farbige Einwand. aus dem Commonwealth (davon ^{1}/$_3$ in London) – **Leb.-Erwart.:** 75 J. (m72/w79); Bev.-Anteil 0–14 J.: 19,0 % – **Säugl.-Sterbl.:** 0,7 % – **Kindersterbl.:** 0,9 % – **Analph.** (1988): 1 % – Jährl. **Bev.-Wachstum** (∅ 1980–91): 0,2 % (Geb.- u. Sterbeziffer 1991: 1,4 %/1,1 %) – **Sprachen:** Englisch als Amtsspr.; Walisisch (»Kymbrisch«), Welsh, Gä-lisch; Reste keltischer Sprachen (in Schottland, Wa-les, Man [»Manx«], Cornwall [»Kornisch«]) – **Religion:** überw. Protestanten: 56,9 % anglikan. Staatskirche in England, presbyterian. Staatskirche in Schottland, Freikirchen; in England und Wales 4,3 Mio., in Schottland 0,8 Mio., in Nordirland 0,4 Mio. (über 25 %) Katholiken; außerd. in Nordirland 340 000 Presbyterianer, 290 000 Angeh. der »Church of Ireland«, 58 800 Methodisten; rd. 1,5 Mio. Muslime, 400 000 Sikhs, 350 000 Hindus u. 300 000 Juden – **Städt. Bev.:** 89 % – **Städte** (Z 1991, vorl. Ergeb.): als **Metropolitan Counties:** London (Hptst.; Greater London) 6 803 100 Ew.; West Midlands 2 619 000, Greater Manchester 2 561 600, West Yorkshire 2 066 200, Merseyside 1 441 100, South Yorkshire 1 292 700, Tyne and Wear 1 125 600; als **Städte** (A: F 1988): Birmingham 994 500 (A 2,6 Mio.), Leeds 706 300 (A 2,1 Mio.), Glasgow 687 600, Sheffield 520 300 (A 1,3 Mio.), Liverpool 474 500 (A 1,5 Mio.), Bradford 468 700, Edinburgh 438 800, Manchester 432 600, Bristol 392 600, Kirklees 381 200, Wirral 336 100, Wakefield 315 800, Wigan 310 500, Dudley 309 200, Co-ventry 306 300, Sunderland 296 400, Sandwell 295 200, Sefton 295 100, Doncaster 293 600, Cardiff 290 000, Stockport 288 100, Belfast 287 100, Leicester 280 500, Nottingham 276 000, Newcastle upon Tyne 273 300 (A 1,1 Mio.), Walsall 263 400, Bolton 262 900, Kingston upon Hull 262 900, Rotherham 254 700, Plymouth 254 400, Stoke-on-Trent 249 700, Wolverhampton 249 100, Salford 227 400, Barnsley 224 200, Derby 222 500, Tamesi-de 220 100, Oldham 219 600, Trafford 216 000, Aberdeen 213 900, Rochdale 205 200, South-ampton 204 500, Gateshead 203 200, Solihull 201 400, Renfrew 200 900

STAAT Konstitutionelle Monarchie im Common-wealth – Keine formelle (geschriebene) Verfassung, aber Gesetze mit Verfass.-Charakter – Parlament aus 2 Kammern: Unterhaus (House of Commons) mit 651 Mitgl. (davon 17 aus Nordirl.), auf höch-stens 5 J. gewählt u. Oberhaus (House of Lords) mit 1222 Mitgl. (davon 797 Erblords, 401 ernannte Lords, 2 Erzbischöfe u. 24 Bischöfe d. anglik. Kir-che); außerd. Geheimer Staatsrat (Privy Council) mit über 300 Mitgl. ohne verfassungsrechtl. Ent-scheidungsgewalt – Eig. Parl. (Versammlung) für Nordirland mit 78 Mitgl. – Allg. Wahlrecht ab 18 J. mit Ausnahme der Peers – 39 Grafschaften (Coun-ties) u. 7 Metropolitan Counties (Ballungsräume) in England, 8 Grafschaften in Wales, 26 Distrikte in Nordirland, 12 Regionen in Schottland – **Staats-oberhaupt:** Königin Elizabeth II., seit 1952, gekrönt 1953 – **Regierungschef:** Premierminister John Ma-jor (Kons. Partei), seit 28. 11. 1990 – **Äußeres:** Douglas Hurd – **Parteien:** Unterhaus-Wahlen vom 9. 4. 1992: Conservative Party 336 Sitze (1987 inkl. Nachwahlen: 369), Labour Party (Vors.: John Smith) 271 (229), Liberal Party zus. mit Social and Democratic Party/SDP 20 (22), Sonstige (u. a. re-gionale u. nationalist. Parteien) insg. 24 (24): Schottische Nationalisten/SNP 3 (5), Plaid Cymru (Walis. Nationalisten) 4 (3), Ulster Unionist Party (Nordirl.) 9 (9), Social Democratic and Labour Par-ty/SDLP 4 (3), Democratic Unionist Party/DUP 3 (3), Ulster Popular Unionists 1 (1), Sonstige 0 (2) – **Unabh.:** Beginn der eigentl. Staatsgeschichte im 8. Jahrh. – **Nationalfeiertage:** im Juni, Tag jährl. wechselnd; England: 23. 4. (Hl. Georg), Wales: 1. 3. (Hl. David), Schottland: 30. 11. (Hl. Andreas)

WIRTSCHAFT (*Einzelheiten → Kap. Wirt-schaft, Sp. 915 f.*) BSP 1991: 963 696 Mio. $ = 16 550 $ je Ew. (21); realer Zuwachs ∅ 1980–91: 2,8 %; **BIP** 1991: 876 758 Mio. $; realer Zuwachs ∅ 1980–91: 2,9 % (1992: –0,5 %); Anteil 1991 **Land-wirtsch.** 2 %, **Industrie** 28 %, **Dienstlst.** 70 % – **Er-werbstät.** 1991: Landw. 2,2 %, Ind. 27,8 %, Dienstl. 70,0 % – **Arbeitslosigkeit** ∅ 1992: 10,0 % – **Ener-**

gieverbrauch 1991: 3688 kg ÖE/Ew. – **Währung:** 1 Pfund Sterling (£) = 100 New Pence (p); 1 £ = 1,49 US-$; 1 £ = 2,52 DM – **Ausl.-Verschuld.** (brutto) 1990: 14 555 Mio. $ – **Inflation** ⌀ 1980–91: 5,8 % (1992: 3,6 %) – **Außenhandel** 1992: **Import:** 125 800 Mio. £; Güter: 38 % Maschinenbauerzeugn., elektrotechn. Erzeugn. u. Fahrzeuge, 32 % bearb. Waren, 9 % Nahrungsmittel u. leb. Tiere, 9 % chem. Prod., 6 % mineral. Brennstoffe, Schmiermittel u. verwandte Prod.; Länder: 15 % BRD, 11 % USA, 10 % Frankr., 8 % Niederl., 6 % Japan, 5 % Italien; **Export:** 108 300 Mio. £; Güter: 41 % Maschinenbauerzeugn., elektrotechn. Erzeugn. u. Fahrzeuge, 27 % bearb. Waren, 14 % chem. Prod., 6 % mineral. Brennstoffe, Schmiermittel u. verwandte Prod., 5 % Nahrungsmittel u. leb. Tiere; Länder: 14 % BRD, 11 % Frankr., 11 % USA, 8 % Niederl., 6 % Italien, 5 % Belgien/Lux.

PRESSE (Aufl. i. Tsd.) *Tageszeitungen:* London: Daily Express (1491) – Daily Mail (1759) – Daily Mirror (2695) – Daily Star (782) – The Daily Telegraph (1036) – The Financial Times (292) – The Guardian (421) – The Independent (365) – The Sun (3522) – The Times (375) – Today (532) – Belfast: Belfast Telegraph (131) – Birmingham: Birmingham Post & Evening Mail (253) – Bristol: Evening Post (85) – Dundee: Courier and Advertiser (117) – Edinburgh: Evening News (100) – The Scotsman (86) – Glasgow: Daily Record (756) – Evening Times (160) – The Herald (124) – Scottish Daily Express (155) – Leeds: Yorkshire Evening Post (135) – Leicester: Leicester Mercury (151) – Liverpool: Liverpool Echo (207) – Manchester: Manchester Evening News (320) – The Star (1137) – Newcastle upon Tyne: Evening Chronicle (134) – Nottingham: Evening Post (120) – Wolverhampton: Express and Star (340) – *Wochen- und Sonntagszeitungen:* London: The European (300) – The Independent on Sunday (403) – The Mail on Sunday (2071) – News of the World (4664) – The Observer (534) – Sunday Express (1720) – The Sunday Mirror (2652) – The People (2039) – Sunday Telegraph (581) – The Sunday Times (1273) – Birmingham: Sunday Mercury (151) – Glasgow: Sunday Mail (887) – Sunday Post (1227) – *Zeitschriften:* London: The Economist (528) – New Statesman and Society (40) – Radio Times (1574) – TV Times (1109) – Woman (717) – Woman's Own (701) – Woman's Weekly (1059) – *Nachrichtenagenturen:* AP/UK (Associated Press) – Press Association – Reuters – UPI/UK (United Press International)

1. UNMITTELBAR MIT DER KRONE VERBUNDENE GEBIETE (»Dependent Territories«)

Die Kanal-Inseln und die Insel Man sind nicht Teile des Vereinigten Königreichs und nicht EG-Mitglieder, sondern (außer Man) als Überreste des ehemaligen normannischen Herzogtums unmittelbar der Krone verbunden; eigene Parlamente u. Regierungen

KANAL-INSELN
Channel Islands; Normannische Inseln

LANDESSTRUKTUR Fläche: 195 km^2 – *Einwohner:* (F 1991) 145 000 = 744 je km^2; (Z 1986) 135 694 – 2 Bailiwicks (Amtsbezirke): Guernsey (GBG) mit 65 km^2 u. 55 482 Ew. (Z 1986) zus. mit Alderney (GBA) 7,9 km^2 u. 2086 (Z 1981) u. den Sark-Inseln sowie Jersey (GBJ) mit 116 km^2 u. 84 300 (F 1991) – *Leb.-Erwart.:* 77 J. – *Kindersterbl.:* 1,0 % – Jährl. *Bev.-Wachstum* (⌀ 1980–91): 1,1 % – *Sprachen:* Französisch auf Jersey u. Englisch auf Guernsey; in ländl. Gebieten z. T. ein normannischer Dialekt – *Städte:* St. Peter Port (Hptst. auf Guernsey) 16 303 Ew.; St. Helier (Jersey) 28 135

REGIERUNGSFORM Staatsgewalt bei den Ständeparlamenten (States) – Sitz eines »Lieutenant-Governor« in St. Helier auf Jersey (Sir John Sutton) u. St. Peter Port auf Guernsey (Sir Michael Wilkins)

WIRTSCHAFT Währung: Pfund Sterling – *Ausfuhrgüter:* Gemüse, Obst, Blumen – Finanzzentren

MAN *Irische See*
Isle of Man; Ellan Vannin – GBM

LANDESSTRUKTUR Fläche: 572 km^2 – *Einwohner:* (Z 1991) 69 788 = 122 je km^2 – *Leb.-Erwart.:* rd. 69 J. – Jährl. *Bev.-Wachstum* (⌀ 1980–91): –0,7 % (Geb.- u. Sterbeziffer 1992: 1,2 %/1,3 %) – *Sprachen:* Englisch; kleine, auch »Manx« (Keltisch) sprechende Gruppe – *Städte* (Z 1991): Douglas (Hptst.) 22 214 Ew.; Onchan 8483, Ramsey 6496

REGIERUNGSFORM Gesetzgebender Rat, Versammlung (House of Keys) mit 24 Mitgl., Wahl alle 5 J. – *Lieut.-Governor:* Air Marshal Sir Laurence Jones

WIRTSCHAFT Währung: Pfund Sterling – *Ausfuhrgüter:* Viehzucht- u. Fischprodukte, Blei- u. Eisenerz

2. ABHÄNGIGE GEBIETE mit verschiedenem Grad von Selbstverwaltung. Die auton. u. assoz. Staaten haben innere Selbstverwaltung; London ist für Verteidigung u. Außenpolitik, z. T. auch für Verfassungsfragen zuständig

GIBRALTAR *Süd-Europa*
GBZ

LANDESSTRUKTUR Fläche: 6,5 km^2 – *Einwohner:* (F 1991) 28074 (ohne Militär) – 70 % Einheimische, meist span., maltes. od. portugies. Herkunft (span. Gibraltareños), 4500 Nichtbriten, überw. Marokkaner – *Jährl. Bev.-Wachstum* (∅ 1980–90): 0,0 % – *Sprachen:* Englisch u. Spanisch – *Religion:* 75 % Katholiken, 8,5 % Muslime, 8 % Anglikaner

REGIERUNGSFORM Britisches Dominion – Verfassung von 1969 – Exekutiv- u. Legislativrat (15 Mitgl. für 4 J. gewählt u. 2 ex-officio-Mitgl.) – *Gouverneur:* Sir John Chapple, seit April 1993 – *Regierungschef:* Joe Bossano, seit 1988 – *Parteien:* Wahlen vom 16. 1. 1992: Gib. Socialist Labour Party/GSLP (antispan., von Joe Bossano) 8 (1985: 8) Sitze, Gib. Social Democrats/GSD 7 (–), Sonstige 0 (7) – Unabh.: Spanien erhebt Anspruch auf die brit. Besitzung; seit 1985 Grenzen zu Spanien wieder offen

WIRTSCHAFT BSP 1990: 247,8 Mio. Gib£ = 8486 Gib£ je Ew. – *Erwerbstät.* 1991: Industrie 27 % – *Währung:* 1 Gibraltar-Pfund (Gib£) = 100 New Pence (p); 1 Gib£ = 1 £ – *Inflation* ∅ 1992: 6,8 % – *Außenhandel* 1989: *Import:* 200 Mio. Gib£; Güter: v. a. Nahrungsmittel, Brennstoffe; *Export:* 76 Mio. Gib£; Handelspartner: Großbrit., Spanien, Dänemark, Japan – Reparatur-Docks, Transithandel, Bunkerstation – *Tourismus* (1991): 4,1 Mio. Gäste u. 75 Mio. Gib£ Einnahmen

BERMUDA-INSELN *Nord-Atlantik*
(Bermudas)

LANDESSTRUKTUR Fläche: 53 km^2 (rd. 360 Inseln u. Eilande, über 20 bewohnt) – *Einwohner:* (F 1991) 58400 (ohne Militär) = 1103 Ew. je km^2; (Z 1980) 54670 – 37 % Weiße, sonst Farbige – *Analph.* (1980): 3 % – *Jährl. Bev.-Wachstum* (∅ 1980–90): 0,7 % – *Sprache:* Englisch – *Religion:* Protestanten, 8800 Katholiken – *Städte* (F 1990): Hamilton (Hptst.) 6000 Ew.; St. George's 3000

REGIERUNGSFORM Kronkolonie mit innerer Autonomie – Verfassung von 1968 – Parlament aus 2 Kammern: Senat (Legislative Council) mit 11 u. Repräs.-Haus (House of Assembly) mit 40 Mitgl., Wahl alle 5 J. – *Gouverneur:* Lord Waddington, seit 25. 8. 1992 – *Regierungschef:* Sir John W. Swan (UBP) – *Parteien:* Wahlen von 1989: United Bermuda Party/UBP (haupts. von Weißen getragen) 23 Sitze, Progressive Labour Party 15, Nat.-Liberale P. 1, Unabh. 1

WIRTSCHAFT BSP 1990: 1526 Mio. $ = 21 300 $ je Ew.; realer Zuwachs ∅ 1980–88: 0,9 % – *Erwerbstät.* 1990: Industrie 13 %, Finanzsektor 14 %, Tourismus rd. 70 % – *Währung:* 1 Bermuda-Dollar (BD$) = 100 Cents; 1 US-$ = 0,96 BD$; 100 BD$ = 169,50 DM – *Inflation* ∅ 1980–90: 9,1 % – *Außenhandel* 1991: *Import:* 456 Mio. BD$; *Export:* 60 Mio. BD$; Güter: chem. Erzeugn., Essenzen, Blumen, Früchte, Gemüse; Handelspartner: USA, Kanada, Japan – *Tourismus* (1991): 506 237 Gäste u. 456 Mio. BD$ Einnahmen – Steuerparadies: 1990 waren 6489 internat. Versicherungen u. Investmentfirmen registriert

FALKLAND-INSELN *Süd-Atlantik*
Malwinen; Islas Malvinas; Falkland Islands

LANDESSTRUKTUR Fläche: 12173 km^2 (rd. 100 Inseln) – *Einwohner:* (Z 1991) 2121; außerd. brit. Truppenkontingent – *Jährl. Bev.-Wachstum* (∅ 1980–86): 1,3 % – *Sprache:* Englisch – *Religion:* überw. Protestanten – *Stadt* (F 1989): Port Stanley (Hptst.) 1329 Ew.

REGIERUNGSFORM Britische Kronkolonie – Verfassung von 1985 – Exekutiv- u. Legislativrat mit 6 bzw. 10 Mitgl. – Allg. Wahlrecht ab 18 J. – *Gouverneur:* David E. Tatham, seit Aug. 1992 – Seit 1833 engl., von Argentinien beansprucht

WIRTSCHAFT BSP 1985: 7800 £ je Ew. – *Währung:* 1 Falkland-Pfund (Fl£) = 100 New Pence (p); 1 Fl£ = 1 £ – *Inflation* ∅ 1990: 4,8 % – *Außenhandel* 1985: *Import:* 3,67 Mio. £; *Export:* 3,2 Mio. £; Güter: v. a. Wolle; Länder: bes. Großbrit.

SÜDGEORGIEN u. SÜDL. SANDWICH-INSELN
Süd-Atlantik
Falkland Island Dependencies

South Georgia, 3755 km^2, bis 1982 von 22 Forschern (British Arctic Survey Team) bewohnt, 1989 noch 4 Biologen – South Sandwich Islands 337 km^2; seit 3. 10. 1985 eigener Status – Commissioner (d. Falkland-Inseln, ex-officio): David E. Tatham – Von Argentinien beansprucht

ST. HELENA *Süd-Atlantik*

LANDESSTRUKTUR Fläche: 122 km^2 – *Einwohner:* (F 1990) 7000 = 58 je km^2; (Z 1987) 5644 – *Jährl. Bev.-Wachstum* (∅ 1985–90): 0,9 % – *Sprache:* Englisch – *Religion:* haupts. Protestanten – *Städt. Bev.:* 32 % – *Städte* (Z 1987): Jamestown (Hptst.) 1413 Ew.; Mitverwaltet werden: *Ascension* (88 km^2; 1991: 1099 Ew.; Hauptort Georgetown); *Tristan da Cunha* (104 km^2; 1991: 297 Ew.)

REGIERUNGSFORM Verfassung von 1989 – Gesetzgeb. Rat (12 gewählte u. 2 ex-officio-Mitgl.) u. Vollzugsrat – *Gouverneur:* Alan Hoole – *Parteien:* Letzte Wahlen 1984: St. Helena Progressive Party 11 der 12 Sitze – Verwalter Ascension: Brian N. Connelly – Island Council Tristan da Cunha 1991 gewählt, 12 Personen u. Verwalter: Bernard E. Pauncefort

WIRTSCHAFT Finanzhilfe von GB (1989/90): 24,2 Mio. £ – *Währung:* 1 St. Helena-Pfund (SH£) = 100 Pence (p); 1 SH£ = 1 £ – *Außenhandel* 1989/90: *Import:* 4,97 Mio. £; *Export:* 69695 £; Güter: Fischereierzeugnisse; Handelspartner: Großbrit. u. Rep. Südafrika

ANGUILLA *Karibik (Kleine Antillen)*

LANDESSTRUKTUR Fläche: 96 km^2 – *Einwohner:* (Z 1992) 7019 [Sombrero Island (5 km^2) ist unbew.] = 93 je km^2 – Anguiller; bes. Schwarze, Mulatten u. Europäer (meist irischer Herkunft); (S 1988) rd. 4000 Anguiller leben auf d. Jungferninseln u. 10000 in Großbrit. – *Sprache:* Englisch – *Religion:* Anglikaner, Methodisten, Katholiken, Adventisten, Baptisten – *Stadt* (Z 1992): The Valley (Reg.-Sitz) 595 Ew.

REGIERUNGSFORM »British Dependency« mit Verfassung von 1982 – Parlament (House of Assembly) mit 11 Mitgl.: 7 für 5 J. gewählt, 2 ernannt, 2 ex-officio – »Executive Council« u. Gouverneur als Regierung – Allg. Wahlrecht ab 18 J. – *Staatsoberhaupt:* Königin Elizabeth II., vertreten durch Gouverneur Alan W. Shave, seit 14. 8. 1992 – *Regierungschef:* Chief Min. Emile R. Gumbs, seit 1984 – *Parteien:* Wahlen von 1989: Anguilla National Alliance 3 Sitze, A. United Party 2, A. Democratic Party 1, Unabh. 1 – *Unabh.:* 1967 einseit. Austritt aus der Assoziation mit St. Christopher u. Nevis, seit 1980 eigenständige brit. Kolonie

WIRTSCHAFT BIP 1991: 68,9 Mio. EC$ – *Währung:* 1 Ostkarib. Dollar (EC$) = 100 Cents; 1

US-$ = 2,69 EC$; 100 EC$ = 62,80 DM – *Außenhandel* 1987: Ausf. (nach GB) 188000 £; Einf. (aus GB) 1328000 £ – Ausfuhrgüter: Phosphate, Vieh, Fische – Handelspartner: Großbrit., CARICOM-Staaten – *Tourismus* (1991): 96,6 Mio. EC$ Einnahmen

MONTSERRAT *Karibik (Kleine Antillen)*

LANDESSTRUKTUR Fläche: 102 km^2 – *Einwohner:* (F 1987) 11900 Ew. = 117 je km^2; (Z 1980) 11606 – 94 % Schwarze, 3 % Weiße – *Jährl. Bev.-Wachstum* (∅ 1980–86): 0,6 % – *Sprache:* Englisch – *Religion:* überw. Protestanten – *Stadt* (Z 1980): Plymouth 1478 Ew.

REGIERUNGSFORM Kronkolonie (British Caribbean Dependency) – Verfassung von 1989 – Legislativrat mit 12 Mitgl., davon 7 gewählt u. Exekutivrat mit 7 Mitgl. – *Gouverneur:* Frank Savage, seit Feb. 1993 – *Chief Min.:* Reuben T. Meade (PDP), seit 1991 – *Parteien:* Wahlen von 1991: National Progressive Party/NPP 4 Sitze (1987: 1), People's Liberation Movement/PLM 1 (4), National Development Party/NDP 1 (2)

WIRTSCHAFT BIP 1988: 146,3 Mio. EC$ = 4030 $ je Ew. – *Erwerbstät.* 1987: Landw. 10 %, Ind. 31 % – *Währung:* 1 Ostkarib. Dollar (EC$) = 100 Cents; 1 US-$ = 2,69 EC$; 100 EC$ = 62,80 DM – *Inflation* ∅ 1991: 9,2 % – *Außenhandel* 1989: *Import:* 83,6 Mio. EC$; Länder: 31 % USA; *Export:* 4,2 Mio. EC$; Güter: Baumwollprod.; Länder: 90 % USA – *Tourismus* (1989): 23 Mio. EC$ Einnahmen

CAYMAN-INSELN *Karibik*

LANDESSTRUKTUR Fläche: 259 km^2 – *Einwohner:* (S 1990) 27000 = 104 je km^2; (Z 1989) 25355 – meist Mulatten u. Schwarze, etwa 1600 Weiße – *Jährl. Bev.-Wachstum* (∅ 1980–86): 4,3 % – *Sprache:* Englisch – *Religion:* haupts. Protestanten – *Städte* (Z 1989): George Town (Hptst., auf Gr. Cayman) 12921 Ew.; West Bay 5632, Bodden Town 3407

REGIERUNGSFORM Kronkolonie – Verfassung von 1959 – Exekutivrat aus 7 Mitgl., davon 4 gewählt u. Legislativrat mit 18 Mitgl., davon 15 gewählt; letzte Wahl 1992 – *Gouverneur:* Michael E. J. Gore, seit 14. 9. 1992

WIRTSCHAFT BIP 1991: 739 Mio. $ = 27900 $ je Ew.; realer Zuwachs ∅ 1987–91: 15,8 % – *Erwerbstät.* 1991: Tourismus rd. 50 % – *Währung:* 1 Kaiman-Dollar (CI$) = 100 Cents; 1 US-$ = 0,82 CI$; 100 CI$ = 205,88 DM – *Außenhandel* 1990: *Import:* 222,9 Mio. CI$; *Güter:* v. a. Nahrungsmittel; *Länder:* 75% USA; *Export:* 2,5 Mio. CI$; *Güter:* v. a. Fisch – Steueroase (1991): 544 Banken u. 367 Versicherungsgesellschaften registriert, 23700 Briefkastenfirmen – *Tourismus* (1992): 908618 Gäste (rd. 23% des BIP)

TURKS- UND CAICOS-INSELN *Karibik*

LANDESSTRUKTUR Fläche: 430 km^2 – *Einwohner:* (Z 1990) 12350 = 29 je km^2 – $^2/_3$ Schwarze, $^1/_3$ Mulatten – *Jährl. Bev.-Wachstum* (∅ 1980–86): 1,3% – *Sprache:* Englisch – *Religion:* Protestanten; 1500 Katholiken – *Städte* (S 1987): Cockburn Town (auf Grand Turk-I., Verwaltungssitz) 2500 Ew.; Cockburn Harbour (South Caicos) 1000

REGIERUNGSFORM Verfassung von 1976 – Exekutivrat mit 8 u. Legislativrat mit 20 Mitgl., davon 13 gewählt – *Gouverneur:* Martin Bourke, seit Feb. 1992 – *Regierungschef:* Washington Misick, seit 1991 – *Parteien:* Wahlen von 1991: Progressive Nat. Party 8 Sitze, People's Democratic Movement 5

WIRTSCHAFT BIP 1990: 70,3 Mio. $ = 5669 $ je Ew.; realer Zuwachs ∅ 1980–86: 1,7% – *Währung:* US-$ – *Außenhandel* 1987/88: *Export:* 3,7 Mio.$; *Güter:* Langusten, Muscheln – 10614 Briefkastenfirmen (1990) – *Tourismus* (1989): 43438 Gäste

JUNGFERNINSELN *Karibik (Kleine Antillen)* The British Virgin Islands – V. I.

LANDESSTRUKTUR Fläche: 153 km^2 (40 Inseln, u. a. Anegada, Jost van Dyke, Tortola, Virgin Gorda) – *Einwohner:* (Z 1991) 16644 = 109 je km^2; meist Schwarze und Mulatten – *Jährl. Bev.-Wachstum* (∅ 1980–86): 2,8% – *Sprache:* Englisch – *Religion:* Anglikaner, Methodisten, Adventisten – *Inseln:* Tortola 13568 Ew. (Hptst. Road Town); (F 1980) Virgin Gorda 1400, Anegada 160, Jost van Dike 130

REGIERUNGSFORM Verfassung von 1977 – Exekutivrat mit 6 u. Legislativrat mit 11 Mitgl., davon 9 gewählt – *Gouverneur:* Peter Alfred Penfold, seit 1991 – *Regierungschef:* H. Lavity Stoutt, seit 1986 – *Parteien:* Wahlen von 1990: Virgin Islands Party/VIP 6 Sitze (1986: 5), Independent People's Movement 1 (2), Unabh. 2 (2)

WIRTSCHAFT BIP 1990: 130 Mio. $ – *Erwerbstät.* 1988: ca. 70% im Tourismus – *Währung:* US-$ – *Außenhandel* 1987: *Import:* 105,7 Mio. $; *Güter:* Nahrungsmittel, Fahrzeuge; *Export:* 2,6 Mio. $; *Güter:* Fische, Früchte, Gemüse, Rum – *Tourismus* (1990): 317670 Gäste u. 132 Mio. $ Einnahmen – Offshore-Sektor (1990): 30000 Firmen

HONGKONG *Ost-Asien* Hong Kong; Xianggang – HK

LANDESSTRUKTUR Fläche: 1074,25 km^2 (über 230 Inseln, mit Wasserflächen 2911 km^2, New Territories 951,84 km^2) – *Einwohner:* (Z 1991) 5674114 = 5385 je km^2 (vorl. Ergeb.) – rd. 98% Chinesen, etwa 162000 Ausländer (v. a. Filipinos, Inder, US-Amerikaner, Briten, Malaysier, ferner Australier, Portugiesen, Japaner, Kanadier, Deutsche) – *Leb.-Erwart.:* 78 J. (m75/w80); Bev.-Anteil 0–14 J.: 20,6% – *Säugl.-Sterbl.* (1990): 0,7% – *Kindersterbl.:* 0,6% – *Analph.* (1985): 12% – *Jährl. Bev.-Wachstum* (∅ 1980–91): 1,2% (Geb.- u. Sterbeziffer 1991: 1,3%/0,6%) – *Sprachen:* Kantonesisch, Englisch u. Chinesisch als Amtsspr. – *Religion:* Buddhisten, Konfuzianer, 500000 Christen (u. a. 270000 Katholiken), rd. 50000 Muslime, 12000 Hindus, 3000 Sikhs – *Städt. Bev.:* 94% – *Städte:* Victoria (Hptst.) 1,1 Mio. Ew.; Kowloon [Kaulun] 1,5 Mio. (mit rd. 200000 Ew./km^2 größte Bev.-Dichte der Welt); New Kaulun 0,7 Mio.

REGIERUNGSFORM Brit.-chines. Vertrag regelt Zukunft Hongkongs, das am 30. 6. 1997 an VR China zurückgegeben wird, behält aber als »besondere Verwaltungsregion Hongkong« 50 Jahre lang das bisherige Wirtschafts-, Gesellschafts- u. Rechtssystem (Basic Law) sowie innere Autonomie – Gesetzgebender Rat (Legco) mit 60 Mitgl. (21 vom Gouv. ernannte, 21 von Wirtschafts- u. Interessenverbänden gewählte u. 18 direkt gewählte Mitgl.) sowie Exekutivrat (Exco mit 15 ernannten u. 4 ex-officio-Mitgl.) – *Gouverneur:* Christopher Francis Patten, seit 9. 7. 1992; ernennt Exekutivrat (Kabinett) – *Chief Secretary:* Sir David Ford – *Parteien:* Wahl der 18 Mitgl. des Gesetzgeb. Rates am 16. 9. 1991: United Democrats of Hongkong/UDHK 12 Sitze, Liberale 4, Konserv. 2

WIRTSCHAFT BSP 1991: 77302 Mio. $ = 13200 $ je Ew.; realer Zuwachs ∅ 1980–91: 6,9%; *BIP* 1991: 67555 Mio. $ (je Ew. 13430 $); realer Zuwachs ∅ 1980–91: 6,9% (1992: +5,0%); Anteil 1991 *Landwirtsch.* 0,3%, *Industrie* 25%, *Dienstlst.* 74,7% – *Erwerbstät.* 1992: Landw. 0,7%, Ind. 33% – *Arbeitslosigkeit* Ende 1992:

2,1% – *Energieverbrauch* 1991: 1438 kg ÖE/Ew.
– *Währung:* 1 Hongkong-Dollar (HK$) = 100 Cents
(c); 1 US-$ = 7,74 HK$; 100 HK$ = 21,82 DM – *Inflation* ⌀ 1980–91: 7,5% (1992: 9,4%) – *Außenhandel* 1992 (Jan.-Sept.): *Import:* 689900 Mio.
HK$; *Güter:* 26% Maschinen u. Fahrzeuge (dar.
10% Elektromasch. u. -geräte), 11% sonst. Textilerzeugn., 8% Bekleidung, 5% Nahrungsmittel; Länder: 37% VR China, 17% Japan, 9% Rep. China,
7% USA, 5% Rep. Korea, 4% Singapur, 2% BRD,
2% Großbrit. (EG 10%); *Export:* 665600 Mio.
HK$; *Güter:* 17% Bekleidung, 9% sonst. Textilerzeugn., 7% Spielwaren, Sportartikel, 4% Uhren,
4% Telekommunikationsausrüst.; Länder: 29% VR
China, 23% USA, 5% Japan, 5% BRD, 4% Großbrit., 4% Rep. China (EG 16%) – *Tourismus*
(1992): 6,986 Mio. Ankünfte, davon 1,64 aus Rep.
China, 1,32 Mio. aus Japan, 0,7 Mio. aus USA

BRITISCHES TERRITORIUM IM INDISCHEN OZEAN
(British Indian Ocean Territory/B. I. O. T.)

Fläche: Inseln insg. 46 km^2 (Tschagos- [Chagos]
Archipel 54400 km^2) – *Einwohner:* (F 1991) 1200
– Wichtigste Insel: Diego Garcia (27 km^2, 1990:
1200 Militärangeh. d. USA u. Großbrit. sowie 1700
Zivilangestellte); v. Mauritius beansprucht, mit
Stützpunkt d. USA

PITCAIRN *Ozeanien*
Erstmals 1790 v. d. Meuterern der Bounty besiedelt

LANDESSTRUKTUR Fläche: 4,35 km^2 einschl.
d. unbewohnten Dependenzen Ducie, Henderson u.
Oeno 35,5 km^2 – *Einwohner:* (F 1991) 66; (Z 1990)
49 – *Religion:* Adventisten – *Sprache:* Pitcairn-
Englisch – *Hauptort:* Adamstown

REGIERUNGSFORM Verfassung von 1940 – Inselrat mit 10 Mitgl. – *Gouverneur:* David A. Moss,
seit 1990 (in Wellington) als Vertr. der Königin – *Inselmagistrat:* Jay Warren

WIRTSCHAFT Währung: NZ$ – *Ausfuhrgüter:*
Handarbeiten aus Holz

GUATEMALA *Mittel-Amerika*
Republik Guatemala; República de Guatemala –
GCA

LANDESSTRUKTUR Fläche (105): 108889
km^2 – **Einwohner** (73): (F 1991) 9466000 = 87 je
km^2; (Z 1981) 6054227 – Guatemalteken (span.
Guatemaltecos); rd. 65% Indianer (Indígenas, u. a.

Maya-Quiché, Mames, Cakchiqueles, Kekchi), 30%
Mestizen (Ladinos); außerd. Schwarze, Mulatten,
Zambos (indian.-schwarze Mischl.) u. rd. 5%
Weiße – **Leb.-Erwart.:** 64 J. (m62/w67); Bev.-Anteil
0–14 J.: 45,2% – **Säugl.-Sterbl.** (1987): 6,0% –
Kindersterbl.: 8,0% – **Analph.:** 45% – Jährl. **Bev.-
Wachstum** (⌀ 1980–91): 2,9% (Geb.- u. Sterbeziffer 1991: 3,9%/0,8%) – **Sprachen:** Spanisch als
Amtsspr.; 22 Maya-Quiché-Sprachen – **Religion:**
rd. 75% Katholiken, 25% Protestanten, davon
überw. Anh. fundamentalist. Sekten – **Städt. Bev.:**
40% – **Städte** (F 1991): Ciudad de Guatemala [Guatemala-Stadt] (Hptst.) 1095700 Ew.; Quezaltenango 93500, Escuintla 63500, Mazatenango
39500, Puerto Barrios 38600, Retalhuleu 35300,
Chiquimula 29600

STAAT (→ *Chronik*) Präsidialrepublik – Verfassung von 1986 – Parlament (Kongreß) mit 116
Mitgl.; Wahl alle 5 J. – Allg. Wahlrecht – 22 Departamentos – **Staats- u. Regierungschef:** Ramiro de
León Carpio, am 6. 6. 1993 durch Parl. eingesetzt;
seit 25. 6. 1993 erstmals 1 indianischer Minister im
Kabinett (Erziehung) – **Äußeres:** Gonzalo Menéndez
Park – **Parteien:** Wahlen vom 11. 11. 1990: Nationale Zentrumsunion/UCN 41, Christdemokraten/
PDCG 28, Bewegung der solidarischen Aktion/MAS
18, Bündnis No-Venta/PID/FRG/FUN 11, Sonstige
18 – **Unabh.:** 15. 9. 1821 (Proklamation), endgültig
13. 4. 1839 (Austritt aus d. Zentralamerikan. Konföderation) – **Nationalfeiertag:** 15. 9.

WIRTSCHAFT BSP 1991: 8816 Mio. $ = 930 $
je Ew. (116); realer Zuwachs ⌀ 1980–91: 1,0%; **BIP**
1991: 9353 Mio. $ (1992: 10100 Mio. $); realer Zuwachs ⌀ 1980–91: 1,1% (1992: +4,0%); Anteil
1991 **Landwirtsch.** 26%, **Industrie** 20%, **Dienstlst.**
54% – **Erwerbstät.** 1991: Landw. 51%, Ind. 18% –
Arbeitslosigkeit ⌀ 1991: 6,5% (Unterbeschäft.
31,7%) – **Energieverbrauch** 1991: 155 kg ÖE/Ew. –
Währung: 1 Quetzal (Q) = 100 Centavos (c); Bankenkurs: 1 US-$ = 5,64 Q; 100 Q = 30,12 DM –
Ausl.-Verschuld. 1991: 2704 Mio. $ = 29,5% d.
BSP – **Inflation** ⌀ 1980–91: 15,9% (1992: 11,6%)
– **Außenhandel** 1992: **Import:** 2144 Mio. $; Güter
(1990): 17% mineral. Prod., 16% chem. Erzeugn.,
16% Maschinen u. Apparate, 9% Stahl- u. Metallprod.; Länder (1991): 47% USA, 7% Mexiko, 5%
Venezuela, 5% El Salvador, 4% Japan., 3% BRD;
Export: 1313 Mio. $; Güter (1991): 23% Kaffee,
11% Zucker, 7% Bananen, 3% Kardamom, 2%
Frischfleisch, 2% Baumwolle; Länder (1991): 49%
USA, 10% El Salvador, 5% Costa Rica, 5% GUS,
3% BRD

GUINEA West-Afrika
Republik Guinea; République de Guinée – RG

LANDESSTRUKTUR   **Fläche** (76): 245857 km^2 – **Einwohner** (92): (F 1991) 5873000 = 24 je km^2; (Z 1983) 4533240 – Guineer; vorwieg. Manding (25% Malinke, 11% Sussu, 8% Kissi), 40% Fulbe u. v. a. Ethnien; je etwa 3000 Franz. u. Libanesen – **Leb.-Erwart.**: 44 J. (m44/w44); Bev.-Anteil 0–14 J.: 46,7% – **Säugl.-Sterbl.** (1955): 13,6% – **Kindersterbl.**: 22,7% – **Analph.**: 76% – Jährl. **Bev.-Wachstum** (∅ 1980–91): 2,6% (Geb.- u. Sterbeziffer 1991: 4,9%/2,1%) – **Sprachen**: Französisch als Amtsspr.; außerd. Manding-Sprachen (Malinke), Ful u. a. – **Religion**: 95% Muslime, 1,5% christl. Minderh.; 30% Anh. von Naturrel. – **Städt. Bev.**: 26% – **Städte** (S 1986): Conakry (Hptst.) 800000 Ew.; Labé 110000, Kankan 100000, Kindia 80000

STAAT   Präsidialrepublik – Verfassung von 1991 – Provisorischer Rat für den Nationalen Wiederaufbau/CTRN (15 Mitgl.) seit 21. 2. 1991 als Exekutivorgan für eine Übergangszeit von max. 5 J. – 8 Supra-Regionen, 31 Regionen – **Staats- u. Regierungschef:** Brigadegeneral Lansana Conté, seit 1984 – **Äußeres:** Ibrahima Sylla – **Parteien:** seit April 1992 erstmals nach 1984 wieder zugelassen – *Präs.-Wahlen für 5. 12. 1993 angekündigt* – **Unabh.:** 2. 10. 1958 – **Nationalfeiertag:** 2. 10.

WIRTSCHAFT   **BSP** 1991: 2669 Mio. $ = 460 $ je Ew. (139); realer Zuwachs ∅ 1980–87: –0,1%; **BIP** 1991: 2937 Mio. $; realer Zuwachs ∅ 1986–90: 4,0% (1991: +1,9%); Anteil 1991 **Landwirtsch.** 29%, **Industrie** 35%, **Dienstlst.** 36% – **Erwerbstät.** 1991: Landw. 73%, Ind. ca. 10% – **Energieverbrauch** 1991: 68 kg ÖE/Ew. – **Währung:** 1 Guinea-Franc (F. G.); 1 US-$ = 951,32 F. G.; 100 F. G. = 0,18 DM – **Ausl.-Verschuld.** 1991: 2626 Mio. $ = 94,8% d. BSP – **Inflation** ∅ 1987–91: 23,6% – **Außenhandel** 1991: **Import:** 580 Mio. $; Güter (1990): 44% Halbwaren, 17% Konsumgüter, 16% Investitionsgüter, 10% Erdölprod., 4% Nahrungsmittel; Länder: 30% Frankr., 16% USA, 7% Belgien/Lux., 7% Hongkong, 7% BRD, 5% Niederl., 5% Italien, 4% Japan; **Export:** 610 Mio. $; Güter (1990): 47% Bauxit, 14% Gold, 14% Aluminium, 12% Diamanten, 3% Kaffee; Länder: 24% USA, 13% Irland, 13% Belgien/Lux., 10% Kamerun, 7% Frankr., 6% Italien, 5% BRD, 5% Spanien

GUINEA-BISSAU West-Afrika
Republik Guinea-Bissau; República da Guiné-Bissau; Guiné Bissau – GNB

LANDESSTRUKTUR   **Fläche** (135): 36125 km^2 – **Einwohner** (149): (F 1991) 999000 = 28 je km^2; (Z 1979) 753313 – Guineer; Schwarze u. Mulatten; rd. 30% Balanta, außerd. 12% Mandingo, 11% Manyako, 10% Papéis; ferner 23% Fulbe, weiße Minderh. – **Leb.-Erwart.:** 39 J. (m38/w39); Bev.-Anteil 0–14 J.: 43,2% – **Säugl.-Sterbl.:** 14,8% – **Kindersterbl.:** 24,9% – **Analph.:** 64% – Jährl. **Bev.-Wachstum** (∅ 1980–91): 1,9% (Geb.- u. Sterbeziffer 1991: 4,5%/2,5%) – **Sprachen:** Portugies. als Amtsspr.; sudanes. Umgangsspr., Fulani u. Crioulo (kreol. Portugies.) – **Religion:** 65% Anh. von Naturrel.; 38% Muslime, 8% Christen (überw. Katholiken) – **Städt. Bev.:** 20% – **Städte** (S 1988): Bissau (Hptst.) 125000 Ew.; (Z 1979) Bafatá 13429, Gabú 7803

STAAT   Präsidialrepublik – Verfassung von 1984, Änderung 1991: Einführung des Mehrparteiensystems – Nationalversammlung mit 150 Mitgl. – 15köpfiger Staatsrat – 3 Provinzen mit 8 Regionen sowie der autonome Stadtsektor Bissau – **Staatsoberhaupt:** General João Bernardo (»Nino«) Vieira (PAIGC), seit 1980, Vors. d. Staatsrates – **Regierungschef:** Carlos Correira (PAIGC), seit 27. 11. 1991 – **Äußeres:** Bernadino Cardoso – **Parteien:** Letzte Wahlen 1989: Partido Africano da Independência da Guiné e Cabo-Verde/PAIGC alle 150 Sitze – Oppositionsbündnis »Demokratisches Forum von Guinea-Bissau« – *Erste freie Präs.- u. Parl.-Wahlen ursprünglich für Anf. 1993 angekündigt, auf unbestimmte Zeit verschoben* – **Unabh.:** 24. 9. 1973 (Proklamation), endgültig 10. 9. 1974 – **Nationalfeiertag:** 24. 9.

WIRTSCHAFT   **BSP** 1991: 194 Mio. $ = 180 $ je Ew. (176); realer Zuwachs ∅ 1980–91: 3,3%; **BIP** 1991: 211 Mio. $; realer Zuwachs ∅ 1980–91: 3,7%; Anteil 1991 **Landwirtsch.** 46%, **Industrie** 12%, **Dienstlst.** 42% – **Erwerbstät.** 1990: Landw. 79%, Ind. ca. 4% – **Energieverbrauch** 1991: 38 kg ÖE/Ew. – **Währung:** 1 Guinea-Peso (PG) = 100 Centavos (CTS); 1 US-$ = 9269,84 PG; 1000 PG = 1,82 DM – **Ausl.-Verschuld.** 1991: 653 Mio. $ = 323,7% d. BSP – **Inflation** ∅ 1980–91: 56,2% – **Außenhandel** 1991: **Import:** 78 Mio. $; Güter: 32% Nahrungsmittel, 15% Maschinen u. Transportausrüst., 7% Brennstoffe; Länder (1989): 23% Portugal; **Export:** 28 Mio. $; Güter (1986): 48% Rohstoffe (bes. Ölsaaten u. Spinnstoffe), 40% Fische u. Krustentiere u. a. Nahrungsmittel (bes. Erd- u. Kokosnüsse); Länder (1989): 34% Portugal

GUS (Gemeinschaft Unabhängiger Staaten) → *Kap. Internationale Organisationen; zur politischen Entwicklung → Chronik, Gemeinschaft unabhängiger Staaten*

GUYANA Süd-Amerika
Kooperative Republik Guyana; Cooperative Republic of Guyana – GUY

LANDESSTRUKTUR **Fläche** (82): 214 969 km² – **Einwohner** (152): (F 1991) 802 000 = 4 je km²; (Z 1980) 758 619 – Guyaner; 51 % Inder, 32 % Schwarze, 11 % Mulatten u. Mestizen, 5 % Indianer, 1 % Weiße, 0,5 % Chinesen – **Leb.-Erwart.**: 65 J.; Bev.-Anteil 0–14 J. (1990): 16,9 % – **Säugl.-Sterbl.**: 3,6 % – **Kindersterbl.**: 6,5 % – **Analph.**: 4 % – Jährl. **Bev.-Wachstum** (∅ 1980–91): 0,5 % (Geburtenziffer 1990: 2,8 %) – **Sprachen**: Englisch als Amtsspr.; 9 indian. Sprachen, Portugiesisch, Hindi – **Religion**: 34 % Protestanten (dar. 16 % Anglikaner), 33 % Hindus, rd. 13 % Katholiken u. 10 % Muslime – **Städt. Bev.**: 35 % – **Städte** (S 1986): Georgetown (Hptst.) 170 000 Ew.; (F 1980) Linden 35 000, New Amsterdam 25 000, Corriverton 14 000

STAAT Präsidialrepublik – Verfassung von 1980 – Parlament mit 65 Mitgl., davon 10 Vertreter d. Regionen – Direktwahl d. Staatsoberh. alle 5 J. – Ausnahmezustand seit 29. 11. 1991 – 10 Regionen – **Staatsoberhaupt**: Cheddi B. Jagan (PPP-Vors.), seit 9. 10. 1992 (am 5. 10. in Direktwahlen mit 54,2 % d. Stimmen gewählt) – **Regierungschef**: Samuel Hinds, seit 10. 10. 1992 – **Äußeres**: Clement Rohee – **Parteien**: Wahlen vom 5. 10. 1992: People's Progressive Party/PPP 54,2 % u. 32 Sitze (1985: 8), People's National Congress/PNC 41,5 % u. 31 (42), Working People's Alliance/WPA 1 (12), United Force/UF 1 (3) – **Unabh.**: 26. 5. 1966 – **Nationalfeiertag**: 23. 2.

WIRTSCHAFT **BSP** 1991: 233 Mio. $ = 430 $ je Ew. (143); realer Zuwachs ∅ 1980–91: –3,8 %; **BIP** 1989: 405,7 Mio. $ (1990: 15 665 Mio. G$); realer Zuwachs ∅ 1980–90: –2,7 % (S 1992: +5,5 %); Anteil 1990 **Landwirtsch.** 28 %, **Industrie** 35 % – **Erwerbstät.** 1990: Landw. 22 %, Ind. ca. 26 % – **Arbeitslosigkeit** ∅ 1991: 13,5 % – **Energieverbrauch** 1984: 427 kg ÖE/Ew. – **Währung**: 1 Guyana-Dollar (G$) = 100 Cents (¢); 1 US-$ = 126,42 G$; 100 G$ = 1,34 DM – **Ausl.-Verschuld.** 1991: 1960 Mio. $ (840 % d. BSP) – **Inflation** ∅ 1980–91: 35,0 % (1992: rd. 15 %) – **Außenhandel** 1991: **Import**: 34 274 Mio. G$; Güter: 41 % Maschinen u. Transportausrüst., 22 % Brennstoffe, 19 % Nahrungsmittel u. Konsumgüter; Länder (1990): 35 % USA, 13 %

Großbrit., 13 % Trinidad u. Tob., 6 % Japan (EG 26 %); **Export**: 28 397 Mio. G$ (= rd. 239 Mio. $); Güter: 37 % Zucker, 32 % Bauxit u. Aluminiumoxid, 8 % Gold, 6 % Reis; Länder (1990): 32 % Großbrit., 20 % USA, 8 % Kanada, 6 % BRD, 6 % Japan, 4 % Trinidad u. Tob. (EG 47 %) – **Tourismus** (1990): 30 Mio. $ Deviseneinnahmen

HAITI Mittel-Amerika; Karibik
(Große Antillen)
Republik Haiti; République d'Haïti; früher Hispaniola – RH

LANDESSTRUKTUR **Fläche** (144): 27 750 km² – **Einwohner** (90): (F 1991) 6 603 000 = 238 je km²; (Z 1982) 5 053 792 – Haitianer; 60 % Schwarze, 35 % Mulatten, Weiße – ca. 600 000 in USA, 350 000 in Dominik. Rep. – **Leb.-Erwart.**: 55 J. (m53/w56); Bev.-Anteil 0–14 J.: 39,8 % – **Säugl.-Sterbl.** (1987): 9,4 % – **Kindersterbl.**: 15,5 % – **Analph.**: 47 % – Jährl. **Bev.-Wachstum** (∅ 1980–91): 1,9 % (Geb.- u. Sterbeziffer 1991: 3,5 %/1,3 %) – **Sprachen**: Französisch u. kreolisches Französisch als Amtsspr. – **Religion**: 75 % Katholiken, 18 % Protestanten; gleichzeitig afrikan. Voodoo-Kulte bei ca. 70 % d. Bev. verbreitet – **Städt. Bev.**: 29 % – **Städte** (F 1989): Port-au-Prince (Hptst.) 514 500 Ew. (A 800 000); Cap-Haïtien (bzw. »Le Cap«) 75 500, Gonaïves 38 300, Les Cayes 36 600

STAAT *(→ Chronik)* Präsidialrepublik – Verfassung von 1987 – Parlament aus 2 Kammern: Kongreß mit 83 u. Senat mit 27 Mitgl. – UNO-Resolution vom 24. 11. 1992 fordert die Rückkehr d. verfassungsmäß. Staatsoberh. Jean-Bertrand Aristide (Unterzeichnung eines 10-Punkte-Plans am 18. 7. 1993 durch alle Parteien über den schrittweisen Übergang zu demokrat. Verhältnissen) – Allg. Wahlrecht ab 18 J. – 9 Départements – **Staatsoberhaupt**: Jean-Bertrand Aristide (gewählt am 16. 12. 1990), seit Militärputsch vom 29. 9. 1991 im Exil; Rückkehr für 30. 10. 1993 geplant – **Regierungschef**: Robert Malval (parteilos), seit 30. 8. 1993 – **Äußeres**: François Benoît – **Parteien**: Wahlen vom 16. 12. 1990 u. 20. 1. 1991: Verteilung im Kongreß bzw. Senat: Front National pour le Changement et la Démocratie/FNCD 27 u. 13 Sitze, Alliance Nationale pour la Démocratie et le Progrès/ANDP 17 u. 6, Parti Démocrate Chrétien/PDCH 7 u. 1, Parti Agricole et Industriel National/PAIN 6 u. 2, Sonstige 24 u. 5, 2 Sitze vakant – **Unabh.**: 1. 1. 1804 – **Nationalfeiertag**: 1. 1.

WIRTSCHAFT **BSP** 1991: 2471 Mio. $ = 370 $ je Ew. (153); realer Zuwachs ∅ 1980–91: –0,6 %;

BIP 1991: 2641 Mio. $; realer Zuwachs ⌀ 1980–91: –0,7%; Anteil 1990 **Landwirtsch.** 35%, **Industrie** 22% – **Erwerbstät.** 1991: Landw. 63%, Ind. 9% – **Arbeitslosigkeit** ⌀ 1990: 12,7% – **Energieverbrauch** 1991: 49 kg ÖE/Ew. – **Währung:** 1 Gourde (Gde.) = 100 Centimes (cts.); Freimarktkurs: 1 US-$ = 13,66 Gde.; 100 Gde. = 12,36 DM; US-$ ebenf. gesetzl. Zahlungsmittel – **Ausl.-Verschuld.** 1991: 747 Mio. $ = 28,8% d. BSP – **Inflation** ⌀ 1980–91: 7,1% – **Außenhandel** 1991: **Import:** 374 Mio. $; Güter: 24% Nahrungsmittel, 20% Maschinen u. Transportausrüst., 12% Brennstoffe; Länder (1989): 47% USA, 7% Japan, 7% Frankr.; **Export:** 103 Mio. $; Güter: 73% handwerkl. Produkte, 9% Kaffee, 5% Prod. der Leichtind.; Länder (1989): 56% USA, 12% Italien, 10% Frankr., 10% Belgien

HONDURAS *Mittel-Amerika*
Republik Honduras; República de Honduras – HCA

LANDESSTRUKTUR Fläche (101): 112088 km² – **Einwohner** (99): (F 1991) 5259000 = 47 je km²; (Z 1988) 4248561 – Honduraner (span. Hondureños); ca. 80% Mestizen, 10% Indianer (v.a. Maya), außerd. Schwarze, Mulatten, Zambos, 5% Weiße meist. altspan. Herkunft – **Leb.-Erwart.:** 65 J. (m63/w68); Bev.-Anteil 0–14 J.: 39,8% – **Säugl.- Sterbl.** (1988): 4,9% – **Kindersterbl.:** 6,0% – **Analph.:** 27% – Jährl. **Bev.-Wachstum** (⌀ 1980–91): 3,3% (Geb.- u. Sterbeziffer 1991: 3,8%/0,7%) – **Sprachen:** Spanisch als Amtsspr.; an d. Küste Englisch als Verkehrsspr.; indian. Sprachen – **Religion:** 95% Katholiken, rd. 3% Protestanten – **Städt. Bev.:** 45% – **Städte** (F 1989): Tegucigalpa (Hptst.) 608100 Ew.; San Pedro Sula 300900, La Ceiba 71600, El Progreso 63400, Choluteca 57400, Comayagua 39600, Puerto Cortés 32000

STAAT Präsidialrepublik – Verfassung von 1982 – Parlament (Congreso Nacional) mit 128 Mitgl., Wahl alle 4 J. – Allg. Wahlrecht ab 18 J. – 18 Departamentos u. 1 Distrito Federal (Bundesdistrikt) – **Staats- u. Regierungschef:** Rafael Leonardo Callejas Romero (PN), seit 27. 1. 1990 – **Äußeres:** Mario Carías Zapata – **Parteien:** Wahlen von 1989: Partido Nacional/PN 71 Sitze, P. Liberal/PL 55, P. de Innovación y Unidad/PINU 2 – *Nächste Wahlen im Nov. 1993* – **Unabh.:** 15. 9. 1821 (Proklamation), endgültig 26. 10. 1838 (Austritt aus d. Zentralamerikan. Konföderation) – **Nationalfeiertag:** 15. 9.

WIRTSCHAFT BSP 1991: 3010 Mio. $ = 580 $ je Ew. (132); realer Zuwachs ⌀ 1980–91: 2,6%; **BIP** 1991: 2661 Mio. $; realer Zuwachs ⌀ 1980–91: 2,7%; Anteil 1991 **Landwirtsch.** 22%, **Industrie**

27%, **Dienstlst.** 51% – **Erwerbstät.** 1990: Landw. 55%, Ind. 16% – **Energieverbrauch** 1991: 181 kg ÖE/Ew. – **Währung:** 1 Lempira (L) = 100 Centavos (cts.); Bankenkurs: 1 US-$ = 6,32 L; 100 L = 26,89 DM – **Ausl.-Verschuld.** 1991: 3177 Mio. $ = 113,8% d. BSP – **Inflation** ⌀ 1980–91: 6,8% – **Außenhandel** 1991: **Import:** 880 Mio. $; Güter: 25% Maschinen u. Transportausrüst., 16% Brennstoffe, 13% Nahrungsmittel; Länder (1989): 38% USA, 10% Japan, 6% Venezuela, 5% Mexiko; **Export:** 679 Mio. $; Güter (1989): 36% Bananen, 20% Kaffee, 10% Zink, Blei u. Silber, 8% Krebs- u. Weichtiere; Länder (1989): 65% USA, 10% BRD, 6% Japan, 6% Italien

INDIEN *Süd-Asien*
Republik Indien; Bharat Ka Ganatantra, Bharat Juktarashtra; Indian Union – IND

LANDESSTRUKTUR Fläche (7): 3287590 km² (3148595 km² ohne die v. Indien besetzten Teile v. Kaschmir; Jammu u. Kaschmir 138995 km², aber einschl. des v. China okkupierten Teiles v. Ladakh mit etwa 40000 km² u. 4981000 Ew., Z 1981) – Ca. 60000 km² an d. NW- u. NO-Grenze zur VR China sind umstritten – **Einwohner** (2): (F Ende 1991) 865020000 = 263 je km²; (Z 1991) 846302688 (mit Anteil an Jammu u. Kaschmir) – Inder; überwieg. mit indoarischen, daneben mit Drawida-Sprachen; 3% mongol. Herkunft (z. B. 775000 Nagas); rd. 60000 Tibeter, über 10000 Chinesen, sowie europ. u. sonst. Gruppen – **Leb.-Erwart.:** 60 J. (m60/w60); Bev.-Anteil 0–14 J.: 35,8% – **Säugl.-Sterbl.** (1986): 9,0% – **Kindersterbl.:** 12,4% – **Analph.:** 52% – Jährl. **Bev.-Wachstum** (⌀ 1980–91): 2,1% (Geb.- u. Sterbeziffer 1991: 3,0%/1,0%) – **Sprachen:** Hindi (in Devanagari-Schrift) als Amtsspr.; Englisch »assoziierte« Sprache; in d. Bundesstaaten gleichberechtigte Regionalsprachen: 29,7% Hindi, 8,2% Bengali, 7,7% Marathi, 5,2% Urdu, 4,7% Gudscharati, 3,8% Bihari, 3,6% Orija, 3,5% Telugu, 3,2% Tamilisch, 3,0% Pandschabi, 1,6% Assamesisch, 1,5% Kannada, 1,3% Radschastani, 0,4% Kaschmiri; insg. 15 Haupt- u. Regionalspr. zugelassen, daneben 24 selbständ. Sprachen, über 720 Dialekte u. 23 Stammessprachen – **Religion** (Z 1991): 80,3% Hindus, 11% Muslime (zu ³/₄ Sunniten, ¹/₄ Schiiten); außerd. 2,4% Christen (davon über 60% Katholiken), 1,1% Sikh u. 0,5% Dschainas, 0,7% Buddhisten, 120000 Parsen – **Städt. Bev.:** 27% – **Städte** (Z 1991): New Delhi (Hptst.) 301297 Ew.; Mumbai (ehem. Bombay) 9925891 (A 12,59 Mio.), Delhi 7206704 (A 8,42 Mio.), Calcutta 4399819 (A 11,02 Mio.), Madras 3841396 (A 5,42 Mio.), Bangalore 3302296 (A

4,13 Mio.), Hyderabad [Haiderabad] 3145939 (A 4,25 Mio.), Ahmedabad 2954526 (A 3,31 Mio.), Kanpur 1879420 (A 2,03 Mio.), Nagpur 1624752 (A 1,66 Mio.), Lucknow [Lakhnau] 1619115 (A 1,67 Mio.), Poona [Pune] 1566651 (A 2,49 Mio.), Surat 1505872 (A 1,52 Mio.), Jaipur 1458183 (A 1,52 Mio.), Indore 1091674 (A 1,11 Mio.), Bhopal 1062771, Vadodara [Baroda] 1061598, Ludhiana 1042740, Kalyan 1042557, Haora [Howrah] 950435, Madurai 940989, Varanasi [Banaras] 932399, Patna 917243, Agra 891790, Coimbatore 816321, Allahabad 806486, Thane [Thana] 803389, Jabalpur [Jubbulpore] 764586, Meerut 753778, Visakhapatnam 752037, Amritsar 708835, Vijayawada 701827

STAAT Demokratisch-parlamentarische Republik mit bundesstaatl. Gliederung – Verfassung von 1950 – Bundesparlament aus 2 Kammern: Unterhaus (Lok Sabha bzw. Haus des Volkes) mit 545 Mitgl., davon ca. 70 für »scheduled castes« u. 30 für »scheduled tribes« bestimmt, außerd. 2 vom Staatsoberh. nominierte Abg. der anglo-indischen Gemeinschaft (Direktwahl alle 5 J.) sowie Oberhaus (Rajya Sabha bzw. Haus der Staaten) mit 245 Mitgl., davon 12 vom Staatsoberh. ernannt (Wahl alle 6 J.) – Allg. Wahlrecht ab 21 J. – 25 »States« (Bundesstaaten) u. 7 »Union territories«; Punjab seit 21. 1. 1992 Bundesstaat *(Einzelheiten → WA '93, Tab. Sp. 387f.)* – **Staatsoberhaupt:** Shankar Dayal Sharma (Kongreßpartei), seit 25. 7. 1992 – **Regierungschef:** Narasimha Rao (Vors. d. Kongreßpartei), seit 21. 6. 1991 – **Äußeres:** Dinesh Singh – **Parteien:** Wahlen vom 20. 5. u. 12./15. 6. 1991: Unterhaus: »Kongreßpartei (I)« 227 Sitze (1989: 195), Bharatiya Janata Party/BJP (radikal-nationalist. Hindu-Partei) 119 (90), Nationale Front (mit Janata-Dal-Partei) 61 (144), Communist Party of India/CPI 35 (43), Kommunist. Partei/CPI 13, Telugu Desam 13, Unabh. 16, Sonstige 29, 32 Sitze vakant – Sitzverteilung im Oberhaus (Stand Sept. 1992): »Kongreßpartei (I)« 101 Sitze, Bharatiya Janata Party 30, Janata Dal 27, CPI 16, Unabh. 8, Sonstige 49, 14 Sitze vakant – **Unabh.:** 15. 8. 1947 – **Nationalfeiertage:** 26. 1. u. 15. 8.

WIRTSCHAFT *(Einzelheiten → Kap. Wirtschaft, Sp. 922)* **BSP** 1991: 284668 Mio. $ = 330 $ je Ew. (158); realer Zuwachs ⌀ 1980–91: 5,5 %; **BIP** 1991: 221925 Mio. $; realer Zuwachs ⌀ 1980–91: 5,4 % (1992: +4,2 %); Anteil 1991 **Landwirtsch.** 31 %, **Industrie** 27 %, **Dienstlst.** 41 % – **Erwerbstät.** 1990: Landw. 66 %, Ind. ca. 13 % – **Arbeitslosigkeit** 1991: rd. 70 Mio. Pers. – **Energieverbrauch** 1991: 337 kg ÖE/Ew. – **Währung:** 1 Indische Rupie (iR) = 100 Paise (P.); 100 iR = 3,198 US-$; 100 iR = 5,398 DM – **Ausl.-Verschuld.** 1991: 71557 Mio. $ –

29,3 % d. BSP – **Inflation** ⌀ 1980–91: 8,2 % – **Außenhandel** 1991: **Import:** 478100 Mio. iR; Güter: 28 % Erdöl u. -derivate, 22 % Maschinen u. Transportausrüst., 10 % Perlen u. Edelsteine, 7 % Chemikalien, 5 % Düngemittel, 5 % Eisen u. Stahl; Länder (April-Dez. 1991): 11 % USA, 8 % BRD, 7 % Belgien, 7 % Saudi-Arabien, 7 % Japan, 7 % Großbrit. (EG 30 %); **Export:** 439800 Mio. iR; Güter: 23 % Textilien u. Bekleidung, 15 % Perlen, Edelsteine u. Schmuck, 12 % Maschinen u. Geräte, 8 % Chemikalien, 7 % Leder u. -produkte, 5 % Erze u. Mineralien; Länder (April–Dez. 1991): 17 % USA, 10 % Ex-UdSSR, 9 % Japan, 7 % BRD, 6 % Großbrit., 4 % Ver. Arab. Emirate (EG 27 %)

PRESSE (Aufl. i. Tsd.) *Tageszeitungen:* Delhi (mit Neu-Delhi): Hindustan (171)/Hindi – The Hindustan Times (313)/Engl. – Indian Express (ges. 551)/Engl. – Navbharat Times (457)/Hindi – The Statesman (145)/Engl. – The Times of India (601)/Engl. – Ahmedabad: Gudscharat Samachar (479) – Bombay: Bombay Samachar (131)/Gudscharati – Economic Times (190)/Engl. – Lokasatta (238)/Marathi – Maharashtra Times (162)/Marathi – The Times of India (624)/Engl. – Calcutta: Anandabazar Patrika (436)/Bengali – Hyderabad: Eenadu (317) – Jahandhar: Punjab Kesari (542)/ Hindi – Madras: Daily Thanthi (321)/Tamil – Dinakaran (235)/Tamil – The Hindu (462)/Engl. – Indian Express (257)/Engl. – *Wochenzeitungen:* Delhi: Employment News (425)/Hindi, Urdu, Engl. – India Today (349)/Engl., Hindi – Mayapuri (177)/Hindi – New Age (215)/KP, Engl. – Sarita (216)/Hindi – Sunday Mail (155)/Hindi – Bombay: Blitz News Magazine (419)/Engl., Hindi, Urdu – Chitralekha (301)/ Gudscharati – Calcutta: All India Appointment Gazette (142)/Engl. – Kalkandu (138)/Tamil – Kumudam (442)/Tamil – Madras: Ananda Vikatan (200)/ Tamil – *Nachrichtenagenturen:* PTI (Press Trust of India Ltd) – UNI (United News of India)

INDONESIEN *Südost-Asien*

Republik Indonesien; Republik Indonesia – RI

LANDESSTRUKTUR **Fläche** (15): 1904569 km^2 (einschl. Ost-Timor mit 14874 km^2); 13600 Inseln, davon 6000 bewohnt; Gesamtfläche einschl. Territorialgewässer 5191603 km^2 – **Einwohner** (4): (F 1991) 181388000 = 95 je km^2; (Z 1990) 179321641 (mit Irian Jaya [1,55 Mio. Ew.], ohne Ost-Timor [747750 Ew.], dessen Annexion [1976] internat. formell nicht anerkannt wird); 107,5 Mio. Ew. leben auf Java (= 6,89 % d. Fläche); Bev.-Dichte (Ew. je km^2, F 1989): landesweit 93, Java 813, Nusatenggara 98 (darunter Bali 500), Sumatra 78, Sulawesi 66, Maluku 24, Kalimantan 16, Irian Jaya 4 – Überw. malaiische Indonesier; stärkste Gruppe die Javaner mit 80–90 Mio., gefolgt v. d. Sundanesen; außerd. Maduresen (Madura, O-Java), Batak (N-Sumatra), Minangkabau (M-Sumatra), Balinesen (Bali), Menadonesen (N-Sulawesi [Celebes]), Dajak (Kalimantan [Borneo]), Ambonesen (Molukken); außerd. Chinesen (1980) mit 4 Mio. (davon 1,6 Mio. indon. u. 1,5 Mio. chines. Staatsbürgerschaft, Rest staatenlos) – **Leb.-Erwart.:** 60 J. (m58/w61); Bev.-Anteil 0–14 J.: 35,8 % – **Säugl.-Sterbl.:** 7,4 % – **Kindersterbl.:** 11,1 % – **Analph.:** 23 % – Jährl. **Bev.-Wachstum** (∅ 1980–91): 1,8 % (Geb.- u. Sterbeziffer 1991: 2,5 %/0,9 %) – **Sprachen:** Bahasa Indonesia als Amtsspr.; rd. 60 Mio. Javanisch als Erstspr., 18 Mio. Indonesisch als Erst- u. 72 Mio. als Zweitspr.; außerd. 250 indones. Regionalspr.; Handelsspr. Englisch – **Religion:** 87,6 % Muslime; 2 % Hindus (3,5 Mio., davon 2,5 Mio. auf Bali), 1 % Buddhisten u. Konfuz. (meist. Chinesen); 6,5 % Protestanten u. Angeh. pfingstlicher Kirchen, 3,2 % Katholiken, rd. 1 % Anh. von Naturrel. – **Städt. Bev.:** 31 % – **Städte** (F 1985): Jakarta (Hptst.) 7 885 500 Ew.; (F 1983) Surabaya 2 223 600, Bandung 1 556 700, Medan 1 805 500, Semarang 1 205 800, Palembang 873 900, Ujung Padang 840 500, Padang 656 800, Malang 547 100, Surakarta 490 900, Banjarmasin 423 600, Yogyakarta 420 700, Pontianak 342 700

STAAT Zentralistische Republik – Verfassung von 1945 mit Änderung 1969 – Parlament: Abgeordnetenhaus (Dewan Perwakilan Rakyat/DPR) mit 400 für 5 J. gewählten u. 100 v. Staatsoberh. ernannten Mitgl., Angeh. d. Streitkräfte – Beratende Volksversammlung (Majelis Permusyawaratan Rakyat/MPR) mit 1000 Mitgl. (zur Hälfte aus Mitgl. d. DPR, 147 Vertreter d. Provinzen, 253 Entsandte von »funktionalen Gruppen« [polit. Organis., Streitkräfte] u.a. 100 Mitgl.); wählt das Staatsoberh. – 27 Provinzen einschl. Ost-Timor (Loro Sae) u. Hauptstadt – **Staats- u. Regierungschef:** Präs. Suharto (General a. D.), seit 1968, zuletzt wiedergew. durch MPR am 10. 3. 1993 (kein Gegenkandidat; 6. Amtsperiode) – **Äußeres:** Ali Alatas – **Parteien:** Wahlen zum Abg.-Haus vom 9. 6. 1992: regierungsnahe GOLKAR (»funktionale Gruppen«, Sekber Golongan Karya) 282 Sitze (1987: 299), muslim. »Vereinigte Entwicklungspartei« (Partai Persatuan Pembangunan/PPP) 62 (61), nationalist.-christl. »Demokrat. Partei« (Partai Demokrasi Indonesia/PDI) 56 (40); nur die 3 Parteien sind zugelassen – **Unabh.:** 17. 8. 1945 einseitige Unabh.-Erklärung, 27. 12. 1949 endgültig; Integration von Ost-Timor am 29. 6. 1976 als 27. Provinz – **Nationalfeiertag:** 17. 8.

WIRTSCHAFT BSP 1991: 111 409 Mio $ = 610 $ je Ew. (131); realer Zuwachs ∅ 1980–91: 5,8 %; **BIP** 1991: 116 476 Mio. $; realer Zuwachs ∅ 1980–91: 5,6 % (1992: +5,9 %); Anteil 1991 **Landwirtsch.** 19 %, **Industrie** 41 %, **Dienstlst.** 39 % – **Erwerbstät.** 1990: Landw. 58 %, Ind. 15 % – Bev.-Anteil unter der **Armutsgrenze** (1992): 15 % – **Arbeitslosigkeit** (S 1992): 12 % – **Energieverbrauch** 1991: 279 kg ÖE/Ew. – **Währung:** 1 Rupiah (Rp.) = 100 Sen (S); 1 US-$ = 2083,00 Rp.; 100 Rp. = 0,081 DM – **Ausl.-Verschuld.** 1991: 73 629 Mio. $ = 66,4 % d. BSP – **Inflation** ∅ 1980–91: 8,5 % (1992: 7,0 %) – **Außenhandel** 1991: **Import:** 26 000 Mio. $; Güter (1990): 68 % Rohstoffe, Vorerzeugn. u. mineral. Brennstoffe, 28 % Investitionsgüter u. Kfz; Länder: 24 % Japan, 12 % USA, 7 % BRD, 6 % Singapur, 5 % Rep. Korea (EG 18 %); **Export:** 29 000 Mio. $; Güter (1990): 44 % mineral. Brennstoffe, 24 % verarb. Erzeugn., 9 % Nahrungsmittel; Länder: 43 % Japan, 13 % USA, 7 % Singapur, 4 % Rep. China, 4 % VR China, 3 % BRD (EG 13 %)

IRAK *Vorder-Asien*

Republik Irak; Al Dschumhurija bzw. Al-Jûmhurîya al-'Irâqîya ad-Dîmûqrâţîya ash-Sha'abîya – IRQ

LANDESSTRUKTUR Fläche (57): 438 317 km² (438 446 km² einschl. neutr. Zone mit Saudi-Arabien) – **Einwohner** (44): (F 1991) 18 578 000 = 42 je km²; (Z 1987) 16 335 199 – Etwa 77 % arabischsprachige Iraker, 19 % Kurden *(Siedlungsgebiete → WA '93, Karte Sp. 393 f.)*; fast 2 % Türken, außerd. Perser u. a. ethnische Minderheiten – **Leb.-Erwart.:** 65 J. – **Säugl.-Sterbl.:** 6,5 % – **Kindersterbl.:** 8,4 % – **Analph.:** 40 % – Jährl. **Bev.-Wachstum** (∅ 1980–91): 3,6 % (Geb.- u. Sterbeziffer 1990: 4,2 %/0,8 %) – **Sprachen:** Arabisch als Amtsspr. (80 %); Sprachen der and. Volksgruppen, v. a. Kurdisch (15 %), Türkisch u. Aramäisch – **Religion:** 92 % Muslime (58,7 % Sunniten, v. a. im N, u. 32,4 % Schiiten, v. a. im S); Islam ist Staatsreligion; ca. 1 Mio. Christen verschied. Konfessionen (über 200 000 Katholiken), 55 900 Jesiden, etwa 12 000 Mandäer (Sabians) u. 2500 Juden – **Städt. Bev.:** 71 % – **Städte** (Z 1987): Bagdad (Hptst.) 3 844 608 (A 4,87 Mio.) Ew.; (S 1985) Basra [Bassora] 617 000, Mossul 571 000, Kirkuk 535 000; (F 1977) Najaf [Nedschef] 190 000, al-Hiliah 140 000, Kerbela 110 000, Arbil [Erbil] (Reg.-Sitz d. auton. Region Kurdistan) 110 000

STAAT *(→ Chronik)* Präsidialrepublik – Vorläufige Verfassung von 1968, letzte Änderung 1990 – Parlament (Nationalrat mit beratender Funktion) mit 250 Mitgl., Wahl alle 4 J. – 8köpfiger »Revolutionä-

rer Führungsrat«/C. C. R. als oberstes Exekutivorgan – 15 Provinzen (Muhafadha) u. 1 autonome
Region (Kurdistan) aus 3 Provinzen (Erbil, Dohuk
u. Sulaimaniya) – **Staatsoberhaupt** u. Vors. des
C. C. R. u. der Baath-Partei: Saddam Hussein at-Ta-
kriti, seit 1979 – **Regierungschef:** Ahmed Hussein
Khudaijir, seit 6. 9. 1993 – **Äußeres:** Mohammed
Said Kazim as-Sahhaf – **Parteien:** Wahlen von
1989: sämtliche Sitze an die Arabisch-Sozialist.
Baath-Partei (Wiedergeburts- od. auch Sendungs-
partei/ASBP, seit 1968 an d. Regierung) u. Sympa-
thisanten – **Unabh.:** 3. 10. 1932 (Aufhebung des
Völkerbundmandats) – **Nationalfeiertage:** 14. 7.
(Republ.-Tag) u. 17. 7. (Revolut.-Tag d. ASBP)

Autonome Region Kurdistan: Erste freie Wahlen
zur gesetzgeb. Versamml. (115 Mitgl. vorgesehen,
davon 100 Sitze für d. Kurden, 5 für christl. Assyrer
u. 10 für Turkomanen [haben an d. Wahl nicht teilge-
nommen]) vom 19. 5. 1992: Demokrat. Partei Kur-
distans/DPK 50 Sitze, Patriotische Union Kurdi-
stans/PUK 50; Assyrer: Demokrat. Bewegung 4,
Christl. Einheit 1 Sitz; Präsidentschaftswahlen:
Massud Barzani (DPK-Vors.) 47,5 %, Dschalal Tala-
bani (PUK-Vors.) 44,8 %; Stichwahl steht noch aus;
Reg.-Chef: Abdullah Rassul (PUK), seit 26. 4. 1993;
Reg. aus 17 Mitgl., paritätisch aufgeteilt zw. PUK u.
DPK; von irak. Führung für illegal erklärt – Verabschiedung einer Resolution durch d. Regionalparl.
am 5. 10. 1992 über die Bildung eines kurdischen
Teilstaats innerhalb eines föderativen Iraks

WIRTSCHAFT (keine neueren Angaben verfügbar) **BSP** (S 1984): 29 730 Mio. $ = 1800 $ je Ew.
(83); **BIP** (S 1990): 63 693 Mio. $; realer Zuwachs ∅
1980–88: –1,5 %; Anteil 1988 **Landwirtsch.** 16 %,
Industrie 38 % – **Erwerbstät.** 1991: Landw. 20 %,
Ind. ca. 22 % – **Energieverbrauch** 1990: 774 kg
ÖE/Ew. – **Währung:** 1 Irak-Dinar (ID) = 1000 Fils; 1
US-$ = 3,23 ID; 100 ID = 544,43 DM – **Ausl.-Ver-
schuld.** (S 1991): 42 320 Mio. $ (ohne Kriegsrepara-
tionen u.ä.) – **Inflation** ∅ 1980–91: 10,3 % –
Außenhandel 1990: **Import:** 4314 Mio. $; Güter
(1989): 25 % Lebensmittel, 12 % Investitionsgüter;
Länder: 42 % EG-Länder (dar. 13 % BRD, 8 % Großbrit., 9 % Frankr.), 11 % USA, 10 % Türkei, 5 % Japan; **Export:** 16 809 Mio. $; Güter (S 1989): über
95 % Erdöl; Datteln, Baumwolle u. Viehzuchtprod.,
Zement; Länder: 28 % USA, 24 % EG-Länder (dar.
7 % Niederl., 6 % Frankr.), 10 % Brasilien, 10 % Türkei, 8 % Japan

IRAN *Vorder-Asien*
Islamische Republik Iran; Dschumhuri-i-Islami-i
Irân – IR

LANDESSTRUKTUR **Fläche** (17): 1 648 196 km²
(mit 4686 km² Binnengewässern) – **Einwohner**
(15): (F 1991) 57 764 000 = 35 je km²; (Z 1986)
49 445 010 – Iraner; 65 % iranische Perser, etwa
20 % turktatar. Aserbaidschaner (Aseri; S 1993: 8
Mio.); 8 % Kurden; 2 % Araber, Armenier, Balutschen usw.; 3–4 % mit nomadischen Lebensfor-
men – **Leb.-Erwart.:** 65 J. (m65/w65); Bev.-Anteil
0–14 J.: 45,8 % – **Säugl.-Sterbl.** (1986): 6,8 % –
Kindersterbl.: 8,7 % – **Analph.:** 46 % – Jährl. **Bev.-
Wachstum** (∅ 1980–91): 3,6 % (Geb.- u. Sterbeziffer 1991: 4,4 %/0,9 %) – **Sprachen:** Persisch bzw.
Farsi als Amtsspr. (45 %); verwandte Dialekte
(25 %); außerd. iran. Sprachen der Minderheiten
(bes. der Kurden, ferner Bachtiaren, Luren, Balutschen u. a.) bzw. nichtiran. Sprachen (u. a. Aseri,
Arabisch) – **Religion:** 99 % Muslime (91 % Schiiten,
Schia bzw. Ithna-Ashariyya als Staatsreligion; 3 %
Sunniten), 360 000 Christen (Armenische Kirche,
Chaldäer, Katholiken), etwa 30 000 Anh. der Zara-
thustra-Religion (Ghabrs), 30 000 Juden, 25 000
Parsen, rd. 300 000 Angeh. der verbot. Bahai-Religi-
onsgemeinschaft, 10 000 Sobbis (Sabians oder
Mandäer) in Khozistan [Chusistan] – **Städt. Bev.:**
57 % – **Städte** (Z 1986): Therán [Teheran] (Hptst.)
6 042 584 Ew.; Mashhad [Mesched] 1 463 508, Isfa-
han [Esfahán] 988 753, Tabriz [Täbris] 971 482,
Shiráz [Schiras] 848 289, Ahváz [Ahwas] 579 826,
Bakhtárán 560 514, Qom [Ghom, Kum] 543 139,
Urumije [Resaije] 300 746, Rasht [Rescht] 290 897,
Hamadán 273 499, Yazd [Jesd] 230 483

STAAT Islamische präsidiale Republik – Verfassung von 1979, Ergänzungen 1989 – Parlament
(Madschlis bzw. Versammlung des Islamischen Rates) mit 270 Mitgl., Wahl alle 4 J. – 12köpfiger Verfassungsrat (Wächterrat) seit 1989 als Kontrollorgan für die Konformität von Gesetzen mit dem in d.
Verfass. verankerten islam. Recht – Direktwahl d.
Staatsoberh. alle 4 J. – Allg. Wahlrecht ab 16 J. – 25
Provinzen (Ostan), 196 Gouvernements (Shahre-
stan), 501 Distrikte (Bakhsh) – **Staats- u. Regierungschef:** Hodjatolislam Ali Akbar Haschemi Rafsandschani, seit 17. 8. 1989 (am 11. 6. 1993 mit
63 % d. Stimmen im Amt bestätigt) – **Äußeres:** Ali
Akbar Velayati – **Parteien:** Wahlen vom 10. 4. u.
8. 5. 1992: »Vereinigung der religiösen Kämpfer«
von Präs. Rafsandschani über 200 der 270 Sitze,
genaue Sitzverteilung unbekannt – Oppositionsbündnis, dar. Widerstandsbewegung Volksmudscha-
heddin – **Unabh.:** über 2500 J. alte Staatsgeschichte
– **Nationalfeiertage:** 11. 2. (Revolution 1979) u.
1. 4. (Gründung d. Islam. Rep. Iran)

Iran: Staatshaushalt

Ausgaben in %	1972	1980	1991
Verteidigung	24,1	15,9	9,6
Erziehung	10,4	21,3	20,9
Gesundheit	3,6	6,4	7,9
Wohnung, Gem.-Einrichtungen, Sozialvers. u. Wohlfahrt	6,1	8,7	15,5
Wirtschaftsförderung	30,6	24,0	16,1
Sonstiges	25,2	23,7	29,9
Gesamtausgaben in % des BSP	30,8	35,7	22,8
Gesamtüberschuß/Defizit in % des BSP	−4,6	−13,8	−2,8

Quelle: Weltbankberichte 1991, 1993

WIRTSCHAFT BSP 1991: 127366 Mio. $ = 2170 $ je Ew. (72); realer Zuwachs $\varnothing$ 1980–91: 2,5 %; **BIP** 1991: 96989 Mio. $; realer Zuwachs $\varnothing$ 1980–91: 2,2 % (1992: +8,0 %); Anteil (S 1992) **Landwirtsch.** 18 %, **Industrie** 20 %, **Erdöl** 18 %, **Dienstlst.** 44 % – **Erwerbstät.** 1991: Landw. 27 %, Ind. ca. 28 % – **Arbeitslosigkeit** 1991: rd. 20 % (über 50 % verdeckte A. u. Unterbeschäft.) – **Energieverbrauch** 1991: 1078 kg ÖE/Ew. – **Währung:** 1 Rial (Rl.) = 100 Dinars (D.); 10 Rials = 1 »Toman« (= alte pers. Währungseinh.); 1 US-$ = 1611 Rls.; 100 Rls. = 0,105 DM – **Ausl.-Verschuld.** 1991: 11511 Mio. $ = 11,5 % d. BSP – **Inflation** $\varnothing$ 1980–91: 13,8 % – **Außenhandel** 1992: **Import:** 28000 Mio. $; Güter: 55 % Rohmaterialien u. Halbwaren, 25 % Konsumgüter, 20 % Kapitalgüter; Länder: 26 % BRD, 13 % Japan, 10 % Italien, 5 % Großbrit., 4 % Frankr., 4 % USA (EG 46 %); **Export:** 18400 Mio. $; Güter: 85 % Erdölbereich, 15 % nicht Erdölbereich (dar. 5 % Teppiche, 4 % Pistazien); Länder: 14 % Japan, 9 % Italien, 6 % Frankr., 4 % BRD, 2 % Großbrit. (EG 46 %)

IRLAND *West-Europa*
Éire, Ireland – IRL

LANDESSTRUKTUR Fläche (118): 70284 km² (mit 1392 km² Binnengewässern) – **Einwohner** (119): (Z 1991) 3523401 = 50 je km² – Fast aus-

schl. Iren – rd. 16 Mio. Irischstämmige im Ausland, dar. 13 Mio. in USA, 1 Mio. in Kanada – **Leb.-Erwart.:** 75 J. (m72/w78); Bev.-Anteil 0–14 J.: 26,0 % – **Säugl.-Sterbl.** (1990): 0,8 % – **Kindersterbl.:** 1,0 % – **Analph.** (1986): 2 % – Jährl. **Bev.-Wachstum** ($\varnothing$ 1980–91): 0,2 % (Geb.- u. Sterbeziffer 1991: 1,5 %/0,9 %) – **Sprachen:** Irisch (Gälisch) u. Englisch als Amtsspr. – **Religion:** 87,8 % Katholiken, 3,2 % Anglikaner (Church of Ireland), 0,8 % Juden, 0,5 % Presbyterianer – **Städt. Bev.:** 57 % – **Städte** (Z 1986): Baile Atha Cliath [Dublin] (Hptst.) 502337 Ew. (als County; als County Borough/C. B. 1020796); Corcaigh [Cork] 173694 (279427), Luimneach [Limerick] 76557 (107963), An Ghaillimh [Galway] 47104 (131173), Dun Laoghaire [Kingstown] als C. B. 54490, Port Láirge (Waterford) 41054 (51582)

STAAT Parlamentarisch-demokratische Republik – Verfassung von 1937 mit Änderung 1949 – Parlament (Oireachtas) aus 2 Kammern: Repräsentantenhaus (Dáil Éireann) mit 166 u. Senat (Seanad Éireann) mit 60 Mitgl., davon 11 vom Min.-Präs. ernannt u. 49 indirekt gewählt; Wahl alle 5 J. – Direktwahl d. Staatsoberh. alle 7 J. – 4 Provinzen (Leinster, Munster, Connacht u. Ulster) mit 26 Grafschaften (Counties) u. 4 sog. County-Boroughs – **Staatsoberhaupt** (Uachtaran na h'Éireann): Präsidentin Mary Robinson (parteilos), seit 3. 12. 1990 – **Regierungschef** (Taoiseach): Albert Reynolds (FF-Vors.), seit 11. 2. 1992; Koalition aus FF u. Lab seit

Irland: Fläche und Bevölkerung

Provinzen	Fläche in km²	Bevölkerung in 1000			Einwohner je km²	
		Z 1981	Z 1986	Z 1991	1981	1991
Leinster	19633	1790,5	1852,6	1860,0	91,2	94,7
Munster	24127	998,3	1020,6	1008,4	41,4	41,8
Connacht	17122	424,4	431,4	422,9	24,8	24,7
Ulster	8012	230,2	236,0	232,0	28,7	29,0
Irland	68894*	3443,4	3540,6	3523,4	49,0	50,1

* Fläche ohne Binnengewässer; Gesamtfläche: 70284 km²

13. 1. 1993 – **Äußeres:** Dick Spring – **Parteien:** Wahlen zum Repräs.-Haus vom 25. 11. 1992: Fianna Fáil/FF (Soldaten des Schicksals) 39,1 % u. 68 Sitze (1989: 77), Fine Gael/FG (Familie der Iren) 24,5 % u. 45 (55), Labour P./Lab 19,3 % u. 33 (15), Progressive Democrats/PD (Fortschrittl. Demokraten) 4,7 % u. 10 (6), Democratic Left (ehem. Worker's P./WP) 2,8 % u. 4 (7), Sonstige 9,6 % u. 6 (6) – Senatswahlen vom 4. 2. 1993 sowie Ernennung durch Min.-Präs. am 10. 2. 1993: FF 25 Sitze, FG 17, Lab 9, PD 2, Democratic Left 1, Unabh. 6 – **Unabh.:** 1919 de facto (Unabh.-Erkl. d. »Dáil Éireann«), seit 6. 12. 1921 nominell als selbst. Dominion im brit. Commonwealth unter Abtrennung der 6 vorwieg. protest. nördl. Grafschaften Ulsters als »Northern Ireland«, 1937 Festlegung des Staatsnamens »Irland« in der Verfassung, 1948 »Republic of Ireland Act«: Proklamierung der »Irischen Republik« (Poblacht Na h'Éireann) u. Austritt aus dem britischen Commonwealth – **Nationalfeiertag:** 17. 3. (St.-Patricks-Day)

WIRTSCHAFT BSP 1991: 37738 Mio. $ = 11120 $ je Ew. (30); realer Zuwachs ∅ 1980–91: 2,4 %; **BIP** 1991: 39028 Mio. $; realer Zuwachs ∅ 1980–91: 3,5 % (1992: +1,5 %); Anteil 1989 **Landwirtsch.** 9,6 %, **Industrie** 32,6 %, **Dienstlst.** 42,2 % – **Erwerbstät.** 1991: Landw. 13,8 %, Ind. 28,9 %, Dienstl. 57,3 % – **Arbeitslosigkeit** ∅ 1992: 17,7 % – **Energieverbrauch** 1991: 2754 kg ÖE/Ew. – **Währung:** 1 Irisches Pfund (»Punt«; Ir£) = 100 New Pence (p); 1 Ir£ = 1,43 US-$ = 2,42 DM – **Ausl.-Verschuld.** 1991: 25400 Mio. Ir£ – **Inflation** ∅ 1980–91: 5,8 % (1992: 3,0 %) – **Außenhandel** 1991: **Import:** 12864 Mio. Ir£; Güter: 35 % Maschinen u. Transportausrüst., 15 % Prod. d. verarb. Industrie, 14 % sonst. Fertigwaren, 13 % chem. Erzeugn., 9 % Nahrungsmittel, 6 % mineral. Brennstoffe u. Schmiermittel; Länder: 41 % Großbrit., 15 % USA, 8 % BRD, 5 % Frankr., 4 % Niederl., 3 % Italien, 2 % Japan; **Export:** 15031 Mio. Ir£; Güter: 29 % Maschinen u. Transportausrüst., 19 % Nahrungsmittel, 18 % chem. Erzeugn., 15 % sonst. Fertigwaren, 8 % Prod. d. verarb. Ind., 3 % Rohstoffe; Länder: 32 % Großbrit., 13 % BRD, 11 % Frankr., 9 % USA, 6 % Niederl., 4 % Belgien/Lux., 4 % Italien

PRESSE (Aufl. i. Tsd.) *Tageszeitungen:* Dublin: Evening Herald (150) – Evening Press (102) – Irish Independent (100) – Irish Press (59) – The Irish Times (94) – The Star (78) – Cork: Cork Evening Echo (28) – The Cork Examiner (57) – *Sonntagszeitungen:* Dublin: Sunday Independent (247) – The Sunday Press (186) – Sunday Tribune (102) – Sunday World (327)

ISLAND *Nord-Europa*
Republik Island; Lýdveldid Island – IS

LANDESSTRUKTUR Fläche (106): 103000 km² (mit 14500 km² Binnengewässern; unter Einschluß der 200-sm-Zone: 758000 km²; kultivierte Fläche bzw. Weideland: 23000 km²) – **Einwohner** (168): (F 1991) 258000 = 2,5 je km²; (Z 1970) 204578 – Fast ausschl. Isländer – **Leb.-Erwart.:** 78 J. (m76/w80) – **Säugl.-Sterbl.:** 0,4 % – **Kindersterbl.:** 0,9 % – **Analph.** (1985): 0 % – Jährl. **Bev.-Wachstum** (∅ 1980–91): 1,1 % (Geb.- u. Sterbeziffer 1990: 1,7 %/0,7 %) – **Sprache:** Isländisch – **Religion:** 93 % Protestanten, 0,9 % Katholiken – **Städt. Bev.:** 91 % – **Städte** (F 1991): Reykjavik (Hptst.) 99620 Ew.; (F 1990) Kópavogur 16190, Hafnarfjördur 15150, Akureyri 14200

STAAT Parlamentarisch-demokratische Republik – Verfassung von 1944 – Parlament (Althing) mit 63 Mitgl., Wahl alle 4 J. – Direktwahl d. Staatsoberh. alle 4 J. – Allg. Wahlrecht ab 18 J. – 8 Regionen mit 27 »Syslur« (etwa Landkreise) – **Staatsoberhaupt:** Präsidentin Vigdís Finnbogadóttir, seit 1980 (am 27. 6. 1992 zum 4. Mal im Amt bestätigt) – **Regierungschef:** Davíd Oddsson (Unabh.-Partei), seit 29. 4. 1991 – **Äußeres:** Jón Baldvin Hannibalsson – **Parteien:** Wahlen vom 20. 4. 1991: Sjálfstædisflokkurinn (Unabhängigkeitspartei) 26 Sitze (1987: 18), Framsóknarflokkurinn/FF (Fortschrittspartei) 13 (13), Althyduflokkur/SF (Sozialdemokraten) 10 (10), Althydubandalagid/AL (Volksallianz) 9 (8), Sozialdemokrat. Frauenpartei 5 (6), Sonstige 0 (2) – **Unabh.:** 1918 unabh. Königreich in Personalunion mit Dänemark, 1944 Aufkündigung d. Union u. Ausrufung d. Republik – **Nationalfeiertag:** 17. 6.

WIRTSCHAFT BSP 1991: 5814 Mio. $ = 23170 $ je Ew. (10); realer Zuwachs ∅ 1980–91: 2,4 % (je Ew. 1,8 %); **BIP** 1991: 6300 Mio. $; realer Zuwachs ∅ 1980–91: 2,4 % (S 1992: –3,3 %); Anteil 1990 **Landwirtsch.** 10,1 %, **Industrie** 23,4 %, **Dienstlst.** 66,5 % – **Erwerbstät.** 1991: Landw. 10,7 %, Ind. 26,4 %, Dienstl. 62,9 % – **Arbeitslosigkeit** ∅ 1992: 3,0 % – **Energieverbrauch** 1990: 7226 kg ÖE/Ew. – **Währung:** 1 Isländ. Krone (ikr) = 100 Aurar; 1 US-$ = 70,66 ikr; 100 ikr = 2,39 DM – **Ausl.-Verschuld.** 1991: 191040 Mio. ikr – **Inflation** ∅ 1980–91: 30,0 % (1992: 3,7 %) – **Außenhandel** 1991: **Import:** 1765 Mio. $; Güter: 36 % Maschinen u. Transportausrüst., 17 % Fertigwaren; Länder: 13 % BRD, 13 % USA, 10 % Niederl., 9 % Dänemark, 8 % Großbrit., 7 % Schweden, 7 % Japan; **Export:** 1552 Mio. $; Güter: 79 % Fische u. Fischereierzeugn., 9 % Aluminium; Länder: 23 % Großbrit., 12 % BRD, 12 % USA, 8 % Japan

ISRAEL Vorder-Asien
Staat Israel; Medīnat Yiśra'ēl; State of Israel – IL

LANDESSTRUKTUR Fläche (150): 20770 km² (Grenzen von 1949; mit 445 km² Binnengewässern) – rd. 7375 km² besetzte Gebiete *(→ unten)* – **Einwohner** (102): (F 1991) 4888000 = 235 je km²; (Z 1983) 4037620 – Israeli; rd. 1,1 Mio. Palästinenser im besetzten Westjordanland – **Leb.-Erwart.:** 76 J. (m74/w78); Bev.-Anteil 0–14 J.: 30,9% – **Säugl.-Sterbl.** (1990): 0,9% – **Kindersterbl.:** 1,2% – **Analph.:** unter 5% – Jährl. **Bev.-Wachstum** (∅ 1980–91): 2,2% (Geb.- u. Sterbeziffer 1991: 2,1%/0,6%) – **Sprachen:** Neu-Hebräisch (Iwrith, Ivrith) u. Arabisch als Amtsspr. – **Religion:** 81,8% Juden, 14,1% Muslime, 2,4% Christen, 1,7% Drusen u. a. – **Städt. Bev.:** 92% – **Städte** (F 1990): Jerusalem (de facto Hptst., mit Ost-Jerusalem) 542500 Ew., Tel-Aviv/Yafo [Jaffa] 339400, Haifa 245900, Holon 156700, Petach-Tikwa 144000, Bat Yam 141300, Rishon LeZiyyon 139500, Netanya 132200, Beersheba 122000, Ramat Gan 119500, Bene Beraq 116700

STAAT Parlamentarische Republik – Bislang keine schriftl. Verfassung, doch für Teilbereiche einzelne Gesetze – Parlament (Knesset) mit 120 Mitgl., Wahl alle 4 J. – Wahl d. Staatsoberh. alle 5 J. durch Parl. – Allg. Wahlrecht ab 18 J. – 6 Distrikte (Mechosot) – **Staatsoberhaupt:** Ezer Weizman (Arbeitspartei), seit 13. 5. 1993 (am 24. 3. 1993 gewählt) – **Regierungschef:** Jitzhak Rabin (Arbeitspartei), seit 14. 7. 1992; Koal. aus Arbeitspartei, Meretz-Block u. ultraorthod. Schas – **Äußeres:** Shimon Peres – **Parteien:** Wahlen vom 23. 6. 1992 zur 13. Knesset: Linksgerichtete Parteien insg. 56 Sitze (1988: 49): Arbeitspartei 44, Meretz-Block (Einheitsliste aus Mapam, Bürgerrechtsbewegung Ratz u. Schinui-Zentrumsbewegung) 12 (10); Arabische Parteien: Chadasch (Demokrat. Front für Frieden u. Gleichheit, Kommunisten) 3 (4), Arabische Demokr. Partei 2 (1), Fortschrittl. Liste für Frieden 0 (1); Neue Liberale Partei 0 (3); Rechtsgerichtete Parteien insg. 43 (1988: 47): Likud 32 (40), Zomet 8 (2), Moledet 3 (2), Tchija 0 (3); Religiöse Parteien (insg. 16; 1988: 17): Schas 6 (5), Nationalreligiöse Partei 6 (5), Liste Thora-Judentum 4 (2), Agudat Israel 0 (5); Unabh. 0 (1) – **Unabh.:** 14. 5. 1948 (Proklamation) – **Nationalfeiertag:** jährlich wechselnd, 1994: 14. 4.

Besetzte Gebiete (seit 1967)
Golan (Golan-Höhen; 1981 annektiert) mit 1176 km² u. 26000 Ew. (F 1990)
Gasa (Gaza, Gaza-Streifen; 1981 annektiert) mit 378 km² (nach israel. Ang. 363 km²) u. 800000 Ew. (S 1993), dar. 16000 Syrer u. 4000–5000 israel. Siedler (auf 50% d. Territoriums) – Von den knapp

800000 Palästinensern gelten (1992) 73% als Flüchtlinge, leben 50% in Flüchtl.-Lagern u. sind 30–40% arbeitslos (S 1993)
Westjordanland (Judäa u. Samaria → Jordanien) mit 5879 km² (mit Totem Meer; dar. rd. 3475 km² unter israel. Kontrolle) u. (S 1993) 1,1 Mio. Palästinenser; 110000 israel. Siedler
Ost-Jerusalem (seit 1980 formell annektiert)
(→ Chronik, Nahost-Konferenz)

WIRTSCHAFT BSP 1991: 59128 Mio. $ – 11950 $ je Ew. (28); realer Zuwachs ∅ 1980–91: 3,7% (je Ew. 1,7%); **BIP** 1991: 62687 Mio. $; realer Zuwachs ∅ 1980–91: 3,7% (1992: +6,0%); Anteil 1991 **Landwirtsch.** 2,4%, **Industrie** 32%, **Dienstlst.** 56,8% – **Erwerbstät.** 1990: Landw. 4%, Ind. 28% – **Arbeitslosigkeit** ∅ 1992: 11,3% – **Energieverbrauch** 1991: 1931 kg ÖE/Ew. – **Währung:** 1 Neuer Schekel (NIS) = 100 Agorot; 1 US-$ = 2,43 NIS; 100 NIS = 62,72 DM – **Ausl.-Verschuld.** 1991 (netto): 15310 Mio. $, (brutto) 33100 Mio. $ – **Inflation** ∅ 1980–91: 89,0% (1992: 9,6%) – **Außenhandel** 1992: **Import:** 18800 Mio. $; Güter: 70% Produktionsgüter (dar. 16% Rohdiamanten, 9% mineral. Brennstoffe), 17% Investitionsgüter, 12% Verbrauchsgüter; Länder: 17% USA, 13% Belgien, 12% BRD, 8% Großbrit., 7% Schweiz, 7% Italien, 5% Japan (EG 50%); **Export:** 13100 Mio. $; Güter: 30% Metallerzeugn., Maschinen u. Elektronik, 25% geschliffene Diamanten, 12% Chemikalien, 7% Textilien, 5% Nahrungsmittel; Länder: 31% USA, 8% Großbrit., 6% BRD, 5% Japan, 5% Belgien, 5% Hongkong (EG 34%) – **Tourismus** (1992): 1,6 Mio. Gäste u. 2000 Mio. $ Einnahmen

ITALIEN Süd-Europa
Italienische Republik; Repubblica Italiana – I

LANDESSTRUKTUR Fläche (69): 301302 km² (mit den Inseln Sizilien 25426 km², Sardinien 23813 km², Elba 224 km² u. a.) – **Einwohner** (16): (F Mitte 1991) 57719000 = 192 je km²; (Z 1991) 56411290 – Italiener; rd. 1,5 Mio. Sarden (davon 12000 Katalanen), 750000 Rätoromanen (Friauler u. 30000 Ladiner), 300000 Deutschsprachige (v. a. in Südtirol), etwa 200000 Franco-Provenzalen (Aostatal u. Piemont), 90000 Albaner (bes. Kalabrien), 53000 Slowenen (bes. Triest), 15000 Griechen (bes. Apulien) – rd. 30 Mio. Auslandsitaliener in Europa u. Übersee – **Leb.-Erwart.:** 77 J. (m74/w81); Bev.-Anteil 0–14 J.: 16,2% – **Säugl.-Sterbl.:** 0,8% – **Kindersterbl.:** 1,1% – **Analph.** (1990): 3% – Jährl. **Bev.-Wachstum** (∅ 1980–91): 0,2% (Geb.- u. Sterbeziffer 1991: 1,0%/0,9%) – **Sprachen:** Italienisch, daneben regionale Amtsspr. Sardisch,

Deutsch (Südtirol), Französ.-Provenzalisch (Aosta-tal), Ladinisch teilw. Schulspr. in Südtirol, Slowe-nisch in Triest u. Gorizia [Görz]; außerd. Albanisch, Griechisch u. Katalanisch – **Religion:** über 90% Ka-tholiken; über 50000 Protestanten, 40000 Juden – **Städt. Bev.:** 69% – **Städte** (Z 1991): Roma [Rom] (Hptst.) 2693383 Ew. (m. V. 3661945); Milano [Mailand] 1371008, Napoli [Neapel] 1054601, To-rino [Turin] 961916, Palermo 697162, Genova [Ge-nua] 675639, Bologna 404322, Firenze [Florenz] 402316, Catania 330037, Bari 341273, Venezia [Venedig] 308717, Messina 272461, Verona 252689, Taranto [Tarent] 232200, Trieste [Triest] 229216, Padova [Padua] 215025, Cagliari 203254, Brescia 200722, Modena 176148, Reggio di Cala-bria 169709, Parma 168905, Livorno 167445, Fog-gia 155042, Salerno 153436, Perugia 143698, Fer-rara 137336, Ravenna 135435

STAAT Parlamentarisch-demokratische Repu-blik – Verfassung von 1947 – Neues Wahlrecht seit 4. 8. 1993 (eingeschränkte Verhältniswahl, Mehr-heitswahl für 75% aller Parl.-Mitgl., 4%-Klausel) – Parlament aus 2 Kammern: Abgeordnetenkammer (Camera dei Deputati) mit 630 u. Senat (Senato del-la Repubblica) mit 315 Mitgl.; Wahl alle 5 J. – Amts-zeit d. Staatsoberh. 7 J.; Wahl d. Regierungschefs durch d. Parl. – Allg. Wahlrecht ab 18 J. – 20 Regio-nen (mit 95 Provinzen u. 8100 Gemeinden), »Statu-to Speciale« für Sardinien, Sizilien, Aostatal, Friaul-Julisch-Venetien sowie Südtirol – **Staatsoberhaupt:** Oscar Luigi Scalfaro (PPI), seit 28. 5. 1992 – **Regie-rungschef:** Carlo Azeglio Ciampi (parteilos), seit 29. 4. 1993 (52. Nachkriegskabinett aus PPI, PSI, PRI, PLI, PSDI, PDS, Grüne u. Parteilosen) – **Äuße-res:** Beniamino Andreatta (PPI) – **Parteien:** Wahlen vom 5. 4. 1992 zur Abg.-Kammer bzw. zum Senat: Christdemokraten (Democrazia Cristiana/DC; Um-benennung in Partito Populare Italiano/PPI am 26. 7. 1993) 206 Sitze (1987: 234) in d. Abg.-Kam-mer u. 107 (125) im Senat; Partei d. Demokrat. Lin-ken (Partito Democratico della Sinistra/PDS) 107 (177) u. 64 (101); Sozialisten (Partito Socialista Ital./PSI) 92 (94) u. 49 (36); Kommunist. P. (Rifon-dazione Cummunista/RC) 35 (als Partito Comunista Ital./PCI: 177) u. 20 (PCI: 101); Lega Nord 55 (1) u. 25 (1) u. a. Ligen 1 (–) u. 2 (–); neofaschistische Ita-lienische Sozialbewegung-Nationale Rechte/MSI-DN 34 (35) u. 16 (16); Republikan. Partei/PRI 27 (21) u. 10 (8); Liberale Partei/PLI 17 (11) u. 4 (3); Verdi (Grüne) 16 (13) u. 4 (1); Sozialdemokraten/ PSDI 16 (17) u. 3 (5); La Rete (Bürgerbewegung in Sizilien) 12 (–) u. 3 (–); Sonstige 13 (27) u. 10 (19) Sitze [dar. Südtiroler Volksp./SVP 3 (3) u. 3 (2)] –

Italien: Bevölkerung und Bevölkerungsdichte nach Regionen

Region/Hauptort	Fläche in km²	Bevölkerung			Einwohner je km²	
		Z 1971	Z 1981	Z 1991	Z 1971	Z 1991
Abruzzen (Abruzzi)/L'Aquila	10794	1166800	1217700	1243690	108	115
Basilicata/Potenza	9992	603000	610200	605940	60	61
Kalabrien (Calabria)/Catanzaro	15080	1988100	2061200	2037686	132	135
Kampanien (Campania)/Neapel (Napoli)	13596	5059400	5463200	5589587	372	411
Emilia-Romagna/Bologna	22122	3846800	3957500	3899170	174	176
Friaul-Julisch-Venetien (Friuli-Venezia-Giulia)/						
Triest (Trieste)[1]	7844	1213500	1233900	1193520	155	152
Latium (Latio)/Rom (Roma)	17203	4689500	5001700	5031230	273	292
Ligurien (Liguria)/Genua (Genova)	5418	1853500	1807600	1668078	342	308
Lombardei (Lombardia)/ Mailand (Milano) . . .	23859	8543400	8891700	8831264	358	370
Marken (Marche)/Ancona	9693	1360000	1412400	1427666	140	147
Molise/Campobasso	4438	319800	328300	327893	72	74
Piemont (Piemonte)/Turin (Torino)	25399	4432300	4479200	4290412	175	169
Apulien (Puglia)/Bari	19357	3582800	3871600	3986430	185	206
Sardinien (Sardegna)/Cagliari[1]	24090	1473800	1594100	1637705	61	68
Sizilien (Sicilia)/Palermo[1]	25706	4680600	4906900	4961383	182	193
Toskana (Toscana)/Florenz (Firenze)	22993	3473100	3581100	3510114	151	153
Trentino-Tiroler Etschland (Trentino-Alto Adige)/						
Bozen (Bolzano)[1]	13618	841800	873400	886914	62	65
Umbrien (Umbria)/Perugia	8456	775700	807600	804054	92	95
Aostatal (Valle d'Aosta)/ Aosta[1]	3262	109200	112400	115397	34	35
Venetien (Veneto)/Venedig (Venezia)	18365	4123500	4345000	4363157	225	238

[1] Autonome Region mit Sonderstatut
Quelle: Statistisches Bundesamt, Länderbericht 1992

Unabh.: alte staatliche Geschichte; nationale Einheit in neuerer Zeit seit 1861 (Monarchie), Republik seit 2. 6. 1946 – **Nationalfeiertag**: 1. Sonntag im Juni (Gründung der Republik 1946)

WIRTSCHAFT *(Einzelheiten → Kap. Wirtschaft; Sp. 916 f.)* **BSP** 1991: 1072 198 Mio. $ = 18 520 $ je Ew. (19); realer Zuwachs $\varnothing$ 1980–91: 2,4 %; **BIP** 1991: 1 150 516 Mio. $; realer Zuwachs $\varnothing$ 1980–91: 2,4 % (1992: +0,9 %); Anteil 1992 **Landwirtsch.** 3,3 %, **Industrie** 33,5 %, **Dienstlst.** 63,2 % – **Erwerbstät.** 1991: Landw. 8,5 %, Ind. 32,3 %, Dienstl. 59,2 % – **Arbeitslosigkeit** $\varnothing$ 1992: 11,1 % – **Energieverbrauch** 1991: 2756 kg ÖE/Ew. – **Währung:** 1 Italienische Lira (Lit) = 100 Centesimi (Cent.); 1 US-$ = 1534,39 Lit; 100 Lit = 0,11 DM – **Ausl.-Verschuld.** (brutto) 1991: 222 500 Mio. $ – **Inflation** $\varnothing$ 1980–91: 9,5 % (1992: 5,3 %) – **Außenhandel** 1991: **Import:** 226 000 Mrd. Lit (1992: 232 100 Mrd. Lit); Güter: 33 % Maschinen u. Kfz, 15 % chem. Erzeugn., 10 % Bergbauprod. u. mineral. Rohstoffe, 8 % Metallerzeugn., 8 % Nahrungs- u. Genußmittel, 7 % land-, forst- u. fischwirtschaftl. Prod., 6 % Textilien u. Bekleidung; Länder: 21 % BRD, 14 % Frankr., 6 % Niederl., 6 % USA, 5 % Großbrit., 5 % Belgien/Lux., 4 % Schweiz, 2 % Japan; **Export:** 210 000 Mrd. Lit (1992: 219 400 Mrd. Lit); Güter: 42 % Maschinen u. Kfz, 16 % Textilien u. Bekleidung, 10 % chem. Erzeugn., 6 % Metallerzeugn., 5 % Nahrungs- u. Genußmittel, 4 % Holz, Kork u. Papier, 2 % land-, forst- u. fischwirtschaftl. Prod.; Länder: 21 % BRD, 15 % Frankr., 7 % USA, 7 % Großbrit., 4 % Schweiz, 3 % Belgien/Lux., 3 % Niederl., 2 % Japan

PRESSE (Aufl. i. Tsd.) *Tageszeitungen:* Rom: Il Manifesto (82) – Il Messaggero (390) – Il Popolo (44)/DC – La Repubblica (810) – Il Tempo (158) – L'Unità (257) – Bologna: Il Resto del Carlino (307) – Bozen: Dolomiten (47)/Dt. – Florenz: La Nazione (266) – Genua: Il Secolo XIX (204) – Mailand: Avvenire (95) – Corriere della Sera (666) – La Gazzetta dello Sport (830) – Il Giornale (247) – Il Giorno (184) – La Notte (98) – Il Sole/24 Ore (353)/ Wirtsch., Finanzen – Neapel: Il Mattino (227) – Turin: La Stampa/Stampa Sera (403) – Venedig: Il Gazzettino (180) – *Wochenzeitungen:* Rom: L'Espresso (374) – Mailand: Epoca (192) – L'Europeo (172) – Famiglia Cristiana (1053)/kath. – Gente (901) – Il Mondo (83)/Wirtsch., Finanzen – Oggi (696) – Panorama (504) – Tempo (230) – Visto (350) – Bozen: Volksbote (11)/Org. d. Südtiroler Volkspartei – *Nachrichtenagentur:* ANSA (Agenzia Nazionale Stampa Associata)

JAMAIKA *Mittel-Amerika; Karibik (Große Antillen)*
Jamaica – JA

LANDESSTRUKTUR Fläche (159): 10 990 km^2 – **Einwohner** (132): (Z 1991) 2 374 193 = 214 je km^2 (vorl. Ergeb.) – Jamaikaner; 75 % Schwarze u. 13 % Mulatten, 1,3 % Inder, 0,2 % Weiße, 0,2 % Chinesen – **Leb.-Erwart.:** 73 J. (m71/w76); Bev.-Anteil 0–14 J.: 33,0 % – **Säugl.-Sterbl.** (1989): 1,5 % – **Kindersterbl.:** 1,8 % – **Analph.:** 2 % – Jährl. **Bev.-Wachstum** ($\varnothing$ 1980–91): 1,0 % (Geb.- u. Sterbeziffer 1991: 2,4 %/0,7 %) – **Sprache:** Englisch – **Religion:** 48 % Protestanten (v. a. Anglikaner u. Baptisten), 4,9 % Katholiken, insg. rd. 100 versch. christl. Gruppierungen; Juden, Hindu- u. Muslimgruppen; Rastafari – **Städt. Bev.:** 53 % – **Städte** (F 1989): Kingston (Hptst., als Bezirk zus. mit St. Andrew) 641 500 Ew.; (Z 1982) Spanish Town 89 100, Montego Bay 70 300, May Pen 41 000, Mandeville 34 500

STAAT Konstitutionelle Monarchie im Commonwealth – Verfassung von 1962 – Parlament aus 2 Kammern: Repräsentantenhaus mit 60 gewählten u. Senat mit 21 vom Generalgouverneur ernannten Mitgl.; Wahl alle 5 J. – Allg. Wahlrecht – 14 Bezirke (Parishes) – **Staatsoberhaupt:** Königin Elizabeth II., vertreten durch Generalgouverneur Sir Howard Felix Hanlan Cooke, seit 1. 8. 1991 – **Regierungschef:** Percival James (»P. J.«) Patterson (PNP-Vors.), seit 1. 4. 1992 – **Äußeres:** David H. Coore – **Parteien:** Wahlen vom 30. 3. 1993: People's National Party/PNP 53 Sitze (1989: 45) Sitze, Jamaica Labour Party/JLP 7 (15) – **Unabh.:** 6. 8. 1962 – **Nationalfeiertag:** 2. 8.

WIRTSCHAFT BSP 1991: 3365 Mio. $ = 1380 $ je Ew. (96); realer Zuwachs $\varnothing$ 1980–91: 1,0 %; **BIP** 1991: 3497 Mio. $; realer Zuwachs $\varnothing$ 1980–91: 1,6 %; Anteil 1991 **Landwirtsch.** 5 %, **Industrie** 40 %, **Dienstlst.** 55 % – **Erwerbstät.** 1990: Landw. 27 %, Ind. 16 % – **Arbeitslosigkeit** $\varnothing$ 1992: rd. 15 % – **Energieverbrauch** 1991: 858 kg ÖE/Ew. – **Währung:** 1 Jamaika-Dollar (J$) = 100 Cents (c); 1 US-$ = 23,75 J$; 100 J$ = 7,11 DM – **Ausl.-Verschuld.** 1991: 4456 Mio. $ = 134,9 % d. BSP – **Inflation** $\varnothing$ 1980–91: 19,6 % (1992: 40 %) – **Außenhandel** 1991: **Import:** 1843 Mio. $; Güter: 21 % Brennstoffe, 20 % Nahrungsmittel, 18 % Maschinen u. Transportausrüst.; Länder (1989): 52 % USA, 7 % Kanada, 6 % Großbrit.; **Export:** 1081 Mio. $; Güter (1989): 60 % Aluminiumoxyd u. Bauxit; Zucker, Tabak, Bananen, Rum, Früchte, Gewürze, Leichtindustriegüter; Länder (1989): 36 % USA, 16 % Großbrit., 13 % Kanada, 5 % Norwegen, CARICOM-Staaten – Wichtigste Devisenquelle ist der **Tourismus** (1992): 1,5 Mio. Gäste u. 815 Mio. $ Einnahmen

JAPAN *Ost-Asien*
Nippon Teikoku; Nippon – J

LANDESSTRUKTUR Fläche (60): 377801 km^2 (4 Haupt- u. 3900 kleinere Inseln; Anspruch auf 4 nordpazif. Kurileninseln, seit II. Weltkrieg von Rußland besetzt) – **Einwohner** (7): (F Okt. 1992) 124450000 = 329 je km^2; (Z 1.10. 1990) 123611167 – Über 99 % Japaner, ca. 15000 Ainu; (F 1988) 941000 Ausländer, davon 677000 Koreaner, 129300 Chinesen, 32800 Amerikaner, 32200 Philippiner, außerd. and. südostasiat. Gruppen u. Europäer – **Leb.-Erwart.:** 79 J. (m76/w82); Bev.-Anteil 0–14 J.: 18,1 % – **Säugl.-Sterbl.:** 0,5 % – **Kindersterbl.:** 0,6 % – **Analph.:** unter 5 % – Jährl. **Bev.-Wachstum** (∅ 1980–91): 0,5 %; (Geb.- u. Sterbeziffer 1991: 1,0 %/0,7 %) – **Sprachen:** Japanisch als Amtsspr.; Englisch als Verkehrs- u. Bildungsspr. – **Religion:** bis 80 % Buddhisten (dar. die »Soka Gakkai«) u. Schintoisten (1990: 113,5 Mio. Schintoisten, 94,5 Mio. Buddhisten, 11,4 Mio. Mischreligionen); 1,4 Mio. Christen (davon ca. 1 Mio. Protestanten, 0,4 Mio. Katholiken); Japaner gehören meist mehreren Rel.-Gemeinschaften an – **Städt. Bev.:** 77 % – **Städte** (Z 1990): Tokyo [Tokio] (Hptst.) 8163127 Ew. (m. V. bzw. als Präfektur 11855000, als Conurb. [Kei-hin] Tokyo-Yokohama usw. 17–27 Mio.); Yokohama [Jokohama] 3220350, Osaka 2623831 (Präfektur 8735000), Nagoya [Nagoja] 2154664, Sapporo 1671765, Kyoto [Kioto] 1461140, Kobe 1477423, Fukuoka 1237107, Kawasaki 1173606, Hiroshima [Hiroschima] 1085677, Kitakiushu [Kitakjuschu] 1026467, Sendai 918378

STAAT Parlamentarisch-demokratische Monarchie – Verfassung von 1947 – Parlament (Kokkai) aus 2 Kammern: Unterhaus (Abgeordnetenhaus, Shugi-in) mit 511 u. Oberhaus (Haus der Räte, Sangi-in) mit 252 Mitgl.; Wahl d. Unterhauses alle 4 J., d. Oberhauses alle 6 J. (zur Hälfte alle 3 J. neu) – Allg. Wahlrecht ab 20 J. – 43 Präfekturen (»ken«: auf Honshu 31, Kyushu 7, Shikoku 4, Okinawa 1), 2 Stadtpräfekturen (»fu«: Osaka und Kioto), die Hauptstadt »to«: Tokio (alle 3 auf Honshu) u. Provinz Hokkaido – Traditionsgemäß (nicht admin.) 8 Regionen (»chiho«): Hokkaido, Tohoku, Kanto, Chubu, Kinki, Chugoku, Shikoku, Kyushu – **Staatsoberhaupt:** Kaiser Akihito, seit 1989, »Symbol d. Einheit d. Staates u. d. Einheit d. Volkes«, kein Staatsoberhaupt i. e. S. – **Regierungschef:** Morihiro Hosokawa (JNP), seit 6. 8. 1993 (8-Parteien-Bündnis) – **Äußeres:** Tsutomu Hata – **Parteien:** Vorgezogene Neuwahlen zum Unterhaus vom 18. 7. 1993 *(Sitzverteilung → Abb.):* Liberal-Demokrat. Partei/LDP 36,6 %, Sozialdemokrat. Partei/SDPJ 15,4 %, Erneuerungspartei/JRP (Shinseito) 10,1 %,

Komeito (Buddhisten) 8,1 %, Neue Partei Japans/JNP (Nihonshinto) 8,0 %, Demokrat. Sozialisten/DSP 3,5 %, Kommunisten/KPJ 7,7 %, Fortschrittspartei (Sakigake) 2,6 %, Sozialdemokrat. Bündnis/USDP 0,7 %, Unabhängige 7,1 % – Oberhaus, Teilwahlen vom 26. 7. 1992, derzeit. Sitzverteilung: LDP 108 Sitze, SPDJ 71, Komeito 24, KPJ 11, Rengo 12, DSP 7, Neue Japan-Partei/NJP 4, Sonstige 15 – **Unabh.:** seit mindestens 660 v. Chr. – **Nationalfeiertage:** 29. 4. u. 23. 12.

WIRTSCHAFT *(Einzelheiten → Kap. Wirtschaft, Sp. 922)* **BSP** 1991: 3337191 Mio. $ = 26930 $ je Ew. (4); realer Zuwachs ∅ 1980–91: 4,3 %; 1992: +0,8 %; **BIP** 1991: 3362282 Mio. $; realer Zuwachs ∅ 1980–91: 4,2 % (1992: +1,3 %); Anteil 1990 **Landwirtsch.** 7,2 %, **Industrie** 34,1 %, **Dienstlst.** 59,7 % – **Erwerbstät.** 1991: Landw. 6,1 %, Ind. 34,4 % – **Arbeitslosigkeit** ∅ 1992: 2,5 % – **Energieverbrauch** 1991: 3552 kg ÖE/Ew. – **Währung:** 1 Yen (¥) = 100 Sen; 1 US-$ = 105,65 ¥; 100 ¥ = 1,598 DM – **Inflation** ∅ 1980–91: 1,5 % (1992: 1,6 %) – **Außenhandel** 1992: **Import:** 232700 Mio. $; Güter: 34 % mineral. Brennstoffe (dar. 13 % Rohöl), 18 % Maschinen u. Transportausrüst., 16 % Nahrungsmittel, 8 % Chemikalien, 7 % Textilien; Länder: 23 % USA, 6 % VR China, 6 % Australien, 5 % Indonesien, 5 % Rep. Korea, 5 % BRD, 4 % Ver. Arab. Emirate, 4 % Saudi-Arabien; **Export:** 339800 Mio. $; Güter: 18 % Kfz, 6 % Chemikalien, 5 % Computer, 4 % Eisen u. Stahl, 4 %

Liberaldemokraten/LDP 275
Sozialdemokraten/ SDPJ 136
Komeito (Buddhisten) 45
Kommunisten/KPJ 16
Demokrat. Sozialisten/DSP 14
Sozialdemokrat. Bündnis 4
Unabhängige 22

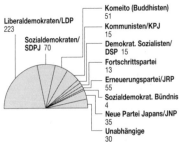

Liberaldemokraten/LDP 223
Sozialdemokraten/ SDPJ 70
Komeito (Buddhisten) 51
Kommunisten/KPJ 15
Demokrat. Sozialisten/ DSP 15
Fortschrittspartei 13
Erneuerungspartei/JRP 55
Sozialdemokrat. Bündnis 4
Neue Partei Japans/JNP 35
Unabhängige 30

Japan: Wahlen zum Unterhaus vom 18. 7. 1993

Japan: Fläche und Bevölkerung

Präfekturen[1]/Hauptorte	Fläche in km²	Einwohner der Präfekturen (Volkszählung von 1990)	Einwohner je km²	Einwohner der Hauptorte (F 1990)
Hokkaidō/*Sapporo*	78523	5644000	72	1671765
Insel Hokkaidō	78523	5644000	72	
Aomori/*Aomori*	9619	1483000	154	287813
Iwate/*Morioka*	15277	1417000	93	235440
Miyagi/*Sendai*	7292	2249000	308	918378
Akita/*Akita*	11613	1227000	106	302359
Yamagata/*Yamagata*	9327	1258000	135	249493
Fukushima/*Fukushima*	13784	2104000	153	277526
Ibaraki/*Mito*	6094	2845000	467	234970
Tochigi/*Utsunomiya*	6414	1935000	302	426809
Gumma/*Maebashi*	6356	1966000	309	286261
Saitama/*Urawa*	3799	6405000	1686	418267
Chiba/*Chiba*	5151	5555000	1078	829467
Tōkyō/*Tōkyō*	2166	11855000	5473	8163127
Kanagawa/*Yokohama*	2403	7980000	3321	3220350
Niigata/*Niigata*	12579	2475000	197	486087
Toyama/*Toyama*	4252	1120000	263	321259
Ishikawa/*Kanazawa*	4198	1165000	277	442872
Fukui/*Fukui*	4192	824000	196	252750
Yamanashi/*Kōfu*	4463	853000	191	200630
Nagano/*Nagano*	13585	2157000	159	347036
Gifu/*Gifu*	10596	2067000	195	410318
Shizuoka/*Shizuoka*	7773	3671000	472	472199
Aichi/*Nagoya*	5139	6690000	1302	2154664
Mie/*Tsu*	5778	1793000	310	157178
Shiga/*Otsu*	4016	1222000	304	260004
Kyōto/*Kyōto*	4613	2603000	564	1461140
Ōsaka/*Ōsaka*	1869	8735000	4673	2623831
Hyōgo/*Kōbe*	8381	5405000	645	1477423
Nara/*Nara*	3692	1375000	372	349356
Wakayama/*Wakayama*	4725	1074000	227	396554
Tottori/*Tottori*	3494	616000	176	142477
Shimane/*Matsue*	6629	781000	118	142931
Okayama/*Okayama*	7092	1926000	271	593742
Hiroshima/*Hiroshima*	8467	2850000	337	1085677
Yamaguchi/*Yamaguchi*	6107	1573000	257	129467
Insel Honshu	231090	99254000	429	
Tokushima/*Tokushima*	4143	832000	201	263336
Kagawa/*Takamatsu*	1860	1023000	550	329695
Ehime/*Matsuyama*	5673	1515000	267	443317
Kōchi/*Kōchi*	7104	825000	116	317090
Insel Shikoku	18780	4195000	223	
Fukuoka/*Fukuoka*	4963	4811000	969	1237107
Saga/*Saga*	2440	878000	360	169964
Nagasaki/*Nagasaki*	4113	1563000	380	444616
Kumamoto/*Kumamoto*	7408	1840000	248	579305
Oita/*Oita*	6338	1237000	195	408502
Miyazaki/*Miyazaki*	7735	1169000	151	287367
Kagoshima/*Kagoshima*	9166	1798000	196	536685
Insel Kyūshū	42163	13296000	315	
Okinawa/*Naha*	2263	1223000	540	304896
Giappone/*Tōkyō*	372819	123612000	331	

[1] Präfekturen = *ken*, Kyoto und Osaka = *fu* (Stadtpräfekturen), Tokyo = *to* (Hauptstadt)
[2] Enthält 155 km² Binnengewässer.

Kfz-Teile, 3% Generatoren; Länder: 29% USA, 7% BRD, 6% Rep. Korea, 6% Rep. China, 5% Hongkong, 4% Singapur, 4% Großbrit.

PRESSE (Aufl. i. Tsd.) *Tageszeitungen:* Tokio: Asahi Shimbun (morg. 8200, ab. 4700) – Hochi Shimbun (654) – The Japan Times (75)/Engl. – Komei Shimbun (800, so. 1400) – Mainichi Shimbun (morg. 1600, ab. 800) – Nihon Keizai Shimbun (morg. 3000, ab. 1790)/Wirtsch. u. Finanz – Sankei Shimbun (morg. 819, ab. 351) – Seikyo Shimbun (5500) – Tokyo Shimbun (morg. 801, ab. 512) – Yomiuri Shimbun (morg. 9800, ab. 4700) – Yukan Fuji (1200) – Osaka: Asahi Shimbun (morg. 2320, ab. 1440) – Mainichi Shimbun (morg. 1440, ab. 940) – Sankei Shimbun (morg. 1180, ab. 717) – Yomiuri Shimbun (morg. 2400, ab. 1460) – *Nachrichtenagenturen:* JIJI (Jiji Tsushin Sha) – KYODO (Kyodo Tsushin)

JEMEN *Vorder-Asien*

Republik Jemen; Al Dschumhurija al Jamanija bzw. Al-Jumhûrîya al-Yamanîya – Y

LANDESSTRUKTUR Fläche (48): 527 968 km^2 (mit den Inseln: Perim mit 13 km^2, Kamaran mit 57 km^2 u. Sokotra) – **Einwohner** (57): (F 1991) 12 533 000 = 24 je km^2; (Z 1986, Nord-J.) 9 274 173 u. (Z 1988, Süd-J.) 2 345 266 Ew. – Jemeniten; haupts. Südaraber, z. T. mit negroidem Einschlag, 3% Inder, 1% Somali – **Leb.-Erwart.:** 52 J. (m52/w52); Bev.-Anteil 0–14 J.: 49,3% – **Säugl.-Sterbl.** (1992): 10,9% – **Kindersterbl.:** 15,7% – **Analph.:** 62% – Jährl. **Bev.-Wachstum** (∅ 1980–91): 3,8% (Geb.- u. Sterbeziffer 1991: 5,2%/1,4%) – **Sprache:** Arabisch – **Religion:** rd. 90% Muslime (etwa zur Hälfte jeweils Sunniten u. Schiiten); 600 000 Katholiken, kl. hinduist. Minderheit; Islam ist Staatsreligion – **Städt. Bev.:** 30% – **Städte** (1986): San'a [Sanaa] (Hptst.) 427 200 Ew.; Aden 365 000, Tais [Ta'izz] 178 000, Hodeida 155 000, El-Mukalla 50 000, Shaikh 'Uthmân 35 000

STAAT Islamische präsidiale Republik – Verfassung von 1991; neue Verfassung in Ausarbeitung – 5köpfiger Präsidialrat als oberstes Exekutivorgan – Parlament mit 301 Mitgl. – Allg. Wahlrecht – 17 Provinzen – **Staatsoberhaupt:** Ali Abdallah Saleh (GPC), seit 24. 5. 1990 – **Regierungschef:** Haidar Abu Bakr al Attas (YSP), seit 24. 5. 1990 (Koalition seit Juni 1993 aus GPC, YSP u. YIP) – **Äußeres:** Muhammad Salim Ba Sendwa – **Parteien:** Erste Wahlen seit der Vereinigung vom 27. 4. 1993 (3627 Kandidaten, dar. rd. 50 Frauen; Wahlbeteiligung 95%): Allgemeiner Volkskongreß/GPC (ehem. Nord-J.) rd.

40% u. 122 Sitze, islam. Partei El-Islah/YIP (Jemenit. Vereinigung für Reformen) 23% u. 62, Sozialistische Partei/YSP (ehem. Süd-J.) 12% u. 56, Unabh. 21% u. 47, Sonstige 14 – **Unabh.:** lang zurückreichende staatl. Geschichte; 30. 10. 1918 Unabh. des Nord-J. v. Osmanischen Reich; 30. 11. 1967 Unabh. des Süd-J. v. d. britischen Kolonialmacht; 22. 5. 1990: Vereinigung d. Jemenit. Arab. Rep. u. d. Demokrat. Volksrep. Jemen zur »Republik Jemen« – **Nationalfeiertag:** 22. 5.

WIRTSCHAFT BSP 1991: 6746 Mio. $ = 520 $ je Ew. (134); **BIP** 1991: 7524 Mio. $; Anteil 1991 **Landwirtsch.** 22%, **Industrie** 26%, **Dienstlst.** 52% – **Erwerbstät.** 1991: Landw. 55%, Ind. ca. 12% – **Arbeitslosigkeit** ∅ 1992: 36% – **Ausl.-Verschuld.** 1991: 6471 Mio. $ = 88,1% d. BSP – **Währung:** 1 Jemen-Rial (Y. Rl) = 100 Fils; 26 Y. Rls = 1 YDinar; 1 US-$ = 12,00 Y. Rls; 100 Y. Rls = 14,07 DM – **Inflation** ∅ 1992: rd. 100% – **Energieverbrauch** 1991: 96 kg ÖE/Ew. – *ehem.* **Arab. Rep. Jemen: Außenhandel** 1990: **Import:** 13 954 Mio. Y. Rls; Güter: 40% Nahrungsmittel u. leb. Tiere, 15% Maschinen u. Transportausrüst.; Länder: 34% EG-Länder (dar. 8% Frankr.), 9% Saudi-Arabien, 7% USA; **Export:** 6353 Mio. Y. Rls; Güter: 91% Erdöl u. -produkte; Länder: 47% USA, 41% EG-Länder (dar. 30% Italien) – *ehem.* **Dem. Volksrep. Jemen: Außenhandel** 1988: **Import:** 598 Mio. $; Güter (1986): 32% Nahrungsmittel u. leb. Tiere; Länder (1986): 18% UdSSR, 8% Großbrit.; **Export:** 80 Mio. $; Güter: 47% Fischereiprodukte, 12% Erdölderivate; Länder (1986): 28% Japan, 24% Frankr., 13% Saudi-Arabien

JORDANIEN *Vorder-Asien*

Haschemitisches Königreich Jordanien; Al-Mamlaka Al-Urdunnîya Al-Hâshimîya – JOR

LANDESSTRUKTUR Fläche (109): 97 740 km^2 (mit 918 km^2 Binnengewässern), davon 5879 km^2 (Westjordanland) von Israel seit 1967 besetzt (formeller Verzicht durch König Hussein im Juli 1988 zugunsten eines Palästinenser-Staates) – **Einwohner** (118): (F 1991) 3 700 000 = 38 je km^2; (Z 1979) 2 100 019, ohne West-J. – Jordanier; 99% Araber, davon mind. 40% Palästinenser; Minderheiten von Tscherkessen, Armeniern u. Kurden – (S 1991) 43–50% der Bev. sind Flüchtlinge – **Leb.-Erwart.:** 69 J. (m66/w70); Bev.-Anteil 0–14 J.: 43,6% – **Säugl.-Sterbl.:** 2,9% – **Kindersterbl.:** 3,2% – **Analph.:** 20% – Jährl. **Bev.-Wachstum** (∅ 1980–91): 4,7% (Geb.- u. Sterbeziffer 1991: 3,7%/0,5%) – **Sprachen:** Arabisch als Amtsspr.; Englisch als Bildungsspr. – **Religion:** 73,6% Muslime, überw. Sunniten; 186000 Christen (u. a. 70000 Griech.-Orthodoxe, 3900 Armenier, Melkiten) – **Städt. Bev.:** 69% – **Städte** (S 1992): Amman (Hptst.) 965000 Ew.; As-Sarka [Zarqa] 359000, Irbid 216000, Ar-Rusaifa 115500; (S 1986) Westjordanland insg. 2,796 Mio. Ew.: Hebron 100000, Jerusalem (Altstadt) 90000, Nablus 64000, Bethlehem 25000 *(→ Karte »Israel und die besetzten Gebiete«, WA '93, Sp. 77f.)*

STAAT Konstitutionelle Monarchie – Verfassung von 1952 – Parlament aus 2 Kammern: Haus der Notabeln mit 30 Mitgl. (für 8 J. vom König ernannt) u. Abgeordnetenhaus mit 60 Mitgl., Wahl alle 4 J. – Seit 1. 9. 1992 Rückkehr zum Mehrparteiensystem – 8 Distrikte (Monafathah) mit Gouverneur (Mutassarif) u. 1 Wüstenterritorium – **Staatsoberhaupt:** König Hussein Ibn Talal, seit 1952, gekrönt 1953 – **Regierungschef u. Äußeres:** Abdel Salam al Madjali, seit 31. 5. 1993 (Übergangsreg. zur Vorbereitung von Parl.-Wahlen) – **Parteien:** Letzte Wahlen 1989 – *Erste freie Wahlen seit 1957 für 8. 11. 1993 vorgesehen* – **Unabh.:** 22. 3. 1946 – **Nationalfeiertag:** 25. 5.

WIRTSCHAFT **BSP** 1991: 3881 Mio. $ = 1050 $ je Ew. (106); realer Zuwachs ⌀ 1980–91: 0,6%; **BIP** 1991: 3524 Mio. $; realer Zuwachs ⌀ 1980–91: –1,5%; Anteil 1991 **Landwirtsch.** 7%, **Industrie** 26%, **Dienstlst.** 67% – **Erwerbstät.** 1990: Landw. 6%, Prod. Gewerbe 23% – **Arbeitslosigkeit** Ende 1991: 25% – **Energieverbrauch** 1991: 856 kg ÖE/Ew. – **Währung:** 1 Jordan-Dinar (JD.) = 1000 Fils (FLS); 1 US-$ = 0,69 JD.; 100 JD. = 243,26 DM – **Ausl.-Verschuld.** 1991: 8641 Mio. $ = 226,9% d. BSP – **Inflation** ⌀ 1980–91: 1,6% – **Außenhandel** 1991: **Import:** 2507 Mio. $; Güter: 26% Nahrungsmittel, 18% Maschinen u. Transportausrüst., 14% Brennstoffe, 13% chem. Produkte; Länder: v. a. USA, Irak, BRD, Großbrit., Frankr., Italien; **Export:** 879 Mio. $; Güter: 30% Chemikalien, 21% Phosphatprod., 16% Pottasche, 8% Obst u. Gemüse; Länder (1987): v. a. Irak, Saudi-Arabien, Indien, USA

JUGOSLAWIEN *Südost-Europa*
Bundesrepublik Jugoslawien; Federativna Republika Jugoslavija; seit 29. 4. 1992 aus Serbien (Srbija) u. Montenegro (Crna Gora) bestehend – YU bzw. SRJ

LANDESSTRUKTUR **Fläche** (107): 102173 km² (davon *Serbien* 88361 km² einschl. Kosovo 10887 km² u. Vojvodina 21506 km² sowie *Montenegro* 13812 km²) – **Einwohner** (64): (Z 1991)

10406742 Ew. = 102 je km², davon *Serbien* 9791475 u. *Montenegro* 615267 – 62,3% Serben, 16,6% Albaner, 5% Montenegriner, 3,3% Ungarn, 3,3% Jugoslawen [Eigenbezeichnung], 3,1% ethn. Muslime – **Leb.-Erwart.***: 73 J. (m70/w76) – **Säugl.-Sterbl.*** (1990): 2,1% – **Kindersterbl.***: 2,2% – **Analph.***: 7% – Jährl. **Bev.-Wachstum*** (⌀ 1980–91): 0,6% (Geb.- u. Sterbeziffer 1991: 1,4%/0,9%) – **Sprachen:** Serbisch als Amtsspr. (kyrill. Schrift); Albanisch, Montenegrinisch, Magyarisch (Ungarisch) u. a. Spr. der Minderh. – **Religion:** überw. Orthodoxe u. Muslime; kath., protestant. u. jüdische Minderh. – **Städt. Bev.:** 46% – **Städte** (Z 1991): Beograd [Belgrad] (Hptst.) 1087915 Ew.; Novi Sad [Neusatz] (Hptst. d. Vojvodina) 170029, Niš 160376, Kragujevać 146607, Priština (Hptst. d. Kosovo) 108020, Subotica 100219, Podgorica [ehem. Titograd] (Hptst. von Montenegro) 96074

* *Angaben für ehem. Jugoslawien*

STAAT *(→ Chronik)* Föderative Republik – Neue Verfassung vom 27. 4. 1992; Notstandsgesetze seit 9. 7. 1992 in Kraft – Bundesparlament aus 2 Kammern: Rat der Bürger (1. Kammer) mit 138 direkt gewählten Mitgl. (Serbien 108, Montenegro 30) u. Rat der Republiken (2. Kammer) mit 40 Mitgl. (je zur Hälfte von d. Parl. Serbiens u. Montenegros ernannt) – *Serbien:* Parlament mit 250 Abg.; Präs.: Slobodan Milošević (SPS-Vors.), seit Mai 1989 (zuletzt wiedergew. am 20. 12. 1992); Reg.-Chef: Nikola Šainović, seit 25. 1. 1993; Äußeres: Vladislav Jovanović; *Montenegro:* Parlament mit 125 Abg.; Präs.: Momir Bulatović (DPS-Vors.), seit 9. 12. 1990 (am 10. 1. 1993 in Direktwahl im Amt bestätigt); Reg.-Chef: Milo Djukanović (DPS) – Äußeres: Miodrag Lekić – Zu Serbien gehören d. ehem. autonomen Gebiete Kosovo u. Vojvodina *(→ unten)* – **Staatsoberhaupt:** Zoran Lilić (SPS), seit 25. 6. 1993 (Wahl durch Bundesparl.) – **Regierungschef:** Radoje Kontić (DPS), seit 2. 3. 1993 – **Äußeres:** Vladislav Jovanović – **Parteien:** Wahlen vom 20. 12. 1992: Bundesparlament (Rat der Bürger): Sozialistische Partei Serbiens/SPS (ehem. Bund d. Kommunisten) 34% u. 47 Sitze (Wahl vom 31. 5. 1992: 73), Serbische Radikale Partei/SRS 24% u. 34 (33), DEPOS (Dachverband aus 14 Oppos.-Parteien) 20 (–), Demokrat. Partei der Sozialisten Montenegros/DPS 17 (23), Demokrat. Partei/DP 5 (–), Sonstige 15 (8) – Länderparlamente: *Serbien:* SPS 44% u. 101 Sitze (Wahl vom 9. 12. 1990: 194), SRS 29% u. 73 (–), DEPOS 49 (–), DP 7 (7), Sonstige 20 (49); *Montenegro:* DPS 44% u. 45 (Wahlen vom 9./23. 12. 1990: 83), Volkspartei/NS 12% u. 14 (12), Liberale/LZ 12% u. 13, SRS 7% u. 8, Allianz Reformistischer Kräfte/SPO 4% u. 4 (17), Sonstige 41 (13) – Boykott der Wahlen durch die Albaner im Kosovo u. durch die Moslems im Sandschak – **Unabh.:** Serbien u. Montenegro treten am 29. 4. 1992 die Rechtsnachfolge der »Sozialist. Föderativen Rep. J.« unter dem Namen »Bundesrepublik Jugoslawien« an (Rechtsnachfolge durch UNO nicht anerkannt; Ausschluß aus der UNO) – **Nationalfeiertag:** 29. 11.

WIRTSCHAFT *(Übersicht → Tab. Sp. 567)* **BSP** (S 1992): 500 $ je Ew. (136); **BIP** (S 1991): 82317 Mio. $; realer Zuwachs 1991/92: –27,0 %; Anteil 1991 **Landwirtsch.** 12 %, **Industrie** 48 %, **Dienstlst.** 40 % – 1990/91: Rückgang der Brutto-Industrieprod. um 21 % (Serbien 36 %), der Agrarprod. um 22 %, der Netto-Realeink. um 50,6 % – **Arbeitslosigkeit** Ende 1992: 22,3 % – **Energieverbrauch** 1991: 2296 kg ÖE/Ew. – **Währung:** 1 Jugosl. Dinar (Din) = 100 Para (p); 1 US-$ = 105 Mio. Din; 1 DM = 62 Mio. Din (Offiz. Kurs vom 18. 8. 1993) – **Ausl.-Verschuld.** 1991: 16471 Mio. $ – **Inflation** ∅ 1992: 20000 % – **Außenhandel** 1991: **Import** (Serbien): 4503,5 Mio. $ (Rückgang 1991/92 um 29,4 %); Güter: 23 % Maschinen u. Transportausrüst., 19 % Brennstoffe, 14 % chem. Prod., 14 % ind. Vorprodukte; Länder (Serbien): 49 % EG-Länder (dar. 25 % BRD, 13 % Italien), 6 % EFTA-Länder (dar. 2 % Schweiz), 18 % Ex-UdSSR, 5 % USA, 4 % Rumänien; **Export** (Serbien): 5010,2 Mio. $; Montenegro: 518 Mio. $ (Rückgang 1991/92 um 45,7 %); Güter: 27 % ind. Vorprodukte, 20 % Maschinen u. Transportausrüst., 14 % Bekleidung; Länder (Serbien): 43 % EG-Länder (dar. 21 % BRD, 11 % Italien), 7 % EFTA-Länder (dar. 2 % Schweiz), 13 % Ex-UdSSR, 4 % USA, 2 % Rumänien

Zu Serbien gehören:

KOSOVO

LANDESSTRUKTUR Fläche 10887 km² – *Einwohner:* (Z 1991) 1954747 = 179 je km² – Massiver Rückgang der Bev. durch Abwanderung seit 1991 – 77,4 % Albaner, 13,2 % Serben, 3,7 % Muslime, 1,7 % Montenegriner, 0,8 % Roma u. Türken – *Sprachen:* Albanisch u. Serbokroatisch

REGIERUNGSFORM Aufhebung d. Autonomie-Status am 23. 3. 1989 durch die Serbische Teilrepublik – Parlament seit Juli 1990 verboten – Illegale Regierung seit 21. 10. 1991 sowie Parlament mit 130 Mitgl. seit 24. 5. 1992 – *Regierung:* Präs. Ibrahim Rugova (LDK-Vors.), seit 24. 5. 1992; Reg.-Chef: Bujar Bukoshi (LDK), seit 21. 10. 1991 – *Parteien:* Von Serbien für illegal erklärte Parl.-Wahlen am 24. 5. 1992

WIRTSCHAFT BIP (S 1990): 730 $ je Ew. – Ärmste Gegend Jugoslawiens, rd. 50 % Arbeitslosigkeit; Güter: landwirtschaftl. Prod., Fleischprod., Nickel, Zink, Blei, Kadmium, Bauxit, Chrom, Mangan

VOJVODINA

LANDESSTRUKTUR Fläche 21506 km² – *Einwohner:* (Z 1991) 2012517 = 94 je km² – 54,4 % Serben, 18,9 % Ungarn, 8,2 % Jugoslawen [Eigenbezeichnung], 5,4 % Kroaten, 3,4 % Slowenen, 2,3 % Rumänen, 2,1 % Montenegriner, 0,9 % Ruthenen, 4,4 % and. Minderh.; insg. 24 Nationalitäten – *Sprachen:* Serbokroatisch, Ungarisch (seit 1989 verboten), Slowakisch, Rumänisch, Ruthenisch

REGIERUNGSFORM Aufhebung d. Autonomie-Status u. Auflösung d. Parlaments Anf. 1989 – Illegale *Regierung:* Präs. Jugoslav Kostić; Reg.-Chef: Dr. Radoman Bozović

WIRTSCHAFT BIP (S) 1990: 3250 $ je Ew. – Erwerbstät.: rd. 50 % Landw. – Güter: landwirtschaftl. Prod., Fleischprod.

Ehemalige Teilrepubliken Jugoslawiens
→ **BOSNIEN-HERZEGOWINA** → **KROATIEN**
→ **MAKEDONIEN** → **SLOWENIEN**

KAMBODSCHA *Südost-Asien*
Bis 1990 Demokratisches Kampuchea – K

LANDESSTRUKTUR Fläche (88): 181035 km² (mit 3000 km² Binnengewässern) – **Einwohner** (77): (F 1991) 8790000 = 49 je km²; (Z 1981) 6682000 (lt. UNO-Zählung 1993: rd. 12 Mio. Ew., davon 11 Mio. Khmer, 100000 Thailänder, 600000–800000 Vietnamesen) – Kambodschaner; (S 1983) 93 % Khmer, 4 % Vietnamesen u. 3 % Chinesen; Gruppen malaiischer Herkunft, z. B. Cham, Bergstämme, z. B. Moi (»Khmer-Loeu«) sowie Lao – **Leb.-Erwart.:** 50 J. – **Säugl.-Sterbl.:** 11,7 % – **Kindersterbl.:** 16,3 % – **Analph.:** 65 % – Jährl. **Bev.-Wachstum** (∅ 1980–91): 2,6 % (Geb.- u. Sterbeziffer 1980–90: 3,8 %/1,5 %) – **Sprachen:** Khmer als Amtsspr.; Französ. als Bildungs- u. Handelsspr.; Chinesisch u. Vietnamesisch – **Religion:** 92 % Buddhisten; rd. 200000 schafiitische Sunniten als islam. Minderh. (Cham, Malaien); christl. Restgruppen – **Städt. Bev.:** 12 % – **Städte** (S 1991): Phnom Penh (Hptst.) 900000 Ew.; (S 1981) Kompong Som 53000, Kompong Chhnang u. Kompong Cham

STAAT (→ *Chronik*) Sozialistische Staatsform nach der Verfassung von 1981, letzte Änderung 1991 (Einführung des Mehrparteiensystems) – Ausarbeitung einer neuen Verfassung durch das Parl., anschl. Wahl eines neuen Staatsoberh. (durch Parl. mit $^2/_3$-Mehrheit) vorgesehen – Parlament (Verfassungsgebende Versammlung) mit 120 Mitgl., Wahl alle 5 J. – 21 Provinzen (Khet) – **Staatsoberhaupt:** Prinz Norodom Sihanouk, seit Nov. 1991 (am 14. 6. 1993 als Übergangspräs. durch Parl. bestätigt) – **Regierungschef:** 28köpfige Nationale Übergangsreg. aus Funcinpec, CPP, BLDP u. Molinaka seit 24. 6. 1993 unter Vorsitz von Hun Sen (CPP) u. Prinz Norodom Ranariddh (Funcinpec); Beratungsstatus der Roten Khmer – **Äußeres:** Prinz Sirivuth – **Parteien:** Erste freie Wahlen vom 23.–27. 5. 1993 zur Verfassungsgeb. Versammlung (Kandidatur von 20 Parteien, Wahlbeteiligung 86 % der 4,7 Mio. eingeschriebenen Wähler; Boykott seitens der Roten Khmer): Front uni national pour un Cambodge indépendant, neutre, pacifique et coopératif/Funcinpec 45,4 % u. 58 Sitze, Volkspartei/CPP 38,2 % u. 51, nationalist. Buddhist. Liberaldemokrat. Partei/BLDP 3,8 % u. 10, Molinaka 1 – Anerkennung der Wahlen durch Rote Khmer (Vors. Khieu Samphan) am 21. 6. 1993 – **Unabh.:** alte staatl. Tradition; Wiedererlang. d. Unabh. am 9. 11. 1953, endgültig bestätigt durch die Indochina-Konferenz 1955 – **Nationalfeiertag:** 7. 1. (Eroberung Phnom Penhs 1979)

WIRTSCHAFT BSP 1991: 1725 Mio. $ = 200 $ je Ew. (173); **BIP** (S 1986): 585 Mio. $; realer Zuwachs ∅ 1980–86: –3,2 % (S 1992: 8 %); Anteil 1991 **Landwirtsch.** 44 %, **Industrie** (1988) 5 % – **Erwerbstät.** 1991: Landw. 69 %, Ind. ca. 7 % – **Energieverbrauch** 1990: 59 kg ÖE/Ew. – **Währung:** 1 Riel = 10 Kak = 100 Sen; 1 US-$ = 2700 Riel; 10 000 Riel = 6,25 DM – **Ausl.-Verschuld.** 1985: 520 Mio. $ – **Inflation** ∅ 1992: rd. 200 % – **Außenhandel** 1985: **Import:** 117 176 $; **Export:** 12 355 $; Güter: bearbeit. Waren (z. T. Reexporte), v. a. Eisen u. Stahl, tierische u. pflanzl. Produkte; Länder: 87 % UdSSR, Türkei, Japan, USA

KAMERUN *Zentral-Afrika*
Republik Kamerun; République du Cameroun; Republic of Cameroon – **CAM**

LANDESSTRUKTUR Fläche (52): 475 442 km² (mit 5242 km² Binnengewässern) – **Einwohner** (61): (F 1991) 11 900 000 = 25 je km²; (Z 1987) 10 493 655 – Kameruner; im S Bantu (40 %), Semibantu u. Adamawa (20 %) sowie Pygmäen, im N u.

Zentrum Fulbe u. Haussa; etwa 20 000 Europ., meist Franzosen – **Leb.-Erwart.:** 55 J. (m54/w57); Bev.-Anteil 0–14 J.: 44,7 % – **Säugl.-Sterbl.:** 6,4 % – **Kindersterbl.:** 12,1 % – **Analph.:** 46 % – Jährl. **Bev.-Wachstum** (∅ 1980–91): 2,8 % (Geb.- u. Sterbeziffer 1991: 4,2 %/1,2 %) – **Sprachen:** Französisch (80 %) u. Englisch (20 %) als Amtsspr.; Bantu, Semibantu u. Ful z. T. als Verkehrsspr.; Gbaya (Adamawa-Usangi-Spr.), Weskos (kreol. Spr.) u. a. – **Religion:** 35 % Katholiken, 17 % Protestanten, 22 % Muslime; rd. 40 % Anh. von Naturrel. u. Sekten (v. a. im N) – **Städt. Bev.:** 42 % – **Städte** (S 1986): Yaoundé [Jaunde] (Hptst.) 653 700 Ew.; (S 1987) Douala [Duala] 1 117 000, Garoua 95 000, Nkongsamba 93 000, Bafoussam 75 000, Maroua 70 000, Bamenda 60 000

STAAT Präsidialrepublik – Verfassung von 1972 – Parlament mit 180 Mitgl., Wahl alle 5 J. – Direktwahl d. Staatsoberh. – Allg. Wahlrecht – 10 Provinzen – **Staatsoberhaupt:** Paul Biya (RDPC), seit 1982 (in ersten freien Wahlen am 11. 10. 1992 im Amt bestätigt) – **Regierungschef:** Simon Achidi Achu (RDPC), seit 9. 4. 1992 (Koalition seit 27. 11. 1992 mit 8 Vertretern von Oppos.-Parteien) – **Äußeres:** Ferdinand Leopold Oyono – **Parteien:** Erste freie Parl.-Wahlen vom 1. 3. 1992: Rassemblement démocratique du peuple camerounais/RDPC (ehem. Einheitspartei) 88 Sitze, Union nationale pour la démocratie et le progrès/UNDP 68, Union des populations du Cameroun/UPC 18, Mouvement pour la défense de la république/MDR 6; Boykott seitens Sozialdemokrat. Front/SDF, Demokrat. Union/UDC, Union demokrat. Kräfte/UFDC – **Unabh.:** 1. 1. 1960 Ost-Kamerun, 1. 10. 1961 West-Kamerun (Wiedervereinigung) – **Nationalfeiertag:** 20. 5.

WIRTSCHAFT BSP 1991: 11 320 Mio. $ = 850 $ je Ew. (117); realer Zuwachs ∅ 1980–91: 2,1 %; **BIP** 1991: 11 666 Mio. $; realer Zuwachs ∅ 1980–91: 1,4 %; Anteil 1991 **Landwirtsch.** 27 %, **Industrie** 22 %, **Dienstlst.** 51 % – **Erwerbstät.** 1990: Landw. 61 %, Ind. ca. 7 % – **Arbeitslosigkeit** ∅ 1990: rd. 12 % (Städte), 4 % (ländl. Bereich) – **Energieverbrauch** 1991: 147 kg ÖE/Ew. – **Währung:** 1 CFA-Franc = 100 Centimes (c); 1 FF = 50 CFA-Francs (Wertverh. zum FF); 100 CFA-Francs = 0,59 DM – **Ausl.-Verschuld.** 1991: 6278 Mio. $ = 57,5 % d. BSP – **Inflation** ∅ 1980–91: 4,5 % – **Außenhandel** 1991: **Import:** 1470 Mio. $; Güter: 23 % industr. Verbrauchsgüter, 21 % Lebensmittel, 17 % Halbfertigwaren, 13 % Verbrauchsgüter d. Haushalte, 12 % Industrieausrüst.; Länder: 33 % Frankr., 7 % BRD, 5 % Guinea, 5 % Belgien/Lux., 4 % USA, 4 % Spanien; **Export:** 2360 Mio. $; Güter: 51 % Erdöl, 22 % Rohprod., 14 % Halbfertigwaren, 5 % Lebensmittel,

3% industr. Verbrauchsgüter; Länder: 23% Frankr., 15% USA, 14% Spanien, 8% Niederl., 8% BRD, 8% Italien

KANADA *Nord-Amerika*
Canada; Canadian Dominion – CDN

LANDESSTRUKTUR   Fläche (2): 9 976 139 km^2 (mit 755 123 km^2 Binnengewässern) – **Einwohner** (32): (Z 1991) 27 296 859 = 3 je km^2 – (Z 1986) 34% Kanadier britischer, 24% französ., 18% gemischter bzw. and. europ. Herkunft; 16% asiatischer u. 3% afrikan. Abstammung; 345 975 Indianer u. 27 290 Eskimos (Inuits) – **Leb.-Erwart.:** 77 J. (m74/w81); Bev.-Anteil 0–14 J.: 20,9% – **Säugl.-Sterbl.** (1990): 0,7% – **Kindersterbl.:** 0,9% – **Analph.** (1980): 1% – Jährl. **Bev.-Wachstum** (∅ 1980–91): 1,2% (Geb.- u. Sterbeziffer 1991: 1,5%/0,7%) – **Sprachen:** Englisch (68%) u. Französisch (23%) als Amtsspr.; 8,4% sonstige Sprachen, u.a. Chinesisch, Italienisch, Portugiesisch – **Religion:** 47% Katholiken, 16% United Church, 10% Anglikaner, 3% Presbyterianer, 3% Lutheraner, 3% Baptisten u. 17% and. – **Städt. Bev.:** 77% – **Städte** (Z 1986): Ottawa (Hptst.) 300 763 Ew. (Z 1991: als »Census Metropolitan Area«/CMA 920 857); Toronto 612 289

(3 893 046), Montreal 1 015 420 (3 127 242), Vancouver 431 147 (1 602 502), Edmonton 573 982 (839 924), Calgary 636 104 (754 033), Winnipeg 594 551 (652 354), Québec 164 580 (645 550), Hamilton 306 728 (599 760); (als CMA) London 381 522, St. Catherines-Niagara 364 552, Kitchener 356 421, Halifax 320 501

STAAT   Parlamentarische Monarchie im Commonwealth – Verfassung von 1982 – Parlament aus 2 Kammern: Unterhaus (House of Commons) mit 295 (künftig 337, davon $^1/_4$ für Québec) alle 5 J. gewählten u. Senat (Senate) mit maximal 112 Mitgl. – Allg. Wahlrecht – 10 Provinzen mit eig. Legislative u. Exekutive, 2 Territorien unter Bundesverwaltung; bis 2008 Schaffung eines eigenen Territoriums (Nunavut) der Inuit (Eskimos) im NW mit 2,2 Mio. km^2 (davon 350 000 km^2 als Besitz): Selbstverwaltung, eingeschr. Autonomie, Ausbeutung von Bodenschätzen – **Staatsoberhaupt:** Königin Elizabeth II., vertreten durch einheim. Generalgouverneur Sir Ramon J. Hnatyshyn, seit 29. 1. 1990 – **Regierungschefin:** Kim Campbell (PC-Vors.), seit 25. 6. 1993 – **Äußeres:** Perrin Beatty – **Parteien:** Wahlen von 1988, inkl. Nachwahlen von 1989 (Unterhaus): Progressive Conservative Party/PC 159 Sitze (1984: 211 von 282), Liberal Party/Lib. 80 (40), New Democratic Party/N. D. P. 44 (30), Reform Party 1 (–),

Kanada: Fläche und Bevölkerung
(Volkszählungsergebnisse vom 4. 6. 1991)

	Fläche	Einw.[1] in km^2	Hauptort	Einw.
Provinzen				
Alberta	638 233	2 545 553	Edmonton	839 924[1]
British Columbia	892 677	3 282 061	Victoria	287 897
Manitoba	547 704	1 091 942	Winnipeg	652 354
New Brunswick	71 569	723 900	Fredericton	–
Newfoundland	371 635	568 474	St. John's	–
Nova Scotia	52 841	899 942	Halifax	320 501
Ontario.	916 734	10 084 885	Toronto	3 893 046
Prince Edward				
Island	5 660	129 765	Charlottetown	–
Québec	1 357 812	6 898 963	Québec	645 550
Saskatchewan	570 113	988 928	Regina	–
Territorien				
Northwest				
Territories	3 246 389	57 649	Yellowknife	–
Yukon Territory	531 844	27 797	Whitehorse	–
Gesamt	9 203 210	27 296 859	Ottawa	920 857[2]

[1] ohne Ergebnisse der unvollständig erfaßten indianischen Siedlungen und Reservate
[2] inkl. Hull
Quelle: Europa World Year Book 1993

Unabh. 11 (1) – Sitzverteilung im Senat (Stand Nov. 1992): PC 51, Lib. 42, Unabh. 5 – *Neuwahlen im Nov. 1993* – **Unabh.:** 1. 7. 1867 de facto, 11. 12. 1931 nominell (Westminster-Statut) – **Nationalfeiertag:** 1. 7.

WIRTSCHAFT *(Einzelheiten → Kap. Wirtschaft, Sp. 919 f.)* **BSP** 1991: 568 765 Mio. $ = 20 440 $ je Ew. (13); realer Zuwachs ∅ 1980–91: 3,1%; **BIP** 1991: 510 835 Mio. $ (1992: 687 330 Mio. kan$); realer Zuwachs ∅ 1980–91: 3,1% (1992: +0,9%); Anteil 1992 **Landwirtsch.** 2,1%, **Industrie** 19,6%, **Dienstlst.** 78,3% – **Erwerbstät.** 1990: Landw. 4,2%, Ind. 24,6%, Dienstl. – **Arbeitslosigkeit** ∅ 1992: 11,3% – **Energieverbrauch** 1991: 9390 kg ÖE/Ew. – **Währung:** 1 Kanadischer Dollar (kan$) = 100 Cents (c); Freimarktkurs: 1 US-$ = 1,28 kan$; 100 kan$ = 131,695 DM – **Ausl.-Verschuld.** 1992 (netto): 301 000 Mio. kan$ = 44 % d. BIP – **Inflation** ∅ 1980–91: 4,3% (1992: 1,5%) – **Außenhandel** 1992: **Import:** 148 100 Mio. kan$; Güter: 31% Maschinen u. Ausrüst., 23% Kfz, 18% Industriegüter, 13% Konsumgüter, 7% land- u. fischwirtschaftl. Prod., 4% Energie; Länder: 71% USA, 6% Japan, 4% Großbrit., 2% BRD; **Export:** 157 500 Mio. kan$; Güter: 24% Kfz, 20% Maschinen u. Ausrüst., 19% Industriegüter, 14% Forstererzeugn., 10% Energie, 9% land- u. fischwirtschaftl. Prod., 2% Konsumgüter; Länder: 77% USA, 5% Japan, 2% Großbrit., 2% BRD

STAAT   Republik – Neue Verfassung vom 25. 9. 1992 – Nationalversammlung (Assembleia Nacional Popular) mit 79 Mitgl., Wahl alle 5 J. – Direktwahl d. Staatsoberh. alle 5 J. mit ²/₃ Mehrheit – 7 Inseln als je 1 Bezirk u. 2 Inseln mit 4 bzw. 3 Bezirken, insg. 15 Bezirke (Concelhos) – *(Einzelheiten → WA '92, Sp. 429 f.)* – **Staatsoberhaupt:** António Mascarenhas Monteiro (MPD), seit 22. 3. 1991 – **Regierungschef:** Carlos Alberto Wahnon de Carvalho Veiga (MPD), seit 4. 4. 1991 – **Äußeres:** Manuel Chantré – **Parteien:** Erste freie Wahlen vom 13. 1. 1991: Movimento parce Democracia/MPD 56 Sitze, Partido Africano da Independência de Cabo Verde/PAICV (ehem. Einheitspartei) 23 – **Unabh.:** 5. 7. 1975 – **Nationalfeiertag:** 5. 7.

WIRTSCHAFT   **BSP** 1991: 285 Mio. $ = 750 $ je Ew. (120); realer Zuwachs ∅ 1980–91: 4,8%; **BIP** Anteil 1989 **Landwirtsch.** 14%, **Industrie** 19% – **Erwerbstät.** 1991: Landw. 42%, Ind. ca. 23% – **Energieverbrauch** 1990: 303 kg ÖE/Ew. – **Währung:** 1 Kap-Verde-Escudo (KEsc) = 100 Centavos (CTs); 1 US-$ = 80,85 KEsc; 100 KEsc = 2,09 DM – **Ausl.-Verschuld.** 1990: 144 Mio. $ – **Inflation** ∅ 1980–91: 9,4% – **Außenhandel** 1989: **Import:** 8706 Mio. KEsc; Güter (1988): 53% Halbfertigprod., Maschinenbau-, elektrotechn. Erzeugn. u. Fahrzeuge, 33% Nahrungsmittel u. leb. Tiere, 14% Erdöl; Länder (1988): 34% Portugal, 11% Niederl.; **Export:** 527 Mio. KEsc; Güter (1988): 49% Fisch u. -produkte, 37% Bananen; Länder (1988): 42% Portugal, 30% Spanien, 7% Frankr.

KAP VERDE *West-Afrika*
Republik Kap Verde (Kapverden); República de Cabo Verde – CV

LANDESSTRUKTUR   **Fläche** (164): 4033 km² (10 größere Inseln, davon 9 bewohnt sowie 5 kleinere unbewohnte Inseln) – **Einwohner** (162): (F 1991) 380 000 = 94 je km²; (Z 1980) 295 703 – Kapverdier (portugies. Cabo-Verdianos); rd. 71% Mestiços (Mulatten), 28% Schwarze, 1% Weiße; ca. 700 000 leben u. arbeiten im Ausland, davon rd. 200 000 in den USA – **Leb.-Erwart.:** 67 J. – **Säugl.-Sterbl.:** 6,3% – **Kindersterbl.:** 5,0% – **Analph.** (1986): 50% – Jährl. **Bev.-Wachstum** (∅ 1980–90): 2,6% (Geburtenziffer 1990: 5,4%) – **Sprachen:** Portugiesisch als Amtsspr.; Crioulo als Umgangsspr. – **Religion:** 99% Katholiken; kl. protestant. Minderh., Anh. von Naturrel. – **Städt. Bev.:** 32% – **Städte** (F 1990): Cidade de Praia (Hptst., auf Sao Tiago) 61 700 Ew.; (Z 1980) Mindelo (Wirtschaftszentrum, auf São Vicente) 41 800, São Filipe (auf Fogo) 11 000

KASACHSTAN *Zentral-Asien*
Republik Kasachstan; Qazaqstan Respublikasy – KAS

LANDESSTRUKTUR   **Fläche** (9): 2 717 300 km² – **Einwohner** (51): (F 1991) 16 899 000 = 6 je km²; (Z 1989) 16 536 511 – (F 1993) 41% Kasachen [Qa-

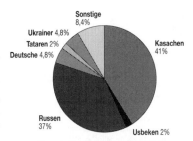

Sonstige 8,4%
Ukrainer 4,8%
Tataren 2%
Deutsche 4,8%
Kasachen 41%
Russen 37%
Usbeken 2%

Kasachstan: Bevölkerungsstruktur

zaq], 37% Russen, 4,8% Ukrainer, 4,8% Deutsche, 2% Usbeken (= 345000), 2% Tataren, 90000 Aseri, Weißrussen, Uiguren, Koreaner u. a. – **Leb.-Erwart.:** 69 J. (m64/w73); Bev.-Anteil 0–14 J.: 31,6% – **Säugl.-Sterbl.:** 3,2% – **Kindersterbl.:** 3,8% – **Analph.:** k. Ang. – Jährl. **Bev.-Wachstum** (∅ 1980–91): 1,2% (Geb.- u. Sterbeziffer 1991: 2,1%/ 0,8%) – **Sprachen:** Kasachisch (Turksprache) als Amtsspr.; Russisch als Verkehrsspr. – **Religion:** mehrheitl. Muslime (Sunniten); russ.-orthod. Minderheit – **Städt. Bev.:** 57% – **Städte** (F 1991): Almaty [Alma-Ata] (Hptst.) 1151300 Ew.; Karaganda 615000, Tschimkent 400000, Semipalatinsk 335000, Pawlodar 330000, Ust-Kamenogorsk 325000, Dschambul 310000, Akmola (ehem. Zelinograd) 280000, Aktjubinsk 250000, Petropawlowsk 240000, Kustanaj 225000

STAAT Präsidialrepublik – Neue Verfassung seit 28. 1. 1993 in Kraft – Parlament (Oberster Sowjet) mit 360 Mitgl. – Direktwahl d. Staatsoberh. alle 5 J. – Allg. Wahlrecht ab 18 J. – 19 Gebiete (Oblast) u. 2 Stadtbezirke – **Staatsoberhaupt:** Nursultan A. Nasarbajew, seit 7. 2. 1990 (am 1. 12. 1991 in Direktwahl im Amt bestätigt) – **Regierungschef:** Sergei Tereschtschenko, seit 1991 – **Äußeres:** Tuleutai Sulejmenow – **Parteien:** Nach Wahlen von 1990 reformkommunist. Mehrheit in Parl. u. Reg.; Sozialist. Partei (ehem. KP), Sammelbewegung Volkskongreß, Republikanische Partei (Azat-Bewegung), Sozialdemokrat. Partei; versch. nationale u. ökologische informelle Gruppen – **Unabh.:** Souveränitäts-

erkl. am 25. 10. 1990, Unabh.-Erkl. am 16. 12. 1991 – **Nationalfeiertag:** 16. 12.

WIRTSCHAFT (Entwicklung → Tab. unten) **BSP** 1991: 41691 Mio. $ = 2470 $ je Ew. (65); realer Zuwachs 1991/92 (S): –6,0%; **BIP** (Nettomaterialprodukt) 1991: 81200 Mio. Rbl (lfd. Preise); realer Zuwachs 1991/92: –14,2%; Anteil 1991: **Landwirtsch.** 36,5%, **Industrie** (o. Bau) 30,7% – 1991/92: Rückgang der Brutto-Industrieprod. um 14,8%, der Brutto-Agrarprod. um 0,2% – **Erwerbstät.** 1988: Landw. 23%, Ind. 31%, Handel/Verkehr 23%, Dienstlst. 23% – Bev.-Anteil mit Monatseink. unter d. **Armutsgrenze** (1991): 57% – **Währung:** Rubel (→ Rußland); Währungsunion mit Rußland, Armenien, Usbekistan – **Ausl.-Verschuld.** 1992: rd. 3000 Mio. $ (Schuldenanteil an ex-UdSSR) = 271,3% d. Exports – **Inflation** ∅ 1992 (Konsumentenpreise): 970% – **Außenhandel** (Jan.–Sept. 1992): **Import:** 969,2 Mio. $; Güter: 30% Prod. pflanzl. Herkunft, 30% Nahrungsmittel, Getränke u. Tabak, 10% Maschinen, Ausrüst. u. elektrotechn. Erzeugn., 9% leb. Tiere u. tier. Prod., 5% chem. Prod., 4% Textilien; Länder (o. GUS): 48% VR China, 7% Finnland, 7% Neu-Jugosl., 6% Österreich, 6% Ungarn, 5% Kuba, 4% Großbrit.; **Export:** 347,6 Mio. $; Güter: 44% mineral. Erzeugn., 34% Metalle u. Metallwaren, 17% chem. Prod., 2% Textilien; Länder (o. GUS): 18% VR China, 17% Schweden, 8% USA, 7% BRD, 5% Schweiz, 4% Niederl., 4% Finnland

Die Nachfolgestaaten der UdSSR[1] und ihre Wirtschaftsentwicklung

Republiken	Einwohner in Mio. (F 1992)	BSP 1990 in $ je Ew.	BSP 1991 in $ je Ew.	Produziertes Nationaleinkommen (Veränd. gg. Vorjahr in %) 1991	1992	Industrie-Produktion 1991/92 in %	Agrar-Produktion 1991/92 in %
Armenien	3,4	4710	2150	–11,0	–42,6	–52,5	–10,0
Aserbaidschan	7,3	3750	1670	–0,4	–28,2	–24,0	–30,0
Kasachstan	17,0	3720	2470	–10,0	–14,2	–14,8	–0,2
Kirgisistan	4,5	3030	1550	–5,0	–26,0	–26,8	–24,0
Moldau	4,3	3820	2170	–12,0	–21,3	–21,7	–18,0
Russische Föderation	148,7	5810	3220	–11,0	–20,2	–18,8	–8,0
Tadschikistan	5,5	2340	1050	–9,0	–31,0	–24,3	–45,0
Turkmenistan	3,8	3370	1700	–0,6	–10,0	–16,7	–5,0
Ukraine	52,1	4700	2340	–11,0	–15,0	–9,0	–11,0
Usbekistan	21,2	2750	1350	–0,9	–12,9	–6,2	–5,0
Weißrußland	10,3	5960	3110	–3,0	–11,0	–9,6	–16,0
Gesamt	*278,1*				*–18,5*	*–18,2*	*–10,0*

Quelle: GUS Goskomstat; GUS Statistisches Bulletin, Nr. 5 März 1993; Weltbankatlas 1993 (BSP-Angaben für 1991)
[1] ohne Georgien und die Baltischen Staaten Estland, Lettland und Litauen

KATAR *Vorder-Asien*
Staat Katar; Dáwlat al-Qátar – Q

LANDESSTRUKTUR Fläche (157): 11 437 km²
– **Einwohner** (156): (F 1991) 506 000 = 44 je km²; (Z 1986) 369 079 – Katarer; 45 % Araber; 34 % Südasiaten; 16 % persische u. 7 % pakistan. Gruppen, etwa 10 000 Schwarze; ca. 75–80 % d. Bev. sind Ausländer – **Leb.-Erwart.**: 70 J. – **Säugl.-Sterbl.:** 3,8 % – **Kindersterbl.:** 3,2 % – **Analph.** (1981): 49 % – Jährl. **Bev.-Wachstum** (⌀ 1980–91): 4,7 % (Geburtenziffer 1990: 5,7 %) – **Sprachen:** Arabisch als Amtsspr.; Englisch als Handels- u. Verkehrsspr. – **Religion:** 92 % sunnitische Muslime, überw. wahabit. Richtung; 6 % Christen, 1 % Hindus – **Städt. Bev.:** rd. 90 % – **Städte** (Z 1986): Doha (Hptst.) 217 294 Ew.; Rayyan 91 996, Waqra [Wakrah] 23 682, Umm Salal 11 161

STAAT Absolutistische Monarchie (Emirat) – Provisorische Verfassung von 1970 – Beratende Versammlung mit 30 ernannten Mitgl. – Keine Legislative – Wahlrecht nur für Männer – **Staats- u. Regierungschef:** Emir Scheich Khalifa [Chalifa] bin Hamad Al-Thani, seit 1972 – **Äußeres:** Scheich Hamad bin Jaber Aththani – **Parteien:** keine – **Unabh.:** 1. 9. 1971 – **Nationalfeiertag:** 3. 9., 22. 2. (Thronbesteigung des Emirs 1972)

WIRTSCHAFT BSP 1990: 6968 Mio. $; 1991: 14770 $ je Ew. (23); realer Zuwachs ⌀ 1980–90: –6,6 %; **BIP** realer Zuwachs ⌀ 1980–87: –3,2 % (1991: –9,3 %); Anteil 1991 **Landwirtsch.** 0,9 %, **Industrie** 52,4 % – **Erwerbstät.** 1986: Landw. 3,1 %, Ind. 15 % – **Energieverbrauch** 1990: 15 260 kg ÖE/Ew. – **Währung:** 1 Katar-Riyal (QR) = 100 Dirhams; 1 US-$ = 3,63 QR; 100 QR = 46,51 DM – **Ausl.-Verschuld.** 1987: 619 Mio. $ – **Inflation** ⌀ 1986–90: 2,7 % – **Außenhandel** 1991: **Import:** 6261 Mio. QR; Güter: elektrotechn. Geräte u. Maschinen, Nahrungsmittel u. leb. Tiere, chem. Prod.; Länder: 14 % Japan, 12 % Großbrit., 12 % USA, 9 % BRD; **Export:** 11 467 Mio. QR; Güter: über 80 % Erdöl; Länder (1989): 19 % Japan

KENIA *Ost-Afrika*
Republik Kenia; Dschamhuri ja Kenia bzw. Jamhuri ya Kenya; Republic of Kenya – EAK

LANDESSTRUKTUR Fläche (46): 580 367 km² (mit 13 396 km² Binnengewässern) - **Einwohner** (37): (F 1991) 25 016 000 = 43 je km²; (Z 1989) 21 400 000 (vorl. Ergeb.) – Kenianer; über 60 % Bantu (u. a. 20 % Kikuyu, 13 % Luhya, 11 % Kamba), ferner 14 % West-Niloten (u. a. 13 % Luo) u.

ost-nilotische Gruppen (darunter 1,5 % Massai); 80 000 Inder, rd. 27 000 Araber u. 25 000 Europäer – (Mitte 1993) Über 500 000 Flüchtlinge v. a. aus dem Sudan, aus Somalia u. Zaire – **Leb.-Erwart.:** 59 J. (m57/w61); Bev.-Anteil 0–14 J.: 48,8 % – **Säugl.-Sterbl.** (1989): 6,7 % – **Kindersterbl.:** 10,5 % – **Analph.:** 31 % – Jährl. **Bev.-Wachstum** (⌀ 1980–91): 3,8 % (Geb.- u. Sterbeziffer 1991: 4,5 %/1,1 %) – **Sprachen:** KiSuaheli als Amtsspr.; Umgangssprachen d. Bantu (Kikuyu), Inder, Niloten (Luo u. Massai); Englisch als Verkehrs- u. Bildungsspr. – **Religion:** 27 % Katholiken, 7 % Anglikaner, 6 % Muslime, Minderh. v. Hindus, Juden; mehrheitl. Anh. von Naturrel. – **Städt. Bev.:** 24 % – **Städte** (S 1985): Nairobi (Hptst.) 1 162 200 Ew.; Mombasa-Kilindi 442 400; (Z 1979) Kisumu 152 643

STAAT Präsidialrepublik – Verfassung von 1982, letzte Änderung 1991 – Parlament mit 202 Mitgl. (davon 188 gewählt, 12 ernannt, 2 ex-officio), Wahl alle 5 J. – Begrenzung d. Amtszeit d. Staatsoberh. auf 2x 5 J., der in 5 von 8 Provinzen mit mind. 25 % d. Stimmen gewählt werden muß – Allg. Wahlrecht – 7 Provinzen u. Extra Provincial District Nairobi – **Staats- u. Regierungschef** sowie Verteidigungsminister: Daniel arap Moi (KANU-Vors.), seit 1978 (in ersten freien Wahlen gegen 7 weitere Kandidaten am 29. 12. 1992 mit 36,4 % d. Stimmen im Amt bestätigt; Reg. ausschl. aus KANU-Mitgl. – **Äußeres:** Stephen Kalonzo Musyoka – **Parteien:** Erste freie Wahlen seit d. Unabhängigkeit vom 29. 12. 1992: Kenya African National Union/KANU (ehem. Einheitspartei) rd. 50 % u. 100 der 188 Sitze, Forum für die Wiederherstellung der Demokratie/FORD-Kenya 31, FORD-Asili 31, Demokratische Partei/DP 23, Sonstige 3 – **Unabh.:** 12. 12. 1963 – **Nationalfeiertage:** 12. 12., 1. 6. u. 20. 10. (Kenyatta-Day)

WIRTSCHAFT BSP 1991: 8505 Mio. $ = 340 $ je Ew. (155); realer Zuwachs ⌀ 1980–91: 4,1 %; **BIP** 1991: 7125 Mio. $; realer Zuwachs ⌀ 1980–91: 4,2 %; Anteil 1991 **Landwirtsch.** 27 %, **Industrie** 22 %, **Dienstlst.** 51 % – **Erwerbstät.** 1991: Landw. 77 %, Ind. ca. 20 % – **Arbeitslosigkeit** Anf. 1992: 16 % (Städte) – **Energieverbrauch** 1991: 104 kg ÖE/Ew. – **Währung:** 1 Kenia-Schilling (K. Sh.) = 100 Cents (c); 20 K. Sh. = 1 Kenia-Pound; Freimarktkurs: 1 US-$ = 81,25 K. Sh.; 100 K. Sh. = 2,08 DM – **Ausl.-Verschuld.** 1991: 7014 Mio. $ = 89,6 % d. BSP – **Inflation** ⌀ 1980–91: 9,2 % – **Außenhandel** 1991: **Import:** 2230 Mio. $; Güter: 38 % Industriebedarf (o. Nahrungsmittel), 23 % Maschinen u. a. Kapitalgüter, 19 % Brenn- u. Schmierstoffe, 12 % Transportausrüst., 5 % Nahrungsmittel u. Getränke; Länder: 16 % Großbrit., 12 % Ver. Arab. Emirate, 9 % Japan, 7 % BRD, 6 % Iran, 5 % Frankr., 4 % USA; **Export:** 1320 Mio. $; Güter: 51 % Nahrungsmittel (v. a. Tee u. Kaffee) u. Getränke, 19% Industriebedarf, 16% Brenn- u. Schmierstoffe, 12% Konsumgüter; Länder: 18% Großbrit., 11% BRD, 8% Uganda, 6% Iran, 5% Saudi-Arabien, 4% Frankr., 4% Italien

KIRGISISTAN *Zentral-Asien*
Republik Kirgisistan; Kyrgyzstan Respublikasy – KGZ

LANDESSTRUKTUR Fläche (85): 198500 km² – **Einwohner** (106): (F 1991) 4448000 = 22 je km²; (Z 1989) 4290442 – (F 1993) 57% Kirgisen [Kirgis], 16,7% Russen, 13,4% Usbeken (= 345000), 2,8% Ukrainer, 2% Tataren, 1,1% Deutsche, 45000 Kasachen, 19000 Aseri, Tadschiken, Uiguren – **Leb.-Erwart.:** 66 J. (m62/w70); Bev.-Anteil 0–14 J.: 38,2% – **Säugl.-Sterbl.:** 4,0% – **Kindersterbl.:** 5,2% – **Analph.:** k. Ang. – Jährl. **Bev.-Wachstum** (Ø 1980–91): 1,9% (Geb.- u. Sterbeziffer 1991: 2,9%/0,8%) – **Sprachen:** Kirgisisch als Amtsspr.; Russisch als Verkehrsspr.; Usbekisch – **Religion:** mehrheitl. Muslime (Sunniten); Christen, Buddhisten – **Städt. Bev.:** 38% – **Städte** (F 1991): Biškek [Bischkek; ehem. Frunse] (Hptst.) 626900 Ew.; Osch 215000, Dschalal-Abad 74000, Preschewalsk 62500

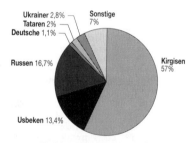

Ukrainer 2,8%
Tataren 2%
Deutsche 1,1%
Sonstige 7%
Russen 16,7%
Kirgisen 57%
Usbeken 13,4%

Kirgisistan: Bevölkerungsstruktur

STAAT Republik – Verfassung der ehem. Kirgis. SSR in Kraft, neue Verfassung in Vorbereitung – Parlament (Uluk Kenesh) mit 350 Mitgl. – Direktwahl d. Staatsoberh. alle 5 J. – Allg. Wahlrecht ab 18 J. – 6 Gebiete (Oblast) u. 1 Hauptstadtbezirk – **Staatsoberhaupt:** Askar Akajew, seit 28. 10. 1990 (am 12. 10. 1991 in Direktwahl im Amt bestätigt) – **Regierungschef:** Tursunbek T. Tschyngyschew, seit 26. 2. 1992 – **Äußeres:** Ednan Karabajew – **Parteien:** Nach d. Wahlen im Feb. 1990 kommunist. Mehrheit im Parl. (Präs. Akajew vertritt nichtkommunist., liberalen Kurs); KP seit 1. 9. 1991 aufgelöst; Oppo-

sitionsbündnis (Demokrat. Bewegung Kirgisistans) aus ca. 40 Gruppierungen – **Unabh.:** Souveränitätserkl. am 15. 12. 1990, Unabh.-Erkl. am 31. 8. 1991 – **Nationalfeiertag:** 31. 8.

WIRTSCHAFT *(Entwicklung → Tab. Sp. 475)* **BSP** 1991: 6900 Mio. $ = 1550 $ je Ew. (91); **BIP** (Nettomaterialprodukt) 1991: 11152 Mio. Rbl; realer Zuwachs 1991/92: –26,0%; Anteil 1991: **Landwirtsch.** 36%, **Industrie** 45% – 1991/92: Rückgang der Brutto-Industrieprod. um 26,8%, der Brutto-Agrarprod. um 24% – **Erwerbstät.** 1988: Landw. 34%, Ind. 27%, Handel/Verkehr 18%, Dienstlst. 21% – Bev.-Anteil mit Monatseink. unter d. **Armutsgrenze** (1991): 75% – **Arbeitslosigkeit** (S 1991): 13% – **Währung:** 1 Kirgisistan-Som (K. S.) = 100 Tyin; 1 US-$ = 4,33 K. S.; 100 K. S. = 38,21 DM – **Ausl.-Verschuld.** Ende 1992: 700 Mio. $ (Schuldenanteil an Ex-UdSSR) – **Inflation** Ø 1992 (Konsumentenpreise): 1090% – **Außenhandel** 1992: **Import:** 100 Mio. $; Güter: Erdöl u. Erdgas, chem. Prod. u. Erzeugn. d. Schwarzmetallurgie; Getreide (40% d. Verbrauchs) u. a.; Länder: k. Ang.; **Export:** 80 Mio. $; Güter: Industrieprod., Prod. der Leicht- u. Nahrungsmittelind., Elektroenergie (Wasserkraft), Buntmetalle u. a.; Länder: k. Ang.

KIRIBATI *Ozeanien*
Republik Kiribati; Republic of Kiribati; Ribaberikin Kiribati – KIR

LANDESSTRUKTUR Fläche (172): 726 km² – Hauptinselgruppen: Tarawa-Atoll 31 km², Gilbert-Inseln 286 km², Phönix-I. (mit Canton) 9 km², Line-I. mit Christmas-I. (Kiribati) 388 km²; Wasserfläche insg. 5,2 Mio. km² – **Einwohner** (180): (F 1991) 73000 = 101 je km² (90% auf den Gilbert-Inseln); (Z 1990) 72298 – Kiribatier; 80% Mikronesier; Polynesier, Chinesen u. Europäer – **Leb.-Erwart.:** 56 J. – **Kindersterbl.:** 8,3% – **Analph.:** rd. 10% – Jährl. **Bev.-Wachstum** (Ø 1980–91): 1,9% (Geburtenziffer 1990: 4,2%) – **Sprachen:** Gilbertesisch (I-Kiribati, austrones. Sprache) u. Englisch als Amtsspr. – **Religion:** 53,5% Katholiken, 39,1% Protestanten, 1730 Bahai – **Städt. Bev.:** 35% – **Städte** (S 1985): Bairiki 2100 Ew. (Hptst. auf d. Hauptinsel Tarawa mit 28802 Ew.; Z 1990)

STAAT Präsidialrepublik – Verfassung von 1979 – Parlament (Maneaba ni Maungatabu) mit 39 Mitgl., Wahl alle 4 J. sowie 1 nomin. Abg. von d. Insel Banaba (Ocean-I.); Inselparlamente – Direktwahl d. Staatsoberh. – Allg. Wahlrecht – **Staatsoberhaupt u. Regierungschef** sowie **Äußeres:** Teatao Teannaki, seit 3. 7. 1991 – **Parteien:** Sippenverbände; letz-

te Wahlen am 8./16. 5. 1991 – **Unabh.:** 12. 7. 1979 –
Nationalfeiertag: 12. 7.

WIRTSCHAFT BSP 1991: 53 Mio. $ = 720 $ je
Ew. (123); realer Zuwachs ⌀ 1980–90: 3,6 %; **BIP**
realer Zuwachs ⌀ 1985–89: 6,2 %; Anteil 1988
Landwirtsch. 31 %, **Industrie** 9 %, **Tourismus** 11 %
– **Energieverbrauch** 1988: 92 kg ÖE/Ew. – **Währung:** 1 Austral. Dollar/Kiribati ($A/K) = 100 Cents;
1 $A = 1 $A/K; 1 $A/K = 0,67 US-$; 100 $A/K =
112,36 DM – **Ausl.-Verschuld.** 1987: 3,6 Mio. $A –
Inflation ⌀ 1980–91: 5,4 % – **Außenhandel** 1990:
Import: 34,4 Mio. $A/K; Güter: 27 % Nahrungsmit-
tel, 19 % Maschinen u. Transportausrüst., 11 % mineral. Brennstoffe; Länder: 33 % Australien, 24 %
Japan, 19 % Fidschi; **Export:** 3,0 Mio. $A/K; Güter:
34 % Kopra, 32 % Fischereiprod., 24 % Seetang;
Länder: 26 % Niederl., 24 % Dänemark, 22 % Fidschi

KOLUMBIEN *Süd-Amerika*
Republik Kolumbien; República de Colombia – CO

LANDESSTRUKTUR Fläche (25): 1138 914 km²
– **Einwohner** (30): (F 1991) 32 873 000 = 29 je km²;
(Z 1985) 29 480 995 – Kolumbianer (span. Colombi-
anos); 58 % Mestizen, 20 % Weiße, meist altspan.
Herkunft, 14 % Mulatten, 4 % Schwarze; (S 1992)
20 000 Ureinwohner (Indios) – **Leb.-Erwart.:** 69 J.
(m66/w72); Bev.-Anteil 0–14 J.: 34,8 % – **Säugl.-
Sterbl.** (1990): 2,3 % – **Kindersterbl.:** 2,6 % – **An-
alph.:** 13 % – Jährl. **Bev.-Wachstum** (⌀ 1980–91):
2,0 % (Geb.- u. Sterbeziffer 1991: 2,4 %/0,6 %) –
Sprachen: Spanisch als Amtsspr.; etwa 400 000
sprechen indian. Idiome (u. a. Chibcha u. Quechua)
– **Religion:** 95 % Katholiken (Staatskirche); 100 000
Protestanten, 25 000 Juden – **Städt. Bev.:** 71 % –
Städte (F 1990): Santa Fé de Bogotá (Hptst.)
4 820 000 Ew.; Medellín 1 639 000, Cali 1 637 000,
Barranquilla 1 029 000, Cartagena 504 000; (Z 1985)
Cúcuta 388 397, Bucaramanga 357 585, Manizales
308 784, Ibagué 314 954, Pereira 300 224

STAAT Präsidialrepublik – Verfassung von 1991
– Parlament aus 2 Kammern: Repräsentantenhaus
(Cámara de Representantes) mit 161 u. Senat
(Senado) mit 102 Mitgl.; 2 Senatssitze für Minderh.
der Indios garantiert – Direktwahl d. Staatsoberh.
alle 4 J. – Allg. Wahlrecht ab 18 J. – 23 weitg. auton.
Departamentos (Direktwahl d. Gouverneure seit
1991) sowie 4 Intendencias (wenig besied.), 5 Co-
misarías u. 1 Sonderdistrikt (Hauptstadt Bogotá) –
Staats- u. Regierungschef: César Gaviria Trujillo
(PL), seit 7. 8. 1990 – **Äußeres:** Noemí Sanín Posa-
da de Rubio – **Parteien:** Wahlen vom 27. 10. 1991:

Partido Liberal/PL 86 Sitze im Repräs.-Haus u. 58
im Senat, Konservative Partei/PSC 15 u. 10, Demokratische Allianz/ADM–19 15 u. 9, Neue Demokrat.
Kraft/NFD 12 u. 9, Nationale Rettungsbewegung/
MSN 12 u. 5, Patriot. Union/UP 2 u. 1, Sonstige 19
u. 5 – **Unabh.:** 20. 7. 1810 (Proklamation), 7. 8.
1819 endgültig – **Nationalfeiertag:** 20. 7.

WIRTSCHAFT BSP 1991: 41 922 Mio. $ =
1260 $ je Ew. (100); realer Zuwachs ⌀ 1980–91:
3,2 %; **BIP** 1991: 41 692 Mio. $; realer Zuwachs ⌀
1980–91: 3,7 % (1992: +3,6 %); Anteil 1991 **Landwirtsch.** 17 %, **Industrie** 35 %, **Dienstlst.** 48 % –
Erwerbstät. 1990: Landw. 27 %, Ind. ca. 14 % –
Arbeitslosigkeit ⌀ 1992: offiz. 9,7 %, inoffiz. 25 %
– **Energieverbrauch** 1991: 778 kg ÖE/Ew. – **Währung:** 1 Kolumbian. Peso (kol$) = 100 Centavos
(c, cvs); Kurs d. Geschäftsbanken: 1 US-$ = 672,85
kol$; 100 kol$ = 0,23 DM – **Ausl.-Verschuld.** 1991:
17 369 Mio. $ = 43,5 % d. BSP – **Inflation** ⌀
1980–91: 25,0 % (1992: 25,5 %) – **Außenhandel**
1992: Import: 5570 Mio. $; Güter (1991): 46 % Roh-
stoffe u. Zwischenprod., 39 % Kapitalgüter, 10 %
Konsumgüter; Länder (1991): 34 % USA, 9 % Chile,
9 % Japan, 9 % BRD, 6 % Venezuela, 4 % Brasilien;
Export: 7135 Mio. $; Güter (1991): 18 % Kaffee,
17 % Erdöl u. -produkte, 10 % Kleidung, 8 % Kohle,
5 % Bananen, 3 % Blumen; Länder (1991): 42 %
USA, 11 % BRD, 4 % Japan, 3 % Niederl., 3 %
Frankr.

KOMOREN *Ost-Afrika*
Islamische Bundesrepublik (der) Komoren; République fédérale et islamique des Comores; Jam-
houri fédéral ya kislam ya Comores; Jumhûriyat
Al-Qámar Al-Ittihâdîya Al-Islâmîya (arab.); Repoblika Islamika Federalin'ny Komoro (madagass.) –
COM

LANDESSTRUKTUR Fläche (168): 1862 km²
(Njazidja, franz. Grande Comore, 1146 km²; Mwali,
fr. Mohélie, 290 km²; Nzwani, fr. Anjouan, 424 km²,
u. viele kleine Inseln; ohne Mayotte [374 km² →
Frankreich]) – **Einwohner** (157): (F 1991) 492 000 =
264 je km²; (Z 1990) 466 277 – Komorer; sehr ge-
mischt, bes. Araber, Madagassen, Bantu (Makua);
indische u. pers. Minderheiten: einige hundert Europäer, meist Franzosen – **Leb.-Erwart.:** 56 J.
(m54/w58) – **Kindersterbl.:** 12,8 % – **Analph.**
(1980): 52 % – Jährl. **Bev.-Wachstum** (⌀
1980–91): 3,7 % (Geburtenziffer 1988: 6,8 %) –
Sprachen: Französisch u. Komorisch (mit KiSuaheli
verwandt) als Amtsspr.; Arabisch als Kulturspr. –
Religion: 95 % Muslime (Islam ist Staatsreligion);
kath. u. protest. Minderheiten – **Städt. Bev.:** 23 % –

Städte (F 1988): Moroni (Hptst., auf Njazidja) 22000 Ew.; (Z 1980) Mutsamudu (auf Nzwani) 13000, Fomboni (auf Mwali) 5400

STAAT Islamische Bundesrepublik – Neue Verfassung vom 7. 6. 1992 (sieht u. a. eine alle 4 J. in 2 Wahlgängen gewählte gesetzgeb. Versammlung u. einen Senat mit 15 [5 je Insel] durch ein Wahlkollegium alle 6 J. ernannten Mitgl. vor) – Bundesversammlung (Assemblée Fédérale) derzeit aus 42 Mitgl., Wahl alle 5 J. – Direktwahl d. Staatsoberh. alle 5 J. – Allg. Wahlrecht ab 18 J. – 3 Inseldistrikte mit eig. Gouverneur u. direkt gewähltem Rat – **Staatsoberhaupt:** Said Mohamed Djohar, seit 20. 3. 1990 – **Regierungschef:** Said Ali Mohammad, seit 27. 5. 1993 – **Äußeres:** Said Hassam Said Hachim – **Parteien:** Wahlen vom 22./29. 11. u. 13./20. 12. 1992: insg. 17 den Präs. unterstützende Parteien 31 Sitze, insg. 7 Oppositionsparteien (u. a. Mouvement Démocratique Populaire/MDP u. Front démocratique) 11 Sitze – *Neuwahlen für 10. 10. 1993 angekündigt* – **Unabh.:** 6. 7. 1975 (Proklamation) – **Nationalfeiertag:** 6. 7.

WIRTSCHAFT BSP 1991: 245 Mio. $ = 500 $ je Ew. (137); realer Zuwachs ⊘ 1980–91: 2,6%; **BIP** realer Zuwachs ⊘ 1985–88: 1,8% (1990: +1,5%); Anteil 1991 **Landwirtsch.** 42%, **Industrie** (1989) 25% – **Erwerbstät.** 1991: Landw. 79%, Ind. ca. 6% – **Energieverbrauch** 1990: 37 kg ÖE/Ew. – **Währung:** 1 Komoren-Franc (FC); 1 FF = 50 FC (Wertverh. zum FF); 100 FC = 0,59 DM – **Ausl.-Verschuld.** 1990: 162 Mio. $ – **Inflation** ⊘ 1980–88: 5,3% (1990: 4,0%) – **Außenhandel** 1989: **Import:** 18100 Mio. FC; Güter (1988): 20% Reis, 6% Erdölprod., 6% Transportausrüst.; Länder: 58% Frankr.; **Export:** 3920 Mio. FC; Güter (1988): 63% Vanille, 22% Ylang-Ylang u. a. Essenzen, 11% Gewürznelken; Länder: 45% Frankr., 10% Madagaskar, USA u. ostafrik. Länder

KONGO *Zentral-Afrika*
Republik Kongo; République du Congo; früher Congo-Brazzaville – RPC

LANDESSTRUKTUR Fläche (62): 342000 km² – **Einwohner** (133): (F 1991) 2351000 = 7 je km²; (Z 1984) 1843421 – Kongolesen; Bantu-Gruppen (u. a. Vili-Kongo, Ba-Kongo 52%, Bavili, Bateke 24%, M'Boshi 4%), 12000 Pygmäen, im N auch Ubangi-Gruppen; 12000 Europäer, meist Franzosen – **Leb.-Erwart.:** 52 J. (m49/w54); Bev.-Anteil 0–14 J.: 45,5% – **Säugl.-Sterbl.** (1974): 11,5% – **Kindersterbl.:** 16,8% – **Analph.:** 43% – Jährl. **Bev.-Wachstum** (⊘ 1980–91): 3,4% (Geb.- u. Sterbezif-

fer 1991: 4,9%/1,6%) - **Sprachen:** Französisch als Amtsspr.; Lingala (ca. 50%), Monokutuba, Kikongo, Teke, Sanga, Ubangi-Sprachen u. a. – **Religion:** 55% Katholiken, protestant. u. muslim. Minderh.; rd. 50% Anh. von Naturrel. – **Städt. Bev.:** 41% – **Städte** (S 1988): Brazzaville (Hptst.) 648300 Ew.; Pointe-Noire 332500, Loubomo 55100, Nkayi 39800

STAAT (→ *Chronik*) Republik – Neue Verfassung vom 15. 3. 1992 – Parlament aus 2 Kammern: Volksversammlung mit 125 u. Senat mit 60 Mitgl.; Wahl alle 5 bzw. 6 J. – Direktwahl d. Staatsoberh. alle 5 J. – 9 Regionen mit insg. 46 Distrikten u. Hauptstadt – **Staatsoberhaupt:** Pascal Lissouba (UPADS), seit 31. 8. 1992 – **Regierungschef:** General Jacques-Joachim Yhombi Opango, seit 23. 6. 1993 – **Äußeres:** Benjamin Bounkoulou – **Parteien:** Vorgezogene Neuwahlen der Volksvers. vom 2. 5. u. 6. 6. 1993 (380 Kandidaten, Boykott des 2. Wahlgangs durch d. Opposition): L'Union panafricaine pour la démocratie sociale/UPADS 69 Sitze (1992: 39), Oppositionsparteien (u. a. Parti congolais du travail u. Union pour le renouveau démocratique/PCT-URD) insges. 50 (19), Union pour la Démocratie et la République/UDR u. Union Patriotique pour le renouveau National/UPRN insges. 6 (–), Sonstige 0 (67) – 2. Wahlgang durch Ob. Gericht am 29. 6. 1993 für ungültig erklärt (Neuwahlen unter internat. Aufsicht angekündigt) – Senatswahlen vom 26. 7. 1992: UPADS 23 Sitze, Mouvement congolais pour la démocratie et le développement intégral/MCDDI 14, Rassemblement pour la démocratie et le développement/RDD 8, PCT 2, Sonstige 13 – **Unabh.:** 15. 8. 1960 – **Nationalfeiertag:** 15. 8.

WIRTSCHAFT BSP 1991: 2623 Mio. $ = 1120 $ je Ew. (103); realer Zuwachs ⊘ 1980–91: 3,1%; **BIP** 1991: 2909 Mio. $; realer Zuwachs ⊘ 1980–91: 3,3%; Anteil 1991 **Landwirtsch.** 12%, **Industrie** 37%, **Dienstlst.** 51% – **Erwerbstät.** 1991: Landw. 59%, Ind. ca. 20% – **Arbeitslosigkeit** ⊘ 1991: rd. 25% (Städte) – **Energieverbrauch** 1991: 214 kg ÖE/Ew. – **Währung:** 1 CFA-Franc = 100 Centimes (c); 1FF = 50 CFA-Francs (Wertverh. zum FF); 100 CFA-Francs = 0,59 DM – **Ausl.-Verschuld.** 1991: 4744 Mio. $ = 181,7% d. BSP – **Inflation** ⊘ 1980–91: 0,4% – **Außenhandel** 1991: **Import:** 680 Mio. $; Güter (1990): 36% Investitionsgüter, 30% Halbwaren, 4% Nahrungsmittel; Länder: 44% Frankr., 8% Italien, 8% Hongkong, 7% USA, 5% Niederl., 5% Belgien/Lux., 4% Thailand, 4% BRD; **Export:** 1040 Mio. $; Güter (1990): 80% Rohöl (1991: rd. 90%); Länder: 38% USA, 18% Italien, 15% Belgien/Lux., 14% Frankr., 4% BRD, 21% Spanien, 1% GUS

KOREA *Demokratische Volksrepublik*
Ost-Asien
DVR Korea; Chosonn Minjujui Inmin; Choson;
Nord-Korea – DVRK

LANDESSTRUKTUR Fläche (98): 120538 km^2
(ohne entmilitar. Zone von 1262 km^2) – **Einwohner**
(39): (F 1991) 22191000 = 184 je km^2; (Z 1963)
11568000 – 99% Koreaner – **Leb.-Erwart.:** 71 J. –
Säugl.-Sterbl.: 2,6% – **Kindersterbl.:** 3,0% – **Analph.:** rd. 5% – Jährl. **Bev.-Wachstum** (∅
1980–91): 1,7% (Geb.- u. Sterbeziffer 1990:
2,2%/0,5%) – **Sprachen:** Koreanisch als Amtsspr.;
Russisch u. Chinesisch z. T. als Handelsspr. – **Religion:** Buddhismus, Konfuzianismus (Verhaltenskodex), Schamanismus, Christentum u. Chondogyo
derzeit bedeutungslos – **Städt. Bev.:** 60% – **Städte**
(S 1986): P'yongyang [Pjöngjang] (Hptst.)
1300000 Ew. (A 2,0 Mio.); Hamhung 670000,
Ch'ongjin [Tschöngdschin] 530000, Sinuiju [Si-
nuidschu] 330000, Kaesong [Käsong] 310000, An-
ju [Andschu] 205000

STAAT Volksrepublik – Verfassung von 1972 –
Oberste Volksversammlung mit 687 Mitgl. als oberstes Staatsorgan (wählt Staatsoberh. u. die 16 Mitgl. des Zentralen Volkskomitees); Wahl alle 4 J. –
Allg. Wahlrecht ab 17 J. – 9 Provinzen (Do) u. 4 unmittelbare Städte (Si), d. h. P'yongyang u. Kaesong,
Ch'ongjin, Hamhung, jeweils mit direkt gewählter
Versammlung – **Staatsoberhaupt:** Präs., Marschall
u. Generalsekr. d. PdAK Kim Ir Sen [Kim Il Sung],
seit 1972 (zuletzt wiedergewählt 1990); »Thronfolger« Kim Jon [Yong] Il, seit 9. 4. 1993 Vors. d. Nationalen Verteidigungskommission u. Oberbefehlshaber – **Regierungschef:** Kang Song San, seit
11. 12. 1992 (Wahl durch Ob. Volksvers.), Vors. des
»Administrativen Rates« (= Kabinett) – **Äußeres:**
Kim Yong Nam – **Parteien:** Entscheidend ist die
kommunist. »Partei der Arbeit Koreas«/PdAK;
Wahlen vom April 1990: 100% für die von der PdAK
beherrschte Liste des »Nationalen Blocks« – **Unabh.:** alte staatl. Tradition; 9. 9. 1948 Ausrufung d.
unabh. Volksrep. – **Nationalfeiertag:** 9. 9.

WIRTSCHAFT (keine neueren Angaben verfügbar) **BSP** 1989: 21100 Mio. $ = 990 $ je Ew. (111);
(S 1991: 22900 Mio. $ = 1040 $ je Ew.); realer Zuwachs (S 1991/92): –5,0%; Anteil 1985 **Landwirtsch.** 20%, **Industrie** 30%; **BIP** (S 1988): 18800
Mio. $ – **Erwerbstät.** 1991: Landw. 33%, Ind. ca.
30% – **Energieverbrauch** 1990: 2370 kg ÖE/Ew. –
Währung: 1 Won = 100 Chon; 1 US-$ = 1,01 Won;

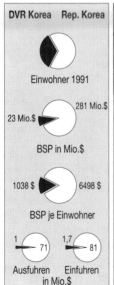

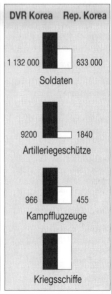

Nord- und Südkorea – Militärisches Potential

100 Won = 167,15 DM – **Ausl.-Verschuld.** 1991: 9280 Mio. $ – **Inflation** ⌀ 1991: 2,0 % – **Außenhandel** 1988: **Import:** 2280 Mio. $ (S 1989: 2520 Mio. $); Güter (1985, nur UdSSR): 37 % Maschinen, Ausrüst. u. Fahrzeuge, 30 % Erdöl u. -erzeugn.; Länder (1991): 38 % UdSSR, 23 % VR China, 10 % Japan, 5 % Hongkong; **Export:** 1240 Mio. $ (S 1989: 1560 Mio. $); Güter (1985, nur UdSSR): 13 % Magnesiumpulver, 13 % Walzerzeugn.; Länder (1991): 45 % UdSSR, 23 % Japan, 7 % VR China

KOREA *Republik; Ost-Asien*
Republik Korea; Taehanmin'guk; Han'guk; Süd-Korea – ROK

LANDESSTRUKTUR Fläche (108): 99 016 km² – **Einwohner** (24): (F 1992) 43 660 000 = 440 je km²; (Z 1990) 43 410 899 – Fast ausschließl. Koreaner (davon im Ausland ca. 1,2 Mio. [Japan 0,68 Mio.]); 39 500 US-Soldaten – **Leb.-Erwart.:** 70 J. (m67/w73); Bev.-Anteil 0–14 J.: 25,1 % – **Säugl.-Sterbl.** (1985): 1,6 % – **Kindersterbl.:** 1,9 % – **Analph.:** 4 % – Jährl. **Bev.-Wachstum** (⌀ 1980–91): 1,1 % (Geb.- u. Sterbeziffer 1991: 1,6 %/0,6 %) – **Sprachen:** Koreanisch als Amtsspr.; Englisch u. Japanisch als Handelsspr. – **Religion** (Z 1986): 8,06 Mio. bekennende Buddhisten, 5,48 Mio. Konfuzianer (Verhaltenskodex), Schamanismus, 1,27 Mio. Chondogyo (Tonhak), 982 000 Wonbuddhisten, 311 000 Taejonggyo; (1990) 6,49 Mio. Protestanten, 1,86 Mio. Katholiken, Muslime u. a. – **Städt. Bev.:** 73 % – **Städte** (Z 1990): Soul [Seoul] (Hptst.) 10 612 577

Ew.; Pusan [Busan] 3 798 115, Taegu [Dägu] 2 229 040, Inch'ŏn [Intschön] 1 817 919, Kwangju [Gwangschu] 1 139 003, Taejŏn [Tädschön] 1 049 578, Ulsan 682 411, Suwŏn [Puwan] 644 805, Sŏngnam [Söngnam] 540 754, Chonju 517 059, Masan 493 731

STAAT Parlamentarische Republik – Verfassung von 1988 – Nationalversammlung mit 299 Mitgl.; Wahl alle 4 J. – Direktwahl d. Staatsoberh. alle 5 J. – 13 Provinzen, davon 4 Stadtgebiete (Seoul, Pusan, Taegu, Inch'ŏn) sowie Landkreise (Gun) u. kreisfreie Städte (Si) – **Staatsoberhaupt:** Kim Young Sam (DLP-Vors.), seit 25. 2. 1993 (am 18. 12. 1992 mit 41,2 % d. Stimmen gewählt) – **Regierungschef:** Hwang In-Sung (DP), seit 22. 2. 1993 – **Äußeres:** Han Sung-Joo – **Parteien:** Wahlen vom 24. 3. 1992: Demokratisch-Liberale Partei/DLP 149 Sitze (1988: 215 von 237), Demokratische Partei/DP zus. mit Neue Demokrat. Unionspartei/NDP 97 (75), Nationale Einheitspartei 31 (–), Neue Politische Reformpartei 1 (–), Unabh. 21 (9) – **Unabh.:** alte staatl. Trad.; 15. 8. 1948 Ausrufung d. Rep. – **Nationalfeiertag:** 15. 8.

WIRTSCHAFT BSP 1991: 274 464 Mio. $ = 6330 $ je Ew. (40); realer Zuwachs ⌀ 1980–91: 10,0 % (1992: 294 500 Mio. $ = +4,7 %); **BIP** 1991: 282 970 Mio. $; realer Zuwachs ⌀ 1980–91: 9,6 % (1992: +4,5 %); Anteil 1991 **Landwirtsch.** 8 %, **Industrie** 45 %, **Dienstlst.** 47 % – **Erwerbstät.** 1991: Landw. 16,7 %, Ind. 35,6 % – **Arbeitslosigkeit** ⌀ 1992: 2,5 % – **Energieverbrauch** 1991: 1936 kg

Republik Korea: Fläche, Bevölkerung und Bevölkerungsdichte nach Provinzen

Provinz/Hauptort	Fläche in km²	Einwohner (F 1991)[1] in 1000	je km²	Hauptorte in 1000
Seoul²/Seoul	605	10 918	18 046	10 915
Pusan²/Pusan	526	3 877	7 371	3 861
Taegu²/Taegu	456	2 286	5 013	2 286
Inch'on/Inch'on	313	1 728	5 521	1 705
Kwangju²/Kwanju	501	1 234	2 463	1 231
Taejon²/Taejon	537	1 085	2 020	1 064[4]
Kyonggi/Suwon	10 769	5 748[3]	534	605[5]
Kang-won/Ch'unch'on	16 898	1 626	96	–
Ch'ungch'ongbuk/ Ch'ongju	7 437	1 334	179	453
Ch'ungch'ongam/ Taejon	8 317	1 922[3]	231	–
Chollabuk/Chonju	8 052	2 074	258	–
Chollanam/Kwangju	11 812	2 423[3]	205	–
Kyongsangbuk/Taegu	19 443	2 776[3]	143	–
Kyongsangnam/ Masan	11 771	3 665	311	506
Cheju/Cheju	1 825	510	279	–
Korea/Seoul	99 263	43 207		435

[1] Stand: Jahresmitte; [2] Stadtbezirk mit dem Status einer Provinz; [3] ohne Stadtbezirk; [4] Stand: Jahresmitte 1990; [5] Stand: Jahresmitte 1989.

ÖE/Ew. – **Währung:** 1 Won (₩) = 100 Chon; 1 US-$ = 800,50 ₩; 100 ₩ = 0,21 DM – **Ausl.-Verschuld.** 1991: 40518 Mio.$ = 14,4% d. BSP (Okt. 1992: 41660 Mio.$) – **Inflation** ⌀ 1980–91: 5,6% (1992: 4,5%) – **Außenhandel** 1992: **Import:** 81800 Mio.$; Güter: 34% Maschinen u. Transportausrüst., 17% mineral. Brennstoffe, 15% Fertigwaren, 10% Rohstoffe; Länder: 24% Japan, 22% USA, 5% BRD, 5% Saudi-Arabien, 4% Australien, 3% Indonesien; **Export:** 76600 Mio.$; Güter: 43% Fertigwaren, 42% Maschinen u. Transportausrüst., 6% Chemikalien; Länder: 24% USA, 15% Japan, 8% Hongkong, 4% Singapur, 4% BRD, 3% Rep. China

KROATIEN *Südost-Europa*
Republik Kroatien; Hrvatska Republika – HR

LANDESSTRUKTUR   Fläche (124): 56538 km^2 – **Einwohner** (104): (Z 1991) 4784265 = 84 je km^2 – (Z 1991) 78,1% Kroaten, 12,2% Serben (581700, davon 165000 in der Krajina u. Banija) sowie Slowenen, Ungarn, Italiener, Tschechen, Albaner u. a. – (Juni 1993): rd. 750000 Vertriebene u. Flüchtlinge (40–50% Kroaten, 50–60% aus Bosnien-H.) – **Leb.-Erwart.*:** 73 J. – **Säugl.-Sterbl.*** (1990): 2,1% – **Analph.*:** 7% – Jährl. **Bev.-Wachstum*** (⌀ 1980–91): 0,6% – **Sprachen:** Kroatisch (latein. Schrift) als Amtsspr.; Sprachen der Minderheiten – **Religion** (Z 1991): 76,5% Katholiken, 11,1% Orthodoxe, 1,2% Muslime; Protestanten – **Städte** (Z 1991): Agram [Zagreb] (Hptst.) 706770 Ew.; Split 189388, Fiume [Rijeka] 167964, Osijek 104761, Zadar 76343, Pula 62378
Angaben für ehem. Jugoslawien

STAAT   Republik – Verfassung von 1990, Änderung 1992 – Parlament (Sabor) aus 2 Kammern: Abgeordnetenhaus (Zastupnicki dom) mit 138 Mitgl. (60 in Direktwahl, 60 nach Proporzwahl bestimmt sowie 18 Abg. d. ethn. Minderh.: 13 Serben, 5 and.) u. Komitatshaus (Zupanijski dom) mit 63 Mitgl. (je 3 Vertreter aus d. Regionen) – Direktwahl d. Staatsoberh. alle 5 J. – Allg. Wahlrecht ab 18 J. – 21 Regionen (Zupanije), dar. die Hauptstadtregion; 2 Bezirke mit Sonderstatus (Glina u. Knin) mit überw. serbischer Bevölkerung vorgesehen – **Staatsoberhaupt:** Franjo Tudjman (HDZ), seit 22. 4. 1990 (in Direktwahl am 2. 8. 1992 im Amt bestätigt) – **Regierungschef:** Nikica Valentić (HDZ), seit 3. 4. 1993 – **Äußeres:** Mate Granić – **Parteien:** Wahlen vom 2. 8. 1992 zum Abgeordnetenhaus: Kroat. Demokrat. Gemeinschaft/HDZ 85 Sitze, Sozialliberale Partei/HSLS 14, Sozialdemokrat. Partei (ehem. Bund d. Kommunisten) 11, Istrische Partei 6, Volkspartei 6, Partei des Rechts 5, Bauernpartei/HSS 3,

Unabh. 5, Sonstige 3; Wahlen zum Komitatshaus vom 7. 2. 1993: HDZ 37 Sitze, HSLS 16, HSS 5, Istrischer Demokrat. Sabor/IDS 3, Sonstige 2 – **Unabh.:** Unabh.-Erkl. am 25. 6. 1991, formell seit 8. 10. 1991 – **Nationalfeiertag:** 30. 5. (Tag der Eigenstaatlichkeit, Parl.-Beschluß über die Trennung von Jugoslawien 1991)

WIRTSCHAFT   BSP *(Übersicht → Tab. Sp. 567)* 1991 (Ang. der Kroat. Zentralbank): 1900 $ je Ew. (80); realer Zuwachs 1991/92: –23,6%; **BIP** (S 1990): 3400 $ je Ew. – Rückgang der Brutto-Industrieprod. 1991/92 um 14,6% – **Arbeitslosigkeit** Anf. 1993: 17,8% – **Währung:** Kroatischer Dinar (CRD); 1 US-$ = 3179,096 CRD; 100 DM = 187259,00 CRD – **Brutto-Verschuld.** 30. 6. 1992: 2697 Mio.$ (ohne Schulden von Ex-Jugosl.); 1992: rd. 80% d. BIP – **Inflation** ⌀ 1992: 664% (1991: 122,6%) – **Außenhandel** (Jan.–Juli 1992): **Import:** 2939,5 Mio.$ (1990/91: –30,7%); Länder: 27% Slowenien, 3% Bosnien-H., 2% Makedonien, 0,3% Neu-Jugosl. (insg. 32% Ex-Jugosl.); **Export:** 2974,6 Mio.$ (1990/91: –24,7%); Güter: Wein, Olivenöl, Petroleum; Prod. d. chem. u. pharmazeut. Ind., Plastikerzeugn., Färbemittel; Länder: 30% Slowenien, 5% Bosnien-H., 3% Makedonien, 1% Neu-Jugosl. (insg. 40% Ex-Jugosl.)

Von der ethnischen Minderheit der Serben einseitig proklamiertes Gebiet:

»Republik Serbische Krajina« Proklamation am 19. 12. 1991 (durch d. Abgeordneten aus den drei bisherigen autonomen Regionen Krajina, West- u. Ostslawonien) – Eigene Verfassung, selbsternanntes Parlament sowie »Staatsführung« mit »Präs.« Goran Hadzić – Referendum am 19./20. 6. 1993 über den Zusammenschluß mit der Serb. Rep. in → Bosnien-H. u. eine spätere Vereinigung mit Serbien u. Montenegro zu einem Großserbien (von Kroatien für gesetzeswidrig erklärt): Zustimmung mit 98,6% – Mehrere Waffenstillstandsvereinbarungen seit April 1993 mit Kroatien *(→ Chronik)*

KUBA *Mittel-Amerika; Karibik*
Republik Kuba; Cuba; República de Cuba – C

LANDESSTRUKTUR   Fläche (104): 11086 km^2 – **Einwohner** (63): (F 1991) 10736000 = 97 je km^2; (Z 1981) 9723605 – Kubaner; rd. 70% Weiße, meist altspan. Herkunft, 17% Mestizen u. Mulatten, 12% Schwarze, 0,5% Chinesen; zahlr. Exil-Kubaner leben in den USA, v. a. in Florida (1990 in Miami: 700000) – **Leb.-Erwart.:** 76 J. – **Säugl.-Sterbl.:**

1,2% – **Kindersterbl.**: 1,4% – **Analph.**: 6% – Jährl. **Bev.-Wachstum** (∅ 1980–91): 0,9% (Geb.- u. Sterbeziffer 1990: 1,7%/0,6%) – **Sprache**: Spanisch – **Religion**: 39,6% Katholiken, 3,3% Protestanten, 10000 Juden; 48,7% ohne Religionszugehörigkeit, 6,4% Atheisten (seit 1992 Religionsfreiheit) – **Städt. Bev.**: 75% – **Städte** (F 1989): La Habana [Havanna] (Hptst.) 2096100 Ew.; Santiago de Cuba 405400, Camagüey 283000, Holguín 228000, Guantánamo 200400, Santa Clara 194400, Bayamo 125000, Cienfuegos 123600, Pinar del Río 128000, Las Tunas 119400, Matanzas 113700

Auf Kuba befindet sich als Pachtgebiet der **US-Marinestützpunkt Guantánamo** mit 111,9 km²; von Kuba seit langem zurückgefordert

STAAT Sozialistische Republik – Verfassung von 1976 auf d. Grundlage d. Marxismus-Leninismus, letzte Änderung vom 29. 10. 1992 – Volkskongreß (Asamblea Nacional del Poder Popular) mit 589 Mitgl., seit 1993 Direktwahl, wobei d. Kandidaten durch Kommissionen der »Massenorganisationen« bestimmt werden – Volkskongreß wählt Staats- u. Reg.-Chef sowie Mitgl. d. Staatsrats – Staatsrat (Consejo de Estado) mit 31 Mitgl. höchstes Staatsorgan (mit gesetzgeb. Funktion zw. den Sitzungen des Volkskongresses) – Ministerrat (Consejo de Ministros) als Exekutive – Politbüro aus 14 Mitgl. – Allg. Wahlrecht ab 16 J. – 14 Provinzen mit 168 Stadtgebieten (Municipios) u. Sonderverw.-Gebiet Isla de la Juventud *(Einzelheiten → WA '93, Tab. Sp. 433f.)* – **Staatsoberhaupt u. Regierungschef,** Oberbefehlshaber d. Streitkräfte, KP-Generalsekr., Vors. d. Staatsrats u. d. Ministerrats: Dr. Fidel Castro Ruz, seit 1976, zuletzt am 15. 3. 1993 im Amt bestätigt – **Äußeres:** Roberto Robaina González – **Parteien:** Partido Comunista de Cuba/PCC, deren Führungsrolle in der Verfassung verankert ist; Generalsekr. des ZK (225 Mitgl.) des PCC: Fidel Castro – Volkskongreß-Wahlen u. Wahlen der 14 Provinzparl. (1190 Abg.) vom 24. 2. 1993 (erstmals direkte u. geheime Wahl): Wahlbeteiligung 99,62%, alle 589 Kandidaten erhielten mehr als 50% d. Stimmen u. sind damit gewählt – **Unabh.:** Beginn d. Unabh.-Kampfes geg. Spanien mit d. »Freiheitsruf« von Baire/Santiago v. 24. 2. 1895; nach Intervention durch USA am 20. 5. 1902 Konstituierung d. unabh. Staates – **Nationalfeiertage:** 1. 1., 26. 7. u. 10. 10.

WIRTSCHAFT (keine neueren Angaben verfügbar) **BSP** (S 1989): 1550 $ je Ew. (92); realer Zuwachs 1982/83: 5,2%; **BIP** (Nettomaterialprodukt) 1989: 12791 Mio. kub$; realer Zuwachs 1988/89: –0,5% (S 1990/91: –39%); Anteil 1989 **Landwirtsch.** 12%, **Industrie** 46% – **Erwerbstät.** 1991: Landw. 18%, Ind. 25% – **Energieverbrauch** 1990:

1192 kg ÖE/Ew. – **Währung:** 1 Kuban. Peso (kub$) = 100 Centavos (¢); 1 kub$ = 1,35 US-$; 100 kub$ = 229,20 DM (US-$ als Zahlungsmittel seit 27. 7. 1993 zugelassen) – **Ausl.-Verschuld.** 1990: 24780 Mio. $ (S 1991: 29791 Mio. $) – **Inflation** ∅ 1992: 15% – **Außenhandel** 1989: **Import:** 8124 Mio. Kub$; Güter: 33% mineral. Brennstoffe, 31% Maschinen u. Transportausrüst.; Länder: 68% UdSSR sowie DDR, VR China, ČSFR, Spanien u. a.; **Export:** 5392 Mio. Kub$; Güter: 73% Zucker u. -produkte, 9% Nickelerze u. -konzentrate, 8% landwirtschaftl. Prod. (v. a. Fisch, Tabak u. -waren); Länder: 60% UdSSR u. a. RGW-Länder – **Tourismus** (1991/92): +8,6%; Deviseneinnahmen 1992 (1991): 382,4 (287) Mio. $

KUWAIT *Vorder-Asien*
Staat Kuwait; Dawlat al-Kuwáit – KWT

LANDESSTRUKTUR Fläche (153): 17818 km² (mit 900 km² Inseln) – **Einwohner** (143): (F 1991) 1460000 = 82 je km²; (Z 1985) 1697301 – (F 1989) rd. 40% Kuwaiter, 38% andere Araber, 21% Asiaten, Iraner, Inder, Pakistani; rd. 170000 Palästinenser (1992) – **Leb.-Erwart.:** 75 J. – **Säugl.-Sterbl.:** 1,4% – **Kindersterbl.:** 1,6% – **Analph.:** 27% – Jährl. **Bev.-Wachstum** (∅ 1980–91): 4,4% (Geb.- u. Sterbeziffer 1990: 2,5%/0,3%) – **Sprachen:** Arabisch als Amtsspr.; Englisch als Handelsspr. wichtig – **Religion:** 90% Muslime (63% Sunniten, 27% Schiiten; Islam ist Staatsreligion); 8% Christen, 2% Hindus – **Städt. Bev.:** 96% – **Städte** (Z 1985): Kuwait (Hptst.) 44335 Ew. (A 241356); Salmiya 153369, Hawalli 145126, Jaleeb al-Shuyukh 114771, Jahra 111222

STAAT Emirat (Erbmonarchie) – Verfassung von 1962 – Parlament (Nationalrat) mit 75 Mitgl. (50 gewählt, 25 vom Emir ernannt), Wahl alle 4 J. – Der Emir ernennt Min.-Präs. u. d. Minister – Wahlrecht für männliche Bürger ab 21 J., deren Familien mind. seit 1920 im Land ansässig sind (= 13,5% d. Kuwaiter) – 4 Gouvernemente – **Staatsoberhaupt:** Emir Scheich Jaber al-Ahmad al-Jaber Al-Sabah [Dschabar ul Dschabar as Sabah], der 13. Emir v. Kuwait, seit 1978 – **Regierungschef:** Kronprinz Scheich Sa'ad Al-Abdallah al-Salim Al-Sabah, seit 1978 (Reg. seit 17. 10. 1992 mit 6 Vertr. aus den Reihen d. Opposition, Schlüsselressorts weiterhin von Mitgl. d. Herrscherfamilie besetzt) – **Äußeres:** Scheich Sabah al-Ahmad Al-Jaber – **Parteien:** Erste Wahlen seit 1985 vom 5. 10. 1992 (278 Kandidaten, Wahlbeteiligung über 80%): oppositionelle Gruppierungen insg. 22 der 50 Sitze (davon islam. Gruppierungen 10, Parlamentar. Allianz 10, Demokrat. Forum

2); unabh. Kandidaten (größtenteils der Oppos. zugehörige) 10; regierungsfreundliche Parteien u. Gruppen: Vertreter d. Beduinenstämme 10 Sitze sowie 8 frühere Parlamentarier – **Unabh.:** 19. 6. 1961 – **Nationalfeiertag:** 25. 2.

WIRTSCHAFT   (keine neueren Angaben verfügbar) **BSP** 1989: 33 089 Mio. $ = 16 160 $ je Ew. (22); realer Zuwachs ⌀ 1980–89: 2,2%; **BIP** 1990: 23 540 Mio. $; realer Zuwachs ⌀ 1980–90: 0,7%; Anteil 1990 **Landwirtsch.** 1 %, **Industrie** 56 % – **Erwerbstät.** 1988: Landw. 1,3%, Ind. 26% – **Energieverbrauch** 1990: 6414 kg ÖE/Ew. – **Währung:** 1 Kuwait-Dinar (KD.) = 1000 Fils; 1 US-$ = 0,30 KD.; 100 KD. = 562,77 DM – **Inflation** ⌀ 1980–91: –2,7% – **Außenhandel** 1990: **Import:** 4800 Mio. $; Güter (1989): 30% Maschinen u. Transportausrüst., 18% Nahrungsmittel; Länder (1989): 13% USA, 13% Japan, 8% BRD; **Export:** 8300 Mio. $; Güter (1988): 82% Erdöl u. -produkte wie Kraft- u. Schmierstoffe, Chemikalien; Länder (1985): 18% Japan, 13% Niederl., 11% Italien, 7% Rep. China; (1989: 13% USA)

LAOS *Südost-Asien*
Demokratische Volksrepublik Laos; République démocratique populaire de Lao; Sathalamalid Pasathu'paait Pasasim Lao – LAO

LANDESSTRUKTUR   **Fläche** (80): 236 800 km² – **Einwohner** (110): (F 1991) 4 279 000 = 18 je km²; (Z 1985) 3 584 803 – Laoten; 67,1% Lao-Lum (Tal-Lao) u. Lao-Theung (Berg-Lao); 11,9% Palaung-Wa, 7,9% Thai, 5,2% Miao u. Man, 4,6% Mon-Khmer, 3,3% Andere – **Leb.-Erwart.:** 50 J. (m49/w52); Bev.-Anteil 0–14 J.: 44,5% – **Säugl.-Sterbl.** (1988): 10,0% – **Kindersterbl.:** 16,3% – **Analph.** (1985): 56% – Jährl. **Bev.-Wachstum** (⌀ 1980–91): 2,7% (Geb.- u. Sterbeziffer 1991: 4,4%/1,6%) – **Sprachen:** Lao als Amtsspr.; Umgangsspr. der versch. ethn. Gruppen; Französisch – **Religion** (seit 1991 Rel.-Freiheit): rd. 56% Buddhismus; christl. Minderh. (rd. 46000 Protest., 35000 Kath.); Konfuzianismus, Taoismus, Stammesrelig. – **Städt. Bev.:** 19% – **Städte** (F 1990): Viangchan [Vientiane] (Hptst.) 442000 Ew.; (Z 1985) Savannakhet 53690, Paksé 44860, Luang Prabang [Louangphrabang] 44244

STAAT   Volksdemokratie nach der Verfassung von 1991 – Parlament (Nationalversammlung) mit 85 Mitgl., Wahl alle 5 J. – Allg. Wahlrecht – 16 Provinzen (Khoueng) u. die Präfektur Vientiane – **Staatsoberhaupt:** Nouhak Phoumsavanh, seit 25. 11. 1992 – **Regierungschef:** General Khamtay

Siphandone (Generalsekr. d. LPRP), seit 15. 8. 1991 – **Äußeres:** Somsavat Lengsavath – **Parteien:** Wahlen vom 20. 12. 1992 (Aufstellung von 152 Kandidaten, davon 32 LPRP, 130 von LPRP »gebilligt«, Wahlbeteiligung 99,3%): Laotische Revolutionäre Volkspartei/LPRP alle 85 Sitze – **Unabh.:** Formelle Unabh. am 22. 10. 1953, bestätigt durch d. Indochina-Konferenz v. 21. 7. 1954 – **Nationalfeiertag:** 2. 12. (Ausrufung d. VR 1975)

WIRTSCHAFT   **BSP** 1991: 965 Mio. $ = 220 $ je Ew. (167); realer Zuwachs ⌀ 1980–90: 3,7%; **BIP** 1991: 1027 Mio. $; realer Zuwachs ⌀ 1980–88: 5,3%; Anteil 1988 **Landwirtsch.** 59%, **Industrie** 20% – **Erwerbstät.** 1991: Landw. 71%, Ind. ca. 7% – **Energieverbrauch** 1991: 42 kg ÖE/Ew. – **Währung:** Kip; 1 US-$ = 715 Kip; 100 Kip = 0,24 DM – **Ausl.-Verschuld.** 1991: 1121 Mio. $ = 109,8% d. BSP – **Inflation** ⌀ 1980–87: 46,5% (1992: ca. 10%) – **Außenhandel** 1989: **Import:** 230 Mio. $; Güter (1992): v. a. Nahrungsmittel, Erdölprod., Maschinen u. Transportausrüst.; **Export:** 97 Mio. $; Güter (1992): 36% Holz u. -produkte sowie v. a. elektr. Energie, Textilien, Kaffee, Zinn, Gips; Handelspartner (1990): v. a. UdSSR, Thailand, Japan – Illegaler Handel mit Opium (1992: Ernte 250 t) sowie Gold u. Edelsteinen

LESOTHO *Süd-Afrika*
Königreich Lesotho; Kingdom of Lesotho; Muso oa Lesotho (SeSotho) – LS

LANDESSTRUKTUR   **Fläche** (138): 30 355 km² – **Einwohner** (138): (F 1991) 1 816 000 = 60 je km²; (Z 1986) 1 447 000 (vorl. Ergeb.) – Lesother; 99,7% Sotho d. Südbantu-Gruppe; etwa 2000 Weiße u. Inder – **Leb.-Erwart.:** 56 J. (m55/w58); Bev.-Anteil 0–14 J.: 41,9% – **Säugl.-Sterbl.** (1977): 8,1% – **Kindersterbl.:** 15,7% – **Analph.** (1985): 26% – Jährl. **Bev.-Wachstum** (⌀ 1980–91): 2,8% (Geb.- u. Sterbeziffer 1991: 3,5%/1,1%) – **Sprachen:** Sesotho (Bantuspr.) u. Englisch als Amtsspr. – **Religion:** rd. 90% Christen (davon 44% Katholiken, 30% evang. Protestanten, 12% Anglikaner); muslim. Minderh. u. Anh. von Naturrel. – **Städt. Bev.:** 21% – **Städte** (S 1986): Maseru (Hptst.) 109000 Ew.; Teyateyaneng 14300, Mafeteng 12700

STAAT   Erbmonarchie – Neue Verfassung vom März 1993 – Parlament mit 65 Mitgl. – Staatsoberh. ohne Exekutiv- u. Legislativmacht, Direktwahl d. Regierung alle 5 J. – 10 Distrikte – **Staatsoberhaupt:** König Letsie III. [Mohato Seeiso], seit 12. 11. 1990, gekrönt am 2. 4. 1993 – **Regierungschef u. Äußeres:** Ntsu Mokhehle (BCP-Vors.), seit

2. 4. 1993 (erste Zivilregierung seit 1971) – **Parteien:** Erste freie Wahlen seit 1970 am 27./28. 3. 1993: Basutoland Congress Party/BCP rd. 75 % u. alle 65 Sitze, Basotho National Party/BNP rd. 25 % u. 0 – **Unabh.:** 4. 10. 1966 – **Nationalfeiertag:** 4. 10.

WIRTSCHAFT BSP 1991: 1053 Mio. $ = 580 $ je Ew. (133); realer Zuwachs ∅ 1980–91: 2,7 %; **BIP** 1991: 578 Mio. $; realer Zuwachs ∅ 1980–91: 5,5 %; Anteil 1991 **Landwirtsch.** 14 %, **Industrie** 38 %, **Dienstlst.** 48 % – **Erwerbstät.** 1991: Landw. 79 %, Ind. ca. 7 % (1992: rd. 38 % d. arbeitsfähigen Männer in der Rep. Südafrika tätig) – **Arbeitslosigkeit** Ende 1989: rd. 35 % – **Energieverbrauch** 1988: 10 kg ÖE/Ew. – **Währung:** 1 Loti (M; Plural: Maloti) = 100 Lisente (s); 1 Rand (R) = 1 M (Wertverh. zum Rand); 100 M = 50,77 DM (südafrik. Rand ebenf. gesetzl. Zahlungsmittel) – **Ausl.-Verschuld.** 1991: 427,7 Mio. $ = 39,2 % d. BSP – **Inflation** ∅ 1980–91: 13,6 % – **Außenhandel** 1988: **Import:** 534 Mio. $; Güter: v. a. Nahrungsmittel, Maschinen u. Transportausrüst. sowie Erdölprod.; **Export:** 55 Mio. $; Güter: v. a. Bekleidung, Schuhe u. Wolle (Mohair); Handelspartner: v. a. SACU (Südafrikan. Zollunion) sowie Schweiz u. EG-Länder

LETTLAND *Nordost-Europa*
Republik Lettland; Latvijas Republika – LV

LANDESSTRUKTUR Fläche (122): 64 600 km² – **Einwohner** (129): (F 1991) 2 693 000 = 42 je km²; (Z 1989) 2 666 567 – (F 1992) 52,5 % Letten [Latvieši], 34 % Russen, 4,4 % Weißrussen, 3,4 % Ukrainer, 2,2 % Polen, 1,3 % Litauer; rd. 20 000 Letten leben auf dem Gebiet d. ehem. UdSSR u. weitere 95 000 im Ausland – **Leb.-Erwart.:** 69 J. (m64/w75); Bev.-Anteil 0–14 J.: 21,7 % – **Säugl.-Sterbl.** (1990): 1,6 % – **Kindersterbl.:** 2,0 % – **Analph.:** unter 5 % – Jährl. **Bev.-Wachstum** (∅ 1980–91): 0,3 % (Geb.- u. Sterbeziffer 1991: 1,4 %/1,3 %) – **Sprachen:** Lettisch als Amtsspr. (von ca. 50 % gesprochen); Russisch – **Religion:** rd. 65 % Protestanten (Lutheraner); Katholiken, Russ.-Orthodoxe u. a. – **Städt. Bev.:** 71 % – **Städte** (F 1991): Riga (Hptst.) 897 100 Ew.; Daugavpils [Dünaburg] 127 300, Liepaja [Libau] 113 800, Jelgava 73 900, Jurmala 60 900, Ventspils 50 400, Rezekne 43 100

STAAT Parlamentarische Republik – Verfassung von 1922 seit 7. 7. 1993 wieder in Kraft – Parlament (Saeima) mit 100 Mitgl., Wahl alle 2,5 J.; ernennt Staatsoberh. – Wahlrecht für Staatsbürger, die vor dem 17. 6. 1940 lettische Bürger waren – 33 Bezirke u. 567 Gemeinden – **Staatsoberhaupt:** Guntis Ulmanis (Bauernunion), seit 7. 7. 1993 – **Regierungs-**

chef: Valdis Birkavs (Lettlands Weg), seit 8. 7. 1993 – **Äußeres:** Georgs Andrejevs – **Parteien:** Erste freie Wahlen seit 1931 vom 5./6. 6. 1993: Wahlbündnis »Lettlands Weg« 32,4 % u. 36 Sitze, Lett. Nationale Unabhängigkeitsbewegung/LNNK 13,4 % u. 15, Partei »Eintracht für Lettland, Wiedergeburt für die Volkswirtschaft« 12,0 % u. 13, Bauernbund/LZS 10,6 % u. 12, Liste »Gleichberechtigung« (Russen) 5,8 % u. 7, Vaterland und Freiheit (rechtsextrem) 5,4 % u. 6, Christlich Demokrat. Union/ LKDS 5,0 % u. 6, Demokrat. Zentrumspartei/DCP 4,8 % u. 5 – **Unabh.:** 1918/20–1940; Souveränitätserkl. am 28. 7. 1989; Ausrufung der Unabh. am 4. 5. 1990, seit 21. 8. 1991 in Kraft – **Nationalfeiertag:** 18. 11. (Ausrufung d. Republik 1918)

WIRTSCHAFT BSP 1991: 9193 Mio. $ = 3410 $ je Ew. (51); **BIP** 1992: 182 002 Mio. Rbl; realer Zuwachs 1991/92: –43,9 %; Anteil 1992: **Landwirtsch.** 25 %, **Industrie** 52 % – Rückgang der Brutto-Industrieprod. 1991/92 um 35,1 % – **Erwerbstät.** 1992: Landw. 18 %, Ind. 36 % – **Arbeitslosigkeit** Anf. 1993: 2,7 % (inoff. rd. 15 %) – **Währung:** Lats seit 28. 6. 1993; 1 Lats = 100 Santims; 1 US-$ = 0,654 Lats; 100 Lats = 258,135 DM; Übergangswährung Lettischer Rubel (200 LVR = 1 Lats) bis auf weiteres gesetzl. Zahlungsmittel – **Ausl.-Verschuld.** Ende 1991 (brutto): 800 Mio. $ – **Inflation** ∅ 1986–89: 18 % (1991: 317 %; 1992: 951,2 %) – **Außenhandel** 1992: **Import:** 480 Mio. $; Güter: Rohstoffe (Erdöl u. Erdgas) u. Energieträger, Prod. der Metallurgie u. des Maschinenbaus, Vorprod. d. Landwirtschaft, Getreide; Länder (Jan.–Sept. 1992): 17 % Rußland, 13 % Kasachstan, 10 % Ukraine, 8 % Estland, 5 % Litauen, 4 % Weißrußland; **Export:** 390 Mio. $; Güter: Agrar- u. Forstprod., Pers.-Transportmittel, Telefonanlagen u. Telefone, Melk- u. Kühlanlagen, Radioempfänger, Dieselmaschinen u. -generatoren; Länder (Jan.–Sept. 1992): 48 % Rußland, 21 % Kasachstan, 13 % Ukraine, 8 % Weißrußland, 4 % Litauen, 3 % BRD, 3 % Finnland

LIBANON *Vorder-Asien*
Libanesische Republik; El Dschumhurija el Lubnanija bzw. Al-Jumhûrîya Al-Lubnânîya – RL

LANDESSTRUKTUR Fläche (160): 10 400 km² – **Einwohner** (128): (F 1991) 2 708 000 = 260 je km²; (Z 1970) 2 126 325 – Libanesen; tscherkessische u. armenische Minderh. – (Anf. 1993, Reg.-Ang.): insg. 800 000 arabisch-palästin. Flüchtlinge – **Leb.-Erwart.:** 66 J. – **Säugl.-Sterbl.:** k. Ang. – **Analph.:** 20 % – Jährl. **Bev.-Wachstum** (∅ 1985–90): 0,2 % (Geb.- u. Sterbeziffer ∅ 1980–85: 2,9 %/0,9 %) – **Sprachen:** Arabisch als Amtsspr.; Spr. der Minderh.

Armenisch u. Kurdisch; Französ. u. Englisch als Handels- u. Bildungsspr. sowie »Franbanais« (Mischspr. aus Franz. u. Arab.) – **Religion:** 60% Muslime (32% Schiiten, 21% Sunniten, 7% Drusen); 40% Christen (25% Maroniten, 7% Griech.-Orth., 5% Griech.-Kath., 4% Armenier u. a.) – **Städt. Bev.:** 81% – **Städte** (S 1980): Beyrout [Beirut] (Hptst.) 702000 Ew. (S 1985: 1–1,5 Mio.); Tarabulus esh Sham [Tripoli] 175000; (F 1975) Zahlé 45000, Saida [Sidon] 38000, Ba'albek 18000, Es Sur [Tyrus] 14000 (durch Bürgerkrieg starke Veränderungen)

STAAT Parlamentarische Republik – Verfassung von 1926, letzte Änderung 1990 – Parlament mit 128 Mitgl. (je zur Hälfte aus Christen u. Muslimen), Wahl alle 4 J. – Staatsoberh. muß maronitischer Christ, Reg.-Chef sunnitischer, Parl.-Präs. schiitischer Muslim sein (Proporz entspr. »Nationalpakt« von 1943) – Allg. Wahlrecht ab 21 J. – 5 Provinzen (Mohafazats) – **Staatsoberhaupt:** Elias Hrawi, seit 24. 11. 1989 – **Regierungschef:** Rafik al Hariri, seit 22. 10. 1992; Reg. zur Hälfte aus Christen u. Muslimen, überw. prosyrisch – **Äußeres:** Faris Boueiz – **Parteien:** Erste Parlamentswahlen seit 1972 vom 23. 8.–6. 9. u. 11. 10. 1992 (Aufstellung von Einzelkandidaten; Boykott seitens der christl. Gruppen u. Drusen): Verteilung nach religiösen Gruppen: maronit. Katholiken 34, sunnit. Muslime 27, schiit. Muslime 27, Griech.-Orthodoxe 14, Drusen 8, Griech.-Melkit. Kath. 6, Armen.-Orthodoxe 5, Alaouiten 2, Armen. Kath. 1, Protestanten 1, Sonstige 3 – **Unabh.:** 26. 11. 1941 formell, 22. 11. 1943 Wiedereinsetzung liban. Amtsträger durch d. Franzosen (als Beginn der tatsächl. Unabh. bezeichnet) – **Nationalfeiertag:** 22. 11.

WIRTSCHAFT (keine neueren Angaben verfügbar) **BSP** (S 1986): 6949 Mio. $ = 2450 $ je Ew. (67); realer Zuwachs ⌀ 1980–86: 14,4%; **BIP** 1987: 3296 Mio. $; realer Zuwachs ⌀ 1982–87: 22,7% (S 1991: 3700 Mio. $; realer Zuwachs 1991/92: 37%); Anteil 1987 **Landwirtsch.** 9%, **Industrie** 20%, **Dienstlst.** 66% – **Erwerbstät.** 1991: Landw. 8%, Ind. ca. 20% – **Arbeitslosigkeit** 1990: rd. 50% – **Energieverbrauch** 1990: 968 kg ÖE/Ew. – **Währung:** 1 Libanes. Pfund (L£) = 100 Piastres (P. L.); Offiz. Kurs vom 23. 6.1993: 1 US-$ = 1730,00 L£; 100 L£ = 0,098 DM – **Ausl.-Verschuld.** 1991: 1858,3 Mio. $ – **Inflation** ⌀ 1965–80: 9,3% (1992: 120%) – **Außenhandel** 1987: **Import:** 1880 Mio. $; Länder (1990): v. a. Italien, Frankr., Syrien, BRD, USA; **Export:** 591 Mio. $; Güter (1990): v. a. bearb. Edelmetalle u. Juwelen, Textilien, Metallprod. u. Maschinen, elektr. Geräte, pharmazeut. Prod. u. Nahrungsmittel; Länder (1992): 89% arab. Länder, v. a. Saudi-Arabien, Ver. Arab. Emirate sowie Schweiz, Italien

LIBERIA *West-Afrika*
Republik Liberia; Republic of Liberia – LB

LANDESSTRUKTUR **Fläche** (102): 111369 km^2 (davon Landfläche 99068 km^2) – **Einwohner** (130): (F 1991) 2639000 = 24 je km^2; (Z 1984) 2101628 – Liberianer; 16 Hauptstämme wie Kpelle u. Bassa (zus. rd. 30%), Kru, Manding usw. – **Leb.-Erwart.:** 55 J. – **Säugl.-Sterbl.:** 13,6% – **Kindersterbl.:** 17,8% – **Analph.:** 61% – Jährl. **Bev.-Wachstum** (⌀ 1980–91): 3,1% (Geb.- u. Sterbeziffer 1990: 4,4%/1,4%) – **Sprachen:** Englisch als Amtsspr.; Golla, Kpelle, Mande, Kru u. a. – **Religion:** bis 70% Anh. von Naturrel.; 68% Christen, rd. 15% Muslime (bes. Mandingo) – **Städt. Bev.:** 46% – **Städte** (S 1986): Monrovia (Hptst.) 465000 Ew. (S Anf. 1993, als A 800000); Gbarnga 30000, Tchien 15000

STAAT (→ *Chronik*) Präsidialrepublik – Verfassung von 1986 mit Änderung 1988, z. Z. außer Kraft – Parlament aus 2 Kammern: Repräsentantenhaus (House of Representatives) mit 64 u. Senat (Senate) mit 26 Mitgl. – 28köpfige Interimsversammlung mit Vertretern der wichtigsten polit. Parteien u. der Bezirke (seit 1990) – Direktwahl d. Staatsoberh. alle 6 J. – Friedensvertrag zw. den Bürgerkriegsparteien Nationale Patriot. Front Liberias/NPFL, Vereinigte Befreiungsbewegung für Demokratie Liberias/ULIMO u. Reg. am 25. 7. 1993 sieht u. a. eine Koalitionsreg. vor, die freie Wahlen vorbereiten soll) – 5köpfiger Staatsrat aus ULIMO, NPFL u. Reg.-Vertr. seit 16. 8. 1993 als oberstes Staatsorgan – Allg. Wahlrecht ab 19 J. – 11 Bezirke (Counties) u. 4 Territorien – **Staats- u. Regierungschef:** Vors. des Staatsrats Bismark Kuyon, seit 18. 8. 1993 – **Äußeres:** Gabriel Baccus Matthews – **Parteien:** Letzte Wahlen 1985: Repräs.-Haus: Nationaldemokrat. Partei/NDPL 51 Sitze, Lib. Action P./LAP 8, Lib. Unification P./LUP 3, United P./UP 2 – *Präs.- u. Parl.-Wahlen für Feb. 1994 vorgesehen* – **Unabh.:** 26. 7. 1847 – **Nationalfeiertag:** 26. 7.

WIRTSCHAFT (keine neueren Angaben verfügbar) **BSP** 1987: 1051 Mio. $ = 450 $ je Ew. (142); realer Zuwachs ⌀ 1980–87: –2,1%; **BIP** 1988: 1070 Mio. $; realer Zuwachs ⌀ 1980–88: –1,9%; Anteil 1988 **Landwirtsch.** 38%, **Industrie** 23% – **Erwerbstät.** 1990: Landw. 69%, Ind. ca. 9% – **Energieverbrauch** 1990: 169 kg ÖE/Ew. – **Währung:** 1 Liberian. Dollar (Lib$) = 100 Cents (c); 1 US-$ = 1 Lib$ (Wertverh. zum US-$); 100 Lib$ = 168,82 DM (US-$ ebenf. gesetzl. Zahlungsmittel: geduldeter Parallelmarkt ohne Ang.) – **Ausl.-Verschuld.** 1991: 1989 Mio. $ – **Inflation** ⌀ 1980–87: 1,5% (1989: 5,9%) – **Außenhandel** 1990: **Import:** 450 Mio. $; Güter (1989): 27% Maschinenbau-, elektrotechn. Erzeugn. u. Fahrzeuge, 24% Nahrungsmittel; Länder (1989): 40% EG-Länder (dar. 28% BRD), 22% USA; **Export:** 500 Mio. $; Güter (1989): 80% Eisenerz u. Naturkautschuk sowie Holz, Kaffee u. Kakao; Länder (1989): 70% EG-Länder (dar. 43% BRD), 20% USA

LIBYEN *Nord-Afrika*

Sozialistische Libysch-Arabische Volks-Dschamahirija (»Volksöffentlichkeit«); Kurzform: Libysch-Arabische Dschamahirija; Al-Jamâhîrîya Al-'Arabîya Al-Lîbîya Ash-Sha'bîya Al-Ishtirâkîya – LAR

LANDESSTRUKTUR Fläche (16): 1759540 km² – **Einwohner** (105): (F 1991) 4706000 = 3 je km²; (Z 1984) 3637488 – Libyer; Tuareg u. a. Berber, im S auch Schwarze; bis 500000 ägypt. Gastarbeiter – **Leb.-Erwart.:** 63 J. – **Säugl.-Sterbl.:** 7,4% – **Kindersterbl.:** 8,8% – **Analph.:** 36% – Jährl. **Bev.-Wachstum** (∅ 1980–91): 4,1% (Geb.- u. Sterbeziffer 1990: 4,3%/0,8%) – **Sprachen:** Arabisch als Amtsspr.; Berberdialekte als Umgangsspr.; Handelsspr. teilw. Engl. u. Italien. – **Religion:** 90% Muslime (u. a. Reformorden der sunnit. Senussi; Ibaditen); Islam ist Staatsreligion; 40000 Katholiken u. a. Minderh. – **Städt. Bev.:** 71% – **Städte** (Z 1984): Tarabulus [Tripolis] (Hptst.) 990697 Ew.; Bengasi [Benghazi] 485386, Az-Zawiyah 220075, Nikat Al-Khoms 181584, Misurata [Misratah] 178295, Al-Khoms 149642

STAAT Republik (Volks-Dschamahirija, auf der Grundlage des Koran) mit Prinzip der »direkten Volksherrschaft« – Verfassung von 1977 – General-Volkskongreß/GVK mit ca. 2700 Delegierten als oberstes Organ mit 22köpf. Generalsekretariat – General-Volkskomitee (Kabinett aus 14 Ministerien) mit 5köpf. Gen.-Sekretariat aus Offizieren als Exekutive – 3 Provinzen u. 10 Governorate – **Staatsoberhaupt:** Sekretär des GVK Abd Ar-Razia Sawsa, seit 1990; »Bruder« Oberst Muammar Al-Gaddafi »Führer d. Großen Revolution vom 1. Sept.« de facto Staatsoberh., seit 1969 – **Regierungschef:** Vors. des General-Volkskomitees Abu Zaid Omar Dourda [Abu Said Umar Durdah], seit 1991 – **Äußeres:** Omar Mustafa Al-Muntasir – **Parteien:** Seit 1977 lokale u. regionale Volkskomitees – **Unabh.:** 24. 12. 1951 – **Nationalfeiertag:** 1. 9. (Tag d. Revolution von 1969)

WIRTSCHAFT (keine neueren Angaben verfügbar) **BSP** 1989: 23333 Mio. $ = 5310 $ je Ew. (43); realer Zuwachs ∅ 1980–89: –5,4%; **BIP** 1991: 8600 Mio. DL; realer Zuwachs ∅ 1980–89: –4,0% (1991: +5,0%); Anteil 1990 **Landwirtsch.** 5%, In-

dustrie 24%, **Ölsektor** 34% – **Erwerbstät.** 1991: Landw. 13%, Ind. ca. 30% – **Arbeitslosigkeit** ∅ 1991: unter 1% (registriert) – **Energieverbrauch** 1990: 3399 kg ÖE/Ew. – **Währung:** 1 Libyscher Dinar (LD.) = 1000 Dirhams; 1 US-$ = 0,296 LD.; 100 LD. = 569,94 DM – **Ausl.-Verschuld.** 1991: 5000 Mio. $ – **Inflation** ∅ 1980–91: 0,2% – **Außenhandel** 1991: **Import:** 6360 Mio. $; Güter (1989): 39% Maschinen u. Transportausrüst., 28% and. Güter d. verarb. Industrie, 9% chem. Prod., 9% Nahrungsu. Genußmittel sowie Tiere; Länder: 23% Italien, 12% BRD, 8% Großbrit., 6% Frankr., 5% Türkei, 4% Polen, 4% Tunesien; **Export:** 11150 Mio. $; Güter (1986): 99,9% Erdöl u. Erdgas (1991: 4% d. Weltexports); Länder: 38% Italien, 17% BRD, 9% Spanien, 7% Frankr., 4% Jugoslawien

LIECHTENSTEIN *Mittel-Europa*

Fürstentum Liechtenstein – FL

LANDESSTRUKTUR Fläche (187): 160 km² – **Einwohner** (188): (F Anf. 1992) 29386 = 184 je km²; (Z 1990) 28877 (inkl. 10218 ausländ. Wohnbev.) – Liechtensteiner; 36% Ausländer (Anf. 1992: 10592, davon 4517 Schweizer, 2113 Österreicher, 1063 Deutsche, 2849 Italiener, Türken, Jugoslawen, Spanier, Griechen u. a.) – **Leb.-Erwart.:** 70 J. (m66/w73) – **Analph.:** 0,3% – Jährl. **Bev.-Wachstum** (∅ 1985–90): 1,3% (Geb.- u. Sterbeziffer 1989: 1,3%/0,6%) – **Sprache:** Deutsch als Amtsspr. – **Religion** (1990): 24756 Katholiken, 2256 Protestanten, 469 and. – **Städt. Bev.:** 46% – **Städte** (F Ende 1991): Vaduz (Hptst.) 4887 Ew.; Schaan 5035, Balzers 3752, Triesen 3586, Eschen 3138, Mauren 2919, Triesenberg 2403

STAAT Konstitutionelle Erbmonarchie auf parlamentarisch-demokratischer Grundlage – Verfassung von 1921 – Rechts-, Wirtschafts- u. Währungsgemeinschaft mit der Schweiz seit 1923; diplomat. Vertr. durch die Schweiz – Parlament (Landtag) mit 25 Mitgl., Wahl alle 4 J.; ernennt 5köpfige Kollegialreg., die vom Staatsoberh. bestätigt wird – Allg. Wahlpflicht ab 20 J. – **Staatsoberhaupt:** Fürst Hans-Adam II., seit 1989 – **Regierungschef** (u. Wahrnehmung der eigentl. Außenbez.): Markus Büchel (FBP), seit 26. 5. 1993; Koalition aus FBP u. VU – **Parteien:** Wahlen vom 7. 2. 1993 (Wahlbeteiligung 87,2%; 8%-Klausel): Fortschrittl. Bürgerpartei/FBP 44,2% u. 12 Sitze (1989: 12), Vaterländische Union/VU 45,4% u. 11 (13), grün-alternative Freie Liste/FL 10,4% u. 2 (–) – **Unabh.:** 12. 7. 1806 (Proklamation), nominell 6. 8. 1806 (Auflösung d. Dt. Reichs) – **Nationalfeiertag:** 15. 8.

WIRTSCHAFT (keine neueren Angaben verfügbar) **BSP** 1989: 30270 $ je Ew. (3); **BIP** 1991: 89 474 sfr je Ew. – **Erwerbstät.** 1992 (von 20 118 Beschäftigten sind 6476 Grenzgänger aus der Schweiz u. Österreich): Landw. 1,7 %, Ind. 51 %, Dienstlst. 47 % – **Energieverbrauch** 1989: 3048 kg ÖE/Ew. – **Währung:** 1 Schweizer Franken (sfr) = 100 Rappen *(→ Schweiz)* – **Inflation** ⌀ 1991: 5,9 % – **Außenhandel** (o. Schweiz) 1989: **Import:** 875,8 Mio. sfr; Güter: 31 % Maschinen u. Transportausrüst.; Länder: bes. Schweiz; **Export** (1992): 2480,9 Mio. sfr; Güter (1989): 45 % Maschinen u. Transportausrüst.; Länder (1991): 45 % EG-Länder, 34 % außereurop. Länder, 15 % Schweiz, 5 % and. EFTA-Länder

PRESSE (Aufl. i. Tsd.) *Tageszeitungen:* Vaduz: Liechtensteiner Vaterland (8,5)/VU-Org. – Schaan: Liechtensteiner Volksblatt (8)/FBP-Org. – *Nachrichtenagentur:* Presse- u. Informationsamt

LITAUEN *Nordost-Europa*
Republik Litauen; Lietuvas Respublika – LT

LANDESSTRUKTUR **Fläche** (121): 65 200 km² – **Einwohner** (115): (F 1991) 3 765 000 = 58 je km²; (Z 1989) 3 689 779 – (F 1992) 80,2 % Litauer [Lietuviai], 8,9 % Russen, 7 % Polen, 1,6 % Weißrussen, 1,1 % Ukrainer, Juden, Tataren, Letten, Deutsche; 6,8 Mio. Litauer leben in den USA – **Leb.-Erwart.:** 71 J. (m65/w76); Bev.-Anteil 0–14 J.: 22,5 % – **Säugl.-Sterbl.:** 1,4 % – **Kindersterbl.:** 1,8 % – **Analph.:** k. Ang. – Jährl. **Bev.-Wachstum** (⌀ 1980–91): 0,8 % (Geb.- u. Sterbeziffer 1991: 1,5 %/ 1,1 %) – **Sprachen:** Litauisch als Amtsspr.; Russisch, Polnisch, Weißrussisch – **Religion:** 2,67 Mio. röm. Katholiken; Evang.-Lutheraner u. Reformisten, Russ.-Orthodoxe – **Städt. Bev.:** 68 % – **Städte** (F 1992): Vilnius [Wilna] (Hptst.) 597 000 Ew.; Kaunas [Kovno] 434 000, Klaipeda [Memel] 208 000, Šiauliai [Schaulen] 149 000, Panevežys 132 000

STAAT Republik – Neue Verfassung vom 6. 11. 1992 (Annahme per Referendum am 25. 10. 1992) – Parlament (Sejm) mit 141 Mitgl., Wahl alle 4 J. – Direktwahl d. Staatsoberh. alle 5 J. seit 1993 – Allg. Wahlrecht – 44 Landbezirke sowie 11 Stadtbezirke – **Staatsoberhaupt:** Algirdas M. Brazauskas (LDDP-Vors.), seit 25. 11. 1992 (in ersten Direktwahlen am 14. 2. 1993 mit 60,2 % d. Stimmen im Amt bestätigt) – **Regierungschef:** Adolfas Šleževižius, seit 10. 3. 1993 – **Äußeres:** Povilas Gylys – **Parteien:** Erste freie Wahlen seit der Unabh. vom 25. 10. u. 15. 11. 1992 (Kandidatur von 17 Parteien u. Bündnissen): Demokrat. Arbeiterpartei/LDDP (aus d. re-

formorientierten Flügel d. KP hervorgegangen) 73 Sitze (Wahlen 1990: 0), rechtsnationale Sajudis-Koalition 30 (90), Christdemokraten u. Verbündete 16, Sozialdemokrat. Partei 8 (9), Polnische Union (als Minderheitenvertretung von 4 %-Klausel befreit) 4, Unabh. 1, Sonstige 9 – **Unabh.:** 1918–1940; Souveränitätserklärung am 18. 5. 1989 u. Wiederherstellung der Rep. Litauen am 11. 3. 1990, seit 29. 7. 1991 in Kraft – **Nationalfeiertag:** 16. 2. (Wiederherstellung d. Litauischen Staates 1918)

WIRTSCHAFT **BSP** 1991: 10 220 Mio. $ = 2710 $ je Ew. (60); **BIP** 1992 (S): 6500 Mio. $; BIP (Nettomaterialprodukt) 1991: 24 575 Mio. Rbl; realer Zuwachs 1991/92: –35,0 %; Anteil 1991 **Landwirtsch.** 21 %, Rückgang der Produktion um 60 %, **Industrie** 69 %, Rückgang der Brutto-Industrieprod. 1991/92 um 51,2 % – **Erwerbstät.** 1991: Landw. 17 %, Ind. 33 % – **Arbeitslosigkeit** 2/1993: rd. 50 000 Pers. – **Währung:** Litas seit 25. 6. 1993; seit 19. 7. allein. Zahlungsmittel (Umstellung von Übergangswährung Talonas (TAL) erfolgte im Verhältnis 100 TAL = 1 LTL); 1 Litas (LTL) = 100 Centas; 1 US-$ = 4,20 LTL; 100 LTL = 40,19 DM – **Inflation** ⌀ 1992: 1163 % – **Außenhandel** 1990: **Import:** 953 Mio. Rbl; Güter: 31 % Maschinen u. Metallwaren, 30 % Prod. der Leichtind., 18 % Nahrungsmittel, außerd. Erdöl u. Erdgas, chem. Erzeugn., Schwarzmetalle; Länder (Jan. 1993): 24 % Rußland, 13 % Italien, 9 % BRD, 8 % Polen, 8 % Ukraine; **Export:** 397 Mio. Rbl; Güter: 42 % Maschinen u. Metallwaren, 18 % Erdgas u. Erdöl (Reexport aus Rußland), 16 % Nahrungsmittel, außerd. Holz u. Papier, Strom, Prod. der Leichtind.; Länder (Jan. 1993): 26 % Rußland, 21 % Ukraine, 16 % BRD, 5 % Weißrußland, 3 % Polen

LUXEMBURG *West-Europa*
Großherzogtum Luxemburg; Grand-Duché de Luxembourg; Grousherzogdem Lëtzebuerg – L

LANDESSTRUKTUR **Fläche** (166): 2586 km² – **Einwohner** (161): (F Anf. 1992) 389 800 = 151 je km²; (Z 1991) 385 317 – Luxemburger; rd. 27 % Ausländer (1988: 99 400), v. a. Portugiesen, Italiener, Franzosen, Deutsche, Belgier, Niederländer, Spanier – **Leb.-Erwart.:** 75 J. (m71/w78) – **Kindersterbl.:** 1,0 % – **Analph.** (1988): 0 % – Jährl. **Bev.-Wachstum** (⌀ 1980–91): 0,4 % (Geb.- u. Sterbeziffer 1990: 1,3 %/1,0 %) – **Sprachen:** Französisch, Deutsch u. Lëtzebuergisch (moselfränk. Dialekt) als 3 »amtliche« Arbeitsspr.; Gesetzesspr. weiterhin Französ.; Nationalspr. Lëtzebuergisch – **Religion:** 95 % Katholiken, kl. protestant. u. jüdische Minderh. – **Städt. Bev.:** 85 % – **Städte** (Z 1991): Luxembourg [Luxemburg] (Hptst.) 75377 Ew.; Esch-sur-Alzette 24012, Differdange [Differdingen] 15699

STAAT Konstitutionelle Erbmonarchie (Großherzogtum) auf parlamentarisch-demokratischer Grundlage – Verfassung von 1868, letzte Änderungen 1956 – Parlament (Chambre des Députés) mit 60 Mitgl., Wahl alle 5 J., sowie beratender Staatsrat mit 21 Mitgl., teils vom Großherzog ernannt, teils vom Parlament, teils v. Staatsrat selbst nominiert – Allg. Wahlpflicht ab 18 J. – 12 Kantone – **Staatsoberhaupt:** Großherzog Jean, seit 1964 – **Regierungschef:** Jacques Santer (CSV), seit 1984; Koalition aus CSV u. LSAP – **Äußeres:** Jacques Poos – **Parteien:** Wahlen 1989: Chrëstlich-Sozial Vollekspartei/CSV 22 Sitze, Lëtzebuergesch Sozialistesch Arbechterpartei/LSAP 18, Demokratesch Partei/DP (Liberale) 11, Aktiounskomite 5/6 4, Sonstige 5 – **Unabh.:** Durch die Wiener Kongreßakte v. 9. 6. 1815 völkerrechtl. Gründung d. souveränen modernen Staates L.; Ende der Personalunion mit d. niederländischen Königshaus am 13. 11. 1890 – **Nationalfeiertag:** 23. 6. (Geburtstag d. Großherzogs)

WIRTSCHAFT BSP 1991: 11761 Mio.$ = 31780$ je Ew. (2); realer Zuwachs ∅ 1980–91: 4,2%; **BIP** 1991: 8900 Mio.$; realer Zuwachs ∅ 1980–90: 3,4% (1992: +3,2%); Anteil 1991 **Landwirtsch.** 1,4%, **Industrie** 33,8%, **Dienstlst.** 64,8% – **Erwerbstät.** 1991: Landw. 3,2%, Ind. 28,6%, Dienstl. 53,8% – **Arbeitslosigkeit** ∅ 1992: 1,6% – **Energieverbrauch** 1988: 8448 kg ÖE/Ew. – **Währung:** 1 Luxemb. Franc (lfr) = 100 Centimes (c); 1 bfr = 1 lfr; 1 US-$ = 34,70 lfrs; 100 lfrs = 4,86 DM (Währungsparität zum belg. Franc, ebenf. gesetzl. Zahlungsmittel) – **Inflation** ∅ 1980–91: 4,2% (1992: 3,4%) – **Außenhandel** 1991: **Import:** 277,1 Mrd. lfrs; Güter: 49,6% Vorerzeugn., 35% Konsumgüter, 14,4% Investitionsgüter; Länder: 39% Belgien, 30% BRD, 12% Frankr., 5% Niederl., 2% Italien, 2% Großbrit.; **Export:** 214,3 Mrd. lfrs; Güter: 73,5% Vorerzeugn., 19% Konsumgüter, 7,5% Investitionsgüter; Länder: 30% BRD, 17% Frankr., 17% Belgien, 5% Niederl., 5% Großbrit., 4% Italien – Bedeutender Bankenplatz (1991): 187 Institute mit 17016 Angestellten (8,7% aller Erwerbstät.)

PRESSE (Aufl. i. Tsd.) *Tageszeitungen:* Luxemburg: Lëtzebuerger Journal (14)/Dt. – Luxemburger Wort (86)/Kath./Dt., Frz. – Le Républicain Lorrain (15)/Frz. – Zeidung vum Lëtzebuerger Vollek (8)/KP-Org./Dt. – Esch-sur-Alzette: Tageblatt/Zeitung für Lëtzebuerg (28)/Dt., Frz. – *Wochenzeitungen und Zeitschriften:* D'Lëtzebuerger Land (7)/Dt. – Lëtzebuerger Sonndesblat (8)/Kath./Dt. – Revue/D'Lëtzebuerger Illustréiert (28)/Dt. – Télécran (37)/Dt.

MADAGASKAR *Südost-Afrika*
Demokratische Republik Madagaskar; Repoblika Demokratika Malagasy (n'i Madagascar); République Dém. de Madagascar; Madagasikara – RM

LANDESSTRUKTUR Fläche (44): 587041 km² (mit Inseln Nosy-Be 293 km² u. Ste. Marie du Madagascar 165 km²) – **Einwohner** (60): (F 1991) 12016000 = 20 je km²; (Z 1975) 7604790 – Madagassen (Malagasy); 99% negritische (u. a. Sakalaven, Betsimisaraka), v. a. aber malaiische Gruppen (Merina, Betsileo); Inder, Franzosen, Komorer, Chinesen u. a. – **Leb.-Erwart.:** 51 J. (m50/w52); Bev.-Anteil 0–14 J.: 45,1% – **Säugl.-Sterbl.** (1992): 11,4% – **Kindersterbl.:** 16,5% – **Analph.:** 20% – Jährl. **Bev.-Wachstum** ∅ 1980–91): 3,0% (Geb.- u. Sterbeziffer 1991: 4,3%/1,4%) – **Sprachen:** Französ. u. Malagasy als Amtsspr.; Umgangsspr. einheim. Idiome, als Bildungsspr. auch Howa – **Religion:** über 50% Anh. von Naturrel.; rd. 43% Christen (dar. 25% Katholiken), 5% Muslime – **Städt. Bev.:** 25% – **Städte** (S 1985): Antananarivo [frz. Tananarive] (Hptst.) 662500 Ew. (A 1,1 Mio.); Toamasina [Tamatave] 83000, Flanar 73000, Majunga 71000, Toliara [Tuléar] 49000, Antsiranana 43000

STAAT Republik – Neue Verfassung vom 19. 8. 1992 – Neues Parlament aus 2 Kammern: Nationalversammlung mit 138 Mitgl. (Wahl alle 4 J.) u. Senat (Mitgl.-Zahl muß noch festgelegt werden; ²/₃ durch Wahlausschuß u. ¹/₃ durch Staatsoberh. ernannt) – Direktwahl d. Staatsoberh. alle 5 J. – Wahl d. Reg.-Chefs durch das Parl. – Allg. Wahlrecht – 6 Provinzen (Faritany) – **Staatsoberhaupt:** Albert Zafy (Forces Vives), seit 27. 3. 1993 (am 10. 2. 1993 im 2. Wahlgang mit 66,7% d. Stimmen gewählt) – **Regierungschef:** Francisque Ravony, seit 9. 8. 1993 – **Äußeres:** Jacques Sylla – **Parteien:** Wahlen vom 16. 6. 1993 (Kandidatur von 121 Parteien u. polit. Organisationen): Bündnis Forces Vives Rasalama 46 Sitze (1989: 0), Mouvement Prolétarien/MFM 15 (7), Leader Fanilo 14 (0), FAMINA 11 (0), PSD-RPSD 8 (0), Fihaonana 8 (0), UNDD-Forces Vives 5 (0), Parti du Congrès pour l'Indépendance de Madagascar/AKFM Renouveau 5 (2), 5 weitere Parteien mit je 2 Sitzen, Sonstige 12 (125, dar. 120für die Avantgarde pour le Redressement Economique Social/ARES), 4 Sitze vakant – **Unabh.:** 26. 6. 1960 – **Nationalfeiertag:** 26. 6.

WIRTSCHAFT BSP 1991: 2560 Mio.$ = 210$ je Ew. (170); realer Zuwachs ∅ 1980–91: 0,5%; **BIP** 1991: 2488 Mio.$; realer Zuwachs ∅ 1980–91: 1,1%; Anteil 1991 **Landwirtsch.** 33%, **Industrie** 14%, **Dienstlst.** 53% – **Erwerbstät.** 1991: Landw. 76%, Ind. ca. 6% – **Arbeitslosigkeit** 1991: 10–15% – **Energieverbrauch** 1991: 39 kg ÖE/Ew. –

Währung: 1 Madagaskar-Franc (FMG) = 100 Centimes (c); 1 US-$ = 1904,16 FMG; 100 FMG = 0,09 DM – **Ausl.-Verschuld.** 1991: 3715 Mio.$ = 148,3% d. BSP – **Inflation** ∅ 1980–91: 16,8 % (1992: 14,7 %) – **Außenhandel** 1991: **Import:** 560 Mio.$; Güter (S): 35 % Investitionsgüter, 18 % Rohstoffe u. Ersatzteile, 18 % Energie, 14 % Konsumgüter, 11 % Nahrungsmittel (dar. 6 % Reis); Länder: 31 % Frankr., 8 % BRD, 7 % USA, 7 % Japan, 3 % Italien; **Export:** 360 Mio.$; Güter: 13 % Vanille, 8 % Kaffee, 7 % Nelken; Länder: 26 % Frankr., 13 % USA, 10 % BRD, 8 % Japan, 3 % Großbrit. – Freihandelszonen in Antananarivo u. Toamasina

MAKEDONIEN *Südost-Europa*
»Die frühere jugoslawische Republik Makedonien« (provisor. Name durch UNO seit 8. 4. 1993); »Republik Makedonien«; »Republika Makedonija« – FYROM bzw. MAK

LANDESSTRUKTUR Fläche (146): 25 713 km^2 – **Einwohner** (135): (Z 1991) 2 033 964 = 79 je km^2 – 64,6 % Makedonier, 21 % Albaner (n. alban. Ang. 35 %), 4,8 % Türken, 2,2 % Serben (n. serb. Ang. 12,5 %), 2,7 % Roma, 1,7 % ethn. Muslime u. a. Minderh. (Wlachen bzw. Aromunen) – **Leb.-Erwart.***: 73 J. – **Säugl.-Sterbl.*** (1990): 2,1 % – **Analph.:** 11 % – Jährl. **Bev.-Wachstum** (∅ 1981–91): 0,6 % – **Sprachen:** Makedonisch, als Amtsspr.; Albanisch, Türkisch, Serbisch – **Religion:** mehrheitl. Orthodoxe (Makedonier) u. Muslime (Albaner u. a.) – **Städte** (Z 1991): Skopje [Skoplje] (Hptst.) 563 301 Ew.; (F 1981) Bitola 80 800, Prilep 63 600, Kumanovo 63 200
Angaben für ehem. Jugoslawien

STAAT Republik – Verfassung von 1991 – Parlament (Sobranje) mit 140 Mitgl.; Wahl alle 4 J., ernennt Staatsoberh. u. Regierung – Allg. Wahlrecht – Zum Territorium gehört die von den Albanern am 5. 4. 1992 proklamierte »Albanische Autonome Republik Illyria« – **Staatsoberhaupt:** Kiro Gligorov (LCM-PTD), seit 9. 12. 1990 (Wahl durch Parl. am 27. 1. 1991) – **Regierungschef:** Branko Crvenkovski (LCM-PTD-Vors.), seit 4. 9. 1992 – **Äußeres:** Stevo Crvenkovski – **Parteien:** Wahlen von 1990: Innere Makedonische Revolutionäre Organisation u. Demokrat. Partei der makedon. nationalen Einheit/VMRO-DPNME 38 von 120 Sitzen, Sozialdem. Allianz u. Partei der Demokrat. Erneuerung (ehem. Bund d. Kommunisten)/LCM-PTD 31, Partei der Demokrat. Prosperität (Albaner) 18, Bund reformist. Kräfte 11, Sonstige 23 – **Unabh.:** Unabh.-Erkl. am 15. 9. 1991; Staat nur teilw. anerkannt, u. a. BRD, Schweiz – **Nationalfeiertag:** noch nicht festgelegt

WIRTSCHAFT Sozialprodukt (nach ex-jugosl. Berechnung) 1992 (S): 2000 Mio.$ = 972 $ je Ew. (113); realer Zuwachs 1991/92: –14,7 %; **BIP** 1991: 5060 Mio.$; realer Zuwachs 1991/92: –14 %; Anteil 1989 **Landwirtsch.** 14 %, **Industrie** 53 % – 1991/92: Rückgang der Industrieprod. um 11 %, der Nettoeink. um 32,9 % – **Arbeitslosigkeit** Anf. 1993: rd. 40 % – **Währung:** Makedonischer Denar (seit 10. 5. 1993); 13 Denar = 1,00 DM (Bindung an DM) – **Ausl.-Verschuld.** (brutto Ende 1992): 1164,7 Mio.$ (ohne Anteil an föderalen ex-jugosl. Schulden) – **Inflation** ∅ 1992: 1790,7 % – **Außenhandel** 1991: **Import:** 1270 Mio.$ (o. Ex-Jugosl.); **Export:** 1095 Mio.$ (o. Ex-Jugosl.); Güter: Früchte, Tabak, Baumwolle u. a. landwirtschaftl. Prod., Fleischprod.; Eisen, Blei, Zink, Nickel, Gold u. a.

MALAWI *Südost-Afrika*
Republik Malawi; Republic of Malawi; Mfuko La Malawi (ChiChewa) – MW

LANDESSTRUKTUR Fläche (99): 118 484 km^2 (mit 24 208 km^2 Binnengewässern) – **Einwohner** (75): (F 1992) 8 823 000 = 74 je km^2 (bzw. 94 je km^2 Landfl.); (Z 1987) 7 982 607 – Malawier; Bantu (Chi-Chewa, Nyaja, Lomwe, Yao, Sena u. a.); etwa 8000 meist brit. Europäer u. Amerikaner, 3000 Asiaten – **Leb.-Erwart.:** 45 J. (m44/w45); Bev.-Anteil 0–14 J.: 46,9 % – **Säugl.-Sterbl.** (1982): 14,3 % – **Kindersterbl.:** 19,5 % – **Analph.** (1985): 59 % – Jährl. **Bev.-Wachstum** (∅ 1980–91): 3,3 % (Geb.- u. Sterbeziffer 1991: 5,3 %/2,1 %) – **Sprachen:** Englisch u. ChiChewa als Amtsspr.; Chitumbuka als Verkehrsspr.; Lomwe, Yao, Sena u. a. – **Religion:** 42 % Christen, 15 % Muslime; 43 % Anh. von Naturrel. – **Städt. Bev.:** 12 % – **Städte** (Z 1987): Lilongwe (Hptst.) 233 973 Ew.; Blantyre-Limbe 331 588; (S 1985) Zomba 25 000, Mzuzu 20 000

STAAT (→ *Chronik*) Präsidialrepublik – Verfassung von 1966 – Einführung des Mehrparteiensystems per Referendum am 14. 6. 1993 mit 63 % d. Stimmen angenommen – Direktwahl d. Staatsoberh. alle 5 J. geplant – Parlament mit 146 Mitgl., davon 5 vom Staatsoberh. ernannt; Wahl alle 5 J. – Conseil exécutiv national/NEC (Nationales Exekutivkomitee) mit 14 Mitgl., zur Hälfte aus Mitgl. der Reg. u. der Oppos., geplant – 3 Regionen mit 24 Distrikten – **Staats- u. Regierungschef** sowie **Äußeres** u. Oberbefehlshaber d. Streitkräfte: Präs. auf Lebenszeit Ngwazi Dr. Hastings Kamuzu Banda (MCP-Vors.), seit 1966 – **Parteien:** Wahlen vom 26./27. 6. 1992 (weitgeh. Boykott durch Bevölkerung): Einheitspartei Malawi Congress Party/MCP alle 136 Sitze (1987: 112) – *Parl.-Wahlen für Ende 1993* *angekündigt* – **Unabh.:** 6. 7. 1964 – **Nationalfeiertag:** 6. 7.

WIRTSCHAFT BSP 1991: 1996 Mio. $ = 230 $ je Ew. (165); realer Zuwachs ⌀ 1980–91: 3,5 %; **BIP** 1991: 1986 Mio. $; realer Zuwachs ⌀ 1980–91: 3,1 %; Anteil 1992 **Landwirtsch.** 28 %, **Industrie** 21 %, **Dienstlst.** 51 % – **Erwerbstät.** 1991: Landw. 75 %, Ind. ca. 5 % – **Energieverbrauch** 1991: 41 kg ÖE/Ew. – **Währung:** 1 Malawi-Kwacha (MK) = 100 Tambala (t); 1 US-$ = 4,41 MK; 100 MK = 38,29 DM – **Ausl.-Verschuld.** 1991: 1676 Mio. $ = 78,5 % d. BSP – **Inflation** ⌀ 1980–91: 14,9 % – **Außenhandel** 1991: **Import:** 719 Mio. $; Güter: 26 % Maschinen u. Transportausrüst., 16 % Brennstoffe, 7 % Nahrungsmittel; Länder (1989): 37 % Rep. Südafrika, 17 % Großbrit.; **Export:** 470 Mio. $; Güter (1989): 76 % Tabak, 8 % Tee, 6 % Zucker; Länder (1989): 21 % Großbrit. 13 % Japan, 13 % USA, 10 % BRD, 10 % Rep. Südafrika, 8 % Niederl.

MALAYSIA *Südost-Asien*

Persekutan Tanah Malaysia = »Staatenbund Malaysia«, von **Malay**a + **Si**ng**a**pur – ma lai xi ya (chines.) – MAL

LANDESSTRUKTUR Fläche (65): 329749 km²; davon West-Malaysia 131598 km² mit 82,1 % d. Bev. sowie Ost-Malaysia (Nordborneo) mit Bundesstaaten Saráwak 124449 km² u. 9,4 % u. Sabah 73711 km² bzw. 8,5 % d. Bev. (F 1992) – **Einwohner** (46): (F 1991) 18294000 = 55 je km² (West-M. 114, Saráwak 14, Sabah 21 je km²); (Z 1980) 13745241 – 62 % Malaysier; 30 % Chinesen, 8 % Inder u. Pakistaner – **Leb.-Erwart.:** 71 J. (m68/w73); Bev.-Anteil 0–14 J.: 38,6 % – **Säugl.-Sterbl.** (1988): 1,5 % – **Kindersterbl.:** 1,8 % – **Analph.:** 22 % – Jährl. **Bev.-Wachstum** (⌀ 1980–91): 2,6 % (Geb.- u. Sterbeziffer 1991: 2,9 %/0,5 %) – **Sprachen:** 58 % Malaiisch (Bahasa Malaysia) als Amtsspr.; Landessprachen: 9 % Chinesisch, 4 % Tamil, 3 % Iban; Englisch wichtige Verkehrs- u. Bildungsspr. – **Religion** (Islam ist Staatsreligion, Religionsfreiheit garantiert): 53 % sunnit. Muslime (Malaysier u. a.); 17 % Buddhisten, 12 % Anhänger d. chines. Universismus inkl. Konfuzianismus u. Daoismus, 7 % Hindus (Inder), 7 % Christen sowie Anh. von Naturrel. (bes. in Ost-M.) – **Städt. Bev.:** 44 % – **Städte:** Kuala Lumpur (Hptst.; F 1990, als A) 1232900 Ew.; (Z 1980) Ipoh 300727, Pinang (Georgetown) 250578, Johore Bharu 249880, Petaling Jaya 207805, Kelang 192080, Kuala Terengganu 186608, Kota Baharu 170559, Taiping 146002, Kuantan 136625, Seremban 136252, Kota Kinabalu (Hptst. von Sabah) 108725, Kuching (Hptst. von Saráwak) 72555

STAAT Wahlmonarchie auf parlamentarisch-demokratischer Grundlage im Commonwealth of Nations – Bundesstaat – Verfassung von 1957, Änderung am 19. 1. 1993 (Einschränkung der Privilegien der traditionellen Sultansfamilien) – Parlament aus 2 Kammern: Volksversammlung (Repräsentantenhaus bzw. Dewan Rakyat) mit 180 für 5 J. gewählten Mitgl., davon: Staaten der Halbinsel (Negeri Tanah Melayu) 132, Saráwak 27, Sabah 20 u. Labuan 1 Abg., sowie Länderversammlung (Senat bzw. Dewan Negara) mit 70 Mitgl. (davon 40 durch Staatsoberh. u. 30 durch Bundesstaatsparl. ernannt) – Wahl d. Staatsoberh. alle 5 J. durch d. Sultane – Allg. Wahlrecht – 13 Bundesstaaten sowie 2 Bundesterritorien (Kuala Lumpur u. Insel Labuan) u. 130 Distrikte – 9 Fürstentümer (Sultane als konstitutionelle Herrscher in 9 Bundesstaaten) – **Staatsoberhaupt:** König Azlan Muhibuddin Shah (Sultan von Perak), seit 26. 4. 1989 – **Regierungschef:** Dato' Seri Mahathir Mohammad (UMNO), seit 1981 – **Äußeres:** Datuk Abdullah Ahmad Badawi – **Parteien:** Wahlen von 1990: »Nationale Front« (Barisan Nasional; u. a. United Malay's Nat. Organisation/ UMNO, Malaysian Chinese Association/MCA, Malaysian Indian Congress/MIC) insg. 127 Sitze (1986: 133); Allianz der Opposition insg. 49 (35): u. a. Democratic Action Party/DAP 20, Pan Malaysian Islamic Party/PMIP 7; Unabh. 4 (4) – **Unabh.:** 31. 8. 1957 (Malaya) – **Nationalfeiertag:** 31. 8.

WIRTSCHAFT BSP 1991: 45787 Mio. $ = 2520 $ je Ew. (63); realer Zuwachs ⌀ 1980–91: 5,6 %; **BIP** 1991: 46980 Mio. $; realer Zuwachs ⌀ 1980–91: 5,7 % (1992: +8,5 %); Anteil 1991 **Landwirtsch.** 17 %, **Industrie** 42 %, **Dienstlst.** 41 % – **Erwerbstät.** 1992: Landw. 26 %, Ind. 28 %, Dienstl. 46 % – **Arbeitslosigkeit** ⌀ 1992: 4,1 % – **Energieverbrauch** 1991: 1066 kg ÖE/Ew. – **Währung:** 1 Malaysischer Ringgit (RM) = 100 Sen (c); 1 US-$ = 2,57 RM; 100 RM = 65,75 DM – **Ausl.-Verschuld.** 1991: 21445 Mio. $ = 47,6 % d. BSP – **Inflation** ⌀ 1980–91: 1,7 % (1992: 4,7 %) – **Außenhandel** 1992: **Import:** 105854 Mio. M$; Güter: 53 % Investitionsgüter, 20 % Erzeugn. d. verarb. Industrie, 8 % Chemikalien, 5 % Nahrungsmittel, 4 % Mineralölerzeugn.; Länder: 25 % Japan, 15 % Singapur, 14 % USA, 6 % Rep. China, 4 % BRD; **Export:** 104608 Mio. M$; Güter (1991): 41 % Investitionsgüter, 19 % Erzeugn. d. verarb. Industrie, 16 % Mineralöl, 12 % Rohstoffe, 6 % pflanzl. Öle; Länder: 22 % Singapur, 17 % USA, 12 % Japan, 4 % Großbrit., 4 % Hongkong, 4 % Thailand, 4 % BRD

MALEDIVEN *Süd-Asien*
Republik (der) Malediven; Republic of Maldives; Divehi raajje; Divehi Jumhuriya – MV

LANDESSTRUKTUR Fläche (183): 298 km^2 – 20 Atolle mit 1087 Inseln, davon 220 bewohnt – **Einwohner** (169): (F 1991) 221 000 = 742 je km^2; (Z 1990) 213 215 – Malediver – **Leb.-Erwart.:** 62 J. – **Säugl.-Sterbl.:** 5,8% – **Kindersterbl.:** 9,3% – **Analph.** (1977): 18% – Jährl. **Bev.-Wachstum** (∅ 1980–91): 3,3% (Geb.- u. Sterbeziffer 1991: 3,8%/0,6%) – **Sprachen:** »Maldivisch« (Divehi; Sonderform d. Singhalesischen) bzw. Elu u. Englisch als Amtsspr. – **Religion:** sunnit. Muslime (Islam ist Staatsreligion) – **Städt. Bev.:** 20% – **Stadt** (Z 1990): Male (Hptst.) 55 130 Ew.

STAAT Präsidialrepublik – Verfassung von 1968 – Parlament (Madschlis) mit 48 (davon 2 aus der Hauptstadt u. je 2 von den and. Atollen) für 5 J. gewählten u. 8 vom Staatsoberh. ernannten Mitgl. – Direktwahl d. Staatsoberh. alle 5 J. – 19 Bezirke (Atolle) u. Hauptstadt – **Staats- u. Regierungschef:** Maumoon Abdul Gayoom, seit 1978, zuletzt 1988 im Amt bestätigt – **Äußeres:** Fathulla Jameel – **Parteien:** keine i. e. S. – **Unabh.:** 26. 7. 1965 – **Nationalfeiertag:** 26. 7.

WIRTSCHAFT BSP 1991: 101 Mio. $ = 460 $ je Ew. (140); realer Zuwachs ∅ 1980–91: 10,2%; **BIP** realer Zuwachs ∅ 1985–91: 10,3% (1992: +6,3%); Anteil 1991 **Landwirtsch.** 24% (dar. Fischerei 15%), **Industrie** 16%, **Tourismus** 18% – **Erwerbstät.** 1990: Landw. 25%, Ind. 22% – **Energieverbrauch** 1990: 144 kg ÖE/Ew. – **Währung:** 1 Rufiyaa (Rf) = 100 Laari (L); 1 US-$ = 11,25 Rf; 100 Rf = 14,99 DM – **Ausl.-Verschuld.** 1991: 80,4 Mio. $ – **Inflation** ∅ 1980–88: 7,1% (1990/91: 14,7%) – **Außenhandel** 1991: **Import:** 150,9 Mio. $; Güter: 36% Halbfertigwaren u. a., 15% Erdölprod.; **Export:** 53,7 Mio. $; Güter: v. a. Fische u. Fischprod. sowie Bekleidung; Handelspartner: v. a. Großbrit., USA, Thailand, Sri Lanka, BRD, Japan

MALI *West-Afrika*
Republik Mali; République du Mali – RMM

LANDESSTRUKTUR Fläche (23): 1 240 192 km^2 (Sahara-Anteil: 16%) – **Einwohner** (78): (F 1991) 8 706 000 = 7 je km^2; (Z 1987) 7 620 225 – Malier; (S 1983) über 2,4 Mio. Bambara, 1 076 000 Fulbe (Peul), 929 000 Senouffo, 681 000 Soninké, 565 000 Tuareg, 557 000 Songhai, 511 000 Malinké u. a. – **Leb.-Erwart.:** 48 J. (m47/w50); Bev.-Anteil 0–14 J.: 46,8% – **Säugl.-Sterbl.** (1987): 16,1% – **Kinder-**sterbl.: 19,3% – **Analph.:** 68% – Jährl. **Bev.-Wachstum** (∅ 1980–91): 2,6% (Geb.- u. Sterbeziffer 1991: 5,0%/1,9%) – **Sprachen:** Französ. als Amtsspr. (rd. 10%); rd. 40% Bambara sowie Songhai-Jerma, Manding, Soninke, Arabisch u. Ful als Umgangsspr. – **Religion:** 80% Muslime; 96 000 Katholiken u. 20 000 Protestanten; rd. 18% Anh. von Naturrel. – **Städt. Bev.:** 20% – **Städte:** Bamako (Hptst.; Z 1987, als A) 646 163 Ew.; (S 1984) Ségou [Segu] 99 000, Mopti 78 000, Sikasso 70 000, Kayes 67 000, Gao 43 000

STAAT Präsidialrepublik – Neue Verfassung vom 12. 1. 1992 – Nationalversammlung mit 129 Mitgl., davon 13 für Malier im Ausland reserviert; Wahl alle 5 J. – Direktwahl d. Staatsoberh. alle 5 J. – Allg. Wahlrecht – 8 Regionen u. Hauptstadt-Distrikt – **Staatsoberhaupt:** Alpha Oumar Konaré (ADEMA), seit 8. 6. 1992 – **Regierungschef:** Abdoulaye Sékou Sow (parteilos), seit 12. 4. 1993 – **Äußeres:** Mohamed Aloussine Touré – **Parteien:** Erste freie Wahlen zur Nationalversammlung vom 23. 2. u. 8. 3. 1992: Alliance pour la Démocratie au Mali/ADEMA u. Parti Africain pour la Solidarité et la Justice/PASJ zus. 76 der 116 Sitze, Comité National d'Initiative Démocratique/CNID 9, Union Sudanaise-Rassemblement Dém. Africain/US-RDA 8, Sonstige 23 – **Unabh.:** 20. 6. 1960 (Mali-Föderation), endgültig 22. 9. 1960 – **Nationalfeiertag:** 22. 9.

WIRTSCHAFT BSP 1991: 2412 Mio. $ = 280 $ je Ew. (162); realer Zuwachs ∅ 1980–91: 2,5%; **BIP** 1991: 2451 Mio. $; realer Zuwachs ∅ 1980–91: 2,5%; Anteil 1991 **Landwirtsch.** 44%, **Industrie** 12%, **Dienstlst.** 43% – **Erwerbstät.** 1991: Landw. 80%, Ind. ca. 6% – **Energieverbrauch** 1991: 23 kg ÖE/Ew. – **Währung:** 1 CFA-Franc = 100 Centimes (c); 1 FF = 50 CFA-Francs (Wertverh. zum FF); 100 CFA-Francs = 0,59 DM – **Ausl.-Verschuld.** 1991: 2531 Mio. $ = 104,8% d. BSP – **Inflation** ∅ 1980–91: 4,4% – **Außenhandel** 1991: **Import:** 638 Mio. $; Güter: 28% Brennstoffe, 25% Maschinen u. Transportausrüst., 18% Nahrungsmittel; Länder (1989): 54% EG-Länder (dar. 28% Frankr.), 17% Côte d'Ivoire; **Export:** 354 Mio. $; Güter (1989): 33% Rohstoffe (dar. 29% Baumwolle), leb. Vieh, Häute u. Felle, Fische, in jüngster Zeit auch Gold; Länder (1989): rd. 40% Côte d'Ivoire, 35% EG-Länder (dar. 25% Frankr.)

MALTA *Süd-Europa*
Republik Malta; Repubblika ta' Malta; Republic of Malta – M

LANDESSTRUKTUR Fläche (182): 315,6 km^2 (mit Gozo [Ghawdex] 67,1 km^2 u. Comino [Kimmuna] 2,8 km^2) – **Einwohner** (163): (F 1991) 357 000 = 1131 je km^2; (Z 1985) 345 418, davon Malta 319 736, Gozo u. Comino 25 682 – 96 % Malteser; brit. Minderh. – **Leb.-Erwart.:** 76 J. (m74/w78) – **Säugl.-Sterbl.:** 0,7 % – **Kindersterbl.:** 1,1 % – **Analph.** (1986): 16 % – Jährl. **Bev.-Wachstum** (∅ 1980–91): –0,3 % (Geb.- u. Sterbeziffer 1991: 1,5 %/0,8 %) – **Sprachen:** Maltesisch (arab. Kreol, stark mit italo-sizilian. Vokabular durchsetzt) u. Englisch als Amtsspr.; Ital. als Umgangsspr. – **Religion:** 97 % Katholiken; kleine protest. Minderh. – **Städt. Bev.:** 94 % – **Städte** (F Ende 1991): Valletta [Il-Belt] (Hptst.) 9183 Ew. (ohne Ausländer); Birkirkara 21 437, Qormi 19 525, Sliema 13 541

STAAT Republik – Verfassung von 1974 – Parlament mit 69 Mitgl. (65 nach Verhältniswahlrecht, 4 Bonus-Sitze für stärkste Partei); Wahl alle 5 J. – Allg. Wahlrecht – 6 Bezirke u. 60 Gemeinden – **Staatsoberhaupt:** Vincent Tabone (NP), seit 1989 – **Regierungschef:** Edward (»Eddie«) Fenech Adami (NP), seit 4. 4. 1987 – **Äußeres:** Guido de Marco – **Parteien:** Wahlen vom 22. 2. 1992: Nationalist Party/NP 34 Sitze + 4 Bonus-Mandate (1987: 31), Labour Party/LP 31 (34) – **Unabh.:** 21. 9. 1964 – **Nationalfeiertag:** 21. 9.

WIRTSCHAFT BSP 1991: 2598 Mio. $ = 7280 $ je Ew. (36); realer Zuwachs ∅ 1980–91: 3,5 %; **BIP** 1991: 804,7 Mio. Lm; realer Zuwachs ∅ 1980–88: 2,6 %; Anteil 1991 **Landwirtsch.** 3,3 %, **Industrie** 40,2 % (1989) – **Erwerbstät.** 1992: Landw. 2,4 %, Ind. 26,5 %, Tourismus 33 % – **Energieverbrauch** 1990: 1627 kg ÖE/Ew. – **Währung:** 1 Maltes. Lira (Lm) = 100 Cents (c) = 1000 Mils (m); 1 Lm = 2,61 US-$; 100 Lm = 439,81 DM – **Ausl.-Verschuld.** 1991: 612,2 Mio. $ – **Inflation** ∅ 1980–91: 2,1 % – **Außenhandel** 1991: Import: 683,2 Mio. Lm; Güter: 47 % Maschinen u. Fahrzeuge, 18 % Prod. der verarb. Ind., 9 % Nahrungsmittel; Länder: 36 % Italien, 15 % Großbrit., 11 % BRD; **Export:** 405,4 Mio. Lm; Güter: 29 % Maschinen u. Fahrzeuge, 28 % bearb. Waren (dar. 13 % Bekleidung); Länder: 38 % Italien, 17 % BRD, 6 % Großbrit., 5 % Libyen – **Tourismus** (1991): 571 Mio. $ Einnahmen u. (1992) 1 002 381 Gäste

MARIANEN → **VEREINIGTE STAATEN VON AMERIKA (Nördliche Marianen)**

MAROKKO *Nordwest-Afrika*
Königreich Marokko; Al-Mamlaka al-Maghribîya – MA

LANDESSTRUKTUR Fläche (56): 446 550 km^2 (einschl. der teilw. besetzten Westsahara 712 550 km^2 → *Sahara*) – **Einwohner** (35): (F 1991) 25 731 000 = 58 je km^2; (Z 1982) 20 224 349 (ohne Sahara) – Marokkaner: rd. 40 % Berber, arabisierte Berber, 20 % Araber, im Süden auch Mischbevölk.; über 100 000 Ausländer – **Leb.-Erwart.:** 63 J. (m61/w65); Bev.-Anteil 0–14 J.: 40,7 % – **Säugl.-Sterbl.** (1992): 5,7 % – **Kindersterbl.:** 7,3 % – **Analph.:** 51 % – Jährl. **Bev.-Wachstum** (∅ 1980–91): 2,6 % (Geb.- u. Sterbeziffer 1991: 3,2 %/0,8 %) – **Sprachen:** Arabisch als Amtsspr. (rd. 75 %); über 20 % Berberdialekte; Französ., z. T. auch Spanisch als amtl. Hilfs-, Handels- u. Bildungssprachen wichtig – **Religion** (Islam ist Staatsreligion): 98,9 % sunnitische Muslime malakit. Richtung; etwa 70 000 Christen, meist Katholiken; rd. 30 000 Juden – **Städt. Bev.:** 49 % – **Städte** (F 1990, als A): Rabat [arab. Er-Ribât] (Hptst.) 1 472 000 Ew.; Casablanca [Al-Dâr al-Beidhâ] 3 210 000, Marrakesch [Marakusch] 1 517 000, Fès [Fäs] 1 012 000, Oujda [Wuschda] 962 000, Kénitra [Knitra] 905 000, Tétouan [Titwän] 856 000, Asfi [Safi] 845 000, Agadir 779 000, Meknès [Miknäs] 750 000, Tanger [Tandscha] 554 000 – Ceuta u. Melilla sind span. »Presidios«, von Marokko beansprucht

STAAT Konstitutionelle Monarchie – Verfassung von 1972, letzte Änderung am 4. 9. 1992 (Annahme einer sog. kleinen Verfassungsreform per Referendum) – Parlament mit 333 Abg. (222 direkt, die übr. 111 durch Wahlgremien der Gemeinderäte u. Berufsorganisationen bestimmt); Wahl alle 6 J. – König ernennt u. entläßt Reg.-Chef u. Regentschaftsrat (Kabinett) – Allg. Wahlrecht ab 20 J. – 37 Provinzen (einschl. Sahara) u. 8 Stadtpräfekturen – **Staatsoberhaupt:** König Hassan II., seit 1961 – **Regierungschef:** Mohamed Karim Lamrani (parteilos), seit 11. 8. 1992 – **Äußeres:** Abdellatif Filali – **Parteien:** Wahlen von 222 Abg. vom 25. 6. 1993 (Kandidatur von 11 Parteien mit insg. 2042 Kandidaten, dar. erstmals 33 Frauen; Wahlen der indirekt gewählten Sitze für 17. 9. 1993 vorgesehen): Oppositionsbündnis zus. 97 Sitze (1984: 61 von 206 u. 18 von 100 indirekt bestimmten Sitzen) aus: Sozialist. Union d. Volkskräfte/USFP 48 (35 u. 1), Istiqlal-Partei/PI 43 (24 u. 17) u. Partei d. Fortschritts u. d. Sozialismus/PPS 6 (2 u. 0); Regierungsparteien der »Entente« zus. 74 (102 u. 58) aus: Volksbewegung/MP (Berber- u. Bauernpartei) 33 (31 u. 16), Konstitutionelle Union/UC 27 (56 u. 27), Nationaldemokrat. Partei/PND 14 (15 u. 9); ferner: Nationale Sammlung der Unabhängigen/RNI 28 (38 u. 22),

Nationale Volksbewegung/MNP (Abspaltung von MP) 14 (–); Unabh. 2 (–); Sonstige 7 (5 u. 8) – **Unabh.**: 2. 3. 1956 (frz. Protektorat), 7. 4. 1956 (Übergabe d. span. Protektorates an Marokko) – **Nationalfeiertage:** 3. 3. (Thronbesteigung König Hassans 1961) u. 14. 8. (Prokl. d. Königreichs 1957)

WIRTSCHAFT BSP 1991: 26451 Mio. $ = 1030 $ je Ew. (109); realer Zuwachs ∅ 1980–91: 4,3%; **BIP** 1991: 27652 Mio. $; realer Zuwachs ∅ 1980–91: 4,2% (1992: –3,5%); Anteil 1991 **Landwirtsch.** 19%, **Industrie** 31%, **Dienstlst.** 50% – **Erwerbstät.** 1991: Landw. 36%, Ind. ca. 24% – **Arbeitslosigkeit** ∅ 1992: 17,6% (Städte) – **Energieverbrauch** 1991: 252 kg ÖE/Ew. – **Währung:** 1 Dirham (DH) = 100 Centimes (C); 1 US-$ = 9,31 DH; 100 DH = 18,14 DM – **Ausl.-Verschuld.** 1991: 21219 Mio. $ = 80,0% d. BSP – **Inflation** ∅ 1980–91: 7,1% (1992: 4,9%) – **Außenhandel** 1991: **Import:** 7310 Mio. $; Güter: 26% Halbwaren, 22% Investitionsgüter, 15% Energie, 13% Konsumgüter, 12% Rohmaterialien, 9% Nahrungs- u. Genußmittel; Länder: 29% Frankr., 9% BRD, 8% Italien, 7% USA, 6% Spanien; **Export:** 5170 Mio. $; Güter: 28% Nahrungsmittel, 26% Konsumgüter, 25% Halbwaren, 8% Phosphat, 4% Investitionsgüter; Länder: 34% Frankr., 10% BRD, 7% Spanien, 6% Italien, 5% Japan – **Tourismus** (1991): 8822 Mio. DH Einnahmen u. 3,19 Mio. Gäste

MARSHALLINSELN
Ozeanien; Pazifische Inselwelt
Republik Marshallinseln; Republic of the Marshall Islands – MH

LANDESSTRUKTUR Fläche (186): 181,3 km^2 (2 Inselgruppen: Ratak mit 16 u. Ralik mit 18 Atollen; Korallenatolle einschl. Bikini und Eniwetok) – **Einwohner** (185): (F 1991) 48000 = 265 je km^2; (Z 1988) 43355 – Größtes Atoll Majuro mit 12800 Ew. (F 1986) – Marshaller; Mikronesier, US-Amerikaner – Jährl. **Bev.-Wachstum** ∅ 1982): 3,5% – **Sprachen:** Englisch als Amtsspr.; mikronesische Dialekte - **Religion:** überw. Katholiken, protestant. Minderh. – **Stadt:** Dalap-Uliga-Darrit (DUD, Hptst.; auf Majuro) rd. 7600 Ew.

STAAT Republik – Verfassung von 1979 – Parlament (Nitijela) mit 33 Mitgl. (wählt Staatsoberh.); beratendes »Council of Iroij« (Stammesführer) mit 12 Mitgl. – Allg. Wahlrecht – 24 Gemeindebezirke – **Staats- u. Regierungschef:** Amata Kabua, seit 1986, zuletzt 1992 wiedergewählt – **Äußeres:** Tom Kijiner – **Parteien:** Letzte Wahlen vom Nov. 1991: Aufstellung von Einzelkandidaten, keine Parteien

i. e. S. – **Unabh.**: 22. 12. 1990 (Aufhebung d. Treuhandschaft der USA durch d. UNO) – **Nationalfeiertag:** unbekannt

WIRTSCHAFT (keine neueren Angaben verfügbar) **BSP** 1980: 219 Mio. $ = 7560 $ je Ew. (35) – **Finanzhilfe** durch USA, Rep. China, Australien u. Japan – **Währung:** US-$ – **Außenhandel** 1987: **Import:** 33,5 Mio. $; Güter: 28% Nahrungsmittel 23% verarb. Waren, 12% Maschinen u. Transportausrüst.; **Export:** 1,7 Mio. $; Güter: 96% Kokosnußöl, 2% Kopra; Handelspartner: USA, Japan, Puerto Rico, Nördl. Marianen

MAURETANIEN *Nordwest-Afrika*
Islamische Republik Mauretanien; République Islamique de Mauritanie; El Dschumhurija el Muslimija el Mauritanija bzw. Al-Jumhûrîya Al-Islâmîya Al-Mûrîtânîya – RIM

LANDESSTRUKTUR Fläche (28): 1025520 km^2 (Sahara-Anteil: 8%) – **Einwohner** (136): (F 1991) 2023000 = 2 je km^2; (Z 1988) 1864236 (einschl. 224095 Nomaden) – Mauretanier; etwa 80% Mauren (arab.-berberische Mischbev.), davon 30% Nomaden; im übr. Schwarze (Fulbe mit Untergruppe Toucoulör, Bambara, Sarakalles, Soninke u. Wolof); ca. 5000 Europ. (meist Franzosen) – **Leb.-Erwart.:** 47 J. (m45/w49); Bev.-Anteil 0–14 J.: 44,8% – **Säugl.-Sterbl.** (1975): 11,9% – **Kindersterbl.:** 19,9% – **Analph.:** 66% – Jährl. **Bev.-Wachstum** (∅ 1980–91): 2,4% (Geb.- u. Sterbeziffer 1991: 4,9%/1,9%) – **Sprachen:** Arabisch als Amtsspr.; Pular, Wolof, Solinke als Nationalspr. (in Verfassung verankert); Französisch verbreitet – **Religion** (Islam ist Staatsreligion): 98% Muslime malakitischer Richtung; kleine christl. Minderh. – **Städt. Bev.:** 48% – **Städte:** Nouakchott (Hptst.; Z 1988) 393325 Ew.; (S 1986) Nouâdhibou (Port Étienne) 24400, Zouérate 22000, Kaédi 20000, Atar 19000, Rosso 18500

STAAT Präsidialrepublik – Verfassung von 1991 – Parlament aus 2 Kammern: Nationalversammlung mit 79 Mitgl. (Wahl alle 5 J.) u. Senat mit 56 Mitgl. (Wahl alle 6 J. durch Kommunalräte, dar. 3 Vertr. von Mauretaniern im Ausland) – Direktwahl d. Staatsoberh. alle 6 J. – Allg. Wahlrecht – 12 Regionen u. Hauptstadtdistrikt – **Staatsoberhaupt:** Oberst Maaouiya Ould Sid'Ahmed Taya (CMSN-Vors.), seit 1984 (in Direktwahlen am 17. 1. 1992 im Amt bestätigt) – **Regierungschef:** Sidi Mohamed Ould Boubacar (PRDS), seit 18. 4. 1992 – **Äußeres:** Mohamed Abderahmane Ould Moine – **Parteien:** Erste freie Wahlen zur Nationalvers. vom 6./13. 3.

1992: Parti républicain démocrate et social/PRDS 67 Sitze, Mouvement des démocrates indépendants 10, Sonstige 2 – Senatswahlen vom 3./10. 4. 1992: PRDS 36 der 53 Sitze, Unabh. 17 – **Unabh.:** 28. 11. 1960 – **Nationalfeiertag:** 28. 11.

WIRTSCHAFT BSP 1991: 1026 Mio. $ = 510 $ je Ew. (135); realer Zuwachs ∅ 1980–91: 0,6 %; **BIP** 1991: 1030 Mio. $; realer Zuwachs ∅ 1980–91: 1,4 %; Anteil 1991 **Landwirtsch.** 22 %, **Industrie** 31 %, **Dienstlst.** 47 % – **Erwerbstät.** 1990: Landw. 64 %, Ind. ca. 9 % – **Energieverbrauch** 1991: 111 kg ÖE/Ew. – **Währung:** 1 Ouguiya (UM) = 5 Khoums (KH); 1 US-$ = 120,00 UM; 100 UM = 1,41 DM – **Ausl.-Verschuld.** 1991: 2299 Mio. $ = 214,7 % d. BSP – **Inflation** ∅ 1980–91: 8,7 % – **Außenhandel** 1991: **Import:** 470 Mio. $; Güter: 40 % Maschinen u. Transportausrüst., 23 % Nahrungsmittel, 7 % Brennstoffe; Länder: 26 % Frankr. sowie Spanien; **Export:** 438 Mio. $; Güter (1989): 59 % Fisch u. -produkte, 41 % Eisenerz; Länder: v. a. EG-Länder (insb. Frankr. u. Italien) u. Japan

MAURITIUS *Südost-Afrika*
Republik Mauritius; Republic of Mauritius – MS

LANDESSTRUKTUR Fläche (167): 2040 km² (mit Rodriguez 104 km² u. 37 590 Ew. [F 1991], Agalega, St. Brandon usw. mit insg. 71 km² u. 487 Ew. [Z 1983]) – **Einwohner** (148): (F 1991) 1 083 000 = 530 je km²; (Z 1990) 1 058 775 (nur Mauritius u. Rodriguez) – Mauritier; 66 % Inder, 29 % Kreolen, 3 % Chinesen u. 14 000 Weiße – **Leb.-Erwart.:** 70 J. (m67/w73); Bev.-Anteil 0–14 J.: 29,0 % – **Säugl.-Sterbl.:** 1,9 % – **Kindersterbl.:** 2,5 % – **Analph.** (1985): 17 % – Jährl. **Bev.-Wachstum** (∅ 1980–91): 1,0 % (Geb.- u. Sterbeziffer 1991: 1,7 %/0,6 %) – **Sprachen:** Englisch als Amtsspr.; Mauritianisch (französ. Kreol) lingua franca u. indische Sprachen (u. a. Bhojpuri, Tamil, Urdu, Hindi, Marathi) – **Religion:** 51 % Hindu, 26 % Katholiken, 17 % Muslime; Protestanten, Buddhisten – **Städt. Bev.:** 41 % – **Städte** (F 1991): Port Louis (Hptst.) 142 100 Ew.; Beau Bassin-Rose Hill 92 960, Vascoas-Phoenix 89 800, Curepipe 73 400, Quatre Bornes 70 400

STAAT Präsidialrepublik im Commonwealth seit 12. 3. 1992 – Verfassung von 1968 – Parlament mit 71 Mitgl. (62 für 5 J. gewählt, die übrigen 9 je nach Wahlergebn. unter Berücksichtigung d. ethnischen Gleichgewichts verteilt); wählt Staatsoberh. für 5 J. – Allg. Wahlrecht – 9 Distrikte – **Staatsoberhaupt:** Cassam Uteem (MMM), seit 30. 6. 1992 – **Regierungschef:** Sir Anerood Jugnauth (MSM), seit 1982

– **Äußeres:** Ahmud Swalay Kasenally – **Parteien:** Wahlen vom 15. 9. 1991: Mouvement Socialiste Mauritien/MSM 29 der 62 Sitze (1987: 46), Mouvement Militant Mauricien/MMM 26 (–), Parti Maur. Social-Démocrate/PMSD u. Parti Travailliste 3 (14), Sonstige 4 (2) – **Unabh.:** 12. 3. 1968 – **Nationalfeiertag:** 12. 3.

WIRTSCHAFT BSP 1991: 2623 Mio. $ = 2410 $ je Ew. (69); realer Zuwachs ∅ 1980–91: 7,2 %; **BIP** 1991: 2253 Mio. $; realer Zuwachs ∅ 1980–91: 6,7 %; Anteil 1991 **Landwirtsch.** 11 %, **Industrie** 33 %, **Dienstlst.** 56 % – **Erwerbstät.** 1991: Landw. 18 %, Ind. 38 %, Dienstl. 45 % – **Arbeitslosigkeit** ∅ 1991: 2 % – **Energieverbrauch** 1991: 389 kg ÖE/Ew. – **Währung:** 1 Mauritius-Rupie (MR) = 100 Cents (c); 1 US-$ = 17,55 MR; 100 MR = 9,62 DM – **Ausl.-Verschuld.** 1991: 991 Mio. $ = 37,0 % d. BSP – **Inflation** ∅ 1980–91: 8,1 % (1992: 4,6 %) – **Außenhandel** 1991: **Import:** 1575 Mio. $; Güter: 27 % Nahrungsmittel, 18 % Brennstoffe, 12 % Maschinen u. Transportausrüst.; Länder (1990): 15 % Frankr., 9 % Südafrika, 7 % Großbrit., 7 % BRD; **Export:** 1193 Mio. $; Güter (1990): rd. 50 % Textilien, 45 % Rohzucker sowie Melasse u. Tee; Länder (1990): 36 % Großbrit., 23 % Frankr., 13 % USA, 9 % BRD – Wachsende Bedeutung des **Tourismus** (1992): 4400 Mio. MR Einnahmen u. 331 000 Gäste

MAZEDONIEN → MAKEDONIEN

MEXIKO *Mittel-Amerika*
Vereinigte Mexikanische Staaten; Estados Unidos Mexicanos – MEX

LANDESSTRUKTUR Fläche (14): 1 958 201 km² (inkl. 5363 km² unbewohnte Inseln) – **Einwohner** (11): (F 1991) 83 300 000 = 43 je km²; (Z 1990) 81 249 645 (vorl. Ergeb.) – Mexikaner; 9 % Indianer; über 150 000 Ausländer – **Leb.-Erwart.:** 70 J. (m67/w73); Bev.-Anteil 0–14 J.: 37,6 % – **Säugl.-Sterbl.** (1987): 3,6 % – **Kindersterbl.:** 4,4 % – **Analph.:** 13 % – Jährl. **Bev.-Wachstum** (∅ 1980–91): 2,0 % (Geb.- u. Sterbeziffer 1991: 2,8 %/0,5 %) – **Sprachen:** Spanisch als Amtsspr.; als Umgangsspr. von aztekischen Lehnwörtern durchsetzt; 8 % indianische Sprachen (u. a. Náhuatl [Aztekisch] u. ca. 25 Maya-Sprachen) – **Religion:** 90 % Katholiken; protestant. u. hinduist. Minderh. – **Städt. Bev.:** 73 % – **Städte** (Z 1990): Ciudad de México [Mexiko-Stadt] (Hptst., Distrito Federal) 8 236 960 Ew. (F 1986: als A 19,4 Mio.); Guadalajara 1 628 617, Nezahualcóyotl 1 259 543, Monterrey 1 064 197, Héroica Puebla de

Mexiko: Fläche, Bevölkerung und Bevölkerungsdichte nach geographischen Regionen und Bundesstaaten
(Volkszählungsergebnisse)

Region/ Bundesstaat	Hauptort	Fläche km2	Bevölkerung in 1000			Einwohner je km2	
			1970	1980	1990	1970	1990
Nordwestliche Pazifikregion							
Baja Caifornia Norte	Mexicali	69921	870	1178	1658	12,4	23,7
Baja California Sur	La Paz	73475	128	215	317	1,7	4,3
Nayarit	Tepic	26979	544	726	816	20,2	30,2
Sinaloa	Culiacan	58328	1267	1850	2211	21,7	37,9
Sonora	Hermosillo	182052	1099	1514	1822	6,0	10,0
Nordregion							
Chihuahua	Chihuahua	244938	1613	2005	2440	6,6	10,0
Coahuila	Saltillo	149982	1115	1557	1971	7,4	13,1
Durango	Durango	123181	939	1182	1352	7,6	11,0
Nuevo León	Monterrey	64924	1695	2513	3086	26,1	47,5
San Luis Potosí	San Luis Potosí	63068	1282	1674	2002	20,3	31,7
Tamaulipas	Ciudad Victoria	79384	1457	1924	2244	18,4	28,3
Zacatecas	Zacatecas	73252	952	1137	1278	13,0	17,4
Zentralregion							
Aguascalientes	Aguascalientes	5471	338	519	720	61,8	131,6
Distrito Federal	Mexiko-Stadt	1479	6874	8831	8237	4647,7	5569,3
Guanajuato	Guanajuato	30491	2270	3006	3980	74,4	130,5
Hidalgo	Pachua	20813	1194	1547	1881	57,4	90,4
Jalisco	Guadalajara	80836	3297	4372	5279	40,8	65,3
Mexiko/México	Toluca	21355	3833	7564	9816	179,5	459,7
Michoacán	Morelia	59928	2324	2869	3534	38,8	59,0
Morelos	Cuernavaca	4950	616	947	1195	124,4	241,4
Puebla	Puebla	33902	2508	3348	4118	74,0	121,5
Querétaro	Querétaro	11449	486	740	1044	42,4	91,2
Tlaxcala	Tlaxcala	4016	421	557	764	104,8	190,2
Golfregion							
Campeche	Campeche	50812	252	421	529	5,0	10,4
Quintana Roo	Ciudad Chetumal	50212	88	226	494	1,8	9,8
Tabasco	Villahermosa	25267	768	1063	1501	30,4	59,4
Veracruz	Jalapa	71699	3815	5388	6215	53,2	86,7
Yucatán	Mérida	38402	758	1064	1364	19,7	42,5
Südliche Pazifikregion							
Chiapas	Tuxtla Gutiérrez	74211	1569	2084	3204	21,1	43,2
Colima	Colima	5191	241	346	425	46,4	81,9
Guerrero	Chilpancingo	64281	1597	2110	2622	24,8	40,8
Oaxaca	Oaxaca	93952	2015	2369	3022	21,4	32,2

Quelle: Statistisches Bundesamt, Länderbericht Mexiko 1992

Zaragoza (Puebla) 1054921, León de los Aldamas 872453, Ciudad Juárez 797679, Tijuana 742686, Mexicali 602390, Culiacán Rosales 602114, Acapulco de Juárez 592187, Mérida 557340, Chihuahua 530487, San Luis Potosí 525819, Aguascalientes 506384, Morelia 489756, Toluca de Lerdo 487630, Torreón 459809, Querétaro 454049, Hermosillo 449472, Saltillo 440845, Victoria de Durango 414015

STAAT Präsidialrepublik – Bundesstaat – Verfassung von 1917 mit Änderungen – Parlament (Congreso de la Unión) aus 2 Kammern: Abgeordnetenkammer (Cámara de Diputados) mit 500 Mitgl. (300 nach Mehrheitswahlrecht u. 200 nach Proporzwahlr. bestimmt) u. Senat (Cámara de Senadores) mit 64 Mitgl.; Wahl alle 3 bzw. 6 J. – Amtszeit d. Staatsoberh. 6 J., Wiederwahl nicht möglich – Allg. Wahlrecht ab 18 J., Verheiratete ab 16 J. – 31 Staaten (mit eig. Verfassung, Parl. u. gewähltem Gouverneur) u. 1 Bundesdistrikt (Mexiko-Stadt) sowie 5 Regionen – **Staats- u. Regierungschef:** Carlos Salinas de Gortari (PRI), seit 1. 12. 1988 – **Äußeres:** Fernando Solana Morales – **Parteien:** Wahlen vom 18. 8. 1991: Partido Revolucionario Institucional/PRI 320 Sitze, Partido Acción Nacional/PAN 89, Partido de la Revolución Democrática/PRD 41, Partido del Frente Cardenista de Reconstrucción Nacional/PFCRN 23, Partido Auténtico de la Revolución Mexicana/PARM 15, Partido Popular Socialista/PPS 12 – Teilwahlen des Senats vom 18. 8. 1991: PRI 61, FND 2, PAN 1 – **Unabh.:** Beginn d. Unabh.-Krieges am 16. 9. 1810; Anerk. d. Unabh. durch Spanien am 24. 8. 1821, feierl. Unabh.-Erklärung am 28. 9. 1821 – **Nationalfeiertag:** 16. 9.

WIRTSCHAFT BSP 1991: 252381 Mio. $ = 3030 $ je Ew. (54); realer Zuwachs ∅ 1980–91: 1,5 %; **BIP** 1991: 282526 Mio. $; realer Zuwachs ∅ 1980–91: 1,2 % (1992: +2,6 %); Anteil 1991 Landwirtsch. 9 %, **Industrie** 30 %, Dienstlst. 61 % (dar. Tourismus 3 %) – **Erwerbstät.** 1990: Landw. 23 %, Ind. 28 % – **Arbeitslosigkeit** ∅ 1991: 2,6 % – **Energieverbrauch** 1991: 1383 kg ÖE/Ew. – **Währung:** zum 1.1.1993 Währungsumstellung im Verhältnis 1000 mexikan. Peso = 1 Mexikan. Neuer Peso (mexN$) = 100 Centavos (c); Freimarktkurs: 1 US-$ = 3,113 mexN$; 100 mexN$ = 54,22 DM – **Ausl.-Verschuld.** 1991: 101737 Mio. $ = 36,9 % d. BSP – **Inflation** ∅ 1980–91: 66,5 % (1992: 15,5 %) – **Außenhandel** 1992: **Import:** 46200 Mio. $; Güter (1991): 34 % Maschinen u. Ausrüst., 20 % Kfz u. -teile, 9 % chem. Erzeugn., 6 % Eisen u. Stahl; Länder (1991): 65 % USA, 6 % BRD, 5 % Japan, 3 % Frankr., 2 % Brasilien, 2 % Italien; **Export:** 27400 Mio. $; Güter (1991): 62 % Prod. d. verarb. Industrie (dar. 21 % Kfz u. -teile, 7 % chem. Prod.), 27 % Erdöl

(Prod.: 2,8 Mio. Faß/Tag; Export: 1,38 Mio. Faß/Tag), 8 % Prod. d. Land- u. Forstwirtschaft; Länder (1991): 70 % USA, 5 % Japan, 4 % Spanien, 2 % BRD, 2 % Frankr. – **Tourismus** wichtige Einnahmequelle (1991): 6,5 Mio. Gäste u. 3,9 Mrd. $

MIKRONESIEN
Ozeanien; Pazifische Inselwelt

Föderierte Staaten von Mikronesien; The Federated States of Micronesia – FSM

LANDESSTRUKTUR Fläche (173): 720,6 km² – u. a. Pohnpei (163 Inseln) 344 km² u. 31000 Ew. (F 1988), Chuuk (294 I.) 127 km² u. 52000, Yap (145 I.) 119 km² u. 12000, Kusaie (5 I.) 110 km² u. 6500 – **Einwohner** (177): (F 1991) 105000 = 146 je km² – Vorwiegend Mikronesier; Weiße – **Leb.-Erwart.:** 66 J. (m64/w68) – **Analph.:** 23 % – Jährl. **Bev.-Wachstum** (∅ 1981): 3,5 % – **Sprachen:** Englisch als Amtsspr.; 8 mikrones. Dialekte – **Religion:** überw. Christen, v. a. Katholiken, protestant. Minderh. – **Städte/Inseln** (Z 1980): Pohnpei (Hptst. auf Ponape Island, fr. Kolonia) 5550 Ew.; Moen 10374, Yap 8172, Kusaie (fr. Kosrae) 5522; neue Hptst. im Bau: Palikir

STAAT Bundesrepublik – Verfassung von 1979 – Parlament (Congress) mit 14 Mitgl., Wahl von 4 Mitgl. alle 4 J., sonst alle 2 J.; ernennt Staatsoberh. – 4 Teilstaaten (Chuuk, Kusaie, Pohnpei, Yap) mit eig. Verfassung, Parl. u. Gouverneur – **Staatsoberhaupt u. Regierungschef:** Bailey Olter, seit 21. 5. 1991 – **Äußeres:** Resio Moses – **Parteien:** keine i. e. S. – **Unabh.:** 12. 12. 1990 (Aufhebung der Treuhandschaft der USA durch die UNO) – **Nationalfeiertag:** unbekannt

WIRTSCHAFT (keine neueren Angaben verfügbar) **BSP** 1989: 99 Mio. $ = 980 $ je Ew. (112) – **Arbeitslosigkeit** 1988: rd. 80 % – **Währung:** US-$ – **Außenhandel** 1988: **Import:** 67,7 Mio. $; **Export:** 13,2 Mio. $; Güter: 40 % Fischerzeugn. u. Nahrungsmittel, Kopra, Süßkartoffeln, Kokosöl, Pfeffer, kunsthandw. Erzeugn.; Länder: USA (Guam, Hawaii, Nördl. Marianen), Japan, Rep. China – **Tourismus** wichtige Einnahmequelle (1990): 20475 Gäste

MOLDAU *Südost-Europa*
Republik Moldau; Respublika Moldova; auch Moldawien genannt – MOL

LANDESSTRUKTUR Fläche (136): 33700 km² – **Einwohner** (108): (F 1991) 4384000 = 130 je km²;

(Z 1989) 4337592 – (Z 1989) 64,5% Moldauer [Eigenbezeichnung: Moldovean, ethnische Rumänen], 13,8% Ukrainer, 13% Russen, 3,5% Gagausen, 2% Bulgaren (89000, nach Ang. von Bulgarien 170000), 1,5% Juden – **Leb.-Erwart.:** 69 J. (m65/w72); Bev.-Anteil 0–14 J.: 31,6% – **Säugl.-Sterbl.:** 2,3% – **Kindersterbl.:** 2,8% – **Analph.:** k. Ang. – Jährl. **Bev.-Wachstum** (∅ 1980–91): 0,9% (Geb.- u. Sterbeziffer 1991: 1,7%/1,1%) – **Sprachen:** Rumänisch als Amtsspr.; Russisch als Verkehrsspr., Sprachen d. Minderh. – **Religion:** mehrheitl. Rumän.-Orthodoxe; Russ.-Orthodoxe – **Städt. Bev.:** 47% – **Städte** (F 1990): Chişinău [Kischinau; russ. Kischinjow] (Hptst.) 676000 Ew.; Tiraspol 184000, Balţi [Belzy] 162000, Bender [Bendery] 132000

STAAT Republik – Verfassung der ehem. Moldauischen SSR in Kraft, neue Verfass. in Ausarbeitung – Parlament mit 380 Mitgl. – Sondervollmachten d. Staatsoberh. seit 4. 8. 1993 für 1 J. zur Beschleunigung von Wirtschaftsreformen – Allg. Wahlrecht ab 18 J. – 38 Bezirke (Rajon) u. 10 Stadtbezirke – 2 Gebiete mit Autonomiebestrebungen (→ unten) – **Staatsoberhaupt:** Mircea Snegur, seit 27. 4. 1990 (am 8. 12. 1991 in erster freier Direktwahl im Amt bestätigt) – **Regierungschef:** Andrei Sangheli, seit 1. 7. 1992 – **Äußeres:** Nicolae Tâu [Tsiu] – **Parteien:** Wahlen vom 25. 2. 1990: Dorfleben (Agrarvertreter) 120 Sitze, Volksfront (Demokraten) 110, Realität (Kommunisten) 60, Souveränität (Zentristen) 30, Reformierte KP 20, Sonstige 40 – KP seit 19. 8. 1991 verboten – **Unabh.:** Souveränitätserklärung am 23. 6. 1990, Unabh.-Erkl. am 27. 8. 1991 – **Nationalfeiertag:** unbekannt

WIRTSCHAFT (Entwicklung → Tab. Sp. 475) **BSP** 1991: 9529 Mio. $ = 2170 $ je Ew. (73); **BIP** (Nettomaterialprodukt) 1991: 16481 Mio. Rbl; realer Zuwachs 1991/92: –21,3%; Anteil 1990 **Landwirtsch.** 42%, **Industrie** 43% – 1991/92: Rückgang der Brutto-Industrieprod. um 21,7%, der Brutto-Agrarprod. um 18% – **Erwerbstät.** 1990: Landw. 33%, Ind. 30% – Bev.-Anteil mit Monatseink. unter d. **Armutsgrenze** (1991): 50% – **Arbeitslosigkeit** ∅ 1991: rd. 7% – **Währung:** Rubel (→ Rußland); Coupons als Parallelwährung; Einführung einer eig. Währung (Leu, Pl. Lei) bis Ende 1993 geplant – **Inflation** ∅ 1992 (Konsumentenpreise): 1110% – **Außenhandel** 1992: **Import:** 100 Mio. $; Güter (1990): 29% Maschinen u. Metallwaren, 20% Prod. der Leichtind., 9% Energieprod. (inkl. elektr. Energie); **Export:** 100 Mio. $; Güter (1990): 52% Nahrungsmittel u. Agrarprod., 20% Prod. der Leichtind., 17% Maschinen u. Metallwaren; Handelspartner (1990): 60% Rußland, 22% Ukraine;

seit 1992 Rumänien wichtigster Handelspartner außerhalb d. Rubelzone

Gebiete mit Autonomiebestrebungen

Gagausien
Fläche 1800 km^2 – Einwohner: (Z 1989) 200000 – Sprache: Türkisch – Hauptort (Z 1989): Komrat 27500 Ew. – Eigenes Parlament u. Regierung (Präs.: Stepan Topal) seit 26. 10. 1990 – Unabhängigkeitserklärung am 19. 8. 1990 (Referendum am 1. 12. 1991), von Moldau nicht anerkannt

Dnjestr-Republik (Transnistrien)
(Karte → WA '93, Sp. 467) 5 Bezirke, meist östlich des Flusses Dnjestr gelegen – Gründung am 2. 9. 1990 durch die russischsprachige Bev. (Referendum am 1. 12. 1991); von Moldau nicht anerkannt – Eigenes Parlament u. »Staatsführung« (Präs.: Igor Smirnow, seit 1. 12. 1992)

MONACO West-Europa
Fürstentum Monaco; Principauté de Monaco; Principato di Monaco – MC

LANDESSTRUKTUR Fläche (191): 1,95 km^2 – **Einwohner** (187): (Z 1990) 29876 = 15321 je km^2 – 4481 Monegassen (monégasques); u. a. 47% Franzosen, 17% Italiener – **Analph.:** unter 5% – Jährl. **Bev.-Wachstum** (∅ 1980–86): 0,6% (Geb.- u. Sterbeziffer 1983: 2,0%/1,7%) – **Sprachen:** Französisch als Amtsspr.; »Monégasco« (v. Ligurischen u. Provenzalischen abstammend) sowie z. T. Italienisch u. Englisch als Umgangsspr. – **Religion:** über 90% Katholiken (Staatskirche); ferner Anglikaner, Juden, Reformierte – **Stadtbezirke** (Munizipien, F 1987): Monaco (Hptst.) 1234 Ew.; Monte Carlo 13154, La Condamine (Hafen) 12675

STAAT Konstitutionelles erbliches Fürstentum im Zollverband mit Frankreich – Verfassung von 1962 – Parlament aus 2 Kammern: Nationalrat (Conseil National) mit 18 u. Gemeinderat (Conseil Communal) mit 15 Mitgl.; Wahl alle 5 J. – Laut Schutzvertrag mit Frankreich v. 1861 schlägt dieses d. Staatsminister vor, der dann vom Fürsten ernannt wird – 4köpfige Regierung mit 3 Reg.-Räten unter Leitung des Kabinettschefs – Allg. Wahlrecht ab 21 J. – **Staatsoberhaupt:** Fürst Rainier III., seit 1949 – **Staatsminister:** Jacques Dupont, seit 1991 – **Kabinettschef:** Denis Ravera – **Parteien:** Wahlen zum Nationalrat im Jan. 1993: Liste Campora 15 Sitze, Liste Médecin 2, Unabh. 1 (1978–1988: Nationale u. Demokrat. Union/UND alle 18 Sitze) – **Unabh.:** Formell anerkannt durch Patentbriefe d. französ. Königs v. 25. 2. 1489 (erneut v. 20. 2. 1512) u. d. Herzogs v. Savoyen v. 20. 3. 1489 (vom 13. 2. 1793 bis 30. 5. 1814 v. Frankr. annektiert); fällt bei Erlöschen der Dynastie Grimaldi an Frankreich – **Nationalfeiertag:** 19. 11.

WIRTSCHAFT (statistisch unter → Frankreich erfaßt) **BSP** 1983: 13217 Mio. FF = 51000 US-$ je Ew.; Staatseinnahmen 1990: **Industrie** 27%, **Dienstlst.** 71,5% (dar. Tourismus 25%) – **Erwerbstät.** 1986: Ind. 25%, Dienstl. 81% – **Währung:** Franz. Franc (FF) → Frankreich; eig. Münzrecht – **Außenhandel:** Handelsbilanz 1983: mit Frankr. 3377 Mio. FF; übrige Staaten 1844 Mio. FF; Güter: Kosmetik, pharmazeut. Prod., Elektronik, Kunststoff, Konserven (Anchovis); Handelspartner: ca. 70% EG-Länder – **Tourismus** (Spielbank) wichtiger Wirtsch.-Faktor

MONGOLEI *Zentral-Asien*
Mongol; bis 12. 2. 1992 »Mongolische Volksrepublik« – MNG

LANDESSTRUKTUR Fläche (18):1566500 km² – **Einwohner** (134): (F 1992) 2311000 = 1,5 je km²; (Z 1989) 2043400 – 88,5% Mongolen, davon

78,8% Ostmong. (Chalcha), 6,6% Westmong.; außerd. 1,7% Burjaten, 1,4% Daringanga sowie 6,9% Turkvölker (v. a. Kasachen, S 1993: 85000) u. chines. u. russ. Minderheiten; insg. 10 ethnische Gruppen, davon etwa d. Hälfte Nomaden – **Leb.-Erwart.:** 63 J. (m61/w64); Bev.-Anteil unter 20 J. (1990): 51,3% – **Säugl.-Sterbl.:** 6,8% – **Kindersterbl.:** 8,0% – **Analph.** (1989): 2% – Jährl. **Bev.-Wachstum** (∅ 1980–91): 2,7% (Geb.- u. Sterbeziffer 1990: 3,5%/0,8%) – **Sprache:** Mongolisch (Khalkha-[Chalcha], seit 1993 mit mongolischem statt kyrill. Alphabet) als Amtsspr., Russisch, Kasachisch – **Religion:** überw. lamaistischer Buddhismus der tibetischen Gelbmützen mit Ausrichtung auf den Dalai-Lama – **Städt. Bev.:** 57% – **Städte** (F 1991): Ulaan-Baatar [Ulan-Bator] (Hptst.) 575000 Ew.; Darchan 90000, Erdenet 58200; (S 1984) Baganuur 25000, Choybalsan [Tschojbalsan] 23000, Suche-Bator 17000

STAAT Parlamentarische Republik – Neue Verfassung vom 12. 2. 1992 – Parlament (Volks-Chural) mit 76 Mitgl., Wahl alle 4 J. – Direktwahl d. Staatsoberh. alle 4 J. – Allg. Wahlpflicht ab 18 J. – 18 Provinzen (Aimak) u. 3 Stadtgebiete mit eig. Parl. u. durch Reg.-Chef ernannten Gouverneur – **Staatsoberhaupt:** Punsalmaagiyn Otschirbat, seit 21. 3. 1990 (in ersten Direktwahlen am 6. 6. 1993 mit 57,8% d. Stimmen im Amt bestätigt) – **Regierungs-**

Mongolei: Bevölkerung und Bevölkerungsdichte nach Provinzen

Provinz (Aimak)/Hauptort	Fläche in 1000 km²	Einwohner in 1000			Einwohner je km²	
		Z 1969	Z 1979	Z 1989	1969	1989
Ulaanbaatar[1]	2,0	267,4	402,3	548,4	133,7	274,2
Darchan[1]	0,2	23,3	50,7	85,8	116,5	429,0
Erdenet[1]	0,8	..	31,9	56,1	..	70,1
Archangai/Zezerleg	55,0	72,3	77,5	84,7	1,3	1,5
Bajan-Ölgii/Ölgii	46,0	58,1	71,4	90,9	1,3	2,0
Öwörchangai/Arwai-Cheer . .	63,0	66,8	82,6	96,5	1,1	1,5
Selenge/Süchbaatar	42,0	52,7	65,1	86,9	1,0	2,1
Uws/Ulaangom	69,0	60,3	72,2	83,9	0,9	1,2
Dsawchan/Uliastai	82,0	70,8	79,8	88,5	0,9	1,1
Bulgan/Bulgan	49,0	37,4	42,4	51,9	0,8	1,1
Töw/Dsuunmod	81,0	63,6	80,5	100,0	0,8	1,2
Chowd/Chowd	76,0	54,0	62,6	76,5	0,7	1,0
Chöwsgöl/Mörön	101,0	74,8	88,2	101,8	0,7	1,0
Chentii/Öndör-chaan	82,0	40,1	52,8	73,8	0,5	0,9
Süchbaatar/Baruun Urt	82,0	35,3	43,0	50,9	0,4	0,6
Bajanchongor/Bajanchongor .	116,0	52,4	63,0	74,6	0,5	0,6
Dundgow'/Mandalgow'	78,0	30,7	39,1	49,3	0,4	0,6
Gow'altai/Altai	142,0	47,4	55,8	62,7	0,3	0,4
Dornod/Tschoibalsan	123,5	42,9	58,8	80,8	0,3	0,7
Dornogow'/Sainschand . . .	111,0	30,9	42,4	57,0	0,3	0,5
Ömnögow'/Dalandsadgad . .	165,0	26,4	32,9	42,4	0,2	0,3
Mongolei	*1566,5*	*1197,6*	*1595,0*	*2044,0*	*0,8*	*1,3*

[1] Stadtgebiet
Quelle: Länderbericht Mongolei 1992, Statist. Bundesamt

chef: Puntsagiyn Dschasray (MRVP), seit 16. 7. 1992 – **Äußeres:** Zerenpiliyin Gombosüren – **Parteien:** Wahlen vom 28. 6. 1992: Mongolische Revolutionäre Volkspartei/MRVP 70 Sitze (1990: 357 von 431); Opposition insg. 5 (35): Mongolian Democratic Coalition 4, Mong. Social Dem. P. 1; Unabh. 1 (39) – **Unabh.:** Am 11. 7. 1921 de facto v. China unabh. (Proklamation d. kommunist.-nationalist. Machtergreifung), am 26. 11. 1924 formelle Umwandlung in Volksrepublik u. Erneuerung d. Souv.-Anspruches, am 5. 1. 1946 nach Plebiszit Unabh. durch China völkerrechtl. anerkannt – **Nationalfeiertag:** 11. 7.

WIRTSCHAFT (keine neueren Angaben verfügbar) **BSP** (S 1991): 100 $ je Ew. (182); realer Zuwachs 1991/92: –16,0 %; **BIP** (S 1988): 2200 Mio. $; realer Zuwachs ⌀ 1980–90: 5,6 %; Anteil 1990 **Landwirtsch.** 17 %, **Industrie** 34 % – **Erwerbstät.** 1990: Landw. 30 %, Ind. 26 % – **Arbeitslosigkeit** Mitte 1993: über 20 % – **Energieverbrauch** 1990: 1277 kg ÖE/Ew. – **Währung:** 1 Tugrik (Tug.) = 100 Mongo; offiz. Kurs am 28. 5. 1993 abgeschafft; danach 1 US-$ = 385,00 Tug. – **Ausl.-Verschuld.** 1990: 10445 Mio. Transfer-Rubel ggü. ehem. RGW-Ländern – **Inflation** ⌀ 1980–91: 1,0 % (1992: 126 %) – **Außenhandel** 1992: **Import:** 399 Mio. $; Güter (1990, nur UdSSR): 100 % aller Treibu. Schmierstoffe, 90 % d. Maschinen u. Ausrüstungen, 60 % d. Konsumgüter; Länder (1990): 78 % UdSSR, 4 % BRD, 4 % ČSFR; **Export:** 368 Mio. $; Güter (1987, nur UdSSR): 35 % Kupfer-, Molybdänerze, 17 % viehwirtsch. Erzeugn. (Fleisch, Wolle, Häute, Felle); Länder (1990): 78 % UdSSR, 16 % ČSFR, 3 % Bulgarien – **Handelspartner** 1992: 74 % ehem. sozialist. Länder (dar. 57 % Rußland) sowie 12 % VR China u. 9 % Japan

MOSAMBIK *Südost-Afrika*
Republik Mosambik; República de Moçambique – MOC

LANDESSTRUKTUR   **Fläche** (34): 801590 km² (mit 21371 km² Binnengewässern, einschl. Anteil am Njassa-See) – **Einwohner** (53): (F 1991) 16142000 = 20 je km²; (Z 1980) 11673725 – Mosambikaner (portugies. Moçambicanos): ca. 98 % Bantu, bes. Makua (im Norden 40 %), Tsonga (1,5 Mio.) u. Schona (10 % in Zentral-M.); rd. 20000 Weiße – ca. 1,5 Mio. Flüchtlinge in Anrainerstaaten (bes. Malawi mit 1,1 Mio.), Rückführung seit Juli 1993 vorgesehen; 3,5–4 Mio. Binnenflüchtlinge – **Leb.-Erwart.:** 47 J. (m45/w48); Bev.-Anteil 0–14 J.: 44,5 % – **Säugl.-Sterbl.** (1980): 14,9 % – **Kindersterbl.:** 28,0 % – **Analph.:** 67 % – Jährl. **Bev.-**

Wachstum (⌀ 1980–91): 2,6 % (Geb.- u. Sterbeziffer 1991: 4,5 %/1,9 %) – **Sprachen:** Portugiesisch als Amtsspr.; KiSuaheli, Makua, Nyanja u. a. Bantu-Sprachen – **Religion:** ca. 70 % Anh. von Naturrel.; rd. 5 Mio. Christen (mehrheitl. Katholiken, Protestanten), 4 Mio. Muslime; kleine hinduist. Minderh. – **Städt. Bev.:** 28 % – **Städte:** Maputo (Hptst.; S 1989) 1070000 Ew.; (S 1980) Beira 350000, Quelimane 184000; (S 1970) Xai-Xai (João Belo) 64000, Tete 53200, Inhambane 26000

STAAT   Republik – Verfassung von 1990: Einführung des Mehrparteiensystems; Parlament (Assembleia da República) mit 250 Mitgl. vorgesehen, Verhältniswahl alle 5 J.; Direktwahl d. Staatsoberh. alle 5 J. – Volksversammlung derzeit mit 250 Mitgl. – Nach 16 J. Bürgerkrieg Abkommen über Waffenstillstand zw. Regierung u. RENAMO seit 15. 10. 1992 in Kraft (→ *Chronik*) – Allg. Wahlrecht – 10 Provinzen u. Hauptstadt Mazur – **Staatsoberhaupt** u. Hauptbefehlshaber d. Streitkräfte: Gen. Major Joaquim Alberto Chissano (Gen.-Sekr. der FRELIMO), seit 1986 – **Regierungschef:** Mário Fernandes da Graça Machungo (FRELIMO), seit 1986 – **Äußeres:** Pascoal Manuel Mocumbi – **Parteien:** Letzte Wahlen 1986: Frente de Libertação de Moçambique/ FRELIMO (ehem. Einheitspartei) alle 250 Sitze; Nationalunion/UNAMO seit 23. 3. 1992 als Partei, Resistência Nacional Moçambicana/RENAMO seit Feb. 1993 zugelassen – *Erste freie Wahlen für Okt. 1994 vorgesehen* – **Unabh.:** 25. 6. 1975 – **Nationalfeiertag:** 25. 6.

WIRTSCHAFT   **BSP** 1991: 1163 Mio. $ = 80 $ je Ew. (184); realer Zuwachs ⌀ 1980–91: –1,1 %; **BIP** 1991: 1219 Mio. $; realer Zuwachs ⌀ 1980–91: –0,1 %; Anteil 1990 **Landwirtsch.** 64 %, **Industrie** 15 %, **Dienstlst.** 21 % – **Erwerbstät.** 1991: Landw. 81 %, Ind. ca. 7 % – **Energieverbrauch** 1991: 59 kg ÖE/Ew. – **Währung:** 1 Metical (MT) = 100 Centavos (CT); Kurs im »zweiten Markt« Ende März 1993 (offiz. Kurs für projektgebundene Entwicklungshilfe): 1 US-$ = 2977,98 (3511,57) MT; 100 MT = 0,054 (0,048) DM – **Ausl.-Verschuld.** 1991: 4700 Mio. $ = 426,0 % d. BSP – **Inflation** ⌀ 1980–91: 37,6 % (1992: rd. 50 %) – **Außenhandel** 1990: **Import:** 815,7 Mrd. MT; Güter (1989): v. a. Nahrungsmittel, Maschinen u. Einzelteile, Erdöl u. -produkte; Länder (1986): 13 % USA, 12 % UdSSR, 12 % Südafrika; **Export:** 126,4 Mio. $; Güter: 34 % Krustentiere, 11 % Cashewnüsse, 7 % Rohbaumwolle, 6 % Zucker; Länder: 18 % Spanien, 12 % USA, 10 % Japan, 7 % Südafrika, 6 % Portugal

MYANMAR *Südost-Asien*
Union (von) Myanmar; Pyi-Daung-Su Socialist Thammada Myanmar Naingng-an-Daw; bis 1989 Birma bzw. Burma – BUR

LANDESSTRUKTUR   **Fläche** (39): 676578 km² – **Einwohner** (25): (F 1991) 42758000 = 63 je km²; (Z 1983) 35306189 – Myanmaren; rd. 75 % Birmanen; 9 % Schan, 7 % Karen (Christen), 4 % Rohingya (Muslime), 2 % Tschin, 2 % Mon, 1 % Katschin u. a. ethnische Minderh.; 1 % Inder (bes. in Rangun) u. 1–2 % Chinesen (bes. im NO) – **Leb.-Erwart.:** 59 J. – **Säugl.-Sterbl.:** 6,4 % – **Kindersterbl.:** 8,3 % – **Analph.:** 19 % – Jährl. **Bev.-Wachstum** (∅ 1980–91): 2,1 % (Geb.- u. Sterbeziffer 1990: 3,1 %/0,9 %) – **Sprachen:** Birmanisch als Amtsspr.; Sprachen d. and. Gruppen; Englisch wichtige Handelsspr. – **Religion:** 87 % südl. (Theravada-)Buddhisten; 5,6 % Christen, 3,6 % Muslime (Rohingyas), 1 % Hindus – **Städt. Bev.:** 25 % – **Städte** (Z 1983): Yangon [Rangun] (Hptst.) 2513023 Ew. (S 1984, als A: 3,9 Mio.); Mandalay 532949 (2. Hptst.), Moulmein 219961, Pegu 150528, Bassein 144096, Taunggyi 108231, Sittwe 107621, Manywa 106843

STAAT   (→ *Chronik*) Sozialistische Republik – Verfassung von 1974 – Verfassungsmäßiges Parlament (Volksversammlung bzw. Pyithu Hluttaw) mit 485 Mitgl., ernennt Staatsrat aus 29 Mitgl. – Militärregime seit 1974 nach Putsch 1988: Auflösung aller Staatsorgane u. Verhängung d. Kriegsrechts durch den »State Law and Order Restoration Council«/ SLORC – Nationaler Konvent (verfassungsgeb. Versammlung) mit 702 Delegierten (davon 102 Mitgl. des gewählten Parl. sowie 93 NLD-Mitgl.) seit 10. 1. 1993 – 7 States, 7 Divisions – **Staatsoberhaupt u. Regierungschef:** General Than Shwe (SLORC-Vors.), seit 23. 4. 1992; Reg. fast ausschl. aus Generälen – **Äußeres:** U Ohn Guaw – **Parteien:** Erste freie Wahlen seit 30 Jahren am 27. 5. 1990: Nationale Liga für Demokratie/NLD 392 der 485 Mandate, Shan Nationalities League for Democracy 23, Rakhine Dem. League 11, National Unity Party/NUP (ehem. Einheitspartei) 10; 6 weitere P. 3–5 Sitze mit insg. 21, Unabh. 6, Sonstige 22; noch kein Termin für die Machtübergabe vereinbart – **Unabh.:** 4. 1. 1948 – **Nationalfeiertag:** 4. 1.

WIRTSCHAFT   (keine neueren Angaben verfügbar) **BSP** (S 1986): 7450 Mio. $ = 200 $ je Ew. (174); realer Zuwachs ∅ 1973–86: 5,7 %; **BIP** realer Zuwachs ∅ 1985–89: –3,2 %; Anteil 1987 **Landwirtsch.** 51 %, **Industrie** 12 % – **Erwerbstät.** 1990: Landw. 70 %, Ind. 9 % – **Arbeitslosigkeit** ∅ 1990: 3,5 % – **Energieverbrauch** 1990: 82 kg ÖE/Ew. – **Währung:** 1 Kyat (K) = 100 Pyas (P); 1 US-$ = 6,098

K; 100 K = 27,68 DM – **Ausl.-Verschuld.** 1991: 4853 Mio. $ – **Inflation** ∅ 1980–86: 5,1 % (1991: 32,3 %) – **Außenhandel** 1990: Import: 270 Mio. $; Güter: v. a. Maschinen u. Ausrüst., chem. Prod. u. Konsumgüter; Länder (1988): 40 % Japan; **Export:** 322 Mio. $; Güter (1990): v. a. Teakholz, Reis, Rohmetalle, Edelsteine, Zement; Länder (1988): 17 % Indien; sonstige Handelspartner: bes. BRD u. VR China – Illegaler Handel (1985: rd. 50 % des öffentl. Handels) u. a. mit Opium; (S 1992): 2000 t geerntetes Rohopium (Herstellung von rd. 180 t Heroin) = rd. 60–80 % der weltweiten Opium- u. Heroinproduktion

NAMIBIA *Südwest-Afrika*
Republik Namibia; Republic of Namibia; bis 1968 Südwestafrika – NAM

LANDESSTRUKTUR   **Fläche** (33): 824292 km² (einschl. »Walfischbucht« mit 1124 km² u. 25135 Ew. [S 1988], seit 23. 8.1992 unter gemeinsamer Verwaltung mit → *Südafrika*, ab 1994 voraussichtl. unter ausschließl. Verwaltung) – **Einwohner** (144): (Z 1991) 1401711 = 2 je km² (vorl. Ergeb.) – Namibier; vorw. Bantu-Völker, u. a. rd. 50 % Ovambo, 9 % Kavango, 7,5 % Herero; 7,5 % hottentottischsprach. Damara, 4,8 % zu den Hottentotten zählende Nama, 3,7 % Caprivianer, 2,5 % »Rehoboth Basters« (Nachkommen v. Buren mit Hottentottenfrauen); außerd. 6,4 % Weiße, 4 % Coloureds (»Kleurlinge«, Mischbev. aus Europ., Bantu, Malaien u. z. T. Hottentotten), 2,9 % Buschmänner – **Leb.-Erwart.:** 58 J. (m56/w60); Bev.-Anteil 0–14 J.: 44,8 % – **Säugl.-Sterbl.:** 7,2 % – **Kindersterbl.:** 9,1 % – **Analph.** (1986): 28 % – Jährl. **Bev.-Wachstum** (∅ 1980–91): 3,1 % (Geb.- u. Sterbeziffer 1991: 4,3 %/1,1 %) – **Sprachen:** Englisch als Amtsspr.; Afrikaans als dominierende Umgangsspr., Deutsch verbreitet; weitere Umgangsspr. der Bantu u. a. Gruppen (u. a. Wamba, Nama, Herero u. Khoekhoe der Buschmänner) – **Religion:** 90 % Christen (davon ca. 80 % Protestanten: Lutheraner, Reformierte, Anglikaner, Methodisten); ferner Anh. von Naturrel. – **Städt. Bev.:** 28 % – **Städte** (S 1988): Windhoek [Windhuk] (Hptst.; einschl. Vorort Katutura) 114500 Ew.; Swakopmund 15500, Rehoboth 15000, Rundu 15000, Keetmanshoop 14000, Tsumeb 13500

STAAT   Parlamentarisch-demokratische Republik – Verfassung von 1990 – Parlament aus 2 Kammern: Nationalversammlung mit 72 für 5 J. gewählten u. 6 vom Staatsoberh. ernannten Mitgl. sowie Nationalrat mit 26 Mitgl. (je 2 Vertr. aus den Regionen) – Direktwahl d. Staatsoberh. alle 5 J. – Allg.

Wahlrecht – 13 Regionen – **Staatsoberhaupt** u. Oberbefehlshaber: Samuel (Sam) Daniel Nujoma (SWAPO), seit 21. 3. 1990 – **Regierungschef:** Hage Gottfried Geingob (SWAPO), seit 23. 3. 1990 – **Äußeres:** Theo-Ben Gurirab – **Parteien:** Wahlen von 1989: South West African People's Organization of Namibia/SWAPO 41 Sitze, Democratic Turnhalle Alliance/DTA 21, United Democratic Front/UDF 4, Action Christian National/ACN 3, Sonstige 3 – **Unabh.:** 21. 3. 1990 (letzte Kolonie Afrikas) – **Nationalfeiertag:** 21. 3.

WIRTSCHAFT **BSP** 1991: 2051 Mio. $ = 1460 $ je Ew. (94); realer Zuwachs ∅ 1980–91: 1,6%; **BIP** 1991: 1961 Mio. $; realer Zuwachs ∅ 1980–90: 1,0%; Anteil 1991 **Landwirtsch.** 10%, **Industrie** 28%, **Dienstlst.** 62% – **Erwerbstät.** 1991: Landw. 34%, Ind. ca. 21% *(Verteilung nach Wirtschaftsbereichen → WA '92, Tab. Sp. 497)* – **Arbeitslosigkeit** Anf. 1993: 30–40% – **Energieverbrauch** 1990: 0 kg ÖE/Ew. – **Währung:** 1 Südafrikan. Rand (R) = 100 Cents (c); 1 US-$ = 3,31 R; 100 R = 51,29 DM – Namibia-Dollar geplant – **Ausl.-Verschuld.** 1990: 826,6 Mio. R – **Inflation** ∅ 1980–91: 12,6% – **Außenhandel** 1989: **Import:** 2340 Mio. R; Güter (1988): 22% chem. Prod., 13% Textilien, 13% Nahrungsmittel, Getränke u. Tabak sowie Erdöl u. -produkte; Länder: rd. 75% Rep. Südafrika, außerd. Großbrit. u. BRD; **Export:** 2627 Mio. R; Güter (1990): 65% Mineralien (dar. 27% Diamanten, Uran, Kupfer), 13% Fisch (unverarb.), 10% Agrarprod. (u. a. Rinder u. Kleinvieh), 5% Industrieerzeugn.; Länder: überw. Großbrit., Rep. Südafrika, Japan, BRD, Frankr., USA, Belgien, Italien *(Entwicklungshilfezusagen 1991–93 → WA '93, Sp. 475 f.)*

NAURU *Ozeanien*
Republik Nauru; Naoero, Republic of Nauru – NAU

LANDESSTRUKTUR **Fläche** (190): 21,3 km² – **Einwohner** (190): (F 1989) 9350 = 439 je km²; (Z 1983) 8042 – knapp 62% Nauruer (polynes.-mikrones.-melanes. Mischrasse); sonst Gastarbeiter, u. a. 26% von Kiribati u. Tuvalu, 9% Chinesen u. Vietnamesen, 8% Europäer, Neuseeländer – **Leb.-Erwart.:** 52 J. (m50/w55) – Jährl. **Bev.-Wachstum** (∅ 1977–83): 1,6% – **Sprachen:** Englisch u. Nauruisch als Amtsspr. – **Religion:** 60% Protestanten, 30% Katholiken – **Hauptstadt:** Yaren mit rd. 4000 Ew.

STAAT Parlamentarische Republik – Verfassung von 1968 – Parlament mit 18 Mitgl., Wahl alle 3 J.; ernennt Staatsoberh. – Allg. Wahlpflicht ab 20 J. – 14 Gemeindebezirke – **Staats- u. Regierungschef**

sowie **Äußeres:** Bernard Dowiyogo, seit 12. 12. 1989, Wiederwahl am 18. 11. 1992 – **Parteien:** Letzte Wahlen vom 9. 12. 1989: alle 18 Mitgl. unabh. – v. a. Sippenverbände, Democratic Party of Nauru/DPN – **Unabh.:** 31. 1. 1968 – **Nationalfeiertag:** 31. 1.

WIRTSCHAFT (keine neueren Angaben verfügbar) **BSP** (S 1985): 80,7 Mio. $ = 8070 $ je Ew. (33); realer Zuwachs ∅ 1975–85: 6,4% – **Währung:** 1 Austral. Dollar ($A) = 100 Cents (c); 1 $A = 0,67 US-$; 100 $A = 112,775 DM – **Außenhandel** 1986/87 (nur mit Australien u. Neuseeland): **Import:** 15,2 Mio. $; **Export:** 83,9 Mio. $; Güter: nahezu 100% Phosphate (75% d. BSP; Vorkommen voraussichtl. bis 1995 erschöpft), in geringen Mengen Kokosprodukte u. Bananen; Handelspartner: Australien, Neuseeland, Japan (Vereinbarung im Aug. 1993 über die Zahlung von 107 Mio. $ Entschädigung für Umweltschäden aufgrund des Phosphatabbaus durch Australien)

NEPAL *Süd-Asien*
Königreich Nepal; Nepal Adhirajya – NEP

LANDESSTRUKTUR **Fläche** (94): 140797 km² – **Einwohner** (45): (Z 1991) 18462081 = 125 je km² (vorl. Ergeb.) – Nepalesen; mehrheitl. indo-nepales. Gruppen: Brahmanen, Kshatriya (Thakuri, Chetri u. a.) sowie tibeto-nepales. Gruppen: Tharu, Tamang, Limbu, Newar, Magar, Gurung, Sunwar, Thakali, Rai u. tibet. Gruppen: Sherpa, tibet. Flüchtl. – **Leb.-Erwart.:** 53 J. (m54/w53); Bev.-Anteil 0–14 J.: 43,4% – **Säugl.-Sterbl.** (1987): 10,1% – **Kindersterbl.:** 13,2% – **Analph.:** 74% – Jährl. **Bev.-Wachstum** (∅ 1980–91): 2,6% (Geb.- u. Sterbeziffer 1991: 3,8%/1,3%) – **Sprachen:** Nepáli (aus d. Sanskrit) als Amtsspr. (ca. 52%); Bihari (18%), Newari, Maithili, tibetische Dialekte – **Religion:** 89% Hinduismus (»Sanátan« bzw. »Pauranic«, haupts. Schiwakult), ist Staatsreligion; 5,3% Mahayana-Buddhismus, 2,7% Muslime; rd. 50000 Christen – **Städt. Bev.:** 10% – **Städte** (Z 1981): Kathmandu (Hptst.) 393494; Biratnagar 93544, Bhátgáon [Bhaktapur] 48472, Pokhara 48456, Birganj 43642

STAAT Konstitutionelle demokratische Hindu-Monarchie – Verfassung von 1990 – Parlament aus 2 Kammern: Repräsentantenhaus mit 205 für 5 J. gewählten u. Nationalrat mit 60 alle 6 J. ernannten Mitgl. (10 vom König, 35 vom Repr.-Haus u. 15 durch Wahlgremien) – 14 Zonen (Regionen) – **Staatsoberhaupt:** König Birendra Bir Bikram Sháh Dev, seit 1972, gekrönt 1975 – **Regierungschef u. Äußeres:** Girija Prasad Koirala (NPC), seit 29. 5.

1991 – **Parteien:** Erste freie Wahlen seit 1959 vom 12. 5. 1991: Kongreßpartei/NCP 110 Sitze, Vereinigte Marxistische Linke/UNCP 69, andere linksger. Parteien insg. 13 (United People's Front 9, Nepal Worker's and Peasants' Party 2, Communist Party of N./CPN 2), monarchist. Parteien 4; Nepali Sadbhavana P. (Rechtspartei) 6, Unabh. 3 – **Unabh.:** alte staatl. Tradition; 1768 Gründung des vereinigten Königreiches – **Nationalfeiertag:** 28. 12.

WIRTSCHAFT BSP 1991: 3453 Mio. $ = 180 $ je Ew. (177); realer Zuwachs ⌀ 1980–91: 4,7 %; **BIP** 1991: 3063 Mio. $; realer Zuwachs ⌀ 1980–90: 4,6 % (1992: +3,1 %); Anteil 1991 **Landwirtsch.** 59 %, **Industrie** 14 %, **Dienstlst.** 27 % – **Erwerbstät.** 1991: Landw. 92 %, Ind. ca. 3 % – **Energieverbrauch** 1991: 22 kg ÖE/Ew. – **Währung:** 1 Nepales. Rupie (NR) = 100 Paisa (P.); 50 Paisa = 1 Mohur; 1 US-$ = 49,00 NR; 100 NR = 3,46 DM – **Ausl.-Verschuld.** 1991: 1769 Mio. $ = 53,5 % d. BSP – **Inflation** ⌀ 1980–91: 9,1 % – **Außenhandel** 1991: **Import:** 740 Mio. $; Güter: 24 % Maschinen u. Transportausrüst., 12 % Brennstoffe, 9 % Nahrungsmittel; Länder (1990): 32 % Indien sowie u. a. Singapur, Japan, Neuseeland u. VR China; **Export:** 238 Mio. $; Güter: v. a. Prod. der verarb. Ind., Nahrungsmittel u. leb. Tiere; Länder (1990): 36 % BRD sowie v. a. Indien u. USA – **Tourismus** (1991): 58,6 Mio. $ Einnahmen u. 292 995 Gäste

NEUSEELAND Ozeanien
New Zealand – NZ

LANDESSTRUKTUR Fläche (73): 270 986 km² Landfläche; Gesamtfläche einschl. Inselgebieten u. Ross Dependency 683 568 km²; Hauptinseln: North Island 114 597 km² u. (Z 1991) 2 549 707 Ew., South Island 151 757 km² u. 877 235 Ew.; Inselgeb.: Stewart-I. (1746 km²), Chatham-Inseln (963 km²) u. Kermadec-I. (33,5 km², Roul-I. mit meteorol. Station) insg. 854 Ew.; Campbell-I., Three Kings-, Solander-, Bounty-, Snares-, Antipoden- u. Auckland-Inseln (zus. 839 km², meist unbewohnt) – **Einwohner** (121): (Z 1991) 3 434 950 = 13 je km² – 87 % Neuseeländer; 9,6 % Maori; 3 % Polynesier sowie Chinesen u. Inder – **Leb.-Erwart.:** 76 J. (m73/w79); Bev.-Anteil 0–14 J.: 22,8 % – **Säugl.-Sterbl.:** 0,9 % – **Kindersterbl.:** 1,1 % – **Analph.:** unter 5 % – Jährl. **Bev.-Wachstum** (⌀ 1980–91): 0,7 % (Geb.- u. Sterbeziffer 1991: 1,7 %/0,8 %) – **Sprachen:** Englisch als Amtsspr.; Umgangsspr. der Maori – **Religion** (J 1986): über 50 % Protestanten (25 % Anglikaner, 18 % Presbyterianer, 5 % Methodisten, 2 % Baptisten), 16 % Katholiken; Maori-Religionen (Ratna, Ringatu) – **Städt. Bev.:** 84 % – **Städte** (Z 1991): Wellington (Hptst.) 325 682 Ew.; Auckland 885 571, Christchurch 307 179, Napier-Hastings 110 216, Dunedin 109 503, Palmerston North 70 951

STAAT Konstitutionelle Monarchie im Commonwealth – Keine formelle geschriebene Verfassung (Anlehnung an britische Staatsform) – Parlament (General Assembly) aus 1 Kammer (House of Representatives) mit 97 Mitgl., davon 4 für Maori reserviert; Wahl alle 3 J. – Neues Wahlrecht (Verhältniswahl) per Referendum am 20. 9. 1992 angenommen, tritt ab 1995 in Kraft – Allg. Wahlrecht ab 18 J. – 90 Counties, 128 Boroughs sowie 3 Town Districts u. 10 District Councils – **Staatsoberhaupt:** Königin Elizabeth II., vertreten durch Generalgouverneurin Dame Catherine Tizard, seit 20. 11. 1990 – **Regierungschef:** James (»Jim«) B. Bolger (NP), seit 28. 10. 1990 – **Äußeres:** Don McKinnon – **Parteien:** Wahlen vom 27. 10. 1990: National Party/NP 67 Sitze (1987: 40), Labour Party 29 (56), New Labour Party 1 (1) – Nächste Wahlen im Nov. 1993 – **Unabh.:** 26. 9. 1907 de facto, 11. 12. 1931 nominell (Westminster-Statut) – **Nationalfeiertag:** 6. 2.

WIRTSCHAFT BSP 1991: 41 626 Mio. $ = 12 350 $ je Ew. (27); realer Zuwachs ⌀ 1980–91: 1,0 %; **BIP** 1991: 42 861 Mio. $; realer Zuwachs ⌀ 1980–91: 1,5 % (1992: +3,0 %); Anteil 1991 **Landwirtsch.** 9 %, **Industrie** 27 %, **Dienstlst.** 65 % – **Erwerbstät.** 1992: Landw. 10,8 %, Ind. 22,8 % *(Verteilung nach Wirtschaftsbereichen → WA '93, Tab. Sp. 479 f.)* – **Arbeitslosigkeit** ⌀ Mitte 1991/92: 10,8 % – **Energieverbrauch** 1991: 4893 kg ÖE/Ew. – **Währung:** 1 Neuseeland-Dollar (NZ$) = 100 Cents (c); 1 NZ$ = 0,54 US-$; 100 NZ$ = 91,75 DM – **Ausl.-Verschuld.** 1992: 20 000 Mio. NZ$ – **Inflation** ⌀ 1980–91: 10,3 % (Mitte 1991/92: 0,8 %) – **Außenhandel** 1991: **Import:** 14 200 Mio. NZ$; Güter: 25 % Maschinen (auch Elektrom.), 10 % Kfz, 7 % Erdöl u. -derivate, 4 % Kunststoffe, 4 % Luftfahrzeuge, 3 % elektrotechn. Erzeugn.; Länder: 22 % Australien, 18 % USA, 15 % Japan, 6 % Großbrit., 4 % BRD, 3 % Saudi-Arabien, 3 % Rep. China (EG 18 %); **Export:** 17 900 Mio. NZ$; Güter: 17 % Fleisch, 13 % Molkereiprod., 10 % forstwirtschaftl. Prod., 6 % Obst u. Gemüse, 6 % Wolle, 6 % Fisch, 4 % Aluminium u. -legierungen; Länder: 19 % Australien, 15 % Japan, 13 % USA, 7 % Großbrit., 4 % Rep. Korea, 3 % Malaysia, 2 % Rep. China, 2 % BRD (EG 17 %)

AUSSENGEBIETE MIT INNERER AUTONOMIE

COOK-INSELN (Cook Islands)

LANDESSTRUKTUR Fläche 240,1 km² (Südl. Cook-Inseln mit 212,1, km² u. Nördl. Cook.-I. mit

28 km²) – *Einwohner:* (Z 1991) 18547 Ew. = 78 je km² – Überw. Polynesier; 31092 Cooker in Neuseeland (1986) – *Sprachen:* Englisch u. Maori – *Religion:* 70% Protestanten, rd. 10% Katholiken – *Hauptort* (Z 1991): Avarua (auf Rarotonga) 10913 Ew.

REGIERUNGSFORM Freie Assoziierung mit Neuseeland – Parlament (House of Ariki) mit 25 Mitgl., davon 15 Häuptlinge mit beratender Funktion; Wahl alle 5 J. – Zollunion mit Neuseel., das auch Verteid. u. Außenpolitik wahrnimmt – *Premierminister:* Sir Geoffrey A. Henry, seit 1989 – *Parteien:* Wahlen von 1989: Cook Islands Party/CIP 13 (1984: 11), Dem. Party/DP 8 (13), Dem. Tumu Party 2 (–), Unabh. 1 (0)

WIRTSCHAFT BIP 1990: 107 Mio. NZ$; Anteil Landwirtsch. 17%, Industrie 6% – *Erwerbstät.* 1990: Landw. 6%, Ind. 20%, Tourismus 30% – *Währung:* 1 Cookinseln-Dollar (Ci$) = 100 Cents (c) = 1 NZ$ – *Außenhandel* 1991: *Import:* 94,5 Mio. NZ$; Länder: 42% Neuseel., 32% Italien; *Export:* 8,1 Mio. NZ$; *Güter:* 17% Nahrungsmittel (v. a. Papayas), Perlmuscheln, schwarze Perlen u. a.; Länder: 33% Hongkong, 31% Neuseel., 24% Japan – *Tourismus* wichtig (1991): 38 Mio. NZ$ Einnahmen u. 39984 Gäste

NIUE (Savage Island)

LANDESSTRUKTUR Fläche 259,1 km² - *Einwohner:* (Z 1991) 2239 = 9 je km²; 14556 Niuaner leben in Neuseel. (1991) – *Sprachen:* Englisch, Niueanisch – *Religion:* fast ausschließl. Christen, davon 75% Protestanten – *Hauptort:* Alofi, ca. 900 Ew.

REGIERUNGSFORM Freie Assoziierung mit Neuseeland seit 1974 – Versammlung mit 20 Mitgl., 6 davon gewählt, 14 Dorfrepräsentanten – Neuseel. für Auswärt. u. Verteid. zuständig – *Premierminister:* Frank F. Lui – *Parteien:* Letzte Wahlen am 27. 2. 1993 (Sitzverteilung unbekannt)

WIRTSCHAFT BSP (S 1980): 3 Mio $ = 1080 $ je Ew. – *Währung:* NZ$ – *Inflation* ⌀ 1980–87: 11,0% – *Außenhandel* 1989: *Import:* 4,0 Mio. NZ$; 60% aus Neuseel.; *Export:* 0,012 Mio. NZ$; Güter: v. a. Kokoscreme, Früchte; 88% nach Neuseel.

Weitere Außengebiete:
Tokelau-Inseln (Tokelau Islands, Union-I.) – Fläche 10,12 km² – (Z 1986): 1690 Ew. – Sprachen: Tokela-

nisch (polynes. Spr.) u. Englisch – Religion: 67% Protest., 30% Kath. – Hauptort: Fakaofo; Hptst. de facto Apia auf West-Samoa – Administrator: Graham K. Ansell, seit 1990 – Islands Council aus 3 unabh. Atoll-Gemeinschaften – Finanzhilfe von Neuseeland 1991: 4,3 Mio. NZ$ – Währung: NZ$ – Import: Nahrungsmittel, Baumaterial, Benzin; Export: Kopra u. a. Früchte, kunsthandwerkl. Erzeugn.

NICARAGUA Mittel-Amerika
Republik Nicaragua; República de Nicaragua; Nikaragua – NIC

LANDESSTRUKTUR Fläche (96): 130000 km² (mit 11250 km² Binnengewässern) – **Einwohner** (114): (F 1991) 3800000 = 29 je km²; (Z 1971) 1877952 – Nicaraguaner (span. Nicaragüenses); 60–70% Mestizen, 10–15% Schwarze, ca. 14% Weiße, 4–6% Indianer; Mulatten, Zambos – **Leb.-Erwart.**: 66 J. (m64/w68); Bev.-Anteil 0–14 J.: 47,7% – **Säugl.-Sterbl.** (1985): 5,6% – **Kindersterbl.**: 6,6% – **Analph.** (1986): 12% – Jährl. **Bev.-Wachstum** (⌀ 1980–91): 2,7% (Geb.- u. Sterbeziffer 1991: 4,0%/0,7%) – **Sprachen**: Spanisch als Amtsspr.; als Verkehrsspr. auch Englisch; Chibcha d. Indianer – **Religion**: 90% Katholiken; 3% Protestanten – **Städt. Bev.**: 60% – **Städte** (S 1985): Managua (Hptst.) 682100 Ew.; León 101000, Granada 88700, Masaya 75000, Chinandega 67800, Matagalpa 37000, Estelí 30700, Tipitapa 30100

STAAT (→ *Chronik*) Präsidialrepublik – Verfassung von 1987 – Nationalversammlung (Asamblea Nacional) mit 92 Mitgl., Wahl alle 6 J. – Direktwahl d. Staatsoberh. für 6 J. – 16 Departamentos – **Staats- u. Regierungschefin:** Violeta Barrios de Chamorro (UNO), seit 25. 4. 1990; Koalition aus 12 Parteien, seit 10. 1. 1993 mit Sandinisten, UNO in Opposition – **Äußeres:** Ernesto Leal Sánchez – **Parteien:** Wahlen von 1990: Unión Nacional Opositora/UNO (bürgerliches Oppos.-Bündnis aus 14 Parteien) 51 Sitze (1984: 0), Frente Sandinista de Liberación Nacional/FSLN 39 (61), Partido Social Cristiano/PSC 1 (5), Sonstige 1 (–) – Nicaraguanischer Widerstand/RN (ehem. Contra-Rebellen) seit 9. 5. 1993 als Partei zugelassen – **Unabh.:** 15. 9. 1821 (Proklamation), endgültig 30. 4. 1838 (Austritt aus d. Zentralamerikan. Konföderation) – **Nationalfeiertage:** 15. 9. u. 19. 7. (»Sieg der sandinist. Volksrevolution« 1979)

WIRTSCHAFT BSP 1991: 1897 Mio. $ = 460 $ je Ew. (141); realer Zuwachs ⌀ 1980–91: –1,4%; **BIP** 1991: 6950 Mio. $; realer Zuwachs ⌀ 1980–91: 1,9%; Anteil 1991 **Landwirtsch.** 30%, **Industrie**

23%, **Dienstlst.** 47% – **Erwerbstät.** 1991: Landw. 38%, Ind. ca. 20% – **Arbeitslosigkeit** ∅ 1991: über 50% – **Energieverbrauch** 1991: 254 kg ÖE/Ew. – **Währung:** 1 Gold-Córdoba (C$) = 100 Centavos (c, cts); 1 US-$ = 6,14 C$; 100 C$ = 27,50 DM – **Ausl.-Verschuld.** 1991: 10446 Mio. $ = 153,5% d. BSP – **Inflation** ∅ 1980–91: 583,7% (1990: 13490%; 1991: 1180%) – **Außenhandel** 1991: **Import:** 751 Mio. $; Güter: 33% Maschinen u. Transportausrüst., 16% Nahrungsmittel, 15% Brennstoffe; Länder (1986): 32% UdSSR, 5% Kuba; **Export:** 268 Mio. $; Güter (1990): 21% Kaffee, 20% Fleisch, 11% Zucker, 11% Baumwolle; Länder: v. a. EG-Länder u. ehem. RGW-Länder

NIEDERLANDE *West-Europa*
Königreich der Niederlande; Koninkrijk der Nederlanden – NL

LANDESSTRUKTUR Fläche (132): 41861 km² (mit 7923 km² Binnengewässern) – **Einwohner** (55): (F 1991) 15023000 = 359 je km² (= 443 Ew. je km² Landfläche); (Z 1971) 13060115 – Niederländer; 500000 Friesen; Farbige aus den ehem. Überseegebieten, u. a. aus Suriname u. den Niederländ. Antillen sowie Indonesier; (1988) rd. 600000 Ausländer, dar. v. a. Türken, Marokkaner, Briten, Deutsche, Belgier, Spanier u. Italiener – **Leb.-Erwart.:** 77 J. (m74/w80); Bev.-Anteil 0–14 J.: 18,3% – **Säugl.-Sterbl.:** 0,7% – **Kindersterbl.:** 0,9% – **Analph.** (1988): 1% – Jährl. **Bev.-Wachstum** (∅ 1980–91): 0,6% (Geb.- u. Sterbeziffer 1991: 1,3%/0,9%) – **Sprachen:** Niederländisch u. Friesisch (in der Prov. Friesland) als Amtsspr. – **Religion:** 37% Katholiken, 30% Protestanten, versch. Kirchen (bes. Niederl. Reform. Kirche = 18,5%), 30000 Juden, 2,2% Muslime – **Städt. Bev.:** 89% – **Städte** (F 1990): Amsterdam (Hptst.) 695162 Ew. (F 1989; als A 1038000); Regierungssitz u. Residenz Den Haag ('s-Gravenhage) 441506, Rotterdam 579179 (A 1040000), Utrecht 230358 (A 526000), Eindhoven 191467 (A 382000), Groningen 167872 (A 206000), Tilburg 156421 (A 227000), Haarlem 149269 (A 214000), Apeldoorn 147586, Nijmegen 146010 (A 242000), Enschede 144748 (A E.-Hengelo 250000), Zaanstad 130220 (A 142000), Arnhem 130007 (A 299000), Breda 123025 (A 157000), Maastricht 117008 (A 161000), Leiden 110423 (A 185000), Dordrecht 109285 (A D.-Zwijndrecht 204000)

STAAT Konstitutionelle parlamentarisch-demokratische Monarchie – Verfassung von 1983 – Parlament (Staten-Generaal) aus 2 Kammern: Erste Kammer mit 75 Mitgl. (Wahl alle 4 J. durch Mitgl. d.

Provinzialparl.) u. Zweite Kammer mit 150 Mitgl. (Wahl alle 4 J.), hat das Recht, Gesetzentwürfe zu ändern – Königin ernennt Reg.-Chef, sonst keine polit. Funktion – Allg. Wahlrecht ab 18 J. (Kommunalwahlrecht für Ausländer, die mind. 5 J. in einer Gemeinde registriert sind) – 12 Provinzen je mit Parl. u. Königl. Kommissar als Vertr. d. Innenministers sowie 702 Gemeinden – **Staatsoberhaupt:** Königin Beatrix Wilhelmina Armgard, seit 1980 – **Regierungschef:** Rudolphus (Ruud) Lubbers (CDA), seit 4. 11. 1982; Koalition aus CDA u. PvdA – **Äußeres:** Pieter Kooijmans – **Parteien:** Wahlen der Zweiten Kammer vom 6. 9. 1989: Christlich Demokratische Union/CDA 54 Sitze (1985: 54), Partei der Arbeit/PvdA (Sozialisten) 49 (52), Volkspartei für Freiheit u. Demokratie/VVD (Liberale) 22 (27), Demokraten '66/D'66 (linkslib.) 12 (9), Grüne Linke/Groen Links 6 (3), Reformierte Partei/SGP 3 (3), Reformiert-Politischer Bund/GPV 2 (1), Reformatorisch-Politische Föderation/RPF 1 (1), Zentrum-Demokraten/CD (Janmaat) 1 (0) – Wahlen der Ersten Kammer vom 27. 5. 1991: CDA 27 Sitze, PvdA 16, VVD 12, D'66 12, Groen Links 4, SGP 2, RPF 1, GPV 1 - **Unabh.:** 2. 7. 1581 (Proklamation), 24. 10. 1648 anerkannt (Westfälischer Friede) – **Nationalfeiertag:** 30. 4. (Geburtstag d. Königin)

WIRTSCHAFT *(Einzelheiten → Kap. Wirtschaft, Sp. 917)* **BSP** 1991: 278839 Mio. $ = 18780 $ je Ew. (18); realer Zuwachs ∅ 1980–91: 2,1%; **BIP** 1991: 290725 Mio. $; realer Zuwachs ∅ 1980–91: 2,1%; Anteil 1990 **Landwirtsch.** 4%, **Industrie** 32%, **Dienstlst.** 64% – **Erwerbstät.** 1991: Landw. 4,5%, Ind. 25,5%, Dienstl. 70,0% – **Arbeitslosigkeit** ∅ 1992: 6,4% – **Energieverbrauch** 1991: 5147 kg ÖE/Ew. – **Währung:** 1 Holländ. Gulden (hfl) = 100 Cent (c, ct); 1 US-$ = 1,89 hfl; 100 hfl = 89,18 DM – **Inflation** ∅ 1980–91: 1,8% (1992: 3,7%) – **Außenhandel** 1991: **Import:** 234600 Mio. hfl (1992: 236200 Mio. hfl); Güter (1990): 22% Maschinen, 11% Nahrungsmittel, Getränke u. Tabak, 11% chem. Erzeugn., 11% mineral. Brennstoffe, 9% Transportmittel; Länder: 26% BRD, 14% Belgien/Lux., 9% Großbrit., 8% USA, 8% Frankr.; **Export:** 248800 Mio. hfl (1992: 245900 Mio. hfl); Güter (1990): 19% Nahrungsmittel, Getränke u. Tabak, 18% Maschinen, 17% chem. Erzeugn., 10% mineral. Brennstoffe, 6% Transportmittel; Länder: 30% BRD, 14% Belgien/Lux., 11% Frankr., 9% Großbrit., 6% Italien

PRESSE (Aufl. i. Tsd.) *Tageszeitungen:* Amsterdam: Het Parool (101) – De Telegraaf (780) – Trouw (120) – De Volkskrant (342) – Alkmaar: Noordhollands Dagblatt (160) – Breda: De Stern (110) – Den Haag: Haagsche Courant/Dagblad het Binnenhof (168) – s'-Hertogenbosch: Brabants

Dagblad/Eindhovens Dagblad/Het Nieuwsblad (295) – Groningen: Nieuwsblad van het Noorden (139) – Leeuwarden: Leeuwarder Courant (111) – Maastricht: De Limburger (142) – Nijmegen: De Gelderlander (170) – Rotterdam: Algemeen Dagblad (414) – NRC Handelsblad (242) – Rotterdams Dagblad (116) – *Wochenzeitungen u. Zeitschriften:* Elsevier (114) – Libelle (748) – Margriet (587) – Nieuwe Revu (164) – Panorama (195) – Privé (482) – Story (419) – Vrij Nederland (113) – *Nachrichtenagentur:* ANP (Algemeen Nederlands Persbureau)

ÜBERSEEGEBIETE

UNION DER NIEDERLÄNDISCHEN ANTILLEN UND ARUBA *Karibik*

1. NIEDERLÄNDISCHE ANTILLEN
De Nederlandse Antillen – NA

LANDESSTRUKTUR Fläche: 800 km² (5 Inseln: Sint Maarten [nur S-Teil; Nordteil St. Martin zu franz. Guadeloupe] 34 km² u. 33 459 Ew. [F 1991]; Sint Eustatius 21 km² u. 1781; Saba 13 km² u. 1116; Curaçao [Papiamento »Kòrsou«] 444 km² u. 143 816 sowie Bonaire 288 km² u. 11 139 Ew.) – *Einwohner:* (F 1991) 192 000 = 239 je km² (davon leben rd. 80 000 in den Niederlanden); (Z 1981) 191 311 – 90 % Schwarze u. Mulatten; Arawak-Indianer, Inder u. weißes Verw.-Personal – *Leb.-Erwart.:* 77 J. – *Kindersterbl.:* 1,5 % – Jährl. *Bev.-Wachstum* (∅ 1980–91): 0,9 % – *Analph.* (1971): 7 % – *Sprachen:* Niederländ. als Amtsspr.; Papiamento (Mischspr. aus Spanisch, Niederländ. u. a.), Englisch, Spanisch – *Religion:* 85 % Katholiken, rd. 5 % Protestanten, Muslime, Hindus – *Hauptstadt* (F 1989): Willemstad (auf Curaçao) 43 550 Ew.

REGIERUNGSFORM Konstitutionelle parlamentar.-demokrat. Monarchie – Parlament mit 22 Mitgl., Wahl alle 4 J. – Curaçao seit 1991 relative Unabhängigkeit – *Staatsoberhaupt:* Königin Beatrix, vertreten durch von ihr ernannten Gouverneur Jaime M. Saleh – *Regierungschefin:* Maria Liberia-Peters (NVP), seit 1988 – *Parteien:* Wahlen von 1990: Nationalpartei/NVP 7 Sitze, Arbeiterbefreiungsfront 3, Patriot. Union von Bonaire 3, Bewegung Neue Antillen 2, Dem. Partei St. Maarten 2, Sonstige 5

WIRTSCHAFT BSP 1988: 1407 Mio. $ = 7395 $ je Ew.; realer Zuwachs ∅ 1985–88: 0,3 %; *BIP* 1988: 1336 Mio. $ (jährl. Entwicklungshilfe 200–300 Mio. Gulden) – *Währung:* 1 Niederl.-Antillen-Gulden (NAf) = 100 Cent (c, ct); 1 US-$ = 1,78

NAf; 100 NAf = 94,84 DM – *Außenhandel* 1990: *Import:* 3769 Mio. NAf; *Export:* 3197 Mio. NAf; Güter: Raffinerieprod.; Handelspartner: Venezuela, USA – *Finanzsektor* (1988): 13 % des BIP u. 30 000 Offshore-Firmen – *Tourismus:* rd. 25 % des BSP; auf St. Maarten 80 %

2. ARUBA *Kleine Antillen*

LANDESSTRUKTUR Fläche: 193 km² – *Einwohner:* (F 1991) 61 000 = 316 je km² – *Sprachen:* Niederländ., Spanisch, Papiamento, Englisch – *Religion:* über 80 % Katholiken, rd. 6500 Protestanten – *Hauptstadt* (F 1986): Oranjestad 19 800 Ew.

REGIERUNGSFORM Seit 1. 1. 1986 Sonderstatus (Status aparte) – Parlament mit 21 Mitgl., Wahl alle 4 J. – *Gouverneur:* Felipe Tromp – *Regierungschef:* Nelson O. Oduber (MEP), seit 1989 – *Parteien:* Wahlen vom 8. 1. 1993: Movimiento electoral di Pueblo/MEP 9 Sitze, Arubaanse Volkspartij/AVP 9, Sonstige 3

WIRTSCHAFT BSP 1991 = rd. 6000 $ je Ew.; *BIP* 1989: 1168 Mio. Afl. = 18 728 Afl. je Ew. – *Währung:* 1 Aruba-Florin (Afl.) = 100 Cent (c, ct); 1 US-$ = 1,78 Afl.; 100 Afl. = 94,84 DM – *Ausl.-Verschuld.* 1987: 81 Mio. $ – *Inflation* ∅ 1992: 3,9 % – *Außenhandel* 1988: *Import:* 602,1 Mio. Afl.; *Export:* 54,6 Mio. Afl. – *Tourismus* Haupteinnahmequelle (1990): 562 731 Gäste

NIGER *West-Afrika*
Republik Niger; République du Niger – RN

LANDESSTRUKTUR Fläche (21): 1 267 000 km² (Sahara-Anteil: 44 %) – **Einwohner** (84): (F 1991) 7 900 000 = 6 je km²; (Z 1988) 7 249 596 – Nigrer; (Z 1988) 53,6 % Haussa, 10,4 % Fulbe, 9,2 % Tuareg, 21 % nilo-saharanische Gruppen (Dscherma u. Songhai), außerd. Kanouri, Tubu, Araber u. ca. 6000 Europäer, meist Franzosen – ca. 1 Mio. Nigrer leben im benachb. Ausl. – **Leb.-Erwart.:** 46 J. (m44/w48); Bev.-Anteil 0–14 J.: 47,8 % – **Säugl.-Sterbl.** (1992): 12,6 % – **Kindersterbl.:** 32,0 % – **Analph.:** 72 % – Jährl. **Bev.-Wachstum** (∅ 1980–91): 3,3 % (Geb.- u. Sterbeziffer 1991: 5,2 %/1,9 %) – **Sprachen:** Französ. als Amtsspr.; Haussa als Verkehrsspr. (gesprochen von rd. 75 % d. Bev. als Erst- od. Zweitspr.); 22 % Songhai-Dscherma, 10 % Fulbe, 8 % Tamaschagh (Tuareg), 4 % Kanouri u. a. – **Religion:** 85 % Muslime (u. a. Quadriya-, Senussi- u. Tidjaniya-Sekten; Sunniten); 5–10 % Anh. von Naturrel., christl. Minderh. – **Städt. Bev.:** 20% – **Städte** (Z 1988): Niamey (Hptst.) 398 300 Ew. (F 1990, als A: 550 000); Zinder 120 900, Maradi 113 000, Tahoua 51 600, Agadez 50 200

STAAT Präsidialrepublik – Neue Verfassung vom Jan. 1993 (Annahme per Referendum am 26. 12. 1992), Einführung des Mehrparteiensystems – Parlament (Assemblée Nationale) mit 83 Mitgl., Wahl alle 5 J. – Direktwahl d. Staatsoberh. alle 5 J. – Allg. Wahlrecht – 8 Départements – **Staatsoberhaupt:** Mahamane Ousmane (CDS-Vors.), seit 16. 4. 1993 (in ersten freien Wahlen im 2. Wahlgang am 27. 3. 1993 mit 55,4% d. Stimmen gewählt) – **Regierungschef:** Mahamadou Issoufou (PNDS), seit 17. 4. 1993 – **Äußeres:** Abdourahamane Hama – **Parteien:** Erste freie Wahlen vom 14. 2. 1993 (Kandidatur von 12 Parteien): Alliance des Forces de Changement/AFC (Bündnis von 9 Parteien, u. a. sozialdemokrat. Convention Démocratique et Sociale/CDS, sozialist. Parti National pour la Démocratie et le Socialisme/PNDS, Alliance Nigérienne pour la Démocratie et le Progrès/ANDP) insg. 50 Sitze, Mouvement National pour la Société de Développement/MNSD (ehem. Einheitspartei) 29, Sonstige 4 – **Unabh.:** 3. 8. 1960 – **Nationalfeiertag:** 18. 12. (Autonomie 1958)

WIRTSCHAFT BSP 1991: 2361 Mio. $ = 300 $ je Ew. (160); realer Zuwachs ∅ 1980–91: –0,9%; **BIP** 1991: 2284 Mio. $; realer Zuwachs ∅ 1980–91: –1,0%; Anteil 1991 **Landwirtsch.** 38%, **Industrie** 19%, **Dienstlst.** 42% – **Erwerbstät.** 1991: Landw. 87%, Ind. ca. 5% – **Arbeitslosigkeit** 1989: rd. 47% – **Energieverbrauch** 1991: 41 kg ÖE/Ew. – **Währung:** 1 CFA-Franc = 100 Centimes (c); 1 FF = 50 CFA-Francs (Wertverh. zum FF); 100 CFA-Francs = 0,59 DM – **Ausl.-Verschuld.** 1991: 1653 Mio. $ = 72,9% d. BSP – **Inflation** ∅ 1980–91: 2,3% – **Außenhandel** 1991: **Import**: 431 Mio. $; Güter: 28% Maschinen u. Transportausrüst., 26% Brennstoffe u. sonst. Rohstoffe, 15% Nahrungsmittel; Länder (1989): 54% EG-Länder (dar. 30% Frankr.), 28% Nigeria, Côte d'Ivoire, Japan; **Export**: 385 Mio. $; Güter (1989): 90% Bergbauprod. (bes. Uran [1990: 2960 t]); Länder (1989): 78% EG-Länder (dar. 76% Frankr.), 11% Nigeria, USA

NIGERIA *West-Afrika*

Bundesrepublik Nigeria; Federal Republic of Nigeria – WAN

LANDESSTRUKTUR Fläche (31): 923 768 km² – **Einwohner** (10): (Z 1991) 88 514 501 = 96 je km² – Nigerianer; 18% Ibo im SO, 21% Joruba [Yoruba],

Ibibio, Tiv, Jukun usw. im SW, hamitische u. tschadohamit. Ethnien (22% Haussa/Fulbe, Kanuri, Tuareg) im N; insg. 434 registr. Völkergruppen; rd. 16 000 Europäer, meist Briten – **Leb.-Erwart.:** 52 J. (m50/w53); Bev.-Anteil 0–14 J.: 46,5% – **Säugl.-Sterbl.** (1990): 8,5% – **Kindersterbl.:** 18,6% – **Analph.:** 49% – Jährl. **Bev.-Wachstum** (∅ 1980–91): 3,0% (Geb.- u. Sterbeziffer 1991: 4,4%/1,4%) – **Sprachen:** Englisch als Amtsspr.; Kwa-Sprachen (u. a. Yoruba, Ybo, Ewe), Ful, Haussa als Umgangsspr.; außerd. Bini, Edo, Ibibio, Kanuri, Efik, Ijaw, Nupe, Tiv, Urhobo (insg. 395 versch. Sprachen) – **Religion:** 50% Muslime (v. a. im N), 29% Protestanten, 13% Katholiken u. 12% afrikan. Christen (v. a. im S); ca. 18% Anh. von Naturrel. – **Städt. Bev.:** 36% – **Städte:** Abuja (Hptst., seit 1991) 378 671 Ew. (Z 1991); (S 1991) Lagos 4 000 000 Ew. (m. V. 5,7 Mio.); (S 1988) Ibadan 1 172 000, Kano 551 800, Oshogbo 390 400, Ilorin 390 000, Abeokuta 349 800, Port Harcourt 335 600, Kaduna 280 100, Maiduguri 262 000, Enugu 258 700, Benin City 187 900, Katsina 169 100, Jos 168 900, Sokoto 167 800

STAAT (→ *Chronik*) Präsidiale Bundesrepublik – Lt. Dekret vom 29. 8. 1993 Verfassung von 1979 außer Kraft u. Inkraftsetzung der neuen Verfassung vom Mai 1989 vertagt – Nationalversammlung aus 2 Kammern: Repräsentantenhaus mit 593 u. Senat mit 91 Mitgl., Wahl alle 4 J. – 30 Bundesstaaten mit eig. Parlament u. das Territorium d. Bundeshauptstadt Abuja (FCT) sowie insg. 589 Regionalreg. – **Staatsoberhaupt: u. Regierungschef:** Ernest Shonekan, seit 4. 1. 1993 (Vors. des Übergangsrats, seit 26. 8. 1993 Ministerpräs. einer Übergangsreg, seit 1. 9. 1993 auch Staatsoberhaupt u. Oberbefehlshaber) – **Äußeres:** Matthew T. Mbu – **Parteien:** Wahlen vom 4. 7. 1992 (nur 2 Parteien zugelassen): Repräs.-Haus: Social Democratic Party/ SDP 314 Sitze, National Republican Convention/ NRC 275, 4 Sitze vakant – Senat: SDP 52 Sitze, NRC 37, 2 Sitze vakant – Präs.-Wahlen vom 12. 6. 1993 am 23. 6. 1993 von Militärführung annulliert – **Unabh.:** 1. 10. 1960 – **Nationalfeiertag:** 1. 10.

WIRTSCHAFT BSP 1991: 34 057 Mio. $ = 340 $ je Ew. (156); realer Zuwachs ∅ 1980–91: 1,4%; **BIP** 1991: 34 124 Mio. $; realer Zuwachs ∅ 1980–91: 1,9% (1992: +3,6%); Anteil 1991 **Landwirtsch.** 37%, **Industrie** 38%, **Dienstlst.** 26% – **Erwerbstät.** 1991: Landw. 64%, Ind. ca. 7% – **Arbeitslosigkeit** ∅ 1992: 3,4% – **Armut** (S 1990): 70% d. Bev. – **Energieverbrauch** 1991: 154 kg ÖE/Ew. – **Währung:** 1 Naira (₦) = 100 Kobo (k); 1 US-$ = 21,77 ₦; 100 ₦ = 7,75 DM – **Ausl.-Verschuld.** 1991: 34 497 Mio. $ = 108,8% d. BSP – **Inflation** ∅ 1980–91: 18,1% (1992: 46%) – **Außenhandel**

1991: **Import:** 7570 Mio. $; Güter: 44% Halbfertigwaren, 38% Investitionsgüter, 18% Verbrauchsgüter; Länder: 14% BRD, 14% Großbrit., 12% USA, 9% Frankr., 6% Japan, 5% Italien, 5% Niederl.; **Export:** 12190 Mio. $; Güter: 97% Erdöl u. -erzeugnisse, außerd. Kakaobohnen, Kautschuk, Palmöl, Erdu. Cashewnüsse; Länder: 43% USA, 9% Spanien, 9% BRD, 5% Frankr., 5% Niederl., 4% Italien, 4% Kanada, 3% Großbrit.

NÖRDLICHE MARIANEN → VEREINIGTE STAATEN VON AMERIKA (US-Commonwealth Territories)

NORWEGEN Nord-Europa
Königreich Norwegen; Kongeriket Norge – N

LANDESSTRUKTUR Fläche (66): 323878 km² (mit 15963 km² Binnengewässern; ohne Svålbard u. Jan Mayen) – **Einwohner** (111): (F 1991) 4259000 = 13 je km²; (Z 1990) 4247546 – Norweger; außerd. 40000 Lappen (Rentierzüchter) u. 12000 Finnen (Kvener, dt. Kwänen); 82000 Ausländer – **Leb.-Erwart.:** 77 J. (m74/w80); Bev.-Anteil 0–14 J.: 18,9% – **Säugl.-Sterbl.:** 0,8% – **Kindersterbl.:** 1,0% – **Analph.** (1988): 0% – Jährl. **Bev.-Wachstum** (∅ 1980–91): 0,4% (Geb.- u. Sterbeziffer 1991: 1,4%/1,1%) – **Sprachen:** Norwegisch mit den zwei einander sehr ähnlichen offiz. Schriftsprachen Bokmål sowie Nynorsk; Lappisch des Sami-Volkes im N – **Religion:** 88,8% Ev.-Luth. Staatskirche, andere protestant. Kirchen (u. a. Pfingstbewegung 45000, Ev.-Luth. Freikirche 21000), 33500

Katholiken, 22000 Muslime – **Städt. Bev.:** 75% – **Städte** (F 1992): Oslo (Hptst.) 467100 Ew.; Bergen 216000, Trondheim 139700, Stavanger 99700, Kristiansand 66400, Drammen 52100

STAAT Konstitutionelle Monarchie auf parlamentarisch-demokratischer Grundlage – Verfassung von 1814 – Parlament (Storting) mit 165 Mitgl. (für legislative Aufgaben teilt sich d. Parl. in 2 Kammern: Lagting 39 u. Odelsting mit 126 Mitgl.); Wahl alle 4 J. – Allg. Wahlrecht ab 18 J. – 19 Provinzen (Fylker) je mit Parlament (Fylkesting) u. von d. Reg. ernanntem Regierungspräsidenten (Fylkesmann) – **Staatsoberhaupt:** König Harald V., seit 17. 1. 1991 – **Regierungschefin:** Gro Harlem Brundtland (DNA), seit 2. 11. 1990 – **Äußeres:** Johan Jörgen Holst – **Parteien:** Wahlen vom 12./13. 9. 1993: Arbeiterpartei/A 67 Sitze (1989: 63), Zentrumspartei/SP 32 (11), Höyre/H (konserv.) 28 (37), Sozialist. Linke/SVP 13 (17), Christliche Volkspartei/KFP 13 (14), Fortschrittspartei/FP 10 (22), Venstre-Partei 1 (0), Sonstige 1 (1) – **Unabh.:** alte staatliche Tradition, 27. 10. 1905 endgültig unabhängig (formeller Austritt aus der Union mit Schweden) – **Nationalfeiertag:** 17. 5.

WIRTSCHAFT BSP 1991: 102885 Mio. $ = 24220 $ je Ew. (6); realer Zuwachs ∅ 1980–91: 2,5%; **BIP** 1991: 105929 Mio. $; realer Zuwachs ∅ 1980–91: 2,7% (1992: +1,5%); Anteil 1992 **Landwirtsch.** 3%, **Industrie** 43%, **Dienstlst.** 54% – **Erwerbstät.** 1991: Landw. 5,9%, Ind. 23,7%, Dienstl. 70,4% – **Arbeitslosigkeit** ∅ 1992: 5,4% – **Energieverbrauch** 1991: 9130 kg ÖE/Ew. – **Währung:** 1 Norwegische Krone (nkr) = 100 Øre; 1 US-$ = 7,135 nkr; 100 nkr = 23,66 DM – **Inflation** ∅ 1980–91: 5,2% (1992: 2,3%) – **Außenhandel** 1992: Import:

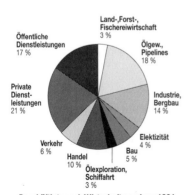

Beschäftigte nach Wirtschaftszweigen 1991

Entstehung des BIP 1991

161 000 Mio. nkr; Güter: 37% Maschinen, elektrotechn. Erzeugn. u. Fahrzeuge, 18% bearb. Waren, 9% chem. Erzeugn., 6% Nahrungsmittel, leb. Tiere, Getränke u. Tabak, 3% mineral. Brennstoffe u.ä.; Länder: 16% Schweden, 15% BRD, 9% Großbrit., 9% USA, 8% Dänemark, 6% Japan, 4% Niederl., 4% Frankr. (EG 49%, EFTA 22%, Ex-RGW 2%); **Export:** 218 000 Mio. nkr; Güter: 50% mineral. Brennstoffe u.ä., 15% bearb. Waren, 14% Maschinen, elektrotechn. Erzeugn. u. Kfz, 8% Nahrungsmittel, leb. Tiere, Getränke u. Tabak, 6% chem. Erzeugn.; Länder: 24% Großbrit., 13% BRD, 9% Schweden, 8% Frankr., 7% Niederl., 5% Dänemark, 5% USA, 3% Finnland (EG 67%, EFTA 14%, Ex-RGW 1%)

PRESSE (Aufl. i. Tsd.) *Tageszeitungen:* Oslo: Aftenposten (198) – Dagbladet (215) – Verdens Gang (365) – Bergen: Bergens Tidende (98) – Stavanger: Stavanger Aftenblad (71) – Trondheim: Adresseavisen (90) – *Wochenzeitungen:* Allers (159) – Hjemmet (291) – Norsk Ukeblad (255) – Se og Hør (315) – *Nachrichtenagenturen:* Bulls Pressetjeneste A/S – Norsk Preste Service A/S – NTB (Norsk Telegrambyrå)

AUSSENBESITZUNGEN

Svålbard (Spitzbergen) u. Bären-Insel (Bouvetoy); rechtl. Teil d. Königreiches; *Fläche:* 62 700 km², davon 179 km² Bären-Insel – *Einwohner:* (F Ende 1992) 3116; davon 1148 Norweger, 1958 Russen (in d. Kohlengruben beschäft.) u. 10 Polen in d. Forschungsstation; *Hauptsiedlung:* Longyearbyen mit ca. 1000 Ew. – (1992): Kohleexport aus 2 norw. Gruben 360 000 t, aus 3 russ. 439 000 t

Jan Mayen: *Fläche:* 380 km²; Angestellte der Wetter- u. Funkstation

Antarktis und Subantarktis: Bouvet-Insel – *Fläche:* 58,5 km² (unbewohnt) – Peter I.-Insel 249,2 km² (unbewohnt) - Anspruch auf den Atlanten- oder Bouvet-Sektor (»Dronning [= Königin] Queen Maud Land«)

OMAN *Vorder-Asien*
Sultanat Oman; Saltanat 'Oman; Sultaneh Uman; bis 1970 »Maskat und Oman« – OM

LANDESSTRUKTUR Fläche (83): 212 457 km² (einschl. Kuria-Muria-Inseln, vom Jemen beansprucht) – **Einwohner** (140): (F 1991) 1 618 000 = 8 je km² – Omaner; 88% Araber versch. Herkunft; in

den Städten Inder, Pakistaner (zus. 2–3%), 4% Balutschen, 3% Perser, 2% Schwarze; (1992): 350 000 ausländ. Arbeitskräfte – **Leb.-Erwart.:** 69 J. (m67/w71); Bev.-Anteil 0–14 J.: 46,6% – **Säugl.-Sterbl.** (1986): 3,1% – **Kindersterbl.:** 3,8% – **Analph.** (1986): 70% – Jährl. **Bev.-Wachstum** (∅ 1980–91): 4,3% (Geb.- u. Sterbeziffer 1991: 4,1%/0,5%) – **Sprachen:** Arabisch als Amtsspr.; Persisch u. Urdu als Umgangsspr.; Englisch teilw. Handelsspr. – **Religion** (Islam ist Staatsreligion): 75% Muslime (Ibaditen 75%, Sunniten 25%); 25% Hindus – **Städt. Bev.:** 11% – **Städte** (S 1983): Masqat [Maskat] (Hptst.) 30 000 Ew. (mit Matrah, Ruwi, Medinat el Qabus, Sib usw. ca. 100 000); Sur 30 000, Nizwa 25 000, Sohar 20 000 – Sommerresidenz des Sultans: Salalah (in Dhofar) 7000

STAAT Absolute Monarchie – Sultanat – Nationaler Konsultativrat (Madschlis al-Schura) mit 59 für 3 J. ernannten Mitgl. aus d. Provinzen – 59 Provinzen (Wilayat) mit eig. Gouverneur (Wali) – **Staatsoberhaupt, Regierungschef u. Außenminister:** Sultan Qâbûs [Kabus] Bin Said (Titel: Jalâlat as-Sultân), seit 1970 – **Parteien:** keine – **Unabh.:** Alte staatl. Tradition – **Nationalfeiertag:** 18. 11.

WIRTSCHAFT BSP 1990: 8787 Mio. $; 1991: 6120$ je Ew. (41); realer Zuwachs ∅ 1980–90: 9,3%; **BIP** 1991: 10236 Mio. $; realer Zuwachs ∅ 1980–91: 7,9%; Anteil 1991 **Landwirtsch.** 4%, **Industrie** 52%, **Dienstlst.** 44% – **Erwerbstät.** 1991: Landw. 39%, Ind. ca. 22% – **Energieverbrauch** 1991: 2859 kg ÖE/Ew. – **Währung:** 1 Rial Omani (R. O.) = 1000 Baizas (Bz.); 1 US-$ = 0,38 R. O.; 100 R. O. = 439,635 DM – **Ausl.-Verschuld.** 1991: 2697 Mio. $ = 29,4% d. BSP – **Inflation** ∅ 1980–91: –3,1% – **Außenhandel** 1990: **Import:** 2608 Mio. $; Güter: 36% Maschinen u. Transportausrüst., 16% Prod. der verarb. Ind., 16% Nahrungsmittel; Länder: 23% Ver. Arab. Emirate, 17% Japan, 9% USA; **Export:** 458 Mio. $; Güter: 91% Erdöl sowie in geringen Mengen Fisch, Kupfer, Datteln, Limonen, Perlen, Re-Export von PKWs; Länder: 39% Japan, 27% Rep. Korea, 8% Singapur

ÖSTERREICH *Mittel-Europa*
Republik Österreich – A

LANDESSTRUKTUR Fläche (113): 83 858 km² – **Einwohner** (83): (F 1. 1. 1993) 7 909 600 = 94 je km²; (Z 15. 5. 1991) 7 812 100 (vorl. Ergeb.) – (Z 1991) 93,4% deutschspr. Österreicher; 517 690 Ausländer (6,6%) [F 1. 1. 1993: 581 500]: 197 886 Bürger aus Ex-Jugoslawien (2,5%), 118 579 Türken

(1,5%), 57310 Deutsche (0,7%), 143915 Sonstige (1,8%) – **Leb.-Erwart.:** 76 J. (m73/w80); Bev.-Anteil 0–14 J.: 17,3% – **Säugl.-Sterbl.:** 0,8% – **Kindersterbl.:** 1,0% – **Analph.** (1988): 1% – Jährl. **Bev.-Wachstum** (⌀ 1980–91): 0,2% (Geb.- u. Sterbeziffer 1991: 1,2%/1,1%) – **Sprachen:** Deutsch als Amtssprache; in Kärnten, im Burgenland u. in d. Steiermark zusätzl. Slowenisch u. Kroatisch – **Religion:** 78% Katholiken, 5% Protestanten, 160000 Muslime (bes. Sunniten), 20000 Altkatholiken, 7300 Juden; 9% ohne relig. Bekenntnis – **Städt. Bev.:** 59% – **Städte** (Z 1991): Wien (Hptst.) 1533176 Ew. *(Landeshauptstädte → Tabelle unten);* Villach 55165, Wels 53042, Dornbirn 40881, Steyr 39542, Wiener Neustadt 35268, Leoben 28504, Wolfsberg 28015, Feldkirch 26743, Klosterneuburg 24591, Baden 23998, Kapfenberg 23486, Krems a.d.D. 22829, Traun 22268, Amstetten 22109, Leonding 21355, Mödling 20607, Lustenau 18579, Hallein 17338, Braunau a.I. 16457, Ternitz 15526, Spittal a.d. Drau 15517, Schwechat 14683

STAAT Parlamentarisch-demokratische Bundesrepublik – Verfassung von 1920, in der Fassung von 1929, durch Unabhängigkeitserklärung vom 27.4.1945 u. Verfassungs-Überleitungsgesetz vom 1.5.1945 wieder in Kraft gesetzt – Parlament aus 2 Kammern: Nationalrat mit 183 Mitgl. (nach d. Verhältniswahlrecht direkt von den Bürgern ab 19 J. für 4 J. gewählt) u. Bundesrat mit 63 Vertretern aus d. Landtagen (Änderungen daher nach jeder Landtagswahl mögl.); Präs. d. Nationalrates: Dr. Heinz Fischer (SPÖ), 2. bzw. 3. Präsident Dr. Robert Lichal (ÖVP) u. Dr. Heide Schmidt (Lib. Forum) – Nationalrat u. Bundesrat bilden als Gesamtorgane die Bundesversammlung – Wahl des Bundespräsidenten für 6 J. (Wahlpflicht) – 9 Bundesländer *(→ Tabelle)*

Staatsoberhaupt: Bundespräsident Dr. Thomas Klestil (ÖVP), am 8.7.1992 vereidigt (gewählt am 24.5.1992)
Regierungschef: Dr. Franz Vranitzky (SPÖ-Vors.), seit 16.6.1986, zuletzt wiedergewählt am 17.12.1990; Bundeskanzler einer SPÖ-ÖVP-Koalitionsregierung – **Vizekanzler:** Dr. Erhard Busek (ÖVP), seit 2.7.1991
Bundeskanzleramt: Ballhausplatz 2, 1014 Wien

Bundesminister/in
Auswärtiges: Dr. Alois Mock (ÖVP)
Inneres: Dr. Franz Löschnak (SPÖ)
Finanzen: Ferdinand Lacina (SPÖ)
Justiz: Dr. Nikolaus Michalek (parteilos)
Unterricht u. Kunst: Dr. Rudolf Scholten (SPÖ)
Wissenschaft u. Forschung:
Dr. Erhard Busek (ÖVP)
Arbeit u. Soziales: Josef Hesoun (SPÖ)
Land- u. Forstwirtschaft:
Dipl. Ing. Dr. Franz Fischler (ÖVP)
Wirtschaftliche Angelegenheiten:
Dr. Wolfgang Schüssel (ÖVP)
Öffentliche Wirtschaft u. Verkehr:
Mag. Viktor Klima (SPÖ)
Landesverteidigung:
Dr. Werner Fasslabend (ÖVP)
Umwelt, Jugend u. Familie:
Maria Rauch-Kallat (ÖVP)
Gesundheit, Sport u. Konsumentenschutz:
Dr. Michael Ausserwinkler (SPÖ)
Frauenangelegenheiten: Johanna Dohnal (SPÖ)
Föderalismus u. Verwaltungsreform:
Jürgen Weiss (parteilos)
Staatssekretäre im Bundeskanzleramt
Staatssekretär für Europafragen, Integration u. Entwicklungszusammenarbeit:
Mag. Brigitte Ederer (SPÖ)

Österreich – Bevölkerung und Verwaltungsgliederung 1992

Bundesland	Fläche	Bezirke	Gemein-den	Einwohner in 1000			davon Ausländer	Hauptort	Einwohner
	in km²			F 1981	F 1991[1]	F 1993[2]	F 1993	Reg.-Sitz	Z 1991[1]
Burgenland . . .	3965	9	164	269,8	273,5	270,8	9,9	Eisenstadt	10506
Kärnten	9533	10	131	536,2	552,4	555,9	19,5	Klagenfurt	89502
Niederösterreich	19174	25	569	1427,8	1480,9	1471,9	83,7	St. Pölten	49805
Oberösterreich .	11980	18	445	1269,5	1340,1	1361,8	75,9	Linz	202855
Salzburg	7154	6	119	442,3	483,9	492,7	36,6	Salzburg	143971
Steiermark . . .	16388	17	543	1186,5	1184,6	1198,5	33,6	Graz	232155
Tirol	12648	9	279	586,7	630,4	645,7	44,9	Innsbruck	114996
Vorarlberg. . . .	2601	4	96	305,2	333,1	339,6	46,8	Bregenz	27236
Wien	415	1	1	1531,3	1533,2	1572,7	230,7	Wien	1533176
Österreich . . .	*83858*	*99*	*2347*	*7555,3*	*7812,1*	*7909,6*	*581,5*	*Wien*	

[1] Vorläufige Ergebnisse der Volkszählung vom 15.5.1991 (Personenblätter)
[2] Stand 1.1.1993; Fortschreibung der Volkszählungsergebnisse 1981

Staatssekretär für den Öffentlichen Dienst:
Dr. Peter Kostelka (SPÖ)
Staatssekretär im BM für Finanzen:
Dr. Johannes Ditz (ÖVP)
Staatssekretär im BM für wirtschaftl. Angelegenheiten (Bauten u. Tourismus):
Mag. Dr. Maria Fekter (ÖVP)

Parteien: Wahlen zum Nationalrat vom 7. 10. 1990 (1986): Sozialdemokratische Partei Österreichs/ SPÖ 2012463 = 42,79% (2092122; 43,1%) d. Stimmen u. 80 Sitze, Österreichische Volkspartei/ ÖVP 1508226 = 32,06% (2003360; 41,3%) u. 60, Freiheitliche Partei Österreichs/FPÖ 782610 = 16,64% (472180; 9,7%) u. 33, Grüne Alternative 224941 = 4,78% (233935; 4,8%) u. 10; Vereinigte Grüne Österreichs/VGÖ 92292 = 1,96% u. 0, Kommunist. Partei Ö./KPÖ 25718 = 0,55% (35144; 0,7%) u. 0, Verband der Sozialversicherten/VDS 35795 = 0,76% u. 0, Sonstige 21983 Stimmen u. 0 – Parteigründungen: Wirtschaftspartei/WIP (Vors.: Martin Zumtobel) am 4. 2. 1992, Freie Demokratische Partei Österreichs/FDP (Abspaltung von der FPÖ) am 18. 10. 1992, Partei Demokratie 92 (durch aus der SPÖ ausgetretene Mitgl.) am 18. 12. 1992, Liberales Forum (durch aus der FPÖ ausgetretene Mitgl.) am 4. 2. 1993

Mandatsverteilung im Nationalrat: SPÖ 80 (1986: 80), ÖVP 60 (77), FPÖ 33 (18), Grüne Alternative 10 (8) – Seit 4. 2. 1993 sind nach Abspaltung von 5 FPÖ-Mitgliedern, die eine eigene Fraktion »Liberales Forum« bilden, insgesamt 5 Fraktionen mit Klubstatus vertreten
(nächste Nationalratswahlen 1994)

Vorsitzender der SPÖ: Dr. Franz Vranitzky
Zentralsekretäre: Dr. Josef Cap, Peter Marizzi

Bundesparteiobmann der ÖVP: Dr. Erhard Busek
Generalsekretäre: Dr. Ingrid Korosec, Dr. Ferdinand Maier

Bundesparteiobmann der FPÖ u. Klubobmann im Parlament: Dr. Jörg Haider
Generalsekretäre: Walter Meischberger, Herbert Scheibner

Bundessprecher der Grünen Alternative: Peter Pilz
Klubobfrau im Parlament: Madeleine Petrovic
Geschäftsführer: Peter Altendorfer

Parteimitglieder: ÖVP (einschl. ÖAAB, Bauernbund, Wirtschaftsbund) 800000, SPÖ 595000, FPÖ 38000, KPÖ 6000, GAL 2500, VGÖ 1500

Die **Landeshauptmänner der Bundesländer** (Stand vom 1. 9. 1993):
Burgenland: Karl Stix (SPÖ)
Kärnten: Dr. Christof Zernatto (ÖVP)
Niederösterreich: Dr. Erwin Pröll (ÖVP)
Oberösterreich: Dr. Josef Ratzenböck (ÖVP)
Salzburg: Dr. Hans Katschthaler (ÖVP)
Steiermark: Dr. Josef Krainer (ÖVP)
Tirol: Dipl. Ing. Dr. Alois Partl (ÖVP)
Vorarlberg: Dr. Martin Purtscher (ÖVP)
Wien (Bürgerm.): Dr. Helmut Zilk (SPÖ)

Unabh.: Alte staatliche Tradition; unter den Habsburgern ab 1282; 1806 (Zus.-Bruch d. Hl. Römischen Reiches Dt. Nation) legt Kaiser Franz I. d. röm.-deutsche Kaiserkrone nieder; 1866 Ausscheiden aus dem Deutschen Bund; seit 1918/19 Republik; Wiederherstellung d. Unabhängigkeit d. demokrat. Rep. Österreich am 27. 4. 1945; volle Souveränität u. Unabhängigkeit am 15. 5. 1955 durch Staatsvertrag mit den 4 Alliierten – **Nationalfeiertag:** 26. 10. (Verabschiedung d. Neutralitätsgesetzes 1955)

WIRTSCHAFT BSP 1991: 157528 Mio. $ = 20140 $ je Ew. (15); realer Zuwachs ⌀ 1980–91: 2,3%; **BIP** 1991: 1199286 Mio. $; realer Zuwachs ⌀ 1980–91: 2,3% (1992: +1,8%); Anteil 1991 **Landwirtsch.** 3%, **Industrie** 36%; **Dienstlst.** 61% – **Erwerbstät.** 1991: Landw. 7,4%, Ind. 36,9%, Dienstl. 55,7% – **Arbeitslosigkeit** ⌀ 1992: 5,9% – **Energieverbrauch** 1991: 3500 kg ÖE/Ew. – **Währung:** 1 Schilling (S) = 100 Groschen (Gr, g); 1 US-$ = 11,84 S; 100 S = 14,26 DM – **Inflation** ⌀ 1980–91: 3,6% (1992: 4,1%) – **Außenhandel** 1992: **Import:** 593000 Mio. S; Güter: 23% Maschinen, 13% Halbfertigwaren, 10% Pkw, 9% Rohstoffe, 9% Textilien u. Bekleidung, 4% Nahrungs- u. Genußmittel; Länder (1991): 43% BRD, 9% Italien, 5% Japan, 4% Frankr., 4% Schweiz, 4% USA, 3% Belgien, 3% Großbrit., 3% Niederl. (EG 68%, EFTA 7%, Osteuropa o. Ex-Jugosl. 6%, außereurop. Entwicklungsländer 8%); **Export:** 491000 Mio. S; Güter: 31% Maschinen, 15% Halbfertigwaren, 9% Textilien u. Bekleidung, 5% Rohstoffe, 3% Nahrungs- u. Genußmittel; Länder (1991): 39% BRD, 9% Italien, 6% Schweiz, 4% Frankr., 4% Großbrit., 3% Ungarn, 3% Niederl., 3% USA

WEITERE DATEN ZUR BEVÖLKERUNGS-, WIRTSCHAFTS- UND SOZIALSTRUKTUR
Landwirtschaft, Bergbau, Industrie, Außenhandel, Verkehr→ die entspr. Sachkapitel

Die **Wohnbevölkerung** betrug nach den vorläufigen Ergebnissen der Volkszählung vom 15. 5. 1991

7812100 (zum Vergleich 1981: 7555338), davon 517690 Ausländer, was einem Anteil von 6,6% (Z 1981: 3,9%) an der Gesamtbevölkerung entspricht. Die Zunahme seit der letzten Zählung 1981 um fast 256800 Personen (+3,4%) ist überwiegend auf die starke Zuwanderung der letzten 3 Jahre zurückzuführen.

Bevölkerungsstand im Jahresdurchschnitt in 1000/darunter Ausländer:

1988	7596,1 / 298,7
1989	7623,6 / 322,6
1990	7718,2 / 413,4
1991*	7812,1 / 517,7
1992**	7884,2 / 561,8
1993** (1. 1.)	7909,6 / 581,5

(* vorl. Ergebnisse der Volkszählung vom 15. 5.)
(** Ergebnisse der Volkszählung 1991 noch nicht berücksichtigt).

1991 nahm die Zahl der **Einbürgerungen** mit 11394 gegenüber dem Vorjahr (9199) erneut zu. Herkunftsländer waren hauptsächlich das ehem. Jugoslawien mit 3221, die Türkei 1809, Polen 949, Rumänien 667, Deutschland 455 und die Philippinen mit 444 Personen.

Die Zahl der **Asylbewerber** lag 1992 bei 16238 (1991: 27306). Insgesamt wurden 23485 (19686) Asylanträge behandelt und abgeschlossen, darunter 2289 (2469) Personen als Asylbewerber anerkannt, was einer Quote von 9,7% (12,6%) entspricht. Am 30. 9. 1992 waren 35951 **Flüchtlinge** registriert. Anfang 1993 wurde die Zahl der Flüchtlinge aus Bosnien-Herzegowina auf ca. 65000 geschätzt, darunter mindestens 25000, die von Privatpersonen betreut werden.

Im Juni 1992 trat ein neues Gesetz zur Beschleunigung der Asyl-Verfahrensdauer in Kraft, am 1. 7. 1993 ein neues Fremdengesetz zur Unterbindung illegaler Einwanderung (→ Chronik).

Der **Altersaufbau** der Bevölkerung blieb 1992 wie in den Vorjahren konstant: 0–15 Jahre: 17,5%, 15–60 Jahre: 62,2%, 60 Jahre und mehr: 20,3%. Der Frauenanteil belief sich weiterhin auf 51,9% der Gesamtbevölkerung. – Die Zahl der **Lebendgeborenen** stieg auch 1992 an und betrug 95302 (94629). Die Zahl der **Gestorbenen** hingegen nahm leicht ab auf 83162 (83428), so daß sich der **Geburtenüberschuß** auf 12140 (11201) erhöhte. Die *Sterbefälle* überwogen wie im Vorjahr in Ostösterreich (Burgenland, Niederösterreich und Wien), während die anderen Bundesländer *Geburtenüberschüsse* aufwiesen. – Die Zahl der **Eheschließungen** wies nach dem Rückgang 1991 wieder eine Steigerung auf: 45701 (44106), während die Zahl der **Ehescheidungen** leicht auf 16296 (16391) zurückging.

1992 wurden 3,029 (1991: 2,994) Mio. **Haushalte** registriert: 28,0% 1-Pers.-Haushalte, 27,9% 2-Pers.-Haushalte, 18,8% 3-Pers.-Haushalte und 25,3% 4-und-mehr-Pers.-Haushalte. Die durchschnittliche Haushaltsgröße betrug 2,57 Personen. Insgesamt gab es 2,174 (2,145) Mio. **Familien** (Ehepaar/Lebensgemeinschaft mit/ohne Kind u. Elternteil mit Kind) und im Schnitt 1,16 Kinder pro Familie (zum Vergleich 1981: 1,3).

Schule und Universität: Im abgelaufenen Schuljahr 1992/93 gab es wieder einen Anstieg der Schülerzahlen um 1,1% auf 1166168 (1991/92: 1153724). In 6198 Schulen mit 54117 Klassen wurden die Schüler von 116011 Lehrkräften unterrichtet. Der Hochschulbereich ist durch weiterhin ansteigende Studentenzahlen gekennzeichnet. Im Wintersemester 1992/93 waren an den 12 Universitäten 199021 Studenten immatrikuliert, an den 6 Kunsthochschulen 6748, insgesamt also 205769 (201615), darunter 44,6% Frauen. Jährlich schließen etwa 12000 Studenten ihr Studium ab; die durchschnittliche Studiendauer beträgt an den Universitäten 14, an den Kunsthochschulen 12 Semester.

Kriminalität: Die Zahl der polizeilich bekanntgewordenen, gerichtlich strafbaren Handlungen betrug 1992 602440, darunter 343271 strafbare Handlungen gegen fremdes Vermögen und 86593 gegen Leib und Leben. Insgesamt wurden 226487 Straftatbestände geklärt, wobei die Aufklärungsquote von 45,2% im Vorjahr leicht auf 45,1% zurückging.
Die Zahl der nach dem *Suchtgiftgesetz* angezeigten Delikte stieg 1992 um 45% auf 7805.

Nachdem die **Wirtschaft** 1991 bereits an Dynamik eingebüßt hatte, war sie im Laufe des Jahres 1992 durch einen Konjunkturabschwung gekennzeichnet. Die Gesamtwirtschaft (Bruttoinlandsprodukt) wuchs real nur noch um 1,5% (nach 3,0% im Vorjahr), wobei dieses Ergebnis eine Verringerung des Wachstums im letzten Quartal auf 0,2% verdeckt. Gegenüber den europäischen OECD-Ländern (Durchschnitts-Wachstum: 1,0%) behielt Österreich jedoch einen Vorsprung und lag sogar noch über dem Wert Deutschlands (1,3%). Laut dem Österreichischen Institut für Wirtschaftsforschung (wifo) lagen die Hauptursachen für die Verschlechterung der Konjunktur in einer Stagnation des Außenhandels: mit jeweils 2,1% Realwachstum nahmen sowohl die Exporte wie auch die Importe nur noch leicht zu (gegenüber 6,1 bzw. 3,0% im Vorjahr). Der Tourismus, der bis 1991 eine positive Entwicklung erfahren hatte, wies 1992 erstmals eine Stagnation auf. Deutlich schwächte sich auch die

Dynamik der Investitionen ab: Zwar nahmen die Brutto-Anlageinvestitionen real um 1,1% zu (nach 4,9% 1991), die Ausrüstungsinvestitionen hingegen (netto) um real 3,2% ab (1991: +3,9%). Die Hauptstützen der Konjunktur bildeten im Jahresdurchschnitt weiterhin die starke Nachfrage nach Bauleistungen (+4,5% nach 5,7% im Vorjahr) sowie der *private Konsum*. Die Ausgaben der privaten Haushalte erreichten 1992 1127,3 Mrd. S bzw. 6,4% mehr als im Vorjahr (mit 5,8%). Real stieg der private Konsum um +2,2% (1991: +2,4%). Die Konjunkturabschwächung traf auch 1992 vor allem den Bereich der *Industrie*: Die Industrieproduktion schwächte sich 1992 kontinuierlich ab und ging im Durchschnitt um 0,7% zurück (nach +2,1% 1991 und sogar 6,8% 1990), wobei diese Tendenz anhält und ein Rückgang für 1993 auf 3,0% prognostiziert wird. Diese Entwicklung hatte eine Abnahme der Beschäftigung um 3,5% (18616 Personen) zur Folge, wobei die Produktivität (Produktion je Beschäftigten) mit 3,2% knapp über dem Vorjahreswert (3,0%) lag. Insgesamt übertrafen die Auftragseingänge (ohne Maschinenindustrie) im Jahresdurchschnitt das Vorjahresniveau um 1,1%, während die Auftragsbestände um 1,3% zurückgingen. Insgesamt stieg die Wertschöpfung der Industrie 1992 real im Durchschnitt um nur noch 0,2% (nach 2,2% 1991 und 5,5% 1990).

Nach den vorläufigen Ergebnissen der **Volkswirtschaftlichen Gesamtrechnung** (nach wifo) erreichte das *Bruttoinlandsprodukt* (BIP) zu laufenden Preisen 1992 (1991) einen Gesamtwert von 2028,6 Mrd. S (1916,8). Die Steigerung gegenüber dem Vorjahr betrug nominell 5,9% (6,9%) und real 1,5% (3,0%). Das BIP je Einwohner (zu laufenden Preisen und Wechselkursen) belief sich nach Berechnungen der OECD 1991 auf 20958 US-$ (1991: 20494 US-$) und lag somit um 10% über dem EG-Durchschnitt.

Das *Volkseinkommen* (Netto-Nationalprodukt minus indirekte Steuern plus Subventionen) stieg auch 1992 (1991) nominal um 6,1% (6,8%) auf 1494,6 (1408,2) Mrd. S. Davon entfielen auf Brutto-Entgelte (Lohn- u. Gehaltssumme einschl. der Arbeitgeberbeiträge zur Sozialversicherung) für unselbständige Arbeit 1088,1 (1022,8) Mrd. S (+6,7% nach +8,5% 1991), auf Einkünfte aus Besitz und Unternehmung (Kapitalgesellschaften und Staat) 536,6 (504,5) Mrd. S (+5,0% nach +5,9% 1991).

Die Dynamik des **Außenhandels** hat sich 1992 gegenüber dem Vorjahr noch einmal deutlich abgeschwächt *(→ Kap. Welthandel)*. Die *Exporte* stiegen nominell um 1,8% (1991: +2,8%) von 479,029 auf 487,556 Mrd. S. Die *Importe* erhöhten sich um 0,3% (+6,4%) von 591,898 auf 593,924 Mrd. S.

Entstehung des Bruttoinlandsprodukts(Angaben in Mrd. Schilling/reale Veränderung gegenüber dem Vorjahr in %)

Wirtschaftsbereich	1991	1992
Land- und Forstwirtschaft . .	52,6/−5,3%	50,1/−2,9%
Bergbau	5,4/−7,4%	4,8/−12,3%
Sachgüterproduktion (Industrie und Gewerbe) .	503,9/+2,4%	521,1/+0,6%
Energie- und Wasserversorgung	48,0/+4,2%	55,6/+2,2%
Bauwesen	138,9/+5,8%	153,6/+4,5%
Handel einschl. Beherbergungs- u. Gaststättenwesen	313,6/+4,2%	333,7/+0,7%
Verkehr u.- Nachrichtenübermittlung	117,5/+4,3%	126,3/+3,0%
Vermögensverwaltung (Banken und Versicherungen, Realitätswesen sowie Rechts- u. Wirtschaftsdienste)	323,5/+3,5%	350,4/+3,0%
Sonst. private Dienste . . .	91,5/+3,7%	100,8/+3,2%
Öffentlicher Dienst	253,3/+2,0%	272,5/+2,0%

(Forts. Außenhandel)

Real stiegen die Exporte gleich stark wie die Importe, nämlich um 2,1% (Vorjahr: 6,1 bzw. 3,0%). Das Handelsbilanzdefizit entsprach 5,2% (5,9%) des BIP und verringerte sich um 5,8% (−25,2%) auf 106368 (112869) Mrd. S. Die Bedeutung der EG als wichtigster Handelspartner blieb nahezu unverändert. Die Exporte stiegen um 2,1% und machten weiterhin 66% aller Warenexporte aus. Die Importe stagnierten (+0,5%), und der Anteil am Gesamtvolumen betrug wie im Vorjahr 68%. Wichtigster Handelspartner blieb Deutschland mit einem Anteil von 39,8% (39,0%) am Export und 42,8% (43,0%) am Import. Nachdem 1990 und 1991 der Handel mit den Staaten des ehem. Ostblocks durch eine hohe Zuwachsrate gekennzeichnet war (Export 1991: +32,7%), nahmen die Exporte 1992 nur noch um 7,4%, die Importe um 4,7% zu. Die Entwicklung – betrachtet man die Länder im einzelnen – verlief jedoch sehr unterschiedlich: expandierten die Exporte in die ČSFR um 50,7%, so nahmen sie in die ehem. UdSSR um 13,1% ab. Insgesamt wies die Handelsbilanz mit den Oststaaten einen Exportüberschuß von 13 Mrd. S auf, 2 Mrd. S mehr als 1991 *(→ Tabelle)*. Exportsteigerungen konnten bei Fertigwaren (+3,3% nach 5,9% im Vorjahr) und Nahrungsmitteln (+4,2%) verbucht werden, während Rückgänge in den Bereichen Holz (−7,1%), Metalle (−5,4%) und Halbfertigwaren (−4,2%) zu verzeichnen waren. Eine verstärkte Importnachfrage weist die Statistik lediglich für Pkw (+5,4%) sowie Konsumgüter (+2,4%) auf, während sie bei Brennstoffen um 13,9%, Rohstoffen und Energie um 8,7% deutlich zurückging (Vorjahr: +1,0% bzw. +1,5%).

Österreich: Osthandel 1992

	Export			Import			Handelsbilanz	
	in Mrd. S	Anteil in %	1991/92 in %	in Mrd. S	Anteil in %	1991/92 in %	in Mrd. S	1991/92 in %
ehem. Tschechoslowakei .	13,8	2,8	+50,7	11,1	1,9	+49,0	2,7	+1,0
Polen	7,1	1,4	− 5,6	5,0	0,8	−11,4	2,0	+0,2
Ungarn	15,6	3,2	+ 7,1	12,0	2,0	+ 4,2	3,6	+0,6
Ost-Mitteleuropa.	*36,4*	*7,5*	*+16,9*	*28,0*	*4,7*	*+14,1*	*8,4*	*+1,8*
Albanien	0,1	0,0	−46,0	0,0	0,0	−68,6	0,0	±0,0
Bulgarien	1,4	0,3	−0,6	0,7	0,1	+13,8	0,7	−0,1
ehem. Jugoslawien . . .	9,3	1,9	− 2,5	5,1	0,9	−12,1	4,2	+0,5
Rumänien	1,2	0,2	+12,7	1,0	0,2	+29,9	0,2	−0,1
Südosteuropa	*12,0*	*2,5*	*− 1,3*	*6,8*	*1,2*	*− 6,2*	*5,1*	*+0,3*
ehem. UdSSR	8,1	1,7	−13,1	8,7	1,5	−11,1	−0,6	−0,1
Insgesamt	*56,5*	*11,6*	*+ 7,4*	*43,5*	*7,3*	*+ 4,7*	*13,0*	*+1,9*

Quelle: WIFO Monatsberichte 6/93

Die **Leistungsbilanz** weist nach der vorläufig revidierten Zahlungsbilanzstatistik für 1992 einen Fehlbetrag von 3,568 Mrd. S aus, der 1991 mit einem Überschuß von 820 Mio. S abgeschlossen. Wie auch 1991 wirkte sich der Warenverkehr mit einem Defizit von 106,985 Mrd. S (1991: 133,396 Mrd. S) negativ aus. Größte Einzelposten waren der Reiseverkehr mit einem Positiv-Saldo von 69,632 (72,146) Mrd. S und die Kapitalerträge mit einem Defizit von 14,064 (17,562) Mrd. S. Zusammen mit dem Transithandel und den sog. nichtaufteilbaren Leistungen ergab sich in dieser Bilanz ein Positiv-Saldo von 8,212 (1,026) Mrd. S. Die Transferbilanz hingegen wies ein Defizit von 11,780 (0,914) Mrd. S auf, während die Kapitalbilanz mit 21,986 (0,435) Mrd. S einen hohen Überschuß verbuchen konnte. Unter Berücksichtigung von Reserveschöpfung und Bewertungsänderungen (2,184 Mrd. S) sowie der statistischen Differenz (9,355 Mrd. S) ergibt sich aus dem Leistungsbilanz- und Kapitalverkehrssaldo eine Zunahme der offiziellen *Währungsreserven* um 29,957 Mrd. S (nach 10,330 Mrd. S im Vorjahr).

Die Situation auf dem **Arbeitsmarkt** verschlechterte sich im Laufe des Jahres 1992. Die Abschwächung der Konjunktur führte zu einer Verringerung des Zuwachses der Beschäftigten. Die Zahl der *unselbständig Beschäftigten* nahm von 1991 bis 1992 im Jahresdurchschnitt von 2 997 352 um 2,0 % oder 58 458 auf 3 055 810 zu und wuchs somit schwächer an als im Vorjahr (68 690 bzw. 2,3 %). Die Beschäftigung expandierte weiterhin im Bereich der Dienstleistungen, wo sie insgesamt um 38 238 Personen (+2,1 %) gegenüber 1991 zunahm, während in der Industrie der Beschäftigungsrück-

gang, der 1991 eingesetzt hatte (−1,1 %), unvermindert anhielt und im Jahresdurchschnitt 1,3 % (13 916 Pers.) erreichte. Besonders betroffen waren die Sektoren Bekleidung und Schuhe (−10,4 %), Bergbau, Steine und Erden (−6,0 %) sowie Textilien (−5,7 %). Die Zahl der *ausländischen Arbeitskräfte* stieg im Jahresdurchschnitt um nur noch 6,7 % gegenüber dem Vorjahr (1991: 21,6 %), nämlich von 266 461 auf 273 884; dies entspricht 9,0 % (8,6 %) der Gesamtbeschäftigtenzahl. Hauptsächliche Herkunftsländer waren 1992 (1991) das ehem. Jugoslawien (seit Februar 1992 ohne Slowenien, Kroatien und Bosnien-Herzegowina) mit 133 576 (129 144), die Türkei mit 55 637 (57 541) und Deutschland mit 13 551 (13 687) Arbeitnehmern. Trotz der nachlassenden Konjunktur und der Abnahme des Beschäftigungszuwachses verlangsamte sich der Anstieg der *Arbeitslosigkeit*. Hatte die Zahl der Arbeitslosen 1991 im Durchschnitt um 19 234 zugenommen (+11,6 %), so erhöhte sie sich 1992 nur noch um 8069 (+4,4 %) Personen. Die Zahl der bei den Arbeitsämtern ausgewiesenen *Arbeitslosen* betrug 1992 im Durchschnitt 193 098 (1991: 185 029) und erreichte im April 1993 223 013. Die Zahl der gemeldeten *offenen Stellen* ist seit 1991 rückläufig: während sie 1991 im Durchschnitt um 6176 (11,1 %) auf 49 448 sank, ging sie 1992 um weitere 5322 (10,8 %) auf 44 126 zurück und erreichte am Jahresende 32 083. Auf 100 offene Stellen kamen 438 Stellensuchende (1991: 374, 1990: 298). Insgesamt stieg die *Arbeitslosenquote* im Jahresdurchschnitt geringfügig von 5,8 % (1991) auf 5,9 % (1992); laut wifo-Prognosen für 1993 ist mit einer Quote von 6,9 % zu rechnen.

Gesamtausgaben des Bundes 1990–1993

Ausgaben	1990 in Mio. S	Anteil in %	1991 in Mio. S	Anteil in %	1992 in Mio. S[1]	Anteil in %	1993 in Mio. S[2]	Anteil in %
Soziale Wohlfahrt u. Gesundheit	134924	23,9	145517	23,5	159645	24,3	170773	24,8
Verkehr (mit Post)	105143	18,6	109837	17,7	114413	17,4	118177	17,2
Erziehung u. Unterricht . .	48466	8,6	52956	8,5	57090	8,7	59604	8,7
Forschung u. Wissenschaft	19480	3,4	22966	3,7	24520	3,7	26438	3,8
Wohnungsbau	18479	3,3	20614	3,3	22493	3,4	23733	3,4
Staats- u. Rechtssicherheit	17478	3,1	19115	3,1	20772	3,2	21964	3,2
Industrie u. Gewerbe . . .	17744	3,1	25441	4,1	22354	3,4	20827	3,0
Landesverteidigung . . .	18090	3,2	18533	3,0	18882	2,9	19197	2,8
Land u. Forstwirtschaft . .	14129	2,5	15610	2,5	17632	2,7	18279	2,7
Sonstige	170803	30,3	189268	30,6	200159	30,3	209428	30,4
Gesamtausgaben[3]	564736	100	619857	100	657960	100	688420	100

[1] vorläufiger Erfolg; [2] Bundesvoranschlag; [3] ohne Schuldentilgungen
Quelle: WIFO, Juni 1993

Gesamteinnahmen des Bundes 1990–1993

Einnahmen	1990 in Mio. S	Anteil in %	1991 in Mio. S	Anteil in %	1992 in Mio. S[1]	Anteil in %	1993 in Mio. S[2]	Anteil in %
Steuern (netto)	282702	56,3	309927	55,6	340185	57,5	356577	57,1
Steuerähnliche Einnahmen .	74017	14,7	75622	13,6	85960	14,5	93077	14,9
Betriebseinnahmen	81690	16,3	84777	15,2	89422	15,1	93230	14,9
Sonstige	63451	12,6	86828	15,6	76074	12,9	81415	13,0
Gesamteinnahmen	501860	100	557154	100	591641	100	624299	100

[1] vorläufiger Erfolg; [2] 1993: Bundesvoranschlag
Quelle: WIFO, Juni 1993

Einkommenssituation der Beschäftigten: Insgesamt erhöhten sich die *Tariflöhne* um 5,6 (1991: +6,9) % (Tariflohnindex). Die Entwicklung in den einzelnen Wirtschaftssektoren war recht unterschiedlich: Am geringsten fiel die Anhebung der Tariflöhne im Sektor Freie Berufe (+3,0 %) und im Öffentlichen Dienst (+4,7 %) aus, am höchsten in den Bereichen Baugewerbe (+6,9 %) und Industrie (+6,2 %). Etwa gleich stark wie die Tariflöhne entwickelten sich die *Effektivverdienste*, die in der Gesamtwirtschaft je unselbständig Beschäftigten (brutto) um 5,5 % (1991: 6,5 %) von 23473 auf 24715 S monatlich anstiegen. Die *Brutto-Monatsverdienste* je Beschäftigten wuchsen 1992 (1991) in der Industrie um 6,0 (5,7) % von 26583 auf 28183 S, in der Bauwirtschaft um 8,6 (9,3) % auf 24679 S.

Die **Inflationsrate** (Index der Verbraucherpreise) belief sich im Jahresdurchschnitt 1992 auf 4,1 % (Vorjahr 3,3 %) und lag damit über dem EFTA-Durchschnitt von 3,3 %, aber unter dem EG-Durchschnitt von 4,3 %. Über dem Durchschnitt lag die Erhöhung bei Mieten +6,5 % (Vorjahr: +4,8 %) und nicht preisgeregelten Dienstleistungen +5,3 %

(+4,3 %). Unter dem Durchschnitt lag die Erhöhung bei Tabakwaren mit 3,0 % (+1,3 %), Energie 3,0 % (0,0 %) sowie industriellen und gewerblichen Waren mit 3,2 % (+3,2 %).

Der **Bundeshaushalt** 1992 (1991) wies nach vorläufigen Berechnungen Einnahmen von 591,6 (557,1) Mrd. S und Ausgaben (ohne Finanzschuldtilgungen) von 657,9 (619,9) Mrd. S (Allgemeiner Haushalt) aus. Das Defizit erhöhte sich somit gegenüber dem Vorjahr auf 66,3 (62,7) Mrd. S und blieb mit 3,3 % des BIP stabil. Die Einnahmen erhöhten sich 1992 um 6,2 %, die Ausgaben um 6,1 %. Der Ausgleichshaushalt wies Einnahmen (Hauptposten Kreditaufnahmen im Rahmen der Finanzschuld) von 147,9 (121,7) Mrd. S und Ausgaben (Tilgungen von Finanzschulden) von 81,6 (59,0) Mrd. S auf.

Das Brutto-Steueraufkommen erhöhte sich um 9,5 % auf 509,1 (9,3 %, 465,1) Mrd. S, wodurch die Steuerquote (Anteil des Steueraufkommens am BIP) auf 25,0 % (24,2 %) stieg und den höchsten Wert seit 1985 erreichte. Netto blieben dem Bund 340,2 (309,9) Mrd. S an Steuereinnahmen, also 9,8 % mehr als im Vorjahr (9,6 %), was u. a. auf steuerliche Maßnahmen (Erhöhung der Mineralöl-

Österreich: Arbeitsmarkt 1992/93

| | Erwerbstätige in 1000 | | |
	Insgesamt	Frauen	Ausländer
1992			
Mai	3048,4	1278,2	276,5
Juni	3076,4	1292,5	283,7
Juli	3144,2	1322,0	288,4
August	3140,7	1319,8	288,4
September	3103,7	1301,7	288,8
Oktober.	3079,7	1290,5	279,3
November	3058,9	1284,2	272,3
Dezember	3019,5	1291,3	260,6
ø 1992.	*3055,8*	*1288,9*	*273,9*
1993			
Januar	2990,2	1294,5	258,5
Februar	3001,5	1298,7	261,3
März	3020,3	1293,0	239,1
Apri	3025,8	1279,3	265,9

| | Arbeitslose | | Offene |
	insgesamt	in %	Stellen
1992			
Mai	168446	5,2	52013
Juni	152669	4,7	53620
Juli	152886	4,6	47558
August	156732	4,8	45936
September	165041	5,0	41898
Oktober.	188889	5,8	38911
November	212909	6,5	34478
Dezember	251157	7,7	32083
ø 1992	*193098*	*5,9*	*44126*
1993			
Januar	274310	8,4	31764
Februar	268173	8,2	31964
März	239105	7,3	34668
April	223013	6,9	36572

Quelle: WIFO und STAT, Statistische Übersichten 6/1993

steuer, Umstellung in der Getränkebesteuerung usw.) zurückzuführen ist.

Für 1993 sieht der Bundeshaushalt Gesamteinnahmen von 624,3 Mrd. S (+5,5 % gg. 1992) gegenüber Gesamtausgaben von 688,4 Mrd. S (+4,6 %) vor.

Die gesamte **Finanzschuld des Bundes** stieg von 937,7 (1991) auf 992,0 Mrd. S, was insgesamt einem Anteil am BIP von 48,7 (48,9) % bzw. 127 200 (124 100) S pro Kopf der Bevölkerung entspricht. Davon entfielen 172,1 (148,5) Mrd. S auf Schulden gegenüber dem Ausland. 1992 beliefen sich die Zinsausgaben für die Finanzschuld auf 80,1 (74,7) Mrd. S und erforderten 21,4 % der Netto-Steuereinnahmen, geringfügig weniger als im Vorjahr (21,7 %), was einem Aufwand von 3,9 % des BIP entspricht. Hinzu kommen noch die Schulden (Zahlen nur für 1991) der **Länder** (42,0 Mrd. S), der **Ge-** meinden (73,0 Mrd. S) sowie der **Hauptstadt** Wien (38,9 Mrd. S).

PRESSE (Aufl. in Tsd.) *Tageszeitungen:* Wien: Kurier (391,2; so. 606,3) – Neue Kronen Zeitung (zus. mit Stammausgabe, Oberösterreich, Salzburg, Steiermark, Kärnten 1029,9; so. 1329,1; Stammausgabe 577,2; so. 777,4) – Die Presse (mo.-mi. 70,8; do.-sa. 85,4) – Der Standard (mo.-mi. 85,0; do.-fr. 87,7; sa. 167,8) – Wiener Zeitung – Bregenz: Vorarlberger Nachrichten (mo.-fr. 73,5; sa. 76) – Neue Vorarlberger Tageszeitung (di.-so. 28,4) – Graz: Kleine Zeitung (di., mi., sa. 166,2; do. 176,4; fr. 191,6; so. 193,3) – Steirerkrone/Neue Kronen Zeitung (152,7; so. 177,7) – Neue Zeit (70,2; fr. 75,4) – Innsbruck: Tiroler Tageszeitung (97,3; sa. 110,7) – Klagenfurt: Kleine Zeitung (di., mi., sa. 97,8; do. 105,8; fr. 109,4; so. 115,6) – Kärntner Krone/Neue Kronen Zeitung (74,7; so. 88,6) – Kärntner Tageszeitung (54,2; fr. 57,5)/SPÖ – Linz: Neue Kronen Zeitung Oberösterreich (162,3; so. 215,7) – Oberösterreichische Nachrichten (108,8; sa. 138,7) – Neues Volksblatt (29,4; fr. 33,4)/ÖVP – Salzburg: Salzburg Krone/Neue Kronen Zeitung (63,0; so. 69,8) – Salzburger Nachrichten (mo.-mi., fr. 88,4; do. 104,8; sa. 121,9) – Salzburger Volkszeitung (12,7)
Wochenzeitungen: Wien: Börsen-Kurier – Die Furche (15) – Samstag (104) – Neue Wochenschau (110) – Wiener Kirchenzeitung (45,4) – Bregenz: Vorarlberger Volksbote (21,5) – Eisenstadt: bvz (22,5) – Graz: Die Steirische Wochenpost (38,1) – Innsbruck: Tirol aktuell (35,4) – Linz: Linzer Rundschau (114,9) – Oberösterreichische Rundschau (ges. 260,5) – Salzburg: Rupertusblatt (30,1)/Kath. Kirche – Salzburger Woche (ges. 52,6) – Sankt Pölten: Neue Niederösterreichische Nachrichten NÖN (ges. 147,2)
Zeitschriften, Magazine: Academia (22) – a3eco (75,7) – autorevue (116) – Das Beste aus Reader's Digest (182,3) – Bunte – Burda – Erfolg (60) – Gesundheit (69) – Industrie (19,5) – Neue BS Sicherheitsmagazin (270) – News (seit Okt. 1992; 220) – Profil (110) – Public (87) – Trend (90) – Welt der Frau (80) – Wiener – Wirtschaftswoche (51,4)
Nachrichtenagentur: APA (Austria Presse Agentur)

HÖRFUNK/FERNSEHEN Österreichischer Rundfunk (ORF): Generalintendanz, Kuratorium, Hörer- u. Sehervertretung, Information- u. Programmintendanz Fernsehen, Kaufmännische Direktion, Technische Direktion, Generalintendant: Gerd Bacher

ORF-Zentrum Wien, Würzburggasse 30, A–1136 Wien, T 0222/8 78 78–0, Tfax 8 78 78–22 50

Hörfunkintendanz Funkhaus Wien, Argentinierstr. 30a, A–1040 Wien, T 0222/5 01 01

Landesstudios:

Studio Burgenland, Buchgraben 51, A–7001 Eisenstadt, T 02682/46 61–0, Tfax 46 61–250

Studio Kärnten, Sponheimerstr. 13, A–9010 Klagenfurt, T 0463/53 30, Tfax 53 30–250

Studio Niederösterreich, Argentinierstr. 30a, A–1040 Wien, T 0222/5 02 10, Tfax 5 01 01–88 74

Studio Oberösterreich, Franckstr. 2a; A–4020 Linz, T 0732/5 34 81–0, Tfax 5 34 81–250

Studio Salzburg, Nonntaler Hauptstr. 49d, A–5010 Salzburg, T 0662/83 80–0, Tfax 83 80–250

Studio Steiermark, Marburger Str. 20, A–8042 Graz, T 0316/47 11 80–0, Tfax 47 11 80–250

Studio Tirol, Rennweg 14, A–6010 Innsbruck, T 0512/53 43–0, Tfax 53 43–250

Studio Vorarlberg, Höchster Str. 38, A–8651 Dornbirn, T 05572/301–0, Tfax 301–250

Studio Wien, Argentinierstr. 30a, A–1040 Wien, T 0222/5 02 01, Tfax 5 01 01–83 69

Radio Österreich International, Würzburggasse 30, A–1136 Wien, T 0222/8 78 78, Tfax 8 78 78–36 30

PAKISTAN *Süd-Asien*
Islamische Republik Pakistan; Islamic Republic of Pakistan; Islami Jamhuriya-e-Pakistan (Urdu); Kunstname aus **P**andschab, **A**fghanistan, **K**aschmir, **I**ndus, **S**ind, Belutschis**tan** – PK

LANDESSTRUKTUR Fläche (35): 796 095 km² (ohne Dschammu u. Kaschmir mit 222 802 km² [davon 83 807 km² von Pakistan besetzt] sowie ohne Baltistan, Gilgit, Junagadh u. Manavadar) – **Einwohner** (8): (F 1991) 115 800 000 = 145 je km²; (Z 1981) 84 253 644 – Pakistaner (Pakistani); indoarische (Pandschabi rd. 65 %; Sindhi 13 % [n. and. Ang. über 22 %], Urdu 7 %) u. iranische (Balutschen 2,5 % u. Paschtu) Sprachen sprech. Völker; bengal. u. dravid. Minderheitsgruppen – Verfolgung von Nicht-Muslimen, v. a. Christen u. Ahmedi – **Leb.-Erwart.:** 59 J. (m59/w59); Bev.-Anteil 0–14 J.: 44,0 % – **Säugl.-Sterbl.:** 9,7 % – **Kindersterbl.:** 13,8 % – **Analph.:** 65 % – Jährl. **Bev.-Wachstum** (∅ 1980–91): 3,1 % (Geb.- u. Sterbeziffer 1991: 4,1 %/1,1 %) – **Sprachen:** Urdu als National- u. Amtsspr. in 3 Prov., daneben regionale Amtsspr. wie

Sindhi in Sind; Englisch als Amtsspr. für eine Übergangszeit anerkannt; Pandschabi zahlenmäßig wichtig – **Religion** (Islam ist Staatsreligion): 96 % Muslime (v. a. Sunniten, ca. 5 % Schiiten); außerd. die religiös einflußreiche »Ahmedia-Sekte«; 2 % Christen, 1,8 % Hindus; Buddhisten – **Städt. Bev.:** 33 % – **Städte** (S 1984): Islamabad (Hptst.) 236 000 Ew., m. V. 370 000; (Z 1981) Karachi [Karatschi] 5 180 562, Lahore 2 952 689, Faisalabad 1 104 209, Rawalpindi 794 843, Hyderabad 751 529, Multan 722 070, Gujranwala 658 753, Peshawar 566 248, Sialkot 302 009, Sargodha 291 361, Quetta 285 719

STAAT Föderative Republik – Verfassung von 1973 mit zahlr. Änderungen – Parlament aus 2 Kammern: Nationalversammlung mit 217 Mitgl. (davon 207 direkt gewählt; diese wählen 10 Angeh. der christl. u. hinduist. u. a. Minderheiten; Wahl alle 5 J.) u. Senat mit 87 Mitgl. (für 6 J. durch d. Provinz-, Stammes- u. Bundesdistriktversamml. ernannt; ¹/₃ davon alle 2 J. neu) – Allg. Wahlrecht ab 21 J. – 4 Provinzen (Belutschistan, Nordwestprovinz/ NWFP, Pandschab, Sind) mit eig. Reg. u. Parl. sowie 1 Bundesdistrikt; Verwaltungssystem für 6 Stammesgebiete – **Staatsoberhaupt:** Interimspräs. Waseem (Wasim) Sajjad (Senatspräs.), seit 19. 7. 1993 (→ *Chronik*) – **Regierungschef u. Äußeres:** Moeen Qureshi (Qureishi), seit 19. 7. 1993 – **Parteien:** Wahlen von 1990: Islam.-Dem. Allianz/IDA (Bündnis aus Jamiat-i-Islam, Muslim League u. Splittergr.) 106 der 207 direkt gewählten Sitze (1988: 54), Pakistan People's Party/PPP 45 (93), Mohajir-Partei 15 (0), Unabh. 21 (40); Sonstige 20 (30) – *Parl.-Neuwahlen für 6. 10. 1993 vorgesehen* – **Unabh.:** nominell 15. 8. 1947, Unabh.-Zeremonie bereits am 14. 8. 1947 – **Nationalfeiertage:** 23. 3. (Prokl. d. Rep. 1956) u. 14. 8.

WIRTSCHAFT BSP 1991: 46 725 Mio. $ = 400 $ je Ew. (147); realer Zuwachs ∅ 1980–91: 6,5 %; **BIP** 1991: 40 244 Mio. $; realer Zuwachs ∅ 1980–91: 6,1 % (1992: +6,4 %); Anteil 1991 **Landwirtsch.** 26 %, **Industrie** 26 %, **Dienstlst.** 48 % – **Erwerbstät.** 1991: Landw. 49 %, Ind. 20 % – **Arbeitslosigkeit** ∅ 1990: 3,1 % – **Energieverbrauch** 1991: 243 kg ÖE/Ew. – **Währung:** 1 Pakistan. Rupie (pR) = 100 Paisa (Ps); 1 US-$ = 27,13 pR; 100 pR = 6,26 DM – **Ausl.-Verschuld.** 1991: 22 169 Mio. $ = 50,1 % d. BSP – **Inflation** ∅ 1980–91: 7,0 % – **Außenhandel** 1991: **Import:** 9300 Mio. $; Güter: 27 % Maschinen, 15 % Erdöl- u. Erdölerzeugn., 10 % Nahrungsmittel, 9 % Transportausrüst., 5 % Eisen u. Stahl; Länder: 15 % Japan, 11 % USA, 8 % BRD, 5 % Großbrit., 5 % Saudi-Arabien, 5 % Malaysia (EG 26 %); **Export:** 6900 Mio. $; Güter: 29 % Baumwollgarn u. -gewebe, 9 % Bekleidung u. Zubehör, 8 % Rohbaumwolle, 6 % Strickwaren, 6 % Kunstfasergewebe, 6 % Reis; Länder: 11% USA, 8% Japan, 8% BRD, 7% Großbrit., 6% Hongkong, 4% Rep. Korea (EG 29%)

Kaschmir (Dschammu u. Kaschmir [Jammu and Kashmir]) wird von P. beansprucht u. ist im W sowie im NW in einem 83 807 km² umfass. Streifen pakist. besetzt; (Z 1981) 2 542 000 Ew. – Bes. Verwaltung für »Azad Kashmir« (»Freies Kaschmir« = Nagar u. 3 Distrikte des eigentl. Kaschmir mit zus. etwa 33 000 km² u. über 1,98 Mio. Ew.) – Nach provisor. *Verfassung* von 1974 »Versammlung« mit 42 Mitgl. sowie provisor. Regierung (Azad Jammu and Kashmir Council) mit Sitz des »Ministerrats« in Muzaffarabad – *Regierungschef:* Sardar Mohammad Ashraf, seit 1991 – Pakistan unterhält im Freien Kaschmir einen Chief Adviser – Wichtigste *Parteien* sind die Dschammu- u. Kaschmir-Muslim-Konferenz/JKMC, die den Anschluß an Pakistan fordert, u. die Dschammu- u. Kaschmir-Befreiungsliga, die volle Autonomie anstrebt, sowie die Azad-D.-K.-Muslim Conference – Baltistan u. Gilgit werden v. der pakistan. Regierung unmittelbar verwaltet. Abgrenzung gegen den v. Indien besetzten Hauptteil v. Kaschmir z. T. durch d. Waffenstillstandslinie v. 1949

PANAMA *Mittel-Amerika*
Republik Panama; República de Panamá – PA

LANDESSTRUKTUR Fläche (116): 77 082 km² (davon Kanalzone 1432 km²) – **Einwohner** (131): (F 1991) 2 460 000 = 32 je km²; (Z 1990) 2 329 329 – Panamaer (span. Panameños); 50–60% Mestizen, 15–20% Schwarze u. Mulatten, 10–15% Weiße, 5–10% Indianer, 2% Asiaten – **Leb.-Erwart.:** 73 J. (m71/w75); Bev.-Anteil 0–14 J.: 34,6% – **Säugl.-Sterbl.** (1987): 2,1% – **Kindersterbl.:** 2,6% – **Analph.:** 12% – Jährl. **Bev.-Wachstum** (∅ 1980–91): 2,1% (Geb.- u. Sterbeziffer 1991: 2,5%/0,5%) – **Sprachen:** Spanisch als Amtsspr.; Englisch als Verkehrsspr., z. T. indianische Dialekte (u. a. Chibcha) – **Religion:** 84% Katholiken, rd. 6% Protest., 5% Muslime – **Städt. Bev.:** 54% – **Städte** (F 1992): Panamá [Panama-Stadt] (Hptst.) 625 200 Ew.; Colón 137 800, David 99 800, Santiago 68 000, Penonomé 61 100, Chitré 37 900

STAAT Präsidialrepublik – Verfassung von 1983 – Verfassungsgebende Versammlung (Asamblea Legislativa) mit 67 Mitgl., Wahl alle 5 J. – Direktwahl d. Staatsoberh. alle 5 J. – 9 Provinzen mit eig. Gouverneur (vom Präs. ernannt) u. 3 autonome Indianerreservate – **Staats- u. Regierungschef:** Guillermo Endara Galimany, seit 21. 12. 1989 – **Äußeres:** Julio Linares – **Parteien:** Wahlen von 1989 mit Nachwahlen 1991: Alianza Democrática de Oposición Civilista/ADOC insg. 59 Sitze (Wahlbündnis aus Partido Demócrata Cristiano/PDC 30, Movimiento Liberal Republicano Nacionalista/MOLIRENA 18, P. Panameñista Auténtico/PPA 7, P. Liberal Auténtico/PLA 4); Coalición de Liberación Nacional/COLINA insg. 17 Sitze (Wahlbündnis aus P. Revolucionario Democrática/PRD 13, P. Laborista/PALA 2, P. Liberal/ PL 2) – **Unabh.:** 3. 11. 1903 – **Nationalfeiertag:** 3. 11.

WIRTSCHAFT BSP 1991: 5254 Mio. $ = 2130 $ je Ew. (76); realer Zuwachs ∅ 1980–91: 0,3%; **BIP** 1991: 5544 Mio. $; realer Zuwachs ∅ 1980–91: 0,5% (1992: +8,0%); Anteil 1991 **Landwirtsch.** 10%, **Industrie** 11%, **Dienstlst.** 79% – **Erwerbstät.** 1991: Landw. 27%, Ind. ca. 14% – **Arbeitslosigkeit** ∅ 1992: 18,0% – **Energieverbrauch** 1991: 1661 kg ÖE/Ew. – **Währung:** 1 Balboa (B/.) = 100 Centésimos (c, cts); 1 US-$ = 1,00 B/.; 100 B/. = 168,82 DM (US-$ zusätzl. Zahlungsmittel) – **Ausl.-Verschuld.** 1991: 6791 Mio. $ = 130,1% d. BSP – **Inflation** ∅ 1980–91: 2,4% (1992: 1,2%) – **Außenhandel** 1992 (inkl. Colón als Freihandelszone): **Import:** 2018 Mio. B/.; Güter: 15% mineral. Produkte, 15% elektr. u. elektron. Ausrüst., 13% Transportausrüst., 11% chem. Prod. u. a.; Länder: 36% USA, 8% Japan, 6% Ecuador; **Export:** 480 Mio. $; Güter: 43% Bananen, 11% Garnelen, 4% Rohzucker, 3% Kaffee; Länder: 30% USA, 27% BRD, 8% Italien, 7% Costa Rica, 3% El Salvador

PANAMAKANAL-ZONE
→ *Vereinigte Staaten von Amerika (Außengebiete)*; seit 1982 weitgeh. Souveränität Panamas in d. Kanalzone

PAPUA-NEUGUINEA *Ozeanien*
Unabhängiger Staat Papua-Neuguinea; Papua New Guinea; Papua Niugini – PNG

LANDESSTRUKTUR Fläche (53): 462 840 km² (davon 67 110 km² Inseln: Ostteil d. Insel Neuguinea, Bismarck-Archipel, Bougainville u. Buka [Salomonen] sowie 600 kleinere Inseln) – **Einwohner** (113): (F 1991) 4 013 000 = 9 je km²; (Z 1980) 3 010 727 – Papua-Neuguineer; haupts. Papua (rd. 750 Stämme), an S- u. NW-Küste malaiische (indones.), im N melanes., im O polynes. Gruppen; kl. chines. Minderheit, rd. 30 000 Weiße – **Leb.-Erwart.:** 56 J. (m55/w56); Bev.-Anteil 0–14 J.: 40,3% – **Säugl.-Sterbl.** (1980): 5,5% – **Kindersterbl.:** 7,4% – **Analph.:** 48% – Jährl. **Bev.-Wachstum** (∅ 1980–91): 2,3% (Geb.- u. Sterbeziffer 1991:

3,4%/1,1%) – **Sprachen:** Englisch als Amtsspr.; melanesisches Pidgin als Umgangsspr., rd. 740 Papua-Sprachen; außerd. Sprachen der Minderheiten – **Religion:** 55% Protestanten, 31% Katholiken, 5% Anglikaner; ferner Anh. von Naturrel. – **Städt. Bev.:** 16% – **Städte** (F 1987): Port Moresby (Hptst.) 145300 Ew.; Lae 79600, Madang 24700, Wewak 23200, Goroka 21800

STAAT Konstitutionelle Monarchie im Commonwealth – Verfassung von 1975 – Abgeordnetenhaus (National Parliament) mit 109 Mitgl., Wahl alle 5 J. – Allg. Wahlrecht – 20 Provinzen mit relativer Selbstverwaltung (u. a. eigene Versammlung u. Regierung) sowie Hauptstadtdistrikt – **Staatsoberhaupt:** Königin Elizabeth II., vertreten durch einheim., durch Abg.-Haus ernannten Generalgouverneur Sir Wiwa Korowi, seit 11. 11. 1991 – **Regierungschef:** Paias Wingti (PDM), seit 17. 7. 1992 – **Äußeres:** John Kaputin – **Parteien:** Wahlen vom 13.–27. 6. 1992: Pangu New Guinea Union Party/PANGU 22 Sitze (1987: 28), People's Democratic Movement/PDM 15 (22), People's Action P./PAP 13 (6), People's Progress P./PPP 10 (6), Melanesian Alliance/MA 9 (8), League for National Advancement/LNA 5 (3), Unabh. 31 (12), Sonstige 3 (12) – **Unabh.:** 16. 9. 1975 – **Nationalfeiertag:** 16. 9.

WIRTSCHAFT BSP 1991: 3307 Mio. $ = 830 $ je Ew. (118); realer Zuwachs ∅ 1980–91: 1,7%; **BIP** 1991: 3734 Mio. $; realer Zuwachs ∅ 1980–91: 2,0%; Anteil 1991 **Landwirtsch.** 26%, **Industrie** 35%, **Dienstlst.** 38% – **Erwerbstät.** 1991: Landw. 66%, Ind. ca. 31% – **Energieverbrauch** 1991: 231 kg ÖE/Ew. – **Währung:** 1 Kina (K) = 100 Toea (t); 1 K = 1,02 US-$; 100 K = 172,989 DM – **Ausl.-Verschuld.** 1991: 2755 Mio. $ = 84,6% d. BSP – **Inflation** ∅ 1980–91: 5,2% – **Außenhandel** 1991: Import: 1614 Mio. $; Güter: 38% Maschinen u. Transportausrüst., 17% Nahrungsmittel, 11% Brennstoffe u. sonst. Rohstoffe; Länder (1988): 45% Australien, 18% Japan, 9% USA; **Export:** 1361 Mio. $; Güter (1989): 46% Kupfer, 9% Kaffee, 4% Holz, 3% Kakao; Länder (1989): 37% Japan, 24% BRD, 10% Australien, 5% Großbrit. – Nach d. Schließung d. Kupfermine auf Bougainville 1990 Rückgang d. Exporteinnahmen um 40%

PARAGUAY *Süd-Amerika*
Republik Paraguay; República del Paraguay – PY

LANDESSTRUKTUR Fläche (58): 406752 km² – **Einwohner** (107): (F 1991) 4441000 = 11 je km²; (Z 1982) 3029830 – Paraguayer (span. Paraguayos); etwa 95% Mestizen, 3% Weiße, 2% Indianer (Guaranís); ca. 10000 Japaner u. Koreaner – **Leb.-Erwart.:** 67 J. (m65/w69); Bev.-Anteil 0–14 J.: 40,3% – **Säugl.-Sterbl.** (1990): 3,5% – **Kindersterbl.:** 4,2% – **Analph.:** 10% – Jährl. **Bev.-Wachstum** (∅ 1980–91): 3,1% (Geb.- u. Sterbeziffer 1991: 3,3%/0,6%) – **Sprachen:** Spanisch u. Guaraní als Amtsspr. – **Religion:** 96% Katholiken (Staatsreligion); 2% Protestanten, 13000 Mennoniten – **Städt. Bev.:** 48% – **Städte** (F 1990): Asunción (Hptst.) 608000 Ew.; (S 1985) San Lorenzo 124000, Ciudad del Este 110000, Lambaré 84000, Fernando de la Mora 80000, Pedro Juan Caballero 80000, Concepción 50000, Encarnación 48000

STAAT Präsidialrepublik – Neue Verfassung vom 20. 8. 1992 – Parlament (Congreso) aus 2 Kammern: Abgeordnetenkammer (Cámara de Diputados) mit 80 u. Senat (Senado) mit 45 Mitgl.; Wahl alle 5 J. – Direktwahl d. Staatsoberh. alle 5 J., keine Wiederwahl – Allg. Wahlpflicht ab 18 J. – 19 Departamentos mit eig. Parl. u. direkt gewähltem Gouverneur sowie Hauptstadt – **Staats- u. Regierungschef:** Juan Carlos Wasmosy Monti (P. Colorado), seit 15. 8. 1993 (am 9. 5. 1993 in ersten freien Wahlen mit 40,3% d. Stimmen gewählt) – **Äußeres:** Diogenes Martinez – **Parteien:** Wahlen vom 9. 5. 1993: Abg.-Kammer: Partido Colorado 40 Sitze (1988: 48 von 72), Authentische Radikal-Liberale Partei/PRLA (Blancos) 32 (21), Unabhängige (»Encuentro Nacional«) 8 (10), Sonstige 0 (3) – Senat: Partido Colorado 20 (1988: 24 von 36), Blancos 17 (21), Unabh. 8 (8), Sonstige 0 (1) – **Unabh.:** 14. 5. 1811 – **Nationalfeiertag:** 14. 5.

WIRTSCHAFT BSP 1991: 5374 Mio. $ = 1270 $ je Ew. (99); realer Zuwachs ∅ 1980–91: 2,3%; **BIP** 1991: 6254 Mio. $; realer Zuwachs ∅ 1980–91: 2,7% (1992: +1,5%); Anteil 1991 **Landwirtsch.** 22%, **Industrie** 24%, **Dienstlst.** 54% – **Erwerbstät.** 1991: Landw. 46%, Ind. ca. 19% – **Arbeitslosigkeit** ∅ 1991: 7,0% – **Energieverbrauch** 1991: 231 kg ÖE/Ew. – **Währung:** 1 Guaraní (₲) = 100 Céntimos (cts); 1 US-$ = 1736,00 ₲; 100 ₲ = 0,097 DM – **Ausl.-Verschuld.** 1991: 2177 Mio. $ (1992: 1270 Mio. $) – **Inflation** ∅ 1980–91: 25,1% (1992: 18,0%) – **Außenhandel** 1992: Import (S): 1575 Mio. $; Güter: 36% Maschinen u. Motoren, 14% Transportmittel, 11% Brenn- u. Schmierstoffe, 10% Getränke u. Tabakwaren, 6% chem. Prod., 3% Eisenwaren; Länder: 18% Brasilien, 14% Argentinien, 12% USA, 10% Japan, 4% Großbrit., 4% BRD, 2% Algerien; **Export** (S): 1100 Mio. $; Güter: 33% Baumwolle, 22% Sojabohnen, 8% Schnittholz, 8% Ölkuchen, 7% Öle u. Fette, 6% Leder, 4% Rindfleisch; Länder: 28% Brasilien, 22% Niederl., 8% Argentinien, 6% USA, 4% Italien, 3% BRD, 2% Frankr.

PERU *Süd-Amerika*
Republik Peru; República del Perú, República Peruana – PE

LANDESSTRUKTUR Fläche (19):1285216km² (davon 4996,28 km² Anteil am Titicaca-See) – **Einwohner** (40): (F 1991) 21900000 = 17 je km²; (Z1981) 17005210 – Peruaner; bis 49% Indianer, ca. 33% Mestizen; über 10% Weiße, meist altspan. Herkunft; je einige 10000 Schwarze, Mulatten; je 10000 Japaner u. Chinesen – rd. 1 Mio. Binnenflüchtlinge (S April 1993) – **Leb.-Erwart.:** 64 J. (m62/w66); Bev.-Anteil 0–14 J.: 37,1% – **Säugl.-Sterbl.** (1992): 5,3% – **Kindersterbl.:** 6,9% – **Analph.:** 15% – Jährl. **Bev.-Wachstum** (∅ 1980–91): 2,2% (Geb.- u. Sterbeziffer 1991: 2,7%/0,8%) – **Sprachen**: Spanisch u. Quechua [Ketschua] (etwa 25%) als Amtsspr.; Aymará als Umgangsspr. (3–5%) – **Religion**: 95% Katholiken (unter Staatsschutz); protestant. Minderh., Indianer oft Anh. von Naturrel. – **Städt. Bev.:** 71% – **Städte** (F 1989): Lima (Hptst., als A) 6233800 Ew.; Arequipa 612100, Callao 575200, Trujillo 513200, Chiclayo 409600, Piura 309500, Chimbote 287100, Cuzco 264400, Iquitos 253400, Huancayo 203200

STAAT (→ *Chronik)* Präsidialrepublik – Verfassung von 1979, letzte Änderungen am 4./5. 8. 1993 – Neue Verfassung am 27. 8. 1993 durch CCD verabschiedet (sieht u. a. Einkammerparl. u. starke Stellung d. Staatsoberh. vor); Referendum für 31. 10. 1993 geplant – Parlament (Congreso) aus 2 Kammern: Abgeordnetenkammer (Cámara de Diputados) mit 180 u. Senat (Senado) mit 60 Mitgl., Wahl alle 5 J.; seit 5. 4. 1992 aufgelöst – Seit 21. 11. 1992 »Demokratischer verfassungsgebender Kongreß«/ CCD mit 80 Mitgl.; soll bis 1995 als reguläres Parl. amtieren – Direktwahl d. Staatsoberh. alle 5 J. – Allg. Wahlpflicht ab 18 J. – 25 von Präfekten geleitete Departamentos – **Staatsoberhaupt:** Alberto K. Fujimori (Cambio 90), seit 28. 7. 1990 – **Regierungschef:** Alfonso Bustamante, seit 28. 8. 1993 – **Äußeres:** Efrain Goldenberg – **Parteien:** Wahlen zur CCD vom 22. 11. 1992 (Boykott seitens der wichtigsten Oppos.-Parteien): Liste Nueva Mayoría/Cambio 90 (von Fujimori unterstützt) 37% u. 44 Sitze, Christliche Volkspartei/PPC 7,5% u. 8, Unabh. Moralisierende Front 6% u. 7, Liste Erneuerung 5,4% u. 6, Sonstige 15 – Letzte Parl.-Wahlen von 1990: Sitzverteilung im Abg.-Haus/Senat: Frente Democrático/FREDEMO 63/20, Alianza Popular Revolucionara Americana/APRA 49/16, Cambio 90 34/14, Sonstige 34/10 – **Unabh.:** 28. 7. 1821 (Proklamation) – **Nationalfeiertag:** 28. 7.

WIRTSCHAFT BSP 1991: 28295 Mio.$ = 1070$ je Ew. (105); realer Zuwachs ∅ 1980–91:

–0,4%; **BIP** 1991: 48366 Mio.$; realer Zuwachs ∅ 1980–91: –0,4% (1992: –2,7%); Anteil 1991 **Landwirtsch.** 14%, **Industrie** 39%, **Dienstlst.** 47% – **Erwerbstät.** 1991: Landw. 33%, Ind. 17% – **Arbeitslosigkeit** ∅ 1992: rd. 28% – **Energieverbrauch** 1991: 451 kg ÖE/Ew. – **Währung:** 1 Neuer Sol (S/.) = 100 Céntimos; Freimarktkurs: 1 US-$ = 2,01 S/.; 100 S/. = 84,56 DM – **Ausl.-Verschuld.** 1991: 20709 Mio.$ = 44,3% d. BSP – **Inflation** ∅ 1980–91: 287,3% (1991: 139,2%; 1992: 56,7%) – **Außenhandel** 1992: **Import:** 3970 Mio.$; Güter (1991): 52% Rohstoffe u. Zwischenprod., 29% Kapitalgüter, 19% Konsumgüter; Länder (1991): 26% USA, 7% Argentinien, 6% Japan, 5% BRD, 4% Brasilien, 44% Italien; **Export:** 3335 Mio.$; Güter (1991): 44% Bergbau (v. a. Kupfer, Zink), 14% Fisch u. -produkte, 11% Textilien, 6% landwirtschaftl. Prod.; 1989: Coca (illegal = 20% d. BSP); Länder (1991): 22% USA, 11% Japan, 7% Italien, 7% VR China, 7% BRD, 4% Großbrit.

PHILIPPINEN *Südost-Asien*
Republik der Philippinen; Republica Ñg Pilipinas; República de Filipinas; Republic of the Philippines – RP

LANDESSTRUKTUR Fläche (70): 300000 km²; insg. 7103 Inseln, davon rd. 860 bewohnt (Größte Inseln: Luzon mit 104688 km² u. Mindanao mit 94630 km²) – **Einwohner** (14): (F Mitte 1992) 64259000 = 214 je km²; (Z 1990) 60703206 – Philippiner; vorw. jungmalaiische Filipinos (Bisayas, Tagalen, Bicol, Ilokano), daneben altindones. Bergvölker (Igoroten); außerd. 1–2% Chinesen, mehrere 100000 Mischlinge, etwa 15000 Negritos (Aëta), rd. 15000 US-Amerikaner u. a. – **Leb.-Erwart.:** 65 J. (m63/w67); Bev.-Anteil 0–14 J.: 39,2% – **Säugl.-Sterbl.** (1986): 4,1% – **Kindersterbl.:** 6,1% – **Analph.:** 10% – Jährl. **Bev.-Wachstum** (∅ 1980–91): 2,4% (Geb.- u. Sterbeziffer 1991: 2,8%/0,7%) – **Sprachen:** Pilipino (v. Tagalog abgeleitet) als Amtsspr. (von 55% d. Bev. gesprochen); rd. 29% Tagalog, 24% Cebuano, 10% Ilocano, 9% Panay-Hiligaynon, 6% Bicol u. a.; außerd. 45% Engl. als Geschäfts- u. Verkehrsspr.; rd. 3% Spanisch, Chinesisch – **Religion** (1991): 94,2% Christen, davon 84,1% Katholiken, 6,2% Anh. der Unabh. Philipp. Kirche (Aglipayan), 3,9% Protest.; 5% Muslime; 43000 Buddhisten – **Städt. Bev.:** 43% – **Städte** (Z 1990): Manila (Hptst.) 1601234 Ew. (als A [F 1988]: 7,2 Mio.); Quezon City 1666776, Davao 849947, Caloocan 763415, Cebu 610417, Zamboanga 442345, Pasay 368316, Bacolod 364180, Cagayan de Oro 339598, Iloilo 309505, Angeles 236686, Butuan 227829, Iligan 226568, Olongapo

193327, Batangas 184970, Cabanatuan 173065, San Pablo 161630, Cadiz 119772

STAAT Präsidialrepublik – Verfassung von 1987 – Parlament (Kongreß) aus 2 Kammern: Repräsentantenhaus mit max. 250 Mitgl. (davon 200 gewählte u. max. 50 v. Staatsoberh. bestimmte, die Minderheiten repräsentieren) u. Senat mit 24 Mitgl.; Wahl alle 3 bzw. 6 J. – Direktwahl d. Staatsoberh. alle 6 J., keine Wiederwahl – Allg. Wahlrecht – 13 Regionen (inkl. Hauptstadt-Region »Metropolitan Manila«) u. 73 Provinzen je mit Gouverneur u. Prov.-Versammlung – **Staats- u. Regierungschef:** Fidel Ramos (NUCD), seit 30. 6. 1992 – **Äußeres:** Roberto Romulo – **Parteien:** Wahlen vom 11. 5. 1992: Repräs.-Haus: Power of the Democratic Filipino/LDP 89 Sitze, National People's Coalition/NPC 42, Nat. Union for Christian Democrats/NUCD 33, Liberal P./LP-PDP 15, Nacionalist P./NP 7, Movement for the New Society/KBL 3, Sonstige 11 – Senat: LDP 16, NPC 5, NUCD 2, LP-PDP 1 – Verbot der Kommunist. Partei/CPP von 1957 am 22. 9. 1992 aufgehoben – **Unabh.:** 4. 7. 1946 – **Nationalfeiertag:** 12. 6. (Unabh.-Prokl. gegenüber Spanien 1898)

WIRTSCHAFT BSP 1991: 46138 Mio. $ = 730 $ je Ew. (122); realer Zuwachs ∅ 1980–91: 1,2 %; **BIP** 1991: 44908 Mio. $; realer Zuwachs ∅ 1980–91: 1,1 % (1992: 0,0 %); Anteil 1991 **Landwirtsch.** 21 %, **Industrie** 34 %, **Dienstlst.** 44 % – **Erwerbstät.** 1992: Landw. 46 %, Ind. 16 % – **Arbeitslosigkeit** 6/1992: 13,1 % (einschl. Unterbeschäft. rd. 40 %) – **Energieverbrauch** 1991: 218 kg ÖE/Ew. – **Währung:** 1 Philippin. Peso (P) = 100 Centavos (c); 1 US-$ = 26,92 P; 100 P = 6,27 DM – **Ausl.-Ver**schuld. 1991: 31897 Mio. $ = 70,2 % d. BSP – **Inflation** ∅ 1980–91: 14,6 % (1992: 8,9 %) – **Außenhandel** (Jan.-Sept. 1992): **Import:** 10600 Mio. $; Güter: 11 % Rohöl, 10 % Chemikalien, 10 % Telekommunikationsausrüst., 10 % Spezial- u. Kraftwerksmaschinen, 10 % Vorerzeugn. für die Elektroind., 5 % Eisen u. Stahl; Länder: 21 % Japan, 18 % USA, 7 % Rep. China, 6 % Saudi-Arabien, 5 % BRD, 5 % Hongkong, 5 % Rep. Korea (EG 12 %); **Export:** 7200 Mio. $; Güter: 28 % elektrotechn. Erzeugn., 22 % Bekleidung, 5 % Kokosnußöl, 4 % Kupfer u. -erzeugnisse, 3 % Chemikalien; Länder: 39 % USA, 18 % Japan, 5 % BRD, 5 % Hongkong, 5 % Großbrit., 4 % Niederl. (EG 19 %) – **Tourismus** (1991): 1285 Mio. $ Deviseneinnahmen u. 0,95 Mio. Gäste; Rückgang seit 1991

POLEN *Mittel-Europa*
Republik Polen; Polska Rzeczpospolita – PL

LANDESSTRUKTUR Fläche (68): 312683 km² – **Einwohner** (29): (F 1992) 38418000 = 123 je km²; (Z 1988) 37878641 – ca. 99 % Polen; nationale Minderheiten, u. a. ca. 0,5–1 Mio. Deutsche, 180000 Ukrainer, 170000 Weißrussen, 21000 Slowaken, 19000 Russen, 12000 Sinti u. Roma, 10000 Litauer, 5000 Griechen, 2000 Tschechen; etwa 9,5 Mio. Polenstämmige leben im Ausland (davon 6,5 Mio. in d. USA, 750000 in Frankreich u. 450000 in Brasilien) – **Leb.-Erwart.:** 71 J. (m67/w75); Bev.-Anteil 0–14 J.: 24,8 % – **Säugl.-Sterbl.:** 1,5 % – **Kindersterbl.:** 1,8 % – **Analph.** (1986): 1 % – Jährl. **Bev.-Wachstum** (∅ 1980–91): 0,7 % (Geb.-

Ausgewählte Konjunkturdaten für Ostmitteleuropa

	BIP Veränderung in %			Inflation Konsumentenpreise 1990 = 100		Arbeitslosenquote in %		Industrieprod. Veränd. in %
	1989/90	1990/91	1991/92	1991	1992	März 1992	Mai 1992	1991/92
Albanien	−42,0	8,0	−10,0[3]	204	249	k. Ang.	k.Ang.	k. Ang.
Bulgarien	−9,1	−16,7	−7,7	317[2]	91	12,0	15,7	−21,9
Rest-Jugoslawien	k. Ang.	k.Ang.	−27,0	k. Ang.	9237	23,5	24,5[4]	−21,0
Kroatien[1]	−9,3	−28,7	−23,6	123	664	18,1	17,5[5]	−14,6
Polen	−11,6	−7,6	1,0	70	43[5]	12,1	14,2	4,2
Rumänien	−7,4	−13,7	−15,4	166	210	4,2	9,3	−22,1
Rußland	−2,0	−9,0	−18,5	95	920	0,1	1,0[4]	−18,8
Slowakei	0,0	−16,4	−8,3	61	10	12,3	12,0	−12,9
Slowenien	−3,4	−9,3	−6,5	118	201	10,7	13,7	−13,2
Tschechische Republik	−2,0	−14,0	−7,1	57	11	3,7	2,6	−10,6
Ukraine	−2,4	−11,2	−14,0	84[2]	1600	k. Ang.	0,3[4]	−11,0
Ungarn	−3,3	−11,9	−5,0	35	23	8,9	13,0	−9,8

[1] Sozialprodukt nach jugosl. Definition; [2] Einzelhandelspreise; [3] Schätzung; [4] März; [5] April
Quelle: WIIW (Basis: Nationale Statistiken und ECE-Daten)

u. Sterbeziffer 1991: 1,4%/1,1%) – **Sprache:** Polnisch als Amtsspr.; Sprachen der Minderh. (u.a. Deutsch, Ukrainisch, Weißrussisch) – **Religion:** 95% Röm. Katholiken; 870000 Orthodoxe, ca. 130000 Protestanten, 52000 »Polnische Katholiken«, 25000 Altkatholiken; ca. 6000 Buddhisten, 4000 Juden u. 4000 Muslime – **Städt. Bev.:** 62% – **Städte** (F Ende 1991): Warszawa [Warschau] (Hptst.) 1653300 Ew.; Łódź [Lodz] 844900, Kraków [Krakau] 751300, Wroclaw [Breslau] 643600, Poznań [Posen] 589700, Gdańsk [Danzig] 466500, Szczecin [Stettin] 414200, Bydgoszcz [Bromberg] 383600, Katowice [Kattowitz] 366900, Lublin 352500, Bialystok 273300, Sosnowiec [Sosnowitz] 259000, Czestochowa [Tschenstochau] 258700, Gdynia [Gdingen] 251800, Bytom [Beuthen] 232200, Radom 229700, Gliwice [Gleiwitz] 215700, Kielce 215000, Zabrze 205800, Torun [Thorn] 202000

STAAT Republik – Verfassung von 1952 mit Änderungen, zuletzt am 18.11.1992 (»Kleine Verfassung«); neue Verfassung in Ausarbeitung – Neues Wahlgesetz seit 1.6.1993 in Kraft (u.a. Einführung der 5%-Klausel u. 8%-Klausel für Wahlbündnisse) – Parlament aus 2 Kammern: Sejm mit 460 Mitgl. u. Senat mit 100 Mitgl.; Wahl alle 4 J. – Direktwahl d. Staatsoberh. alle 5 J. – Allg. Wahlrecht ab 18 J. – 49 Woiwodschaften, dar. die 3 Städte Warschau, Lodz u. Krakau; Neugliederung in Ausarbeitung – **Staatsoberhaupt:** Lech Walesa (POC), seit 22.12.1990 – **Regierungschefin:** Hanna Suchocka (UD), seit 8.7.1992 (Rücktritt am 29.5.1993, im Amt bis zu Parl.-Neuwahlen) – **Äußeres:** Krzysztof Skubiszewski – **Parteien:** Wahlen vom 27.10.1991: Sejm: Demokratische Union/UD 62 Sitze, Allianz der Demokrat. Linken/SLD (Nachfolgeorganis. der kommunist. Arbeiterpartei) 60, Katholische Wähleraktion/WAK 49, Polnische Bauernpartei/PSL 48, Konföderation für ein unabh. Polen/KPN 46, Christl.-Demokrat. Zentrumsallianz/POC 44, Liberal-Demokratischer Kongreß/KLD 37, Bauernallianz/PL 28, Gewerkschaft Solidarność 27, Partei der Bierfreunde/PPPP 16, Vertreter d. Deutschen Minderheit 7, Sonstige 36 (insg. 18 Parteien) – Senat: UD 21 Sitze, Solidarność 11, POC 9, WAK 9, PSL 7, KLD 6, PL 5, SLD 4, Sonstige 28 - *Vorgezogene Neuwahlen am 19.9.1993* - **Unabh.:** alte staatl. Tradition; 7.10.1918 Unabh.-Prokl. durch 3köpf. Regentschaftsrat, 11.11.1918 Pilsudski übernimmt Funktion d. R.-Rates (wird als eigentl. Gründung des unabh. Polen betrachtet), 14.11.1918 Rücktritt des R.-Rates u. Einsetzung einer Regierung durch Pilsudski – **Nationalfeiertag:** 3.5. (1. demokrat. Verfassung v. 1791)

WIRTSCHAFT *(Übersicht → Tab. Sp. 567 u. 659)* **BSP** 1991: 70640 Mio.$ = 1790$ je Ew. (84); realer Zuwachs ∅ 1980–91: 1,2%; **BIP** 1991: 78031 Mio.$; realer Zuwachs ∅ 1980–91: 1,1% (1991: –7,6%; 1992: +1,0%); Anteil 1991 **Landwirtsch.** 7%, **Industrie** 50%, **Dienstlst.** 43% – 1991/92: Anstieg der Brutto-Industrieprod. um 4,2%, Rückgang der Brutto-Agrarprod. um 11,9% – **Erwerbstät.** 1990: Landw. 27,6%, Ind. 28% – **Arbeitslosigkeit** 7/1993: 15,2% – **Energieverbrauch** 1991: 3165 kg ÖE/Ew. – **Währung:** 1 Zloty (Zl) = 100 Groszy (Gr); 1 US-$ = 19728 Zl (Kurs vom 27.8.1993); 10000 Zl = 0,4 DM – **Ausl.-Verschuld.** 1991: 52481 Mio.$ = 61,5% d. BSP *(→ Tab. Sp. 575)* – **Inflation** ∅ 1980–91: 63,1% (1992: 43%) – **Außenhandel** 1992: **Import:** 13448 Mio.$; Güter (1991): 38% Maschinen u. Anlagen, 19% Energie u. Brennstoffe, 13% chem. Prod., 10% Nahrungsmittel, 4% Metalle; Länder (1991): 27% BRD, 24% Ex-UdSSR, 6% Österreich, 5% Niederl., 5% Italien, 4% Großbrit., 4% Frankr. (1992: EG 49,9%, Ex-COMECON 19,9%); **Export:** 13997 Mio.$; Güter (1991): 22% Maschinen u. Anlagen, 16% Prod. d. Metallindustrie, 12% chem. Prod., 11% Energie u. Brennstoffe (Kohle, Schwefel, Kupfer), 10% Nahrungsmittel, 7% landwirtschaftl. Prod., 6% Prod. d. Leichtindustrie; Länder (1991): 29% BRD, 11% Ex-UdSSR, 7% Großbrit., 5% Niederl., 5% Ex-ČSFR, 5% Österreich, 5% Schweiz, 4% Italien (1992: EG 55,6%, Ex-COMECON 16,8%)

PORTUGAL *Südwest-Europa*
Portugiesische Republik; República Portuguesa – P

LANDESSTRUKTUR **Fläche** (111): 92389 km^2 (ohne Binnengewässer 91949 km^2) einschl. Ilhas Adjacentes (»Anliegende Inseln«): **Azoren** (Arquipélago dos Açores) 2247 km^2 u. 236700 Ew. (Z 1991), Hptst. Ponta Delgada 148000 Ew. (S 1986) – **Madeira** (m. Nebeninseln) 794 km^2 u. 253000 Ew., Hptst. Funchal 44111 Ew. (Z 1986) – **Einwohner** (71): (Z 1991) 9853100 = 107 je km^2 (vorl. Ergeb., mit Azoren u. Madeira) – Portugiesen; ca. 700000 Flüchtlinge [Desalojados bzw. Retornados] aus d. ehem. Kolonien – **Leb.-Erwart.:** 74 J. (m70/w77); Bev.-Anteil 0–14 J.: 20,2% – **Säugl.-Sterbl.:** 1,1% – **Kindersterbl.:** 1,3% – **Analph.** (1990): 15% – Jährl. **Bev.-Wachstum** (∅ 1980–91): 0,1% (Geb.- u. Sterbeziffer 1991: 1,2%/1,1%) – **Sprache:** Portugiesisch – **Religion:** 95% Katholiken, 38000 Protestanten, 15000 Muslime, 2000 Juden – **Städt. Bev.:** 34% – **Städte** (F 1988): Lisboa [Lissabon] (Hptst.) 830500 Ew. (A 2,13 Mio.); Porto 350000 (A 1,7 Mio.); (Z 1986) Amadora 95518, Setúbal 77885, Coimbra 74616, Braga 63033, Vila Nova de Gaia 62469, Barreiro 50863, Almada 42607

STAAT Republik auf demokratisch-parlamentarischer Grundlage – Verfassung von 1976, letzte Änderung 1992 – Parlament mit 230 Mitgl., Wahl alle 4 J. – Direktwahl d. Staatsoberh. alle 5 J. – Staatsrat (17 Mitgl.) als berat. Organ d. Präsidenten – Allg. Wahlrecht ab 18 J. – 18 Distrikte u. 2 autonome Regionen (Azoren u. Madeira) – **Staatsoberhaupt:** Mário Alberto Soares, seit 1986, Wiederwahl 1991 – **Regierungschef:** Aníbal Cavaco Silva (PSD-Vors.), seit 1985 – **Äußeres:** José Manuel Durão Barroso – **Parteien:** Wahlen vom 6.10.1991: Partido Social-Democrata/PSD 135 Sitze (1987: 148 von 250), Partido Socialista/PS 72 (60), Partido Comunista Português/PCP 17 (31), Partido de Centro Democrático Social/CDS-PP 5 (4), Sonstige 1 (7) – **Unabh.:** unabh. Königreich seit 1143, endg. unabhängig seit 1.12.1640 (Aufkündigung der Personalunion mit Spanien) – **Nationalfeiertag:** 10.6. (Todestag d. Nationaldichters Luiz de Camões 1580)

WIRTSCHAFT BSP 1991: 58451 Mio.$ = 5930$ je Ew. (42); realer Zuwachs ∅ 1980–91: 3,2%; **BIP** 1991: 65103 Mio.$ (S 1992: 80000 Mio.$); realer Zuwachs ∅ 1980–91: 2,9% (1992: +2,6%); Anteil 1991 **Landwirtsch.** 6%, **Industrie** 39%, **Dienstlst.** 55% – **Erwerbstät.** 1991: Landw. 17,3%, Ind. 33,9%, Dienstl. 48,8% – **Arbeitslosigkeit** ∅ 1992: 4,4% – **Energieverbrauch** 1991: 1584 kg ÖE/Ew. – **Währung:** 1 Escudo (Esc) = 100 Centavos (c, ctvs); 1US-$ = 160,61 Esc; 100 Esc = 1,05 DM – **Ausl.-Verschuld.** 1991: 28568 Mio.$ = 43,9% d. BSP – **Inflation** ∅ 1980–91: 17,4% (1992: 8,9%) – **Außenhandel** 1991: Import: 3767 Mrd. Esc (S 1992: 27680 Mio.$); Güter: 22% Maschinen, 14% Transportmittel, 13% Agrarprod. u. Nahrungsmittel, 11% chem. Erzeugn., 11% Textilien, Bekleidung u. Schuhe, 9% Energieträger; Länder: 19% Spanien, 18% BRD, 14% Frankr., 14% Italien, 9% Großbrit., 7% Niederl.; Export: 2347 Mrd. Esc (S 1992: 17200 Mio.$); Güter: 30% Bekleidung u. Schuhe, 13% Maschinen, 11% Holz, Papier u. Kork, 9% Textilien, Felle u. Leder, 8% Agrarprod. u. Nahrungsmittel; Länder: 21% BRD, 17% Spanien, 16% Frankr., 12% Großbrit., 6% Niederl., 4% USA – **Tourismus** (1991): 2670 Mio.$ Einnahmen u. (1992) 20,73 Mio. Gäste – Überweisungen von Auslands-Portugiesen von Bedeutung (S 1991): 4492 Mio.$

PRESSE (Aufl.i.Tsd.) *Tageszeitungen:* Lissabon: A Capital (40) – Correio da Manhã (85) – Diário de Notícias (59) – Diário Popular (62) – Porto: Público (75) – Jornal de Notícias (70) – O Primeiro de Janeiro (50) – Azoren: Açoriano Oriental (6) – Correio dos Açores (4) – *Wochenzeitungen:* O Diabo (46) – Expresso (160) – O Independente (80) – O Jornal (64) – Nova Gente (200) – Sábado (63) – Sete (54) – *Nachrichtenagentur:* Agência Lusa de Informação

ÜBERSEEGEBIET

MACAO Macau (chines. Magao)
(Chinesisches Territ. unter port. Verwalt.)

LANDESSTRUKTUR Fläche: 18 km² – *Einwohner:* (F 1992) 373900 = 19761 je km²; (Z 1991) 355693 – Über 90% Chinesen, rd. 12000 Portugiesen u. Mischlinge (Macaenses); 101245 Ew. mit portugies. Staatsangeh. – *Leb.-Erwart.:* 73 J. – *Kindersterbl.:* 1,3% – Jährl. *Bev.-Wachstum* (∅ 1980–91): 3,5% – *Sprachen:* Portugiesisch als Amtsspr.; Chinesisch u. Englisch als Umgangsspr. – *Religion:* 22000 Katholiken; Chinesen sind überw. Buddhisten, Daoisten bzw. Konfuzianer – *Inseln* (Z 1981): Macâo (Hptst. Santo Nome de Deus de Macão) 223581 Ew.; Taipa u. Çoloane

REGIERUNGSFORM Seit 1976 volle innere Autonomie, ab 1999 zur VR China – Konsultativrat (Conselho Consultivo) mit 10 Mitgl., davon 5 gewählt u. 5 durch Gouv. ernannt, sowie Gesetzgeb. Versammlung (Assembleia Legislativa) mit 23 Mitgl., davon 8 direkt gewählt, 7 vom Gouv. ernannt u. 8 indirekt über Verbände best.; 9 Mitgl. sind Chinesen – *Gouverneur:* Gen. Vasco Rocha Vieira, seit 20.4.1991 – *Parteien:* keine i.e.S.; letzte Wahlen zur Gesetzgeb. Versamml. im Sept. 1992: Pro-China-Kandidaten 4 der 8 Sitze

WIRTSCHAFT BIP 1991: 4138 Mio.$ = 11656$ je Ew. – *Erwerbstät.* 1991: Industrie 41%, Tourismus 12% – *Energieverbrauch* 1990: 765 kg ÖE/Ew. – *Währung:* 1 Pataca (Pat.) = 100 Avos (Avs); 1 US-$ = 7,96 Pat.; 100 Pat. = 21,21 DM; 1 HK$ = 1,03 Pat. (Hongkong-$ zusätzl. Zahlungsmittel) – *Inflation* ∅ 1990: 9,0% – *Außenhandel* 1992: Import: 15684 Mio. Pat.; Güter: v.a. Rohstoffe, Konsumgüter; Länder: 33% Hongkong, 20% VR China; *Export:* 14080 Mio. Pat.; Güter: 76% Textilien; Länder: 35% USA, 13% Hongkong, 12% BRD – *Tourismus* (1992): 6,22 Mio. Gäste (37% des BIP); 6 Spielcasinos (50% der Haushaltseinnahmen)

PUERTO RICO → **VEREINIGTE STAATEN VON AMERIKA (US-Commonwealth Territories)**

RUANDA *Ost-Afrika*
Republik Ruanda (Rwanda); Republika y'u Rwanda (y Urwanda), République Rwandaise – RWA

LANDESSTRUKTUR Fläche (145): 26338 km² – **Einwohner** (88): (Z 1991) 7148496 = 271 je km² (vorl. Ergeb.) – Ruander [Rwander]; haupts. Bantu (rd. 88% Bahutu bzw. Hutu u. verw. Stämme), 11% nilotische Watussi bzw. Tutsi, rd. 1% Pygmäen (Twa); kl. Minderh. von Europäern (meist Belgier), Indern u. a. Asiaten – **Leb.-Erwart.:** 46 J. (m45/w48); Bev.-Anteil 0–14 J.: 48,9% – **Säugl.-Sterbl.** (1983): 11,1% – **Kindersterbl.:** 22,2% – **Analph.:** 50% – Jährl. **Bev.-Wachstum** (∅ 1980–91): 3,0% (Geb.- u. Sterbeziffer 1991: 4,2%/1,7%) – **Sprachen:** Französisch u. KinyaRwanda als Amtsspr.; Ki-Suaheli z. T. Verkehrsspr. – **Religion:** 47% Katholiken; 250000 Protestanten, muslim. Minderh.; rd. 50% Anh. von Naturrel. – **Städt. Bev.:** 8% – **Städte:** Kigali (Hpst.; Z 1991) 232733 Ew.; (S 1988) Butare 43400, Ruhengeri 29000, Gisenyi 25500

STAAT Präsidialrepublik – Verfassung von 1991 – Conseil National de Développement/CND (Nationaler Entwicklungsrat) als Legislative mit 70 Mitgl., Wahl alle 5 J. – Nationalkonferenz seit April 1992 zur Vorbereitung von Parl.-Wahlen – Unterzeichnung eines Friedensvertrags zw. Reg. u. Front Patriotique Rwandais/FPR am 4. 8. 1993 zur Beendigung des 3jährigen Bürgerkriegs *(→ Chronik)* – Direktwahl d. Staatsoberh. alle 5 J. – 11 Präfekturen mit gewähltem Rat u. durch Staatsoberh. ernanntem Gouverneur – **Staatsoberhaupt:** Generalmajor Juvénal Habyarimana (MRNDD-Vors.), seit 1973, zuletzt 1988 wiedergewählt – **Regierungschefin:** Agathe Uwilingiyimana (MDR), seit 17. 7. 1993 (Übergangsreg. unter Einbeziehung von 5 Oppos.-Parteien) – **Äußeres:** Boniface Ngulinzira – **Parteien:** Letzte Wahlen zum CND von 1988: Mouvement républicain national pour la démocratie et le développement/MRNDD (ehem. Einheitspartei) alle 70 Sitze – Seit 1992 Zulassung von Oppos.-Parteien: Mouvement Social-Démocratie Républicain/MDR, Parti Social-Démocrate/PSD u. a. – *Parl.-Neuwahlen im September 1993 geplant* – **Unabh.:** 1. 7. 1962 – **Nationalfeiertage:** 1. 7. (Unabh. 1962 u. »Fest der 2. Republik«), 5. 7. (Machtergreifung Habyarimanas 1973)

WIRTSCHAFT BSP 1991: 1930 Mio. $ = 270 $ je Ew. (163); realer Zuwachs ∅ 1980–91: 0,5%; **BIP** 1991: 1579 Mio. $; realer Zuwachs ∅ 1980–91:

0,6%; Anteil 1990 **Landwirtsch.** 38%, **Industrie** 22%, **Dienstlst.** 40% – **Erwerbstät.** 1991: Landw. 91%, Ind. ca. 3% – **Energieverbrauch** 1991: 29 kg ÖE/Ew. – **Währung:** 1 Ruanda-Franc (F. Rw) = 100 Centimes; 1 US-$ = 142,91 F. Rw; 100 F. Rw = 1,18 DM – **Ausl.-Verschuld.** 1991: 845 Mio. $ = 53,7% d. BSP – **Inflation** ∅ 1980–91: 4,1% (1992: 9,5%) – **Außenhandel** 1991: **Import:** 38474 Mio. F. Rw; Güter: 17% Maschinen u. Transportausrüst., 13% Brennstoffe, 11% Nahrungsmittel; Länder: 17% Belgien/Lux., 13% Kenia, 7% Frankr., 7% BRD; **Export:** 11971 Mio. F. Rw; Güter: 60% Kaffee, 23% Tee; Länder: 21% BRD, 19% Niederl., 12% Belgien/Lux.

RUMÄNIEN *Südost-Europa*
România – RO

LANDESSTRUKTUR Fläche (79): 237500 km² – **Einwohner** (38): (Z 1992) 22760449 = 96 je km² – 89,4% Rumänen; 7,1% Magyaren (Ungarn), 1,8% Sinti u. Roma, 0,5% Deutsche (120000), 67000 Ukrainer sowie kl. Minderh. von Türken, Serben, Tataren, Slowaken, Bulgaren, Juden – **Leb.-Erwart.:** 70 J. (m67/w73); Bev.-Anteil 0–14 J.: 23,1% – **Säugl.-Sterbl.** (1990): 2,7% – **Kindersterbl.:** 3,3% – **Analph.** (1988): 2% – Jährl. **Bev.-Wachstum** (∅1980–91): 0,4% (Geb.- u. Sterbeziffer 1991: 1,4%/1,1%) – **Sprachen:** Rumänisch als Amtsspr.; Sprachen der Minderh., u. a. Ungarisch, Deutsch, Serbisch, Ukrainisch, Armenisch, Jiddisch – **Religion:** 87% Rumän.-Orthodoxe, 5% röm. Katholiken, 3,5% Anh. der Reformierten Kirche, 1% Griech.-Orthodoxe, 0,5% Baptisten; 55000 Muslime, 18000 Juden – **Städt. Bev.:** 53% – **Städte** (Z 1992): Bucureşti [Bukarest] (Hpst.) 2064474 Ew. (A 2,35 Mio.); Braşov [Kronstadt] 323835, Constanţa [Konstanza] 350476, Timişoara [Temeschburg] 334278, Iaşi 342994, Galaţi [Galatz] 325788, Cluj-Napoca [Klausenburg] 328008, Craiova 303520, Brăila 234706, Ploieçti 252073, Oradea [Großwardein] 220848, Bacău 204495, Arad 190088, Piteşti 179479, Sibiu [Hermannstadt] 169696, Tîrgu Mureş 163625, Baia Mare 148815, Buzău 148247, Satu Mare 131859

STAAT Republik – Verfassung von 1991 – Parlament (Marea Adunare Naţională) aus 2 Kammern: Deputiertenversammlung mit 341 u. Senat mit 143 Mitgl.; Wahl alle 4 J. – Staatsoberh. darf keiner Partei angehören; Direktwahl alle 4 J., einmalige Wiederwahl – Allg. Wahlrecht ab 18 J. – 40 Kreise (Judets) u. Municipium Bukarest – **Staatsoberhaupt:** Ion Iliescu (FDSN-Vors.), seit 20. 5. 1990 (in Direktwahlen am 11. 10. 1992 mit 61,4% d. Stimmen im

Amt bestätigt) – **Regierungschef:** Nicolae Văcăroiu (parteilos), seit 4. 11. 1992; Koalition aus DFNR u. Unabh. – **Äußeres:** Teodor Viorel Meleşcanu – **Parteien:** Wahlen vom 27. 9. 1992 (Kandidatur von 83 polit. Parteien u. Gruppierungen, Wahlbeteiligung 76,3%, 3%-Klausel): Deputiertenversammlung: Demokrat. Front zur Nationalen Rettung/FDSN (Partei der sozialen Demokratie seit 10. 7. 1993) 27,7% d. Stimmen u. 117 Sitze, Demokrat. Konvention/CD (Bündnis aus 17 Parteien u. Verbänden, dar. die wichtigsten bürgerl. Vorkriegsparteien) insg. 20% u. 82 (77), Front zur nationalen Rettung/FSN (Demokrat. Partei:Front zur nat. Rettung seit 29. 5. 1993) 10,2% u. 43 (263), Partei der Nationalen Einheit der Rumänen/PUNR 7,7% u. 30 (9), Demokrat. Verband der Ungarn Rumäniens/RMDSZ 7,5% u. 28 (29 im CD-Bündnis), Groß-Rumänien-Partei/ PRM 3,9% u. 16, Sozialist. Partei der Arbeit (KP-Nachfolgerin) 3% u. 13, Sonstige 12 (38) – Senat: FDSN 28,3% u. 49, CD 20,1% u. 34 (1990: 23), FSN 10,4% u. 18 (91), PUNR 8,1% u. 14 (2), RMDSZ 7,6% u. 12 (12 im CD-Bündnis), PRM 3,9% u. 6, Dem. Agrarpartei/PDAR 3,3% u. 5, Sozialist. Partei der Arbeit 3,2% u. 5 – **Unabh.:** erste eigene Staatsbildung (Moldau, Walachei) im 14. Jh.; Anerkennung d. Unabh. am 13. 7. 1878 (Berliner Konferenz) durch d. Osmanische Reich – **Nationalfeiertag:** 1. 12. (Große Vereinigung 1918)

WIRTSCHAFT *(Übersicht → Tab. Sp. 567 u. 659)* BSP 1991: 31 079 Mio. $ = 1390 $ je Ew. (95); realer Zuwachs ⊘ 1980–91: 0,3; **BIP** 1991: 27 619 Mio. $; realer Zuwachs ⊘ 1980–91: 0,1% (1992: –15,4%); Anteil 1991 **Landwirtsch.** 19%, **Industrie**

49%, **Dienstlst.** 33% – 1991/92: Rückgang der Brutto-Industrieprod. um 22,1%, der Brutto-Agrarprod. um 9,2%, des Realeink. um 15% – **Erwerbstät.** 1991: Landw. 29%, Ind. 35% – **Arbeitslosigkeit** Ende 1992: 9,4% – **Energieverbrauch** 1991: 3048 kg ÖE/Ew. – **Währung:** 1 Leu (l) = 100 Bani; 1 US-$ = 735,00 l; 100 l = 0,229 DM – **Ausl.-Verschuld.** 1991: 1913 Mio. $ = 6,9% d. BSP *(→ Tab. unten)* – **Inflation** ⊘ 1980–91: 6,2% (1992: 210,4%) – **Außenhandel** 1992: Import: 5370 Mio. $; Güter (Jan.–Okt.): 29% Brennstoffe 8% Nahrungsmittel, 6% industr. Rohstoffe, 4% chem. u. petrochem. Prod., 3% Konsumgüter, 1% Maschinenbauausrüst.; Länder (Jan.–Okt.): 11% BRD, 10% Rußland, 6% Italien, 5% Frankr., 4% Großbrit., 4% VR China, 3% Österreich, 3% Niederl.; **Export:** 4018,6 Mio. $; Güter (Jan.–Okt.): 18% chem. u. petrochem. Prod., 16% Maschinenbauausrüst., 11% Stahl- u. Eisenprod., 7% Möbel, 6% Textilien u. Lederwaren, 4% Baumaterialien; Länder (Jan.–Okt.): 13% BRD, 9% Rußland, 8% Italien, 6% Frankr., 6% Iran, 6% Großbrit., 5% Österreich, 4% USA, 3% Ex-ČSFR

RUSSLAND
Russische Föderation; Rossijskaja Federacija – Rossija – R

LANDESSTRUKTUR Fläche (1): 17 075 400 km² (inkl. d. Exklave Kaliningrad [dt.: Königsberg]) – **Einwohner** (5): (F 1991) 148 700 000 = 9 je km²; (Z 1989) 147 400 537 – 82,6% Russen (120 Mio.)

Verschuldung von Ost- und Mitteleuropa sowie Hilfszusagen

| | Verschuldung in Mrd. $ | | Hilfszusagen in Mio. ECU[1] | | | | |
	1991	1992	EG	USA	Übrige Länder der G-24[2]	Multilat.Org.[3]	Gesamt
Albanien	0,6	0,6	570	57	67	34	727
Bulgarien	11,4	12,9	846	76	276	930	2128
Ehem. Jugoslawien	18,0	20,5	2127	59	87	939	3212
Polen	48,4	45,5	6595	3473	3810	4297	18175
Rumänien.	1,6	2,9	1604	107	337	2127	4175
Ehem. Tschechoslowakei . . .	9,4	10,0	2455	108	730	1790	5082
Ehem. UdSSR	70,8	80,0	52416	6837	5708	1314	71821[4]
Ungarn	22,7	22,4	3681	199	1144	2863	7888
Gesamt	*182,9*	*194,8*	*73459*	*11185*	*14269*	*14327*	*118785[5]*

Quelle: WIFO, Hilfszusagen: Economic Survey of Europe 1992/93
[1] Anfang 1990 bis 2. Quartal 1992, ausgenommen ehem. UdSSR (bis Nov. 1992)
[2] EFTA-Länder, Australien, Kanada, Japan, Neuseeland, Türkei
[3] Europ. Bank für Wiederaufbau u. Entwicklung; IWF, Weltbanken
[4] einschl. Hilfszusagen dritter Länder
[5] Alle Gesamtangaben inkl. Regionalhilfe, d.h. nicht länderweise spezifizierte Hilfe sowie inkl. Hilfszusagen für die Baltischen Staaten

[Russkij]; insg. mehr als 100 Nationalitäten u. Völker; (Z 1989) 3,8% (5,5 Mio.) Tataren, 3,0% (4,3 Mio.) Ukrainer; (Z 1979) 1,2% (1,8 Mio.) Tschuwaschen, 1% Dagestaner, 0,9% (1,3 Mio.) Baschkiren, 8% andere, u.a. Weißrussen, Mordwiner, Aseri, Karelier, Kasachen, Usbeken, Komi, Nenzen, Chanten, Mansen, Jamolo-Nenzen, Taymir, Ewenken, Tuwinen, Burjaten, Jakuten, Tschuktschen, Korjaken (→ *Autonome Republiken)*; Exklave Kaliningrad: 871 000 Ew. – rd. 25 Mio. Russen leben in den übrigen Ex-Sowjetrep. – **Leb.-Erwart.:** 69 J. (m64/w74); Bev.-Anteil 0–14 J.: 23,2% – **Säugl.-Sterbl.:** 2,0% – **Kindersterbl.:** 2,5% – **Analph.:** k. Ang. – Jährl. **Bev.-Wachstum** (∅ 1980–91): 0,6% (Geb.- u. Sterbeziffer 1991: 1,2%/1,1%) – **Sprachen:** Russisch als Amtsspr.; über 100 Sprachen der Minderh. – **Religion:** mehrheitl. Russ.-Orthodoxe – **Städt. Bev.:** 74% – **Städte** (Z 1989): Moskau (Hptst.) 8 967 000 Ew.; St. Petersburg (ehem. Leningrad) 5 020 000, Nishni Nowgorod (ehem. Gorki) 1 438 000, Nowosibirsk 1 436 000, Jekaterinburg (ehem. Swerdlowsk) 1 367 000, Samara (ehem. Kujbyschew) 1 257 000, Omsk 1 148 000, Tscheljabinsk 1 143 000, Kasan 1 100 000, Ufa 1 100 000, Perm 1 091 000, Rostow am Don 1 090 000, Zarizyn (ehem. Wolgograd) 999 000, Krasnojarsk 912 000, Saratow 905 000, Wladiwostok 648 000

STAAT (→ *Chronik)* Präsidialrepublik seit 22. 5. 1991 – Föderation mit bundesstaatlichem Charakter (lt. Föderationsvertrag vom 31. 3. 1992) – Verfassung von 1977 in Kraft, Ergänzungen 1990 u. 1993; neue Verfassung in Ausarbeitung – Derzeit Direktwahl d. Staatsoberh. alle 5 J. – Parlament (Volksdeputiertenkongreß/VDK) als höchstes Legislativorgan mit 1068 Mitgl. (Vors. Ruslan J. Chasbulatow) – Oberster Sowjet (sog. Arbeitsparl. mit Legislativ- u. Kontrollfunktionen) mit 252 Mitgl., gewählt aus d. Reihen d. VDK – Neues Bundesparlament aus 2 Kammern (Staatsduma u. Föderationsrat) vorgesehen – Allg. Wahlrecht ab 18 J. – 6 Territorien (Kraj), 49 Regionen (Oblast), 10 Aut. Distrikte (Okrug), 2 Bundesstädte Moskau u. St. Petersburg sowie als Exklave d. Verwaltungsgebiet Kaliningrad; 10 Wirtschaftsregionen – Zum Territorium gehören 21 Autonome Republiken (→ *unten)* sowie 1 Autonomes Gebiet (Birobidschanisches Jüdisches Aut. Gebiet mit 36 000 km^2 u. 216 000 Ew. [Z 1989]) mit weitgehender administrativer Autonomie) – **Staatsoberhaupt:** Boris N. Jelzin, seit 29. 5. 1990 (in Direktwahl am 12. 6. 1991 im Amt bestätigt) – **Regierungschef:** Wiktor Stepanowitsch Tschernomyrdin, seit 17. 12. 1992 – **Äußeres:** Andrej Kosyrjew – **Parteien:** Letzte Wahl des Volksdeputiertenkongresses/ VDK am 4./18. 3. 1990 *(Aufteilung* → *Abbildung)* – **Unabh.:** 1918 Proklamation d. Russischen Sozialistischen Föderativen Sowjetrepublik (RSFSR); Zusammenschluß d. RSFSR mit den and. Sowjet. Rep. zur UdSSR am 30. 12. 1922; Souveränitätserklärung Rußlands am 12. 4. 1990,

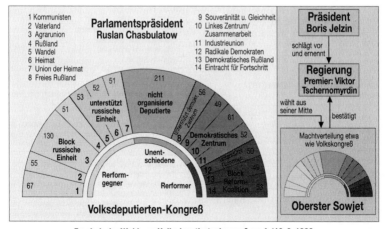

Ergebnis der Wahl zum Volksdeputiertenkongreß am 4./18. 3. 1990

keine Unabh.-Erkl. (Rechtsnachfolge d. UdSSR) – **Nationalfeiertag:** 12. 6. (»Tag des Freien Rußlands«), 9. 5. (»Tag des Sieges über den Faschismus« 1945), 7./8. 11.

WIRTSCHAFT *(Entwicklung → Tab. Sp. 475 u. sowie weitere Einzelheiten → Kap. Wirtschaft, Sp. 905)* **BSP** 1991: 479546 Mio.$ = 3220 $ je Ew. (52); **BIP** (Nettomaterialprodukt) 1992 (S): 73200 Mio.$; realer Zuwachs 1991/92: –20,2%; Anteil 1991 **Landwirtsch.** 13%, **Industrie** 48%, **Dienstlst.** 39% – 1991/92: Rückgang der Brutto-Industrieprod. um 18,8%, der Brutto-Agrarprod. um 8% – **Erwerbstät.** 1990: Landw. 13%, Ind. 31% – Bev.-Anteil mit Monatseink. unter d. **Armutsgrenze** (1991): 31% – **Arbeitslosigkeit** 4/1993: 1,3% (1 Mio. Pers. registriert); »verdeckte« A.: rd. 1,5 Mio. – **Währung:** 1 Rubel (Rbl) = 100 Kopeken; Marktkurs der Zentralbank: 1 US-$ = 1060,00 Rbl; 100 Rbl = 0,159 DM – **Ausl.-Verschuld.** Ende 1992: 80000 Mio.$ (dar. 48700 Mio.$ Altschulden der Ex-UdSSR); *(→ Tab. Sp. 575)* – **Inflation** ⊘ 1992 (Konsumentenpreise): 2540% – **Außenhandel** 1992 (Umsatzrückgang 1991/92 um 23%: Industriestaaten –17%, Ex-RGW –43%, Entwicklungsländer –27%); **Import:** 35000 Mio.$ (Rückgang 1991/92 um 22%); Güter (1990): 41% Maschinen u. Ausrüst., 18% industr. Gebrauchsgüter, 9% agrar. Rohstoffe, 7% Brennstoffe, mineral. Rohstoffe u. Metalle, 6% Nahrungs- u. Genußmittel; Länder (Jan.–Sept.): 19% BRD, 8% Italien, 8% USA, 5% Japan, 5% VR China, 4% Frankr.; **Export:** 38100 Mio.$ (Rückgang 1991/92 um 26%); Güter (1990): 51% Brennstoffe, mineral. Rohstoffe u. Metalle, 18% Maschinen u. Ausrüst., 4% industr. Gebrauchsgüter, 4% chem. Prod., Düngemittel u. Kautschuk; Länder (Jan.–Sept.): 15% BRD, 7% Ex-ČSFR, 7% Italien, 6% Niederl., 6% VR China, 6% Großbrit. (westl. Staaten insg. rd. 60%, Ex-COMECON 18%)

Der Ressourcenfluß an Rußland 1992
(Angaben in Mrd. $)

	Schätzung IMF	Schätzung IIF	Geplantes G-7-Paket
Schenkungen	1,6	1,6	–
Kredite	12,5	8,0	11,0
IMF	1,0	1,0	3,0
Weltbank	–	0,1	1,5
Zahlungsrückstände . .	6,8	6,8	–
Umgeschuldete Rückzahlungen	7,1	8,8	2,5
Stabilisierungsfonds . .	–	–	6,0
Gesamt	*29,0*	*26,3*	*24,0*

PRESSE (Aufl. i. Tsd.) *Tageszeitungen:* Moskau: Argumenti i Fakti (12500) – Iswestija (2000) – Komsomolskaja Prawda (600) – Moskovskije Komsomolets (1400) – Prawda (610) – Rabotschaja Tribuna (210) – Rossiskaja Gazeta (768) – Selskaja Zhizn (1350) – Sowjetskaja Rossija (580) – Trud (3059) – St. Petersburg: Sankt-Petersburgskije Wedomosti (350) – *Wochenzeitungen:* Ekonomika i Zhizn (600) – Moskovskije Novosti (720) – *Nachrichtenagenturen:* ITAR-TASS (Informations-Telegraphen-Agentur Rußlands) – Interfax (unabh.) – Postfactum (unabh.) – RIA-Novosti (Russ. Informationsagentur Novosti)

Autonome Republiken

Eigene Verfassung u. Gesetzgebung – Wahl des Parlaments (Oberster Sowjet) alle 2,5 J., ernennt Ministerrat (Regierung) sowie Präsidium (teilw. Änderung des Wahlrechts seit 1992) – Bis auf die Rep. Tatarstan u. die Rep. Tschetschenien haben alle den Föderationsvertrag vom 31. 3. 1992 mit Rußland unterzeichnet

(Fortsetzung → Sp. 583)

G-7-Hilfsprogramm für Rußland 1993
(Angaben in Mrd. $)[1]

		Gesamt
Anfängliche Stabilisierungshilfe		4,1
– IWF System-Umwandlungsfazilität (STF)	3,0	
– Weltbank-Importförderung[2]	1,1	
Volles Stabilisierungsprogramm		10,1
– IWF-Beistandskredit[3]	4,1	
– IWF Wechselkurs Stabilisierung[4] . . .	6,0	
Strukturreform und notwendige Importe .		14,2
– Weltbank Kreditzusagen[2]	3,4	
– Kredit für Erdölsektor[5]	0,5	
– EBRD-Fonds für Kleinunternehmen . . .	0,3	
– Exportkredite und -garantien[6]	10,0	
Umschuldung im Pariser Club		15,0
– Öffentliche Schuld	15,0	
Gesamt		*43,4*

[1] Einige Programme des IWF u. der Weltbank haben mehrjährige Laufzeiten
[2] Kreditzusagen für 15 Monate
[3] zugesagt durch die Zentralbanken der Zehnergruppe im Rahmen der Allgemeinen Kreditvereinbarung (AKV) Mitte 1992, aufgrund unzureichender Reformen nicht aktiviert; verwaltet durch IWF
[4] zugesagt Mitte 1992, aufgrund unzureichender Reformen nicht ausgezahlt
[5] Kofinanzierungsteil (aufgebracht durch private Gläubiger) zu einem Erdölsektor-Kredit der Weltbank
[6] zum Teil Mitte 1992 zugesagte, aber nie beanspruchte bilaterale Kredite und Garantien; Zusammensetzung der Gesamtsumme noch offen
Quelle: FAZ/NZZ 17.4.1993

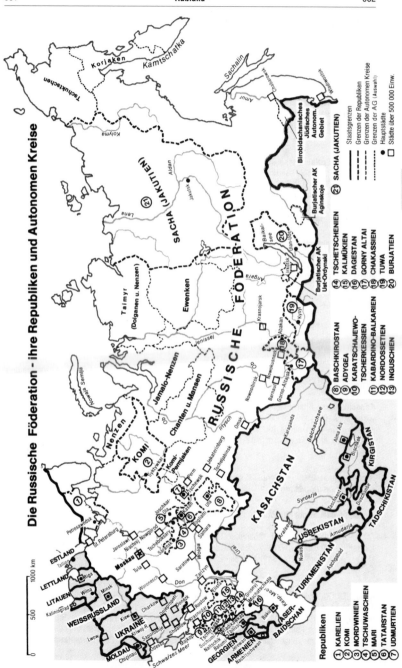

Die Russische Föderation – ihre Republiken und Autonomen Kreise

Republiken

① KARELIEN
② KOMI
③ MORDWINIEN
④ TSCHUWASCHIEN
⑤ MARI
⑥ TATARSTAN
⑦ UDMURTIEN

⑧ BASCHKIROSTAN
⑨ ADYGEA
⑩ KARATSCHAJEWO-
    TSCHERKESSIEN
⑪ KABARDINO-BALKARIEN
⑫ NORDOSSETIEN
⑬ INGUSCHIEN

⑭ TSCHETSCHENIEN
⑮ KALMÜKIEN
⑯ DAGESTAN
⑰ GORNY ALTAI
⑱ CHAKASSIEN
⑲ TUWA
⑳ BURJATIEN

㉑ SACHA (JAKUTIEN)

Burjatischer AK
Ust-Ordynski

Burjatischer AK
Aginakoje

Staatsgrenzen
Grenzen der Republiken
Grenzen der Autonomen Kreise
Grenzen der AG (Auswahl)
● Hauptstädte
□ Städte über 500 000 Einw.

Republik Adygea *Fläche* 7600 km^2 – *Einwohner:* (Z 1989) 432 000 – Adygeer; 285 600 Russen – *Religion:* sunnit. Muslime (Adygeer) – *Hauptstadt* (Z 1989): Majkop 149 000 Ew.

Republik Baschkortostan *Fläche* 143 600 km^2 – *Einwohner:* (F 1990) 3 964 000 = 28 je km^2; (Z 1989) 3 952 000 – 1,5 Mio. Russen, 1,1 Mio. Tataren, 800 000 Baschkiren – *Religion:* sunnit. Muslime (Tataren) – *Hauptstadt* (Z 1989): Ufa 1 083 000 Ew.

Burjatische Sozialistische Sowjetrepublik (ASSR Burjatien) *Fläche* 351 300 km^2 – *Einwohner:* (F 1990) 1 049 000 = 3 je km^2; (Z 1989) 1 042 000 – 700 000 Russen, 250 000 Burjaten – *Religion:* Lamaismus, Schamanismus (Burjaten) – *Hauptstadt* (Z 1989): Ulan-Ude 353 000 Ew.

Republik Chakassien *Fläche* 61 900 km^2 – *Einwohner:* (Z 1989) 569 000 – 63 000 Chakassen; 450 000 Russen – *Religion:* Orthod. Christen, Animisten – *Hauptstadt* (Z 1989): Abakan 154 000 Ew.

Republik Dagestan *Fläche* 50 300 km^2 – *Einwohner:* (F 1990) 1 823 000 = 23 je km^2; (Z 1989) 1 792 000 – rd. 500 000 Awaren, 280 000 Dagestaner (Darginer), 230 000 Kalmyken (Kalmücken), 165 000 Russen, 150 000 Lesgier u. a. (insg. rd. 40 versch. ethnische Gruppen) – *Sprachen:* Arabisch, Russisch u. a. – *Religion:* überw. Muslime – *Hauptstadt* (Z 1989): Machatschkala 315 000 Ew.

Republik Gorny-Altai *Fläche* 92 600 km^2 – *Einwohner:* (Z 1989) 192 000 – 60 000 Altaier; 108 000 Russen – *Religion:* sunnit. Muslime, orthod. Christen, Lamaisten – *Hauptstadt* (Z 1976): Gorno-Altajsk 40 000 Ew.

Republik **Inguschien** → *Republik der Tschetschenen und Inguschen*

Kabardino-Balkarische Republik *Fläche* 12 500 km^2 – *Einwohner:* (F 1990) 768 000 = 62 je km^2; (Z 1989) 760 000 – 360 000 Kabardiner, 240 000 Russen, 70 000 Balkaren – *Religion:* überw. sunnit. Muslime – *Hauptstadt* (Z 1989): Naltschik 235 000 Ew.

Republik Kalmykien (Kalmückien; Chalm-Tangsch) *Fläche* 75 900 km^2 – *Einwohner:* (F 1990) 325 000 = 4 je km^2; (Z 1989) 322 000 – 146 000 Kalmyken (Kalmücken), 120 000 Russen – *Religion:* lamaist. Buddhismus (Kalmyken) –

Hauptstadt (Z 1989): Elista 120 000 Ew. – *Präs.:* Kirsan Iljumschinow, seit 11. 4. 1993 (erste Direktwahl)

Republik Karatschajewo-Tscherkessien *Fläche* 14 100 km^2 – *Einwohner:* (Z 1989) 418 000 – 40 000 Tscherkessen u. 130 000 Karatschaier; 165 000 Russen – *Religion:* sunnit. Muslime – *Hauptstadt* (Z 1989) : Tscherkessk 113 000 Ew.

Republik Karelien *Fläche* 172 400 km^2 – *Einwohner:* (F 1990) 796 000 = 5 je km^2; (Z 1989) 792 000 – 580 000 Russen, 80 000 Karelier – *Religion:* orthod. Christen – *Hauptstadt* (Z 1989): Petrosawodsk 270 000 Ew.

Sozialistische Sowjetrepublik der Komi (ASSR Komi) *Fläche* 415 900 km^2 – *Einwohner:* (F 1990): 1 265 000 = 3 je km^2; (Z 1989) 1 263 000 – 720 000 Russen, 290 000 Komi, Komi-Permjaken – *Religion:* orthod. Christen, Animisten – *Hauptstadt* (Z 1989): Syktywkar 233 000 Ew.

Republik der Mari (Mari-El) *Fläche* 23 200 km^2 – *Einwohner:* (F 1990) 754 000 = 33 je km^2; (Z 1989) 750 000 – 355 000 Russen (47 %), 324 000 Mari [Marijcy] (43 %) – rd. 600 000 Mari leben in Baschkirostan u. Tatarstan – *Religion:* orthod. Christen, Schamanisten – *Hauptstadt* (Z 1989): Joschkar-Ola 242 000 Ew.

Mordwinische Sozialistische Sowjetrepublik (ASSR Mordwinien) *Fläche* 26 200 km^2 – *Einwohner:* (F 1990): 964 000 = 37 je km^2; (Z 1989) 964 000 – 586 000 Russen, 313 000 Mordwinen – *Religion:* orthod. Christen – *Hauptstadt* (Z 1989): Saransk 312 000 Ew.

Nordossetische Sozialistische Sowjetrepublik (ASSR Nordossetien) *Fläche* 8000 km^2 – *Einwohner:* (F 1990) 638 000 = 80 je km^2; (Z 1989): 634 000 – (F 1991): 52 % Nord-Osseten, 39 % Russen; Inguschen, Georgier, Armenier – *Religion:* überw. Muslime, orthod. Christen – *Hauptstadt* (Z 1989): Wladikawkas (ehem. Ordshonikidse) 300 000 Ew. – Einsetzung einer Notstandsreg. durch Rußland am 2. 11. 1992, die auch für das Gebiet Inguschien zuständig ist

Republik Sacha (ehem. Jakutien) *Fläche* 3 103 200 km^2 – *Einwohner:* (F 1990) 1 099 000 = 0,4 je km^2; (Z 1989) 1 081 000 – 550 000 Russen, 365 000 Jakuten – *Religion:* Orthod. Christen, Schamanisten – Präs. Michail J. Nikolajew – *Hauptstadt* (Z 1989): Jakutsk 187 000 Ew.

(Fortsetzung → Sp. 587)

Rußland: Umweltdaten

Gegenstand der Nachweisung	Einheit	1980	1985	1988	1989	1990
Nutzung land- und forstwirtschaftlicher Flächen für sachfremde Zwecke[1]	1 000 ha	.	1 208,5	1 179,6	1 162,4	1 154,1
Rekultivierte Flächen	1 000 ha	74	95	103	107	110
Angepflanzte Schutzstreifen zur Verhinderung von Bodenerosionen	1 000 ha	41	36	36	36	30
Waldfläche	Mio. ha	749,5[a]	766,6[b]	771,1	.	.
Staatliche Aufforstungen und Waldpflege	1 000 ha	1 862	1 875	1 903	1 877	1 831
dar.: Waldpflanzung und Saat	1 000 ha	.	719	718	599	566
Neuanpflanzungen in Staatswäldern	1 000 ha	.	1 471	1 503	1 231	1 418
Vor Schädlingen und Krankheiten geschützte Waldfläche[2]	1 000 ha	387	472	464	511	465
Vor Bränden durch Kontrollflüge geschützte Waldflächen und Rentierweiden	Mio. ha	877	901	905	901	913
Waldbrände Anzahl	1 000	.	11,7	19,1	21,9	17,7[c]
Vernichtete Waldfläche	1 000 ha	.	489,1	787,2	1 628,0	1 366,3[d]
Verluste	Mio. Rbl	.	33,6	88,7	201,8	111,6
Naturschutzgebiete[3]	Anzahl	46	56	64	69	70
	1 000 ha	8 064	14 192	16 191	16 715	18 674
Nationalparks[3]	Anzahl	.	4	9	11	11
	1 000 ha	.	306	1 250	1 960	1 960
Wassergewinnung	Mrd. m³	.	106,5	105,8	117,3	116,1
Verbrauch von Frischwasser	Mrd. m³	.	102,2	94,8	96,4	96,2
Ableitung von verschmutztem Abwasser	Mrd. m³	.	12,0	23,3	27,1	27,8
Rückhaltung von Luftschadstoffen aus Stationären Anlagen	Mio. t	.	123,6	122,2	122,0	116,9
Staatliche Investitionen für den Umweltschutz	Mio. Rbl	.	1 504	.	.	1 939
dar.: Gewässerschutz	Mio. Rbl	.	1 036	.	.	1 275
Luftreinhaltung	Mio. Rbl	.	168	.	.	285
Schutz und effizientere Nutzung des Bodens	Mio. Rbl	.	106	.	.	251

[1] Stand: Jahresende – [2] Durch Anwendung biologischer Methoden. Einschl. der Wälder der Kolchosen unnd Sowchosen (1990 = 15 000 ha) – [3] Die Fläche der Naturschutzgebiete und Nationalparks beträgt ca. 1 % der Gesamtfläche der Russischen Föderation – [a] 1978 – [b] 1983 – [c] 1991 = 18 000 – [d] 1991 = 1,13 Mio. ha.
Quelle: Statistisches Bundesamt, Länderbericht Russische Föderation 1993.

Republik Tatarstan *Fläche* 68 000 km² – *Einwohner:* (F 1990) 3 658 000 = 54 je km²; (Z 1989) 3 640 000 – 1 700 000 Tataren (48 %), 1 500 000 Russen (43 %); (F 1989) 1 536 000 sog. Wolga-Tataren, Astrachan-Tataren sowie Krim-Tataren – *Religion:* sunnit. Muslime (Tataren) – *Hauptstadt* (Z 1989): Kasan 1 094 000 Ew. – Parlament (Kuruktai) mit *Präs.:* Mintimer Schaimijew – Unabh.-Erkl. am 21. 3. 1992; hat den Föderationsvertrag nicht unterzeichnet

Republik Tschetschenien
Republik Inguschien
(→ *Chronik*) *Fläche* 19 300 km² – *Einwohner:* (F 1990) 1 290 000 = 67 je km²; (Z 1989) 1 277 000 – 730 000 Tschetschenen, 290 000 Russen, 163 000 Inguschen – *Religion:* sunnit. Muslime (Tschetschenen) – *Hauptstädte* (Z 1989): Grozny (Tschetschenien) 401 000 Ew.; Nasran (Inguschien) – *Tschetschenien:* Souveränitätserklärung am 1. 11. 1991, eigene Verfassung seit 12. 3. 1992; hat den Föderationsvertrag nicht unterzeichnet – *Staatsführung:* Präs. Gen. Dschochar Dudajew, seit 9. 11. 1991 (Direktwahl); *Reg.-Chef:* Mahirbek Mugadajew, seit 17. 4. 1993 – *Inguschien:* Gesetz über die Gründung der Republik Inguschien am 16. 6. 1992 durch russ. Parl. verabschiedet; Mitglied der Russ. Föderation – Eigene *Exekutive:* Präs. Ruslan Auschew, seit 28. 2. 1993 (Direktwahl)

Republik Tschuwaschien *Fläche* 18 300 km² – *Einwohner:* (F 1990) 1 340 000 = 73 je km²; (Z 1989) 1 336 000 – 900 000 Tschuwaschen, 357 000 Russen – *Religion:* orthod. Christen – *Hauptstadt* (Z 1989): Tscheboksary 420 000 Ew.

Republik Tuwa *Fläche* 170 500 km² – *Einwohner:* (F 1990) 314 000 = 2 je km²; (Z 1989) 309 000 – 200 000 Tuwiner (Turko-Tataren), 98 000 Russen – *Religion:* Buddhisten (Tuwiner) – *Hauptstadt* (Z 1989): Kysyl 153 000 Ew.

Republik Udmurtien *Fläche* 42 100 km² – *Einwohner:* (F 1990) 1 619 000 = 39 je km²; (Z 1989) 1 609 000 – 945 000 Russen, 500 000 Udmurten (Wotjaken), 110 000 Tataren – *Religion:* orthod. Christen, Schamanisten – *Hauptstadt* (Z 1989): Ishewsk (ehem. Ustinov) 635 000 Ew.

SAHARA, Demokratische Arabische Republik *Nordwest-Afrika*

Demokratische Arabische Republik Sahara; Al-Jumhûrîya As-Sahrâwîya Ad-Dîmûqrâtîya Al-'Arabiya; UN-Bezeichnung: Westsahara – DARS

LANDESSTRUKTUR Fläche (75): 266 000 km² **– Einwohner** (170): (F 1990) 197 000 = < 1 je km²; nach and. Ang. 230 000–300 000 Ew., von denen

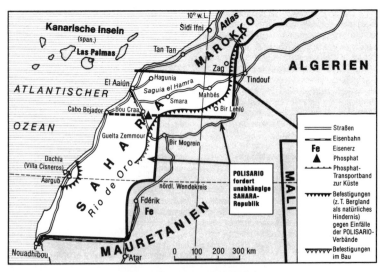

Demokratische Arabische Republik Sahara

165 000 in Flüchtlingslagern leben; (Z 1982) 163 868 – Saharauís [Sahraouis], überw. berberischer Abkunft, z. T. berberisch-arab. Mischbevölk.; teilw. nomadisch lebende Stämme: Erguibat, Arosien, Ulad-Delim, Alt-Lahsen, Izasguien; europ. Minderh. (Spanier, Franzosen); bis Anf. 1993 wurden rd. 120 000 Marokkaner mit angebl. saharauischer Herkunft auf dem Territorium angesiedelt – Jährl. **Bev.-Wachstum** (∅ 1980–86): 2,8 % – **Sprachen:** Spanisch, Arabisch, Weskos (kreol. Spr.), Berberisch u. »Hasania« – **Religion:** nahezu 100 % Muslime (Sunniten) – **Distrikte** (F 1990): Al-Aioun [Lâayoun] (Hptst.-Distrikt) 139 000 Ew., Oued ed-Daheb 26 000, As-Smara 24 000, Boujdour 10 000

STAAT Republik; von 30 OAU-Staaten anerkannt (Mitgl. der OAU seit 1982) u. über 70 Staaten weltweit – 7 köpfiges Exekutivkomitee sowie Nationalrat mit 45 Mitgl. – Sitz der Exilregierung in Algier/Algerien – **Staatsoberhaupt:** Gen.-Sekr. des Frente POLISARIO, Mohammed Abdel Aziz [Abdelasis], seit Okt. 1982 – **Regierungschef:** Mahfoud Ali Beiba – **Äußeres:** Mohammed Salem Ould Salek – **Parteien:** Frente Popular de Liberación de Seguía el-Hamra y Río de Oro (»Volksfront für die Befreiung von Saquet al Hamra u. Rio de Oro«)/Frente POLISARIO – **Unabh.:** 28. 2. 1976 von »Volkskonferenz« ausgerufen, seit 1979 v. Marokko annektiert – Referendum über Unabhängigkeit unter UN-Aufsicht bis Ende 1993 geplant (Ermittlung der Wahlberechtigten umstritten)

WIRTSCHAFT (keine Angaben verfügbar)

Saint Kitts und Nevis, Saint Lucia, Saint Vincent und die Grenadinen → unter »St.«

SALOMONEN Ozeanien
Salomoninseln; Salomon-Inseln, Solomon Islands

LANDESSTRUKTUR Fläche (140): 28 896 km² (ohne Bougainville u. Buka → Papua-Neuguinea) – **Einwohner** (164): (F 1991) 325 000 = 12 je km²; (Z 1986) 285 176 – Salomoner; 94 % Melanesier, 4 % Polynesier; außerd. Mikronesier, Europäer u. Chinesen – **Leb.-Erwart.:** 65 J. – **Kindersterbl.:** 6,6 % – **Analph.:** k. Ang. – Jährl. **Bev.-Wachstum** (∅ 1980–91): 3,0 % (Geburtenziffer 1990: 6,5 %) – **Sprachen:** Englisch als Amtsspr.; Pidgin-Englisch (Neo-Salomonian) verbreitet, rd. 80 melanes. u. polynes. Idiome – **Religion:** über 95 % Christen, dar. 34 % Anglikaner, 19 % Katholiken, 17 % South Sea Evangelical Church, 21 % and. Protestanten; ferner autochthone Kulte (u. a. Cargo-Kult) – **Städt. Bev.:**

rd. 16 % – **Städte** (F 1990): Honiara (Hptst., auf der größten Insel Guadalcanal)) 35 288 Ew.; Auki, Gizo

STAAT Konstitutionelle Monarchie im Commonwealth – Verfassung von 1978 – Nationalparlament mit 47 Mitgl., Wahl alle 4 J. – Allg. Wahlrecht – 4 Distrikte mit 9 direkt gewählten Regionalräten – **Staatsoberhaupt:** Königin Elizabeth II., vertreten durch einheim. Generalgouverneur Sir George Gerea Dennis Lepping, seit 1988 – **Regierungschef:** Francis Billy Hilly, seit 18. 6. 1993 – **Äußeres:** Job Tausinga – **Parteien:** Wahlen vom 26. 5. 1993: Group for National Unity and Reconciliation 21 Sitze (1989: 0 von 38), People's Alliance Party/PAP 7 (13), National Action Party 5 (0), United Party/SIUPA 4 (6), Labour Party 4 (2), Unabh. 6 (9), Sonstige 0 (8) – **Unabh.:** 7. 7. 1978 – **Nationalfeiertage:** 7. 7. u. 1. 10. (Solomon Islands Day)

WIRTSCHAFT BSP 1991: 184 Mio. $ = 690 $ je Ew. (126); realer Zuwachs ∅ 1980–91: 6,7 %; **BIP** realer Zuwachs ∅ 1980–85: 4,0 % (1990: +5,2 %); Anteil 1989 **Landwirtsch.** ca. 70 %, **Industrie** ca. 5 % – **Erwerbstät.** 1990: Landw. 90 %, Ind. ca. 5 % – **Energieverbrauch:** k. Ang. – **Währung:** 1 Salomonen-Dollar (SI$) = 100 Cents (¢); 100 SI$ = 31,51 US-$ = 53,69 DM – **Ausl.-Verschuld.** 1991: 99,3 Mio. $ – **Inflation** ∅ 1980–91: 12,4 % – **Außenhandel** 1990: **Import:** 240,8 Mio. SI$; Güter (1989): 37 % Maschinen u. Transportausrüst., 18 % verarb. Waren, 14 % Nahrungsmittel, 10 % Brennstoffe; Länder: 26 % Australien, 16 % Japan, 7 % Singapur; **Export:** 178,1 Mio. SI$; Güter (1989): 38 % Fisch, 24 % Holz, 12 % Kopra, 12 % Palmöl; Länder: 42 % Japan, 12 % Großbrit., 7 % Thailand

SAMBIA Süd-Afrika
Republik Sambia; Republic of Zambia – Z

LANDESSTRUKTUR Fläche (38): 752 614 km² – **Einwohner** (80): (F 1991) 8 373 000 = 11 je km²; (Z 1990) 7 818 447 – Sambier; Bantu (34 % Bemba, 16 % Tonga, Ngoni, Lozi), kleine Buschmanngruppen; 15 584 Europäer (meist Briten) sowie Asiaten (meist Inder) u. a. – **Leb.-Erwart.:** 49 J. (m47/w50); Bev.-Anteil 0–14 J.: 48,3 % – **Säugl.-Sterbl.** (1992): 10,6 % – **Kindersterbl.:** 17,6 % – **Analph.:** 27 % – Jährl. **Bev.-Wachstum** (∅ 1980–91): 3,3 % (Geb.- u. Sterbeziffer 1991: 4,7 %/1,5 %) – **Sprachen:** Englisch als Amtsspr.; Bemba, Nyanja, Tonga, Chokwe u. a. Bantu-Sprachen als Umgangsspr. – **Religion:** 72 % Christen; 10 000 Muslime; ferner Anh. von Naturrel. u. Hindus – **Städt. Bev.:** 51 % – **Städte:** Lusaka (Hptst.; Z 1990) 982 362 Ew.; (F 1988) Kitwe (mit Kalulushi) 472 300, Ndola 442 700, Kabwe 200 300,

Mufulira 199400, Chingola 194400, Luanshya 165900, Livingstone 98500, Kalulushi 94400

STAAT Präsidialrepublik – Verfassung von 1991 – Parlament (National Assembly) mit 150 Mitgl., Wahl alle 5 J.; außerdem »House of Chiefs« mit 27 Häuptlingen ethn. Gruppen – Direktwahl d. Staatsoberh. alle 5 J. – Allg. Wahlrecht ab 18 J. – 9 Provinzen (je mit einem vom Staatsoberh. ernannten Minister) – **Staats- u. Regierungschef:** Frederick J. T. Chiluba (MMD-Vors.), seit 2. 11. 1991 – **Äußeres:** Vernon Johnston Mwaanga – **Parteien:** Erste freie Parlamentswahlen vom 31. 10. 1991: Movement for Multi-Party Democracy/MMD 125 Sitze, United National Independence Party/UNIP (ehem. Einheitspartei) 25 – **Unabh.:** 24. 10. 1964 – **Nationalfeiertag:** 24. 10.

WIRTSCHAFT BSP 1991: 3394 Mio. $ = 420 $ je Ew. (144); realer Zuwachs ⌀ 1980–90: 0,7%; **BIP** 1991: 3831 Mio. $; realer Zuwachs ⌀ 1980–91: 0,8%; Anteil 1991 **Landwirtsch.** 16%, **Industrie** 47%, **Dienstlst.** 37% – **Erwerbstät.** 1991: Landw. 69%, Ind. ca. 30% – **Energieverbrauch** 1991: 369 kg ÖE/Ew. – **Währung:** 1 Kwacha (K) = 100 Ngwee (N); 1 US-$ = 522,09 K; 100 K = 0,32 DM – **Ausl.-Verschuld.** 1991: 7279 Mio. $ (1990: 261,3% d. BSP) – **Inflation** ⌀ 1980–90: 42,2% (1992: 207%) – **Außenhandel** 1991: **Import:** 1255 Mio. $; Güter: 35% Maschinen u. Transportausrüst., 18% Brennstoffe, 8% Nahrungsmittel; Länder (1988): 21% EG-Länder (davon 11% Großbrit.), 20% Saudi-Arabien, 6% USA; **Export:** 1082 Mio. $; Güter (1988): über 90% Kupfer, Tabak, Spinnstoffe; Länder (1988): 44% EG-Länder, 23% Japan, 10% VR China

SAMOA *Ozeanien*

Unabhängiger Staat Westsamoa; Malo Tuto'atasi o Samoa i Sisifo; Independent State of Western Samoa – WS

LANDESSTRUKTUR Fläche (165): 2831 km² (2 Inseln: Savaii 1708 km² u. Upolu 1123 km²) – **Einwohner** (172): (Z 1991) 159862 = 57 je km²; 72% auf Upolu, 28% auf Savaii – 90% Samoaner (Polynesier), 9% Euronesier (Mischl.), chines. Minderh., etwa 1500 Europäer – **Leb.-Erwart.:** 66 J. (m64/w69) – **Kindersterbl.:** 5,8% – **Analph.:** k. Ang. – Jährl. **Bev.-Wachstum** (⌀ 1980–91): 0,7% (Geb.- u. Sterbeziffer 1989: 1,2%/0,1%) – **Sprachen:** Samoanisch u. Englisch als Amtsspr. – **Religion:** 75% Protestanten (davon 21% Method., 8% Mormonen); 23% Katholiken – **Städt. Bev.:** 22% – **Städte** (Z 1981): Apia (Hptst., auf Upolu) 33170 Ew.

STAAT Parlamentarische Republik in Verbindung mit altpolynesischen Herrschaftsmodellen – Verfassung von 1962 – Gesetzgebende Versammlung (»fono«) mit 49 Mitgl., Wahl alle 5 J. – Derzeitiges Staatsoberh. auf Lebenszeit, danach Direktwahl alle 5 J. – Allg. Wahlrecht – 24 Distrikte – **Staatsoberhaupt:** Malietoa Tanumafili II., seit 1962 – **Regierungschef u. Äußeres:** Tofilau Eti Alesana, seit 1988, am 7. 5. 1991 im Amt bestätigt – **Parteien:** Erste allg. Wahlen im April 1991: Human Rights Protection P./HRPP (Reg.-Partei) 32 Sitze, Samoa National Development Party/SNDP 16, Unabh. 1 – **Unabh.:** 1. 1. 1962 – **Nationalfeiertag:** 1. 6.

WIRTSCHAFT BSP 1991: 156 Mio. $ = 960 $ je Ew. (114); realer Zuwachs ⌀ 1980–90: 6,0%; **BIP** realer Zuwachs ⌀ 1980–86: –1,5%; Anteil 1990 **Landwirtsch.** 50%, **Industrie** ca. 10% – **Erwerbstät.** 1986: Landw. 64%, Ind. 6% – **Energieverbrauch** 1990: 423 kg ÖE/Ew. – **Währung:** 1 Tala (WS$) = 100 Sene (s); 1 WS$ = 0,39 US-$; 100 WS$ = 66,36 DM – **Ausl.-Verschuld.** 1989: 72,3 Mio. $ – **Inflation** ⌀ 1980–91: 11,6% – **Außenhandel** 1991: **Import:** 237,2 Mio. WS$; Güter (S 1989): v. a. Erdölprod., Nahrungsmittel, Maschinen u. Transportausrüst.; Länder: v. a. Neuseeland; **Export:** 18,9 Mio. WS$; Güter (S 1989): 60% Kopra, 15% Taro, bis 10% Kakao, 4% Holz, Zigaretten; Länder (1990): 33% Neuseeland u.a. Commonwealth-Partner, 25% Australien, 10% Japan, 10% USA

SAN MARINO *Süd-Europa*

Republik San Marino; Serenissima Repubblica di San Marino – RSM

LANDESSTRUKTUR Fläche (188): 60,57 km² (mit Gewässern 61,19 km²) – **Einwohner** (189): (F Mai 1992) 23719 = 392 je km²; (Z 1976) 19149; weitere ca. 12000 Bürger leben im Ausland, v. a. in Italien – Sanmarinesen; ca. 3500 Ausländer, bes. Italiener – **Leb.-Erwart.:** 76 J. – **Analph.:** 4% – Jährl. **Bev.-Wachstum** (⌀ 1980–86): 0,4% (Geb.- u. Sterbeziffer 1990: 1,1%/0,6%) – **Sprachen:** Italienisch als Amtsspr.; Romagnol – **Religion:** rd. 95% Katholiken (Staatsreligion) – **Städt. Bev.:** 99% – **Städte:** San Marino (Hptst.; F 1991) 4185 Ew.; (F 1986) Serravalle 7109

STAAT Republik, Freundschaftsvertrag (Convenzione di Amicizia e Buon Vicinato) mit Italien – Erste Verfassungsgesetze von 1263 – Parlament (Consiglio Grande e Generale) mit 60 Mitgl., Wahl alle 5 J. – Allg. Wahlrecht ab 18 J. auch für im Ausland lebende Wahlberechtigte – Zollunion mit Italien – 9 Distrikte (Castelli = Kirchengemeinden) – **Staats-**

oberhaupt bzw. Regierungschef: 2 jeweils für 6 Monate durch den Consiglio gewählte »Capitani Reggenti« – **Regierung:** »Congresso di Stato« (Kollegialorgan aus 7 Staatsmin. u. 3 Staatssekr.); Koalition aus PDCS u. PSS – **Äußeres:** Gabriele Gatti – **Parteien:** Wahlen vom 30. 5. 1993: Christl. Dem. Partei/PDCS 41,4 % u. 26 Sitze (1988: 27), Sozialisten/PSS 14 (7), Demokrat. Fortschrittl. P./PDP (ehem. Kommunisten/PC) 23,7 % u. 11 (18), Sonstige (AP, MD, RC) 9 (8) – **Unabh.:** legendäre Gründung am 3. 9. 301 durch d. Eremiten Marino, erste urkundl. Erwähnung am 20. 2. 885 im Placitum feretranum; seither fast ununterbrochen Selbständigkeit bewahrt – **Nationalfeiertag:** 3. 9.

WIRTSCHAFT (statistisch bei → Italien erfaßt) **BSP** 1991: 6000 $ je Ew. – **Erwerbstät.** 1991: Landw. 2,3 %, Ind. 43,3 %, Dienstl. 64,4 % – **Arbeitslosigkeit** Ende 1991: 3,7 % – **Währung:** Italien. Lira u. Lira von San Marino (eigene Münzprägung) – **Außenhandel: Export:** Wein, Wollwaren, Keramik, handwerkl. Produkte; Handelspartner: hauptsächl. Italien – Unterstützung durch Italien mittels einer jährl. Subvention in Höhe von rd. 9000 Mio. Lire – **Tourismus** Haupteinnahmequelle: rd. 60 % der Haushaltseinnahmen. (1991): 3,1 Mio. Gäste

SÃO TOMÉ und PRÍNCIPE *Zentral-Afrika*
Demokratische Republik São Tomé u. Príncipe; República Democrática de São Tomé e Príncipe – STP

LANDESSTRUKTUR Fläche (169): 964 km² (S. T. 836 km², P. 128 km²) – **Einwohner** (175): (F 1991) 118 000 = 122 je km²; (Z 1981) 96 611 – Santomeer (portugies. Saotomenses); haupts. Schwarze, z. T. v. benachbarten Festland stammend (»Forros«, »Angolares« usw.); daneben Mulatten; portug. Restgruppe – **Leb.-Erwart.:** 67 J. – **Säugl.-Sterbl.:** 6,2 % – **Kindersterbl.:** 8,8 % – **Analph.** (1986): 42 % – Jährl. **Bev.-Wachstum** (∅ 1980–91): 2,3 % (Geb.- u. Sterbeziffer 1989: 3,5 %/1,0 %) – **Sprachen:** Portugiesisch als Amtsspr.; Crioulo (auf Portugies. basierendes Kreol) als Umgangsspr. – **Religion:** über 90 % Christen, davon mehrheitl. Katholiken; ferner Anh. von Naturrel. – **Städt. Bev.:** rd. 30 % – **Städte** (S 1984): São Tomé (Hptst.) 25 000 Ew.; Santo António (auf P.) 1000

STAAT Republik – Verfassung von 1990 – Nationalversammlung mit 55 Mitgl., Wahl alle 4 J. – Direktwahl d. Staatsoberh. alle 5 J., einmalige Wiederwahl – Allg. Wahlrecht – **Staatsoberhaupt** u. Oberbefehlshaber: Miguel Trovoada, seit 3. 4. 1991 – **Regierungschef:** Norberto Costa Alegre (PCD), seit

11. 5. 1992 – **Äußeres:** Albertino Bragança – **Parteien:** Erste freie Wahlen vom 20. 1. 1991: Partido de Convergência Democrática-Grupo de Reflexão/ PCD 33 Sitze, Movimento de Libertação/MLSTP 21, Sonstige 1 – **Unabh.:** 12. 7. 1975 – **Nationalfeiertag:** 12. 7.

WIRTSCHAFT BSP 1991: 42 Mio. $ = 400 $ je Ew. (148); realer Zuwachs ∅ 1980–91: –1,2 %; **BIP** realer Zuwachs ∅ 1985–89: 3,2 %; Anteil 1989 **Landwirtsch.** 31 %, **Industrie** (1988) 7 % – **Erwerbstät.** 1981: Landw. 57 %, Ind. 13 % – **Energieverbrauch** 1990: 125 kg ÖE/Ew. – **Währung:** 1 Dobra (Db) = 100 Cêntimos; 1992 (für 1993 keine Angaben verfügbar) :1 US-$ = 277,22 Db; 100 Db = 0,54 DM – **Ausl.-Verschuld.** 1991: 164,4 Mio. $ – **Inflation** ∅ 1980–91: 21,5 % – **Außenhandel** 1988: **Import:** 831,4 Mio. Db; Güter: rd. 90 % Nahrungsmittel; Länder (1984): 34 % Portugal; **Export:** 704 Mio. Db; Güter (1990): 86 % Kakao sowie Palmöl, Kaffee, Kokosnüsse, Bananen; Länder (1984): 34 % DDR sowie Niederl., Belgien

SAUDI-ARABIEN *Vorder-Asien*
Königreich Saudi-Arabien; Al Mamlaka Al'Arabiya As-Sa'udiya – SA

LANDESSTRUKTUR Fläche (13): 2 149 690 km² – **Einwohner** (50): (Z Okt. 1992) 16 929 000 = 8 je km² (vorl. Ergeb.) – 72,7 % Saudiaraber, über 30 % Nomaden u. Halbnomaden; 27,3 % Ausländer (überw. Gastarbeiter), vorwieg. aus Bahrain, Ägypten, dem Jemen, Jordanien, Pakistan, Syrien, Indien, Kuwait – **Leb.-Erwart.:** 69 J. (m68/w71); **Bev.-Anteil 0–14 J.:** 43,0 % – **Säugl.-Sterbl.:** 3,2 % – **Kindersterbl.:** 3,9 % – **Analph.:** 38 % – Jährl. **Bev.-Wachstum** (∅ 1980–91): 4,6 % (Geb.- u. Sterbeziffer 1991: 3,7 %/0,5 %) – **Sprache:** Arabisch – **Religion** (Islam ist Staatsreligion): 98 % Muslime (Wahhabiten, Schafiiten u. a.; Verhältnis Sunniten : Schiiten rd. 85 : 15; 600 000 Katholiken, kleine anglikan. Minderh., v. a. im O – **Städt. Bev.:** 78 % – **Städte:** Ar-Riyadh [Riad] (Hptst. der Monarchie; F 1990) 1 975 000 Ew.; (F 1980) Jedda [od. Djidda; Dschidda; Verwaltungshptst.] 1 500 000, Mecca [Mekka] (Hptst. des Hedschas) 550 000, Ta'if [Taif] 300 000, Medina 290 000, Dammâm 200 000

STAAT Absolute Monarchie mit dem Islam als Verfassungs-, Gesetzes- u. Lebensformquelle (auf Grundlage der Scharia) – Beratende Versammlung (Madschlis al Schura) mit 60 Mitgl. seit 22. 8. 1993, Ernennung für 4 J. durch d. König – Person des Königs vereinigt höchste legislative, exekutive u. judikative Funktionen, nominell auch geistl. Oberhaupt

– 5 in sich untergliet. Provinzen (Iqlim): Nedschd (mit 3 Fürstentümern), Hedschas (Vizekönigreich) mit 11 Fürstentümern, Assîr (Fürstentum), Ostprovinz (El-Hasa) u. Nachschran; Neugliederung in Ausarbeitung – **Staatsoberhaupt u. Regierungschef:** König Fahd Ibn Abdul-Azîz [Asis] As-Sa'ud, seit 1982 – **Äußeres:** Prinz Sa'ud Al-Faisal [Feisal] – **Parteien:** keine – **Unabh.:** Schrittweise Staatswerdung zwischen 1901 u. 1926; staatsrechtl. Verschmelzung zum »Königreich Saudi-Arabien« am 18. 9. 1932 – **Nationalfeiertag:** 23. 9.

Die zwischen Kuwait und Saudi-Arabien geleg. 5836 km² (n. eig. Ang. 5770 km²) große **Neutrale Zone** wurde 1966 administrativ geteilt; Nutzung d. Erdölvorkommen erfolgt gemeinsam. Die zwischen Saudi-Arabien u. dem Irak gelegene **Neutrale Zone** (7044 km²) ist demilitarisiert u. unbesiedelt.

WIRTSCHAFT BSP 1990: 105 133 Mio. $; 1991: 7820 $ je Ew. (34); realer Zuwachs ∅ 1980–90: –0,4 %; **BIP** 1991: 108 640 Mio. $; realer Zuwachs ∅ 1980–91: –0,2 % (S 1992: +4,5 %); Anteil 1991 **Landwirtsch.** 7 %, **Erdölsektor** 33 %, **Nicht-Erdölsektor** 60 % (dar. entfallen rd. 35 % auf Privatwirtsch.) – **Erwerbstät.** 1991: Landw. 38 %, Ind. ca. 14 % – **Energieverbrauch** 1991: 4866 kg ÖE/Ew. – **Währung:** 1 Saudi Riyal (S. Rl.) = 20 Qirshes = 100 Hallalas; 1 US-$ = 3,74 S. Rls.; 100 S. Rls. = 45,12 DM – Öff. **Ausl.-Verschuld.** 1991: 16 500 Mio. $ (aber hohe Ausl.-Guthaben, S über 100 Mrd. $) – **Inflation** ∅ 1980–91: –2,4 % (S 1992: 6–8 %) – **Außenhandel** 1992: **Import:** 32 600 Mio. $; Güter (S 1991): 23 % Maschinen, Apparate u. Elektromaterial, 22 % Fahrzeuge (dar. 10 % Kfz), 18 % Nahrungsmittel, 15 % chem. Erzeugn., 12 % Textilien u. Bekleidung, 7 % Metalle u. Metallwaren; Länder (1991): 21 % USA, 13 % Großbrit., 12 % Japan, 8 % BRD, 6 % Frankr., 5 % Italien (EG 39 %); **Export:** 42 800 Mio. $; Güter (S 1991): rd. 90 % Erdöl u. -produkte (größter Rohölexporteur d. Welt; Tagesprod. ∅ S 1992: 8,5 Mio. Barrel); ferner 10 % Nichtölprod., u. a. Datteln, Häute, Felle, Wolle; Länder (1991): 22 % USA, 18 % Japan, 6 % Singapur, 6 % Frankr., 5 % Niederl., 4 % Italien, 2 % BRD (EG 24 %)

SCHWEDEN *Nord-Europa*
Königreich Schweden; Konungariket Sverige – S

LANDESSTRUKTUR Fläche (54): 449 964 km² (mit 39 036 km² Binnengewässern) – **Einwohner** (79): (F 1992) 8 644 000 = 19 je km²; (Z 1990) 8 585 907 – Fast ausschl. Schweden; 30 000 sog. einheimische Finnen, 15 000 Samen (Sami, Lappen;

davon nur noch 2500 Rentierzüchter) im N; rd. 0,4 Mio. Ausländer, überw. Finnen, außerd. Jugoslawen, Norweger, Dänen, Türken, Polen, Iraner, Deutsche, Chilenen – **Leb.-Erwart.:** 78 J. (m75/w81); Bev.-Anteil 0–14 J.: 18,1 % – **Säugl.-Sterbl.:** 0,6 % – **Kindersterbl.:** 0,8 % – **Analph.** (1988): 1 % – Jährl. **Bev.-Wachstum** (∅ 1980–91): 0,3 % (Geb.- u. Sterbeziffer 1991: 1,4 %/1,2 %) – **Sprachen:** Schwedisch als Amtsspr.; Sprachen d. Minderheiten, u. a. Finnisch, Lappisch – **Religion:** 89 % Evang.-Lutherische Schwed. Kirche; 95 800 and. Protestanten, 1,7 % Katholiken, 100 000 Orthodoxe, 73 000 Muslime, rd. 20 000 Juden – **Städt. Bev.:** 84 % – **Städte** (F Ende 1992): Stockholm (Hptst.) 684 600 Ew. (A 1,67 Mio.); Göteborg 433 800, Malmö 236 700, Uppsala 174 600, Linköping 126 400, Örebro 123 200, Västerås 120 900, Norrköping 120 800, Jönköping 112 800, Helsingborg 110 600, Borås 102 900, Umeå 94 900, Sundsvall 94 300, Lund 92 000, Eskilstuna 89 600, Gävle 88 200, Södertälje 81 800, Halmstad 81 100

Entstehung des Bruttoinlandsprodukts

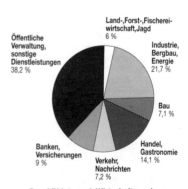

Beschäftigte nach Wirtschaftszweigen

STAAT Parlamentarisch-demokratische Monarchie – Verfassung von 1975 – Parlament (Riksdag) mit 349 Mitgl., Wahl alle 3 J. – Allg. Wahlrecht ab 20 J. – 24 Provinzen (Län) mit je einem von der Reg. ernannten Gouverneur (Landshövding) u. einem gewählten Parlament (Landsting) – **Staatsoberhaupt:** König Carl XVI. Gustav, seit 1973 – **Regierungschef:** Carl Bildt (MS), seit 3. 10. 1991; Koalition aus MS, FP, CP u. KdS – **Äußeres:** Margaretha af Ugglas – **Parteien:** Wahlen vom 15. 9. 1991: Sozialdemokrat. Arbeiterpartei/SDAP 138 Sitze (1988: 156), Moderate Sammlungspartei/MS (Konservative) 80 (66), Liberale Volkspartei/FP 33 (44), Zentrumspartei/CP 31 (42), Christdemokrat. Partei/KdS 26 (0), Neue Demokratie/ND 25 (–), Linkspartei/VP 16 (21), Sonstige 0 (20) – **Unabh.:** alte Tradition als unabhängiger Staat – **Nationalfeiertage:** 30. 4. (Geburtstag d. Königs) u. 6. 6. (»Flaggentag«, Reg.-Antritt der Dynastie Wasa 1523), beide nicht arbeitsfrei

WIRTSCHAFT *(Einzelheiten → Sp. 917)* **BSP** 1991: 218934 Mio. $ = 25110 $ je Ew. (5); realer Zuwachs ⌀ 1980–91: 2,0%; **BIP** 1991: 206411 Mio. $; realer Zuwachs ⌀ 1980–91: 2,0% (1992: –1,7%); Anteil 1991 **Landwirtsch.** 3,5%, **Industrie** 33,1%, **Dienstlst.** 63,4% – **Erwerbstät.** 1991: Landw. 3,2%, Ind. 28,2%, Dienstl. 68,6% – **Arbeitslosigkeit** ⌀ 1992: 4,8% (6/1993: 9,0%) – **Energieverbrauch** 1991: 5901 kg ÖE/Ew. – **Währung:** 1 Schwed. Krone (skr) = 100 Öre; 1 US-$ = 7,69 skr; 100 skr = 22,95 DM – **Inflation** ⌀ 1980–91: 7,4% (1992: 2,2%) – **Außenhandel** 1992: **Import:** 289923 Mio. skr; Güter (1991): 37% Maschinen, Apparate u. Transportmittel, 34% bearb. Waren u. sonst. Fertigerzeugn., 10% chem. Erzeugn., 9% mineral. Brennstoffe, 7% Lebensmittel, Getränke u. Tabak, 4% Rohstoffe; Länder: 19% BRD, 9% USA, 9% Großbrit., 8% Dänemark, 7% Norwegen, 6% Finnland (EG 56%, EFTA 16%); **Export:** 326008 Mio. skr; Güter (1991): 43% Maschinen, Apparate u. Transportmittel, 36% bearb. Waren u. sonst. Fertigerzeugn., 11% Rohstoffe, 9% chem. Erzeugn., 2% Lebensmittel, Getränke u. Tabak; Länder: 15% BRD, 10% Großbrit., 8% Norwegen, 8% USA, 7% Dänemark, 7% Frankr. (EG 56%, EFTA 17%)

PRESSE (Aufl. i. Tsd.) *Tageszeitungen:* Stockholm: Aftonbladet (375, so. 441)/sozialdem. – Dagens Nyheter (390, so. 446) – Expressen (555, so. 641)/lib. – Svenska Dagbladet (216, so. 228)/kons. – Göteborg: Göteborgs-Posten (275, so. 313)/lib. – iDag (188, so. 261)/lib. – Malmö: Arbetet (110, so. 100)/sozialdem. – Sydsvenska Dagbladet Snällposten (118, so. 141) – *Nachrichtenagenturen:* SIG (Svensk-Internationella Pressbyrån) – Svenska Nyhetsbyrån – TT (Tidningarnas Telegrambyrå)

SCHWEIZ *Mittel-Europa*

Schweizerische Eidgenossenschaft; Confoederatio Helvetica, franz.: Suisse, ital.: Svizzera, rätoroman.: Svizra – CH

LANDESSTRUKTUR Fläche (133): 41294 km² – **Einwohner** (89): (F 31. 12. 1992, provisor.) 6904600 = 167 je km²; (Z 1990) 6873687 – 1992 (Mittelwert): 5663400 Schweizer u. 1241200 Ausländer *(Einzelheiten → Sp. 601 f.)* – **Leb.-Erwart.:** 78 J. (m74/w81); Bev.-Anteil 0–14 J.: 16,9% – **Säugl.-Sterbl.:** 0,7% – **Kindersterbl.:** 0,9% – **Analph.** (1988): 1% – Jährl. **Bev.-Wachstum** (⌀ 1980–91): 0,6% (Geb.- u. Sterbeziffer 1991: 1,3%/0,9%) – **Sprachen:** Deutsch (63,6%), Französisch (19,2%) u. Italienisch (7,6%) als Amtsspr.; Rätoromanisch (0,6%) als Landessprache anerkannt, andere Sprachen 9% – **Religion** (F 1990): 46,1% Katholiken, 40% Protestanten, 2,2% Muslime, 0,3% Juden u. 7,4% ohne Konfession – **Städt. Bev.:** 69% – **Städte** (F Ende 1991): Bern (Hptst.) 134400 Ew.; Zürich 343100, Basel 172800, Genève [Genf] 167700, Lausanne 123100, Winterthur 86300, St. Gallen 74100, Luzern 59800, Biel [Bienne] 53300, Thun 38400, La Chaux-de-Fonds 36400, Köniz 36400, Fribourg [Freiburg] 34200, Schaffhausen 34200, Neuchâtel [Neuenburg] 33200, Chur 30300

STAAT Republikanisch-parlamentarisch-direktdemokrat. Bundesstaat mit Kollegialregierung – Verfassung von 1848, revidiert 1874 – Parlament (Bundesversammlung/Assemblée fédérale/Assemblea federale) aus 2 gleichberechtigten Kammern: Nationalrat (Conseil national/Consiglio nazionale) mit 200 Mitgl. (Präs.: Hans-Rudolf Nebiker, SVP) u. Ständerat (Conseil des Etats/Consiglio degli Stati) mit 46 Mitgl. (Präs.: Josi Meier, CVP); Wahl der Nationalratsmitgl. auf 4 J., wobei die Mandate proportional zur Bev. entspr. der amtl. Volkszählungsergebnisse verteilt werden u. jeder Kanton bzw. Halbkanton mind. 1 Mandat erhält; Direktwahl der Mitgl. des Ständerats in den einzelnen Kantonen (Ständen) nach Mehrheitswahl, i. d. Regel alle 4 J. (es gibt d. jeweilige Kantonsrecht), wobei je 2 Mandate den Vollkantonen u. je 1 Mandat den Halbkantonen zustehen – Allg. Wahlrecht ab 18 J. – Polit. Gliederung in 20 Vollkantone u. 6 Halbkantone mit jew. eigenem Parl. u. Regierung *(→ Tabelle)*

Staats- u. Regierungschef: Vertreter der Eidgenossenschaft nach außen ist der **Bundespräsident** (jährl. v. d. Bundesversammlung im Turnus neu gewählt), für 1993: Adolf Ogi (SVP); **Vizepräs.:** Otto Stich (SPS) – Regierungskoalition aus FDP, SP, CVP u. SVP

Schweiz – Gliederung nach Kantonen

Kanton	Fläche in km[2]	Einwohner in 1000 1980[1]	Einwohner in 1000 1990[2]	Einwohner in 1000 1992[3]	Zuwachs 1980/90 in %	Kantons- hauptstadt	Amtliche Kürzel
Zürich	1728,75	1122,8	1179,0	1166,8	5,01	Zürich	ZH
Bern	6050,46	912,0	958,2	957,4	5,06	Bern	BE
Luzern	1493,40	296,2	326,3	329,1	10,17	Luzern	LU
Uri	1076,58	33,9	34,2	34,3	0,96	Altdorf[2]	UR
Schwyz	908,33	97,4	112,0	115,6	15,01	Schwyz	SZ
Obwalden[1]	490,49	25,9	29,0	30,1	12,22	Samen[2]	OB
Nidwalden[1]	276,12	28,6	33,0	34,0	15,47	Stans[2]	NW
Glarus	685,10	36,7	38,5	38,4	4,87	Glarus	GL
Zug	238,79	75,9	85,5	87,9	12,66	Zug	ZG
Fribourg (Freiburg)	1670,85	185,2	213,6	215,2	15,29	Fribourg (Freiburg)	FR
Solothurn	790,67	218,1	231,7	232,3	6,26	Solothurn	SO
Basel-Stadt[1]	37,06	203,9	199,4	195,0	–2,21	Basel	BS
Basel-Land[1]	427,96	219,8	233,5	232,0	6,22	Liestal	BL
Schaffhausen	298,52	69,4	72,2	73,0	3,96	Schaffhausen	SH
Appenzell Ausserrhoden[4] . .	242,86	47,6	52,2	53,2	9,70	Herisau	AR
Appenzell Innerrhoden[4] . . .	172,51	12,8	13,9	13,9	7,99	Appenzell[5]	IR
St. Gallen	2025,51	392,0	427,5	432,8	9,06	St. Gallen	SG
Graubünden	7105,45	164,6	173,9	175,9	5,62	Chur	GR
Aargau	1403,63	453,4	507,5	510,4	11,92	Aarau	AR
Thurgau	990,99	183,8	209,4	213,3	13,91	Frauenfeld	TG
Ticino (Tessin)	2812,48	265,9	282,2	294,4	6,12	Bellinzona	TI
Vaud (Waadt)	3211,69	528,7	601,8	599,3	13,82	Lausanne	VD
Valais (Wallis)	5224,51	218,7	249,8	258,9	14,22	Sion (Sitten)	VS
Neuchatel (Neuenburg) . . .	803,10	158,4	164,0	163,0	3,55	Neuchâtel (Neuenburg)	NE
Genève (Genf)	292,25	349,0	379,2	381,3	8,64	Genève (Genf)	GE
Jura	836,47	65,0	66,2	67,1	1,81	Délémont (Delsberg)	JU
Schweiz	41294,53	6365,9	6873,7	6904,6	7,98	Bern	CH

[1] Ergebnis der Volkszählung vom 2. 12. 1980; [2] Ergebnis der Volkszählung vom 4. 12. 1990;
[3] provisorische Fortschreibungszahlen zum 31. 12. 1992; [4] Halbkanton; [5] Kantonshauptort

Die **Regierung** heißt Bundesrat (Conseil fédéral/ Consiglio federale) u. wird alle 4 J. von d. Bundesversammlung gewählt; Vorsitzender ist der Bundespräsident; Kollegialbehörde mit Departementsleitern (= Ministern)

Departementsleiter:
Departement f. auswärtige Angelegenheiten: Flavio Cotti (CVP)
Inneres: Ruth Dreifuss (SP)
Justiz u. Polizei: Prof. Arnold Koller (CVP)
Militär: Kaspar Villiger (FDP)
Finanzen: Dr. Otto Stich (SP)
Volkswirtschaft: Dr. Jean-Pascal Delamuraz (FDP)
Verkehr u. Energie: Adolf Ogi (SVP)

Parteien: Wahlen vom 20. 10. 1991 (1987): (200 Sitze im Nationalrat/46 im Ständerat) Freisinnig-Demokratische Partei/FDP 44/18 (51/14); Christlichdem. Volkspartei/CVP 35/16 (42/19); Sozialdemokratische Partei/SP 42/3 (41/5); Schweizerische Volkspartei/SVP 25/4 (25/4); Die Grünen u. Grüne Partei d. Schweiz/GPS 15/0 (13/0); Liberale Partei/ LPS 10/3 (9/3); Landesring d. Unabhängigen/LdU u. Evangelische Volkspartei/EVP 8/1 (11/1); Auto-Partei der Schweiz/AP 8/0 (2/0); Schweizer Demokraten/SD (ehem. Nationale Aktion/NA) zus. mit Lega dei Tecinesi 5/1 (3/0); Partei der Arbeit in der Schweiz/PdA 2/0 (1/0); Sonstige 6/0 (2/0) – *Nächste Wahlen im Herbst 1995* – **Unabh.:** 1291 »Ewiger Bund« der drei Urkantone; unabh. de facto 22. 9. 1499 (Basler Friede), anerkannt 24. 10. 1648 (Westfälischer Friede) – **Nationalfeiertag:** 1. 8. (»Rütlischwur«)

WIRTSCHAFT BSP 1991: 225890 Mio. $ = 33610 $ je Ew. (1); realer Zuwachs ⌀ 1980–91: 2,2%; **BIP** 1991: 232000 Mio. $; realer Zuwachs ⌀ 1980–91: 2,2% (1992: –0,5%); Anteil 1990 **Landwirtsch.** 2,5%, **Industrie** ca. 35% – **Erwerbstät.** (Z 1990): Landw. 4,2%, Ind. 31,8%, Dienstl. 63,9% – **Arbeitslosigkeit** ⌀ 1992: 3,0% – **Energiever-**

brauch 1991: 3943 kg ÖE/Ew. – **Währung:** 1 Schweizer Franken (sfr) = 100 Rappen (Rp)/Centimes (c); 1 US-$ = 1,476 sfr; 100 sfr = 114,338 DM – **Inflation** ⌀ 1980–91: 3,8 % (1992: 4,1 %) – **Außenhandel** 1992: **Import:** 92 330 Mio. sfr; Güter: 21 % Maschinen, 15 % Chemikalien u. Kunststoffe, 9 % Kfz, 7 % Edelmetalle, Schmuck u. Münzen, 5 % Bekleidung, 4 % Brennstoffe u. Mineralöle; Länder: 35 % BRD, 11 % Frankr., 11 % Italien, 6 % USA, 5 % Japan, 4 % Großbrit., 4 % Österreich (OECD 92 %, EG 73 %, EFTA 7 %, Entw.-Länder 6 %, GUS 0,2 %); **Export:** 92 149 Mio. sfr; Güter: 28 % Maschinen, 24 % Chemikalien u. Kunststoffe, 7 % Edelmetalle, Schmuck u. Münzen, 7 % Uhren, 6 % Präzisionsinstrumente; Länder: 25 % BRD, 10 % Frankr., 9 % Italien, 8 % USA, 5 % Großbrit., 4 % Japan, 4 % Österreich (OECD 80 %, EG 59 %, EFTA 7 %, Entw.-Länder 17 %, GUS 0,5 %)

WEITERE DATEN ZUR BEVÖLKERUNGS-, WIRTSCHAFTS- UND SOZIALSTRUKTUR

Landwirtschaft, Bergbau, Industrie, Außenhandel, Verkehr → die entspr. Sachkapitel

Die **Einwohnerzahl** der Schweiz (ständige Wohnbevölkerung; Saisonarbeiter und Asylbewerber nicht inbegriffen) betrug am 31. 12. 1992 6 904 600 (Z 4. 12. 1990: 6 873 687). Die mittlere Wohnbevölkerung (ohne Asylbewerber) betrug 6 936 000. (Da die Fortschreibungszahlen erst ab 1994 auf Basis der Volkszählung 1990 angepaßt werden können, sind die Angaben provisorisch.) – Aus den Ergebnissen der Volkszählung von 1990 geht hervor, daß die Bevölkerung zwischen 1980 und 1990 um insgesamt 507 727 Personen bzw. 8 % angestiegen ist (1970/80: + 1,5 %).

Die Zahl der **Geburten** (Lebendgeborene) stieg 1992 um 0,8 % auf 86 910 (1991: 86 200), darunter 18 178 (15 567) Ausländer. Die Zahl der **Gestorbenen** war weiterhin rückläufig und lag bei 62 302 (62 634), davon 4587 (4221) Ausländer, so daß sich ein **Geburtenüberschuß** von insgesamt 24 608 (23 566) ergab, davon 13 591 (11 346) Ausländer. Der Anteil der Bevölkerung über 65 Jahre stieg lt. Zählung 1990 auf 14,4 % an (Z 1980: 13,7 %); der Anteil der unter 15jährigen sank auf 16,8 % gegenüber 19,2 % im Jahre 1980. Die Zahl der **Eheschließungen** ging 1992 gegenüber dem Vorjahr um 5,5 % zurück und betrug 45 080 (47 567), die der **Ehescheidungen** nahm um 6,2 % zu und betrug 14 530 (13 627).

Die Zahl der **Ausländer** (ständige Wohnbevölkerung) belief sich am 31. 12. 1992 auf 1 241 200 (prov. Zahlen) und stieg gegenüber dem Vorjahr (1 190 991) um 4,2 % an. Das entspricht einem Anteil an der Gesamtbevölkerung von 17,9 % (1991:

17,4 %). Von der Gesamtzahl der Ausländer waren Ende 1992 (1991) 912 827 (889 478) Niedergelassene und 300 636 (273 755) Jahresaufenthalter. Die wichtigsten Herkunftsländer der ständigen **ausländischen Wohnbevölkerung** waren Ende 1992: Italien 372 013 (30,7 % aller Ausländer), ehem. Jugoslawien 208 284 (17,2 %), Portugal 112 441 (9,3 %), Spanien 109 448 (9 %), BRD 86 576 (7,1 %), Türkei 73 074 (6 %), Frankreich 51 438 (4,2 %), Österreich 28 708 (2,4 %), Großbritannien 17 505 (1,4 %), Niederlande 12 531 (1 %). Nicht zur Wohnbevölkerung zählen 62 645 (76 726) *Saisonarbeiter* (Jahres-⌀), rd. 30 000 (24 758) *Funktionäre* internationaler Organisationen mit ihren Familien, 170 239 (179 046) *Grenzgänger* (Arbeitspendler aus dem Ausland) und *Asylbewerber*.

Die Zahl der **Asylgesuche** ging im Jahresdurchschnitt 1992 (1991) um 57 % auf 17 960 (41 629) zurück. Insgesamt wurden 36 904 (36 963) Gesuche bearbeitet, so daß bis Ende 1992 noch 47 759 (61 691) Fälle nicht abgeschlossen waren. Die durchschnittliche Anerkennungsquote stieg von 3,0 % (1991) auf 4,5 %. Die Asylsuchenden stammten v. a. aus dem ehem. Jugoslawien (35 %), aus Sri Lanka (16 %) und der Türkei (10 %). Insgesamt lebten im Dez. 1992 (1991) 26 736 (27 645) anerkannte *Flüchtlinge* in der Schweiz.

Ende Juni 1993 wurden 504 177 **Auslandsschweizer** registriert, 2,3 % mehr als im Vorjahr. 57,2 % lebten innerhalb der EG, 68,7 % sind Doppelbürger. Die meisten Auslandsschweizer leben in Frankreich (1992: 132 387), in der BRD (1992: 61 312), in den USA (60 925), in Italien (1992: 34 324) und in Kanada (30 699).

Die Zahl der **Schülerinnen/Schüler** und **Studierenden** betrug 1991/92 1 306 518 (1991: 1 291 754); hiervon entfielen u. a. (in 1000) auf Vorschule 141,1 (139,8) – Primarstufe 414,1 (404,2) – Sekundarstufe I 274,5 (271,6) – Schulen mit besonderem Lehrplan (Sonderschulen) 38,0 (36,2) – Sekundarstufe II 287,9 (295,8) – Tertiärstufe 143,2 (137,6), davon Universitätsstudenten 89,2 (+3,7 % im Vergleich zum Vorjahr mit 85,9; 1992/93: 90,7). – In Berufsausbildung befanden sich 1991 207 410 (1990: 218 780) Personen. Die »Beschulungsquote« (Anteil der Schüler und Studenten an der Wohnbevölkerung) betrug Ende 1991 19,1 % (20,9 % der männlichen und 17,4 % der weiblichen Bevölkerung). – Die größten Hochschulen waren 1992 die Universität Zürich mit 21 137 Studierenden, die Universität Genf (13 326) und die Eidgenöss. Technische Hochschule (ETH) Zürich (11 432).

Die Zahl der **Lehrstellen** sank 1992 auf 54657, während es 1991 noch 55731 und 1990 57170 waren. Dieser Abwärtstrend gilt auch für die Gesamtzahl der Lehrverträge: während 1990 noch 168281 Lehrverträge abgeschlossen wurden, waren es 1991 noch 162041 und 1992 nur noch 155220.

Die **Kriminalität** war 1992 erstmals seit 1988 insgesamt wieder rückläufig. Die Zahl der ermittelten Straftaten ging gegenüber 1991 um 4,4% auf 343380 (1991: 359201) zurück, darunter 91% Diebstahlsdelikte. 57142 (57114) Täter und Täterinnen wurden ermittelt, davon 82,7% Männer und 17,3% Frauen. Der Anteil der Minderjährigen erhöhte sich leicht von 18,8% auf 20,8%. Auf 100000 Einwohner entfielen 4973 polizeiliche Anzeigen und 828 Tatverdächtige. Wegen Vergehen gegen das Betäubungsmittelgesetz wurden 31860 (23470) Anzeigen erstattet, die Zahl der Urteile nahm von 14736 auf 17594 zu.

Der **Wohnungsbau** ging 1992 gegenüber dem Vorjahr erneut zurück (−5,8% nach −2,1% 1991). Die Zahl der neuerstellten Wohnungen betrug 1992 (in 96 Städten und 138 Gemeinden mit mehr als 5000 Ew.) 15143 (1991: 15720). Insgesamt wurden 35422 (37597) Wohnungen neu erstellt, davon 27600 (28400) Wohnungen in Mehrfamilien- und 7800 (9150) in Einfamilienhäusern. Die Zahl der neuerstellten *Wohngebäude* war ebenfalls rückläufig und ging von 14104 auf 12533 zurück, darunter 7816 (9171) Einfamilien- und 4717 (4933) Mehrfamilienhäuser. Insgesamt ergab sich eine Zunahme von 39182 Wohnungen, 1300 weniger als im Vorjahr. Die Zahl der **Baubewilligungen** für Wohnungen insgesamt nahm 1992 um 13% von 46189 auf 52092 zu, bei Gemeinden mit mehr als 5000 Ew. sogar um 28,9% und betrug 23752 (18420). Ende 1992 befanden sich 45753 Wohnungen im Bau, 2952 weniger als im Vorjahr. Der **Gesamtwohnungsbestand** belief sich Ende 1992 auf 3,251 Mio. Wohnungen.

Die **Wirtschaft** war 1992 von einer anhaltenden Konjunkturflaute geprägt, die vor allem in einem Rückgang der Binnennachfrage und der Investitionstätigkeit ihre Ursache hatte. Damit ging eine starke Zunahme der Arbeitslosigkeit einher. Trotz eines starken Wachstums des Exports von Gütern, blieb die Industrieproduktion auf dem Niveau des Vorjahres zurück. Die Prognosen für 1993 deuten auf ein eher geringfügiges Wachstum bei gleichbleibend hoher Arbeitslosigkeit.

Das Bruttosozialprodukt stieg 1992 nominell (d. h. zu Marktpreisen) um 2,1 (1991: +5,4) % von 345390 auf 372745 Mrd. sfr; real, d. h. nach Abzug von Preissteigerungen, sank es um −0,5 (−0,3) % von 217205 auf 216020 Mrd. sfr. Je Einwohner entsprach dies einer nominellen Steigerung um 1,2 (4,6) %, real einem Rückgang um −1,4 (−1,2) % von 31603 auf 31154 sfr.

Das *Bruttoinlandprodukt*, das bereits 1991 real um 0,1% zurückgegangen war, verzeichnete 1992 einen Rückgang um 0,6%. Nominell konnte ein Wachstum von 1,7% (6,0%) errechnet werden. In absoluten Zahlen betrug das BIP nominell 338355 (332685) Mio. sfr und real 207860 (209170) Mio. sfr. Die Ursache für die Konjunkturflaute war vor allem ein Rückgang der *Inlandsnachfrage* real −3,6 (nach −0,6% 1991), wobei sich dies besonders bei den Anlageinvestitionen mit real −6,7% (−2,8%), den Bauinvestitionen mit −5,1% (−3,5%) und den Ausrüstungsinvestitionen mit −9,3% (−1,6%) bemerkbar machte. Auch der *private Konsum*, der im Vorjahr noch real um 1,5% zugenommen hatte, ging zurück (−0,3%), während der *Staatsverbrauch* nach +2,8% im Vorjahr um 2,5% zunahm. Demgegenüber wuchs die *Auslandsnachfrage* um 3,3% (nach −0,7% 1991), v. a. durch das Wachstum der Warenexporte um 4,0% (−1,3%), während die Dienstleistungsexporte nur um 1,0% (+1,7%) zunahmen.

Die *Industrieproduktion* lag 1992 insgesamt um 1,0% unter dem Volumen des Vorjahres (1991: +1,0%), der Auftragseingang verschlechterte sich und ging um 4,0% (−1,0%) zurück, der Auftragsbestand sogar um 6,0% (−2,0%), während die Auslastungsgrad der technischen Kapazitäten von 83,6% im Durchschnitt 1991 auf 81,2% sank.

Die Zahl der *Beschäftigten* belief sich nach der Betriebszählung 1991 auf 3310872 Personen. Der Konjunktureinbruch führte 1992 zu einem Rückgang der Beschäftigung um 2,6%, verglichen mit −0,3% 1991. In Industrie und Gewerbe ging sie insgesamt um 3,8 (−1,6) % zurück, insbesondere im Baugewerbe um 3,7 (−2,3) % und in der verarbeitenden Industrie um 4,0 (−1,4) %; auch im Dienstleistungssektor erfolgte nach einem Zuwachs im Vorjahr von +0,8% ein Rückgang um 1,4%.

An **Erwerbstätigen** wurden 1992 (1991) im Jahresdurchschnitt 3,480 (3,560) Mio. gezählt; dies entsprach einer Erwerbsquote von 48,7 (49,5) % der Bevölkerung, Saisonarbeiter und Grenzgänger nicht inbegriffen. Die Zahl der **ausländischen Arbeitskräfte** betrug Ende 1992 893479 (Ende 1991 888775), davon 586367 (570322) Männer und 307112 (294147) Frauen.

Die **Arbeitslosigkeit**, die − vor allem im internationalen Vergleich − extrem niedrig war, hat sich 1992 gegenüber dem Vorjahr mehr als verdoppelt. Am stärksten betroffen waren die Berufstätigen unter 30 Jahren, Frauen und Ausländer. Im Jahresdurchschnitt nahm die Zahl der Arbeitslosen von 39222 (1991 = 1,1 %) auf 92308 (2,5 %) zu. Im Dezember 1992 erreichte sie einen Höchststand von 129643 (3,6 %), erhöhte sich im Laufe des Jahres 1993 kontinuierlich und betrug im Juli 4,4 % bzw. 165290 (*Entwicklung → Grafik*).

Arbeitslosenquoten (Jahresdurchschnitt 1992/ Juni 1993) über dem Landesdurchschnitt von 2,5/4,4 % wiesen vor allem die westlichen Kantone auf (in %): Genf (4,7/7,2), Neuenburg (4,6/6,3), Tessin (4,4/5,9), Waadt (4,0/6,7), Wallis (3,6/6,2), Jura (3,6/5,7) sowie Basel-Stadt (3,6/5,4) u. Freiburg (2,6/4,8).

Die Zahl der gemeldeten *offenen Stellen* verringerte sich 1992 von 7952 im Jan. auf 6414 im Dez. 1992. Im Durchschnitt wurden 1992 8166 Stellen registriert (1991 noch 10549). Während 1990 nur sehr wenige Personen von *Kurzarbeit* betroffen waren (671 in 49 Betrieben), hat sich diese Zahl inzwischen beträchtlich erhöht: im Jahresdurchschnitt 1992 34020 Personen in 1894 Betrieben (1991: 20269 in 646 Betrieben). – Die tarifliche **Arbeitszeit** beträgt in den meisten Branchen noch 44 Wochenstunden, die tatsächliche mittlere Arbeitszeit lag 1992 bei 42,0 Std. (Baugewerbe 43,0, Verarb. Produktion 41,4, Dienstleistungen 42,0 Std.). – Die durchschnittlichen **Löhne** (nominal) wuchsen 1992 mit +4,8 % deutlich geringer als im Vorjahr (+7,0 %), wobei die Lohnerhöhung der Männer mit 4,9 % (7,2 %) über der der Frauen mit 4,3 % (6,3 %) lag. Unter Berücksichtigung der durchschnittlichen Jahresteuerung nahmen die Nettoeinkommen real um 1,2 % (1,8 %) zu. In der verarbeitenden Produktion stiegen die Löhne um 4,6 (6,9) %, im Baugewerbe um 8,0 (9,7) %, bei den Dienstleistungen um 4,2 (6,4) %. Die Löhne betrugen 1992 für alle Arbeitnehmer im Durchschnitt 4778 (1991: 4567) sfr/Monat (Männer 5170 sfr nach 4937 sfr im Vorjahr, Frauen 3671 sfr nach 3522 sfr im Vorjahr).

Die **Preissteigerungsrate**, die sich in den letzten Jahren kontinuierlich erhöht hatte (1988: 1,9 %, 1989: 3,2 %, 1990: 5,4 %, 1991: 5,9 %), ging 1992 auf 4,0 % zurück (*Landesindex der Konsumentenpreise*). Im ersten Halbjahr 1993 ging die Preissteigerung auf 3,6 % zurück. Die Preise der Inlandgüter erhöhten sich um 5,0 (1991: 6,8) %, die der Importgüter um 1,1 (3,2) %. Überdurchschnittliche Erhöhungen waren bei Wohnungsmieten +6,9 %, Körper- u. Gesundheitspflege +5,5 %, ferner bei den öffentlichen (um 6,1 %) und privaten (um 6,6 %) Dienstleistungen zu verzeichnen, während Nahrungsmittel mit +0,9 %, Getränke u. Tabakwaren 3,1 % sowie Bekleidung 3,5 % unterhalb des Durchschnitts lagen.

In der **Leistungsbilanz** (Ertragsbilanz) 1992 standen Einnahmen von 166,838 (1991: 161,648) Mrd. sfr Ausgaben von 144,941 (147,027) Mrd. sfr gegenüber. Der Überschuß erreichte ein Rekordniveau von 21,897 (14,620) Mrd. sfr. Gemessen am BSP

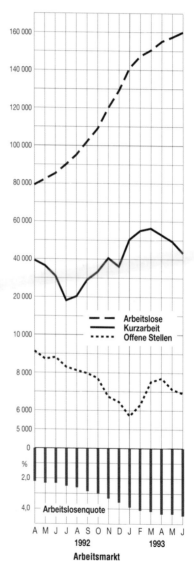

Arbeitsmarkt

wuchs der Aktivsaldo von 4,4% im Vorjahr auf 6,0%. Entscheidend dafür war der Rückgang des Defizits im Warenverkehr von 8,009 auf 0,896 Mrd. sfr. Der Überschuß aus dem Dienstleistungssektor erhöhte sich (darunter insb. Fremdenverkehr per Saldo +2,901 Mrd. sfr nach +2,865 im Vorjahr) von 12,615 auf 13,332 Mrd. sfr. Die Nettoeinnahmen aus den Kapitalanlagen blieben konstant bei 21,270 (21,374) Mrd. sfr, während der Passivsaldo der Arbeitseinkommen geringfügig von 7,599 auf 7,482 Mrd. sfr zurückging.

Die **Handelsbilanz** weist für 1992 Importe von 86,739 (1991: 88,681) Mrd. sfr gegenüber Exporten von 86,148 (82,021) Mrd. sfr auf. Nominal gingen die Importe um 2,2% (–1,3%) gegenüber dem Vorjahr zurück, real um –4,3 (–1,4%). Die Exporte hingegen stiegen nominal um 5,0% nach +1,4% 1991, real um 4,3% nach einem Rückgang von 1,4% im Vorjahr. Das Handelsbilanzdefizit verringerte sich von –6,661 auf 0,591 Mrd. sfr. Wichtigster Handelspartner blieb die EG mit einem Anteil von 73,4% an

der Einfuhr und 58,9% an der Ausfuhr, darunter Deutschland mit 35,2% bzw. 24,5%.

Die **Bundesrechnung** der Eidgenossenschaft (Bundeshaushalt) schloß 1992 ebenso wie im Vorjahr mit einem Defizit ab *(→ Tabelle)*. Die *Erträge* (Einnahmen) nahmen um 4,4% gegenüber dem Vorjahr zu und beliefen sich (vorl. Rechnungen) auf 34,953 (1991: 33,490) Mrd. sfr (0,835 Mrd. sfr weniger als veranschlagt), die *Aufwendungen* (Ausgaben) erhöhten sich um 6,5% (nach 11% im Vorjahr) auf 37,817 (35,501) Mrd. sfr. Die Erträge entsprachen 10,4% des BIP, die Aufwendungen 11,2%. Der Ausgabenüberschuß erhöhte sich somit um 0,852 Mrd. sfr von 2,012 auf 2,864 Mrd. sfr. Für 1993 sieht der *Bundeshaushalt* Einnahmen/Ausgaben von 36,651/39,738 Mrd. sfr vor, das geplante Defizit von 3,1 Mrd. sfr wird inzwischen auf 5 Mrd. sfr geschätzt.

Die *Schulden* des Bundes betrugen 1992 (1991) 55,296 (45,487) Mrd. sfr. Somit erhöhte sich die

Bundesausgaben

	Rechnung 1991	Voranschlag 1992	Rechnung 1992	Voranschlag 1993	Veränderung 1992/93 in %
		Angaben in Mio. sfr			
Soziale Wohlfahrt	8091	8526	8605	9511	11,5
Verkehr	5437	5710	5643	6323	10,7
Landesverteidigung	6202	6177	6249	5805	–6,0
Finanzen und Steuern	4586	5280	5564	6089	15,3
Landwirtschaft, Ernährung	3078	3042	3162	3194	5,0
Bildung u. Grundlagenforschung	2655	2832	2844	3015	6,5
Beziehungen zum Ausland	1787	1917	2133	2109	10,0
Übrige Aufgaben	3665	3633	3616	3692	1,6
Gesamtausgaben	35501	37117ᵃ	37816	39738	7,1

Bundeseinnahmen

	Rechnung 1991	Voranschlag 1992	Rechnung 1992	Voranschlag 1993	Veränderung 1992/93 in %
		Angaben in Mio. sfr			
– Direkte Bundessteuer	6849	8150	8342	7800	–4,3
– Verrechnungssteuer	4104	4650	3974	4250	–8,6
– Stempelabgaben	1934	1950	1953	1800	–7,7
– Warenumsatzsteuer	10006	10750	9817	10950	–1,9
– Tabaksteuer	972	995	980	1065	7,0
– Verkehrsabgaben	336	354	337	357	0,8
– Einfuhrzölle	1212	1210	1221	1201	–0,7
– Treibstoffzölle	3206	3260	3254	4370	34,0
– Landwirtschaftl. Abgaben	469	486	431	445	–8,5
– Sonstige	81	81	97	106	30,9
Fiskaleinnahmen Gesamt	29169	31886	30406	32344	1,4
Vermögenserträge	777	1010	943	1085	7,5
Entgelte	995	977	1059	1104	13,0
Einnahmenüberschuß EVK	2032	1556	2176	1602	3,0
Investitionseinnahmen	78	104	195	58	–44,6
Gesamteinnahmen	33490	35788	34953	36651	2,4

ᵃ ohne Nachtragskredite

Verschuldungsquote von 13,7 % des BIP auf 16,4 %. Die Schulden der Kantone betrugen 1991 (1990) 34,698 (30,535), die der Gemeinden 1990 (1989) 30,000 (28,000).

PRESSE *Tages- und Sonntagszeitungen:* Bern: Berner Zeitung/BZ (122) – Der Bund (62) – Aarau: Aargauer Tagblatt/Brugger Tagblatt/Freiämter Tagblatt (56) – Arbon: Schweizerische Bodensee-Zeitung (17) – Baden: Aargauer Volksblatt/Badener Tagblatt (63) – Basel: Basler Zeitung (114) – Neue Zeitung (180) – Bellinzona: La Regione (30) – Biel: Bieler Tagblatt/Seeländer Bote (35) – Journal du Jura/Tribune Jurassienne (16) – Brig: Walliser Bote (23) – Buchs: Werdenberger und Obertoggenburger (10) – La Chaux-de-Fonds: L'Impartial (32) – Chur: Bündner Tagblatt (13) – Bündner Zeitung (40) – Delémont: Le Démocrate (18) – Frauenfeld: Thurgauer Zeitung (25) – Fribourg: Freiburger Nachrichten (15) – La Liberté (35) – Genf: Journal de Genève/Gazette de Lausanne (31) – La Suisse (70, so. 112) – La Tribune de Genève (62) – Glarus: Glarner Nachrichten (17) – Herisau: Appenzeller Zeitung (15) – Lausanne: Le Matin (55, so. 160) – Le Nouveau Quotidien (50) – 24 heures (96) – Liestal: Basellandschaftliche Zeitung (18) – Lugano: Corriere del Ticino (35) – Giornale del Popolo (22) – Luzern: Anzeiger Luzern (86) – Luzerner Neuste Nachrichten (57) – Montreux: L'Est Vaudois-Riviera (16) – Neuchâtel: L'Express (34) – Schaffhausen: Schaffhauser Nachrichten (24) – St. Gallen: Die Ostschweiz/Rorschacher Zeitung (25) – St. Galler Tagblatt (72) – Sion: Nouvelliste et Feuille d'Avis du Valais (43) – Solothurn: Solothurner Zeitung (45) – Stäfa: Zürichsee-Zeitung (30) – Thun: Thuner Tagblatt (15) – Wetzikon: Zürcher Oberländer (33) – Winterthur: Der Landbote (42) – Zürich: Blick (382) – Neue Zürcher Zeitung (151) – Tages Anzeiger (272) *Wochenzeitungen u. Zeitschriften:* Basel: Basler Magazin (116) – Coopération (254) – Glattbrugg: Der Schweizerische Beobachter (408) – Lausanne: L'Hebdo (60) – L'Illustré (99) – Radio-TV (227) – Rorschach: Nebelspalter   (38) – Zürich: Annabelle/Femina (106, 2x monatl.) – Construire (300) – Finanz und Wirtschaft (39, 2x wö.) – Glücks-Post (188) – Meyers Modeblatt (186) – Schweizer Familie (241) – Schweizer Illustrierte (206) – Tele (285) – Touring (1121) – Trente Jours (399) – Die Weltwoche (107) *Nachrichtenagentur:* Schweizerische Depeschenagentur (SDA)/Agence Télégraphique Suisse (ATS)

HÖRFUNK/FERNSEHEN Schweizerische Radio- und Fernsehgesellschaft/SRG, Gesellschaft privaten Rechts, Konzessionsbehörde: Der schweizerische Bundesrat (Regierung), Aufsichtsbehörde: Eidg. Verkehrs- und Energiewirtschaftsdepartement

Programminstitution:
Generaldirektion SRG
Giacomettistr. 3, Postfach, CH–3000 Bern 15
T 031/43 91 11, Tfax 43 92 56
Generaldirektor: Antonio Riva
Direktion Radio und Fernsehen der deutschen und der rätoromanischen Schweiz (DRS)
Fernsehstr. 1–4, Postfach, CH–8052 Zürich
Programmdirektion Radio DRS
Güterstr. 91, Postfach, CH–4053 Basel
Programmdirektion Fernsehen DRS
Fernsehstr. 1–4, Postfach, CH–8052 Zürich

Schweizer Radio International und Telefonrundspruch
Giacomettistr. 1, Postfach, CH–3000 Bern 15
Auslandsprogramme der SRG auf Kurzwelle:
Schweizer Radio International/Radio Suisse Internationale/Radio Svizzera Internazionale/Radio Svizzer Internaziunal/Swiss Radio International

Direction de la Radio-Télévision Suisse Romande (RTSR)
6, avenue de la Gare, Case Postale 10 75, CH–1001 Lausanne
Direction des programmes de la Radio Suisse Romande
Maison de la Radio, CH–1001 Lausanne
Direction des programmes de la Télévision Suisse Romande
20, Quai Ernest Ansermet, Case Postale, CH–1211 Genève 8

Direzione della Radiotelevisione della Svizzera Italiana (RTSI)
Via Canevascini, Casella Postale, CH–6903 Lugano-Besso
Direzione dei programmi della RTSI
Casella Postale, CH–6903 Lugano-Besso

Trägerschaft:
Schweizerische Radio- und Fernsehgesellschaft (SRG)
Giacomettistr. 3, Postfach, CH–3000 Bern 15
Zentralpräsident: Yann Richter

Radio- und Fernsehgesellschaft der deutschen und der rätoromanischen Schweiz (RDRS)
Postfach, CH–8052 Zürich

Société de radiodiffusion et de télévision de la Suisse romande (SRTR)
Case Postale 10 75, CH–1001 Lausanne

Società cooperativa per la radiotelevisione della Svizzera italiana (CORSI)
Casella Postale, CH–6903 Lugano-Besso

Außerdem:
Red Cross Broadcasting Service
17, avenue de la Paix, CH–1211 Genève
United Nations Radio
Rue des Nations, CH–1211 Genève 10

SENEGAL West-Afrika

Republik Senegal; République du Sénégal; Sunugal (wolof) – SN

LANDESSTRUKTUR Fläche (86): 196 722 km² (Sahara-Anteil: 44 %) – **Einwohner** (85): (F 1991) 7 632 000 = 39 je km²; (Z 1988) 6 881 919 – Senegalesen; westatlantische Gruppen (36 % Wolof, 17 % Serer, 10 % Tukulör, Mandingo, Sarkolé, Malinke), 18 % Fulbe, Mauren u. a., rd. 3 % Nichtafrikaner (überw. Libanesen, Syrer u. Franzosen) – **Leb.-Erwart.:** 48 J. (m46/w49); Bev.-Anteil 0–14 J.: 45,5 % – **Säugl.-Sterbl.** (1986): 8,1 % – **Kindersterbl.:** 15,0 % – **Analph.:** 62 % – Jährl. **Bev.-Wachstum** (∅ 1980–91): 3,0 % (Geb.- u. Sterbeziffer 1991: 4,3 %/1,6 %) – **Sprachen:** Französisch u. Wolof als Amtsspr.; westatlant. Sprachen (Malinke, Peul), Mande-Sprachen (Manding, Soninke u. a.) u. Ful als Umgangsspr. – **Religion:** 90 % sunnitische Muslime; 6 % Christen (dar. 4,9 % Katholiken); 4 % Anh. von Naturrel. – **Städt. Bev.:** 39 % – **Städte** (S 1985): Dakar (Hptst.) 1 382 000 Ew.; Thiès 156 000, Kaolack 132 000, Ziguinchor [Siginschor] 107 000; (1983) Saint-Louis 118 000, Diourbel 73 000

STAAT Republik – Verfassung von 1963, letzte Änderung 1991 – Nationalversammlung mit 120 Mitgl., Wahl alle 5 J. – Direktwahl d. Staatsoberh. für 7 J., einmalige Wiederwahl – Allg. Wahlrecht – 10 Regionen – **Staatsoberhaupt:** Abdou Diouf (PS), seit 1981 (in ersten freien Wahlen am 21. 2. 1993 mit 58,4 % d. Stimmen im Amt bestätigt) – **Regierungschef:** Habib Thiam (PS), seit 7. 4. 1991 – **Äußeres:** Moustapha Niasse – **Parteien:** Wahlen vom 9. 5. 1993: Parti Socialiste/PS 56,6 % u. 84 Sitze (1988: 103), Parti Démocratique Sénégalais/PDS 30,2 % u. 27 (17), Sonstige 13,2 % u. 9 (0) – **Unabh.:** 20. 6. 1960 (in d. Mali-Föderation), endgültig 20. 8. 1960 (Austritt aus d. Föderation); Aufkündigung d. Konföderation mit Gambia am 23. 8. 1989 – **Nationalfeiertag:** 4. 4.

WIRTSCHAFT BSP 1991: 5500 Mio. $ = 720 $ je Ew. (124); realer Zuwachs ∅ 1980–91: 2,9 %; **BIP** 1991: 5774 Mio. $; realer Zuwachs ∅ 1980–91: 3,1 %; Anteil 1991 **Landwirtsch.** 20 %, **Industrie** 19 %, **Dienstlst.** 61 % (dar. Tourismus 3 %) – **Erwerbstät.** 1990: Landw. 78 %, Ind. ca. 6 % – **Arbeitslosigkeit** ∅ 1991: 25 % (Hptst.) – **Energiever-**

brauch 1991: 105 kg ÖE/Ew. – **Währung:** 1 CFA-Franc = 100 Centimes (c); 1 FF = 50 CFA-Francs (Wertverh. zum FF); 100 CFA-Francs = 0,59 DM – **Ausl.-Verschuld.** 1991: 3522 Mio. $ = 63,1 % d. BSP – **Inflation** ∅ 1980–91: 6,0 % – **Außenhandel** 1991: **Import:** 1360 Mio. $; Güter (S): 33 % Halbwaren, 27 % Nahrungsmittel, 15 % Investitionsgüter, 11 % Brennstoffe u. Energie; Länder: 34 % Frankr., 6 % Côte d'Ivoire, 5 % USA, 5 % Spanien, 4 % Italien, 4 % Thailand, 4 % Nigeria, 4 % Belgien/Lux., 3 % BRD; **Export:** 740 Mio. $; Güter (S): 24 % Fisch u. -erzeugnisse, 12 % Erdnußerzeugn. *(Erdnußproduktion → WA '92, Sp. 536)*, 11 % chem. Erzeugn., 7 % Phosphate; Länder: 28 % Frankr., 12 % Italien, 12 % Indien, 6 % Spanien, 5 % Mali, 4 % Côte d'Ivoire, 3 % Rep. China, 2 % Kamerun, 2 % BRD – **Tourismus** von Bedeutung (1989/90): 303 237 Gäste = ca. 2,5 % des BIP

SEYCHELLEN Ost-Afrika

Republik Seychellen; Republic of Seychelles, République des Seychelles, Repiblik Sesel (kreol.) – SY

LANDESSTRUKTUR Fläche (184): 280 km² (mit Aldabra lagoon insg. 454 km²); 112 Inseln: Mahé od. Granit-Gruppe mit Hauptinsel Mahé (144,8 km², 59 500 Ew. Z 1987), Praslin (38,8 km²), Silhouette (20,7 km²), La Digue (10,4 km²), Curieuse, Félicité, Fregate usw. (zus. 7100 Ew.); außerd. Amiranten-Gruppe (10,3 km²), Cosmoledo-Gruppe (insg. 88 Inseln, jedoch nur 36 bewohnt, zus. weniger als 1000 Ew.) – **Einwohner** (182): (F 1991) 69 000 = 246 je km²; (Z 1987) 68 598 – Seycheller; 89 % Kreolen, etwa 5 % Inder (»Laskar«, »Malabars«), 3 % Madegassen; chines., malaiische u. europ. Minderheiten – **Leb.-Erwart.:** 71 J. (m67/w74) – **Kindersterbl.:** 2,1 % – **Analph.** (1982): 12 % – Jährl. **Bev.-Wachstum** (∅ 1980–91): 0,8 % (Geb.- u. Sterbeziffer 1990: 2,4 %/0,8 %) – **Sprachen:** Kreolisch u. Englisch als Amtsspr.; Französisch als Bildungsspr. – **Religion:** 90 % Katholiken, 8 % Anglikaner – **Städt. Bev.** (1985): 50 % – **Städte** (Z 1977): Victoria (Hptst., auf d. Insel Mahé) 24 325 Ew.

STAAT Präsidialrepublik im Commonwealth seit 1976 – Neue Verfassung vom 18. 6. 1993 (Annahme per Referendum mit 73,6 % der Stimmen) – Parlament (National Assembly) mit 33 Mitgl. – Direktwahl d. Staatsoberh. alle 5 J. – Allg. Wahlrecht – **Staats- u. Regierungschef:** France-Albert René (FPPS-Vors.), seit 1977 (zuletzt wiedergewählt am 24. 7. 1993 mit 59,5 % der Stimmen) – **Äußeres:** Danielle de St. Jorre – **Parteien:** Erste Mehrparteienwahlen vom 23. 7. 1993: Front Progressiste du Peuple Seychellois (ehem. Sozialist. Einheitspartei) 28 Sitze, Demokrat. Partei/DP 4, Sonstige 1 – **Unabh.**: 28. 6. 1976 – **Nationalfeiertag:** 5. 6. (»Tag d. Befreiung«, Machtergreifung Renés 1977)

WIRTSCHAFT   BSP 1991: 350 Mio. $ = 5110 $ je Ew. (44); realer Zuwachs ⌀ 1980–90: 3,2 %; **BIP** realer Zuwachs ⌀ 1985–89: 3,2 %; Anteil 1991 **Landwirtsch.** 5 %, (1988) **Industrie** 20 %, **Tourismus** 50 % – **Erwerbstät.** 1988: Landw. 10 %, Ind. 18 %, Dienstl. 72 % – **Energieverbrauch** 1990: 1747 kg ÖE/Ew. – **Währung:** 1 Seychellen-Rupie (SR) = 100 Cents (c); 1 US-$ = 5,16 SR; 100 SR = 32,72 DM – **Ausl.-Verschuld.** 1991: 201,1 Mio. $ – **Inflation** ⌀ 1980–91: 3,5 % (1992: 3,3 %) – **Außenhandel** 1989: **Import:** 925,8 Mio. SR; Güter: v. a. Maschinen u. Transportausrüst., Nahrungsmittel u. Brennstoffe; Länder: 17 % Kuwait, 15 % Großbrit., 13 % Südafrika, 10 % Singapur; **Export:** 177,2 Mio. SR; Güter: v. a. Thunfisch, Kopra, Zimt u. Zimtöl; Länder (1988): 56 % Frankr., 11 % Großbrit., 10 % Réunion – **Tourismus** (1990): 646 Mio. SR (rd. 70 % aller Deviseneinnahmen) u. 103 770 Gäste

SIERRA LEONE *West-Afrika*
Republik Sierra Leone; Republic of Sierra Leone; Sierra Leona (span.); Serra Leoa (portug.) – WAL

LANDESSTRUKTUR   Fläche (117): 71 740 km² – **Einwohner** (112): (F 1991) 4 239 000 = 59 je km²; (Z 1985) 3 515 812 – Sierraleoner; vorwieg. Mande-Gruppen (35 % Mende, 32 % Temne, Soso, Kuranko, Limba); ca. 10 000 Libanesen u. 2000 Europäer – **Leb.-Erwart.:** 42 J. (m40/w45); Bev.-Anteil 0–14 J.: 43,5 % – **Säugl.-Sterbl.** (1971): 14,5 % – **Kindersterbl.:** 35,9 % – **Analph.:** 79 % – Jährl. Bev.-**Wachstum** (⌀ 1980–91): 2,4 % (Geb.- u. Sterbeziffer 1991: 4,8 %/2,2 %) – **Sprachen:** Englisch als Amtsspr.; Mande-Sprachen (u. a. Malinke, Mende), Temne u. Krio (Kreolisch) als Umgangsspr. – **Religion:** mehrheitl. Anh. von Naturrel.; rd. 30 % sunnit. Muslime, christl. Minderheiten, u. a. 91 000 Katholiken – **Städt. Bev.:** 33 % – **Städte:** Freetown (Hptst.; Z 1985) 469 776 Ew.; (S 1983) Koidu 80 000, Bo 39 000, Kenema 31 000, Makeni 26 000

STAAT *(→ Chronik)* Präsidialrepublik im Commonwealth seit 1978 – Militärregime seit 1992 – Verfassung von 1991 nach Militärputsch von 29. 4. 1992 außer Kraft – Verfassungsmäßiges Parlament (House of Representatives) mit 127 Mitgl., seit 1992 aufgelöst – 23köpfiger »National Provisional Ruling Council«/NPRC als oberstes Staatsorgan – Rat der Staatssekretäre/CSS seit 5. 7. 1993 als Exe-

kutive – 3 Provinzen u. Westgebiet, 12 Distrikte, 1 Stadtgebiet – **Staatsoberhaupt u. Regierungschef:** Hauptmann Valentine E. M. Strasser (NPRC-Vors.), seit 6. 5. 1992; Vors. des CSS Alusine Fofana, seit 5. 7. 1993 (vom Staatsoberh. ernannt) – **Äußeres:** Hauptmann Julius Maada Bio – **Parteien:** Verbot polit. Betätigung seit 1992 – **Unabh.:** 27. 4. 1961 – **Nationalfeiertag:** 27. 4.

WIRTSCHAFT   BSP 1991: 904 Mio. $ = 210 $ je Ew. (171); realer Zuwachs ⌀ 1980–91: 1,1 %; **BIP** 1991: 743 Mio. $; realer Zuwachs ⌀ 1980–91: 1,1 %; Anteil 1991 **Landwirtsch.** 43 %, **Industrie** 14 %, **Dienstlst.** 43 % – **Erwerbstät.** 1991: Landw. 62 %, Ind. ca. 14 % – **Arbeitslosigkeit** ⌀ 1990: 50 % – **Energieverbrauch** 1991: 75 kg ÖE/Ew. – **Währung:** 1 Leone (Le) = 100 Cents (c); 1 US-$ = 553,19 Le; 100 Le = 0,31 DM – **Ausl.-Verschuld.** 1991: 1291 Mio. $ = 167,5 % d. BSP – **Inflation** ⌀ 1980–91: 59,3 % (1992: 65,5 %) – **Außenhandel** 1992: **Import:** 65 176 Mio. Le; Güter: 34 % Nahrungsmittel, 19 % Maschinen u. Transportausrüst., 10 % Brennstoffe; Länder (1989): 30 % Großbrit. sowie USA, Nigeria, BRD, VR China; **Export:** 74 892 Mio. Le; Güter: 44 % Rutil, 26 % Bauxit, 20 % Diamanten, 2 % Kaffee, 2 % Kakao; Länder: 31 % USA, 12 % BRD, 9 % Großbrit.

SIMBABWE *Süd-Afrika*
Republik Simbabwe; Republic of Zimbabwe (früher Rhodesien) – ZW

LANDESSTRUKTUR   Fläche (59): 390 580 km² – **Einwohner** (65): (Z 1992) 10 401 767 = 27 je km² (vorl. Ergeb.) – Simbabwer; Bantu, bes. rd. 77 % Schona [Shona] (dar. 22 % Karanga, 12 % Korekore, 18 % Zezeru, 13 % Manyiku), 17 % Ndebele; 1988 rd. 110 000 Weiße (davon rd. 80 000 einheimische Weiße); 30 000 Asiaten (meist Inder) u. 20 000 Coloureds – **Leb.-Erwart.:** 60 J. (m59/w62); Bev.-Anteil 0–14 J.: 44,5 % – **Säugl.-Sterbl.** (1989): 4,8 % – **Kindersterbl.:** 5,7 % – **Analph.:** 33 % – Jährl. **Bev.-Wachstum** (⌀ 1980–91): 3,4 % (Geb.- u. Sterbeziffer 1991: 3,6 %/0,8 %) – **Sprachen:** Englisch als Amtsspr.; Fanagalo (kreol. Spr.) u. Bantu-Sprachen (CiShona, IsiNdebele) als Umgangsspr. – **Religion:** überw. Anh. von Naturrel.; ca. 55 % Christen (v. a. Anglikaner, Katholiken), muslimische u. jüdische Minderheiten – **Städt. Bev.:** 28 % – **Städte** (S 1990): Harare (Hptst.) 1 000 000 Ew.; Bulawayo 480 000, Chitungwiza 450 000, Gweru 85 000, Mutare 75 000, Kwekwe 55 000, Kadoma 50 000

STAAT Präsidialrepublik – Verfassung von 1980, letzte Änderung 1990 – Parlament mit 150 Mitgl., davon 120 direkt gewählt, 12 durch Staatsoberh. ernannt, 10 Stammeshäuptlinge u. 8 Provinzgouv.; Wahl alle 6 J. – Direktwahl d. Staatsoberh. alle 6 J. – 8 Provinzen – **Staats- u. Regierungschef:** Robert Gabriel Mugabe (Vors. d. ZANU-PF), seit 1987 (in Direktwahl im März 1990 im Amt bestätigt) – **Äußeres:** Nathan M. Narwirakuwa Shamuyarira – **Parteien:** Wahlen vom März 1990: Zimbabwe African National Union-Patriotic Front/ZANU-PF (vorwieg. Shona) 117 Sitze, Zimbabwe Unity Movement/ZUM 2 (–), ZANU-Ndonga 1 (–) – **Unabh.:** 18. 4. 1980 – **Nationalfeiertag:** 18. 4.

WIRTSCHAFT BSP 1991: 6220 Mio. $ = 650 $ je Ew. (128); realer Zuwachs ⌀ 1980–91: 3,6 %; **BIP** 1991: 5543 Mio. $; realer Zuwachs ⌀ 1980–91: 3,1 %; Anteil 1991 **Landwirtsch.** 20 %, **Industrie** 32 %, **Dienstlst.** 49 % – **Erwerbstät.** 1991: Landw. 68 %, Ind. ca. 15 % – **Arbeitslosigkeit** Mitte 1993: 40 % – **Energieverbrauch** 1991: 517 kg ÖE/Ew. – **Währung:** 1 Simbabwe-Dollar (Z.$) = 100 Cents (c); 1 US-$ = 6,49 Z.$; 100 Z.$ = 26,01 DM – **Ausl.-Verschuld.** 1991: 3429 Mio. $ = 57,0 % d. BSP – **Inflation** ⌀ 1980–91: 12,5 % (1992: 46,3 %) – **Außenhandel** 1991: Import: 1290 Mio. $; Güter: 40 % Investitionsgüter, 20 % Konsumgüter, 12 % Energie; Länder: 18 % Großbrit., 12 % BRD, 8 % Botsuana, 6 % Japan, 5 % USA, 4 % Frankr., 3 % Italien, 3 % Niederl.; **Export:** 1540 Mio. $ *(Rohstoffe → WA '92, Sp. 539 f.);* Güter: 29 % Agrarerzeugn. (v. a. Tabak, einschl. Baumwolle), 21 % Fertigwaren, 13 % Metalle; Länder: 15 % BRD, 11 % Großbrit., 10 % Japan, 7 % Botsuana, 6 % USA, 6 % Sambia, 5 % Italien, 4 % Mosambik

SINGAPUR *Südost-Asien*
Republik Singapur; Republic of Singapore (engl.); Repablik Singapura (malaiisch); Xinjiapo Gonghegno (chines.) – SGP

LANDESSTRUKTUR Fläche (176): 618 km^2 (n. eig. Ang. 639,1 km^2) – **Einwohner** (127): (F 1991) 3 045 000 = 4927 je km^2; (Z 1990) 2 705 100 (Wohnbevölk.) – Singapurer; (Z 1990) 77,6 % Chinesen, 14,1 % Malaien, 7,1 % Inder, 32 000 Sonstige – **Leb.-Erwart.:** 74 J. (m72/w77); Bev.-Anteil 0–14 J.: 22,9 % – **Säugl.-Sterbl.:** 0,6 % – **Kindersterbl.:** 0,8 % – **Analph.** (1985): 14 % – Jährl. **Bev.-Wachstum** (⌀ 1980–91): 1,7 % (Geb.- u. Sterbeziffer 1991: 1,8 %/0,5 %) – **Sprachen:** Englisch als Amts-, Verwaltungs- u. Bildungsspr.; Nationalsprache Malaiisch; außerd. Chinesisch u. Tamil – **Religion:** Chinesen: 68 % Buddhisten u. Taoisten, 14 % Christen; Malaien: 99,7 % Muslime; Inder: 53,2 % Hindus, 26,3 % Muslime, 12,8 %

Christen, 6,9 % Sikhs u. a. – **Städt. Bev.:** 100 % – **Stadt** (F 1992): Singapur (Hptst.) 2 818 200 Ew.; daneben kleinere städt. Siedlungen u. Landgemeinden

STAAT Republik – Verfassung von 1959, letzte Änderung 1991 – Parlament mit 81 Mitgl., Wahl alle 5 J. – Direktwahl d. Staatsoberh. alle 6 J. – Allg. Wahlrecht – **Staatsoberhaupt:** Ong Teng Cheong (PAP-Vors.), seit 1. 9. 1993 (am 28. 8. 1993 in ersten Direktwahlen mit 58,7 % d. Stimmen gewählt) – **Regierungschef:** Goh Chok Tong (PAP), seit 5. 9. 1991 – **Äußeres:** Wong Kan Seng – **Parteien:** Wahlen vom 31. 8. 1991: People's Action Party/PAP (v. Chinesen getragen) 77 Sitze (1988: 80), Singapore Democratic P./SDP 3 (1), Worker's Party/WP 1 (1) – **Unabh.:** 9. 8. 1965 – **Nationalfeiertag:** 9. 8.

WIRTSCHAFT BSP 1991: 39 249 Mio. $ = 14 210 $ je Ew. (24); realer Zuwachs ⌀ 1980–91: 7,1 %; **BIP** 1991: 39 984 Mio. $; realer Zuwachs ⌀ 1980–91: 6,6 % (1992: +5,8 %); Anteil 1992 **Industrie** 36 %, **Dienstlst.** 64 % – **Erwerbstät.** 1991: Landw. 0,3 %, Ind. 35,2 % (1991: rd. 250 000 ausländ. Arbeitskräfte) – **Arbeitslosigkeit** ⌀ 1992: keine – **Energieverbrauch** 1991: 6178 kg ÖE/Ew. – **Währung:** 1 Singapur-Dollar (S$) = 100 Cents (c); 1 US-$ = 1,61 S$; 100 S$ = 105,02 DM – **Ausl.-Verschuld.** 1991 (Ende): 41 000 Mio. S$ – **Inflation** ⌀ 1980–91: 1,9 % (1992: 2,3 %) – **Außenhandel** 1992: Import: 118 000 Mio. S$; Güter (1991): 53 % Investitionsgüter, 24 % Erzeugn. d. verarb. Industrie, 16 % Mineralöl; Länder (1991): 21 % Japan, 16 % USA, 16 % Malaysia, 5 % Saudi-Arabien, 4 % Rep. China, 3 % VR China, 3 % BRD (EG 12 %); **Export:** 103 000 Mio. S$; Güter (1991): 45 % Investitionsgüter, 16 % Erzeugn. d. verarb. Industrie, 14 % Mineralölerzeugn.; Transitaufuhr v. Malaysia (Kautschuk, Eisenerz, Zinn, Kopra, Kokosnußöl); Länder (1991): 19 % USA, 16 % Malaysia, 9 % Japan, 7 % Hongkong, 6 % Thailand, 4 % BRD (EG 14 %)

SLOWAKEI *Mittel-Europa*
Slowakische Republik – SQ

LANDESSTRUKTUR Fläche (127): 49 036 km^2 – **Einwohner** (98): (Z 3. 3. 1991) 5 274 335 = 108 je km^2 – (Z 1991) 85,7 % Slowaken; 10,8 % Madjaren (Ungarn), 1,4 % Zigeuner (75 802), 1,1 % Tschechen (59 326), 30 478 Ukrainer, 5414 Deutsche, 2657 Polen, 1391 Russen, 12 643 Sonstige – **Leb.-Erwart.*:** 72 J. – **Säugl.-Sterbl.*:** 1,1 % – **Kindersterbl.*:** 1,5 % – **Analph.*:** unter 5 % – Jährl. **Bev.-Wachstum*** (⌀ 1980–91): 0,3 % (Geb.- u. Sterbeziffer 1991: 1,4 %/1,2 %) – **Sprachen:** Slowakisch als Amtsspr.; Sprachen der Minderh. – **Religion:**

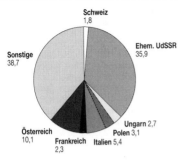

Abnehmerländer

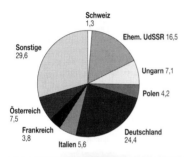

Lieferländer

45% Katholiken; Protestanten, Juden – **Städt. Bev.:** 76% – **Städte** (Z 1991): Bratislava [Preßburg] (Hptst.) 442197 Ew.; Košice [Kaschau] 235160, Nitra [Neutra] 89969, Prešov [Preschau] 87765, Banská Bystrica 85030, Žilina 83911, Trnava [Tyrnau] 71783, Martin 58393, Trenčín 56828
* *Angaben für die ehem. Tschechoslowakei*

STAAT Unabhängige Republik seit 1.1. 1993 – Verfassung vom 3.9. 1992 seit 1.1. 1993 in Kraft – Parlament (Nationalrat) mit 150 Mitgl., Wahl alle 4 J. – Wahl des Staatsoberh. durch Parl. alle 5 J., einmalige Wiederwahl – Allg. Wahlrecht ab 18 J. – 4 Regionen u. 38 Bezirke (Okresy) sowie die Städte Bratislava u. Košice mit Sonderstatus (Gebietsreform in Ausarbeitung) – **Staatsoberhaupt:** Michal Kováč (parteilos), seit 2.3. 1993 (gewählt am 15.2. 1993) – **Regierungschef:** Vladimír Mečiar (HZDS-Vors.), seit 24.6. 1992 –**Äußeres:** Jozef Moravčík – **Parteien:** Letzte Wahlen zum Nationalrat vom 5./6.6. 1992: Bewegung für eine Demokrat. Slowakei/HZDS 74 Sitze, Partei der Demokrat. Linken (ehem. Kommunisten)/SDL 29, Christdemokrat. Bewegung/KDH 18, Slowak. Nationalpartei/SNS 15,

Ungarische Christdemokraten/MKDH 14 – **Unabh.:** Souveränitätserklärung am 17.7. 1992; 1.1. 1993 Auflösung der Tschechoslowakei – **Nationalfeiertag:** 29.8.

WIRTSCHAFT *(Übersicht→ Tab. Sp. u. 567)* **BSP** 1991 (ehem. ČSFR): 2470 $ je Ew. (66a); realer Zuwachs 1990/91 (S): –16,0%; **BIP** 1991: 275100 Mio. Kčs (ČSFR-Währung); realer Zuwachs 1991/ 92: –8,3%; Anteil 1990 **Landwirtsch.** 7%, **Industrie** 60% – Rückgang der Brutto-Industrieprod. 1991/ 92 um 12,9% – **Erwerbstät.** 1991: Landw. 12,6%, Ind. 43% – **Arbeitslosigkeit** ∅ 1992: 10,4% – **Währung** (Stand 10.7.1993): Slowak. Krone (Sk); 1 US-$ = 32,897 Sk; 1 DM = 19,159 Sk – **Ausl.-Verschuld.** Ende 1992: rd. 3500 Mio.$ *(→ Tab. Sp. 575)* – **Inflation** ∅ 1992: 10,4% – **Außenhandel** 1992: **Import:** 100700 Mio. Kčs; Güter (1991): 35% mineral. Brennstoffe, 24% Maschinen u. Transportausrüst., 13% sonst. Rohstoffe; Länder: 36% Ex-UdSSR, 10% Österreich, 5% Italien, 3% Polen, 3% Ungarn, 2% Frankr., 2% Schweiz (Ex-RGW 44,2%, EG 34,2%, EFTA 13,8%); **Export:** 98600 Mio. Kčs; Güter (1991): 36% Halbfertigwaren, 23% Maschinen u. Transportausrüst., 12% chem. Produkte; Länder: 24% BRD, 17% Ex-UdSSR, 8% Österreich, 7% Ungarn, 6% Italien, 4% Polen, 4% Frankr., 1% Schweiz (EG 41,6%, Ex-RGW 34,2%, EFTA 10,5%)

SLOWENIEN *Mittel-Europa*
Republik Slowenien; Republika Slovenija – SLO

LANDESSTRUKTUR Fläche (151): 20251 km^2 –**Einwohner** (137): (Z 1991) 1965986 = 97 je km^2 – (Z 1991) 87,8% Slowenen; 2,8% Kroaten, 2,4% Serben, 1,4% ethn. Muslime sowie kleine Minderh. von Ungarn, Makedoniern, Montenegrinern, Albanern, Italienern – **Leb.-Erwart.*:** 73 J. – **Säugl.-Sterbl.*** (1990): 2,1% – **Analph.*:** 7% – Jährl. **Bev.-Wachstum** (∅ 1981–91): 0,4% – **Sprachen:** Slowenisch als Amtsspr.; Serbokroatisch – **Religion:** rd. 90% Katholiken; kleine Minderh. von Orthodoxen, Muslimen u. Juden – **Städt. Bev.** (1981): 43% – **Städte** (Z 1991): Ljubljana [Laibach] (Hptst.) 267133 Ew.; Maribor 108122, Celje 41279, Kranj 37318, Velenje 27665
* *Angaben für ehem. Jugoslawien*

STAAT Republik – Verfassung von 1991 – Parlament (Drzavni zbor) aus 2 Kammern: Staatsversammlung mit 90 Mitgl. (dar. 38 direkt u. 50 durch Wahlkommission gewählt, außerd. 2 Vertreter der ungar. u. italien. Minderheiten) sowie Staatsrat (Drzavni svet) mit 40 Mitgl. (dar. 22 direkt gewählt); Wahl alle 4 bzw. 5 J. – Direktwahl d. Staatsoberh. alle 5 J., einmalige Wiederwahl – 62 Gemeinden (Gebietsreform in Ausarbeitung: 22–25 Regionen) – **Staatsoberhaupt:** Milan Kučan, seit 22. 4. 1990 (am 6. 12. 1992 in Direktwahl mit 63,8 % d. Stimmen im Amt bestätigt) – **Regierungschef:** Janez Drnovšek (LDP-Vors.), seit 22. 4. 1992 – **Äußeres:** Lojze Peterle – **Parteien:** Erste Wahlen seit der Unabh. vom 6. 12. 1992 zur Staatsvers.: Liberaldemokrat. Partei/LDP 23,7 % u. 22 der 88 Sitze, Christlichdemokraten/SKD 14,5 % u. 15, Vereinigte Liste (reformkommunist. Sozialdemokraten der Erneuerung/ SDR, Sozialdemokrat. Erneuerungspartei u.a.) 13,6 % u. 14, Slowenische Nationalpartei/SNS 9,9 % u. 12, rechtsger. Slowenische Volkspartei/ SLS 8,8 % u. 10, Demokrat. Partei Sloweniens/DSS 5,0 % u. 6, Bürgerpartei der Grünen/ZS 3,7 % u. 5, Sozialdemokrat. Partei/SDSS 3,3 % u. 4 – **Unabh.:** Unabh.-Erklärung am 25. 6. 1991 (nach Referendum vom 23. 12. 1990); formell seit 8. 10. 1991 – **Nationalfeiertag:** 25. 6.

WIRTSCHAFT *(Übersicht → Tab. Sp. 567)* BSP 1990 (S): 15 400 Mio. $; realer Zuwachs 1990/91: –15 %; **BIP** 1992: 962 300 Mio. SLT = 481 150 SLT je Ew.; realer Zuwachs 1991/92: –6,5 %; Anteil 1992 **Landwirtsch.** 4,5 %, **Industrie** 55,9 %, **Dienstlst.** 39,6 % – 1991/92: Rückgang der Brutto-Industrieprod. um 13,2 %, der Brutto-Agrarprod. um 16 %, der Realeink. um 7 % – **Erwerbstät.** 1991: Landw. 13,7 %, Ind. 40,4 % – **Arbeitslosigkeit** ∅ 1991: 10,7 % – **Währung:** 1 Tolar (SLT) = 100 Stotin; 1 US-$ = 118,56 SLT; 100 DM = 6975,50 SLT – **Ausl.-Verschuld.** 11/1992: 1678 Mio. $ (Bundesschuld, plus ca. 3600 Mio. $) – **Inflation** ∅ 1992: 201 % – **Außenhandel** 1992: **Import:** 4130 Mio. $ (o. Handel mit d. übrigen Rep. Ex-Jugosl.); Güter (Jan.–Sept.): 35 % Maschinen u. Ausrüst., 14 % chem. Prod., außerd. Stahl u. Eisenwaren, Gummi u. Plastik; Länder (Jan.–Sept.): 24 % BRD, 16 % Italien, 12 % Frankr., 11 % Kroatien, 9 % Österreich; **Export:** 4180 Mio. $ (o. Handel mit d. übrigen Rep. Ex-Jugosl.); Güter (Jan.–Sept.): 38 % Maschinen u. Ausrüst., 28 % verarb. Prod., außerd. Möbel, Pharmazeutika, Papier u. Pappen, Aluminium u. Stahlerzeugn.; Länder (Jan.–Sept.): 23 % BRD, 18 % Italien, 13 % Ex-UdSSR, 10 % Frankr., 6 % Österreich

SOMALIA *Nordost-Afrika*

Demokratische Republik Somalia; Jamhuuriyadda Dimugradiga Soomaaliya; Al-Jumhûrîya Ad-Dîmûkrâtîya As-Sûmâlîya; Somali Democratic Republic – SO

LANDESSTRUKTUR **Fläche** (41): 637 657 km² – **Einwohner** (82): (F 1991) 8 051 000 = 13 je km²;

(Z 1987) 7 114 431 – Somalier (ethn. Somali, Mz. Somal); rd. 95 % Angeh. der Somal-Stämme (Isaaq, Absami, Habargidir, Abgaal, Darod, Digil, Issa, Hawiya usw.), daneben etwa 100 000 Bantu, 30 000 Araber – **Leb.-Erwart.:** 48 J. – **Säugl.-Sterbl.:** 12,6 % – **Kindersterbl.:** 20,8 % – **Analph.:** 76 % – Jährl. **Bev.-Wachstum** (∅ 1980–91): 3,1 % (Geb.- u. Sterbeziffer 1990: 4,8 %/1,8 %) – **Sprachen:** Somali als Amtsspr.; Arabisch, Englisch, Französisch u. Italienisch als Handels- u. Bildungsspr.; Sprachen der Ethnien – **Religion** (Islam ist Staatsreligion): 99,8 % sunnitische Muslime (schafiitischer Richtung); – **Städt. Bev.:** 36 % – **Städte:** Mogadischu (Hptst.; S 1984) 600 000 Ew.; (S 1981) Hargeisa 70 000, Kisimayjo [Chisimaio] 70 000

STAAT *(→ Chronik)* Republik – Verfassung von 1960 außer Kraft; Übergangscharta seit Anf. 1993 in Ausarbeitung (Bildung eines »Nationalrats« mit 74 Mitgl. als höchstes polit. Entscheidungsorgan bis zur Abhaltung von freien Wahlen vorgesehen) – Regierung – Ausrufung der neuen Republik *Somaliland* (ehem. brit. Protektorat) im N durch d. »Somalische Nationalbewegung« am 18. 5. 1991 (eig. Regierung unter Präs. Abdurahman Ahmed Ali); Ablehnung d. Wiedervereinigung mit Somalia am 27. 5. 1992 – 18 Provinzen (föderalist. System mit 18 autonomen Regionen vorgesehen) – **Staatsoberhaupt:** nominell Ali Mahdi Mohammed (Abgaal, USC), seit 29. 1. 1990 – **Regierungschef:** nominell Omar Arteh Ghaleb (Habargidir), seit 2. 1. 1991 – **Äußeres:** Mohamed Ali Hamed – **Parteien:** Letzte Wahlen 1984 – **Unabh.:** 26. 6. 1960 (Brit. Somaliland) u. 1. 7. 1960 (Italien. Somaliland); Vereinigung am 1. 7. 1960 – **Nationalfeiertag:** bisher 21. 10. (Machtergreifung Barres 1969)

WIRTSCHAFT (keine neueren Angaben verfügbar) **BSP** 1990: 946 Mio. $ = 120 $ je Ew. (181); realer Zuwachs ∅ 1980–90: 1,1 %; **BIP** 1990: 890 Mio. $; realer Zuwachs ∅ 1980–90: 2,4 %; Anteil 1990 **Landwirtsch.** 66 %, **Industrie** ca. 9 % – **Erwerbstät.** 1991: Landw. 70 %, Ind. ca. 8 % – **Energieverbrauch** 1990: 64 kg ÖE/Ew. – **Währung:** 1 Somalia-Schilling (So. Sh.) = 100 Centesimi (Cnt.); keine Devisenkurse erhältlich – **Ausl.-Verschuld.** 1991: 2435 Mio. $ (1990: 276,9 % d. BSP) – **Inflation** ∅ 1980–90: 49,7 % (1991: über 100 %) – **Außenhandel** 1990: **Import:** 360 Mio. $; Güter (1989): 24 % Maschinen u. Transportausrüst., 19 % Nahrungsmittel, Erdöl u. Erdölprod., Düngemittel; Länder (1989): v. a. Italien, Großbrit., BRD, Kenia, USA; **Export:** 130 Mio. $; Güter (1988): 40 % Bananen, 38 % leb. Tiere sowie Häute u. Felle, Fisch, Myrrhe; Länder (1989): v. a. Italien, auch Saudi-Arabien, USA, Japan, VR China

SPANIEN *Südwest-Europa*
Königreich Spanien; Reino de España; España – E

LANDESSTRUKTUR Fläche (50): 504 782 km² (mit 5240 km² Binnengewässern), inkl. die Balearen (5014 km²/709 138 Ew. [Z 1991]), die Kanarischen Inseln (7273 km²/1 493 784 Ew.), außerd. die »Presidios« Ceuta (19,5 km²/73 208 Ew.) u. Melilla (12,5 km²/63 670 Ew.) sowie Peñón de Vélez, Alhucemas, Chafarinas (zus. 1 km²/rd. 300 Ew.); die Presidios (Plazas de Soberanía) sind Teile span. Provinzen (Cádiz bzw. Málaga), Marokko erhebt auf sie Anspruch – **Einwohner** (27): (Z 1. 3. 1991) 38 872 268 = 77 je km² – Über 73 % kastilische Spanier; etwa 18 % Katalanen, 6 % Galicier (Gallegos), 1,5 % Basken (Euskaldun), 500 000 Sinti u. Roma; 360 000 Ausländer, v. a. Engländer, Deutsche, Portugiesen, Franzosen – 4 Mio. Spanier leben im Ausl. (rd. 2 Mio. in Amerika u. 1 Mio. in Europa) – **Leb.-Erwart.:** 77 J. (m74/w80); Bev.-Anteil 0–14 J.: 19,3 % – **Säugl.-Sterbl.** (1990): 0,8 % – **Kindersterbl.:** 1,0 % – **Analph.** (1990): 5 % – Jährl. **Bev.-Wachstum** (∅ 1980–91): 0,4 % (Geb.- u. Sterbezif-

fer 1991: 1,0 %/0,9 %) – **Sprachen:** Spanisch (Kastilisch) sowie regional auch Katalanisch (rd. 18 %), Galicisch (6,5 %, dem Portug. verwandt) u. Baskisch (1,5 %) als Amtsspr. – **Religion:** 96,7 % Katholiken; 250 000 andere Christen, rd. 300 000 Muslime, 15 000 Juden – **Städt. Bev.:** 79 % – **Städte** (Z 1991): Madrid (Hptst.) 3 010 492 Ew. (A 4,95 Mio.); Barcelona 1 643 542 (A 4,65 Mio.), Valencia 752 909 (A 2,12 Mio.), Sevilla 683 028, Zaragoza [Saragossa] 594 394, Málaga 522 108, Bilbao [Bilbo] 369 839, Las Palmas 354 877, Valladolid 330 700, Murcia 328 100, Córdoba 302 154, Palma de Mallorca 296 754, Vigo 276 109, Hospitalet 272 578, Alicante 265 473, Gijón 259 067, Granada 255 212, La Coruña [A Coruña] 246 953, Badalona 218 725, Vitoria-Gasteiz 206 116, Santa Cruz de Tenerife 200 172, Oviedo 196 051, Mostolés 192 018, Santander 191 079, Sabadell 189 404, Elche 188 062, Jerez de la Frontera 183 316

STAAT Monarchie auf parlamentarisch-demokratischer Grundlage – Verfassung von 1978, letzte Änderung 1992 – Parlament (Cortes Generales) aus 2 Kammern: Abgeordnetenhaus (Congreso de los Diputados) mit 350 u. Senat (Senado) mit 255 Mitgl. (dar. 208 direkt gewählt u. 47 Delegierte aus d. Autonomen Gemeinsch.); Wahl alle 4 J. – Staatsrat (Consejo de Estado) aus 23 Mitgl. als höchstes Konsultativorgan – König ernennt d. Minister – Allg. Wahlrecht ab 18 J. – 17 Autonome Gemeinschaften (Comunidades Autónomas) mit eig. Parl. *(Einzelheiten → WA '93, Tab. Sp. 559 f.),* 52 Provinzen, außerd. Ceuta u. Melilla – **Staatsoberhaupt:** König Juan Carlos I. de Borbón y Borbón, seit 1975 – **Regierungschef:** Felipe González Márquez (PSOE-Vors.), seit 1982 (am 9. 7. 1993 zum 3. Mal durch Parl. im Amt bestätigt); Koalition aus PSOE u. Parteilosen – **Äußeres:** Javier Solana Madariaga – **Parteien:** Wahlen vom 6. 6. 1993 (Kandidatur von 111 polit. Parteien u. Gruppierungen, Wahlbeteiligung 77,3 %): Sitzverteilung im Abg.-Haus *(→ Abbildung):* Partido Socialista Obrero Español/PSOE (Sozialist. Arbeiterpartei) 38,7 %, Partido Popular/PP 34,8 %, Izquierda Unida/IU 9,6 %, Convergència i Unió/CIU 4,9 %, Partido Nacionalista Vasco/PNV (Baskische Nationalpartei) 1,2 %, Centro Democrático y Social/CDS (Demokrat.-Soziales Zentrum = Linksbündnis aus Kommunisten/PCE u. Sozialisten/PASOC) 1,8 %; Sonstige 10 (14) – Senat: PSOE 96 Sitze (1989: 107), PP 93 (78), CIU 10 (10), Coalición Canaria/CC 5 (–), PNV 3 (4), Herri Batasuna (Vereinigtes Volk)/HB (Baskische Separatisten) 1 (3), Sonstige 0 (6) – **Unabh.:** alte Tradition als unabh. Staat; Maurenherrschaft 718–1492 – **Nationalfeiertag:** 12. 10. gemeins. Feiertag aller spanischsprachigen Länder (Entdeckung Amerikas durch Kolumbus 1492)

Demokratisch-Soziales Zentrum 14 *(Liberale)*
Vereinigtes Volk *(Baskische Separatisten)* 4
Baskisch-Nationalistische Partei
Sonstige 10
Konvergenz und Union *(katalanische Regionalisten)* 5
Spanische Sozialistische Arbeiterpartei 175
Vereinigte Linke/Kommunistische Partei Spaniens 18
Volkspartei 107

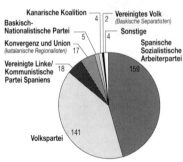

Kanarische Koalition 4 2
Vereinigtes Volk *(Baskische Separatisten)*
Baskisch-Nationalistische Partei 5 4 Sonstige
Konvergenz und Union *(katalanische Regionalisten)* 17
Spanische Sozialistische Arbeiterpartei 159
Vereinigte Linke/Kommunistische Partei Spaniens 18
Volkspartei 141

Sitzverteilung im Abgeordnetenhaus 1989 und 1993

WIRTSCHAFT *(Einzelheiten → Kap. Wirtschaft, Sp. 918)* **BSP** 1991: 486614 Mio. $ = 12450 $ je Ew. (26); realer Zuwachs ∅ 1980–91: 3,2%; **BIP** 1991: 527131 Mio. $ (1992: 573400 Mio. $); realer Zuwachs ∅ 1980–91: 3,2% (1992: +1,2%); Anteil 1991 **Landwirtsch.** 4,3%, **Industrie** 36%, **Dienstlst.** 59,8% – **Erwerbstät.** 1991: Landw. 10,7%, Ind. 33,1%, Dienstl. 56,2% – **Arbeitslosigkeit** ∅ 1992: 18,4% – **Energieverbrauch** 1991: 2229 kg ÖE/Ew. – **Währung:** 1 Peseta (Pta) = 100 Céntimos (cts); 1 US-$ = 128,859 Ptas; 100 Ptas = 1,31 DM – **Ausl.-Verschuld.** 1992 (brutto): 70000 Mio. $ – **Inflation** ∅ 1980–91: 8,9% (1992: 5,3%) – **Außenhandel** 1991: **Import:** 9672 Mrd. Ptas (1992: 100000 Mio. $); Güter: 24% Maschinen, 13% Transportmittel, 12% chem. Erzeugn., 12% landwirtschaftl. Erzeugn., 11% Energieträger, 7% Metallwaren; Länder: 16% BRD, 15% Frankr., 10% Italien, 8% USA, 7% Großbrit.; **Export:** 6226 Mrd. Ptas (1992: 64300 Mio. $); Güter: 25% Transportmittel, 16% Maschinen, 16% landwirtschaftl. Erzeugn., 10% chem. Erzeugn., 9% Metallwaren, 4% Energieträger; Länder: 19% Frankr., 15% BRD, 11% Italien, 7% Großbrit., 7% USA – **Tourismus** (1992): 2123 Mrd. Ptas Einnahmen (+6,6% gg. 1991) u. 55,3 Mio. Gäste

PRESSE (Aufl. i. Tsd.) *Tageszeitungen:* Madrid: ABC (298, so. 600) – Diario 16 (179, so. 209) – El Mundo (145, so. 215) – El País (395, so. 1049) – Barcelona: Avui (50)/Katalan. – Las Noticias-Diario de Cataluña (100)/Katalan. – El País (60)/Katalan. – El Periódico (180, so. 380) – La Vanguardia (195, so. 316) – Bilbao: El Correo Español-El Pueblo Vasco (133) – La Coruña: La Voz de Galicia (82, so. 127) – Murcia: La Opinión de Murcia (180) – *Wochenzeitungen u. Zeitschriften:* Cambio 16 – Diez Minutos (377) – Epoca – Hola! (583) – Interviú (494) – Panorama Internacional (418) – Pronto (925) – Semana (341) – Tiempo (156) – *Nachrichtenagentur:* Agencia EFE

LANDESSTRUKTUR **Fläche** (120): 65610 km² (mit 868 km² Binnengewässern) – **Einwohner** (49): (F 1991) 17194000 = 262 je km²; (Z 1981) 14846750 – Srilanker; (Z 1981) 74% Singhalesen, 12,6% Ceylon-(Jaffna-)Tamilen, 5,5% Indien-Tamilen, 7,1% »Mohren« (Moors, Muslime) – *(Karte*

→ *WA '93, Sp. 144)* – **Leb.-Erwart.:** 71 J. (m69/w74); Bev.-Anteil 0–14 J.: 31,7% – **Säugl.-Sterbl.** (1988): 1,8% – **Kindersterbl.:** 2,2% – **Analph.:** 12% – Jährl. **Bev.-Wachstum** (∅ 1980–91): 1,4% (Geb.- u. Sterbeziffer 1991: 2,1%/0,6%) – **Sprachen:** Singhalesisch (Sinhala) u. Tamilisch als Amtsspr.; Englisch z. T. Handels- u. Bildungsspr. – **Religion:** 69% südl. (Hinajana-)Buddhisten, 15% Hindus, 7,6% Christen (dar. 6,9% Katholiken), 7,4% Muslime – **Städt. Bev.:** 22% – **Städte** (S 1990): Colombo (Hptst.) 615000 Ew.; Dehiwala-Mt. Galkissa [Lavinia] 196000, Moratuwa 170000, Yapnaya [Jaffna] 129000, Kotte 109000, Kandy 104000, Galle 84000

STAAT Demokratische Sozialistische Republik – Verfassung von 1978, Änderung 1983 – Parlament (Nationalversammlung) mit 225 Mitgl., Wahl alle 6 J. – Direktwahl d. Staatsoberh. alle 6 J. – Allg. Wahlrecht ab 18 J. – 9 Provinzen (Palat) u. 24 Distrikte (Autonomie für 2 Tamilen-Provinzen im N u. O geplant) – Ausnahmezustand seit 22. 5. 1993 – **Staatsoberhaupt:** Interimspräs. Dingiri Banda Wijetunga (UNP), seit 7. 5. 1993 (einstimmige Wahl durch Parl.; bis Ende der Amtsperiode seines ermordeten Vorgängers im Dez. 1994 im Amt → *Chronik*) – **Regierungschef:** Ranil Wickremasinghe (UNP), seit 7. 5. 1993 – **Äußeres:** James Edward Harold Herath – **Parteien:** Wahlen von 1989: United National Party/UNP 125 Sitze, sozialist. Sri Lanka Freedom Party/SLFP 67, Eelavar Dem. Front 13, Tamil United Liberation Front/TULF-Allianz 10, Sri

Verteidigung 1,7
Erziehung 6,7
Gesundheit 4,9
Sonstiges 58,2
Wohnung, Gem.-Einrichtungen, Sozialversicherung und Wohlfahrt 12,7
Wirtschaftsförderung 15,9

Verteidigung 33,8
Erziehung 30,2
Sonstiges 127
Gesundheit 17
Wohnung, Gem.-Einrichtungen, Sozialversicherung und Wohlfahrt 66,4
Wirtschaftsförderung 85,6

Ausgaben der Regierung 1980 und 1991

Lankan Muslim Congress/SLMC 4, Sonstige 6 – **Un-abh.:** 4. 2. 1948 – **Nationalfeiertag:** 4. 2.

WIRTSCHAFT **BSP** 1991: 8665 Mio. $ = 500 $ je Ew. (138); realer Zuwachs ⌀ 1980–91: 4,0 %; **BIP** 1991: 8195 Mio. $; realer Zuwachs ⌀ 1980–91: 4,0 % (1992: +4,3 %); Anteil 1991 **Landwirtsch.** 27 %, **Industrie** 25 %, **Dienstlst.** 48 % – **Erwerbstät.** 1991: Landw. 52 %, Ind. ca. 19 % – **Arbeitslosigkeit** Ende 1991: 11 % – **Energieverbrauch** 1991: 177 kg ÖE/Ew. – **Währung:** 1 Sri-Lanka-Rupie (S. L. Re.) = 100 Sri Lanka Cents (S. L. Cts.); 1 US-$ = 48,11 S. L. Rs.; 100 S. L. Rs. = 3,53 DM – **Ausl.-Verschuld.** 1991: 6553 Mio. $ = 72,6 % d. BSP – **Inflation** ⌀ 1980–91: 11,2 % (1992: 11,4 %) – **Außenhandel** 1991: **Import:** 3861 Mio. $; Güter: 19 % Maschinen u. Transportausrüst., 17 % Nahrungsmittel, 11 % Brennstoffe; Länder (1990): 12 % Japan, 8 % Iran, 8 % USA, 6 % Großbrit., 5 % Rep. Korea; **Export:** 2629 Mio. $; Güter (1990): 24 % Tee, 9 % Edel-u. Halbedelsteine, 4 % Rohkautschuk sowie Kokosnüsse u. Kopra-Produkte; Länder (1990): 26 % USA, 7 % BRD, 6 % Großbrit., 6 % Japan

ST. KITTS und NEVIS
Karibik (Kleine Antillen)

Föderation St. Kitts und Nevis; Federation of St. Kitts and Nevis; bis 1987 St. Christopher and Nevis – SCN

LANDESSTRUKTUR **Fläche** (185): 261,6 km², davon St. Kitts (Christopher) 168,4 km² u. Nevis 93,2 km² – **Einwohner** (186): (F 1991) 39 000 (davon 12 000 auf Nevis) = 149 je km²; (Z 1980) 43 309 – 86 % Schwarze, 11 % Mulatten; ferner Inder, Chinesen u. Europäer – **Leb.-Erwart.:** 70 J. – **Säugl.-Sterbl.:** 2,8 % – **Kindersterbl.:** 4,1 % – **Analph.** (1986): 10 % – **Jährl. Bev.-Wachstum** (⌀ 1980–91): –1,2 % (Geb.- u. Sterbeziffer 1989: 2,3 %/1,1 %) – **Sprachen:** Englisch als Amtsspr.; Umgangsspr. ein kreolisches Englisch – **Religion:** mehrheitl. Anglikaner, Methodisten u. a. Protestanten; 14 500 Katholiken – **Städt. Bev.:** 49 % – **Städte** (Z 1980): Basseterre (Hptst., auf St. Kitts) 14 161 Ew.; Sandy Point Town, Charlestown (Hauptort auf Nevis) 1243

STAAT Konstitutionelle Monarchie im Commonwealth – Verfassung von 1983 – Nationalversammlung mit 11 für 5 J. gewählten u. 3 vom Gen.-Gouverneur ernannten Mitgl. – Nevis mit eig. Versammlung (5 gewählte u. 3 ernannte Mitgl.) u. Premier (Vance Amory) – Allg. Wahlrecht ab 18 J. – 14 Gemeinden – **Staatsoberhaupt:** Königin Elizabeth II., vertreten durch einheim. Generalgouverneur Sir

Clement Arrindell, seit 1983 – **Regierungschef u. Äußeres:** Kennedy Alphonse Simmonds (PAM), seit 1980 – **Parteien:** Wahlen von 1989: People's Action Movement/PAM 6 Sitze, Labour Party 2, Nevis Reformation Party/NRP 2, Concerned Citizens' Movement/CCM 1; letzte Wahlen auf Nevis im Juni 1992 (CCM 3 Sitze, NRP 2) – **Unabh.:** 19. 9. 1983 – **Nationalfeiertag:** 19. 9.

WIRTSCHAFT **BSP** 1991: 156 Mio. $ = 3960 $ je Ew. (46); realer Zuwachs ⌀ 1980–91: 4,5 %; **BIP** realer Zuwachs 1990/91: 6,8 %; Anteil 1991 **Landwirtsch.** 7 %, **Industrie** ca. 27 %, **Tourismus** 6 % – **Erwerbstät.** 1984: Landw./Fischerei 29,6 %, Ind. 24,3 % – **Energieverbrauch** 1990: 500 kg ÖE/Ew. – **Währung:** 1 Ostkarib. Dollar (EC$) = 100 Cents; 1 US-$ = 2,69 EC$; 100 EC$ = 62,80 DM – **Ausl.-Verschuld.** 1991: 43,5 Mio. $ – **Inflation** ⌀ 1980–91: 7,2 % – **Außenhandel** 1990: **Import:** 168 Mio. EC$; Güter (1988): 32 % Maschinen u. Transportausrüst., 20 % Halbfertigprod., 16 % Nahrungsmittel; Länder (1988): 47 % USA, 18 % Großbrit., 7 % Trinidad u. Tob., 4 % Kanada; **Export:** 81 Mio. EC$; Güter (1989): 40 % Zucker u. -produkte, ferner Erdnüsse u. Baumwolle, Bekleidung, elektron. Bauteile; Länder (1988): 62 % USA, 22 % Großbrit., 4 % Trinidad u. Tob. – **Tourismus** (1989): 108 658 Gäste

ST. LUCIA *Karibik (Kleine Antillen)*
Saint Lucia; Sainte-Lucie – STL

LANDESSTRUKTUR **Fläche** (175): 622 km² (n. eig. Ang. 616,3 km²) – **Einwohner** (174): (Z 1991) 136 041 = 221 je km² – Lucianer: 90,3 % Schwarze, 5,5 % Mulatten, 3,2 % Asiaten, 0,8 % Weiße – **Leb.-Erwart.:** 72 J. – **Säugl.-Sterbl.:** 1,8 % – **Kindersterbl.:** 2,2 % – **Analph.** (1980): 10 % – **Jährl. Bev.-Wachstum** (⌀ 1980–91): 1,9 % (Geb.- u. Sterbeziffer 1990: 2,4 %/0,6 %) – **Sprachen:** Englisch als Amtsspr.; Patois (kreolisches Französ.) als Umgangsspr. – **Religion:** 82 % Katholiken, versch. protestant. Konfessionen – **Städt. Bev.:** 46 % – **Städte** (Z 1991): Castries (Hptst.) 51 994 Ew.; Vieux Fort, Soufrière, Gros Islet

STAAT Konstitutionelle Monarchie im Commonwealth – Verfassung von 1979 – Parlament aus 2 Kammern: Unterhaus (House of Assembly) mit 17 für 5 J. gewählten u. Senat mit 9 vom Gen.-Gouverneur ernannten u. 2 unabh. Mitgl. – Wahlpflicht ab 21 J. – 16 Gemeinden (parishes) – **Staatsoberhaupt:** Königin Elizabeth II., vertreten durch einheim. Generalgouverneur Sir Stanislaus A. James, seit 1988, 1992 im Amt bestätigt – **Regierungschef:** John G. M. Compton (UWP), seit 1982 – **Äußeres:**

W. George Mallet – **Parteien:** Wahlen vom 22. 4. 1992: United Worker's Party/UWP 11 Sitze (1987: 9), St. Lucia Labour Party/SLP 6 (8) – **Unabh.:** 22. 2. 1979 – **Nationalfeiertag:** 13. 12.

WIRTSCHAFT BSP 1991: 380 Mio. $ = 2490 $ je Ew. (64); realer Zuwachs $\varnothing$ 1980–90: 4,8 %; **BIP** realer Zuwachs 1990/91: 1,7 %; Anteil 1990 **Landwirtsch.** 14 %, **Industrie** 19 % – **Erwerbstät.** 1989: Landw. 30 %, Ind. 20 % – **Arbeitslosigkeit** $\varnothing$ 1990: 15 % – **Energieverbrauch** 1990: 347 kg ÖE/Ew. – **Währung:** 1 Ostkarib. Dollar (EC$) = 100 Cents; 1 US-$ = 2,69 EC$; 100 EC$ = 62,80 DM – **Ausl.-Verschuld.** 1991: 69,9 Mio. $ – **Inflation** $\varnothing$ 1980–90: 4,2 % (1991: 7,3 %) – **Außenhandel** 1990: **Import:** 732,4 Mio. EC$; Güter: 58 % Nahrungsmittel u. leb. Tiere, 21 % Maschinen u. Transportausrüst., 7 % mineral. Brennstoffe; Länder: 34 % USA, 14 % Großbrit., 9 % Trinidad u. Tob., 6 % Japan (CARICOM-Länder insg. 18 %); **Export:** 343,7 Mio. EC$; Güter: insg. 81 % Nahrungsmittel u. leb. Tiere (dar. 55 % Bananen, 4 % tier. u. pflanzl. Öle u. Fette, Kokosnüsse, Mangos, Zitrusfrüchte u. Gewürze); Länder: 53 % Großbrit., 21 % USA, 2 % Trinidad u. Tob. (CARICOM-Länder insg. 17 %) – **Tourismus** (1991): 470,4 Mio. EC$ Einnahmen u. 342 440 Gäste

ST. VINCENT und die GRENADINEN
Karibik (Kleine Antillen)
St. Vincent and the Grenadines – WV

LANDESSTRUKTUR Fläche (180): 389,3 km^2 (davon Grenadinen 45,3 km^2) – **Einwohner** (176): (Z 1991) 107 598 = 276 je km^2 – Vincenter; 82 % Schwarze, 14 % Mulatten, rd. 4 % Inder – **Leb.-Erwart.:** 71 J. (m69/w74) – **Säugl.-Sterbl.:** 2,7 % – **Kindersterbl.:** 2,5 % – **Analph.** (1982): 18 % – Jährl. **Bev.-Wachstum** ($\varnothing$ 1980–91): 0,9 % (Geb.- u. Sterbeziffer 1991: 2,4 %/0,6 %) – **Sprachen:** Englisch als Amtsspr.; kreolisches Englisch als Umgangsspr. – **Religion:** rd. 47 % Anglikaner, 28 % Methodisten; 12 000 Katholiken – **Städt. Bev.:** rd. 30 % – **Stadt** (Z 1991): Kingstown (Hptst.; auf St. Vincent) 15 670 Ew.

STAAT Konstitutionelle Monarchie im Commonwealth – Verfassung von 1979 – Parlament mit 21 Mitgl., dar. 15 für 5 J. gewählt u. 6 vom Gen.-Gouverneur ernannt – **Staatsoberhaupt:** Königin Elizabeth II., vertreten durch einheim. Generalgouverneur Sir David Jack, seit 1989 – **Regierungschef:** James F. Mitchell (NDP), seit 1984 – **Äußeres:** Herbert Young – **Parteien:** Wahlen von 1989: New Democratic Party/NDP 66,2 % u. alle 15 Sitze, Labour Party/SVLP 30,4 % u. 0 – **Unabh.:** 27. 10. 1979 – **Nationalfeiertag:** 27. 10.

WIRTSCHAFT BSP 1991: 187 Mio. $ = 1730 $ je Ew. (86); realer Zuwachs $\varnothing$ 1980–91: 6,1 %; **BIP** realer Zuwachs $\varnothing$ 1984–90: 6,8 % (1991: +4,6 %); Anteil 1990 **Landwirtsch.** 18 %, **Industrie** 22 % – **Erwerbstät.** 1985: Landw. 42 %, Ind. 10 %, Tourismus rd. 5 % – **Arbeitslosigkeit** $\varnothing$ 1990: 19 % – **Energieverbrauch** 1990: 206 kg ÖE/Ew. – **Währung:** 1 Ostkarib. Dollar (EC$) = 100 Cents; 1 US-$ = 2,69 EC$; 100 EC$ = 62,80 DM – **Ausl.-Verschuld.** 1991: 62,4 Mio. $ – **Inflation** $\varnothing$ 1980–91: 4,4 % – **Außenhandel** 1990: **Import:** 367,4 Mio. EC$; Güter: 24 % Halbfertigwaren, 22 % Maschinen u. Transportausrüst., 22 % Nahrungsmittel; Länder: 36 % USA, 18 % Großbrit., 13 % Trinidad u. Tob., 4 % Barbados; **Export:** 210,0 Mio. EC$; Güter: insg. 80 % Agrarprod. (dar. 57 % Bananen) sowie Gemüse, Kokosnüsse, Tabak, Gewürze; Länder: 57 % Großbrit., 13 % Trinidad u. Tob., 8 % USA

SÜDAFRIKA *Süd-Afrika*
Republik Südafrika; Republiek van Zuid-Afrika (afrikaans); Republic of South Africa (engl.) – ZA bzw. RSA

LANDESSTRUKTUR Fläche (24): 1 221 037 km^2 (ohne d. Walvis Bay [»Walfischbucht«] mit 1124 km^2, seit 23. 8. 1992 unter gemeinsamer Verwaltung mit Namibia, voraussichtl. ab 1994 ganz zu → *Namibia*, die Pinguin-Inseln mit 2,92 km^2, die Marion- u. Prince-Edward-Inseln sowie die sog. TBVC-Staaten [Transkei, Bophuthatswana, Venda u. Ciskei] → unten) – **Einwohner** (26): (F 1991) 38 900 000 Ew. = 32 je km^2; (Z 1991, ohne TBVC mit 5,95 Mio. Ew. [F 1985]) 26 288 390 – Südafrikaner; (F 1990, ohne TBVC) 21,6 Mio. Afrikaner (u. a. Zulu, Xhosa, Sotho, Tswana, Shangaan, Swasi, Ndebele, Venda), 5,02 Mio. Weiße, 3,2 Mio. Coloureds, 0,956 Mio. Asiaten – **Leb.-Erwart.:** 63 J. (m59/w66); Bev.-Anteil 0–14 J.: 38,6 % – **Säugl.-Sterbl.** (1980): 5,4 % – **Kindersterbl.:** 7,2 % – **Analph.** (1980): 7 % – Jährl. **Bev.-Wachstum** ($\varnothing$ 1980–91): 2,5 % (Geb.- u. Sterbeziffer 1991: 3,1 %/0,9 %) – **Sprachen:** Afrikaans u. Englisch als Amtsspr.; eigene Amtsspr. in den TBVC-Staaten u. nominell unabh. Gebieten; Bantu-Sprachen u. indische Sprachen als Umgangsspr; von d. Afrikanern sprechen (S 1990) über 50 % Afrikaans, die übr. meist beide Sprachen (dazu afrikan. Sprachen: ca. 10 Mio. Ñguni-Sprachen wie Zulu, Xhosa, Swazi u. Ndebele, 4,3 Sotho, 0,9 Tsonga u. 0,16 Venda), von d. Weißen 58 % Afrikaans u. 37 % Englisch als Mutterspr., von d. Coloureds 83,3 % Afrikaans u. 10,3 %

Englisch, von d. Asiaten 1,2 % Afrikaans – **Religion** (S 1990): 78 % Christen, davon (in Tsd.): Niederländ. Reformierte Kirche 4299, Röm.-Katholiken 2963, Methodisten 2747, Anglikaner 2.026, Lutheraner 1093, Presbyterianer 758, Congregational Churches 607, Nederduitse Hervoormde Kerk 357, Apostol. Kirche 251, Baptisten 317, Gereformeerde Kerk 243; unabh. Afrikan. Kirchen 7006; ca. 4 Mio. Anh. traditioneller Rel.-Gemeinschaften; außerd. 650 000 Hindus, 434 000 Muslime, 148 000 Juden – **Städt. Bev.:** 60 % – **Städte** (Z 1985): Pretoria (Hptst., Reg.-Sitz)/Wonderboom/Soshauguve 443 059 (A 0,82 Mio.) Ew.; Cape Peninsula (mit Kapstadt, Parl.-Sitz) 776 617 (A 1,91 Mio.), Johannesburg/Randburg 632 369 (A 1,61 Mio.), Durban 634 301 (A 0,98 Mio.), Port Elizabeth 272 844 (A 0,65 Mio.), Umlazi 194 933, Roodepoort 141 764, Pietermaritzburg 133 809, Bloemfontein (Jurist. Hptst.) 104 381, Germiston 116 718, Boksbury 110 832; Soweto (South West Township, bei Johannesburg) über 2 Mio. Ew.

STAAT (→ *Chronik)* Republik, Präsidialsystem – Verfassung von 1983, Änderung am 19. 10. 1992 durch Parl.-Beschluß (Schwarzen wird erstmals das Recht eingeräumt, sich an einer Regierung zu beteiligen) – Ausarbeitung einer Interimsverfassung durch Vielparteienforum (Vertreter von 26 polit. Delegationen) seit 1. 4. 1993; Wahlen einer verfassungs- u. gesetzgebenden Versammlung (mit 400 Mitgl.) für 27. 4. 1994 festgelegt – Verfassungsmäßiges Parlament aus 3 Kammern mit insg. 308 Mitgl. (Wahl alle 5 J.): Abgeordnetenkammer (House of Assembly, Weiße) mit 178 Mitgl. (166 direkt gewählt, 4 vom Präs. u. 8 durch Kammermitgl. ernannt), Repräsentantenkammer (House of Representatives, Coloureds) mit 85 Mitgl. (80 + 2 + 3) sowie Delegiertenkammer (House of Delegates, Inder) mit 45 Mitgl. (40 + 2 + 3) – Wahl d. Staatsoberh. für 5 J. durch 88köpfiges Wahlkollegium der Weißen, Coloureds u. Inder (50 aus Abg.-Kammer, 25 aus Repräs.-Kammer und 13 aus Del.-Kammer) – 60köpfiger Präsidialrat (20 Mitgl. aus Abg.-Kammer, 10 aus Repräs.-Kammer, 5 aus Del.-Kammer; 25 v. Staatspräs. ernannt) als Beratungsgremium, trifft Entscheidung bei Unstimmigkeiten d. 3 Kammern – Allg. Wahlrecht ab 18 J. vorgesehen – 4 Provinzen mit eig. Administrator u. »Exekutivgremium« (alle 5 J. durch Staatsoberh. ernannt), 10 Regionen, davon 6 Autonomsstaaten u. 4 Republiken (TBVC) – (→ *Karte, unten)* – Neugliederung in Ausarbeitung, Wiedereingliederung der Autonomsstaaten u. TBVC vorgesehen – **Staats- u. Regierungschef:** Frederik Willem de Klerk (NP), seit 20. 9. 1989 (Kabinett seit 1. 4. 1993 erstmals mit 2 schwarzen u. 1 indischen Minister) – **Äußeres:** Roelof (Pik) F. Botha

– Parteien: Letzte Wahlen vom Sept. 1989: Abg.-Kammer: National Party/NP 94 Sitze (1984: 123), Conservative Party/CP 39 (22), Democratic Party/DP 33 (19), 1 Sitz vakant – Repräs.-Kammer: Labour Party/LP 69 Sitze (76), Democratic Reform Party/DRP 5, United Democratic Party/UDP 3, Freedom Party/ FP 1, Unabh. 3 – Del.-Kammer: New Solidarity Party/NSP 16 Sitze (17), National People's Party/ NPP 9 (18), DP 3, Merit People's Party/MPP 3, Unabh. 6, Sonstige 3 – Weitere polit. Gruppierungen: African National Congress/ANC (Vors. Nelson Mandela), Pan Africanist Congress/PAC (Vors. Clarence Makwetu), Azanian People's Organization/AZAPO, Inkatha-Freiheitspartei/IFP (Vors. Mangosuthu Buthelezi), Kommunistische Partei/SACP; Zusammenschluß von ANC und PAC (insg. rd. 70 Organis.) zur Patriotic Union; Bildung einer Rechtsallianz Afrikaaner-Volksfront/AVF aus rd. 30 Organis. (u. a. CP u. AVU) am 7.5. 1993 – *Erste freie allgemeine Wahlen für alle Bevölkerungsgruppen für 27. 4. 1994 vorgesehen* – **Unabh.:** 31.5. 1910 de facto, 11. 12. 1931 nominell (Westminster-Statut) – **Nationalfeiertag:** 31. 5.

WIRTSCHAFT BSP 1990: 90953 Mio. $ = 2560 $ je Ew. (61); realer Zuwachs $\varnothing$ 1980–90: 3,3%; **BIP** 1991: 91167 Mio. $; realer Zuwachs $\varnothing$ 1980–91: 1,3% (1992: –2,1%); Anteil 1992 **Landwirtsch.** 4%, **Industrie** 35%, **Dienstlst.** 61% – **Erwerbstät.** 1991: Landw. 12%, Ind. 30% – **Arbeitslosigkeit** Mitte 1993: rd. 46% – **Energieverbrauch** 1991: 2262 kg ÖE/Ew. – **Währung:** 1 Rand (R) = 100 Cents (c); Offizieller Kurs (Commercial Rand)/Finanzkurs (Financial Rand): 1 US-$ = 3,31/4,70 R; 100 R = 51,08/35,95 DM – **Ausl.-Verschuld.** Ende 1991: 18100 Mio. $ – **Inflation** $\varnothing$ 1980–91: 14,4% (1992: 13,9%) – **Außenhandel** 1992 (einschl. TBVC): **Import:** 51917 Mio. R; Güter: 41% Maschinen, elektrotechn. Erzeugn. u. Transportausrüst., 11% chem. Erzeugn. sowie (1991) 6% Ernährungsgüter, 5% Spinnstoffe, 5% unedle Metalle, 5% Kunststoffe u. Kautschuk; Länder (1991): 18% BRD, 12% USA, 11% Großbrit., 10% Japan, 6% Frankr., 4% Italien, 3% Hongkong; **Export:** 67457 Mio. R; Güter: 14% unedle Metalle u. -produkte, 11% mineral. Stoffe, 11% Edel- u. Halbedelsteine sowie Edelmetalle (ohne Gold) u. Perlen, 5% chem. Erzeugn.; Länder (1991): 8% Italien, 7% BRD, 6% Japan, 6% USA, 6% Großbrit., 2% Belgien/Lux.

Homelands

a) 4 nominell unabhängige, international nicht anerkannte *Republiken,* sog. »Nationalstaaten« (Bophuthatswana, Ciskei, Transkei, Venda = TBVC-Staaten). Wiedereingliederung geplant (von Bophuthatswana u. Ciskei abgelehnt).

b) 6 sog. »Autonomstaaten«, d. h. Stammesgebiete der Afrikaner mit innerer Autonomie, Regierung u. Parlament.

BOPHUTHATSWANA (auch Bophuta Tswana; Repaboliki ya Bophutatswana [Bophutatsuana]; Republic of B.)

LANDESSTRUKTUR Fläche: 44050 km² (aus 7 isolierten Teilen bestehend) – *Einwohner:* (S 1991) 2000000 = 45 je km²; (Z 1985) 1740600 – rd. 1,5 Mio. Bantu, Tswana [BaTswana] der Sotho-Gruppe; Shangaan Sotho, Sotho, 6000 Weiße, 5000 Coloureds; rd. 1,5 Mio. Batswana leben im übrigen Südafrika – *Sprachen:* SeTswana u. Englisch als Amtsspr. – *Religion:* überw. Protestanten – *Städt. Bev.:* 12% – *Städte* (S 1982): Mmabatho (Hptst.) 9000 Ew.; Mabopane 56000, Ga-Rankuwa 50000, Temba 26000, Itoseng 22000, Tlhabane 20000

REGIERUNGSFORM Republik – Verfassung von 1977 – Nationalversammlung mit 108 Mitgl. (72 gewählt, 24 v. den Regionalversamml. u. 12 v. Staatsoberh. ernannt) – 16köpfiger Exekutivrat – 12 Regionalbehörden (mit zus. 76 Stammes- u. 6 Gemeindebehörden) – *Staatsoberhaupt:* Vors. des Exekutivrats Kgosi (Häuptling) Lucas M. Mangope (BDP), seit 1977, Wiederwahl 1984 – *Äußeres:* Tom M. Setiloane – *Parteien:* Letzte Wahlen 1987: Bophuth. Democratic Party/BDP 66 Sitze, People's Progressive Party/PPP 6; PPP seit 1988 verboten – *Unabh.-Status* seit 6. 12. 1977

WIRTSCHAFT Erwerbstät.: rd. 65% pendeln tägl. in die Rep. Südafrika – *Haushalt:* 30% Zahlungen durch die südafrikan. Reg. – *Währung:* Rand (R) – *Export:* Güter: v. a. Platin (rd. 30% der Weltprod.) u. a. Metalle; Handelspartner: bes. Rep. Südafrika, EG-Länder, Botsuana

CISKEI (Republik Ciskei; iRiphablíki yeCiskei)

LANDESSTRUKTUR Fläche: rd. 8500 km² – *Einwohner:* (S 1991) 862000 = 101 je km² – rd. 728000 Xhosa (Gaika, Gwali, Jingqgi) u. sonst. Afrikaner; 6000 Coloureds, 2000 Weiße, 1000 Asiaten – *Analph.:* 35% – *Sprachen:* IsiXhosa u. Englisch als Amtsspr. – *Religion:* überw. Protestanten – *Städt. Bev.:* 31% – *Städte* (S 1986): Bisho (Hptst.) 2850 Ew.; Mdantsane 243000, Zwelitsha 47000 (Reg.-Sitz)

REGIERUNGSFORM Republik – Verfassung von 1991 (sieht Wiedereingliederung in d. Rep. Südafrika vor) – Nationalversammlung mit 105 Mitgl., seit Militärputsch im März 1990 aufgelöst –

8köpfiger Staatsrat als oberstes Staatsorgan – Die Ressorts Justiz, Finanzen, Transport u. Landwirtschaft werden durch Vertrag v. März 1991 von Südafrika verwaltet – *Vors. d. Staatsrates:* Brigadegeneral Joshua Oupa Gqozo, seit 1990 – *Parteien:* seit 1990 verboten – *Unabh.-Status* seit 4. 12. 1981

WIRTSCHAFT rd. 65% d. Volkseinkommens durch Überweisungen d. Wanderarbeiter in d. Rep. Südafrika – Wirtschaftsentwicklung ∅ 1985–89: 7,4% – *Währung:* Rand (R) – *Export:* Güter: landwirtsch. Prod. (bes. Ananas), Holz u. Industrieerzeugn. wie Uhren u. Fernsehapparate; Handelspartner: bes. Rep. Südafrika

TRANSKEI (Republik Transkei; Xhosa: Iripabliki ye-Transkei; Sotho: Repaboliki ya-Transkei)

LANDESSTRUKTUR Fläche: 41002 km² – *Einwohner:* (S 1990) 3000000 = 73 je km² – (S 1985) 2,5 Mio. Xhosa (haupts. zur Ñguni-Gruppe der Bantu gehörend, in 11 Stämme gegliedert), 5% Süd-Sotho; 7000 Coloureds, 6000 Weiße – *Sprachen:* IsiXhosa als Amtsspr.; auch SeSotho, Englisch u. Afrikaans in Verwaltung u. bei Gericht zugelassen – *Religion:* überw. Protestanten – *Städt. Bev.:* 5% – *Städte:* Umtata (Hptst.; S 1990) 50000; (S 1982) Geuwe 26000, Ngangelizwe 20000, Ezibeleni 17000

REGIERUNGSFORM Republik – Verfassung von 1976, seit 1987 außer Kraft – Parlament mit 150 Mitgl., seit Putsch 1987 aufgelöst – 6köpfiger Militärrat als oberstes Staatsorgan – 9 Regionen – *Staatsoberhaupt:* Tutor Nyangelizwe Vulindlela Ndamase, seit 1986 – *Vors. des Militärrats u. Äußeres:* General Bantu Bonke Holomisa, seit 1987 – *Parteien:* Letzte Wahlen 1986; Parteien seit Mai 1990 wieder zugelassen – *Unabh.-Status* seit 26. 10. 1976

WIRTSCHAFT Reg.-Einnahmen zu 45% aus Zahlungen der südafrikan. Reg. – *Währung:* Rand (R) – *Außenhandel:* Güter: Tee, Mais, Häute, Möbel; Handelspartner: Rep. Südafrika, Lesotho, Rep. China

VENDA (Republic of Venda; Shangaan: Rephabliki ya Venda, Sotho: Rephablik ya Venda)

LANDESSTRUKTUR Fläche: 7460 km² – *Einwohner:* (Z 1991) 558797 = 75 je km² (de facto, 726436 de jure) – (S 1989) 560000 Vhavenda [Venda], über 5% Shangaan Tsonga u. Nord-Sotho;

ca. 1000 Weiße – *Sprachen:* CiVenda, Englisch u. Afrikaans als Amtsspr. – *Religion:* überw. Protestanten – *Städte* (S 1982): Thohoyando (Hptst.) 2100 Ew.; Makwarela 2700, Shyandima 2300

REGIERUNGSFORM Republik – Verfassung von 1979, seit Militärputsch 1990 außer Kraft – 10köpfiger Nationaler Einheitsrat (Council of National Unity) als oberstes Staatsorgan – Nationalversammlung mit 94 Mitgl., seit 1990 aufgelöst – 5 Distrikte – *Staatschef:* Colonel Gabriel Ramushwana, seit 5. 4. 1990 – *Äußeres:* Hauptmann V. S. Landela – *Parteien:* Letzte Wahlen 1988; Parteien verboten – *Unabh.-Status* seit 13. 9. 1979

WIRTSCHAFT BIP 1985/86: rd. 40% durch Einkünfte der in Südafrika arbeitenden Bev. (rd. 45000 Pers.) – *Erwerbstät.:* über 80% in der Landwirtschaft – *Währung:* Rand (R) – *Außenhandel:* haupts. landwirtsch. Erzeugnisse in die Rep. Südafrika

Weitere Homelands (»Autonomstaaten«)

Gazankulu: (Z 1991) 686685 Ew.; haupts. Ma-Tschangana-Tsonga [Shangaan]; *Chefmin.:* Prof. Hudson W. C. Ntsanwisi – **KaNgwane:** (Z 1991) 445533 Ew.; haupts. Swasi; *Chefmin.:* Cephas Zitha – **KwaNdebele:** (Z 1991) 298575 Ew.; haupts. Ndebele; *Chefmin.:* Prince S. James Mahlangu – **KwaZulu:** (Z 1991) 4522637 Ew.; haupts. Zulu; *Chefmin.:* Chief Mangosuthu Buthelezi (Vors. der Zulu-Partei »Inkatha«) – **Lebowa:** (Z 1991) 2096372 Ew.; haupts. Nord-Sotho, dazu Ndebele; *Chefmin.:* Mogobiya Nelson Ramodike – **QwaQwa:** (Z 1991) 352390 Ew.; haupts. Süd-Sotho; *Chefmin.:* T. Kenneth Mopeli

SUDAN *Nordost-Afrika*
Republik Sudan; El Dschamhurija es Sudan bzw. Jumhûrîyat As-Sûdân; The Republic of the Sudan – SUD

LANDESSTRUKTUR Fläche (10): 2505813 km² (Sahel-Anteil: 30%) – **Einwohner** (33): (F 1991) 25855000 = 10 je km²; (Z 1983) 20594197; (Z Mai 1993: 25 Mio. Ew., vorl. Ergeb.) – Sudaner (Sudanesen); 40–50% Araber u. arabisierte Schichten im N, 10% ostnilotische Nubier, im S 30% Westniloten (u. a. Lokuta) u. Niloten (Dinka, Nuer u. Schilluk); rd. 2 Mio. Nomaden – **Leb.-Erwart.:** 51 J. (m50/w53); Bev.-Anteil 0–14 J.: 45,2% – **Säugl.-Sterbl.** (1990): 10,1% – **Kindersterbl.:** 16,6% – **Analph.:** 73% – Jährl. **Bev.-Wachstum** (∅

1980–91): 2,7% (Geb.- u. Sterbeziffer 1991: 4,4%/1,5%) – **Sprachen:** Arabisch als Amtsspr.; Englisch wichtig als Bildungs- u. z.T. als Handelsspr.; ost- u. westnilotische Sprachen (u. a. Luo, Dinka, Bari), außerd. Haussa, Ful u. Nubisch als Umgangsspr. – **Religion** (Islam ist Staatsreligion): 64% Muslime (bes. im N); 8% Katholiken u. 4% Protestanten (bes. im S); rd. 25% Anh. von Naturrel.; Kopten – **Städt. Bev.:** 22% – **Städte** (Z 1983): Chartum [Kharthoum] (Hptst.) 473597 (m.V. 1,6 Mio.) Ew.; Omdurman 526192, Chartum Bahri [Khartoum North] 340857, Port Sudan 206038, Wad Medani 145015, El Obeid 137582

STAAT *(→ Chronik)* Islamische Republik seit 1986, seit 1989 Militärregime – Übergangsverfassung von 1985 seit Putsch vom 30. 6. 1989 außer Kraft – Verfassungsmäßiges Parlament (Nationalversammlung) mit 301 Mitgl. aufgelöst – Übergangsparlament mit 300 Mitgl. seit 24. 2. 1992 (durch Staatsoberh. einberufen) mit Legislativaufgaben, Vorbereitung von Parl.-Wahlen – 10köpfiger »Revolutions-Kommandorat« (Revolutionary Command Council for National Salvation) als oberstes Staatsorgan unter Vorsitz d. Staatsoberh. – 9 Länder mit 66 Provinzen u. 281 Gemeindebezirken – **Staatsoberhaupt u. Regierungschef** sowie Verteidigungsmin. u. Oberbefehlshaber: Generalleutnant Omar Hassan Ahmad El-Bashir, seit 1989 – **Äußeres:** Hussein Suleiman Abu Saleh – **Parteien:** seit 1989 verboten – **Unabh.:** 1. 1. 1956 – **Nationalfeiertag:** 1. 1.

WIRTSCHAFT **BSP** 1990: 10107 Mio. $ = 400 $ je Ew. (149); realer Zuwachs ⌀ 1980–90: 0,3%; **BIP** 1988: 11240 Mio. $; realer Zuwachs ⌀ 1980–90: 1,3%; Anteil 1991 **Landwirtsch.** 29%, **Industrie** 15% – **Erwerbstät.** 1990: Landw. 59%, Ind. ca. 9% – **Energieverbrauch** 1991: 54 kg ÖE/Ew. – **Währung:** 1 Sudanes. Dinar (sD) = 10 Sudanes. Pfund (sud£) = 100 Piastres (PT.); 1 US-$ = 143,55 sud£; 100 sud£ = 1,18 DM – **Ausl.-Verschuld.** 1991: 15907 Mio. $ – **Inflation** ⌀ 1980–90: 34,8% – **Außenhandel** 1991: **Import:** 1433 Mio. $; **Güter:** 25% Maschinen u. Transportausrüst., 22% Nahrungsmittel, 16% Brennstoffe; Länder (1989): 14% Großbrit., 12% Saudi-Arabien, 11% Italien, 10% USA, 10% BRD, 7% Niederl., 6% Japan; **Export:** 329 Mio. $; Güter (1989): 47% Baumwolle u. Baumwollsamen, 20% Erdnüsse, 9% Sesam, 6% Sorghum, Gummiarabikum; Ölkuchen, Häute u. Felle, Vieh; Länder (1989): 31% EG-Länder, 17% Ägypten, 13% Saudi-Arabien

SURINAME *Süd-Amerika*
Republik Suriname; Republiek van Suriname; früher Niederländisch-Guayana – SME

LANDESSTRUKTUR **Fläche** (91): 163265 km^2 – **Einwohner** (158): (F 1991) 457000 = 3 je km^2; (Z 1980) 355240 – Surinamer; 35% Kreolen, 34% Indischstämmige, 16% indones. Abstammung (meist Javaner), 10% Schwarze (»Buschneger«, »Morronen«), 3% Indianer; 2% Chinesen u. einige Tsd. europ. Herkunft (meist Niederländer); rd. 160000 Surinamer leben in d. Niederlanden – **Leb.-Erwart.:** 68 J. – **Säugl.-Sterbl.:** 3,6% – **Kindersterbl.:** 4,7% – **Analph.:** 5% – Jährl. **Bev.-Wachstum** (⌀ 1980–91): 2,5% (Geb.- u. Sterbeziffer 1991: 2,3%/ 0,6%) – **Sprachen:** Niederländisch (von ca. 40% gesprochen) als Amtsspr.; Sprachen d. versch. Gruppen (Hindustani 32%, Javanisch 15%) sowie die Mischsprachen Sranan Tongo (Taki-Taki), Saramaccan u. a. als Umgangs- u. Verkehrsspr.; Englisch auch Geschäftsspr. – **Religion:** 42% Christen, 27% Hindus, 20% Muslime – **Städt. Bev.:** 48% – **Städte** (F 1988): Paramaribo (Hptst.) 246000 Ew.; Nieuw Nickerie, Meerzorg

STAAT Präsidialrepublik – Verfassung von 1987 – Nationalversammlung mit 51 Mitgl., Wahl alle 5 J. – 14köpfiger Staatsrat (Supreme Council; Topberaad) als oberstes Staatsorgan – 9 Distrikte, dar. Hauptstadtdistrikt – **Staatsoberhaupt:** Vors. d. Staatsrats Ronald R. Venetiaan (FDO), seit 7. 9. 1991 – **Regierungschef:** Jules Adjodhia (FDO), seit 1991 – **Äußeres:** Subhaas Mungra – **Parteien:** Wahlen vom 25. 5. 1991: Bündnis Neue Front für Demokratie u. Entwicklung/FDO (Parteien der 3 ethn. Gruppen Inder, Mischlinge u. Javaner) insg. 30 Sitze (1987: 40), Nationale Demokrat. Partei/NDP 12 (3), Bündnis Demokrat. Alternative 91/DA 9 (–) – **Unabh.:** 25. 11. 1975 – **Nationalfeiertag:** 25. 11.

WIRTSCHAFT **BSP** 1991: 1649 Mio. $ = 3630 $ je Ew. (50); realer Zuwachs ⌀ 1980–90: –2,2%; **BIP** realer Zuwachs ⌀ 1981–87: –2,3% (1989: +3,9%); Anteil 1991 **Landwirtsch.** 11%, **Industrie** 24% – **Erwerbstät.** 1991: Landw. 16%, Ind. ca. 20% – **Energieverbrauch** 1990: 1720 kg ÖE/Ew. – **Währung:** 1 Suriname-Gulden (Sf) = 100 Cent; Freimarktkurs seit 8. 6. 1993: 1 US-$ = 43,27 Sf (»Bauxit-Kurs« seit Jan. 1993: 1 US-$ = 8,00 Sf); 1 DM = 25,76 DM – Öff. **Ausl.-Verschuld.** 1987: 2500 Mio. Sf – **Inflation** ⌀ 1980–91: 9,0% – **Außenhandel** 1990: **Import:** 842,5 Mio. Sf; **Güter:** 41% Rohstoffe u. Halbfertigwaren, 16% Investitionsgüter, 16% mineral. Brennstoffe, 7% Nahrungsmittel; **Länder:** 41% USA, 24% Niederl., 9% Trinidad u. Tob., 5% Niederl. Antillen, 4% Brasilien; **Export:** 843,6 Mio. Sf;

Güter: 82% Bauxit u. -derivate, 8% Shrimps, 5% Reis, 2% Bananen; Länder: 36% Norwegen, 29% Niederl., 11% USA, 7% Japan, 5% Brasilien, 5% Frankr.

te, Zitrusfrüchte), 13% Holz u. -produkte, 4% Asbest, Kohle u. Diamanten; Länder: 52% Rep. Südafrika, 3% Großbrit.

SWASILAND *Südost-Afrika*

Königreich Swasiland; Kingdom of Swaziland; Umbuso we Swatini – SD

LANDESSTRUKTUR   **Fläche** (154): 17 364 km² – **Einwohner** (151): (F 1991) 828 000 = 48 je km²; (Z 1986) 681 059 – Über 95% Swasi (zur Ñguni-Gruppe der Bantu gehörend, mit d. Zulu verwandt), je rd. 2000 Weiße u. Coloureds – **Leb.-Erwart.:** 57 J. – **Säugl.-Sterbl.:** 11,8% – **Kindersterbl.:** 14,4% – **Analph.** (1987): 32% – Jährl. **Bev.-Wachstum** (∅ 1980–91): 3,5% (Geburtenziffer 1990: 6,3%) – **Sprachen:** SiSwati (IsiZulu) als Amtsspr.; Englisch auch als Verwaltungs- u. Bildungsspr. – **Religion:** rd. 75% Christen, davon mehrheitl. Protestanten, 44 000 Katholiken; ferner 30% Anh. von Naturrel. – **Städt. Bev.:** 29% – **Städte** (Z 1986): Mbabane (Hptst.) 38 290 Ew.; Manzini 18 084

STAAT Konstitutionelle Monarchie – Verfassung von 1978; neue Verfass. in Ausarbeitung – Parlament aus 2 Kammern (Beratungsorgan d. Königs): Nationalversammlung (National Council bzw. »Libandla«) mit 50 Mitgl. (40 durch Wahlkollegium aus 80 Mitgl. u. 10 v. König ernannt) sowie Senat mit 20 Mitgl. (10 durch d. Nationalvers. gewählt u. 10 v. König bestimmt); seit Okt. 1992 aufgelöst – 210 regionale Stammesgebiete mit Tinkhundlas (Stammesausschüsse) – **Staatsoberhaupt:** König Mswati III., seit 1986 – **Regierungschef:** Obed Mfanyana Dlamini, seit 12. 7. 1989 – **Äußeres:** Sir George Mbikwakhe Mamba – **Parteien:** seit 1973 verboten – **Unabh.:** 6. 9. 1968 – **Nationalfeiertag:** 6. 9.

WIRTSCHAFT   **BSP** 1991: 874 Mio. $ = 1050 $ je Ew. (107); realer Zuwachs ∅ 1980–90: 6,8%; **BIP** Anteil 1991 **Landwirtsch.** 16%, **Industrie** 38% – **Erwerbstät.** 1991: Landw. 65%, Ind. ca. 10% (rd. 30 000 Wanderarbeiter in der Rep. Südafrika) – **Energieverbrauch** 1990: 285 kg ÖE/Ew. – **Währung:** 1 Lilangeni (E; Plural = Emalangeni) = 100 Cents (c); 1 US-$ = 3,32 E; 100 E = 50,89 DM – **Ausl.-Verschuld.** 1991: 2584 Mio. $ – **Inflation** ∅ 1980–91: 10,3% – **Außenhandel** 1990: **Import:** 1722,2 Mio. E; Güter: 28% Maschinen u. Transportausrüst., 16% Brennstoffe, 15% Fertigwaren, 14% Nahrungsmittel; Länder: 88% Rep. Südafrika, 2% Großbrit. sowie Schweiz u. Niederl.; **Export:** 1319,8 Mio. E; Güter: 62% Nahrungsmittel u. leb. Tiere (dar. 34% Rohzucker, Konzentrate, kandierte Früch-

SYRIEN *Vorder-Asien*

Arabische Republik Syrien; République Arabe Syrienne; El Dschamhurija el Arabija es Surija bzw. Al-Jumhūrīya Al-'Arabīya As-Sūrīya – SYR

LANDESSTRUKTUR   **Fläche** (87): 185 180 km² (mit 1130 km² Binnengewässern u. die seit 1967 von Israel besetzten u. formell annektierten Golan-Höhen mit 1176 km² → *Israel*) – **Einwohner** (58): (F 1991) 12 500 000 = 68 je km²; (Z 1981) 9 052 628 – Syrer; haupts. syrische Araber; über 6% Kurden, ferner Armenier u. Tscherkessen; Nomaden – **Leb.-Erwart.:** 67 J. (m65/w69); Bev.-Anteil 0–14 J.: 48,1% – **Säugl.-Sterbl.** (1981): 3,7% – **Kindersterbl.:** 4,2% – **Analph.:** 36% – Jährl. **Bev.-Wachstum** (∅ 1980–91): 3,3% (Geb.- u. Sterbeziffer 1991: 4,4%/0,6%) – **Sprachen:** Arabisch als Amtsspr.; 3% Kurdisch, 2% Armenisch – **Religion:** 87% Muslime (überw. sunnitische Muslime d. hanefitischen u. schafiitischen Richtung, auch schiitische u. ismailitische Gruppen, insb. 7% schiit. Alaouiten [Alawiten] u. über 2% Drusen); 9% Christen, bes. griech.-orthodox, syrisch-orth. u. armenisch-orth. sowie Protestanten – **Städt. Bev.:** 51% – **Städte** (F 1990): Dimashq [Damaskus] (Hptst.) 1 378 000 Ew.; Halab [Aleppo] 1 355 000, Hims [Homs] 481 000, Al-Ladhiqiyah [Latakia] 267 000, Hama 237 000, Kamishli 132 000, Raqqa 122 000, Deir-ez-Zor [Sor] 118 000

STAAT Präsidialrepublik mit »volksdemokratisch-sozialistischem« Charakter – Verfassung von 1973 – Volksversammlung mit 250 Mitgl. (84 Sitze für unabh. Kandidaten reserviert); Wahl alle 4 J. – Direktwahl d. Staatsoberh. alle 7 J., der Muslim sein muß – 13 Provinzen (Mohafazat) u. Hauptstadt – **Staatsoberhaupt:** Hafiz al-Assad, seit 1971, letzte Wiederwahl 1991 – **Regierungschef:** Mahmud az-Zu'bi, seit 1987 – **Äußeres:** Faruk as-Shara'a – **Parteien:** Wahlen vom 22./23. 5. 1990: Progressive Nationale Front/PNF insg. 166 Sitze, davon: Arab. Sozialist. Baath-Partei 134, Syrische KP 8, Syrisch-Arab. Sozialist. Unionspartei 8, Arab. Sozialist. Unionist. Partei 5, Arab. Sozialist. Partei 5 u. Sozialist. Unionist. Demokrat. Partei 4; Kommunist. Partei 8; Unabh. 84 Sitze – **Unabh.:** nominell 28. 9. 1941, Abzug der letzten franz. u. brit. Truppen am 17. 4. 1946 (wird als tatsächl. Beginn d. Unabh. betrachtet) – **Nationalfeiertag:** 17. 4.

WIRTSCHAFT BSP 1991: 14 234 Mio. $ = 1160 $ je Ew. (101); realer Zuwachs ∅ 1980–90: 1,4 %; **BIP** 1991: 17 236 Mio. $; realer Zuwachs ∅ 1980–91: 2,6 %; Anteil 1991 **Landwirtsch.** 30 %, **Industrie** 23 %, **Dienstlst.** 47 % – **Erwerbstät.** 1991: Landw. 24 %, Ind. ca. 18 % – **Energieverbrauch** 1991: 955 kg ÖE/Ew. – **Währung:** 1 Syrisches Pfund (syr£) = 100 Piastres (PS); Offizieller Kurs (u. a. für Erdölprodukte, öff. Exporte/Importe)/»Neighbour rate« (übr. Exporte/Importe, private Überweis. u. Reiseverkehr): 1 US-$ = 11,20/42,00 syr£; 1 DM = 6,605/24,55 syr£ – **Ausl.-Verschuld.** 1991: 16 815 Mio. $ = 103,8 % d. BSP – **Inflation** ∅ 1980–91: 14,3 % – **Außenhandel** 1991: **Import:** 3002 Mio. $; Güter: 26 % Maschinen u. Transportausrüst., 18 % Brennstoffe, 17 % Nahrungsmittel; Länder (1990): 13 % Frankr., 11 % USA, 9 % BRD, 6 % Italien; **Export:** 5594 Mio. $; Güter: 77 % Erdöl u. -derivate, 15 % Baumwolle, Spinnstofferzeugn. u. Bekleidung; außerd. Viehzuchtprod., Früchte, Wolle; Länder (1990): 21 % Italien, 13 % Frankr., 12 % UdSSR, 6 % Saudi-Arabien, 6 % Libanon

TADSCHIKISTAN *Zentral-Asien*
Republik Tadschikistan; Respublikai Tožikiston – TAD

LANDESSTRUKTUR Fläche (93): 143 100 km² – **Einwohner** (96): (F 1991) 5 412 000 = 38 je km²; (Z 1989) 5 108 576 – (Z 1989) 62,3 % Tadschiken; 23,5 % Usbeken (1,3 Mio.; S 1993), 7,6 % Russen, 1,4 % Tataren; außerd. 75 000 Kirgisen, 23 000 Turkmenen, 12 000 Kasachen, Ukrainer, Deutsche u. a. – **Leb.-Erwart.:** 69 J. (m67/w72); Bev.-Anteil 0–14 J.: 44,9 % – **Säugl.-Sterbl.:** 5,0 % – **Kindersterbl.:** 6,3 % – **Analph.:** k. Ang. – Jährl. **Bev.-Wachstum** (∅ 1980–91): 3,0 % (Geb.- u. Sterbeziffer 1991: 3,9 %/0,6 %) – **Sprachen:** Tadschikisch als Amtsspr.; Russisch als Verkehrsspr., Usbekisch – **Religion:** mehrheitl. sunnit. Muslime; kl. schiitische u. is-

mailit. Gemeinden – **Städt. Bev.:** 32 % – **Städte** (F 1990): Duschanbe (Hptst.) 602 000 Ew.; Chudshand (Chodschent; ehem. Leninabad) 163 000

STAAT *(→ Chronik)* Parlamentarische Republik seit Nov. 1992 – Verfassung der ehem. Tadschik. SSR in Kraft; neue Verfassung in Ausarbeitung – Ausnahmezustand seit 24. 10. 1992 – Parlament (Oberster Sowjet) mit 230 Mitgl., wählt seinen Präs., der gleichz. Staatsoberh. ist – Nationalversammlung (Madschlis-e-Milli) mit 63 Mitgl. vorgesehen – Exekutivmacht beim Ministerrat – Allg. Wahlrecht ab 18 J. – 19 Gebiete (Oblast) u. Hauptstadtbezirk – Zum Territorium gehört das Autonome Gebiet Berg-Badachschan (Gorno-Badachschan) mit administrativer Autonomie (63 700 km² u. [Z 1989] 161 000 Ew. → *WA '93, Sp. 578*) – **Staatsoberhaupt:** Parl.-Präs. Imam Ali S. Rahmanow, seit 19. 11. 1992 – **Regierungschef:** Abdu Malik Abdu Adwanow, seit 21. 9. 1992 – **Äußeres:** Rachid Alimow – **Parteien:** Nach den Wahlen 1990 absol. kommunist. Mehrheit im Parlament (rd. 95 % Alt-Kommunisten; Verbot d. KP wieder aufgehoben) – Oppositionsparteien nach Beschluß des Ob. Gerichts vom 21. 6. 1993 weitgehend verboten – **Unabh.:** Souveränitätserklärung am 24. 8. 1990; Unabh.-Erkl. am 9. 9. 1991 – **Nationalfeiertag:** unbekannt

WIRTSCHAFT *(Entwicklung → Tab. Sp. 475)* **BSP** 1991: 5669 Mio. $ = 1050 $ je Ew. (108); **BIP** (Nettomaterialprodukt) 1991: 9618,8 Mio. Rbl; realer Zuwachs 1991/92: –31,0 %; Anteil 1990 **Landwirtsch.** 38 %, **Industrie** 43 % – 1991/92: Rückgang der Brutto-Industrieprod. um 24,3 %, der Brutto-Agrarprod. um 45 % – **Erwerbstät.** 1990: Landw. 43 %, Ind. 22 % – Bev.-Anteil mit Eink. unter d. **Armutsgrenze** (1991): 87 % – **Arbeitslosigkeit** 1991: 10–20 % – **Währung:** Rubel *(→ Rußland)* – **Ausl.-Verschuld.** 1991: 495 Mio. $ – **Inflation** ∅ 1992 (Konsumentenpreise): 910 % – **Außenhandel** 1992: **Import:** 100 Mio. $; Güter (1990): 22 % Maschinenbauerzeugn., 20 % Prod. der Leichtind., 14 % Nahrungsmittel, 9 % chem. Prod. u. a.; Länder (1990): 81 % übrige UdSSR, 19 % sonst. Ausland; **Export:** 100 Mio. $; Güter (1990): 44 % Prod. der Leichtind., 17 % Buntmetalle, 15 % Prod. der Nahrungsmittelind.; Länder (1990): 88 % übrige UdSSR, 12 % sonst. Ausland, v. a. BRD u. Kuba

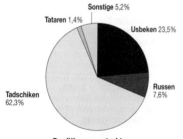

Sonstige 5,2%
Tataren 1,4%
Usbeken 23,5%
Russen 7,6%
Tadschiken 62,3%

Bevölkerungsstruktur

TAIWAN → CHINA, REPUBLIK

TANSANIA *Ost-Afrika*
Vereinigte Republik Tansania; United Republic of Tanzania, Jamhuri [Dschamhuri] ya Mwungano wa Tanzania; Kunstname aus **Tan**ganyika, **Sansi**bar, Ascan**ia** – EAT

LANDESSTRUKTUR Fläche (30): 945 087 km² (mit 53 483 km² Binnengewässern; u. a. Anteil am Tanganjika- u. Viktoria [»Sango«]-See), davon Tanganjika 942 626 km² u. (Z 1988) 22 533 758 Ew. sowie Sansibar [Zanzibar] mit Pemba 2461 km² u. 640 578 Ew. – **Einwohner** (36): (F 1991) 25 270 000 = 27 je km²; (Z 1988) 23 174 336 – Tansanier; ca. 60% Bantu-Gruppen (Haya, Makonde, Njamwesi, Sukuma, Tschagga u. v. a.), außerd. ostnilotische Massai, arabisch-negrische Suaheli, Araber, Indischstämmige u. Europäer (meist Briten) – **Leb.-Erwart.:** 47 J. (m46/w49); Bev.-Anteil 0–14 J.: 46,7% – **Säugl.-Sterbl.** (1992): 11,5% – **Kindersterbl.:** 16,2% – **Analph.** (1986): 9% – Jährl. **Bev.-Wachstum** (∅ 1980–91): 3,0% (Geb.- u. Sterbeziffer 1991: 4,6%/1,8%) – **Sprachen:** KiSuaheli als Amtsspr.; Englisch als Bildungs- u. Verkehrsspr., außerd. Bantu- u. nilotische Sprachen – **Religion:** Muslime: 97% auf Sansibar u. rd. 33% auf dem Festland; 20% Katholiken, 10% Protestanten; ferner Anh. von Naturrel. u. Hindu-Minderheit – **Städt. Bev.:** 34% – **Städte** (Z 1988): Dodoma (off. Hptst.) 203 833 Ew.; Daressalam (Dar es Salaam; noch fakt. Hptst.) 1 360 850, Sansibar (Hptst. von Sansibar) 157 634; (F 1985) Musoma 220 000, Mwanza 170 000, Tanga 144 000, Arusha 87 000, Mbeya 79 000, Bukoba 77 000, Morogoro 74 000

STAAT Präsidialrepublik – Verfassung von 1977 mit Änderung vom 1. 7. 1992 (Einführung des Mehrparteiensystems) – Bundesparlament mit 291 Mitgl., davon 216 direkt gewählt u. 75 ernannt; Wahl alle 5 J. – Eigene Regionalverfassung von 1985 für Sansibar u. Pemba mit Parlament sowie 10köpfigem Obersten Revolutionsrat (Kabinett) – Direktwahl d. Staatsoberh. alle 5 J. – 25 Regionen (davon Sansibar 3 u. Pemba 2) – **Staatsoberhaupt,** Oberbefehlshaber d. Streitkräfte u. Verteidigungsmin.: Ali Hassan Mwinyi, seit 1985, Wiederwahl 1990 – **Regierungschef:** John Samuel Malecela, seit 8. 11. 1990; 1. Vizepremier u. Präs. v. Sansibar u. Pemba: Salmin Amour, seit 21. 10. 1990 – **Äußeres:** Joseph Clemence Rwegasira – **Parteien:** Wahlen vom 28. 10. 1990: Chama Cha Mapinduzi/CCM (Revolutionäre Staatspartei von J. Nyerere) alle 216 Direktmandate; Verteilung der zus. 75 Sitze: 15 Frauen, 15 Vertr. d. CCM-Massenorganis., 15 v. Staatsoberh. ernannt, 25 regionale »Commissioners«, 5 durch Parl. von Sansibar nominierte Mitgl. – Letzte Wahlen auf Sansibar im Okt. 1990 – Zulassung anderer

Parteien seit 1. 7. 1992 – *Für Ende 1992 angekündigte freie Wahlen auf unbestimmte Zeit verschoben* – **Unabh.:** 9. 12. 1961 (Tanganjika), 10. 12. 1963 (Sansibar); 27. 4. 1964 Union in Kraft getreten – **Nationalfeiertag:** 26. 4.

WIRTSCHAFT **BSP** 1991: 2424 Mio. $ = 100 $ je Ew. (183); realer Zuwachs ∅ 1980–91: 2,0%; **BIP** 1991: 2223 Mio. $; realer Zuwachs ∅ 1980–91: 2,9% (S 1992: +2,5%); Anteil 1991 **Landwirtsch.** 61%, **Industrie** 5%, **Dienstlst.** 34% – **Erwerbstät.** 1991: Landw. 80%, Ind. ca. 5% – **Arbeitslosigkeit** 1991: 30–40% – **Energieverbrauch** 1991: 37 kg ÖE/Ew. – **Währung:** 1 Tansania-Schilling (T. Sh.) = 100 Cents (Ct.); 1 US-$ = 389,57 T. Sh.; 100 T. Sh. = 0,43 DM – **Ausl.-Verschuld.** 1991: 6459 Mio. $ = 250,8% d. BSP – **Inflation** ∅ 1980–91: 25,7% (1992: 22,1%) – **Außenhandel** 1991: **Import:** 1090 Mio. $; Güter: 41% Investitionsgüter, 35% Konsumgüter, 13% Energie u. Brennstoffe, 11% Halbfertigwaren; Länder: 13% Großbrit., 10% Japan, 8% Italien, 7% BRD, 5% Niederl., 5% Iran, 4% Bahrain; **Export:** 390 Mio. $; Güter: 23% Fertigwaren, 22% Kaffee, 17% Baumwolle, 8% Gold, 6% Tee, 5% Cashewnüsse; Länder: 15% BRD, 8% Großbrit., 7% Indien, 6% Niederl., 5% Belgien/ Lux., 5% Japan, 5% Portugal, 4% Pakistan

THAILAND *Südost-Asien*
Königreich Thailand; Prathet [Prades] T'hai oder Muang T'hai – T

LANDESSTRUKTUR Fläche (49): 513 115 km² – **Einwohner** (20): (F 1991) 57 200 000 = 112 je km²; (Z 1990) 54 532 000 (vorl. Ergeb.) – Thailänder; rd. 80% Thaivölker, v. a. Siamesen, außerd. Shan im N u. Lao im NO; 12% Chinesischstämmige, 4% Malaien u. 3% Khmer; rd. 300 000 Ausländer, v. a. Chinesen – **Leb.-Erwart.:** 69 J. (m66/w72); Bev.-Anteil 0–14 J.: 32,4% – **Säugl.-Sterbl.** (1989): 2,7% – **Kindersterbl.:** 3,5% – **Analph.:** 7% – Jährl. **Bev.-Wachstum** (∅ 1980–91): 1,9% (Geb.- u. Sterbeziffer 1991: 2,1%/0,6%) – **Sprachen:** Thai (Siamesisch) als Amtsspr.; Umgangsspr. der and. Gruppen (u. a. Chinesisch, Malaiisch); Englisch als Handelsspr. – **Religion:** 95% Hinajana (Theravada-)Buddhisten (Staatsreligion); 4% islamische Malaien v. a. im S; 305 000 Christen (davon ca. 75% Katholiken im N u. in d. Hptst.), rd. 85 000 Hindu; die chines. Minderh. ist überw. konfuzianisch – **Städt. Bev.:** 23% – **Städte:** Bangkok (Hptst.; Z 1990) 5 876 000 Ew. (als A 10 Mio.); (F 1988) Nakhon Ratchasima 205 000, Chiang Mai 164 000, Nonthaburi 218 400, Khon Kaen 131 400, Hat Yai 138 000, Nakhon Sawang 105 200

STAAT Konstitutionelle Monarchie – Verfassung von 1991 mit Änderung vom 10. 6. 1992 – Parlament aus 2 Kammern: Repräsentantenhaus mit 360 gewählten u. Senat mit 270 vom Militär ernannten Mitgl. (153 Offiziere, 117 Beamte, Geschäftsleute, Journalisten u. Wissenschaftler) – 73 Provinzen (Tschangwad) mit je 1 Gouverneur – **Staatsoberhaupt:** König Bhumibol Adulyadej (Rama IX.) seit 1946, gekrönt 1950 – **Regierungschef:** Chuan Leekpai (DP), seit 23. 9. 1992; Koalition aus DP, NAP, Palang Dharma, Solidaritätsp. u. SAP – **Äußeres:** Prasong Soonsiri – **Parteien:** Vorgezogene Neuwahlen vom 14. 9. 1992: demokratische Parteien insg. 185 der 360 Sitze (22. 3. 1992: 157), davon: Demokratische Partei/DP 79 (44), Neue Hoffnungspartei/NAP 51 (72), Palang Dharma-P. (Moralische Kraft) 47 (41), Solidaritätspartei 8 (–); den Militärs nahestehende Parteien insg. 167 Sitze (191), davon: Nationalpartei/TNP (Chart Thai) 77 (74), Partei für Nationale Entwicklung/STP (Chart Pattana) 60 (79), Soziale Aktionspartei/SAP 22 (31), Liberaldemokrat. Partei (Seri Tham) 8 (7); Sonstige 8 (6) – **Unabh.:** Reichsbildung seit d. 13. Jh., Königreich seit 1782, auch in d. Kolonialzeit unabh. – **Nationalfeiertag:** 5. 12. (Geburtstag d. Königs)

WIRTSCHAFT BSP 1991: 89548 Mio. $ = 1570 $ je Ew. (90); realer Zuwachs ⌀ 1980–91: 7,8%; **BIP** 1991: 93310 Mio. $; realer Zuwachs ⌀ 1980–91: 7,9% (1992: +7,5%); Anteil 1991 **Landwirtsch.** 12%, **Industrie** 39%, **Dienstlst.** 49% – **Erwerbstät.** 1991: Landw. 64%, Ind. 14%, **Dienstlst.** 22% – **Arbeitslosigkeit** ⌀ 1991: 4,7% – **Energieverbrauch** 1991: 438 kg ÖE/Ew. – **Währung:** 1 Baht (฿) = 100 Stangs (St., Stg.); Freimarktkurs: 1 US-$ = 25,21 ฿; 100 ฿ = 6,70 DM – **Ausl.-Verschuld.** 1991: 35828 Mio. $ = 39,0% d. BSP – **Inflation** ⌀ 1980–91: 3,7% (1992: 4,8%) – **Außenhandel** 1992: **Import:** 42000 Mio. $; Güter: 42% Investitionsgüter, 23% Industrieerzeugn., 10% chem. Erzeugn., 9% mineral. Brennstoffe, 7% Rohstoffe u. Vorerzeugn.; Länder (1991): 30% Japan, 10% USA, 8% Singapur, 5% BRD, 5% Rep. China, 4% Rep. Korea (EG 14%); **Export:** 34000 Mio. $; Güter: 41% Nahrungsmittel (v. a. Reis, Mais, Tapioka, Gemüse, Küchenkräuter), 26% Maschinen, 16% Industrieerzeugn., 5% Rohstoffe u. Vorerzeugn. (v. a. Zinn, Kautschuk, Jute, Teakholz); Länder (1991): 22% USA, 18% Japan, 8% Singapur, 5% BRD, 5% Hongkong, 4% Niederl., 4% Großbrit. (EG 20%) – **Tourismus** (1990): 5,08 Mio. Gäste u. 4326 Mio. $ Deviseneinnahmen

TOGO *West-Afrika*
Republik Togo; Togoische Rep.; République Togolaise – TG

LANDESSTRUKTUR Fläche (123): 56785 km² – **Einwohner** (116): (F 1991) 3761000 = 66 je km²; (Z 1981) 2705250 – Togoer; überwiegend Kwa- (über 40% Ewe) u. Volta-Völker (Temba, Mopa, Gurma, Kabyé [Cabrais bzw. Kabré]), Losso; daneben Haussa, Fulbe; etwa 4000 Europäer (meist Franzosen) – **Leb.-Erwart.:** 54 J. (m52/w56); Bev.-Anteil 0–14 J.: 45,4% – **Säugl.-Sterbl.** (1988): 8,7% – **Kindersterbl.:** 14,0% – **Analph.:** 57% – Jährl. **Bev.-Wachstum** (⌀ 1980–91): 3,4% (Geb.- u. Sterbeziffer 1991: 4,8%/1,4%) – **Sprachen:** Französisch als Amtsspr.; Ewe-Dialekte, z. T. Ewe-Schriftsprache (im S) als Umgangsspr.; ferner Kabye-Dialekt der Tem-Sprache, Gur-Sprachen (Moba u. Gurma); teilw. Pidgin-Englisch, Fulbe, Yoruba u. Haussa – **Religion:** rd. 50% Anh. von Naturrel.; 35% Christen (v. a. Katholiken), 15% Muslime (Sunniten) – **Städt. Bev.:** 26% – **Städte** (S 1987): Lomé (Hptst.) 500000 Ew.; Tschaoudjo 55000, Kara 41000, Kpalimé 31000, Atakpamé 30000, Tsévié 26000

STAAT *(→ Chronik)* Präsidialrepublik – Neue Verfassung seit 27. 9. 1992 (Annahme per Referendum) – Verfassungsmäßiges Parlament (Nationalversammlung) mit 81 Mitgl., seit 1991 aufgelöst – Übergangsparlament seit Juni 1991: Hoher Rat der Republik/HCR mit 79 Mitgl. (Vors. Philippe Kpodzro) zur Vorbereitung demokrat. Wahlen – Allg. Wahlrecht – 5 Regionen, 21 Präfekturen – **Staatsoberhaupt:** General Gnassingbé [Nyassingbe] Eyadéma, seit Staatsstreich 1967, zuletzt am 25. 8. 1993 mit 96,4% d. Stimmen (Wahlbeteiligung 36,2%) im Amt bestätigt – **Regierungschef** (einer Übergangsreg.): Joseph Kokou Koffigoh, seit 26. 8. 1991 (Ernennung durch HCR); »Krisenregierung« seit 12. 2 1993 (u. a. Eyadéma-Anhänger in d. Schlüsselressorts) – **Äußeres:** Ouatara Fambaré Natchaba – **Parteien:** Rassemblement du Peuple Togolais/RPT (bis 1991 Einheitspartei); Oppos.-Bündnis Collectif de l'opposition démocratique/ COD–2 aus 25 Parteien – Boykott d. Präs.-Wahlen vom 25. 8. 1993 durch COD–2 – **Unabh.:** 27. 4. 1960 – **Nationalfeiertag:** 27. 4.

WIRTSCHAFT BSP 1991: 1530 Mio. $ = 410 $ je Ew. (145); realer Zuwachs ⌀ 1980–91: 1,8%; **BIP** 1991: 1633 Mio. $; realer Zuwachs ⌀ 1980–91: 1,8%; Anteil 1991 **Landwirtsch.** 33%, **Industrie** 23%, **Dienstlst.** 44% – **Erwerbstät.** 1991: Landw. 69%, Ind. ca. 10% – **Energieverbrauch** 1991: 47 kg ÖE/Ew. – **Währung:** 1 CFA-Franc = 100 Centimes; 1 FF = 50 CFA-Francs (Wertverh. zum FF); 100 CFA-

Francs = 0,59 DM – **Ausl.-Verschuld.** 1991: 1356 Mio. $ = 85,0 % d. BSP – **Inflation** ⌀ 1980–91: 4,4 % – **Außenhandel** 1991: **Import:** 548 Mio. $; Güter: 24 % Maschinen u. Transportausrüst., 20 % Nahrungsmittel, 13 % Brennstoffe u. sonst. Rohstoffe; Länder (1989): 63 % EG-Länder (dar. 51 % Frankr.), USA, Japan, Côte d'Ivoire; **Export:** 292 Mio. $; Güter (1989): rd. 36 % Kalziumphosphate, 18 % Zement, 15 % Nahrungsmittel (bes. Kakao u. Kaffee), Baumwolle; Länder (1989): 62 % EG-Länder (dar. 37 % Niederl., 34 % Frankr.), Kanada, USA

TONGA Ozeanien
Königreich (der) Tonga; Kingdom of Tonga, Pule'anga Tonga – TO

LANDESSTRUKTUR Fläche (171): 748 km^2 (172 Inseln über 259 000 km^2 Meeresfläche verstreut) – **Einwohner** (178): (F 1991) 100 000 = 134 je km^2; (Z 1986) 94 649 (auf Tongatapu 63 794, Vava'u 15 175, Ha'apai 8919, 'Eua 4393, Niuas 2368) – 99 % polynes. Tongaer; kl. Gruppen v. Mischlingen, 500 Europäer – **Leb.-Erwart.:** 67 J. – **Kindersterbl.:** 2,5 % – **Analph.:** 7 % – Jährl. **Bev.-Wachstum** (⌀ 1980–91): 0,5 % – **Sprachen:** Tonga (Tongaisch, polynes. Spr.) als Amtsspr.; Englisch – **Religion:** fast ausschl. Christen, ca. 70 % Protestanten (u. a. 64 % methodist. Wesleyan Church u. Free Church of Tonga, Anglikaner), 15 % Katholiken; kleine Mormonen-Minderh. – **Städt. Bev.:** 31 % – **Städte** (Z 1986): Nuku'alofa (Hptst., auf Tongatapu) 21 383 Ew.; Neiafu, Mu'a

STAAT Konstitutionelle Monarchie – Verfassung von 1875 mit Änderungen – Parlament mit 30 Mitgl., dar. 9 alle 3 J. gewählt, 9 von 33 Adelsfamilien bestimmte Häuptlinge, 10 vom König auf Lebenszeit ernannte Minister u. 2 Gouverneure – Allg. Wahlrecht ab 21 J. – 3 Insel-Distrikte – **Staatsoberhaupt:** König Taufa'ahau Tupou IV., seit 1965, gekrönt 1968 – **Regierungschef:** Baron Vaea von Houma, seit 1991 – **Äußeres:** Kronprinz Tupouto'a – **Parteien:** keine i. e. S.; letzte Wahlen im Feb. 1993: Oppos.-Gruppe Pro-Democracy Movement 6 Sitze – **Unabh.:** 5. 6. 1970 – **Nationalfeiertag:** 4. 7. (Geburtstag des Königs)

WIRTSCHAFT BSP 1991: 110 Mio. $ = 1280 $ je Ew. (98); realer Zuwachs ⌀ 1980–90: 2,2 %; Ausl.-Hilfe 20 %, Emigranten-Überweis. 20 % u. Tourismus 34 %; **BIP** Anteil 1988 **Landwirtsch.** 41 %, **Industrie** ca. 8 % – **Erwerbstät.** 1986: Landw. 49 %, Ind. 12 % – **Energieverbrauch** 1988: 135 kg ÖE/Ew. – **Währung:** 1 Pa'anga (T$) = 100 Seniti (s); 1 T$ = 0,718 US-$; 1 T$ = 1,213 DM – **Ausl.-Ver**

schuld. 1991: 50,2 Mio. $ – **Inflation** ⌀ 1983–88: 10,9 % (1992: 7,9 %) – **Außenhandel** 1991: **Import:** 76,8 Mio. T$; Güter: 21 % Nahrungsmittel, 19 % Maschinen u. Transportausrüst., 16 % Brennstoffe u. a.; Länder: 30 % Neuseeland, 26 % Australien, 9 % Japan; **Export:** 20,6 Mio. T$; Güter: 60 % Kürbisse, 14 % Vanille; Länder: 60 % Japan, 9 % USA

TRINIDAD und TOBAGO
Karibik (Kleine Antillen)
Republik Trinidad und Tobago; Republic of Trinidad and Tobago – TT

LANDESSTRUKTUR Fläche (163): 5130 km^2 (davon Tobago 300 km^2) – **Einwohner** (146): (F 1991) 1 249 000 (davon Tobago rd. 45 000) = 243 je km^2; (Z 1990) 1 234 388 – 41 % Schwarze, 40 % Inder, 17 % Mulatten; 1 % Weiße, 0,5 % Chinesen – **Leb.-Erwart.:** 71 J. (m69/w74); Bev.-Anteil 0–14 J.: 34,2 % – **Säugl.-Sterbl.** (1989): 1,9 % – **Kindersterbl.:** 2,3 % – **Analph.** (1985): 4 % – Jährl. **Bev.-Wachstum** (⌀ 1980–91): 1,3 % (Geb.- u. Sterbeziffer 1991: 2,4 %/0,6 %) – **Sprachen:** Englisch als Amtsspr.; außerd. vereinzelt Französ., Spanisch, Hindi, Chinesisch – **Religion:** 34 % Katholiken, 15 % Protestanten (Anglikaner); 25 % Hindus, 6 % Muslime – **Städt. Bev.:** 70 % – **Städte** (Z 1990): Port-of-Spain (Hptst., auf Trinidad) 50 878 Ew. (A 200 000); San Fernando 30 092, Arima 29 695

STAAT Präsidialrepublik – Verfassung von 1976 – Parlament aus 2 Kammern: Repräsentantenhaus mit 36 alle 5 J. gewählten u. Senat mit 31 v. Staatsoberh., mit Zustimmung d. Premiers u. Anführers d. Oppos. ernannten Mitgl. – 8 Counties, 3 Munizipalitäten u. Tobago (mit eig. Parl. mit 15 Mitgl., davon 12 gewählt) – **Staatsoberhaupt:** Noor Mohammed Hassanali, seit 1987 – **Regierungschef:** Patrick Manning (PNM), seit 17. 12. 1991 – **Äußeres:** Ralph Maraj – **Parteien:** Wahlen von 1991: People's National Movement/PNM 21 Sitze (1986: 3), National Joint Action Committee/NJAC 13 (0), National Alliance for Reconstruction/NAR 2 (33) – Wahlen des Parl. von Tobago vom 7. 12. 1992: NAR 11 Sitze, PNM 1 – **Unabh.:** 31. 8. 1962 – **Nationalfeiertag:** 31. 8.

WIRTSCHAFT BSP 1991: 4525 Mio. $ = 3670 $ je Ew. (49); realer Zuwachs ⌀ 1980–90: –3,9 %; **BIP** 1991: 4920 Mio. $; realer Zuwachs ⌀ 1980–91: –4,4 %; Anteil 1991 **Landwirtsch.** 3 %, **Industrie** 39 %, **Dienstlst.** 58 % – **Erwerbstät.** 1991: Landw. 7 %, Ind. 30 % – **Energieverbrauch** 1991: 5907 kg ÖE/Ew. – **Währung:** 1 Trinidad-und-Tobago-Dollar (TT$) = 100 Cents (cts); 1 US-$ = 5,66 TT$; 100 TT$

= 29,84 DM – **Ausl.-Verschuld.** 1991: 2332 Mio. $ = 48,2% d. BSP – **Inflation** ⌀ 1980–91: 6,5% – **Außenhandel** 1991: **Import:** 1667 Mio. $; Güter (1990): 23% Maschinen u. Transportausrüst., 19% Vorprod. der verarb. Ind., 16% Nahrungsmittel; Länder (1990): 41% USA; **Export:** 1985 Mio. $; Güter: 67% Erdöl u. -derivate, 14% chem. Produkte; Länder (1990): 57% USA sowie Großbrit., Japan u. CARICOM-Länder

TSCHAD Zentral-Afrika
Republik Tschad; République du Tchad, Djoumhouriat Tachâd, Dschumhurijjat Taschaad; Chad (engl.) – TCH

LANDESSTRUKTUR **Fläche** (20): 1284000 km² (Sahel-Anteil: 28%) – **Einwohner** (93): (F 1991) 5828000 = 5 je km²; (Z 1964) 3254000 – Tschader; rd. 15% Araber, im Sahelgebiet stark arabisierte Völker (Kanembou, Boulala, Hadjerai, Dadjo u. a., insg. rd. 38%), 30% Sara (im S), 20% tschadische Gruppen, 2% Tibbu-Daza-Gruppen im Tebesti, städt. Haussa, Fulbe; über 4000 Europäer (meist Franzosen) – **Leb.-Erwart.:** 47 J. (m46/w49); Bev.-Anteil 0–14 J.: 42,2% – **Säugl.-Sterbl.** (1964): 12,4% – **Kindersterbl.:** 20,7% – **Analph.:** 70% – Jährl. **Bev.-Wachstum** (⌀ 1980–91): 2,4% (Geb.- u. Sterbeziffer 1991: 4,4%/1,8%) – **Sprachen:** Französisch als Amtsspr.; im Sahel Arabisch, Verkehrsspr. Tschad-Arabisch; regional Sara (im Süden), Baguirmi, Boulala, Tibbu-Gorane u. a. – **Religion:** 44% Muslime, 33% Christen, überw. Katholiken; über 50% Anh. von Naturrel. – **Städt. Bev.:** 30% – **Städte** (S 1988): N'Djamena (Hptst.) 594000 Ew.; Sarh 113400, Moundou 102000, Abéché 83000

STAAT (→ Chronik) Präsidialrepublik – Verfassung von 1989, seit 1990 außer Kraft – Übergangscharta seit 4. 4. 1993 (u. a. starke Einschränkung der Machtbefugnisse d. Staatsoberh.) – Parlament (Nationalversammlung) mit 123 Mitgl., seit 1990 aufgelöst – Hoher Übergangsrat/CST mit 57 Mitgl. seit 12. 4. 1993 als Übergangsparl. – 14 Präfekturen – **Staatsoberhaupt:** Idriss Déby, seit 4. 12. 1990 – **Regierungschef** einer Übergangsreg.: Fidèle Moungar, seit 6. 4. 1993 – **Äußeres:** Ahmed Korom – **Parteien:** Bis Ende 1990 »Union Nationale pour l'Indépendance et la Révolution«/UNIR als Einheitspartei; Zulassung anderer Parteien seit März 1992 – Wahlen bis April 1994 vorgesehen – **Unabh.:** 11. 8. 1960 – **Nationalfeiertag:** 11. 8.

WIRTSCHAFT **BSP** 1991: 1212 Mio. $ = 210 $ je Ew. (172); realer Zuwachs ⌀ 1980–91: 6,3%; **BIP**

1991: 1236 Mio. $; realer Zuwachs ⌀ 1980–91: 5,5%; Anteil 1991 **Landwirtsch.** 43%, **Industrie** 18%, **Dienstlst.** 39% – **Erwerbstät.** 1990: Landw. 76%, Ind. ca. 7% – **Energieverbrauch** 1991: 17 kg ÖE/Ew. – **Währung:** 1 CFA-Franc = 100 Centimes; 1 FF = 50 CFA-Francs (Wertverh. zum FF); 100 CFA = 0,59 DM – **Ausl.-Verschuld.** 1991: 606 Mio. $ = 47,0% d. BSP – **Inflation** ⌀ 1980–91: 1,1% – **Außenhandel** 1991: **Import:** 408 Mio. $; Güter: 27% Maschinen u. Transportausrüst., 17% Nahrungsmittel, 15% Brennstoffe; Länder (1989): v. a. Frankr. sowie Kamerun, USA, Nigeria; **Export:** 194 Mio. $; Güter (1989): 80% Baumwolle sowie Viehzuchtprod., Erdnüsse; Länder (1989): v. a. Kamerun u. Frankr.

TSCHECHISCHE REPUBLIK
Mittel-Europa
CZ

LANDESSTRUKTUR **Fläche** (115): 78864 km² – **Einwohner** (67): (Z 1991) 10302215 = 131 je km² – (Z 1991) 94,4% Tschechen; 3,1% Slowaken, 2,5% Sonstige: Polen, Deutsche, Madjaren (Ungarn), Ukrainer u. Russen; rd. 400000 Sinti u. Roma – **Leb.-Erwart.*:** 72 J. – **Säugl.-Sterbl.*:** 1,1% – **Kindersterbl.*:** 1,5% – **Analph.*:** unter 5% – Jährl. **Bev.-Wachstum*** (⌀ 1980–91): 0,3% (Geb.- u. Sterbeziffer 1991: 1,4%/1,2%) – **Sprachen:** Tschechisch als Amtsspr.; Sprachen der Minderheiten – **Religion:** rd. 46% Katholiken, 85000 Protestanten, 54000 Orthodoxe, 3000 Juden – **Städt. Bev.:** 76% – **Städte** (Z 1991): Praha [Prag] (Hptst.) 1112374 Ew.; Brno [Brünn] 387986, Ostrava [Ostrau] 327553, Plzeň [Pilsen] 173129, Olomouc [Olmütz] 105690, Liberec [Reichenberg] 101934, Hradec Králové [Königgrätz] 99889, Ústí nad Labem [Aussig] 99739, České Budějovice [Budweis] 97283, Pardubice [Pardubitz] 94857, Zlín (ehem. Gottwaldov) 84634, Most [Brüx] 70675, Karlovy Vary [Karlsbad] 56291, Jihlava [Iglau] 52271
* Angaben für die ehem. Tschechoslowakei

STAAT Unabhängige Republik seit 1. 1. 1993 – Verfassung vom 1. 1. 1993 – Parlament (ehem. Nationalrat) mit 200 Mitgl. – Wahl d. Staatsoberh. durch das Parl. alle 5 J. – Allg. Wahlrecht ab 18 J. – 72 Bezirke sowie d. Stadtbezirke Brünn, Ostrau u. Pilsen – **Staatsoberhaupt:** Václav Havel (parteilos), seit 2. 2. 1993 (gewählt am 26. 1. 1993) – **Regierungschef:** Václav Klaus (ODS), seit 1. 1. 1993 – **Äußeres:** Josef Zieleniec – **Parteien:** Wahlen zum ehem. Nationalrat vom 5./6. 6. 1992: Wahlbündnis Demokrat. Bürgerpartei u. Christl. Demokrat. Par-

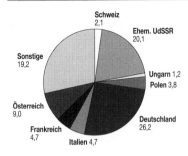

Schweiz 2,1 · Ehem. UdSSR 20,1 · Sonstige 19,2 · Ungarn 1,2 · Polen 3,8 · Österreich 9,0 · Frankreich 4,7 · Italien 4,7 · Deutschland 26,2

Abnehmerländer 1992

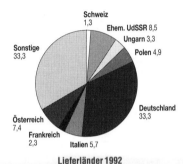

Schweiz 1,3 · Ehem. UdSSR 8,5 · Ungarn 3,3 · Sonstige 33,3 · Polen 4,9 · Österreich 7,4 · Frankreich 2,3 · Italien 5,7 · Deutschland 33,3

Lieferländer 1992

tei/ODS-KDS 76 Sitze, Linksblock/LB (Linke Alternative u. KP Böhmens u. Mährens) 35, Tschech. Sozialdemokraten/CSSD 16, Liberal-Soziale Union/LSU 16, Christlich-Demokrat. Union/KDU-CSL 15, Republikanische Partei/SPR-RSC 14, Christdemokrat. Allianz/ODA 14, Mährisch-Schlesische Partei/HDS-SMS 14 – **Unabh.:** vor 28. 10. 1918 (Ausrufung des souveränen Staats der Tschechoslowakei); seit 1. 1. 1993 (Auflösung der Tschechoslowakei) – **Nationalfeiertag:** 28. 10.

WIRTSCHAFT *(Übersicht → Tab. Sp. 567)* **BSP** 1991 (ehem. ČSFR): 2470 $ je Ew. (66b); realer Zuwachs (S 1991/92): –10,0%; **BIP** realer Zuwachs 1991/92: –7,1% – 1991/92: Rückgang der Brutto-Industrieprod. um 10,6%, der Brutto-Agrarprod. um 12,1% – **Arbeitslosigkeit** ⌀ 1992: 2,6% – **Währung:** Tschechische Krone = Kč; 1 US-$ = 29,49 Kč; 1 DM = 17,37 Kč – **Ausl.-Verschuld.** (Ende 1992): 7500 Mio. $ (→ *Tab. Sp. 575*) – **Inflation** ⌀ 1992: 11,1% – **Außenhandel** 1992: **Import:** 253700 Mio. Kčs (1991/92: +21,5%); Güter (Jan.–April): 33% Brennstoffe u. Schmiermittel, 28% Maschinenbauerzeugn., 9% chem. Erzeugn.,

8% Leder, Papier, Textilien, 7% Rohstoffe, 7% versch. Industrieprod., 7% Lebensmittel, 1% Getränke u. Tabak; Länder: 33% BRD, 9% Ex-UdSSR, 7% Österreich, 6% Italien, 5% Polen, 3% Ungarn, 2% Frankr., 1% Schweiz (EG 52,8%, Ex-RGW 22,1%, EFTA 10,8%); **Export:** 230800 Mio. Kčs (1991/92: –1,5%); Güter (Jan.–April): 35% Leder, Papier, Textilien, 24% Maschinenbauerzeugn., 11% chem. Erzeugn., 10% versch. Industrieprod., 7% Rohstoffe, 7% Lebensmittel, 6% Brennstoffe u. Schmiermittel; Länder: 26% BRD, 20% Ex-UdSSR, 9% Österreich, 5% Frankr., 5% Italien, 4% Polen, 2% Schweiz, 1% Ungarn (EG 45,3%, Ex-RGW 27,1%, EFTA 13,4%)

TUNESIEN *Nord-Afrika*
Tunesische Republik; El Dschumhurija et Tunusija bzw. Al-Jumhûrîa At-Tûnusîya; République Tunisienne – TN

LANDESSTRUKTUR Fläche (90): 163610 km² (125181 km² ohne umstrittene Gebiete mit Libyen; inkl. 9080 km² Binnengewässer) – **Einwohner** (81): (F 1991) 8223000 = 50 je km²; (Z 1984) 6966173 – Tunesier (z. T. arabisierte Berber); kl. franz. u. ital. Minderh. u. Malteser – **Leb.-Erwart.:** 67 J. (m67/w68); Bev.-Anteil 0–14 J.: 37,0% – **Säugl.-Sterbl.** (1988): 3,8% – **Kindersterbl.:** 4,6% – **Analph.:** 35% – Jährl. **Bev.-Wachstum** (⌀ 1980–91): 2,4% (Geb.- u. Sterbeziffer 1991: 2,7%/0,6%) – **Sprachen:** Arabisch als Amtsspr.; westarab. Dialekt (Tunesisch) als Umgangsspr.; Französ. als Bildungs- u. Handelsspr.; Berberisch – **Religion** (Islam ist Staatsreligion): knapp 99% meist sunnitische Muslime, ca. 12000 Katholiken u. kleine protest. Gruppen; rd. 20000 Juden – **Städt. Bev.:** 55% – **Städte:** Tunis (Hptst.; S 1987) 828000 Ew.; (Z 1984) Sfax 231900, Ariana 98700, Bizerta [Biserta] 94500, Djerba 92300, Gabès 92300, Sousse 83500, Kairouan (4. heilige islam. Stätte) 72300, Bardo 65700, La Goulette 61600, Gafsa 61000, Ben Arous 52100

STAAT Präsidialrepublik – Verfassung von 1959 mit Änderungen 1988 – Parlament (Chambre des Députés) mit 141 Mitgl., Wahl alle 5 J. – Direktwahl d. Staatsoberh. alle 5 J. (Amtszeit max. 15 J.) – Allg. Wahlrecht ab 20 J. – 23 Bezirke (Gouvernorate) – **Staatsoberhaupt:** Zine El-Abidine Ben Ali, seit 1987, gewählt 1989 – **Regierungschef:** Hamed Karoui (RCD), seit 27. 9. 1989 – **Äußeres:** Habib Ben Yahia – **Parteien:** Wahlen von 1989: Rassemblement Constitutionnel Démocratique/RCD (regierende nationalist. Konstitutionelle Demokratische Sammlung) alle 141 Sitze – *Neuwahlen für März 1994* *vorgesehen* – **Unabh.**: alte staatl. Tradition; unabh. seit 20. 3. 1956 – **Nationalfeiertag:** 1. 6. (innere Autonomie, Rückkehr Bourguibas 1955)

WIRTSCHAFT BSP 1991: 12417 Mio. $ = 1500 $ je Ew. (93); realer Zuwachs ∅ 1980–91: 3,5 %; **BIP** 1991: 11594 Mio. $; realer Zuwachs ∅ 1980–91: 3,7 % (1992: +8,6 %); Anteil 1992 Land-

wirtsch. 15 %, **Industrie** 25 %, **Dienstlst.** 60 % (dar. Tourismus 4 %) – **Erwerbstät.** 1991: Landw. 23 %, Ind. ca. 28 % – **Arbeitslosigkeit** ∅ 1990: 15,3 % – **Energieverbrauch** 1991: 556 kg ÖE/Ew. – **Währung:** 1 Tunes. Dinar (tD)= 1000 Millimes (M); 1 US-$ = 1,008 tD; 10 DM = 5,959 tD – **Ausl.-Verschuld.** 1991: 8296 Mio. $ = 66,2 % d. BSP – **Inflation** ∅ 1980–91: 7,3 % (1992: 5,5 %) – **Außenhan-**

Tunesien: Fläche, Bevölkerung und Bevölkerungsdichte nach Gouvernoraten*

Gouvernorat	Fläche in km²	1975	1984 Bevölkerung 1000	1990[1]	1975	1990 Einwohner je km²
Tunis	346	692,7	774,4	825,1	2002,0	2384,7
Ariana	1558	205,7	374,2	533,7	132,0	342,6
Ben Arous	761	152,0	246,2	307,0	199,7	403,4
Nabeul	2788	368,1	461,4	530,2	132,0	190,2
Zaghouan	2768	98,9	118,7	129,7	35,7	46,9
Bizerte	3685	343,7	394,7	446,8	93,3	121,2
Béja	3558	248,8	274,7	299,1	69,9	84,1
Jendouba	3102	299,7	359,4	402,8	96,6	129,9
Le Kef	4965	233,2	247,7	269,7	47,0	54,3
Siliana	4631	192,7	222,0	243,2	41,6	52,5
Kairouan	6712	338,5	421,6	489,0	50,4	72,9
Kasserine	8066	238,5	298,0	354,3	29,6	43,9
Sidi Bouzid	6994	218,5	288,5	337,0	31,2	48,2
Sousse	2621	254,6	322,5	389,8	97,1	148,7
Monastir	1019	223,2	278,5	327,3	219,0	321,2
Mahdia	2966	218,2	270,4	311,7	73,6	105,1
Sfax	7545	474,9	578,0	665,1	62,9	88,2
Gafsa	8990	185,0	235,7	276,9	20,6	30,8
Tozeur	4719	52,9	67,9	76,8	11,2	16,3
Kébili	22084	69,7	95,4	114,6	3,2	5,2
Gabès	7175	186,0	240,0	276,2	25,9	38,5
Medenine	8588	220,1	295,9	349,4	25,6	40,7
Tataouine	38889	72,8	100,3	118,3	1,9	3,0

* Die Gouvernorate sind nach ihren Hauptorten benannt. Ergebnisse der Volkszählungen.
[1] Stand: Jahresmitte
Quelle: Statistisches Bundesamt, Länderbericht Tunesien 1992

Tunesien: Auslandsgäste nach ausgewählten Herkunftsländern

Herkunftsland	Einheit	1987	1988	1989	1990	1991
Insgesamt	1000	1932,5	3515,3	3258,4	3203,8	3350,9
Libyen	%	0,4	35,2	29,4	24,8	34,5
Algerien	%	19,9	11,7	11,5	13,6	20,7
Deutschland	%	23,0	13,6	14,2	15,0	11,8
Frankreich	%	25,9	14,1	14,4	14,3	6,5
Marokko	%	0,5	1,3	3,2	4,5	4,8
Italien	%	6,1	4,3	5,2	5,9	4,6
Großbritannien und Nordirland	%	9,7	6,5	6,8	6,0	3,6
Niederlande	%	4,0	2,5	3,1	3,0	1,4
Belgien	%	3,5	2,2	3,4	2,3	1,2
Österreich	%	2,2	1,1	1,1	1,2	0,8
Schweiz	%	2,4	1,3	1,4	1,5	0,8

Quelle: Statistisches Bundesamt, Länderbericht Tunesien 1992

del 1991: **Import:** 5520 Mio.$ (1992: 5674 Mio. tD); Güter: 40% Metalle, Maschinen u. Elektroerzeugn., 23% Textilien u. Leder, 8% Nahrungsmittel, 8% Energieprod.; Länder: 57% Frankr., 16% Italien, 14% BRD, 5% Belgien/Lux., 4% USA; **Export:** 3840 Mio.$ (1992: 3567 Mio. tD); Güter: 39% Textilien u. Lederwaren, 16% Nahrungsmittel (insb. Olivenöl, Wein, Früchte, Getreide), 14% Energieprod., 12% Maschinen u. Elektroerzeugn.; Länder: 24% Frankr., 19% Italien, 16% BRD, 6% Belgien/Lux., 6% Libyen

TÜRKEI *Europa u. Vorder-Asien*
Republik Türkei; Türkiye Cumhuriyeti – TR

LANDESSTRUKTUR Fläche (36): 779452 km² (mit 29777 km² Binnengewässern), davon 23764 km² (mit 11% der Bev.) in Europa (Avrupa Türkiyesi) – **Einwohner** (19): (F 1991) 57237000 = 73 je km²; (Z 1990) 56473035 – Über 90% Türken; etwa 7% Kurden (offiziell als »Bergtürken« bezeichnet): 3 Mio. Kurdischsprachige bzw. ca. 8,7 Mio. kurd. Abst.; 1,6% Araber, 0,3% Tscherkessen, ca. 30000 Armenier, 6000 Griechen, Bulgaren, Georgier, Kasachen u.a. – 1,3 Mio. türk. Arbeitnehmer im Ausland (ohne Familienangeh.) – **Leb.-Erwart.:** 67 J. (m64/ w70); Bev.-Anteil 0–14 J.: 35,2% – **Säugl.-Sterbl.** (1988): 5,8% – **Kindersterbl.:** 7,4% – **Analph.** (1990): 19% – Jährl. **Bev.-Wachstum** (∅ 1980–91): 2,3% (Geb.- u. Sterbeziffer 1991: 2,8%/0,7%) – **Sprachen:** Türkisch als Amtsspr.; Sprachen der Minderh.: Kurdisch (7% im SO), Arabisch, Griechisch, Armenisch – **Religion:** 99% sunnit. Muslime; rd. 100000 Christen (Orthodoxe, Gregorianer, Katholiken, Protestanten u.a.); rd. 38000 Juden – **Städt. Bev.:** 63% – **Städte** (Z 1990): Ankara (Hptst., als A) 2559471 Ew.; İstanbul 6620241 (A), İzmir 757414, Adana 916150, Bursa 834576, Gaziantep 603434, Konya 513346, Merzin (İçel) 422357, Kayseri 421362, Eskişehir 413082

STAAT (→ *Chronik*) Republik auf parlamentarischer Grundlage – Verfassung von 1982 – Parlament (Große Nationalversammlung) mit 450 Mitgl., Wahl alle 5 J. – Einmalige Wahl d. Staatsoberh. für 7 J. mit ²/₃-Mehrheit des Parl. – Allg. Wahlrecht ab 18 J. – 67 Provinzen (Vilayet); in den 10 Südostprovinzen mit größeren kurdischen Bevölkerungsanteilen herrscht seit 1978 d. Ausnahmezustand – **Staatsoberhaupt:** Süleyman Demirel (DYP), seit 16.5. 1993 – **Regierungschefin:** Tansu Çiller (DYP-Vors.), seit 14.6.1993 (Koalition aus SHP u. DYP) – **Äußeres:** Hikmet Çetin – **Parteien:** Wahlen vom 20.10.1991: Doğruyol Partisi/DYP (Partei des

Rechten Weges) 178 Sitze (1987: 59), Anavatan Partisi/ANAP (Mutterlandspartei) 115 (275), Sosyal Demokrat Halkçi Parti/SHP (Sozialdemokrat. Volkspartei) zus. mit Arbeiterpartei d. Volkes/HEP (22) insg. 88 (99), Refah Partisi/RP (islam.-fundamentalist. Wohlfahrtspartei) 43 (–), Milliyetçi Çalişma Partisi/MÇP (Nationalist. Arbeitsp.) 19, Demokratik Sol. Partisi/DSP (Partei der Demokrat. Linken) 7 (0), Sonstige 0 (17) Sitze – Kurdische Arbeiterpartei/PKK Arbeiterpartei des Volkes verboten – **Unabh.:** Gründung d. Osman. Reiches an d. Wende vom 13. zum 14. Jh.; Republik Türkei seit 1920 bzw. 1923 – **Nationalfeiertag:** 29.10. (Ausrufung d. Republik 1923)

WIRTSCHAFT BSP 1991: 103888 Mio.$ = 1780$ je Ew. (85); realer Zuwachs ∅ 1980–91: 5,4% (1992: +5,9%); **BIP** 1991: 95763 Mio.$; realer Zuwachs ∅ 1980–91: 5,0% (1992: +5,4%); Anteil 1991 **Landwirtsch.** 18%, **Industrie** 33%, **Dienstlst.** 49% – **Erwerbstät.** 1991: Landw. 46,6%, Ind. 20,3%, Dienstl. 33,1% – **Arbeitslosigkeit** ∅ 1992: 8,0% – **Energieverbrauch** 1991: 809 kg ÖE/Ew. – **Währung:** 1 Türk. Pfund/Türk. Lira (TL.) = 100 Kuruş (krş); 1 US-$ = 10860,24 TL.; 1 DM = 6411,00 TL. – **Ausl.-Verschuld.** 1991: 50252 Mio.$ = 48,1% d. BSP (Ende 1992: 56000 Mio.$) – **Inflation** ∅ 1980–91: 44,7% (1992: 66%) – **Außenhandel** 1992: **Import:** 22900 Mio.$; Güter (Jan.–Okt.): 17% Maschinen, mechan. Ausrüst. u. Teile, 13% Rohöl, 12% chem. Erzeug., 9% Eisen u. Stahl, 8% elektr. u. elektrotechn. Erzeugn.; Länder (Jan.–Okt.): 16% BRD, 12% USA, 8% Italien, 7% Saudi-Arabien, 6% Frankr., 5% Japan, 5% Ex-UdSSR, 5% Großbrit. (EG 44%); **Export:** 14900 Mio.$; Güter (Jan.–Okt.): 36% Textilien, 24% landwirtschaftl. Erzeugn., 10% Eisen u. Stahl; Länder (Jan.–Okt.): 25% BRD, 7% Italien, 5% USA, 5% Frankr., 5% Großbrit., 5% Ex-UdSSR, 4% Niederl. (EG 53%) – **Tourismus** 1992 (1991): 2,4 (1,6) Mrd.$ Einnahmen

PRESSE (Aufl. i. Tsd.) *Tageszeitungen:* Ankara: Turkish Daily News (38)/engl. – Istanbul: Bügün (185) – Cumhuriyet (67) – Dünya (50)/Wirtsch. – Hürriyet (543) – Milliyet (335) – Sabah (507) – Yeni Günaydin (300) – Zaman (210) – Izmir: Yeni Asir (43) – *Wochenzeitungen:* Aktüel (44)/Pol.-Wirtsch. – Ekonomist (20)/Wirtsch. – Girgir (500)/satir. – Hibir (250)/satir. – Nokta (60)/Pol.-Wirtsch. – *Nachrichtenagenturen:* ANKA (Anka Ajansi) – Anatolian News Agency

TURKMENISTAN *Zentral-Asien*
Türkmenistan – TUR

LANDESSTRUKTUR **Fläche** (51): 488 100 km²
– **Einwohner** (117): (F 1991) 3 748 700 = 8 je km²;
(Z 1989) 3 533 925 – (F 1993) 74 % Turkmenen
[Türkmen]; 9 % Usbeken (355 000), 7,7 % Russen,
2,5 % Kasachen, 0,9 % Aseri (35 000), 0,1 % Deutsche sowie Tataren, Ukrainer, Armenier u. a. – **Leb.-**
Erwart.: 66 J. (m62/w70); Bev.-Anteil 0–14 J.:
41,3 % – **Säugl.-Sterbl.:** 5,6 % – **Kindersterbl.:**
7,6 % – **Analph.:** k. Ang. – Jährl. **Bev.-Wachstum**
(∅ 1980–91): 2,5 % (Geb.- u. Sterbeziffer 1991:
3,4 %/0,7 %) – **Sprachen:** Turkmenisch als Amtsspr.; Sprachen der Minderh., v. a. Russisch – **Reli-**
gion: mehrheitl. sunnitische Muslime – **Städt. Bev.:**
45 % – **Städte:** Aschchabad [Aschgabad] (Hptst.;
F 1993) 517 200 Ew.; (F 1990) Tschardschou
164 000, Taschaus 114 000, Mary 89 000

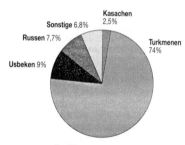

Kasachen
Sonstige 6,8%   2,5%
Russen 7,7%   Turkmenen
                                74%
Usbeken 9%

Bevölkerungsstruktur

STAAT Präsidialrepublik – Neue Verfassung vom
18. 5. 1992 – Parlament (Madschlis) mit 50 Mitgl.,
Wahl alle 5 J., sowie zusätzlich ein »Volksrat«
(Khalk Maslakhaty) mit 60 gewählten Vertretern d.
Gebiete u. Bezirke, den Mitgl. des Ministerrats so-
wie den Abg. des Parl. u. a. – Direktwahl d. Staats-
oberh. alle 5 J. – Allg. Wahlrecht ab 18 J. – 5 Gebiete
(Oblast), 56 Bezirke (Rajon) sowie bezirksfreie
Städte – **Staats- u. Regierungschef:** General Saparmurad A. Nijasow (DPT-Vors.), seit 27. 10. 1991
(am 21. 6. 1992 durch Direktwahl im Amt bestätigt)
– **Äußeres:** Khalikberdij Atajew – **Parteien:** Nach d.
Wahlen 1990 kommunist. Mehrheit in Parl. u. Reg.:
Demokrat. Partei Turkmenistans/DPT (Nachfolgepartei der KP) 120 von 175 Sitzen (Parl. im Mai
1992 auf 50 Mitgl. reduziert) – *Für Ende 1992 an-*
gekündigte Wahlen auf unbestimmte Zeit ver-
schoben – **Unabh.:** Souveränitätserklärung am
22. 8. 1990, Unabh.-Erkl. am 27. 10. 1991 – **Natio-**
nalfeiertag: unbekannt

WIRTSCHAFT *(Entwicklung → Tab. Sp. 475)*
BSP 1991: 6387 Mio. $ = 1700 $ je Ew. (87); **BIP**
(Nettomaterialprodukt) 1991: 13 771 Mio. Rbl; realer Zuwachs 1991/92: –10,0 %; Anteil 1991 **Land-**
wirtsch. 46 %, **Industrie** 42 % – 1991/92: Rückgang
der Brutto-Industrieprod. um 16,7 %, der Brutto-
Agrarprod. um 5 % – **Erwerbstät.** 1991: Landw.
43 %, Ind. 20 % – Bev.-Anteil mit Eink. unter d. **Ar-**
mutsgrenze (1991): 78 % – **Arbeitslosigkeit** Mitte
1992: 2,5 % – **Währung:** Rubel *(→ Rußland)*; Einführung einer eigenen Währung (»Manat«) für
1. 11. 1993 geplant (1000 Rbl = 1 Manat) – **Ausl.-**
Verschuld. 1992: 420 Mio. $ – **Inflation** ∅ 1992
(Konsumentenpreise): 770 % – **Außenhandel** 1992:
Import: 100 Mio. $; Güter (1990, nur übrige
UdSSR): 33 % Maschinenbauerzeugn., 19 % Prod.
der Leichtind., 15 % Nahrungsmittel, 7 % chem.
Produkte; **Export:** 100 Mio. $; Güter (1990, nur übri-
ge UdSSR): 43 % Prod. der Leichtind., 29 % Erdöl u.
Erdgas; Handelspartner (1991): 84 % übrige UdSSR

TUVALU *Ozeanien*
The Tuvalu Islands; »8 Inseln« (tatsächl. 9 Inseln);
bis 1978 Ellice-Inseln – TUV

LANDESSTRUKTUR **Fläche** (189): 26 km²
(1,3 Mio. km² Meeresfläche) – **Einwohner** (191):
(F 1990) 9100 = 350 je km²; (Z 1985) 8229 (davon
rd. 1500 im Ausland) – Tuvaluer; 96 % Polynesier
sowie Melanesier – **Leb.-Erwart.:** 62 J. (m60/w63)
– **Analph.:** 10 % – Jährl. **Bev.-Wachstum** (∅ 1984):
4,1 % – **Sprachen:** Tuvalu (Tuvaluisch, ein polynes.
Dialekt) u. Englisch – **Religion:** 98 % Protestanten
(Church of Tuvalu) – **Städt. Bev.:** 30 % – **Inseln**
(F 1985): Funafuti (Reg.-Sitz: Vaiaku) 2810 Ew.; Vai-
tupu 1231, Niutao 904, Nanumea 879, Nukfetau
694, Nanumaga 672, Nui 604, Nukulaelae 315, Niu-
lakita 74

STAAT Konstitutionelle Monarchie im Commonwealth – Verfassung von 1978 – Parlament (House
of Assembly) mit 12 Mitgl., Wahl alle 4 J. – Lokale
Inselparlamente mit jew. 6 Abg. – **Staatsoberhaupt:**
Königin Elizabeth II., vertreten durch einheim. Generalgouverneur Toaripi Lauti, seit 1. 10. 1990 – **Re-**
gierungschef u. Äußeres: Bikenibeu Paeniu, seit
1989 – **Parteien:** Letzte Wahlen 1989; keine Parteien i. e. S., statt dessen Sippenverbände – **Unabh.:**
1. 10. 1978 – **Nationalfeiertag:** 1. 10.

WIRTSCHAFT (keine neueren Angaben verfügbar) **BSP** 1987: 3 Mio. $ = 330 $ je Ew. (159); **BIP**
1987: 479 $A je Ew. – Einnahmen von 1500 aus-
wärts arbeitenden Tuvaluanern (1990): 1,6
Mio. $A): – **Währung:** 1 Austral. Dollar ($A) = 100

Cents (c); 1 $A = 0,668 US-$ = 1,14 DM – **Inflation** ⊘ 1981–87: 8,0% (1990: 3,8%) – **Außenhandel** 1989: **Import:** 5,17 Mio. $A; Güter: v. a. Nahrungsmittel, Halbfertigprod., Maschinen u. Transportausrüst., Brennstoffe; Länder (1986): 41% Australien, 11% Neuseeland, 5% Großbrit. sowie Fidschi; **Export:** 0,08 Mio. $A; Güter: v. a. Kopra sowie Fische, Briefmarken; Länder (1984): 50% Fidschi, 40% Australien, 5% Neuseeland

UGANDA Ost-Afrika
Republik Uganda; Republic of Uganda, Jamhuriya Uganda – EAU

LANDESSTRUKTUR **Fläche** (81): 235880 km² (mit 39459 km² Binnengewässern, n. eig. Ang. 241139 km², davon 44081 km² Binnengew.) – **Einwohner** (52): (Z 1991) 16582674 = 69 je km² (vorl. Ergeb.) – Ugander; zu fast 50% Bantu-Gruppen (davon 28% Buganda [Baganda]); je 13% west- u. ostnilotische, 5% sudanes. Gruppen; kleine indische, europ. u. arab. Minderh. – **Leb.-Erwart.:** 46 J. (m46/w47); Bev.-Anteil 0–14 J.: 48,7% – **Säugl.-Sterbl.** (1989): 11,8% – **Kindersterbl.:** 18,5% – **Analph.:** 52% – Jährl. **Bev.-Wachstum** (⊘ 1980–91): 2,5% (Geb.- u. Sterbeziffer 1991: 5,2%/1,9%) – **Sprachen:** Englisch u. KiSuaheli als Amtsspr.; 70% Bantuspr. (u. a. 20% Buganda, 15% Banyoro, westnilot. Sprachen wie Lango 6,5%, 4% Acholi, ostnilot. Sprachen wie Turkana 8% u. Karamojong 3%) – **Religion:** rd. 70% Christen, davon ca. 45% Katholiken u. 24% Protestanten; 6% Muslime; ferner Anh. von Naturrel. – **Städt. Bev.:** 11% – **Städte:** Kampala (Hptst.; S 1990) 650800 Ew.; (Z 1980) Jinja 45060, Bugembe 48000, Masaka 29100, Mbale 28040

STAAT Präsidialrepublik – Verfassung von 1967, seit 1985 außer Kraft; neue Verfass. in Ausarbeitung – Parlament (Nationalversammlung) aufgelöst – Wahl einer Verfassungsgeb. Versammlung mit 288 Mitgl. für 1994 angekündigt – Derzeit National Resistance Council/NRC mit 278 Mitgl. (davon 210 gewählt u. 68 durch Staatsoberh. ernannt) als Legislative – 38 Distrikte – **Staatsoberhaupt:** Generalleutnant Yoweri Kaguta Museveni (NRA/NRM), seit 29. 1. 1986, 1990 im Amt bestätigt – **Regierungschef:** Cosmas George Adyebo (NRM), seit 22. 1. 1991 – **Äußeres:** Paul Kawanga Ssemogerere – **Parteien:** Wahlen zum NRC von 1989 (Kandidaten wurden durch Provinz- u. Distrikt-»Widerstandskomitees« aufgestellt); National Resistance Army/Nat. Resistance Movement/NRA-NRM (Nationale Widerstandsbewegung von Yoweri Museveni) bestimmende Kraft – *Wahlen für 1994 angekündigt* – **Unabh.:** 9. 10. 1962 – **Nationalfeiertag:** 9. 10.

WIRTSCHAFT **BSP** 1991: 2762 Mio. $ = 170 $ je Ew. (179); realer Zuwachs ⊘ 1980–91: 5,9%; **BIP** 1991: 2527 Mio. $; realer Zuwachs ⊘ 1980–90: 2,8%; Anteil 1991 **Landwirtsch.** 51%, **Industrie** 12%, **Dienstlst.** 37% – **Erwerbstät.** 1991: Landw. 80%, Ind. ca. 5% – **Energieverbrauch** 1991: 25 kg ÖE/Ew. – **Währung:** 1 Uganda-Shilling (U. Sh.); Offizieller Kurs; keine Ang. zum Freimarktkurs: 1 US-$ = 1180,11 U. Sh.; 100 U. Sh. = 0,14 DM – **Ausl.-Verschuld.** 1991: 2830 Mio. $ = 109,2% d. BSP – **Inflation** ⊘ 1980–90: 107% (1992: 52,4%) – **Außenhandel** 1991: **Import:** 550 Mio. $; Güter: 30% Brennstoffe, 27% Maschinen u. Transportausrüst., 8% Nahrungsmittel; Länder (1989): v. a. Kenia, Großbrit. u. BRD; **Export:** 200 Mio. $; Güter (1990): 91% Kaffee sowie Baumwolle, Tee, Kupfer; Länder (1989): rd. 30% Kenia sowie Niederl., USA, Großbrit., Frankr.

UKRAINE Ost-Europa
Ukraïna – UKR

LANDESSTRUKTUR **Fläche** (43): 603700 km² – **Einwohner** (23): (F 1991) 51999000 = 86 je km²; (Z 1989) 51706742 – (Z 1989) 72,7% Ukrainer [Ukrajinzy]; 22,1% Russen, 0,9% Juden, 0,9% Weißrussen sowie Moldauer, Bulgaren, Polen, Ungarn, Rumänen, Griechen, Tataren u. a. – rd. 4,3 Mio. Ukrainer leben in Rußland, 1,5 Mio. in den USA, 1 Mio. in Kanada, 400000 in Brasilien – **Leb.-Erwart.:** 70 J. (m66/w75); Bev.-Anteil 0–14 J.: 21,2% – **Säugl.-Sterbl.:** 1,8% – **Kindersterbl.:** 2,2% – **Analph.:** rd. 2% – Jährl. **Bev.-Wachstum** (⊘ 1980–91): 0,4% (Geb.- u. Sterbeziffer 1991: 1,2%/1,3%) – **Sprachen:** Ukrainisch als Amtsspr.; Russisch als Verkehrsspr., Sprachen der Minderheiten – **Religion:** mehrheitl. Ukrainisch-Orthod.; ferner Russ.-Orthod. u. Griech.-Kathol. (Unitarier) – **Städt. Bev.:** 67% – **Städte** (F 1990): Kiiw [Kiew] (Hptst.) 2616000 Ew.; Charkiw [Charkow] 1618000, Dnjepropetrowsk 1187000, Donezk 1117000, Odessa 1106000, Saporoshje 891000, Lwiw [Lemberg] 798000, Krivoi Rog 717000, Mariupol (ehem. Shdanow) 520000, Nikolajew 508000, Lugansk (ehem. Woroschilowgrad) 501000, Makejewka 427000

STAAT (→ Chronik) Republik seit 1991 – Verfassung von 1978, Änderungen 1990 u. 1991; neue Verfass. in Ausarbeitung – Parlament (Verkhovna Rada) mit 450 Mitgl., Wahl alle 4 J.; ernennt Präsidium (24 Mitgl.) u. Ministerrat – Direktwahl d. Staatsoberh. alle 5 J. – Allg. Wahlrecht ab 18 J. – 24 Gebiete (Oblast) u. Hauptstadtbezirk (Kiew) – Zum Territorium gehört d. Autonome Krimrepublik (→ un-

ten) – **Staatsoberhaupt:** Leonid M. Krawtschuk, seit 23. 7. 1990 (am 1. 12. 1991 in Direktwahlen im Amt bestätigt) – **Regierungschef:** Leonid D. Kutschma, seit 13. 10. 1992; Reg. mit Vertr. der opposit. Nationalen Volksfront »Ruch« – **Äußeres:** Anatolij M. Slenko – **Parteien:** Nach Wahlen 1990 kommunist. Mehrheit in Parl. u. Reg. – Neugründung der zeitweise verbotenen KP am 20. 6. 1993 – Oppos. Part. u. a. Nationale Volksfront »Ruch«, Ukrain. Republikan. Partei, Ukrain. Nationale P., Sozialdemokrat. P. – **Unabh.:** Souveränitätserklärung am 16. 7. 1990, Unabh.-Erkl. am 24. 8. 1991 – **Nationalfeiertag:** 24. 8.

WIRTSCHAFT *(Entwicklung→ Tab. Sp. 475)* **BSP** 1991: 121458 Mio. $ = 2340 $ je Ew. (70); **BIP** (Nettomaterialprodukt) 1991: 551000 Mio. Rbl = 10605 Rbl je Ew. (S 1992: 4797 Mrd. Rbl); realer Zuwachs 1991/92: –15 %; Anteil 1991 **Landwirtsch.** 29 %, **Industrie** 43 % – 1991/92: Rückgang der Brutto-Industrieprod. um 9 %, der Brutto-Agrarprod. um 11 % (Lebensmittelprod. um 30 %) – **Erwerbstät.** 1990: Landw. 25 %, Ind. 28 % – Bev.-Anteil mit Eink. unter d. **Armutsgrenze** (1991): 40,5 % – **Arbeitslosigkeit** (S Mitte 1993): 0,5 % – **Währung:** 1 Karbowanez (URK) = 100 Kopeken; 1 US-$ = 3980,00 UKR; 1 DM = 2530,00 UKR – **Ausl.-Verschuld.** Ende 1992: 13000 Mio. $ (Schuldenanteil d. Ex-UdSSR: 16,37 % = rd. 80000 Mio. $) – **Inflation** ⌀ 1992 (Konsumentenpreise): 1650 % – **Außenhandel** (Jan.–Sept. 1992): **Import:** 1568 Mio. $ (S 1992: 2100 Mio. $); Güter (1991): 80 % Rohstoffe (v. a. Erdöl u. Erdgas, Buntmetalle, Holz) u. Konsumgüter, 15 % Maschinen u. Ausrüst.; Länder: 14 % Italien, 12 % Rep. Korea, 12 % BRD, 8 % Litauen, 8 % Ex-ČSFR, 7 % Lettland; **Export:** 2775 Mio. $ (S 1992: 3700 Mio. $); Güter (1991): 80 % Rohstoffe (v. a. Uran, Eisenerz, Kohle, Blei, Manganerz, Zink) u. Konsumgüter, 25 % Maschinen u. Aus-

rüst.; Länder: 23 % VR China, 14 % Lettland, 10 % Türkei, 7 % Bulgarien, 6 % Litauen, 4 % Ex-ČSFR

Zum Territorium gehört:

Autonome Krimrepublik *Fläche* 25500 km² – *Einwohner:* (Z 1989) 2400000 Ew – 1600000 Russen, 600000 Ukrainer – *Hauptort:* Simferopol – Autonome Republik seit 30. 6. 1992 mit Zuständigkeit für Außenhandel, Sozial- u. Kulturpolitik) – Eigene Verfassung, Gesetzgebung, Regierung u. Parlament mit 167 Mitgl. *(→ Chronik WA '93)*

UNGARN *Mittel-Europa*
Republik Ungarn; Magyar Köztársaság – H

LANDESSTRUKTUR **Fläche** (110): 93033 km² – **Einwohner** (68): (F 1991) 10300000 = 111 je km²; (Z 1990) 10374823 – 96 % Ungarn (Madjaren), 1,6 % Deutsche, 1,1 % Slowaken, 0,9 % Südslawen, 0,3 % Rumänen, rd. 500000–700000 Sinti u. Roma (insg. 13 Ethnien anerkannt) – ca. 3,3 Mio. Ungarn leben im Ausland (davon rd. 2 Mio. in Rumänien, 650000 in der Slowakei, 200000 in der Ukraine) – **Leb.-Erwart.:** 70 J. (m66/w74); Bev.-Anteil 0–14 J.: 20,0 % – **Säugl.-Sterbl.:** 1,6 % – **Kindersterbl.:** 2,0 % – **Analph.** (1990): 1 % – Jährl. **Bev.-Wachstum** (⌀ 1980–91): –0,2 % (Geb.- u. Sterbeziffer 1991: 1,2 %/1,4 %) – **Sprache:** Madjarisch (Ungarisch) als Amtsspr. – **Religion** (1989): 6710512 röm. Katholiken; 300000 griech. Kath., 2 Mio. Calvinisten, 433000 Lutheraner, 273000 Orthodoxe, 80000 Juden; 3000 Muslime – **Städt. Bev.:** 62 % – **Städte** (F 1992): Budapest (Hptst.) 1992300 Ew.; Debrecen [Debreczin] 214700, Miskolc 191600, Szeged 177500, Pécs [Fünfkirchen] 169500, Györ [Raab] 130300, Nyíregyháza 114200, Székesfehér-

Ost- und Mitteleuropa: Kennzahlen der Landwirtschaft

	Agrarland	Agrarproduktion (brutto) durchschnittl. jährl. Veränderung in %				Getreideproduktion (in Mio. t)				Veränd.
	in 1000 ha	1981–1985	1986–1990	1991	1992	1981–1985 p.a.	1986–1990 p.a.	1991	1992[1]	1991/1992 in %
Bulgarien	3856	–0,6	0,1	–6,4	–12,9	8,3	8,4	9,1	6,7	–25,6
Polen	14388	2,1	0,6	–1,6	–11,9	22,5	26,6	27,8	20,0	–28,0
Rumänien	9450	3,9	–3,4	1,0	–9,2	21,9	19,7	19,0	12,3	–36,0
ehem. Tschecho-slowakei	4728	1,8	0,3	–8,4	–12,0	11,1	11,9	11,8	10,1	–14,5
Ungarn	5054	0,7	–0,4	–2,6	–22,7	14,6	14,3	15,4	9,7	–37,0
Ost- und Mitteleuropa		2,0	–0,6	–2,4	–13,1	78,1	80,9	83,3	58,8	–29,4

Quelle: WIIW, nationale Statistiken
[1] vorläufige Angaben

vár [Stuhlweißenburg] 108900, Kecskemét 104500, Szombathely 85600, Szolnok 79400, Tatabánya 72900

STAAT Republik auf parlamentarischer Grundlage seit 1989 – Verfassung von 1949, letzte Änderung 1989 – Nationalversammlung (Országgyülés) mit 386 Mitgl., Wahl alle 4 J.; wählt Staatsoberh. – Allg. Wahlrecht ab 18 J. – 19 Komitate (Megyék) u. Hauptstadt (mit 22 Bezirken) – *(Einzelheiten → WA '93, Tab. Sp. 601 f.)* – **Staatsoberhaupt:** Arpád Göncz (SZDSZ), seit 2. 5. 1990 (am 3. 8. 1990 in Direktwahlen im Amt bestätigt) – **Regierungschef:** József Antall (UDF-Vors.), seit 22. 5. 1990; Koalition aus UDF u. KDNP – **Äußeres:** Géza Jeszenszky – **Parteien:** Erste freie Wahlen vom 25. 3./8. 4. 1990: Ungar. Demokrat. Forum/UDF 165 Sitze, Bund Freier Demokraten/SZDSZ 92, Partei der kleinen Landwirte, Landarbeiter u. Bürger/FKGP 43, Ungar. Sozialist. Partei/MSZP 33, Christlich-Demokrat. Volkspartei/KDNP 21, Bund Junger Demokraten/FIDESZ 21, Unabh. 6, Sonstige 5 Sitze – *Nächste Wahlen im April 1994* – **Unabh.:** alte staatl. Tradition; 21. 12. 1867 gleichberechtigte Reichshälfte in »Österreich-Ungarn«; 16. 11. 1918 Unabh.-Proklamation (Gründung der Republik) – **Nationalfeiertage:** 15. 3. (Aufstand gegen Habsburg 1848), 20. 8. (»Stephanstag«) u. 23. 10. (Ausbruch d. Volksaufstands 1956)

WIRTSCHAFT *(Übersicht→ Tab. Sp. u. 567)* **BSP** 1991: 28244 Mio. $ = 2720 $ je Ew. (59); realer Zuwachs ∅ 1980–91: 0,5%; **BIP** 1991: 30795 Mio. $ (S 1992: 37413 Mio. $); realer Zuwachs ∅ 1980–91: 0,6% (1992: –5,0%); Anteil 1991 **Landwirtsch.** 10%, **Industrie** 34%, **Dienstlst.** 55% – 1991/92: Rückgang der Brutto-Industrieprod. um 9,8%, der Brutto-Agrarprod. um 20,0% – **Erwerbstät.** 1990: Landw. 18%, Ind. 32% – **Arbeitslosigkeit** (7/1993): 13,0% – **Energieverbrauch** 1991: 2830 kg ÖE/Ew. – **Währung:** 1 Forint (Ft) = 100 Filler (f); 1 US-$ = 91,42 Ft; 100 Ft = 1,85 DM – **Ausl.-Verschuld.** 1991: 22658 Mio. $ = 77,0% d. BSP *(→ Tab. Sp. 575)* – **Inflation** ∅ 1980–91: 10,3% (1992: 23%) – **Außenhandel** 1992 (Jan.–Nov.): **Import:** 782700 Mio. Ft (1992: 11010 Mio. $); Güter: 37% Rohstoffe, Halbwaren u. Einzelteile, 22% industr. Konsumgüter, 21% Maschinen, Transportmittel u. Investitionsgüter, 15% Energieträger u. Elektroenergie; Länder: 22% BRD, 19% GUS u. Baltikum, 16% Österreich, 16% Belgien, 7% Italien, 4% Ex-ČSFR, 3% Schweiz, 3% Frankr., 3% USA; **Export:** 745200 Mio. Ft (1992: 10710 Mio. $); Güter: 37% Rohstoffe, Halbwaren u. Einzelteile, 25% Rohstoffe für d. Nahrungsmittelind., 12% Maschinen, Transportmittel u. Investitionsgüter, 3% Energieträger u. Elektroenergie; Länder: 28% BRD, 12% GUS u. Bal-

tikum, 11% Österreich, 10% Italien, 4% Ex-Jugosl., 3% Frankr., 3% USA, 3% Ex-ČSFR, 2% Belgien

URUGUAY *Süd-Amerika*
Republik Östlich des Uruguay; República Oriental del Uruguay – ROU

LANDESSTRUKTUR Fläche (89): 177414 km² (mit 1199 km² Binnengewässern) – **Einwohner** (125): (F 1991) 3110000 = 18 je km²; (Z 1985) 2955241 – Uruguayer; europ. (meist span. u. italien.) Herkunft; 5–10% Mestizen, 3% Mulatten – rd. 700000 Urug. leben im Ausl. – **Leb.-Erwart.:** 73 J. (m70/w77); Bev.-Anteil 0–14 J.: 25,4% – **Säugl.-Sterbl.** (1990): 2,1% – **Kindersterbl.:** 2,3% – **Analph.:** 4% – Jährl. **Bev.-Wachstum** (∅ 1980–91): 0,6% (Geb.- u. Sterbeziffer 1991: 1,7%/1,0%) – **Sprache:** Spanisch – **Religion:** 57% Katholiken; ca. 75000 Protestanten, 50000 Juden – **Städt. Bev.:** 86% – **Städte** (Z 1985): Montevideo (Hptst.) 1251647 Ew.; Salto 80823, Paysandú 76191, Las Piedras 58288, Rivera 57316, Melo 42615, Tacuarembó 40513

STAAT Präsidialrepublik – Verfassung von 1966, Änderung 1985 – Parlament (Asamblea General) aus 2 Kammern: Abgeordnetenkammer (Cámara de Diputados) mit 99 u. Senat mit 30 Mitgl.; Wahl alle 5 J. – Direktwahl d. Staatsoberh. alle 5 J. – Allg. Wahlrecht ab 18 J., Wahlpflicht für Männer – 19 Departamentos mit je 1 Provinzrat – **Staats- u. Regierungschef:** Luis Alberto Lacalle de Herrera (PN), seit 1. 3. 1990; Reg.-Koalition aus PN u. PC – **Äußeres:** Sergio Abreu Bonilla – **Parteien:** Wahlen von 1989: Abg.-Kammer: konservat. »Blancos« (Weiße) bzw. Partido Nacional/PN 39 Sitze, soziallib. Partido Colorado/PC (Bunte P.) 30, linksger. Koalition Frente Amplio (Breite Front) 21, Koal. Nuevo Espacio sowie Grüne insg. 9 Sitze – Senat: PN 13 Sitze, PC 9, Frente Amplio 6, Nuevo Espacio 2 – **Unabh.:** 1825 Unabh.-Proklamation gegenüber Brasilien, zugl. Anschlußersuchen an Argentinien (Vollzug 1825 bis 1828); formelle Unabh. am 4. 10. 1828 – **Nationalfeiertag:** 25. 8.

WIRTSCHAFT BSP 1991: 8895 Mio. $ = 2840 $ je Ew. (56); realer Zuwachs ∅ 1980–91: 0,2%; **BIP** 1991: 9479 Mio. $; realer Zuwachs ∅ 1980–91: 0,6% (1992: +7,4%); Anteil 1991 **Landwirtsch.** 10%, **Industrie** 32%, **Dienstlst.** 58% – **Erwerbstät.** 1991: Landw. 13%, Ind. ca. 32% – **Arbeitslosigkeit** ∅ 1992: 8,4% – **Energieverbrauch** 1991: 816 kg ÖE/Ew. – **Währung:** (seit 1. 3. 1993; ersetzt urug. Neuen Peso) 1 Uruguayischer Peso (urug$) = 100

Centésimos (cts); Freimarktkurs: 1 US-$ = 4,000 urug$; 1 DM = 2,3400 urug$ – **Ausl.-Verschuld.** 1991: 4189 Mio. $ = 45,3% d. BSP (S Ende 1992: 7310 Mio. $) – **Inflation** ⊘ 1980–91: 64,4% (1992: 58,9%) – **Außenhandel** 1992: **Import:** 2058 Mio. $; Güter: 20% Maschinen u. Anlagen, 20% chem. Erzeugn., 16% Kfz, 5% Metalle; Länder: 24% Brasilien, 19% Argentinien, 11% USA, 5% Japan, 5% BRD, 4% Frankr.; **Export:** 1703 Mio. $; Güter: 27% Textilien (inkl. Wolle), 14% Pelze, Lederwaren u. Schuhe, 10% Fleisch, 6% Reis; Länder: 19% Argentinien, 17% Brasilien, 11% USA, 8% BRD, 56% VR China, 4% Italien

USA → VEREINIGTE STAATEN VON AMERIKA

USBEKISTAN Zentral-Asien
Republik Usbekistan; Özbekiston Respublikasy – USB

LANDESSTRUKTUR Fläche (55): 447 400 km² – **Einwohner** (42): (F 1991) 20 955 000 = 47 je km²; (Z 1989) 19 905 158 – (F 1993) 73,7% Usbeken [Özbek], 5,5% Russen, 5,1% Tadschiken, 4,2% Kasachen, 2% Tataren, 2% Karakalpaken, 1,1% Koreaner, 0,6% Ukrainer, 200 000 Kirgisen, 43 000 Aseri, 24 000 Turkmenen, Juden, Deutsche u.a. – rd. 2,5 Mio. Usbeken leben in d. ehem. UdSSR, 1,5 Mio. in Afghanistan – **Leb.-Erwart.:** 69 J. (m66/w73); Bev.-Anteil 0–14 J.: 41,6% – **Säugl.-Sterbl.:** 4,4% – **Kindersterbl.:** 5,3% – **Analph.:** k. Ang. – Jährl. **Bev.-Wachstum** (⊘ 1980–91): 2,4% (Geb.- u. Sterbeziffer 1991: 3,5%/0,6%) – **Sprachen:** Usbekisch als Amtsspr.; Sprachen d. Minderheiten, v.a. Russisch – **Religion:** mehrheitl. sunnitische Muslime, kl. schiit. Minderh.; rd. 93 000 Juden – **Städt. Bev.:** 41% – **Städte** (F 1990): Toschkent [Taschkent] (Hptst.) 2 094 000 Ew.; Samarkand 370 000, Namangan 312 000, Andischan 297 000, Buchara 228 000, Fergana 198 000

STAAT Präsidialrepublik seit 1991 – Neue Verfassung vom 8. 12. 1992 – Parlament (Oberster Sowjet) derzeit mit 500 Mitgl.; Nationalversammlung (Oly Madschlis) mit 150 Mitgl. vorgesehen – Direktwahl d. Staatsoberh. alle 5 J. – 12 Gebiete (Oblast) – Zum Territorium gehört die autonome Republik Karakalpakistan (eigene Verfassung, Parl. u. Ministerrat) mit 164 900 km² u. (F 1990) 1,245 Mio. Ew. (→ *WA '93, Sp. 606*) – **Staatsoberhaupt:** Islam A. Karimow, seit 24. 3. 1990 (am 29. 12. 1991 in erster Direktwahl im Amt bestätigt) – **Regierungschef:** Abdul Hashim M. Mutalow, seit 13. 1. 1992 – **Äußeres:** Saidmuchtar Saidkasimow – **Parteien:** Nach Wahlen von 1990 kommunist. Mehrheit in Parl. u. Reg. – Umbenennung der KP am 14. 9. 1991 in »Demokrat. Volkspartei«; starke Opposition islamischer Fundamentalisten u. kleinerer Parteien; teilw. per Dekret verboten – **Unabh.:** Souveränitätserklärung am 20. 6. 1990, Unabh.-Erkl. am 31. 8. 1991 – **Nationalfeiertag:** unbekannt

WIRTSCHAFT (*Entwicklung* → *Tab. Sp. 475*) **BSP** 1991: 28 255 Mio. $ = 1350 $ je Ew. (97); **BIP** (Nettomaterialprodukt) 1991: 45 963 Mio. Rbl; realer Zuwachs 1991/92: –12,9%; Anteil **Landwirtsch.** 43%, **Industrie** 44% – 1991/92: Rückgang der Brutto-Industrieprod. um 6,2%, der Brutto-Agrarprod. um 5% – **Erwerbstät.** 1991: Landw. 41%, Ind. 23% – Bev.-Anteil mit Eink. unter d. **Armutsgrenze** (1991): 82% – **Arbeitslosigkeit** ⊘ 1991: rd. 10% – **Währung:** Rubel (→ *Rußland)*; Währungsunion mit Rußland, Armenien, Kasachstan – **Inflation** ⊘ 1992 (Konsumentenpreise): 410% – **Außenhandel** 1992: **Import:** 900 Mio. $; Güter (1990): 25% Maschinenbauerzeugn., 20% Prod. der Leichtind., 14% Prod. der Nahrungsmittelind., 9% landwirtsch. Prod.; Länder (1990): 81% übrige UdSSR, 19% sonst. Ausland; **Export:** 900 Mio. $; Güter (1990): 45% Erzeugn. der Leichtind., 13% Maschinenbauerzeugn., 9% chem. Prod.; Länder (1990): 87% übrige UdSSR, 13% sonst. Ausland

Ukrainer 0,6%
Sonstige 6,9%
Tataren 2%
Kasachen 4,2%
Tadschiken 5,1%
Karalkapaken 2%
Russen 5,5%
Usbeken 73,7%

Bevölkerungsstruktur

VANUATU Ozeanien; Süd-Pazifik
Republik Vanuatu; Vanú'atú, Republic of Vanuatu, République de Vanuatu; Ripablik blong Vanuatu (bislama); früher Neue Hebriden – VU

LANDESSTRUKTUR Fläche (156): 12 189 km² (12 Haupt- u. 70 Nebeninseln mit 5 Vulkanen); größte Insel Espiritu Santo (3626 km²), Malekula (1994 km²), Eromanga (958 km²), Efate (907 km²), Ambrin, Petecost, Epi – **Einwohner** (173): (F 1991) 151 000 = 12 je km²; (Z 1989) 142 944 – Vanuatuer; 91% Ni-Vanuatu (einheim. Melanesier), 3% Polynesier bzw. Mikronesier; ca. 5000 Europäer (meist Franzosen u. Briten) – **Leb.-Erwart.:** 65 J. - **Kindersterbl.:** 8,8% – **Analph.:** k. Ang. – Jährl. **Bev.-Wachstum** (∅ 1980–91): 2,7% (Geburtenziffer 1990: 5,6%) – **Sprachen:** Bislama (Pidgin-Englisch, Bichelamar), Englisch u. Französisch als Amtsspr.; außerd. ca. 110 regionale Dialekte – **Religion:** rd. 80% Christen, davon 32% Presbyterianer, 11% Anglikaner, 14% Katholiken; außerd. Cargo-Kulte, Naturreligionen – **Städt. Bev.:** 18% – **Städte** (Z 1989): Port Vila (Hptst., auf Efate) 19311 Ew.; Luganville 6983

STAAT Parlamentarische Republik – Verfassung von 1980 – Parlament mit 46 Mitgl., Wahl alle 4 J. – National Council of Chiefs als beratendes Organ – Wahl d. Staatsoberh. durch Parl. u. Vors. der Regionalparl. für 5 J. – Allg. Wahlrecht – 2 Regionen mit eig. Parlament sowie 13 Distrikte, dar. 2 Stadtdistrikte – **Staatsoberhaupt:** Fred Karlomoana Timakata, seit 1989 – **Regierungschef u. Äußeres:** Maxime Carlot Korman (UMP), seit 16. 11. 1991 – **Parteien:** Wahlen vom 2. 11. 1991: Union of Moderate Parties/UMP 19 Sitze (1987: 19), Vanuaaku Pati/VAP 10 (26), National United Party/NUP 10 (–), Fren Melanesian Pati (Melanes. Fortschrittsp.) 4 (1), Sonstige 3 (0) – **Unabh.:** 30. 7. 1980 – **Nationalfeiertag:** 30. 7.

WIRTSCHAFT **BSP** 1991: 175 Mio. $ = 1150 $ je Ew. (102); realer Zuwachs ∅ 1980–90: 2,6%; **BIP** Anteil 1990 **Landwirtsch.** 19%, **Industrie** 13% – **Erwerbstät.** 1989: Landw. 61%, Ind. 3,5% – **Währung:** 1 Vatu (VT); 1 US-$ = 121,40 VT; 100 VT = 1,39 DM – **Ausl.-Verschuld.** 1991: 39,3 Mio. $ – **Inflation** ∅ 1980–91: 5,0% – **Außenhandel** 1990: **Import:** 10768 Mio. VT; Güter: 35% Maschinen u. Transportausrüst., 18% Halbfertigprod., 12% Nahrungsmittel; Länder: 37% Australien, 12% Japan, 10% Neuseeland, 9% Fidschi, 8% Frankr.; **Export:** 1606 Mio. VT; Güter: 37% Kopra, 23% Rindfleisch, 15% Kakao, 6% Holz; Länder: 26% Niederl., 18% Japan, 12% Australien, 8% Neukaledonien, 7% Frankr.

VATIKANSTADT *Süd-Europa*
Staat [der] Vatikanstadt; Stato della Città del Vaticano; Status Civitatis Vaticanae (latein.); unter Souveränität des Heiligen Stuhls (Santa Sede/Holy See/Saint-Siège) – V

LANDESSTRUKTUR **Fläche** (192): 0,44 km² – **Einwohner** (192): (s 1989) 402 Staatsbürger sowie 347 Bewohner ohne Bürgerrecht u. rd. 3000 Angestellte; 100 »Schweizer Gardisten« (mit Bürgerrecht während ihrer Dienstzeit) – **Sprachen:** Latein

u. Italienisch als Amtsspr. – Das Kardinalskollegium zählt insg. 158 Mitgl., davon haben max. 120 Wahlrecht (Wahlalter bis 80 J.)

STAAT Souveräner Staat – Zum V. gehören d. Gebiet um die Basilika St. Peter sowie einige Kirchen u. Paläste in Rom, ferner der päpstliche Sommersitz Castel Gandolfo – **Staatsoberhaupt:** Papst Johannes Paul II. (Karol Wojtyla), seit 16. 10. 1978, 264. Papst u. erster Nichtitaliener seit 1523; gleichz. Bischof v. Rom (durch Kardinalvikar vertreten) – Er übt seine Vollmacht über die **Römische Kurie** (eigentl. Regierung d. Gesamtkirche; ca. 930 Mio. Gläubige in aller Welt) aus. Nach d. Reform v. 1968 (Regimini Ecclesiae Universae) ist diese gegliedert in 1 Staatssekretariat als Ausführungsorgan d. Papstes u. zur Koord. d. Kurie: Staatssekr. Kardinal Angelo Sodano (alle Vollmachten in Angel. weltl. Souveränität, vergleichbar Min.-Präs.), Sektion f. Allgem. Angelegenheiten (Inneres), seit 3. 12. 1990, Substitut Erzbischof Giovanni Battista Re; f. Bez. mit d. Staaten (Äußeres) Sekretär Monsignore Jean-Louis Tauran; 2. Kongregationen (Dikasterien = Ministerien; u. a. für Glaubenslehre Präfekt Joseph Kardinal Ratzinger); 3. Gerichtshöfe, Oberste Appellationsinstanz (u. a. Ehe-Annullierung); 4. Päpstl. Räte; 5. Büros; 6. Institutionen (u. a. Vat. Apost. Bibliothek) – **Dipl. Bez.:** in 130 Ländern durch Nuntius vertreten – **Unabh.:** alte staatl. Tradition; wieder souverän 7. 6. 1929 (Inkrafttreten d. mit Italien am 11. 2. 1929 geschlossenen Lateranverträge) – **Nationalfeiertag:** 22. 10. (Amtseinführung v. Joh. Paul II. 1978)

WIRTSCHAFT **Allgemeine Ertragsrechnung** 1992: 219,74 Mrd. Lit Einnahmen, 223,90 Mrd. Lit Ausgaben; Ausgabenüberschuß von 4,16 Mrd. Lit – Wichtigstes Finanzierungsinstrument der sog. »Peterspfennig« (weltweite Kollekte zum Fest d. Hl. Petrus u. Paulus): 59,5 Mio. $ (1992) – **Haushalt** (1993): Einnahmen 86,1 Mio. $; Ausgaben 177,8 Mio. $ – **Währung:** Vat. Lira (Parität zur ital. Lira) = 100 Centesimi (→ *Italien*)

VENEZUELA *Süd-Amerika*
Republik Venezuela; República de Venezuela – VEN bzw. YV

LANDESSTRUKTUR **Fläche** (32): 912050 km² (n. eig. Ang. 916490 km²) – **Einwohner** (47): (Z 1991) 18105265 = 20 je km² – Venezolaner; 69% Mestizen u. Mulatten, 20% Weiße, meist span. u. ital. Herkunft, 9% Schwarze; (F 1982) 140600 Indianer – **Leb.-Erwart.:** 70 J. (m67/w73); Bev.-Anteil 0–14 J.: 36,7% – **Säugl.-Sterbl.** (1989): 3,4% –

Kindersterbl.: 4,0% – **Analph.:** 12% – Jährl. **Bev.- Wachstum** (∅ 1980–91): 2,6% (Geb.- u. Sterbeziffer 1991: 2,9%/0,5%) – **Sprachen:** Spanisch als Amtsspr.; örtlich auch indianische Sprachen – **Religion:** rd. 95% Katholiken; 2% Protestanten u. etwa 15000 Juden – **Städt. Bev.:** 85% – **Städte** (Z 1991) Caracas (Hptst.) 1824892 Ew. (als A [F 1990] 3435800); Maracaibo 1207519 (A 1,4 Mio.), Valencia 903076 (A 1,3 Mio.), Barquisimeto 602622, Ciudad Guayana 542707 (A), Barcelona/Puerto la Cruz 455309 (A), Maracay 354428, Ciudad Bolívar 225846, San Cristóbal 220697, Cumaná 212492, Maturín 207382, Mérida 167992

Venezuela: Bundesstaaten
(Ergebnisse der Volkszählung 1991)

Bundesstaat	Einw.	Hauptort	Einw.
Bundesdistrikt .	2103661	Caracas	1824892
Amazonas . . .	55717	Puerto Ayacucho	35865
Anzoátegui . . .	859758	Barcelona	109061
Apure	285412	San Fernando	72733
Aragua	1120132	Maracay	354428
Barinas	424491	Barinas	152853
Bolívar	900310	Ciudad Bolívar	225846
Carabobo . . .	1453232	Valencia	903076
Cojedes	182066	San Carlos	50339
Delta Amacuro .	84564	Tucupita	40946
Falcón	599185	Coro	124616
Guárico	488623	San Juan de los Morros	67645
Lara	1193161	Barquisimeto	602622
Mérida	570215	Mérida	167992
Miranda	1871093	Los Teques	143519
Monagas . . .	470157	Maturín	207382
Nueva Esparta .	263748	La Asunción	16585
Portuguesa . .	576435	Guanare	83380
Sucre	679595	Cumaná	212492
Táchira	807712	San Cristóbal	220697
Trujillo	493912	Trujillo	32683
Yaracuy	384536	San Felipe	65793
Zulia	2235305	Maracaibo	1207513
Bundes-dependenzen	2245	–	
Gesamt	118105265		

STAAT (→ *Chronik*) Präsidiale Bundesrepublik – Verfassung von 1961 – Parlament (Congreso) aus 2 Kammern: Abgeordnetenkammer (Cámara de Diputados) mit 201 u. Senat (Cámara de Senadores) mit 49 Mitgl. [+ 3 ehem. Präs.]; Wahl alle 5 J. – Direktwahl d. Staatsoberh. alle 5 J. – Allg. Wahlpflicht ab 18 J. – 22 Bundesstaaten (Estados) mit teilw. Autonomie, Bundesdistrikt d. Hauptstadt (Destrito Federal) sowie 72 »Dependencias Federales« (72 Inseln d. Antillen mit insg. 2245 Ew. [Z 1991], die der Zentralreg. direkt unterstehen) – **Staats- u. Regie-**rungschef: Interimspräs. Ramón J. Velásquez (parteilos), seit 4. 6. 1993 (Wahl durch Parl.) – **Äußeres:** General Fernando Ochoa Antich – **Parteien:** Wahlen von 1988: Acción Democrática/AD 97 Sitze (1983: 112), Partido Social-Cristiano/COPEI 67 (61), Movimiento al Socialismo y Movimiento de Izquierda Revolucionaria/MAS y MIR 18 (–), Nueva Generación Democrática/NGD 6, La Causa Radical/LCR 3, Movimiento Electoral del Pueblo/MEP 3, Sonstige 7 – Senat: AD 23, COPEI 22, MAS y MIR 3, NGD 1 – *Präs.-Wahlen für 5. 12. 1993 vorgesehen* – **Unabh.:** 5. 7. 1811 (Proklamation), endgültig 22. 9. 1830 (Loslösung v. Großkolumbien) – **Nationalfeiertage:** 5. 7., 19. 4., 24. 6., 24. 7. u. 12. 10.

WIRTSCHAFT BSP 1991: 52775 Mio.$ = 2730$ je Ew. (58); realer Zuwachs ∅ 1980–91: 1,1%; **BIP** 1991: 53440 Mio.$ (1992: 57500 Mio.$); realer Zuwachs ∅ 1980–91: 1,5% (1992: +7,3%); Anteil 1991 **Landwirtsch.** 6%, **Industrie** 46%, **Dienstlst.** 48% – **Erwerbstät.** 1991: Landw. 12%, Ind. 27% – **Arbeitslosigkeit** ∅ 1992: 8,0% – **Energieverbrauch** 1991: 2521 kg ÖE/Ew. – **Währung:** 1 Bolívar (Bs.) = 100 Céntimos (c, cts); 1 US-$ = 90,05 Bs.; 100 Bs. = 1,87 DM – **Ausl.-Verschuld.** 1991: 34372 Mio.$ = 65,3% d. BSP – **Inflation** ∅ 1980–91: 21,2% (1992: 31,9%) – **Außenhandel** 1992: **Import:** 12400 Mio.$; Güter (1991): 54% Zwischenprod., 32% Kapitalgüter, 14% Konsumgüter; Länder (1991): 50% USA, 7% BRD, 6% Japan, 5% Italien, 4% Kanada, 3% Großbrit.; **Export:** 14008 Mio.$; Güter (1991): 82% Erdöl u. -derivate, 5% Aluminium, 3% Stahl, 1,5% Eisenerz; Länder (1991): 49% USA, 4% BRD, 4% Brasilien, 3% Kuba, 3% Japan, 2% Kolumbien

VEREINIGTE ARABISCHE EMIRATE
Vorder-Asien
Al-Imarat al-'Arabiya al-Muttahida; United Arab Emirates – UAE

LANDESSTRUKTUR Fläche (114): 83600 km² – **Einwohner** (139): (F 1991) 1629000 = 20 je km²; (Z 1985) 1622464 – Über 70% Araber; persische, indische u. pakistan. Gruppen (v. a. als Gastarbeiter); bis 10% Nomaden; insg. 80–85% Ausländer – **Leb.-Erwart.:** 72 J. (m69/w74) – **Säugl.-Sterbl.:** 2,3% – **Kindersterbl.:** 2,6% – **Analph.:** 45% – Jährl. **Bev.-Wachstum** (∅ 1980–91): 4,2% (Geb.- u. Sterbeziffer 1990: 2,2%/0,4%) – **Sprachen:** Arabisch als Amtsspr.; Englisch als Verkehrsspr.; Hindi, Urdu, Farsi – **Religion:** 95% Muslime (haupts. Sunniten, 16% Schiiten); 4% Christen – **Städt. Bev.:** 78% – **Städte** (Z 1980 [Emirate; F 1991]): Abu Dhabi (Hptst.) 242975 Ew. [E 798000]; Dubai (Stadt)

265700 [E 501000], Sharjah Town 125149 [E 314000], Ras al-Khaimah (Stadt) 42000 [E 130000], Ajman 3700 [E 76000], Fujairah 2000 [E 63000], Umm al-Qaiwain 2900 [E 27000]

STAAT Föderation (Ittihad) von 7 autonomen Emiraten: Abu Dhabi, Dubai, Sharjah, Ras al-Khaimah, Ajman, Fujairah, Umm al-Qaiwan – Provisorische Verfassung von 1971 – Oberste Instanz 7köpfiger Oberster Rat (Supreme Council) der Scheichs, mit Vetorecht von Abu Dhabi u. Dubai; ernennt Regierungschef – Föderative Nationalversammlung mit 40 für 2 J. von d. Emiraten ernannten Mitgl., ausschl. beratende Funktion – 7 Emirate – **Staatsoberhaupt:** Scheich Zâyid [Said] Bin Sultân Al-Nahayân (Oberhaupt v. Abu Dhabi seit 1966), seit 1971, zuletzt wiedergewählt 1991 – **Regierungschef** u. Vizepräs.: Scheich Maktoum Bin Raschid Al-Maktoum (Herrscher v. Dubai seit 1990), seit 1979 – **Äußeres:** Raschid Abdullah An-Nuaimi – **Parteien:** Keine Parteien im westl. Sinne; 8. Legislaturperiode der Nationalvers. ab März 1990 – **Unabh.:** 2. 12. 1971 (Proklamation d. Föderation durch 6 Emirate); Erweiterung d. Föderation am 10. 2. 1972 durch Beitritt d. Emirats Ras al-Khaimas – **Nationalfeiertag:** 2. 12.

WIRTSCHAFT BSP 1990: 32813 Mio. $; 1991: 20140 $ je Ew. (16); realer Zuwachs ∅ 1980–90: –1,8 %; **BIP** 1990: 28270 Mio. $; realer Zuwachs ∅ 1980–91: –4,5 % (S 1992: +3,5 %); Anteil 1991 **Landwirtsch.** 1,8 %, **verarb. Industrie** 7,9 %, **Erdölsektor** 41,5 %, **Dienstlst.** 48,7 % – **Erwerbstät.** 1990: Landw. 6 %, Ind. 31 % (1992: rd. 93 % ausländ. Arbeitnehmer) – **Energieverbrauch** 1990: 10874 kg ÖE/Ew. – **Währung:** 1 Dirham (DH) = 100 Fils; 1 US-$ = 3,66 DH; 100 DH = 46,04 DM – **Ausl.-Verschuld.** 1991: 11500 Mio. $ – **Inflation** ∅ 1980–91: 1,1 % (S 1992: 4,5 %) – **Außenhandel** (S 1991): **Import:** 15500 Mio. $; Güter: 48 % Maschinen u. Transportausrüst., 20 % Fertigwaren, 16 % Nahrungsmittel u. leb. Tiere; Länder: 16 % Japan, 10 % USA, 10 % Großbrit., 7 % BRD, 5 % Frankr., 4 % Singapur (EG 44 %); **Export:** 23100 Mio. $; Güter: 74 % Rohöl u. Erdgas, außerd. Datteln, Vieh, Fische, Perlen; Länder: 41 % Japan, 5 % Singapur, 4 % Indien, 4 % Rep. Korea, 3 % USA, 1 % BRD (EG 8 %)

VEREINIGTE STAATEN VON AMERIKA
Nord-Amerika
Kurzform: Vereinigte Staaten; United States of America – USA

LANDESSTRUKTUR Fläche (4): 9372614 km^2 (einschl. 202711 km^2 Binnengewässer bzw.

359326 km^2 mit Anteil an Großen Seen), ohne Alaska u. Hawaii 7827620 km^2 – **Einwohner** (3): (F 1991) 252700000 = 27 je km^2; (Z 1990) 248709873 – Amerikaner (US-Amerikaner); Z 1990 (über 100 % wegen Zugehörigkeit zu versch. ethnischen Gruppen): 80,3 % bzw. 200 Mio. Weiße, 12,1 % bzw. 30 Mio. Schwarze, 9,0 % bzw. 22,4 Mio. »Hispanic« (davon ca. die Hälfte »Chicanos«, d. h. Amerikaner span.-mexik. Herkunft), 2,9 % bzw. 7,3 Mio. Asiaten *(Herkunftsländer → WA '93, Sp. 613)*, 0,8 % bzw. 2,0 Mio. Indianer u. 3,9 % bzw. 9,8 Mio. Sonstige – **Leb.-Erwart.:** 76 J. (m72/w79); Bev.-Anteil 0–14 J.: 21,5 % – **Säugl.-Sterbl.:** 0,9 % – **Kindersterbl.:** 1,1 % – **Analph.:** unter 5 % – Jährl. **Bev.-Wachstum** (∅ 1980–90): 0,9 % (Geb.- u. Sterbeziffer 1991: 1,6 %/0,9 %) – **Sprachen:** Englisch (Amerikanisch) u. vereinzelt Spanisch als Amtsspr.; ca. 20 Mio., die nicht Engl. sprechen – **Religion** (S 1989): 79329000 Protestanten (davon über 20 Mio. Baptisten; insg. ca. 320000 Kirchen u. Sekten), 54919000 röm. Katholiken, 5935000 Juden, 4077000 Angeh. v. Ostkirchen, 827000 Altkath. usw., 100000 Buddhisten u. 197000 Sonstige (1989 insg. 145384000 Angeh. v. Religionsgemeinschaften) – **Städt. Bev.:** 75 % – **Städte** (Z 1990): Washington (Hptst.) 606900 Ew. (als »Standard Metropolitan Statistical Area«, A: 3,92 Mio.); New York 7322564 (A 18,09 Mio.), Los Angeles 3485398 (A 14,53 Mio.), Chicago 2783726 (A 8,07 Mio.), Houston 1630553 (A 3,71 Mio.), Philadelphia 1585577 (A 5,9 Mio.), San Diego 1110549 (A 2,5 Mio.), Detroit 1027974 (A 4,67 Mio.), Dallas 1006877 (A 3,89 Mio.), Phoenix 983403 (A 2,12 Mio.), San Antonio 935933 (A 1,3 Mio.), San José 782248, Indianapolis 741952 (A 1,25 Mio.), Baltimore 736014 (A 2,38 Mio.), San Francisco 723959 (A 6,25 Mio.), Jacksonville 672971, Columbus 632910 (A 1,38 Mio.), Milwaukee 628088 (A 1,61 Mio.), Memphis 610337, Boston 574283 (A 4,17 Mio.), Seattle 516259 (A 2,56 Mio.), El Paso 515342, Cleveland 505616 (A 2,76 Mio.), New Orleans 496938 (A 1,24 Mio.), Nashville-Davidson 488374, Denver 467610 (A 1,85 Mio.), Austin 465622, Fort Worth 447619, Oklahoma City 444719, Portland 437319 (A 1,48 Mio.), Kansas City 435146 (A 1,57 Mio.), Long Beach 429433, Tucson 405390, St. Louis 396685 (A 2,45 Mio.), Charlotte 395934 (A 1,16 Mio.), Atlanta 394017 (A 2,83 Mio.), Virginia Beach 393069, Albuquerque 384736, Oakland 372242, Pittsburgh 369379 (A 2,24 Mio.), Sacramento 369265 (A 1,48 Mio.), Minneapolis 368383 (A 2,46 Mio.); außerdem, als A: Miami 3192582, Tampa 2067959, Cincinnati 1744124, Norfolk 1396107, Buffalo 1189288, Providence 1141510, Hartford 1085837, Orlando 1072748, Salt Lake City 1072227, Rochester 1002410

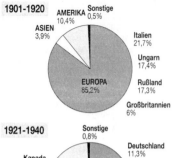

1901-1920

AMERIKA 10,4%
Sonstige 0,5%
ASIEN 3,9%
Italien 21,7%
Ungarn 17,4%
EUROPA 85,2%
Rußland 17,3%
Großbritannien 6%

1921-1940

Sonstige 0,8%
Kanada 22,1%
Mexiko 10,4%
AMERIKA 36,1%
EUROPA 60,5%
Deutschland 11,3%
Italien 11,3%
Großbritannien 7,8%
ASIEN 2,8%

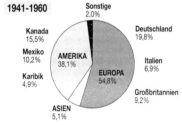

1941-1960

Sonstige 2,0%
Kanada 15,5%
Mexiko 10,2%
AMERIKA 38,1%
Karibik 4,9%
EUROPA 54,8%
Deutschland 19,8%
Italien 6,9%
Großbritannien 9,2%
ASIEN 5,1%

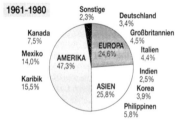

1961-1980

Sonstige 2,3%
Kanada 7,5%
Mexiko 14,0%
AMERIKA 47,3%
Karibik 15,5%
EUROPA 24,6%
ASIEN 25,8%
Deutschland 3,4%
Großbritannien 4,5%
Italien 4,4%
Indien 2,5%
Korea 3,9%
Philippinen 5,8%

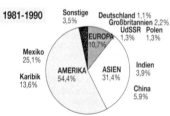

1981-1990

Sonstige 3,5%
Mexiko 25,1%
Karibik 13,6%
AMERIKA 54,4%
EUROPA 10,7%
ASIEN 31,4%
Deutschland 1,1%
Großbritannien 2,2%
UdSSR 1,3%
Polen 1,3%
Indien 3,9%
China 5,9%

USA: Einwanderer nach Herkunftsländern
1900–1991

STAAT Präsidialrepublik mit bundesstaatlicher Verfassung von 1789, letzte Änderung 1992 – Präsident ernennt u. entläßt d. Kabinettsmitgl. – Parlament (Congress) aus 2 Kammern (Senate u. House of Representatives); Wahl d. Mitgl. d. Repräsentantenhauses f. 2 J., des Senats für 6 J. (alle 2 J. Erneuerungswahl f. ¹/₃ d. Senatoren) – Wahlen können mit Wählerinitiativen u. Volksabstimmungen gekoppelt werden, sowohl auf Bundes-, Einzelstaats- u. Wahlbezirksebene; obwohl deren Ergebnisse verfassungsrechtl. unverbindl. sind, kommt ihnen große polit. Bedeutung zu – Indirekte Wahl d. Präs. durch 538 Wahlmänner (Electoral College) für 4 J.; nur einmal wiederwählbar – Allg. Wahlrecht ab 18 J. – **Bundesstaaten** mit je eig. Verfassung u. eig. Parlament aus 2 Kammern (nur Nebraska 1 Kammer) sowie einem gewählten Gouverneur; Fachminister z. T. gewählt, z. T. v. Gouverneur berufen; bedeutende Sonderrechte d. einzelnen Staaten, die in kleinere Verwalt.-Einh. (County, Parish) untergliedert sind – Insg. 50 Bundesstaaten, dazu den District of Columbia/DC mit d. Bundeshauptstadt Washington – **Staats- u. Regierungschef:** Präs. Bill (William Jefferson) Clinton (Dem.), seit 20. 1. 1993; gewählt am 3. 11. 1992 mit 43 % d. Stimmen (gegen ehem. Präs. George Bush mit 38 % u. den Drittkandidaten Ross Perot mit 19 %; Wahlbeteiligung 56 %); Wahlmännerverhältnis 370 zu 168; Beginn d. Amtszeit: 20. 1. 1993 (42. Präs. d. USA) – Vizepräs.: Albert (Al) Gore – **Äußeres** (Secretary of State): Warren Christopher – **Parteien:** unterscheiden sich z. T. in ihrer Struktur v. d. europäischen. Für d. Präs.-Wahlen werden v. d. beiden einzigen Parteien v. Bedeutung Programme aufgestellt u. auf d. Parteikongressen beschlossen. Die »Republikanische Partei« (Republican Party, auch GOP = »Grand Old Party« genannt; Symbol: ein Elefant), gilt als weiter rechts stehend als die Demokraten (Democratic Party, Symbol: ein Esel), doch besitzen beide linke, liberale u. konserv. Flügel. Außerdem einige kleinere Parteien, doch völlig bedeutungslos (American Party, American First Party, Libertarian Party, People's Party, Prohibition Party, Socialist Labour Party, Socialist Workers Party, Universal Party, ökolog. orient. »Grüne«). KP 1954 als Partei für illegal erklärt, kommunist. Betätigung jedoch nicht strafbar – Wahlen vom 3. 11. 1992 zum 103. Kongreß: Repräsentantenhaus: Demokraten 261 Sitze (1988: 268), Republikaner 173 (166), Unabh. 1 (1); Senat (Neubesetzung von 35 Sitzen): Dem. 56 Sitze (1988: 57), Rep. 44 (43) – Von d. Gouverneuren sind seit Nov. 1992: Demokraten 31, Republikaner 17 u. Unabh. 2 – **Unabh.:** 2. 7. 1776 Beschluß, 4. 7. Billigung, 8. 7. Proklamation – **Nationalfeiertag:** 4. 7.

USA – Verwaltungsgliederung nach Staaten

Staaten (mit postalischer Abkürzung)	Fläche in km²* (m. Rangst.)	Einwohner Z 1990 (m. Rangst.)	Veränder. 1980/90 in %	Einwohner Mitte 1992 (m. Rangst.)	Hauptstadt	Einw. Z 1990
Alabama, AL	133 667 (29)	4 040 587 (22)	+ 3,8	4 136 000 (22)	Montgomery	187 106
Alaska, AK	1 518 800 (1)	550 043 (50)	+37,4	587 000 (49)	Juneau	26 751
Arizona, AZ	295 022 (6)	3 665 228 (24)	+34,8	3 832 000 (23)	Phoenix	983 403
Arkansas, AR	137 538 (27)	2 350 725 (33)	+ 2,8	2 399 000 (33)	Little Rock	175 795
California, CA	411 012 (3)	29 760 021 (1)	+25,7	30 867 000 (1)	Sacramento	369 365
Colorado, CO	269 998 (8)	3 294 394 (26)	+14,0	3 470 000 (26)	Denver	467 610
Connecticut, CT	12 973 (48)	3 287 116 (27)	+ 5,8	3 281 000 (27)	Hartford	139 739
Delaware, DE	5 328 (49)	666 168 (46)	+11,2	689 000 (46)	Dover	27 630
District of Columbia, DC**	163 (51)	606 900 (48)	– 4,9	589 000 (48)	Washington	606 900
Florida, FL	151 670 (22)	12 937 926 (4)	+32,7	13 488 000 (4)	Tallahassee	124 773
Georgia, GA	152 488 (21)	6 478 216 (11)	+18,6	6 751 000 (11)	Atlanta	394 017
Hawai, HI	16 705 (47)	1 108 229 (41)	+14,9	1 160 000 (40)	Honolulu	365 272
Idaho, ID	216 412 (13)	1 006 749 (42)	+ 6,7	1 067 000 (42)	Boise City	125 738
Illinois, IL	146 075 (24)	11 430 602 (6)	+ 0,1	11 631 000 (6)	Springfield	105 227
Indiana, IN	93 993 (38)	5 544 159 (14)	+ 1,0	5 662 000 (14)	Indianapolis	731 327
Iowa, IA	145 791 (25)	2 776 755 (30)	– 4,7	2 812 000 (30)	Des Moines	193 187
Kansas, KS	213 063 (14)	2 477 574 (32)	+ 4,8	2 523 000 (32)	Topeka	119 883
Kentucky, KY	104 623 (37)	3 685 296 (23)	+ 0,7	3 755 000 (24)	Frankfort	25 968
Louisiana, LA	125 674 (31)	4 219 973 (21)	+ 0,3	4 287 000 (21)	Baton Rouge	219 531
Maine, ME	86 027 (39)	1 227 928 (38)	+ 9,2	1 235 000 (39)	Augusta	21 325
Maryland, MD	27 394 (42)	4 781 468 (19)	+13,4	4 908 000 (19)	Annapolis	33 187
Massachusetts, MA	21 386 (45)	6 016 425 (13)	+ 4,9	5 998 000 (13)	Boston	574 283
Michigan, MI	150 779 (23)	9 295 297 (8)	+ 0,4	9 437 000 (8)	Lansing	127 321
Minnesota, MN	217 735 (12)	4 375 099 (20)	+ 7,3	4 480 000 (20)	Saint Paul	272 235
Mississippi, MS	123 584 (32)	2 573 216 (31)	+ 2,1	2 614 000 (31)	Jackson	196 637
Missouri, MO	180 486 (19)	5 117 073 (15)	+ 4,1	5 193 000 (15)	Jefferson City	33 619
Montana, MT	381 084 (4)	799 065 (44)	+ 1,6	824 000 (44)	Helena	24 569
Nebraska, NE	2 00 017 (15)	1 578 385 (36)	+ 0,5	1 606 000 (36)	Lincoln	191 972
Nevada, NV	286 296 (7)	1 201 833 (39)	+50,4	1 327 000 (38)	Carson City	40 443
New Hampshire, NH	24 097 (44)	1 109 252 (40)	+20,5	1 111 000 (41)	Concord	36 006
New Jersey, NJ	20 295 (46)	7 730 188 (9)	+ 5,0	7 789 000 (9)	Trenton	88 675
New Mexico, NM	315 113 (5)	1 515 069 (37)	+16,6	1 581 000 (38)	Santa Fé	55 859
New York, NY	128 401 (30)	17 990 455 (2)	+ 2,5	18 119 000 (2)	Albany	101 082
North Carolina, NC	136 197 (28)	6 628 637 (10)	+12,7	6 843 000 (10)	Raleigh	207 951
North Dakota, ND	183 022 (17)	638 800 (47)	– 2,1	636 000 (47)	Bismarck	49 256
Ohio, OH	106 765 (35)	10 847 115 (7)	+ 0,5	11 016 000 (7)	Columbus	632 910
Oklahoma, OK	181 090 (18)	3 145 585 (28)	+ 4,0	3 212 000 (28)	Oklahoma City	444 719
Oregon, OR	251 180 (10)	2 842 321 (29)	+ 7,9	2 977 000 (29)	Salem	107 786
Pennsylvania, PA	117 412 (33)	11 881 643 (5)	+ 0,1	12 009 000 (5)	Harrisburg	52 376
Rhode Island, RI	3 144 (50)	1 003 464 (43)	+ 5,9	1 005 000 (43)	Providence	160 728
South Carolina, SC	80 432 (40)	3 486 703 (25)	+11,7	3 603 000 (25)	Columbia	98 052
South Dakota, SD	199 551 (16)	696 004 (45)	+ 0,8	711 000 (45)	Pierre	12 906
Tennessee, TN	109 412 (34)	4 877 185 (17)	+ 6,2	5 024 000 (17)	Nashville-D	510 784
Texas, TX	692 403 (2)	16 986 510 (3)	+19,5	17 656 000 (3)	Austin	465 622
Utah, UT	219 932 (11)	1 722 850 (35)	+17,9	1 813 000 (34)	Salt Lake City	159 936
Vermont, VT	24 887 (43)	562 758 (49)	+10,0	3 570 000 (50)	Montpelier	8 247
Virginia, VA	105 716 (36)	6 187 358 (12)	+15,7	6 377 000 (12)	Richmond	203 056
Washington, WA	176 617 (20)	4 866 692 (18)	+17,8	5 136 000 (16)	Olympia	27 447
West Virginia, WV	62 629 (41)	1 793 477 (34)	– 8,0	1 812 000 (35)	Charleston	57 287
Wisconsin, WI	145 438 (26)	4 891 769 (16)	+ 4,0	5 007 000 (18)	Madison	191 262
Wyoming, WY	253 597 (9)	453 588 (51)	– 3,7	466 000 (51)	Cheyenne	50 008

Quelle: U.S. Bureau of Census, 1.4.1992 und Europa World Year Book 1993 (Fortschreibungszahlen 1992)
* Flächenangaben einschl. Binnengewässer; **Sonderstatus

Die Clinton-Administration

42. Präsident der Vereinigten Staaten von Amerika	William Clinton

Minister

Äußeres	Warren Christopher
Verteidigung	Les Aspin
Finanzen	Lloyd Bentsen
Gesundheit	Donna Shalala
Arbeit	Robert Reich
Wohnungs- und Städtebau	Henry Cisneros
Energie	Hazel O'Leary
Handel	Ronald Brown
Erziehung	Richard Riley
Landwirtschaft	Mike Espy
Verkehr	Federico Pena
Justiz	Janet Reno
Inneres	Bruce Babbitt
Veteranen	Jesse Brown
Mit Kabinettsrang: Botschafterin bei den Vereinten Nationen	Madeleine Albright

Weißes Haus und Regierungsbehörden

Stabschef	Thomas F. McLarty
Sicherheitsberater	Anthony Lake
Wirtschaftsberater	Robert Rubin
Direktor der US-Haushaltsbehörde	Leon Panetta
Handelsbeauftragter	Mickey Kantor
Vors. des Rats der Wirtschaftsberater	Laura D'Andrea Tyson
CIA-Direktor	R. James Woolsey
Leiterin des Umweltschutzamtes	Carol Browner

Quelle: Botschaft der Vereinigten Staaten von Amerika, 4.8.1993

WIRTSCHAFT *(Einzelheiten → Kap. Wirtschaft, Sp. 919)* **BSP** 1991: 5686038 Mio. $ = 22240 $ je Ew. (11); realer Zuwachs ∅ 1980–91: 3,1%; **BIP** 1991: 5610800 Mio. $ (1992: 5946000 Mio. $); realer Zuwachs ∅ 1980–91: 2,6% (1992: +2,1%); Anteil 1992 **Landwirtsch.** 1,4%, **Priv. Haushalte u. Instit.** 4,4%, **Regierung** 11%, **Industrie, Bergbau u. Sonstiges** 83,2% – **Erwerbstät.** 1992: Landw. 2,8%, Ind. 24,6% – **Arbeitslosigkeit** ∅ 1992: 7,4% – Bev.-Anteil mit Eink. unter d. **Armutsgrenze** (1991): 35,7 Mio. = 14,2% (32,7% d. Schwarzen u. 28,7% d. Hispanic) – **Energieverbrauch** 1991: 7681 kg ÖE/Ew. – **Währung** (Stand 1. 9. 1993): 1 US-Dollar (US-$) = 100 Cents (c, ¢); 1 US-$ = 0,5997 DM; 1 Ecu = 1,14804 US-$; 1 SZR = 1,40377 US-$ – **Inflation** ∅ 1980–91: 4,2% (1992: 2,9%) – **Außenhandel** 1992: **Import:** 532352 Mio. $; Güter: 26% industr. Versorgungsgüter (inkl. Erdöl), 25% Kapitalgüter (o. Kfz), 23% Verbrauchsgüter (o. Lebensmittel), 17% Kfz (einschl. Teile), 5% Lebensmittel; Länder: 18% Kanada, 18% Japan, 7% Mexiko, 5% BRD, 5% Rep. China, 5% VR China, 4% Großbrit.; **Export:** 447471 Mio. $; Güter: 45% Maschinen u. Transportausrüst., 10% chem. Erzeugn., 7% Nahrungsmittel u. leb. Tiere, 6% industr. Rohstoffe; Länder: 20% Kanada, 11% Japan, 9% Mexiko, 5% Großbrit., 5% BRD

PRESSE (Aufl. i. Tsd.) *Tageszeitungen:* Washington: Washington Post (839, so. 1166) – Washington Times (105) – Arlington: USA Today (1429) – Atlanta: Atlanta Journal/Constitution (330, so. 701) – Baltimore: Baltimore Sun (238, so. 492) – Boston: Boston Globe (517, so. 798) – Boston Herald (364, so. 249) – Buffalo: The Buffalo News (310, so. 383) – Charlotte: Charlotte Observer (239, so. 299) – Chicago: Chicago Sun-Times (538, so. 559) – Chicago Tribune (734, so. 1133) – Cincinnati: Cincinnati Enquirer (201, so. 347) – Cleveland: Cleveland Plain Dealer (432, so. 561) – Columbus: Columbus Dispatch (268, so. 403) – Dallas: Dallas Morning News (394, so. 618) – Denver: Denver Post (253, so. 418) – Rocky Mountain News (374, so. 433) – Detroit: Detroit Free Press (622, so. 1215) – Detroit News (482, so. 1215) – Hartford: Hartford Courant (231, so. 320) – Honolulu: Honolulu Star-Bulletin & Advertiser (105, so. 203) – Houston: Houston Chronicle (423, so. 615) – Houston Post (318, so. 359) – Indianapolis: Indianapolis Star/Indianapolis News (232, so. 417) – Kansas City: Kansas City Star (289, so. 423) – Los Angeles: Los Angeles Times (1243, so. 1576) – Louisville: Courier Journal (238, so. 329) – Miami: The Miami Herald (445, so. 553) – Milwaukee: Milwaukee Journal (240, so. 491) – Minneapolis: Star Tribune

(408, so. 678) – Newark: Star-Ledger (485, so. 707) – New Orleans: Times-Picayune (272, so. 324) – New York: New York Daily News (782, so. 983) – New York Post (400) – New York Times (1146, so. 1762) – Newsday (758, so. 875) – The Wall Street Journal (1795) – Oklahoma City: Oklahoman (232, so. 335) – Orlando: The Orlando Sentinel (287, so. 389) – Philadelphia: Philadelphia Inquirer/Philadelphia Daily News (516, so. 983) – Phoenix: Arizona Republic/Phoenix Gazette (363, so. 595) – Portland: The Oregonian (338, so. 441) – Providence Journal/Bulletin (203, so. 265) – Sacramento: Sacramento Bee (265, so. 345) – St. Louis: St. Louis Post-Despatch (391, so. 586) – St. Petersburg: St. Petersburg Times (352, so. 452) – San Diego: San Diego Union/Tribune (390, so. 465) – San Francisco: San Francisco Chronicle (570, so. 704) – San Francisco Examiner (138, so. 704) – San José: San José Mercury News (284, so. 343) – Seattle: Seattle Post-Intelligencer (209, so. 521) – Seattle Times (238, so. 515) – Tampa: The Tampa Tribune (322, so. 408)
Periodika: Chicago: Playboy (3499) – Lantana: National Enquirer (4381) – New York: Business Week (1005) – Cosmopolitan (2778) – Family Circle (5213) – Ladies' Home Journal (5002) – Life Magazine (1844) – Newsweek (3210) – The New Yorker (615) – Penthouse (1502) – People Weekly (3209) – Time (4095) – Pleasantville: Reader's Digest (16265) – Radnor: TV Guide (16330) – Tarrytown: Star (2931) – Washington: National Geographic Magazine (9921) – US News & World Report (2312) – *Nachrichtenagenturen:* AP (Associated Press), UPI (United Press International)

1. BUNDESSTAATEN AUSSERHALB DES GESCHLOSSENEN STAATSGEBIETES

ALASKA (mit Aleüten, Pribilof-Inseln, St. Lawrence, St. Matthew) – *Fläche:* 1 518 800 km^2 – *Einwohner:* (Z 1990) 550 043, davon 85 698 Eskimos, Indianer u. Aleüten, 22 451 Schwarze u. 19 728 Asiaten; rd. 35 000 Militärs – *Städte (Z 1990):* Juneau (Hptort) 26 751 Ew.; Anchorage 226 338, Fairbanks North Star 30 843 – Seit 1958 (49.) Bundesstaat

HAWAII-INSELN (State of Hawaiian Islands, auch Sandwich-Inseln genannt) – *Fläche:* 16 705 km^2 – *Einwohner:* (Z 1990) 1 108 229, davon u. a. 369 616 Weiße u. 685 236 Asiaten, im übr. Schwarze, Hispanic u. Polynesier – *Hauptort (Z 1990):* Honolulu 365 272 Ew. (m. V. 836 231) – Seit 1959 (50.) Bundesstaat

2. US-COMMONWEALTH TERRITORIES
Autonome Staaten: sog. »self-governing incorporated territories« als integrale Bestandteile der USA

NÖRDLICHE MARIANEN
Ozeanien; Pazifische Inselwelt
Commonwealth of the Northern Mariana Islands; Islas Marianas

LANDESSTRUKTUR *Fläche:* 457 km^2 (16 Inseln, davon 6 bewohnt) – *Einwohner:* (Z 1990) 43 345 = 95 je km^2 – überwieg. Polynesier – *Geb.- u. Sterbeziffer* 1989: 3,9%/0,5% – *Sprachen:* Englisch als Amtsspr.; polynes. Dialekte – *Religion:* überw. Christen, meist Katholiken – *Inseln* (Z 1990): Saipan (Hptst. Susupe) 38 896 Ew., Rota 2295, Tinian 2118, Northern Islands 36

STAAT Innere Autonomie, die Bewohner sind Bürger der USA, bei US-Wahlen aber ohne Stimmrecht – Verfassung von 1978 – Parlament aus 2 Kammern: Repräsentantenhaus mit 18 u. Senat mit 9 Mitgl.; Wahl alle 2 J. – Exekutivmacht hat der alle 5 J. direkt gewählte *Gouverneur:* Lorenzo I. de Leon Guerrero, seit 9. 1. 1990 – *Parteien:* Wahlen von 1989: Repräs.-Haus: Democratic Party/DP 10 Sitze, Republican Party/RP 6, Unabh. 2; Senat: RP 6, DP 3 Sitze

WIRTSCHAFT *BSP* 1989: 512 Mio. $ – *Währung:* US-$ – *Außenhandel: Import* (1988): 219,7 Mio. $; *Export:* Gemüse, Rind- u. Schweinefleisch – *Tourismus* (1991): rd. 50% des BIP u. 45% der Erwerbstätigen, 425 500 Gäste

PUERTO RICO *Mittel-Amerika; Karibik*
El Estado Libre y Asociado de Puerto Rico; Commonwealth of Puerto Rico

LANDESSTRUKTUR *Fläche:* 8897 km^2 – *Einwohner:* (F 1991) 3 554 000 = 400 je km^2; (Z 1990) 3 522 039 – *Leb.-Erwart.:* 76 J. (m72/w80); Bev.-Anteil 0–14 J.: 27,5% – *Säugl.-Sterbl.:* 1,4% – *Kindersterbl.:* 1,8% – *Analph.* (1980): 11% – *Jährl. Bev.-Wachstum* (∅ 1980–91): 0,9% (Geb.- u. Sterbeziffer 1991: 1,8%/0,7%) – *Sprachen:* Spanisch (84%) u. Englisch als Amtsspr. – *Religion:* 81% Katholiken – *Städt. Bev.:* 75% – *Städte* (Z 1980): San Juan (Hptst.) 434 849 Ew. (A über 1 Mio.); Bayamón 196 206, Ponce 189 046, Carolina 165 954

STAAT Innere Autonomie, die Bewohner sind Bürger der USA, bei US-Wahlen aber ohne Stimmrecht – Verfassung von 1952 – Parlament aus 2 Kammern: Abgeordnetenhaus mit 51 u. Senat mit 27 Mitgl., Wahl alle 4 J. – Exekutivmacht hat der alle 5 J. direkt gewählte *Gouverneur:* Pedro Rosselló (PNP), seit 2.1. 1993 – *Parteien:* Wahlen von 1988: New Progressive Party/PNP 36 Sitze, Popular Democratic Party/PPD 16, Independent Party/PIP 1 Sitz – Senatswahlen vom 4. 11. 1992: PNP 20 Sitze, PPD 6, PIP 1 – Umwandlung zu einem US-Bundesstaat am 8. 12. 1991 in einem Referendum mit 55 % d. Stimmen abgelehnt

WIRTSCHAFT *BSP* 1991: 22 498 Mio. $ = 6320 $ je Ew.; realer Zuwachs ∅ 1980–91: 1,8 %; *BIP* 1991: 32 469 Mio. $; realer Zuwachs ∅ 1980–91: 4,1 %; Anteil 1991 Landwirtsch. 1 %, Industrie 41 %, Dienstlst. 57 % – *Finanzhilfe* der USA (1991): 3800 Mio. $ – *Erwerbstät.* 1991: Landw. 3,5 %, verarb. Ind. 17 % – *Energieverbrauch* 1991: 2015 kg ÖE/Ew. – *Währung:* US-$ – *Inflation* ∅ 1980–91: 3,4 % – *Außenhandel* 1990: *Import:* 14,0 Mio. $; *Export:* 16,4 Mio. $; Güter: Prod. der chem. Ind., div. Maschinen u. Einzelteile, Nahrungsgüter u. Tabak; Handelspartner: USA mit 68 bzw. 87 % sowie Japan, Großbrit., Dominik. Rep., Jungferninseln

3. AUSSENGEBIETE

Externe bzw. »Unincorporated Territories« mit unterschiedlich geregelter innerer Autonomie, US-Verfassung teilweise in Anwendung; unterstehen dem US-Innenministerium

Atlantisch-mittelamerikanischer Bereich

JUNGFERNINSELN (Virgin Islands of the United States; Organized Unincorporated Territory) – VI

LANDESSTRUKTUR *Fläche:* 355 km^2 – *Einwohner:* (F 1991) 111 000 = 325 je km^2; (Z 1990) 101 809 (einschl. US-Streitkräfte) – 80 % Schwarze u. Mulatten, 15 % Weiße – *Leb.-Erwart.:* 74 J. – *Kindersterbl.:* 2,1 % – Jährl. *Bev.-Wachstum* (∅ 1980–91): 1,0 % – *Sprache:* Englisch – *Religion:* überw. Christen, 30 000 Katholiken – *Inseln* (Z 1990): St. Croix 50 139 Ew., St. Thomas 48 166, St. John 3504 – *Hptst.* (Z 1990): Charlotte Amalie (auf St. Thomas) 12 331

REGIERUNGSFORM Organic Act von 1936, Änderung 1954 – Eig. Verfassungsentwürfe per Referendum bisher abgelehnt – Direktwahl von Parlament (15 Mitgl.; eingeschränkte Legislativfunktionen) u. Gouverneur alle 2 J. – *Gouverneur:* Alexander A. Farrelly – *Parteien:* Letzte Wahlen im Nov. 1992

WIRTSCHAFT *BSP* 1989: 1344 Mio. $ = 12 330 $ je Ew.; realer Zuwachs ∅ 1980–89: 2,3 % – *Währung:* US-$ – *Inflation* ∅ 1980–91: 3,9 % – *Außenhandel* 1987: *Import:* 3370 Mio. $; Güter: v. a. Erdöl; *Export:* 2058 Mio. $; Güter: v. a. Erdölprodukte

PANAMAKANAL-ZONE (Panama Canal Zone)

LANDESSTRUKTUR *Fläche:* 1432 km^2 (nach UNO; mit Hoheitsgewässern 1676,3 km^2) – *Einwohner:* (S 1985) 31 600, darunter 7560 Militärpersonal; 1300 US-Bürger u. 6000 Panamesen arbeiten bei der Kanalverwalt. u. Kanalkompanie – Sitz des Gouverneurs: Balboa Heights mit rd. 120 Ew.

REGIERUNGSFORM Nach den zwischen Panama u. d. USA geschloss. Verträgen (1903, 1936, 1955) besitzen d. USA in dieser Zone Hoheitsrechte u. Verteidigungsgewalt – Nach d. Vertrag von 1977 (1978 ratifiziert) sollen die Hoheitsrechte bis 2000 vollst. an Panama (bei permanenter Neutralität in d. Kanalzone) übergehen – Seit 1. 4. 1982 unter jurist. Hoheitsgewalt Panamas – Gouverneur seit 1. 1. 1990 Staatsbürger v. Panama: Gilberto Guardia Fábrega

Bereich des Pazifischen Ozeans

GUAM
Self-governing Organized Unincorporated Territory

LANDESSTRUKTUR *Fläche:* 549 km^2 – *Einwohner:* (F 1991) 139 000 = 257 je km^2; (Z 1990) 133 152 – überw. malaiische Chamorro sowie Armee-Angeh. – *Leb.-Erwart.:* 72 J. – *Kindersterbl.:* 1,3 % – Jährl. *Bev.-Wachstum* (∅ 1980–91): 2,5 % (Geb.- u. Sterbeziffer 1990: 2,7 %/0,4 %) – *Sprachen:* Englisch als Amtsspr.; Chamorro – *Religion:* 90 % Katholiken – *Hptst.* (Z 1990): Agaña 4785 Ew.

REGIERUNGSFORM Organic Act von 1950 – Interne Autonomie seit 1982 – Direktwahl von Parlament (21 Mitgl.; kein Stimmrecht im US-Kongreß) u. Gouverneur alle 2 J. – *Gouverneur:* Joseph F. Ada, seit 1987, Wiederwahl 1990 – *Parteien:* Wahlen vom Nov. 1992: Demokraten 14 Sitze (1990: 11), Republikaner 7 (10)

WIRTSCHAFT *BSP* (S) 1985: 670 Mio. $ = 5470 $ je Ew. – *Energieverbrauch* 1990: 9818 kg ÖE/Ew. – *Währung:* US-$ – *Tourismus* bedeutend (1991): 737 260 Gäste

MIDWAY-INSELN 5,2 km^2 u. (Z 1990) 2256 Ew. (keine einheim. Bev.) – Flug- u. Kabelstationen; untersteht d. US-Navy; seit 1867 zu USA gehörig

SAMOA-INSELN (Amerikanisch Samoa, American Samoa; Unincorporated Territory)

LANDESSTRUKTUR *Fläche:* 195 km², den östl. Teil der Samoa-Gruppe umfassend einschl. Swain's Islands (5 km² u. 100 Ew.) – *Einwohner:* (Z 1990) 46 773 = 235 je km² – haupts. Polynesier – *Jährl. Bev.-Wachstum* (Ø 1980–91): 1,8 % – *Hauptort* (Z 1980): Pago Pago (auf Tutuila) 3075 Ew.; Verwaltungssitz: Fagatogo 1340 Ew.

REGIERUNGSFORM Verfassung von 1967 – Parlament (Fono) aus 2 Kammern: Repräsentantenhaus mit 20 alle 2 J. u. Senat mit 18 alle 4 J. durch lokale Häuptlinge (Matai) gewählte Mitgl. – Direktwahl d. Gouverneurs alle 4 J. – Verwaltung durch *Gouverneur:* A. P. Lutali, seit Nov. 1992

WIRTSCHAFT *BSP* 1985: 190 Mio. $ = 5410 $ je Ew.; realer Zuwachs Ø 1973–85: 1,7 % – *Währung:* US-$ – *Außenhandel* 1990: *Import:* 168,7 Mio. $; *Export:* 307,5 Mio. $; Güter: 97 % Thunfischkonserven; Handelspartner: fast ausschl. USA

WAKE-Inseln (jap. Ontoroschima) 7,8 km² (mit Schwesterinseln Wilkes u. Peale); (S 1990) 2000 Ew.; untersteht d. US-Air-Force – **Baker-** (2,6 km²), **Howland-** (2,3 km²) u. **Jarvis-**Inseln (2,1 km²) sind unbewohnt u. unterstehen d. US-Fish and Wildlife Service, Honolulu – **Johnston** Atoll (2,6 km² u. 327 Ew., Z 1980); (Verbrennungsanlage für chem. Kampfstoffe auf der Hauptinsel) u. **Kingman Reef** unterstehen d. US-Navy – **Palmyra** (rd. 6 km²; Privateigentum) untersteht d. US-Innenministerium – (zentrale u. südl. **Line-**Inseln → *Kiribati)*

4. PACHTGEBIETE

GUANTANAMO BAY, seit 1903 v. Kuba an die USA verpachtet, 111,9 km², dazu d. Insel Navassa (5 km²), die nicht zum Pachtgebiet gehört u. v. Kuba beanspr. wird; Flottenstützpunkt

5. TREUHANDGEBIETE ÜBER DIE PAZIFISCHEN INSELN (US Trust Territory of the Pacific Islands)

PALAU *Ozeanien; Pazifik*
Republik Palau (Belau); Republic of Palau (Belau bzw. Pelew); früher Palau-Inseln; Palau Islands

LANDESSTRUKTUR *Fläche:* 508 km² (insg. 241 Inseln, davon 11 bewohnt; u. a. Babelthuap mit 404 km²) – *Einwohner:* (Z 1990) 15 122 = 30 je km² – vorwieg. Mikronesier – *Jährl. Bev.-Wachs-*

tum (Ø 1975–78): 3,5 % – *Sprachen:* mikronesische Dialekte u. Englisch als offiz. Sprachen – *Religion:* hauptsächl. Christen, davon überw. Katholiken – *Hauptstadt* (Z 1990): Koror 10 501 Ew.

REGIERUNGSFORM Treuhandgebiet nach Abkommen von 1947, untersteht dem US-Innenministerium – Republik gemäß der Verfassung von 1981 – Parlament (National Congress, Olbiil era Kelulau) aus 2 Kammern: House of Delegates mit 16 u. Senat mit 14 Mitgl. – 16köpfiger »Häuptlingsrat« (Council of Chiefs) als beratendes Organ – Direktwahl d. Präsidenten alle 4 J. – US-Verwalter (Assistant Secretary of the Interior), derzeit Stella Guerra – 16 »States« mit Gouverneur u. Parl. – *Präsident:* Kuniwo Nakamura, seit 1. 1. 1993 – *Parteien:* keine i. e. S.

WIRTSCHAFT Staatsetat zu über 90 % aus US-Hilfsgeldern – *Währung:* US-$ – *Außenhandel* (1984): *Import:* 288,2 Mio. $; *Export:* 0,46 Mio. $; Güter: Fische, Muscheln, Kokosnüsse, Kopra; Länder: USA, US-Samoa, Puerto Rico, Japan

VIETNAM *Südost-Asien*
Sozialistische Republik Vietnam; Công Hòa Xa Hôi Chu Nghia Viêt Nam – VN

LANDESSTRUKTUR **Fläche** (64): 331 689 km² – **Einwohner** (13): (F 1991) 67 679 000 = 204 je km²; (Z 1989) 64 375 762 – 87 % Vietnamesen (Kinh), daneben siamo-chines. u. and. Minderheiten, u. a. (Ang. in 1000) Tay 742, Khmer 651, Thai 631, Muong 618, Nung 472, Meo 349 u. Dao 294, meist in d. Berggebieten; Girai 163 u. Ede 142; teilw. starke Vermisch. mit Chinesen u. bedeut. chines. Minderheit (2–3 %), u. a. in Tonking u. im Gebiet v. Ho-Tschi-Minh-Stadt; insg. mehr als über 1 Mio. im Ausl., davon 700 000 in USA – **Leb.-Erwart.:** 67 J. (m64/w69) – **Säugl.-Sterbl.:** 4,2 % – **Kindersterbl.:** 5,1 % – **Analph.:** 12 % – Jährl. **Bev.-Wachstum** (Ø 1980–91): 2,2 % (Geb.- u. Sterbeziffer 1990: 3,1 %/0,7 %) – **Sprachen:** Vietnamesisch als Amtsspr. (von 80 % d. Bev. gesprochen); daneben Dialekte d. kl. Volksgruppen u. vereinzelt Chinesisch; als Handels- u. Bildungssprachen Russisch u. Französisch, im S Englisch – **Religion:** rd. 55 % Mahajana-Buddhisten, außerd. rd. 7 % Christen (6 Mio. Katholiken, 180 000 Protestanten); daneben Taoismus, konfuzian. Einflüsse u. zahlr. Sekten (im S u. a. Hoa Hao 1,5 Mio. u. Anh. der Cao-Daï-Lehre [Synthese aus Christ., Konfuz. u. Buddhismus] 2 Mio.) – **Städt. Bev.:** 22 % – **Städte** (Z 1989): Hà-Nôi [Hanoi] (Hptst.) 1 088 862 Ew. (als A: 3,06 Mio.); Ho-Chi[Tschi]-Minh-Stadt (fr. Saigon [Sài-Gòn]) 3 924 435, Haiphong 1 447 529, Da Nang 369 734,

Can Tho 284306, Nha Trang 263093, Hué 260489, Nam Dinh 219615, Long Xuyen 214037, Qui Nhon 201912

STAAT Sozialistische Republik seit 1980 – Neue Verfassung vom 15. 4. 1992 – Parlament (Nationalversammlung) mit 395 Mitgl., Wahl alle 5 J.; ernennt Staatsoberh. u. Reg.-Chef – Präs. steht dem Staatsrat (ständig amtierendes Gremium der Nationalversamml.) vor u. erläßt Dekrete – Allg. Wahlrecht ab 18 J. – 43 Provinzen, die Stadtgebiete Hanoi, Ho-Tschi-Minh-Stadt u. Haiphong sowie 1 Sondergebiet (Vung Tau-Con Dao) – **Staatsoberhaupt:** General Le Duc Anh, seit 23. 9. 1992 (einstimmige Wahl durch Parl., kein Gegenkandidat) – **Regierungschef:** Vors. des Min.-Rats Vo Van Kiet, seit 9. 8. 1991 (am 24. 9. 1992für weitere 5 J. durch Parl. bestätigt) – **Äußeres:** Nguyen Manh Cam – **Parteien:** Führende polit. Kraft ist die »Kommunistische Partei Vietnams« (Dang Cong San Viêt-Nam) mit 1,8 Mio. Mitgl. (1988), Generalsekr.: Do Muoi, seit August 1991, Zentralkomitee (152 Mitgl., davon 36 Kandid.), Politbüro als entscheid. Organ (13 Mitgl. u. 1 Kandidat); dazu Massenorganisationen Vaterländ. Front Vietnams, Allg. Gewerkschaftsbund, Kommunist. Jugendverband Ho Chi Minh, Bund der Genossenschaftsbauern, Vereinigung der Frauen – Letzte Wahlen zur Nationalversamml. vom 19. 7. 1992: erstmals Zulassung unabh. Kandidaten, die nicht der KP angehören; insg. 601 Kand. (1987: 829), davon ursprüngl. 40 unabh., bei d. Wahl de facto 2; Wahlbeteiligung rd. 97%; alle Sitze an die KP – **Unabh.:** Alte staatl. Tradition; Ausrufung d. U. für Gesamtvietnam durch Ho Chi Minh am 2. 9. 1945, franz. U.-Vertrag mit Gegenreg. (Bao Dai) am 4. 6. 1954; Teilung durch Genfer Konferenz bestätigt; formelle Wiedervereinigung am 2. 7. 1976 nach Sieg Nord-Vietnams im 3. Indochinakrieg (gegen USA) u. Proklamation der »Sozialist. Rep. Vietnam« – **Nationalfeiertag:** 2. 9.

WIRTSCHAFT (keine neueren Angaben verfügbar) BSP (S 1985): 11000 Mio. $ = 180 $ je Ew. (178); realer Zuwachs 1991/92: 5,3%; **BIP** 1991: 89406 Mrd. D (lfd. Preise); (S 1992: 8900 Mio. $); realer Zuwachs $\varnothing$ 1986–88: 4,8% (1992: +8,3%); Anteil 1991 **Landwirtsch.** 43%, **Industrie** 34%, **Handel** 13% – **Erwerbstät.** 1991: Landw. 73%, Ind. 14% – **Arbeitslosigkeit** Anf. 1993: 22% (Städte), 28% (Land) – **Energieverbrauch** 1990: 100 kg ÖE/Ew. – **Währung:** 1 Dong (D) = 10 Hào = 100 Xu; 1 US-$ = 10590 D; 1 DM = 6233 D – **Ausl.-Verschuld.** (Ende 1991): 15300 Mio. $ – **Inflation** $\varnothing$ 1992: 17,5% – **Außenhandel** 1991: **Import:** 2000 Mio. $; Güter (1990): 52% Brennstoffe u. Rohmaterialien, 26% Maschinen u. Ausrüst., 12% Konsumgüter; Länder: 26% Hongkong, 15% Japan, 10% Rep.

Korea, 10% Indonesien, 7% Frankr., 5% BRD (EG 16%); **Export:** 1900 Mio. $ (1992: 2450 Mio. $); Güter (1990): 43% land- u. forstwirtschaftl. Prod. (v. a. Reis), 29% Prod. d. Leichtind. u. Handwerksprod., 18% schwerindustr. Prod. u. Mineralien; Länder: 38% Japan, 10% Hongkong, 7% Thailand, 6% BRD, 5% Indonesien, 3% Frankr. (EG 12%)

WEISSRUSSLAND *Ost-Europa*
Republik Weißrußland (Belarus); Belarus' (weißruss.) – BLR

LANDESSTRUKTUR Fläche (84): 207600 km^2 – **Einwohner** (66): (F 1991) 10328000 = 50 je km^2; (Z 1989) 10199709 – (Z 1989) 77,9% Weißrussen [Belarus']; 13,2% Russen, 4,1% Polen, 2,9% Ukrainer; außerd. 110000 Juden (1,1%), Tataren u. a. – **Leb.-Erwart.:** 71 J. (m66/w76); Bev.-Anteil 0–14 J.: 22,9% – **Säugl.-Sterbl.:** 1,5% – **Kindersterbl.:** 1,8% – **Analph.:** 2% – Jährl. Bev.-Wachstum ($\varnothing$ 1980–91): 0,6% (Geb.- u. Sterbeziffer 1991: 1,3%/1,1%) – **Sprachen:** Weißrussisch als Amtsspr.; Sprachen d. Minderheiten, v. a. Russisch – **Religion:** 60% Russisch-Orthodoxe, rd. 30% Atheisten, 8% Römisch-Katholiken, je 1% Katholiken orientalischen Ritus u. Protestanten – **Städt. Bev.:** 66% – **Städte** (F 1990): Mensk [Minsk] (Hptst.) 1613000 Ew.; Gomel 506000, Mogiljow 363000, Witebsk 356000, Grodno 277000, Brest 269000, Bobrujsk 223000, Baranowitschi 163000, Borissow 147000, Orscha 124000, Pinsk 122000, Mozyr 102000

STAAT (→ *Chronik*) Republik seit 1991 – Verfassung der ehem. Weißruss. SSR in Kraft; neue Verfassung in Ausarbeitung – Parlament (Oberster Sowjet) derzeit mit 360 Mitgl. (Sojmn mit 160 Mitgl. vorgesehen, Wahl alle 4 J.) – Parl.-Präs. ist de facto Staatsoberh. – 117 Kreise, 99 Städte (dar. 25 mit Kreisstatus), 111 Siedlungen mit Stadtrecht sowie 1502 Räte (Sowjets) – **Staatsoberhaupt:** Stanislau Schuschkewitsch, seit 18. 9. 1991 – **Regierungschef:** Wjatscheslau F. Kebitsch, seit 7. 4. 1990 – **Äußeres:** Petr Krautschenka – **Parteien:** Nach Wahlen von 1990 konservative kommunist. Mehrheit in Parl. u. Reg. Nach Spaltung der KP (Verbot 3. 2. 1993 wieder aufgehoben) Bildung eines oppositionellen Demokratischen Blocks: Nationale Volksfront »Adradshennje« (Wiedergeburt) u. a. Parteien – **Unabh.:** Souveränitätserklärung am 27. 7. 1990, Unabh.-Erkl. am 25. 8. 1991 – **Nationalfeiertag:** 25. 8.

WIRTSCHAFT (*Entwicklung* → *Tab. Sp. 475*) **BSP** 1991: 32131 Mio. $ = 3110 $ je Ew. (53); **BIP**

(Nettomaterialprodukt) 1991 (S): 52300 Mio. Rbl; realer Zuwachs ⌀ 1986–89: 3,8% (1991/92: –11,0%); Anteil 1991 **Landwirtsch.** 23%, **Industrie** 52% – 1991/92: Rückgang der Brutto-Industrieprod. um 9,6%, der Brutto-Agrarprod. um 16% – **Erwerbstät.** 1990: Landw. 19%, Ind. 31% – Bev.-Anteil mit Monatseink. unter d. **Armutsgrenze** (1991): 23% – **Arbeitslosigkeit** ⌀ 1992: 0,2% – **Währung:** Rubel (→ *Rußland*) sowie Parallelwährung »Saitschik« (2 S = 1 Rbl) – **Inflation** ⌀ 1992 (Konsumentenpreise): 1060% – **Außenhandel** 1992: **Import:** 700 Mio. $; Güter (1990): 35% Maschinenbau- u. metallurg. Erzeugn., 14% Konsumgüter, 12% chem. u. petrochem. Prod., 9% Erdöl u. Erdgas, 8% landwirtsch. Vorprod.; Länder (1991): 76% übrige UdSSR, 24% sonst. Ausland; **Export:** 1100 Mio. $; Güter (1990): 46% Maschinenbau- u. metallurg. Erzeugn., 18% Konsumgüter, 13% chem. u. petrochem. Prod., 8% Erdöl u. Erdgas; Länder (1991): 93% übrige UdSSR (dar. 80% Rußland), 7% sonst. Ausland

WESTSAHARA → SAHARA

WESTSAMOA → SAMOA

ZAIRE *Zentral-Afrika*
Republik Zaire; République du Zaïre; früher Belgisch-Kongo bzw. Demokratische Republik Kongo – ZRE

LANDESSTRUKTUR Fläche (12): 2345409 km² – **Einwohner** (28): (F 1991) 38631000 = 16 je km²; (Z 1984) 29671407 – Zairer; v. a. Bantu-Gruppen (18% Luba, 17% Mongo, 12% Kongo, 10% Ruanda), Ubangi-Gruppen, Niloten, Pygmäen; ca. 10000 Europäer (meist Belgier) – **Leb.-Erwart.:** 52 J. (m50/w54) – **Säugl.-Sterbl.:** 9,4% – **Kindersterbl.:** 15,0% – **Analph.:** 28% – Jährl. **Bev.-Wachstum** (⌀ 1980–91): 3,2% (Geb.- u. Sterbeziffer 1990: 4,5%/1,4%) – **Sprachen:** Französisch als Amtsspr.; 4 Nationalspr.: ChiLuba, Kikongo, Lingala, KiSuaheli; außerd. Luvena, Chokwe, Gbaya, Kituba u. a. – **Religion:** 46% Katholiken, 28% Protestanten u. 16% and. christl. Glaubensgemeinschaften (u. a. 700000 Kimbanguisten), Muslime; rd. 50% Anh. von Naturrel. – **Städt. Bev.** 40% – **Städte:** Kinshasa (Hptst.; F 1991) 3741000 Ew.; (Z 1984) Lubumbashi 543268, Mbuji-Mayi 423363, Kananga 290898, Kisangani 282650, Kolwezi 201382, Likasi 194465, Bukavu 171064, Matadi 144742, Mbandaka 125263

STAAT (→ *Chronik)* Präsidialrepublik – Verfassung von 1978, seit 1991 durch Übergangscharta (Acte de transition) ersetzt (vom Staatsoberh. nicht ratifiziert) – Parlament mit 210 Mitgl., Wahl alle 5 J.; z. Z. aufgelöst – Oberster Rat der Republik/HCR (Haut Conseil de la République) mit 453 Mitgl. seit Dez. 1992 – 10 Regionen u. Hauptstadtbezirk – **Staatsoberhaupt:** Mobutu Sésé-Séko (Kuku-Ngbendu-wa-za-Banga), seit 1965, letzte Wiederwahl 1991 – **Regierungen:** Übergangsreg. (durch HCR eingesetzt) unter Vorsitz von Etienne Tshisékédi (UDPS-Vors.), seit 15. 8. 1992; Gegenregierung (der nationalen Rettung, vom Staatsoberh. ernannt) unter Vorsitz von Faustin Birindwa, seit 17. 3. 1993 – **Äußeres:** Pascal Lumbi (Gegenreg.: Mpinga Kasenda) – **Parteien:** Letzte Wahlen 1987: Mouvement Populaire de la Révolution/MPR alle Sitze – Oppos.-Bündnis »Union Sacrée« (Heilige Union) aus 150 polit. Gruppierungen, u. a.: Union pour la Démocratie et le Progrès/UDPS, Demokratische Versammlung für der Rep./RDR, Union demokratischer Unabh./UDI – *Im Sept. 1993 Wahlen angekündigt* – **Unabh.:** 30. 6. 1960 – **Nationalfeiertag:** 30. 6., 24. 11. (Gründung der II. Republik)

WIRTSCHAFT (keine neueren Angaben verfügbar) **BSP** 1990: 8123 Mio. $ = 220 $ je Ew. (168); realer Zuwachs ⌀ 1980–90: 1,6%; **BIP** 1990: 7540 Mio. $; realer Zuwachs ⌀ 1980–90: 1,8% (S 1992: –1,0%); Anteil 1990 **Landwirtsch.** 30%, **Industrie** 33% – **Erwerbstät.** 1991: Landw. 65%, Ind. ca. 13% – **Arbeitslosigkeit** 1991: 20–30% (Hptst.) – **Energieverbrauch** 1990: 71 kg ÖE/Ew. – **Währung:** 1 Zaire (Z) = 100 Makuta (K; Sing. Likuta) = 10000 Sengi; 1 US-$ = 4212830 Z; 1 DM = 2462498 Z – **Ausl.-Verschuld.** 1991: 10705 Mio. $ (1990: 141% d. BSP) – **Inflation** ⌀ 1980–90: 60,9% (1991: 2154,5%) – **Außenhandel** 1991: **Import:** 1090 Mio. $; Güter (1985): 18% Maschinen, 18% Nahrungsmittel, 18% Erdöl u. Erdölerzeugn., 13% Transportausrüst., 8% Metalle u. -erzeugnisse, 8% Chemikalien; Länder: 19% Belgien/Lux., 13% VR China, 11% Frankr., 11% BRD, 7% USA, 6% Rep. Südafrika, 5% Italien, 4% Niederl.; **Export:** 1570 Mio. $; Güter (1990): 48% Kupfer, 11% Diamanten, 11% Erdöl (roh), 6% Kaffee; Länder: 45% Belgien/Lux., 19% USA, 9% BRD, 6% Italien, 6% Japan, 3% Frankr.

ZENTRALAFRIKANISCHE REPUBLIK
Zentral-Afrika
République Centrafricaine; Be Afrika (sango) – RCA

LANDESSTRUKTUR Fläche (42): 622984 km² – **Einwohner** (124): (F 1991) 3113000 = 5 je km²; (Z 1975) 2088000 – Zentralafrikaner; haupts. Ubangi-Gruppen (u. a. bis 40% Banda, 24% Gbaya, 21% Mandja) u. Bantu; einige 1000 Europäer (meist Franzosen) – **Leb.-Erwart.:** 47 J. (m45/w50); Bev.-Anteil 0–14 J.: 42,3% – **Säugl.-Sterbl.** (1975): 10,6% – **Kindersterbl.:** 12,9% – **Analph.:** 62% – Jährl. **Bev.-Wachstum** (∅ 1980–91): 2,7% (Geb.- u. Sterbeziffer 1991: 4,2%/1,7%) – **Sprachen:** Französisch u. Sangho (kreol. Spr.) als Amtsspr.; Ubangi-Sprachen u. Fulani als Umgangsspr. – **Religion:** rd. 60% Anh. von Naturrel.; 47% Protestanten, 31% Katholiken, im N 5–8% Muslime – **Städt. Bev.:** 48% – **Städte** (S 1988): Bangui (Hptst.) 427400 Ew.; Bouar 95200, Bambari 77500, Berbérati 82500

STAAT (→ *Chronik*) Präsidialrepublik – Verfassung von 1986, Änderung 1992 – Parlament (Kongreß) aus 2 Kammern mit insg. 52 Mitgl.: Nationalversammlung sowie Wirtschafts- u. Regionalrat/CER; Wahl alle 6 J. – Direktwahl d. Staatsoberh. alle 6 J. – Conseil National Politique Provisoire de la République/CNPPR seit 17. 1. 1993 als Organ zur Überwachung der Einhaltung d. Verfass. u. Unterstützung d. Staatsoberh. in Angelegenheiten der Gesetzgebung – Allg. Wahlrecht – 16 Präfekturen u. 52 Unterpräfekturen – **Staatsoberhaupt:** Ange-Félix Patassé (MLPC) – seit 19. 9. 1993 (im 2. Wahlgang mit 52,45% d. Stimmen gewählt) – **Regierungschef:** Enoch Derant Lakoué (PSD), seit 25. 2. 1993 – **Äußeres:** Jean-Marie Bassia – **Parteien:** Wahlen 1987: Rassemblement Démocratique Centrafricain/RDC (Demokrat. Sammlungspartei) alle 52 Sitze – Oppos.-Bündnis »Concertation des Forces Démocratiques«/CFD aus 14 Parteien (Wahlen 19. 9. 1993; Ergebnisse nocht nicht bekannt) – **Unabh.:** 13. 8. 1960 – **Nationalfeiertag:** 1. 12.

WIRTSCHAFT BSP 1991: 1218 Mio. $ = 390 $ je Ew. (150); realer Zuwachs ∅ 1980–91: 1,2%; **BIP** 1991: 1202 Mio. $; realer Zuwachs ∅ 1980–91: 1,4%; Anteil 1991 **Landwirtsch.** 41%, **Industrie** 16%, **Dienstlst.** 42% – **Erwerbstät.** 1990: Landw. 63%, Ind. ca. 10% – **Energieverbrauch** 1991: 29 kg ÖE/Ew. – **Währung:** 1 CFA-Franc = 100 Centimes (c); 1 FF = 50 CFA-Francs (Wertverh. zum FF); 100 CFA-Francs = 0,59 DM – **Ausl.-Verschuld.** 1991: 884 Mio. $ = 71,5% d. BSP – **Inflation** ∅ 1980–91: 5,1% – **Außenhandel** 1991: **Import:** 196 Mio. $; Gü-

ter: 33% Maschinen u. Transportausrüst., 17% Nahrungsmittel, 12% Brennstoffe u. sonst. Rohstoffe; Länder: k. Ang.; **Export:** 133 Mio. $; Güter (1989): 46% Diamanten, 20% Kaffee, 9% Baumwolle sowie Holz (1988: 12%); Länder (1989): ca. 50% Frankr. sowie USA, Japan, Israel

ZYPERN *Südost-Europa*
Republik Zypern; Kypriaki Dimokratía (griech.); Kibris Cumhuriyeti (türk.); Republic of Cyprus (engl.) – CY

LANDESSTRUKTUR Fläche (161): 9251 km² (dar. 256 km² Militärstützp. Großbrit.); »griech.-zypriot. Gebiet« 5896 km² – **Einwohner** (154): (F 1991) 710000 = 77 je km²; (Z 1982) 642731 – (F 1989) 77% (556400) griechische Zyprioten, 18% (129600) türkische Zyprer, 9000 Angeh. von Minderheiten (Maroniten, Armenier, Latiner); ca. 70000 Libanonflüchtlinge – Seit türk. Invasion als Folge des Putsches v. Sommer 1974 griech. u. türk. Siedlungsgebiete mit wenigen Ausnahmen geteilt (Flucht von rd. 45000 türk. Z. in d. N, rd. 200000 griech. Z. in d. S) – **Leb.-Erwart.:** 77 J. – **Kindersterbl.:** 1,2% – **Analph.** (1987): 6% – Jährl. **Bev.-Wachstum** (∅ 1980–91): 1,1% (Geburtenziffer 1990: 2,2%) – **Sprachen:** Griechisch u. Türkisch als Amtsspr.; Englisch wichtig als Bildungs- u. Verkehrsspr. – **Religion:** 77% orthodoxe Christen (Griechen), 18% Muslime (Türken); kleine Minderh. von Maroniten, armenischen Christen, Katholiken u. Anglikanern – **Städt. Bev.:** 43% – **Städte** (S 1985): Nicosia [Nikosia; Levkosia, türk. Lefkoşa] (Hptst., derzeit geteilt) 164400 Ew. (türk. Teil 39500, S 1989); Limassol [Lémessos, Leymosun] 121300, Lárnaca 53500, Famagusta [im türk. Teil, türk. Gazi Magusa, griech. Ammóchostos] 20500, Páphos 23200

STAAT Präsidialrepublik seit 1960 – Verfassung von 1960 (formell noch gültig) – Parlament mit 80 Mitgl., davon 56 für griech. Zyprioten, 24 für türk. Zyprer (vakant) – **Staats- u. Regierungschef:** Glafkos Klerides (DISY) seit 28. 2. 1993 (am 14. 2. 1993 im 2. Wahlgang mit 50,3% d. Stimmen gewählt) – **Äußeres:** Alekos Michailides – **Parteien:** Wahlen vom 19. 5. 1991 (56 griech.-zypriot. Abg.): Demokratische Sammlungsbewegung/DISY 20 Sitze (1985: 19), Prokommunist. Fortschrittspartei d. werktätigen Volkes/AKEL 18 (15), Demokrat. Partei/DIKO 11 (16), Sozialist. Demokrat. Union/EDEK 7 (6) – **Unabh.:** 16. 8. 1960; seit der türk. Invasion 1974 Teilung Zyperns in einen griech. u. einen international nicht anerkannten türkischen Teil (TRNC) – **Nationalfeiertag:** 1. 10.

WIRTSCHAFT **BSP** 1991: 6135 Mio. $ = 8640 $ je Ew. (32); [TRNC (S 1990): 3450 $ je Ew.]; realer Zuwachs ∅ 1980–91: 6,0 %; **BIP** realer Zuwachs 1990/91: 1,2 %; Anteil 1991 **Landwirtsch.** 6 %, **Industrie** 26 % – **Erwerbstät.** 1991: Landw. 13 %, Ind. 29 % [TRNC: Landw. 30 %] – **Energieverbrauch** 1990: 1701 kg ÖE/Ew. – **Währung:** 1 Zypern-Pfund (Z£) = 100 Cents (c); 1 Z£ = 1,996 US-$ = 3,374 DM – **Ausl.-Verschuld.** 1990: 3024 Mio. $ – **Inflation** ∅ 1980–91: 5,5 % – **Außenhandel** 1991 (nur griech.-zypriot. Gebiet): **Import:** 1215 Mrd. Z£; Güter (1989): 11 % Fahrzeuge, 10 % Textilien, 10 % Metallprod.; Länder (1989): 12 % Frankr., 11 % Großbrit., 11 % Japan; **Export:** 455 Mrd. Z£; Güter (1989): 28 % Bekleidung, 9 % Kartoffeln, 7 % Schuhe, 7 % Zitrusfrüchte; Länder (1989): 44 % Großbrit., 16 % Libanon, 8 % Saudi-Arabien, 8 % BRD – **Tourismus** (1992): über 600 Mio. Z£ Einnahmen u. 1,7 Mio. Gäste – **Außenhandel** 1989 (TRNC): **Import:** 263 Mio. $; Güter: 33 % Halbfertigwaren, 28 % Maschinen u. Transportausrüst., 10 % Nahrungsmittel; Länder: 43 % Türkei, 19 % Großbrit.; **Export:** 55 Mio. $; Güter: 67 % Nahrungsmittel u. leb. Tiere (u. a. Zitronen, Kartoffeln, Tabak); Länder: 64 % Großbrit., 17 % Türkei

TÜRKISCHE REPUBLIK NORDZYPERN
Turkish Republic of Northern Cyprus (nur von der Türkei anerkannt) – TRNC

LANDESSTRUKTUR *Fläche:* 3355 km² (= 37 % v. Gesamtzypern) – *Einwohner:* (F 1989) 169272 = 50 je km² (insg. rd. 18 % d. zypr. Gesamtbev.) – (S 1985): 158225 türk. Zyprer, 733 griech. Zyprioten, 368 Maroniten u. 961 andere; zusätzlich 20000 türk. Soldaten u. 80000 anatolische Siedler – *Religion:* fast nur sunnit. Muslime

REGIERUNGSFORM Verfassung von 1975 mit Sonderstatus für türk. Zyprer u. auton. Regierung, Änderung 1985, darin Wiedervereinigung nicht angesprochen, aber Möglichkeit eines bizonalen föderativen Staates Zypern – Parlament mit 50 Mitgl. – *Staatsoberhaupt:* Rauf Denktaş [Denktasch], seit 1975, zuletzt 1990 wiedergewählt – *Regierungschef:* Derviş [Derwisch] Eroglu (UBP), seit 1985 – *Äußeres:* Kenan Atakol – *Parteien:* Wahlen vom 6. 5. 1990: Ulusal Birlik Partisi/UBP (Nationale Einheitspartei, faktisch v. Denktaş geführt) 34 Sitze, Sammlungsbewegung des nationalen Kampfes insg. 14 (Oppos. aus Linksparteien [Republikan. Türkische P. 7, Kommunale Freiheitsp. 6, Neue DAWN-Partei 1] u. einer Formation festlandtürk. Siedler), Unabh. 2 – *Unabh.:* einseitige U.-Proklamation am 15. 11. 1983, nur v. d. Türkei anerkannt

Zum Zypern-Konflikt in → Chronik

Biographien
politischer Persönlichkeiten des Auslands

Vorbemerkung: In diesem Kapitel sind in Auswahl politische Persönlichkeiten des Auslands berücksichtigt, die im Sommer 1993 hohe Staatsämter bekleideten oder auf andere Weise in den Vordergrund des Interesses rückten. Die Kurzbiographie ist oft ausführlicher, wenn der Politiker noch unbekannt ist, da bei schon länger amtierenden (z. B. *Soares*) ein bestimmter Bekanntheitsgrad vorausgesetzt werden kann; in diesen Fällen werden vor allem die wichtigsten Daten der jüngsten Zeit genannt. Die Namen sind nach der im jeweiligen Land im allgemeinen üblichen Schreibweise bzw. Transkription angeordnet; in eckigen Klammern steht die z. T. in deutschsprachigen Publikationen übliche Schreibweise. (**Dsch** siehe auch unter **G** bzw. **J**; **Sch** auch unter **Ch** bzw. **Sh**; **Tsch** auch unter **Ch**.)

Afewerki, *Isayas* (Eritrea), * 1946; seit 1993 Staatspräsident.
Nach einem Jahr Studium der Ingenieurwissenschaften in Addis Abeba geht er 1966 in den Untergrund, um sich an der Guerillatätigkeit der Befreiungsfront ELF zu beteiligen; seine militärische Ausbildung erhält er teilweise in der VR China. 1970 spaltet sich von der ELF die Volksbefreiungsfront EPLF ab, deren politisches Programm – das den politischen Pluralismus sowie eine ökonomische Mischform aus markt- und planwirtschaftlichen Elementen umfaßt – A. ausarbeitet. Seit 1987 steht er als Generalsekretär an der Spitze der heutigen Regierungspartei EPLF. Am 24. 5. 1993 wird er als erster Staatspräsident der unabhängig gewordenen Republik Eritrea vereidigt.

Akajew, *Askar* (Kirgisistan), * 10. 11. 1944; seit 10. 11. 1991 Staatspräsident.
Nach dem Studium der Physik in Leningrad (heute wieder St. Petersburg) wissenschaftliche Laufbahn; in den 80er Jahren Präsident der Kirgisischen Akademie der Wissenschaften. Mitglied des ZK der KPdSU; im Herbst 1990 vom Obersten Sowjet in Frunse (inzwischen wieder in Bischbek umbenannt) zum Parlamentspräsidenten gewählt. Gibt der Sowjetrepublik ihren alten Namen Kirgisistan zurück und streicht die Bezeichnungen »sowjetisch« und »sozialistisch«. Versammelt die 20 größten Volksgruppen seines Landes zu regelmäßigen Aussprachen an einem »Runden Tisch«. Als einziger der zentralasiatischen Republikpräsidenten verurteilt er von Anfang an den Moskauer Putsch vom August 1991, nach dessen Niederschlagung er die Unabhängigkeit seiner an China angrenzenden Republik erklärt. Bei den ersten direkten Präsidentenwahlen am 12. 10. wird er ohne Gegenkandidat mit etwa 95 % der Stimmen zum Staatspräsidenten gewählt.

Albert II. (Belgien), *Stuyvenberg bei Brüssel, 6. 6. 1934; seit 1993 König.
Zweiter Sohn von König *Leopold III.*, Bruder von König *Baudouin I.*, Schulbesuch in Hirschstein (Deutschland), wo die königliche Familie nach der Besetzung Belgiens (1940) interniert war. Nach Kriegsende Fortsetzung der Ausbildung in Genf. Nach der Rückkehr aus dem Exil wird er Marineoffizier und besucht u. a. Ausbildungseinrichtungen in den USA. Entsprechend der Verfassung 1958 in den Rang eines Senators erhoben. U. a. Ehrenpräsident der Außenhandelskammer, Präsident des Belgischen Roten Kreuzes und Ehrenpräsident des Internationalen Olympischen Komitees. Nach dem Tod seines Bruders am 31. 7. 1993 wird A. nach dem in der Verfassung vorgeschriebenen Interregnum von zehn Tagen, in dem die Regierung die Funktion des Staatsoberhauptes ausübt, am 9. 8. von beiden Kammern des Parlamentes als 6. König der Belgier vereidigt. In seiner Antrittsrede ruft er seine Landsleute auf, Europa beispielhaft das »Vorbild eines modernen föderalen Staates« zu geben.

Alijew, [Aliev] *Gejdar [Haidar Ali Risa-ogly]* (Aserbaidschan), * Nachitschewan (in der zu Aserbaidschan gehörenden Autonomen Republik N.) 10. 5. 1923; seit 1993 Staatsoberhaupt.
Muslimischer Herkunft; nach dem Studium der Geschichte an der Kirow-Universität 1941 Mitarbeiter beim Volkskommissariat für innere Angelegenheiten/NKWD. Seit 1945 Mitglied der KPdSU, beginnt er seine Parteikarriere 1965 im Staatssicherheitsdienst von Aserbaidschan, den er von 1967–69 im Rang eines Generalmajors leitet. Im Juli 1969 avanciert er zum Parteichef der Republik. 1966–71 Kandidat, seit 1971 Vollmitglied des ZK der KP von Aserbaidschan; seit 1971 auch Mitglied des ZK der KPdSU. Von 1970–74 Mitglied des Obersten Sowjets; 1974 einer der stellv. Vors. des Nationalitäten-Sowjets. Ab März 1976 Kandidat des Politbüros und 1982–86 Vollmitglied. Vertrauter des ehem.

Generalsekretärs *Juri Wladimirowitsch Andropow*, der ihn am 24. 11. 1982 zu einem der ersten Stellvertreter des greisen Ministerpräsidenten *Nikolai Alexandrowitsch Tichonow* macht. Nach seinem im Oktober 1987 durch *Michail Gorbatschow* erzwungenen Rücktritt zieht er sich nach Nachitschewan, der zu Aserbaidschan gehörenden zwischen Armenien und Iran eingeklemmten Exklave, zurück, wo er Vorsitzender des Parlaments (Medschlis) wird. In einer schweren innenpolitischen Krise am 15. 6. 1993 zum Vorsitzenden des Obersten Sowjets von Aserbaidschan gewählt, übernimmt er 2 Tage später – nach der Flucht von Präsident *Abulfas Eltschibei* [Elçibey] – das Amt des Parlamentspräsidenten und wird damit neues Staatsoberhaupt. Er wird durch ein Referendum am 28. 8. im Amt bestätigt.

Antall, *József* (Ungarn), * Budapest 8. 4. 1932; seit 1990 Ministerpräsident.
Sohn des Führers der »Partei der Kleinlandwirte« und Ministers für Wiederaufbau und Finanzen vor der kommunistischen Machtübernahme. Nach dem Besuch der Schule der ungarischen Elite, des Gymnasiums der Piaristen, Studium der Geschichte an der Universität Budapest. Während des Volksaufstandes 1956 Vorsitzender eines örtlichen Revolutionskomitees und Gründer des Christlich-Demokratischen Jugendverbandes. Nach der Niederschlagung der Erhebung durch die sowjetische Armee verhaftet und mit Lehrverbot belegt. Erst 1960 darf der diplomierte Archivar und Gymnasiallehrer im Zuge der neuen Offenheit wieder eine Fachstelle antreten. Ab 1964 als Medizinhistoriker im Budapester Semmelweis-Museum, seit 1974 als Direktor des renommierten Instituts. Im September 1987 Mitbegründer des »Demokratischen Forum«/UDF, für das er ab Sommer 1989 an den Gesprächen am »Runden Tisch« teilnimmt, bald eine der herausragenden Persönlichkeiten auf Oppositionsseite. Im Oktober 1989 wird er zum Vorsitzenden des UDF gewählt, das aus den ersten völlig freien Wahlen in Ungarn seit 45 Jahren am 25. 3. und 8. 4. 1990 als stärkste Partei hervorgeht, und im Mai als Ministerpräsident vereidigt.

Aristide, *Jean-Bertrand* (Haiti), * Port Salut 15. 7. 1953; 1991 und seit 1993 Staatspräsident.
Durch einen kath. Priester gefördert, wird er Priester des Salesianer-Ordens, mit dem er sich überwirft, als seine Predigten immer politischer werden, so daß er 1987 ausgeschlossen wird. Vom Großteil der Geistlichkeit unterstützt, von der Mehrheit der Kirchenhierarchie abgelehnt, wird er zu einem überzeugten Anhänger der linken Befreiungstheologie. Vom einfachen Volk verehrt, ist er beim Establishment verhaßt, das in ihm einen Demagogen sieht.

Unterstützt von einem Wahlbündnis aus linken Splitterparteien »Bewegung zur Wiederherstellung der Demokratie«/FNCD und von seiner Wahlhilfeorganisation »Lavalas« (das kreolische Wort für »Erdrutsch«), gewinnt er mit mehr als ⅔ der Stimmen die Präsidentschaftswahlen am 16. 12. 1990. Schon vor seiner Amtsübernahme muß A., der mehrere Attentate überlebte, einen Putsch überstehen, als am 7. 1. 1991 die Militärs für rund 24 Stunden die Macht übernehmen. Am 7. 2., 5 Jahre nach dem Sturz der Duvalier-Diktatur, legt er seinen Amtseid auf die Verfassung ab und wird damit der erste freigewählte Präsident in der Geschichte des Landes. Nach nur 8 Monaten im Amt am 30. 9. durch einen blutigen Militärputsch gestürzt, geht er nach Venezuela ins Exil. Um die darauf erneut eingetretene politische Krise des Landes beizulegen, erkennt ihn das Parlament am 15. 6. 1993 wieder als verfassungsmäßigen Präsidenten an. Am 3. 7. unterzeichnen A. und der Militärmachthaber des Landes, General *Raoul Cédras*, in New York ein Abkommen, das die Wiederherstellung der Demokratie und die Rückkehr des Präsidenten zum 30. 10. 1993 vorsieht.

Aspin, *Les* (USA), * Milwaukee (Wisconsin) 21. 7. 1938; seit 1993 Verteidigungsminister.
Absolvent der Universitäten Yale und Oxford, Promotion in Volkswirtschaft am Massachusetts Institute of Technology; 1966–68 Armeedienst. Beginnt seine Laufbahn als Mitarbeiter des ehemaligen Senators *William Proxmire* und des Rats der Wirtschaftsberater in der *Kennedy*-Administration, im Pentagon unter dem damaligen Verteidigungsminister *Robert McNamara*. Nach einem Intermezzo als Hochschullehrer an der Marquette University in Wisconsin 1970 zum erstenmal ins Repräsentantenhaus gewählt, wird er sofort Mitglied im Streitkräfteausschuß, dessen Vorsitz er 1985 übernimmt. Seitdem hat er den Kurs der amerikanischen Verteidigungspolitik maßgeblich beeinflußt: Er befürwortet 1986 die Unterstützung der Contras in Nicaragua und 1991 die Bemühungen der *Bush*-Administration, den Irak aus Kuwait zu vertreiben. Von → *Clinton* nach den Präsidentschaftswahlen am 3. 11. 1992 zum Verteidigungsminister ernannt (Amtsantritt: 20. 11. 1993), wird der gemäßigte Demokrat A. Nachfolger von *Richard Cheney*.

Assad, *Hafez [Hafis] el* [»Beschützer des Löwen«] (Syrien), * bei Al Ladhakijja [Latakia] 6. 10. 1930; seit 1971 Staatspräsident.
Militärische Laufbahn. Führender Angehöriger des »rechten« (militärischen) Flügels des Baath (»Sozialistische Partei der Arabischen Wiedergeburt«). Am 13. 11. 1970 Regierungschef. Am 2. 3. 1971 Präsident der Republik; seither stets wiedergewählt.

Verteidigt im Nahostkonflikt hart die arabische Position. Im Nov. 1982 Ablehnung des US-Nahost-Friedensplans und Zusicherung weiterer Unterstützung an PLO. Erreicht mit der Auflösung der »Multinationalen Friedenstruppe«/MNF und der Verwerfung des israelisch-libanesischen Abkommens vom Mai 1983 durch die libanesische Regierung einen ersten Erfolg mit seiner Libanon-Politik. Verurteilt die irakische Annexion Kuwaits im August 1990 und reiht sein Land in die Front der USA und ihrer Verbündeten ein. Bringt im Schatten des Golfkrieges den Libanon unauffällig auf prosyrischen Kurs.

Aylwin Azócar, *Patricio* (Chile), *Vina del Mar 26. 11. 1918; seit 1990 Staatspräsident.
Nachfahre von Einwanderern aus Wales. Jurist wie sein Vater, der Präsident des Obersten Gerichtshofes war. Als Student in Kontakt mit der Jugendorganisation der katholischen Kirche und der Konservativen Partei. Ende der 30er Jahre Abwendung von dieser Partei und Mitbegründer der Falange (die mit der gleichnamigen spanischen Bewegung nichts gemein hat). Aus der Falange wird in den 50er Jahren die »Christlich-Demokratische Partei«/PDC, in der er bisher siebenmal das Amt des Vorsitzenden ausübte. 1970 in den Senat gewählt, 1971 Senatspräsident. Den Sturz von *Allende* durch General *Augusto Pinochet* 1973 bezeichnet er als tragischen politischen Fehler. Durch das Verbot der Parteien für Jahre zur politischen Abstinenz gezwungen, kehrt A. ins öffentliche Leben zurück, als er 1988 als Sprecher des »Nein Kommandos« die erfolgreiche Kampagne der Opposition gegen ein weiteres 8jähriges Mandat für General *Pinochet* führt. Anfang 1989 zuerst von der PDC und bald danach von weiteren 16 politischen Bewegungen zum Präsidentschaftskandidaten nominiert, erringt er bei den Wahlen am 14. 12. 1989 die absolute Mehrheit (55,2 %) und wird am 11. 3. 1990 als Präsident der Republik vereidigt.

Balaguer y Ricardo, *Joaquín Videla* (Dominik. Republik), *Santiago de Los Caballeros 1. 9. 1907; 1961/62, 1966–78 und seit 1986 Staatspräsident.
Jurastudium mit Promotion, Rechtsanwalt. Jahrzehntelang Diplomat, zeitweise Außenminister (1954) und Vizepräsident (1957–60). 1961/62 Chef einer Regierungsjunta und Staatspräsident. Seit 1962 freiwillig in den USA im Exil, von dort aus Aufbau einer gemäßigten Partei (Partido Reformista/ PR) und 1965 Rückkehr nach Santo Domingo. 1966 nach Unterstützung durch die konservativen Schichten überraschend zum Präsidenten gewählt; Wiederwahl 1970 und 1974. Bei den Präsidentschaftswahlen 1978 und 1982 ohne Erfolg, aber als Kandidat des Partido Reformista Social Cristiano/ PRSC Sieger der Wahlen vom 16. 5. 1986 und da-

mit Nachfolger von Präsident *Salvador Jorge Blanco.* Am 16. 5. 1990 wird B. für weitere 4 Jahre im Amt bestätigt.

Balladur, *Edouard* (Frankreich), *Izmir (Türkei) 2. 5. 1929; seit 1993 Premierminister.
Als Sohn eines französischen Bankdirektors im türkischen Smirna, dem heutigen Izmir, geboren. Ausbildung an den beiden Elitehochschulen »Sciences Po« und »ENA«. Zunächst im Staatsrat, dann in der Leitung des staatlichen Rundfunks und Fernsehens tätig. Gefördert von *Georges Pompidou,* in dessen Dienste er 1964 eintritt. 1966–68 sein technischer Berater im Kabinett. Nach einem Zwischenspiel in der Wirtschaft beruft ihn der 1969 zum Staatspräsidenten gewählte *Pompidou* zunächst zu seinem stellv. Generalsekretär und 1973 zum Generalsekretär. Seit Frühjahr 1974 wieder in der Wirtschaft und ab 1976 Generaldirektor der Compagnie Générale d'Electricité. Mitglied der konservativen »Sammelbewegung für die Republik«/RPR und einer der ersten Vertrauten und Weggefährten von *Jacques Chirac,* dessen Wahlkampf er 1981 entscheidend mitorganisiert. 1986 als Abgeordneter von Paris erstmals in die Nationalversammlung gewählt. Unter Premier *Chirac* 1986–88 Chef eines Superministeriums, des neugeschaffenen Ressorts »Wirtschaft, Finanzen und Privatisierung«, sowie einziger Staatsminister im Kabinett. Nach dem Wahlsieg von Gaullisten, Liberalen und Zentristen am 21. u. 28. 3. 1993 seit 29. 3. Premierminister einer zweiten »Cohabitation« zwischen dem sozialistischen Staatspräsidenten → *Mitterrand* und der neuen bürgerlichen Regierung.

Barrios de Chamorro, *Violeta* (Nicaragua), *Rivas 18. 10. 1929; seit 1990 Staatspräsidentin.
Tochter eines wohlhabenden Grundbesitzers, verheiratet mit *Pedro Joaquin Chamorro,* dem Herausgeber der freiheitlich gesinnten Tageszeitung »La Prensa«. Nach dessen Ermordung im Januar 1978, vermutlich auf Anweisung des Diktators *Anastasio Somoza,* tritt sie die Nachfolge ihres Mannes an, leitet die Zeitung und wird zum Symbol des Kampfes gegen die Diktatur. Nach der Vertreibung *Somozas* ab Juli 1979 Mitglied der ersten sandinistischen Junta »des nationalen Wiederaufbaus«. Im April 1980 scheidet sie aus der Junta aus und wird zur einflußreichsten Kritikerin der Sandinisten. In den folgenden Jahren wird »La Prensa« unter ihrer Führung zum Symbol für die Freiheit der Presse. Am 25. 2. 1990 als Kandidatin der »Nicaraguanischen Oppositionsunion«/UNO, einem Bündnis von 14 Parteien, Siegerin der Präsidentschaftswahlen, löst sie am 25. 4. den Sandinisten *Daniel Ortega* ab. Frau B. sucht vor allem Versöhnung zwischen den verfeindeten Kräften in ihrem Land.

Bashir *[Baschir], Omar Hassan Ahmad al* (Sudan), * Schandi 1942; seit 1989 Staatsoberhaupt.
Offiziersausbildung; 1966 in der Militärakademie graduiert. Teilnehmer des arab.-israel. Krieges vom Oktober 1973 in der Suez-Kanal-Zone. 1974–78 in den Vereinigten Arabischen Emiraten stationiert; in Ägypten Ausbildung zum Fallschirmjäger; zusätzliches Training in den USA. Aufstieg in den Rang eines Brigadiers und dritthöchster Offizier im Fallschirmspringerkorps. Stürzt am 30. 6. 1989 in einem Militärputsch die Regierung von Ministerpräsident *Sadiq el Mahdi*, befördert sich selbst zum Generalleutnant, bildet einen aus 15 Offizieren bestehenden Kommandorat und ernennt sich auch zum Staatsoberhaupt, Verteidigungsminister und Oberkommandierenden der Streitkräfte. B. nennt zwar als wichtigstes Ziel seiner Militärregierung eine friedliche Regelung mit den Rebellen der »Sudanischen Volksbefreiungsarmee«/SPLA im Süden, hat aber das »Friedensprogramm«, das die »Demokratische Union«/DUP mit der SPLA ausgehandelt hat, für »null und nichtig« erklärt.

Ben Ali, *Zine el Abidine [Zeine al Abidin]* (Tunesien), * Hamam-Sousse 3. 9. 1936; seit 1987 zunächst Regierungschef, dann Staatspräsident.
Berufsoffizier; Absolvent der französischen Militärakademie Saint-Cyr, der Artillerieschule in Chalons-sur-Marne, dann Artillerie- und Flugabwehrausbildung in den USA: Aufstieg zum höchsten General der tunesischen Streitkräfte. Spezialist in Fragen der inneren Sicherheit. 1978 nach blutigen Zusammenstößen zwischen Gewerkschaftsangehörigen und der Polizei von Staatspräsident *Habib Ben Bourguiba* zum Sicherheitschef berufen. Seit April 1984 Innenminister und entscheidend verantwortlich für eine massive Kampagne gegen den wachsenden islamischen Fundamentalismus. Am 2. 10. 1987 von *Bourguiba* zum neuen Regierungschef als Nachfolger von *Rashid Sfar* ernannt. Bereits am 7. 11. enthebt B. A. unter Berufung auf einen Verfassungsartikel *Bourguiba* seines Amtes, nachdem Ärzte die »Senilität und Amtsunfähigkeit« des Präsidenten bescheinigt hatten, und ernennt sich selbst zum neuen Staatsoberhaupt. Im Gegensatz zu dem Agnostiker *Bourguiba* gilt B. A. als gläubiger Moslem, auch wenn er in seiner politischen und militärischen Ausbildung vorwiegend westlich geprägt ist. Er verspricht Versöhnung mit der Opposition und politischen Pluralismus. Bei den 1. Präsidentenwahlen seit 1974 am 2. 4. 1989 mit 99,27 % der Stimmen im Amt bestätigt.

Berisha, *Sali* (Albanien), * im Dorf Tropojë 11. 7. 1944; seit 1992 Staatspräsident.
Sohn einer Bauernfamilie; nach dem Studium der Medizin als Herzchirurg, Professor an der Universität und als Funktionär im Gesundheitswesen tätig, u. a. Leibarzt des Diktators *Enver Hoxha*. Früh Mitglied der kommunistischen »Partei der Arbeit«. Im Sommer 1989 gibt er demonstrativ sein Parteibuch zurück und klagt als einer der ersten Intellektuellen offen die stalinistische Staatsführung an. Als die ersten Regungen der Demokratie Albanien erfassen und im Dezember 1990 aus einer Studentendemonstration heraus die oppositionelle »Demokratische Partei«/DP gegründet wird, wird er deren Parteiführer. Bei den ersten Wahlen im Juni 1991 erringt seine Partei die Mehrheit in den meisten Städten und tritt in eine Mehrparteienregierung ein, die sie im Dezember verläßt. Nach den Wahlen vom 22. 3. 1992, bei dem seine DP fast ⅔ der Parlamentssitze erringt, wird B. vom Parlament am 9. 4. als Nachfolger von *Ramiz Alia* zum neuen Präsidenten und somit zum ersten nichtkommunistischen Staatsoberhaupt des Balkanlandes gewählt. Er will die albanische Staatsbürgerschaft auf die Albanischstämmigen ausdehnen und hofft auf eine Vereinigung mit seinen Landsleuten im Kosovo, derzeit eine autonome Provinz Serbiens.

Berow, *Ljuben* (Bulgarien), * 1925; seit 1992 Ministerpräsident.
Dekan der Wirtschaftshochschule in Sofia. Als Wirtschaftsberater von Präsident → *Schelew* maßgeblich an der Gestaltung des Wirtschaftsprogramms des Parteienbündnisses »Union Demokratischer Kräfte«/UDK beteiligt. Am 30. 12. 1982 tritt der parteilose B. die Nachfolge des am 28. 10. zurückgetretenen *Filip Dimitrow* als Ministerpräsident an.

Bildt, *Carl* (Schweden), * Halmstad 15. 7. 1949; seit 1991 Ministerpräsident.
Entstammt einem dänischen Adelsgeschlecht und einer schwedischen Politikerdynastie; bereits während des Studiums der Philosophie und der Staatswissenschaften politisch aktiv. 1973 Parteisekretär der konservativen »Moderaten Sammlungspartei«; enges Vertrauensverhältnis zu dem langjährigen Vorsitzenden *Gösta Bohman*, seinem Schwiegervater. 1979 in den Reichstag gewählt und gleichzeitig (bis 1981) Staatssekretär in einer der bürgerlichen Regierungen. Sprecher seiner Partei für die Außen- und Sicherheitspolitik; Berufung in die 1981 eingesetzte U-Boot-Kommission, die untersuchen sollte, wie sowjet. U-Boote immer wieder unbemerkt in schwedische Hoheitsgewässer eindringen können. Seit 1986 Parteivorsitzender, gelingt es ihm bei den Wahlen am 15. 9. 1991, den Stimmenanteil der Moderaten um fast ⅕ auf 21,9 % zu erhöhen und die Sozialdemokraten in der Regierung abzulösen. Seit 3. 10. Chef einer bürgerlichen Minderheitsregierung, will er die Außenpolitik von einer weltpolitischen Moralpolitik zu ei-

ner europäischen Realpolitik umorientieren und Schweden als Vollmitglied in die EG bringen. In der Wirtschaftspolitik steht er für eine Liberalisierung.

Birkavs, *Vaudis* (Lettland), * 1942; seit 1993 Ministerpräsident.
Studium der Rechtswissenschaften. Im Zuge von Glasnost und Perestroika zunächst in der Unabhängigkeitsbewegung der »Lettischen Volksfront«, dann Mitglied des Wahlbündnisses »Lettischer Weg«. Seit 1993 stellv. Parlamentspräsident und Vorsitzender des Rechtsausschusses des Abgeordnetenhauses. Nach den ersten freien und demokratischen Parlamentswahlen nach der Unabhängigkeit der Republik am 5. 6. 1993, aus denen der »Lettische Weg« mit 36 von 100 Parlamentssitzen als stärkste Fraktion hervorgeht, auf Vorschlag von Präsident → *Ulmanis* am 8. 7. zum neuen Ministerpräsidenten gewählt.

Biswas, *Abdur Rahman* (Bangladesch), * Shaistabad (Distrikt Barisa) Sept. 1926; seit 1991 Staatspräsident.
Mitglied der »Bangladesh Nationalist Party«/BNP von → *Zia*; Parlamentspräsident. Kandidat der BNP bei den ersten freien Wahlen im Land am 27. 2. 1991, aus denen die BNP überraschend als Sieger hervorgeht. Nach der Rückkehr des Landes zur parlamentarischen Demokratie im September nach 16 Jahren Militärherrschaft wird B. am 8. 10. zum neuen Staatsoberhaupt gewählt.

Bolger, *James [»Jim«] Brendan* (Neuseeland), * Taranaki 31. 5. 1935; seit 1990 Premierminister.
Sohn armer irischer Einwanderer. Nach dem Besuch der High School von Opunake Farmer. Seit den 60er Jahren Mitglied der National Party und Leiter des Te-Kuiti-Büros; seit 1972 im Parlament von Wellington. 1975 Staatssekretär in den Ministerien für Landwirtschaft und Maori-Angelegenheiten, 1977 Minister für Fischerei und Co-Minister für Landwirtschaft, 1978–81 Minister für Einwanderung und ab 1978 zugleich Arbeitsminister; als solcher 1983 Präsident der »Internationalen Arbeitsorganisation«/ILO. Nach der Niederlage der National Party 1984 zum Stellv. Oppositionsführer gewählt, ab März 1986 Oppositionsführer. Nach den für seine Partei erfolgreichen Wahlen vom Okt. 1990 am 28. 10. neuer Premierminister.

Boutros-Ghali, *Boutros*, * Kairo 14. 11. 1922; seit 1992 UN-Generalsekretär.
Entstammt einer der ältesten und vornehmsten Familien des Landes und gehört der christlichen Minderheit der Kopten an; ein Großvater war Ministerpräsident in der britischen Mandatszeit, einer seiner Brüder ist General in der ägyptischen Armee. Studi-

um der Politik- und Rechtswissenschaften, 1948 Promotion an der Sorbonne; danach Professor für Völkerrecht an der Universität von Kairo und Herausgeber der wirtschaftlichen Wochenzeitschrift »Al-Ahram al-Iqtisadi«; später auch Herausgeber der Vierteljahresschrift »As-Siyassa ad-Dualiya« (Internationale Politik). Seit dem »Sechstagekrieg« von 1967 für einen Ausgleich mit Israel. 1977 von *Anwar as Sadat* als Staatsminister mit der Geschäftsführung des Außenministeriums betraut; einer der Architekten des Friedensabkommens von Camp David 1978. Als sein Land wegen des Friedensschlusses mit Israel aus der Arabischen Liga ausgeschlossen wird, obliegen ihm die Kontakte mit der arabischen und afrikanischen Welt während des Boykotts, der erst 10 Jahre später mit der Heimkehr der Liga nach Kairo endet. Im Mai 1991 von → *Mubarak* zu einem der stellvertretenden Ministerpräsidenten, zuständig für auswärtige Beziehungen, ernannt. Am 21. 11. vom Sicherheitsrat und am 3. 12. 1991 von der UN-Generalversammlung zum Nachfolger von Generalsekretär *Javier Pérez de Cuellar* für eine fünfjährige Amtszeit gewählt, ist B.-G. damit der erste Politiker des afrikanischen Kontinents und der erste Vertreter eines arabischen Landes im höchsten UNO-Amt, das er am 1. 1. 1992 antritt. Von ihm wird vor allem eine Reorganisation des Apparates der Vereinten Nationen erwartet.

Brazauskas, *[Brasauskas] Algirdas* (Litauen), * Rokiskis 22. 9. 1932; seit 1993 Staatspräsident.
Ingenieurstudium an der Technischen Hochschule von Kaunas und Promotion zum Doktor der Volkswirtschaft (1974). Danach 25 Jahre als Manager in der staatlichen Planwirtschaft tätig und zugleich Karriere in der KP. Von der Abteilung für Baumaterial über die Zentrale Staatliche Plankommission gelangt er ins Zentralkomitee. Schon bald nach seiner Wahl zum Parteichef der Baltenrepublik im Okt. 1988 setzt se auf die nationale Karte und nimmt am Gründungskongreß von Sajudis, der später mächtigen Unabhängigkeitsbewegung, teil. Ende 1989 löst er die litauische KP von der KPdSU und sorgt dafür, daß die Führungsrolle der KP aus den Statuten gestrichen wird. Nach der Unabhängigkeit des Landes 1991 wandelt er die KP in eine sozialdemokratisch geprägte »Demokratische Partei der Arbeit«/LDPA um, die bei den ersten demokratischen Parlamentswahlen im Okt./Nov. 1992 einen massiven Erfolg über die Sajudis-Bewegung von Parlamentspräsident *Vytautas Landsbergis* erzielt. Übernimmt von diesem das Amt des Parlamentspräsidenten und übt damit die Geschäfte des Staatsoberhauptes aus. Geht aus den Präsidentschaftswahlen am 14. 2. 1993 mit 61,1 % der Stimmen als Sieger hervor und legt am 23. 2. seinen Amtseid ab. B. ist damit der 4. Präsident in der Geschichte Litauens und

der erste direkt gewählte seit dem II. Weltkrieg. Er will sich um gute Beziehungen zu allen Nachbarstaaten, darunter Rußland, bemühen.

Brundtland, *Gro Harlem* (Norwegen), * Oslo 20. 4. 1939; 1981, 1986–89 und seit 1990 Ministerpräsidentin.
Studium der Medizin, Master of Public Health der Harvard-Universität, dann Ärztin im staatlichen Osloer Gesundheitsdienst. Seit 1975 stellv. Vorsitzende der »Arbeiterpartei«/DNA. Umweltschutzministerin (1974–78). Seit 1977 Mitglied des Storting. Nach dem Rücktritt von *Odvar Nordli* am 4. 2. 1981 Ministerpräsidentin und seit April 1981 auch Parteichefin. Nach der Wahlniederlage der DNA vom 14. 9. 1981 von *Kåre Willoch* als Regierungschefin abgelöst. Nach dessen Rücktritt von 1986 bis zu den Wahlen 1989 erneut Ministerpräsidentin. Nach dem Zerfall der darauf folgenden bürgerlichen Minderheitsregierung unter *Jan Peder Syse* seit 2. 11. 1990 erneut Ministerpräsidentin einer Minderheitsregierung der Arbeiterpartei. Gibt im November 1992 aus persönlichen Gründen den Parteivorsitz ab.

Calderón Fournier, *Rafael Angel* (Costa Rica), * Diriamba (Nicaragua) 14. 3. 1949; seit 1990 Staatspräsident.
Sohn einer Politikerfamilie (sein Vater war 1941–48 Staatspräsident, seine Mutter 1978–81 Botschafterin in Mexiko-Stadt). Nach dem Jurastudium Rechtsanwalt. Bereits mit 25 Jahren Abgeordneter. Von 1978–80 der jüngste Außenminister des Landes. Nach zwei vergeblichen Anläufen wird C., Vorsitzender der »Christlich Demokratischen Partei«/ PUSC, am 4. 2. 1990 zum Staatspräsidenten und damit zum Nachfolger von *Arias Sánches* gewählt (Amtsantritt: 8. 5.).

Callejas Romero, *Rafael* (Honduras), * Tegucigalpa 14. 11. 1943; seit 1990 Staatspräsident.
Herkunft aus reichem Hause; agronom. Chef der konservativen »National-Partei« (Partido Nacional). Bei den Präsidentschaftswahlen 1985 knapp gegen *José Azcono del Hoyo* unterlegen, aber bis Mitte 1988 de facto in einer großen Koalition, da die »Liberale Partei« des Präsidenten über keine Parlamentsmehrheit verfügt. Bei den Wahlen am 26. 11. 1989 mit 50,4 % der Stimmen zum neuen Präsidenten gewählt, löst C. am 27. 1. 1990 *Azcono del Hoyo* im Amt ab.

Campbell, *Kim* [Geburtsname: *Avril Phaedra]* (Kanada), * Port Alberni (Britisch Kolumbien) 10. 3. 1947; seit 1993 Premierministerin.
Protestantin, die als Kind eine kath. Schwesternschule besucht. Nach Studien in Politik- und Rechtswissenschaften in Kanada und an der London School of Economics sowie einem Aufenthalt in der UdSSR zunächst Universitätsdozentin, 1983–85 Rechtsanwältin, dann Leiterin des Büros von Premierminister *Brian Mulroney.* 1986 Wechsel in die Regionalpolitik und Schulrätin ihrer Heimatstadt Vancouver. Geht erst spät in die Politik, als sie 1988 einen Sitz im Bundesparlament in Ottawa erringt und von *Mulroney* sofort als stellv. Ministerin für Indianerangelegenheiten ins Kabinett berufen wird. Als Justizministerin 1990–92 verwirklicht sie einige Reformgesetze über Waffenbesitz, Abtreibung, Vergewaltigung und Jugendstrafen. Im Januar 1993 zur ersten Verteidigungsministerin Kanadas (und eines NATO-Staates überhaupt) berufen, meldet sie nach der Rücktrittserklärung von *Mulroney* im Februar ihre Ansprüche an. C., die zum linken Parteiflügel gehört, setzt sich auf dem Parteitag der regierenden »Fortschrittlichen Konservativen Partei« am 13. 6. in der Stichwahl durch und wird damit Nachfolgerin von *Mulroney* als Parteiführerin und Premierministerin (am 25. 6. vereidigt). Sie ist damit die erste Frau in der Geschichte Kanadas, die das Land regiert.

Castro Ruz, *Fidel* (Kuba), * Mayarí (Prov. Oriente) 13. 8. 1927; seit 1965 Generalsekretär des Partido Comunista de Cuba/PCC; seit 1959 Regierungschef und ab 1976 auch Staatsoberhaupt.
Jurastudium (mit Promotion), Anwalt; ab 1953 Führer im Kampf gegen die Diktatur von *Fulgencio Batista,* den er 1959 nach 4 Jahren Guerilla stürzt. 1976 von der »Nationalversammlung« zum Vorsitzenden des neugebildeten »Staatsrates« gewählt; vereinigt die Funktionen des Staats- und Regierungschefs, Generalsekretärs der KP und Oberbefehlshabers der Streitkräfte. Auf dem 4. Parteikongreß der KP am 10. 10. 1991 räumt er ein, daß der Zusammenbruch des sozialistischen Lagers in Europa den Karibikstaat in eine schwere Krise gestürzt hat, macht aber deutlich, daß er am Machtmonopol der Partei und an Kubas sozialistischem Weg festhalten will. Vom Volkskongreß am 15. 3. 1993 für eine weitere fünfjährige Amtszeit bestätigt.

Cavaco Silva, *Anibal* (Portugal), * Boliqueime (Algarve) 15. 7. 1939; seit 1985 Ministerpräsident.
Studium der Wirtschaftswissenschaften in Lissabon und im englischen York (mit Promotion). Direktor der Abteilung für Forschung und Statistik bei der Bank von Portugal. Nach der April-Revolution von 1974 Beitritt zur Partei von *Francisco Sá Carneiro,* damals »Dem. Volkspartei«/PPD, seit 1976 »Sozialdem. Partei«/PSD. 1980–81 Finanzminister unter *Sá Carneiro.* Dann Mitglied des Nationalen Planungsrates und Prof. an der Univ. Lissabon. Am 20. 5. 1985 unerwartet mit knapper Mehrheit zum

Chef des bürgerlich ausgerichteten PSD gewählt, tritt er mit seiner Partei sofort aus dem Koalitionskabinett unter → *Soares* aus. Nach den Parlamentswahlen am 6. 10., aus denen der PSD als stärkste Partei hervorgeht, bildet er eine Minderheitsregierung, die am 7. 11. vereidigt wird. Im April 1987 wird C., in dessen Amtszeit die wirtschaftliche Talfahrt des Landes gestoppt wird, durch ein Mißtrauensvotum der Linksparteien gestürzt. Bei den Parlamentswahlen am 19. 7. 1987 gelingt ihm mit dem Gewinn der absoluten und relativen Mehrheit ein überwältigender Sieg, er wird erneut Ministerpräsident. C., der zahlreiche Bücher und Artikel über wirtschaftswissenschaftliche Themen veröffentlicht hat, ist ein entschiedener Verfechter der freien Marktwirtschaft. Er erringt bei den Wahlen am 6. 10. 1991 mit 50,4 % der Stimmen für seine rechtsliberalen Sozialdemokraten erneut eine komfortable Mehrheit und wird am 28. 10. als Ministerpräsident bestätigt.

Chamorro → Barrios de Chamorro

Chasbulatow, *Imramowitsch Ruslan* (Rußland), * Groznyj (Tschetschenien) 22. 11. 1944; seit 1991 Parlamentspräsident.

Als Tschetschene wird er im Zuge der Repressionen *Stalins* gegen kleine Völker nach Nordkasachstan deportiert, wo er aufwächst. Studium der Ökonomie in Alma Ata und in Moskau. 1966 tritt er der KPdSU bei, verzichtet aber auf eine politische Karriere und widmet sich der Wissenschaft. 1970 im Fach Wirtschaftswissenschaften habilitiert, lehrt er 12 Jahre als Professor am Moskauer Plechanow-Institut für Wirtschaftsmanagement, bevor → *Jelzin* ihn in die Politik holt. 1989 erringt er ein Mandat im Parlament der RSFSR und wird Stellvertreter des frischgewählten Parlamentsvorsitzenden *Jelzin*. Nach dessen Wahl zum russischen Präsidenten im Juni 1991 kandidiert er für das Amt des Parlamentsvorsitzenden und fällt in 6 Wahlgängen durch. Erst nach der Niederschlagung des August-Putsches, bei dem beide gegen die kommunistischen Reaktionäre kämpfen, wird er Ende Oktober zum Parlamentspräsidenten gewählt. Dort wandelt sich Ch. mehr und mehr zu einem Gegenspieler seines Mentors. Der Machtkampf zwischen den beiden mächtigsten Männern Rußlands entzündete sich an der Wirtschaftspolitik des von *Jelzin* ernannten früheren Ministerpräsidenten *Jegor Gaidar* und am kaukasischen Pulverfaß, als *Jelzin* im November 1991 den Ausnahmezustand über die abtrünnige Kaukasus-Region der Tschetschenen verhängt und Ch. die in Marsch gesetzten Sondereinheiten von Armee und Polizei stoppt. Seitdem gehört er zu den Wortführern eines angeblich sozialverträglichen Wechsels von der Plan- zur Marktwirtschaft und zu

den Kritikern des von *Jelzin* angestrebten Präsidialsystems. Nach dem Referendum vom 25. 4. 1993, das die Politik *Jelzins* bestätigt, ist Ch. in seiner Position geschwächt.

Chiluba, *Frederick* (Sambia), * Kitwe (Prov. Luapala/Nordrhod. 30. 4. 1943; seit 1991 Staatspräsident.

Sohn eines Bergarbeiters aus dem Copperbelt. Mit 19 Jahren Schreiber auf einer Sisalplantage in Tansania, später Kreditmanager beim Minenausrüster Atlas Copco Sambia. Im Fernstudium und in Abendkursen holt er die fehlende Hochschulausbildung nach. Zunächst überzeugter Sozialist, wird er in Moskau und 1971 in der DDR geschult. Anfang der 70er Jahre Delegierter seines Landes in der UNO-Generalversammlung. Engagement in der Gewerkschaftsbewegung und ab 1974 Vorsitzender des mächtigen Gewerkschaftsbundes ZCTU. 1981 lehnt er das Angebot von Präsident *Kenneth Kaunda* ab, Mitglied des ZK der Einheitspartei UNIP und Arbeitsminister zu werden und wird daraufhin ohne Gerichtsverfahren 3 Monate inhaftiert. Trotzdem immer wieder zum Vorsitzenden der ZCTU gewählt, zuletzt 1989. Ein Jahr später tritt er zurück und wird zum Vorsitzenden der neugegründeten »Bewegung für mehr Parteiendemokratie« (Movement for Multiparty Democracy/MMD) gewählt. Bei den ersten Mehrparteienwahlen in der Geschichte des Landes erringt seine MMD eine große Mehrheit. In der Präsidentenwahl erhält er mit 64,37 % fast doppelt soviel Stimmen wie *Kaunda*, den er am 2. 11. 1991 nach 27 Jahren Alleinherrschaft im Amt ablöst. Der überzeugte Christ und Laienprediger Ch. befürwortet ein pluralistisches System mit einer marktwirtschaftlich organisierten Ökonomie.

Chissano, *Joaquím Alberto* (Mosambik), * Malehice (Provinz Gaza) 22. 10. 1939; seit 1986 Staatspräsident.

Sohn einer katholischen, wohlhabenden und politisch einflußreichen Familie; als einer der ersten schwarzen Schüler Besuch des von den Portugiesen gegründeten Gymnasiums in Lourenço Marques (dem heutigen Maputo), dann Studium der Medizin in Portugal. 1962 Mitbegründer der »Bewegung zur Befreiung Mosambiks«/FRELIMO; Flucht vor der portugiesischen Polizei nach Paris, Studium an der Sorbonne. 1974, nach dem Sieg der FRELIMO im Bürgerkrieg, im Auftrag von *Samora Machel* Präsident eines Übergangskabinetts. Seit der völligen Unabhängigkeit des Landes von Portugal am 2. 7. 1975 Außenminister. Nach dem Tode *Machels* vom ZK der FRELIMO am 3. 11. 1986 zum Präsidenten von Staat und Partei gewählt, verfolgt er die Umwandlung der staatlich gelenkten Planwirtschaft in eine liberale marktwirtschaftliche Ordnung. Am 4. 10. unterzeichnet er in Rom mit dem Führer der RENAMO-Rebellen, *Alfonso Dhlakama*, einen Friedensvertrag, der den seit 1977 andauernden Bürgerkrieg beenden soll.

Christopher, *Warren* (USA), * Scranton (North Dakota) 27. 10. 1925; seit 1991 Außenminister.
Bankierssohn, der mit seiner Familie während der großen Depression in den 30er Jahren nach Kalifornien umzog. 1943–46 kommt er als Leutnant zur See in der Marinereserve auf dem pazifischen Kriegsschauplatz zum Einsatz. Danach (bis 1949) Studium an der juristischen Fakultät der Stanford University und Leiter der Fakultätszeitschrift »Law Review«. Als junger Anwalt arbeitet er zunächst als Angestellter beim Obersten Gericht in Washington und beginnt dann bei einer renommierten Sozietät in Los Angeles, der er mittlerweile vorsteht. Dazwischen immer wieder in der Politik: Zunächst 1959 Sonderberater des kalifornischen Gouverneurs *Edmund Brown*, in den 60er Jahren stellv. Justizminister in der Regierung von Präsident *Lyndon B. Johnson*, unter Präsident *Jimmy Carter* (1977–81) als stellv. Außenminister Koordinator für die neue Menschenrechtspolitik. Entscheidende Rolle als Chefunterhändler bei den Verträgen über den Panama-Kanal und den Friedensschluß zwischen Israel und Ägypten in Camp David. In den letzten Monaten der Amtszeit *Carters* auch Chefunterhändler bei den Bemühungen um die Freilassung der amerikanischen Geiseln im Iran. Nach dem Sieg von → *Clinton* bei den Präsidentschaftswahlen am 3. 11. 1992 von diesem zum Leiter des Übergangsteams ernannt und seit 20. 1. 1993 Außenminister und damit Nachfolger von *James Baker*.

Chuan, *Leekpai* (Thailand) * Provinz Trang 28. 7. 1936; seit 1992 Premierminister.
Entstammt im Gegensatz zu seinen Vorgängern einem armen Elternhaus (Sohn eines Lehrers und einer Gemüseverkäuferin). Nach dem Jurastudium Tätigkeit als Rechtsanwalt. 1969 beginnt er seine politische Laufbahn als Parlamentsabgeordneter (seitdem neunmal für die Provinz Trang wiedergewählt). Mitglied zahlreicher Regierungen als Gesundheits-, Handels-, Agrar-, Justiz- und Unterrichtsminister, dazu noch stellv. Premierminister und Parlamentssprecher. Vorsitzender der »Demokratischen Partei«, der ältesten im Königreich. Geht aus den Parlamentswahlen am 13. 9. 1992 als Sieger hervor, bildet eine Koalition aus den 4 prodemokratischen Parteien, die während der Mai-Unruhen eindeutig Stellung gegen das Vorgehen der Armee bezogen, und wird von König *Bhumibol* am 23. 9. zum neuen Ministerpräsidenten ernannt. Damit fehlen im Kabinett erstmals seit 20 Jahren die von den Militärs beherrschten Parteien.

Ciampi, *Carlo Azeglio* (Italien), * Leghorn 9. 12. 1920; seit 1993 Ministerpräsident.
Nach dem Besuch der Jesuitenschule in Livorno studiert er in Pisa zunächst klassische Sprachen und gewinnt als 19jähriger kurz vor Kriegsausbruch ein Stipendium in Leipzig, um dann ein Studium der Rechts- und Wirtschaftswissenschaften anzuhängen, das er ebenso wie das vorhergehende mit der Promotion abschließt. Vor 1945 gehört er der Widerstandsbewegung der militanten »Aktionspartei« an, die gegen italienische Faschisten und deutsches Militär kämpft. 1946 tritt er in die Zentralbank, die Banca d'Italia, ein und rückt stetig auf, bis er 1979 die Spitze erklimmt und Gouverneur auf Lebenszeit wird. C., der als der große Modernisierer der italienischen Notenbank gilt, setzt sich 1979 für den Eintritt der Lira in das Europäische Währungssystem ein, erreicht 1981 die Trennung seiner Notenbank vom Schatzamt und erhält 1992 die alleinige Entscheidungsgewalt über Veränderungen der Leitzinsen. Nach dem Rücktritt von Ministerpräsident *Giuliano Amato*, dem nach den Volksentscheiden vom 18. und 19. 4. für eine Änderung des politischen Systems ein einschneidender Neuanfang notwendig erschien, wird der parteilose C. von Staatspräsident → *Scálfaro* zum Nachfolger vorgeschlagen. Am 30. 4. 1993 bildet er eine Übergangs- und Notstandsregierung – die 52. der krisengeschüttelten Republik – mit dem Ziel, die italienische Politik zu sanieren und mit einem Wahlgesetz den Weg zu bereiten für eine »Zweite Republik«.

Çiller, *Tansu* (Türkei), * Istanbul 1946; seit 1993 Ministerpräsidentin.
Enstammt dem wohlhabenden europäisch orientierten Großbürgertum. Nach dem Studium der Wirtschaftswissenschaften in Istanbul sowie an den amerikanischen Hochschulen von New Hampshire, Connecticut und Yale zunächst Beraterin bei der Weltbank, dann Professorin an der Istanbuler Eliteuniversität Bogaziçi. Autorin mehrerer wirtschaftswissenschaftlicher Werke. 1990 tritt sie als Mitarbeiterin ihres »geistigen Vaters« und damaligen Oppositionsführers → *Demirel* in »die Partei des Rechten Weges«/DYP ein und wird nach dessen Wahlsieg im November 1991 Staatsministerin, zuständig für die Koordination der Wirtschaftspolitik. Nach der Wahl von *Demirel* zum Staatspräsidenten und dem damit verbundenen Rücktritt als Partei- und Regierungschef wird sie am 13. 6. 1993 an die Spitze ihrer Partei gewählt und tritt am 25. 6. auch das Amt des Ministerpräsidenten an. Sie ist damit die erste Frau an der Spitze der türkischen Regierung und die dritte in einem muslimischen Staat nach *Benazir Bhutto* in Pakistan und → *Zia* in Bangladesch.

Clinton, *Bill* [eigentlich: *William Jefferson Blythe]* (USA), *Hope/Arkansas 19. 8. 1946; seit 1993 42. Präsident der USA.

Sein Vater, *W. Blythe,* stirbt schon vor seiner Geburt bei einem Autounfall; er erhält später den Familiennamen seines Stiefvaters. Wächst in bescheidenen Verhältnissen bei seinen Großeltern auf. Während des Studiums der internationalen Angelegenheiten an der Georgetown University in Washington (1964–68) auf dem Capitol Hill für Senator *William Fulbright* tätig; danach als Rhodes-Stipendiat zweijähriger Studienaufenthalt in Oxford. Nach einem Jurastudium an der Yale University (mit Promotion) – wegen des Studiums vom Militär zurückgestellt – Assistenzprofessor für Rechtswissenschaften an der University of Arkansas (1974–76). Anschließend wirkt er zwei Jahre als Generalstaatsanwalt seines Heimatstaates. Mit 32 Jahren 1978 zum Gouverneur von Arkansas gewählt, behauptet er seitdem diese Position (mit einer zweijährigen Unterbrechung 1980–82). Der Baptist C., der zu den konservativen Südstaaten-Demokraten gehört, wird nach erfolgreichem Vorwahlkampf am 15. 7. 1992 vom Parteikonvent der Demokraten zum Präsidentschaftskandidaten ernannt, geht aus den Wahlen am 3. 11. als Sieger über *George Bush* hervor und tritt am 20. 1. 1993 als 42. Präsident der USA dessen Nachfolge an. Mit C., der der jüngste Amtsinhaber seit Präsident *John F. Kennedy* ist, zieht erstmals nach 12 Jahren wieder ein Demokrat ins Weiße Haus ein, und erstmals seit der Amtszeit von *Jimmy Carter* (1977–81) sind Senat, Repräsentantenhaus und Weißes Haus wieder in der Hand einer Partei.

Compaoré, *Blaise* (Burkina Faso), *1951; seit 1987 Staatspräsident.

Angehöriger des Stammes der Mossi. Militärische Laufbahn; Ausbildung in Kamerun, Marokko und Frankreich. Als Kommandeur der Fallschirmjäger unterstützt er im November 1982 den Militärputsch gegen Präsident *Saye Zerbo,* aus dem sein Freund *Thomas Sankara* zunächst als Ministerpräsident und nach einem erneuten Putsch im August 1983 als Staatspräsident hervorgeht. Unter diesem Staatsminister im Präsidialamt und Justizminister. In einem blutigen Staatsstreich stürzt er am 15. 10. 1987 *Sankara,* der dabei ums Leben kommt, und ernennt sich am 31. 10. selbst zum Staats- und Regierungschef. Wird bei den Präsidentschaftswahlen am 1. 12. 1991, bei denen die Opposition zum Boykott aufgerufen hatte, ohne Gegenkandidat im Amt bestätigt. Die erste Mehrparteienwahl seit 14 Jahren am 24. 5. 1992 stärkt zwar seine »Organisation für Volksdemokratie«, die 74 der 107 Sitze erringt, vertieft aber die Kluft zur Opposition, die ihm massiven Wahlbetrug vorwirft.

Cristiani Burkard, *Alfredo Felix [»Fredy«]* (El Salvador) *San Salvador 22. 11. 1947; seit 1989 Staatspräsident.

Besuch der amerikan. Schule in San Salvador, Studium der Betriebswirtschaft an der Georgetown Univ. in Washington. Erfolgreicher Unternehmer. Mitglied der rechtsradikalen, von *Roberto d'Aubuisson* gegründeten Alianza Republicana Nacionalista/ARENA, deren »gemäßigten Flügel« er repräsentieren soll. Erreicht bei den Präsidentschaftswahlen am 19. 3. 1989 die absolute Mehrheit und tritt am 1. 6. die Nachfolge des Christdemokraten *José Napoleón Duarte* an.

Déby, *Idriss* (Tschad), * 1952; seit 1990 Staatspräsident.

Entstammt dem arabisierten Hawar-Volk. Ehemals Anhänger von *Hissène Habré,* zu dessen Feldzug an die Macht er entscheidend beigetragen hat. Nach dessen Sieg 1982 zum Oberbefehlshaber der Armee und 1985 zum Militärberater ernannt. Nach einem gescheiterten Putschversuch gegen *Habré* im April 1989 Flucht in den Sudan, wo er in wenigen Monaten eine neue Kampftruppe um sich schart und die »Patriotische Heilsbewegung« gründet. D., der als glänzender Stratege gilt, fällt Anfang November 1990 mit seinen Rebellen im Tschad ein und zieht nach einer Blitzoffensive am 1. 12. in die Hauptstadt N'Djamena ein. Am 4. 12. wird er vom Exekutivkomitee seiner »Patriotischen Heilsbewegung« zum Staatsoberhaupt ausgerufen und am 4. 3. 1991 als neuer Präsident vereidigt.

Dehaene, *Jean-Luc* (Belgien); *Montpellier/ Frankreich 7. 8. 1940; seit 1992 Premierminister.

Studium der Rechts- und Wirtschaftswissenschaften; erstes politisches Engagement in der flämisch-christlichen Gewerkschaftsbewegung. In der Jugendorganisation der Christlichen Volkspartei/CVP erzwingt er zusammen mit seinem Freund *Wilfried Martens* den Generationenwechsel. 1971–78 zunächst Mitarbeiter in verschiedenen Ministerkabinetten; 1979 Kabinettschef in der ersten Regierung *Martens.* Ab 1981 Minister für Sozialpolitik und institutionelle Reformen, zuletzt Verkehrsminister. Nach der verheerenden Niederlage der CVP bei den Wahlen vom November 1991 gelingt es D., nach einem »Interregnum« von 103 Tagen, am 7. 3. 1992 eine neue Koalition aus Christlichen Demokraten und Sozialisten beider Landesteile zu bilden. Seine Koalitionsregierung vollendet die Umwandlung des Königreiches in einen Bundesstaat zum 15. 7. 1993.

De Klerk, *Frederik Willem [»F. W.«]* (Südafrika), * Johannesburg 18. 3. 1936; seit 1989 Staatspräsident.

Entstammt einer Familie, in der die aktive politische

Betätigung eine lange Tradition hat. Seit seiner Jugend der »Nationalpartei«/NP verbunden; Jurastudium. Im Parlament seit 1972, im Kabinett seit 1978, u. a. Post-, Sozial-, Sport-, Energie-, Innen- und Erziehungsmin. Daneben Vors. des Weißen Ministerrates sowie seit 1982 Parteivors. der Provinz Transvaal. Nach dem Rücktritt von Parteichef *Pieter Willem Botha* am 2. 2. 1989 zu dessen Nachf. als NP-Vors. gewählt, vertritt er Ende 1988 erstmals die Ansicht, daß am Kap keine Gemeinschaft über die andere dominieren dürfe. Nach Rücktritt *Bothas* zum Nachf. als Staatspräsident am 15. 8. vereidigt. Vollzieht mit seiner »Wende-Rede« vom 2. 2. 1990 einen radikalen Kurswechsel und kündigt ein »neues Südafrika« mit einer von Grund auf revidierten Verfassung an. Beschreitet in der Folge mit der Beendigung des Ausnahmezustandes, der Freilassung der politischen Gefangenen und der Verabschiedung bzw. Einbringung einer Reihe von Gesetzen zur Überwindung der Apartheid den Weg der Reform. Nach Gesprächen mit → *Mandela* am 7. 8. 1990 erzielt er mit dem Verzicht auf Waffengewalt den Durchbruch zu Verhandlungen über ein Ende der Apartheid. Die von ihm eingeleitete Abkehr von der Rassentrennung und der Alleinregierung der weißen Minderheit wurde in einem Referendum im März 1992 von 68,7 % der Weißen bestätigt.

De León Carpio, *Ramiro* (Guatemala), * 1943; seit 1993 Staatspräsident.
Bereits während des Jurastudiums politisch aktiv. Mitbegründer und Generalsekretär der konservativen Partei »Union des Nationalen Zentrums«/UCN, für die er als Abgeordneter ins Parlament zieht, die er später aber wieder verläßt. Der Universitätsdozent und Kolumnist verschiedener Zeitungen ist 1984–86 einer der Präsidenten der Verfassunggebenden Versammlung seines Landes und wird als Staatsanwalt Beauftragter für Menschenrechte. 1985 kandidiert er erfolglos für die Vizepräsidentschaft auf der Liste, die sein Vetter *Cárpio Nicolle* als Kandidat für das Präsidentenamt anführte. Gehört nach dem »Selbstputsch« von Präsident *Jorge Serrano Elías*, der sich am 25. 5. 1993 zum Alleinherrscher aufgeschwungen hatte und die Auflösung des Kongresses, des Obersten Gerichts und des Verfassungsgerichts anordnete, zu den heftigsten Kritikern des Staatsstreichs. Als *Serrano* nach wachsendem Druck des In- und Auslandes am 1. 6. zurücktritt und ins Exil geht, wird D. vom Parlament am 5. 6. bis zum Auslaufen von *Serranos* Amtszeit im Januar 1996 als neuer Staatschef eingesetzt.

Delors, *Jacques* (Frankreich/EG), * Paris 20. 7. 1925; seit 1985 Präsident der EG-Kommission.
Banklehre, Studium der Volkswirtschaft; 1945–62

Abteilungsleiter bei der Bank von Frankreich. 1959–61 zugleich Mitglied der Planungs- und Investmentabteilung des Wirtschafts- und Sozialrats. Mitarbeiter bei der christl. Gewerkschaft CFTC. 1969 Berater für soziale u. kulturelle Angelegenheiten des Ministerpräsidenten *Jacques Chaban-Delmas*. Seit 1974 Mitglied der »Sozialistischen Partei«/PS. Ab 1979 Präsident der Wirtschafts- u. Währungskommission der EG. Seit Mai 1981 Wirtschafts- u. Finanz-, seit März 1983 zusätzlich Budgetminister im Kabinett von *Pierre Mauroy*. Seit 1. 1. 1985 Nachfolger von *Gaston Thorn* als Präsident der EG-Kommission. Bekannte sich unzweideutig zur Einheit Deutschlands und setzte sich für die rasche Eingliederung der neuen Bundesländer in die Gemeinschaft ein. Es ist sein Verdienst, mit der Setzung des magischen Datums »Ende 1992« das Binnenmarktziel konkretisiert zu haben. 1988 ist er mit dem Vorsitz der Expertengruppe betraut, deren Bericht die Grundlage für die Beschlüsse des Maastrichter Gipfels vom Dezember 1991 lieferte. D., mit dessen Namen sich die als »Delors-Paket« bezeichnete EG-Reform der Agrarpolitik, der Finanzverfassung und der höheren Ausstattung der Strukturfonds verbindet, wird im Mai 1992 für seine Verdienste um die europäische Integration mit dem Karlspreis der Stadt Aachen gewürdigt. Im Juni 1992 wird er für eine weitere zweijährige Amtsperiode an die Spitze der EG-Kommission berufen.

Demirel, *Süleyman* (Türkei), * Islamköy (Verw.-Gebiet Isparta) 6. 10. 1924; 1965–71, 1977, 1979/80, 1991–93 Ministerpräsident und seit 1993 Staatspräsident.
Sohn eines Landwirts, Studium der Ingenieurwissenschaften, Bauunternehmer. Politisch in der rechtsgerichteten »Gerechtigkeitspartei«/AP aktiv, 1964 ihr Vorsitzender. 1965, nach einem großen Wahlerfolg seiner Partei, Regierungschef. Am 12. 3. 1971 wird er von den Streitkräften des Amts enthoben, doch bleibt er weiterhin Vorsitzender der AP. Nach dem Rücktritt von *Bülent Ecevit* am 1. 4. 1975 tritt er an die Spitze einer aus Parteien der Rechten gebildeten Koalitionsregierung. Bei den Wahlen vom Juli 1977 unterliegt er *Ecevit*, ist seit Juli dann erneut Chef einer Koalitionsregierung, tritt jedoch im Dezember 1977 zurück. 1979 wieder zum Chef der AP gewählt und nach erfolgreichen Teilwahlen vom Oktober 1979 als Nachfolger von *Ecevit* ab November erneut Ministerpräsident mit einem AP-Kabinett. Am 12. 9. 1980 durch einen Militärputsch gestürzt und vorübergehend in »Schutzhaft« genommen. Ende Mai 1983 wird die erst im selben Monat gegründete »Großtürkische Partei« verboten, weil sie die Ideen der aufgelösten AP vertreten haben soll. Gleichzeitig wird D. verhaftet und am 2. 6. 1983 in die Dardanellen-Stadt Canakkale

verbannt, am 1. 10. 1983 aus der Haft entlassen, aber von den Militärs für 10 Jahre politisch »gebannt«. Geht mit seiner neugegründeten »Partei des Rechten Weges«/DYP aus den Parlamentswahlen vom 20. 10. 1991 als Sieger hervor und wird am 21. 11. erneut Regierungschef einer Koalition seiner DYP mit der »Sozialdemokratischen Populistischen Partei« von *Erdal Inönü*, der das Amt des stellv. Ministerpräsidenten übernimmt. Am 17. 5. 1993 vom Parlament zum Nachfolger des am 17. 4. verstorbenen Staatspräsidenten *Turgut Özal* gewählt.

Denktaş *[Denktasch], Rauf Rasit* (Zypern), * Baf 27. 1. 1924; seit 1975 Präsident des »Föderativen Türkisch-Zypriotischen Staates« und seit 1983 Präsident der »Türkischen Republik Nordzypern«.
Jurist, 1948 Mitglied des Verfassungsrats, 1949–58 Staatsanwalt, 1958–60 Vorsitzender türkisch-zypriotischer Institutionen, 1964–68 ausgewiesen, seit 1968 Wegbereiter eines geschlossenen türk.-zypr. Siedlungsgebiets; nach der türk-zypr. Verfassung von 1975 und den Präsidentschaftswahlen vom Juni 1976 vom türk-zypr. Parlament zum Präsidenten der Teilrepublik gewählt (erneut Juni 1981). Ruft Mitte Nov. 1983 einseitig die »Türkische Republik Nordzypern« aus. Durch das Referendum vom 5. 5. 1985, bei dem sich 70,18 % der Abstimmenden für die neue Verfassung und damit für die »Türkische Republik Nordzypern« aussprechen, sieht sich D. in seiner Position auch international gestärkt. Ende Juni 1985 wird er zum Präsidenten der nur von der Türkei anerkannten Republik gewählt, bei vorgezogenen Wahlen am 23. 4. 1990 mit 66,7 % der Stimmen im Amt bestätigt.

Do Muoi (Vietnam), * Hanoi 2. 2. 1917; 1988–91 Ministerpräsident, seit 1991 Generalsekretär des ZK der KPV.
Sohn einer nordvietnames. Bauernfamilie; politische Laufbahn, 1939 Beitritt zur KP Indochinas. 1941 von den Kolonialbehörden zu 10 Jahren Haft verurteilt. Nach der Flucht aus dem Gefängnis Hoa Lo nimmt er 1945 seine illegale Tätigkeit in der Funktion des 1. Sekretärs des Provinzparteikomitees Ha Dong wieder auf. 1951 1. Sekretär des Parteikomitees der Ta-Ngan-Zone; 1955 1. Sekretär des Stadtparteikomitees von Haiphong. Ab 1960 Mitglied des ZK der KPV und seit 1982 Politbüromitglied. Seit 1960 auch in verschiedenen Regierungsfunktionen tätig; zuerst Min. für Handel, seit 1969 Stv. des Ministerratsvors. und ab 1973 Min. für das Bauwesen. Der als orthodox geltende D. wird am 22. 6. 1988 von den Abgeordneten der Nationalversammlung erstmals in geheimer Abstimmung gegen den Kandidaten des »Reformflügels«, den amtierenden Regierungschef *Vo Van Kiet*, zum Nach-

folger des verstorbenen *Pham Hung* als Vorsitzenden des Ministerrats (Ministerpräsident) gewählt. Auf dem VII. Parteitag der KPV (24.–27. 6. 1991) wird er zum Nachfolger des zurückgetretenen *Nguyen Van Linh* als Generalsekretär des ZK der KPV gewählt.

Drnovšek, *Janez* (Slowenien), * Celje [Cilli] in der Untersteiermark 17. 5. 1950; seit 1992 Ministerpräsident.
Stammt aus einer Arbeiterfamilie. Nach dem Studium der Volkswirtschaftslehre und Promotion rasche Karriere; zunächst als Bankdirektor in der Bergbaustadt Trbovlie, dann Diplomat in Kairo. Seit 1984 slowenischer Abgeordneter in der zweiten Kammer des Belgrader Parlaments; im Rat der Republiken und autonomen Gebiete hauptsächlich befaßt mit Finanzfragen. Autor des Buches »Der Internationale Währungsfonds und Jugoslawien« und Teilnehmer seines Landes an den Verhandlungen mit dem Fonds. Anfang April 1989 als Außenseiter in einer Volkswahl – erstmals in der Geschichte Jugoslawiens seit dem II. Weltkrieg – als Vertreter der Teilrepublik Slowenien in das Staatspräsidium gewählt und am 14. 4. vom Parlament bestätigt. Übernimmt am 15. 5. turnusgemäß den kollektiven Vorsitz des Staatspräsidiums, dem Vertreter der 6 Teilrepubliken und der beiden autonomen Provinzen angehören, und nimmt damit für ein Jahr die Funktion des Staatsoberhauptes wahr. Nach dem Angriff der Bundesarmee auf Slowenien verläßt er endgültig dieses Gremium. Der parteilose D. tritt im April 1992 der größten Oppositionsgruppierung, der »Liberaldemokratischen Partei«, die aus der kommunistischen Jugendorganisation hervorgegangen ist, bei, die ihn auch gleich zu ihrem Vorsitzenden macht. Nach dem Sturz von Ministerpräsident *Lojze Peterle* am 22. 4. 1992 durch ein Mißtrauensvotum bildet er eine Übergangsregierung bis zu den Neuwahlen im Herbst. Wird bei den ersten Parlamentswahlen im unabhängigen Slowenien am 5. 12. 1992 im Amt bestätigt.

Durán Ballén, *Sixto* (Ecuador), * Boston/USA 1921; seit 1992 Staatspräsident.
Studium der Architektur. Mitglied der »Christlich Sozialen Partei«/PSC; langjähriger Bürgermeister von Quito. Tritt 1991 aus dem PSC aus und gründet die »Republikanische Einheitspartei«/PR. Da bei den Präsidentschaftswahlen am 16. 5. 1992 keiner der Kandidaten die erforderliche absolute Mehrheit erhält, gehen die beiden Bestplazierten am 5. 7. in eine Stichwahl, aus der D. als Sieger hervorgeht. D. löst am 10. 8. *Rodrigo Borja a Cevallos* im Amt des Staatspräsidenten ab.

Endara, *Guillermo* (Panamá), * Panama City 12. 5. 1936; seit 1989 Staatspräsident.

Studium der Rechtswissenschaften in der Landeshauptstadt und kurze Zeit in New York. Anschließend unterrichtet er eine Zeitlang an der Universität von Panama, bevor er 1963 mit einigen anderen Anwälten eine Kanzlei gründet, die bald große Handelsfirmen vertritt. Mit *Arnulfo Arias* gründet er 1961 den Partido Panamenista. Nach dem Sturz des kurz zuvor gewählten Präsidenten *Arias* durch die Militärs geht er für einige Wochen in den Untergrund und wird, nachdem er wieder parteipolitisch aktiv geworden ist, von General *Omar Torrijos*, dem neuen Machthaber, ins Exil geschickt. 1979 wird er stellv. Generalsekretär, 1984 Generalsekretär seiner Partei, die sich jedoch spaltet; er wird Führer des entschlossen gegen den neuen Machthaber *Manuel Antonio Noriega* kämpfenden Flügels. Als Repräsentant der wichtigsten Oppositionspartei Kandidat der »Demokratischen Oppositionsallianz« bei der Präsidentschaftswahl am 7. 5. 1989, die er mit großer Mehrheit gewinnt. Nach der Annullierung der Wahlen durch *Noriega* stellt er sich an die Spitze der Demonstrationen gegen den Wahlbetrug und flieht Anfang Oktober nach dem gescheiterten Militärputsch in die Nuntiatur. Nach dem Sturz *Noriegas* durch eine Intervention US-amerikanischer Truppen widerruft die oberste Wahlbehörde am 28. 12. 1989 die Annullierung der Wahl vom 7. 5. und erklärt E. offiziell zum Sieger der Präsidentschaftswahl.

Fahd, *Ibn Abdul-Aziz [F. Bin Abdul Asis]* (Saudi-Arabien), * Riad 1920; seit 1982 König und Ministerpräsident.

Seit 1975 Kronprinz u. als erster stellv. Regierungschef von König *Khaled* mit der faktischen Wahrnehmung der Regierungsgeschäfte betraut. Gilt als der technischen und wirtschaftlichen Entwicklung zugewandt und als Verteidiger der arabischen Interessen, besonders auch in der Palästina- u. in der Erdölpolitik. Unmittelbar nach dem Tod von König *Khaled* tritt er am 13. 6. 1982 dessen Nachfolge an und übernimmt das Amt des Ministerpräsidenten. Ruft Anfang August 1990 ausländische, vor allem US-Truppen ins Land zum Schutz vor einer Bedrohung durch den Irak.

Finnbogadóttir, *Vigdis* (Island), * Rejkjavik 15. 4. 1930; seit 1980 Staatspräsidentin.

Studium der Literaturwissenschaft, Lehrerin für Französisch. Theaterdirektorin. Nach Verzicht von Präsident *K. Eldjarn* auf eine Wiederwahl als nichtparteigebundene Kandidatin am 29. 6. 1980 mit relativer Mehrheit erfolgreich. Am 30. 6. 1984 Verlängerung der Amtszeit um 4 Jahre, am 25. 6. 1988 Wiederwahl mit 92,7 % der abgegebe-

nen Stimmen. Am 27. 6. 1992 zum 4. Mal im Amt bestätigt.

Franco, *Itamar* (Brasilien); * in der Provinz Bahia Juni 1931; seit 1992 Staatspräsident.

Studierter Ingenieur; Beginn seiner politischen Laufbahn 1967 als Bürgermeister seiner Heimatstadt Juiz de Fora. Mitte der 60er Jahre Mitbegründer der oppositionellen »Demokratischen Brasilianischen Bewegung«/MDB, für die er 1974 gegen die herrschenden Militärs überraschend in seinem Heimatstaat Minas Gerais in den Senat gwählt wird. Da er die Parteiführung des MDB nicht erringt, wechselt er zu den »Liberalen«, für die er aber 1986 in den Gouverneurswahlen von Minas Gerais unterliegt. 1988 Leiter des Untersuchungsausschusses, der Korruptionsvorwürfe gegen Präsident *José Sarney* zu untersuchen hatte. 1989 tritt er in die neue »Partei des Nationalen Wiederaufbaus«/PRN des Präsidentschaftskandidaten *Fernando Collor de Mello* ein, trägt entscheidend zu dessen Wahlsieg 1989 bei und wird Vizepräsident des Landes. Wegen der Politik *Collors* kommt es bald zu Differenzen zwischen beiden, so daß F. dessen Partei verläßt und zweimal mit seinem Rücktritt droht. Anfang Okt. 1992 übernimmt er die Regierungsgeschäfte, nachdem ein parlamentarisches Amtsenthebungsverfahren gegen *Collor* wegen Korruption eingeleitet wurde, und regiert seit dessen Rücktritt am 29. 12. Brasilien als Präsident.

Fujimori, *Alberto Kenya* (Peru), * Lima 28. 7. 1938; seit 1990 Staatspräsident.

Sohn japanischer Einwanderer; Agrarwissenschaftler und Mathematiker. Später Rektor einer Landwirtschafts-Hochschule und einige Jahre Präsident der Rektorenkonferenz. Kandidiert mit seinem Wahlbündnis »Cambio 90« bei den Präsidentschaftswahlen am 8. 4. 1990, bei denen er dem weltberühmten Literaten *Mario Vargas Llosa* zunächst unterliegt, geht aber aus der Stichwahl am 10. 6. als eindeutiger Sieger hervor. Am 28. 6. tritt der praktizierende Katholik F. das Präsidentenamt an und wird damit Nachfolger von *Alán García Perez*. Sein rigoroses Wirtschaftsprogramm führt zu Unruhen und Rebellion im Land. Er verfügt am 5. 4. 1992 die Auflösung des Parlaments und setzt die Verfassung außer Kraft, soweit sie der Absicht seiner »Notstandsregierung zum nationalen Aufbau« im Wege steht, Politik, Justiz und öffentliche Verwaltung zu säubern und zu modernisieren und das Land von Terrorismus und Rauschgifthandel zu befreien. Stärkt seine Position durch den Erfolg bei den Wahlen zur Verfassunggebenden Versammlung am 22. 11. 1992, bei dem sein Parteienbündnis Nueva Mayoria/Cambio 90 mehr als die Hälfte der 80 Mandate erringt.

Gaddafi *[Kadhafi, Kadhzafi], Muhammar al* (Libyen), * Sirte [Sirk] Sept. 1942; seit 1969 Präsident des Revolutionsrates (Staatsoberhaupt).

Militärakademie; Mitglied der Junta, die 1969 die Monarchie stürzt, Präsident des Revolutionsrats, 1971 auch der Regierung und des neugeschaffenen Verteidigungsrats; Vertreter radikaler (auch islam.) Reformen; seit 1976 an der Spitze des höchsten Organs, des »Generalsekretariats (aus Militärs) des Allgemeinen Volkskongresses«, tritt aber 1979 formal zurück, um sich als »Führer der Revolution« ganz der »revolutionären Aktion« zu widmen. Vereinbart 1969 die Vereinigung seines Landes mit Ägypten und Sudan zu einem Staatswesen, 1971 mit Ägypten und Syrien, 1972 mit Ägypten, 1974 mit Tunesien, 1980 mit Syrien, 1981 mit Tschad, 1984 mit Marokko: keine wurde wegen seiner absolute Führung beanspruchenden Forderungen verwirklicht. Kritisiert im August 1990 die Besetzung Kuwaits durch den Irak.

Gaviría Trujillo, *César* (Kolumbien), * Pereira 31. 3. 1947; seit 1990 Staatspräsident.

Sohn einer gutbürgerlichen Familie aus der Provinz. Studium der Volkswirtschaft mit Neigung zum Journalismus. Mitglied der »Liberalen Partei«, die seit Jahrzehnten in dem Andenland an der Macht ist. Bereits mit 23 Jahren im Stadtrat seiner Heimatstadt Pereira, mit 26 Bürgermeister und Parlamentsmitglied. 1978 stellv. Minister für Entwicklung, 1983 Vorsitzender der Wirtschaftskommission des Parlaments. Im Kabinett des Präsidenten *Virgilio Barco* Finanz-, später Innenminister. Als solcher erfolgreich als Unterhändler mit der linksnationalistischen Guerilla-Bewegung M–19, die sich in eine legale Partei verwandelt. Wahlkampfleiter des Präsidentschaftskandidaten der Liberalen, *Luis Carlos Galán*, und nach dessen Ermordung 1989 durch die Rauschgiftmafia sein Nachfolger. Geht aus den Präsidentschaftswahlen am 27. 5. 1990 siegreich hervor und tritt am 7. 8. die Nachfolge *Barcos* und damit ein brisantes Erbe an, das gekennzeichnet ist durch einen Zwei-Fronten-Krieg gegen die Kokain-Mafia und die Guerilla.

Ghali, *Boutros Boutros-* → Boutros-Ghali

Gligorow [Gligorov], *Kiro* (Makedonien), * Štip 3. 5. 1917; seit 1991 Staatspräsident.

Jurastudium in Belgrad; 1941, nach der Besetzung Jugoslawiens durch deutsche Truppen, tritt er in die KP ein und schließt sich den Partisaneneinheiten von *Tito* an. Nach der Befreiung 1945 arbeitet er maßgeblich an der Verfassung für die Teilrepublik Makedonien mit und wird anschließend nach Belgrad berufen, wo er zunächst als Referent im Finanz- sowie im Wirtschaftsministerium arbeitet und

schließlich stellv. Direktor des Bundesausschusses für allgemeine Wirtschaftsfragen wird. Seit 1962 Finanzminister der Zentralregierung, ab 1967 auch einer der beiden Vizeministerpräsidenten. 1969 scheidet er aus der Regierung aus, wird aber Mitglied des Präsidiums des »Bundes der Kommunisten Jugoslawiens«/BdKJ und dessen Exekutivbüros. 1971–74 auch im Präsidium der SFR Jugoslawiens. Anschließend bis 1978 Vors. des Bundesparlaments. Danach lange Zeit keine herausragenden Ämter mehr, da er in Fragen der Wirtschaftspolitik in Konflikt mit der Staatsführung gerät. Auf dem 1. Parteikongreß der Nach-Tito-Ära überrascht er mit Thesen zur Wirtschaftsreform, in denen er u. a. die Beachtung der Gesetze des Marktes fordert. Bei der Wahl des Republikpräsidenten Makedoniens setzt er sich im 2. Wahlgang am 27. 1. 1991 durch. Erreicht im April 1993 als entscheidenden Schritt zur internationalen Anerkennung der seit 1991 unabhängigen Republik die Aufnahme seines Landes in die UNO unter dem provisorischen Namen »Frühere jugoslawische Republik Makedonien«.

Goh Chok Tong (Singapur), * Singapur 20. 5. 1941; seit 1990 Premierminister.

Stammt aus einer traditionell-chinesischen Familie; in Pasir Panjang an der Südküste aufgewachsen. Studium an der Raffles Institution und der University of Singapore, bevor er am amerikanischen Williams College den Magister der Wirtschaftswissenschaften erwirbt. Aufbau der staatlichen Reederei »Neptun« und deren Geschäftsführer. 1976 Einzug ins Parlament, 1978 holt ihn *Lee Kuan Yew* in die Regierung und baut ihn als möglichen Nachfolger auf. 1983 zum Verteidigungsminister ernannt; ab 1985 Erster stellv. Premierminister. Löst im Dez. 1990 *Lee*, der aber Generalsekretär der regierenden Peoples Action Party/PAP bleibt, als Regierungschef ab.

Göncz, *Árpád* (Ungarn), * Budapest 10. 2. 1922; seit 1990 Staatspräsident.

Entstammt einer kleinbürgerlichen Familie aus Budapest. 1944 schließt er sich dem Widerstand gegen die deutsche Besetzung an. Nach 1945 betätigt er sich in unabhängigen Jugendorganisationen und wird persönlicher Sekretär des Generalsekretärs der »Kleinlandwirtepartei«, *Béla Kovács*, der später von den Sowjets und den einheimischen Kommunisten verfolgt wird. Nach der Verhaftung seines Chefs und der Ausschaltung seiner damaligen Partei schlägt sich der studierte Jurist G. zunächst als Hilfsarbeiter durch, bis er zum Studium an der landwirtschaftlichen Hochschule von Gödölö zugelassen wird. Als Aktivist der Freiheitsbewegung nach der Niederschlagung des Volksaufstandes von 1956 wird er zu lebenslanger Haft verurteilt und nach 6 Jahren entlassen; danach bestreitet er seinen Unterhalt als Übersetzer. Seine eigenen Werke durften in Ungarn nicht veröffentlicht werden. An der großen Wende in seinem Land beteiligt er sich als Mitglied des »Komitees für historische Gerechtigkeit«, das für die nach 1956 Hingerichteten Rehabilitierung fordert. Gründungsmitglied des »Bundes Freier Demokraten«/SZDSZ, der bei den Parlamentswahlen am 25. 3. und 8. 4. 1990 hinter dem »Ungarischen Demokratischen Forum«/MDF den 2. Platz belegt und in die Opposition geht. Anfang Mai von MDF und SZDSZ zum Parlamentspräsidenten gewählt und damit auch als Nachfolger des aus der KP kommenden Reformsozialisten *Matyas Szürös* interimistisches Staatsoberhaupt. Am 3. 8. vom Parlament offiziell zum Staatspräsidenten gewählt.

González Márquez, *Felipe* (Spanien), * Sevilla 5. 3. 1942; seit 1982 Ministerpräsident.
Studium v. Jura u. Wirtschaftswiss., Lehrbeauftragter für Arbeiterrecht an der Universität Sevilla, früh führend in dem illeg. PSOE; seit 1974 Erster Sekretär, seit 1976 Generalsekretär der »Sozialist. Arbeiterpartei Spaniens«/PSOE, seit Juni 1976 Abgeordneter im Parlament. Nach dem Erreichen der absoluten Mehrheit des PSOE bei der Wahl 1982 Ministerpräsident (Amtsantritt: 2. 12. 1982). 1986 und 1989 mit absoluter Mehrheit wiedergewählt. Für seine Verdienste um die europäische Einigung am 20. 5. 1993 mit dem Internationalen Karlspreis der Stadt Aachen ausgezeichnet. Gewinnt mit seiner PSOE am 6. 6. 1993 zum vierten Male die Parlamentswahlen, verliert dabei aber die absolute Mehrheit und wird am 9. 7. vom Parlament mit Unterstützung der baskischen sowie der katalonischen Nationalisten – die jedoch eine formelle Koalition mit dem PSOE ablehnen – zum Chef einer Minderheitsregierung gewählt.

Gratschow, *Pawel Sergewitsch* (Rußland), * Tula 1. 1. 1948; seit 1992 Verteidigungsminister.
Karriere in der Sowjetarmee; 1969 Absolvent der Offiziersschule der Luftlandetruppen in Rjasan und 1981 der Militärakademie Frunse. Zweimal im Einsatz in Afghanistan, u. a. als Kommandeur einer Luftlandedivision; dafür als »Held der Sowjetunion« ausgezeichnet. Nach einem Kurs auf der Militärakademie des Generalstabs wird er 1990 stellvertretender Befehlshaber und im Dezember des gleichen Jahres Befehlshaber der Luftlandetruppen. Während des Putsches am 19. 8. 1991 auf Befehl von Verteidigungsminister *Dimitrij Jasow* in die Vorbereitung zum Staatsstreich einbezogen, spricht sich G. gegen die geplante Erstürmung des Parlamentsgebäudes durch Fallschirmjäger und die Festnahme der russischen Führung aus und warnt die Verteidi-

ger der Hochburg von → *Jelzin* vor dem geplanten Überfall. Zwar übernimmt *Jelzin* das neugeschaffene Amt eines russischen Verteidigungsministers im März 1992 selbst, doch ernennt er G. zu seinem Stellvertreter und bald darauf, als der Präsident per Ukas die Bildung einer russischen Armee anordnet, auch zum Armeegeneral mit der unmittelbaren Führung der Streitkräfte. Im Mai wird G. auch zum Verteidigungsminister ernannt.

Hariri, *Rafiq al [Rafik el]* (Libanon), * Sidon 1944; seit 1992 Premierminister.
Entstammt einer einfachen sunnitischen Familie in Sidon. Nach dem Studium der Wirtschaftswissenschaften an der amerikanischen Universität Beirut läßt er sich mit 22 Jahren in Saudi-Arabien nieder, dessen Staatsbürgerschaft er als zweite annimmt, und erwirbt als Bauunternehmer und Bankier ein beträchtliches Vermögen. Seitdem gilt er als politischer Verbindungsmann zu den Saudis und als persönlicher Freund von König → *Fahd,* hat aber auch gute Beziehungen zu Syrien und den USA. 1983 bemüht er sich vergeblich, unter den verfeindeten Bürgerkriegsparteien zu vermitteln; ist maßgeblich beteiligt an den Vereinbarungen von Taif vom Okt. 1989, die den gegenwärtigen Versuchen einer Neuordnung zugrunde liegen. Von Präsident → *Hrawi* am 22. 10. 1992 mit der Bildung einer neuen Regierung beauftragt, bildet er Anfang Nov. ein je zur Hälfte aus Christen und Muslimen bestehendes Kabinett, in dem Anhänger Syriens dominieren.

Harlem → Brundtland

Hassan II. (Marokko), * Rabat 9. 7. 1929; seit 1961 König.
Jurastudium in Bordeaux, früh polit. Mitarbeiter seines Vaters Sultan *Mohammed V.*, den er 1953 ins Exil begleitet; nach Rückkehr 1956 Oberbefehlshaber; Niederwerfung von Erhebungen in verschiedenen Landesteilen. 1957 Kronprinz, 1961 nach dem Tod des Vaters König. H. versucht zunächst Reformen im Sinne einer konstitutionellen Monarchie, die aber durch innere Widerstände verhindert werden; Ziel vieler Attentate, so 1971 von Teilen des Offizierskorps; relativ erfolgreiche Wirtschaftspolitik; organisiert im Nov. 1975 den »Grünen Marsch« in die Span. Sahara und sichert für Marokko nach einem Abkommen mit Spanien phosphatreiche Gebiete; teilt die West-Sahara zunächst mit Mauretanien, annektiert sie aber nach dem Friedensvertrag Mauretaniens mit der POLISARIO im Aug. 1979 ganz. Erklärt, es gebe kein »saharauisches Volk« und nützt den Konflikt um die West-Sahara geschickt, um das Gemeinschaftsgefühl der Marokkaner zu fördern und innenpolitische Spannungen unter Kontrolle zu halten. Schlägt 1986 die Bildung ei-

ner sog. Maghreb-Versammlung vor, in der Marokko, Algerien und Tunesien vertreten sein sollen. Am 4./5.1.1989 trifft er erstmals mit einer Delegation der POLISARIO zusammen. Verurteilt im Aug. 1990 als erstes arabisches Staatsoberhaupt die irakische Invasion in Kuwait und engagiert sich trotz einer überwiegend proirakischen Volksmeinung politisch und militärisch auf seiten der antiirakischen Koalition. Er ist als Vermittler zwischen der westlichen und der islamischen Welt geschätzt.

Havel, *Václav* (Tschechische Republik), *Prag 5.10.1936; 1989–92 Staatspräsident der ČSFR, seit 1993 der Tschechischen Republik.
Aus gutbürgerlichem Elternhaus; wegen seiner »bourgeoisen Herkunft« in der Ausbildung behindert. Anfang der 50er Jahre zunächst als Taxifahrer und Chemielaborant tätig. Nach dem Erwerb des Abiturs auf dem Abendgymnasium (1954) nicht zum Studium der Kunstgeschichte oder der Theaterwissenschaften, statt dessen zum Fach »Automation des Verkehrswesens« an der Technischen Hochschule in Prag (1955/57) zugelassen. Nach Ableistung des Wehrdienstes Ende der 50er Jahre zunächst Kulissenschieber am Prager Theater »ABC«; ab 1960 Bühnenarbeiter, Beleuchter und dann Lektor und Dramaturg am »Theater am Geländer«. Bald gehört H., der sich frühzeitig als Essayist und Dramatiker versucht, zu den Stammautoren des Theaters, das seine ersten Stücke herausbringt. Während des »Prager Frühlings« 1968 Vorsitzender im »Club Unabhängiger Schriftsteller«. Nach der Intervention von Truppen des Warschauer Paktes in der ČSFR läßt er sich in der Nähe von Trutnov (Trautenau) nieder. Dort wegen Aufführungs- und Publikationsverbots gezwungen, eine Stellung als Hilfsarbeiter in einer Brauerei anzunehmen. Mitbegründer und Wortführer der Menschenrechtsbewegung »Charta 77«. Gleich nach deren Gründung, dann zwischen 1979 und 1983 fast 4 Jahre und erneut Anfang 1989 mehrere Monate im Gefängnis. Am 15.10.1989 mit dem »Friedenspreis des Deutschen Buchhandels« ausgezeichnet. Als Mitbegründer des »Bürgerforums«, das sich Mitte November konstituiert, und aufrichtiger Mahner für Menschenrechte und Freiheit, hat H. mit seinem Einsatz die Menschen zu Massendemonstrationen gegen das kommunistische Regime bewegt. Nach dem Generalstreik gegen die Vorherrschaft der KPČ vom 27.11. und dem darauf folgenden Umbruch im Lande von der noch kommunistisch nominierten Bundesversammlung am 19.12. durch Akklamation zum ersten nichtkommunistischen Staatspräsidenten seit 1948 bestimmt. Seine erste Auslandsreise führt ihn am 2.1.1990 in die Bundesrepublik Deutschland. Bezeichnet Ende März die deutsche Einigung als Motor, der die Einheit Europas voran-

treibe. Im Juli 1990 als Staatspräsident der ČSFR bestätigt. Nach der Trennung der beiden Landesteile zum 1.1.1993 am 26.1. zum ersten Staatspräsidenten der neuen Tschechischen Republik gewählt. U. a. im Mai 1991 mit dem Internationalen Karlspreis der Stadt Aachen und im April 1993 mit dem Theodor-Heuss-Preis ausgezeichnet.

Hekmatyar, *Gulbuddin* (Afghanistan), *um 1947; seit 1993 Ministerpräsident.
Bezeichnet sich als Ingenieur, aber offenbar ohne Abschluß seiner Studien an der Technischen Fakultät der Universität von Kabul. Bereits als Gründer einer muslimischen antimonarchistischen Studentenorganisation zeitweise verhaftet; unter dem Regime von *Sadar Mohammed Daud Khan* der Verschwörung angeklagt und im Untergrund. Nach dem Sturz von *Daud* mit Hilfe von akademisch gebildeten Sympathisanten Aufbau einer schlagkräftigen antikommunistischen Organisation, aus der die »Islamische Partei« (»Hisb-i-Islam«) hervorging, deren Freischärler vor allem im Grenzgebiet zu Pakistan operieren. Seit April 1982 stellv. Vorsitzender des Zusammenschlusses mit fundamentalistischen Widerstandsgruppen »Islamische Vereinigung Afghanischer Mudschaheddin«/IAAM. Setzt auch nach dem Sturz von Staatspräsident *Mohammed Najibullah* im April 1992 den Kampf gegen den Übergangspräsidenten *Sibghatullah Mujaddidi* und dessen Nachfolger → *Rabbani* zunächst fort, wird im April 1993 von diesem zum Ministerpräsidenten ernannt und am 17.6. vereidigt.

Hosokawa, *Morihiro* (Japan), *1938; seit 1993 Ministerpräsident.
Abkömmling einer der vornehmsten Sippen des mittelalterlichen Feudaladels und Enkel des ehemaligen Ministerpräsidenten (1937–1939 und 1940–1941) Fürst *Fumimaro Konoye.* Nach dem Jurastudium an der von deutschen Jesuiten gegründeten Sophia-Universität in Tokyo einige Jahre Journalist bei der Tageszeitung Asahi Shimbun. Als Kandidat der »Liberaldemokratischen Partei«/LPD, 1971–83 Mitglied des Oberhauses. Formell trennt er sich von der LPD, als er 1983 zum Gouverneur der südjapanischen Provinz Kumamoto gewählt wird. 1991 verzichtet er auf eine Wiederwahl. Im Mai 1992 gründet er die »Neue Japan Partei«/NJP (Nihonshinto), eine Abspaltung von der LPD, die zwei Monate später bei den Oberhauswahlen einen Achtungserfolg erzielt, als H. und drei weitere Kandidaten gewählt werden. Bei den Unterhauswahlen am 18.7.1993 erringt seine Partei auf Anhieb 36 der insgesamt 511 Sitze und schließt mit der »Fortschrittspartei« (Sakigake) und mit dem bisherigen Oppositionsblock aus fünf Parteien eine Koalition, die ihn am 29.7. als Kandidaten für das Amt des Re-

gierungschefs nominiert. Am 6. 8. wird H. zum 21. Nachkriegspremier Japans gewählt und beendet damit nach 38 Jahren die Alleinherrschaft der LPD. In seiner ersten Regierungserklärung bekundet er in einer demonstrativen Abkehr von der Haltung eines unbestimmten Bedauerns, die unter seinen Amtsvorgängern üblich gewesen war, aufrichtige Reue über die militaristische Vergangenheit seines Landes in Asien und entschuldigt sich für Krieg und Kolonialherrschaft.

Hrawi [Hraoui], *Elias* (Libanon), * 4. 9. 1926; seit 1989 Staatspräsident.
Stammt aus Zahle, einer christlichen Stadt in der mehrheitlich von Muslimen bewohnten Bekaa-Ebene. Studium an der Jesuiten-Universität Saint Joseph in Beirut. Später Großgrundbesitzer und Geschäftsmann mit engen wirtschaftlichen Kontakten zu den benachbarten arabischen Ländern. Seit Anfang der 70er Jahre unabhängiger Parlamentsabgeordneter. Unter der Präsidentschaft von *Elias Sarkis* (1976–82) zwei Jahre lang Minister. Nach der Ermordung des nur kurze Zeit amtierenden Präsidenten *René Muawad* von den Abgeordneten des Rumpfparlaments am 24. 11. 1989 zu dessen Nachfolger gewählt. Der maronitische Christ H. tritt für die Unabhängigkeit des Libanon ein, hat aber auch gute Beziehungen zur muslimischen Seite und zu Syrien.

Hurd, *Douglas* (Großbritannien), * 8. 3. 1930; seit 1989 Außenminister.
Studium an der Cambridge University, danach Diplomat. Zwei Botschaftsjahren in Peking folgen vier bei der UN-Mission und drei in Rom. 1966 wechselt er in das »Research Department« der Konservativen Partei. Ab 1968 Privatsekretär des Oppositionsführers *Edward Heath* und, als dieser an die Regierung gelangt, dessen politischer Sekretär. Seit 1974 Mitglied des Unterhauses und 1976–79 auswärtiger Sprecher der Opposition. In der Regierung von *Margaret Thatcher* zuerst Staatsminister für Auswärtiges (1979–83) und nach der Wiederwahl Staatsminister für Inneres. 1984 Nordirland-Minister, ab 1985 wieder Innenminister. Seit 26. 10. 1989 als Nachfolger von → *Major* neuer Außenminister. Teilnehmer der 1990 stattfindenden »2+4«-Gespräche der Außenminister der beiden deutschen Staaten und der vier Mächte über äußere und sicherheitspolitische Aspekte der deutschen Einheit. Kandidiert nach dem Rücktritt von Frau *Thatcher* im November 1990 für deren Nachfolge, unterstützt im dritten Wahlgang aber *Major,* der zum neuen Premierminister gewählt wird. Bleibt unter diesem Außenminister.

Hussein II., *Ibn Tala* (Jordanien), * Amman 14. 11. 1935; seit 1952 König.
Urenkel des letzten haschem. Scherifen v. Mekka, Ausbildung u. a. an britischen Offiziersschulen, seit 1953 König; Gegner extremistischer Politik, für Ausgleich mit Israel bei Lösung des Palästinenser-Problems; 1969–71 Zerschlagung der radikalen palästinens. Guerillalager in Jordanien, woraus die Terrororganisation »Schwarzer September« gegen ihn erwächst; 1973 Truppeneinsatz nur an der syr. Front, 1974 Anerkennung der PLO als Vertreterin der außerhalb Jordaniens lebenden Palästinenser, seit 1975, immer engere Kooperation mit Syrien. Verkündet 1988 die Aufgabe des Anspruchs auf das 1950 von Jordanien annektierte, seit 1967 von Israel besetzte Westjordanland, löst die rechtlichen und verwaltungstechnischen Bindungen und erkennt formell den Anspruch der Palästinenser an, dort einen selbständigen Staat zu gründen. Er verurteilt im August 1990 den irakischen Überfall auf Kuwait, der auch seinen Thron erschüttert, ist aber in der Folge bemüht, im Golf-Konflikt mit einem politischen Drahtseilakt die Balance zwischen dem Irak und den anderen arabischen Nachbarn sowie dem Westen zu halten.

Hussein el-Takriti → Saddam Hussein

Husseinow, *Suret* [Surat Gusseinow] (Aserbaidschan), * im Gebiet Jewlach 1959; seit 1993 Ministerpräsident.
Militärlaufbahn; zuletzt im Rang eines Oberst. Nach dem Studium an der Technischen Hochschule in Gandscha und einem kürzeren Aufenthalt in Rußland Direktor einer staatlichen Wollfabrik. Stellt sich 1993 an die Spitze abtrünniger Truppenteile und vertreibt Mitte Juni Präsident *Abulfas Eltschibei,* dem er vor allem vorwirft, er habe den Krieg gegen Armenien, in dem es um die Region Nagornij Karabach geht, nicht entschlossen genug geführt. Vom neuen Staatsoberhaupt → *Alijew* nominiert, wird er am 30. 6. vom Parlament in Baku zum Ministerpräsidenten berufen und zugleich mit der Leitung der Ministerien für Inneres, Staatssicherheit und Verteidigung betraut.

Hwang In Sung (Republik Korea/Süd-K.), * Muju/Prov. Cholla 1926; seit 1993 Ministerpräsident.
Absolvent der korean. Militärakademie. Unter den Staatspräsidenten *Park Chung Hee* (1963–79) Transportminister und *Chan Doo Hwan* (1980–87) Landwirtschaftsminister und Präsident der staatlichen Tourismusbehörde. Später Aufsichtsratsvors. der Asiana Air Lines und Leiter der Finanzverwaltung sowie des Beschaffungsamtes der Streitkräfte, bevor er 1968 im Rang des Generalmajors aus dem Militärdienst ausscheidet. 1973

verdingt er sich als Chefsekretär bei *Kim Jong-pil*, dem heute zweiten Mann in der Parteihierarchie der regierenden »Demokratisch-Liberalen Partei«/DLP. Mitglied des Parlaments, in das er 1992 zum drittenmal gewählt wird. Am 22. 2. 1993 von Staatspräsident *Kim Young Sam* als Ministerpräsident nominiert, bildet er am 26. 2. eine Regierung aus Reformpolitikern und löst damit *Hyun Soong Jong* ab, der seit Oktober 1992 als Übergangslösung das Amt des Regierungschefs innehatte.

Iliescu, *Ion* (Rumänien), * Oltenita 3. 3. 1930; seit 1989 Staatspräsident.
Sohn prominenter Kommunisten. Studium am Institut für Elektrotechnik in Bukarest; dann, von 1950–53 am Moskauer Institut für Energetik. Nach der Rückkehr von 1956–60 Vorsitzender des Studentenverbandes; 1960–67 im ZK-Apparat der Partei tätig, dann bis 1971 1. Sekretär des Jugendverbandes. Von *Nicolae Ceauşescu* Anfang 1971 zum ZK-Sekretär für Propaganda und Erziehung berufen; gerät jedoch bald mit diesem in Streit und wird bereits im Juli des gleichen Jahres als Kreissekretär nach Temesvar und dann nach Jassy an der Moldau versetzt. Danach mit dem Vorsitz des Rates für nationale Wasserwirtschaft mit Sitz im Ministerrat betraut. 1984 büßt er die ZK-Mitgliedschaft ein und arbeitet von nun an als Direktor eines Technik-Verlages. 1987 spricht er sich in einem Zeitschriftenartikel offen für die Perestroika aus. Nach dem Sturz *Ceauşescus* wird er am 26. 12. 1989 zum Vors. der »Front zur nationalen Rettung«/FSN und damit zum amtierenden Staatsoberhaupt ernannt und bei den Präsidentschaftswahlen am 20. 5. 1990 mit 85 % der Stimmen im Amt bestätigt. Läßt Mitte Juni Demonstrationen von Teilen der Bevölkerung und der demokratischen Opposition durch Bergarbeiter blutig niederschlagen. Wird bei den Präsidentschaftswahlen am 27. 9. und 11. 10. 1992 im Amt bestätigt.

Ingraham, *Hubert* (Bahamas), * 1947; seit 1992 Premierminister.
Studium der Rechtswissenschaften; politisch zunächst in der regierenden Progressive Liberal Party/PLD aktiv, die er später aus Protest gegen eine Kette von Skandalen verläßt. Bis 1984 Minister im Kabinett von Premierminister *Sir Lyndon Pindling*, der das Land seit 1967 regiert. Bis April 1990 unabhängiger Parlamentsabgeordneter, dann der oppositionellen Free National Movement/FNM beigetreten und deren Vorsitzender. Der Reformpolitiker I. löst nach dem Sieg seiner FNM bei den Parlamentswahlen am 19. 8. 1992 den bisherigen Premier *Pindling* im Amt ab.

Ishaq Khan, *Ghulam* (Pakistan), * 1915; seit 1988 Staatspräsident.
Pathane aus dem Bannu-Distrikt; als 25jähriger 1940 in die Verwaltung seiner damals noch brit. Heimatprovinz NWFP (Northwest Frontier Province) eingetreten. Privatsekretär des 1. Chefmin. (Regierungschef) in Peshawar nach der Unabhängigkeit Pakistans 1947. 1966, unter Präs. *Ayub Khan*, Staatssekretär im Finanzministerium; 1971–75, während der Regierung von Premiermin. *Zulfikar Ali Bhutto*, Gouverneur der Zentralbank, der State Bank, dann Staatssekretär im Verteidigungsmin. Nach dem Sturz *Bhuttos* durch Armeechef General *Zia ul-Huq* 1978–85 Finanzmin. des Militärregimes und damit beauftragt, die »Islamisierung aller Lebensbereiche« auch im Geld- und Kreditwesen voranzutreiben. Seit 1985 Mitglied im Senat und zugleich Präs. dieser 2. Kammer des Parlaments. Nach dem Tod von *Zia* durch einen Flugzeugabsturz am 19. 8. 1988 gemäß Verfassung amtierender Staatspräs. Sorgt in Absprache mit dem Militär dafür, daß die Wahlen am 16. 11., aus denen die Pakistan People's Party/PPP von *Benazir Bhutto* als Sieger hervorgeht, einen einwandfreien Verlauf nehmen. Am 12. 12. wird I. mit 70 % der Stimmen des Wahlkollegiums für eine 5jährige Amtszeit als Staatspräs. gewählt. I. entläßt im August 1990 auf Drängen des Militärs Frau *Bhutto*, deren Regierung er Korruption und Amtsmißbrauch vorwirft, und setzt → *Nawaz Sharif* als neuen Premier ein. Als dieser versucht, die Machtbefugnisse des Präsidenten, etwa das Recht zur Auflösung des Parlaments und zur Entlassung des Premierministers, zu beschneiden, wirft I. ihm ebenfalls Korruption vor, entläßt am 18. 4. 1993 die Regierung, löst das Parlament auf und setzt eine Interimsregierung unter *Balakh Sher Mazari* ein. Mit diesem Dekret erleidet er eine schwere politische Niederlage, als das Verfassungsgericht in einem historischen Urteil am 26. 5. es als »unrechtmäßig und verfassungswidrig« bezeichnet und *Nawaz Sharif* wieder in sein Amt einsetzt. Nach einer unter Vermittlung der Armee zustande gekommenen Vereinbarung zur Beendigung der Staatskrise tritt I. am 18. 7. gemeinsam mit *Nawaz Sharif* zurück und setzt für den 6. 10. Neuwahlen an; geschäftsführender Staatspräsident wird der Senatsvorsitzende *Wasim Sajjad*.

Izetbegović, *Alija* (Bosnien-Herzegowina), * Bosanski Samać 8. 8. 1925; seit 1992 Staatspräsident.
Während des II. Weltkrieges an Aktivitäten bosnischer Muslime beteiligt; deshalb zum Kriegsende 3 Jahre im Gefängnis. Anschließend bis 1954 Jurastudium; Rechtsanwalt, aber zumeist als juristischer Sachbearbeiter bei Firmen tätig. Als praktizierender Muslim setzt er sich mit der Stellung des Islam in der modernen Welt auseinander und veröf-

fentlicht 1976 ein Buch mit dem Titel »Der Islam zwischen Ost und West«. Später an der Abfassung einer »islamischen Deklaration« beteiligt, deshalb 1983 vom kommunistischen Regime zu 14 Jahren Zuchthaus verurteilt, von denen er knapp 6 Jahre verbüßen muß. Gründer und Vorsitzender der neuen muslimischen »Partei der demokratischen Aktion«/SDA, die bei den ersten freien Wahlen im Dezember 1990 eine dem muslimischen Bevölkerungsanteil – rd. 44 % – entsprechende Anzahl der Stimmen erhält. Seitdem Präsident der jugoslawischen Teilrepublik Bosnien-Herzegowina, die sich im März 1992 in einem Referendum mit 99 % bei einer Wahlbeteiligung von 63,4 % der Stimmberechtigten für die Unabhängigkeit ausspricht. I., dessen Land sich im Bürgerkrieg gegen die von serbischen Nationalisten innerhalb Bosnien-Herzegowinas ausgerufene »Serbische Republik« und die »jugoslawische Volksarmee« befindet, strebt einen modernen, laizistischen und bürgerlichen Rechtsstaat an, getragen von allen 3 Staatsvölkern (Bosnier, Serben und Kroaten) der Republik; erklärt, »der bosnische Islam sei europäisch«. Akzeptiert den Friedensplan der Vermittler der UN und der EG, *Cyrus Vance* und *David Owen*, lehnt jedoch nach dessen Scheitern den im Mai 1993 vorgeschlagenen neuen Bosnien-Plan der USA, Rußlands, Frankreichs, Großbritanniens und Spaniens, der die Errichtung von Schutzzonen vorsieht, ab und will um die Existenz Bosnien-Herzegowinas kämpfen.

Jabar al Ahmad al Jabar as Sabah, Emir (Kuwait), * Kuwait 25. 6. 1926; seit 1977 Staatsoberhaupt.
Erziehung an Colleges in Kuwait, Spezialausbildung in arabischer Sprache und Literatur und im Englischen. 1959 Präsident des Finanzdepartements. Nach dessen Umbildung in ein Ministerium wird er Anfang 1965 erster kuwaitischer Finanzminister. Ende 1965 Bildung seiner ersten Regierung. Seit 31. 5. 1966 Thronfolger; seit dem Tod des Emirs *Sabah as Salim as Sabah* 1977 dessen Nachfolger. 1986 drückt er die Abschaffung der Verfassung von 1962 und des Parlaments durch, um den Einfluß der Herrscherfamilie zu stärken. Die irakische Invasion vom 2. 8. 1990 zwingt die Herrscherfamilie, ins benachbarte Saudi-Arabien zu fliehen. Nach dem Sieg der alliierten Streitkräfte gegen den Irak kehrt er im März 1991 in seine Heimat zurück und übernimmt wieder die Herrschaft.

Jelzin, *Boris Nikolajewitsch* (Rußland), * Butko 1. 2. 1931; seit 1991 Staatspräsident.
Bauernsohn russischer Nationalität. Am Polytechnikum des Urals zum Bauingenieur ausgebildet; mit 32 Jahren Chef eines großen Baukombinats, danach regionale Parteikarriere, zuletzt 1. Sekretär im Gebiet Swerdlowsk (1976–85). Gleich nach dem Machtantritt von *Michail Gorbatschow* im April 1985 Leiter der Abteilung für Bauangelegenheiten im ZK der KPdSU. Kurz darauf Beförderung zum Sekretär des ZK und im Oktober 1985 zum Parteichef von Moskau ernannt, wo er sich schnell das Vertrauen der Bevölkerung erwirbt; gleichzeitiger Eintritt als Kandidat ins Politbüro. Nach Auseinandersetzungen mit dem Politbüromitglied *Jegor Ligatschow*, den er offen zum Reformbremser erklärt, im Februar 1988 als Parteichef und als Kandidat des Politbüros abgesetzt; dann jedoch von *Gorbatschow* zum stellv. Bauminister der Sowjetunion ernannt. Im März 1989 in Moskau mit 89,6 % der Stimmen zum Abgeordneten im Kongreß der Volksdeputierten gewählt. Dort wird er zum Wortführer vieler Sowjetbürger, die mit dem Verlauf der Perestroika unzufrieden sind, und fordert politischen und ökonomischen Pluralismus in der Gesellschaft. Im Frühjahr 1990 in Swerdlowsk in den Volkskongreß der Russischen SFSR und am 25. 5. im 3. Wahlgang zu dessen Vorsitzendem gewählt. Verkündet auf dem 28. Parteitag der KPdSU am 12. 7. den Austritt aus der Partei. Bei den ersten freien, geheimen und direkten Wahlen in der Geschichte Rußlands am 12. 6. 1991 bereits im 1. Wahlgang mit absoluter Mehrheit zum Präsidenten gewählt. Schaltet *Gorbatschow* aus durch das Minsker Abkommen über die Schaffung der »Gemeinschaft unabhängiger Staaten«/GUS, das am 12. 12. 1991 vom russischen Parlament ratifiziert wird, womit zugleich das Gründungsdokument der Sowjetunion vom 30. 12. 1922 außer Kraft gesetzt wird. Befiehlt am 7. 5. die Schaffung eigener russischer Streitkräfte. Beruft am 14. 12. 1992 → *Tschernomyrdin* zum neuen Ministerpräsidenten, nachdem sich der Volksdeputiertenkongreß am 9. 12. 1992 gegen die erneute Ernennung von *Jegor Gaidar* zum Regierungschef ausgesprochen hatte. Im Januar 1993 unterzeichnet er mit US-Präsident *George Bush* den START-II-Vertrag zur Reduzierung der strategischen Rüstung, den er als »Vertrag der Hoffnung« bezeichnet. Über Tempo und Inhalt seiner Wirtschaftsreform sowie über seinen Verfassungsentwurf, der eine Präsidialrepublik vorsieht, gerät er zunehmend in Konflikt mit dem Kongreß der Volksdeputierten unter seinem Vorsitzenden → *Chasbulatow*. Am 28. 3. übersteht er eine Abstimmung über seine Amtsenthebung im Kongreß der Volksdeputierten nur knapp. Beim Referendum am 25. 4., bei dem ihm eine deutliche Mehrheit der Bevölkerung das Vertrauen ausspricht und seine Wirschaftspolitik bestätigt, erhält er ein klares Mandat zur Fortsetzung seiner Reformen. Er ruft daraufhin eine Verfassungskonferenz ein und strebt baldige Neuwahlen der noch zu kommunistischer Zeit bestimmten Volksdeputierten an.

Jiang Zemin (VR China), * Jiangsu 1926; seit 1989 Generalsekretär der KPCh.

Seit April 1946 Mitglied der KPCh; Absolvent der Jiaotong-Universität mit einem 1947 beendeten Kurs als Elektroingenieur; dann leitende Funktionen in der Industrie von Shanghai sowie im Ersten Ministerium für Maschinenbauindustrie. 1950 in der Ingenieurabteilung der »Volksbefreiungsarmee« und im selben Jahr Attaché in der Handelsabteilung der chinesischen Botschaft in Moskau; 1955 Praktikant in der Moskauer Automobilfabrik »Stalin«; damit zur gleichen Zeit in Moskau wie → *Li Peng*. Nach seiner Rückkehr 1956 in Peking einer der Stellv. Minister im Ersten Maschinenbauministerium. Nach den »leeren Jahren« während der Kulturrevolution beginnt sein politischer Aufstieg mit dem Tod von *Mao Zedong* 1976, zunächst erneut in seinem alten Amt; 1982 Stellv. Minister in der Kontrollkommission für Auslandsinvestitionen und der Export- und Importkommission. 1985 Minister für die Elektroindustrie, dann Bürgermeister und Erster Stellv. Parteisekretär in Shanghai. Als Parteichef der größten Stadt Chinas (ab 1988) propagiert er eine Politik der wirtschaftlichen Öffnung. Seit 1982 im ZK und seit 1987 im Politbüro der KPCh. Verteidigt als erster in der Führungsriege öffentlich das Massaker der Armee gegen die Studenten und Arbeiter in Peking am 3. 6. 1989 und läßt in Shanghai Todesurteile gegen 3 Studenten vollstrecken. Nach dem Sturz von *Zhao Ziyang* am 24. 6. 1989 wird J., ein Schwiegersohn des früheren Staatspräsidenten *Li Xiannian*, auf Empfehlung von *Deng Xiaoping* vom ZK zum Generalsekretär der KPCh sowie zum Mitglied des Ständigen Ausschusses des Politbüros gewählt. Seit Nov. 1989 als Nachfolger von *Deng* auch Vorsitzender der Militärkommission des ZK der KPCh. Vom Nationalen Volkskongreß am 27. 3. 1993 als Nachfolger von *Yang Shankun* zum Staatspräsidenten gewählt, hat er die wichtigsten Ämter Chinas in Personalunion inne und vereinigt damit die größte Machtkonzentration seit der Zeit des Revolutionsführers *Mao Zedong*.

Johannes Paul II., vorher *Karol Wojtyla* (Vatikan), * Wadowice (Woiwodschaft Bielsko-Biala/Polen) 18. 5. 1920; seit 1978 Papst.

Studium d. poln. Philologie u. d. Theaterwissenschaften, Schauspieler, ab 1942 Studium d. Theologie am illeg. Untergrundseminar in Krakau und in Rom; 1946 zum Priester geweiht; 1953 Habil., Dozent an der Kath. Universität Lublin, 1958 Bischof v. Krakau, 1967 Kardinal; nach dem Tod von *Johannes Paul I.* im 8. Wahlgang am 16. 10. 1978 als erster Pole – und erster Nichtitaliener seit 1523 – zum Papst gewählt.

Juppé, *Alain Marie* (Frankreich) * Mont-de-Marsan/Landes 15. 8. 1945; seit 1993 Außenminister.

Sohn eines Landwirts; Besuch der Elitehochschulen École Normale Supérieure und École Nationale d'Administration/ENA. Nach einer Tätigkeit beim Rechnungshof stößt er 1976 als Redenschreiber zu Premierminister *Jaques Chirac* und gehört seitdem zu dessen engsten Mitarbeitern. Als *Chirac* 1978 Oberbürgermeister von Paris wird, steht er ihm zunächst als technischer Berater, dann als Direktor für Finanzen und Wirtschaft zur Seite. In einer parallelen Karriere wird er 1983 Stadtrat in Paris und 1986 Abgeordneter in der Nationalversammlung. In der ersten »Cohabitation« der Bürgerlichen mit Staatspräsident → *Mitterrand* (1986–88) wird er Budgetminister beim damaligen Wirtschafts- und Finanzminister → *Balladur* und zugleich Regierungssprecher. Seit 1988 Generalsekretär der neogaullistischen Sammlungsbewegung RPR, formiert er die Partei zu einem schlagkräftigen Machtinstrument. Nach dem Erfolg der Bürgerlichen bei den Parlamentswahlen am 21. u. 28. 3. 1993 tritt er am 29. 3. die Nachfolge von *Roland Dumas* als Außenminister an. J., der einige Jahre auch Mitglied des Europäischen Parlaments war, gilt als überzeugter Anhänger der europäischen Integration.

Kadhafi → Gaddafi

Kafi, *Ali* (Algerien), * Al Harrouch 1928; seit 1992 Staatspräsident.

Sohn einer Landarbeiterfamilie; schon in jungen Jahren entschiedener Befürworter der Unabhängigkeit. Als 16jähriger tritt er der »Bewegung für den Triumph demokratischer Freiheiten« des *Messali Hadj* bei. 1955 schließt er sich Widerstandsgruppen in seiner ostalgerischen Heimat an, lenkt Kampfeinsätze gegen die Kolonialmacht Frankreich und wird schließlich Oberst der Nationalen Befreiungsarmee. 1959 verläßt er sein Land, um dem Exilparlament als Sekretär zur Verfügung zu stehen. Nach der Befreiung 1962 als Diplomat in mehreren arabischen Staaten (darunter Syrien, Libanon, Libyen, Ägypten und Irak) sowie in Italien. Nach dem Tod von *Houari Boumedienne* rückt er 1979 in das ZK der »Nationalen Befreiungsfront«/FLN auf. Zuletzt Generalsekretär des Veteranenverbandes der Unabhängigkeitskämpfer, der »Mudschahedin«. Nach dem »sanften Staatsstreich«, den Teile der Elite mit dem erzwungenen Rücktritt von *Chadi Ben Jedid* und der Aussetzung der 2. Runde der Parlamentswahl vollziehen, um der Machtergreifung der »Islamischen Heilsfront« zuvorzukommen, Mitglied des »Hohen Staatsrates«. Nach der Ermordung von Staatspräsident *Mohammed Boudiaf*, der erst am 16. 1. nach 23 Jahren Exil in Marokko in sein Land zurückgekehrt war, um die politische Führung zu übernehmen, am 2. 7. vom »Hohen Staatsrat« einstimmig zu dessen Nachfolger ernannt.

Karamanlis, *Konstantin* (Griechenland), *Proti (Ostmakedonien) 8. 3. 1907; 1955–63 sowie 1974–80 Ministerpräsident, 1980–85 und seit 1990 Staatspräsident.
Studium der Rechtswissenschaften; seit 1935 wiederholt Abgeordneter. Während der deutschen Besetzung und der Diktatur von General *I. Metaxas* nicht hervorgetreten. Seit 1951 Mitglied der Bewegung des Marschalls *Alexandros Papagos*, die er 1956 in die »Nationale Sammlungsbewegung«/ERE umbildet. Besonders verdient um den Wiederaufbau und die Flüchtlingsfürsorge nach dem Bürgerkrieg. 1946 erstmals Minister, 1955–63 mit kurzen Unterbrechungen Regierungschef. Bemüht um demokratische und wirtschaftliche Reformen und Zusammenarbeit mit der EWG. 1963 nach einem Streit mit König *Konstantin II.* abgetreten und im Exil in Paris. Nach dem Zypern-Putsch von 1974 nach Griechenland zurückgekehrt und Regierungschef einer Koalitionsregierung ohne die eigentliche Linke. Nach den Parlamentswahlen von November 1974 absolute Mehrheit seiner Partei »Neue Demokratie«/ND und Bildung einer ND-Regierung. Seit 15. 5. 1980 Staatspräsident, erklärt er am 10. 3. 1985 seinen Rücktritt, da die PASOK und ihr Führer *Andreas Papandreou* überraschend den Richter am obersten Gerichtshof, *Christos Sartzetakis*, zu ihrem Kandidaten nominieren. Nach Jahren der politischen Zurückgezogenheit vom neuen Regierungschef → *Mitsotakis* als Kandidat vorgeschlagen und am 4. 5. 1990 vom Parlament für 5 Jahre zum Staatspräsidenten gewählt.

Karimow, *Islam Abduganijewitsch* (Usbekistan), *Samarkand 30. 1. 1938; seit 1991 Staatspräsident.
Entstammt einer Angestelltenfamilie; nach dem Studium des Maschinenbaus und der Volkswirtschaftslehre in Taschkent tritt er 1964 der KP bei und arbeitet als Entwicklungsingenieur im usbekischen Flugzeugbau, bevor er in die Staatsverwaltung wechselt und im Plankomitee rasch aufsteigt. 1983–86 ist er Finanzminister und stellv. Regierungschef, seit 24. 3. 1990 Präsident des Obersten Sowjets seiner Republik und zugleich Parteichef; Mitglied des Politbüros der KPdSU. Unterstützt das Bestreben aller Unionsrepubliken, ihre reale und wirtschaftliche Unabhängigkeit zu erlangen. Geht aus den ersten direkten Präsidentschaftswahlen des Landes (bei einem gleichzeitig abgehaltenen Referendum stimmen 95 % für die Unabhängigkeit) am 29. 12. 1991 mit 86 % der Stimmen als Sieger hervor. Wird damit erster Präsident der seit 31. 8. 1991

selbständigen Republik Usbekistan, auf die er im Januar 1992 den Amtseid ablegt.

Keating, *Paul* (Australien), *Sydney 18. 1. 1944; seit 1991 Premierminister.
Sohn eines irisch-katholischen Kesselschmieds; aufgewachsen im Arbeiterviertel Bankstown im Westen Sydneys. Nach dem College-Besuch als Gewerkschaftsangestellter tätig. Bereits mit 15 Jahren der Labor Party/ALP beigetreten, 1969 erstmals ins Repräsentantenhaus gewählt. Nach dem Wahlsieg der ALP 1972 für 21 Tage (Oktober/November) Minister für Northern Australia in der Regierung von *Gough Whitlam*, die dann vom Generalgouverneur entlassen wird. 1976–83 in der Opposition Sprecher für Landwirtschaft, Energie und Finanzen; 1979–83 zudem Parteivorsitzender in New South Wales. Nach dem neuerlichen Wahlerfolg der ALP im März 1983 im Kabinett von Premierminister *Bob Hawke* zum Schatzminister ernannt, eine Position, die er nach den Wahlsiegen im Dez. 1984 und im Juli 1987 behaupten kann; seit den Wahlen vom März 1990 zusätzlich stellv. Premierminister. Tritt nach einer Abstimmungsniederlage gegen *Hawke* im Juli 1991 zurück, wird jedoch nach dessen Sturz durch die eigene Fraktion am 19. 12. 1991 mit 56 gegen 51 Stimmen zu dessen Nachf. als Partei- und damit zugleich Regierungschef gewählt. Bei den Parlamentswahlen am 13. 3. 1993 siegt seine ALP zum 5. Mal hintereinander und bleibt damit auch nach 10 Jahren weiter an der Macht.

Kim Ir Sen *[Kim Il Sung; eigtl. Kim Song Tschu]* (DVR Korea/Nord-K.), *Manjongdae bei Pjöngjang 15. 4. 1912; seit 1945 Generalsekretär (Erster Sekretär) des ZK der KP, 1948–72 Ministerpräsident und seit 1972 Staatspräsident.
Bauernsohn, ab 1927 kommunalpolitisch aktiv, 1931 Mitgl. der KP, 1934 Chef einer antijapan. Partisanengruppe in der Mandschurei, Flucht nach Sibirien, Gründung von korean. Partisanengruppen in Kasachstan u. Usbekistan, im II. Weltkrieg (angebl. u. a. vor Stalingrad) Kämpfer in der Roten Armee, zum Major befördert. 1945 Erster Sekretär der KP Koreas (ab 1946 Vorsitzender genannt), 1948–72 Ministerpräsident u. Oberbefehlshaber, mit vor allem chinesischer Hilfe fast Sieger im Koreakrieg; zunächst enge Anlehnung an Moskau, später Versuch einer unabhängigeren Politik zwischen Moskau u. Beijing; seit 1971 verstärkt um Kontakte zu Süd-Korea bemüht, zugleich Versuch der Errichtung einer kommunistischen Dynastie; 1972 als Nachfolger von *Tschö Jong Kun* zum Staatspräsidenten gewählt, aber auch weiterhin Generalsekretär des ZK der KP. Bekräftigt mehrfach seinen Wunsch nach Wiedervereinigung mit der nichtkommunistischen Republik Korea/Süd-K. als »Demo-

kratische Koreanische Bundesrepublik« nach Abzug der US-Truppen.

Kim Jong II *[Kim Tschöng bzw. Jöng II]* (DVR Korea/Nord-K.), * Chabarowsk/UdSSR 16. 12. 1942; seit 1980 Mitglied des Ständigen Ausschusses des Politbüros; seit Mai 1990 Vorsitzender des Verteidigungskomitees.
Sohn aus 2. Ehe seines Vaters → *Kim Ir Sen [Kim II Sung]*. Schulbesuch in China, dann Studium der Wirtschaftswissenschaften (1960–63) an der Universität von Pjöngjang. Von 1964 an Karriere im Parteiapparat, zeitweise Leiter der Kulturabteilung der »Partei der Arbeit Koreas«/PdAK; seit September 1973 ZK-Sekretär und seitdem zum Nachfolger seines Vaters auserkoren. Seit Oktober 1980 Mitglied des zentralen Militärkomitees und des Präsidiums des Politbüros. Im Mai 1990 zum Vorsitzenden des Verteidigungskomitees berufen; seit Dezember 1991 auch Oberbefehlshaber der Armee und im Mai 1992 zum Marschall ernannt. Im Januar 1992 meldet er erstmals seinen Anspruch auf das Präsidentenamt an und wird im April als »Führer von Partei, Staat und Armee« vorgestellt.

Kim Young Sam (Republik Korea/Süd-K.), * Kyungsangnam auf der Insel Koje vor Pusan 20. 12. 1927; seit 1993 Staatspräsident.
Sohn eines wohlhabenden Fischereiunternehmers. Nach dem Abschluß eines Soziologiestudiums an der staatlichen Universität in Seoul (1952) Sekretär bei Ministerpräsident *Chang*. 1953 bereits Abgeordneter der »Liberalen Partei« und damit der jüngste Abgeordnete in der koreanischen Parlamentsgeschichte; seither neuimal wiedergewählt, häufiger als jeder andere. Aus Protest gegen Diktator *Syngman Rhee* tritt er 1954 aus der Regierungspartei aus und steigt in wechselnden Koalitionen und gemeinsamen Parteigründungen mit *Kim Dae Jung* zu einem der bekanntesten Oppositionspolitiker des Landes auf. 1962 Fraktionsvorsitzender der oppositionellen »Neuen Demokratischen Partei«, später Parteivorsitzender. Behinderung durch das Regime von *Park Chung Hee* und 1979 Absetzung und Verlust des Parlamentsmandats. Nach *Parks* Ermordung weiter unter Druck und nach den Unruhen in Kwangju (1980) unter Hausarrest. Zeitweilig Verzicht auf jede politische Betätigung. Nach leichter Liberalisierung schließt er sich der »Neuen Koreanischen Demokratischen Partei«/NKDP an, die er aber 1987 verläßt; danach Vorsitzender der neugegründeten »Partei für Wiedervereinigung und Demokratie«/PRD. Bei den Präsidentschaftswahlen im Dezember 1987 und den Parlamentswahlen im April 1988 unterliegt er *Roh Tae Woh* und seiner Regierungspartei, weil er und sein Konkurrent in der Opposition, *Kim Dae Jung*, getrennt in den Wahl-

kampf gehen. Im Frühjahr 1990 führt er seine Partei gemeinsam mit *Kim Jong Pil* ins Regierungslager und fusioniert mit der Democratic Liberal Party/DLP. Am 19. 5. 1992 auf dem Parteikonvent der DLP mit 66 % der Stimmen zum Kandidaten für die Präsidentschaftswahlen gekürt, übernimmt er am 28. 8. 1992 die Führung der DLP und wird am 18. 12. zum Staatspräsidenten gewählt. K., der am 25. 2. 1993 auf eine Amtszeit von 5 Jahren vereidigt wird und damit *Roh Tae Woh* im Amt ablöst, ist der erste zivile Staatschef in Südkorea seit 3 Jahrzehnten.

Klaus, *Václav* (Tschechische Republik), * Prag 19. 6. 1941; seit 1992 Ministerpräsident.
Studium der Wirtschaftswissenschaften mit Promotion 1967. Vom Scheitern des »Prager Frühlings« beeinflußt, muß er 1970 das Wirtschaftsforschungsinstitut der Akademie der Wissenschaften der ČSSR verlassen und sich mit untergeordneten Tätigkeiten bei der Staatsbank zufriedengeben. Im Zuge der politischen Wende 1989 avanciert er zum wirtschaftspolitischen Sprecher des »Bürgerforums« und wird Finanzminister. Kernstück seiner Reform bildet die Privatisierung des Staatssektors durch die Ausgabe von Volksaktien. Gewinnt mit seiner »Demokratischen Bürgerpartei«/ODS im Juni 1992 die Parlamentswahlen im tschechischen Landesteil und wird am 2. 7. 1992 Ministerpräsident der tschechischen Teilrepublik. Seit 1. 1. 1993 ist er Regierungschef der souveränen Tschechischen Republik.

Klerides, *Glafkos John* (Zypern), * Nikosia 24. 4. 1919; 1974 und seit 1993 Staatspräsident.
Sohn des bekannten Anwalts und Politikers *Joannis (»Sir John«) Klerides*. Studium der Rechtswissenschaften in London. Im II. Weltkrieg Dienst in der brit. Luftwaffe. 1942 mit seinem Flugzeug über Hamburg abgeschossen, bis 1945 in deutscher Kriegsgefangenschaft. Nach dem Kriege Fortsetzung der Studien in London. 1951 Rückkehr nach Zypern, Rechtsanwalt, Verteidiger der EOKA-Rebellen, die gegen die britische Kolonialherrschaft kämpfen. Unter dem Decknamen »Yperides« organisiert er im Auftrag des EOKA-Chefs *Grivas* die sog. Zivilgarde. Mitarbeiter von Staatspräsident Erzbischof *Makarios*, Justizminister in der Übergangsregierung bis zur Erlangung der Unabhängigkeit Zyperns am 16. 8. 1960, sodann Abgeordneter und Parlamentspräsident und damit Vertreter von *Makarios*. Teilnahme an den Londoner Gesprächen von 1964 zur Lösung von Streitigkeiten zwischen den beiden zypriotischen Volksgruppen; stets bemüht, zu → *Denktaş* normale Beziehungen zu unterhalten. Bei den Wahlen 1970 mit der von ihm 1969 gegründeten »Demokratischen Partei« nur

mäßige Erfolge. Gegenüber *Makarios* loyal, aber Gegner der Verbindung von Kirchen- und Staatsamt. Nach dem Putsch im Juli 1974, als die damals in Athen herrschende Generals-Junta Zypern vereinnahmen wollte und die Türkei militärisch intervenierte, als Nachfolger des nur wenige Tage regierenden *Nikos Sampson* Übernahme der Staatsführung; bei den Verhandlungen in Genf und seither um einen Kompromiß zwischen den beiden Volksgruppen und Landesteilen bemüht. Nach der Rückkehr von *Makarios* nach Zypern im Dez. 1974 Rücktritt als amtierender Präsident, weiterhin Vorsitzender seiner »Demokratischen Partei« und Parlamentsvorsitzender. Wegen mangelnder Unterstützung durch Staatspräsident *Makarios* als Parlamentspräsident zurückgetreten. Gründet die konservative »Demokratische Sammlungsbewegung«/ DISY; bei der Wahl des Staatspräsidenten 1983 gegen *Spyros Kyprianou* und 1988 gegen *Giorgios Vassiliou* unterlegen. Geht aus den Präsidentschaftswahlen am 14. 2. 1993 mit der hauchdünnen Mehrheit von 50,28 % der Stimmen als Sieger über den bisherigen Amtsinhaber *Vassiliou* hervor.

Klestil, *Thomas* (Österreich), * Wien 4. 11. 1932; seit 1992 Bundespräsident.
Stammt aus kleinbürgerlichem Milieu böhmischen Ursprungs; Absolvent der Wiener Wirtschaftsuniversität; Diplomkaufmann. In den 60er Jahren Sekretär von *Josef Klaus*, dem letzten von der Österreichischen Volkspartei/ÖVP gestellten Bundeskanzler. Anschließend diplomatische Laufbahn; zunächst Generalkonsul in Los Angeles, von der dortigen Universität erhält er den Ehrendoktor. 1978–82 Botschafter bei den Vereinten Nationen in New York und dann bis 1987 in Personalunion Botschafter in Washington und bei der »Organisation Amerikanischer Staaten«/OAS. Generalsekretär im Wiener Außenamt. Kandidat der ÖVP für die Präsidentschaftswahl im April 1992 und zunächst hinter dem Favoriten *Rudolf Streicher* von der Sozialdemokratischen Partei/SPÖ; bei der Stichwahl am 24. 5. erreicht er 56,85 % der Stimmen und erhält damit das beste Ergebnis eines Kandidaten bei den Präsidentschaftswahlen seit 1945. K., der am 8. 7. als 7. Bundespräsident in der Nachkriegsgeschichte des Landes vereidigt wird, sieht es als seine Hauptaufgabe an, sein Land aus der weltweiten politischen Isolierung wieder herauszuholen, in das es unter der Präsidentschaft seines Amtsvorgängers *Kurt Waldheim* geraten war.

Koirala, *Girija Prasad* (Nepal), * Bihar (Indien) 1925; seit 1991 Premierminister.
Geboren im indischen Bihar, wo sein Vater politische Zuflucht vor dem Rana-Regime gefunden hatte. Unter Politikern der indischen Unabhängigkeits-bewegung aufgewachsen und später führend an der Gründung der Gewerkschaftsbewegung in Nepal beteiligt. Bruder des nach den ersten demokratischen Wahlen in Nepal 1958 ernannten Premiers *B. P. Koirala*. Nach dessen Sturz 1960 verbringt er mit Mitgliedern seiner Familie 7 Jahre im Gefängnis und wird erst nach einem Hungerstreik entlassen. 1968 geht er ins indische Exil, aus dem er 1976 zurückkehrt, um ein Jahr später zum Generalsekretär der Partei »Nepali Congress«/NC gewählt zu werden. Nach den Parlamentswahlen im Mai 1991 von König *Birendra* zum Premierminister berufen. Er möchte die Beziehungen zu den Nachbarn Indien und China zugunsten Indiens neu ausrichten.

Koivisto, *Mauno* (Finnland), *Turku 25. 11. 1923; 1968–70 und 1979–81 Ministerpräsident, seitdem Staatspräsident.
Seit 1947 Mitglied der »Sozialdem. Partei«, 1959–67 Generaldirektor der Arbeiterbank, 1968–70 Chef einer »Volksfrontregierung«, 1972 Finanzminister u. stellv. Ministerpräsident. Seit Mai 1979 Chef einer Mitte-Links-Regierung. Seit September 1981 interimist. Staatspräsident, am 26. 1. 1982 zum Nachf. des 1981 erkrankten *Urho Kaleva Kekkonen* gewählt. Führt die traditionelle Außenpolitik Finnlands fort: Neutralität, freundliche Beziehungen zu allen Staaten, vertrauensvolle Beziehungen zur UdSSR auf der Grundlage des finnisch-sowjet. Vertrages über Freundschaft, Zusammenarbeit und gegenseitigen Beistand, der 1983 zum 3. Mal auf 20 Jahre verlängert, am 20. 1. 1992 aber durch einen Nachbarschaftsvertrag mit Rußland ersetzt wird. Verpaßt bei der ersten Direktwahl eines Staatsoberhauptes in Finnland am 1. 2. 1988 mit 47,9 % die absolute Mehrheit, wird jedoch bei der Stichwahl am 15. 2. von einem Wahlmännergremium mit 189 von 301 Stimmen für weitere 6 Jahre im Amt bestätigt.

Kosyrew, *Andrej Wladimirowitsch* (Rußland), * Brüssel 1951; seit 1990 Außenminister.
Geboren in Brüssel, wo seine Eltern vorübergehend arbeiteten; nach der üblichen Beschäftigung in einer Fabrik Studium am »Moskauer Staatlichen Institut für Internationale Beziehungen«/MGIMO, der Kaderschmiede der sowjetischen Diplomaten. Seit 1974 im Außenministerium tätig, stets in der Abteilung für Internationale Organisationen, deren Schwerpunkt die Vereinten Nationen sind; zuletzt Leiter der Abteilung. Im Oktober 1990 folgt er dem Ruf von → *Jelzin*, gibt seine Karriere im Außenministerium der Sowjetunion auf und wird Außenminister Rußlands. Nach dem Putsch vom August 1991 reklamiert *Jelzin* das sowjetische Außenministerium kurzerhand für die russische Föderation, und am 25. 12. zieht K., der sich früh für ein unabhängiges Rußland eingesetzt hat, dort als russischer Außenminister ein.

Kováč, *Michal* (Slowakei), *Libuša 5. 8. 1930; seit 1993 Staatspräsident.
Nach einem Studium an der ökonomischen Hochschule in Bratislava (Preßburg) zunächst Hochschuldozent, dann Karriere in der tschechoslowakischen Staatsbank. Seit 1953 Mitglied der KP; Mitte der 60er Jahre Mitarbeit bei der Organisation des kubanischen Bankwesens; 1967–69 stellv. Leiter der Londoner Zweigstelle der ČSSR-Handelsbank (Živnobanka). Kurz nach der Niederschlagung des Prager Frühlings abberufen und 1970 aus der KP ausgeschlossen, findet er Beschäftigung bei der Preßburger Filiale der slowakischen Staatsbank sowie an finanz- und volkswirtschaftlichen Forschungsinstituten. Nach der Wende zieht er als Mitglied der Bürgerrechtsbewegung »Öffentlichkeit gegen Gewalt«/VPN ins Prager Bundesparlament ein und gelangt im Dezember 1989 an die Spitze des slowakischen Finanzministeriums, dem er bis Mai 1991 vorsteht. Nach dem Zerfall der VPN schließt er sich der »Bewegung für eine demokratische Slowakei«/HZDS an, deren Führung er seit Juni 1991 als stellv. Vorsitzender angehört. Am 25. 6. 1992 als Nachfolger von *Alexander Dubček* zum letzten Vorsitzenden der tschechoslowakischen Föderalversammlung (Parlamentspräsident) gewählt. Am 15. 2. 1993 Amtsantritt als erster demokratisch gewählter Präsident der am 1. Januar unabhängig gewordenen Slowakei.

Krawtschuk, *Leonid Makarowitsch* (Ukraine), *im Dorf Welikij im Gebiet Rowno 10. 1. 1934; seit 1991 Staatspräsident.
Sohn eines Bauern, der im II. Weltkrieg gefallen ist. Studium der politischen Ökonomie an der Kiewer Universität und später an der Akademie für Gesellschaftswissenschaften beim ZK der KPdSU. Seit 1960 Parteisekretär in der Hauptstadt der Bukowina, in Tschernowzy (früher: Tschernowetz). Dann, seit 1970, im ZK der ukrainischen KP in Kiew, wo er 10 Jahre lang in der Abteilung für Agitation und Propaganda arbeitet. Ab Oktober 1989 ZK-Sekretär für Fragen der Ideologie, im Juni 1990 2. Sekretär. Bereits einen Monat darauf Parlamentspräsident der Ukraine, nachdem sein Vorgänger *Wladimir Iwaschko* von *Michail Gorbatschow* zum stellvertretenden Generalsekretär der KPdSU ernannt wurde. Als Parlamentspräsident profiliert er sich schnell als Sachwalter der ukrainischen Unabhängigkeitsbestrebungen. Am 24. 8. 1991 proklamiert er die staatliche Unabhängigkeit der Ukraine und legt seine Ämter im Politbüro der ukrainischen KP und dem ZK der KPdSU nieder. Nach dem August-Putsch in Moskau beschließt das ukrainische Parlament unter seiner Führung ein Verbot der KP wegen des zwielichtigen Verhaltens einiger Führungskader während des Staatsstreichs. Am 1. 12. wird er mit

rd. 60 % der Stimmen erster vom Volk gewählter Präsident; zugleich votieren die Ukrainer mit überwältigender Mehrheit für die staatliche Unabhängigkeit. Zusammen mit dem Russen → *Jelzin* und dem Bjelorussen → *Schuschkjewitsch* unterzeichnet er am 8. 12. in Minsk das Abkommen über die Gründung der »Gemeinschaft Unabhängiger Staaten«/GUS, das der UdSSR nach 7 Jahrzehnten den Todesstoß gibt. Am 12. 12. ernennt er sich per Dekret zum Oberbefehlshaber aller in der Ukraine stationierten Streitkräfte. Am 21. 5. 1993 überträgt ihm das Parlament Sondervollmachten zum Erlaß wirtschaftspolitischer Dekrete für die Fortsetzung seiner Wirtschaftsreform.

Kučan, *Milan* (Slowenien), *Križevci 14. 1. 1941; seit 1991 Staatspräsident.
Im sog. »Prekomurje«, einer ungarisch und – im katholischen Slowenien – protestantisch geprägten Enklave nördlich des Flusses Mur zur Grenze mit Ungarn hin, als Sohn eines Lehrers geboren, der 1944 als Partisan fiel. Jurastudium an der Universität von Ljubljana (Laibach). Bereits als 17jähriger der KP beigetreten; 1968–69 Chef des Jugendverbandes, 1969–73 ZK-Mitglied der slowenischen KP, danach bis 1978 Sekretär der Dachorganisation »Sozialistische Allianz«. 1978–82 Parlamentspräsident in Slowenien, dann Mitglied des gesamtjugoslawischen Parteipräsidiums in Belgrad. Im April 1986 zum Vorsitzenden der slowenischen KP gewählt, hat er maßgeblich Anteil daran, daß in seiner Republik freiheitliche und demokratische Zustände einziehn; er kämpft für Oppositionelle, tritt immer offener für die Souveränität Sloweniens und gegen sowohl den jugoslawischen Scheinföderalismus als auch den serbischen Zentralismus unter → *Milošević* ein. Im Frühjahr 1990 löst er die slowenische KP aus dem »Bund der Kommunisten Jugoslawiens«/BdKJ heraus, führt das Mehrparteiensystem ein und setzt eine Verfassungsreform durch, die der Forderung nach Souveränität Sloweniens Nachdruck verleiht. Bei den gleichzeitig am 8. 4. 1990 stattfindenden Präsidentschafts- und Parlamentswahlen gewinnt zwar das Oppositionsbündnis DEMOS eine parlamentarische Mehrheit, doch setzt sich K. bei der erforderlichen Stichwahl am 22. 4. mit 58,4 % der Stimmen klar gegen den DEMOS-Vorsitzenden *Joze Pučnic* durch und wird damit der erste frei und demokratisch gewählte Reformkommunist. K., eine Integrationsfigur aller Slowenen, der nach seiner Wahl sein Parteibuch zurückgibt, ist seit dem 25. 6. 1991, dem Tag der Selbständigkeitserklärung, Präsident eines unabhängigen Sloweniens. Er geht aus den ersten Präsidentschaftswahlen am 5. 12. 1992 mit 63,86 % der Stimmen als Sieger hervor und setzt sich damit zum 2. Mal gegen die bürgerliche Opposition durch.

Kutschma, *Leonid Danilowytsch* (Ukraine), *im Gebiet Tschernigow 1938; seit 1992 Ministerpräsident.
Nach dem Ingenieurstudium an der Universität Dnjepropetrowsk verbringt er dort sein ganzes Berufsleben im ehemals größten sowjetischen Rüstungskonzern »Juschmasch« (heutige ukrainische Bezeichnung: »Piwdennyj«), der Raketen für die Weltraumfahrt und die strategischen Atomwaffen entwickelte und montierte. Aufstieg zum stellv. Chefkonstrukteur, Parteisekretär (1982–86) und zuletzt Generaldirektor. Nach dem Rücktritt von Ministerpräsident *Witold Fokin* auf Vorschlag von → *Krawtschuk* am 13. 10. 1992 vom Parlament zum neuen Regierungschef gewählt. Nach der Ankündigung des Präsidenten, selbst die Leitung der Regierung zu übernehmen, bietet K. am 20. 5. 1993 seinen Rücktritt an, der aber tags darauf vom Parlament abgelehnt wird, das sich damit gegen Bestrebungen *Krawtschuks* ausspricht, Vollmachten des Regierungschefs an sich zu ziehen.

Laar, *Mart* (Estland) *Viljandi 22. 4. 1960; seit 1992 Ministerpräsident.
Nach dem Studium der Geschichte in Tartu (Dorpat) zunächst als Lehrer in Tallin tätig. 1987–90 im Kultusministerium Leiter der Abteilung »Kulturelles Erbe«. Ab 1989 Mitglied der »Christlich-Demokratischen Union« Estlands und Vorsitzender der Konservativen Fraktion Isamaa (»Vaterland«). Seit 1990 Mitglied des Kongresses und des Obersten Rates seiner Republik. 1991/92 Mitglied einer Verfassungskommission. Nach dem Erfolg seines Parteienbündnisses bei den Wahlen am 20. 9. 1992 von Präsident → *Meri* am 10. 10. zum Ministerpräsidenten ernannt, bildet er eine Koalitionsregierung mit den »Moderaten« und der »Nationalen Unabhängigkeitspartei«, die am 22. 10. vereidigt wird.

Lacalle de Herrera, *Luis Alberto* (Uruguay), *Montevideo 13. 7. 1941; seit 1989 Staatspräsident.
Erziehung bei den Jesuiten, Studium der Rechtswissenschaften; später Tätigkeit als Rechtsanwalt, Farmer und Journalist. Mit 17 Jahren wird der Sohn einer »weißen« Familie Mitglied bei den »Blancos« (»Nationalpartei«); seit 1971 Parlamentsabgeordneter. Als sich die Militärs 1973 an die Macht putschen, wird er zweimal kurz verhaftet. Seit 1980 Mitglied des Führungsgremiums seiner Partei und ab 1984 Senator; 1987 Vizepräsident des Senats. Am 26. 11. 1989 wird L. als Chef des rechten Flügels der traditionell rechten »Blancos« als Nachfolger von *Julio Mario Sanguinetti* zum neuen Staatspräsidenten gewählt.

Lamrani, *Mohammed Karim* (Marokko), *Fes 1919; 1971–73, 1983–86 und seit 1992 Ministerpräsident.
Nach dem Studium Aufstieg zu einem führenden Wirtschaftsfachmann, u. a. bereits in der französischen Protektoratszeit Direktor des Phosphatamtes/OPC; später in anderen wichtigen Wirtschaftspositionen. Im April 1971 Finanzminister; 1971–73 und 1983–86 Ministerpräsident. Im Oktober 1992 von König → *Hassan* erneut zum Regierungschef ernannt, tritt er die Nachfolge von *Aseddine Laraki* an, dessen Kabinett der König am 10. 8. nach 7 Amtsjahren entlassen hatte.

Le Duc Anh (Vietnam), *Provinz Binh Tri Thien [heute: Thua Thien-Hue] 1920; seit 1992 Staatspräsident.
Sohn eines einfachen Bauern; nach Tätigkeit in einer Lebensmittelfabrik schließt er sich als 17jähriger der Guerilla an, die gegen die Franzosen kämpft. 1938 tritt er in die KP und 1945 in die Armee ein. Unter dem Pseudonym »San Nam« führt er als stellv. Armeekommandant die nordvietnamesischen Einheiten bis vor die Tore Saigons und ist ein entscheidender Stratege beim Sturz (1975) der von den USA unterstützten vietnamesischen Regierung. 1976 wird er in das ZK der KP Vietnams gewählt und ist seit 1982 Mitglied des Politbüros, zuständig für Sicherheitsfragen, Verteidigung und Auslandsbeziehungen. Am 25. 12. 1978 beginnt unter seiner Führung die Invasion der vietnamesischen Armee in Kambodscha, die in wenigen Tagen zum Sturz der Roten Khmer führt. Als Verteidigungsminister (ab 1987) und Außenminister (seit 1991) erfolgreich um die Normalisierung der Beziehungen zu China bemüht. Am 23. 9. 1992 zum neuen Staatspräsidenten gewählt, tritt er die Nachfolge des aus Altersgründen zurückgetretenen *Vo Chi Cong* an.

Lien Chan (Lian Zhan) (Republik China/Taiwan), *Hsian 27. 8. 1936; seit 1993 Premierminister.
Obwohl gebürtiger Festlandchinese gilt er als Taiwanese, da die Familie seines Vaters schon im 19. Jahrhundert nach Formosa übersiedelte. Seine Eltern kehren mit ihm bereits 1946 – 3 Jahre vor der Flucht der von den Kommunisten geschlagenen Nationalchinesen – auf die Insel zurück. Nach dem Studium der Politikwissenschaften an der Staatlichen Universität Taiwan und an der University of Chicago, Hochschullehrer an den Universitäten von Wisconsin und Connecticut, bevor er 1968 an seine Alma Mater zurückkehrt. Seit 1969 Mitglied des ZK der regierenden Kuomintang/KMT, ab 1978 stellv. Generalsekretär. 1975–76 Botschafter in El Salvador. Der Regierung gehörte er nacheinander als Vorsitzender der Nationalen Jugendkommission (1978–81), Verkehrsminister (1981–87), Vizepre-

mier (1987–88) und Außenminister (1988–90) an;
ab 1990 Gouverneur der Provinz Taiwan. L., der als
reichster Politiker seines Landes gilt, löst am 23. 2.
1993 auf Vorschlag von Präsident → Li den Fest-
landchinesen *Han-Pei-tsun* als Premierminister
ab, der wegen des schlechten Abschneidens der
KMT bei den ersten repräsentativen Parlamentswahlen im Dezember 1992 zurückgetreten war.

Lilič, *Zoran* (Jugoslawien), *1953; seit 1993
Staatspräsident.
Nach dem Studium in Belgrad Generaldirektor bei
den Motorenwerken »Rekord« in Rakovica bei Belgrad. 1990 in das serbische Parlament und Anfang
1993 zu dessen Präsidenten gewählt. Nach der Absetzung von Staatspräsident *Dobrica Čosić,* dem
die Sozialisten von → *Milošević* Verfassungsbruch
und Putschpläne vorwarfen, wird der Serbe L. am
25. 6. von beiden Kammern des serbisch-montene-
grinischen Bundesparlaments in Belgrad zum neu-
en Staatsoberhaupt gewählt.

Li Peng (VR China), * Shanghai 1928; seit 1987 Ministerpräsident.
Nach dem Tod seines Vaters *Li Shouxan,* eines KP-
Sekretärs, der von einer Kuomintang-Einheit standrechtlich erschossen wurde, 1939 von dem späteren langjährigen Ministerpräsidenten *Zhou Enlai
[Tschou En-lai]* adoptiert. Mit 17 Jahren Eintritt in
die KPCh. 1948–55 Studium mit Auszeichnung am
Moskauer Institut für Energiewirtschaft; zugleich
Vorsitzender der Vereinigung chines. Studenten in
der Sowjetunion. Nach seiner Rückkehr aus Moskau lange Jahre Chefingenieur für Elektrizitätskraft-
werke in Nordostchina; ab 1966 in Peking für die
Elektrizitätsversorgung verantwortlich. Während
der Kulturrevolution in den Verdacht geraten, ein
»Spion Moskaus« zu sein, aber wohl dank der
schützenden Hand *Zhou Enlais* unbeschadet aus
den Wirren hervorgegangen. Von *Chen Yun
[Tschen Jun]* gefördert, wird Li 1979 Vizeminister
für Elektrizitätswirtschaft und 1981 Minister des
Ressorts. Ab 1982 im ZK; vor allem für den Schlüsselsektor Energie und Kraftwerks- und Staudamm-
bauten zuständig. Seit 1983 Vizepremier, übernimmt Li 1985, nach seiner Wahl in das Politbüro,
noch den Vorsitz der neugegründeten Erziehungs-
kommission. Auf dem 13. Parteitag in den Ständigen Ausschuß des Politbüros gewählt, den engsten
Führungszirkel der KPCh. Li, der im modernen In-
dustriemanagement wohl versierteste Politiker der
Pekinger Führung, der die Umstrukturierung der
Wirtschaft für unbedingt erforderlich hält, wird am
24. 11. 1987 als Nachfolger von *Zhao Ziyang* zum
neuen amtierenden Ministerpräsidenten ernannt
und am 9. 4. 1988 vom Nationalen Volkskongreß im
Amt bestätigt. Er befiehlt in Abstimmung mit *Deng*

Xiaoping das Ausnahmerecht in Peking und ordnet
am 3. 6. 1989 den Einsatz von Truppen zur blutigen
Niederwerfung der Studentendemonstrationen in
der Stadt an. In seinem Regierungsbericht vor dem
Nationalen Volkskongreß am 20. 3. 1990 warnt er
vor ausländischer Infiltration und westlichem Ge-
dankengut und beschwört maoistische Ideale. Vom
Nationalen Volkskongreß am 28. 3. 1993 für weitere
5 Jahre als Ministerpräsident bestätigt.

Lissouba, *Pascal* (Kongo), *Tsinguidi 15. 11.
1931; seit 1992 Staatspräsident.
Stammt aus dem im Südosten gelegenen Niari-
Land; Studium der Agrarwissenschaften in Tunis
und der Naturwissenschaften an der Pariser Sorbonne. Ab 1961 Chef des Landwirtschaftsdienstes
in Brazzaville. Nach der Unabhängigkeit von Frankreich 1960 als Marxist und Befürworter staatlicher
Planwirtschaft Mitglied der Einheitsgruppierung
»Kongolesische Arbeiterpartei«. Unter Staatspräsident *Alphonse Massemba-Débat* (1963–68)
wiederholt Minister, zeitweise auch Regierungschef. 1979–90 als Hochschullehrer in Paris und danach als Beamter der UNESCO in Nairobi/Kenia
tätig. Mit Beginn der demokratischen Reformen
kehrt er im Frühjahr 1991 in sein Heimatland zurück
und gründet die »Panafrikanische Union für soziale
Demokratie«/UPADS. Als deren Vorsitzender automatisch Mitglied der Nationalkonferenz, die im Juni
1991 Diktator *Denis Sassou-Nguesso* entmachtet. Geht aus den ersten freien Präsidentschaftswahlen in der Stichwahl am 16. 8. 1992 mit 61,32 %
als Sieger hervor und wird damit 6. Präsident der
Republik Kongo.

Li Teng-hui *[Lee Teng-hui]* (Republik China/Tai-
wan), * auf Taiwan 15. 1. 1923; seit 1988 Staatspräsident.
Sohn einer Bauernfamilie aus dem Norden Taiwans.
Studium an der angesehenen Universität von Kyoto
in Japan; nach dem Krieg 1945 und dem Ende der
japanischen Kolonialherrschaft zunächst weitere
Studienjahre an der Nationaluniversität in Taipeh,
dann an der Iowa State University in den USA, wo er
seine agrarwissenschaftlichen Studien mit der Promotion abschließt. Bereits zuvor in eine taiwanesi-
sche Kommission für den landwirtschaftlichen Wiederaufbau eingetreten. 1971 erstmals Begegnung
mit dem damaligen Vize-Premier *Chiang Ching-
kuo,* der ihn 1972 als Staatsminister in sein Kabinett beruft. 1978 Bürgermeister der Hauptstadt Taipeh und ab 1981 Gouverneur. Später Stellvertreter
von Staatspräsident *Chiang Ching-kuo* und nach
dessen Tod am 13. 1. 1988 kommissarische Übernahme des höchsten Staatsamtes. Am 27. 1. wird
der Christ *Li* vom Ständigen Ausschuß des ZK einstimmig auch zum amtierenden Vorsitzenden der

Kuomintang gewählt. Er tritt wie sein Amtsvorgänger für die Wiedervereinigung beider chinesischer Staaten ein. Im März 1990 von der Nationalversammlung in seinem Amt als Staatspräsident offiziell bestätigt.

Lubbers, *Rudolphus Frans Marie* [gen. »*Ruud*«] (Niederlande), * Rotterdam 7. 5. 1939; seit 1982 Ministerpräsident.
Studium der Ökonomie; nach dem Tod seines Vaters Leiter von dessen Baumaschinenfabrik und Übernahme von Funktionen in den Vorständen der Christl. Vereinigung junger Unternehmer und des Verbandes der Metallindustrie. 1970 Eintritt in die »Kath. Volkspartei«/KVP, eine der 3 Mutterparteien des heutigen (seit 1980) »Christl. Demokrat. Appell«/CDA. 1973–77 christl.-demokrat. Wirtschaftsminister unter *Joop den Uyl.* Seit 1979 Fraktionsvorsitzender des CDA in der 2. Kammer des Parlaments. Bildet als jüngster Ministerpräsident in den Niederlanden am 3. 11. 1982 eine Regierung aus CDA und der konserv. Liberalen VVD. Bei den Parlamentswahlen am 21. 5. 1986 als Regierungschef bestätigt. Am 2. 5. 1989 wegen Meinungsverschiedenheiten über die Finanzierung des Umweltschutzes zurückgetreten, bis zur Neuwahl am 6. 9. amtierend. Danach bildet L. eine Mitte-Links-Regierung aus CDA und Sozialdemokraten, die am 7. 11. vereidigt wird.

Major, *John* (Großbritannien), * Merton 29. 3. 1943; 1989 Außenminister, seit 1990 Premierminister.
Als Sohn eines Schauspielers und Zirkusartisten wächst er im Armenviertel Brixton auf, wo er das Gymnasium ohne Abschluß besucht. Nach vorübergehender Arbeitslosigkeit und einer Zwischenstation in Nigeria als Sozialarbeiter erlernt er das Bankfach (ab 1965) und gelangt bei der Standard Chartered Bank in Führungspositionen im In- und Ausland. Den Weg in die Politik findet er über die Jung-Konservativen und den Gemeinderat des Londoner Stadtbezirks Lambeth. Nach seiner Wahl ins Unterhaus (im 3. Anlauf 1979) als Abgeordneter von Huntington (Mittelengland) Posten im Innenministerium und in der Tory-Fraktionsführung. 1985 Staatsminister für Soziales, ab 1987 Staatssekretär im Schatzministerium mit Kabinettsrang. Nach der Entlassung von *Geoffrey Howe* wird er Außenminister. Nur 4 Monate später, als *Nigel Lawson* zurücktritt, Schatzkanzler. In dieser Position zwingt er *Margaret Thatcher* den Beitritt zum europäischen Währungsausgleichsverband ab. Setzt sich nach dem Rücktritt von Frau *Thatcher* am 28. 11. 1990 gegen seine beiden Konkurrenten → *Hurd* und *Michael Heseltine* durch und wird neuer Premierminister. Geht mit seiner Conservative Party

aus den Unterhauswahlen am 9. 4. 1992 als deutlicher Sieger hervor.

Malek, *Redha* (Algerien), *1932; seit 1993 Ministerpräsident.
Berufsdiplomat, u. a. in Paris, London und Washington eingesetzt. 1961 und 1962 Sprecher der algerischen Delegation, die mit Frankreich das Abkommen von Evian und damit die Unabhängigkeit des Landes aushandelte. Im Auftrag der Armee wirbt er im Frühjahr 1992 im Ausland um Verständnis für das Eingreifen des Militärs in den Wahlvorgang, um den sicher scheinenden Sieg der »Islamischen Heilsfront« zu verhindern. Nachdem die Streikkräfte Präsident *Chadli Ben Jedid* zum Rücktritt gezwungen haben, wird er Mitglied des Obersten Staatsrats, der als kollektives Organ die Geschäfte des Staatspräsidenten führt. Seit Februar 1993 Außenminister. M., der als Verfechter eines harten Kurses gegenüber dem islamischen Fundamentalismus gilt, wird im August 1993 zum neuen Ministerpräsidenten ernannt und damit Nachfolger von *Belaid Abdessalam.*

Malval, *Robert* (Haiti), *1943; seit 1993 Ministerpräsident
Studium der Politikwissenschaften in Frankreich. Verleger und Druckereibesitzer, der zu den reichsten Männern des ärmsten Landes Lateinamerikas zählt. Sympathisant, aber kein aktives Mitglied der »Lavalas-Bewegung« von Staatspräsident → *Aristide,* der ihn für das Amt des Regierungschefs vorschlägt. M., der enge Kontakte zu den Unternehmern des Landes unterhält, wird am 19. 8. 1993 vom Senat und am 23. 8. vom Parlament zum neuen Ministerpräsidenten gewählt und tritt damit die Nachfolge von De-facto-Premier *Marc Bazin* an, der nach dem Putsch gegen *Aristide* 1991 von den Militärs eingesetzt worden war.

Mandela, *Nelson Rolihlahla* (Rep. Südafrika), * Qunu bei Umtata/Transkei 18. 7. 1918; seit 1991 ANC-Präsident.
Sohn eines »paramount chief« der Thembu; Jurastudium in Südafrika, später Anwalt. Seit 1944 Mitglied des ANC (1960 verboten), entschiedener Gegner der Apartheid, 1956–61 wegen Hochverrats vor Gericht, aber freigesprochen. Einer der aktivsten Führer des verbotenen ANC sowie dessen Generalsekretär. Nach der 1961 durch ihn erfolgten Gründung der Organisation »Speer der Nation« 1962 verhaftet, des Terrors, Umsturzversuches und kommunistischer Aktivität angeklagt und im Juni 1964 zu lebenslänglicher Verbannung auf der Robben-Insel verurteilt. Im Februar 1985 lehnt er seine Freilassung unter der von der Regierung gestellten Bedingung, künftig im politischen Kampf auf Gewalt zu

verzichten, ab. Am 11. 2. 1990 nach fast 28 Jahren Haft freigelassen, wird er am 2. 3. zum Vizepräsidenten und am 5. 7. 1991 zum Präsidenten des ANC gewählt. Am 5. 4. trifft er in Kapstadt mit Präsident → de Klerk zum ersten offiziellen Gespräch zusammen, um Verhandlungen über politische Reformen aufzunehmen. Bei einem weiteren Gespräch am 7. 8. wird mit dem Verzicht auf Waffengewalt der Durchbruch zu Verhandlungen über ein Ende der Apartheid erzielt. 1992 erhält er zusammen mit de Klerk für Verdienste um die Überwindung der Apartheid den Friedenspreis der UNESCO und den Preis der spanischen Stiftung »Prinz von Asturien«.

Mečiar, *Vladimír* (Slowakei), * Zvolen 26. 7. 1942; seit 1992 Ministerpräsident.
Beginn der politischen Laufbahn im kommunistischen Jugendverband der ČSSR; während der 60er Jahre Ausbildung an der Komsomol-Kaderschmiede in Moskau. Wegen seines Einsatzes im Prager Reform-Frühling aus der Partei ausgeschlossen; danach schlägt er sich als Hilfsschmelzer in einem Stahlwerk durch und absolviert als Werkstudent an der Comenius-Universität in Bratislava (Preßburg) in Abendkursen ein Jurastudium; anschließend Jurist in einer Glasfabrik. M. meldet sich 1990 mit der Bürgerbewegung »Öffentlichkeit gegen Gewalt«/ VPN auf der politischen Bühne zurück und wird zum ersten demokratischen Innen- und Umweltminister, dann zum Ministerpräsidenten der Slowakei gewählt. Im März 1990 gründet er als Abspaltung von der VPN eine »Bewegung für eine demokratische Slowakei«/HZDS; er wird daraufhin von seinen Gegnern im Nationalrat – der VPN-Mehrheit und den slowakischen Christdemokraten – abgesetzt und beschuldigt, unter dem kommunistischen Regime für den Staatssicherheitsdienst/STB gearbeitet zu haben, ein Vorwurf, der sich nicht erhärten läßt und der seiner Popularität in der Bevölkerung keinen Abbruch tut. Geht mit seiner HZDS aus den Parlamentswahlen im Juni 1992 im slowakischen Landesteil als deutlicher Sieger hervor und wird am 24. 6. vom Präsidium des Landesparlaments zum neuen Ministerpräsidenten gewählt. Seit 1. 1. 1993 ist er Regierungschef der souveränen Slowakischen Republik.

Meksi, *Aleksander* (Albanien), * Tirana 8. 3. 1939; seit 1992 Ministerpräsident.
Sohn einer mittelständischen Familie; Bauingenieur-Studium. Nach Tätigkeit bei einem Elektrizitätswerk in das Institut für Kulturdenkmäler berufen, dann als Restaurator ins Institut für Archäologie. Dort Spezialist für die Erhaltung mittelalterlicher Bauwerke. M., zu dessen Aufgaben auch die Bewahrung religiöser Monumente gehört, erhält 1988 ein Doktorat. Nach Beginn des demokrati-

schen Frühlings in Albanien gründet er 1989 zusammen mit → Berisha die »Demokratische Partei«, die sich bald vom alten Regime löst. Bei den ersten Wahlen im März 1991 als Abgeordneter in Tirana gewählt und zum Vizepräsidenten des Parlaments bestellt. Bei den zweiten Wahlen vom 22. 3. 1992 als Abgeordneter bestätigt und von Berisha an die Spitze einer Koalitionsregierung berufen.

Menem, *Carlos Saúl* (Argentinien), * La Rioja 2. 7. 1935; seit 1989 Staatspräsident.
Sohn eines aus Syrien eingewanderten Straßenhändlers, katholisch getauft; Studium der Rechtswissenschaften; Promotion. Berufspolitiker; Mitglied des Partido Justicialista/PJ und Gouverneur der Provinz La Rioja; dreimal mit großer Mehrheit wiedergewählt. 1976, nach dem Putsch der Militärs, für einige Monate im Gefängnis. Setzt sich 1988 in parteiinternen Wahlen mit Hilfe der peronist. Gewerkschaften gegen den »Erneuerer« und Parteivors. Antonio Cafiero durch und wird Präsidentschaftskandidat. Geht aus den Wahlen am 14. 5. 1989 als deutlicher Sieger hervor und übernimmt nach dem vorzeitigen Rücktritt von Staatspräsident Raúl Alfonsín am 8. 7. die Amtsgeschäfte. Damit übergibt erstmals seit 60 Jahren in Argentinien ein demokratisch gewählter Präsident einem ebenso legitimierten Nachfolger das Amt; und zum ersten Mal wird ein Mann Präsident, der nicht von europäischen Einwanderern abstammt.

Meri, *Lennart* (Estland) * Tallin (Reval) 29. 3. 1929; seit 1992 Staatspräsident.
Sohn des bekannten Berufsdiplomaten Georg Meri, der vor dem II. Weltkrieg in Berlin und Paris Dienst tat. Nach dem Hitler-Stalin-Pakt 1939/40 und dem sowjetischen Einmarsch wird die Familie 1941 nach Sibirien deportiert, kehrt aber 1946 in ihre Heimat zurück. Nach dem Studium der Geschichte an der Universität Tartu zunächst einige Jahre als Theaterdirektor und Lektor für Kunst, Radio-Journalist und Filmemacher tätig. Als freier Schriftsteller und Verfasser ethnischer Studien über die finno-ugrischen Völker schafft er sich auch im Ausland einen Namen. M., Vorsitzender des estnischen Schriftstellerverbandes und Gründer des Instituts für Außenpolitik, beginnt seine Politikerkarriere erst 1990, als er unter dem Volksfront-Ministerpräsidenten Edgar Savisaar Außenminister wird. Im März 1992 tritt er wegen Meinungsverschiedenheiten mit dem neuen Ministerpräsidenten Tiit Vähi zurück und wird Botschafter in Helsinki. Bei den ersten freien Parlaments- und Präsidentschaftswahlen seit der Wiederherstellung der Souveränität des Landes am 20. 9. 1992 unterliegt er (29% der Stimmen) im Kampf um das höchste Amt zwar dem bisherigen Präsidenten Arnold Rüütel (43%), da jedoch kei-

ner der 4 Kandidaten die absolute Mehrheit erreicht, wird er am 5. 10. vom Parlament, in dem sein Wahlbündnis Isamaa (»Vaterland«) die größte Fraktion stellt, mit 59 der 101 Abgeordnetenstimmen zum neuen Staatspräsidenten gewählt.

Milošević, *Slobodan* (Serbien), * Požarevac 29. 8. 1941; seit 1989 Republikpräsident.

Sohn eines aus Montenegro stammenden serbisch-orthodoxen Popen. Während des Jurastudiums tritt er 1959 der KP bei und wird Präsident der Ideologie-Kommission im Belgrader Universitäts-Komitee der Partei. Anschließend Tätigkeit in der Industrie; 1969 Vizedirektor, 1974 Generaldirektor von »Technogas«; 1978 Direktor der »Beobanka« in Belgrad. Von seinem Studienkollegen *Ivan Stambolić*, dem mächtigen Belgrader Parteichef, in die Politik geholt, löst er diesen 1984 zunächst als Belgrader Stadtsekretär und im September 1987 als serbischer Parteisekretär ab. Unter der Parole »Niemand darf die Serben schlagen«, entreißt er dem Staatspräsidium die politische Kontrolle über die zuvor autonome Provinz Kosovo und macht sie wieder zum Bestandteil Serbiens. Am 8. 5. 1989 wird er zum Präsidenten der Teilrepublik und am 17. 7. 1990 zum neuen Vorsitzenden der in »Sozialistische Partei Serbiens« umbenannten KP gewählt. Den Untergang des Kommunismus verbrämt er durch einen großserbisch nationalistischen Staatssozialismus. Setzt militärische Mittel gegen die Unabhängigkeit der früheren jugoslawischen Teilrepubliken Kroatien, Slowenien und Bosnien-Herzegowina ein und strebt nach dem Zerfall Jugoslawiens die Schaffung eines gemeinsamen Staates aller Serben an. Geht aus den Präsidentenwahlen in Serbien am 20. 12. 1992 als Sieger hervor.

Mitsotakis, *Konstantin* (Griechenland), * Chania auf Kreta 18. 10. 1918; seit 1990 Ministerpräsident.

Jura-, Politik- und Ökonomiestudium in Athen; Rechtsanwalt. 1940 als Offizier auf eigenen Wunsch an die Front. Während der Besatzungszeit aktiv in der Widerstandsbewegung; zweimal gefangengenommen und zum Tode verurteilt. 1946 erstmals als Abgeordneter der »Liberalen Partei« in das Athener Parlament gewählt. 1951 Staatssekretär im Finanzministerium, ab 1952 Min. für Verkehr und öffentl. Arbeiten. Seit 1963 – nunmehr Mitglied der »Liberalen Zentrumsunion« – Finanzmin. Beteiligt sich 1965 – nach dem Rücktritt von *Georgios Papandreou* – gemeinsam mit 49 Zentrumsabgeordneten an der von den Konservativen geduldeten Minderheitsregierung und gehört 3 nachfolgenden Kabinetten an. 1967 im Zuge des Staatsstreichs verhaftet, später unter Hausarrest gestellt. Im Aug. Flucht in die Türkei, dann im Pariser Exil, wo er enge Kontakte zu → *Karamanlis* knüpft. 1977 zuerst

Gründer der »Liberalen Partei«, dann Übertritt zur konservat. Nea Demokratia/ND von *Karamanlis*. Von diesem im Mai 1978 zum Koordinationsmin. ernannt und ab 1980 bis zum Wahlsieg von *Andreas Papandreou* im Okt. 1981 Außenmin. Seit Sept. 1984 Parteichef der ND. M. gilt als einer der frühesten Verfechter des Anschlusses von Griechenland an die EG. Aus Parlamentswahlen Anf. Juni 1985 geht er mit seiner Partei zwar gestärkt hervor, unterliegt aber der PASOK von Ministerpräs. *Papandreou*, die die absolute Mehrheit der Mandate gewinnt. Bei den Parlamentswahlen am 18. 6. 1989 verfehlt er mit seiner ND mit 145 der 300 Parlamentssitze knapp die Mehrheit und wird von Staatspräs. *Christos Sartzetakis* mit der Bildung einer Koalitionsregierung beauftragt, die jedoch am Widerstand der anderen Parlamentsparteien scheitert. Am 30. 6. gibt er seinen Anspruch auf das Amt des Ministerpräsidenten auf, um unter dem von ihm vorgeschlagenen *Tzannis Tzannetakis* eine Übergangsregierung seiner ND mit der »Links- und Fortschritts-Koalition« (hauptsächlich KP) zu ermöglichen. Aus den Parlamentswahlen am 8. 4. 1990 geht er mit seiner ND mit 47,12% als eindeutiger Sieger hervor und wird am 11. 4. als neuer Ministerpräsident vereidigt.

Mitterrand, *François* (Frankreich), * Jarnac (Charente) 26. 10. 1916; seit 1981 Staatspräsident.

Jurist, Schriftsteller und Verleger, 1940 in deutscher Kriegsgefangenschaft, Flucht über Algier nach London zu *Charles de Gaulle*, 1944 Minister für Kriegsgefangene, 1956–58 Abgeordneter und zeitweilig Präsident der sozialistischen »Widerstandsunion« sowie in 11 Regierungen der IV. Republik Kabinettsmitglied; 1959–62 Senator, Gegner der Politik *de Gaulles*, aber Anhänger seiner Algerienpolitik; 1965 Mitbegründer der »Linksdemokratischen und sozialistischen Föderation«/FGDS, als 1968 deren Vorsitzender, als ihr Kandidat 1968 *de Gaulle* mit 44,8% unterlegen; seit 1971 Vorsitzender der neugegründeten »Sozialistischen Partei« (PS), gibt dieses Amt Ende Januar 1981 aber ab. Am 10. 5. mit 51,75% der Stimmen als Nachfolger von *Valéry Giscard d'Estaing* zum Staatspräsidenten gewählt. Koalition seiner PS, die bei den Wahlen 1981 die absolute Mehrheit erhält, mit der kommunistischen Partei/PCF (die im Juli 1984 die Koalition verläßt). Nach dem Wahlsieg der bürgerlich-liberalen Koalition am 16. 3. 1986 beruft er den RPR-Vors. *Jacques Chirac* im Rahmen der »Cohabitation« zum neuen Ministerpräsidenten. Geht aus der ersten Runde der Präsidentschaftswahlen am 24. 4. 1988 mit deutlichem Vorsprung vor *Chirac* hervor und besiegt ihn auch bei der Stichwahl am 8. 5. (54,02% gegen 45,98%). Nach der Niederlage seiner PS bei den Wahlen am 21. u. 28. 3. 1993 muß er eine zweite »Cohabitation« mit der neuen bürgerlichen Regierung unter Premierminister → *Balladur* eingehen.

Mobutu [ursprüngl. *Joseph-Desiré*], *Sésé Séko Kuku Ngbendu Wa Za Banga* (Zaire), * Lisala bei Mbandaka 14. 10. 1930; 1960–61 und seit 1965 Staatspräsident.
Sohn einer Bangala-Familie; Verwaltungsbeamter, 1949 Polizeibeamter, 1956 Journalist, 1960 Staatssekretär der Regierung von *Patrice Lumumba*, in den Kongowirren Anschluß an *Joseph Kasawubu* u. Oberbefehlshaber (ungeklärte Ermordung von *Lumumba*), 1962 mit Hilfe der UN Sieg über *Tschombé* u. Beendigung der Katanga-Sezession (ungeklärter Tod von UN-Generalsekretär *Dag Hammarskjöld*); seit 1965 durch neuen Militärputsch endgültig Staatsoberhaupt. Verstaatlichung der Großpflanzungen und des Kupferbergbaus, forcierte, isolierte Industrialisierung. Ausschaltung der Gegner. Stößt seit langem auch im Ausland auf Ablehnung, u. a. wegen Personenkult und Mißwirtschaft.

Mock, *Alois* (Österreich), * Amstetten (Niederösterreich) 10. 6. 1934; seit 1987 Außenminister.
Jurastudium; Promotion. 1958–69 Beamter, 1969–70 Unterrichtsminister, 1971 Vorsitzender der Gewerkschaft ÖAAB der ÖVP, 1978 geschäftsführender Fraktionsvorsitzender der ÖVP, nach dem Rücktritt von *Josef Taus* 1979 ÖVP-Bundesobmann. Geht aus den Parlamentswahlen vom April 1983 gestärkt hervor, ohne das Ziel einer Regierungsbeteiligung zu erreichen, da die SPÖ mit der FPÖ koaliert. Vorsitzender der Europ. Demokrat. Union/EDU, der Dachorganisation christl.-demokrat. u. konservat. Parteien in Europa, und ab Juni 1983 auch Vorsitzender der neugegründeten Internationalen Demokratischen Union/IDU. Verfehlt bei den Nationalratswahlen am 23. 11. 1986 die angestrebte Wende und bleibt mit seiner ÖVP zweitstärkste Partei hinter der SPÖ von → *Vranitzky*, mit der er am 4. 1. 1987 eine große Koalition bildet, in der er Außenminister wird. M. äußert wiederholt das Interesse seines Landes an einer Mitgliedschaft in der EG. Er verzichtet auf dem ÖVP-Parteitag am 17. 4. 1989 auf eine Wiederwahl als ÖVP-Vorsitzenden, bleibt aber Außenminister.

Moi, *Daniel arap* (Kenia), * Sacho (Distrikt Baringo) Sept. 1924; seit 1978 Staatspräsident.
Mitglied des kleinen nilo-hamitischen, mit den Massai verwandten Tugen-Stammes der Kalenjin-Gruppe; Missionsschule, Lehrer, Aufstieg zum Anstaltsdirektor, 1957–63 im Legislativrat, 1961–62 Erziehungsminister, 1962–64 Minister f. Gemeindeangelegenheiten, 1964 Minister des Innern u. zusätzl. 1967 Vizepräsident unter *Jomo Kenyatta*; nach

dessen Tod zum Vorsitzenden der Einheitspartei KANU, im Okt. 1978 zum Präsidenten ausgerufen. M. gilt als pragmatischer Politiker, der einen Ausgleich zwischen den kleinen Stämmen u. den einflußreichen Kikuju anstrebt. Mitte Dezember 1991 unterzeichnet er unter dem Druck der Opposition ein Gesetz, das die Verfassungsänderung von 1982 zum Einparteistaat rückgängig macht und das Mehrparteiensystem wieder einführt. Wird nach seinem Sieg bei den ersten freien Wahlen am 4. 1. 1993 für weitere 5 Jahre im Amt vereidigt.

Mubarak, *Hosni [Husni]* (Ägypten), * Kafr Al Musaliha (Prov. Al Mnufija) 4. 5. 1928; seit 1981 Staatspräsident.
Militärische Laufbahn, Pilot, Kampfflieger, 3 Ausbildungskurse in der UdSSR; 1969 Stabschef, 1972 Oberbefehlshaber der Luftwaffe, 1973 als »Held d. Oktoberkriegs« Aufstieg zum Luftmarschall (Generalleutnant). Seit April 1975 Vizepräsident. Am 14. 10. 1981 als Nachfolger des ermordeten Staats- u. Ministerpräsidenten *Anwar as Sadat* vereidigt; übernimmt auch die Funktionen des Oberbefehlshabers der Streitkräfte. Übergibt das Amt des Ministerpräsidenten am 3. 1. 1982 an *Fuad Muhieddin*. Am 26. 1. zum Vorsitzenden der regierenden »National-Demokratischen Partei«/NDP gewählt. Erringt bei den Parlamentswahlen am 27. 5. 1984 und am 6. 4. 1987 mit seiner NDP hohe Wahlsiege, sieht sich jedoch wachsenden innenpolitischen Spannungen gegenüber. Durch ein Referendum am 6. 10. 1987 mit großer Mehrheit für weitere 6 Jahre als Präsident bestätigt. Beendet mit seiner Reise in die Mitgliedstaaten des Golf-Kooperationsrates/GCC 1988 die Isolierung seines Landes in der arabischen Welt und führt es wieder in die Arabische Liga zurück (1979–87 suspendiert). Verurteilt die irakische Invasion in Kuwait im August 1990 und entsendet im Rahmen einer arabischen Friedenstruppe ägyptische Einheiten nach Saudi-Arabien. M. hat sein Land zu einem verläßlichen Partner gemacht und Ägyptens Gewicht gegenüber dem Westen, vor allem aber auch gegenüber den arabischen Ländern gestärkt. Im Juni 1993 für ein Jahr zum OAU-Vorsitzenden gewählt.

Mugabe, *Robert Gabriel* (Simbabwe), * Kutama 21. 2. 1925; 1980–87 Premierminister, seit 1987 Staatspräsident.
Sohn eines Tagelöhners aus dem Zezeru-Clan der Maschona, Missionsschule, Lehrer. Ab 1956 im späteren Ghana, politisch von *Kwame Nkrumah* beeinflußt, ab 1960 wieder in Rhodesien, 1963 Anschluß an die Zimbabwe African National Union/ ZANU. 1964–74 im Gefängnis bzw. interniert; Jura-Fernstudium an der Universität London; Promotion. Kooperation mit *Joshua Nkomo* in der »Patriot.

Front«/PF. Erringt mit der ZANU bei den Wahlen vom Februar 1980 die absolute Mehrheit. Bildet Anfang März im Auftrag des brit. Gouverneurs *Arthur Christopher Soames* die Regierung, in der er auch das Amt des Verteidigungsministers übernimmt. Zunehmend Differenzen mit *Nkomo*, den er im Febr. 1982 mit der Beschuldigung aus dem Kabinett entläßt, mit südafrikan. Hilfe einen Putsch vorbereitet zu haben. Vereinbart aber am 20. 12. 1987 mit *Nkomo* den Zusammenschluß ihrer Parteien zu einer Einheitspartei. Nach Einführung des Präsidialsystems durch Verfassungsänderung am 30. 12. als neuer Präsident am 31. 12. vereidigt. Wird bei den Präsidentschaftswahlen im März 1990 im Amt bestätigt und mit seiner ZANU-PF auch Sieger bei den parallel stattfindenden Parlamentswahlen.

Museveni, *Yoweri Kaguta* (Uganda), * Ntungamo bei Mbarara (Südwest-Uganda) 1944; seit 1986 Staatspräsident.
Studium der Wirtschafts-, Rechts- und Politikwissenschaften an der Universität von Daressalam/Tansania. Ab 1970 wissenschaftl. Assistent im Kabinett von *Milton Obote* bis zu dessen Sturz im Jan. 1971 durch *Idi Amin*; danach im Exil in Tansania. 1972 Teilnahme an einem gescheiterten Putsch gegen *Amin*. Nach dessen Sturz im April 1979 unter 2 Interimsregierungen für einige Monate Verteidigungsminister. Als seine Partei »Patriotische Bewegung Ugandas«/UPM bei den umstrittenen Wahlen im Dez. 1980 unterliegt, geht M. in den Untergrund und gründet die »Nationale Widerstandsarmee«/NRA, als deren Chef er 4¹/₂ Jahre gegen *Obote* kämpft. Nach dessen Sturz durch einen Militärputsch am 27. 7. 1985 fordert er eine radikale Reform der Armee und kämpft gegen die neue Regierung unter General *Tito Okello* weiter, mit der er am 17. 12. 1985 einen »Friedensvertrag« unterzeichnet. Einen Monat später beginnt die NRA eine Großoffensive gegen die Regierungstruppen und gewinnt die Kontrolle über die Hauptstadt Kampala. Am 30. 1. 1986 wird M. als neuer Präsident vereidigt. Es gelingt ihm, das Land zu befrieden und die Wirtschaft voranzubringen. 1990 verlängert er seine Amtszeit ohne Wahlen um weitere 5 Jahre.

Mwinyi, *Ali Hassan* (Tansania), * Kivure 8. 5. 1925; seit 1985 Staatspräsident.
Ausbildung an der Lehrerbildungsanstalt auf Sansibar. Nach der Revolution von 1964 Vertreter der Interessen Sansibars in einer Reihe von gemeinsamen Institutionen des ehem. Britisch-Ostafrika und der Tanganjikisch-Sansibarischen Union. Kommt 1969 durch *Julius Nyerere* nach Daressalam. Verschiedene Ministerämter, zuletzt Staatsminister im Amt des Vizepräsidenten. Am 30. 1. 1984 nach dem Rücktritt von *Aboud Jumbe* zum Interimspräsi-

denten von Sansibar und Vorsitzenden des Revolutionsrates der Insel ernannt. Im April 1984 von der regierenden Einheitspartei Chama Cha Mapinduzi/CCM als einziger Kandidat aufgestellt und zum Präsidenten von Sansibar sowie gleichzeitig zum stellv. Präsidenten Tansanias gewählt. Am 27. 10. 1985 als einziger Kandidat mit 92,2% der Stimmen zum Staatspräsidenten und damit zum Nachfolger von *Nyerere* gewählt. Im Okt. 1990 mit 95,5% der Stimmen für weitere 5 Jahre im Amt bestätigt.

Nasarbajew, *Nursultan Abischewitsch* (Kasachstan), * im Gebiet Alma Ata 6. 7. 1940; seit 1990 Staatspräsident.
1960–69 im metallurgischen Industriekombinat Karaganda tätig, dort an der betriebseigenen Hochschule zum Metallingenieur (Abschluß 1967) ausgebildet. Bereits 1962 der KPdSU beigetreten, beginnt er 1969 eine typische Parteikarriere; zunächst Erster Sekretär des Stadtkomitees in Temirtau; 1973–77 Parteisekretär im Karaganda-Kombinat, dann Erster Sekretär der Bezirksleitung von Karaganda. 1979–1984 Sekretär des ZK der kasachischen KP. 1984 zum Vorsitzenden des Ministerrats der zentralasiatischen Republik berufen. Als der 1986 von *Michail Gorbatschow* als kasachischer KP-Chef eingesetzte Russe *Kolbin* nach 3 Jahren scheitert, wird N. dessen Nachfolger – und damit zugleich Mitglied des Politbüros der KPdSU – und Vorsitzender des Obersten Sowjets der nach der Fläche zweit-, nach der Bevölkerung viertgrößten Sowjetrepublik. Als das Parlament am 25. 10. 1990 eine Souveränitätserklärung verabschiedet, die den Vorrang kasachischer Gesetze vor Unionsgesetzen betont und das Amt eines Präsidenten einführt, in dieses gewählt. N., der lange Zeit als treuer Anhänger von *Gorbatschow* galt und im Herbst 1990 als Kandidat für das Amt des Vizepräsidenten oder des sowjetischen Ministerpräsidenten im Gespräch war, schlägt sich dann zunehmend auf die Seite von → *Jelzin* und plädiert für die politische und wirtschaftliche Souveränität des Landes, aber auch für den Erhalt der Union in einem neuen föderativen Staatsaufbau. Nach dem Moskauer Putsch vom 19. 8. 1991 tritt er aus der KP aus, die sich in »Sozialistische Partei« umbenennt. Bei den Präsidentschaftswahlen am 1. 12. 1991 mit 98,88% der Stimmen ohne Gegenkandidat zum ersten direkt gewählten Präsidenten gewählt. Unterzeichnet am 8. 12. den Unionsvertrag, der die Auflösung der UdSSR besiegelt und zur »Gemeinschaft unabhängiger Staaten«/GUS führt.

Nawaz Sharif, *Mian* (Pakistan), * Lahore 25. 12. 1949; seit 1990 Premierminister.
Studium der Rechtswissenschaften an der Universität seiner Heimatprovinz Punjab. Anschließend

Tätigkeit als Manager in der »Ettefaq-Gruppe«, einem Familienunternehmen mit einem Dutzend eisenverarbeitenden Betriebe. Schon 1981, also mit 33 Jahren, von General *Zia ul-Huq*, dem damaligen Chef der pakistanischen Militärregierung, zum Finanzminister der Provinzregierung von Punjab ernannt. Seit 1985 Chefminister in Punjab und Vorsitzender der Muslim-Liga in seiner Provinz. Siegt mit seiner Islami Jamhoori Ittehad/IJI, einem Bündnis überwiegend islamischer Parteien, bei den Parlamentswahlen im Oktober 1990 und wird am 6. 11. von der neuen pakistanischen Nationalversammlung zum Premierminister gewählt. Er tritt damit die Nachfolge von *Benazir Bhutto* an, die im August von Staatspräsident → *Ishaq Khan* unter dem Vorwurf des Amtsmißbrauchs und der Korruption abgesetzt worden war. Nach mehrwöchigem Machtkampf wird N. am 18. 4. 1993 von Präsident *Ishaq Khan* für abgesetzt erklärt, der zugleich das Parlament auflöst und bis zu Neuwahlen *Balkh Sher Mazari* zum Chef einer Übergangsregierung ernennt. In einem historischen Urteil annulliert das Verfassungsgericht am 26. 5. das Dekret, mit dem der Präsident die Regierung entlassen und das Parlament aufgelöst hatte, bezeichnet es als »unrechtmäßig und verfassungswidrig« und setzt den Ministerpräsidenten wieder in sein Amt ein. Nach einer unter Vermittlung der Armee zustande gekommenen Vereinbarung zur Beendigung der Staatskrise tritt er am 18. 7. gemeinsam mit *Ishaq Khan* zurück. Bis zu den vorgezogenen Neuwahlen am 6. 10. wird der Wirtschaftsfachmann *Moeen Qureishi* als Interimspremier bestellt.

Ndadaye, *Melchior* (Burundi), * 1953; seit 1993 Staatspräsident.
Bankier; Mitglied der »Front für die Demokratie in Burundi«/Frodébu. Setzt sich bei den Präsidentschaftswahlen am 1. 6. 1993 gegen den bisherigen Militärherrscher *Pierre Buyoya* durch. N., das erste Staatsoberhaupt in der Geschichte des Landes, der der Hutu-Mehrheit angehört, ruft bei seiner Vereidigung am 10. 7. dazu auf, den Konflikt zwischen den Volksgruppen der Hutu und Tutsi ein für allemal beizulegen und ernennt zum Zeichen der Aussöhnung die Angehörige der Tutsi-Minderheit, *Sylvie Kinigi*, zur neuen Premierministerin. Er festigt seine Position durch den Sieg seiner Frodébu-Partei bei den Parlamentswahlen am 29. 6., die die absolute Mehrheit der Parlamentssitze erringt.

Nijasow, *Saparmurad* (Turkmenistan), * Aschchabad 12. 2. 1940; seit 1992 Staats- und Ministerpräsident.
Rasche Karriere in der KP seines Landes, bis 1985 deren Vorsitzender. 1991 zum Präsidenten der mit-

telasiatischen Republik gewählt, verbietet er nach dem gescheiterten Moskauer Putsch vom August die KP und gründet eine »Demokratische Partei«, deren Führung er übernimmt. Wird bei den ersten freien und direkten Präsidentschaftswahlen vom 21. 6. 1992 ohne Gegenkandidat mit 99,5 % der Stimmen im Amt bestätigt, das ihm durch das im Mai verabschiedete Präsidialsystem weitreichende Rechte einräumt und ihn zugleich zum Ministerpräsidenten bestimmt.

Nujoma, *Sam* (Namibia), * Ongandjera 12. 5. 1929; seit 1990 Staatspräsident.
Sohn einer Ovambo-Familie; früh aktiv gegen Apartheidpolitik, 1960 ins Exil. Mitbegründer und Präsident des hauptsächlich aus Ovambo bestehenden Exilflügels der South West African People's Organisation/SWAPO mit Hauptquartier in Lusaka (Sambia) und mit Operationen von sambischem u. angolanischem Gebiet aus. Kehrt am 14. 9. 1989 aus dem Exil in seine Heimat zurück. Wird von der Verfassunggebenden Versammlung am 16. 2. 1990 einstimmig zum 1. Präsidenten von Namibia gewählt, das am 21. 3. seine Unabhängigkeit erlangt.

Ong Teng Cheong (Singapur), *1936, seit 1993 Staatspräsident.
Vorsitzender des Gewerkschaftsverbandes »National Trades Union Congress«/NTUC, Vorsitzender der seit 1959 regierenden »People's Action Party«/PAP und stellv. Premierminister. Geht aus der Präsidentschaftswahl am 28. 8. 1993 mit 58,7 % der Stimmen als Sieger hervor und wird damit der erste direkt gewählte Staatspräsident seit der Erlangung der Unabhängigkeit. O., dessen Amt künftig mit exekutiven Befugnissen ausgestattet ist, wird am 1. 9. 1993 vereidigt. Er wird damit für eine sechsjährige Amtszeit Nachfolger des noch vom Parlament zum Staatsoberhaupt ernannten jetzigen Präsidenten *Wee Kim Wee*.

Patterson, *Percival James [»P. J.«]* (Jamaika), * 1936; seit 1992 Premierminister.
In ländlichen Verhältnissen aufgewachsen; Studium der Rechtswissenschaften an der Univerity of the West Indies und in London; anschließend Rechtsanwalt in Kingston. Mitglied der People's National Party/PNP von *Michael Manley*, dem er fast 12 Jahre lang als Vizepremier auf verschiedenen Kabinettsposten diente. Am 1. 4. 1992 übernimmt er von seinem Mentor den Partei- und Kabinettsvorsitz. Bei den Parlamentswahlen am 30. 3. 1993 erringt er mit seiner PNP einen deutlichen Sieg über die Jamaika-Labour Party/JLP des Oppositionsführers und ehemaligen Premiers *Edward Seaga* und wird damit als Regierungschef bestätigt.

Qian Qichen (VR China), * Tianjin 1928; seit 1988 Außenminister.

Karrierediplomat; schon 1942 Eintritt in die KPCh; 1949–53 im Jugendverband der Partei in Shanghai aktiv. Anschließend mehrere Jahre in der UdSSR, zunächst an der zentralen Hochschule des Komsomols, dann, ab 1955, als Botschaftssekretär. Nach einer Tätigkeit im Ministerium für Hochschulwesen in Peking ab 1972 erneut in Moskau, diesmal als Botschaftsrat. Ab 1974 Botschafter seines Landes in Guinea und in Guinea-Bissau; 1977–82 Abteilungsleiter für Presse im Außenministerium. Als stellv. Außenminister (ab 1982) als Sowjetunion-Experte an den Verhandlungen über die Normalisierung der Beziehungen zwischen Moskau und Peking beteiligt. Im Kabinett → *Li Peng* ab 1988 Außenminister und seit 1991 auch Staatsrat. Während seiner Amtszeit wurden die Kontakte zu den Asean-Staaten verbessert, und China beteiligte sich konstruktiv an der Lösung des Kambodscha-Konfliktes. Q., der auch dem ZK der KPCh angehört, bewahrte sein Land in den letzten Jahren durch geschickte Manöver vor einer drohenden Isolation. Vom Nationalen Volkskongreß am 28. 3. 1993 zusätzlich zu einem der stellv. Ministerpräsidenten gewählt.

Rabbani, *Burhanuddin* (Afghanistan), * 1940; seit 1992 Staatspräsident.
Tadschike, Studium an der Shariat-Fakultät der Universität Kabul und an der Al-Azhar-Universität in Kairo. Wissenschaftliche Laufbahn; Inhaber eines Lehrstuhls für Philosophie in Kabul. Als Mitglied der Jamiat-i-Islami-ye Afghanistan (»Islamische Bewegung«), die sich in Kabul Anfang der 70er Jahre bildete, von der Regierung verhaftet, aber aus dem Arrest entkommen und nach Pakistan geflohen. Nach dem kommunistischen Umsturz im April 1978 gehört seine »Islamische Bewegung« zu den erfolgreichen Widerstandsgruppen, vor allem in ihren tadschikischen Stammlanden. Nach dem Sturz von *Mohammed Najibullah* kehrt er im April 1992 nach Kabul zurück und wird nach dem Rücktritt des Übergangspräsidenten *Sibghatullah Mujaddidi [Mudschaddedi]* am 28. 6. zum Vorsitzenden eines 10köpfigen Führungsrates der Mudjaheddin und damit zum Staatsoberhaupt gewählt. Wird am 30. 12. von einer Wahlversammlung für 2 Jahre zum ersten regulären Staatsoberhaupt seit dem Ende der kommunistischen Herrschaft gewählt.

Rabin, *Yitzhak [Jitschek]* (Israel), * Jerusalem 1. 3. 1922; 1974–77 und seit 1992 Ministerpräsident.
Sohn russischer Einwanderer; in der Jugend in einem Kibbuz tätig. Mitglied der illegalen Kommando-gruppe »Palmach« (seit 1940), später stellv. Oberbefehlshaber dieser Truppe, die auch gegen die Briten kämpfte, und 1948 als Kommandant der Har-El-Brigade erfolgreich im Verteidigungskrieg des unabhängig gewordenen Israel. Anschließend militärische Laufbahn; Aufstieg zum General und seit 1964 Generalstabschef, hauptverantwortlich (neben *Moshe Dayan*) für die Strategie des »6-Tage-Krieges« von 1967, in dem die Israelis in wenigen Tagen den gesamten Sinai, das Westjordanland und die Golan-Höhen erobern. Nach einer langen Amtszeit als Botschafter in Washington ab März 1974 im Kabinett von *Golda Meir* Arbeitsminister und ab Juni 1974 Ministerpräsident – der erste im Lande geborene – einer Koalitionsregierung. Nach Bekanntwerden eines Devisenvergehens seiner Frau im April 1977 Amtsübergabe an den neuen Parteivorsitzenden der »Arbeitspartei«, *Shimon Peres*, aber weiter Abgeordneter. In der im September 1984 gebildeten großen Koalition Verteidigungsminister. Unter seiner Ägide vollzieht die israelische Armee 1985 den Rückzug aus dem Libanon, in den sie 1982 eingedrungen war, aber auch das harte und umstrittene Vorgehen der Armee gegen die im Dezember 1987 begonnene »Intifada« der Palästinenser in den besetzten Gebieten. R. setzt sich in einer parteiinternen Abstimmung am 19. 2. 1992 über den Vorsitz der »Arbeitspartei« gegen *Peres* durch und ist damit deren Kandidat für die Parlamentswahlen am 23. 6., aus denen er als klarer Sieger gegen Ministerpräsident *Yitzhak Shamir* hervorgeht; seit 13. 7. Ministerpräsident einer Koalitionsregierung seiner »Arbeitspartei« mit dem Linksblock »Meretz« und der sephardisch-orthodoxen »Schas«. R. befürwortet die seit Oktober 1991 laufenden Friedensgespräche zwischen Israel und seinen arabischen Nachbarn und befürwortet die im Rahmen dieser Verhandlungen Anfang September 1993 in New York stattfindenden Gespräche zwischen Israel und den Palästinensern über eine begrenzte Selbstverwaltung der Palästinenser im besetzten Gaza-Streifen und in der Stadt Jericho im Westjordanland.

Rafsanjani *[Rafsandschani], Ali Akbar Hashemi [Haschemi]* (Iran), * Rafsanjan [Rafsandschan] 25. 8. 1934; 1980–89 Parlaments-, seit 1989 Staats- und Ministerpräsident.
Sohn eines Pistazienhändlers, als Schüler *Khomeinys* Inhaber des theolog. Rangs eines Hojatoleslam (»Beweis f. d. Islam«). Nach der islamischen Revolution Mitglied des Revolutionsrats und kurzzeitig Innenminister. Seit 1980 Parlamentspräsident und Vertreter von *Ajatollah Khomeiny* im Obersten Verteidigungsrat. Seit 2. 6. 1988 Oberbefehlshaber der Streitkräfte. Wird am 28. 7. 1989 zum Staatspräsidenten gewählt u. übernimmt auch das

Amt des Ministerpräsidenten. Tritt am 17. 8. als Parlamentspräsident zurück und legt Anfang Sept. den Oberbefehl über die Streitkräfte nieder. Am 23. 7. 1990 bekräftigt er den Willen seiner Regierung zu einer Politik der Öffnung. Anfang August verurteilt er die irakische Invasion in Kuwait und begrüßt die Initiative von Präsident → *Saddam Hussein* zur Beilegung des Grenzkonflikts mit dem Irak. Gewinnt für seinen gemäßigt islamischen Kurs bei den Parlamentswahlen am 10. 4. und 8. 5. 1992 eine klare parlamentarische Mehrheit und wird bei den Präsidentschaftswahlen am 13. 6. 1993 im Amt bestätigt.

Ramos, *Fidel Valdez [»Eddie«]* (Philippinen), * Lingayen (Pangasinan) 18. 3. 1928; seit 1992 Staatspräsident.
Entstammt einer der Elitefamilien des Landes. Militärlaufbahn; Absolvent der Militärakademie Westpoint in den USA, dann Ausbildung in psychologischer Kampftechnik in Fort Bragg. In philippinischen Verbänden an der Seite der Amerikaner im Korea- und im Vietnamkrieg. Während des *Marcos*-Regimes als Chef der »Philippine Constabulary«, der berüchtigten Gendarmerie, mitverantwortlich für Mord und willkürliche Verhaftung politischer Gegner. Im Februar 1986 schließt er sich der Volksrevolte gegen den Diktator an und wird von Frau *Aquino* zum Generalstabschef und 1988 zum Verteidigungsminister ernannt. Im Juli 1991 tritt er als Verteidigungsminister zurück und gründet im Februar 1992 seine eigene Partei. Aus den Präsidentschaftswahlen am 11. 5. 1992 geht er als Sieger hervor, hat aber weder im Kongreß noch im Senat eine Mehrheit. R., der erste Protestant an der Spitze einer überwiegend katholischen Bevölkerung, der sich für Liberalisierung des Handels und die Öffnung für ausländische Investitionen einsetzt, wird am 30. 6. als 8. Präsident der Philippinen vereidigt.

Rao, *Pamulaparti Venkata [»P. V.«] Narasimha* (Indien), * Distrikt Karim Nagar (Andhra Pradesh) 18. 6. 1921; seit 1991 Premierminister.
Sohn einer Telugu-Familie. Jurastudium mit Promotion. Seit 1945 in der »Kongreßpartei« und stets loyaler Anhänger der Nehru-Gandhi-Dynastie. Ab 1957 Abgeordneter im Bundesstaat Andhra Pradesh, seiner Heimat, ab 1962 Minister in verschiedenen Ressorts; 1971–73 Chefminister seines Heimatstaates. Danach Generalsekretär der »Kongreßpartei« in Delhi. 1977 ins Parlament gewählt und 1980–84 Außenminister in einem Kabinett *Indira Gandhis.* Anschließend Minister der Ressorts Inneres, menschliche Ressourcen, Justiz und Verteidigung. Nach der Demission der Regierung von *Rajiv Gandhi* 1989 in den Ruhestand getreten, bis er nach der Ermordung *Gandhis* (21. 5. 1991) von

der »Kongreßpartei« am 20. 6. zu dessen Nachfolger als Parteivorsitzender gewählt wird. Nach dem Sieg seiner Partei bei den Parlamentswahlen am 26. 6. 1991 zum neuen Premierminister ernannt und damit Nachfolger von *Vishwanath Pratap Singh.*

Rasmussen, *Poul Nyrup* (Dänemark), * Esbjerg 15. 6. 1943; seit 1993 Ministerpräsident.
Entstammt einfachen Verhältnissen (sein Vater war Filmvorführer, die Mutter Putzfrau). Nach dem Studium der Staats- und Wirtschaftswissenschaften geht er, angestellt vom Gewerkschaftsbund LO, zur EG nach Brüssel. Im Gewerkschaftsbund dient er sich nach oben und wird Chefökonom von LO. Ab 1986 Geschäftsführender Direktor des Pensionsfonds der Arbeitnehmer ECPF. Seit 1987 stellv. Vorsitzender der »Sozialdemokratischen Partei«; seit 1988 im Folketing, dort ab 1990 Vorsitzender des Wirtschaftsausschusses. Im April 1992 stürzt er den Vorsitzenden seiner Partei, *Svend Auken,* und übernimmt dessen Posten. Wird nach dem Rücktritt von *Poul Schlüter* als Ministerpräsident vom Parlament zu dessen Nachfolger gewählt und am 25. 1. 1993 vereidigt. Nach dem Debakel des ersten dänischen EG-Referendums am 2. 6. 1992, bei dem eine knappe Mehrheit von 50,7 % gegen den Maastrichter Vertrag stimmte, gelingt es ihm, einen »Nationalen Kompromiß« über die Maastricht-Ausnahmeregelungen für sein Land zustande zu bringen, und erreicht, daß bei der 2. Volksabstimmung am 18. 5. eine klare Mehrheit der Bevölkerung (56,8 %) dem Vertrag zustimmt.

Reynolds, *Albert* (Irland), * im Dorf Rooskey (Grafschaft Roscommon) 3. 11. 1932; seit 1992 Premierminister.
Nach dem Besuch der örtlichen katholischen Schule und einer kurzen Beschäftigung bei der Eisenbahn wandert er als junger Mann nach Kanada aus, kehrt aber in den frühen 60ern wieder in seine Heimat zurück. Gemeinsam mit seinen Brüdern betreibt er erfolgreich mehrere Tanzhallen und verdingt sich als Country- und Westernsänger. Später gründet er in Longford eine Hundefutterfabrik, die ihn zum Millionär macht. Seine politische Karriere beginnt er 1975 als Ratsherr des Councils von Longford. 1977 erstmals für die Fianna Fáil als Abgeordneter im Dail (Unterhaus). Unter *Charles Haughey* 1979 zuerst Post- und Verkehrsminister, später Wirtschaftsminister. Nach der Wahlniederlage seiner Partei ab 1982 ihr Sprecher im Parlament. Nach der Rückkehr der Fianna Fáil an die Macht im März 1987 unter *Haughey* erneut Wirtschafts-, ab 1989 Finanzminister. Während seiner Amtszeit verfolgt er einen strengen Sparkurs, kürzt die Staatsausgaben und hat Erfolge bei der Inflationsbekämpfung und der

Stabilisierung der Währung. Im November 1991 wegen einer Revolte gegen den Premier entlassen. Nach dem Rücktritt von *Haughey* wegen eines Abhörskandals zum Parteiführer und am 11. 2. 1992 zum Taoiseach (Premierminister) einer Koalitionsregierung seiner Partei mit den »Progressiven Demokraten« gewählt.

Robinson, *Mary* (Irland), *Ballina (Grafschaft Mayo) 21. 5. 1944; seit 1990 Staatspräsidentin.
Studium der Rechtswissenschaften; mit 25 (die jüngste) Rechtsprofessorin im Dubliner Trinity College, mit 26 bereits Senatorin im irischen Oberhaus. 1977 und 1981 scheitert sie beim Versuch, einen Abgeordnetensitz zu erringen. Mitglied der Labour Party, aus der sie 1985 aus Protest gegen das anglo-irische Abkommen austritt. Die international anerkannte Verfassungsrechtlerin siegt bei den Präsidentschaftswahlen am 10. 11. 1990 als parteilose Kandidatin mit 52 % der Wählerstimmen gegen die Kandidaten der Fianna Fáil und der Fine Gail und wird am 3. 12. als Staatspräsidentin vereidigt. Im Februar unternimmt sie die erste offizielle Reise eines irischen Staatspräsidenten in die Provinz Nordirland.

Saddam Hussein el-Takriti (Irak), *Takrit 28. 4. 1937; seit 1979 Staats- und Parteichef, 1979–91 auch Regierungschef.
Bauernsohn, früh in der Baath-Bewegung politisch aktiv, bis 1968 im Untergrund. Exil, Haft; seit 1969 in dem im Irak regierenden »linken« Flügel der Baath stellv. Vorsitzender des »Kommandorates« (Führungsrates) der Partei. Entschiedener Gegner des ägypt.-israel. Friedensvertrages. Nach dem Rücktritt von *Achmed Hassan el Bakr* 1979 Nachfolger in allen Ämtern. Durch die Ergebnisse der Wahlen 1980 – den ersten seit 20 Jahren – in seiner Position gestärkt. H., in Personalunion Staats- u. Regierungschef sowie Generalsekretär der Baath-Partei u. Oberkommandierender der Armee, veranlaßt im September 1980 wegen des Anspruchs auf umstrittene Grenzgebiete den Angriff gegen den Iran, wodurch ein Krieg entfacht wird, der erst 1988 durch einen Waffenstillstand endet. S. sieht sich als Vorkämpfer der panarabischen Idee und versteht die Annexion des Nachbarstaates Kuwait am 1. 8. 1990 als einen weiteren Schritt auf dem Weg zur Vorherrschaft in der arabischen Welt. Er widersetzt sich den Resolutionen des UN-Sicherheitsrates und auch der Resolution 678, die dem Irak unter Androhung militärischer Gewalt für die Räumung Kuwaits eine letzte Frist bis zum 15. 1. 1991 setzt, worauf eine militärische Streitmacht unter Führung der USA am 17. 1. die Aktion »Wüstensturm« beginnt, die am 27. 2. mit der Niederlage des Irak und der Befreiung Kuwaits endet. S. gibt

danach das Amt des Regierungschefs an *Muhammad Hamza az-Zubaidi* ab, bleibt jedoch weiterhin als Staats- und Parteichef bestimmend.

Saleh *[Sali]*, *Ali Abdullah* (Republik Jemen), *Bait Ahmar 1942; seit 1990 Staatspräsident.
Mitglied des Stammes der Sanhan, der zur großen Al-Haschid-Stammeskonföderation gehört. Militärische Laufbahn; Teilnahme an der Revolution von 1962 und dem anschließenden Bürgerkrieg, der 1970 mit der Ausrufung der Arabischen Republik Jemen (Nord-Jemen) endet; 1975–78 Befehlshaber des Wehrbezirks Ta'iz [Tais], Oberstleutnant, Oberbefehlshaber der Armee. Nach der Ermordung von Staatspräsident *Hussein al Ghashmi* am 17. 7. 1978 zu dessen Nachfolger gewählt und zugleich Verteidigungsminister; im Juni 1988 im Amt des Staatspräsidenten bestätigt. Seine langjährigen Bemühungen um eine Annäherung der beiden jemenitischen Staaten sind im Mai 1990 mit der Vereinigung von Nord- und Süd-Jemen zur Republik Jemen erfolgreich. Nach der Bildung eines gemeinsamen provisorischen Parlamentes am 26. 5. wird S. zum Präsidenten des neuen Staates ernannt. Wird durch den Sieg seiner Partei »Allgemeiner Volkskongreß« bei den Parlamentswahlen am 29. 4. 1993 in seiner Position gestärkt.

Salinas de Gortari, *Carlos* (Mexiko), *Ciudad de México 3. 4. 1948; seit 1988 Staatspräsident.
Studium der Ökonomie an der Autonomen Nationalen Universität Mexikos (UNAM) und der Harvard University in den USA. 1979 Generaldirektor für Wirtschafts- und Sozialpolitik des Ministeriums für Planung und Staatshaushalt. 1981 beteiligt sich S. als Leiter des Instituts für soziale, ökonomische und politische Studien der regierenden »Revolutionären Institutionellen Partei«/PRI, der er seit 1966 angehört, an der Wahlkampagne von *Miguel de la Madrid*. Nach dessen Amtsantritt als Staatspräsident im Dez. 1982 Minister für Planung und Staatshaushalt und zugleich Mitglied der »Nationalen Ideologiekommission« des PRI. Bei den Wahlen am 6. 7. 1988 als Nachfolger von *De la Madrid* zum Präsidenten für die Jahre 1988–94 gewählt (Amtsantritt: 1. 12. 1988).

Sánchez de Lozada, *Gonzalo* (Bolivien), *1931; seit 1993 Staatspräsident.
Als Sohn eines Diplomaten in den USA aufgewachsen. Studium der Philosophie und Geisteswissenschaften an der Universität von Chicago. Unter Staatspräsident *Victor Paz Estenssoro* (1985–89) als Planungsminister Hauptgestalter der »Neuen Wirtschaftspolitik«, die Bolivien als Pionierland der »neoliberalen« Reformwelle Lateinamerikas aus der Hyperinflation in die Kreditwürdigkeit

führt. Als Vorsitzender der traditionsreichen »Revolutionären Nationalistischen Bewegung«/MNR geht er aus den Wahlen von 1989 als Sieger hervor, doch wählt das Parlament den drittplazierten *Jaime Paz Zamora* zum Präsidenten. S., Mitbesitzer der größten privaten Minengesellschaft des Landes, der als der reichste Mann Boliviens gilt, geht mit seiner MNR aus den Parlamentswahlen am 6. 6. 1993 erneut als Erstplazierter hervor und wird am 6. 8. als neuer Staatspräsident vereidigt.

Santer, *Jacques* (Luxemburg), * Wasserbillig 18. 5. 1937; seit 1984 Staatsminister.
Jurastudium in Straßburg und Paris; Promotion. Nach Tätigkeit als Rechtsanwalt 1962 beigeordneter Regierungsrat, 1966 Parlamentssekretär der Kammerfraktion der Christl.-Soz. Volkspartei/CSV und 1972 Staatssekretär im Arbeitsministerium und im Ministerium für kulturelle Angelegenheiten. Ab 1974 Abgeordneter in der Kammer und Mitglied des Europaparlaments, 1975–79 einer von dessen Vizepräsidenten. Seit 1979 Minister für Finanzen, Arbeit und Soziales. Zugleich 1972–74 Generalsekretär und 1974–82 Präsident der CSV. Ab 20. 7. 1984 als Nachfolger von *Pierre Werner* Staatsminister und Regierungschef einer großen Koalition zwischen CSV und der Luxemburg. Soz. Arbeiterpartei/LSAP; daneben zuständig f. Finanzen und die Bereiche Landesplanung, Post und Kommunikationswesen, Informatik.

Scálfaro, *Oscar Luigi* (Italien), * Novara 9. 9. 1918; seit 1992 Staatspräsident.
Nach dem Jurastudium an der katholischen Universität in Mailand Richter. Überzeugter, praktizierender Katholik; von Jugend auf engagiert in christlichen Laienorganisationen. Während des Krieges hilft er inhaftierten Antifaschisten und ihren Familien. Nach dem Krieg findet er seine politische Heimat in der Democrazia Cristiana/DC und gehört 1946 zu den Mitgliedern der Verfassunggebenden Versammlung. Seitdem bis 1992 immer wieder in Piemont als Parlamentarier gewählt. Seine Karriere in der Regierung beginnt 1954 als Staatssekretär im Arbeitsministerium, führt über das Transport- und Bildungsministerium und die Vizepräsidentschaft in der Abgeordnetenkammer (1976–83) zur Leitung des Innenministeriums (1983–87) unter dem Sozialisten *Bettino Craxi*. Nach dessen Rücktritt scheitert er 1987 mit dem Auftrag der Regierungsbildung. Nach den letzten Parlamentswahlen vom 5./6. 4. 1992 zum Präsidenten der Abgeordnetenkammer gewählt. Am 25. 5. im 16. Wahlgang mit einer überzeugenden Mehrheit von 672 Stimmen zum neuen Staatspräsidenten und damit zum Nachfolger von *Francesco Cossiga* gewählt, der am 28. 4. im Zorn über Politiker und Parteien zurückgetreten war.

Schelew *[Scheleff]*, *Schelju* (Bulgarien), * Wesselinowo 3. 3. 1935; seit 1990 Staatspräsident.
Sohn armer Bauern; Studium der Philosophie. Nach einem in der Ostberliner »Zeitschrift für Philosophie« veröffentlichten Aufsatz, der unter dem Eindruck der *Stalin*-Kritik *Chruschtschows* auch *Lenin* der Kritik unterzieht, aufs Land verbannt. 1982 erscheint sein Buch »Faschismus«, in dem sich dem Leser Parallelen zum Kommunismus aufdrängten und das deshalb konfisziert wird. Mitbegründer der Gruppe »Publizität und Umgestaltung« und nach dem Sturz von *Todor Schiwkow* im Nov. 1989 Vorsitzender der oppositionellen »Union Demokratische Kräfte«/UDK. Nach dem erzwungenen Rücktritt des Reformkommunisten *Petar Mladenow* am 6. 7. 1990 vom Amt des Staatspräsidenten wird Sch. am 1. 8. vom Parlament im 6. Wahlgang mit den Stimmen der BKP-Nachfolgeorganisation, der »Sozialistischen Partei«, die über die absolute Mehrheit im Parlament verfügt, mit $2/3$-Mehrheit für einen Zeitraum von zunächst 18 Monaten zum neuen Präsidenten gewählt. Kann bei den ersten freien und direkten Präsidentschaftswahlen in seinem Land am 12. 1. 1992 nicht die erforderliche absolute Mehrheit erreichen, wird aber in der Stichwahl am 19. 1. mit 52,85 % der abgegebenen Stimmen im Amt bestätigt. Will sich dafür einsetzen, daß die Rechte und Freiheiten aller Bürger geachtet werden, unabhängig von ihrer ethnischen Zugehörigkeit.

Schewardnadse *[Schewardnadze]*, *Eduard Amwrossijewitsch* (Georgien), * Mamati (Georgien) 25. 1. 1928; seit 1992 Staatspräsident.
Seit 1948 Mitglied der KPdSU; Absolvent der Parteischule beim ZK der KP Georgiens und der staatlichen Pädagogischen Hochschule in Kutaissi. Aufstieg innerhalb der georgischen Partei, beginnt als Komsomol-Instrukteur, 1957 Chef der georgischen Jugendorganisation. 1961 Aufstieg zum Kreisparteichef, zunächst von Mzcheta, dann in einem Rayon der Hauptstadt Tiflis. 1964–72 Innenminister, verantwortlich für die innere Sicherheit und hervorgetreten durch erfolgreiche Feldzüge gegen Korruption und Auswüchse des Schwarzmarktes. 1972 Erster Sekretär des Stadtkomitees Tiflis der KP Georgiens; ab 1976 Mitglied des ZK, seit 1978 Kandidat des Politbüros des ZK der KPdSU. Am 1. 7. 1985 überraschend in das Politbüro gewählt und tags darauf als Nachfolger von *Andrej Gromyko* zum Außenminister ernannt. Am 31. 6. 1989 von den Delegierten des Obersten Sowjets, auf Ersuchen von *Michail Gorbatschow*, einstimmig im Amt bestätigt. Im März 1990 von *Gorbatschow* in den neugegründeten Präsidialrat berufen. Seit dem XXVIII. Parteitag Mitte Juli nicht mehr Mitglied des Politbüros der KPdSU. Teilnehmer der 1990 statt-

findenden »2+4«-Gespräche der Außenminister der beiden deutschen Staaten und der Vier Mächte über äußere und sicherheitspolitische Aspekte der deutschen Einheit. Am 19. 12. 1990 tritt er vom Amt des Außenministers aus »Protest gegen das Herannahen einer Diktatur« zurück. Er stellt sich an die Spitze einer Bewegung zur Sammlung aller demokratischen Kräfte und leitet ein von ihm gegründetes außenpolitisches Institut. Während des Putsches vom 19. 8. 1991 distanziert er sich zunächst eindeutig von der Politik und der Person von Präsident *Gorbatschow*, kehrt aber am 20. 11. als Außenminister der UdSSR in sein Amt zurück, um die Sowjetunion als »Union souveräner Staaten« zu retten. Er verliert sein Amt erneut nach der Bildung der Gemeinschaft unabhängiger Staaten/GUS und der Unabhängigkeit der einzelnen Republiken. Nach dem Sturz des georgischen Präsidenten *Swiad Gamsachurdia* am 10. 3. 1992 von der Übergangsregierung in Tiflis zum Vorsitzenden des neugebildeten georgischen Staatsrates gewählt. Wird am 11. 10. mit großer Mehrheit zum Parlamentspräsidenten und damit zum Staatsoberhaupt gewählt. Am 2. 7. 1993 erhält er vom Parlament erweiterte Sondervollmachten und verhängt wenige Tage später das Kriegsrecht über die Autonome Republik Abchasien, in der heftige Kämpfe zwischen Separatisten und georgischen Regierungstruppen toben.

Schuschkjewitsch, *Stanislaw Stanislawowitsch* (Weißrußland), * Minsk 15. 12. 1934; seit 1991 Parlamentspräsident.

Sohn eines Dichters, der 17 Jahre in den Lagern verbrachte. Studium der Physik, seit 1969 Hochschullehrer in Minsk, ab 1976 Inhaber des Lehrstuhls für Atomphysik. Mitglied der KPdSU, aber kein Mann des Apparats. Das Reaktorunglück von Tschernobyl und die anfängliche Vertuschung seiner gerade in Weißrußland schwerwiegenden Folgen bringen ihn der Politik näher. Bei den Wahlen im März 1990 mit Unterstützung der Volksfront ins Parlament der Republik gewählt und dessen stellv. Präsident. Nach dem gescheiterten Moskauer Putsch vom 19. 8. 1991 aus der KP ausgetreten und im September in das höchste politische Amt der gerade erst unabhängig gewordenen »Republik Bjelorus«, das des Parlamentspräsidenten, gewählt. Am 8. 12. unterzeichnet er in Minsk das Abkommen über die Gründung der »Gemeinschaft unabhängiger Staaten«/GUS, das das Ende für die UdSSR nach 7 Jahrzehnten bedeutet.

Serrano Elias, *Jorge* (Guatemala), * Ciudad de Guatemala 26. 4. 1945; seit 1991 Staatspräsident.

Sohn einer wohlhabenden Familie libanesischen Ursprungs. Studium in Guatemala und den USA; Diplomingenieur und Doktor in Erziehungswissen-

schaften. Mitglied der protestantischen Sekte der »El Shaddai«. Früh politisch aktiv; in der kurzen Regierungszeit des umstrittenen Präsidenten General *Efraín Ríos Montt* 1982/83 Vorsitzender des Staatsrates, der damals als eine Art Ersatzparlament diente. Vorsitzender der erst 1967 gegründeten konservativen »Bewegung der solidarischen Aktion«/MAS. Geht aus den Präsidentschaftswahlen (11. 1. 1990 und 6. 1. 1991) als Sieger hervor und wird als neuer Präsident vereidigt (Vorgänger: *Marco Vinicio Cerezo Arévalo*). Zum ersten Mal wird damit in demokratischen Wahlen ein nichtkatholischer Politiker zum Präsidenten eines lateinamerikanischen Landes gewählt.

Sharma, *Shankar Daya* (Indien), * Bhopol 19. 8. 1918; seit 1992 Staatspräsident.

Entstammt der obersten Kaste der Brahmanen. Studium der Rechtswissenschaften u. a. in Cambridge (Promotion); zusätzliche Examina in englischer Literatur und Hindi (mit Sanskrit). Dann »Fellow« an der Harvard Law School, ab 1940 als Rechtsanwalt tätig. Teilnahme am Unabhängigkeitskampf gegen die Herrschaft der Briten; einige Male im Gefängnis. Mitglied der Kongreßpartei und stets Anhänger der Nehru-Gandhi-Familie. Über 5 Jahrzehnte hinweg in wichtigen politischen Ämtern, u. a. Gouverneur von 3 Bundesstaaten, Präsident der Kongreßpartei, Chefminister, Mitglied des Zentralkabinetts und seit 1987 Vizepräsident und damit zugleich Vorsitzender des Oberhauses. Am 16. 7. 1992 mit 64,8 % der Stimmen zum neuen Präsidenten gewählt, löst er am 25. 7. *Ramaswamy Venkataraman* in diesem Amt ab. Der strenggläubige Hindu S. ruft seine Landsleute auf, neben der Armut vor allem das Kastenwesen, die religiösen Schranken und den Terrorismus zu überwinden.

Shonekan, *Ernest* (Nigeria), seit 1993 Ministerpräsident.

Angehöriger der Yoruba aus dem Südwesten Nigerias. Jurastudium; Vorsitzender der United Africa Company of Nigeria, des größten Konglomerats des Landes. Am 4. 1. 1993 zum Vorsitzenden des mehrheitlich zivilen, aber hierarchisch der Militärjunta untergeordneten »Übergangsrates« ernannt. Nach dem Rücktritt von Staatspräsident *Ibrahim Babangida* am 26. 8., der zuvor die Präsidentschaftswahlen vom 12. 7. – die offensichtlich vom Vorsitzenden der »linkszentristischen« »Social Democratic Party«/SDP *Moshood Abiola* gewonnen wurden – annulliert hatte, wird Sh. am gleichen Tag vom Präsidenten des Obersten Gerichts als Übergangsministerpräsident vereidigt und übernimmt faktisch zugleich die Funktionen des Staatspräsidenten und des Oberbefehlshabers der Streitkräfte.

Sihanouk *[Sihanuk]*, *Samdech* (= Prinz) *Norodom* (Kambodscha), *Phnom Penh 31. 10. 1922; 1947–55 König, 1960–70, 1975/76 und seit 1992 Staatspräsident.

1947 von Frankreich als König eingesetzt, zeitweise auch Regierungschef. 1955 Abdankung zugunsten seines Vaters, um politisch unmittelbar für die Bewahrung der Selbständigkeit des 1953/54 endgültig unabhängig gewordenen Landes eintreten zu können; 1955 Gründung der »Volkssozialistischen Partei« und Regierungschef, nach dem Tod seines Vaters 1960 mit dem Titel »Prinz« auch Staatsoberhaupt; versucht durch wechselnde Anlehnung an Moskau bzw. Peking Kambodscha aus dem Vietnamkrieg zu halten und eine internationale Garantie der Neutralität zu erreichen. Im März 1970 während einer Auslandsreise von *Lon Nol* gestürzt. Im Mai 1970 in Peking Gründung einer Exilregierung zur Schaffung eines »sozialistischen Kambodscha«. Von einem Militärgericht in Phnom Penh am 5. 7. 1970 in Abwesenheit zum Tode verurteilt. Nach dem Sieg der Roten Khmer im April 1974 läßt er sich zu deren Galionsfigur machen, kehrt 1975 nach Phnom Penh zurück und wird Staatsoberhaupt, aber im April 1976 ein 2. Mal entmachtet und unter Hausarrest gestellt. Im Dez. 1978, einen Tag vor dem Einmarsch der vietnames. Truppen, wird er nach Intervention des chines. Ministerpräsidenten *Zhou Enlai [Chou En-Lai]* aus Kambodscha ausgeflogen. Seitdem Abkehr und Verurteilung der Roten Khmer, aber auch der vietnames. Invasion. Wechselndes Asyl in Paris, Peking und Pjöngjang. Im März 1981 Gründung der »Nationalen Einheitsfront für ein unabhängiges, neutrales, friedliches und kooperatives Kambodscha«/MOULINAKA und Ende Juni 1982 Präsident einer von der UNO anerkannten Exilregierung. S., der in seiner an Wandlungen reichen Politik und seinen Zielen schwer festzulegen ist, kehrt nach der Unterzeichnung des Friedensabkommens am 23. 10. 1991 in Paris am 14. 11. nach Phnom Penh zurück und wird Vors. des Obersten Nationalrates, in dem die 3 Guerillafraktionen und die Regierung Kambodschas Sitz und Stimme haben; am 20. 11. offiziell als Staatsoberhaupt anerkannt, eine Funktion, die vorher *Heng Samrin* innehatte. Nach den Wahlen Ende Mai 1993, die mit der Niederlage der bislang regierenden Cambodian People's Party/CPP endete, übernimmt S. am 3. 6. die gesamte Regierungsgewalt und bildet eine provisorische Übergangsregierung, bestehend aus Mitgliedern der CPP und der Funcinpec-Partei seines Sohnes *Ranariddh*, und wird am 14. 6. von der Verfassunggebenden Versammlung auf ihrer konstituierenden Sitzung einstimmig in seinen Vollmachten als Staatsoberhaupt bestätigt.

Skubiszewski, *Krzysztof* (Polen), *Poznan [Posen] 1926; seit 1989 Außenminister.

Studium der Rechts- und Wirtschaftswissenschaften; habilitierter Doktor der Rechtswissenschaften. 1948–73 wissenschaftlicher Mitarbeiter an der Universität Posen, ab 1973 Professor am Institut für Staat und Recht in der Polnischen Akademie der Wissenschaften; anerkannter Völkerrechtler. Seine politische Heimat sind die »Clubs der katholischen Intelligenz«, die aus der früheren »Znak«(»Zeichen«)-Bewegung hervorgegangen sind. In der Kriegsrechtskrise von 1981–84 Berater des Kardinals Primas *Joszef Glemp*, dann 1986 im Konsultativrat von Staatspräsident *Wojciech Jaruzelski*, in dem er bald die Wiederzulassung der »Solidarität« forderte. Seit September 1989 Außenminister, gehört er auch dem am 10. 7. 1992 gebildeten Kabinett von Ministerpräsidentin → *Suchocka* an.

Snegur, *Mircea* (»Mirtscha«) *Ion* (Moldau), *im Dorf Trifeneschtj (Kreis Floreschty) 17. 1. 1940; seit 1991 Staatspräsident.

Entstammt einer kleinbäuerlichen Familie. Studium der Agrarwissenschaften am Landwirtschaftsinstitut »M. W. Frunse« in der Hauptstadt Kischinew (heute rumänisch: Chişinău). Danach Leitender Agronom in der Kolchose seines Heimatkreises. Ab 1968 als Aspirant am Lehrstuhl für Ackerbau des Landwirtschaftsinstituts tätig. Ab 1973 in verschiedenen Führungspositionen im Ministerium für Agrarwirtschaft der Moldavischen SSR, 1978 dort Direktor für Ackerbau. Ab 1981 hauptamtlicher KP-Funktionär; 1985 für die Landwirtschaft zuständiger Sekretär des ZK der Moldauischen KP. Im Juli 1989 zum Vorsitzenden des Präsidiums des Obersten Sowjets der Republik und am 27. 4. 1990 zum Vorsitzenden des Obersten Sowjets gewählt, übernimmt er am 3. 9. 1990 den vom Parlament neugeschaffenen Posten des Präsidenten der Republik. Unter dem Eindruck des gescheiterten Putsches gegen Präsident *Michail Gorbatschow* im August 1991 kündigt er seine KP-Mitgliedschaft auf und verkündet am 27. 8. die zuvor vom Parlament beschlossene Unabhängigkeit der Republik. Aus den ersten allgemeinen Präsidentenwahlen am 8. 12. geht er mit mehr als 98 % der Stimmen als klarer Sieger hervor. S., strikter Gegner einer allzu fest geknüpften neuen politischen Union und Befürworter eines »einigen und unteilbaren Moldau«, sieht sich in zunehmendem Maße durch die Sezessionsbestrebungen bedrängt, die vor allem von den östlich des Dnjestr lebenden Russen, den Ukrainern sowie den Gagausen, einem slawisierten Turkvolk im Süden, ausgehen.

Soares, *Mário Alberto Nobre Lopes* (Portugal), * Lissabon 7. 12. 1924; 1976–78 und 1983–85 Premierminister; seit 1986 Staatspräsident.
Jurastudium; Promotion, später Anwalt. Vom Exil in Paris aus wesentlicher Anteil an der Gründung (1973) der »Sozialist. Partei Portugals«/PSP u. Generalsekretär. 1974 Rückkehr nach Portugal, zunächst Außenminister, dann Minister ohne Geschäftsbereich. 1976–78 Ministerpräsident. Nach dem Sieg des PSP bei den vorgezogenen Wahlen zur Nationalversammlung vom 25. 4. 1983 seit 8. 6. an der Spitze einer Mitte-Links-Koalition (mit der liberalen »Sozialdemokrat. Partei«/PSD von *Carlos Mota Pinto*) und als Nachfolger von *Francisco Pinto Balsemão* Ministerpräsident. Differenzen mit Staatspräsident *Ramalho Eanes*. Nach dem Ausscheiden des PSD aus dem Kabinett im Juni 1985 Rücktritt als Regierungschef. Als Kandidat seiner Partei in der 2. Runde der Präsidentschaftswahlen am 16. 2. 1986 gegen *Diego Freitas do Amaral* mit absoluter Mehrheit Sieger und der erste zivile Präsident seines Landes seit 6 Jahrzehnten. Bei den Präsidentschaftswahlen am 13. 1. 1991 mit 70,43 % der Stimmen für weitere 5 Jahre wiedergewählt.

Soglo, *Nicéphore* (Benin), * Togo 29. 11. 1934; 1990 Premierminister, seit 1991 Staatspräsident.
Geboren und aufgewachsen im Nachbarland Togo, wo sein Vater in der französischen Kolonialverwaltung arbeitete. Angehöriger einer gutsituierten, dem Mehrheitsstamm der Fong angehörenden Familie. Jurastudium an der Sorbonne und Absolvent der »École Nationale d'Administration«/ETA. Als sein Onkel, General *Christophe S.*, in Benin an der Macht war, zeitweise Wirtschafts- und Finanzminister, später bei der Weltbank in Washington und der afrikanischen Entwicklungsbank. 1990 von einem Nationalkonvent aller gesellschaftlichen Kräfte zum Premierminister einer Übergangsregierung gewählt, geht er aus den ersten freien Präsidentschaftswahlen in seinem Land im März 1991 als Sieger über den langjährigen Staatschef *Mathieu Kérékou* hervor und wird am 1. 4. als neuer Präsident vereidigt.

Suchocka, *Hanna* (Polen), * Pleszew 3. 4. 1946; seit 1992 Ministerpräsidentin.
Jurastudium, Promotion; Spezialistin für Verfassungsrecht. Ab 1972 Dozentin an der Universität Posen und der Katholischen Universität Lublin. 1980 als Mitglied der »Demokratischen Partei«/SD, einer mit der KP verbundenen Gruppierung, erstmals in den Sejm gewählt, votiert sie 1982 gegen die Verhängung des Kriegsrechts und tritt 1984 aus Protest gegen das Verbot der Gewerkschaft »Solidarität« aus der SD aus. In den folgenden Jahren

nähert sie sich der »Solidarität« an und wird 1989 auf deren Liste bei den noch unter kommunistischer Herrschaft abgehaltenen Wahlen erneut ins Parlament gewählt. Bei den ersten wirklich freien Wahlen 1991 kandidiert sie mit Erfolg für die »Demokratische Union«/UD des späteren Ministerpräsidenten *Tadeusz Mazowiecki*. Im Sejm Vors. der Kommission für Menschenrechtsangelegenheiten, stellv. Vors. der Verfassungskommission und Mitglied im Minderheitenausschuß. Zuletzt Vors. der polnischen Parlamentariergruppe beim Europarat in Straßburg und dort Vizepräsidentin der Parlamentarischen Versammlung. Am 4. 7. 1992 von 7 Parteien aus dem Spektrum der ehem. »Solidarität«-Bewegung als Kandidatin für das Amt des Ministerpräsidenten vorgeschlagen, wird sie am 8. 7. von Staatspräsident → *Wałęsa* nominiert und am 10. 7. mit 233 gegen 61 Stimmen, bei 113 Enthaltungen, zur neuen Regierungschefin gewählt. Nachdem der Sejm am 28. 5. 1993 der Regierung mit einem Mißtrauensantrag das Vertrauen entzieht, erklärt sie ihren Rücktritt, den *Wałęsa* jedoch nicht annimmt, so daß sie bis zu den vorgezogenen Wahlen am 19. 9. im Amt bleibt.

Suharto (Indonesien), * Kemusu Arga mulja (Java) 8. 6. 1921; seit 1967 Staatspräsident.
Zunächst militärische Laufbahn in der niederländ. Kolonialarmee, seit 1945 dann Partisanenführer; rasche Karriere: 1960 stellv. Stabschef d. Armee, 1962 Generalmajor u. Kommandeur der Truppen zur Befreiung Westirians, 1965 Niederschlagung eines Putschversuchs von Offizieren u. Kommunisten, seither als kompromißloser Antikommunist Inhaber der Macht; ab 1966 Präsident. Vom Beratenden Volkskongreß am 10. 3. 1993 ohne Gegenkandidat für eine 6. Amtszeit wiedergewählt.

Taya, *Maaouiya Ould Sid Ahmed [Mauja Uld Sid Achmed]* (Mauretanien), * Atar 1943; 1981–84 Ministerpräsident; seit 1984 Staatspräsident.
Angehöriger eines kleinen Stammes im Norden des Landes. Als stellv. Generalstabschef trägt er 1978 zum Sturz des Staatsgründers *Moktar Ould Daddah* und zum Verbot der 1961 durch Zusammenschluß mehrerer Parteien gegründeten »Parti du Peuple Mauretanien« bei. Seit 25. 4. 1981 als Nachfolger von *Ahmed Ould Bneijara* Regierungschef und Verteidigungsminister. Im März 1984 Verlust dieser Ämter, da Staatspräsident *Mohammed Khouna Ould Haydallah* zusätzlich das Amt des Regierungschefs übernimmt, aber weiterhin Oberbefehlshaber der Streitkräfte. T. stürzt am 12. 12. 1984 in einem unblutigen Putsch *Haydallah*, dem er vorwirft, schlecht gewirtschaftet und Gruppeninteressen unterstützt zu haben. Seitdem ist er Staats-

und Regierungschef sowie Präsident des 15köpfigen Offiziersausschusses. Bei den ersten allgemeinen und freien, von der Opposition weitgehend boykottierten Wahlen am 24. 1. 1992 mit etwa 61 % der Stimmen wiedergewählt.

Ter-Petrosjan, *Lewon* (Armenien), * Aleppo (Syrien) 9. 1. 1945; seit 1991 Staatspräsident.
Bei der Verfolgung des armenischen Volkes durch die Türken wurde seine Mutter nach Syrien verschlagen, wo er zur Welt kam. Studium der Orientalistik und der semitischen Sprachen in Leningrad; Promotion als Philologe und wenig später Habilitation. Am 28. 4. 1965, dem 50. Jahrestag des Beginns des Genozids an den Armeniern von 1915–1917, Teilnahme an einer in der UdSSR bis dahin nicht für möglich gehaltenen Demonstration Hunderttausender gegen die Sowjetmacht; ein Jahr danach wegen der Teilnahme an einer aus gleichem Anlaß stattfindenden Demonstration verhaftet und für mehrere Monate inhaftiert. Im Februar 1988 gründet er mit Gesinnungsfreunden das »Komitee Berg-Karabach« mit dem Ziel, die Zugehörigkeit der Enklave zu Armenien wiederherzustellen; daraufhin erneut inhaftiert. Nach seiner Entlassung wird er zum Vorsitzenden des Komitees gewählt. Als bei den ersten freien Wahlen in der Republik die Kommunisten im Parlament in die Minderheit geraten, wird er am 4. 8. 1990 zum Parlamentspräsidenten, dem höchsten Amt im Staate, und bald darauf zum Vorsitzenden der armenischen Nationalbewegung gewählt. Bei den ersten allgemeinen Präsidentschaftswahlen am 16. 10. 1991 wird T. von der Bevölkerung der transkaukasischen Republik, die sich im September für unabhängig erklärt hat, mit großer Mehrheit in das neugeschaffene Amt des Präsidenten gewählt.

Tschernomyrdin, *Wiktor Stepanowitsch* (Rußland), * Tschornij Otrog 9. 4.1938, seit 1992 Ministerpräsident.
Sohn einer kosakischen Familie; zunächst Schlosser in einem Erdölverarbeitungsbetrieb in Orsk. Nach Militärdienst und vierjährigem Studium an der Polytechnischen Hochschule Kuijbyschew von 1967–73 Parteifunktionär in Orsk, anschließend stellv. Chefingenieur, dann Direktor des Orenburger Gaskombinats. 1978–82 »Instrukteur« in der ZK-Abteilung für Schwerindustrie, 1982 stellv. Minister, 1985 Minister der sowjetischen Gasindustrie. Dazwischen leitet er 1983 im westsibirischen Tjumen die größte Erdgasförderung der UdSSR. Seit 1989 Vorstandsvorsitzender des staatlichen Gaskonzerns Gasprom und ab Mai 1992 als stellv. Ministerpräsident in der russischen Regierung auch für die Erdöl-, Erdgas- und Energiepolitik zuständig. Auf Vorschlag von → *Jelzin* am 14. 12. vom Kongreß der Volksdeputierten zum neuen Ministerpräsidenten gewählt,

tritt er die Nachfolge von *Jegor Gaidar* an, dessen Reformpolitik er ohne große Änderungen fortsetzen will.

Tudjman, *Franjo* (Kroatien), * Veliko Trgovišće 14. 5. 1922; seit 1990 Staatspräsident.
Soldat in der Armee des unter dem Schutz der Achsenmächte stehenden »Unabhängigen Staates Kroation«; mit 19 Jahren schließt er sich den kommunistischen Partisanenverbänden von *Tito* an und kämpft gegen Besatzer und Ustascha-Faschisten. Steigt zum Offizier auf; nach dem Krieg im Verteidigungsministerium und im Generalstab tätig, wird er in den 50er Jahren jüngster General. 1961 scheidet er im Range eines Generalmajors aus dem aktiven Dienst aus. Danach Studium der Geschichts- und Politikwissenschaft und bereits 1963 außerordentlicher Professor an der Universität Zagreb. Bis 1967 Direktor des Zagreber Instituts für die Geschichte der kroatischen Arbeiterbewegung. Als Mitunterzeichner einer Deklaration über die kroatische Sprache wird er 1967 aus der Partei ausgeschlossen und verliert sein Amt. Nach der Niederschlagung des sog. »Kroatischen Frühlings« durch *Tito* 1971 wegen »konterrevolutionärer Umtriebe« 9 Monate und 1981 wegen »staatsfeindlicher Propaganda« 3 Jahre im Gefängnis, politische Beteiligung wird ihm untersagt. Ungeachtet dieses Verbots gründet er 1989 die »Kroatische Demokratische Gemeinschaft«/ HDZ. Bei freien Wahlen im April 1990 erringt er die absolute Mehrheit im Parlament (Sabor); am 30. 5. wird er zum Vorsitzenden des Staatspräsidiums gewählt. Er setzt sich zunehmend für die kroatische Eigenständigkeit ein und erreicht am 21. 12. 1990 die Verabschiedung einer neuen Verfassung und am 25. 6.1991 – nach dem Referendum für die Unabhängigkeit am 19. 5. – den Austritt der Republik aus dem jugoslawischen Staatsverband. Am 15. 1.1992 erringt er international die diplomatische Anerkennung der Souveränität und Eigenstaatlichkeit seines Landes. Die ersten Präsidentenwahlen nach der Unabhängigkeit am 2. 8. gewinnt T. mit 56,73 %. Geht mit seiner HDZ aus den Wahlen zur neuen Regionalkammer des Parlaments am 7. 2. 1993 gestärkt hervor.

Ulmanis, *Guntis* (Lettland), * 1939; seit 1993 Staatspräsident.
Entstammt der Familie des führenden lettischen Staatsmannes *Karlis Ulmanis*, der in den 30er Jahren Präsident Lettlands war und 1941 mit seiner Familie nach Sibirien deportiert wurde. Studium der Wirtschaftswissenschaften; Tätigkeit bei der Lettischen Bank, zuletzt Mitglied im Aufsichtsrat der Staatsbank. 1965–89 Mitglied der KP, aber ohne politische Ämter. Mitglied der »Bauernunion« und des Stadtrates von Riga. Nach den ersten freien und de-

mokratischen Parlamentswahlen in der Baltenrepublik seit 60 Jahren am 5. 6. 1993 gehen der »Lettische Weg« und die »Bauernunion«, die nur 12 von 100 Sitzen erringt, eine Koalition ein, und U. wird am 7. 7. als Kandidat seiner Partei im 3. Wahlgang vom Parlament zum ersten Nachkriegspräsidenten Lettlands gewählt. Er löst damit *Anatoli Gorbunov* ab, der als Parlamentspräsident – in diesem Amt am 6. 7. bestätigt – bislang die Funktion des Staatsoberhauptes innehatte.

Valentić, *Nikica* (Kroatien), * 1951; seit 1953 Ministerpräsident.
Stammt aus Gospić im Hinterland der dalmatinischen Küste. Nach dem Jurastudium Direktor einer von ihm in den 80er Jahren gegründeten Bauberatungsgesellschaft, deren erfolgreiche Tätigkeit ihn bei den damaligen kommunistischen Machthabern in Mißkredit brachte. Seit Anfang 1990 Generaldirektor des staatlichen Erdölkonzerns INA. Von Präsident → *Tudjman* zum Ministerpräsidenten ernannt (3. 4. vereidigt), bildet er die bisher 5. Regierung nach den ersten Mehrparteienwahlen 1990 und tritt damit die Nachfolge von *Hrvoje Sarinić* an, der mit dem Posten des Sicherheitsberaters des Präsidenten betraut wird.

Velásquez, *Ramón José* (Venezuela), * 1916; seit 1993 Staatspräsident.
Nach dem Studium der Rechtswissenschaften zunächst Anwalt, dann als Journalist für verschiedene Zeitungen tätig. Als 1948 die demokratische Regierung von *Rómulo Gallego* von einer Militärjunta gestürzt wird, geht er in den Untergrund und bekämpft die Diktatur. Zweimal wird er verhaftet, weil er an den Vorbereitungen eines Attentats auf Diktator *Marcos Pérez Jiménez* beteiligt gewesen sein soll. Nach dessen Sturz 1958 kommt er aus dem Gefängnis frei und gründet eine eigene Zeitung. Seit 1959 parteiloser Senator auf der Liste der Sozialdemokraten. Da er sich seine politische Unabhängigkeit bewahrt, wird er in der Folge mehrfach Minister sowohl in christdemokratischen als auch in sozialdemokratischen Regierungen. Unter Präsident *Carlos Andrés Pérez Rodríguez* (seit 1989) gehört er der Kommission an, die eine Lösung für den kolombianisch-venezolanischen Grenzkonflikt finden soll; zudem Vorsitzender des Beraterstabes, der den Präsidenten nach dem 1. Militärputsch vom Februar 1992 zur Seite stehen soll. Am 4. 6. 1993 wird V. vom Kongreß mit großer Mehrheit gewählt und löst damit Parlamentspräsident *Octavio Leparge* ab, der seit der Suspendierung von Präsident *Pérez Rodriguez* am 21. 5. kommissarisch als Staatsoberhaupt fungiert hatte. V., der die Unterstützung der beiden großen Parteien, Acción Democrática und Copei, erhält, wird das

Land bis zum Ablauf des Mandats von *Pérez* am 2. 2. 1994 regieren.

Vo Van Kiet [eigentlich *Phan Van Hoa*] (Vietnam), * Cuu Long 23. 11. 1922; seit 1991 Ministerpräsident.
Sohn eines armen Bauern aus der Provinz Cuu Long. Mitglied der KP seit 1939; Parteisekretär in verschiedenen Provinzen, 1972 Mitglied des ZK, 1982 Mitglied des Politbüros. Als Parteichef von Saigon, später als Vorsitzender der Planungskommission, gehörte er zu den ersten, die marktwirtschaftliche Reformen forderten und den Bauern mit Leistungsanreizen zu größeren Ernten verhalfen. Seit 1988 1. Stellvertreter des Ministerpräsidenten. Beim KP-Kongreß Ende Juni 1991 auf dem 3. Platz im Politbüro und zum Nachfolger von → *Do Muoi* als Ministerpräsident gewählt. Von der Nationalversammlung am 24. 9. 1992 für eine weitere Amtsperiode zum Ministerpräsidenten gewählt.

Vranitzky, *Franz* (Österreich), * Wien 4. 10. 1937; seit 1986 Bundeskanzler.
Studium der Handelswissenschaften an der Wiener Hochschule für Welthandel (jetzige Wirtschaftsuniversität); Promotion. Mitglied im Verband Sozialistischer Studenten und in der Sozialistischen Partei/SPÖ. 1961 Angestellter bei Siemens-Schuckert in Wien, im gleichen Jahr Wechsel zur Nationalbank. 1970–76 engster Mitarbeiter von Finanzminister *Hans Androsch*. 1976 stellv. Generaldirektor der größten verstaatlichten Bank Österreichs (Creditanstalt-Bankverein), 1981 Generaldirektor der staatlichen Länderbank. Ab Sept. 1984 im Kabinett von *Fred Sinowatz* Finanzminister. Nach dem Sieg des ÖVP-Kandidaten *Kurt Waldheim* bei den Präsidentschaftswahlen 1986 und dem Rücktritt von *Sinowatz* ab 16. 6. Regierungschef einer sozialliberalen Koalition. Bleibt mit seiner SPÖ bei den Nationalratswahlen am 23. 11. 1986 stärkste Partei und wird am 4. 1. 1987 Chef einer großen Koalition mit der ÖVP. Auf einem außerordentlichen Parteitag am 12. 5. 1988 als Nachfolger von *Sinowatz* auch zum neuen Bundesvorsitzenden der SPÖ gewählt und auf dem Parteitag am 20. 10. 1989 im Amt bestätigt. Geht aus den Wahlen vom 7. 10. 1990 mit seiner SPÖ gestärkt hervor und bildet erneut eine große Koalition mit der ÖVP. Am 4. 6. 1993 wird er vom SPÖ-Parteitag erneut im Amt des Vorsitzenden bestätigt.

Wałęsa [gespr. etwa: *Wauenssa*], *Lech* [»Leszek«] (Polen), * Popowo (bei Bromberg/Bydgoszcz) 29. 9. 1943; 1980–90 Führer der unabhängigen (1982–89 verbotenen) Gewerkschaft »Solidarität«; seit 1990 Staatspräsident.
Elektromonteur. Nach Gründung des unabhängigen

Gewerkschaftsbundes »Solidarität« im Sept. 1980 Vorsitzender eines Koordinationskomitees. Als Führer der am 8. 10. durch Gesetz verbotenen »Solidarität« wird er nach Verhängung des Kriegsrechts (13. 12. 1981) inhaftiert. Im Nov. 1982 freigelassen; danach wiederholt vorübergehend festgenommen. Am 5. 10. 1983 mit dem Friedensnobelpreis ausgezeichnet, den seine Frau *Danuta* W. entgegennimmt, da ihm die Ausreise verboten wird. Handelt 1989 mit *Czeslaw Kiszczak* am »Runden Tisch« einen »Neuen Gesellschaftsvertrag« aus, der unter anderem die Solidarność als Opposition zuläßt. Am 10. 5. in Straßburg mit dem Menschenrechtspreis des Europarates ausgezeichnet. Aus den Parlamentswahlen (Sejm und Senat) am 4. 6. 1989, bei denen erstmals unter kommunistischer Herrschaft in Polen eine echte Oppositionspartei kandidiert (der Opposition und den Parteilosen werden 35 % der Mandate eingeräumt), geht er mit seiner Solidarność als Sieger hervor. Er lehnt eine formelle Beteiligung an einer Regierung unter Führung der PVAP ab und handelt eine Koalition unter Führung der Solidarność aus, zu deren Chef der von ihm vorgeschlagene *Tadeusz Mazowiecki* am 24. 8. vom Parlament mit überwältigender Mehrheit gewählt wird. 1990 zunehmende Differenzen mit *Mazowiecki*, mit dessen liberaler Politik er nicht einverstanden ist. Er gewinnt die Präsidentschaftswahlen am 9. 12. 1990 und ist damit der erste freigewählte Staatspräsident seines Landes seit über 50 Jahren. Am 22. 12. durch die Nationalversammlung vereidigt, überreicht ihm der aus London angereiste letzte polnische Exilpräsident *Ryszard Kaczorowski* die Amtsinsignien.

Wasmosy, *Juan Carlos* (Paraguay), * 1939; seit 1993 Staatspräsident.
Urenkel ungarischer Einwanderer; nach dem Ingenieurstudium als Unternehmer tätig, verdient er als einer der Hauptaktionäre des Baukonsortiums, das mit Brasilien zusammen die gigantischen Stauwerke von Itaipu und Yacyreta errichtet hat, ein Vermögen und gilt heute als einer der reichsten Männer des Landes. Seine politische Karriere beginnt unter Präsident *Andrés Rodríguez*, der ihn 1992 zum Minister für Integration ernennt und ihn dann zum Nachfolger vorschlägt. Aus den Präsidentschaftswahlen am 9. 5. 1993 geht W., Kandidat der regierenden Colorado-Partei, als Sieger hervor und tritt am 15. 8. sein Amt als Staatspräsident an.

Weizman, *Ezer* (Israel), * Tel Aviv 15. 6. 1924; seit 1993 Staatspräsident.
Neffe des ersten israelischen Staatspräsidenten *Chaim Weizmann* und Schwager des früheren Verteidigungsministers *Moshe Dayan*. Als Sohn eines osteuropäischen Einwanderers in Palästina

geboren, wächst er in Haifa auf, wo der Vater erfolgreich als Händler tätig ist. Mit 18 Jahren Freiwilliger bei der britischen Royal Air Force, bei der er im ehem. Rhodesien als Kampfpilot ausgebildet wird. Nach dem II. Weltkrieg studiert er in London und wird Flugzeugingenieur. Vor der Staatsgründung organisiert er die winzige Luftwaffe (4 Flugzeuge) der Untergrundbewegung Hagana, den Kern der späteren israelischen Luftwaffe, mit der er 1948 im Mehrfrontenkrieg mit den Arabern den Vormarsch der Ägypter stoppt. Im unabhängigen Israel Aufstieg zum Luftwaffenchef und 1967 zum stellv. Generalstabschef, den »Sechstagekrieg« von 1967 mit der Luftwaffe vorentscheidend. 1969 beginnt er seine politische Karriere in der Cherut-Partei von *Menachem Begin* und wird Transportminister in der ersten großen Koalition. Als Cherut die Koalition 1970 verläßt, bleibt er Vorsitzender der Parteiexekutive, organisiert 1977 den Wahlkampf des Likud-Blocks von *Begin* und wird 1977 unter diesem Verteidigungsminister. Unter dem Eindruck der Camp-David-Friedensverhandlungen, die 1979 in einem israelisch-ägyptischen Friedensvertrag münden, wandelt er sich vom »Falken« zur »Taube«. Dadurch zunehmend in Gegensatz zu *Begin* geratend, tritt er im Mai 1980 zurück und gründet – nachdem er aus dem Likud ausgeschlossen wird –, 1984 die Partei Yahad [Jachad; »Gemeinsam«], mit der er bei den Wahlen im Juli 3 Mandate erringt. In der Regierung von *Shimon Peres* Minister ohne Geschäftsbereich, fusioniert er mit dessen »Arbeitspartei«, deren Wahlkampagne er 1988 steuert. Als Wissenschaftsminister zieht er in die »Koalition der Nationalen Einheit« ein. Weil er sich heimlich mit PLO-Führern trifft, entläßt ihn Ministerpräsident *Yitzhak Shamir* im Januar 1990 aus dem Kabinett, muß ihn jedoch zurückholen, als die »Arbeitspartei« mit einer Koalitionskrise droht. 1991 fordert er die Rückgabe des Golan an Syrien. Im April 1992 tritt er als Abgeordneter aus Ärger über die Verschleppung des Friedensprozesses zurück. Auf Vorschlag der »Arbeitspartei« am 24. 3. 1993 von der Knesset zum Staatspräsidenten gewählt, legt er am 13. 5. seinen Amtseid ab und ist damit Nachfolger von *Chaim Herzog*, der nach 2 Amtsperioden nicht mehr kandidieren kann.

Wijtunga, *Dingiri Banda* (Sri Lanka), * 1922; 1989–93 Ministerpräsident; seitdem Staatspräsident.
Mitglied der United National Party/UNP. Seit 1989 Ministerpräsident. Nach der Ermordung des Staatspräsidenten *Renasinghe Premadasa* am 1. 5. 1993 von der UNP als Nachf. nominiert, wird er am 7. 5. vom Parlament zum neuen Staatchef gewählt, der bis zum Ende der regulären Amtszeit im Jan. 1995 die Geschäfte führen wird.

Zafy, *Albert* (Madagaskar), * 1928; seit 1993 Staatspräsident.
Nach dem Studium der Medizin als Herzchirurg und Universitätsprofessor tätig. Im Gegensatz zu vielen anderen Oppositionellen hat er nie gemeinsame Sache mit dem Regime gemacht. Seit 1991 wird er zunehmend zum Gegenspieler des langjährigen Alleinherrschers *Didier Ratsiraka*, den er in fairen und friedlichen Wahlen am 25. 11. 1992 und in der Stichwahl am 10. 2. 1993 mit 66,62 % der Stimmen klar besiegt und damit nach 17 Jahren als Staatspräsident der Inselrepublik ablöst.

Zenawi, *Meles* (Äthiopien), * in Adua (Prov. Tigre) 1955; seit 1991 Staatspräsident.
Sohn einer christlichen Kleinhändlerfamilie. Nach dem Besuch der britischen Wingate High School in Addis Abeba Studium der Medizin, jedoch ohne Abschluß. Politisch aktiv, opponiert er gegen den Kasernenhof-Marxismus von *Mengistu Hailé Mariam* und gründet die »Marxist-Leninist-League of Tegray«/MLLT, die zum Kern der im Februar 1985 gebildeten »Tegray People's Liberation Front«/TPLF wird. Diese wiederum schließt sich 1989 mit anderen Gruppen zur »Ethiopian People's Revolutionary Democratic Front«/EPRDF zusammen. Als Generalsekretär bzw. Vorsitzender dieser Gruppen bekämpft er mit seiner Guerilla die Macht in Addis Abeba und wird nach dem Sturz von *Mengistu* im Mai 1991 Chef einer Interimsregierung; vom neugebildeten Nationalrat am 22. 7. zum Staatsoberhaupt gewählt.

Zia, *Khaleda* (Bangladesch), * Noakhali/Distrikt Dinajpur 15. 8. 1945; seit 1991 Ministerpräsidentin.
Stammt aus einfachen Verhältnissen. Hausfrau und Mutter – bis 1981, als die Ermordung ihres Mannes, des Präsidenten *Zia ur-Rahman*, sie in die Politik und zur Übernahme der »Bangladesh Nationalist Party«/BNP bringt. Erringt bei den Parlamentswahlen am 27. 2. 1991 mit ihrer BNP einen überraschenden Sieg und wird am 20. 3. als erste Ministerpräsidentin in Bangladesch mit ihrem Kabinett vereidigt.

Internationale Organisationen

IGOs = Internationale Organisationen mit Völkerrechtsstatus, d. h. von Staaten/Regierungen begründete
»**International Governmental Organizations**«
INGOs = Internationale Nichtregierungsorganisationen, d. h. von Privaten oder Sonstigen begründete
»**International Non-Governmental Organizations**«
MSt. = Mitgliedsstaat(en)
* = Gründung; gegründet bzw. beigetreten (folgt Datum); z. B. * Benin = Benin ist Gründungsmitglied
† = aufgelöst, beendet, ausgetreten; gestorben
Abkürzungen der Staaten, Länder und Gebiete siehe Sp. 17 ff.

I. Europäische Gemeinschaften

I. Entstehung, Mitglieder, Ziele, Organstruktur

Die »Europäische Gemeinschaft« (EG), ein wirtschaftlicher und politischer Zusammenschluß von 12 westeuropäischen Staaten mit rd. 340 Mio. Menschen auf 2,4 Mio. km² Fläche, entstand aus folgenden 3 europäischen Gemeinschaften und weiteren Vertragsergänzungen:

1. Europäische Gemeinschaft für Kohle und Stahl (EGKS/Montanunion):
* 18. 4. 1951 (in Kraft 1952) in Paris (auf 50 Jahre) von den 6 Kernländern Belgien, Frankreich, Italien, Luxemburg, den Niederlanden und der BR Deutschland. **Ziel:** Gemeinsamer Markt für Kohle, Stahl, Eisenerz und Schrott.

2. Europäische Wirtschaftsgemeinschaft (EWG/Gemeinsamer Markt):
* 25. 3. 1957 in Rom; in Kraft am 1. 1. 1958.
Ziel: Gemeinsamer Agrar- und Industriemarkt sowie schrittweise Verschmelzung der Volkswirtschaften.

3. Europäische Atomgemeinschaft (EAG/Euratom): gleichzeitig mit der EWG (und ebenfalls auf unbestimmte Zeit) in Rom geschaffen (= Römische Verträge). **Ziel:** Förderung der friedlichen Nutzung der Kernenergie und -forschung einschließlich alternativer Energiequellen in den Bereichen Biologie, Medizin, Umweltschutz und Reaktorsicherheit.

Entwicklung der 3 Gemeinschaften:
Zuerst arbeiteten die 3 Gemeinschaften getrennt und mit eigenen Organen (EGKS-Kommission z. B. in Luxemburg, EWG-Kommission in Brüssel). Seit dem **Fusionsvertrag von 1967** unterhalten sie gemeinsame Organe; man spricht deshalb auch von der **Europäischen Gemeinschaft/EG**. Das Europäische Parlament (damals »Versammlung«) ist seit 1958 für alle 3 Gemeinschaften zuständig.

Die **erste Vertragsrevision** erfolgte durch **die Einheitliche Europäische Akte/EEA** vom 2./3. 12. 1986 als umfangreiche Ergänzung der 3 Verträge, in Kraft am 1. 7. 1987. In ihr wurden z. B. die Beschlußfassungsverfahren im Rat (Mehrheitsentscheidungen), die Beteiligung des Europäischen Parlaments an der Gesetzgebung und die **Schaffung des Europäischen Binnenmarktes zum 1. 1. 1993** festgeschrieben. Darüber hinaus wurde die zuvor neben den 3 Verträgen bereits bestehende **Europäische Politische Zusammenarbeit/EPZ** auf eine rechtliche Grundlage gestellt.
Die **zweite grundlegende Revision und Ergänzung** der europäischen Verträge ist der vom Europäischen Rat am 9./10. 12. 1991 in Maastricht beschlossene und von den Außen- und Finanzministern am 7. 2. 1992 unterzeichnete **Vertrag über die Europäische Union/EUV** (→ EG-Chronik Sp. 791 f.).
Symbol der EG seit 1986: 12 5zackige goldene Sterne im Kreis auf blauem Grund. **– Hymne:** Beethovens »Freude schöner Götterfunken«.

Mitglieder (12) mit Beitrittsjahren:
Amtliche Reihenfolge gemäß Alphabet in den Landessprachen, z. B. »Ellas« für Griechenland/GR:

B	*Belgien* 1951/1958
DK	*Dänemark* (ohne Färöer, Grönland) 1973
D	*Deutschland (BR)* 1951/1958
GR	*Griechenland* 1981
E	*Spanien* 1986 (ohne Andorra)
F	*Frankreich* (mit D. O. M.) 1951/1958
IRL	*Irland* 1973
I	*Italien* 1951/1958
L	*Luxemburg* 1951/1958
NL	*Niederlande* 1951/1958
P	*Portugal* (ohne Macao) 1986
UK	*Großbritannien und Nordirland* 1973

Ziele (Hauptziele des EWG-Vertrages): Einheitlicher Wirtschaftsraum der MSt., d. h. freier Warenverkehr, gemeinsamer Außenzoll, Abbau zwischenstaatlicher Handelsschranken, freier Personen-,

EG-Binnenmarkt in Kraft

Am 1. 1. 1993 trat der gemeinsame EG-Binnenmarkt in Kraft, in dem die »vier Freiheiten« – freier Verkehr von Waren, Personen, Dienstleistungen und Kapital – für 346 Mio. Bürger weitgehend verwirklicht wurden:

▶ Für **Personen** gibt es an den Binnengrenzen nur noch stichprobenartige Kontrollen. Die völlige Abschaffung der Grenzkontrollen – bisher nur in den 9 Staaten des Schengener Abkommens weitgehend realisiert, dem alle EG-Staaten außer Dänemark, Großbritannien und Irland angehören (→ *WA'93/734 ff.*) – hängt von der Einigung über eine Harmonisierung der Asylverfahren, das gemeinsame Vorgehen gegen die internationale Kriminalität (wie z. B. den illegalen Drogenhandel) und über den Schutz der Außengrenzen ab. Die Europäische Kriminalpolizeiliche Zentralstelle/EUROPOL wird stufenweise aufgebaut; 1993 nimmt sie zunächst im Bereich der Drogenbekämpfung ihre Arbeit auf. EG-Bürger können sich in den MSt. **frei niederlassen** und eine Arbeit aufnehmen; ihre Diplome und Zeugnisse werden für den Berufszugang gegenseitig anerkannt.

▶ Im grenzüberschreitenden **Warenverkehr** erfolgen innerhalb der EG mit wenigen Ausnahmen – u. a. Bananen, Sprengstoff und »duale«, d. h. militärisch und zivil verwendbare Güter – keine Zollkontrollen mehr. EG-Bürger können in allen MSt. ohne mengen- und wertmäßige Beschränkungen Waren für private Zwecke einkaufen; sie bezahlen dort die Mehrwert- und Verbrauchssteuern (Ursprungsland-Prinzip). Abgabenpflichtige »gewerbliche Zwecke« werden erst ab Größenordnungen von z. B. 800 Zigaretten oder 90 Litern Wein vermutet. Im gewerblichen Warenverkehr, im Versandhandel und beim Kauf von Autos, Flug- und Wasserfahrzeugen durch Private muß die MWSt. bis Ende 1996 weiter im Bestimmungsland entrichtet werden (Bestimmungsland-Prinzip). Für Dänemark gelten Ausnahmeregelungen bis Ende 1996. Zu den beseitigten **technischen** Hemmnissen gehören z. B. unterschiedliche Normen für Elektrogeräte und Armaturen sowie die voneinander abweichenden Bestimmungen der MSt. für die Typenzulassung von Kraftfahrzeugen.

▶ Auf dem **Dienstleistungssektor** können Banken, Versicherungen und (ab 1994) Börsenmakler mit einer einzigen Lizenz überall in der EG tätig werden. Fluggesellschaften der EG-MSt. können ohne Quotierung die großen Flughäfen der Gemeinschaft anfliegen. Angehörige freier Berufe (Ärzte, Anwälte usw.) können sich frei in der EG niederlassen, wobei erforderlichenfalls nationale Zulassungsprüfungen, sofern diese auch für die Einheimischen gelten, erlaubt sind. In einem MSt. ansässige Unternehmen sind nunmehr bei der Vergabe öffentlicher Aufträge in einem anderen MSt. örtlichen Unternehmen rechtlich gleichgestellt.

▶ Es wurde ein freier **Geld-, Kapital- und Zahlungsverkehr** mit Übergangsfristen für Spanien, Portugal, Griechenland und Irland eingeführt, dem 1994 ein Europäisches Währungsinstitut folgt, das die Schaffung einer EG-Zentralbank zur Ausgabe einer gemeinsamen Währung vorbereitet.

Von den ursprünglich 312, später 282 Liberalisierungsschritten, die die EG-Kommission 1985 in einem Weißbuch (»Delors-Paket«) vorgelegt hatte, wurden 95 % von EG-Ministerrat verabschiedet und 85 % von den MSt. bis Ende 1992 in nationales Recht umgesetzt. Da die Probleme bei der Umsetzung in jedem MSt. abweichen, sieht die bisherige **Bilanz der Durchführungsmaßnahmen** aber erheblich schlechter aus: Von den 176 Regelungen, die nationale Durchführungsmaßnahmen erfordern, sind bis Ende 1992 in allen 12 MSt. nur 68 umgesetzt worden, d. h. weniger als die Hälfte dieser Maßnahmen erlangten am 1. 1. 1993 Gültigkeit in der gesamten Gemeinschaft.

Bei den **noch ausstehenden Gesetzesmaßnahmen** handelt es sich um Lücken, die auch nicht kurzfristig zu schließen sind: Während es in den Bereichen Lebensmittelrecht, Humanmedizin, Pflanzenschutz und Veterinärrecht bis in das Jahr 1995 hineinreichende Übergangsfristen gibt, bei den Steuerregelungen sogar bis über 1996 hinaus, wurden andere Bereiche wie Energie oder Gesellschaftsrecht ganz ausgeklammert. Hier wurden die ursprünglichen Planungen weitgehend zurückgestellt. Auch die soziale Dimension des Binnenmarkts ist noch nicht weit gediehen; es fehlen konkrete Mindestregelungen zur Arbeitszeit oder betrieblichen Mitbestimmung. – Die ursprünglich für Anfang 1993 mit dem **Europäischen Wirtschaftsraum/EWR** vorgesehene Ausdehnung des EG-Binnenmarkts auf die EFTA-MSt. verzögert sich durch die Nichtteilnahme der Schweiz (→ *Kasten Sp. 799/800*).

EUROPA – Politische und Wirtschaftsgemeinschaften

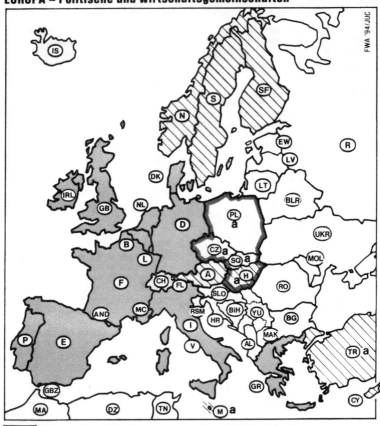

FWA '94/JUC

	EWR:	Europäischer Wirtschaftsraum aus EG und EFTA (ohne Schweiz)
	EG:	Europäische Gemeinschaft (12 Mitgliedstaaten)
	EFTA:	Europäische Freihandelsassoziation (7 Mitgliedstaaten)

EG-beitrittswillige Staaten (sofern offiziell Kandidatur eingereicht) -- **a** EG-assoziiert

	CEFTA:	Visegrád-Gruppe weiterer EG-Beitrittskandidaten

WEU: Die Westeuropäische Union besteht aus den EG-Staaten ohne (DK) und (IRL)

NATO: Die Nordatlantische Allianz besteht aus den EG-Staaten ohne (IRL) (=11 MSt.)
sowie zusätzlich aus (IS), (N) und (TR) und außerhalb Europas (CDN) [Kanada] und (USA)

Europarat: 1993 insgesamt 31 Vollmitglieder und 5 Beobachterstaaten
(praktisch alle europäischen Staaten; >Text "Europarat")

KSZE: Die Konferenz über Sicherheit und Zusammenarbeit in Europa hat 53 Teilnehmer:
Alle Staaten Europas sowie (CDN) und (USA)

Dienstleistungs-, Güter- und Kapitalverkehr (= die 4 Grundfreiheiten).

Instrumentarium: Eigene Rechtsetzung durch supranationale Organe mit exekutiven Befugnissen (ohne direkte Einwirkung der MSt.) und rechtlichem Durchgriff auf natürliche und juristische Personen, d. h. auch auf jeden einzelnen Bürger der MSt. und ohne Einschaltung der nationalen Parlamente/Regierungen.

Organe (4): Kommission, Ministerrat (Rat), Parlament (EP), Gerichtshof (EuGH), *Hilfsorgane (3):* Wirtschafts- und Sozialausschuß (WSA), Investitionsbank (EIB), Rechnungshof (EuRH); Fonds u. a.

Personal (alle Organe): 24 718 Plan- und 1641 Zeitstellen (insgesamt 26 359 genehmigter Personalstand 1993). Die EG beschäftigt mit 3220 festangestellten Übersetzern und Dolmetschern (nicht gezählt die Zuarbeiterdienste) den umfangreichsten Sprachendienst der Welt.

Sprachen: *Vertragssprachen:* 10 (die 9 Amtssprachen der MSt. und Irisch/Gälisch). *Arbeitssprachen* de facto Französisch u. Englisch, gefolgt von Deutsch.

II. Währung und Haushalt

Währung EWS/ECU → *Kasten Sp. 783 ff.*

Haushalt 1993: 65,5 Mrd. ECU (Zahlungsermächtigungen). Ausgabenverteilung der EG-Kommission: Agrar- und Regionalentwicklung/Verkehr 85,1 %, Soziales und Bildung 0,7 %, Verwaltung 5,2 %, Forschung/Entwicklung 3,6 %; Entwicklungs- und sonstige Drittländer 4,6 %, Energie und Umwelt 0,4 %.
Einnahmen 1993: im wesentlichen aus Zöllen (14,6 Mrd. ECU) und Agrarabschöpfungen, einem 1,4 %-Anteil am Mehrwertsteueraufkommen der MSt., insges. 35,7 (davon aus D: 10,4) Mrd. ECU, und einer auf dem BSP basierenden zusätzlichen »vierten Einnahme«, insges. 13,0 (davon aus D: 3,5) Mrd. ECU. Als Obergrenze für die EG-Eigenmittel war bis 1992 ein Anteil von 1,2 % des BSP der Mitgliedsstaaten festgelegt. Größte »Geldgeber« (in %): Deutschland 25, Frankreich 19, Großbritannien 16, Italien 15, Spanien 9, Niederlande 6.

III. Außenbeziehungen

1. *Beitrittswillige Staaten:*
Seit 1. 2. 1993 Beitrittsverhandlungen der Kommission mit **Finnland** (Antrag vom 18. 3. 1992), **Österreich** (17. 7. 1989) und **Schweden** (1. 7. 1991), seit 5. 4. 1993 mit **Norwegen** (25. 11. 1992). **Malta:** Antrag vom 16. 7. 1990 (bereits seit 1970 mit der EWG

assoziiert). **Türkei:** Beitrittsgesuch 1987 als Folge der Assoziation seit 1964; EG-Kommission lehnt vorerst ab. **Ungarn:** Mündliches Beitrittsgesuch vom 17. 7. 1990 (für 1995, ab 1992 als Assoziierung). **Zypern:** Beitrittsgesuch vom 4. 7. 1990.

2. *EWG-AKP-Abkommen von Lomé:*
Abkommen mit 69 Staaten Afrikas, der Karibik und des Pazifik (»AKP-Staaten«): sog. **Lomé-IV-Abkommen** am 15.12. 1989 in Togo unterzeichnet, in Kraft seit 3/1990 (Laufzeit 10 Jahre): Freier Zugang für 97% der AKP-Erzeugnisse zum EG-Markt ohne Gegenpräferenzen; Exporterlös-Stabilisierung (**STABEX**) für Ausgleichszahlungen bei 48 Rohstoffen; zur Rehabilitierung von Bergbaubetrieben: Mineralienfonds (**SYSMIN**). Finanzmittel (1990–95): 12 Mrd. ECU, auszahlbar durch Entwicklungsfonds/ **EEF** (1992 1,75 Mrd. ECU, davon 26 % aus Deutschland) und → EIB (1,2 Mrd. ECU).

IV. Die Organe im einzelnen

1. EG-Kommission

Aufgaben: Die »Kommission« hat initiative (vorbereitende und vorschlagende), exekutive (Ratsbeschluß-Ausführung) und kontrollierende (Überwachung des EG-Rechts) Funktionen, erläßt Durchführungsbestimmungen (bes. im Agrarbereich), verwaltet die Fonds, führt den EG-Haushalt aus, hat Auskunftspflicht gegenüber dem Europäischen Parlament und Entscheidungsbefugnisse besonders auf dem Kohle-, Stahl- und Energiesektor; Aushandlung internationaler Abkommen mit Drittländern, Einleitung von Vertragsverletzungsverfahren usw. – Im Gegensatz zum Rat (= nationale Gesichtspunkte) Wahrung des europäischen Gesamtinteresses der 3 Gemeinschaften (überstaatlicher/supranationaler Charakter). Die Kommission ist unabhängig von den MSt. und de facto das stärkste Organ der Gemeinschaft.

Zusammensetzung: 17 Mitglieder, von den MSt. für 4 Jahre ernannt; interne Ressortteilung.
Verwaltung mit Generalsekretär: David Williamson/UK (seit 1987), 23 Generaldirektionen (Ressorts) und 9 besondere Dienststellen.

Die Mitglieder der EG-Kommission seit 6. 1. 1993:
[Vereinfachte Darstellung der fachlichen Zuständigkeiten der 17 Kommissare]

Jacques **Delors**/F (Präsident):
Generalsekretariat, Währungsfragen.
Martin **Bangemann**/D:
    Gewerbl. Wirtschaft, Info-Technologien;
(Forts. → Sp. 789)

Europäisches Währungssystem/EWS

Das am 13. 3. 1979 in Kraft getretene, im wesentlichen von Bundeskanzler *Helmut Schmidt* und Frankreichs Staatspräsidenten *Valéry Giscard d'Estaing* initiierte EWS ist ein regionales System fester, aber anpassungsfähiger Wechselkurse. Dem EWS gehören alle EG-Staaten an. Am Wechselkursmechanismus, dem wichtigsten Element des EWS, beteiligt sich Griechenland nicht; Italien und das erst zum 8. 10. 1990 beigetretene Großbritannien suspendierten nach Kursturbulenzen die Teilnahme ihrer Währungen ab 17. 9. 1992. Die Wechselkurse zu den nicht am Wechselkursmechanismus beteiligten EG-Währungen und gegenüber Drittländern sind flexibel.

I. Ziel des EWS:

Engere währungspolitische Zusammenarbeit soll eine »Zone der monetären Stabilität in Europa« schaffen (Wechselkurs- und Preisniveaustabilität). Die Fixierung der Wechselkurse soll die wirtschaftliche Integration stärken und den innergemeinschaftlichen Handel begünstigen.

II. Entstehung des EWS:

Nach der Grundsatzentscheidung der Staats- und Regierungschefs in Den Haag im Dezember 1969 über die Entwicklung der EG zu einer **Wirtschafts- und Währungsunion/WWU** beschloß der EG-Ministerrat im Februar 1971 auf der Grundlage des Werner-Berichts (1970) die stufenweise Verwirklichung der WWU bis 1980. Die Währungskrisen des Jahres 1971 verhinderten eine rasche Umsetzung des Beschlusses. Nach dem Washingtoner Währungsabkommen (18. 12. 1971) wurde der Plan zur Verringerung der Schwankungsbreite für die Wechselkurse zwischen EG-Währungen wieder aufgenommen. Durch Beschluß des EG-Ministerrats trat am 24. 4. 1972 der **Europäische Währungsverbund/EWV** (»Währungsschlange«) in Kraft. Die Währungen der MSt. durften von einem bestimmten Mittelkurs um maximal 2,25 % nach oben oder unten abweichen; für die Schwankungen gegenüber dem US-$ galt dieselbe Bandbreite (»Schlange im Tunnel«); seit dem endgültigen Auseinanderfallen des Weltwährungssystems von Bretton Woods im März 1973 waren die Wechselkurse gegenüber dem US-$ flexibel (Blockfloating). Die Mitgliedschaft im EWV wechselte mehrfach; zuletzt gehörten ihm nur noch D, DK, Benelux sowie als assoziierte Mitglieder Norwegen und Schweden an. Das EWS, das den EWV

ablöste, ist der 3. Anlauf zur monetären Integration in der EG. Es beruht auf der Entschließung des Europäischen Rates/ER vom 5. 12. 1978 und einem Abkommen zwischen den EG-Zentralbanken; letzteres wurde am 8. 9. 1987 zur Stärkung des EWS umfassend erweitert. **Das EWS besteht aus 4 einander ergänzenden Elementen:**

1. ECU: Die Europäische Währungseinheit ECU (European Currency Unit, zugleich Name einer französischen Münze im Mittelalter) ist ein Währungskorb, in dem alle EG-Währungen mit festen, absoluten Währungsbeträgen enthalten sind. Die Währungskomponente der DM beträgt derzeit 0,6242 DM. Der Wert des ECU in einer Währung ist die Summe der in dieser Währung bewerteten festen Währungsbeträge. Den ECU-Tageswert in einer nationalen Währung ermittelt die EG-Kommission börsentäglich; über die repräsentativen Wechselkurse der EG-Währungen gegenüber dem US-$ um 14.15 Uhr wird erst der Gegenwert des ECU in US-$ und dann in allen EG-Währungen einzeln berechnet. Bei Inkrafttreten des EWS entsprach der ECU in Wert und Zusammensetzung der 1975 eingeführten **Europäischen Rechnungseinheit/ERE**. Die festen Währungsbeträge orientieren sich an der wirtschaftlichen Bedeutung der jeweiligen Landes innerhalb der EG. Die tatsächlichen Anteile der im Korb enthaltenen Währungen ändern sich, wenn sich die Wechselkurse zwischen den EG-Währungen ändern. Gewicht der DM auf Basis des ECU-Tageswerts am 1. 9. 1993: 0,6242 DM/ 1,91471 DM = 32,6 % (→ *Tabelle Sp. 787*). Die Korbzusammensetzung wird alle 5 Jahre überprüft und bei Zustimmung aller MSt. geändert. Bei der 1. Revision (17. 9. 1984) zugleich Aufnahme der Drachme in den Korb, bei der 2. Revision (21. 9. 1989) Aufnahme von Peseta und Escudo. Der ECU, der die ERE ablöst, wird bisher v. a. als Rechnungseinheit (seit 1981 in allen Bereichen der EG) und als Zahlungsmittel zwischen den Zentralbanken verwendet; zunehmend auch private Verwendung des ECU. Evtl. künftige einheitliche Europawährung.

2. Wechselkursmechanismus: Für die an ihm teilnehmenden (z. Zt. 9) Währungen werden ECU-Leitkurse festgelegt. Aus diesen wird ein Gitter bilateraler Leitkurse abgeleitet. Z. B. bilateraler Leitkurs zwischen DM und FF seit 14. 5. 1993: 1,94964 DM/6,53883 FF = 0,298164 DM/FF (→ *Tabelle 787*). Die Devisenkassakurse der Teilnehmerländer dürfen von den bilateralen Leitkursen maximal um 2,25 % (für Pta und Esc für eine Übergangszeit 6 %) nach oben oder unten abweichen. Bei Erreichen der amtlich festgelegten Höchst- und Niedrigstkurse zwischen je 2 Währungen (Interventionspunkte) sind die Zentralbanken der betreffenden Länder zur Intervention in unbegrenzter Höhe verpflichtet (obligatorische Intervention). Um den Kassakurs innerhalb der vereinbarten Bandbreite zu halten, kauft die Zentralbank der unter Aufwertungsdruck stehenden Währung auf dem nationalen Devisenmarkt die schwache Währung und die Zentralbank der unter Abwertungsdruck stehenden Währung verkauft die starke Währung gegen die heimische Währung. Die Zentralbanken intervenieren grundsätzlich in Teilnehmerwährungen. Leitkursänderungen zur Auflösung aufgelaufener Spannungen sind nur im Rahmen einer allgemeinen Neufestsetzung der Wechselkurse (Realignment) bei Zustimmung aller am Wechselkursmechanismus teilnehmenden Länder möglich. Da bei Realignments bisher die bilateralen Leitkurse vereinbart und die neuen ECU-Leitkurse aus diesen abgeleitet werden, hat der ECU als Bezugsgröße für den Wechselkursmechanismus nur symbolische Bedeutung. Im gegenseitigen Einvernehmen können die Zentralbanken auch innerhalb der Bandbreiten intervenieren; diese intramarginalen Interventionen dominieren dem Volumen nach die obligatorischen Interventionen. Für die nicht am Wechselkursmechanismus teilnehmenden Währungen (£, Lit, Dr.) haben die Leitkurse fiktiven Charakter.

3. Abweichungsindikator: Der Abweichungsindikator soll darüber informieren, ob sich eine der am Wechselkursmechanismus beteiligten Währungen deutlich anders als die übrigen Währungen entwickelt. Bei Erreichen der sog. Abweichungsschwelle (75 % der maximal zulässigen Abweichung des ECU-Tageswerts vom ECU-Leitkurs) werden von dem betreffenden Land Maßnahmen zum Abbau der Spannungen im Wechselkurssystem erwartet (diversifizierte Interventionen, v. a. intramarginale Interventionen in Gemeinschaftswährungen und/oder in US-$, Realignments sowie andere währungs- und finanzpolitische Eingriffe). Der Abweichungsindikator mißt für jede am Wechselkursmechanismus teilnehmende Währung die Abweichung des ECU-Tageswerts vom ECU-Leitkurs in % der maximal zulässigen Abweichung. Die maximal zulässige Abweichung des ECU-Tageswerts einer Währung vom ECU-Leitkurs ist gegeben, wenn deren Marktkurs gegenüber allen anderen im Wäh-

rungskorb enthaltenen Währungen den bilateralen Höchst- (oder Niedrigst-)Kurs erreicht. Sie ist für eine Währung um so geringer, je größer deren Gewicht im Währungskorb ist. U. a. wegen zunehmender intramarginaler Interventionen schlagen sich Spannungen nicht frühzeitig in den Kassakursen und damit im Abweichungsindikator nieder.

4. Kreditmechanismen: Für Devisenmarktinterventionen räumen die am Wechselkursmechanismus beteiligten Zentralbanken einander eine betragsmäßig unbegrenzte sehr kurzfristige Kreditlinie ein (seit 1987 in beschränktem Umfang auch für intramarginale Interventionen). Die Salden aus der sehr kurzfristigen Finanzierung sind spätestens $3^1/_2$ Monate nach ihrer Entstehung auszugleichen (zweimalige Fristverlängerung um je 3 Monate bedingt möglich). Interventionsfinanzierung und Saldenausgleich erfolgen über ECU-Konten beim **Europäischen Fonds für währungspolitische Zusammenarbeit/EFWZ**; Schaffung eines Anfangsbestands an ECU durch Hinterlegung von 20 % der nationalen Gold- und US-$-Reserven. Der kurzfristige Währungsbeistand der EG-Zentralbanken (max. 9 Monate) dient der Überbrückung vorübergehender Zahlungsbilanzdefizite. Der mittelfristige finanzielle Beistand (2–5 Jahre) wird vom EG-Ministerrat gegen wirtschaftspolitische Auflagen gewährt.

III. Weiterentwicklung des EWS:

Seit Inkrafttreten der Einheitlichen Europäischen Akte im Juli 1987 ist das Ziel der WWU explizit in die Römischen Verträge (1957) aufgenommen; die währungspolitische Integration soll auf der Grundlage von EWS und ECU herbeigeführt werden. Im Juni 1989 billigte der ER den Delors-Bericht, der die **Verwirklichung der WWU in 3 Stufen** vorsieht. Der am 7. 2. 1992 in Maastricht unterzeichnete **Vertrag über die Europäische Union** (→ *WA'93, Sp. 731 ff.*) sieht die Vollendung der WWU nach genauem Zeitplan vor.

Stufe I trat am 1. 7. 1990 in Kraft: Freier Kapitalverkehr zwischen den EG-Staaten (Ausnahmeregelungen für E, GR, IRL und P); engere Koordinierung der Wirtschafts-, Finanz-, Wechselkurs- und Geldpolitik der MSt. mit dem Ziel Preisniveaustabilität.

Stufe II (1. 1. 1994): Errichtung des Europäischen Währungsinstituts als Vorläufer der **Europäischen Zentralbank/EZB**; Zusammensetzung des ECU-Währungskorbs wird eingefroren; Geld-

und Währungspolitik bleiben in nationaler Verantwortung.

Stufe III (spätestens 1. 1. 1999): Eintritt der EG-MSt., welche die finanzpolitischen und monetären Konvergenzkriterien erfüllen, in die Endstufe. Für diese Staaten Errichtung einer gemeinsamen EZB, die zusammen mit den nationalen Zentralbanken das **Europäische System der Zentralbanken/ ESZB** bildet; EZB und nationale Zentralbanken sind unabhängig; einheitliche Geld- und Wechselkurspolitik, die beide vorrangig das Ziel der Preisniveaustabilität verfolgen; Geldpolitik liegt in der alleinigen Kompetenz des ESZB; Wirtschaftspolitik bleibt in nationaler Verantwortung; unwiderrufliche Festsetzung der Wechselkurse; Einführung einer einheitlichen Währung. **Konvergenzkriterien:** 1) Erreichen eines hohen Grades an Preisniveaustabilität, ersichtlich aus einer Inflationsrate, die um maximal 1,5 Prozentpunkte über der Inflationsrate jener höchstens 3 MSt. liegt, die diesbezüglich das beste Ergebnis erreicht haben; 2) Staatsverschuldung und Budgetdefizit maximal 60 bzw. 3 % des BIP; 3) Einhaltung der normalen Bandbreiten des Wechselkursmechanismus des EWS seit mindestens 2 Jahren ohne starke Spannungen, insbesondere ohne Abwertung gegenüber der Währung eines anderen MSt. auf eigenen Vorschlag; 4) Dauerhaftigkeit der von dem MSt. erreichten Konvergenz und seiner Teilnahme am Wechselkursmechanismus des EWS, die im Niveau der langfristigen Zinssätze (gemes-

sen am Nominalzinssatz langfristiger Staatsanleihen) – maximal 2 Prozentpunkte über dem entsprechenden Zinssatz in den höchstens 3 preisstabilsten MSt. – zum Ausdruck kommt.

Das EWS hat durch umfangreiche Zentralbankinterventionen zu äußerer Währungsstabilität geführt; bisher gab es 17 **Realignments,** davon 11 in den Jahren 1979–1987 und 5 seit Herbst 1992, zuletzt mit Wirkung vom 14. 5. 1993. Preisniveau- und Zinssatzunterschiede zwischen den MSt. haben abgenommen. Keine Konvergenz besteht in den MSt. in bezug auf Produktivitätsentwicklung, Beschäftigung sowie Ausmaß von Staatsverschuldung und Budgetdefizit. Voraussetzung für die Währungsunion ist Konvergenz der Wirtschaftsentwicklung in den EG-MSt. auf möglichst hohem Stabilitätsniveau. Ende 1992 erfüllte nur Luxemburg alle 4 Konvergenzkriterien.

Unter dem Druck der 3. Spekulationswelle binnen 9 Monaten, in der v. a. erneut der FF stark unter Abwertungsdruck geriet, beschließen die Finanzminister und Zentralbankpräsidenten der EG-MSt. am 2. 8. 1993, die Bandbreite, innerhalb der die Devisenkassakurse nach oben oder unten abweichen dürfen, von bisher 2,25 % (bzw. 6 % für Esc und Pta) auf 15 % zu erhöhen; nur für den Wechselkurs zwischen DM und hfl bleibt die maximal zulässige Schwankungsbreite bei 2,25 %. Diese Entscheidung, die de facto einer Freigabe der Wechselkurse gleichkommt, soll vor Eintritt in Stufe II der WWU am 1. 1. 1994 überprüft werden.

Bearb.: Sibylle Brander

Währungseinheit/ WE	Zusammensetzung des ECU-Korbes ab 21. 9. 1989	ECU -Leitkurs gültig ab 14. 5. 1993 1 ECU = ... WE	ECU-Tageskurs gültig am 1. 9. 1993 1 ECU = ... WE	bilateraler Leitkurs gegenüber der DM 100 WE = ... DM	relatives Gewicht der nationalen Währungen im ECU-Korb in v. H.	
					am 14. 5. 1993	am 1. 9. 1993
Belg. Franc	3,301 bfr	} 40,2123	41,0712	4,84837[a]	8,2	8,0
Luxemb. Franc	0,130 lfr				0,3	0,3
Dänische Krone	0,1976 dkr	7,43679	7,88763	26,2162[a]	2,7	2,5
Deutsche Mark	0,6242 DM	1,94964	1,91471	–	32,0	32,6
Franz. Franc	1,332 FF	6,53883	6,70629	29,8164[a]	20,4	19,9
Irisches Pfund	0,008552 Ir£	0,808628	0,820734	2,41105[b,e]	1,1	1,0
Holländ. Gulden	0,2198 hfl	2,19672	2,15120	88,7526[c]	10,0	10,2
Portug. Escudo[1]	1,393 Esc	192,854	195,408	1,01094[d]	0,7	0,7
Span. Peseta[2]	6,885 Pta	154,25	153,849	1,26395[d]	4,5	4,5
Griech. Drachme[3]	1,440 Dr.	264,513	270,295	0,73706[d]	0,5	0,5
Pfund Sterling[4]	0,08784 £	0,786749	0,769724	2,47810[d,e]	11,2	11,4
Ital. Lira[4]	151,8 Lit	1793,19	1831,87	1,08725[d,f]	8,5	8,3

[a] Gültig ab 12. 1. 1987. [b] Gültig ab 1. 2. 1993. [c] Gültig ab 21. 3. 1983. [d] Gültig ab 14. 5. 1993. [e] Für 1 WE. [f] Für 1000 WE.
[1] Portugal nimmt am Wechselkursmechanismus ab 6. 4. 1992 teil. [2] Spanien nimmt am Wechselkursmechanismus ab 19. 6. 1989 teil. [3] Griechenland nimmt bisher nicht am Wechselkursmechanismus teil; fiktive Leitkurse. [4] Großbritannien und Italien nehmen ab 17. 9. 1992 vorübergehend am Wechselkursmechanismus nicht teil; seither fiktive Leitkurse.
Quelle: Deutsche Bundesbank; EG; eigene Berechnungen.

Leon **Brittan**/UK: Außenwirtschaft und -handel (inkl. GATT, OECD, GUS);

Hans **van den Broek**/NL: Außen- und Sicherheitspolitik, Erweiterungsverhandlungen;

Henning **Christophersen**/DK: Wirtschaft und Finanzen, Strukturfonds;

Joao **de Deus Pinheiro**/P: Europaparlament, Information und Kultur;

Padraig **Flynn**/IRL: Soziales und Beschäftigung, Einwanderungs-, Innen- und Justizpolitik;

Manuel **Marín**/E: Humanitäre Hilfen, Entwicklungspolitik (inkl. Mittelmeerfragen, Nahost und AKP);

Abel **Matutes**/E: Verkehr u. Energie (inkl. Euratom);

Bruce **Millan**/UK: Regionalpolitik;

Ioannis **Paleokrassis**/GR: Umwelt, Nuklearsicherheit, Fischerei;

Antonio **Ruberti**/I: Forschung und Wissenschaft, Bildung und Jugend

Peter M. **Schmidhuber**/D: Haushalt, Finanzkontrolle, organisierte Kriminalität, Kohäsionsfonds;

Christiane **Scrivener**/F: Zölle und Steuern, Verbrauch) erfragen;

René **Steichen**/L: Landwirtschaft;

Karel **Van Miert**/B: Wettbewerb, Personal und Verwaltung;

Raniero **Vanni d'Archirafi**/I: Binnenmarkt und Mittelstand/Unternehmenspolitik, Finanzinstrumente, institutionelle Fragen.

Personal: 17946 (genehmigt für 1993), davon Verwaltung 13975, Forschung/technolog. Entwicklung 3409, Amt für amtl. Veröffentlichungen (EURop) 428, CEDEFOP 71, EuS Dublin 63. In der Kommission sind insges. im Rang von Generaldirektoren 27, Direktoren 183 und Abteilungsleitern 493.

Sitz (Postadresse): rue de la Loi 200, B–1049 Brüssel (Nettomietausgaben 1993 insges. 114 Mio. ECU); Statistisches Amt (eurostat), Amt für amtliche Veröffentlichungen (EURop), Rechenzentrum mit EG-Datenverbundnetz, Forschungseinrichtungen (besonders der EAG sowie auch die Generaldirektion XIII) usw. in L–2920 Luxemburg. – Vertretung in Deutschland: Zitelmannstr. 22, D–53113 Bonn, Tel.: (0228) 53 00 90; Außenstelle: Kurfürstendamm 102, 10711 Berlin, Tel.: (030) 896 09 30; Vertretung in Erhardtstr. 27, 80331 München, Tel.: (089) 609 30.

2. EG-Ministerrat

Aufgaben: Der »Rat« aus je einem Minister der 12 Regierungen der MSt. ist das zentrale politische Organ der 3 Verträge EAG/EGKS/EWG. Er bestimmt das Tempo der europäischen Integration. Ohne seine Zustimmung (und damit 12mal nationale »Sank-

tionierung«) ist die EG-Kommission in weiten Bereichen machtlos. Er entscheidet im Regelfall aufgrund von Vorschlägen der Kommission, hat Abänderungs- und Initiativrecht. Der Rat erläßt von der Kommission vorgeschlagene

Rechtsakte als *Verordnungen* (unmittelbare EG-weite Gesetze, über dem nationalen Recht stehend), *Richtlinien* (Rahmenvorgaben für die MSt.) und *Entscheidungen* (Einzelfälle betreffend, z. B. einen Staat oder ein Unternehmen).

Abstimmungsmodus: Qualifizierte Mehrheitsentscheidungen erfordern 54 von 76 verfügbaren Stimmen (D, F, I und UK je 10; E: 8; B, GR, NL und P je 5; DK und IRL je 3; L: 2 Stimmen). – **Vetorecht aller Mitgliedsstaaten** bis 3. 12. 1985 (→ *oben EEA*).

Zusammensetzung: Die 12 jeweiligen Fachminister. Der **Vorsitz** wechselt halbjährlich (wie → EPZ-Vorsitz). Die Bezeichnung »Rat« wird gewöhnlich für den Außenministerrat (auch »Rat für allgemeine Angelegenheiten« genannt) verwendet; daneben gibt es zahlreiche »Räte« der Fachminister. 1992 fanden rd. 80 Ratssitzungen statt, darunter allein im 2. Hj. 5mal der »Allgemeine Rat« (= Außenminister), 4mal »ECOFIN« (= Wirtschafts-/Finanzminister), 5mal Landwirtschaft, 3mal Fischerei, 3mal Binnenmarkt sowie praktisch alle Fachminister. Der Ministerrat wird unterstützt durch ein *Generalsekretariat* (7 Generaldirektionen) mit **Sitz:** rue de la Loi 170, B–1048-Brüssel sowie den **COREPER**/*Ausschuß der Ständigen Vertreter* als Schaltstelle zwischen der EG-Kommission und den Regierungen/Ministerien der MSt. (Botschafter der MSt. bei den EG). Er tagt wöchentlich, koordiniert die Fachpolitiken und bereitet Ministerratssitzungen vor.

Tagungsorte: Ministerrat tagt je nach Themen in unterschiedlicher Besetzung in Brüssel; im April, Juni und Oktober in Luxemburg.

Personal: 2256 Dauerplanstellen (1993), davon 10+1 im Rang eines Generaldirektors.

Haushalt 1993: 357,3 Mio. ECU, davon 299,8 Mio. ECU für eigene Ausgaben.

Dem Ministerrat faktisch – also nicht als EG-Organ – übergeordnet sind die Institutionen:

2.1. EPZ Europäische Politische Zusammenarbeit

* 1969, seit 1987 durch EEA vertraglich im Rahmen der Europäischen Gemeinschaft geregelt. Die EPZ ist mittlerweile zum zentralen Faktor der Außenpolitik der EG-MSt. geworden und neben den offiziellen EG-Mechanismen (Kommission, Rat, Parlament) die 2. Säule des europäischen Einigungsprozesses. Zusammenarbeit auf folgenden Ebenen:

Aktuelle Entwicklung der EG

7. 2. 1992 Formelle Unterzeichnung des vom Europäischen Rat am 11. 12. 1991 in Maastricht/NL beschlossenen **Vertrags über die Europäische Union/EUV,** der die Grundlage für die Vollendung der Europäischen Wirtschafts- und Währungsunion/WWU sowie für weitere politische Integrationsschritte – insbesondere eine gemeinsame Außen- und Sicherheitspolitik/GASP – bilden soll (→ *WA'93/731f.*).

3. 5. 1992 Unterzeichnung des **Vertrags zur Schaffung eines Europäischen Wirtschaftsraumes/EWR** (→ *Kasten Sp. 799/800*).

25. 5. 1992 Die **Schweiz beantragt EG-Mitgliedschaft.**

2. 6. 1992 **Dänemark entscheidet** in einem Referendum mit 50,7 % **gegen den EUV.**

5.–16. 10. 1992 **EG-Sondergipfel in Birmingham**/UK erörtert Zukunft des EUV und beschließt, die Gemeinschaft transparenter zu machen (»**Bürgernähe**«) sowie die Zuständigkeit der unteren Verwaltungsebenen, z. B. der Länder und Gemeinden, gegenüber den zentralen Institutionen zu stärken (»**Subsidiarität**«).

6. 11. 1992 Griechenland tritt als 9. EG-MSt. dem **Schengener Abkommen** (→ *WA'93/734ff.*) bei, das Voraussetzung für den freien Personenverkehr innerhalb der EG ist und das bisher erst von Frankreich, Spanien und Luxemburg ratifiziert wurde. Großbritannien, Dänemark und Irland nehmen nicht teil, weil sie das politische Ziel des freien Personenverkehrs nicht akzeptieren; Portugal, Italien und Griechenland wollen sich zu einem späteren Zeitpunkt beteiligen. Für die 6 übrigen EG-MSt. soll das Abkommen am 1. 12. 1993 in Kraft treten; an ihren nationalen Binnengrenzen und Flughäfen wird der Personenverkehr dann nicht mehr kontrolliert werden.

6. 12. 1992 **Schweiz lehnt** in Volksabstimmung Beitritt zum EWR ab, der bisher von Österreich (22. 9.), Norwegen (16. 10.), Finnland (27. 10.) und Schweden (18. 11.) ratifiziert wurde; das durch eine Zollunion mit der Schweiz verbundene Liechtenstein votiert am 13. 12. für Beitritt zum EWR.

11./12. 12. 1992 **Europäischer Rat in Edinburgh**/UK beschließt mittelfristigen Finanzrahmen bis 1999 (»Delors-II-Paket«) und Verhandlungsaufnahme mit den beitrittswilligen EFTA-MSt.; räumt Dänemark Sonderstatus der »Europäischen Union« ein (mit dem Dänemark ein 2. Referendum über den EUV ermöglicht werden soll): Nichtteilnahme an Wirtschafts- und Währungsunion/WWU und an einer europäischen Verteidigungspolitik sowie Ausnahme von einer

EG-Staatsbürgerschaft; beschließt definitiven Sitz aller wesentlichen Gemeinschaftsorgane (= seit 35 Jahren Streitpunkt zwischen Belgien, Frankreich und Luxemburg) und die **Vergrößerung des Europäischen Parlaments** ab 1994 auf 567 Sitze.

23. 12. 1992 EG-Kommission genehmigt »Jahrhundertvertrag« über **Verstromung deutscher Steinkohle** zunächst bis Ende 1995 mit Auflagen. Der Anteil der subventionierten Steinkohle am Elektrizitätsverbrauch darf 20 % nicht übersteigen und soll dann bis zum Jahrhundertende auf 15 % verringert werden.

1. 1. 1993 **Gemeinsamer EG-Binnenmarkt in Kraft** (→ *Kasten Sp. 791f.*).

1. 2. 1993 Beginn der **Beitrittsverhandlungen** der Kommission **mit Finnland** (Antrag vom 18. 3. 1992), **Österreich** (17. 7. 1989) und **Schweden** (1. 7. 1991). Seit 5. 4. Verhandlungen mit **Norwegen** (25. 11. 1992). Mit dem Beitritt dieser Staaten wird 1995 gerechnet.

10. 2. 1993 EG-Agrarministerrat einigt sich über ein vorgezogenes Ende der Übergangsperiode für **Portugal.** Dessen Agrarprodukte sind damit vollständig dem freien Warenverkehr in der Gemeinschaft unterworfen.

25. 2. 1993 EG und EFTA einigen sich auf die durch das Ausscheiden der Schweiz nötige **Anpassung des EWR-Vertrags** (→ *Kasten Sp. 799*).

8. 3. 1993 EG-Kommission und Bulgarien unterzeichnen **Assoziierungsabkommen** (sog. »Europäisches Abkommen«). Es ist das 5. nach den Verträgen mit Polen, ČSFR u. Ungarn (am 16. 1. 1991) sowie mit Rumänien (am 1. 2. 1993).

2. 8. 1993 Großbritannien ratifiziert als letzter der 12 EG-Staaten das **Vertragswerk von Maastricht** über die Europäische Union. Damit haben die Parlamente aller EG-MSt. den EVU **ratifiziert:** in Luxemburg am 2. 7., Griechenland am 20. 7., Italien am 29. 10., Irland am 24. 11., Belgien am 26. 11., Spanien am 25. 11., Portugal am 10. 12., den Niederlanden am 16. 12. und Deutschland 18. 12.; Irland sprach sich am 18. 6. in einer Volksabstimmung mit 68,7 %, Frankreich am 20. 9. mit 51,05 % und Dänemark am 18. 5. 1993 mit 56,8 % Ja-Stimmen für den EUV aus.

21./22. 6. 1993 **Europäischer Rat in Kopenhagen**/DK beschließt kurzfristige Investitionsanreize zugunsten kleinerer und mittlerer Unternehmen in den EG-MSt. im Rahmen einer neuen »Überbrückungsfazilität« zu marktüblichen Zinsen.

2. 8. 1993 Das Europäische Währungssystem gibt die enge Kursanbindung frei (→ *Kasten Sp. 783ff.*).

Europäischer Rat (→ *unten;* Staats- bzw. Regierungschefs; Außenminister; EG-Kommission): mindestens 1 Treffen in jeder Präsidentschaft, bei dem EG- und auch EPZ-Themen behandelt werden;
Außenminister: mindestens 2 EPZ-Treffen während jeder Ratspräsidentschaft. Die sog. **»Troika«** setzt sich aus den 3 Außenministern der vorherigen (»outgoing«), derzeitigen und künftigen (»incoming«) Ratspräsidentschaft zusammen:
1. Halbjahr 1993: UK – **DK** – B;
2. Halbjahr 1993: DK – **B** – D;
1. Halbjahr 1994: B – **D** – GR;
2. Halbjahr 1994: D – **GR** – E.
Deutschland ist demnach von 7/1993 bis 12/1994 in der Troika verteten.
Politisches Komitee (Höhere Beamte der Außenministerien): wickelt die tägliche EPZ-Arbeit ab (monatliche Tagungen);
Europäische Korrespondentengruppe (Beamte der Außenministerien): kontrolliert reibungsloses Funktionieren der EPZ;
Die EPZ wird, wie der Europäische Rat, nur in Bereichen tätig, die die EG-Verträge nicht behandeln bzw. bei denen keine Handlungskompetenz vorliegt (ansonsten ist der COREPER → *oben* zuständig).

2.2. Europäischer Rat (Europäischer Gipfel)

* 12/1974 (erste Tagung 3/1975 in Dublin), Konferenz der 12 Staats- bzw. Regierungschefs, tagt gewöhnlich dreimal im Jahr, je einmal in Brüssel und in den Hauptstädten der beiden MSt. der Ratspräsidentschaft. Der Europäische Rat wurde erst durch die EEA 1987 institutionalisiert und dem EG-Ministerrat faktisch übergeordnet (weisungsberechtigt). Er wurde damit die höchste Institution in der EG und quasi die Spitze der Europäischen Politischen Zusammenarbeit/EPZ. Als gleich- und stimmberechtigtes Mitglied gehört ihm auch der Präsident der EG-Kommission an.

3. EP Europäisches Parlament

Gründung am 10.9.1952 als beratende »Gemeinsame Versammlung« der EGKS aus 78 Parlamentariern der Parlamente der 6 Gründerstaaten; am 10.3.1958 Konstituierung als Versammlung der nunmehr 3 Gemeinschaften (142 Mitglieder) und Namensgebung »Europäisches Parlament« in Deutsch und Niederländisch, 1962 in allen Gemeinschaftssprachen. Kompetenzerweiterungen 1970 (Beteiligung an Aufstellung und Verabschiedung des EG-Haushalts) und 1975 (Haushaltsbewilligungsrecht bei nichtobligatorischen Ausgaben) sowie durch die EEA seit 1987. Direktwahlen 1979, 1984, 1989 und 1994 (→ *unten).*

Abgeordnete: Das EP bestand bis 2.10.1990 (deutsche Einigung) aus 518 direkt gewählten Vertretern in den 12 EG-Staaten. 18 Parlamentarier aus dem Bereich der ehemaligen DDR (9 CDU/CSU-Politiker, je 1 von FDP und Bündnis 90, 5 von der SPD und 2 von der PDS) sind für die Legislaturperiode bis Mitte 1994 zusätzlich als Beobachter vertreten. Für 1994 ist eine Aufstockung und Neuverteilung der 518 Sitze geplant, wodurch z. B. Deutschland auf 81 + 18 = 99 MdEPs kommt. Gleichzeitig wird für die 3 Beitrittsstaaten Finnland, Österreich und Schweden ein neues Kontingent von 17, 20 und 21 Sitzen vorgehalten, so daß sich das EP von 518 auf 567 Sitze vergrößert.
Fraktionen: In der 3. Wahlperiode (1989–1994) zunächst 9, seit 1993 nur noch 8 übernationale Fraktionen (→ *Tabelle).*
Aufgaben: Das EP äußert sich zu Kommissionsvorschlägen zeitlich vor dem Rat und bringt auf vielen Sektoren wirkungsvolle Abänderungsvorschläge ein. Zusammen mit dem Ministerrat ist es die **Haushaltsbehörde der EG**, kann den EG-Haushalt insgesamt ablehnen (so 1979 und 1985). Ansonsten hat es weniger Rechtsetzungsbefugnisse als vielmehr einen erheblichen Einfluß auf alle anderen EG-Organe.
Präsidium: Das EP wählt aus seiner Mitte den Präsidenten: 1/1992 bis 6/1994 Egon Klepsch/EVP-CD (CDU/Dtld.) und 14 Vizepräsidenten sowie 5 Quästoren.
Generalsekretär: Enrico Vinci/I.
Ausschüsse (19) Zur Vorbereitung der Plenartagungen (→ *Tabelle).*
Sitz: Palais de l'Europe, F–67006 Straßburg (12 Plenartagungen u. Haushaltstagung) – Rue Belliard, B–1040 Brüssel (zusätzliche Plenartagungen, Ausschüsse). – Plateau du Kirchberg, L–2929 Luxemburg (Generalsekretariat und dessen Dienststellen). – Informationsbüros in allen MSt., z. B. Bonn-Center, Bundeskanzlerplatz, D–53113 Bonn (Tel.: 0228–223091).
Personal: 3790 (1993).
Haushalt 1993: 630 Mio. ECU.

4. EuGH Europäischer Gerichtshof
(Gerichtshof und Gericht Erster Instanz)

Gründung 1953 zunächst für die EGKS, seit 7.10.1958 Rechtsprechungsorgan der 3 Gemeinschaften EAG, EGKS und EWG; entscheidet über Rechtswahrung, -auslegung und -anwendung der Verträge. Klagebefugt ist jeder betroffene Bürger. Die EuGH-Rechtsprechung hat Vorrang vor nationalem Recht und beeinflußt stark das innerstaatliche Verfassungsrecht.

Fraktionen im Europäischen Parlament

Mitgliedstaat	Mandate 1993 (1994)	SPE	EVP-CD	LIB	GRÜNE	SdED	REG	TFER	KDL	FL
Belgien	24 (25)	8	7	4	3	–	1	1	–	–
Dänemark	16 (16)	3	4	3	1	–	4	–	–	1
Deutschland	81 (99)	31	32	5	6	–	1	3	–	3
Griechenland	24 (25)	9	10	–	–	1	–	–	3	1
Spanien	60 (64)	27	17	5	1	2	3	–	–	5
Frankreich	81 (87)	22	13	8	8	11	1	10	7	1
Irland	15 (15)	1	4	2	–	6	1	–	–	1
Italien	81 (87)	34	27	3	7	–	3	–	–	7
Luxemburg	6 (6)	2	3	1	–	–	–	–	–	–
Niederlande	25 (31)	8	10	4	2	–	–	–	–	1
Portugal	24 (25)	8	3	9	–	–	1	–	3	–
Großbritannien	81 (87)	46	33	–	–	–	1	–	–	1
Sitze insgesamt	**518 (567)**	**199**	**163**	**44**	**28**	**20**	**16**	**14**	**13**	**21**

Stand: Juni 1993

Fraktionsabkürzungen und Fraktionsvorsitzende:

SPE   Sozialdemokratische Partei Europas (= Sozialisten, Sozialdemokraten und Nahestehende)   Jean-Pierre Cot/F
EVP-CD Fraktion der Europäischen Volkspartei (Christlich-Demokratische Fraktion)   Leo Tindemans/B
LIB   Liberale, demokratische und reformerische Fraktion   Yves A. R. Galland/F
GRÜNE   Fraktion der Grünen (= überwiegend gemäßigte Ökologisten) Marie Adelaide Aglietta/I u. Paul A. A. J. G. Lannoye/B
SdED   Fraktion der Sammlungsbewegung der Europäischen Demokraten (= ehem. Gaullisten)   Christian de la Malène/F
REG   Regenbogenfraktion (= Regionalisten u. Ökologisten)   Jaak Vandemeulebroucke/B u. Birgit Bjørnvig/DK
TFER   Technische Fraktion der Europäischen Rechten (= Le-Pen-Anhänger usw.)   Jean-Marie Le Pen/F
KdL   Koalition der Linken (= orthodoxe Kommunisten usw.)   Joaquim António Miranda da Silva/P
FL   ohne Fraktionsbindung; teils Rechtsextreme, teils unentschlossene Gemäßigte   [kein Vorsitzender]

Am 12. 1. 1993 haben die 20 italienischen Abgeordneten die VEL/*Fraktion der Vereinigten Europäischen Linken* verlassen und sind der SOZ/*Sozialistischen Fraktion* (heute: Sozialdemokratische Partei Europas/SPE) beigetreten. Gemäß der Geschäftsordnung ist die VEL-Fraktion damit aufgelöst. Die verbleibenden 8 Mitglieder gehören zur Gruppe der Fraktionslosen. 1992 wurde bereits die ED/*Fraktion der Europäischen Demokraten* durch einen Wechsel der 32 britischen Konservativen zur EVP-CD-Fraktion aufgelöst.

Die 19 EP-Ausschüsse mit Mitgliederzahl und Vorsitzenden
(mit Fraktionsangabe)

Auswärtige Angelegenheiten und Sicherheit (56 Mitglieder) . . . . Enrique Barón Crespo (SPE/E)
Landwirtschaft, Fischerei und ländliche Entwicklung (45) . . . . Franco Borgo (EVP-CD/I)
Haushalt (30) . . . . Thomas von der Vring (SPE/D)
Wirtschaft, Währung und Industriepolitik (49) . . . . Bouke Beumer (EVP-CD/NL)
Energie, Forschung und Technologie (31) . . . . Claude Desama (SPE/B)
Außenwirtschaftsbeziehungen (25) . . . . Willy de Clerq (LIB/B)
Recht und Bürgerrechte (30) . . . . Reinhold Bocklet (EVP-CD/D)
Soziale Angelegenheiten, Beschäftigung und Arbeitsumwelt (36) . . . . Willem van Velzen (SPE/NL)
Regionalpolitik, Raumordnung und Beziehungen zu regionalen/lokalen Körperschaften (35) . . . Antoni Gutiérrez Díaz (FL/E)
Verkehr und Fremdenverkehr (30). . . . . Nel van Dijk (GRÜNE/NL)
Umweltfragen, Volksgesundheit und Verbraucherschutz (50) . . . . Kenneth Collins (SPE/UK)
Jugend, Kultur, Bildung und Medien (30) . . . . Antonio La Pergola (SPE/I)
Entwicklung und Zusammenarbeit (40) . . . . Henri Saby (SPE/F)
Bürgerliche Freiheiten und innere Angelegenheiten (30) . . . . Amédée Turner (EVP-CD/UK)
Haushaltskontrolle (25) . . . . Jean-Louis Bourlanges (EVP-CD/F)
Institutioneller Ausschuß (37) . . . . Marcelino Oreja Aguirre (EVP-CD/E)
Geschäftsordnung, Wahlprüfung und Fragen der Immunität (25) . . . . Florus Wijsenbeek (LIB/NL)
Rechte der Frau (30) . . . . Christine Crawley (SPE/UK)
Petitionen (25) . . . . Rosaria Bindi (EVP-CD/I).

Zusammensetzung: 13 Richter, einer je MSt. plus einer abwechselnd aus einem der größten MSt.; aus Deutschland: Manfred Zuleeg (bis 1994), 6 Generalanwälte, für 6 Jahre von den MSt. ernannt.

Präsident von den Richtern für 3 Jahre gewählt.

6 Kammern, meist Plenarentscheidungen. 1992 ergingen 210 Urteile, davon 112 auf Vorabentscheidungen.

Seit 9/1989 besteht ein

Gericht Erster Instanz/GEI vor allem für Streitsachen zwischen den Gemeinschaften und deren Bediensteten. 1991: 41, 1992: 88 ergangene Urteile. Gemäß EG-Ministerratsbeschluß vom 8.6.1993 wird das Gericht für alle Klagen im ersten Rechtszug (außer Antidumpingentscheidungen) zuständig.

Sitz des EuGH ist: L–2925 Luxemburg.

Personal: 825 (1993), die Leitung hat ein Kanzler.

Haushalt 1993: 89,8 Mio. ECU; davon eigene Einnahmen: 11,1 Mio. ECU. (EG-Zuschuß: 78,7 Mio. ECU.)

5. EuRH Europäischer Rechnungshof

Gründung durch Vertrag vom 22.7.1975, Konstituierung am 25.10.1977; ersetzte den Kontrollausschuß der EWG.

Aufgabe/Aktivitäten: Externe Kontrolle der Wirtschaftlichkeit, Ordnungsmäßigkeit und Gesetzmäßigkeit über die gesamte EG-Haushaltsmittel und deren Verwendung, auch in Drittstaaten (bei EIB-Finanzierungen). Der EuRH deckt jährlich umfangreichen Mißbrauch der EG-Haushaltsmittel (z.B. Agrar-Subventions-Beträge) auf und leistet damit auch einen Beitrag zur Aufdeckung der organisierten Wirtschaftskriminalität in den MSt.

Zusammensetzung: 12 Mitgl. (eines je MSt.), Ernennung durch den Ministerrat auf 6 Jahre, Wiederwahl zulässig; Präsident auf 3 J., 1990–1993 Bernhard Friedmann/D (ehem. MdB-CDU).

Sitz: 12, rue A. de Gasperi, L–1615 Luxemburg.

Personal: 402 (1993).

Haushalt 1993: 40,1 Mio. ECU; eigene Einnahmen: 5,3 Mio. ECU. (EG-Zuschuß: 34,8 Mio. ECU)

Kooperation mit dem Haushaltskontrollausschuß des → EP (s.o. 3.) und den nationalen Rechnungshöfen in den 12 MSt.

6. WSA Wirtschafts- und Sozialausschuß

Gründung am 1.1.1958 (mit Inkrafttreten des EAG-/EWG-Vertrages) als Beratungsgremium der wirtschaftlichen und sozialen Interessengruppen der MSt. am EG-Entscheidungsprozeß (dem Ministerrat zugeordnet). Präsidentin 10/1992–9/1994: Susanne Tiemann/D (Präsidentin des Bundes der Steuerzahler sowie Universität Bonn).

Zusammensetzung: 189 vom Ministerrat auf Vorschlag der Regierungen für 4 Jahre ernannte Mitglieder paritätisch aus den 3 Hauptgruppen: 1. Arbeitgeber, 2. Arbeitnehmer sowie 3. Landwirte/Verbraucher/Freie Berufe usw.

Organe:

1. *Ausschüsse/*9 Fachgruppen: Landwirtschaft, Transport/Kommunikation, Energie/Kernkraft, Wirtschaft/Finanzen, Industrie/Handel/Handwerk/ Dienstleistungen, Soziales, Äußeres, Regionalentwicklung, Umweltschutz/öffentliche Gesundheit/Verbraucherschutz;

2. *Beratender Ausschuß der EGKS:* * 1952 für den Kohle- und Stahlbereich, 96 Mitglieder, je Gruppe 32 nach Proporz.

Sitz des WSA: 2, rue Ravenstein, B–1000 Brüssel.

Personal: 510 (1993).

Haushaltsmittel 1993: 57,5 Mio. ECU.

7. EIB Europäische Investitionsbank

Gründung am 1.1.1958 mit Inkrafttreten des EAG-/EWG-Vertrags; finanziell und rechtlich selbständiges Gemeinschaftsorgan.

Arbeitsweise: Die EIB beschafft Kapital überwiegend auf dem freien Markt und stellt Darlehen für Investitionsvorhaben in schwächer entwickelten Regionen oder für Vorhaben von gemeinsamem Interesse für die Gemeinschaft (z.B. Verbesserung der Energieversorgung) zur Verfügung, und zwar seit 1993 mit bis zu 75% der Projektkosten. Sie ist auch in die Entwicklungshilfe der EG eingeschaltet (Beteiligung an Finanzierung von Vorhaben in 12 Mittelmeerländern sowie in den 69 AKP-Staaten im Rahmen von Lomé IV). Ihre Rolle wurde durch den Edinburgher Gipfel 12/1992 (Delors-Paket II) nochmals erheblich gestärkt: Gründung eines **Europäischen Investitionsfonds/EIF** mit über 2 Mrd. ECU und eines **Kohäsionsfonds** für Griechenland, Irland, Spanien und Portugal (1993–1998) mit einer Gesamtmittelausstattung von 15,15 Mrd. ECU beschlossen, aber noch nicht umgesetzt. Die neuen Fonds erfordern eine EIB-Statutenänderung, die die 12 MSt. ratifizieren müssen (voraussichtlich Ende 1993). Für 1993 sind zunächst 1,56 Mrd. ECU im Haushalt bereitgestellt (→ *unten Kasten EWR*).

Organe:

1. *Gouverneursrat* aus den 12 Finanzministern, tagt jährlich, erläßt Richtlinien der Kreditpolitik und bestellt die Mitglieder der nachgeordneten Organe;

2. *Verwaltungsrat* aus 22 Mitgliedern (hohe Beamte der nationalen Ministerien und öffentlich-rechtlichen Kreditinstitute sowie 1 Mitglied der EG-Kommission), entscheidet über Darlehensgewährung und Bürgschaften, Aufnahme von Anleihen und Festsetzung der Zinssätze;

3. *Direktorium* aus dem Präsidenten der EIB, seit 4/1993 Sir Brian Unwin/UK und 6 Vizepräsidenten, u. a. Wolfgang Roth/D (bisher SPD-MdB), die hauptamtlich für die Bank tätig sind;
4. *Prüfungsausschuß* (3 Mitglieder), prüft Ordnungsmäßigkeit der Bankgeschäfte.
Personal (1993): 770.
Sitz: L–2950 Luxemburg-Kirchberg.
Kapital: Gezeichnet (1. 1. 1991): 57,6 Mrd. ECU; eingezahlt (am 30. 6. 1991): 3,4 Mrd. ECU.
Finanzierungstätigkeit: Darlehen auf eigene Rechnung seit Gründung (bis 31. 12. 1990): 88 Mrd. ECU zu Laufzeiten zwischen 8 und 12 Jahren für Industrievorhaben und bis zu 20 Jahren für Infrastrukturprojekte. Ausstehende Darlehen (zum 30. 6. 1991): 61,6 Mrd. ECU (u. a. aus Bereichen Infrastruktur 45,4 %, Energie 23,1 %, Industrie, Landwirtschaft und Dienstleistungen 26,5 %). Darlehen 1992 mit 17,0 Mrd. ECU um 11 % gegenüber 1991 gestiegen.

8. EG-Strukturfonds

1. EAGFL/*Europäischer Ausrichtungs- und Garantiefonds für die Landwirtschaft:* * 1962 zur Stützung der Agrarpreise und Strukturmaßnahmen in der EWG. Haushalt 1993 für Bereich Landwirtschaft: 2,934 Mrd. ECU, für Fischerei 69,4 Mio. ECU.
2. EFRE/*Europäischer Fonds für regionale Entwicklung:* * 1975 (reorganisiert 1985) für den Abbau wirtschaftlicher und sozialer, regionaler Unterschiede. Haushalt 1993: 7,971 Mrd. ECU.
3. ESF/*Europäischer Sozialfonds:* * 1957 zur Finanzierung der berufl. Bildung und Arbeitsförderung durch Zuschüsse zu nationalen Maßnahmen. Haushalt 1993: 5,766 Mrd. ECU.
4. EEF/*Europäischer Entwicklungsfonds:* Unspezifizierter Haushalt 1993: 354,2 Mio. ECU; → oben bei III. Außenbeziehungen, 2. EWG/AKP.

EWR – größter gemeinsamer Markt der Welt

Mit dem Europäischen Wirtschaftsraum/EWR entsteht der größte und am stärksten integrierte gemeinsame Markt der Welt *(Einzelheiten →WA'93/732ff.).* Er umfaßt die 12 EG- und – nachdem sich die Schweiz am 6. 12. 1992 in einer Volksabstimmung gegen die Teilnahme entschieden hat – 6 der 7 EFTA-Staaten (Finnland, Island, Norwegen, Österreich, Schweden und Liechtenstein) mit insgesamt knapp 370 Millionen Verbrauchern *(→ dazu auch Figur bei NAFTA.)*
Das wegen der Nichtteilnahme der Schweiz notwendig gewordene **Zusatzprotokoll** über die Anpassung des EWR-Vertrags wurde durch die Vertreter von EG und EFTA am 17. 3. 1993 unterzeichnet. Es beläßt den **Kohäsionsfonds** zum Abbau des wirtschaftlichen und sozialen Gefälles in der EG in der Höhe unverändert: Die EFTA gewährt den EG-Staaten Portugal, Irland, Griechenland und Spanien innerhalb von 5 Jahren Finanzhilfen von 2 Mrd. ECU, davon 1,5 Mrd. ECU als Zinszuschüsse für Darlehen und 500 Mio. ECU in direkten Zuschüssen. Der Ausfall des vorgesehenen Beitrags der Schweiz zum Fonds in Höhe von 178 Mio. ECU wird allerdings zu einem Drittel von den EG-Staaten übernommen. Die verlorenen Zuschüsse von 500 Mio. ECU müssen dagegen voll von den EFTA-Staaten übernommen werden. Im Gegenzug werden die Zinsvergünstigungen auf die von den EFTA-Staaten zu gewährenden Kredite von 3 auf 2 % gesenkt. Der Kohäsionsfonds soll gleichzeitig mit dem abgeänderten EWR-Vertrag in Kraft treten, der noch von allen 18 Teilnehmerstaaten und vom Europäischen Parlament ratifiziert werden muß. Über den Zeitpunkt der Teilnahme Liechtensteins am EWR kann erst entschieden werden, wenn Vertragsverhandlungen mit der Schweiz darüber beendet sind, wie der Vertrag über die Zollunion mit dem EWR in Einklang gebracht werden kann, und wenn anschließend alle anderen 17 Staaten sich mit dieser Regelung einverstanden erklärt haben.
Grundsätzlich werden die beitretenden EFTA-Staaten die für den Europäischen Binnenmarkt *(→ Kasten Sp. 777f.)* geltenden Regeln für den freien Verkehr von Waren, Personen, Dienstleistungen und Kapital (»**vier Freiheiten**«) – sowie die Grundzüge des EG-Wettbewerbsrechts übernehmen. Zum Schutz heimischer Wirtschaftszweige gibt es jedoch zahlreiche Ausnahmeregeln. Anders als EG-Vollmitglieder erhalten die EFTA-Staaten keine Entscheidungsgewalt, sondern nur gewisse Mitsprache- und Anhörungsrechte. Technische Handelsbarrieren (unterschiedliche Maße/Normen) werden ganz oder schrittweise abgeschafft, ebenso Zölle. Die gemeinsame Agrarpolitik der EG wird nicht auf die Freihandelszone ausgedehnt, doch wird der Handel mit landwirtschaftlichen sowie Fischereiprodukten wesentlich erleichtert. Die Zusammenarbeit erstreckt sich auch auf den Verbraucherschutz, die Umwelt- und Sozialpolitik und schließt die Abstimmung im Finanz- und Währungsbereich ein.

II. Internationale Organisationen
mit diesjährigem Schwerpunkt: Wirtschaftliche Zusammenschlüsse[1]

ALADI LATEINAMERIKANISCHE INTEGRATIONSVEREINIGUNG
Asociación Latinoamericana de Integración

Gründung am 12. 8. 1980 durch »Vertrag von Montevideo« als Rechtsnachfolgerin der 1960 gebildeten **ALALC** (Asociación Latinoamericana de Libre Comercio; engl. LAFTA); in Kraft am 18. 3. 1981.
Ziel der ALALC war der sukzessive Abbau der Handelsbeschränkungen zwischen den MSt. innerhalb von 12 Jahren; darüber hinaus sollte durch Koordinierung der Wirtschaftspolitiken die Freihandelszone zu einer Wirtschaftsgemeinschaft ausgebaut werden. Trotz anfänglicher Erfolge konnten – vor allem aufgrund zunehmender wirtschaftlicher Schwierigkeiten in der Region – bis 1980 nur 14 % des Warenverkehrs zwischen den Mitgliedern liberalisiert werden.
Ziele der ALADI: *Ursprünglich* Regulierung und Förderung des Handels zur Schaffung eines gemeinsamen Marktes (analog der EWG). *Heute:* Regionale Zollpräferenzen (das Ziel einer Freihandelszone ist aufgegeben) und Teilabkommen zwischen den MSt. (→ *Entwicklung*).
Mitglieder (11): Abgestufte Mitgliederstruktur je nach Entwicklungsgrad in 3 Gruppen: Industriestaaten (Argentinien, Brasilien, Mexiko); Staaten mit mittlerem Einkommen (Chile, Kolumbien, Peru, Uruguay, Venezuela) und wenig entwickelte Staaten (Bolivien, Ecuador, Paraguay).
Beobachter: Costa Rica, Domininikanische Republik, El Salvador, Guatemala, Honduras, Kuba, Nicaragua, Panama; Italien, Portugal, Spanien.
Organe:
1. *Rat der Außenminister,*
2. *Konferenz zur Beurteilung und Angleichung* (der Präferenzabsprachen) mit Überwachungs- und Steuerungsaufgaben (tagt jährlich);
3. *Komitee der Ständ. Vertreter* als Exekutive;
4. *Räte* als Hilfsorgane für Finanzen und Währung, Transport und Handel, Exportfinanzierung;
5. *Generalsekretariat* mit
Sitz: Calle Cebollati 1461, 10001-Montevideo/Uruguay. – **Personal:** 150.
Arbeitssprachen: Spanisch und Portugiesisch.
Entwicklung: Die Zielsetzungen wurden wiederholt revidiert: Anfänglich war eine allgemeine Zollpräferenz von 5 % vorgesehen, die 1987 mehr als verdoppelt und 1990 auf bis zu 20 % erhöht wurde – je-

weils mit erheblichen Abstufungen wegen der großen Entwicklungsunterschiede der Mitglieder. Seit 1. 1. 1986 ist eine neue Zollnomenklatur in Kraft.
Bewertung: Die Ablösung der ALALC durch ALADI brachte keinen Integrationsfortschritt: Die Entwicklung stagniert, der Multilateralismus ist schwach, der intraregionale Handelsanteil hat sich seit Gründung der ALADI nicht erhöht. Er betrug (gemessen als intraregionaler Exportanteil vom Gesamtexport): 1980: 13,7 %, 1985: 8,3 % und 1990: 10,6 %. Der Anteil des regionalen Handelsraumes ALALC/ALADI am gesamten Welthandel verringerte sich von 1960: 6 %, 1970: 4,4 %, 1980: 4,2 % auf 1990: 3,4 %.

ANDENGRUPPE
Pacto Andino/Andenpakt;
auch »Junta del Acuerdo de Cartagena«/JUNAC

Gründung am 26. 5. 1969 in Cartagena/Kolumbien (»Andenpakt«) durch 5 Mitglieder der bereits gescheiterten ALALC-Vereinigung (→ ALADI): Bolivien, Chile, Ecuador, Kolumbien und Peru. Das Abkommen trat 10/1969 in Kraft, Zusatzprotokoll (*Protocolo Modificario*) vom 12. 5. 1987. Chile schied 1976 aus, Peru zog sich 1992 aus dem aktiven Status zurück.
Mitglieder 1993 (4): Bolivien, Ecuador, Kolumbien und Venezuela (seit 1974).
Ziele: Gemeinsamer Markt durch Zollabbau untereinander, gemeinsame Außenzölle. Ursprünglich gemeinsame Industrialisierungsprogramme/PSDI zur Schaffung neuer Industriezweige, Koordinierung der Agrarpolitik im Rahmen des »Anden-Ernährungssicherungs-Systems«, Harmonisierung der Wirtschafts- und Sozialpolitik und supranationale Organe (angelehnt an die → EG).
Neue Zielsetzung seit 1992/93: Regionaler Freihandel und gemeinsame Außenzölle.
Organe und Institutionen (nur teilweise realisiert):
1. CAC/*Kommission* (3 Sitzungen jährl.) als Rechtsetzungsorgan gleichberechtigter Mitglieder; Entscheidungen mit $2/3$-Mehrheit.
2. JUNAC/*Junta:* Rat als unabhängige Gemeinschaftsexekutive aus 3 von der Kommission auf 3 Jahre gewählten Experten; Entscheidungen werden von Kommission und Junta gemeinsam gefällt.

---

1 *Bisherige Schwerpunkte:* **Der Fischer Weltalmanach '89:** Afrikanische Organisationen, **WA '90:** Amerikanische Organisationen, **WA '91:** Europa, Nordamerika und Vereinte Nationen; **WA '92:** Arabische und islamische Staaten, Asien und Ozeanien; **WA '93:** Umwelt- und Naturschutz.

Wirtschaftsgemeinschaften und Freihandelszonen *

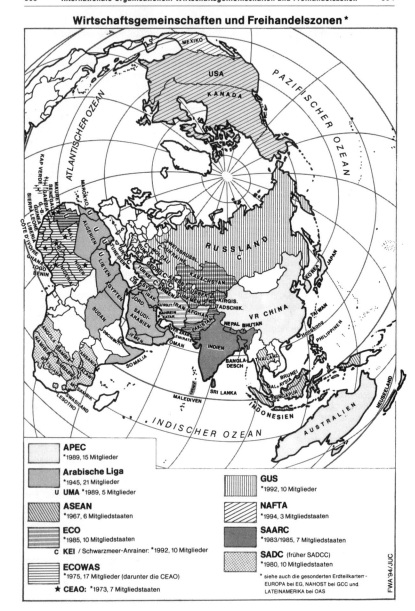

APEC
*1989, 15 Mitglieder

Arabische Liga
*1945, 21 Mitglieder
U **UMA** *1989, 5 Mitglieder

ASEAN
*1967, 6 Mitgliedstaaten

ECO
*1985, 10 Mitgliedstaaten
C **KEI** / Schwarzmeer-Anrainer: *1992, 10 Mitglieder

ECOWAS
*1975, 17 Mitglieder (darunter die CEAO)

★ **CEAO:** *1973, 7 Mitgliedstaaten

GUS
*1992, 10 Mitglieder

NAFTA
*1994, 3 Mitgliedstaaten

SAARC
*1983/1985, 7 Mitgliedstaaten

SADC (früher SADCC)
*1980, 10 Mitgliedstaaten

* siehe auch die gesonderten Erdteilkarten -
EUROPA bei EG, NAHOST bei GCC und
LATEINAMERIKA bei OAS

FWA '94/JUC

3. CA/*Außenministerrat* (*1979), tagt jährlich zweimal; eigenes Rechtsinstrumentarium.

4. CC/*Konsultativkomitee:* beratendes Verbindungsorgan zwischen MSt. und Junta.

5. CAES/*Beratender Wirtschafts- und Sozialausschuß* aus Vertretern von Unternehmerverbänden und Gewerkschaften.

6. PA/*Andenparlament* (*1979) aus Abgeordneten der MSt.; tagt reihum im Turnus (konsultativ).

7. TAJ/*Andengerichtshof* (*1979, 1983 in Kraft), Sitz: Quito/Ecuador.

8. CAF/*Andine Finanzkorporation:* *1968 als eigenständige Entwicklungsbank im Rahmen des Andenpakts; Sitz: Caracas/Venezuela.

9. FAR/*Andiner Reservefonds* (*1976), Sitz: Bogotá/Kolumbien, Funktionen der CAF ähnlich.

10. SP/*Ständiges Sekretariat* (der JUNAC zugeordnet) mit

Sitz: Paseo de la República 3895, Lima 27/Peru.

Modifizierung des Andenpakts 1987 mit Absichtserklärungen der MSt., nationale Regelungen über Zollfreiheit, Exportförderung, Behandlung von Importen und Wechselkurssystemen zu harmonisieren und ausländische Investitionen flexibler zu handhaben (nicht realisiert).

12/**1992:** Die Präsidenten der MSt. (ohne Peru, das seine Mitgliedschaft ruhen läßt) erneuern die 1969er Ziele **bis Ende 1993:** 1. Errichtung einer Zollfreizone (Ausnahme bleibt Ecuador, das die Zollfreiheit nur auf die Hälfte ihrer aus Venezuela importierten Waren anwendet, aber von 1994 an alle Zölle auf venezolanische Produkte reduziert); 2. Einführung eines gemeins. Außenzolls/**AEC** gegenüber Drittstaaten in 4 Phasen, beginnend mit 5% bis 20% (für Bolivien 5 und 10%) am 30. 10. 1993; 3. Abschaffung der Subventionen auf innerhalb des Blocks gehandelte Produkte vom 30. 9. 1993 an.

Bewertung: Die Andengruppe ist wegen unterschiedlicher Wirtschaftsstrukturen und -potentiale über einige symbolische Anfangsaktivitäten wie zeitweilige Abstimmungen über Exportmengen und -preise für Rohstoffe (z. B. Kupfer, andere Mineralien, Zucker) nicht hinausgekommen. Seit 1987 bemühen sich die MSt., ihre Vertragsverpflichtungen einzuhalten. Politisch artikulierten sie sich immer wieder sehr optimistisch, auch im Andenparlament. Nachdem Venezuela 1992 den Staatsstreich in Peru *(→ Länderchronik)* zum Anlaß nahm, Importe der Anden-MSt. eine neue 15%-Steuer zu erheben, erlitt die Gruppe durch ihr wirtschaftlich stärkstes Mitglied erneut einen Rückschlag. Im Gegensatz zur stagnierenden → ALADI erhöhte sich der interregionale Handelsanteil (gemessen als interregionaler Exportanteil vom Gesamtexport) von 1970: 2,0% auf 1980: 3,8% und 1990: 4,6%, ist aber nach wie vor (gegenüber dem 95,4%-Anteil des Gesamtexportes in Drittstaaten) äußerst gering.

Der Welthandelsanteil der Andengruppe sank gleichzeitig von 1960–1980: 1,6% auf 1990: 0,9%.

Kooperation: Rahmenabkommen EWG-Andenpakt 1993.

APEC ASIATISCH-PAZIFISCHE WIRTSCHAFTLICHE ZUSAMMENARBEIT
Asia-Pacific Economic Cooperation

Gründung auf Konferenz der Außen- und Handelsminister von 12 Staaten des Pazifikbeckens in Canberra/Australien vom 4.–7. 11. 1989 nach Anregungen Japans und der USA in den 70er, Südkoreas Anfang der 80er Jahre, Australiens 1989.

Ziele: Liberalisierung des Welthandels in der Region: Ungebundene Wirtschaftsbeziehungen inkl. Technologieaustausch; gemeins. Auftreten in internationalen Foren (u. a. GATT/UNCTAD). – Die APEC versteht sich nicht als neuer Wirtschaftsblock, sondern eher als »asiatisch-pazifische OECD«.

Mitglieder (15): Die 6 → ASEAN-MSt. Brunei, Indonesien, Malaysia, Philippinen, Singapur und Thailand sowie Australien, Japan, Kanada, Republik Korea, Neuseeland und USA und (seit 1991) die »3 China« VR China, Taiwan (als »China Taipeh«) und Hongkong. – *Beobachterstatus* haben die ASEAN, das Südpazifik-Forum/SPF und die Pazifische Konferenz für Wirtschaftskooperation (der USA).

Einziges Organ: *Konferenz* der Außen- und Handelsminister. **Sitz:** kein festes Sekretariat.

Aktivitäten: Ministerkonferenz in Singapur im Juli 1990 setzt **7 Arbeitsgruppen** ein: 1. Erfassung der Handels- und Investitionsdaten der Region; 2. Förderung des Regionalhandels; 3. Transfer von Investitionen/Technologie; 4. Ausbildungsprogramme; 5. Regionale Energiekooperation; 6. Erhaltung der Meeresressourcen; 7. Harmonisierung der Telekommunikationssysteme. – Ministerkonferenz in Seoul 11/1991 bekräftigt auf Grundlage der Zwischenergebnisse der Arbeitsgruppen die APEC-Ziele – trotz widersprüchlicher Positionen im Rahmen der anderen internationalen Organisationen (Freihandel vs. Wirtschaftsgemeinschaften).

ARABISCHE LIGA
LIGA DER ARABISCHEN STAATEN
Jâmi'at al-dural al Arabûya

Gründung am 22. 3. 1945 in Kairo/Ägypten als loser Zusammenschluß der 7 unabhängigen Staaten Ägypten, Irak, Jemen, Libanon, Saudi-Arabien, Syrien und Transjordanien (heute Jordanien), 1950 durch Verteidigungspakt ergänzt.

Ziele der Gründungscharta:
1. Förderung der Beziehungen der MSt. auf politischem, kulturellem und wirtschaftlichem Gebiet;
2. Unabhängigkeit und Souveränität der MSt.;
3. Anerkennung Palästinas als unabhängiger Staat (zentrales politisches Ziel);
4. Wahrung der arabischen Interessen, insbesondere gegenüber den (damaligen) Kolonialmächten;
5. Verhütung und Schlichtung von Streitfällen.

Mitglieder (21):
a. *afrikanische* (9): Ägypten (seit 1945; 1979–1989 wegen des ägyptisch-israelischen Friedensvertrags suspendiert), Algerien (1962), Dschibuti (1977), Libyen (1953), Marokko (1958), Mauretanien (1973), Somalia (1974), Sudan (1956) und Tunesien (1958); aufgrund des Vetos Marokkos wurde die DARS (Sahara) bisher nicht Mitglied.
b. *asiatische* (12): Bahrain (1971), Irak (1945), Jemen (1945 Südjemen/Aden und 1967 Nordjemen/Sana'a), Jordanien (1945), Katar (1971), Kuwait (1961), Libanon (1945), Oman (1971), Palästina (1976 Vollmitglied), Saudi-Arabien (1945), Syrien (1945) und die Vereinigten Arabischen Emirate/UAE (1971).

Organe:
1. *Rat* der Könige und Staatschefs (»Gipfel«);
2. *Ligarat:* 21 Regierungsvertreter der Mitglieder;
3. *Ministerräte* der Fachressorts;
4. *Ständige Ausschüsse* (16), u. a. für Politik, Wirtschaft, Kultur, Soziales, Rechtswesen;
5. *Vereinigtes Arabisches Kommando* zur Leitung militärischer Operationen (unwirksam);
6. *Kollektiver Sicherheitsrat* zur Entscheidung von Maßnahmen zur Abwehr eines Angriffs auf ein Mitglied ($2/3$-Mehrheit bindend);
7. *Generalsekretär* seit 5/1991 Esmat Abdel Meguid/Ägypten (ehem. Außenminister).
Sitz: Kairo (1980–1990 Tunis). – Informationszentren/Büros in 20 Staaten, so auch Rheinallee 23, 53173 Bonn. – **Personal:** 460.
Amtssprache: Arabisch; Englisch Arbeitssprache.
Finanzierung durch Mitgliedsbeiträge und Spenden der Erdölförderstaaten (OAPEC → *OPEC*).
Arbeitsweise: Komplizierte Abstimmungsverfahren mit *Vetorecht* jedes Mitglieds setzen oft Mechanismen der Charta außer Kraft. *Mehrheits*beschlüsse der Liga binden nur jene Mitglieder, die entsprechend votiert haben.
Bewertung: Die Arbeit der Liga war seit Gründung in den Bereichen Wirtschaft und Kultur erfolgreicher als auf politischem oder militärischem Gebiet. Eine Wegbereiterin der arabischen Einheit war sie zu keinem Zeitpunkt; integrative Initiativen gingen von ihr nicht aus. Partikularinteressen und teilweise feindselige Konkurrenzverhältnisse (z. B. Syrien – Irak) verhindern eine Verwirklichung der Charta-Ziele. Vor diesem Hintergrund kam es zu weiteren in der

Charta vorgesehenen bzw. erlaubten Organisationen unter den Liga-Staaten *(→ GCC, → UMA).* Spannungen verursachte der von den Mitgliedern mehrheitlich abgelehnte Führungsanspruch des Irak, dessen Einmarsch in Kuwait 1991 zur Spaltung der arabischen Welt führte.

ASEAN
VERBAND SÜDOSTASIATISCHER STAATEN
Association of Southeast Asian Nations

Gründung am 8. 8. 1967 in Bangkok/Thailand durch »7-Punkte-Erklärung« von Indonesien, Malaysia, Philippinen, Singapur und Thailand.
Ziele: Wirtschaftliche, soziale und kulturelle Zusammenarbeit zur Festigung des Friedens in Südostasien.
Mitglieder (6): Die 5 Gründungsmitglieder und seit 1984 Brunei-Darussalam mit zusammen 316 Mio. Einw. – Papua-Neuguinea seit 1984, Laos und Vietnam seit 1992 Beobachter, Republik Korea hat seit 1989 Sonderstatus.

Organe:
1. *Gipfelkonferenz* der Staats-/Regierungschefs.
2. *Ministertagung:* jährl. Konferenz der Außenminister als zentrales Entscheidungsgremium.
3. *Ständiger Ausschuß* (jährl. 3- bis 5mal) aus gastgeb. Außenminister u. den 5 Botschaftern.
4. *Fachministertreffen*, hauptsächlich der Wirtschafts-, Arbeits- und Erziehungsminister.
5. *Ständige Fachausschüsse* (8) für: Industrie, Bergbau und Energie/COIME; Handel und Tourismus/COTT; Ernährung, Landwirtschaft und Forsten/COFAF; Finanzen und Bankwesen/COFAB; Transport und Kommunikation/COTAC; Soziale Entwicklung/COSD; Kultur und Information/COCI; Wissenschaft und Technologie/COST; alle mit zahlr. Unterausschüssen; dazu Haushaltsausschuß.
6. *Generalsekretär* (alle 3 Jahre wechselnd) mit **Sitz** 70 A Jalan Sisingamangaraja, Jakarta/Indonesien (* 1976); mit jährl. Wirtschaftsprognosen und -analysen betraut.
Tagungsort und Leitung aller wichtigen Gremien nach Rotationsprinzip; Beschlüsse erfordern Einstimmigkeit. – *Nationale Sekretariate* bei allen 6 MSt. als wichtigste Instanzen zur Vorbereitung politischer Entscheidungen.
Amtssprache: Englisch.
Finanzierung der Programme über die autonome Asiatische Entwicklungsbank/AsDB. Die Mittel für ASEAN-Angelegenheiten im engeren Sinne werden durch gemeinsamen Fonds der MSt. proportional zu deren BSP aufgebracht.
Entwicklung: Das *Preferential Tariff Agreement/* **PTA** von 1977 hat trotz der fast 15 000 Produkte mit

PTA-Status wenig zur Stimulierung des Intra-ASEAN-Handels beigetragen. Nur etwa 4000 werden aktiv gehandelt, die Zollsenkungen von 25–50% beziehen sich nur auf den jeweils bestehenden Zollsatz. Während sich im Rahmen des zollbegünstigten *Asean Industrial Joint Venture/* **AIJV** bisher nur wenige südostasiatische Unternehmen zusammengeschlossen haben, gedeihen *joint ventures* mit Staaten außerhalb des ASEAN gut. – Der 5. Gipfel (27.–28. 1. 1992) legte in der *»Singapore Declaration of 1992«* als Reaktion auf fundamentale weltpolitische Veränderungen Prioritäten weiterer ASEAN-Arbeit fest und beschloß mit dem *»Agreement on the Common Effective Preferential Tariff* (**CEPT**) *Scheme for the ASEAN Free Trade Area* (**AFTA**)«* die Weichen für eine ASEAN-Freihandelszone bis zum Jahr 2008 (→ *Kasten*). – 7/1993 grundsätzliche Einigung über *East Asian Economic Caucus* (**EAEC**) als außenwirtschaftspolitisches Forum südostasiatischer Staaten gegenüber Drittstaaten.

CARICOM KARIBISCHE GEMEINSCHAFT
Caribbean Community and Common Market

Gründung am 4. 7. 1973 mit Vertrag von Chaguaramas/Trinidad u. Tobago durch Barbados, Guyana, Jamaika und Trinidad u. Tobago; in Kraft 1. 8. 1973.
Vorläufer waren die *West Indies Federation/***WIF** (* 1958) britischer Kolonialgebiete der Karibik († 1962 durch Austritt Jamaikas) und die *Caribbean Free Trade Area/***CARIFTA** (* 1965), am 1. 5. 1974 durch die CARICOM abgelöst.
Ziele:
I. CARICOM gemäß Präambel und Art. 4 des Vertrages: 1. wirtschaftliche Integration durch Gemeinsamen Markt; 2. Koordinierung der Außenpolitik; 3. »Funktionelle Kooperation« darüber hinaus in 15 nichtwirtschaftlichen Bereichen bzw. der kulturellen und technologischen Entwicklung.
II. CCM/Karibischer Gemeinsamer Markt (innerhalb der CARICOM) als Annex zum CARICOM-Vertrag: Gemeinsamer Außenzoll, Koordinierung der Wirtschaftspolitik, Harmonisierung der Industriepolitik, Maßnahmen zugunsten der am wenigsten entwickelten Länder der Region (= alle außer Gründungsmitglieder: → *oben*).
Mitglieder (heute 13): Antigua u. Barbuda, Bahamas (keine CCM-Mitarbeit), Barbados, Belize, Dominica, Grenada, Guyana, Jamaika, Montserrat, St. Kitts-Nevis, St. Lucia, St. Vincent u. Grenadinen, Trinidad u. Tobago (als Erdölstaat wichtigster Vertragspartner) mit insges. 5,5 Mio. Einw.
Assoziierte Mitglieder: (brit.) Jungferninseln sowie die Turks- und Caicos-Inseln.

AFTA – Freihandelszone in Südostasien

Ziel: Überwindung der Stagnation in der wirtschaftlichen Zusammenarbeit der MSt. durch stufenweise Senkung der Zollschranken für alle Produkte des verarbeitenden Gewerbes auf höchstens 5% bis zum Jahr 2008. Bis dahin sollen auch alle nichttarifären Handelshemmnisse beseitigt sein. Landwirtschaftliche Erzeugnisse und Kapitalgüter sind vorerst ausgenommen.

Verfahren: Für **15 Produktgruppen** sollen die Zölle **im Schnellverfahren** (*fast track*) abgebaut werden: Zellstoff, Zement, Kunstdünger, Edelsteine und Schmuck, Lederwaren, Textilien, Chemikalien, Pharmazeutika, Kupferkathoden, Holz- und Rattanmöbel, Keramik- und Glasprodukte, Elektronikgeräte, Kunststoffe, Produkte aus Naturgummi sowie Speiseöl. Beträgt der Zoll für diese Produkte gegenwärtig über 20%, so muß er binnen 10 Jahren auf 0–5% gesenkt werden; liegt er unter 20%, muß dieses Ziel bereits in 7 Jahren erreicht sein. Bei anderen Industrieprodukten wird der Zoll nach dem **Normalverfahren** (*normal track*) gesenkt: Für Güter mit Zöllen unter 20% binnen 10 Jahren auf 0–5%, mit Zöllen über 20% zweistufig: In der ersten Etappe von 5–6 Jahren zunächst auf 20%, in den folgenden 7 Jahren auf 0–5%.

Ausnahmen: Wie schon das Präferenzabkommen/PTA von 1977 ermöglichen die AFTA-Regelungen für eine Übergangszeit eine Ausnahmeliste für besonders konkurrenzanfällige Produkte. So setzen z. B. die Philippinen nahezu 57% ihrer »fast track«-Produkte auf die Ausnahmeliste, Indonesien 22%. Nach 8 Jahren soll eine Überprüfung der Ausnahmelisten erfolgen.

Beitrittsaufschub: Am 1. 1. 1993 traten nur Malaysia und Singapur in die AFTA ein. Die anderen MSt. machen vom Recht eines maximal 3jährigen Beitrittsaufschubs Gebrauch. So beabsichtigt Brunei 1994 den Einstieg, Thailand und Indonesien wollen 1995 folgen, die Philippinen 1996, um durch den verzögerten Beitritt und die Ausnahmeregelungen die nötigen Strukturanpassungen ihrer Volkswirtschaften vornehmen zu können. – Letztlich soll die AFTA einen Wirtschaftsraum mit 330 Mio. Menschen und einem gemeinsamen Bruttoinlandsprodukt von rund 330 Bill. US-$ umfassen.

Beobachter: Dominikanische Republik, Haiti, Mexiko, Surinam und Venezuela.
Organe:
1. *Konferenz der Regierungschefs* (jährlich), einstimmige Beschlußfassung;
2. *Büro der Regierungschefs* (*1992) aus 3 MSt. und dem CARICOM-Generalsekretär als Koordinierungsstelle; Vorsitz: Patrick Manning, Premierminister von T. u. T.;
3. *Ministerrat* (*1992) aus für CARICOM zuständigen Ministern der MSt;
4. *Westindien-Kommission/WIC* (*1989) unter Vorsitz von Sridath Ramphal (ehem. Commonwealth-Generalsekr.);
5. *Sekretariat* mit **Sitz:** Bank of Guyana Bldg, Avenue of the Republic, Georgetown/Guyana, Regionalinstitutionen dezentralisiert.
Personal: 180. – **Arbeitssprache:** Englisch.
Aktivitäten: Gründung regionaler Gemeinschaftsorgane wie z. B. LIAT/Karibische Fluglinie (*1974), WISCO/Westindische Schiffahrtsgesellschaft (*1975; 1992 aufgelöst), CARDI/Landwirtschaftliches Forschungsinstitut (*1975), CFC/Ernährungsgesellschaft (*1976) und CTO/Tourismusorganisation (*1989). – Zahlreiche Absichtserklärungen auf Gipfeltreffen – u. a. Koordinierung der Entwicklungsplanung, Abbau von Zöllen und nichttarifären Handelshemmnissen, Harmonisierung der Steuern, Aufbau gemeinsamer Außenzölle und Gründung integrationsfördernder Sonderinstitutionen und Gemeinschaftsorgane – brachten bisher keine Umsetzung der Ziele von 1973; die MSt. beharren auf ihrer vollen Souveränität und sind lediglich zur Verbesserung ihrer bilateralen Zusammenarbeit bereit. – Die 13. Gipfelkonferenz in Port of Spain//T. u. T. (29. 6.–2. 7. 1992) beschloß die Schaffung einer CARICOM-Währungsunion bis zum Jahr 2000.

Ziele: Harmonisierung der Zölle, ausgewogener Handel sowie Entwicklung der Infrastruktur, Landwirtschaft und Industrie.
Mitglieder (7): Benin (seit 1984), Burkina Faso, Côte d'Ivoire, Mali, Mauretanien, Niger, Senegal; Beobachter: Togo und Guinea.
Organe:
1. *Konferenz der Staats- und Regierungschefs* (jährlich, seit 1987 alle 2 Jahre);
2. *Ministerrat* (halbjährlich);
3. *Schiedsgerichtshof;*
4. *Generalsekretariat* mit *ANAD-Sekretariat.*
Sitz: Ouagadougou/Burkina Faso (BP 643).
Personal: 260. – **Sprache:** Französisch.
Finanzierung durch Staffelbeiträge: Côte d'Ivoire und Senegal je 35,1 %, Niger 9,6 %, Mali 8,5 %, Burkina Faso 6,4 % und Mauretanien 5,3 %.
Sonderinstrumente:
FCD/*Fonds Communautaire de Développement:* Entwicklungsfonds zur Kompensation von Zolleinnahmeverlusten und zur Durchführung von Projekten;
FOSIDEC/*Fonds de Solidarité et d'Intervention pour le Développement de la Communauté Economique de l'Afrique de l'Ouest* (*1977): Solidaritäts- und Interventionsfonds zur Finanzierung von Projekten in ärmeren MSt.
Aktivitäten: Schwerpunkte im Handelsbereich und bei regionalen Wirtschaftsprogrammen; Zollfreiheit für Agrar-, seit 1979 auch für handwerkliche Produkte; für Industrieerzeugnisse Begünstigungsklauseln. Seit 1984 harmonisierter Zolltarif für Einfuhren aus Drittstaaten. Seit Gründung der → ECOWAS hat die CEAO an Bedeutung eingebüßt, wird aber als Block frankophoner Staaten aufrechterhalten – trotz teilweiser Überschneidung auch mit der → ECOWAS.

CEAO WESTAFRIKANISCHE WIRTSCHAFTSGEMEINSCHAFT
Communauté Economique de l'Afrique de l'Ouest

Gründung am 17. 4. 1973 in Abidjan/Côte d'Ivoire (in Kraft: 1. 1. 1974) als Nachfolgeorganisation der 1959 geschaffenen westafrikanischen Zollunion **UDAO**/*Union Douanière des Etats de l'Afrique Occidentale* und der sie seit 1966 ersetzenden Zoll- und Wirtschaftsunion **UDEAO**/*Union Douanière Economique des Etats de l'Afrique de l'Ouest.* Seit 1977 besteht ein Nichtangriffs- und Verteidigungsbündnis **ANAD**/*Accord de Non-aggression et d'Assistance en Matière de Défense,* dem neben den CEAO-MSt. Togo als assoz. Mitglied angehört.

CEFTA MITTELEUROPÄISCHES FREIHANDELSABKOMMEN
Central European Free Trade Agreement; auch: **Višegrád-Gruppe**

Gründung nach Gemeinsamer Erklärung dreier Staatspräsidenten in dem Donauort Višegrád/Ungarn (15. 2. 1991) am 21. 12. 1992 in Krakau/Polen durch Polen, Ungarn und die ČSFR. Nach der Teilung der ČSFR in die Slowakische und die Tschechische Republik zum 1. 1. 1993 hat das CEFTA 4 **Mitglieder** mit zusammen 65 Mio. Verbrauchern. Infolge noch ausstehender Ratifizierungen trat das Abkommen zum 1. 3. 1993 provisorisch in Kraft.
Ziele: Nach Auflösung des RGW (Comecon) und

Zusammenbruch bisheriger traditioneller Abnehmerländer des Ostblocks (UdSSR, DDR) Neuorientierung durch schrittweisen Zollabbau untereinander bis zum 1. 1. 2001 (= in Aussicht genommener EG-Beitrittstermin); gemeinsame Politik zwecks Annäherung an die → Europäische Gemeinschaft (EG).

Vertragsinhalt: Der Zollabbau erfolgt gemäß bilateral ausgehandelten Produktlisten, die inhaltlich den mit der EG und der → EFTA abgeschlossenen Verträgen der betroffenen Reformstaaten nachempfunden sind. Im Gegensatz zu diesen ist aber ein paralleler beiderseitiger Zollabbau vorgesehen. Bei Industrieprodukten erfolgt die **Liberalisierung in 3 Stufen**: Für Güter der *Liste A* (Rohmaterialien, Halbfabrikate und »unproblematische« Fertigprodukte) wurden die Zölle zum 1. 1. 1993 aufgehoben. Für Güter der *Liste B* (zahlreiche Industrieerzeugnisse) werden die Zölle zum 1. 1. 1995 um $^2/_3$ reduziert und stufenweise zum 1. 1. 1997 aufgehoben. Bei den in *Liste C* aufgeführten »heiklen« Gütern (insbes. Textilien, Bekleidung und Stahlerzeugnisse) erfolgt der Zollabbau von 100 % auf 0 % in jährlichen Schritten von Anfang 1995 bis 1. 1. 2001. Für Agrarprodukte ist unter Beibehaltung der Quotenregelungen eine Verringerung des Zollschutzes um 50 % innerhalb von 5 Jahren vorgesehen.

Problematik: Obwohl die CEFTA-Staaten durch das Abkommen eine Belebung des Handels erwarten, dürfte dessen Bedeutung mittelfristig eher gering bleiben. Nach Auflösung des RGW und dem Übergang zur Hartwährungsverrechnung bei gleichzeitiger Devisenknappheit ist der regionale Außenhandel seit 1990/91 stark gesunken (1993 unter 10 % des Gesamthandelsvolumens). Einer neuerlichen Ausweitung sind Grenzen gesetzt, da sich die CEFTA-Staaten mit ihren parallelen Industriestrukturen wenig ergänzen, sondern eher Konkurrenten sind und allesamt auf die westeuropäischen Märkte drängen. Die Bedeutung des Abkommens liegt daher eher in der Vermeidung einer gegenseitigen Diskriminierung gegenüber Waren aus der EG und der EFTA.

ECO ISLAMISCHE ORGANISATION FÜR WIRTSCHAFTLICHE ZUSAMMENARBEIT
Economic Co-operation Organization

Gründung am 28. 1. 1985 in Teheran/Iran.
Vorläuferin: RCD/Regional Cooperation for Development (* 1964), ziviles Pendant des Verteidigungsbündnisses **CENTO-Pakt** († 1979), die als Wirtschaftsgemeinschaft entstehen sollte, aber nur wenige Gemeinschaftsprojekte realisierte; sie war seit dem Sturz des Schahs im Iran (1979) inaktiv.

Seit 17. 2. 1992 türkische Bestrebungen zum Ausbau der ECO in einen regionalen Staatenbund – nach iranischer Auffassung als Keimzelle eines künftig erdteilumspannenden (islamischen) Marktes von Marokko bis Indonesien unter Einschluß der südlichen Nachfolgestaaten der UdSSR.

Ziele: Zusammenarbeit in den Bereichen Handel, Landwirtschaft, Industrie, Verkehr, Technik, Wissenschaft und Erziehung der unabhängigen und gleichberechtigten islamischen Nachbarn; Nichteinmischung in innere Angelegenheiten der MSt. gemäß der UN-Charta (→ UNO).

Mitglieder (10): Ursprünglich Iran, Pakistan und Türkei; seit 1992 auch Afghanistan, Kasachstan, Kirgistan, Tadschikistan, Turkmenistan und Usbekistan, seit 1993 Aserbaidschan. Die ECO ist mit knapp 300 Mio. Menschen die größte moslemische Staatengemeinschaft. Die sog. »Türkische Republik Nordzypern« soll sich auf Betreiben der Türkei an den ECO-Aktivitäten beteiligen.

Organe:
1. *Gipfeltreffen* der Staats-/Regierungschefs, am 16./17. 2. in Teheran/Iran und am 9./10. 5. 1992 in Aschchabad/Turkmenistan und am 6./7. 7. 1993 in Istanbul/Türkei;
2. *Koordinierungsrat* der Außenminister (tagt abwechselnd in einem MSt.);
3. *Ausschüsse* (4) für die Bereiche: Wirtschaft/Infrastruktur, Technik/Industrie, Landwirtschaft, Erziehung/Wissenschaft;
4. *Sekretariat* mit **Sitz** in Teheran/Iran; Ausschüsse auch in Islamabad/Pakistan und Ankara/Türkei.

Arbeitssprache: Englisch.

Aktivitäten: Bisher wurden im ECO-Rahmen eine Postorganisation sowie eine Industrie- und Handelskammer gegründet. – 7/1990 beschlossen die Außenminister den Bau einer iranischen Gas-Pipeline in die Türkei (1992/3 bekräftigt), vereinbarten 5/1991 eine 10 %ige Zollsenkung bei zahlreichen Verbrauchsgütern, 5/1992 neue Grenzübergänge sowie den Bau einer transasiatischen Eisenbahn bis 1995 und den Ausbau des Fernstraßennetzes. – Die Türkei hat als neue treibende Kraft der ECO seit dem Zusammenbruch der UdSSR 1991 bereits knapp 2 Mrd. DM an Entwicklungshilfe für die Turkrepubliken geleistet, insbesondere für Aserbaidschan (Erdöl-Zentrum bei Baku).

Am Rande des Gipfeltreffens:
▶ Konferenz der Anrainerstaaten des Kaspischen Meeres am 17. 2. 1992 (→ KEI).
▶ **ECO-Investitionsbank:** * 30. 3. 1992 in Karachi/Pakistan 1993. Grundkapital am 7. 7. 1993 auf 1,3 Mrd. US-$ festgelegt; von Türkei, Pakistan und Iran jeweils 300 000 $ eingezahlt.
▶ Am 18. 2. 1992 gründeten Iran, Tadschikistan und afghanische Mujahedin in Teheran eine gemeinsame »**Kulturorganisation**« mit dem Ziel der Wieder-

belebung der islamischen Kultur im früheren so-wjetischen Zentralasien *(→ auch OATCT).*
Kooperation: → GUS, → KEI, → OATCT.

ECOWAS WIRTSCHAFTSGEMEINSCHAFT WESTAFRIKANISCHER STAATEN

Economic Community of West African States; Communauté Economique des états de l'Afrique de l'Ouest/*CEDEAO*

Gründung am 28. 5. 1975 in Lagos/Nigeria durch 15 westafrikanische Staaten, in Kraft nach Ergänzung durch 5 Zusatzprotokolle Ende 1976 als Erweiterung der → CEAO. Die ECOWAS umfaßt die (francophone, anglophone und lusophone) Großregion Westafrika und gilt heute als wichtigster Wirtschaftsverbund Afrikas.
Ziele: Wirtschaftliche Stabilität der Mitglieder sowie Anhebung des Lebensstandards durch gemeinsame Zoll- und Handelspolitik, Freizügigkeit von Personen, Kapital und Dienstleistungen, Harmonisierung der Agrarpolitik und die gemeinsame Entwicklung des Transport-, Kommunikations- und Energiewesens. – Abgestufte Integrationsschritte: a) Freihandelszone, b) Zollunion, c) Gemeinsamer Markt (analog EG).
Mitglieder (16 + 1): Die 7 → CEAO-Mitglieder sowie die 9 Staaten Gambia, Ghana, Guinea, Guinea-Bissau, Kapverden (seit 1977), Liberia, Nigeria, Sierra Leone und Togo mit einer Gesamtbevölkerung von 150 Mio. auf 6,2 Mio. km²; ferner die CEAO als Organisation.
Organe:
1. *Konferenz der Staats- und Regierungschefs* (jährl.) als Entscheidungsgremium mit Initiativmonopol;
2. *Ministerrat* (halbjährl.) aus 2 Vertretern je MSt., überwacht die Umsetzung der Beschlüsse;
3. *Exekutivsekretär,* alle 4 Jahre von der Konferenz neu bestellt;
4. *Sonderkommissionen* für 1. Handel, Zoll, Einwanderung, Währungen, Zahlungswesen, 2. Industrie, Landwirtschaft, Naturressourcen, 3. Transport, Kommunikation, Energie, 4. Soziales und Kultur;
5. *Schiedsgericht* (Tribunal) zur Vertragsauslegung bzw. Abkommensüberwachung;
6. *ECOWAS-Fonds* (* 1976, Arbeitsbeginn 1977) zur Finanzierung vertragsbedingter Einnahmenverluste und Projekte: Autorisiertes Kapital: 500 Mio. US-$, 47 Mio. gezeichnet, 51 Mio. zusätzliche Mittel (Anleihen auf internationalen Finanzmärkten, Entwicklungshilfe);
7. *Entwicklungsfonds für Energieressourcen* (* 1982).

Daneben gibt es noch eine Westafrikanische Gesundheitsorganisation (* 1987) und einen Westafrikanischen Frauenverband (* 1987).
Sitz: 6 King George V Road, Lagos/Nigeria; Verlegung nach Abuja (neue Hauptstadt Nigerias) vorgesehen. Fonds: Avenue du 24 Janvier, Lomé/Togo.
Personal: ca. 200.
Arbeitssprachen: Englisch, Französisch.
Finanzierung u. a. durch Beiträge der Mitglieder nach einem Koeffizienten aus BSP und Pro-Kopf-Einkommen sowie durch andere IGOs wie z. B. → ECA, → AfDB, EG-Kommission (→ EG), → IsDB und UNDP *(→ UNO).*
Aktivitäten: Erste Schritte in Richtung **Zollunion:** Seit 1979 Zollanhebungsstopp untereinander, seit 1981 Freihandelszone für landwirtschaftliche Rohprodukte. 1983 Mehrstufenplan zur Beseitigung der Handelsschranken (je nach Entwicklungsstand der Mitglieder in 4 bis 10 Jahren). 1980 Protokoll über Freizügigkeit (visumfreie Einreise für 90 Tage), 1986 ergänzt durch das Recht auf freien Wohnsitz und auf Niederlassungsfreiheit zur Existenzgründung für zunächst 4 Jahre (in Nigeria eingeschränkt). – 1991 wurden die Zolltarife für 90 Güter aufgehoben.
Agrarpolitik: 1987 Strategie für regionale Selbstversorgung bis zum Jahr 2000, u. a. durch Förderung von 136 Projekten im Wert von rd. 1 Mrd. $ (96 auf nationaler, 40 auf subregionaler Ebene).
Währung: Währungszone für 1994 angekündigt.
Sicherheitspolitik: 1978 Nichtangriffsprotokoll und 1981 Abkommen über gemeinsame Verteidigung/ Streitmacht und Verteidigungsrat durch 13 MSt. (ohne Guinea-Bissau, Kapverden, Mali). – 8/1990 Entsendung einer 3000 Mann starken **Friedenstruppe/ECOMOG** (aus Einheiten Nigerias, Ghanas, Guineas, Gambias und Sierra Leones) in das vom Bürgerkrieg umkämpfte Liberia. Bisher ist der hauptsächl. in Monrovia stationierten ECOMOG keine Friedensregelung gelungen.
Probleme ergeben sich u. a. durch große Strukturunterschiede zwischen den ECOWAS-Mitgliedern, den regionalen Führungsanspruch Nigerias (mit über 100 Mio. Einwohnern bevölkerungsreichster Staat Afrikas), die Zugehörigkeit zu unterschiedlichen Währungssystemen (CFA-Franc-Zone und englisches Pfund), eine Stagnation des Regionalhandels, der überdies nur 4 % des Gesamtaußenhandels der MSt. ausmacht, gegensätzliche politische Orientierungen, mangelhafte finanzielle Unterstützung der Organisation und Überschneidung mit konkurrierenden Regionalorganisationen (dadurch auch finanzielle Mehrbelastungen) wie z. B. → CEAO. So konnten beschlossene Maßnahmen wie freier Handelsaustausch und Freizügigkeit bisher nicht realisiert werden.

EFTA
EUROPÄISCHE FREIHANDELSASSOZIATION
European Free Trade Association

Gründung auf britische Initiative nach Inkrafttreten des EWG-Vertrages (1958) zum Schutz der Handelsinteressen der westeuropäischen Staaten, die nicht in die Römischen Verträge eingebunden waren. Stockholmer Abkommen vom 4. 1. (in Kraft 3. 5.) 1960.

Entwicklung: Von den 7 Gründungsmitgliedern Dänemark, Großbritannien, Norwegen, Österreich, Portugal, Schweden und Schweiz traten 1973 Großbritannien und Dänemark sowie 1986 Portugal zur → EG über. – Österreich beantragte 1989, Schweden 1991, Finnland, die Schweiz und Norwegen 1992 EG-Mitgliedschaft (→ EG/III.).

Heutige Mitglieder (7): Finnland (seit 1985 Vollmitglied), Island (seit 1970), Liechtenstein (seit 1. 9. 1991), Norwegen, Österreich, Schweden und Schweiz.

Ziele: Wirtschaftliches Wachstum, Vollbeschäftigung, Erhöhung des Lebensstandards usw. durch Beseitigung von Handelsbarrieren unter den MSt. bei nichtagrarischen Gütern.

Symbol: Flaggen der MSt. in offenem Kreis.

Organe:

1. *Ministerrat* (offiziell »Rat«) als oberstes Organ, in dem alle MSt. gleichberechtigt vertreten sind; Tagungen halbjährlich, Vorsitz wechselt im Turnus.

2. *Ständige Komitees* aus den nationalen Regierungsvertretern und beratende *Arbeitsgruppen*.

3. *Generalsekretär:* Georg Reisch/A (seit 1988), ab 1. 9. 1994 Kjartan Johannsson/IS.

4. *Industrie-Entwicklungsfonds für Portugal* (* 1976) mit Darlehen von 52,3 Mio. $ für 1991.

5. *Europäische Organisation für Prüfung und Zertifizierung/EOTC* (* 1990) zur Beseitigung von Handelshemmnissen durch unterschiedliche nationale Normen und Zertifizierungssysteme.

Sitz: 9–11, rue de Varembé, CH–1211 Genf 20; Büros in Brüssel und Luxemburg.

Personal: 140. – **Arbeitssprache:** Englisch; Dokumente auch in den Sprachen der MSt.

Finanzierung: Jahreshaushalt 1991/92: 48,55 Mio. sfr durch Staffelbeiträge der MSt. nach deren BIP (Schweiz 28,78 %, Schweden 24,94 %, Österreich 17,27 %, Norwegen 12,20 %, Finnland 14,47 % und Island 1,74 % sowie Liechtenstein 0,60 %) berechnet. Haushaltssteigerung um 57 % gegenüber Vorjahr wegen Mehrausgaben durch die Kooperation mit Mittel- und Osteuropa, die EWR-Verhandlungen sowie neue EFTA-Strukturen.

Aktivitäten und Bilanz:

Zollfreiheit für Industrieerzeugnisse seit 1967.

Warenursprungsregelung regelt Zollfreiheit nur für Güter, die zu über 50 % im EG-EFTA-Raum herge-

stellt werden. Im **Handel mit den EG-Staaten** fielen 1984 die Zollbarrieren für industrielle Güter. Die wirtschaftliche Zusammenarbeit mit der EG erstreckt sich vor allem auf den **Europäischen Wirtschaftsraum/EWR**, dessen für 1993 geplantes Inkrafttreten durch negativen Volksentscheid der Schweiz vom 6. 12. 1992 verschoben wurde (→ *Kasten Sp. 799*). Ein am 25. 2. 1993 mit der EG vereinbartes **EWR-Anpassungsprotokoll** sieht u. a. vor, daß die verbliebenen 6 EFTA-MSt. den Schweizer Anteil am *»EWR-Finanzierungsmechanismus«* übernehmen, der durch direkte Zuschüsse und Zinsermäßigungen bei Darlehen die Entwicklung in ärmeren EG-Regionen unterstützt (Darlehensgesamtsumme für die EFTA: 1,5 Mrd. ECU). – Auf der EFTA-Ministerratstagung am 15./16. 6. 1993 bilden die 5 verbliebenen EWR-MSt. (ohne Schweiz und Liechtenstein) die im EWR-Vertrag vorgesehenen EFTA-Organe – die Überwachungsbehörde (Sitz: Brüssel) und den EFTA-Gerichtshof (Genf).

Außenbeziehungen: Asymmetrische Freihandelsverträge mit den **3 baltischen Republiken** (Estland, Lettland, Litauen), der **ČSFR** (in Kraft am 1. 7. 1992, ab 1. 1. 1993 übertragen auf die beiden Nachfolgestaaten Tschechische und Slowakische Republik), mit **Israel** (1. 1. 1993), **Polen** (1. 3. 1993), **Rumänien** (1. 5. 1993) und **Ungarn** (1. 7. 1993), die innerhalb von 10 Jahren zu offenen Märkten für industrielle und gewerbliche Güter führen sollen.

EUROPARAT
Council of Europe – Conseil de l'Europe

Gründung: Unterzeichnung des Statuts am 5. 5. 1949 in London durch 10 Staaten (→ * Mitglieder); in Kraft am 3. 8. 1949 (1951 abgeändert).

Ziele nach Art. 1 sind, »einen engeren Zusammenschluß zwischen den Mitgliedern herbeizuführen, um die Ideale und Grundsätze, die ihr gemeinsames Erbe sind, zu bewahren und zu fördern und auf ihren wirtschaftlichen und sozialen Fortschritt hinzuwirken«. Bevorzugte Themen: Wahrung der Freiheiten des einzelnen, Schutz der Menschenrechte, Stärkung der demokratischen Institutionen, Verbesserung der Lebensqualität und kulturelle Zusammenarbeit.

Mitglieder (31): * Belgien, Bulgarien (seit 1992), * Dänemark, BR Deutschland (1950 assoziiert, seit 1951 Vollmitglied), Estland (seit 14. 5.1993), Finnland (1989), * Frankreich, Griechenland (seit 1949, 1967–74 suspendiert), * Großbritannien, * Irland, Island (seit 1950), * Italien, Liechtenstein (seit 1978), Litauen (seit 14. 5.1993), * Luxemburg, Malta (seit 1965), * Niederlande, * Norwegen, Österreich (seit 1956), Polen (seit 1991), Portugal (seit 1976), San Marino (seit 1988), *Schweden, Schweiz (seit 1963), Slowakische Rep. (30.6. 1993), Slowenien (seit 14.5.1993), Spanien (seit 1977), Tschechische Rep. (30.6.1993), Türkei (seit 1949), Ungarn (seit 1990) und Zypern (seit 1961). – Die ČSFR war 21.2. 1991 bis 31.12. 1992 Vollmitglied.

Offizielle Beitrittsgesuche: Albanien (5/1992), Kroatien (9/1992), Lettland (9/1991), Moldau (4/1993), Rumänien (12/1991), Rußland (5/1992), Ukraine (7/1992) und Weißrußland (3/1993).

Sondergaststatus: Albanien (seit 11/1991), Kroatien (seit 5/1992), Lettland (seit 9/1990), Ehemalige Jugoslawische Republik Makedonien (seit 5/1993), Moldau (seit 2/1993), Rumänien (seit 2/1991), Rußland (seit 9/1992), Ukraine (9/1992) und Weißrußland (9/1992).

Beantragt haben den Sondergaststatus Armenien (12/1991), Aserbaidschan (1/1992) und Georgien.

Symbol: Blaue Flagge mit 12 Sternen im Kreis.

Organe:

1. *Ministerkomitee*
der 27 Außenminister, die halbjährlich in Straßburg tagen (Vorsitz rotiert). Ihre als Ständige Vertreter beim Europarat akkreditierten Delegierten (mit Botschafterstatus) treffen sich monatlich.

2. *Parlamentarische Versammlung*
aus Parlamentarierdelegationen der MSt. (2–18 Abgeordnete je MSt.), tagt dreimal jährlich in Straßburg; ausschließlich beratende Funktionen. Empfehlungen an das Ministerkomitee, die in Ausschüssen vorbereitet und von der Versammlung in öffentlicher Sitzung angenommen werden.

3. *Generalsekretariat*
mit rund 900 Beamten, erfüllt Dienstleistungen für Ministerkomitee und Parlamentarische Versammlung, wird von einem von der Versammlung für jeweils 5 Jahre gewählten *Generalsekretär* (z. Zt. Catherine Lalumière/F) geleitet. – Stv. (Kanzler): Heinrich Klebes/D

Sitz: Palais de l'Europe, F–67006 Straßburg.

Als **zwischenstaatliche Gerichtsbarkeit** fungieren die beiden Institutionen

4. *Europäische Kommission für Menschenrechte*/**HRC** und der

5. *Europäische Gerichtshof für Menschenrechte*/**EGHMR.**

Weitere **Institutionen** sind u. a.:

6. *Rat für Kulturelle Zusammenarbeit*/**CDCC**
*1950 zur Leitung der Bildungs- und Kulturarbeit, insbesondere zur Verwaltung des Europäischen Kulturfonds und der Higher Education Scholarships des Europarats mit dem Unterausschuß **CC-PU** (Ständige Konferenz für Hochschulfragen, *1978);

7. *Europäisches Jugendzentrum*/**EYC**, *1972;

8. *Europarats-Fonds:* Wiedereingliederungsfonds

des Europarats für die nationalen Flüchtlinge und die Überbevölkerung in Europa, *1955.

Amtssprachen: Französisch und Englisch; in der Parlamentarischen Versammlung auch Deutsch, Italienisch und Spanisch.

Finanzierung durch MSt.; Haushalt 1991: 100 Mio. ECU.

Aktivitäten:

1. *Politische Zusammenarbeit* mit den nationalen Regierungen, Verbänden und mit internationalen Organisationen;

2. *Menschenrechte:* Behandlung von Beschwerden durch Ministerkomitee und Gerichtshof, Weiterentwicklung der Europäischen Konvention zum Schutz der Menschenrechte;

3. *Wirtschafts- und Sozialfragen* (weitgehend von EG-Politiken überlagert);

4. *Öffentliches Gesundheitswesen:* Seminare, Stipendienvergabe, Drogenbekämpfung, Europäisches Arzneibuch;

5. *Unterricht, Kultur und Sport:* u. a. Anerkennung von Diplomen: Äquivalenzen in Schule und Hochschule (dazu 4 Europarats-Konventionen), europäische Kunstausstellungen, Rettung gefährdeter Kulturgüter, Dopingbekämpfung;

6. *Jugendpolitik:* Jugendzentrum/Jugendwerk;

7. *Umweltfragen und Raumordnung:* Natur- insbes. Tierschutz, Zusammenarbeit in Grenzregionen;

8. *Kommunale und regionale Fragen:* Europakonferenz der Gemeinden und Regionen, Städtepartnerschaften, Verleihung der Europaflagge;

9. *Rechtsfragen und -harmonisierung:* Zivil- und Handelsrecht, Strafrecht und Verbrechensbekämpfung, Öffentliches Recht;

10. *Öffentlichkeitsarbeit:* Filme zu europäischen Themen, europäische Wettbewerbe, Europatag.

Neben Tagungen des Ministerrats und der Parlamentarischen Versammlung vom Europarat organisierte Konferenzen von Fachministern für die Bereiche Recht, Ausbildung, Soziales und Umwelt.

Bisher entstanden im Europarat gut **140 wichtige Konventionen und Vertragswerke** über Menschenrechte, Umweltschutz, Datenschutz, ausländische Arbeitnehmer, Bildungsabschlüsse, sprachliche und ethnische Minderheiten, Raumordnung, Medienpolitik. Die bekanntesten sind die Europäische Konvention zum Schutz der Menschenrechte und Grundfreiheiten (1950), das Europäische Kulturabkommen (1954), die Europäische Sozialcharta (1961), die Europäische Konvention zur Bekämpfung des Terrorismus (1977), das Europäische Datenschutzabkommen (1981), die Konvention gegen Folter und entwürdigende Behandlung (1987), die Konvention über grenzüberschreitendes Fernsehen (1989) und die Charta zum Schutz der Regional- und Minderheitensprachen (1992).

G-7   WELTWIRTSCHAFTSGIPFEL/WWG

Gruppe der 7 bedeutendsten Industriestaaten (G-7) Deutschland, Frankreich, Großbritannien, Italien, Japan, Kanada und USA. Keine IGO/INGO.

Entstehung: Seit 1975 jährl. Konferenzen der G-7 zur Erörterung aktueller Fragen, insbesondere der Weltwirtschaftslage. Bisher 19 »Weltwirtschaftsgipfel/WWG«.

Teilnehmer: Staats- bzw. Regierungschefs der G-7 sowie (seit 1977) der Präsident der EG-Kommission, seit 1993 auch der Präsident der Russischen Föderation als Gast. Vorbereitung durch die Finanzminister und Notenbankpräsidenten.

Aufgaben/Aktivitäten: Gegenseitige Information; Versuch gemeinsamer Koordinierung der nationalen Politiken. – 1. Treffen in Rambouillet/F. 1975 unter Vorsitz des französischen Präsidenten Valéry Giscard d'Estaing diente insbes. der Abstimmung der Währungspolitik, vor allem zwischen Washington und Paris.

19. G-7-Treffen in Tokyo 7.–9.7.1993 beschließt Maßnahmen zur Bekämpfung weltweiter Rezession und dadurch entstandener Arbeitslosigkeit sowie den Abbau der Handelsbarrieren. In einer politischen Erklärung drücken sie ihren Widerstand gegen eine Bosnien-Lösung auf Kosten der Muslime aus; gewaltsam gezogene Grenzen würden nicht anerkannt. Am 9.7. nimmt auch der russ. Präsident *Boris Jelzin* teil, dem 3 Mrd. $ als Hilfe für einen Stabilisierungsfonds zur Umgestaltung der russischen Staatsbetriebe zugesagt werden.

GCC   GOLF-KOOPERATIONSRAT
Gulf Cooperation Council

Gründung als Reaktion auf die Revolution im Iran 1979 (Sturz des Schah, Reislamisierung/Fundamentalismus) und die folgenden Kriegshandlungen (sowjetischer Einmarsch in Afghanistan, Golfkrieg Irak/Iran) am 14.2.1981 in Riad/Saudi-Arabien durch 6 Golfstaaten auf Basis der Gründungscharta der → Arabischen Liga (»Regionale Untergruppe«). Unterzeichnung des »United Economic Agreement« auf der 1. Gipfelkonferenz in Abu Dhabi am 26.5. 1981 (offizieller Gründungstag).

Ziele: Koordinierung der Außen-, Sicherheits- und Wirtschaftspolitik der MSt.; vorrangig: gemeinsame Außendarstellung, Koordinierung der Wirtschaft (vor allem des Erdölsektors), Sicherheit und Stabilität in der Golfregion (gemeinsame Verteidigungsstrategie, Abwehr von Terrorakten, Revolten) – jedoch keine Organe mit Eigenbefugnissen.

Mitglieder (6) mit insgesamt 17 Mio. Einw.: Bahrain, Katar, Kuwait, Oman, Saudi-Arabien und die Vereinigten Arabischen Emirate (UAE).

Organe:

1. *Oberster Rat* der Staatschefs, tagt jährlich, Präsident wechselt turnusmäßig;

2. *Ministerrat* (auch Fachministerräte, analog EG) tagt ca. vierteljährlich;

3. *Generalsekretär* mit umfassenden Kompetenzen (Planung, Koordinierung, Ausführung der Politiken) seit 12/1992: Fahim ibn Sultan ibn Salim al-Kasimi/UAE;

4. *Fachausschüsse* (5), z. B. für Ölpolitik;

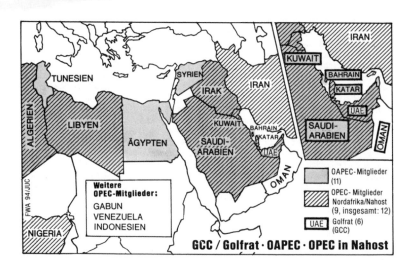

GCC / Golfrat · OAPEC · OPEC in Nahost

5. *Überwachungs- und Kontrollkommission* zur Streitschlichtung unter MSt.
Sitz: Riad 11462/Saudi-Arabien (POB 7153).
Finanzierung durch die MSt., überwiegend durch Kuwait und (neuerdings) Saudi-Arabien.
Aktivitäten:
1983 1. Phase der **Wirtschaftsintegration**: Zollfreiheit für landwirtschaftliche und industrielle Güter aus einheimischen Rohstoffen, einheitliche Zölle für Transitgüter, stufenweise Niederlassungsfreiheit weitgehend nach Vorbild der → EG.
1984 2. Phase mit **weiteren Erleichterungen** (Reisen, Aufenthalts- und Arbeitsgenehmigungen in allen MSt.), auch zwecks Eindämmung der Fremdarbeiterflut. – Verteidigungscharta mit **gemeinsamer Sicherheitstruppe**.
1992 13. Gipfel in Abu Dhabi/UAE (21.–23. 12.) beschließt schrittweise Einführung einheitlicher Zölle in den 6 MSt.; keine Einigung auf Zollunion (als Voraussetzung für Wiederaufnahme der Verhandlungen mit der EG über ein Freihandelsabkommen).

GUS
GEMEINSCHAFT UNABHÄNGIGER STAATEN
Sodruschestwo Nesawisimych Gosudarstw/ SNG

Gründung durch Abkommen von Minsk vom 8. 12. und Alma-Ata vom 21. 12. 1991 als Staatenbund souveräner ehemaliger Sowjetrepubliken bei Wahrung der Souveränität und Gleichberechtigung der MSt. (IGO). Mit der Gründung der GUS hörte die UdSSR auf zu existieren *(vgl. → Kasten)*.
Vertragsbasis: Die MSt. verpflichten sich zur Anerkennung demokratischer Rechtsstaatlichkeit; ihre Beziehungen basieren u. a. auf gegenseitiger Anerkennung und Achtung staatlicher Souveränität, den Prinzipien der Gleichheit und Nichteinmischung in innere Angelegenheiten, der Achtung der Menschenrechte und der gegenseitigen Unverletzlichkeit bestehender Grenzen der Republiken der ehemaligen UdSSR. Die Zusammenarbeit zwischen den MSt. erfolgt gleichberechtigt durch koordinierende Institutionen; diese werden paritätisch gebildet. Das gemeinsame Kommando über die militärstrategischen Streitkräfte und eine einheitliche Kontrolle über die Atomwaffen bleiben erhalten. Die MSt. garantieren die Erfüllung internationaler Verpflichtungen aus den Verträgen und Abkommen der früheren UdSSR. – In *weiteren Dokumenten* wird festgelegt, daß Rußland den Sitz der UdSSR im UN-Sicherheitsrat und in allen anderen internationalen Organisationen übernimmt. In einem *Sonderabkommen* bekräftigen die 4 Republiken mit Kernwaffen (Kasachstan, Rußland, Ukraine und Weißrußland), die von der Ex-UdSSR geschlossenen

Verträge zur nuklearen Abrüstung einzuhalten und ihren Parlamenten den START-Vertrag zur Ratifizierung vorzulegen.
Ziele/Aufgaben der GUS:
▶ Lt. Art. 6 (Minsk) Bildung eines »gemeinsamen militärisch-strategischen Raums«, Garantie der »Stationierung, Funktionsweise sowie der materiellen und sozialen Sicherung der strategischen Streitkräfte«, Sicherstellung einer »einheitlichen Kontrolle über die Kernwaffen«, Zusammenarbeit bei internationaler Friedenssicherung, v. a. bei Abrüstungsmaßnahmen. – Hinzu treten (Art. 7 und 8):
▶ Koordinierung der Außenpolitik,
▶ ein gemeinsamer Wirtschaftsraum, ein »gesamteuropäischer und eurasischer Markt«,
▶ Zusammenarbeit im Transport- und Zollwesen sowie bei Umweltschutz, Migrationspolitik und Bekämpfung des organisierten Verbrechens.
Mitglieder (9): die ehem. Sowjetrepubliken Armenien, Kasachstan, Kirgistan, Rußland, Tadschikistan, Turkmenistan, Ukraine, Usbekistan und Weißrußland. – Aserbaidschan, 1992 ausgetreten *(→ Kasten)*, ist auf Gipfeln durch Beobachter vertreten. Moldau trat 8/1993 aus. – *Nicht beigetreten:* Estland, Lettland und Litauen sowie Georgien. – Mitgliedschaft für alle Staaten offen, die die Ziele der GUS teilen.
Organe:
1. *Rat der Staatsoberhäupter:* tagt mindestens halbjährl., Vorsitz und Tagungsort wechseln nach russischem Alphabet. Einige MSt. entsenden die Parlamentspräsidenten in den Rat. Jedes Mitglied hat Vetorecht. Der Rat stellt auch das *Vereinte Kommando* der ehem. Truppen der Sowjetarmee.
2. *Rat der Regierungschefs:* soll bei Bedarf über die Politikdurchführung beschließen, steht aber de facto ganz im Schatten des Rats der Staatsoberhäupter.
3. *Fachministerkonferenzen* der Außen-, Verteidigungs-, Wirtschafts- oder Verkehrsminister, teils auch Konferenz der Obersten Behördenchefs (z. B. der Auslandsaufklärungsdienste), zur Vorbereitung von Gipfeltreffen.
4. *Interparlamentarische Versammlung* (*27. 3. 1992), erstmals Mitte Sept. 1992 in Bischkek/Kirgistan zusammengetreten.
5. *Technisches Sekretariat:* ständige »Arbeitsgruppe für die Vorbereitung und Durchführung des Rates der Staatsoberhäupter und des Rates der Regierungschefs« mit 4 Abteilungen (Wirtschaftsanalyse, Völkerrecht, Organisation, Presse) und (theoretisch) je 2 Ständigen Vertretern der MSt.), *Sekretär:* Iwan Korotschen/Weißrußland.
Sitz: Minsk (geplant). – **Personal:** 90.
Amtssprache: Russisch.
Finanzierung des Sekretariats durch jährlich 6 Mio. russ. Rubel je MSt.

Entstehung und Entwicklung der GUS

29. 8. **1991:** Eine Woche nach dem August-Putsch kommen Rußland und die Ukraine überein, »provisorische Strukturen unter Beteiligung interessierter Mitgliedsstaaten der früheren UdSSR« zu bilden (= **1. Schritt** zur Auflösung der UdSSR).

5. 9. 1991: Volksdeputiertenkongreß der UdSSR beschließt unter dem Druck v. a. Rußlands eine Übergangsverfassung (»Deklaration der Rechte und Freiheiten des Menschen«), die u. a. den Bundesstaat Sowjetunion in einen neuen Staatenbund umwandelt (= **2. Schritt**).

18. 10. 1991: Vertrag über die Gründung einer Wirtschaftsgemeinschaft Unabhängiger Staaten durch Präsident Gorbatschow und die Präsidenten Armeniens, Kasachstans, Kirgistans, Rußlands, Tadschikistans, Turkmenistans, Usbekistans und Weißrußlands; Ukraine und Moldau treten am 6. 11. bei (= **3. Schritt**).

25. 11. 1991: Entwurf des neuen Unionsvertrages (»Vertrag über die Union Souveräner Staaten«) mit sehr schwacher Bundeskompetenz wird nicht paraphiert.

1. 12. 1991: Referendum in der Ukraine (90,3 % für Unabhängigkeit von der Union) macht bisherige Unionsmodelle unmöglich. Als einzige Möglichkeit verbleibt ein völker- (statt staats-)rechtlicher Zusammenschluß in einer lockeren Gemeinschaft.

8. 12. 1991: **Abkommen von Minsk** über Gründung einer »Gemeinschaft Unabhängiger Staaten«/GUS durch die Präsidenten der 3 slawischen Republiken Rußland (Boris Jelzin), Ukraine (Leonid Krawtschuk) und Weißrußland (Stanislaw Schuschkewitsch) stellt u. a. fest, »daß die UdSSR als Subjekt des Völkerrechts und geopolitische Realität ihre Existenz beendet« hat. Das Abkommen wird bis 12. 12. 1991 durch die Parlamente der 3 Signatarstaaten ratifiziert und schließt die Kündigung des Gründungsvertrags der UdSSR vom 30. 12. 1922 mit ein *(Einzelheiten/Vorgeschichte → WA'93/59 ff.).*

21. 12. 1991: Dem Dreierbund schließen sich auf der (1. offenen) **Gründungskonferenz in Alma-Ata** 8 weitere ehem. Sowjetrepubliken – die zentral-asiatischen Republiken Kasachstan, Kirgistan, Tadschikistan, Turkmenistan und Usbekistan sowie Armenien, Aserbaidschan und Moldau – als gleichberechtigte Partner an, ohne substantielle Änderungen am Abkommen von Minsk durchzusetzen. – Beitritt Georgiens wird wegen Menschenrechtsverletzungen (insbes. in Süd-Ossetien) abgelehnt; Georgien nimmt i. d. Folge als Beobachter an GUS-Gipfeltreffen teil.

25. 12. **1991: Michail Gorbatschow legt sein Amt als Präsident der UdSSR nieder, der Oberste Sowjet der UdSSR beendet am 26. 12. förmlich seine Tätigkeit.**

20. 3. 1992: Abkommen über **Kompetenzverteilung in Verteidigungsfragen** bestimmt die den GUS-Streitkräften zugehörigen Verbände; sie umfassen »die strategischen Streitkräfte, die Streitkräfte der Teilnehmerstaaten der Gemeinschaft unter der Entscheidungsgewalt dieser Staaten sowie die Streitkräfte gemeinsamer Zweckbestimmung«; diese Definition wird bisher nur von 7 MSt. anerkannt: Armenien, Kasachstan, Kirgistan, Rußland, Tadschikistan, Usbekistan und Weißrußland.

27. 3. 1992: Parlamentspräsidenten vereinbaren *Interparlamentarische Versammlung der GUS,* bisher ohne Beteiligungszusage von Aserbaidschan, Moldau, Turkmenistan und Ukraine (»kooperationistische« Staatengruppe).

15. 5. 1992: Vertrag über **kollektive Sicherheit** (Laufzeit 5 J., halbjährl. Kündigungsfrist) durch Präsidenten der 6 Republiken Armenien, Kasachstan, Rußland, Tadschikistan, Turkmenistan und Usbekistan.

6. 7. 1992: Beschluß (ohne Aserbaidschan) über Entsendung von **GUS-»Blauhelmen«** in Nationalitäten-Konfliktgebiete der Ex-UdSSR.

7. 10. 1992: Nationalrat Aserbaidschans beschließt, der GUS künftig nur noch als assoziiertes Mitglied oder als Beobachter anzugehören.

9. 10. 1992: Armenien, Kasachstan, Kirgisien, Moldau, Rußland, Usbekistan und Weißrußland beschließen Erhalt des Rubels als gemeinsame Währung sowie eine **gemeinsame Zentralbank** (ohne Zeitplan für deren Errichtung). Keine Einigung über Koordinierung der Steuer-, Währungs-, Finanz- oder Wirtschaftspolitik.

4. 1. 1993: Die 5 zentralasiatischen GUS-Republiken (»Vereinigte Staaten von Zentralasien«) vereinbaren Maßnahmen zur Bildung einer marktwirtschaftlich orientierten gemeinsamen **zentralasiatischen Wirtschaftsgemeinschaft**; ein Koordinationsrat soll die wirtschaftspolitischen Beschlüsse der MSt. aufeinander abstimmen.

22. 1. 1993: Auf dem 8. Gipfel in Minsk scheitert die Unterzeichnung eines neuen Statuts, das den GUS-Organen mehr Befugnisse einräumen und ein engeres Bündnis schaffen sollte, am Widerstand der Ukraine, Moldaus und Turkmenistans. Ohne Lösung bleibt auch die Kontrolle über Atomwaffen der Ex-UdSSR. *(Weitere Entwicklung → Länderchronik/Gemeinschaft Unabhängiger Staaten.)*

Problematik: Die Ausgestaltung und Fortentwicklung der GUS wird – neben der Handlungsunfähigkeit wegen des Vetorechts der gleichberechtigten MSt. – durch eine De-facto-Spaltung in **zwei konzeptionell gegensätzliche Staatengruppen** behindert:

1. Gruppe: *Die »Konföderalisten«,* die zu koordiniertem, gemeinschaftlichem Handeln in wesentlichen Aufgaben (Äußeres, Verteidigung, Währung, Wirtschaft, Verkehr) bereiten Staaten Armenien, Kasachstan, Kirgistan, Rußland, Tadschikistan, Usbekistan und teilw. Weißrußland.

2. Gruppe: *Die »Kooperationisten«,* die nur an lockerer Kooperation interessierten Staaten Turkmenistan und Ukraine, welche aus Furcht vor Bevormundung durch Rußland auf nationalstaatlicher Unabhängigkeit beharren und die GUS nur als stabilisierenden Kooperationsrahmen während einer Übergangszeit zur Lösung der gemeinsamen Probleme nutzen wollen.

Hinzu kommt die politische Schwäche einiger MSt. durch innere Unruhen und Nationalitätenkonflikte (z. B. Tadschikistan, Armenien). Die zentralasiatischen GUS-MSt. sind außerdem vorwiegend an Kooperation untereinander und mit den moslemischen Nachbarstaaten Iran, Pakistan und Türkei interessiert *(→ ECO; → KEI).*

der 4 Grundfreiheiten des EWG-Vertrages von 1957 *(→ EG)* als »Eurasische Wirtschaftsgemeinschaft« und als Gegenpol zur islamisch orientierten → ECO. Darüber hinaus laizistische Organisation unter türkischer Federführung. Vermittlungsversuche bei Nationalitätenkonflikten (Dnjestr-Republik, Karabach, Ossetien, Zypern: → *Kapitel »Länderchroniken«).*

KEI-Parlament (Parlamentarische Versammlung): * 9. 2. 1993 in Ankara aus 200 Abgeordneten von 11 MSt.: Albanien, Armenien, Aserbaidschan, Georgien, Griechenland, Moldau, Rumänien, Rußland, Ukraine, Türkei und Weißrußland mit Statuten für ein KEI-Parlament nach dem Muster des Europäischen Parlaments *(→ EG).*

KEI-Kultusministerkonferenz: * 8. 3. 1993 in Istanbul; unterzeichnet Kulturabkommen (Bildung, Wissenschaft, Technologie und Kommunikation) für die 10 Staaten Albanien, Armenien, Aserbaidschan, Georgien, Moldau, Rumänien, Rußland, Ukraine, Türkei und Weißrußland: u. a. gegenseitige Anerkennung von Ausbildungsdiplomen sowie Journalistenaustausch (flankiert von zusätzlichen bilateralen Abkommen seitens der Türkei).

Kooperation mit der → ECO, → GUS sowie → OATC *(→ auch Sonderbeitrag Turkrepubliken im Kap. »Weltbevölkerung«).*

KEI SCHWARZMEER-ANRAINER
Karadenis Ekonomik Isbirligi (türkisch)
Wirtschaftliche Zusammenarbeit am Schwarzen Meer

Gründung auf Initiative von Staatspräsident Turgut Özal/Türkei 1991 durch Abkommen vom 2. 2. 1992 in Istanbul, paraphiert von den Außenministern der Anrainerstaaten.
Ziele: Stufenweise Kooperation der Anrainer bei Infrastrukturinvestitionen im Transport- und Energiebereich, die mit den neuen Marktwirtschaften der Reformstaaten auf Basis der KSZE-Schlußakte von Helsinki 1975 und anderen Grundsätzen des Völkerrechts auf andere Sektoren ausgedehnt werden soll.
Mitglieder: 10 (bzw. 13) mit insges. 320 Mio. Einw. (unmittelbare Anrainer und Sonstige): Armenien, Aserbaidschan, Bulgarien, Georgien, Griechenland, Moldau, Rumänien, Rußland mit den Autonomen Republiken Gagausien und Ossetien (zusammen 3 Stimmen), Türkei (größter Anteil) und Ukraine. (Albanien arbeitet mit.)
Organ: *Ministerrat* der Außen-/Ressortminister.
Sitz beim türkischen Außenministerium; Sekretariat wechselt turnusmäßig mit dem Vorsitz.
Aktivitäten: Gipfelkonferenz am 25. 6. 1992 in Istanbul paraphiert »Erklärung« nach dem Muster

---

KSZE KONFERENZ ÜBER SICHERHEIT UND ZUSAMMENARBEIT IN EUROPA

Gründung am 1. 8. 1975 mit Unterzeichnung der Schlußakte der ersten KSZE-Konferenz von Helsinki durch 35 Teilnehmerstaaten. Die KSZE war von 1972 bis 1990 ein gesamteuropäisches Gesprächsforum der Regierungen. Durch die KSZE-Folgekonferenz in Helsinki vom 24. 3. bis 10. 7. 1992 wurde sie zu einer regionalen Einrichtung der → UNO mit neuen Strukturen und Institutionen.
Ziel: Stabilität und Sicherheit in ganz Europa.
Themenbereiche (»Körbe«) gemäß KSZE-Schlußakte von Helsinki:
Korb I (Kernstück der Akte) enthält in Teil A *10 Prinzipien* zur Regelung des Zusammenlebens in Europa, u. a. Gewaltverzicht, Unverletzlichkeit der Grenzen, Nichteinmischung, Achtung der Menschenrechte und Grundfreiheiten, Gleichberechtigung und Selbstbestimmungsrecht der Völker sowie in Teil B vertrauensbildende Maßnahmen (wie Ankündigung von Manövern) und bestimmte Aspekte der Sicherheit und Abrüstung.
Korb II gibt Empfehlungen zur Kooperation in Wirtschaft, Wissenschaft und Umweltschutz.
Korb III betrifft den humanitären Bereich (die

»menschliche Dimension«): Die Verbesserung menschlicher Kontakte und des Informationsaustausches zwischen Ost und West. – Mit der **KVAE/**»Konferenz für vertrauensbildende Maßnahmen und Abrüstung in Europa« in Stockholm (1984/87) und Wien (seit 1989; nunmehr Bezeichnung **VVSBM/**»Verhandlungen über vertrauens- und sicherheitsbildende Maßnahmen« gebräuchlich) sowie der **VKSE/**»Konferenz über konventionelle Streitkräfte in Europa« in Wien (seit 1989) entwickelte sich dieser Bereich zu einem Hauptstrang des KSZE-Prozesses mit einer Tendenz zur Verselbständigung *(Einzelheiten → WA'93/773ff.)*.

Teilnehmer 1993 (53): Alle Staaten Europas sowie Kanada und die USA.

Beschlußfassung: Bis 1991 Konsensprinzip; seither (Ratstagung in Prag) Relativierung: Um die Wahrung der Menschenrechte in einem Land zu sichern, sollten vom Rat auch Entscheidungen nach einer »Konsens-minus-eins«-Formel getroffen werden können, wonach der zu erwartende Widerspruch eines betroffenen Landes nicht mehr als Veto wirksam wird.

Bisherige Konferenzsprachen: Deutsch, Englisch, Französisch, Italienisch, Russisch, Spanisch.

Entwicklung: Folgekonferenzen (bisher 4) in Belgrad (4. 10. 1977–9. 3. 1978), Madrid (11. 11. 1980–9. 9. 1983), Wien (4. 11. 1986–15. 1. 1989) und Helsinki (24. 3. bis 10. 7. 1992). – **KSZE-Sondergipfel in Paris** vom 19.–21. 11. 1990: Die 34 MSt. unterzeichnen die »Charta von Paris für ein neues Europa«, in der sich die Staaten zur Demokratie und Rechtsstaatlichkeit und zur Achtung der Menschenrechte sowie zur Förderung freundschaftlicher Beziehungen untereinander verpflichten und sich auf eine Kombination aus regelmäßigen Konsultationen und ersten Ansätzen für eine Organisationsbildung einigen (Rat der Außenminister, Ausschuß Hoher Beamter/AHB, Konfliktverhütungszentrum/KVZ, Sekretariat; → *Organe*).

Die **4. Folgekonferenz in Helsinki** gab der KSZE ein **neues Regelwerk** zur Konfliktbewältigung, Verbesserung des Kriseninstrumentariums, Straffung der Entscheidungsstrukturen und Förderung von Abrüstung und Wirtschaftskooperation in Europa:

▶ **KSZE wird regionale Organisation unter UNO-Dach** (»regionale Abmachung«), sie soll selbständig sog. friedensbewahrende Operationen mit militärischem und zivilem Personal – z. B. der → NATO und → WEU oder der → EG – durchführen können (Zwangsmaßnahmen – etwa in Form friedensstiftender Militäreinsätze – darf weiterhin nur der UNO-Sicherheitsrat beschließen).

▶ **Unter dem KSZE-Dach** sollen künftig gesamteuropäische **Abrüstungsmaßnahmen** und Gespräche über weitere **vertrauensbildende Maßnahmen und**

Konfliktverhütung stattfinden; die bish. Trennung zwischen KSZE-Verhandlungen, vertrauensbildenden Maßnahmen und Konfliktverhütung entfällt.

▶ Ein jährliches **Wirtschaftsforum** auf Ebene des AHB soll die wirtschaftl. Kooperation in Europa unterstützen und den ehem. sozialistischen Ländern den Übergang zur Marktwirtschaft erleichtern.

Organe der KSZE seit dem Pariser Gipfel 1990 und der 4. Folgekonferenz 1992 (geplant):

1. *Folgekonferenzen* der Staats- und Regierungschefs (alle 2 Jahre, 5. Treffen 1994 in Budapest/H) zur Bestandsaufnahme, Prüfung der Verwirklichung eingegangener Verpflichtungen und Erwägung weiterer Schritte im KSZE-Prozeß;

2. *Rat der Außenminister* (mindestens einmal jährlich), zentrales Forum für polit. Konsultationen und Beschlüsse im KSZE-Prozeß, kann Beschlüsse zur institutionellen Weiterentwicklung der KSZE treffen;

3. **AHB/***Ausschuß Hoher Beamter*, bereitet Tagungen des Rates vor und führt dessen Beschlüsse durch; tagt am **Sitz** des *Sekretariats* zur administrativen Unterstützung des Konsultationsprozesses in Thunovska 12, Mala Strana, 11000 Prag;

4. **BDIMR/***Büro für demokratische Institutionen und Menschenrechte* (bis 1992 »Büro für freie Wahlen«) in Warschau soll Einhaltung der Verpflichtungen im Bereich der »menschlichen Dimension« überwachen;

5. **HKNM/***Hoher Kommissar für nationale Minderheiten* (seit 12/1992 Max van der Stoel/NL) soll frühzeitig gefährliche Spannungen zw. Minoritäten erkennen und ihnen vorbeugen; er arbeitet unter Schirmherrschaft des AHB und stützt sich auf die Ressourcen des BDIMR;

6. **KVZ/***Konfliktverhütungszentrum* in Wien zur Datensammlung und -auswertung für die VSBM; es darf Erkundungs- und Überwachungsmissionen durchführen und kontrolliert (seit 1992) Abrüstungsvereinbarungen;

7. **FSK/***Forum für Sicherheitskooperation* bündelt Verhandlungen und Konsultationen zur Abrüstung und Rüstungskontrolle sowie zur militärischen Vertrauens- und Sicherheitsbildung; entwickelt z. Zt. polit. verbindliche Grundregeln (»Verhaltenskodex«) für die Sicherheitsbeziehungen der MSt.;

8. *Parlamentarische Versammlung der KSZE* (* 1991) unter Beteiligung von Abgeordneten (entsprechend der Einwohnerzahl) aller KSZE-Teilnehmerstaaten; sie tagt jährlich im Juli und verabschiedet nach dem Mehrheitsprinzip Empfehlungen und Erklärungen (konstituierende Sitzung am 3. 7. 1992 in Budapest/H); Parlamentssekretariat in Kopenhagen/DK);

9. *Generalsekretär:* Wilhelm Höynck/D (seit

6/1993), auf Empfehlung des AHB und des Ratsvorsitzenden per Konsens für 3 Jahre (mit 2jähriger Verlängerungsmöglichkeit) ernannt; unterstützt den Ratsvorsitzenden und setzt die Aufträge des Rats und des AHB um, überwacht die KSZE-Strukturen und -Operationen, ist für die KSZE-Sekretariate in Wien und Prag und das Warschauer Büro für demokratische Institutionen verantwortlich. – **Sitz** (des Generalsekretärs) in Wien.

Kooperation mit → UNO, → NATO, → EG, → WEU.

MERCOSUR GEMEINSAMER MARKT IM SÜDEN LATEINAMERIKAS
Mercado Común del Cono Sur

Gründung am 26. 3. 1991 durch IGO-Abkommen in Asunción/PY zwischen Argentinien, Brasilien, Paraguay und Uruguay, bis 7/1992 von den 4 Parlamenten ratifiziert. Mitgliedschaft steht weiteren Staaten offen.

Ziele:
1. Zollunion: Freier Waren- und Dienstleistungsverkehr zum 1. 1. 1995 durch Beseitigung von Zöllen u. a. Handelshemmnissen zwischen den Mitgliedern.
2. Gemeinsamer Außenzoll sowie Handelsliberalisierung mit Drittstaaten und Staatengruppen (EG, NAFTA usw.).
3. Koordinierung der Volkswirtschaften, insbes. Harmonisierung der Gesetzgebung in Landwirtschaft, Industrie, Steuer- und Währungswesen.
Für die **Übergangszeit** bis Ende 1994 schrittweise Liberalisierung mittels sektoraler (Branchen-)Abkommen im »Geleitzug«: die wirtschaftlich schwächeren Mitglieder Paraguay und Uruguay wollen das Integrationstempo drosseln.
Mitglieder: Die 4 Gründungsstaaten mit zusammen 190 Mio. Einw. (= 45% Lateinamerikas mit Karibik) auf 11,8 Mio km^2 (= 59%) und einem Gesamt-BIP von 415 Mrd. $ (fast 50% des Subkontinents). – Andere → ALADI-Mitglieder, z. B. Bolivien (evtl. auch Chile), dürften nach Abschluß der 1. Phase (1995) Beitrittsanträge stellen.
Organe:
1. *Rat des Gemeinsamen Marktes* aus Außen- und Wirtschaftsministern; 1mal jährl. als *Gipfelkonferenz* mit den Staatspräsidenten (1992 mit Beobachtern aus Bolivien und Chile).
2. *Gruppe des Gemeinsamen Marktes* als Exekutive. Ihr unterstellt: die
3. *Arbeitsgruppen.*
4. *Schiedsgericht* zur Streitschlichtung.
Sitz des Sekretariats in Montevideo/Uruguay; Vorsitz im Rat wechselt halbjährlich.
Entwicklung/Perspektiven: Der 1. Gipfel am 17. 12. 1991 in Brasilia/Brasilien (BR) beschließt

»Internes Statut« zur schrittweisen Realisierung von Zollunion und Koordinierung der Volkswirtschaften. 2. Gipfel am 27. 6. 1992 in Las Lenas/Argentinien (RA) sondiert die Erweiterung der Gemeinschaft, aber auch zahlreiche Ausnahmeregelungen zum Schutz der nationalen Volkswirtschaften (insbes. RA). – Die Erfolgschancen des MERCOSUR mit den beiden wichtigsten Ländern Südamerikas (RA und BR) sind gekoppelt an die Durchsetzung des neuen → GATT und die Außenöffnung des Europäischen Binnenmarktes 1993 (→ *EG),* vor allem für südamerikan. Agrargüter.
Hauptprobleme bleiben die instabilen 4 nationalen Volkswirtschaften mit Inflationsraten bis zu 2500% und der höchsten Drittweltland-Auslandsverschuldung (= BR), während andere (= RA) Stabilisierungserfolge aufweisen. BR gilt als Hauptnutznießer des künftigen MERCOSUR; die »Übervorteilten« könnten, wie Erfahrungen mit der ALALC (jetzt → *ALADI*), dem → Andenpakt und der → SELA zeigen, schnell zu »nationalen Schutzmaßnahmen« greifen, so daß eine Zollunion – geschweige denn ein Gemeinsamer Markt – nicht realisierbar ist.
Kooperation seit 29. 5. 1992 mit der EG-Kommission: Abkommen über Technische Hilfe. – Vereinbarungen mit der (konkurrierenden) → Andengruppe und der → NAFTA vorgesehen.

NAFTA NORDAMERIKANISCHE FREIHANDELSZONE
North American Free Trade Agreement

Gründungsgeschichte und Mitglieder:
Initiative im Oktober 1987 von Ministerpräs. *Brian Mulroney*/Kanada zur Erschließung der US-Märkte zwischen den weltweit umfangreichsten Außenhandelspartnern USA und Kanada: Freihandelsabkommen USA – Kanada (**FTA**) am 1. 1. 1989 in Kraft. Der mexikan. Staatspräs. *Carlos Salinas de Gortani* ersuchte im Juni 1990 um Verhandlungen zur Erweiterung des FTA um Mexiko/MEX. Aus dieser Nordorientierung der weltweit am schnellsten expandierenden Exportnation Mexiko wurde die
NAFTA: Grundsätzliche Einigung der 3 Staaten (CDN, MEX, USA) nach 14monatigen trilateralen Verhandlungen am 12. 8. 1992 durch Paraphierung eines neuen Abkommens durch die 3 Handelsminister. Es tritt nach Ratifizierung durch die 3 nationalen Parlamente voraussichtlich zum 1. 1. 1994 in Kraft und ersetzt für CDN und die USA das bisherige FTA-Abkommen. Die NAFTA ist offen für weitere Mitglieder; 12/1992 wurden Verhandlungen mit Chile aufgenommen.
Ziel: Freihandelszone für 20000 gewerbliche Güter, Dienstleistungen und für den Kapitalverkehr nach

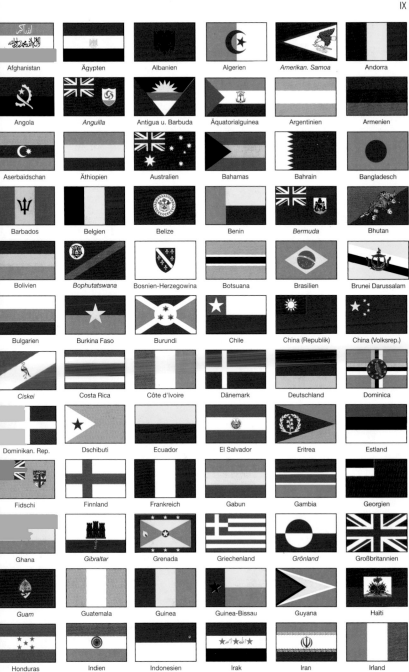

Afghanistan	Ägypten	Albanien	Algerien	*Amerikan. Samoa*	Andorra
Angola	*Anguilla*	Antigua u. Barbuda	Äquatorialguinea	Argentinien	Armenien
Aserbaidschan	Äthiopien	Australien	Bahamas	Bahrain	Bangladesch
Barbados	Belgien	Belize	Benin	*Bermuda*	Bhutan
Bolivien	*Bophutatswana*	Bosnien-Herzegowina	Botsuana	Brasilien	Brunei Darussalam
Bulgarien	Burkina Faso	Burundi	Chile	China (Republik)	China (Volksrep.)
Ciskei	Costa Rica	Côte d'Ivoire	Dänemark	Deutschland	Dominica
Dominikan. Rep.	Dschibuti	Ecuador	El Salvador	Eritrea	Estland
Fidschi	Finnland	Frankreich	Gabun	Gambia	Georgien
Ghana	*Gibraltar*	Grenada	Griechenland	*Grönland*	Großbritannien
Guam	Guatemala	Guinea	Guinea-Bissau	Guyana	Haïti
Honduras	Indien	Indonesien	Irak	Iran	Irland

X

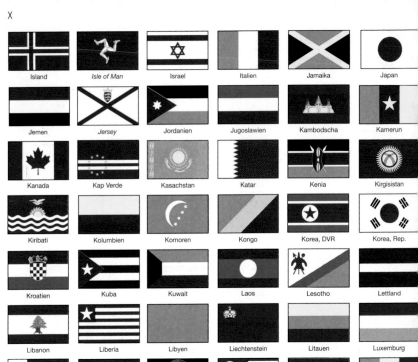

Island	*Isle of Man*	Israel	Italien	Jamaika	Japan
Jemen	*Jersey*	Jordanien	Jugoslawien	Kambodscha	Kamerun
Kanada	Kap Verde	Kasachstan	Katar	Kenia	Kirgisistan
Kiribati	Kolumbien	Komoren	Kongo	Korea, DVR	Korea, Rep.
Kroatien	Kuba	Kuwait	Laos	Lesotho	Lettland
Libanon	Liberia	Libyen	Liechtenstein	Litauen	Luxemburg
Madagaskar	Makedonien	Malawi	Malaysia	Malediven	Mali
Malta	Marokko	Marshallinseln	Mauretanien	Mauritius	Mexiko
Mikronesien	Moldau	Monaco	Mongolei	Mosambik	Myanmar
Namibia	Nauru	Nepal	*Neu-Kaledonien*	Neuseeland	Nicaragua
Niederlande	Niger	Nigeria	*Nördl. Marianen*	Norwegen	Oman
Österreich	Pakistan	Palästina	*Palau*	Panama	Papua-Neuguinea

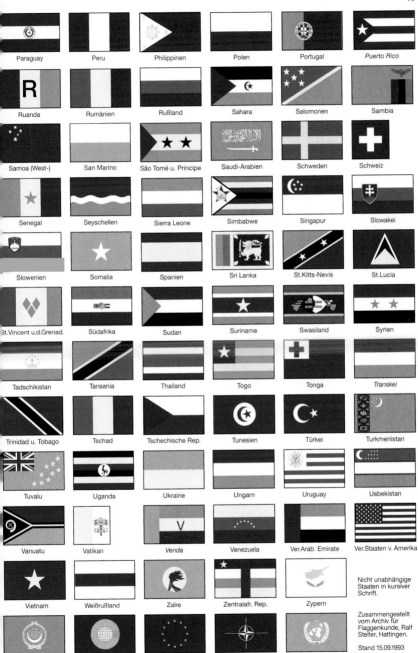

XI

Paraguay	Peru	Philippinen	Polen	Portugal	*Puerto Rico*
Ruanda	Rumänien	Rußland	Sahara	Salomonen	Sambia
Samoa (West-)	San Marino	São Tomé u. Principe	Saudi-Arabien	Schweden	Schweiz
Senegal	Seychellen	Sierra Leone	Simbabwe	Singapur	Slowakei
Slowenien	Somalia	Spanien	Sri Lanka	St.Kitts-Nevis	St.Lucia
St.Vincent u.d.Grenad.	Südafrika	Sudan	Suriname	Swasiland	Syrien
Tadschikistan	Tansania	Thailand	Togo	Tonga	*Transkei*
Trinidad u. Tobago	Tschad	Tschechische Rep.	Tunesien	Türkei	Turkmenistan
Tuvalu	Uganda	Ukraine	Ungarn	Uruguay	Usbekistan
Vanuatu	Vatikan	*Venda*	Venezuela	Ver.Arab. Emirate	Ver.Staaten v. Amerika
Vietnam	Weißrußland	Zaïre	Zentralafr. Rep.	Zypern	

Nicht unabhängige Staaten in kursiver Schrift.

Zusammengestellt vom Archiv für Flaggenkunde, Ralf Stelter, Hattingen.

Stand 15.09.1993

Arabische Liga	Commonwealth of Nations	Europa	NATO	Vereinte Nationen

Die Welt:

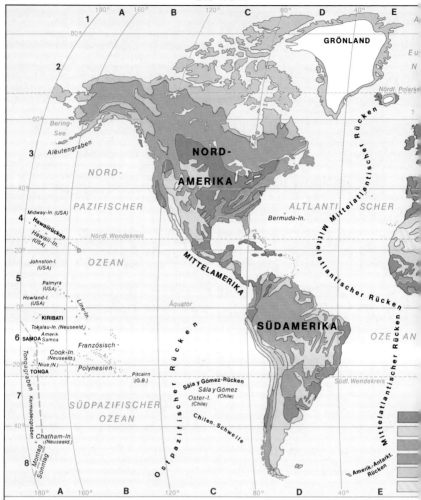

Einige ausgewählte Größenzahlen der Erde:

Durchmesser	12 756,320 km (Äquator)	Erdoberfläche insgesamt	510 066 000 km²
Länge des Äquators	40 075,161 km		
Länge eines Meridians	40 007,818 km	Landfläche	148 429 000 km²
Länge eines Wendekreises	36 778,000 km	nördl. Halbkugel 39 % d. Halbk.-Fl.	
Länge eines Polarkreises	15 996,280 km	südl. Halbkugel 19 % d. Halbk.-Fl.	
		Wasserfläche	361 637 000 km²
Volumen der Erdkugel	1 083 319,780 Mill. km³	nördl. Halbkugel 61 % d. Halbk.-Fl.	
		südl. Halbkugel 81 % d. Halbk.-Fl.	

(nach „Statistisches Jahrbuch 1990", „National Geographic Atlas of the World, 1990" u.a.)

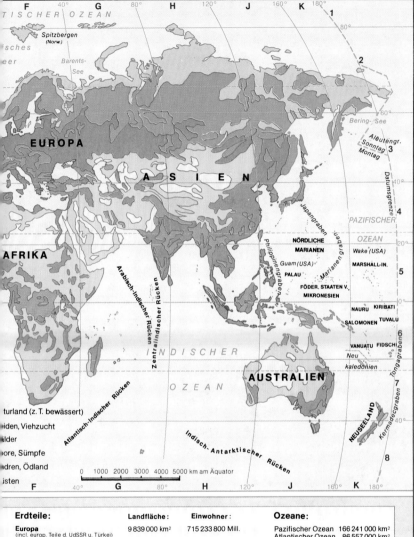

Spitzbergen (Norw.)

TISCHER OZEAN

Barents-See

EUROPA

AFRIKA

ASIEN

Arabisch-Indischer Rücken

Zentralindischer Rücken

INDISCHER

OZEAN

Atlantisch-Indischer Rücken

Indisch-Antarktischer Rücken

Bering-See

Aleutengr.

Sonntag
Montag

Datumsgrenze

PAZIFISCHER

OZEAN

Japangraben

NÖRDLICHE
MARIANEN

Wake (USA)

Marianengraben

Guam (USA)

MARSHALL-IN.

PALAU

FÖDER. STAATEN V.
MIKRONESIEN

Philippinengraben

NAURU   KIRIBATI

SALOMONEN   TUVALU

VANUATU   FIDSCHI

Neu
kaledonien

Tongagraben

AUSTRALIEN

NEUSEELAND

Kermadecgraben

turland (z. T. bewässert)

eiden, Viehzucht

älder

oore, Sümpfe

dren, Ödland

sten

0 1000 2000 3000 4000 5000 km am Äquator

Erdteile:	Landfläche:	Einwohner:
Europa (incl. europ. Teile d. UdSSR u. Türkei)	9 839 000 km²	715 233 800 Mill.
Afrika	30 273 000 km²	646 389 000 Mill.
Amerika (Nord-, Mittel-, Südamerika u. Grönland)	42 055 000 km²	706 679 200 Mill.
Asien (incl. asiat. Teile d. UdSSR u. Türkei)	44 699 000 km²	3 132 638 000 Mill.
Australien und Ozeanien	8 937 000 km²	26 456 000 Mill.
Erde insgesamt (ohne Antarktis = gesch. 13,2 Mill. km²)	135 803 000 km²	5 227 396 000 Mill.

Ozeane:

Pazifischer Ozean	166 241 000 km²
Atlantischer Ozean	86 557 000 km²
Indischer Ozean	73 427 000 km²
Arktischer Ozean	9 485 000 km²

Meere:

Südchinesische See	2 974 600 km²
Karibische See	2 515 900 km²
Mittelmeer	2 510 000 km²
Beringsee	2 261 100 km²

Einkommen und Lebenserwartung

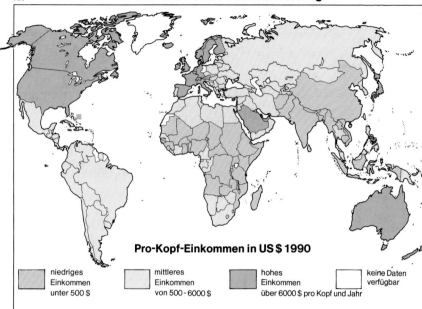

Pro-Kopf-Einkommen in US $ 1990

| | niedriges Einkommen unter 500 $ | | mittleres Einkommen von 500 - 6000 $ | | hohes Einkommen über 6000 $ pro Kopf und Jahr | | keine Daten verfügbar |

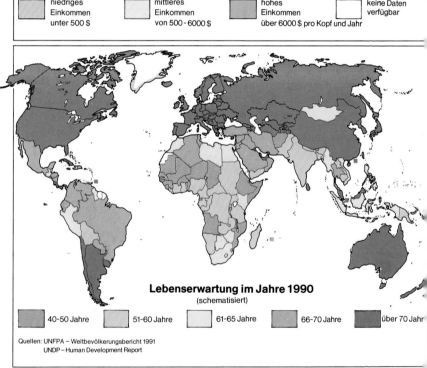

Lebenserwartung im Jahre 1990
(schematisiert)

| 40-50 Jahre | 51-60 Jahre | 61-65 Jahre | 66-70 Jahre | über 70 Jahr |

Quellen: UNFPA – Weltbevölkerungsbericht 1991
UNDP – Human Development Report

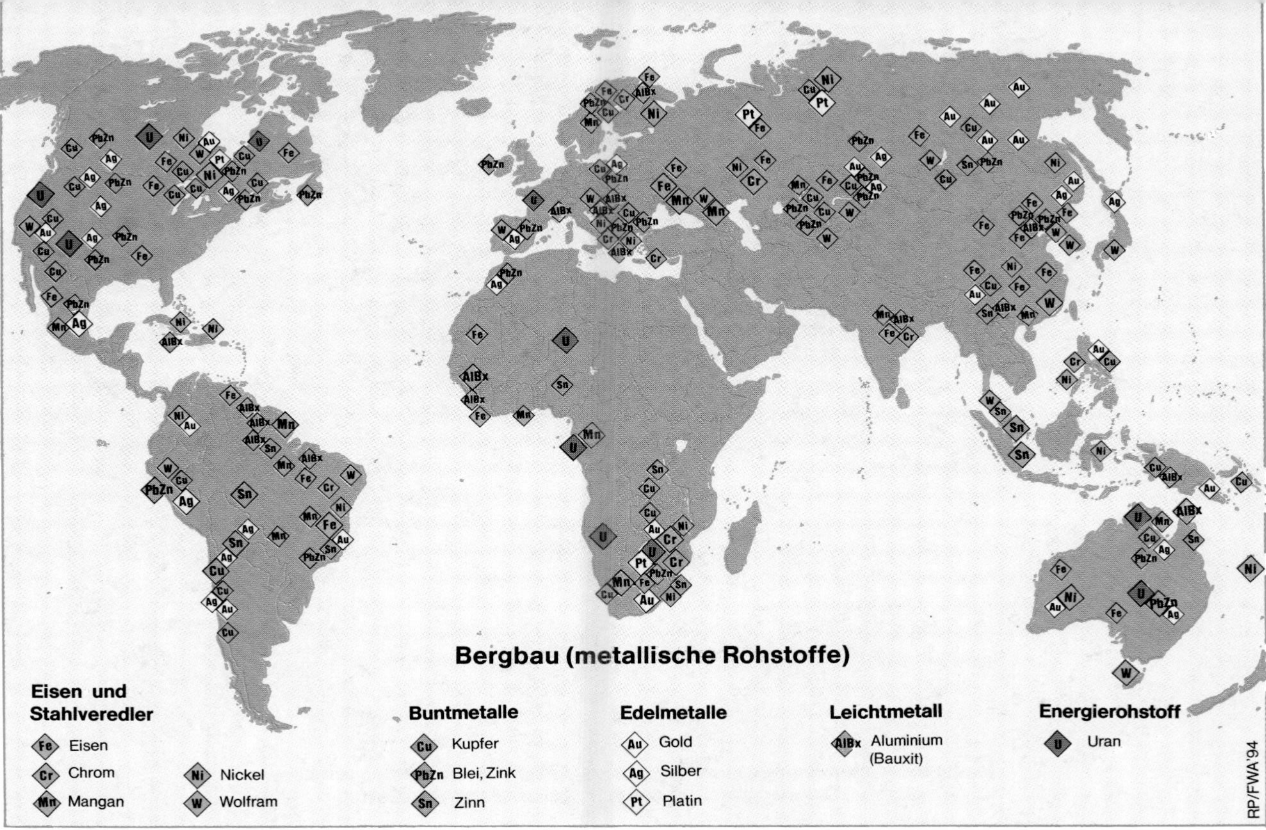

Bergbau (metallische Rohstoffe)

Eisen und Stahlveredler

- Fe Eisen
- Cr Chrom
- Mn Mangan
- Ni Nickel
- W Wolfram

Buntmetalle

- Cu Kupfer
- PbZn Blei, Zink
- Sn Zinn

Edelmetalle

- Au Gold
- Ag Silber
- Pt Platin

Leichtmetall

- AlBx Aluminium (Bauxit)

Energierohstoff

- U Uran

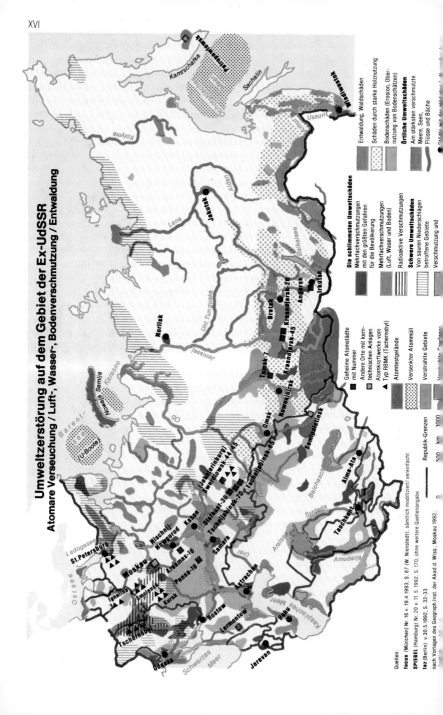

spätestens 15 Jahren durch Wirtschaftsabkommen nach Vorgabe Art. 24 → GATT (nicht aber freier Personenverkehr à la EWG-Vertrag; → *EG*). Durch stufenweisen Abbau der Zolltarife seit 1989 (FTA, bis 1999) bzw. ab 1994 (NAFTA) soll bis spätestens 2015 die mit rund 360 Mio. Verbrauchern/Produzenten und einer Jahresproduktion von 6,4 Bill. US-$ zweitgrößte Freihandelszone der Welt nach dem Europäischen Wirtschaftsraum/EWR entstehen. Für Kanada und Mexiko bedeutet dies den schrankenlosen Zugang zur weltgrößten Wirtschaftsmacht USA, für Kanada insbesondere einen notwendigen außenwirtschaftlich bestimmten Wachstumsschub. Für die USA zählen vor allem die Gebietserweiterung ihres Patentschutzes, der Abbau von Investitionshürden für US-dominierte multinationale Unternehmen sowie die Marktöffnung für elektronische und Printmedien-Erzeugnisse. Darüber hinaus gehen die 3 Staaten von einer Erweiterung des Handelsaustauschs mit den Schwellenländern des Pazifik-Wirtschaftsgebietes, insbesondere der → ASEAN und → APEC, aus und erhoffen sich eine panpazifische Kooperation im Rahmen einer künftigen *Asian Free Trade Association/AFTA* (→ *ASEAN*).

NAFTA-Vertragsinhalt für 1994

(sofern keine Übergangsfristen angegeben, gelten die Liberalisierungsmaßnahmen sofort):

1. 70 % der mexikan. Export-Warenkategorien nach und 40 % der Importe aus Kanada und den USA werden zollfrei. 65 % der US-Exporte nach Mexiko werden spätestens 1998 zollfrei.

2. Mexiko liberalisiert für Kanada bis zu 8 % (bis zum Jahre 2000 für Kanada und USA vollständig) seinen Markt für Finanzdienstleistungen (Banken, Versicherungen, Wertpapiergesellschaften). In diese Regelungen sind auch Arbeitsgenehmigungen für Leitende Angestellte einbezogen.

3. Niederlassungsfreiheit und Vereinheitlichung der Vorschriften für Werbeagenturen in allen 3 Ländern.

4. US-Unternehmen in Mexiko unterliegen dortigen Inlandsvorschriften.

5. Für US-Kraftfahrzeugimporte in Mexiko wird der Zoll halbiert und bis 1998 um 75 % gesenkt.

6. Ein US-Zollabbau für Kfz.-Importe aus Kanada und Mexiko gilt nur für Autoprodukte aus mind. 62,5 % »einheimischer« Fertigung in Kanada und Mexiko (sog. *local account*) – im Gegensatz zum 1989er FTA mit nur 50 % »einheimischem« Mindestanteil.

7. Mexiko gewährt Kanada und USA Zugang zur inländ. Telekommunikationsindustrie (dort Wachstums- und Wohlstandsbranche).

8. Die mexikan. Importquoten und Zölle für Textilien und Bekleidung werden aufgehoben, bis zum Jahre 2004 reziprok in den 3 Ländern.

9. Mexiko hebt Importlizenzen für Kanada und USA

auf (teils Übergangsregelungen bis 2004) und gewährt Patentschutz sowie Schutz auf geistiges Eigentum (Text, Ton, Vision).

10. *Joint Ventures* in Mexiko können ab 1996 vollständig von kanadischen oder US-Firmen erworben werden. Bis 2000 können Unternehmen (außerhalb der Erdölbranche) vollständig übernommen werden.

11. Bisherige Regelungen in Mexiko zum *local content* werden aufgehoben.

12. Schwertransporte nach Mexiko werden liberalisiert und können dort nicht mehr »abgefangen« werden.

Organe des 1989er FTA- bzw. der 1994er NAFTA:

1. *Bi-/Trilaterale Wirtschaftskommission*, als

2. *Paritätisch besetztes Schiedsgericht* zur Beilegung von Handelsstreitigkeiten (kanad. Forderung; im US-Kongreß umstritten);

3. *Bilaterale Umweltkommission USA – Mexiko* zur Sanierung des 3000 km langen Grenzflusses Rio Grande.

Entwicklung und Probleme:

1. Die Wirtschaftsstruktur, die Handelsströme und damit die gegenseitige Abhängigkeit der 3 Partner sind sehr unterschiedlich.: 80 % der kanad. Exporte (= 23 % des BSP) und 70 % der mexikan. Exporte gehen bisher schon in die USA (letztere vornehmlich nach Kalifornien und Texas). Aber nur 25 % der US-Exporte gehen nach Kanada und nur ein Bruchteil nach Mexiko.

2. Zollabbau-Stufenplan: Die Reduzierung der gegenseitigen Einfuhrzölle bei landwirtschaftlichen Produkten ist nach wie vor strittig.

3. Abschottung nach Europa: Die transatlantische Freihandelszone wird eine neue »Festung«, die sich gegenüber Drittstaaten (EWR) bei Zöllen für Waren und Dienstleistungen abschirmt. (VW-Mexiko und BMW-USA werden von Europa unabhängig.)

4. Kapitalüberfremdungsschutz:

a. Kanada und Mexiko wollen ein Vetorecht bei US-Auslandsinvestitionen mit Projektvolumen über je 126 Mio. $ beibehalten.

b. Mexiko muß seine Gesetzgebung zum Kapital-Überfremdungsschutz, vor allem bei den bisherigen Staatsunternehmen, beibehalten, da nur ein Teil der bisherigen Staatsholdings privatisiert wird.

5. Innerstaatliche Souveränität:

a. Die bisherige Souveränität des US-Kongresses und der US-Gerichte in Handels- und Zollangelegenheiten muß aufgegeben werden, wogegen es noch immer Widerstände gibt.

b. Mexiko blieb aufgrund innerstaatlicher Gesetzgebung von 1938 bei der Zugangsverweigerung für Lizenzen für US-Ölbohrunternehmen in Mexiko hart. Die USA werden dies langfristig nicht hinnehmen.

6. Umweltstandards: Kanada und auch die USA mit

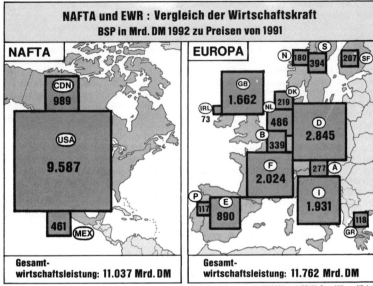

NAFTA und EWR : Vergleich der Wirtschaftskraft
BSP in Mrd. DM 1992 zu Preisen von 1991

Quelle: Wirtschaftswoche Nr. 53/1992 nach DRI/McGraw Hill; modifiziert

Die Gesamtwirtschaftsleistung (BSP in Mrd. DM 1992 zu Preisen von 1991) der beiden Wirtschaftsblöcke Nordamerikas (NAFTA) und Europas (EWR/Europäischer Wirtschaftsraum; → *Kasten Sp. 799/800*) ist mit rund 11 Mrd. DM pro Jahr sehr ähnlich.

ihren strengen Umwelt- und Gesundheitsvorschriften bei der Güterproduktion laufen Gefahr der Unterminierung durch »laxe« mexikan. Produzenten
a. durch Verlagerung der Produktion *nach* Mexiko,
b. durch Ausweitung der mexikan. Produktion im eigenen Lande.
7. Wirtschaftsföderalismus: Divergierende regionale Wirtschaftsinteressen und die Uninformiertheit der 12 kanadischen Provinzen und Territorien erschweren die politische Durchsetzung der NAFTA seitens der Bundesregierung in Ottawa.
8. Abwanderungsgefahr: Rücksiedlung asiatischer Kfz.-Produzenten aus Kanada in Leichtlohnzonen, da der neue *local content* mit 62,5 % (beim FTA waren es noch 50 %) kaum noch »kanadische« Kfz. ermöglicht. (Dies ist so von der US-Kfz.-Industrie beabsichtigt.)
9. Nettogewinner: Mexiko gilt als relativ größter Nutznießer der NAFTA, da es als Leichtlohnproduzent neuen Zugang zu Kanada und USA hat. Mexiko ist aber innerstaatlich unter den 3 Partnern auch dem größten Konkurrenzdruck ausgesetzt. – Kanada und die USA fürchten ihrerseits Arbeitsplätzeverlust durch neue mexikan. Anbieter.

10. Ausweitung auf Chile: Die geplante Süderweiterung der NAFTA nützt mengenmäßig vor allem den USA. Nur 3,3 % der mexikan. Exporte gehen in das übrige Lateinamerika (großteils Mittelamerika), während die USA 13,5 % ihrer Exporte dahin liefern und 12,2 % ihrer Importe aus dem Gesamtraum Lateinamerika (inkl. Mexiko) beziehen.

NATO   NORDATLANTISCHE ALLIANZ
North Atlantic Treaty Organization

Gründung am 4. 4. 1949 in Washington D. C. zwischen 12 Staaten Westeuropas und Nordamerikas als Sicherheitsbündnis gleichberechtigter, nicht überstimmbarer Staaten. Der NATO-Vertrag ist unbefristet, sieht jedoch für MSt. die einseitige Kündigung nach 20 Jahren (d. h. seit 1969) vor.
Völkerrechtliche Grundlage findet die NATO in Art. 51 der Charta der → UNO, die den Vertragsparteien das Recht der individuellen und kollektiven Selbstverteidigung zusteht. Die Unterzeichnerstaaten vereinbarten jedoch, hierauf verzichten zu wollen,

wenn der UN-Sicherheitsrat geeignete Maßnahmen zur Wiederherstellung und Bewahrung des Weltfriedens sowie der Sicherheit der Vertragspartner treffe.

Ziele/NATO-Vertrag: Stärkung der Sicherheit durch Zusammenarbeit auf politischem, wirtschaftlichem und militärischem Gebiet.

In **Art. 5** vereinbaren die Vertragsparteien *(Hervorhebung der Redaktion),*

▸ »daß ein bewaffneter Angriff gegen eine oder mehrere von ihnen in Europa oder Nordamerika als Angriff gegen sie alle angesehen wird«,

▸ »daß im Falle eines solchen bewaffneten Angriffs jede von ihnen in Ausübung des in Artikel 51 der Charta der Vereinten Nationen anerkannten Rechts der individuellen oder kollektiven Selbstverteidigung der Partei oder den Parteien, die angegriffen werden, **Beistand** leistet, indem jede von ihnen unverzüglich für sich und im Zusammenwirken mit den anderen Parteien die Maßnahmen, **einschließlich der Anwendung von Waffengewalt**, trifft, die sie für erforderlich erachtet, um die Sicherheit des nordatlantischen Gebiets wiederherzustellen und zu erhalten. Von allen bewaffneten Angriff und allen daraufhin getroffenen Gegenmaßnahmen ist unverzüglich dem UN-Sicherheitsrat Mitteilung zu machen. Die Maßnahmen sind einzustellen, sobald der Sicherheitsrat diejenigen Schritte unternommen hat, die notwendig sind, um den internationalen Frieden und die internationale Sicherheit wiederherzustellen und zu erhalten«.

Als bewaffneter Angriff (Art. 6) gilt »jeder bewaffnete Angriff

▸ auf das Gebiet eines dieser Staaten in Europa oder Nordamerika, auf das Gebiet der Türkei oder auf die der Gebietshoheit einer der Parteien unterliegenden Inseln im nordatlantischen Gebiet **nördlich des Wendekreises des Krebses**;

▸ auf die Streitkräfte, Schiffe oder Flugzeuge einer der Parteien, wenn sie sich in oder über diesen Gebieten oder irgendeinem anderen europäischen Gebiet, in dem eine der Parteien ... eine Besatzung unterhält, oder wenn sie sich im Mittelmeer oder im nordatlantischen Gebiet nördlich des Wendekreises des Krebses befinden«.

Mitglieder (16): Belgien, Dänemark, BR Deutschland (1955), Frankreich, Griechenland (1952), Großbritannien, Island (ohne eigene Streitkräfte), Italien, Kanada, Luxemburg, Niederlande, Norwegen, Portugal, Spanien (1982), Türkei (1952), USA. – Frankreich verließ 1966 die militärische Integration, Griechenland 1974–79. Beide blieben aber NATO-Mitglieder. Spanien ist nicht militärisch integriert (d. h., die Streitkräfte unterstehen, wie die französischen, im Verteidigungsfall nicht automatisch dem NATO-Oberbefehl).

Organe:

I. Zivile Organisation

1. NAC *Nordatlantikrat* als höchstes Konsultations- und Beschlußgremium: Regierungschefs und zuständige (Außen- bzw. Verteidigungs-)Minister tagen bei Bedarf. *Ständige Vertreter* der MSt. durch Botschaften (»NATO-Botschafter«) in Brüssel.

2. Eurogroup (* 1968) zur Koordinierung der europ. Verteidigungsanstrengungen; ohne Satzung oder feste Organisationsstruktur; Frankreich arbeitet teilw. mit, USA und Kanada entsenden Beobachter; 7 Untergruppen, u. a. für Rüstungszusammenarbeit, Streitkräftestruktur und gemeins. Ausbildung.

3. DPC *Ausschuß für Verteidigungsplanung:* zuständig für militärpolitische Entscheidungen, entspricht der DPC organisatorisch dem NAC. In ihm sind aber nur die an der militärischen Integration beteiligten Staaten durch ihre Verteidigungsminister vertreten (Frankreich nur bedingt, nicht Island und Spanien).

4. NPG *Nukleare Planungsgruppe* (* 1967): in ihr beschließen die Verteidigungsminister (ohne Frankreich) über die Einsatzplanung der von den Nuklearmächten zur Verfügung gestellten Systeme und stimmen sich bei der Weiterentwicklung des Nuklearpotentials ab.

5. Nordatlantische Versammlung (* 1955) aus 500 Parlamentariern der 16 MSt. und 12 assoziierten Staaten Ost- und Südosteuropas, tagt jährlich, dient der verbesserten Information zwischen NATO-Administration sowie den nationalen Parlamenten und damit indirekt der Vorbereitung parlamentarischer Entscheidungen in den MSt.

6. NAKR *Nordatlantischer Kooperationsrat* (* 1991) zur Zusammenarbeit mit der → GUS und den früheren Verbündeten der UdSSR auf unterschiedlichen Ebenen (Außen-, Verteidigungsminister, Stabschefs) mit vorrangigem Ziel der *Vertrauensbildung.*

7. SG *Generalsekretär* (Manfred Wörner/D, seit 1988, 1992 für weitere 5 J. bestätigt), hat im Organisationsgefüge eine außerordentlich starke Stellung. Er ist Vorsitzender von *NAC, DPC, NPG* und damit politische Zentralfigur sowie Chef der Exekutive zugleich. Er wird unterstützt durch das *Internationale Sekretariat* und den *Internationalen Stab/ IS.*

II. Militärische Organisation

8. MC *Militärausschuß:* höchstes militärisches Beratungsgremium (Vorsitz: Gen. Vigleik Eide/N), zugleich vorgesetzte Behörde der Obersten Alliierten Befehlshaber ACE und ACLANT sowie der CUSRPG. Halbjährl. tagen die Stabschefs der MSt. (ohne Frankreich und Island), dazwischen die ständigen militärischen Vertreter; sie empfehlen im Frieden Maßnahmen, die für die gemeinsame Verteidigung des NATO-Gebiets für notwendig erachtet werden.

9. IMS *Internationaler Militärstab* aus rd. 150 Offizieren, 150 Unteroffizieren und Mannschaften sowie 100 Zivilbediensteten als ausführendes Organ des MC; erarbeitet Pläne, führt Studien durch und erteilt Grundsatzempfehlungen. – 6 Abteilungen: Militärisches Nachrichtenwesen, Planungen/Grundsatzangelegenheiten, Operationen, Management, Logistik und Führungs-/Verbindungswesen.

10. Kommandostruktur: Das Vertragsgebiet ist *zwei Oberkommandos*, **ACE**/Europa und **ACLANT**/Atlantik (bis 1992 gab es noch das dritte Oberkommando ACCHAN/Ärmelkanal), sowie der **CUSRPG**/Kanadisch-US-Regionalen Planungsgruppe zugeordnet. Diesen unterstehen weitere Kommandobehörden.

I. Das Oberkommando Europa (ACE) umfaßt die Festlandmasse, die sich vom Nordkap bis zur Südspitze Italiens und vom Atlantik bis zur Ostgrenze der Türkei erstreckt, jedoch ausschließlich Portugals. Sein Auftrag: Gewährleistung der Sicherheit Westeuropas durch Vereinheitlichung der Verteidigungspläne, Stärkung der verbündeten Streitkräfte im Frieden und Planung für deren vorteilhaftesten Einsatz im Verteidigungsfall.

Hauptquartier: SHAPE in Casteau bei Mons/B; *Oberbefehlshaber* (SACEUR): Gen. Peter Heinrich Carstens/D (seit 1. 7. 1993).

Dem ACE nachgeordnete Kommandos:

▶ **AFNORTHWEST** *Europa Nordwest* in High Wycombe/UK, umfaßt die Landmassen von Norwegen und Großbritannien, die maritimen Flächen der Ostsee, des Ärmelkanals sowie einige bisher nichtdemarkierte Flächen der Nordsee und des Atlantiks bis hin zu Portugal. Zum AFNORTHWEST gehört auch die deutsche Bundesmarine.

▶ **AFCENT** *Europa Mitte* in Brunssum bei Maastricht/NL, umfaßt die Landmassen Deutschlands, Belgiens, Dänemarks, Luxemburgs und der Niederlande; untergliedert in *Alliierte Landstreitkräfte Mitteleuropa*/**LANDCENT** (Heidelberg/D), *Alliierte Luftstreitkräfte Mitteleuropa*/**AIRCENT** (Ramstein/D) *sowie die Land-, See- und Luftstreitkräfte zum Schutz der Ostsee-Zugänge*/**BATAP** (Karup/DK). Oberbefehlshaber: Henning von Ondarza/D (seit 10/1991).

▶ **AFSOUTH** *Europa Süd* in Neapel/I, umfaßt die Landmassen Italiens, Griechenlands, Spaniens und der Türkei sowie die maritimen Flächen des Mittelmeers.

▶ **ARRC** *Schnelle Eingreiftruppe* in Rheindahlen/D *(→ unten);* Einsatzbefehle durch SACEUR gemeinsam mit SACLANT *(→ unten).* Nur die Hauptquartiere und die zwei multinationalen Divisionen

(MNDCENTRAL und MNDSOUTH) stehen in Friedenszeiten unter ARRF-Kommando, die restlichen Divisionen und die Brigaden der multinationalen Divisionen stehen unter nationaler Befehlsgewalt.

II. Das Alliierte Oberkommando Atlantik (ACLANT) erstreckt sich vom Nordpol bis zum nördlichen Wendekreis des Krebses und von den Küstengewässern Nordamerikas bis zu denen Europas und Afrikas und schließt Portugal, nicht aber den Ärmelkanal und die Britischen Inseln ein. Es erhält wie ACE seine Weisungen vom Militärausschuß. Seine Aufgabe: Ausarbeitung von Verteidigungsplänen für den nördlichen Atlantik, Planung und Durchführung gemeinsamer Übungen sowie im Kriegsfall Offenhaltung der atlantischen Seeverbindungslinien, konventionelle und nukleare Operationen gegen Seestützpunkte und Flugplätze des Gegners, Unterstützung der Operationen SACEURs.

Hauptquartier: Norfolk/Virginia (USA).

Oberbefehlshaber (SACLANT) ist gleichzeitig Oberbefehlshaber der US-Atlantikflotte. SACLANT ist vorwiegend Stabs- und Führungsgruppe. Im Frieden verfügt er lediglich über den kleinen multinationalen Verband der Ständigen Seestreitkräfte Atlantik (STANAVFORLANT).

III. Die CUSRP erarbeitet Empfehlungen und Pläne für die Verteidigung des nordamerikanischen Kontinents im Auftrag des MC, tagt abwechselnd in Ottawa/CDN und Washington D. C./USA.

NATO-Amtssprachen: Englisch und Französisch.

Sitz: *Generalsekretariat* B–1110 Brüssel; *Militärische Organisation:* B–7010 Shape (bei Casteau); *Versammlung:* 3 Place du Petit Sablon, B–1000 Brüssel.

Personal (Brüssel + SHAPE): ca. 4600.

Finanzierung: Der zivile und militärische Beitrag wird auf Basis eines BSP-Schlüssels von den MSt. aufgebracht (anfangs trugen die USA bis zu 43% des Gesamthaushalts, 1991 noch rd. 24%). Deutschland: 22,8%.

Aktuelle Entwicklung: Wenn auch im NATO-Vertrag nicht wörtlich genannt, war die Abwehr der Bedrohung durch die Sowjetunion und ihre Verbündeten nicht nur Ursache für die Gründung, sondern eigentlicher Zweck der NATO. Mit der Auflösung der Warschauer Vertragsorganisation/WVO am 1. 7. 1991 und der Umgestaltung der ehemaligen UdSSR ist statt der *Bedrohung* nunmehr wegen der politischen und wirtschaftlichen Instabilität in den Nachfolgestaaten der UdSSR *(→ GUS)* eine *Gefährdung* geblieben. Die NATO und ihre MSt. haben darauf (dieser Prozeß ist noch nicht abgeschlossen) mit folgenden Maßnahmen reagiert:

1. Reduzierung der Streitkräfte in einigen MSt. weit über das in Rüstungskontrollabkommen (→ *KSZE)* vereinbarte Maß hinaus bzw. Verlegung aus Deutschland (insbes. US-Truppen) in die Heimatländer.

2. Deutliche Einschränkung der Fähigkeit der Streitkräfte zu sofortiger Reaktion.

3. Als Folge dieser Maßnahmen werden die Streitkräfte in Europa in drei Kategorien gegliedert:

▶ **MDF** *Hauptverteidigungskräfte* (Main Defence Forces), deren Heeresteile in Mitteleuropa und Jütland nur noch aus 7 Korps mit 16 Divisionen bestehen und längerer Mobilmachung bedürfen.

▶ **ARRF** *Schnelle Eingreifverbände* (Allied Rapid Reaction Forces) mit multinationalem Heereskorps unter britischem Befehlshaber in Stärke von rd. 60000 – 100000 Mann zur sofortigen Verfügbarkeit in Krisenherden.

▶ **AF** *Verstärkungskräfte* (Augmentation Forces), die von außerhalb herangeschafft werden müssen.

4. Stärkere Zusammenarbeit in der → **WEU** durch einige europäische MSt., um größere politische Flexibilität zu erreichen.

5. Erweiterung der deutsch-französischen Brigade zu einem **EURO-Korps.**

6. Verkürzung und **Straffung der militärischen Organisation** durch Zusammenfassung der Oberkommandos *ACE* und *ACCHAN* (→ *oben*) sowie Wegfall weiterer Stäbe in Europa.

7. Verkleinerung der zentralen Administration in Brüssel.

Kampfeinsätze der NATO im Rahmen der UNO:
Der Nordatlantikrat/NAC erklärt auf seiner Tagung in Brüssel am 17.12.1992, an der erstmals WEU-Generalsekretär Willem van Eekelen teilnahm, die Bereitschaft der NATO, »von Fall zu Fall und in Übereinstimmung mit unseren eigenen Verfahren friedenserhaltende Operationen unter der Autorität des UN-Sicherheitsrats zu unterstützen, der die primäre Verantwortung für internationalen Frieden und Sicherheit trägt«. Der NAC folgt damit einem gleichlautenden Beschluß der → WEU vom 10.7.1992. Voraussetzung für Einsätze außerhalb des NATO-Hoheitsgebiets *(Out-of-area)* ist nach Ansicht des NAC eine Ermächtigung durch den UN-Sicherheitsrat. Damit widersetzt sich der NAC der Auffassung, der NATO-Vertrag begründe nur die Möglichkeit der Selbstverteidigung des in Art. 6 definierten Hoheitsgebiets (→ *oben*). Vielmehr gelte es, Konflikte an der südlichen und östlichen Peripherie der europ. NATO-MSt., die potentiell auf diese übergreifen, im Vorfeld einzudämmen. Im ehemaligen Jugoslawien beteiligt sich das Bündnis erstmals an UN-Operationen zur Friedenserhaltung und Durchsetzung von Sanktionen (→ *Kasten Sp. 39 ff.).*

OAS ORGANISATION AMERIKANISCHER STAATEN
Organization of American States

Gründung am 30.4.1948 in Bogotá/Kolumbien durch 21 Staaten Lateinamerikas und der Karibik sowie die USA – in Kraft am 13.12.1951.

Mitglieder (34): Alle unabhängigen amerikan. Staaten mit Ausnahme Kubas (1962 ausgeschlossen); *Ständige Beobachter:* 29 außeramerikanische Staaten (darunter Dtld.) und die → EG-Kommission.

Ziele/Aufgaben: Stärkung des Friedens und der Sicherheit; Verteidigung von Souveränität, Integrität und Unabhängigkeit der MSt.; solidarische Aktionen bei einer Aggression von außen und untereinander (einschl. Streitschlichtung); Sanktionen bei Nichtanerkennung von Schlichtungsverfahren u.a. Verstößen (u.a. 1982 im Falkland/Malvinas-Krieg); wirtschaftliche, soziale und kulturelle Zusammenarbeit.

Organe:

1. *Generalversammlung* (jährl.) entscheidend für Politikformulierung (Mehrheitsbeschlüsse).

2. *Konsultativtreffen* der Außenminister, auch bei bewaffneten Angriffen; unterstützt durch Beratenden Verteidigungsausschuß (der höchsten Militärbehörde der MSt.).

3. *Räte,* der Generalversammlung verantwortlich:

– **CP/***Ständiger Rat* auf Botschafterebene, bereitet Generalversammlung vor; mit *Interamerikanischem Komitee für friedliche Schlichtung* *1970;

– **IA-ECOSOC/CIES/***Wirtschafts- und Sozialrat* *1948 aus allen Mitgliedern, tagt jährl., mit *Ständigem Exekutivkomitee/***CEPCIES;**

– **IACESC/CIECC/***Rat für Erziehung, Wissenschaft und Kultur* *1970.

4. *Generalsekretär:* João Clemente Baena Soares/Brasilien (für 5 J. gewählt).

5. *Zahlreiche beratende Einrichtungen und Sonderorganisationen.*

Sitz: 17th Street and Constitution Avenue, NW, Washington D.C. 20006, USA. – **Personal:** 700.

Arbeitssprachen: Engl., Span., Portug., Französ.

OATCT TURKREPUBLIKEN-GIPFELTREFFEN
Orta Asia Türk Comhoreyetlräri Toplantöse (türkisch) – Zentralasiatisch-Türkischer Gipfel

Gründung am 30.10.1992 in Ankara/Türkei im Zuge der neugeschaffenen Schwarzmeer-Kooperation (→ *KEI)* und der wiederbelebten Wirtschaftlichen Zusammenarbeit (→ *ECO)* infolge des Zusammenbruchs der UdSSR (→ *GUS).* Während die KEI-Mit-

Lateinamerika : Internationale Organisationen

ALADI-Staaten (11):

A   Amazonas-Pakt (8)

Anden-Gruppe (4)

★   CARICOM-Gemeinschaft (13)

MERCOSUR (4)

OAS (33)
Alle unabhängigen amerikan. Staaten ohne Belize, Guyana und Kuba.

★   SICA (6)

SELA-Staaten (26):

FWA '94/JUC

gliedschaft an ein *geographisches* (Schwarzmeer) und die ECO-Mitgliedschaft ursprünglich an einen *zentralasiatischen* Verteidigungspakt (CENTO) gekoppelt ist, besinnt sich die neue OATCT auf türkisches Betreiben ausschließlich auf die Gemeinschaft der Turkvölker. Die Türkei sieht sich damit als Koordinatorin auf dem Wege zu einer neuen zentralasiatischen Mittel- bzw. Großmacht.
Ziele: Wirtschaftliche und kulturelle Zusammenarbeit analog ECO und KEI.
Mitglieder (7): Aserbaidschan, Kirgistan, Kasachstan, Tadschikistan, Türkei, Turkmenistan und Usbekistan; zusätzlich Nordzypern/TRNC.
Organe:
1. *Gipfeltreffen der Staats- und Regierungschefs,* 10/1992 in Ankara/Türkei und Baku/Aserbaidschan;
2. *Ständiger Rat* der Kultusminister der turksprachigen Staaten (halbjährlich, ähnlich wie → KEI).
Aktivitäten:
▶ »Tagung der Kultusminister der türkischsprachigen Nationen« am 21. 6. 1992 schafft den *Ständigen Rat,* der für alle Turkvölker als gemeinsames Kulturerbe ein lateinisches Alphabet und eine Liste der Kulturdenkmäler und Schriftwerke ausarbeitet.
▶ Tagung am 7. 10. 1992 in Bischek/Kirgistan beschließt gemeinsame Lehrplankommission für die Schulbücher und eine Rektorenunion in den Turkrepubliken sowie Hilfsmaßnahmen für die kasachisch-türkische Universität in Turkistan.
▶ Tagung (eigentliches OATCT) der Staats- und Regierungschefs der 6 Turkrepubliken am 30./31. 10. 1992 in Ankara bekräftigt die eurasiatische Wirtschaftskooperation mit dem Ziel einer Freihandelszone nach den laizistischen Prinzipien des Begründers der Türkischen Republik Kemal Atatürk.

OAU ORGANISATION DER AFRIKANISCHEN EINHEIT
Organization of African Unity

Gründung am 25. 5. 1963 durch Charta 30 unabhängiger afrikan. Staaten auf Konferenz in Addis Abeba unter Vorsitz des äthiopischen Kaisers Hailé Sélassié.
Ziele/Aufgaben: Förderung der Einheit und Solidarität der afrikan. Staaten; Koordinierung der innerafrikan. und weltweiten Zusammenarbeit; Verteidigung der Souveränität und territorialen Integrität der MSt. (die OAU ist jedoch kein Verteidigungsbündnis); Beseitigung aller Formen des Kolonialismus (und Neokolonialismus) sowie der Apartheid auf Grundlage der UN-Satzung (→ *UNO)* und der Erklärung der Menschenrechte. – Die OAU-Charta normiert ferner die Prinzipien bilateraler Beziehun-

gen, darunter die Wahrung des territorialen Status quo und Nichteinmischung in innere Angelegenheiten der MSt.
Mitglieder (52): 51 unabhängige Staaten Afrikas sowie die von der Befreiungsbewegung POLISARIO vertretene »Demokratische Arabische Republik Sahara/DARS« (seit 1982). – *Nichtmitglieder:* Republik Südafrika (mit »Homelands«) und Marokko (Austritt 1984 aufgrund des Vollmitgliedstatus der DARS).
Organe:
1. *Gipfelkonferenz der Staats- und Regierungschefs* (jährl.): je MSt. eine Stimme, Beschlüsse und Resolutionen (rechtlich nicht bindend) erfordern $2/3$-Mehrheit; de facto Konsensprinzip;
2. *Ministerrat* (halbjährl.): je MSt. eine Stimme, Entscheidungen mit einfacher Mehrheit; bei innerafrikan. Themen zurückhaltende Formulierungen (Nichteinmischungsprinzip);
3. *Generalsekretariat* mit einem vom Ministerrat bestellten, mit wenig Exekutivgewalt ausgestatteten Generalsekretär: Salim Ahmed Salim/Äthiopien (seit 1989) und 4 Stellvertretern (für West-, Zentral-, Nord- und Ost-/Südafrika), koordiniert Aktivitäten zwischen Gipfelkonferenzen;
4. *Schiedskommission* * 1964 für innerafrikan. Streitfälle mit 21 von der Gipfelkonferenz auf 5 Jahre gewählten Mitgl.;
5. *Kommissionen* (4) für: Wirtschaft und Soziales; Verkehr und Telekommunikation; Erziehung, Wissenschaft und Kultur; Gesundheit, Hygiene und Erziehung. Zusätzlich häufig *Sonderausschüsse* durch Gipfelkonferenz und Ministerrat vor allem zur Streitschlichtung.
Sitz: Addis Abeba/Äthiopien (P. O. B. 3243); Befreiungskomitee: Dar-es-Salaam/Tansania.
Arbeitssprachen: Engl., Französ., Arabisch.
Finanzierung durch Mitglieder; Beitragshöhe nach Beitragsanteil am UNO-Gesamthaushalt (→ *UNO).*
Entwicklung *(ausführlich* → *WA '90/718f.):* Gipfel in Abuja/Nigeria 6/**1991**: Staatschefs unterzeichnen Vertrag über Afrikanische Wirtschaftsgemeinschaft in 6 Etappen bis zum Jahr 2025 (Vorbild: → EG).

OECD ORGANISATION FÜR WIRTSCHAFTLICHE ZUSAMMENARBEIT UND ENTWICKLUNG
Organization for Economic Co-operation and Development

Gründung: Vorläuferin war die den US-Marshallplan/ERP koordinierende *Organization for European Economic Co-operation/OEEC* (* 16. 4. 1948), welche auch die politische Stabilisierung

Westeuropas vor dem Hintergrund des Ost-West-Konflikts zum Ziel hatte. Sie wurde abgelöst von der über Europa hinausgehenden OECD im Pariser Übereinkommen vom 14. 12. 1960, in Kraft am 30. 9. 1961.

Ziele: Planung, Koordinierung und Vertiefung der wirtschaftlichen Zusammenarbeit und Entwicklung in Nachfolge der OEEC; Förderung des Wirtschaftsausbaues bei Vollbeschäftigung und Währungsstabilität; Hilfe für Entwicklungsländer. Die OECD ist nach wie vor die Spitzenorganisation der westlichen Industrieländer (→ *Kap. Wirtschaft*).

Symbol: Stilisiertes Château de la Muette (= Sitz der Organisation) mit halbkreisförmig angeordneten Abkürzungen OCDE (frz.) und OECD (engl.).

Mitglieder: 24 (die 16 Gründungsmitglieder der OEEC 1948 nachstehend ohne Jahreszahl): Australien (seit 1971), Belgien, BR Deutschland (1949), Dänemark, Finnland (1969), Frankreich, Griechenland, Großbritannien, Irland, Island, Italien, Japan (1964), Kanada (1960), Luxemburg, Neuseeland (1973), Niederlande, Norwegen, Österreich, Portugal, Schweden, Schweiz, Spanien (1959), Türkei, USA (1960).

Organe:

1. Rat der Ständigen Delegationen der MSt. (= Sonderbotschafter in Paris) als regelmäßig tagendes oberstes Organ; jährlich auch auf (Außen-, Finanz-, Wirtschafts-)Ministerebene. Für alle 24 bindende Beschlüsse/Empfehlungen bedürfen der Einstimmigkeit (Vetorecht).

2. Exekutivausschuß (14 jährl. neu gewählte Mitgl., davon nur die sog. → G-7-Staaten mit ständigem Sitz) bereitet Ratssitzungen vor und koordiniert bei Aktivitäten, die mehrere Ausschüsse berühren.

3. Fachausschüsse (ständige oder Ad-hoc-Gremien, z. Zt. rund 30) aus Mitgl. der Stdg. Delegationen und Vertretern der jeweils nationalen Behörden. Die wichtigsten sind der:

▶ **EPC/***Wirtschaftspolitischer Ausschuß* leitender Beamter der nationalen Wirtschaftsressorts und der Notenbanken, tagt mehrmals jährl. zur Abstimmung nationaler wirtschaftspolit. Maßnahmen (z. B. für Währungspolitik);

▶ **EDRC/***Prüfungsausschuß für Wirtschafts- und Entwicklungsfragen*, überprüft Wirtschaftspolitik der MSt., veröffentlicht Jahresberichte;

▶ **DAC/***Ausschuß für Entwicklungshilfe*, * 1961; die 21 DAC-Mitglieder einschließlich der EG-Kommission (nicht vertreten: Griechenland, Island, Luxemburg und Türkei) bringen über 85 % der weltweiten Entwicklungshilfe für die Dritte Welt auf; sog. »DAC-Examen« jedes MSt. alle 2 J.; koordiniert multilaterale Entwicklungshilfe der MSt.; Untergruppe: *Club du Sahel* (→ *unten*);

▶ **CMITC/***Ausschuß für Finanzmärkte* (»Kapitalmarktausschuß«): * 1969 zur Verbesserung der

Wirkung nationaler Kredit- und internat. Finanzmärkte;

▶ **TC/***Handelsausschuß* zur Handelsliberalisierung und Verhinderung neuer Handelsschranken;

▶ **BIAC/***Unternehmerausschuß*, * 1962, vertritt Interessen der Industrie bei der OECD;

▶ **TUAC/***Gewerkschaftsausschuß*, * 1948.

Weitere Ausschüsse u. a. für Kapitalverkehr/Dienstleistungen, öffentliches Management, Wettbewerbsrecht und -politik, Steuerfragen; Umweltpolitik; Forschung und Technologie; Stahl.

4. Sekretariat mit für 5 Jahre ernanntem Generalsekretär: Jean-Claude Paye/F. Der Generalsekr. vertritt die OECD nach außen und hat damit eine wichtige politische Stellung. Er ist zugleich Rats-Vorsitzender. – Rund 1700 Mitarbeiter, davon 530 »Professionals«, d. h. Experten aller Sachgebiete.

Sitz: 2, rue André Pascal, F–75775 Paris Cedex 16; Außenbüros (Publications and Information Centres) in Washington, Tokio; für die deutschsprach. Staaten: August-Bebel-Allee 6, 53175 Bonn (Direktor Dieter Menke).

Finanzierung durch MSt., bemessen am BSP, mit Höchst- und Mindestgrenzen.

Haushalt 1992 der OECD einschl. CCEET, CERI, DC, IEA und NEA (Einnahmen in Mio. FF):

Mitgliedsbeiträge	832,3
Sonst. Einnahmen (Studien etc.)	91,4
Einnahmen der Pensionskasse	54,4
Kapitalzuschüsse der MSt.	8,3
CCEET-Beiträge der MSt	82,0
Gesamteinnahmen	1 068,4.

Amtssprachen: Englisch und Französisch.

Aktivitäten: Tätigkeitsbereiche u. a.: Handel, Entwicklungspolitik, Kapitalverkehr und -märkte, Steuerwesen, Landwirtschaft, Fischerei, Seeverkehr, Energie, Arbeitskräfte, Sozialfragen, Umwelt- und Wissenschaftspolitik, Bildungswesen, Technologie- und Industriepolitik. In allen Bereichen besondere Hilfe (Beratung, Programme) für die mittel- und osteuropäischen Staaten. – Rd. 150 Arbeitsgruppen; jährl. 250 Veröffentlichungen. Kritische Analysen und Prognosen zur Wirtschafts- und Sozialpolitik der MSt. Jahresberichte zeigen Entwicklung der Finanzhilfe an die Dritte Welt, der westlichen Arbeitsmärkte oder der Agrarsubventionen auf.

Institutionen und Projekte:

CCEET/*Center for Co-operation with European Economics in Transition* (Technische Hilfsprogramme für die neuen Staaten der ehem. UdSSR), * 1992.

CERI/*Center for Educational Research and Innovation* (Zentrum für Forschung und Innovation im Bildungswesen) * 1968, alle OECD-MSt.; mit: *Institutional Management in Higher Education/* **IMHE**; dt. Mitgl. die Hochschulrektorenkonferenz.

DC/*Development Centre* (Entwicklungszentrum) * 1962, alle MSt. außer Neuseeland (40 Mitarb.).

IEA/*International Energy Agency* (Internat. Energie-Agentur) * 1974, OECD-MSt. ohne Island + EG-Kommission, Ziele wie *OECD*, speziell auf Energiesektor: gesamtwirtschaftlich internationale Verbesserung der Energieeinsparung und -versorgung; alternative Energiekonzepte.

NEA/*Nuclear Energy Agency* (Kernenergie-Agentur) * 1972, OECD-MSt. ohne Neuseeland, Kernenergiestudien, Koordinierung von Sicherheitsfragen;

Club du Sahel, ein von der OECD angeregter, seit 1976 bestehender informeller Zusammenschluß der Hauptgeberländer (EG-Kommission, Dänemark, Deutschland, Frankreich, Italien, Japan, Kanada, Niederlande, Österreich, Schweiz, USA) zur Absprache der Hilfsmaßnahmen an die im **CILSS/***Comité Inter-Etats de Lutte contre la Sécheresse dans le Sahel* (→ WA'93/743ff.) zusammengeschlossenen Sahel-Staaten, mit einem der OECD angegliederten Sekretariat in Paris.

OPCW   ORGANISATION FÜR DAS VERBOT CHEMISCHER WAFFEN

Organization for the Prohibition of Chemical Weapons

Gründung am 13. 1. 1993 durch Übereinkommen zur weltweiten Ächtung und Zerstörung der Chemiewaffen als IGO. – Arbeitsaufnahme 1995, sofern dann 65 Staaten das Übereinkommen ratifiziert haben.

Aufgaben: Überwachung des Übereinkommens.

Mitglieder: Signatare des Übereinkommens.

Organe:

1. *Staatenkonferenz*;

2. *Exekutivrat* aus 41 Mitgliedern;

3. *Sekretariat* mit **Sitz** in Den Haag/NL.

Personal: rd. 1000 (überwiegend Inspekteure/Sicherheitskontrolleure) geplant.

C-Waffen-Übereinkommen → unten

C-Waffen-Übereinkommen

Am 3. 9. 1992 stimmten die Delegationen aus 39 Staaten auf der Genfer Konferenz über Abrüstung und Rüstungskontrolle/CD (* 1962; einziges ständiges Forum für weltweite Abrüstungsgespräche, formell von der UNO unabhängig) nach 24jährigen Verhandlungen einem *Vertrag über das Verbot der Entwicklung, Herstellung und Lagerung von C-Waffen* zu, der von der UN-Generalversammlung am 25. 11. 1992 verabschiedet und im Januar 1993 in Paris zur Unterzeichnung aufgelegt wurde. Der *Einsatz* dieser Waffen ist bereits durch das Genfer Protokoll von 1925 geächtet.

Das **Übereinkommen** verpflichtet die Signatare, »niemals und unter keinen Umständen C-Waffen anzuwenden«. Es **untersagt Besitz, Lagerung, Erwerb und Einsatz** dieser Waffen sowie jegliche Tätigkeit im Bereich ihrer Entwicklung, Herstellung und Weitergabe. Den Vertragsstaaten wird internationale Hilfe bei Bedrohung mit C-Waffen zugesichert. Die Einhaltung des Übereinkommens kann durch Sanktionen und andere Maßnahmen erzwungen werden.

Die **Herstellung ist verboten**. Dafür wurde ein umfassendes **Überprüfungssystem** (Verifikation) entwickelt. Da viele Chemikalien militärisch *und* zivil verwendbar sind, werden die **waffentauglichen Substanzen** in **3 Listen** erfaßt:

▶ *Liste A:* 12 Gruppen der generell verbotenen, tödlichen Substanzen ohne zivile Bedeutung;

▶ *Liste B:* 14 Gruppen doppelt nutzbarer toxischer Stoffe, deren Produktionsstätten deklariert werden müssen und intensiv kontrolliert werden;

▶ *Liste C:* 17 Gruppen weniger gefährlicher, überwiegend zivil genutzter Stoffe, die einem Informationsaustausch und Stichproben unterliegen.

Ein **Kontrollsystem innerhalb der chemischen Industrie** soll Verstöße entdecken, ohne daß unternehmerische und sicherheitsrelevante Interessen verletzt werden. Als Sicherheitsnetz sind außerdem Verdachtskontrollen vorgesehen; diese müssen innerhalb von 5 Tagen zugelassen werden. Grundsätzlich gilt, daß den künftigen OPCW-Inspektoren jederzeit Zugang gewährt wird und keine Anlage, ob zivil oder militärisch, von den Kontrollen ausgeschlossen ist.

Die vorhandenen **Bestände müssen** nach festgelegtem Verfahren binnen 10 Jahren **vernichtet** und die **Produktionsanlagen zerstört werden**. Rußland, das mit 40000 t die größten C-Waffen-Bestände besitzt (USA: 25000 t), wurde gegen erhöhte Verifikationsauflagen eine Fristverlängerung von 5 Jahren eingeräumt. Spätestens 2010 sollen weltweit die letzten C-Waffen vernichtet sein.

OPEC ORGANISATION ERDÖLEXPORTIERENDER LÄNDER

Organization of Petroleum Exporting Countries
mit **OAPEC**

Gründung auf Initiative Venezuelas am 14. 9. 1960
in Bagdad/Irak durch die 5 Förderländer Irak, Iran,
Kuwait, Saudi-Arabien und Venezuela (spätere Beitritte → Mitglieder). Statuten vom 21. 1. 1961 auf 2.
OPEC-Konferenz in Caracas/Venezuela.

Ziele: Koordinierung der Erdölpolitiken in den Förderländern; Stabilisierung der Weltmarktpreise u. a.
durch Regulierung der Fördermengen; »faire Erträge« für Investoren in der Erdölindustrie; Solidarität
bei Sanktionen der Abnehmerländer, denen ein oder
mehrere Mitglieder bei Befolgung von OPEC-Beschlüssen durch internationale Ölkonzerne ausgesetzt sind (Art.4 des Abkommens). – Einsatz des Öls
als internationale Waffe (so z. B. im Zusammenhang
mit dem Yom-Kippur-Krieg).

Mitglieder (12): Algerien (seit 1969), Gabun
(1973), Indonesien (1962), Irak (derzeit de facto
suspendiert), Iran, Katar (1961), Kuwait, Libyen
(1962), Nigeria (1971), Saudi-Arabien, die Vereinigten Arabischen Emirate/UAE (OPEC-Beitritt Abu
Dhabis bereits 1967) und Venezuela (→ *Karte
Sp. 821/822*). Ecuador (Mitgl. seit 1973) trat 11/
1992 aus.

Organe:

1. *Konferenz* der Erdöl- bzw. Finanzminister (halbjähr.), legt Preise/Förderquoten fest;

2. *Gouverneursrat* (tagt halbjährl.);

3. *Wirtschaftskommission* (*1964) u. a. zur Prüfung von Ölwirtschaftsfragen (Preise, Steuern etc.);

4. *Präsident* (wechselt im Turnus);

5. *Sekretariat* mit *Generalsekretär:* Subroto/Indonesien (seit 1988) und Abteilungen u. a. für Erdöl-Forschung, Rechtsfragen und Information.

Sitz: Obere Donaustr. 93, A–1020 Wien (dort auch
der OPEC-Fonds). – **Personal:** Rund 150.

Finanzierung durch MSt.; Haushalt 1993: 236 Mio.
öS

Entwicklung *(ausführlich* → *WA'92/737f.):*
OPEC-Konferenz in Wien 13.–16. 2. 1993 beschließt
Senkung der Ölförderung im 2. Quartal 1993 um 1
Mio. Barrel pro Tag (bpd; 1 Barrel/b [Faß] = 159 Liter) auf 23,6 Mio. Damit setzte sich Saudi-Arabien
gegen den Iran durch, der eine Kürzung von 1,5 Mio.
bqd vorgeschlagen hatte, um den Preis auf die formell beschlossenen 21 $ pro Faß zu bringen. Vereinbarte neue Quoten: Saudi-Arabien 8,0 Mio. bqd, Iran
3,34, Venezuela 2,257, UAE 2,161, Nigeria 1,78, Kuwait 1,6, Libyen 1,35, Indonesien 1,317, Algerien
0,732, Irak 0,4, Katar 0,364 und Gabun 0,281. Die
Angebotskürzung wurde von den Ölmärkten erwartet und bereits antizipiert; deshalb kam es nach der
Wiener Konferenz zu keinem Preisanstieg.

Unterorganisationen:

OPEC-Fonds für internationale Entwicklung:
*1976, mit eigenem Minister- und Verwaltungsrat;
bis 1992 Darlehen und Entwicklungshilfe von insgesamt 4,02 Mrd. $ überwiegend an arabische Staaten
zugesagt (davon 3 Mrd. ausgezahlt).

OPECNA: Nachrichtenagentur, *1980 in Wien, berichtet in Englisch und Spanisch.

Parallelorganisation:

OAPEC/Arabische Erdölexport-Länder

*Organization of Arab Petroleum Exporting
Countries*

Gründung am 9. 1. 1968 in Beirut/Libanon durch
Saudi-Arabien, Kuwait und Libyen (damals noch
Monarchie) als Folge der Konfrontationspolitik gegenüber Israel (II. Nahostkrieg 1967).

Heutige Ziele: Förderung der Handelsinteressen
der MSt., besonders auf dem Erdölsektor; Harmonisierung der Rechtsvorschriften, Ausbildungs- und
Beschäftigungshilfen für Bürger der MSt.; gemeinsame Forschungsprojekte und Unternehmen auf
dem Energiesektor, auch unter Einschluß von Nichtförderländern (z. B. Italien).

Mitglieder (11): Ägypten (1979–89 suspendiert),
Algerien, Bahrain, Irak, Katar, Kuwait, Libyen, Saudi-Arabien, Syrien, Tunesien und die Vereinigten
Arabischen Emirate/UAE. – Die OAPEC-MSt. decken
sich nicht mit denjenigen arabischen MSt. der
OPEC, welche 1968 das Ölembargo ablehnten, fühlen sich aber laut OAPEC-Satzung durch deren
Beschlüsse gebunden.

Organe:

1. *Ministerrat* der Erdölminister (tagt halbjährlich);

2. *Exekutivbüro:* je Mitglied 1 Vertreter;

3. *Generalsekretär* mit über 75 Mitarbeitern;

4. *Schiedsgericht* * 1980 und

5. *Arabisches Zentrum für Energiestudien*
*1983 am OAPEC-Sitz.

Sitz: Fahd El Salem St., Kuwait.

Aktivitäten: Spezifisch arabische Preispolitiken im
Rahmen der → *OPEC*, der 7 OAPEC-Mitglieder angehören. – Die OAPEC war Auslöserin des 1973 von
der OPEC verhängten Ölembargos während das IV.
Nahostkrieges (»Erste Erdölkrise«). Diese Beschlüsse lösten u. a. den ersten weltweiten Ölpreisschock aus, aufgrund dessen in den OECD-Staaten
alternative Energiekonzepte entwickelt wurden.

OSTSEERAT

Baltic Sea Council/Baltijskij Sovet

Gründung auf deutsch-dänische Initiative in Kopenhagen/DK am 5./6. 3. 1992 als Instrument der Zusammenarbeit im Ostseeraum.

Ziele: Marktwirtschaftliche Wachstumszone durch Zusammenarbeit in Umweltschutz und Energie, Transport und Kommunikation, Gesundheit und humanitäre Maßnahmen, Tourismus, Kultur und Bildungswesen. *Vordringlich:* Schaffung neuer regionaler Infrastrukturen und Unterstützung des Wirtschaftsaufbaus in den Reformstaaten; Wiederbelebung historischer Bindungen; Sicherung der gefährdeten Umwelt, insbes. Säuberung der Ostsee.

Mitglieder (11): 10 Ostseeanliegerstaaten Dänemark, Deutschland, Estland, Finnland, Lettland, Litauen, Norwegen (wg. Skagerrak), Polen, Rußland, Schweden. Die Beteiligten umfassen ein Gebiet mit rd. 300 Mio. Einw., davon 45 – 90 Mio. im Ostsee-Einflußbereich. 11. Mitglied ist die EG-Kommission.

Organe:

1. *Ostseerat* der Außenminister, tagt jährlich, entscheidet einstimmig;

2. *Ministertreffen* der Fachressorts, z. B. Kultus, Umwelt/Planung, Verkehr;

3. *Treffen Hoher Beamter* zur Vorbereitung der Ratstagungen. – Kein festes Sekretariat.

Dt. Kontaktanschrift: Auswärtiges Amt (Abt. 2), 53113 Bonn.

Arbeitssprachen: Deutsch, Englisch und Russisch.

Aktivitäten: Erste Ratstagung vereinbart u. a. Hilfslieferungen der beteiligten EG-/EFTA-Länder an Reformstaaten. – 2. Ostseerat 16.–17. 3. 1993 in Helsinki/SF beschließt u. a. »Eurofakultät« an der Univ. Riga zur Ausbildung von Experten für Staatsdienst, Justiz und Wirtschaft. – 3. Ostseerat 3/1994 in Tallinn/Estland.

Parallelorganisation: HELCOM/Ostseeschutzkonferenz → *WA'93/757–9 und 793–8.*

PTA PRÄFERENZFREIHANDELSZONE **DER STAATEN OST- UND SÜDAFRIKAS**
Eastern and Southern African Preferential Trade Area

Gründung: Vertrag am 22. 12. 1981 in Harare/Simbabwe unter Schirmherrschaft der ECA *(→ UNO)* durch 9 der vorgesehenen 18 Staaten des östlichen und südlichen Afrika; in Kraft Anfang 1983.

Ziele: Zusammenarbeit in den Bereichen Handel, Zölle, Industrie, Transport, Kommunikation, Landwirtschaft, Rohstoffe und Währung zur Hebung des Lebensstandards und Entwicklung engerer Beziehungen der MSt.; Schaffung eines Gemeinsamen Marktes und schließlich einer Wirtschaftsgemeinschaft des östlichen und südlichen Afrika bis zum Jahr 2000 entsprechend dem Lagos-Aktionsplan der → *OAU* von 1980.

Mitglieder (19): Angola, Äthiopien, Burundi, Dschibuti, Kenia, Komoren, Lesotho, Malawi, Mauritius, Mosambik, Namibia, Ruanda, Sambia, Simbabwe, Somalia, Sudan, Swasiland, Tansania und Uganda in einem riesigen Gebiet – vom Horn Afrikas bis Lesotho im Süden – und einer Gesamtbevölkerung von rd. 200 Mio. Einwohnern. – *Beobachter:* Ägypten, Botsuana und Zaire.

Organe:

1. *Konferenz der Staats- und Regierungschefs* (jährlich);

2. *Ministerrat* der Handelsressortchefs;

3. *Sekretariat* mit einem Generalsekretär;

4. *Clearing House* bei der Zentralbank von Simbabwe (* 1984): zentrale Finanzabwicklung für Zahlungen innerhalb der PTA-Region, in der die Währungen nicht konvertibel sind, Rechnungseinheit UAPTA (entspricht den Sonderziehungsrechten des IWF *[→ UNO III.]*);

5. *PTA-Bank:* Handels- und Entwicklungsbank, * 1987, Startkapital 400 Mio. $. Sitz: Bujumbura/Burundi.

Sitz der PTA: Ndeke House Annexe, Haile Selassie Avenue, Lusaka/Sambia.

Arbeitssprache: Englisch.

Finanzierung durch Mitgliedsbeiträge; hohe Beitragsrückstände zum Haushalt des Sekretariats.

Aktuelle Entwicklung: 11. Gipfel in Lusaka (20.–22. 1.1993) beschließt **gemeinsamen Markt für das östliche und südliche Afrika/COMESA** *(Common Market of Eastern and Southern Africa),* der außer den SADC-Ländern Zaire und Botsuana sowie ausdrücklich dem »Post-Apartheid«-Südafrika die Mitgliedschaft eröffnet. Vertragsunterzeichnung auf 12. Gipfel 11/1993 vorgesehen.

Vorgesehene COMESA-Integrationsmaßnahmen:

1. Beseitigung aller Handelshindernisse bis zum Jahr 2000;

2. Angleichung der Volkswirtschaften und der Geldpolitik;

3. gemeinsame Strategie zur Außenverschuldung und Harmonisierung der Strukturanpassungsprogramme;

4. Einrichtung eines durch Geber-Gelder finanzierten PTA-Investitionsfonds bis 1994.

Problematik: Zu geringe Unterstützung der PTA-Beschlüsse durch die MSt. und kaum nennenswerte Investitionen von außerhalb; Stagnation des Handels innerhalb der PTA (nur 5 % des Gesamtaußenhandels) u. a. durch fast identische Produktpalette; hohe Zölle, restriktive Vergabe von Importlizenzen, bürokratische Verzögerungen; sehr heterogene Staats- und Wirtschaftsstrukturen, z. B. unterschiedliche Steuer- und Geldpolitik der MSt. sowie mangelnde Kapitalmobilität; Überlappung mit den Organisationen → SADC und SACU. Ein 1992 von der PTA angestrebter Zusammenschluß mit der SADC wird von letzterer vorerst abgelehnt.

Kooperation mit der EWG durch das derzeit IV. Lomé-Abkommen (→ EG), mit der → FAO und der → OAU.

SAARC
SÜDASIATISCHE REGIONALKOOPERATION
South Asian Association for Regional Cooperation

Gründung am 2. 8. 1983 in Delhi/Indien durch die *Declaration on South Asian Regional Cooperation/SARC* der Außenminister 7 südasiatischer Staaten; formell durch erste Gipfelkonferenz in Dhaka am 8. 12. 1985.

Ziele: Kooperation auf wirtschaftlichem, technischem und kulturellem Gebiet; keine politischen Integrationsvorhaben – Aktions- und Kommunikationsprogramme.

Mitglieder (7): Bangladesch, Bhutan, Indien, Malediven, Nepal, Pakistan u. Sri Lanka mit zusammen ca. 1 Mrd. Einw.

Organe:

1. *Gipfelkonferenz* (jährlich): Entscheidungen nur einstimmig (Vetorecht);

2. *Rat* der (Außen-)Minister: tagt halbj. und formuliert Ziele;

3. *Ständiger Ausschuß:* setzt Prioritäten bei Projektauswahl, koordiniert Programme und legt Finanzierungsmodalitäten fest;

4. *Generalsekretär:* Krishna Kant Bhargava/Indien.

Sitz: Neu-Delhi/Indien; Sekretariat: POB 4222 Katmandu/Nepal. – **Arbeitssprache:** Englisch.

Finanzierung durch freiwillige Beiträge der MSt. sowie Zuschüsse von Drittländern bzw. Oganisationen, z. B. der EG-Kommission.

Aktivitäten: Durch Ausklammern *politischer* Probleme aus dem Aktionsprogramm will SAARC Fortschritte auf den Gebieten Landwirtschaft (leitend: Bangladesch), Agrarentwicklung (Sri Lanka), Transport (Malediven), Kommunikation (Pakistan und Bhutan), Meteorologie (Indien), Gesundheit und Demographie (Nepal), Sport, Kultur und Kunst (Indien) sowie Wissenschaft und Technik (Pakistan) forcieren. Kurzfristig sollen ein Informationsaustausch bisheriger nationaler Erfahrungen, gegenseitige Ausbildung sowie Seminare, Expertenaustausch und gemeinsame technische Studien erfolgen. Langfristig sollen erfolgreiche Programme durch eine Infrastruktur institutionalisiert werden.

Beschlüsse von Gipfelkonferenzen:

1990: Verstärkung wirtschaftlicher Zusammenarbeit in Bio- und Umwelttechnologie sowie Abbau politischer Spannungen in der Region; Reiseerleichterungen für ausgewählte Personengruppen; Drogenbekämpfung; gemeinsame Förderung des Tourismus; Regionalinstitute für gemeinsame Wirtschaftsprojekte;

1991: * Multilaterale Kommission zur Beratung von Maßnahmen gegen Armut; gemeinsame Bekämpfung des grenzüberschreitenden Terrorismus;

1993 (10.–11. 4. in Dhaka/Bangladesch): Grundsätzliche Einigung über *Südasiatische Vorzugshandelsvereinbarung/***SAPTA** (South Asian Preferential Trade Agreement) zur Beseitigung bestehender Handelsschranken – Zölle, Quoten, Steuergebühren und nichttarifäre Handelshemmnisse sowie Schaffung eines Gemeinsamen Marktes für mehr als 1 Mrd. Verbraucher.

SADC   ENTWICKLUNGSGEMEINSCHAFT DES SÜDLICHEN AFRIKA
Southern African Development Community

Gründung: Informell 7/1979 in Arusha/Tansania auf Initiative der damals 5 »Frontstaaten«, offiziell am 1. 4. 1980 in Lusaka/Sambia nach Ende des Rhodesien-Konflikts durch die nunmehr (mit Sambia) 6 Frontstaaten sowie Lesotho, Malawi und Swasiland als *Southern African Development Coordination Conference/***SADCC.** Beitritt Namibias am 1. 4. 1990. Umwandlung der SADCC in *Southern African Development Community/***SADC** durch Abkommen von Windhuk/Namibia vom 17. 11. 1992.

Ursprüngliche Ziele der SADCC (gemäß Lusaka-Erklärung 1980): 1. Verminderung der wirtschaftlichen Abhängigkeit, insbes. von der Republik Südafrika; 2. Aufbau von Transport- und Nachrichtenverbindungen; 3. Mobilisierung von Ressourcen für nationale, zwischenstaatliche und regionale Entwicklungsprogramme.

Neue Ziele der SADC: Intensivierung der wirtschaftlichen Zusammenarbeit u. a. durch 1. Angleichung der Volkswirtschaften der MSt.; 2. Entwicklung gemeinsamer politischer Werte, Systeme und Institutionen (u. a. gemeinsames Parlament); 3. Förderung und Verteidigung von Frieden und Sicherheit im südl. Afrika.

Mitglieder (10): Angola, Botsuana, Lesotho, Malawi, Mosambik, Namibia, Sambia, Simbabwe, Swasiland und Tansania mit rd. 80 Mio Einw.

Organe:

1. *Gipfeltreffen* der Staats- und Regierungschefs (jährlich) als oberstes Entscheidungsgremium;

2. *Ministerrat:* mindestens halbjährlich sowie Sondertreffen zur Koordinierung regionaler Maßnahmen, zuständig auch für *Kooperationskonferenzen* mit Geberländern;

3. *Ständiger Beirat* hoher Regierungsvertreter;

4. *Exekutivsekretär:* Simba Makoni mit

Sitz in Gaborone/Botsuana (Private Bag 0095).

5. *Sektorale Kommissionen* (dezentralisiert) für Schwerpunktmaßnahmen:

▶ für den als Schlüsselsektor angesehenen Bereich Transport- und Fernmeldewesen die **SATCC**/*Southern African Transport and Communications Commission* (***1980; Sekretariat in Maputo/Mosambik),

▶ für Landwirtschaft (Gaborone/Botsuana; dort auch: **SACCAR**/*Southern African Center for Cooperation in Agricultural Research*),

▶ für Ernährungssicherung und übergeordnete Koordination des Landwirtschaftssektors (Harare/Simbabwe),

▶ für Energie (Luanda/Angola),

▶ für Bergbau (Lusaka/Sambia; dort auch der **SADF**/*Southern African Development Fund*),

▶ für Fischerei, Wildtiernutzung, Forstwirtschaft (Lilongwe/Malawi),

▶ für Berufsausbildung (Mbabane/Swasiland),

▶ für Industrieentwicklung, industrielle Kooperation und Handel (Daressalam/Tansania),

▶ für Landnutzung, Bodenerosionsbekämpfung, Tourismus (Maseru/Lesotho).

Arbeitssprachen: Englisch und Portugiesisch.

Finanzierung: Bisher etwa 600 Projekte mit Finanzierungsbedarf von 6,5 Mrd. US-$ genehmigt, davon 2,5 Mrd.$ gesichert und z.T. durchgeführt. Außenfinanzierungsanteil (Drittländer und Organisationen) durchschnittlich 85%; Hauptgeber: → EG, USA, nordische Staaten (NORSAD-Fonds) und die Afrikanische Entwicklungsbank/AfDB.

Aktivitäten: Höchste Durchführungsrate bisher im Transport- und Kommunikationssektor, u.a. Rehabilitation des Beira-Korridors; Kooperationserfolge bei zahlreichen Kleinprojekten, u.a. in der Forschung, der Einrichtung von SADCC-weiten Interessenverbänden sowie eines landwirtschaftlichen Frühwarnsystems zur Ernährungssicherung. – Vordringliche Projekte: Ausbau der Transitkorridore.

Bewertung: Beträchtliche Dynamik durch Ausrichtung auf den Produktionsbereich; keine Zollunion oder Freihandelszone vorgesehen, Handel nur Instrument produktionsorientierter Politik; beachtenswerte Erfolge durch dezentralisierte Organisationsstruktur, d.h. Verantwortung für Projektdurchführung bei einzelnen MSt. (Verzicht auf umfangreiche supranationale Bürokratie; SADC als solche führt keine Projekte durch).

Probleme durch sehr unterschiedliche wirtschaftliche und politische Systeme der SADC-Staaten – von Einparteiensystemen mit bedeutendem Staatseinfluß in der Wirtschaft (Tansania, Sambia) bis zu konservativen Monarchien (Lesotho, Swasiland), deren Wirtschaft durch das Wanderarbeitersystem und durch die Zoll- und Währungsunion mit Südafrika/SACU geprägt ist; Botsuana als Mehrparteiendemokratie politisch in scharfem Gegensatz zu den autoritären Regime eines auf Lebenszeit gewählten Präsidenten in Malawi; Angola, Mosambik und Simbabwe mit sozialistisch-staatskapitalistischen bzw. gemischten Wirtschaftssystemen und zunehmender Bedeutung der Privatwirtschaft.

SELA LATEINAMERIKANISCHES WIRTSCHAFTSSYSTEM
Sistema Económico Latinoamericano

Gründung am 18.10.1975 in Panama-Stadt *(Convenio de Panamá)* auf Initiative von Mexiko und Venezuela.

Ziele/Aufgaben: Regionale Interessenvertretung gegenüber anderen Gruppen, besonders den USA; Finanzierung gemeinsamer Wirtschaftsvorhaben; Gründung multilateraler Unternehmen; gemeinsame Preispolitik. Teilweise Übernahme von Koordinierungsaufgaben und Kooperation zwischen → Andengruppe, → SICA und → CARICOM. – Gemeinsame Strategie gegenüber den USA zur Veränderung der ungleichen Wirtschaftsbeziehungen (»Erklärung von Panama« 1982).

Mitglieder: 27 Staaten Lateinamerikas und der Karibik: Argentinien, Barbados, Belize, Bolivien, Brasilien, Chile, Costa Rica, Dominikanische Republik, Ecuador, El Salvador, Grenada, Guatemala, Guyana, Haiti, Honduras, Jamaika, Kolumbien, Kuba, Mexiko, Nicaragua, Panama, Paraguay, Peru, Surinam (seit 1978), Trinidad/Tobago, Uruguay und Venezuela.

Organe:

1. *Lateinamerikanischer Rat*/**CL**, tagt jährlich auf Ministerebene;

2. *Exekutivsekretariat*/**SP** mit **Sitz** in: El Conde, Caracas 1010-A/Venezuela.

3. *Aktionskomitees*/**CdA**, dezentralisierte befristete Zusammenschlüsse von (mindestens 3) Mitgliedern zur Durchführung gemeinsamer Projekte im landwirtschaftlichen, industriellen, technischen und sozialen Bereich.

Aktivitäten: 7/1990 beschlossen die SELA-Wirtschaftsminister und Zentralbankpräsidenten in Caracas einen Aktionsplan, durch den die Schuldenlast Lateinamerikas und der Karibik von insgesamt 400 Mrd.$ auf ein Viertel verringert, das Wirtschaftswachstum angekurbelt und das Pro-Kopf-Einkommen erhöht werden soll. Der Plan sieht vor, statt des bisherigen Schuldendienstes von jährlich 40 Mrd.$ künftig in Absprache mit den Gläubigern nur noch 10 Mrd.$ zu zahlen. – 18. Jahrestagung in Caracas 9/1992 billigt Arbeitsprogramm (75 Schritte) in den Bereichen Handel, Entwicklung, Außenbeziehungen, Umweltschutz, regionale Zusammenarbeit und Integration.

SICA ZENTRALAMERIKANISCHES INTEGRATIONSSYSTEM
Sistema de Integración Centroamericana

Gründung am 1. 2. 1993 in San Salvador durch die 6 mittelamerikanischen Staaten Costa Rica, El Salvador, Guatemala, Honduras, Nicaragua und Panama. Vorausgegangene Gipfelkonferenzen 5/1992 in Nueva Ocotepeque/Honduras und 12/1992 in Panama-Stadt ebneten den Weg der SICA als De-facto-Nachfolgerin des Zentralamerikanischen Gemeinsamen Marktes/**MCCA** (* 1960) bzw. von dessen Vorgängern und Parallelorganisationen (CACM, CACOM, CAFTA, MCC, MERCOMUN, ODECA).
Ziel: Einheit Mittelamerikas durch Schaffung einer Region des Friedens, der Freiheit, der Demokratie und des Fortschritts.
Mitglieder (6): Die Gründungsmitglieder (→ oben).
Organe: Noch nicht festgelegt; *Regionalparlament* und *Gerichtshof* vorgesehen; *Generalsekretär:* Roberto Herrera Caceres/Honduras.
Sitz: San Salvador/El Salvador.
Wirtschaftsbilanz des bisherigen MCCA:
Der MCCA (Gebiet wie SICA, ohne Panama) erhöhte seinen interregionalen Handelsanteil seit 1960 (7%) auf 25,7% in 1970 und fiel in der Folge aufgrund der Bürgerkriege auf 24,1% (1980) bzw. 14,8% (1990) zurück. Gleichzeitig fiel der Welthandelsanteil der MCCA-Staaten seit 1960–1970 (0,4%) stetig zurück (1980 und 1985: 0,2%, 1990 nur noch 0,1%). Die politische Konsolidierung der jetzigen SICA-Staaten läßt ein Wiederaufleben der Wirtschaftsaktivitäten erwarten.
Entwicklung: Die eine raschere Integration anstrebenden Präsidenten von El Salvador, Guatemala und Honduras (»*nördliches Dreieck*«) beschlossen am 23. 2. 1993 in San Salvador die Schaffung einer Freihandelszone bereits zum 1. 3. 1993; ferner wollen sie innerhalb von 3 Monaten die Integration im Finanzbereich verwirklichen und möglichst rasch eine einheitliche Zollpolitik für Waren aus Drittländern einführen. Am 22. 4. 1993 wird die Dreier-Gruppe durch Aufnahme von Nicaragua zur *Centroamericana–4*/**CA–4**. Costa Rica und Panama beteiligen sich nicht an den Integrationsinitiativen. Während Costa Rica vor allem im politischen Bereich starke Vorbehalte gegen allfällige Souveränitätsverluste anführt, sieht Panama Schwierigkeiten in der Koordinierung der panamaischen Dienstleistungsökonomie mit der vorwiegend auf Landwirtschaft basierenden Wirtschaft der übrigen Länder in der Region.
Kooperation: Rahmenabkommen EWG/SICA-MSt. (jeweils bilateral) 1/1993 paraphiert (wegen der »Bananenklausel«, die EG-interne Bananeneinfuhren gegenüber Importen aus Drittstaaten bevorzugt, strittig). Weiterhin Rahmenabkommen des MCCA

(Vorgänger der SICA) mit Mexiko 11/1992 zur Bildung einer Freihandelszone für 1997.

UMA UNION DES ARABISCHEN MAGHREB
Union du Maghreb Arabe

Gründung am 17. 2. 1989 in Marrakesch/Marokko durch Marokko, Algerien, Libyen, Mauretanien und Tunesien.
Ziele: Eintracht der Mitglieder und enge diplomatische Zusammenarbeit; Sicherung der Unabhängigkeit der Mitglieder; industrielle, landwirtschaftl. und soziale Entwicklung der MSt. u. a. durch gemeinsame Unternehmen und Projekte, Freizügigkeit von Personen, Gütern, Dienstleistungen und Kapital; gemeinsame Entwicklung des Bildungswesens, Erhaltung der geistigen und moralischen Werte des Islam und Sicherung der arabischen Identität u. a. durch Professoren- und Studentenaustausch, gemeinsame Universitäts- und Kulturinstitute.
Organe:
1. *Rat* der Staatsoberhäupter der MSt., mit alleiniger Entscheidungsbefugnis (halbjährlich);
2. *Außenministerrat;*
3. *Ministerielle Sonderkommissionen (4)* für Nahrungsmittelsicherung, Wirtschaft und Finanzen, Infrastruktur, Arbeitskräfte;
4. *Generalsekretär* (seit 1991): Mohammed Amamou/Tunesien; **Sitz** in Rabat/Marokko;
5. *Konsultativversammlung:* je Staat 20 Parlamentarier; unterbreitet dem Rat Empfehlungen und soll später die Funktion eines Maghreb-Parlaments übernehmen (Sitz in Algerien geplant);
6. *Schiedsgericht:* je Staat 2 Richter (Sitz in Mauretanien geplant);
7. *Bank für Investitionen und Außenhandel* (Sitz in Tunesien geplant);
8. *Maghrebinische Universität* und *Akademie der Wissenschaften* (in Libyen geplant).
Entwicklung: Bisher 5 Gipfelkonferenzen (6/1988 in Algier, 1/1990 in Tunis, 7/1990 in Algier, 9/1991 in Casablanca und 11/1992 in Nouakchott sowie Sondergipfel 3/1991 in Ras Lanouf/Libyen). Tiefgreifende politische Differenzen (Hegemonieansprüche Marokkos und Algeriens; Westsahara-Konflikt), unterschiedliche Gesetzgebungen, schwerfällige Bürokratien, geringer Warenaustausch untereinander (3% der Gesamtexporte) und fehlende Finanzmittel verhinderten bisher weitgehend eine Realisierung zahlreicher gefaßter Beschlüsse sowie zügige Fortschritte zur wirtschaftlichen und politischen Integration der UMA-Staaten. Bisher verwirklicht: Aufhebung der Visapflicht und ungehinderter Reiseverkehr.

UNO ORGANISATION DER VEREINTEN NATIONEN
United Nations Organization

Gründung: Unterzeichnung der »Charta der Vereinten Nationen« am 26. 6.1945 in San Francisco/USA zum Abschluß der Gründungskonferenz von 50 Staaten (»Konferenz der Vereinten Nationen über die Internationale Organisation«). Polen, das auf der Konferenz nicht vertreten war, jedoch die »Erklärung der Vereinten Nationen« (der Alliierten des II. Weltkriegs) vom 1. 1. 1942 unterzeichnet hatte, gilt ebenfalls als »ursprüngliches Mitglied« und ist eines der somit 51 Gründungsmitglieder. Die Charta trat am 24. 10. 1945 in Kraft.

Mitglieder: 184, alle Staaten der Welt mit Ausnahme von Kiribati, Nauru, Palau (USA), Schweiz, Taiwan (Nationalchina), Tonga, Tuvalu und Vatikanstadt.

Hauptziele: Freundschaftliche Beziehungen zwischen den Nationen auf Grundlage der Gleichberechtigung und Selbstbestimmung der Völker; Zusammenarbeit bei der Lösung internationaler Probleme.

Sitz der Organisation: 1 U. N. Plaza, **New York,** NY 10017, USA. Weltweit Büros von UN-Einrichtungen, u. a.: Palais des Nations, CH–1211 **Genf** 10; Vienna International Centre (VIC), A–1400 **Wien.**

Amts- und Arbeitssprachen: Arabisch, Chinesisch, Englisch, Französisch, Russisch, Spanisch.

Haushalt: Ordentl. Zweijahreshaushalt 1992–93: 2,39 Mrd. US-$ (+10,2 % gegenüber 1990–91). Hohe Beitragsrückstände der MSt.

Personal (ohne Sonderorganisationen): rund 29 000 Personen, davon etwa 11 000 in New York.

I. Hauptorgane der UN (6)

1. UNGA/Generalversammlung:

Zentrales politisches Beratungsorgan, prüft und genehmigt den Haushalt der UNO, setzt die Beitragsquoten fest, bestimmt die Mitglieder der Organe, ernennt auf Empfehlung des Sicherheitsrats den Generalsekretär und kann sich zu allen Themen in Form von Entschließungen äußern (denen nach vorherrschender völkerrechtlicher Auffassung nur der Charakter von Empfehlungen zukommt). Jeder MSt. hat 1 Stimme. Die UNGA tritt jährlich am 3. Dienstag im September zusammen, hat 7 Hauptausschüsse (Politik und Sicherheit, Politischer Sonderausschuß; Wirtschaft/Finanzen, Soziales/Humanitäres/Kultur, Treuhandschaft, Verwaltung/Haushalt, Recht), 2 Verfahrensausschüsse (Beglaubigungs- und Präsidialausschuß), 2 Ständige Sachverständigenausschüsse (für Verwaltungs- und Haushaltsfragen/ACABQ und Beiträge), zahlreiche Nebenorgane (u. a. Rechnungsprüfungsausschuß, Interna-

tionale Völkerrechtskommission/ILC, Verwaltungsgericht/UNAT, Kommission für Internationales Handelsrecht/UNCITRAL, Kommission für den öffentlichen Dienst/ICSC), von der UNGA gegründete Sonderorgane *(→ Teil II)* sowie Vertragsorgane, die durch gesonderten völkerrechtlichen Vertrag eingesetzt und der UNGA institutionell zugeordnet wurden (u. a. Ausschuß zur Beseitigung der Rassendiskriminierung/CERD, Menschenrechtsausschuß/HRC, Ausschuß zur Beseitigung der Diskriminierung von Frauen/CEDAW).

2. UNSC/Sicherheitsrat:

Bedeutendstes Organ; betraut mit der »Hauptverantwortung für die Wahrung des Weltfriedens und der internationalen Sicherheit«, trifft für alle UN-Mitglieder verbindliche Beschlüsse. 15 Mitglieder: *5 Ständige Mitgl.:* VR China, Frankreich, Großbritannien, Rußland (seit 1991 für die aufgelöste UdSSR) und USA sowie 10 für 2 J. von der UNGA mit $^2/_3$-Mehrheit gewählte *Nichtständige Mitgl.:* 5 aus Afrika und Asien, je 2 aus Lateinamerika und der Gruppe der »westeuropäischen Staaten«, ein osteuropäisches Land; bis Ende 1993: Japan, Kapverden, Marokko, Ungarn und Venezuela; bis Ende 1994: Brasilien, Dschibuti, Neuseeland, Pakistan und Spanien. – Der Sicherheitsrat kann Nebenorgane einsetzen, darunter die

UN-Friedenstruppen (»Blauhelme«):

In »friedenserhaltenden oder friedensstiftenden« Maßnahmen in 26 Krisengebieten wurden bisher über 500 000 Personen eingesetzt (Gesamtkosten: 8,2 Mrd. US-$). »Blauhelme« sind nicht nur bewaffnete Einheiten, sondern auch Militärbeobachter oder unbewaffnete zivile Beobachter. Friedenstruppen dürfen nicht kämpfen, sondern nur zur Selbstverteidigung schießen. Seit 1948 kamen 850 UN-Soldaten ums Leben. – Das Mandat der Friedenstruppen wird in der Regel durch den UN-Sicherheitsrat halbjährl. verlängert. – Gegenwärtige Einsätze → *Karte Sp. 863/864.*

3. ECOSOC/Wirtschafts- und Sozialrat:

54 von der UNGA gewählte Mitglieder, jährliche Wahl von 18 Mitgliedern für je 3 Jahre. Der ECOSOC tagt halbjährlich und ist zentrales Organ für wirtschaftliche, soziale, kulturelle, erzieherische, gesundheitliche und verwandte Gebiete; er kann alle Themen seiner Arbeitsgebiete aus den UN-Organen und Unterorganisationen koordinieren und setzt Kommissionen ein: z.B. für Bevölkerung (27 Mitglieder), Menschenrechte (53), Soziale Entwicklung (32), Status der Frauen (32), Drogen (40), Statistik (24).

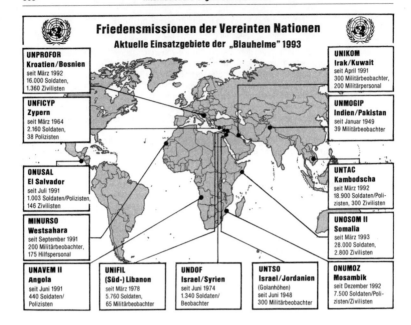

Friedensmissionen der Vereinten Nationen

Aktuelle Einsatzgebiete der „Blauhelme" 1993

UNPROFOR
Kroatien/Bosnien
seit März 1992
16.000 Soldaten,
1.360 Zivilisten

UNFICYP
Zypern
seit März 1964
2.160 Soldaten,
38 Polizisten

ONUSAL
El Salvador
seit Juli 1991
1.003 Soldaten/Polizisten,
146 Zivilisten

MINURSO
Westsahara
seit September 1991
200 Militärbeobachter,
175 Hilfspersonal

UNAVEM II
Angola
seit Juni 1991
440 Soldaten/
Polizisten

UNIFIL
(Süd-) Libanon
seit März 1978
5.760 Soldaten,
65 Militärbeobachter

UNDOF
Israel/Syrien
seit Juni 1974
1.340 Soldaten/
Beobachter

UNTSO
Israel/Jordanien
(Golanhöhen)
seit Juni 1948
300 Militärbeobachter

ONUMOZ
Mosambik
seit Dezember 1992
7.500 Soldaten/Polizisten/Zivilisten

UNIKOM
Irak/Kuwait
seit April 1991
300 Militärbeobachter,
200 Militärpersonal

UNMOGIP
Indien/Pakistan
seit Januar 1949
39 Militärbeobachter

UNTAC
Kambodscha
seit März 1992
18.900 Soldaten/Polizisten, 300 Zivilisten

UNOSOM II
Somalia
seit März 1993
28.000 Soldaten,
2.800 Zivilisten

---

5 Regionalkommissionen:

CEPALC/Comisión Económica para América Latina y el Caribe; engl. ECLAC: * 1948, Sitz: Casilla 179, Santiago/Chile, 33 lateinamerikan. Mitgl. sowie Frankreich, Großbritannien, Italien, Kanada, Niederlande, Portugal, Spanien, USA.

ECA/Economic Commission for Africa: * 1958, Sitz: Addis Abeba/Äthiopien (POB 3001), 51 afrikanische MSt.

ECE/Economic Commission for Europe: * 1947, Sitz: Palais des Nations, CH–1211 Genf 10, 43 Mitgl. (die west- und osteurop. UN-MSt. einschl. Türkei und Zypern; USA, Kanada, Japan, Israel und die Schweiz), tagt jährl.; Exekutivsekretär: Gerald Hinteregger/A. – Die ECE förderte nach 1945 den wirtschaftl. Wiederaufbau Europas; heute Koordinationsfunktionen mit anderen IGOs und INGOs (durch Sponsoring), vor allem (1992) auf den Sektoren Umwelt, Transport, »Ost-Statistik«, Handelserleichterungen, Ost-Wirtschaftsanalysen; federführend die EG und die USA.

ESCAP/Economic and Social Commission for Asia and the Pacific: * 1947, Sitz: Rajdamnern Avenue, Bangkok 2/Thailand, 48 MSt.: alle Staaten Süd-, Südost- und Ostasiens außer Taiwan; ferner Aserbaidschan, Frankreich, Großbritannien, Iran, Niederlande, Rußland und USA.

ESCWA/Economic and Social Commission for Western Asia: * 1973, Sitz: Bagdad/Irak (POB 27), 13 MSt.: Ägypten, Bahrain, Irak, Jemen, Jordanien, Katar, Kuwait, Libanon, Oman, Saudi-Arabien, Syrien, die Vereinigten Arabischen Emirate und die PLO.

4. UNTC/Treuhandrat:

Nachfolger des Mandatsausschusses des Völkerbundes; 5 ständige Mitglieder: Frankreich, Großbritannien, Rußland, USA und China als Aufsichtsorgan für das den UN unterstellte Treuhandgebiet Palau.

5. ICJ/Internationaler Gerichtshof:

* 1945, Sitz: Carnegieplein 2, NL–2517 KJ Den Haag; Hauptrechtsprechungsorgan der UNO; 15 von UNGA und UNSC für 9 J. gewählte Richter.

6. UNSG/Sekretariat:

(Politische) Administration mit sehr starker Stellung im Organisationsgefüge, vor allem durch den Generalsekretär, seit 1992: Boutros Boutros-Ghali/Ägypten, mehrere Untergeneralsekretäre und Beigeordnete Generalsekretäre mit fachlicher Zuständigkeit.

Die 184 **UNO-Mitglieder** in alphabetischer Ordnung mit Beitrittsjahr und Beitragsanteil am UNO-Gesamthaushalt 1992 bis 1994 (in Prozent; * = noch festzulegen):

Afghanistan	1945	0,01	Iran	1945	0,77	Österreich	1955	0,75
Ägypten	1945	0,07	Irland (Republik)	1955	0,18	Pakistan	1947	0,06
Albanien	1955	0,01	Island	1945	0,03	Panama	1945	0,02
Algerien	1962	0,16	Israel	1949	0,23	Papua-Neuguinea	1975	0,01
Andorra	1993	*	Italien	1955	4,29	Paraguay	1945	0,02
Angola	1976	0,01	Jamaika	1962	0,01	Peru	1945	0,06
Antigua u. Barbuda	1981	0,01	Japan	1956	12,45	Philippinen	1945	0,07
Äquatorialguinea	1968	0,01	Jemen	1947	0,01	Polen	1945	0,47
Argentinien	1945	0,57	Jordanien	1955	0,01	Portugal	1955	0,20
Armenien	1992	*	Kambodscha	1955	0,01	Ruanda	1962	0,01
Aserbaidschan	1992	*	Kamerun	1960	0,01	Rumänien	1955	0,17
Äthiopien	1945	0,01	Kanada	1945	3,11	Rußland (Russ. Föd.)	1945	9,41
Australien	1945	1,51	Kapverden	1975	0,01	Salomonen	1978	0,01
Bahamas	1973	0,02	Kasachstan	1992	*	Sambia	1964	0,01
Bahrain	1971	0,03	Katar	1971	0,05	Samoa (West)	1976	0,01
Bangladesch	1974	0,01	Kenia	1963	0,01	San Marino	1992	*
Barbados	1966	0,01	Kirgistan	1992	*	São Tomé u. Príncipe	1975	0,01
Belgien	1945	1,06	Kolumbien	1945	0,01	Saudi-Arabien	1945	0,96
Belize	1981	0,01	Komoren	1975	0,01	Schweden	1946	1,11
Benin	1960	0,01	Kongo	1960	0,01	Senegal	1960	0,01
Bhutan	1971	0,01	Korea, DVR	1991	0,05	Seychellen	1976	0,01
Bolivien	1945	0,01	Korea, Republik	1991	0,69	Sierra Leone	1961	0,01
Bosnien-Herzegowina	1992	*	Kroatien	1992	*	Simbabwe	1980	0,01
Botsuana	1966	0,01	Kuba	1945	0,09	Singapur	1965	0,12
Brasilien	1945	1,59	Kuwait	1963	0,25	Slowakische Rep.	1993	*
Brunei Darussalam	1984	0,03	Laos	1955	0,01	Slowenien	1992	*
Bulgarien	1955	0,13	Lesotho	1966	0,01	Somalia	1960	0,01
Burkina Faso	1960	0,01	Lettland	1991	*	Spanien	1955	1,98
Burundi	1962	0,01	Libanon	1945	0,01	Sri Lanka	1955	0,01
Chile	1945	0,08	Liberia	1945	0,01	St. Kitts und Nevis	1983	0,01
China (Volksrep.)	1945	0,77	Libyen	1955	0,24	St. Lucia	1979	0,01
Costa Rica	1945	0,01	Liechtenstein	1990	0,01	St. Vincent u. d. Gren.	1980	0,01
Côte d'Ivoire	1960	0,02	Litauen	1991	*	Südafrika (RSA)	1945	0,41
Dänemark	1945	0,69	Luxemburg	1945	0,06	Sudan	1956	0,01
Deutschland	1973	8,93	Madagaskar	1960	0,01	Suriname	1975	0,01
Dominica	1978	0,01	Makedonien, FJR	1993	*	Swasiland	1968	0,01
Dominikan. Rep.	1945	0,02	Malawi	1964	0,01	Syrien	1945	0,04
Dschibuti	1977	0,01	Malaysia	1957	0,12	Tadschikistan	1992	*
Ecuador	1945	0,03	Malediven	1965	0,01	Tansania	1961	0,01
El Salvador	1945	0,01	Mali	1960	0,01	Thailand	1946	0,11
Eritrea	1993	*	Malta	1964	0,01	Togo	1960	0,01
Estland	1991	0,01	Marokko	1956	0,03	Trinidad u. Tobago	1962	0,05
Fidschi	1970	0,01	Marshallinseln	1991	0,01	Tschad	1960	0,01
Finnland	1955	0,57	Mauretanien	1961	0,01	Tschechische Rep.	1993	*
Frankreich	1945	6,00	Mauritius	1968	0,01	Tunesien	1956	0,03
Gabun	1960	0,02	Mexiko	1945	0,88	Türkei	1945	0,27
Gambia	1965	0,01	Mikronesien	1991	0,01	Turkmenistan	1992	*
Georgien	1992	*	Moldau	1992	*	Uganda	1962	0,01
Ghana	1957	0,01	Monaco	1993	*	Ukraine	1945	1,18
Grenada	1974	0,01	Mongolei	1961	0,01	Ungarn	1955	0,18
Griechenland	1945	0,35	Mosambik	1975	0,01	Uruguay	1945	0,04
Großbritannien (UK)	1945	5,02	Myanmar (Birma)	1948	0,01	Usbekistan	1992	*
Guatemala	1945	0,02	Namibia	1990	0,01	Vanuatu	1981	0,01
Guinea	1958	0,01	Nepal	1955	0,01	Venezuela	1945	0,49
Guinea-Bissau	1974	0,01	Neuseeland	1945	0,24	Ver. Arab. Emirate	1971	0,21
Guyana	1966	0,01	Nicaragua	1945	0,01	Vereinigte Staaten	1945	25,00
Haiti	1945	0,01	Niederlande	1945	1,50	Vietnam	1977	0,01
Honduras	1945	0,01	Niger	1960	0,01	Weißrußland [Belarus]	1945	0,31
Indien	1945	0,36	Nigeria	1960	0,20	Zaire	1960	0,01
Indonesien	1950	0,16	Norwegen	1945	0,55	Zentralafrikan. Rep.	1960	0,01
Irak	1945	0,13	Oman	1971	0,03	Zypern	1960	0,02

II. Sonderorgane und Programme der UNO

INCB/Internationaler Suchtstoffkontrollrat:
* 1966, Arbeitsaufnahme 1968; Sitz: VIC, A–1400 Wien; Aufgabe: Einhaltung der UN-Drogenkonventionen (Suchtstoffkonvention 1961, Konvention über psychotrope Substanzen 1971, Protokoll zur Ergänzung der Suchtstoffkonvention 1972, Konvention gegen illegalen Handel mit Suchtstoffen und psychotropen Substanzen 1988); Mitgl.: 13 unabh. Fachleute (für 5 J. gewählt); Zweijahreshaushalt 1990–91: 3,7 Mio. US-$.

INSTRAW/Internationales Forschungs- und Ausbildungsinstitut zur Förderung der Frau:
* 1976, Arbeitsaufnahme 1979 als autonomes UN-Forschungsinstitut; Sitz: 120 Av. C. N. Penson, Santo Domingo/Dominikan. Rep.; Aufgabe: Förderung der Frauen durch Forschung, Ausbildung sowie Sammlung und Verarbeitung von Informationen; Aufsichtsgremium mit 11 Mitgliedern.

UNCDF/Kapitalentwicklungsfonds:
* 1966 als autonomes UN-Organ; Sitz: 304 East 45 Str., New York, NY 10017, USA; keine eigenen Leitungsorgane (Organisationseinheit des → UNDP); unterstützt durch Zuschüsse kleinere Investitionsprojekte (von durchschnittlich 1,5 Mio. US-$) hauptsächlich in den am wenigsten entwickelten Staaten (LDCs) in Bereichen Landwirtschaft, Transport und Wasserversorgung; Mittel aus freiwilligen Beiträgen, 1966–1990: 454 Mio. US-$.

UNCHS/Zentrum für Wohn- und Siedlungswesen (HABITAT):
* 1978 als zentrale Einrichtung für die Bereiche Städtebau, Bau- und Wohnungswesen v. a. in Afrika, Asien und Lateinamerika; Sitz: Nairobi/Kenia (POB 30030); das Aufsichtsgremium des Zentrums, die Kommission für menschliche Siedlungen des → ECOSOC, umfaßt 58 MSt.

UNCTAD/Welthandels- und Entwicklungskonferenz:
* 1964; Sitz: Palais des Nations, CH–1211 Genf 10, 183 MSt.; Organe: Konferenz aller MSt. und Handels- und Entwicklungsrat/**TDB** aus z. Zt. 131 MSt.; Generalsekr.: Kenneth Dadzie/GH; institutionalisierte Unterkonferenzen und Fonds (u. a. für Getreide, Hochseeschiffahrt), z. B. Gemeins. Rohstofffonds/**CFC** seit 1989. Schlüsselrolle im Nord-Süd-Dialog, Förderung des internat. Handels, insbes. mit den Entwicklungsländern, Hauptforum der Dritten Welt, um deren wirtschaftl. Vorstellungen durchzusetzen (Gegenpol zum GATT und zum IMF). Weltkonferenzen alle 4 J. – UNCTAD VIII vom 6. bis 25. 2. 1992 in Cartagena/Kolumbien: Entwicklungs-

länder weisen Verantwortung für ihre Lage nicht mehr einseitig den Industriestaaten zu, sondern anerkennen erstmals nationale Eigenverantwortung (z. B. für Korruptionsbekämpfung, Orientierung zur Marktwirtschaft, Abbau von Militärausgaben) als gleichgewichtig mit entwicklungsfördernden internationalen Rahmenbedingungen.

UNDP/Entwicklungsprogramm:
* 1965; Sitz: 1, U. N. Plaza, New York, NY 10017, USA. Wichtigste Unterorganisation und zentrale Finanzierungs- und Koordinierungsagentur des UN-Systems in der technischen Zusammenarbeit; tätig in allen Entwicklungsländern, Repräsentanzen in 112 Staaten zur Steuerung der technischen Zusammenarbeit der UN. Im UNDP-Rahmen waren bisher 185 000 Experten aus 164 Staaten tätig, es wurden 136 000 Stipendien gewährt und Projektausrüstung im Wert von 1,2 Mrd. US-$ gestellt; die Entwicklungsinvestitionen beliefen sich auf rund 90 Mrd. US-$. Administrator: William H. Draper/USA. Personal: 770 höherer Dienst, 9000 Experten (in rund 7000 Projekten), 330 Verwaltungsdienst. Finanzierung durch freiwillige Beiträge (über 90 % durch westliche Industriestaaten); Gesamtbeiträge bis 1989: 10,7 Mrd. US-$, 1989: 890 Mio. US-$. – Dem UNDP assoziiert:

UNIFEM/Frauenfonds für Entwicklungsfragen:
* 1985; Direktor: Sharon Capeling-Alakija/CDN; Beitrag der BR Dtld. 1989: 1 Mio. DM.

UNDRO/Amt des Koordinators für Katastrophenhilfe:
* 1971 (1972); Sitz: Palais des Nations, CH–1211 Genf 10; Aufgaben: Abstimmung und Aufsicht bei der Katastrophenhilfe der UN-Institutionen sowie Koordinierung mit anderen IGOs und INGOs; Zweijahreshaushalt 1990–91: 6,5 Mio. US-$.

UNEP/Umweltprogramm:
* 1972; Sitz: Nairobi/Kenia (POB 30552); Verwaltungsrat aus 58 Mitgliedern, Exekutivdirektor: Mustafa Kamal Tolba/Ägypten; Personal: ca. 500. Europa-Direktor: Martin Uppenbrink/D. – UNEP koordiniert umweltrelevante Aktivitäten der UNO-Organisationen (v. a. FAO, UNDP, UNESCO, WHO), ist jedoch kaum mit eigenen Programmen aktiv. Unter UNEP-Ägide: Montrealer Vertrag zum Schutz der Ozonschicht von 1987; Strategiepapier »Schutz unserer Erde« (1991) mit 130 Beispielen zur Verbesserung der Umwelt und der Lebensqualität. Vordringlich: Kampf gegen Treibhauseffekt. – **ITCC/**Internat. Expertenausschuß über Klimaveränderungen (* 1988 gemeinsam mit WMO) mit 3 Arbeitsgruppen: 1. neueste wissenschaftliche Informationen über globale Erwärmung, 2. sozio-ökonomische Auswirkungen der globalen Erwärmung, 3.

mögliche strategische Gegenmaßnahmen). – 3 *Informationsdienste* zum Datenaustausch: **GEMS**/ *Globales Überwachungssystem*, das weltweit sämtliche Umweltveränderungen kontinuierlich aufnehmen und verbreiten soll, **INFOTERRA**/*Internat. Umweltinformationssystem*, mit dem die in allen Ländern gespeicherten Daten international verfügbar gemacht werden sollen, und **IRPTC**/*Internat. Register von potentiell giftigen Chemikalien* in Genf/CH, das regelmäßig Analysen giftiger chemischer Substanzen weitergeben soll.

UNFDAC/*Fonds zur Bekämpfung des Drogenmißbrauchs:*
* 1971; Sitz: VIC, POB 500, A–1400 Wien; Aufgabe: finanzielle Unterstützung umfassender Länderprogramme zur Bekämpfung des Drogenmißbrauchs, Informations- und Aufklärungsprogramme; Haushalt 1990: 60 Mio. US-$.

UNFPA/*Bevölkerungsfonds des UNDP (→ oben):*
* 1967, seit 1979 Spezialorgan der UN-Generalversammlung bei Beibehaltung enger Arbeitsbeziehungen mit dem UNDP; Sitz: 220 E 42nd Street, New York, N. Y. 10017, USA; europ. Verbindungsbüro: Palais des Nations, CH–1211 Genf 10. UNFPA ist im Bereich Bevölkerungsstatistik und Familienplanung in rd. 130 Staaten tätig; Finanzierung durch jährliche freiwillige Zahlungen, Ausgaben 1991: 221 Mio. US-$. Seit 1985 sind die USA aus dem Kreis der freiwilligen Geberländer ausgeschieden, Japan und Deutschland (1990: 39 Mio. DM) gehören damit heute zu den Hauptfinanziers.

UNHCR/*Hoher Flüchtlingskommissar:*
* 1950; Sitz: 154 rue de Lausanne, CH–1211 Genf 2, dt. Büro in 53173 Bonn, Rheinallee 6; UNHCR hilft in erster Linie rassisch, religiös oder politisch Verfolgten und Vertriebenen (u. a. Soforthilfe, Repatrierungsprogramme und Rechtsschutz); Ausgaben 1990 (1989) 654 (587) Mio. US-$; Organe: Exekutivausschuß aus Vertretern von 46 Staaten, setzt Programmziele fest, genehmigt Einzelprojekte; Hochkommissar: Frau Sadako Ogata/J (seit 1991). Personal: ca. 2000, überwiegend in den Außenbüros (in über 80 Staaten). – UNHCR betreute Mitte 1993 rund 19 Mio. Flüchtlinge in 109 Ländern: fast 6,5 Mio. grenzüberschreitende Flüchtlinge in Südwestasien sowie im Nahen und Mittleren Osten, über 5 Mio. in Afrika, 4,4 Mio. in Europa, knapp 2 Mio. in Süd- und Nordamerika und über 1 Mio. in Ostasien und Ozeanien. Ferner gibt es 4,5 Mio. Palästinenserflüchtlinge, von denen 2,27 Mio. durch UNRWA (→ *unten*) betreut werden. – UNHCR erhielt 1954 und 1981 den Friedensnobelpreis.

UNICEF/*Kinderhilfswerk:*
* 1946; Sitz: 3, U. N. Plaza, New York, NY 10017, USA; Exekutivdirektor: James P. Grant/USA, 6 Regionalbüros, Versorgungszentrum/UNIPAC in Kopenhagen; Personal: 5250, davon 4400 in Entwicklungsländern; Finanzierung aus Spenden und freiwilligen Regierungsbeiträgen; Programm-Mittel für 1993: 427 Mio. US-$. UNICEF arbeitet in 113 Entwicklungsländern, hilft v. a. Kindern und Müttern in den Bereichen Gesundheitsfürsorge, Wasser und Hygiene, Ernährung und Erziehung. 1990 wurden Förderungsprogramme in 127 Staaten Asiens (233 Mio. US-$), Afrikas südlich der Sahara (216 Mio. US-$), des Mittleren Ostens, Nordafrikas (57 Mio.) und Lateinamerikas (58 Mio.) durchgeführt und 20 Mio. US-$ für überregionale Programme eingesetzt. – Deutsches UNICEF-Komitee: Höninger Weg 104, 50939 Köln.

UNIDIR/*Institut für Abrüstungsforschung:*
* 1980, seit 1982 eigenständiges UN-Institut; Sitz: Palais des Nations, CH–1211 Genf 10; Aufgabe: Forschungsarbeiten in den Bereichen internat. Sicherheit, Abrüstung und Rüstungskontrolle; Leitung durch den aus 24 Personen bestehenden Advisory Board on Disarmament Studies des UN-Generalsekretärs.

UNITAR/*Ausbildungs- und Forschungsinstitut:*
* 1963; Sitz: 801 U. N. Plaza, New York, N. Y. 10017, USA; Aufgaben: Aus- und Fortbildungsprogramme insbes. für Diplomaten aus Entwicklungsländern; Studien u. a. über Neue Weltwirtschaftsordnung, multilaterale Zusammenarbeit, Weiterentwicklung des Völkerrechts sowie die Funktionstüchtigkeit verschiedener UN-Institutionen; Finanzierung durch freiwillige Beiträge.

UNRISD/*Forschungsinstitut für Soziale Entwicklung:*
* 1963 als autonome UN-Einrichtung; Sitz: Palais des Nations, CH–1211 Genf 10; Aufgabe: Forschungsprogramme zur sozio-ökonomischen Entwicklung; Finanzierung aus freiw. Beiträgen.

UNRWA/*Hilfswerk f. Palästina-Flüchtlinge:*
* 1949; Sitz: VIC, A–1400 Wien, POB 484; Organe: Beratender Ausschuß aus 10 MSt., Generalkommissar: Ilter Turkmen/TR; Zweijahreshaushalt 1992/93: 572 Mio. US-$; Personal: 184 UN-Beamte und rd. 19000 Ortskräfte (überw. Palästinenser). UNRWA unterstützt heute in den Bereichen Erziehung und Ausbildung, medizinische Versorgung sowie humanitäre Maßnahmen fast 2,3 Mio. heimatlos gewordene Palästinenser, davon 900000 in den von Israel besetzten Gebieten.

UNSDRI/*Forschungsinstitut für Soziale Verteidigung:*
*1968; Sitz: 52, via Giulia, I–00186 Rom; Aufgabe: Forschungs- und Informationsarbeit zur Verbrechensverhütung.

UNU/*Universität der Vereinten Nationen:*
*1973 (1975) zur aktionsorientierten Forschung über »Weltprobleme« und als Weiterbildungseinrichtung für Jungakademiker; dezentralisiert, Verw.-Sitz: UNU, c/o Toho Seimei Building, 15–1 Shibuya 2-chome, Shibuya-ku, Tokyo 150, Japan; Rektor: Heitor Gurgulino de Souza/Brasilien. – Der UNU assoziiert: rd. 40 Institutionen in 32 Ländern, eigene Ausbildungs- und Forschungszentren.

UNV/*Entwicklungshelferprogramm:*
*1971; Sitz: Palais des Nations, CH–1211 Genf 10. UNV organisiert freiwillige Hilfskräfte (oft aus der Dritten Welt selbst) für den Einsatz in Entwicklungsländern; enge Verknüpfung mit dem → UNDP.

WFC/*Welternährungsrat:*
*1974; Sitz: Via Terme di Caracalla, I–00142 Rom, 36 Mitgl. im turnusmäß. Wechsel, auf Vorschlag des → ECOSOC für 3 J.; Exekutivdirektor: Gerald I. Trant/Kanada; kleiner Mitarbeiterstab (30 Pers.) bei der FAO. – Der WFC gibt Empfehlungen zur Hungerbekämpfung an UN und FAO.

WFP/*Welternährungsprogramm der UN/FAO:*
*1961, Arbeitsaufnahme 1963; Sitz: Via Cristoforo Colombo 426, I–00145 Rom; Ausschuß für Nahrungsmittelhilfepolitiken und -programme/**CFA** als Aufsichtsorgan (mit 30 MSt.); Exekutivdirektorin: Catherine Bertini/USA; Personal: 330 in der Zentrale und 250 in 80 Außenstellen. – Das WFP ist in über 90 Ländern tätig und leistet mehr direkte Hilfe an bedürftige Menschen als jede andere Organisation im UN-System. Seit Gründung wurden 10 Mrd. US-$ investiert sowie 1400 Projekte und 900 Notprogramme in Angriff genommen.

III. Sonderorganisationen im UN-Verband (Specialized Agencies)

Die Sonderorganisationen sind eigenständige internationale Organisationen (IGOs).

FAO/*Ernährungs- und Landwirtschaftsorganisation:*
*1945, 163 Mitgl. inkl. EG-Kommission; Sitz: Via delle Terme di Caracalla, I–00100 Rom; Organe: Konferenz (alle 2 J.), Exekutivrat aus 49 von der Konferenz für 3 J. gewählten Mitgl.; Sekretariat und 8 Regionalbüros; Generaldir.: Edouard Saouma/Li-

banon (1975–1993); Personal: über 6500; 8 Ausschüsse (z. B. Finanzen, Fischerei, Forsten). – Haushalt 1992/93: 646 Mio. US-$ (–4,6% gegenüber 1990/91), davon Dtld. 10,9%; große Beitragsrückstände. – Die FAO (nach der UNO weltgrößte IGO) strebt die Hebung des Ernährungs- und Lebensstandards in der Welt an, will die Lebensbedingungen der ländl. Bevölkerung durch Steigerung der landw. Produktivität und Produktion verbessern.

ICAO/*Internationale Zivilluftfahrtorganisation:*
*1944, 1947 in Kraft; 174 MSt.; Sitz: 1000 Sherbrooke St. W., Montreal, Quebec H3A 2R2/Kanada; Organe: Versammlung (alle 3 J.), Rat aus 33 Mitgl., 7 Fachausschüsse; Generalsekr.: Philippe H. P. Rochat/CH; Personal: über 1000. Haushalt 1992/93: 47 Mio. US-$ (davon Dtld. 7,3%). – Die ICAO fördert und koordiniert u. a. Entwicklung und Betrieb von Zivilflugzeugen, Flugrouten, Flughäfen und Flugsicherungsanlagen.

IFAD/*Internationaler Agrarentwicklungsfonds:*
*1976, 150 MSt.; Sitz: 107 Via del Serafino, I–00142 Rom; Organe: Gouverneursrat (jährl.) mit Präsident: Fawsi Hamad al-Sultan/Kuwait, Exekutivrat (18 Mitgl.), Sekretariat; Personal: ca. 250. Fondsvolumen ca. 1,1 Mrd. US-$. – IFAD stellt Finanzmittel zu Vorzugsbedingungen zur Verfügung, bes. für die Nahrungsmittelversorgung in den ärmsten Ländern. Bisher wurden 250 Projekte in fast 100 Entwicklungsländern durchgeführt.

ILO/*Internationale Arbeitsorganisation:*
*1919 als Internat. Arbeitsorganisation/**IAO**, ursprüngl. Verfassung war Teil XIII des Versailler Vertrages 1919 bzw. das von der Internat. Vereinigung für gesetzl. Arbeitsschutz 1901 errichtete Internationale Arbeitsamt/**IAA**; 1946 erste Sonderorganisation im Verband der UN. Hauptsitz der ILO und des IAA: 4 route de Morillons, CH–1211 Genf, weltweit rd. 40 Außenstellen – Regional-, Verbindungs- und Zweigbüros (so auch ILO-Sekretariat in 53173 Bonn, Hohenzollernstr. 22); Personal: rd. 3000 (1500 in Außenstellen). – 162 MSt.; Organe: Internat. Arbeitskonferenz tagt jährl., jeder MSt. entsendet 4 Delegierte: 2 Regierungs-, 1 Arbeitgeber- und 1 Arbeitnehmervertreter; Verwaltungsrat (56 Mitgl.); Int. Arbeitsamt/IAA als Exekutivorgan der ILO. IAA-Generaldir.: Michel Hansenne/B. Haushalt 1993/94: 466 Mio. US-$ (davon Dtld. 9,3%). – Die ILO fördert die Verbesserung des Lebens- und Arbeitsbedingungen der Arbeitnehmer durch (bisher über 170) internat. Arbeitsnormen und techn. Hilfeleistungen an Entwicklungsländer.

IMO/*Internationale Seeschiffahrtsorganisation:*
*1948, in Kraft 1958; 136 MSt. (umfaßt 99% der

Welthandelstonnage); Sitz: 4 Albert Embankment, London, SE 1 7SR; Organe: Vollversammlung (alle 2 J.), Rat (32 MSt.), 4 Ausschüsse (Schiffahrt, Recht, Schutz der Meeresumwelt, Techn. Zusammenarbeit) sowie Generalsekr.: W. A. O'Neil/Kanada; Personal: 315; Haushalt für 1992/93: 54,3 Mio. US-$. – Die IMO berät die UN in Schiffahrtsfragen (Seesicherheit, Umweltschutz) und erarbeitet zahlr. Übereinkommen zur Schiffssicherheit und zum maritimen Umweltschutz.

ITU/UIT/_Internationale Fernmeldeunion:_
*1865 als Welttelegraphenverein (20 MSt.), 1932 umgewandelt bzw. umbenannt in Weltnachrichtenverein, 1947 UN-Sonderorganisation; 172 MSt.; Sitz: Place des Nations, CH–1211 Genf 20; Rechtsbasis: Int. Fernmeldevertrag von 1982 (Nairobi); Organe: Konferenz der Regierungsbevollmächtigten (alle 5 J.), Verwaltungskonferenzen, Verwaltungsrat (43 Mitgl.), Ausschüsse für Frequenzregistrierung/ IFRB, Funkdienst/CCIR und Telegrafen- und Telefondienst/CCITT, Generalsekr.: Pekka J. Tarjanne/ Finnland; Haushalt 1992: 91 Mio. US-$ (davon Dtld. 8 %). – Die ITU fördert weltweit das elektronische Kommunikationssystem einschl. der Frequenzenzuteilung (auch Mobil-Endgeräte) und des Satellitenfunks.

IWF/IMF/_Internationaler Währungsfonds:_
*1945; 177 MSt.; Sitz: 700 19th St., NW, Washington D. C., 20431, USA; Organe: Gouverneursrat (alle MSt.), Exekutivdirektorium (24 Mitgl.), Vorsitzender: Exekutivdirektor des IMF, Michel Camdessus/F; Personal: 1720 aus über 100 Ländern; Verwaltungshaushalt 1992: 330 Mio. US-$. – Der IMF fördert die internat. Währungskooperation durch Kreditgewährung an MSt. insbes. bei vorübergehenden Zahlungsbilanzschwierigkeiten.

UNESCO/_Organisation für Erziehung, Wissenschaft und Kultur:_
*1946, 180 Voll- und 3 assoz. Mitglieder (USA, Großbritannien und Singapur 1985/86 ausgetreten); Sitz: 7, place de Fontenoy, F–75700 Paris, Dt. UNESCO-Kommission: Colmantstr. 15, 53113 Bonn (Generalsekr.: Traugott Schöfthaler/D); Organe: Generalkonferenz (alle 2 J.), Exekutivrat (51 Mitgl.), Generaldir.: Federico Mayor Zaragoza/E; Personal: 2800; Haushalt 1992/93: 445 Mio. US-$ (davon Dtld. 8,84%) – Die UNESCO fördert kulturell den Kommunikations- und Dokumentationssektor (auch z. B. Alphabetisierungskampagnen in der Dritten Welt) sowie Grunderziehung und Volksbildung, Wahrung der Menschenrechte.

UNIDO/_Organisation für industrielle Entwicklung:_
*1966, 161 Mitgl.; Sitz: Wagramer Str. 5, A–1400

Wien, 153 MSt.; Investitionsförderungsbüros/IPS in Köln (Unter Sachsenhausen 10–26, 50667 Köln), Mailand, Moskau, Paris, Peking, Seoul, Tokio, Warschau und Wien; Organe: Generalkonferenz (alle 2 J.), Rat für industrielle Entwicklung/IDB (53 Mitgl.), Generaldir.: Mauricio de Maria y Campos/ MEX (seit 1993); Personal: 1340; Haushalt 1992/93: 181 Mio. US-$ (davon Dtld. 8,9%). – UNIDO fördert Industrialisierungsprojekte in Ländern der Dritten Welt und soll dort auch andere UN-Aktivitäten koordinieren. 1990 führte die Organisation rd. 1900 Projekte der Technischen Hilfe im Gesamtvolumen von 160 Mio. US-$ durch.

UPU/_Weltpostverein:_
*1874, seit 1948 Sonderorganisation, 179 MSt.; Sitz: Weltpoststraße 4, CH–3000 Bern 15; Organe: Weltpostkongreß (alle 5 J.), Vollzugsrat/CE (39 Mitgl.), Konsultativrat für Poststudien/CCEP (35 Mitgl.), Internat. Büro mit Generaldir.: Adwaldo Cardoso Botto de Barros/Brasilien; Haushalt 1993: 29 Mio. sfr (davon Dtld. 5,4%). – Die UPU vervollkommnet die internat. Postdienste.

WHO/_Weltgesundheitsorganisation:_
*1946, 1948 in Kraft; 184 MSt.; Sitz: Avenue Appia, CH–1211 Genf 27, 6 Regionalbüros (Alexandria, Brazzaville, Kopenhagen, Manila, Neu-Delhi, Washington D. C.); Organe: Weltgesundheitsversammlung (jährl.), Exekutivrat (31 Mitgl.), Generaldir.: Hiroshi Nakajima/Japan; Personal: rd. 5400; Haushalt 1992/93: 735 Mio. US-$ (davon Dtld. 9,2%). – Die WHO bekämpft Epidemien und unterstützt Hygiene- und Gesundheitsprojekte (u. a. durch statistische AIDS-Dokumentation).

WIPO/_Weltorganisation für geistiges Eigentum:_
*1967, 1970 in Kraft; 132 MSt.; Sitz: Chemin des Colombettes 34, CH–1211 Genf 20; Organe: Generalversammlung (alle 3 J.), Konferenz (alle Mitgl.), Koordinierungsausschuß (tagt jährl.) und Internat. Büro mit Generaldir.: Arpad Bogsch/USA; Haushalt 1992/93: 216 Mio. sfr (davon Dtld. 5,8%). – Die WIPO fördert den gewerbl. Rechtsschutz und den Urheberrechtsschutz.

WMO/_Weltmeteorologieorganisation:_
*1947, 1950 in Kraft; 166 MSt. (mit Territorien); Sitz: 41 Av. G. Motta, CH–1211 Genf 2; Organe: Weltkongreß (alle 4 J.), Exekutivrat (36 Mitgl.), Generalsekr.: Godwin O. P. Obaisi/Nigeria; Personal: ca. 380; Haushalt 1992/93: 78,4 Mio. US-$ (davon Dtld. 8,8%). Die WMO unterhält zur Durchführung ihrer Aufgaben (Schwerpunktverlagerung auf Umweltfragen): **WWW/**Weltwetterwacht (*1968) und **GCOS/**Weltklimabeobachtungssystem (*1991).

Weltbankgruppe:
Sitz aller Institutionen: 1818 H St. NW, Washington D. C. 20433 (USA); europ. Büro: 66, av. d'Iéna, F–75116 Paris.

IBRD/*Internationale Bank für Wiederaufbau und Entwicklung* (= Weltbank im engeren Sinne): * 1944, 174 MSt.; Organe: Gouverneursrat (tagt jährl.) mit Präs.: Lewis T. Preston/USA (seit 1991), Exekutivdirektorium (24 Direktoren; tagen wöchentl.); rd. 6800 Mitarbeiter aus über 100 Staaten; Verwaltungshaushalt für 1992: 1,1 Mrd. US-$. – Die IBRD gewährt langfristige Darlehen an weniger entwickelte MSt. – vorrangig für Projekte zur Wirtschaftswachstumsförderung. – 1988 Beschluß über Kapitalerhöhung auf 171 Mrd. US-$ bis 1993. – Darlehenszusagen im Geschäftsjahr 1992: 15,2 Mrd. US-$, davon 11,7 Mrd. brutto ausgezahlt (Zinssatz 1992 durchschnittl.: 7,73%). – Die IBRD ist Treuhänder der Globalen Umweltfazilität/**GEF** (* 1991) und vergibt mit UNDP und UNEP Fondsmittel zu günstigen Konditionen an Entwicklungsländer und Länder Osteuropas für Projekte (bis Ende 1991: 50) mit globalem Umweltbezug; Finanzmittel: 1,3 Mrd. US-$ (bisher von 24 Staaten gespeist), davon entfallen 840 Mio. US-$ auf den Global Environmental Trust Fund/**GET** zum Schutz der internationalen Gewässer, der Artenvielfalt sowie zur Reduzierung klimawirksamer Gase.

IDA/*Internationale Entwicklungsorganisation:* * 1960, 145 MSt. (davon 31 »Geberländer«); Tochtergesellschaft der Weltbank, weitgehend organisatorisch und personell wie IBRD, gewährt Kredite v. a. an ärmere Länder und zu günstigeren Bedingungen (Laufzeit 35 – 40 J., 10 Freijahre, Bearbeitungsgebühr von 0,75%); Kreditzusagen 1991: 6,3 Mrd. US-$ für Projekte u. Programme in 43 Entwicklungsländern (davon 51% an Subsahara-Afrika), seit Beginn der Geschäftstätigkeit von insges. 58,2 Mrd. US-$ an 90 Staaten; geplantes Darlehensvolumen 1990–93: 17,1 Mrd. US-$.

IFC/*Internationale Finanz-Corporation:* * 1956, 154 MSt., Tochterges. der Weltbank (Zweigbüro seit 1993 in Frankfurt/M.) mit Schwerpunkt privater Investitionshilfen in Entwicklungsländern; Grundkapital 1991 um 1 Mrd. auf 2,3 Mrd. US-$ erhöht; Beschlußorgane wie IBRD und IDA; bisherige Gesamtinvestitionen: 10 Mrd. US-$ in über 1000 Projekte in 93 Ländern.

MIGA/*Multilaterale Investitions-Garantie-Agentur:* * 1985 als autonome Weltbank-Tochter, Arbeitsaufnahme 1988; Grundkapital: 1,1 Mrd. US-$ (10% bar einzuzahlen); 115 Signatarstaaten (6/1992); bei-

trittsberechtigt: IBRD-MSt. sowie die Schweiz. – Die MIGA soll privatwirtschaftl. Direktinvestitionen in Entwicklungsländern (Förderung des Privatsektors) durch Garantien gegen nichtkommerzielle (= z. B. politische Umsturz-)Risiken fördern, sofern diese nicht bereits in den einzelnen Industriegeberländern abgedeckt sind (Kapitalversicherungsagenturen). – Bis 30. 6. 1992 insges. 21 Bürgschaften mit max. Eventualverbindlichkeiten von 31 Mio. US-$ für Direktinvestitionen von 1 Mrd. US-$.

IV. Autonome Organisationen innerhalb des UN-Systems

GATT/Allgemeines Zoll- und Handelsabkommen: * 1947 (Abkommen), in Kraft 1948, **Sitz:** 154 rue de Lausanne, CH–1211 Genf 21; 110 Vertragsparteien (= MSt.), 30 weitere Anwenderstaaten. – **Aufgaben:** Regelung der Prinzipien (*Kodizes*) für ein offenes Welthandelssystem: gegen Handelsdiskriminierung, für Meistbegünstigungsklauseln bei Ein- und Ausfuhrzöllen, Überwachung von Zollhöchstsätzen für einen freien Wettbewerb, gegen nichttarifäre Handelshemmnisse/*Non-tariff-barriers* (= zollumgehende künstliche Schranken wie z. B. technische Normen oder Hygienevorschriften, Einfuhr- und Zulassungsbestimmungen sowie die Subventionierung einzelner Branchen – wie der Landwirtschaft). – **Organe:** Vollversammlung der Vertragsparteien (jährl.), Rat (monatl.) als zentrales Exekutivorgan, Ausschuß für Handel und Entwicklung (* 1964), Beratergruppe der Achtzehn (* 1975), Generaldir.: Peter Sutherland/Irland. – **Haushalt** 1992: 89 Mio. sfr. **Personal:** 350 + 50 Zeitkräfte während der Uruguay-Runde. – **Entwicklung:** Seit 1947 7 **Zollsenkungsrunden** abgeschlossen. Die 6. (**Kennedy-**) Runde 1964–1967 brachte einen durchschnittlichen Abbau um fast 36%, die 7. (**Tokio-**)Runde 1973–1979 um nochmals ein Drittel. Die Tokio-Runde bewirkte eine Eindämmung der Subventionen, einen Abbau nichttarifärer Handelshemmnisse, den Zugang ausländischer Anbieter zu Regierungsaufträgen, einen Anti-Dumping-Kodex sowie internationale Übereinkünfte bezüglich Rindfleisch und Milcherzeugnissen. Die 8. Runde (**Uruguay-Runde**; nach dem ersten Tagungsort Punta del Este/Uruguay) läuft seit 1986 (→ *Kasten Sp 877/878*).

IAEO/Internationale Atomenergie-Agentur: * 1957, 136 MSt., **Sitz:** Wagramerstraße 5, A–1400 Wien. – **Aufgaben:** Die IAEO überwacht weltweit mit sog. »Safeguards« Nuklearanlagen, insbes. nach den Bestimmungen des Kernwaffensperrvertrages (Atomsperrvertrag). Sie fördert auch die Kooperation in Kernforschung und Kerntechnik und gibt Empfehlungen für Reaktorsicherheit, Strahlen-

Die Uruguay-Runde des GATT

Ziele des GATT sind die weltweite Aufrechterhaltung des Freihandels durch Abbau der Zölle und anderer Handelsschranken sowie die Beseitigung der Diskriminierung im internationalen Warenaustausch. Dafür sind folgende **Prinzipien** (= Verhaltenskodizes für den Handel) maßgeblich:

1. *Allgemeine Meistbegünstigung:* Zoll- und Handelsvorteile, die eine Vertragspartei des GATT einem anderen Land einräumt, sollen allen Signatarstaaten zugute kommen.

2. *Weltweiter Zollabbau* im Rahmen der Zollrunden (→ unten).

3. *Beseitigung mengenmäßiger Beschränkungen* bei den Ex- bzw. Importen, die – vor allem, wenn sie einzelne Vertragsparteien diskriminieren – grundsätzlich unzulässig sind.

4. *Ausnahmen* zu den Prinzipien 1. bis 3. bilden die Schutzklausel bei »sektoraler Marktstörung«: Der Grundsatz der Meistbegünstigung gilt nicht für Zollpräferenzen, die bereits vor Inkrafttreten des GATT bestanden. Ferner besteht das Recht zum Zusammenschluß zu Zollunionen und Freihandelszonen. Mengenmäßige Einfuhrbeschränkungen sind bei Zahlungsbilanzschwierigkeiten erlaubt, Zugeständnisse für Entwicklungsländer ebenfalls.

Bis 1964 wurden im GATT-Rahmen bilaterale Zollsenkungen ausgehandelt, die aufgrund der Meistbegünstigung automatisch auch den übrigen Signatarstaaten zugute kamen. Seit der Kennedy-Runde 1964–1967 wird multilateral über »lineare« Zollsenkungen (d. h., derselbe Prozentsatz wird für möglichst viele verschiedene Tarifpositionen verwendet) verhandelt. In die seit 1986 in 16 Verhandlungsgruppen laufende 8. GATT-Runde (**Uruguay-Runde**) wurde eine Reihe bisher von den Freihandelskodizes ausgenommener Bereiche – Dienstleistungen, Agrarprodukte, Textilien und Schutz geistigen Eigentums im Handel – aufgenommen, die binnen 10 Jahren den GATT-Regeln voll unterworfen werden sollen. Der Dienstleistungs-Welthandel soll nach Abschluß der Uruguay-Runde in einer neuen Welt-Organisation geregelt werden: im *General Agreement on Trade in Services*/GATS. Ein mit dem Auftrag zur verbindlichen, exklusiven Schiedsgerichtbarkeit gestärktes GATT soll nach einem erfolgreichen Abschluß der Uruguay-Runde zur *World Trade Organization*/WTO ausgebaut werden.

Angesichts des konfliktträchtigen Programms wurde der Abschluß der Runde mehrfach verschoben. Zu den **offenen Fragen** (Stand: August 1993) gehört u. a., ob neben dem geplanten Abbau der Ausfuhrhilfen auch die Exportmenge im Agrarsektor gekürzt werden soll und welche Direktzahlungen zum Ersatz der internen Preisstützung in Zukunft erlaubt sind. Darüber hinaus verlangt die EG Zugeständnisse der USA bei den bisher zollfreien Futtermittelexporten. Bisherige Fristen zur Fertigstellung der Zoll-Listen bei Industrie- und Agrargütern (die Tarife sollen um $1/3$ gesenkt werden) konnten nicht eingehalten werden. Auch bei der Liberalisierung der Dienstleistungen tauchen neue Probleme auf. Die USA wollen große Teile dieses Handels von der geplanten Meistbegünstigung ausklammern, falls andere Staaten ihre Märkte nicht öffnen. Zwar bedeutet die **Vertagung des Abschlusses** nicht, daß die bestehenden Handelsregeln des GATT in Frage gestellt werden, aber diese reichen nicht mehr aus, da sie nur eingeschränkt für den Agrar- und Textilhandel gelten. Die Verzögerungen haben das GATT deutlich geschwächt; darüber hinaus wurde ein beschleunigter Prozeß der Bildung regionaler Freihandelsabkommen eingeleitet, die gegen die wichtigste GATT-Regel der Meistbegünstigung verstoßen. Von GATT-Seite werden genannt: Europäischer Binnenmarkt (→ *Kasten Sp. 777f.*), EWR (→ *Kasten Sp. 799/800*), → MERCOSUR, → NAFTA, → Andengruppe und AFTA (→ *ASEAN*).

---

schutz und physische Sicherheit von Kernmaterial. – Seit 1989 **Notfallbeistandssystem** in Betrieb, das auf einem *Beistandsplan*/NAREAP und einem *Handbuch* für die Frühwarnung und technische Hilfe bei Atomunfällen/ENATOM basiert.

Organe: Generalkonferenz der 153 Signatare (jährl. in Wien), Gouverneursrat (35 Mitgl.); Generaldir.: Hans Blix/S. – **Personal:** 2175. – **Haushalt** 1992: 207 Mio. US-$ (Dtld. 9,6 %).

Aktivitäten: Austausch wissenschaftl.-techn. Erfahrungen durch Fachtagungen und Förderungsprogramme (u. a. Unterstützung der Entwicklungsländer und Reformstaaten Mittel- und Osteuropas durch Experten, Stipendien, Schulungskurse und Geräte); Bereitstellung kerntechnischer Materialien, Dienstleistungen und Ausrüstungen; Förderung kerntechnischer Anwendungsgebiete einschl. Ernährung und Landwirtschaft, Medizin, Physik und Ingenieurwesen; Richtlinien und Empfehlungen für Reaktorsicherheit, Strahlenschutz und physische Sicherheit von Kernmaterial einschl. Wiederaufarbeitung und Abfallentsorgung durch sog. »Codes of

Practice« (Gebrauchsanweisungen) und »Safety Guides« (Sicherheitsempfehlungen) im Rahmen des »Nuclear Safety Standard Programme« (Standardprogramm für nukleare Sicherheit). **Die IAEO ist Kontrollorgan des Atomsperrvertrags** und soll gewährleisten, daß Kernmaterial nicht von zivilen zu militärischen Zwecken abgezweigt wird. Inspektoren (»Safeguards«) führen Kontrollen in über 60 Staaten (einschl. der 7 Kernwaffenstaaten Weißrußland, Großbritannien, Irak, Kasachstan, Rußland, Ukraine und USA) durch, 1991 z. B. in Bulgarien, 1992/93 im Irak. Die Zahl der insgesamt unter Kontrolle stehenden Installationen stieg 1990 (1980) auf 949 (772). Die Kosten für Inspektionen machen fast $1/3$ des IAEO-Gesamthaushalts aus. – Seit der Reaktorkatastrophe von **Tschernobyl** 1986 verstärkte Aktivitäten für wirksame Kontrollmechanismen bei Reaktorunfällen und zur Festlegung internat. Rechtsnormen (Frühwarnsystem usw.) und Nothilfeprogramme. – **Nordkorea** (DVR Korea) kündigte am 12. 3. 1993 seinen Austritt aus dem Atomsperrvertrag an und entzieht sich damit den Kontrollen.

WEU WESTEUROPÄISCHE UNION
Western European Union

Gründung am 23. 10. 1954 im Rahmen der »Pariser Verträge« als kollektiver Beistandspakt; in Kraft seit 6. 5. 1955. Die WEU verfügt nicht (wie etwa die → NATO) über eine eigene militärische Organisation.
Vorläufer: Britisch-französischer Bündnisvertrag von Dünkirchen vom 4. 3. 1947 sowie um BENELUX-Staaten erweiterter **»Brüsseler Pakt«** (»Pakt zur wirtschaftlichen, sozialen und kulturellen Zusammenarbeit und zur kollektiven Verteidigung«) vom 17. 3. 1948 – laut Präambel seinerzeit ein kollektiver Militärpakt gegen einen potentiellen Aggressor Deutschland. Nach Scheitern der Pläne zur Schaffung einer Europäischen Verteidigungsgemeinschaft (EVG) 8/1954 Modifizierung des Brüsseler Pakts auf Konferenzen in London (9–10/1954) und Paris (10/1954) unter Einbeziehung der BR Deutschland und Italiens.
Mitglieder (10): Belgien, Deutschland, Frankreich, Griechenland (seit 11/1992), Großbritannien, Italien, Luxemburg und die Niederlande sowie (seit 1989) Spanien und Portugal. *Assoziiert:* Island, Norwegen und Türkei (seit 20. 11. 1992). *Beobachter:* Dänemark u. Irland (seit 20. 11. 1992).
Ziele: Sicherheit der Partner durch automatischen Beistand (auch gegen jede Aggression; europäische Kooperation auf politischem, wirtschaftlichem und militärischem Gebiet. – Heute *de facto* nur ein sicherheitspolitisches Konsultationsforum; auch als

»Klammer« zwischen den NATO-MSt. und Frankreich, das seit 1986 nicht mehr dem Bündnis angehört. Ein Ausbau der WEU als Verteidigungskomponente der Europäischen Gemeinschaft im Rahmen der »Europäischen Union« wird ständig vorgeschlagen, jedoch nicht umgesetzt.
Organe:
1. *Rat:* Ministerrat; in der Regel Außen- und Verteidigungsminister, tagt halbjährl. und trifft politische Entscheidungen.
2. *Ständiger Rat* unter Leitung des Generalsekretärs auf Botschafterebene als Exekutive.
3. *Agenturen für Sicherheitsfragen* in Paris für: a) Studium von Rüstungskontroll- und Abrüstungsfragen; b) Studium von Sicherheits-/Verteidigungsfragen; c) Entwicklung und Zusammenarbeit bei der Rüstung (u. a. Fragen der Waffenstandardisierung und -produktion; bisher vom Ständigen Rüstungsausschuß wahrgenommen). – Ablösung dieser Agenturen durch ein Institut für Sicherheitsfragen in Vorbereitung.
4. *WEU-Versammlung* in Paris aus 89 Parlamentariern der MSt., vertreten in der Parlamentarischen Versammlung des → Europarates, tagt halbj., richtet Empfehlungen an Rat. Der *Präsident* wird jährlich gewählt (1993/94: Sir Dudley Smith/UK); 6 *Ausschüsse,* darunter der Verteidigungs- und der Politische Ausschuß.
5. *Sekretariat* mit einem Generalsekretär: Willem Van Eekelen/NL (seit 1989). – **Sitz:** Brüssel (seit 1/1993; zuvor London). – **Personal:** 150.
Amtssprachen: Englisch, Französisch.
Finanzen: Jahresbudget aus Beiträgen der MSt.; Verteilerschlüssel: Deutschland, Frankreich, Großbritannien und Italien je 17 %, Spanien 13 %, Belgien und Niederlande je 8,35 %, Luxemburg 3 %, Portugal 2 % (neuer Schlüssel geplant).
Entwicklung: Versuche zur Reaktivierung der WEU u. a. in Rom (1984) und Den Haag (1987) zur Stärkung des »europäischen Pfeilers« der NATO blieben bisher ohne Erfolg. Auch wenn die WEU in einer künftigen Europäischen Union gemäß Maastrichter Vertrag vom Februar 1992 (→ EG) für die Gemeinsame Außen- und Sicherheitspolitik eine integrale Rolle spielen soll, ist dies sehr ungewiß, denn z. B. Dänemark ist 1. nicht Mitglied der WEU und hat 2. den Maastrichter Vertrag (wie auch Großbritannien) nicht ratifiziert. Am 20. 6. 1992 beschließen die Außen- und Verteidigungsminister der 9 MSt. auf dem Petersberg bei Bonn, daß konventionelle Truppen aus den WEU-MSt. künftig für Blauhelm- und Kampfeinsätze zur Verfügung stehen sollen. Der Einsatz wurde vom WEU-Rat einstimmig im Einklang mit den Bestimmungen der UNO-Charta (→ UNO) – auf Beschluß des UN-Sicherheitsrates – gefaßt. Über die Teilnahme an Operationen entscheiden die MSt. nach wie vor als Souverän.

Weltbevölkerung – Religionen – Sprachen

WELTBEVÖLKERUNGSWACHSTUM

Makroregionen und bevölkerungsstarke Staaten	Einwohner in Millionen / Anteil an der Weltbevölkerung					
	1900	**in %**	**1960**	**in %**	**1990**	**in %**
Europa ohne ehemalige UdSSR und Türkei .	**296**	17,9	**425**	14,1	**498**	9,4
– EG-Staaten (jetzt 12)	137	8,3	172	5,7	340	6,4
– EFTA-Staaten (jetzt 7)	80	4,8	90	3,0	32	0,6
– Mittel- und osteurop. Reformstaaten . .	(78)	(4,5)	117	3,9	125	2,4
Ehemalige Sowjetunion (UdSSR)	**(136)**	**(8,1)**	**214**	7,1	**289**	**5,5**
– Rußland/Russische Föderation	70	4,2	118	3,9	147	2,8
– Kasachstan			10	0,3	17	0,3
– Ukraine	(14)	(0,8)	42	1,4	52	1,0
– Usbekistan			8	0,3	20	0,4
Nordamerika ohne Mexiko	**82**	5,0	**199**	6,6	**276**	**5,2**
– USA mit Alaska und Hawaii	76	4,5	182	6,0	249	4,7
– Kanada	(5)	(0,3)	18	0,6	27	0,5
Lateinamerika (ges. Mittel- & Südamerika)	**74**	4,5	**218**	7,0	**448**	**8,5**
– Argentinien			20	0,7	33	0,6
– Brasilien	17	1,0	68	2,3	150	2,8
– Mexiko	13	0,8	35	1,2	89	1,7
Afrika	**133**	8,1	**279**	9,2	**642**	**12,1**
– Ägypten	10	0,6	26	0,9	52	1,0
– Äthiopien (mit Eritrea)			22	0,7	50	1,0
– Nigeria (* 1914).	(–)	(–)	43	1,4	109	2,1
Asien ohne ehem. UdSSR, aber mit Türkei .	**925**	56,1	**1 668**	55,5	**3 113**	**58,8**
– China (heute nur Volksrepublik).	360	21,8	682	22,7	1 139	21,5
– Indien	225	13,6	437	14,5	853	16,1
– Indonesien	(–)	(–)	94	3,1	184	3,5
– Japan	44	2,8	95	3,1	124	2,4
– Pakistan (heutiges Staatsgebiet)	(–)	(–)	41	1,4	123	2,3
– Bangladesch (* 1971).	(–)	(–)	(52)	1,7	116	2,2
Ozeanien ohne Hawaii	**6**	0,4	**16**	0,5	**27**	**0,5**
– Australien (Australischer Bund)	4	0,2	10	0,3	17	0,3
Erde insgesamt	**1 650**	**100**	**3 020**	**100**	**5 292**	**100**

Achtung: Summenfehler durch Rundung! Zahlen in Klammern wegen Gebietsänderungen nicht korrekt erschließbar.

VERDOPPELUNGSZEIT DER WELTBEVÖLERUNG NACH UNESCO-SCHÄTZUNGEN VON 1992

Jahr	*Gesamtbevölkerung*	*Jährliche Wachstumsrate*	*Verdoppelungszeit in Jahren*
1 Mio.v.Chr.	wenige Tsd.	–	–
8000 v.Chr.	8 Mio.	0,0007 %	100 000
1	300 Mio.	0,046 %	1 500
1750	800 Mio.	0,06 %	1 200
1900	1,650 Mrd.	0,48 %	150
1970	3,700 Mrd.	1,9 %	36
2000	**6,200 Mrd.**	**1,7 %**	**41**

MEGASTÄDTE[+)]
Indikatoren zum wirtschaftlichen und soziokulturellen Entwicklungsstand

Lebensbereich →		WIRTSCHAFT					TRANSPORT UND KOMMUNIKATION			
	BSP/ pro Kopf	Beschäftigtenstruktur (%)			Energieverbrauch 1000 Kwh/		Pkw		Telefonanschlüsse	
Megastadt	1990 (USA= 100)	Jahr	Sek. Sektor	Tert. Sektor	Jahr	pro Einw.	Jahr	pro 1000 Einw.	Jahr	pro 1000 Einw.
AFRIKA										
Kairo	2, 8	1987	47, 8	50, 2	1989	1, 0	1989	68	1989	118
LATEINAMERIKA										
Buenos Aires	10, 9	1989	17, 0	82, 8	1988	1, 7	1989	151	1983	138
São Paulo	12, 3	1980	33, 0	56, 9	1989	1, 8	1988	301	1989	419
Rio de Janeiro . . .	12, 3	1980	29, 3	69, 6	1985	2, 1	1983	168	1985	231
Santiago	8, 9	1980	19, 7	78, 8	1989	0, 3[8]	1991	54	1985	133
Mexico City	11, 4	1986	26, 9	73, 1	1987	1, 8	1984	109	1985	234
Lima	5, 3	1987	18, 5	81, 3	1986	0, 6	1987	66	1987	45
ASIEN										
Dakka	1, 0	1981	48, 2	51, 8	1982	0, 1	1984	6	1982	5
Schanghai	1, 7	1987	52, 2	33, 6	1987	2, 7	1987	5	1988	51
Beijing	1, 7	1986	36, 8	61, 4	1987	1, 6	1986	7	1988	97
Tianjin	1, 7	–	–	–	1987	1, 6	1987	4	1988	38
Hongkong	54, 8	1980	42, 0	56, 0	1986	1, 8	1985	29	1986	342
Bombay	1, 6	–	–	–	1982	0, 2	1988	22	1988	79
Calcutta	1, 6	1980	2, 6	96, 9	–	–	1988	15	1988	30
Delhi	1, 6	1980	32, 2	66, 7	1989	0, 7	1988	25	1988	62
Madras	1, 6	1988	40, 7	59, 2	1986	0, 4	1988	18	1988	36
Jakarta	2, 6	1986	25, 0	74, 9	1988	0, 8	1988	76	1987	46
Teheran	11, 4	1986	19, 5	70, 9	1987	1, 0	1986	173	–	–
Tokyo-Yokohama . .	116, 7	1986	18, 7	81, 2	1990	5, 1	1989	216	1990	635
Osaka	116, 7	1986	19, 4	80, 6	1990	7, 3[7]	1989	173[7]	1990	740[7]
Nagoya	116, 7	1986	19, 5	80, 5	1990	6, 1[7]	1989	317[7]	1990	582[7]
Seoul	24, 8	1986	30, 8	69, 1	1990	1, 5	1990	83	1990	370
Karachi	1, 7	1980	39, 3[2]	60, 7	1977	0, 3	1987	50	1985	112
Metro Manila	3, 4	1980	23, 2	70, 9	1988	1, 0[7]	1990	34	1990	58
Bangkok	6, 5	1970	18, 2	68, 9	1989	2, 6[5]	1985	59	1989	182
Istanbul	7, 5	1980	34, 0	60, 5	–	–	1980	45	1980	78
Zum Vergleich										
New York	100, 0	1984	12, 6	87, 4	1989	4, 1	1984	497[6]	1986	622[7]
Los Angeles	100, 0	1977	10, 4	89, 6	1989	6, 2	1984	1362	1984	1272[7]
Chicago	100, 0	1987	22, 2[1]	77, 6[1]	1989	22, 9	1988	354	1989	1682[7]
Paris	89, 4	1981	20, 1	79, 8	1980	4, 1[7]	1985	371[6]	1985	524
London	73, 9	1982	18, 3	81, 6	1985	4, 0	1982	297	1981	498
Moskau	–	–	–	–	1989	3, 9	1989	62	1988	399
St. Petersburg . . .	–	–	–	–	1989	3, 9	1989	58	1989	319

[+)] = > 5 Mio. Einwohner (1990); – = keine Angaben erhältlich

[1] bezogen auf Cook County; [2] einschl. Primärer Sektor; [3] ohne Erdölprodukte – sonst: 216; [4] Provinz; [5] Schätzung; [6] Metropolitan Region;

Quellen: Institut d'Estudis Metropolitans de Barcelona (Ed.):
1988 Cities. Statistical, Administrative and Graphical Information on the Major Urban Areas of the World, Barcelona.
Population Crisis Committee (Ed.): 1990 Cities – Life in the Worlds 100 Largest Metropolitan Areas, Washington, D. C.
Statistics Division, Bureau of General Affairs, Tokyo Metropolitan Government (Ed.):
1991 Statistics of World Large Cities, Tokyo.

GESUNDHEIT, ERZIEHUNG UND KRIMINALITÄT

Säuglings-sterblichkeit		Ärzte		Krankenhausbetten		Wasserverbrauch		Schüler auf höheren Schulen		Tötungen/ Morde pro 100 000 Einw.	
Jahr	pro 1000 Geburten	Jahr	pro 1000 Einw.	Jahr	pro 1000 Einw.	Jahr	m³/Einw.	Jahr	pro 1000 Einw.	Jahr	Anzahl
1985	30,8	1990	0,9	1985	1,0	1989	164	1989	56,3	1989	56,4[6]
1983	18,2	1980	6,7	1980	8,5	1980	122	1982	148,5	1989	7,6
1984	53,2	1989	2,7	1985	3,5[6]	1989	70	–	–	"	26,0
1979	64,0[6]	1984	4,2	–	–	1985	99	–	–	"	36,6
1985	3,0	1987	0,6	1985	2,8[5]	1980	68	1989	45,9	"	7,4
1985	31,3	1991	0,8	1983	1,7	1985	134	1989	34,2	"	27,6[6]
1985	47,0	1987	2,3	1985	2,8	1986	19	1987	49,9	–	–
–	–	–	–	–	–	1982	11	1981	2,1	1989	2,4
–	–	1989	7,3	1985	4,9[6]	1985	34	1989	14,8	"	2,5
–	–	1989	7,1	1985	3,7	1984	80	1989	19,2	"	2,5
–	–	1989	5,5	–	–	–	–	1989	9,3	"	2,5
1986	7,7	1986	1,0	1986	4,5	1986	130	–	–	"	1,5
1981	60,9	–	–	1988	3,3	1982	69	–	–	"	3,2
–	–	–	–	1988	4,1	1986	106	–	–	"	1,1
1983	44,5	–	–	1988	2,1	1989	76	–	–	"	4,1
–	–	1988	0,5	1988	3,2	1986	30	1989	9,4	"	1,1
1985	42,0	1988	0,3	1984	1,4	1988	20	1988	36,1	"	5,3
–	–	1989	1,3	–	–	1987	45	1988	8,5	–	–
1984	5,1	1990	2,9	1985	12,3	1989	135	1990	47,1	1989	1,4[6]
–	–	1990	3,3	–	–	1989	186[7]	1990	17,5[7]	"	1,7[6]
–	–	1990	2,5	–	–	1989	132[7]	1990	36,8[7]	"	1,3
1985	0,6	1988	1,0	1985	2,4	1990	95	1989	48,0	"	1,2[6]
–	–	1987	0,2	1985	1,0	1985	85	1986	12,2	"	5,7
1985	39,9	1987	1,9	1984	5,1	1985	92	1988	440,2[7]	"	30,5
1986	9,3	1988	0,9	1985	0,4	1989	156	1988	101,0	"	7,6
1985	39,8[5]	1986	1,9	1985	3,8	–	–	1980	89,9	"	3,5
1987	12,3	1985	3,5	1988	4,3[10]	1986	252	1984	58,4	1989	12,8[6]
1987	9,2	1984	7,0	1988	3,2[10]	1980	426	1985	74,8	"	12,4
1987	13,0	1988	4,9	1988	4,3[10]	1989	472[7]	–	–	"	10,6
1985	17,8	1980	3,4	1987	9,9	1983	82	1979	157,4[7]	1989	2,4[6]
1971	5,6	1978	0,5	1985	7,5	–	–	1978	154,9	"	2,5[6]
–	–	1988	10,6	–	–	1989	239	1989	50,0	"	7,0[6]
–	–	1988	8,6	–	–	1989	188	198	55,4	"	7,3[6]

[7] Kernstadt bzw. Kerngebiet; [8] nur Industrieverbrauch; [9] China = 100; [10] ohne Bundeskrankenhäuser.

The World Bank (Ed.): The World Development Report 1992, Washington, D. C.

Statistiken der Staaten (Nationalstatistiken)

Zusammenstellung und Berechnung: Prof. Dr. Dirk Bronger, Geographisches Institut der Ruhr-Universität Bochum

DIE SPRACHEN EUROPAS (Muttersprachen/Umgangssprachen)

In Europa gibt es heute 70 lebende Sprachen. Die Tabelle nennt sie in der Reihenfolge ihrer muttersprachlichen Verbreitung (Lateinisch, Esperanto etc. deshalb unberücksichtigt). Die kaukasischen Republiken der ehemaligen Sowjetunion (Armenien, Aserbaidschan, Georgien) wurden bis auf die südlichsten Republiken und autonomen Gebiete Rußlands (Nordossetien usw.) nicht als zu Europa gehörig betrachtet. Die Zahlenangaben für die jugoslawischen Sprachen berücksichtigen nicht demographische und kriegsbedingte Verschiebungen und Bevölkerungsverluste seit 1991.

Alle Angaben, soweit nicht anders angegeben, sind Schätzungen.
Verbreitungsgebiete nach Staaten (mit Amtssprachenstatus: Verbreitungsgebiet halbfett)
Abkürzungsverzeichnis der Länderbezeichnungen → Sp. 17 ff.

EurEmig = davon in der (nord-)europäischen (Arbeits-)Emigration, einschl. zugewanderter Deutscher im europäischen Ausland
GUS = Statistik der ehemal. Sowjetunion (Einzeldaten neuer Republiken nicht verfügbar)
(bis zu ... !) = von den offiziellen Zählungen abweichende Maximalschätzungen.

1. **Russisch** diesseits des Ural . . . . . .   100 000 000   **GUS** (UKR 11 340 000), CZ, EW, LR, LT
RO (Z 1991) 38 688

2. **Deutsch** mit regionalen Varianten . . .   91 000 000   **D** 75 Mio., **A** 7,2 Mio., **CH** 3,9 Mio.
GUS 1 104 000 (UKR 38 000), F/Elsaß und
Lothringen 1,2 Mio., PL 1 Mio., L 300 000
I/**Südtirol** usw.(Z) 292 450, H 210 000
RO (Z 1991) 119 436 (stark abnehmend)
B/**Ostkantone** 70 000, CZ 49 000
DK/**NoSchleswig** 20 000, **FL** 20 000, SQ 3 000
EurEmig: F 44 000, UK 43 000, S 40 000,
E 39 000, NL 39 000, GR 11 000, P 4000.

3. **Englisch** mit den regionalen Varianten.   59 000 000   **UK, IRL, GBG, GBJ, GBM, GBZ, M, CY**;
EurEmig: allein 83 000 in D(West)

4. **Französisch** mit Provenzalisch . . . .   55 000 000   **F, B, CH**, I/**Aostatal** 100 000 und Piemont
(ohne Okzitanisch) 10 300, **L, MC, GBG, GBJ**
EurEmig: allein 72 000 in D(West)

5. **Italienisch** mit regionalen Varianten . .   53 000 000   **I**, **CH**/Tessin, F/Korsika und Region Nizza,
(aber ohne Friulanisch, Sardisch usw.) HR/Istrien, Rijeka/Fiume, Zadar/Zara
25 000; SLO/Istrien Nordküste, Kopar/Capo-
distria 2500; AL, M, MC, RO 2500, **RSM**, V
EurEmig über 1 Mio.: in D 558 000
in B 250 000, in F 334 000

6. **Ukrainisch** einschl. Ruthenisch . . . .   44 183 000   **UKR** 38 000 000, sonstige GUS, CZ, PL, SQ
(Z 1989) (Ostslawisch) YU (Ruthen. in Serbien), RO (Z 1991) 66 833

7. **Polnisch** . . . .   34 000 000   **PL**, UKR 220 000, sonstige GUS, CZ 70 000
(Westslawisch) RO (Z 1991) 4247, SQ 3000
EurEmig: D (saisonweise 500 000) 286 000

8. **Spanisch**: Kastilisch/Kastilianisch. . .   29 400 000   **E**/Zentral- und Südspanien, P/Miranda
(Ibero-Romanisch) **EurEmig** 700 000, davon in D 134 000 (aus
ganz Spanien), in F 300 000

9. **Rumänisch** . . . .   22 000 000   **RO**, YU, UKR 459 000, sonstige GUS, AL, BG,
mit Moldauisch und Aromunisch H 25 000, GR/Thrakien; **EurEmig:** D 167 000

10. **Niederländisch** . . . .   20 000 000   **NL, B**/Flandern mit Brüssel, F/Dept. Nord
Holländisch und Flämisch um Lille; **EurEmig:** B, D 100 000, UK

11. **Serbisch und Kroatisch** . . . .   17 000 000   **YU** (Serbien 6 200 000), **HR** 3 500 000
Kajkawisch, Tschaikawisch, H 85 000, A/vor allem Burgenland 21 000
Neustokawisch (Südslawisch) RO 31 000, I/Molise 2200; **EurEmig:** allein
900 000 in D (davon 300 000 Kroaten)

12. **Ungarisch** . . . .   14 000 000   **H**, **RO** 1 600 000 (Z 1991)(bis zu 2 Mio.!)
Madjarisch/Magyarisch YU/**Vojvodina** 390 000, SQ 578 000, CZ 23 000
(Finno-ugrische Sprache) UKR 162 000, A/Burgenland und Wien 9000

13. **Griechisch** . . . .   12 300 000   **GR** 9 900 000, **CY** 490 000, AL/Nordepirus
Neugriechisch   200 000, GUS 200 000 (UKR 100 000), MAK
(eigene europäische Sprachfamilie)   100 000, I/Apulien 12 500, TR (europ. Teil)
      6000, RO (Z 1991) 3997, BG
      Emig weltweit 3 000 000, in D 346 000

14. **Portugiesisch** ohne Galicisch in Spa-   10 000 000   **P** 9 800 000; hohe **EurEmig:** F 765 000,
nien (Ibero-Romanisch)   D 99 000, L (2./3. Generation)

15. **Tschechisch**. . . . .   9 850 000   **CZ** 9 742 000, SQ 64 000, HR, RO (Z 1991)
(Westslawisch)   20 672 mit Slowaken, UKR 4100, A 4000

16. **Bulgarisch und Makedonisch** . . . . .   9 800 000   **BG, MAK** 1 300 000, UKR 232 000, Makedonien,
(beide sehr ähnlich; Südslawisch)   RO (Z 1991) 9935, TR/Ostthrakien

17. **Schwedisch** (Nordgermanisch) . . . .   9 000 000   **S; SF**/bes. Südwesten/**Aland** (zus. 350 000)

18. **Katalanisch** . . . .   7 300 000   **E/Katalonien** 6 000 000, F/»Nordkatalonien«
ohne Campidanesisch auf Sardinien   um Perpignan 100 000, **AND** 30 000, I/Alghero
(Ibero-Romanisch)   auf Sardinien 20 000; **EurEmig** 300 000

19. **Weißrussisch** (Z 1989) . . . .   6 708 000   **BLR**, UKR 440 000, PL südl. Bialystok:
Bjelorussisch (Ostslawisch)   Bielsk Podlaski

21. **Dänisch** ohne Färingisch (Nordgerm.)   5 400 000   **DK** mit Grönland, D/**Südschleswig** 25 000

22. **Albanisch** . . . .   5 300 000   **AL** 3 100 000 Skiptar (aus Gegisch und
Skiptar und Arbereshe   Toskisch), YU/Kossovo u. Serbien 1 500 000
(eigene europäische Sprachfamilie)   MAK 450 000, I/Kalabrien usw. 80 000
      90 000, GR, RO, BG, UKR 3400

23. **Slowakisch** (Westslawisch) . . . . . .   5 200 000   **SQ** 4 585 000, CZ 425 000, H 110 000, HR
      PL, UKR 8000

24. **Norwegisch** . . . .   4 800 000   **N**: Bokmal im Osten, Nynorsk im Westen
(Riksmal, Bokmal und Nynorsk)

25. **Finnisch** (Finno-Ugrisch) . . . .   4 600 000   **SF**, R/Karelien, S, N, UKR 1200

26. **Türkisch** . . . .   4 300 000   **TR**, GR 55 000, GUS (Z 1989) 207 369, CY
nur europäische Türkei berücksichtigt   BG, YU/Kossovo, RO (Z 1991) 29 533
(Turksprache)   **EurEmig** 2 500 000, in D 1 855 000
      aus der Gesamttürkei (incl. Kurden)

27. **Galicisch** ohne Portugiesisch . . . . .   2 700 000   E/**Galicien; EurEmig** 200 000
(Ibero-Romanisch)

28. **Litauisch** (Baltisch) . . . .   2 545 000   **LT**, PL, UKR 11 000

29. **Tatarisch**/Turktatarisch . . . .   2 200 000   **R**/Tatarstan 1,8 Mio. und Baschkirien
(nur europ. Teil)   UKR 131 000, RO (Z 1991) 24 649, BG 11 000
(Westliche Turksprache)   TR 10 000, PL

30. **Slowenisch** mit regionalen Varianten .   1 900 000   **SLO** 1 764 000, I/Jul.-Venetien mit **Triest**
(Südslawisch) (Z 1981)   52 170, A/**Kärnten** 17 000, H 5000

31. **Tschuwaschisch** . . . .   1 839 228   **R**/Tschuwaschien 907 000, UKR 20 000
(Westl. Turksprache) (Z 1989)

32. **Baschkirisch** (Z 1989). . . . .   1 449 462   **R**/Baschkortostan 900 000 und Tatarstan
(Nordwestliche Turksprache)   500 000, UKR 7800

33. **Lettisch** (Baltisch) . . . .   1 357 000   **LR**, UKR 7200

34. **Mordwinisch** (Wolgafinnisch) (Z 1989)   1 153 516   **R**/Mordwinien 313 000, Wolgagebiet
      UKR 19 000

35. **Estnisch** (Finno-Ugrisch) . . . .   960 000   **EW**, LR, UKR 4200

36. **Okzitanisch** mit Varianten . . . .   800 000   **F** 700 000, I/Westpiemont 50 000
(ohne Provenzalisch; **unsichere Ang.**!)   E/Val d'Aran 4000

37. **Romani** . . . .   800 000   H 275 000, BG, CZ 30 000, D, GR 14 000
(Sinti- und andere Zigeunersprachen)   GUS, PL, RO (Z 1991) 409 723 (bis zu
      600 000!), UKR 48 000

38. **Votjakisch/Udmurtisch** (Z 1989) . . .   746 562   R/**Udmurtien** (ehem. Votjakische ASSR)
(Finno-Ugrisch)   497 000, UKR 8600

39. **Jiddisch**. . . . .   700 000   A, B, BG, CZ, SQ, D, F, GUS (insbes. UKR)
(dt.-slaw.-hebräische Mischsprache)   H 40 000, I (insbes. Kalabrien), PL, RO
      UK; ehemaliges YU (alle 6 Republiken)

40. **Romanisch**	700 000	**I**/Friaul 625 000, Trentino-**Südtirol** u. a.
Friulanisch, Ladinisch und Romantsch		27 500, **CH**/Graubünden 50 000
41. **Mari/Oschmari**	671 000	**R**/Republik **Mari** El 349 000, Tatarstan
(Finno-Ugr./Wolgafinnisch)		Baschkortostan. (Ansonsten transuralisch)
42. **Ossetisch** (Nordostiranische Sprache)	597 802	**R**/Nordossetien 335 000
(Z 1989) Eigenbez.: Iron bzw. Digoron		Rest Georgien/Kaukasusrepubliken
43. **Tscheremissisch** (Finno-Ugrisch). . .	550 000	**R**/Tscheremissische Republik
44. **Walisisch**/Kymrisch (Keltisch)	520 000	**UK**/Wales, davon 21 000 **nur** Walisisch
45. **Baskisch** (Euskaldunak)(Z 1986) . . .	511 000	**E** und F/Baskenland (Euskadi)
(eigene Sprachfam.)		**EurEmig** 120 000
46. **Komi, Syrjänisch und Permjakisch** . .	497 081	**R**/Republik **Komi** 292 000
(Z 1989) (Permgruppe /Finno-		UKR 6000
Ugrisch)		
47. **Friesisch**: West-, Nord- und Ost- . . .	445 000	**NL**/Friesland, D/Saterland bei Oldenburg
friesisch (Germanisch)		1000 (Ostfriesland prakt. keine Sprecher)
48. **Maltesisch** (arab.-siz. Mischspr.) . . .	330 000	**M**
49. **Bretonisch** (Keltisch)	270 000	F/Westbretagne
50. **Isländisch** (Altnordgermanisch) . . .	218 000	**IS**
51. **Gagausisch** (Z 1989)	197 164	MOL und UKR 157 000
Osman.-türkischer Dialekt		G 5000, RO
52. **Kalmückisch** (Z 1989).	174 528	**R**/insbes. Republik Kalmückien 146 000
(Oiratisch-Mongolisch)		UKR 708
53. **Sardisch** (Ibero-Romanisch)	158 000	I/Sardinien ohne Nordküste
nur Logudoresisch u. Campidanesisch		(inoffiz. Z 1992)
54. **Karelisch** (Finno-Ugrisch) (Z 1989) . .	131 357	**R**/Republik **Karelien** 79 000, ansonsten um
		Nowgorod und Twer, UKR 2271
55. **Adyge-Tscherkessisch**	125 000	**R**/Rep. **Adygeja** 95 000 (30 000 sonstige GUS)
(Nordwestkaukasisch)		
56. **Sorbisch** (Z 1987).	67 000	**D**/Niederlausitz
(Westslawisch)		(einschl. Zweisprachler Sorbisch/Deutsch)
57. **Färöisch/Färingisch** (Nordgerm.) . .	43 000	**DK**/Färöer-Inseln
58. **Irisch-Gälisch** (Keltisch)	40 000	**IRL**/Gaeltacht: Westirland
59. **Nenzisch/Jurakisch** (Finno-Ugrisch) .	17 000	**R**/Westural (Barentssee)
60. **Lappisch/Samisch** (Finno-Ugrisch) . .	15 800	N 8000, S 2000, SF 3800, R 2000
61. **Judenspanisch/Ladino**	15 000	E/Südspanien, BG/Sofia, BOS/Sarajevo
(Westromanischer Dialekt)		GR/Thessaloniki, TR/Istanbul
62. **Armenisch** (nur europäischer Teil!) . .	7500	RO (Z 1991)
63. **Vespisch** (Z 1960; fast ausgestorben) .	7500	**R**/Dreieck Beloje-Ozero
Ostseefinnisch (Finno-Ugrisch)		Onegasee, Ladogasee
64. **Kaschubisch** (Westslawisch)	3000	PL: Sprachinseln westl./nordwestl. Danzigs
65. **Schottisch-Gälisch** (Keltisch; Z 1981)	1000	**UK**: Schottisches Hochland, Hebriden
66. **Karaimisch** (nordwestl. Turkspr.) . . .	300	LT/Vilnius, UKR/Galica
67. **Ingrisch**/Ostseefinnisch (Z 1960) . . .	100	**R**/östl. von Estland, bei Sankt Petersburg

Quellen und weitere bibliographische Hinweise:
Bechert, Johannes/**Bernini**, Giuliano/**Buridant**, Claude (Hg.):
Towards a Typology of European Languages. Berlin usw.: Mouton/De Gruyter 1990, 390 S.
Clauss, Jan U.: Sprachminderheiten in den EG-Staaten (Diss.). Florenz/Badia Fiesolana: Europ. Hochschulinstitut/EHI 1982, 528 S. (26 Karten); Aktualisierungen: Lettera d'Italia 25/1992.
Götz, Roland/**Halbach**, Uwe: Republiken und nationale Gebietseinheiten der Russischen Föderation.
Köln: BIOst (März) 1993, VI+200 S. (m. zahlr. Karten und Statistiken). *Als 2. neubearb. Aufl. unter dem Titel:*
Politisches Lexikon GUS. München: Beck (BsR Nr. 852), 1993/94.
Héraud, Guy (Festschrift für): Föderalismus, Regionalismus und Volksgruppenrecht in Europa.
Wien: Braumüller 1989, XIV+521 S. (= Ethnos Bd. 30) (umfangreiche Datensammlung)
Mark, Rudolf A.: Die Völker der Sowjetunion – Ein Lexikon. Opladen: Westdt. Vlg. 1989, II+220 S. (15 Karten)
Olt, Reinhard: Die Volksgruppen in Rumänien. Frankfurt: F. A. Z. vom 2. 6.1993, S. 12.
DER SPIEGEL (Hg.): Die deutschen Türken (Titel). Hamburg: Spiegel 23/1993 vom 7. 6., S. 12.

WELTRELIGIONEN UND ASIATISCHE EINZELRELIGIONEN

Bei den Mitgliederzahlen handelt es sich um Angaben der Religionsgemeinschaften selbst, die zumeist als **Maximalschätzungen** anzusehen sind. **Alle Angaben sind mit großen Unsicherheitsfaktoren behaftet.** Für einen Teil der Weltbevölkerung gibt es keine zuverlässige Angaben. Außerdem sind Mehrfachnennungen möglich: In Ostasien kann ein Gläubiger gleichzeitig Buddhist und Konfuzianer oder Buddhist und Shintoist sein. *Abkürzungen für die einzelnen Staaten* → Aufschlüsselung Sp. 17 ff.

Religionsfamilie bzw. Sektenbezeichnung		Maximalschätzungen	Hauptverbreitungsgebiete
Christliche Religionen	. . . .	**1 728 353 000**	**Europa und Amerika**
Katholiken insgesamt	. . . .	*1 017 580 000*	*Europa und Lateinamerika*
	Römische Katholiken.	995 780 000	Südeuropa, Lateinamerika; D 28 Mio.
	Altkatholiken (Union von Utrecht)	9 683 000	Europa; D 29 000
	Sonstige Katholiken	12 117 000	Europa und Naher Osten
Protestanten insgesamt	. . . .	*378 559 000*	*Nordeuropa und Nordamerika*
	Pfingstler (Pentecostals)	160 000 000	USA (Westen), Lateinamerika; D 37 000
	Anglikaner (Anglikanische Kommunion) .	72 980 000	England und Commonwealth
	Lutheraner	43 539 000	Nordeuropa u. Nordamerika; D 29 Mio.
	Reformierte, Freikirchen usw.	39 284 000	Nordamerika und Nordeuropa; D 38 000
	Baptisten	35 437 000	88 Länder, bes. USA 27 Mio.; D 86 500
	Methodisten	26 069 000	USA 13 Mio.; UK; D 44 000
	Mennoniten (Amish, Hutterer usw.) . . .	1 250 000	USA 340 000; NL; CH; RI; D 20 000
Orthodoxe	Griechisch-, Russisch-, Serbisch-. . . .	300 000 000	GUS 50 Mio., BG, CY, D 500 000, GR,
	u. a. Orthodoxe (1991)		RO, YU/Serbien 11 Mio.
Mormonen	Kirche J. Chr. d. Heiligen d. letzten Tage	8 406 895	USA(Utah); Südamerika; D 39 000
Kopten	(Monophysiten).	7 919 000	ca. 20 % in Ägypten
Neuapostolische Kirche	. . . .	7 200 000	Afrika; Indien; Europa, D 430 000
Zeugen Jehovas (1992)	. . . .	4 472 787	USA 905 000, MEX 354 000, BR 335 000
			D 163 000, A 20 000, CH 18 000
Heilsarmee	(Salutisten, Salvation Army)	4 029 000	weltweit; D 2000
Quäker	Society of Friends	503 000	USA 220 000; UK 28 000; D 400
Islam (Muslime) und ähnliche Gemeinschaften	. . . .	**935 000 000**	**Nordafrika, Vorderasien u. Indonesien**
	Untergliederung in 74 Fraktionen und Sekten hier nicht berücksichtigt (D insges.1,74 Mio.)		
Sunniten insgesamt	. . . .	*680 855 000*	*Arabien, Maghreb; Indien 74 Mio.*
Schiiten insgesamt	. . . .	*126 738 000*	*Iran, Irak, UAE; Indien 24 Mio.*
	Imamiten (12er Schia)	104 493 000	Iran, Südirak, Afghanistan
	Ismailiten (7er Schia)	15 550 000	Indien, Ostafrika
	Zaiditen (5er Schia)	5 557 000	Jemen 5 Mio.
	Alawiten (Nusairier)	1 138 000	Libanontäler, Syrien
Schismatiker insgesamt	. . . .	*9 472 000*	*Maghreb und Arabien*
	Ibaditen und Wahabiten	1 145 000	Oman, Sansibar/EAT, Südalgerien
	Drusen (ursprüngl. schiit. Dissidenten) .	570 000	Libanon 200 000
	Ahmadija (sunnitische Dissidenten) . . .	4 734 000	Pakistan
Sikhs	(Islam-Hindu-Verbindung)	18 100 000	Pandschab/Indien 17 Mio., GB 230 000
Baha'i	(aus schiitischem Islam hervorgegange- .	5 300 000	Indien 1 Mio., Iran 340 000
	ne Mischreligion)		Uganda 331 000, Vietnam 220 000
Parsen	Iranische Zoroastrier.	129 100	Indien 80 000, Iran 25 000, USA/CDN
			12 000, UK 7000

Asiatische Einzelreligionen ohne systematische Zuordnung

Buddhisten insgesamt	. . . .	*295 571 000*	*Japan 70, VRC 53, Taiwan 46 Mio.*
	Mahayana (»Großes Fahrzeug«).	165 520 000	China, Japan, Korea, Mongolei, Nepal
	Hinayana (»Kleines Fahrzeug«)	109 361 000	Myanmar, Sri Lanka, Kamb., Thailand
	Vajrayana (»Diamantenes Fahrzeug«) . .	20 690 000	Himalaya-Länder, besonders Tibet
Hindus (1992) (Hauptschulen → WA 93/825–828)	.	*720 000 000*	*Indien 710 Mio., Bali*
	Vishnuiten/Vaishnavas (Wischnuismus) .	498 000 000	Südasien
	Shivaiten/Shaivas (Schiwaismus)	178 000 000	Südasien, besonders Sri Lanka
	Shaktas (Schaktismus).	21 500 000	Indien: Assam, Bengalen, Orissa

	Neohindus	10600000	Südasien
	Reformhindus	3558000	Südasien
Konfuzianer	**(sehr unsichere Angabe)**	5800000	*Südkorea 5 Mio., China*
Schamanisten	Schamanen	10000000	Korea 9 Mio., Mongolei, R/Sibirien
Shintoisten	(autochtone japan. Religion)	3100000	*Japan*
Taoisten	(chines. philosoph. Schule)	31286000	*China; insges. zu 90 % Asien*
Dschainas	Jainisten und Jinisten	4300000	*Indien*

Juden   (→ *auch Sonderbeitrag WA 93, Sp. 825–826)* **17400000**   **USA, Israel, GUS**, daneben vor allem
Anhänger der jüdischen Religion inner- und außerhalb Israels   Europa und Lateinamerika

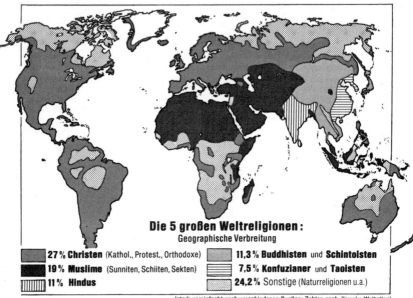

Die 5 großen Weltreligionen :
Geographische Verbreitung

■ **27 % Christen** (Kathol., Protest., Orthodoxe)   ▨ **11,3 % Buddhisten** und **Schintoisten**
■ **19 % Muslime** (Sunniten, Schiiten, Sekten)   ▤ **7,5 % Konfuzianer** und **Taoisten**
▥ **11 % Hindus**   ▨ **24,2 %** Sonstige (Naturreligionen u. a.)

(stark vereinfacht nach verschiedenen Quellen; Zahlen nach Diercke Weltatlas)

DIE TURKVÖLKER DES EHEMALIGEN
SOWJETISCH-ZENTRALASIEN

Von den 130 Mio. Turkstämmigen in der Welt leben 50 Mio. im ehemaligen Sowjetisch-Zentralasien (im folgenden **ZA** abgekürzt), 60 Mio. in der Türkei sowie 20 Mio. in China, Iran, Afghanistan und auf dem Balkan. Die Sprachfamilie der Turkvölker hat **5 Zweige**, die sich in verschiedenen Epochen herausbildeten:
– **wolgabulgarische Gruppe:** Tschuwaschisch
– **Nordwest- oder Kyptschakgruppe:** Tatarisch, Baskirisch, Kasachisch, Kirgisisch, Karalkarpatisch, Karaimisch, Kalmückisch
– **osttürkische oder uigurische Gruppe:** Usbekisch und Neuuigurisch
– **Südwest- oder Oghusgruppe:** Türkisch, Aseri und Turkmenisch sowie die

– **nordtürkische Gruppe:** Jakutisch, Tuwinisch und Schorisch.
Die 4 neuen zentralasiatischen Turkrepubliken **Kasachstan, Usbekistan, Turkmenistan und Kirgisistan** sowie die transkaukasische Nachbarrepublik **Aserbaidschan** nehmen mit einem Territorium von ca. 3,3 Mio. km² ein Drittel des innerasiatischen Gebietes zwischen Himalaja, Tienschan, Pamir und Xingánling ein. Allein Kasachstan ist achtmal so groß wie Deutschland.
Die zentralasiatischen Republiken werden dominiert von den größten Turkvölkern der Region und sind auch nach ihnen benannt. Vorherrschende Religion in ZA ist der Islam. Die Aseris sind schiitisch, die anderen zentralasiatischen Völker vorwiegend sunni-

tisch (→ Religionentabelle Sp. 893ff.). Die Vielfalt der turkstämmigen Völker mit ihrer Verbreitung vom Balkan bis in die Mongolei ist eng verbunden mit dem nomadischen Leben. Die Bevölkerung ist seit dem 19. Jh. von 6 auf über 50 Mio. Einwohner angewachsen.

Die **Aseris, Turkmenen, Türken und Gagausen** sind die Nachfahren des Oghusenstammes, der bis nach Kleinasien vordrang. Die **Kasachen und Usbeken** sind Nachkommen der Goldenen Horde der Mongolen. In ZA bildeten sich im 16. Jh. Chanate usbekischer Dynastien, deren herrschende Emire sich als Abkömmlinge Tschingis-Chans verstanden. Das Gebiet der turkmenischen Stämme war zwischen den Chanaten und Iran ständig umkämpft. Die **Kirgisen** tauchten erst im 15. Jh. in ihren heutigen Siedlungsgebieten auf. Ihre Vorfahren waren Mongolen, Osttürken und andere türkische Stämme.

1828 wurde **Aserbaidschan** zwischen Rußland und Persien geteilt. Erst Mitte des 19. Jh. erwachte das Interesse Rußlands an der Erweiterung seiner Einflußsphäre. 1854 wurde das kasachische Chanat erobert. Buchara und Chiwa existierten als halbselbständige Protektorate weiter. 1867–1882 organisierte der russische General *Kaufmann* das Generalgouvernement **Turkestan**. 1877 wurde das Gebiet der turkmenischen Stämme besetzt. Mit den Eroberungen in ZA gingen die Ansiedlung russischer Siedler und der Aufschwung des Baumwollanbaus einher. Per Zarenerlaß wurden 1895 und 1906–1912

19 Mio. Hektar neues Land zur Besiedelung zur Verfügung gestellt. Dies betraf vor allem die Steppengebiete Nordkasachstans. Den nomadischen Bewohnern wurde damit die Lebensgrundlage entzogen. Viele Kasachen wanderten nach China aus. Schon 1917 betrug der Anteil der Russen in Nordkasachstan 29%, im Süden dagegen nur 4%. Den größten Aufstand gegen die Zarenpolitik gab es 1916.

Die Oktoberrevolution dagegen war Sache der russischen Siedler. Am 30. 4. 1918 wurde die Autonome Sozialistische Republik Turkestan, am 26. 6. 1920 die Kirgisische Autonome Sowjetrepublik, am 26. 4. und 8. 10. 1920 die Volksrepubliken Choresmien und Buchara, am 28. 4. 1920 die Sozialistische Republik Aserbaidschan gegründet. Am 13. 12. 1922 wurden Armenien, Georgien und Aserbaidschan zur **Transkaukasischen Föderation** zusammengefaßt. 1923 verkündete *Stalin* die neue Nationalitätenpolitik von *einem* Sowjetvolk. In ZA wurden neue Nationalitäten definiert. 1924 wurde **Usbekistan** unter Auflösung der Volksrepublik Buchara und Chiwa selbständige Sowjetrepublik. Turkestan wurde 1924 aufgelöst. Es entstanden **Turkmenistan** und die Karakirgisische Autonome Sowjetrepublik. 1925 wurden die Kirgisische Republik in Kasachische und die Karakirgisische in **Kirgisisches Autonomes Gebiet** umbenannt (1936 Republik). Das 1925 gegründete Karakalpakische Autonome Gebiet wurde 1936 der Usbekischen Republik zugeschlagen. 1929 wurde **Tadschikistan** aus

Aseri
Baschkiren
Kasachen
Kirgisen
Tataren
Türken (Osmanen)
Turkmenen

Uiguren
Usbeken

RUSSLAND
Ufa
Kasan
Balchaschsee
KASACHSTAN
Alma-Ata
Aralsee
Bischkek
KIRGISTAN
Taschkent
USBEKISTAN
CHINA
Duschanbe TADSCHIK.
Kaspisches Meer
TURKMENISTAN
Aschgabad
AFGHANISTAN
Islamabad
Schwarzes Meer
Tiflis
Baku
Jerewan
Kabul
PAKISTAN
Ankara
IRAN
Teheran
INDIEN
TÜRKEI
1 ASERBAIDSCHAN
2 GEORGIEN
3 ARMENIEN
ZYPERN
SYRIEN
Bagdad
Mittelmeer
LIBANON
Beirut
Damaskus
IRAK
0 1000 km

Die Türkei und die Turkvölker in Zentralasien

der Usbekischen Republik ausgegliedert. In Turkmenistan blieb der Widerstand gegen die Sowjetmacht bis in die 30er Jahre aktiv. Nicht zuletzt mit diesem kolonialistischen Mittel der willkürlichen Grenzziehung wurden Brandherde auf Dauer gelegt. Weitere Mittel sowjetischer Politik waren die Definition eigener Nationalsprachen, 1926 die Ersetzung des arabischen durch das lateinische, 1938 durch das **kyrillische Alphabet**. Russisch wurde obligatorische Sprache. 1936 wurde die Transkaukasische Republik aufgelöst. **Aserbaidschan** wurde selbständige Republik. 1928 setzte eine antiislamische Kampagne ein. 1917 gab es in ZA 260000 Moscheen, 1989 gerade noch 160. Ein weiterer entscheidender Bruch mit der althergebrachten Lebensweise war die landwirtschaftliche Kollektivierung nach 1926. Dies führte zu Hungersnöten und zur Zerstörung traditioneller Bindungen. In **Kasachstan** fiel den Hungerkatastrophen $1/3$ bis $1/4$ der Bevölkerung zum Opfer. Mit dem Zweiten Weltkrieg setzte auch die Umsiedlung ganzer Völker nach ZA ein. 1941 wurden die Wolgadeutschen nach Nordkasachstan umgesiedelt.

ZA blieb auch nach dem Krieg das Armenhaus der UdSSR. Vor allem der Ausbau von Monokulturen (Baumwolle) und die Ausbeutung der Rohstoffe wurden vorangetrieben. Riesige Steppengelände wurden atomar verseucht. 1954 startete *Chruschtschow* den gigantischen Versuch, das Problem der Getreideversorgung durch die Neulandgewinnung in den Steppen Kasachstans dauerhaft zu lösen. Unter *Breschnew* (von 1954 an Erster Parteisekretär in Kasachstan) wurden 250000 km² Land für den Getreideanbau gewonnen. Nach dem Zweiten Weltkrieg wurde die Baumwollproduktion um ein Vielfaches erhöht. Neue Bewässerungen der Baumwollfelder in Usbekistan sind auch verantwortlich für die Austrocknung des **Aralsees** und für die Versalzung der Böden. Seit 1960 hat der Aralsee 60% seiner Wassermenge verloren. In dem heute verseuchten 18500 km² großen atomaren Versuchsgelände von **Semipalatinsk** wurden zwischen 1949 und 1963 über 50 überirdische Atomversuche gestartet.

Sowjetische Politik war es auch nach dem Zweiten Weltkrieg, die **Russifizierung** der Bevölkerung in ZA fortzusetzen. In den 80er Jahren lebten in Kasachstan z. B. nur 40% Kasachen, die wiederum nur zu 40% Kasachisch sprachen. Die Schaltstellen lagen in der Hand von Russen, obwohl die Ersten Parteisekretäre der Republiken meist Einheimische waren. In den zentralasiatischen Republiken blühten korrupte, mitunter halbfeudale Regime. In der Periode der Perestroika entstanden oppositionelle Be-

wegungen auch aufgrund der ökologischen Katastrophen (Kernwaffenversuche bei Semipalatinsk in Kasachstan) oder durch nationale Auseinandersetzungen (1988 »Volksfront« Aserbaidschans im Karabach-Konflikt). Bei den Wahlen 1990 siegten die kommunistischen Parteien. Beim Augustputsch 1991 stellte sich lediglich der einzige Präsident mit nichtkommunistischer Vergangenheit, der Kirgise *Akajew*, offen gegen die Putschisten. Der aserbaidschanische Präsident *Mutalibow* begrüßte den Putsch aus dem Iran. Die kommunistischen Parteien wurden nach dem Putsch verboten oder aufgelöst. Alle Turkrepubliken erklärten bis zum Oktober 1991 ihre Unabhängigkeit. Am 21. 12. 1991 traten die Turkrepubliken der GUS (→ *Internationale Organisationen, Sp. 825 f.*) bei. Seitdem ist ein Schwerpunkt ihrer Politik die Rückbesinnung auf eigene Traditionen. Seit 1989 wurden in ZA mehr als 5000 Moscheen errichtet. Die Turksprachen wurden zu alleinigen Staatssprachen. Im März 1993 einigten sich die Turkrepubliken und die Türkei auf die Einführung eines gemeinsamen **lateinischen Alphabets** (→ *Internationale Organisationen, Sp. 827 f. und 842 f.*).

Das stalinistische Erbe führte fast zwangsläufig seit 1988 zu nationalistischen Auseinandersetzungen. Russen und Ukrainer – wie auch Deutschstämmige – verlassen zu Hunderttausenden ZA. 1988 wurden 50000 Mescheten aus Usbekistan vertrieben. 1989 und 1990 bekämpften sich Kirgisen und Usbeken im Ferganatal. 1990 gab es Auseinandersetzungen zwischen Kasachen und Kaukasiern in Novy Usen. Trauriger Höhepunkt ist der Krieg Aserbaidschans gegen Armenien (→ *Sonderbeitrag WA 93/827–832*). Seit 1991 gibt es faktisch keine Aseris mehr in Armenien und nur noch die Karabach-Armenier in Aserbaidschan.

Mutalibow stürzte am 15. 5. 1992 über die Mißerfolge Aserbaidschans im Karabach-Konflikt. Seit dem 7. 6. 1992 regierte die radikale Volksfront unter *Elcibej* in Aserbaidschan. Im März 1993 drängten die Armenier Aserbaidschan in die Defensive. Danach verkündete die **Türkei** die Blockade Armeniens. Im Mai/Juni 1993 meuterten Teile der Armee gegen *Elcibej*. *Gajdar Alijev*, seinerzeit ein Günstling *Breschnews*, übernahm am 8. 6.1993 die Macht in Baku. Gleichzeitig verschärften sich wieder die Kämpfe gegen Armenien (→ *Kapitel »Chroniken«, Sp. 31 ff.*). Seit 1992 sind die Turkrepubliken Mitglied der Islamischen Konferenz (OIC), der Organisation für Wirtschaftliche Zusammenarbeit (ECO) und natürlich der sog. Turkrepubliken-Gipfels (→ *Internat. Organisationen/OATCT, Sp. 842 f.*).

Dipl.-Hist. Karsten Heinz/Bonn-Beuel

Wirtschaft

Für alle folgenden Zahlenangaben, insbesondere Produktionstabellen, gilt: Die Zahlen für 1992 sind z. T. vorläufig und beruhen häufig auf offiziellen Schätzungen (S), z. B. der UNO oder FAO. Wenn nicht anders erwähnt, Großbritannien einschl. Nordirland, Südafrika einschl. Bophuthatswana, Ciskei, Transkei und Venda. Statistiken für die Sowjetunion (UdSSR), Jugoslawien und die Tschechoslowakei (ČSFR) beziehen sich auf diese Staaten vor ihrer Auflösung Ende 1991 bzw. 1992. Für Deutschland gilt: Bis einschließlich 1989 werden in der Regel getrennte Angaben für die bisherige (alte) Bundesrepublik und die ehem. DDR gemacht; Daten ab 1990 beziehen sich, sofern nicht anders angegeben, auf das vereinigte Deutschland in den Grenzen vom 3. 10. 1990.

Die **Weltwirtschaft** befand sich auch 1992 – wie schon seit Mitte 1990 – insgesamt in einer *Phase stark abgeschwächter Aktivität*, die sich jedoch regional sehr unterschiedlich äußerte. Während sich die Konjunktur in den *Industriestaaten* teils wieder leicht erholte (z.B. USA, Kanada), teils weiter abschwächte (z.B. Japan, Deutschland, Italien), teils in eine echte Rezession überging (z.B. Schweden), verzeichneten die ehemals sozialistischen *»Reformstaaten«* Ostmittel-, Ost- und Südosteuropas einschließlich der Nachfolgestaaten der ehemaligen Sowjetunion einen weiteren rapiden Rückgang der Wirtschaftstätigkeit. Unter den *Entwicklungsländern* waren die Unterschiede am größten: Neben ausgesprochenen Wachstumsländern, wie den ostasiatischen »Schwellenländern«, standen die ärmsten Staaten Afrikas mit weiterhin stagnierendem oder sogar abnehmendem Wirtschaftsergebnis.

Ein *Hauptkennzeichen der Weltwirtschaft* war auch 1992 die enorme *wirtschaftliche Diskrepanz* zwischen *den großen westlichen Industrieländern* und den *wirtschaftsschwachen Entwicklungsländern*, zu denen als Empfänger von Wirtschaftshilfe zusätzlich die *ostmittel- und osteuropäischen* »Reformstaaten« kamen. Nach dem Scheitern der zentralistischen Planwirtschaft begannen sie unterschiedlich erfolgreich, marktwirtschaftliche Systeme einzuführen. Aber auch zwischen den Industrieländern hielten die außenwirtschaftlichen Ungleichgewichte (hohe Leistungsbilanzüberschüsse und -defizite) an, jedoch in abgeschwächter Form.

Eine wichtige Rolle für die *globale Wirtschaftsentwicklung* spielte auch 1992 der insgesamt verhältnismäßig niedrige Stand vieler Rohstoff-, vor allem Energiepreise (→ *Kap. Bergbau, Sp. 965 ff.*). Für die Industrieländer brachte er Kostenentlastung mit günstigen Auswirkungen auf Wirtschaftsleistung, Lebensstandard, Preisstabilität und Handelsbilanzen. Für die meisten rohstoffexportierenden Länder lagen die Außenhandelseinnahmen auf relativ niedrigem Stand, wodurch ihre gesamtwirtschaftliche Situation sehr ungünstig blieb, vor allem im Hinblick auf die Verschuldungskrise und auf die steigenden Preise für Industriegüterimporte.

Für die *gesamte Weltwirtschaft* wird geschätzt, daß es 1992 wieder ein *leichtes Wachstum* von rd. 1% gab, nachdem für 1991 ein »Null-Wachstum« errechnet wurde. 1990 hatte das weltweite Wirtschaftswachstum noch 2,2%, 1989 sogar 3,5% betragen. Wie groß die Unterschiede zwischen den einzelnen Staatengruppen 1992 waren, zeigen Berechnungen des Internat. Währungsfonds über die *Veränderung des Bruttosozialprodukts* gegenüber 1991: Für die Industrieländer betrug der Zuwachs 1,4%, für die Entwicklungsländer 6,2% (v.a. in den »Schwellenländern«), während die Wirtschaftsleistung in den »Reformstaaten« Osteuropas um 9,7% und in der GUS um 18,2% abnahm.

Die Wirtschaftsentwicklung in den einzelnen Staatengruppen:

I. Westliche Industrieländer (OECD-Staaten)

Die wichtigsten Kennzeichen der Wirtschaftsentwicklung 1992 waren:
– Das *Bruttoinlandsprodukt* nahm etwas stärker zu (+1,4%) als im Vorjahr (1991: +0,8%), reichte jedoch bei weitem nicht an das Wirtschaftswachstum früherer Jahre heran (1989: +3,3%, 1990: +2,5%). Leicht überdurchschnittlich wuchs die Wirtschaftstätigkeit u.a. in den USA, in Frankreich, in Österreich und in den Benelux-Ländern, während z.B. Großbritannien, Schweden, Dänemark und Italien nur unterdurchschnittliche Entwicklungen zeigten. Für das nur geringe Wirtschaftswachstum waren v.a. die Stagnation der Inlandsnachfrage und die verringerten öffentlichen Investitionen (im Zuge von Maßnahmen zur Haushaltskonsolidierung und zum

Schuldenabbau) verantwortlich; die Exporte wiesen dagegen meist leichte Zuwächse auf (→ *Kap. Welthandel*). Die, wenn auch meist nur geringe, Produktionszunahme der Industrie ergab sich, wie schon in den Vorjahren, hauptsächlich durch weitere Automatisierung und Rationalisierung sowie durch höhere Ausnutzung der vorhandenen Kapazitäten.

– Die *Arbeitskräftenachfrage* stieg daher nicht einmal im gleichen Maße wie das sowieso schon geringe Produktionswachstum und richtete sich v.a. an hochqualifiziertes Personal, das in einigen Wirtschaftsbereichen zu einem Engpaßfaktor wurde. Für alle OECD-Länder zusammen ergab sich 1992 eine leichte Zunahme der *Arbeitslosigkeit*.

– Die *Inflationsraten* nahmen 1992 gegenüber den Vorjahren ab, da die Konjunkturabschwächung Preissteigerungstendenzen dämpfte. Außerdem wirkten die weiter fallenden Rohstoffpreise antiinflationär.

– Der *Außenhandel* nahm 1992 leicht stärker zu als in den Vorjahren; die westlichen Industrieländer hielten ihre Position als weitaus wichtigste Im- und Exporteure im Welthandel; sie waren auch 1992 mit fast 3/4 des Volumens am weltweiten Handelsaustausch beteiligt.

Die **wirtschaftliche Entwicklung** 1992 im Ländervergleich ist am deutlichsten an der *Veränderung des realen Bruttoinlandsprodukts/BIP* gegenüber dem Vorjahr abzulesen. Das BIP veränderte sich 1992 (1991) u.a.: Irland +2,5 (+2,5)% – USA +2,0 (–1,2)% – Frankreich +2,0 (+1,2)% – Österreich +2,0 (+3,1)% – Norwegen +2,0 (+1,9)% – Deutschland (nur West) +1,5 (+3,7)% – Japan +1,5 (+4,1)% – Belgien +1,5 (+2,1)% – Niederlande +1,5

(+2,1)% – Spanien +1,5 (+2,4)% – Italien +1,0 (+1,4)% – Kanada +1,0 (–1,7)% – Dänemark +1,0 (+1,2)% – Schweiz 0,0 (–0,1)% – Australien 0,0 (–0,8)% – Großbritannien –1,0 (–2,2)% – Schweden –1,5 (–1,8)% – Finnland –1,5 (–6,5)%.
Für 1993 prognostizieren die meisten Experten eine leichte Steigerung des Wirtschaftswachstums.

Das *Realeinkommen der Bevölkerung* erhöhte sich in den meisten Ländern im Durchschnitt nicht mehr bzw. sank vielfach ab, da die meist nur geringen Lohn- bzw. Gewinnsteigerungen in vielen Ländern nicht ausreichten, die Preissteigerungsraten zu kompensieren. Auch drückten die in den meisten Ländern hohen bzw. steigenden Arbeitslosenquoten die durchschnittliche Einkommensentwicklung.

Die **Inflationsrate** (Steigerung der Verbraucherpreise gegenüber dem Vorjahr) ging in den meisten Industrieländern 1992 gegenüber dem Vorjahr zurück. Dementsprechend sank sie im OECD-Durchschnitt auf 4,2% (1991 5,9%, 1990: 6,3%). Im einzelnen betrug die *Zunahme der Verbraucherpreise* im Jahresdurchschnitt 1992 (1991) u.a.: Griechenland 15,9 (14)% – Spanien 5,9 (6,0)% – Italien 5,4 (6,4)% – Schweiz 4,0 (5,9)% – Österreich 4,0 (3,3)% – Deutschland (nur westl. Bundesländer) 4,0 (3,5)% – Niederlande 3,7 (4,0)% – Großbritannien 3,7 (5,9)% – Irland 3,2 (3,2)% – USA 3,0 (4,2)% – Frankreich 2,8 (3,2)% – Finnland 2,6 (4,2)% – Belgien 2,4 (3,2)% – Norwegen 2,4 (3,4)% – Schweden 2,3 (9,7)% – Dänemark 2,0 (2,4)% – Japan 1,6 (3,3)% – Kanada 1,5 (5,6)% – Australien 1,0 (3,2)% – EG-Länder insges. 4,3 (5,0)%.

Die **Arbeitslosigkeit**, die sich bereits 1991 wegen der Wirtschaftsschwäche in vielen Ländern wieder erhöht hatte, nahm 1992 wegen der schwachen Wirtschaftskonjunktur weiter zu. Selbst in der Schweiz und in Japan konnte nicht mehr, wie in den Vorjahren, von Vollbeschäftigung gesprochen werden. In fast allen Industrieländern reichte das relativ geringe Wirtschaftswachstum nicht aus, um den Arbeitsplatzabbau infolge von Rationalisierung und langfristigem wirtschaftlichen Strukturwandel zu kompensieren bzw. um die neu ins Berufsleben eintretenden jungen Leute voll in den Arbeitsmarkt zu integrieren. – Die *Arbeitslosigkeit* betrug Ende 1992 (Anteil der Arbeitslosen an den Erwerbspersonen) in allen OECD-Ländern zusammen rd. 7,5% (1991: 6,5%), in den EG-Ländern 10,2% (1991: 8,6%). Die *Arbeitslosenquote* erreichte u.a. folgende Werte (Ende 1992/Anf. 1993): Japan 2,2% – Schweiz 3,1% – Schweden 4,9 – Österreich 5,2% – Deutschland 6,1% – Niederlande 7,1% – USA 7,3% – Belgien 9,5% – Italien 9,9 – Australien 10,0% – Frankreich 10,6% – Kanada 11,2% – Großbritanni-

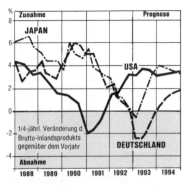

Die wirtschaftliche Entwicklung der drei bedeutendsten Wirtschaftsmächte 1988–94
(Nach Berechnungen des Internat. Währungsfonds)

en 11,7% – Großbritannien 11,7% – Irland 18,8% – Spanien 19,9%. (Die nationalen Zahlen weichen z.T. von diesen standardisierten Werten ab.)

Die **Leistungsbilanzen** (Außenhandel, Dienstleistungen, private und öffentliche Transfers mit dem Ausland) der großen Industrieländer entwickelten sich auch 1992 sehr unterschiedlich, so daß wieder relativ große Diskrepanzen auftraten. So wies *Deutschland* 1992 ein erhöhtes Leistungsbilanzdefizit von 40,3 Mrd. DM auf (1990 noch Überschuß von 76,4 Mrd. DM). Auch die außenwirtschaftliche Position der *USA* verschlechterte sich: Das Defizit der Leistungsbilanz stieg von 3,68 Mrd. US-$ (1991) auf 62,45 Mrd. US-$ an. Die meisten anderen OECD-Staaten wiesen ungefähr ausgeglichene oder leicht bis mittel defizitäre Bilanzen auf. *Japan* konnte dagegen seinen schon 1991 sehr hohen Leistungsbilanzüberschuß (72,9 Mrd. US-$) auf 117,6 Mrd. US-$ erhöhen.

II. Ehemalige RGW-Staaten Ostmittel-, Ost- und Südosteuropas

Der unter Führung der UdSSR stehende politisch-ökonomische Block des RGW (*»Rat für gegenseitige Wirtschaftshilfe«, COMECON)* zerbrach 1989/90 und wurde – ebenso wie die kommunistische Führungsmacht selbst – 1991 auch formell aufgelöst. Seitdem sind die *ehemaligen Mitgliedsländer des »Ostblocks«* mit unterschiedlicher Geschwindigkeit und auch unterschiedlich stark ausgeprägtem Reformwillen dabei, die sozialistische Staatswirtschaft, die Osteuropa in eine ökonomische und ökologische Katastrophe geführt hat, zu überwinden und *marktwirtschaftliche Strukturen* aufzubauen. Als Fernziel streben viele dieser Staaten die Mitgliedschaft in der EG oder zumindest eine enge Zusammenarbeit mit dem EWR (»Europäischer Wirtschaftsraum«) an. Z.Zt. werden die betreffenden Länder Ostmittel-, Ost- und Südosteuropas (einschl. der europäischen Nachfolgestaaten der UdSSR) meist als *»Reformländer Osteuropas«* bezeichnet. Unter dem Gesichtspunkt der Wirtschaftskraft, des Volkseinkommens und der infrastrukturellen Entwicklung sind sie heute *vergleichbar mit fortgeschrittenen Entwicklungsländern (»Schwellenländer«).* Gemeinsam ist ihnen eine mehr oder weniger zerrüttete Wirtschaft mit technisch überalterter und die Ressourcen verschwendender Industrie, ineffektiver und umweltschädigender Landwirtschaft und stark unterentwickeltem Dienstleistungssektor. Alle drei Sektoren waren und sind nicht imstande, die Bedürfnisse der Bevölkerung hinreichend zu erfüllen.

Insgesamt wird für 1992 für den Gesamtraum der *»Reformländer«* ein *Rückgang des Wirtschaftsergebnisses* von real mindestens 15% geschätzt. Genaue Angaben sind aufgrund der z.T. sehr ungenügenden Datenbasis nicht möglich. Nach OECD-Schätzungen werden für 1992 folgende *Rückgänge des Bruttoinlandsprodukts* genannt: Polen, Ungarn je –5% – ČSFR –6% – Bulgarien, Rumänien je –10% – ehem. UdSSR –20%. Der starke Kaufkraftüberhang (Disparität zwischen Geldeinkommen und Warenversorgung), die Finanzierung der öffentlichen Haushalte und staatlichen Betriebe über die Ausgabe neuer Banknoten sowie die Freigabe bisher vom Staat künstlich niedrig gehaltener Preise führten zu ausgeprägter Geldentwertung. Die *Inflationsrate* (Steigerung der Verbraucherpreise) betrug 1992 in der ČSFR 12%, in Ungarn 25%, in Polen 45%, in Bulgarien 80%, in Rumänien 200% und in der ehem. UdSSR über 1000%. In Rußland bzw. der ehem. UdSSR tragen außerdem schon seit Jahren die Haushaltsdefizite zur Inflation bei, aber durch das Mißverhältnis von sinkenden Staatseinnahmen (ungenügendes Wirtschaftsergebnis, gesunkene Exporterlöse für Rohstoffausfuhren) und hohen Ausgaben (z.B. Militärapparat, Preissubventionen) entstanden sind. Die *Auslandsschulden* der ehem. UdSSR, die 1992 größtenteils auf Rußland übergegangen sind, werden für Ende 1992 auf 80,0 (brutto) bzw. 75,5 Mrd. US-$ (netto) geschätzt. Auch das seit Jahren latent vorhandene Beschäftigungsproblem kommt seit 1991 voll zum Tragen. Ende 1992 wurde die Zahl der Arbeitslosen in der ehem. UdSSR auf 8–10 Mio. geschätzt. Für die übrigen »Reformstaaten« wurden *Arbeitslosenquoten* zwischen 10–15% genannt (mit steigender Tendenz), lediglich in der ehem. ČSFR nur 8%.

Bei den Versuchen zur *Sanierung der Volkswirtschaften der ehem. »sozialistischen« Staaten Ostmittel- und Osteuropas,* die seit 1990/91 laufen und 1992/93 fortgesetzt wurden, stehen 2 Aufgaben im Vordergrund:

1. *Modernisierung des völlig veralteten Produktionsapparates in Industrie und Landwirtschaft* einschließlich des *Neuaufbaus des ungenügenden Dienstleistungssektors;*

2. *Neuordnung des Wirtschaftssystems im Sinne einer Umgestaltung von der zentralistischen Planwirtschaft zu einer dezentralen, privat organisierten Marktwirtschaft.*

1992/93 setzten insbes. Polen, die Tschechische und Slowakische Rep., Ungarn und – mit Einschränkungen – die baltischen Staaten und Bulgarien einen konsequent marktwirtschaftlichen Kurs fort, ebenso wie die ehem. DDR durch ihren Anschluß an die BR Deutschland. In *Rußland* als größtem Nachfolgestaat der UdSSR ist die künftige wirtschaftspolitische Richtung wegen andauernder Machtkämpfe zwischen Reformern und Altkommunisten noch nicht absehbar. Die Erfolgsaussichten für eine baldige wirtschaftliche Sanierung Rußlands sind eher ungünstig zu beurteilen, da viele notwendige Reformen bisher nur halbherzig eingeleitet wurden bzw. ihre Durchführung – v.a. Maßnahmen zur Privatisierung der Wirtschaft – vielfach von den Funktionären und Nutznießern des alten Systems boykottiert wird. Behindert wird die von Präsident Jelzin angestrebte Privatisierung der Wirtschaft nicht nur durch die konservative Opposition, sondern auch durch den Kapitalmangel der Bevölkerung und die starke Zurückhaltung ausländischer Investoren. Sie warteten 1992/93 vielfach mit Investitionen, bis ein Ende der Machtkämpfe und eine Stabilisierung der Reformpolitik absehbar ist. Hinzu kommen erschwerend die vielfältigen Probleme, die sich in Rußland und den meisten anderen Staaten der ehem. UdSSR aus den aufbrechenden *Nationalitätenkonflikten* ergeben. Dadurch wird die wirtschaftliche Umstrukturierung und Gesundung zusätzlich gebremst, und durch Grenzstreitigkeiten und Territorialforderungen (z.B. im Kaukasus, in Moldawien, in Mittelasien) enstanden weitere Unsicherheitsfaktoren auch für die Wirtschaft.

III. Entwicklungsländer

Die *Entwicklungsländer* waren 1992 – insgesamt gesehen – die einzige Staatengruppe, die substantielles *wirtschaftliches Wachstum* aufwies, jedoch mit *enormen Unterschieden* zwischen diesen Ländern. Einerseits stagnierte in vielen der ärmsten Staaten die wirtschaftliche Entwicklung, bzw. die Lage verschlechterte sich vielfach noch weiter. Andererseits entwickelte sich der ost- und südostasiatische Raum mit den Entwicklungs- bzw. »Schwellenländern« VR China, Rep. China (Taiwan), Hongkong, Rep. Korea (Südkorea), Singapur, Thailand und Malaysia zum *Haupt-»Wachstumspol« der Weltwirtschaft* mit Zuwachsraten des Sozialprodukts von 5–12%. Da bereits 25% der Wirtschaftsleistung aller Entwicklungsländer allein auf die 3 Staaten bzw. Gebiete Chinas entfallen, beeinflußt die Entwicklung dieses Raumes alle Globalzahlen für Entwicklungsländer, deren Wirtschaft insgesamt 1991–92 um rd. 3,6% wuchs (verglichen mit durchschnittlich 2,7% jährlich in den 80er Jahren).

Im ostasiatischen Raum kam es aufgrund des starken Wirtschaftswachstums auch zu einer beachtlichen Zunahme des *durchschnittlichen Pro-Kopf-Einkommens* der Bevölkerung. In den meisten anderen Entwicklungsländern, v.a. Afrikas und Lateinamerikas, ergab sich dagegen wegen der geringen Wachstumsraten bei gleichzeitig stark zunehmender Bevölkerungszahl nur eine geringe Zunahme, vielfach sogar eine *Abnahme des Pro-Kopf-Einkommens*. Hiervon waren besonders die sog. »*LDC*« (»Least developed countries«)

betroffen. Allerdings muß man berücksichtigen, daß neben dem statistisch erfaßten Teil der Wirtschaft in den meisten Entwicklungsländern die sog. »*Schatten-« oder »Parallelwirtschaft«* (»*informelle Wirtschaft«*) beachtliche Leistungen aufweist. Während der Anteil dieser illegalen bis halblegalen, häufig stillschweigend geduldeten Wirtschaft in den westlichen Industrieländern in Form von »Schwarzarbeit« meist 5–15% des offiziellen BSP beträgt (z.B. Japan 4%, Deutschland und USA je 8–10%, Italien und Schweden je 12–15%), macht er z.B. in Indien nach Weltbankschätzungen rd. 50% aus – die also zum amtlichen BSP hinzugezählt werden müssen – und erreicht in vielen anderen Entwicklungsländern ähnlich hohe Werte.

Die *Entwicklungsländer* sind, wie gezeigt wurde, in wirtschaftlicher wie sozialer Hinsicht keineswegs eine einheitliche Staatengruppe. Daher ist ihre Zusammenfassung zu einer sog. »*Dritten Welt«* irreführend und nur geeignet, die großen Unterschiede innerhalb dieser Ländergruppe zu verschleiern (abgesehen davon, daß nach dem Zerfall der »2.Welt« – des Ostblocks – der Begriff »Dritte Welt«, der aus der Zeit des »kalten Krieges« stammt, sinnlos geworden ist.) Noch irreführender ist die Zusammenfassung als »Länder des Südens« unter dem Schlagwort vom »*Nord-Süd-Gegensatz«*, das eine falsche Vorstellung von der Lage der Entwicklungsländer auf der Erde suggeriert. Bekanntlich liegen rd. $3/4$ aller Entwicklungsländer – global gesehen – gar nicht im Süden, sondern auf der Nordhalbkugel der Erde.

Der Sammelbegriff *Entwicklungsland* bezieht sich auf wirtschaftliche, infrastrukturelle, soziale und/oder kulturelle Entwicklungsrückstände im Vergleich zu den Industriestaaten. Eine *Klassifikation rein nach wirtschaftlichen Kriterien* bietet der jährlich erscheinende »Weltentwicklungsbericht« der Weltbank. Hier werden die **Entwicklungsländer** in folgende **Kategorien** eingeteilt:

1. »**Länder mit niedrigem Einkommen**« (Bruttosozialprodukt/BSP pro Kopf 1990 bis 600 US-$): z.B. VR China, Indien, Äthiopien, Zaire, Sudan, Pakistan, Tansania, Nigeria, Kenia, Indonesien, Sambia, Madagaskar, Ägypten;

2. »**Länder mit mittlerem Einkommen**« a) Untere Einkommenskategorie (BSP pro Kopf 1990 über 600 bis 2450 US-$): z.B. Simbabwe, Tunesien, Thailand, Chile, Argentinien, Kolumbien, Türkei, Mongolei, Marokko, auch europäische Staaten, wie Polen und Bulgarien b) Obere Einkommenskategorie (BSP pro Kopf 1990 über 2450 bis rd. 7000 US-$): z.B. Brasilien, Venezuela, Südafrika, Libyen, Mexiko, Rep. Korea/Südkorea, Saudi-Arabien, europäische Staaten wie Ungarn, Portugal, Griechenland, das ehem. Jugoslawien und die ehem. ČSFR;

3. »Länder mit hohem Einkommen«

In dieser Gruppe sind neben den Industriestaaten auch erdölexportierende Entwicklungsländer mit relativ geringer Einwohnerzahl, wie Brunei, Katar, Kuwait und die Vereinigten Arab. Emirate, sowie industriegüterexportierende »Schwellenländer«, wie Singapur und Hongkong, enthalten.

Neben den erwähnten Ländern der Kategorie 3 stehen auch einige Staaten der Gruppe 2b von der wirtschaftlichen Entwicklung her an der Schwelle zu den Industrieländern (sog. **»Schwellenländer«**). Sie konnten auch 1992/93 ihre wirtschaftliche Situation überwiegend weiter verbessern, v.a. durch staatlich geförderte Expansion des gewerblichen Unternehmertums, Aufbau von Industrien und Fertigwarenexport in die westlichen Industrieländer. Beispiele sind insbesondere die ost- und südostasiatischen Länder Südkorea (Rep. Korea), Taiwan (Rep. China), im Ansatz Malaysia und Thailand, sowie südamerikanische Staaten wie Venezuela und Brasilien.

Die auf den *Rohstoff-, insbesondere Erdölexport orientierten Länder* (z.B. OPEC-Länder) konnten auch 1992, wie schon in den Vorjahren, nur z.T. ein gewisses Wirtschaftswachstum erzielen. Wegen der nach wie vor auf den Weltmärkten für die meisten bergbaulichen und agrarischen Rohstoffe herrschenden Überschußsituation sind die Preise fast aller entsprechenden Produkte seit Mitte der 80er Jahre stark zurückgegangen. Sie haben sich, abgesehen von wenigen Ausnahmen, seither nicht mehr auf ein Maß erholt, das den Exportländern günstigere Entwicklungschancen gewähren würde. Trotz teilweise beträchtlich erhöhter Produktion mußten viele *rohstoffexportabhängige Entwicklungsländer* in den letzten Jahren Erlöseinbußen und ein stagnierendes Volkseinkommen hinnehmen, und viele gerieten in eine ernste *Verschuldungskrise.* Auch 1992 zeigten die meisten *Rohstoffpreise* stagnierende, z.T. erneut sinkende Tendenz (→ *Kap. Landwirtschaft* und *Bergbau),* so daß die gesamtwirtschaftliche Situation der meisten Rohstoff-Exportländer unbefriedigend bis hoffnungslos blieb; auch verhinderte die exorbitant hohe Verschuldung vieler dieser Länder (z.B. Brasilien, Mexiko, Nigeria) die Aufnahme neuer Kredite und damit die Inangriffnahme neuer Entwicklungsprojekte. V.a. Erdölexportländer, die im Vertrauen auf weiter steigende Einnahmen in den 70er Jahren hohe Kredite aufgenommen und häufig für Konsumzwecke statt für produktive Investitionen ausgegeben hatten, sind inzwischen stark überschuldet und mußten ihre Importe drastisch reduzieren *(→ Kap. Welthandel).*

Die *Entwicklungsländer mit niedrigem Einkommen* (Gruppe 1) machten auch 1992/93 kaum wirtschaftliche Fortschritte, ausgenommen die großen Staaten mit Rohstoffressourcen und stärkeren Industrialisierungsansätzen (z.B. China, Indien, Indonesien, Ägypten). Dagegen sank bei vielen kleineren und rohstoffarmen Ländern das Nationaleinkommen pro Kopf erneut. Nach Angaben der UNO ging 1991–92 in 47 dieser Länder das durchschnittliche Bruttosozialprodukt pro Kopf zurück. Eine Hauptschuld an der *Stagnation der wirtschaftlichen Entwicklung* trägt weiterhin die gewaltige Überschuldung (Unfähigkeit fast aller Entwicklungsländer, die bisher erhaltenen Kredite zurückzuzahlen). Sie führt ebenso zu starker Zurückhaltung bei der Gewährung neuer Kredite durch die westlichen Industrieländer wie die vielfach vorhandene politische Instabilität bis hin zu Bürgerkriegswirren und Willkürherrschaft. Es besteht daher v.a. seitens der Privatwirtschaft der Industrieländer kaum Neigung, in diesen Ländern zu investieren. Andererseits sind die Möglichkeiten und die Bereitschaft der westlichen Industriestaaten, finanzielle Hilfe zu geben, angesichts vielfacher eigener Konjunktur- und Strukturprobleme nur begrenzt. Seit 1989 rücken zudem verstärkt die ehemaligen »Ostblock«-Staaten als Empfänger westlicher Wirtschaftshilfe in den Vordergrund.

Analysen der *weltwirtschaftlichen Entwicklung* auf der Basis des erwirtschafteten **Bruttosozialprodukts** (als Maß für die wirtschaftliche Wertschöpfung), die die Entwicklung in den verschiedenen Ländern und Staatengruppen untersuchen, erweisen eindeutig, daß sich das *weltweite Wohlstandsgefälle* zwischen reichen und armen Ländern in den letzten Jahrzehnten bis zum Beginn der 90er Jahre weiter vergrößert hat. Im Verlauf der 70er und 80er Jahre ergab sich keine wesentliche Umverteilung des *globalen Sozialprodukts,* abgesehen von 2 Ausnahmen:
– dem Wohlstandszuwachs einiger erdölexportierender Staaten seit der Mitte der 70er Jahre (z.B. arabische OPEC-Staaten) und
– dem überdurchschnittlichen Wirtschaftswachstum mehrerer »Schwellenländer«, die den Abstand zu den Industriestaaten verringern konnten (z.B. ost- und südostasiatische Staaten). Für diese Staaten wird auch in den 90er Jahren hohes Wachstum prognostiziert, so daß sie größtenteils in die Gruppe der Industriestaaten aufrücken dürften.

Eine neuere Übersicht des *IWF* (»Internationaler Währungsfonds«) vom Mai 1993 (»World Economic Outlook«) zeigt die *Aufteilung der weltweiten Wirtschaftsleistung* auf die verschiedenen Ländergruppen mit 2 unterschiedlichen Umrechnungsfaktoren: a) auf der Basis der Umrechnung des Bruttosozialprodukts in US-$, b) umgerechnet entsprechend der Kaufkraft unter Berücksichtigung der »Schattenwirtschaft«.

Die Aufteilung der globalen Wertschöpfung (»Weltsozialprodukt«)

Anteile am weltweiten Bruttosozialprodukt in % (1987–90)

	auf US-$-Basis	auf Kaufkraft-Basis
Industrieländer	73,21	54,44
davon USA	26,07	22,47
Japan	14,61	7,63
Deutschland	6,23	4,26
Frankreich	4,99	3,50
Italien	4,38	3,39
Großbritannien	4,19	3,45
Kanada	2,58	2,16
»Reformländer«	9,07	11,18
davon ehem. UdSSR	7,53	8,31
Ostmittel- und Südosteuropa	1,53	2,85
Entwicklungsländer	17,71	34,38
davon in Afrika	1,72	4,05
Süd- und Ostasien	7,29	17,67
Vorderasien und Europa	4,28	4,46
Lateinamerika	4,42	8,21
Welt insgesamt	100,00	100,00

Während das **Bruttosozialprodukt** insgesamt Auskunft über die wirtschaftliche Leistungsfähigkeit eines Landes im globalen Vergleich gibt, vermittelt das **BSP pro Kopf** ein ungefähres Bild der durchschnittlichen Einkommensverhältnisse und des nationalen Wohlstands.

Bruttosozialprodukt zu Marktpreisen in Mrd. US-$ (nach »World Bank Atlas 1992«) 1991 (1990)/durchschn. jährliche Veränderung 1980–91

USA	5 686,038	(5 445,825)	+3,1%
Japan	3 337,191	(3 140,948)	+4,3%
BR Deutschland (alt)	1 516,785	(1 411,346)	+2,3%
Frankreich	1 167,749	(1 099,750)	+2,3%
Italien	1 072,198	(970,619)	+2,4%
Großbritannien	963,696	(923,959)	+2,8%
Kanada	568,765	(542,774)	+3,1%
Spanien	486,614	(429,404)	+3,2%
Rußland	479,546	(–)	+2,0%
Brasilien	447,324	(402,788)	+2,5%
VR China	424,012	(415,884)	+9,4%
Australien	287,765	(290,522)	+2,8%
Indien	284,668	(294,816)	+5,5%
Niederlande	278,839	(258,804)	+2,1%
Rep. Korea (Süd-K.)	274,464	(231,132)	+10,0%
Mexiko	252,381	(214,500)	+1,5%
Schweiz	225,890	(219,337)	+2,2%
Schweden	218,934	(202,498)	+2,0%
Belgien	192,370	(154,688)	+2,2%
Rep. China (Taiwan; S)	190,000	(175,000)	–
Österreich	157,528	(147,016)	+2,3%
Iran	127,366	(139,120)	+2,5%
Finnland	121,982	(129,823)	+2,9%
Dänemark	121,695	(113,515)	+2,2%
Ukraine	121,458	–	+2,7%

BSP zu Marktpreisen *(Forts.)*

Indonesien	111,409	(101,151)	+5,8%
Saudi-Arabien	105,133	(90,000)	–0,4%
Türkei	103,888	(91,742)	+5,4%
Norwegen	102,885	(98,079)	+2,5%
Argentinien	91,211	(76,491)	–0,2%
Südafrika	90,953	(90,410)	+3,3%
Thailand	89,548	(79,044)	+7,8%
Hongkong	77,302	(66,666)	+6,9%
Polen	70,640	(64,480)	+1,2%
Jugoslawien (alt)	70,038	(72,860)	–0,7%
Griechenland	65,504	(60,245)	+1,6%
Portugal	58,451	(50,692)	+3,2%

Starke Veränderungen des BSP zwischen aufeinanderfolgenden Jahren beruhen häufig auf Wechselkursänderungen gegenüber dem US-$.

Bruttosozialprodukt je Einwohner in US-$ (nach »World Bank Atlas 1992«) 1991 (1990)/durchschn. jährliche Veränderung 1980–91 (ohne Kleinststaaten)

Schweiz	33 510	(32 250)	+1,6%
Luxemburg	31 080	(29 010)	+3,8%
Japan	26 920	(25 840)	+3,7%
Schweden	25 490	(23 780)	+1,7%
Finnland	24 400	(24 540)	+2,5%
Norwegen	24 160	(22 830)	+2,2%
Dänemark	23 660	(22 440)	+2,1%
BR Deutschland (alt)	23 650	(22 360)	+2,2%
USA	22 560	(21 810)	+2,1%
Kanada	21 260	(20 380)	+2,1%
Frankreich	20 600	(19 590)	+1,8%
Österreich	20 380	(19 000)	+2,1%
Ver. Arab. Emirate	19 900	(19 870)	–5,8%
Belgien	19 300	(17 580)	+2,1%
Italien	18 580	(16 880)	+2,1%
Niederlande	18 560	(17 570)	+1,5%
Großbritannien	16 750	(16 080)	+2,6%
Australien	16 590	(16 560)	+1,2%
Katar	15 600	(15 870)	–10,9%
Hongkong	13 200	(11 700)	+5,4%
Singapur	12 890	(11 200)	+4,9%
Spanien	12 460	(11 010)	+2,9%

Die niedrigsten Werte weisen auf:

Bangladesch	220	(210)	+1,9%
Zaire	–	(220)	–1,6%
Tschad	220	(180)	+3,8%
Burundi	210	(210)	+1,4%
Sierra Leone	210	(250)	–1,3%
Madagaskar	210	(230)	–2,4%
Kambodscha	200	(170)	–
Guinea-Bissau	190	(180)	+2,1%
Nepal	180	(180)	+2,1%
Uganda	160	(180)	+3,3%
Äthiopien	120	(120)	–1,6%
Tansania	100	(110)	–1,1%
Mosambik	70	(80)	–3,6%

Die **Staatsverschuldung** mit ihren Folgen war auch 1992/93 eines der wichtigsten Probleme der Weltwirtschaftspolitik. Besorgniserregend und entwicklungshemmend ist weniger die Höhe der Schulden an sich – die auch bei Industrieländern vielfach enorm ist (z.b. USA) –, sondern die *Unfähigkeit vieler Schuldnerländer, die geliehenen Gelder vertragsgemäß zurückzuzahlen,* zumal sie häufig nicht in sinnvolle Projekte investiert, sondern dem Konsum zugeführt wurden. Dies betrifft einerseits ostmittel- und südosteuropäische Länder des ehem. »Ostblocks«, wie z.B. Polen (Schuldenstand Ende 1992 brutto 45,5 Mrd. US-$) und die ehem. UdSSR bzw. Rußland (80,0 Mrd.$), v.a. aber viele außereuropäische Entwicklungsländer. Verschiedene hochverschuldete rohstoffexportierende Staaten konnten auch 1992 ihren Zahlungsverpflichtungen (Zins- und Tilgungsleistungen) nicht voll nachkommen, da aufgrund der vergleichsweise immer noch niedrigen Rohstoffpreise zu wenig Devisen erwirtschaftet wurden.

Für die *Entwicklungsländer* bedeutet die hohe *Staatsverschuldung* nicht nur eine Überforderung der wirtschaftlichen Leistungsfähigkeit, sondern ihre verlorene Kreditwürdigkeit verhindert auch den dringend benötigten Zufluß von neuem Kapital und bildet ein starkes Hemmnis für den Welthandel.

Anf. 1993 betrugen die *Auslandsschulden der Entwicklungsländer* einschl. Osteuropas und der Staaten der ehem. UdSSR nach Weltbank-Angaben brutto 1700 Mrd. US-$ (netto, d.h. nach Abzug von Auslandsguthaben, etwa 1550 Mrd. US-$). Davon entfielen rd. 430 Mrd. US-$ auf die hochverschuldeten »Mitteleinkommensländer« (z.B. Mexiko, Brasilien). Die *Schuldendienstzahlungen* der Entwicklungsländer beliefen sich 1991 auf 134 Mrd. US-$ (Zinsen 58, Tilgung 76 Mrd. US-$); damit verschlang der Schuldendienst rd. 21% der Einnahmen aus dem Export von Waren und Dienstleistungen. Da 1992 die privaten Investitionen in Entwicklungsländern wieder zunahmen (v.a. in Ostasien), erhöhte sich nach Weltbank-Angaben der *Netto-Geldtransfer in die Entwicklungsländer* auf 56,5 Mrd. US-$. Nach anderen Berechnungen floß dagegen 1992 mehr Geld aus den Entwicklungsländern in die Industrieländer als umgekehrt.

Möglichkeiten der *Umschuldung* bzw. des *Schuldenerlasses* für die ärmsten Entwicklungsländer standen auch 1992/93 im Vordergrund entwicklungspolitischer Diskussionen, zumal sich die weltwirtschaftlichen und -politischen Rahmenbedingungen für die Lösung der Schuldenprobleme aber verschlechterten (schwächeres Wirtschaftswachstum in den Industrieländern, Umlenkung finanzieller Mittel nach Osteuropa u.a.). Die Deutsche Bundesbank sieht allerdings darauf hin, daß Hilfen für die hochverschuldeten Länder nur einen Sinn haben, wenn diese selbst bereit sind, ihre Wirtschaft auf ein stabileres Fundament zu stellen (z.B. Haushaltssanierung, Inflationsbekämpfung, Entstaatlichung).

Verschärft wird die *Finanzkrise vieler Entwicklungsländer* durch die *»Kapitalflucht«* ins Ausland, v.a. in die USA und nach Westeuropa. Viele Unternehmer, aber selbst staatliche Behörden, investieren erwirtschaftetes Vermögen nicht im Inland, sondern legen es gewinnbringend bei Banken im sichereren Ausland an. So betrug die »Kapitalflucht« in den 80er Jahren aus Mexiko rd. 60 Mrd. US-$, aus Venezuela und Argentinien je rd. 30 Mrd. US-$, aus Nigeria und Brasilien je rd. 15 Mrd. US-$.

Schuldenhöhe ausgewählter Entwicklungsländer 1991/92 (Auslandsschulden) in Mrd. US-$: Mexiko 107 – Brasilien 100 – Indonesien 79 – Indien 72 – Argentinien 64 – VR China 63 – Ägypten 42 – Nigeria 35 – Algerien 34 – Philippinen 29 – Thailand 28 – Venezuela 27 – Marokko 25 – Peru 23 – Malaysia 22.

In der »Institutional Investor«-*Rangliste der Staaten nach Bonität* (Kreditwürdigkeit) vom März 1993 nehmen die ärmsten und hochverschuldeten Entwicklungsländer sowie viele Staaten Osteuropas und der GUS die hintersten Plätze ein: (Beispiele; 100 = ohne Risiko; 0 = höchstes Risiko): 1. Schweiz 92,0 – 2. Japan 91,0 – 3. Deutschland 90,3 – 4. Niederlande 89,2 – 5. USA 88,6 – 6. Frankreich 87,6 – 7. Österreich 85,3 – 8. Großbritannien 84,6 – 9. Luxemburg 84,5 – 10. Kanada 82,0 – 11. Belgien 80,3 – 12. Singapur 80,2 – 13. Rep. China (Taiwan) 78,5 – 14. Norwegen 77,1 – 15. Spanien 75,8 – 16. Dänemark 75,3 – 17. Schweden 75,2 – 18. Italien 75,1 – 19. Finnland 69,6 – 20. Irland 69,4 – 21. Rep. Korea (Südkorea) 68,6 – 22. Australien 67,9 – 23. Portugal 66,1 – 24. Hongkong 65,1 – 25. Malaysia 63,9 – 28. Saudi-Arabien 58,0 – 30. VR China 56,3 – 49. Indien 38,6 – 65. Brasilien 27,7 – 69. Polen 26,9 – 87. Rußland 20,2 – 95. Ukraine 18,2 – 115. Zaire 8,8 – 119. Kuba 8,2 – 120. Irak 7,4 – 121. Uganda 7,3 – 122. Haiti 7,3 – 123. DVR Korea (Nord-Korea) 7,3 – 124. Grenada 7,3 – 125. Sudan 7,0 – 126. Sierra Leone 6,7 – 127. Liberia 6,0.

Das **Weltwährungssystem** war 1992 durch kurzfristige und z.T. heftige Kursausschläge, aber insgesamt nur mäßige Veränderungen der Währungsrelationen gekennzeichnet. Eine Ausnahme stellte insbes. die italienische Lira dar, die erheblich an Wert einbüßte. Die im *EWS* zusammengeschlossenen Währungen zeigten eine beachtliche Stabilität im Verhältnis zueinander wie auch im Außenwert. – Während DM, US-$, französ. Franc und japanischer Yen Wertzuwächse zeigten (im Verhältnis zu den übrigen Währungen), erlitt neben der Lira auch das britische £ einen Wertverlust. Der gewogene *Außenwert des US-$* gegenüber den Währungen der 18 wichtigsten Industrieländer hatte seinen Höhepunkt im März 1985 mit 129,1 (1972=100) erreicht. Er sank seitdem im Jahresdurchschnitt über

77,7 (1988), 81,3 (1989), 77,5 (1990) und 76,2 (1991) auf 74,5 (1992). Im Vergleich zur DM ergab sich ein Kursverlust des US-$ von 2,94 DM (1985) und 1,80 DM (1987) auf nur noch 1,62 DM (1990) und, nach einem Anstieg auf 1,66 DM (1991), erneut ein Abfall auf 1,56 DM (im Durchschnitt 1992). Die **Währungsreserven** (Gold, Devisen, Sonderziehungsrechte und Reservepositionen beim Internationalen Währungsfonds/IWF) der Mitgliedsländer des IWF (zuzügl. Schweiz und Rep. China/Taiwan) betrugen Ende 1992 rd. 995 Mrd. US-$. Die größten Währungsreserven besaßen (in Mrd. SZR = Sonder-

ziehungsrechte; 1 SZR = 1,38 US-$): Deutschland 66,2 – Rep. China (Taiwan) 62,2 – Japan 52,1 – USA 43,8 – Schweiz 24,2 – Italien 20,1 – Frankreich 19,7. **Europäisches Währungssystem (EWS)** → *Kasten, Sp. 789 ff.*

Die **Diskontsätze** wichtiger Industrieländer betragen z.Z. (Stand Juni 1993): Japan 2,5% – USA 3,0% – Schweiz 5,5% – Großbritannien 5,875% – Belgien, Niederlande je 6,75% – Österreich, Schweden je 7,0% – Deutschland 7,25% – Finnland 7,5% – Frankreich 8,25% – Dänemark 9,0% – Italien 11,0% – Spanien 13,0%.

Die wirtschaftliche Entwicklung 1992/93 in ausgewählten Staaten
(→ *hierzu auch Wirtschaftsdaten im Kapitel »Staaten, Länder und Gebiete«*)

Europa

Deutschland: → *Sp. 358 ff.*

Frankreich: Die wirtschaftliche Entwicklung beschleunigte sich 1992 gegenüber dem Vorjahr leicht; das reale Bruttoinlandsprodukt, das 1991 nur um 0,8% angestiegen war, erhöhte sich um 1,6%, was ungefähr dem europäischen Durchschnitt entsprach. Die Entwicklung verlief somit schwächer als prognostiziert, da sowohl der private Verbrauch als auch die Investitionsneigung der Industrie nur wenig zunahmen. Wegen des schwachen weltwirtschaftlichen Umfelds und der hohen Staatsverschuldung gingen auch vom Export bzw. vom Staat kaum wachstumsfördernde Impulse aus. Da jedoch auch die Importe nur wenig wuchsen und der Tourismus erhöhte Deviseneinnahmen erbrachte, ergab sich eine positive Leistungsbilanz (+14,7 Mrd. FF) nach dem Defizit von 1991 (–33,4 Mrd. FF). Die Inflationsrate konnte von 3,2% (1991) leicht auf 2,5% (1992) gesenkt werden, dagegen verschlechterte sich die Lage auf dem Arbeitsmarkt weiter. Mit rd. 10% wurde eine der höchsten Arbeitslosenquoten unter den Industriestaaten erreicht, obwohl eine Reihe von staatlichen Beschäftigungsförderungsmaßnahmen durchgeführt wurden. Besonders unter gering qualifizierten Erwerbspersonen erhöhte sich die Arbeitslosigkeit stark, wobei v. a. in Südfrankreich auch die zunehmende Einwanderung aus Nordafrika eine Rolle spielt.

Großbritannien: Die britische Wirtschaft war 1990 in eine Rezession geraten, die 1992 noch anhielt, wenn es auch ab Jahresmitte zu einer leichten Wirtschaftsbelebung kam. Insgesamt nahm die Wirtschaftsleistung während dieser Rezessionsperiode um rd. 4% ab, d. h. stärker als jemals seit den 30er

Jahren. 1992 verringerte sich die Bruttoinlandsproduktion um 0,6% (gegenüber –2,2% 1991). Hauptursache der Rezession war die der Inflationsbekämpfung und Geldmarktstabilisierung dienende Hochzinspolitik im Zusammenhang mit hohen Lohnsteigerungen der letzten Jahre, die weit über den Produktivitätszuwachs hinausgingen und die Wettbewerbsfähigkeit der Industrie stark beeinträchtigten. Demgegenüber wurde 1992 zur Konjunkturbelebung eine expansive Finanzpolitik betrieben, die nur langsam die gewünschten Wirkungen zeigte, jedoch das staatliche Haushaltsdefizit stark erhöhte. Eine positive Auswirkung der Konjunkturschwäche war die auf 3,7% gefallene Inflationsrate (1991: 5,9%, 1990 noch 9,5%). Auf dem Arbeitsmarkt war dagegen die Situation schlechter als im Vorjahr; die Arbeitslosenquote stieg 1992 auf 9,7% (1991: 8,1%). Auch das Leistungsbilanzdefizit war mit 12 Mrd. £ wesentlich größer als 1991, da die Einfuhren wesentlich stärker anstiegen als die Ausfuhren. Nach wie vor ungelöste Probleme sind die Schwierigkeiten der wirtschaftlichen Umstrukturierung der altindustrialisierten Gebiete (z. B. Kohlenbergbau) sowie die regionalen Disparitäten zwischen diesen industriellen Problemgebieten in Nordengland, Schottland und Nordirland mit weit überdurchschnittlichen Arbeitslosenquoten und dem wirtschaftlich besser gestellten Südengland, besonders dem Londoner Raum, in dem sich die Rezession deutlich weniger auswirkte.

Italien: 1992 traf die sich verschärfende Krise der staatlichen Institutionen, genährt u. a. auch durch Korruptionsskandale in großen Bereichen der staatlichen und kommunalen Wirtschaft, auf eine sich stark abschwächende Konjunktur, so daß der Ruf nach grundlegenden Reformen des Staates und der Wirtschaft immer kräftiger wurde. Das Bruttoin-

landsprodukt erhöhte sich nur noch um 1,1%
(1991: 1,4%), da sich sowohl der private als auch
der staatliche Verbrauchszuwachs abschwächten
(+1,8 bzw. +0,7%) und Industrieproduktion und
-investitionen zurückgingen. Die Arbeitslosigkeit
stieg auf rd. 11,5% an; allerdings ist diese Zahl
wegen verbreiteter Schwarzarbeit (»Schattenwirtschaft«) und Mehrfachbeschäftigung nicht sehr
aussagekräftig. Die Inflationsrate verringerte sich
dagegen von 6,4 (1991) auf 5,4%. Ein wichtiges
Problem der Wirtschafts- und Finanzpolitik ist
das hohe Haushaltsdefizit und die dadurch seit
Jahren stark ansteigende Staatsverschuldung. Allein Zinszahlungen machen über 20% der Staatsausgaben aus. 1992 stieg das Defizit des Staats-
haushalts auf 163,2 Bill. Lire (11,4% des BIP), und
die gesamte Staatsschuld erreichte 1992 bereits
107% des jährlichen Sozialprodukts, so daß Italien
inzwischen weltweit zu den größten Schuldnern
zählt. Bis 1993 waren keine ernsthaften Ansätze zur
Sanierung der Staatsfinanzen zu erkennen, wozu
u. a. eine Verringerung des bürokratischen Apparates und eine Privatisierung der Staatsindustrien
gehören würde.

Niederlande: Die Niederlande erreichten 1992 ein
Wirtschaftsergebnis, das mit einer Steigerung des
Bruttosozialprodukts von 1,7% zwar ungünstiger
war als im Vorjahr (1991: +2,1%), aber im westeuropäischen Vergleich ein überdurchschnittlich gutes Ergebnis darstellte. Gedrückt wurde die Zuwachsrate v. a. durch die stagnierende Industrieproduktion (+0,2%) und den Staatsverbrauch, der aufgrund einer bewußt konsolidierungsorientierten
Wirtschaftspolitik ebenfalls nur minimal zunahm
(+0,2%). Der private Verbrauch stieg demgegenüber um 1,7% an, während die Ausfuhrsteigerung
von 2,5% (1991 noch +4,6%) noch stärker wachs-
tumsfördernd wirkte. Die Inflationsrate lag mit
3,6% niedriger als im Vorjahr (1991 +3,9%), d. h.
im internationalen Vergleich relativ günstig. Die Arbeitslosenquote fiel von 4,5% (1991) auf 4,2%
(1992), zeigte jedoch zum Jahresende deutliche
Steigerungstendenzen. Im Zuge der Stabilisie-
rungspolitik der Regierung wurden 1992 weitere
Sozialleistungen zur Entlastung der Staatskasse gesenkt, was Ende 1992 fast zum Bruch der Koalitionsregierung geführt hätte.

Österreich: → *Sp. 550 ff.*

Rußland: → *Sp. 905 ff.*

Schweden: Die Rezession hielt 1992 nicht nur an,
sondern die wirtschaftliche Entwicklung verschlechterte sich weiter. Nachdem das Bruttoinlandsprodukt bereits 1991 um 1,4% abgenommen

hatte, verminderte es sich 1992 um weitere 1,6%,
und für 1993 wird ein ähnlicher Rückgang erwartet.
Als Hauptursache des wirtschaftlichen Niedergangs
gilt die mit dem schwedischen Wohlfahrtsstaat verbundene »Kosteninflation«, die durch immens hohe
Besteuerung und laufend wachsende Lohn- und
Lohnnebenkosten immer mehr Unternehmer zur
Aufgabe bzw. zur Verlagerung der Produktion ins
Ausland brachte. Dementsprechend nahmen 1992
die Industrieproduktion um 4%, die Anlageinvestitionen sogar um 11% ab. Der private Verbrauch
sank um 3%, da die Reallöhne nicht mehr anstiegen. Verbunden war die Rezession zwar mit einer
stark gesunkenen Inflationsrate (1991: 9,4%, 1992:
2,5%), andererseits aber mit einer auf 2,7%
(1991) auf 5,4% (1992) verdoppelten Arbeitslosenquote. Sie stand in starkem Kontrast zur jahrelang
mit hohen Kosten geförderten Politik der Vollbeschäftigung. Die Handelsbilanz konnte 1992 weiter
verbessert werden, da die Importe erneut stärker
zurückgingen als die Exporte. – Die nach der Abwahl
der langjährig regierenden Sozialdemokraten im
Sept. 1991 installierte konservativ-bürgerliche Regierung versucht eine wirtschaftliche Stabilisierung
v. a. durch Steuersenkungen, Begrenzung der Lohn-
kosten bei gleichzeitiger Erhöhung der Produktivität, Abbau der überproportionalen Staatsquote
von rd. 65% und Verminderung der Leistungen des
Wohlfahrtsstaates. Vorteile verspricht sich Schweden auch von einem Beitritt zur EG, über den seit
1. 2. 1993 verhandelt wird.

Schweiz: → *Sp. 603 ff.*

Spanien: Nach Jahren sehr hoher Wachstumsraten
bis 1990 betrug die Zunahme des Bruttoinlandsprodukts schon 1991 nur noch 2,3% und sank 1992
weiter auf 1,2%. Für 1993 wird mit einem leichten
Rückgang des BIP gerechnet. Die geringe Wachs-
tumsrate der Wirtschaft von 1992 lag zwar im EG-
Trend, doch hat Spanien gegenüber den EG-Partnern einen deutlichen Rückstand aufzuholen. Zur
Konjunkturschwäche führten 1992 v. a. die geringe
Investitionsneigung der Industrie, das zurückge-
hende Bauvolumen, die Außenhandelsschwäche
(zunehmendes Defizit) und der witterungsbedingte
starke Rückgang der Agrarproduktion. Die Inflationsrate wies 1992 mit 5,9% (Verbraucherpreis-
steigerung) den gleichen Wert wie 1991 auf. Dagegen verschlechterte sich die Lage auf dem Arbeitsmarkt deutlich, und die Arbeitslosenquote
stieg auf 18,2% im Jahresdurchschnitt, den höchsten Wert in der EG. Günstig entwickelte sich der
Tourismus; die Einnahmen erhöhten sich um 8%
auf 2000 Mrd. Pts., konnten jedoch das Defizit der
Handelsbilanz von 3600 Mrd. Pts. bei weitem nicht
ausgleichen.

Amerika

USA: Die Rezession, die 1991 die US-amerikanische Wirtschaft gekennzeichnet hatte, ging im Laufe des Jahres 1992 in eine mäßige Aufwärtsentwicklung über. Während das Bruttoinlandsprodukt 1991 um 1,2% geschrumpft war, ergab sich für 1992 wieder ein Wachstum von 1,75%, das für 1993 auf 2,5% prognostiziert wird. Besonders eine expansive Geldpolitik der Notenbank (mehrfache Zinssenkungen) führte zu verstärkter Investitionstätigkeit und höherem privaten Verbrauch (+2,0%), so daß die Industrieproduktion um 1,5% zunahm (1991: –1,9%). Der Arbeitsmarkt profitierte jedoch davon nicht, da in der Industrie rationalisiert wurde und auch durch den Rückgang der Verteidigungsausgaben Arbeitnehmer freigesetzt wurden. Die Zahl der Arbeitslosen stieg daher im Durchschnitt 1992 auf 9,38 Mio. (1991: 8,43 Mio.), d.h. eine Quote von 7,3% (1991: 6,7%). Dagegen sank die Inflationsrate weiter und betrug 1992 (1991) nur noch 3,0 (4,2)% (Anstieg der Verbraucherpreise). Große Probleme bieten seit Jahren die hohen Defizite im Außenhandel und im Staatshaushalt (Staatsverschuldung). Hier war eine weitere Verschlechterung zu verzeichnen. Das Defizit des Bundesetats wuchs von 269,4 Mrd. $ (Haushaltsjahr 1990/91)auf 290,2 Mrd. $ an (1991/92), so daß die Gesamtschulden des Bundesstaates auf 3,97 Bill. $ betrugen. Auch der Außenhandel entwickelte sich negativ (Exportschwäche bei zunehmenden Importen), so daß das Handelsbilanzdefizit von 65,4 (1991) auf 84,3 Mrd.$ anstieg *(→ Kap. Welthandel, Sp. 1029ff.).* – Das Wirtschaftsergebnis von 1993 wird stark von einem Erfolg der geplanten Maßnahmen der neuen Regierung Clinton abhängen.

Kanada: Das Land ist wirtschaftlich sehr eng mit den USA verflochten; z.B. werden jährlich über 75% der Ausfuhren und rd. 70% der Einfuhren mit dem südlichen Nachbarland abgewickelt. Diese enge Verbindung der beiden Volkswirtschaften wird seit 1990 durch ein Freihandelsabkommen mit den USA noch intensiviert, durch das im Lauf der nächsten 10 Jahre alle gegenseitigen Handelsbeschränkungen abgebaut werden sollen. Aufgrund der engen wirtschaftlichen Verbindungen verlief auch 1992 die Konjunktur ähnlich wie in den USA, d.h., die im Vorjahr stagnierende Wirtschaft zeigte wieder ein leichtes Wachstum, und das Bruttosozialprodukt nahm um rd. 1,5% zu. Die Arbeitslosenquote von rd. 8,5% konnte nicht gesenkt werden, doch verringerte sich die Inflationsrate auf 1,5%. Das Zahlungsbilanzdefizit vergrößerte sich weiter (1992: 28,6 Mrd. kan.$), da der früher teilweise sehr hohe Exportüberschuß auf rd. 7 Mrd. kan.$ zurückging. Hier spielten die niedrigen Weltmarktpreise für mineralische Rohstoffe, ein Hauptexportgut, eine Rolle. Besondere Probleme Kanadas sind auch die hohe Staatsverschuldung, die 1992 weiter anstieg (Auslandsverschuldung von rd. 40% des Bruttosozialprodukts) und die wirtschaftlichen Disparitäten zwischen den stärker industrialisierten Ostprovinzen und den vor allem landwirtschaftlich und bergbaulich orientierten Mittel- und Westprovinzen.

Lateinamerika: Das durch marktwirtschaftliche Reformen und zunehmende Demokratisierung und politische Stabilisierung indizierte Wirtschaftswachstum hielt in den meisten lateinamerikanischen Ländern 1992 an. Die UN-Wirtschaftskommission für Lateinamerika und die Karibik berechnete für die ganze Region eine Zunahme des Bruttoinlandsprodukts von 2,4%, ohne Brasilien sogar von 4,3%. Zunahmeraten um 6% erreichten z.B. Chile, Argentinien und Venezuela, während Brasiliens Wirtschaft – v.a. wegen der politischen Wirren um die Absetzung des Präsidenten Collor de Mello – weiter stagnierte. Insgesamt ergab sich für Lateinamerika erstmals seit 1987 wieder im Durchschnitt eine reale Steigerung des Volkseinkommens. Die sonstigen Indikatoren besserten sich jedoch kaum. Die Arbeitslosenquote lag in den meisten Ländern offiziell bei 10–15%, tatsächlich (bei Berücksichtigung von Unterbeschäftigung, Gelegenheitsarbeiten usw.) bei mindestens 25%. Die hohe Auslandsverschuldung erhöhte sich 1992 weiter, doch konnten aufgrund von Umschuldungsvereinbarungen neue Entwicklungskredite erhalten werden. Mit 446,9 Mrd. US-$ (Ende 1992) war Lateinamerika der höchstverschuldete Kontinent (davon 60% durch die 3 Staaten Brasilien, Argentinien und Mexiko). Ebenso problematisch war die weiterhin starke Kapitalflucht, d.h. die Weigerung Einheimischer, wegen der unsicheren wirtschaftlichen und politischen Lage im eigenen Land zu investieren. In Argentinien und Venezuela entsprach die Kapitalflucht nach Weltbank-Angaben zuletzt jährlich etwa der Hälfte der gesamten Ersparnisse; in Brasilien macht sich seit 1990 wegen der desolaten wirtschaftlichen Lage zudem eine verstärkte Auswanderung von Angehörigen der Mittel- und Oberschicht bemerkbar. Ein Zeichen für die wirtschaftliche Besserung wird jedoch darin gesehen, daß erstmals seit über 10 Jahren Netto-Kapitalzuflüsse in die Region gingen. Auch bei der Inflation besserte sich die Lage. Ohne Brasilien (über 1000%) verringerte sich die durchschnittliche Preissteigerungsrate auf nur noch 20%. – Als Land mit besonders guten Entwicklungsaussichten gilt Mexiko, das auch 1992 seine Industrialisierung fortsetzte und im Rahmen der NAFTA (Freihandelsabkommen mit USA und Kanada) günstige Zukunftschancen sieht.

Asien und Ozeanien

China (Volksrepublik): Das Staatliche Statistische Amt der VR China meldete für 1992 ein gegenüber dem Vorjahr wesentlich verstärktes wirtschaftliches Wachstum, das boomartige Züge annahm und als Folge der »Reform, Öffnung und Modernisierung Chinas« und einer »neuen Phase der schwungvollen Entwicklung« bezeichnet wurde. In internationalen Wirtschaftszeitungen wurde China sogar als neuer »4. Wachstumspol« der Weltwirtschaft neben den USA, der EG und Japan bezeichnet. Nach amtlichen Angaben betrug das Bruttosozialprodukt 1992 2394 Mrd. Yuan, d. h. 12,8 % (nominal) mehr als 1991. Insbesondere die Industrie mit einer Produktionssteigerung von rd. 20 % und der Dienstleistungssektor mit einem Wachstum von 9,2 % trugen zum Wirtschaftsaufschwung bei. – Das wichtigste Problem bildete dabei auch 1992 die Konsolidierung der Wirtschaft nach dem Übergang von einer strikt planorientierten Ordnung zum gegenwärtigen System einer sog. »sozialistischen Marktwirtschaft«. Ende 1992 stieg der Anteil der durch den Markt regulierten Wirtschaftsbereiche auf rd. 70 %, beim Einzelhandel auf 90 %. Ein Zeichen für Diskrepanzen zwischen Angebot und wachsender Nachfrage waren z. T. hohe Preissteigerungsraten (z. B. Dienstleistungspreise in den Städten 15–20 %); insgesamt betrug die Inflationsrate (Lebenshaltungskosten) 6,4 %. Die Zahlungsbilanzprobleme verstärkten sich zumindest nicht weiter, da wieder ein Außenhandelsüberschuß erzielt werden konnte. *(Zur Situation der Außenwirtschaft → Kap. Welthandel, Sp. 1029ff.).* Problematisch blieben die hohe Arbeitslosigkeit und die mangelnde Effizienz der Wirtschaft. Der gegenwärtige Kurs der Wirtschaftspolitik soll beibehalten werden. Vor allem soll weiterhin ausländisches Kapital, Technik und Know-how angeworben werden, um die industrielle Produktion zu erhöhen. China ist nach dem Zusammenbruch der UdSSR seit 1992 der einzige große kommunistisch regierte Staat und versucht weiterhin, das Land marktwirtschaftlich zu entwickeln, ohne die Macht der Partei zu gefährden.

Die **Republik China (Taiwan)** erlebte auch 1992 wieder ein kräftiges Wirtschaftswachstum, das mit einer Steigerung des Bruttosozialprodukts von rd. 7 % eine ähnliche Größenordnung erreichte wie 1991. Wichtigster Motor des wirtschaftlichen Wachstums war wieder die stark exportorientierte Industrie. Das Land stand auch 1992 an 12. Stelle unter den Exportländern, d. h. noch vor der VR China. Nach dem Pro-Kopf-Einkommen der Bevölkerung (rd. 9000 US-$ BSP je Einw.) stand Taiwan auch 1992 nach Japan an 2. Stelle in Asien (ohne kleine Erdölexportländer). Aufgrund der laufenden

hohen Exportüberschüsse, v. a. gegenüber den USA, besaß Taiwan 1992 62 Mrd. US-$ Währungsreserven und stand damit an der Spitze der sog. »Schwellenländer«.

Indien: Die indische Regierung setzte 1992 mit gewissem Erfolg ihre Versuche fort, das hoch verschuldete (rd. 90 Mrd. US-$ Auslandsschulden) und wirtschaftlich stagnierende Land wieder auf einen Wachstumskurs zu bringen. Mit Hilfe der Weltbank und des Internat. Währungsfonds wurde die Sanierung der indischen Wirtschaft fortgesetzt, was v. a. eine Abkehr von der bisher praktizierten sozialistischen Staatswirtschaft beinhaltete. Liberalisierung des Handels, Privatisierungen von Staatsbetrieben, Förderung privater Investitionen und Kooperation mit ausländischen Unternehmen führten 1992 zu Erfolgen, z. B. einem Wachstum der Industrieproduktion um ca. 8 %. Zu den Reformvorhaben zählte auch die weitere Diversifizierung des Außenhandels, der bis 1990/91 sehr stark auf die UdSSR ausgerichtet war. Schwerpunkte der Wirtschaftspolitik waren außerdem wieder die Verminderung der Staatsverschuldung und die Schaffung neuer industrieller Arbeitsplätze, um die sehr hohe Arbeitslosenquote zu senken. Auch die Landwirtschaft muß weiter modernisiert werden. Zwar stieg die Erzeugung 1992 beträchtlich an, doch erhöhte sich wegen der nach wie vor starken Bevölkerungszunahme die Nahrungsgüterproduktion pro Kopf nur minimal. Vom Wirtschaftswachstum der letzten Jahre profitierte v. a. die städtische Mittelschicht; unter der Gesamtbevölkerung beträgt der Anteil der absolut Armen immer noch rd. 40 %.

Japan: Im Herbst 1991 hatte ein konjunktureller Abschwung eingesetzt, der sich 1992 noch beschleunigte und ein Ende des fünfjährigen Wirtschaftsbooms brachte (1987–91). Das Bruttosozialprodukt, das 1990 noch um 4,8 % und 1991 um 4,1 % zugenommen hatte, erhöhte sich 1992 nur noch um 1,5 %. Vor allem der private Verbrauch und die industriellen Investitionen stagnierten, und die Einkommen stiegen nur noch geringfügig an. Die Konjunktur wurde dagegen durch den Außenhandel gestützt, der bei steigenden Exporten und leicht abnehmenden Importen einen sehr hohen Überschuß erbrachte (→ *Kap. Welthandel*). Der konjunkturell bedingte Abbau der Beschäftigung führte erstmals nach Jahren wieder zu einer gewissen Arbeitslosigkeit. Mit einer Quote von 2,4 % zum Jahresende wies aber Japan nach wie vor einen international extrem niedrigen Wert auf. Auch die Preissteigerungsrate sank mit 1,6 % (Verbraucherpreisindex) auf einen international kaum sonst erreichten Wert. Um die Wirtschaft wieder anzukurbeln, verkündete die Regierung im Lauf des Jahres mehrere Konjunkturprogramme, z. B. für zusätzliche Infrastrukturmaßnahmen.

Australien: Das stark von Rohstoffexporten abhängige Land leidet seit Jahren unter den niedrigen bzw. schwankenden Preisen für seine Hauptausfuhrgüter (Kohle, Wolle, Weizen, Eisenerz, Fleisch). Seit 1991 verursacht v. a. der Verfall der Wollpreise große wirtschaftliche Schwierigkeiten. Sie fielen wegen des weltweiten Überangebots 1992 noch weiter. Durch Stärkung industrieller Investitionen versuchte man in den letzten Jahren, die Wirtschaft zu stabilisieren und zu diversifizieren. Bisher zeigt jedoch die australische Industrie gravierende Struk-turschwächen und zu geringe Produktivität und ist international kaum wettbewerbsfähig. Insgesamt brachte 1992 eine Stagnation des Sozialprodukts (nur minimales Wachstum). Die 1991 auf 11,3 % angestiegene Arbeitslosenquote konnte nur leicht gesenkt werden (10,9 % zum Jahresende 1992). Günstiger stellte sich die Inflationsrate dar, die rd. 3,5 % betrug. Probleme liegen nach wie vor in der Höhe der Auslandsschulden und des Zahlungsbilanzdefizits. Für die Zukunft ist Australien stark an Investitionen aus den EG-Ländern interessiert, um Industrie und Bergbau weiter zu entwickeln und die starke außenwirtschaftliche Abhängigkeit von Japan zu verringern.

ERNÄHRUNG, LAND- UND FORSTWIRTSCHAFT, FISCHEREI

Entwicklung der landwirtschaftlichen Erzeugung nach Ländergruppen insgesamt und je Einwohner (nach FAO-Angaben) 1979–1981 = 100

Gebiet	Gesamte Agrarproduktion				Nahrungsmittelproduktion			
	1991		1992		1991		1992	
	ins-ges.	(je Einw.)	ins-ges.	(je Einw.)	ins-ges.	(je Einw.)	ins-ges.	(je Einw.)
Welt insgesamt	126	(104)	127	(103)	125	(104)	127	(103)
Industrieländer	107	(100)	106	(98)	107	(100)	107	(99)
Nordamerika	107	(97)	113	(101)	107	(97)	113	(102)
Europa	108	(105)	104	(101)	108	(105)	104	(101)
Australien/Ozeanien	112	(96)	115	(98)	110	(94)	114	(97)
UdSSR/GUS	105	(95)	100	(91)	105	(96)	102	(92)
sonst. Industrieländer	102	(92)	96	(86)	105	(95)	98	(88)
Entwicklungsländer	143	(114)	145	(113)	143	(114)	146	(113)
Afrika	135	(97)	132	(91)	135	(97)	132	(92)
Lateinamerika	127	(101)	128	(100)	130	(103)	131	(102)
Naher Osten	133	(96)	138	(97)	136	(99)	141	(99)
Süd- und Ostasien	152	(124)	155	(124)	150	(123)	155	(124)
sonst. Entwicklungsländer	113	(88)	114	(87)	113	(89)	115	(88)

Die **Welt-Ernährungslage und die Situation der Landwirtschaft** entwickelten sich 1992 – global gesehen – leicht günstiger als im Vorjahr, aber nicht so positiv wie erhofft. Wie die Tabelle über die *Entwicklung der landwirtschaftlichen Erzeugung* (nach Berechnungen und Schätzungen der FAO) zeigt, nahm die Agrar- und speziell die Nahrungsmittelproduktion der Welt 1991–92 leicht zu. Bei weiterhin stark steigenden Bevölkerungszahlen bedeutete dies einen leichten *Rückgang der Pro-Kopf-Erzeugung,* die – wie 1991 – erneut niedriger lag als in den ungünstigen Jahren 1987/88 und wieder auf das Niveau zu Beginn der 80er Jahre absank.
Rückgangs- bzw. Stagnationstendenzen der Produktion landwirtschaftlicher Erzeugnisse betrafen Industrie- wie Entwicklungsländer, allerdings aus unterschiedlichen Ursachen und mit anderen Folgen. In Westeuropa war der Produktions-rückgang erwünscht, um die hohen Überschüsse zu reduzieren, und wurde z. T. durch Flächenstillegungen hervorgerufen. In Ost- und Südosteuropa und den Ländern der ehem. UdSSR war er eine Folge des politischen und wirtschaftlichen Zusammenbruchs und der im Gang befindlichen Umstrukturierung. In vielen Entwicklungsländern dagegen kamen witterungs- und entwicklungspolitisch bedingte Probleme zusammen; die Stagnation der Agrarproduktion – mit Ausnahme z. B. von China und Indien – verschärfte die kritische Ernährungslage und machte vielfach die Fortschritte zunichte, die in den 80er Jahren bei der Versorgung der Bevölkerung erreicht worden waren.

Aufgrund der Abnahme der Nahrungsmittelerzeugung in einigen Regionen und der nur geringen Zunahme in anderen – die nicht Schritt hielt mit der

Bevölkerungszunahme – war die **Nahrungsmittel-lage,** im weltweiten Durchschnitt gesehen, 1992 **nicht mehr so günstig** wie noch Ende der 80er Jahre. Trotzdem reichten auch 1992 die *Nahrungsmittelbestände* auf der Erde (Ernte und Vorräte), um *theoretisch alle Menschen ausreichend zu ernähren.* Außerdem könnte die Erzeugung allein durch Aufhebung der Produktionseinschränkungen (Wiederbebauung des Brachlandes) in Nordamerika und Westeuropa und durch effektivere Landbewirtschaftung in Osteuropa in kurzer Zeit noch stark gesteigert werden. Wegen der ungleichen Verteilung der Produktion betrug trotzdem auch 1992 die *Zahl der hungernden bzw. unter- oder mangelernährten Menschen über 500 Mio.,* und in 25 – 30 Staaten herrschten Hungersnöte oder Nahrungsmittelknappheit (nach FAO-Angaben). Allerdings weist die FAO auch darauf hin, daß der prozentuale Anteil der Hungernden an der gesamten Weltbevölkerung früher wesentlich höher war und seit mehreren Jahrzehnten sinkt.

In den 80er Jahren bis 1992/93 zeigt die Entwicklung der landwirtschaftlichen Erzeugung für die Entwicklungsländer ein zwiespältiges Bild. Die *Welt-Nahrungsmittelproduktion* stieg nach Schätzungen der FAO 1981–92 um rd. 24 % bzw. pro Kopf um rd. 2 % an. Für die *Entwicklungsländer* lauteten die entsprechenden Werte +42 % (absolut) bzw. +12 % (pro Kopf). Erfreuliche Ergebnisse wiesen vor allem China (Nahrungserzeugung +61 % bzw. +38 %), Indien (+49 % bzw. +16 %), Indonesien (+66 % bzw. +32 %) oder Brasilien (+70 % bzw. +33 %) auf. Dagegen verringerte sich die Produktionsmenge pro Kopf in Afrika um rd. 7 % (wegen des starken Bevölkerungswachstums und einer Zunahme der Erzeugung um nur rd. 30 %), und auch in Lateinamerika konnten mehrere Staaten die Pro-Kopf-Erzeugung an Nahrungsmitteln nur geringfügig oder gar nicht steigern (z.B. Peru, Venezuela, Argentinien).

Beispiele für die **Veränderung der Nahrungsmittelproduktion pro Kopf der Bevölkerung** von 1979–81 (=100) bis 1988–90 (Jahresdurchschnittswerte; nach »Weltentwicklungsbericht 1992«): Nicaragua 58 – Sudan 71 – Botsuana 75 – Ruanda 77 – Mosambik 81 – Liberia, Philippinen je 84 – Afghanistan 85 – Tunesien 87 – Madagaskar, Tansania, Togo je 88 – Dominikan. Rep. 90 – Rumänien 92 – Italien 94 – Australien 95 – Algerien, Venezuela, Bulgarien je 96 – Türkei 97 – Peru 100 – Japan, Schweiz 101 – Frankreich 103 – Großbritannien 105 – Thailand, Portugal, Österreich je 106 – Kanada 108 – Spanien, BR Deutschland je 112 – Indien 119 – Indonesien 123 – Dänemark 126 – VR China 133.

Nahrungsmittelmangel besteht vor allem in denjenigen *Entwicklungsländern,* die eine *zu geringe Eigenproduktion* aufweisen und wegen *fehlender Devisen* (zum Import von Nahrungsmitteln) bzw. wegen *unzureichender Transport- und Lagermöglichkeiten* nicht mit genügend Ernährungsgütern aus den Überschußgebieten versorgt werden können. Selbst innerhalb einer Region oder eines größeren Staates, z. B. in Teilen Afrikas, besteht aufgrund mangelnder Kaufkraft und fehlender Verkehrsinfrastruktur häufig das Problem, einen Ausgleich zwischen Gebieten mit Überschußproduktion und solchen mit Lebensmittelmangel herzustellen. Nötig ist also nicht nur die Erhöhung der Eigenproduktion in Ländern ungenügender Leistungsfähigkeit der Landwirtschaft, sondern auch die Entwicklung außerlandwirtschaftlicher Arbeitsstätten, um die Kaufkraft zu erhöhen, bzw. die Verbesserung der Transport- und Lagermöglichkeiten. Letzteres betrifft besonders solche Länder, die selbst den Weltmarkt mit Agrarprodukten versorgen (z. B. Kaffee, Kakao, pflanzliche Industrierohstoffe) und für ihre eigene Nahrungsmittelversorgung teilweise auf Importe angewiesen sind.

Sonderfälle stellen solche Länder dar, in denen wegen kriegerischer Auseinandersetzungen Produktion und Verteilung von Nahrungsmitteln schwer gestört sind. Besonders in Afrika wurden in den letzten Jahren Hungersnöte häufig durch Bürgerkriege verursacht oder verschärft (z. B. Äthiopien, Sudan, Angola, Somalia u. a.).

Die Hauptgründe für die immer noch **mangelhafte Nahrungsmittelproduktion bzw. -versorgung vieler Entwicklungsländer** sind nach Meinung von Experten (z. B. der FAO, der Weltbank und von Organisationen der Entwicklungshilfe) v. a. folgende, die vielfach gemeinsam auftreten:

– verbreiteter *Rückgang der Bodenfruchtbarkeit* als Folge falscher Bewirtschaftung, mangelhafter Düngung, der Erosion, Entwaldung usw. (→ *Holz);*

– zu *geringe Produktivität der Landwirtschaft* durch das Fehlen moderner Technologien und geeigneter Bearbeitungsmethoden und -maschinen, hochwertigen Saatgutes und ausreichender Düngemittel;

– fehlende *Vermarktungsmöglichkeiten,* ungenügende *Transportmittel,* hohe *Ernte- und Nachernteverluste* durch Schädlinge, Verderb, Witterungseinflüsse, mangelnde Lager- und Konservierungsmöglichkeiten usw.;

– in vielen Staaten *leistungshemmende Agrarverfassungen,* ungenügende Förderung, vielfach sogar *bewußte Vernachlässigung der Landwirtschaft* und der ländlichen Räume durch die Regierungen zugunsten der städtisch-industriellen Bevölkerung. Typisch hierfür sind die häufig unangemessen niedrigen Preise für Nahrungsmittel, die in vielen afrikanischen Staaten durch die Regierungen festgesetzt werden, um die städtische Bevölkerung mit billigen Lebensmitteln versorgen zu können. Die Folge ist, daß für die Bauern der finanzielle Anreiz zur Mehrproduktion fehlt und sie sich nur noch auf die Selbstversorgung beschränken;

– schließlich die *absolute Armut* weiter Bevölkerungskreise, die verhindert, daß sie sich – selbst bei ausreichendem Angebot – auf dem Markt mit Lebensmitteln versorgen können. Jegliche wirtschaftliche Entwicklung entsprechender Regionen mit der Schaffung von Beschäftigungs- und Einkommensmöglichkeiten und damit von Kaufkraft ist also auch ein Beitrag gegen die Unterversorgung mit Nahrungsmitteln.

Die *Nahrungsmittelhilfe für Entwicklungsländer*, die seit Jahren hauptsächlich von den westlichen Industriestaaten gegeben wird, wurde auch 1992/93 überwiegend in Gebiete ernster Notstände gelenkt, um die jahrelang geübte Daueralimentierung bestimmter Länder zu vermeiden. Auch in Zukunft soll das Hauptgewicht auf die *Beseitigung der Ursachen mangelhafter Nahrungsmittelproduktion* gelegt werden, da durch permanent gewährte Nahrungsmittelhilfe die notwendigen längerfristigen Maßnahmen zur Selbsthilfe und zur Aktivierung der einheimischen Landwirtschaft eher behindert werden. Mit vielen Ländern wurde inzwischen die Erfahrung gemacht, daß ständige Hilfe von außen die notwendige Eigeninitiative lähmt. Es kann daher auch nicht sinnvoll sein – wie oft vorgeschlagen wird –, in den EG-Ländern und den USA weiter hohe Nahrungsmittelüberschüsse zu produzieren und sie dann an Entwicklungsländer zu verschenken. Dadurch würden diese in immer stärkere Abhängigkeit geraten, ganz abgesehen davon, daß die europäischen Überschußprodukte großenteils als Nahrungsmittelhilfe ungeeignet sind.

Deutschland beteiligte sich auch 1992/93 an verschiedenen internationalen Hilfsprogrammen zur Bekämpfung des Hungers und akuter Notlagen in Katastrophengebieten. 1991 stellte es insgesamt 526,7 Mio. DM für **Nahrungsmittelhilfe** bereit, davon (in Mio. DM) für das Welternährungsprogramm 45,0 – Anteil an der Nahrungsmittelhilfe der EG 327,3 (Getreide, Magermilchpulver, Zucker, Butteröl, Olivenöl u. a., insges. 27% deutscher Finanzierungsanteil an der Gesamtsumme) – Getreidelieferung im Rahmen des internationalen Nahrungsmittelhilfe-Übereinkommens und Förderung von Ernährungssicherungsprogrammen der Entwicklungsländer (»food for work«; Anlage von Getreidereserven, Verbesserung der Erzeugung, der Lagerung und der Vermarktung von Nahrungsmitteln) zusammen 154,4.

Der **Düngemittelverbrauch (Mineraldünger)** gibt Hinweise auf den *Entwicklungsstand der Landwirtschaft*. In den *westlichen Industrieländern* ist weitgehend Sättigung erreicht. Hier kann der Düngemittelverbrauch kaum noch ökonomisch sinnvoll gesteigert werden und sollte im Gegenteil aus ökologischen Gründen eher eingeschränkt werden. Dagegen herrscht in den *Entwicklungsländern* vielfach noch Nachholbedarf. In den letzten Jahren konnten durch vermehrten Düngereinsatz die Ernteergebnisse und damit die Ernährungssituation in vielen Ländern wesentlich verbessert werden.

Der **Weltverbrauch an Düngemitteln** betrug im Wirtschaftsjahr 1990/91 (1989/90) 137,520 (143,507) Mio. t. Es entfielen auf **Stickstoffdünger** 77,051 (79,186) – **Phosphate** 36,025 (37,393) – **Kalidünger** 24,444 (26,929) Mio. t. – Wichtigste *Verbraucher* 1990/91 in Mio. t:

Stickstoff: VR China 19,450 – USA 10,141 – UdSSR 8,738 – Indien 8,021 – Frankreich 2,492 – Deutschland 1,788 – Indonesien 1,610 – Großbritannien 1,525 – Pakistan 1,472 – Türkei 1,200 – Mexiko 1,163 – Kanada 1,158 – Spanien 1,064 – Italien 0,846 – Brasilien 0,779 – Ägypten 0,745 – Polen 0,671 – Rumänien 0,656 – DVR Korea (Nord-K.) 0,655 – Japan 0,612 – Bangladesch 0,608 – u. a. Österreich 0,135 – Schweiz 0,063.

Phosphat: UdSSR 7,815 – VR China 5,879 – USA 3,765 – Indien 3,210 – Frankreich 1,349 – Brasilien 1,186 – Japan 0,690 – Türkei 0,625 – Deutschland 0,609 – Italien 0,600 – Iran 0,587 – Indonesien 0,585 – Kanada 0,578 – Australien 0,578 – Spanien 0,534 – u. a. Österreich 0,072 – Schweiz 0,038.

Kali: UdSSR 5,081 – USA 4,522 – Frankreich 1,842 – VR China 1,748 – Indien 1,330 – Brasilien 1,183 – Deutschland 0,875 – Polen 0,538 – Japan 0,537 – Großbritannien 0,510 – Malaysia 0,475 – u. a. Österreich 0,094 – Schweiz 0,066.

Beispiele für Weltmarktpreise		
	Ende 1991	Ende 1992
Weizen (Chicago, cts/bush.) . .	404,75	353,75
Roggen (Winnipeg, kan.$/t)	98,60	122,50
Hafer (Chicago, cts/bush.)	138,00	145,25
Gerste (Winnipeg, kan.$/t) . . .	87,50	93,80
Mais (Chicago, cts/bush.) . . .	251,50	216,50
Zucker (New York, cts/lb)	9,00	8,41
Kaffee (London, £/t)	999,38	1001,00
Kakao (London, £/t)	1245,00	936,00
Sojabohnen (Chicago, cts/bush.)	554,75	568,75
Leinsaat (Winnipeg, kan.$/t) . .	190,20	274,10
Kautschuk (London, p/kg) . . .	47,87	64,25
Baumwolle (New York, cts/lb) . .	59,17	58,86
Wolle (Sydney, cts/kg)	578,00	509,00

Die **Preise für Nahrungs- und Futtermittel und agrarische Rohstoffe** auf dem Weltmarkt stagnierten 1992 – im Durchschnitt gesehen – *auf niedrigem Niveau* und zeigten nur für wenige Produkte größere Zu- oder Abnahmen. Dies betraf sowohl agrarische Industrierohstoffe als auch Getreide und tropische Nahrungs- und Genußmittel. Preissenkend wirkten vielfach relativ gute Ernten, aber auch die nachlassende Nachfrage aus den Industriestaaten aufgrund der industriellen Rezession in den USA und anderen westlichen Industrieländern und des wirtschaftlichen Zusammenbruchs der Sowjetunion. Nur bei wenigen Produkten war 1992 – weltweit gesehen – der Verbrauch höher als die Erzeugung, wobei aber die Nachfrage aus Vorräten gedeckt werden konnte. Preissteigernd wirkten sich bei verschiedenen Getreidearten durch Trockenheit verursachte Ernterückgänge aus (z. B. Gerste, Hafer, Roggen), während bei einigen Ölfrüchten Anbaukürzungen für höhere Preise sorgten (z. B. Raps, Leinsaat).

Insgesamt hielt auch 1992 die *Niedrigpreistendenz auf den Welt-Agrarmärkten* an, die sowohl in Industrie- als insbesondere auch in Entwicklungsländern grundlegende Einkommensverbesserungen der Landwirte verhinderte und eine Mitschuld daran trägt, daß sich die Lage der agrarexportierenden Entwicklungsländer nicht besserte.

Zur Lage der Landwirtschaft und der Ernährung in einzelnen Kontinenten und Ländern:

In **Afrika** zeigte die *Ernährungssituation 1992 erneut eine beträchtliche Verschlechterung;* die Pro-Kopf-Produktion an Nahrungsmitteln sank weiter, denn der Bevölkerungszuwachs hielt unvermindert an, während die Nahrungsmittelproduktion erstmals seit Jahren sogar zurückging. Die FAO schätzte für 1992 die Zahl der Unter- oder Mangelernährten auf über 120 Mio. Insgesamt wird heute in Afrika pro Einwohner nur noch weniger als 75 % der Nahrungsmenge vom Beginn der 70er Jahre produziert. Während Afrika noch bis zu Beginn der 60er Jahre Selbstversorger mit Exportüberschüssen war, müssen heute große Mengen an Nahrungsmitteln importiert werden, soweit es die Devisenlage der einzelnen Staaten erlaubt. Für das Wirtschaftsjahr 1992/93 schätzt die FAO den Netto-Importbedarf an Getreide auf rd. 20 Mio. t; über 30 afrikanische Staaten benötigen Hilfslieferungen, da sie nicht imstande sind, mit eigenen Mitteln den Nahrungsmittel-Importbedarf zu decken. Während die Situation in Nordafrika und in der Sahelzone relativ stabil blieb, kam es im bisher meist besser versorgten Zentral-, Ost- und Südafrika 1992 wegen zu geringer Niederschläge zu katastrophalen Ernteausfällen. Selbst Länder wie Südafrika, Simbabwe und Kenia, die bisher Nahrungsmittel in ihre Nachbar-

länder exportieren konnten, benötigten 1992/93 Getreideimporte. Zu den natürlichen Ursachen für zu geringe Ernten kamen auch 1992/93 in Teilen Afrikas politische Unsicherheit, Bürger- und Stammeskriege, Terror und dadurch bedingte Fluchtbewegungen u.ä. als Ursachen für den Niedergang der Landwirtschaft und daraus folgende Hungersnöte. Dementsprechend war in Ländern wie Sudan, Somalia, Angola, Liberia, Zaire u. a., die durch kriegerische Auseinandersetzungen, Bürgerkriegswirren und Machtkämpfe erschüttert wurden, die Ernährungssituation besonders kritisch.

In **Lateinamerika** konnte die Nahrungsmittelproduktion 1991–92 insgesamt leicht gesteigert werden. Die Bevölkerungszahl nahm jedoch stärker zu, so daß sich – wie schon in den Vorjahren – eine *Abnahme der Pro-Kopf-Produktion* und eine *Verschlechterung der Ernährungssituation* gegenüber dem Stand Ende der 80er Jahre ergaben. Gleichzeitig hielten die erheblichen regionalen Unterschiede in der Versorgung (v. a. zwischen städtischen und ländlichen Gebieten) an, zumal die meist hochverschuldeten Länder kaum größere Importe zum Zwecke des Ausgleichs von Defiziten in einzelnen Staaten tätigen konnten. Unter- oder Mangelernährung herrscht in den meisten Ländern nach wie vor unter der ärmsten städtischen Bevölkerung, besonders ausgeprägt in Brasilien und den Andenstaaten.

In **Indien** konnte die Landwirtschaft 1992 ihre Produktion gegenüber der sehr guten Ernte von 1991 erneut steigern. Insbesondere nahm die Getreideproduktion stärker zu, nämlich von 191,4 (1991) auf 197,6 Mio. t, v. a. durch eine erhöhte Reisernte. Im Gegensatz zu den Vorjahren stieg die Nahrungsmittelproduktion stärker an als die Bevölkerungszahl, so daß sich die *Pro-Kopf-Erzeugung* erhöhte. In den meisten Landesteilen konnte eine ausreichende Versorgung der Bevölkerung sichergestellt werden.

Die **VR China** meldete für 1992 eine *stärkere Steigerung der landwirtschaftlichen Produktion* als im Vorjahr, die jedoch mit einer Zuwachsrate von rd. 3,7 % hinter den Erwartungen zurückblieb. Die Ursache lag teils in ungünstigen Witterungsbedingungen in einzelnen Landesteilen, aber auch in infrastrukturellen Schwächen, Mangel an Düngemitteln und Qualitätssaatgut, noch ungenügender Mechanisierung usw. Die für die Sicherstellung der Ernährung der Bevölkerung besonders wichtige Getreideernte nahm um 1,7 % auf 442,58 Mio. t zu, so daß der Einfuhrbedarf sank. Zuwachsraten wurden auch z. B. für Rind- und Hammelfleisch (+10,3 %), Fische (+14,5 %), Zuckerrohr (+6,8 %) und Milch (+7,8 %) gemeldet, während die Produktion agrarischer Industrierohstoffe z. T. beträchtlich abnahm (Baumwolle –20,2 %). Insgesamt stellte das Staatliche Amt für Statistik fest, daß die Landwirtschaft zwar weitere Fortschritte gemacht habe, u. a. auch durch erhöhte materielle Anreize für die Bauern (höhere staatliche Ankaufspreise), vielfach aber noch zu ineffektiv arbeite. Die ländliche Infrastruktur (z. B. Verkehrswege, Dienstleistungen) müßte noch wesentlich verbessert werden, die Erhaltung der Bodenfruchtbarkeit sei stärker zu beachten. Insgesamt ist die Versorgung der Bevölkerung mit Nahrungsmitteln zwar ausreichend, aber regional z. T. sehr einseitig.

Die **Staaten der ehem. UdSSR** meldeten für 1992 eine weitere *Abnahme der Agrarproduktion,* die erneut bei weitem nicht ausreichte, den Bedarf zu decken. Allerdings konnte die Erzeugung der Grundnahrungsmittel stabilisiert werden, und die Getreideproduktion stieg wieder von 155,138 (1991) auf 179,975 Mio. t (1992). Trotzdem bestand erneut ein *starker Einfuhrbedarf,* der wegen Finanzierungsschwierigkeiten nur teilweise gedeckt werden konnte. Die GUS war jedoch auch 1992 der weltweit *größte Nahrungsmittelimporteur.* – In vielen Landesteilen herrschte auch 1992 empfindlicher Mangel an Obst und Gemüse, Milch, Fleisch u.ä. Die weiter steigenden Preise wirkten sich besonders in den Städten auf die ärmeren Bevölkerungsschichten aus, die vielfach mangel- und fehlernährt sind. Gründe für die *desolate Situation der Landwirtschaft* und die *schlechte Ernährungslage* sind die gravierenden Mängel der überdimensionierten Staats- und Genossenschaftsbetriebe, verstärkt durch das allgemeine Chaos, das der Zusammenbruch von Staat und Wirtschaft hinterließ, die bisher keine neuen dauerhaften Organisationsformen finden konnten. Es herrscht Mangel an Kapital, an leistungsfähigen Maschinen, an Fahrzeugen und Treibstoff, an Saatgut und Düngemitteln und an Lagerkapazitäten; hinzu kommen aufgeblähte überbürokratisierte Verwaltungen der Betriebe bei mangelnder Motivation und geringer Arbeitsmoral der Beschäftigten. Die 1991 begonnene durchgreifende *Reform der Landwirtschaft* mit Auflösung der unwirtschaftlichen Mammutbetriebe und der Wiederherstellung eines privaten Bauerntums kam auch 1992 über erste Anfänge nicht hinaus, da Kapital und Kenntnisse fehlen und die Kolchosverwaltungen Widerstand gegen Änderungen üben.

In den anderen **Ländern des ehem. »Ostblocks«** begann ebenfalls nach dem politisch-wirtschaftlichen Umsturz Anf. der 90er Jahre die *Umwandlung der Landwirtschaft in eine marktwirtschaftliche Form* auf überwiegend privater Basis. Die Probleme waren nicht so groß wie in der ehem. UdSSR, da die sozialistische Wirtschaftsform nicht so verfestigte Strukturen ausgebildet hatte und der private Sektor z. T. bisher schon einen größeren Anteil hatte (inbes. Polen). Hauptziel ist die Erhöhung der Produktivität und die Wiederherstellung langfri-

stiger Versorgungssicherheit der Bevölkerung im Rahmen marktwirtschaftlicher Ordnung.

In den **USA** besteht das *Hauptproblem der Landwirtschaft* seit vielen Jahren in der *Überproduktion* und der dadurch verursachten Schwierigkeit vieler Farmer, ihre Erzeugnisse mit angemessenem Gewinn abzusetzen. Der Staat gibt seit langem jährlich große Summen für Subventionen aus (z. B. zur Förderung des Agrarexports und Entschädigungen an Farmer für Flächenstillegungen). 1991 hatten v. a. ungünstige Witterungsverhältnisse für einen Rückgang der agrarischen Produktion und einen Abbau der hohen Lagerbestände gesorgt. 1992 wurden daher bei vielen Produkten die Anbauflächen ausgeweitet (z. B. Weizen +8 %, Mais +5 %), so daß die Erzeugung – zusätzlich begünstigt durch bessere Witterungsbedingungen – beträchtlich zunahm. So stieg z. B. die Getreideproduktion von 279,945 (1991) auf 338,011 Mio. t (1992) an. Auch die Erzeugung von Obst, Ölfrüchten, Fleisch und anderen agrarischen Produkten nahm 1991–92 zu. Die USA stärkten daher ihre Rolle als weltweit mit Abstand *führender Agrarexporteur* mit einem Wert der Agrarausfuhren von über 40 Mrd. $ jährlich. Im Rahmen der laufenden *GATT-Verhandlungen* zur Erleichterung und Liberalisierung des Welthandels (»Uruguay-Runde«) legen die USA besonderen Wert auf den Abbau von Agrarhandelsbeschränkungen und -exportsubventionen. Im letzten Punkt bestehen größere Gegensätze zur EG, der die USA zu hohe Subventionen für Agrarexporte vorwerfen.

In den **EG-Ländern** behielt auch 1992/93 die *Agrarpolitik* ihre Brisanz. Hauptprobleme waren die *Finanzierung der Marktordnung* und die *Sicherung angemessener Einkommen für die Landwirte* angesichts der *Überschußproduktion* in den wichtigsten Bereichen und der Schwierigkeit, die Überschüsse auf dem Weltmarkt mit seinem niedrigeren Preisniveau zu verkaufen. Die *EG-Marktordnung* sollte ursprünglich den Bauern ein stabiles Einkommen und den Verbrauchern eine gesicherte Versorgung garantieren. Durch finanzielle Produktionsanreize und die Abschottung gegenüber der billigeren Weltmarktkonkurrenz führte sie aber bei gewissen Produkten (z. B. Milch, Zucker, Getreide, Fleisch) zu permanenten Überschüssen. Wegen der über dem Weltmarktniveau liegenden EG-Preise sind diese Überschüsse nur mit Subventionen in Drittländer verkäuflich. *Hauptziele der EG-Agrarpolitik* sind daher die Reduzierung der Überschüsse und gleichzeitig die Sicherung der landwirtschaftlichen Einkommen bei Vermeidung höherer Verbraucherpreise. Hinzu tritt neuerdings das Bestreben, die *Agrarproduktion umweltverträglicher* zu machen, z. B. durch Reduzierung des Einsatzes von Dünge- und Pflanzenschutzmitteln bzw. eine Beschränkung der Massentierhaltung.

Ein wichtiger Schritt in diese Richtung ist die im Mai 1992 verabschiedete »*Reform der Gemeinsamen Agrarpolitik*«, durch die »die Wiederherstellung des Marktgleichgewichtes« und »die Verbesserung der internationalen Wettbewerbsfähigkeit der europäischen Landwirtschaft« erreicht werden sollen. Hierzu dient u. a. eine beträchtliche Senkung der staatlich gestützten Erzeugerpreise (z. B. bei Getreide −33%, Rindfleisch −15%). Das Einkommensniveau der Landwirte soll trotz dieser Preissenkungen dadurch erhalten bleiben, daß sie Ausgleichszahlungen erhalten (in Deutschland rd. 600 DM/ha), sofern sie sich an Maßnahmen zur Flächenstillegung oder -extensivierung beteiligen. Hierdurch soll insbes. die Erzeugung zunehmender Überschüsse gedrosselt werden, die mit hohen Kosten gelagert werden müssen.

Ein Hauptgrund für die *Reform der Agrarpolitik* liegt in der untragbaren Belastung des EG-Haushalts durch die *Finanzierung der Agrarüberschüsse*. Der *EG-Agrarhaushalt* erreichte 1992 eine Höhe von 36,610 Mrd. ECU (=59,9% des gesamten EG-Haushalts; 1 ECU = 2,05 DM), davon 32,404 Mrd. ECU für Agrarmarkt-, der Rest für Agrarstrukturausgaben. Von der Summe von 32,404 Mrd. ECU für die Agrarmarktordnung bzw. -preisstützung entfielen u. a. auf Getreide 5,457 − Rindfleisch 4,414 − Ölsaaten 4,132 − Milcherzeugnisse 4,007 − Zucker 1,937 − Olivenöl 1,754 − Schaf- und Ziegenfleisch 1,749 − Obst und Gemüse 1,262 − Tabak 1,233 − Wein 1,087 (nach »Agrarbericht 1993«). Diese Mittel wurden ausgegeben u. a. für Produktionsprämien und -beihilfen, Verkaufsförderung, Exportsubventionierung, aber auch Kosten der Lagerhaltung und für die sog. »Intervention« bei unverkäuflicher Überschußware, d. h. Einkommenserstattungen für Landwirte, deren Produkte auf dem Markt nicht absetzbar sind. Diese »aus dem Markt genommenen« Lebensmittel werden eingelagert, verfüttert, destilliert oder anderweitig verarbeitet, gelegentlich auch (bei rasch verderblicher Ware) vernichtet.

Durch verschiedene Maßnahmen, wie *Flächenstillegung* und *Abnahmequotierung*, konnte 1992 die Produktion einiger Überschußgüter gesenkt werden (z. B. Milch); dagegen führten Flächenerweiterungen oder die günstige Witterung bei anderen Gütern zu erneutem Produktionsanstieg (z. B. Weizen). Insgesamt erhöhte sich der *Selbstversorgungsgrad* der EG-Länder mit Nahrungsmitteln 1991–92 auf rd. 122%, ohne die Produktion auf der Basis importierter Futtermittel rd. 112%. Größerer Einfuhrbedarf bestand 1992 im wesentlichen nur bei pflanzlichen Ölen und Fetten sowie bei tropischen Produkten. Selbst bei Fleisch wurde wieder ein Ausfuhrüberschuß erreicht, und bei Getreide betrug der Bedarfsdeckungsgrad wieder 128%. Hohe

Selbstversorgungsgrade mit entsprechenden Exportangeboten ergaben sich 1992 z. B. bei Rapsöl (170%), Kondensmilch (150%), Weichweizen und Magermilchpulver (je 136%), Gerste (133%), Zucker (125%), Rind- und Kalbfleisch (115%), Butter (109%), Schweinefleisch (104%), Weizen (103%). Die Überschüsse konnten auch 1992/93 wegen des weltweiten Überangebots und der dadurch relativ niedrigen Preise (verglichen mit den höheren EG-Preisen) nur schwierig in Drittländern abgesetzt werden, häufig in Konkurrenz zu den USA. Die sog. Interventionsbestände (auf Staatskosten eingelagerte Vorräte) blieben daher bei vielen Produkten relativ hoch.

Die **Lage der Landwirtschaft und die wirtschaftliche Situation der Bauern in Deutschland** wurde auch 1992/93 heftig diskutiert, v. a. wegen der auch weiterhin notwendigen Maßnahmen zur Anpassung an den EG-Markt. Die Landwirte beklagen ihre zu geringen Einkommen, insbesondere den zunehmenden Einkommensrückstand gegenüber vergleichbaren Berufsgruppen. Andererseits werden sie seitens des Naturschutzes häufig beschuldigt, zugunsten höherer Erträge durch übermäßigen Dünger- und Chemikalieneinsatz die natürlichen Grundlagen zu schädigen (Böden, Grundwasser, Naturhaushalt). Das Hauptproblem für die *Einkommenssituation der Landwirte* ist nach wie vor die *EG-weite Überproduktion* bei den wichtigsten Erzeugnissen (Milch, Fleisch, Getreide), so daß höhere Preise und damit höhere Gewinne für die Landwirte nicht durchsetzbar sind. Es besteht also nur die Möglichkeit, über Mehrproduktion zu Einkommenssteigerungen zu kommen, eine Möglichkeit, die in den letzten Jahren durch Kontingentierungen zunehmend verringert wurde, um die Erzeugung unverkäuflicher Überschüsse zu drosseln.

Wichtige Faktoren für das *landwirtschaftliche Einkommen* waren auch 1992 − neben Witterungseinflüssen und den Betriebsmittelpreisen − die *Subventionen* im weitesten Sinn, d. h. direkte und indirekte staatliche Einkommensübertragungen an die Landwirtschaft, die v. a. der »Unterstützung und sozialen Abfederung des Anpassungsprozesses« dienen und für »strukturverbessernde Maßnahmen« vorgesehen sind. Nach dem »Agrarbericht 1993« der Bundesregierung stiegen diese öffentlichen Hilfen 1991–92 erneut an und erreichten (für die Landwirtschaft der alten und neuen Bundesländer) 1992 rd. 32,2 Mrd. DM, darunter (in Mrd. DM) Finanzhilfen des Bundes und der Länder 10,3 (z. B. Gemeinschaftsaufgaben 4,0, soziostruktureller Einkommensausgleich 2,6, Gasölverbilligung 1,0, Anpassungs- und Überbrückungshilfen für die neuen Länder 0,9) − Bundesmittel im Rahmen der Agrarsozialpolitik 5,1 (z. B. Altershilfe 3,5, Krankenversicherung 1,6) − Steuermindereinnahmen 1,3 −

EG-Finanzmittel im Agrarbereich für Deutschland (insbes. Marktordnungsausgaben) 15,5.

Die *Agrarpolitik der Bundesregierung* versucht weiterhin, gegen den Trend zur »Agrarfabrik« (hochtechnisierte großbetriebliche Landwirtschaft) durch weitere Subventionen und »flankierende Maßnahmen« (z. B. Hilfen für Kleinbauern, die die Landwirtschaft aufgeben), »eine vielseitig strukturierte Landwirtschaft aus leistungs- und wettbewerbsfähigen Haupt- und Nebenerwerbsbetrieben« zu erhalten (»Agrarbericht der Bundesregierung«).

Die 4 *Hauptziele der deutschen Agrarpolitik* sind demnach:

1. Verbesserung der Lebensverhältnisse im ländlichen Raum und Teilnahme der in der Land- und Forstwirtschaft Tätigen an der allgemeinen Einkommens- und Wohlstandsentwicklung;

2. Versorgung der Bevölkerung mit hochwertigen Produkten der Agrarwirtschaft zu angemessenen Preisen;

3. Verbesserung der agrarischen Außenwirtschaftsbeziehungen und der Welternährungslage;

4. Sicherung und Wiederherstellung der natürlichen Lebensgrundlagen.

Das 4. Ziel wird besonders durch die Betriebe des »ökologischen Landbaus« (sog. »Alternativbetriebe«) erfüllt, die »mit ihrer extensiven Wirtschaftsweise zur Erhaltung der natürlichen Lebensgrundlagen beitragen und die Entlastung der Agrarmärkte unterstützen« (Agrarbericht der Bundesregierung). 1992 wurden 4003 anerkannte ökologisch wirtschaftende Betriebe mit 98621 ha gezählt (rd. 0,7% der Betriebe und 0,8% der Fläche).

Nach Angaben im Agrarbericht 1993 der Bundesregierung hat sich in Westdeutschland (alte Bundesländer) die *Einkommenssituation der Landwirtschaft* 1992 leicht verbessert, v. a. durch höhere Verkaufserlöse bei Fleisch und einigen pflanzlichen Produkten. Dem standen jedoch auch höhere Betriebsmittelpreise gegenüber. Der gesamte *Produktionswert der Landwirtschaft* erhöhte sich leicht vom Wirtschaftsjahr 1990/91 (55,711 Mrd. DM) auf 56,265 Mrd. DM (1991/92). Infolge gestiegener Preise für Vorleistungen (z. B. Futtermittel, Energiekosten) stieg die *Bruttowertschöpfung der Landwirtschaft* nur wenig an (+0,3%) und erreichte 26,486 Mrd. DM (=rd. 0,9% der Wertschöpfung der gesamten Volkswirtschaft). Nach Abzug der Abschreibungen und Steuern und Addition der Subventionen (5,561 Mrd. DM) ergab sich 1991/92 eine *Nettowertschöpfung* von 19,187 Mrd. DM, verglichen mit 20,199 Mrd. DM im Vorjahr. Die Nettowertschöpfung je Arbeitskraft betrug 1991/92 (1990/91) 26500 (26551) DM.

Das *Einkommen der hauptberuflich in der Landwirtschaft Beschäftigten* erhöhte sich, da die Vollerwerbsbetriebe aufgrund höherer Erlöse und durchschnittlich größerer Flächen den Gewinnrückgang des Vorjahres wieder ausgleichen konnten. Der *Gewinn je Familienarbeitskraft* in Vollerwerbsbetrieben stieg 1991/92 um 4,0% auf 33238 DM (1990/91: 31966 DM). Trotzdem vergrößerte sich für die meisten Landwirte der Abstand zu den Einkommen in der gewerblichen Wirtschaft weiter (im Durchschnitt von 26% im Vorjahr auf 27%). Lediglich rd. 30% der großen Vollerwerbsbetriebe erreichten 1991/92 ein Einkommen, das über dem sog. »*Vergleichslohn*« lag. Aufgrund der unbefriedigenden Einkommenssituation setzte sich auch 1992 der seit Jahrzehnten zu beobachtende *Strukturwandel der Landwirtschaft* fort, der sich v. a. in der Aufgabe unrentabler Klein- und Mittelbetriebe äußert. Der aktuelle Anlaß der Betriebsaufgabe ist häufig das altersbedingte Ausscheiden aus der Landwirtschaft ohne Hofnachfolge. Allerdings konnte die Abnahmerate 1992 verringert werden. Auch die verschlechterte Arbeitsmarktsituation im gewerblichen Bereich trug dazu bei, das Ausscheiden aus der Landwirtschaft zu bremsen.

Die *Zahl der landwirtschaftlichen Betriebe* (ab 1 ha Nutzfläche) verminderte sich in den alten Bundesländern 1991–92 um 16769 (=2,8%) auf nur noch 581934 (zum Vergleich: 1949 noch 1,647 Mio., 1970 noch 1,080 Mio.). Die *landwirtschaftlich genutzte Fläche (LF)* nahm nur um 0,1% ab (–16900 ha) und betrug 1992 11,731 Mio. ha (1991: 11,748 Mio. ha). 42% der LF wurden als Pachtflächen bewirtschaftet. Die *Zahl der Familienarbeitskräfte* in der Landwirtschaft sank 1991–92 weiter und betrug 1992 nur noch 1,559 Mio., davon 0,966 Mio. teilbeschäftigt. (1970 waren in der Landwirtschaft noch 2,821 Mio. Personen beschäftigt.) Die *Zahl der familienfremden Lohnarbeitskräfte* sank weiter und betrug 1992 nur noch 83000. Weniger als 5% aller Betriebe beschäftigen ständig fremde Arbeitskräfte.

Die *Durchschnittsgröße der Betriebe* erhöhte sich 1991–92 um 0,55 ha auf 20,16 ha LF; 1949 hatte die Größe erst bei durchschnittlich 8,1 ha gelegen. Die Ursache für die Erhöhung der Durchschnittsgröße liegt v. a. in der Aufgabe von Klein- und Mittelbetrieben, deren Flächen häufig zur Aufstockung der Großbetriebe dienen. Die »Wachstumsschwelle« lag 1992 bei 50 ha LF, d. h., die Zahl der Betriebe unter 50 ha verringerte sich, ab 50 ha stieg die Zahl an. Allerdings variieren die Betriebsgrößen regional sehr stark, insbes. aus agrarhistorischen Gründen. Sie betrugen z. B. 1992 im Durchschnitt in Schleswig-Holstein 40,75 ha LF, in Niedersachsen 30,80 ha und in Nordrhein-Westfalen 20,79 ha, in Baden-Württemberg dagegen nur 14,96 ha, in Bayern 16,36 ha, in Rheinland-Pfalz 16,59 und in Hessen 17,96 ha (nur Betriebe ab 1 ha LF).

Nach dem *Erwerbscharakter* zählten 1992 48,8 % aller Betriebe im alten Bundesgebiet zu den *Vollerwerbs-*, 8,4 % zu den *Zuerwerbs-* und 42,8 % zu den *Nebenerwerbsbetrieben* (d. h. außerlandwirtschaftliches Einkommen überwiegt), jedoch entfallen auf die Vollerwerbsbetriebe 78,4 % der LF, 80,7 % des Ackerlandes, 82,0 % der Milchkühe und 82,1 % der Verkaufserlöse (1991).

In den **neuen Bundesländern (ehem. DDR)** war die *sozialisierte Landwirtschaft* bis 1990 gekennzeichnet durch die unwirtschaftlich großen Betriebseinheiten der *LPG* (»landwirtschaftliche Produktionsgenossenschaften«), personellen Überbesatz, kostenaufwendige Produktion und erhebliche Umweltbelastungen. Der *Anpassungs- und Umstrukturierungsprozeß* dauerte 1991/92 noch an. Mitte 1992 gab es – anstelle der rd. 4500 ehem. LPG – 18609 *landwirtschaftliche Betriebe.* 41,6 % der Betriebe bewirtschafteten eine Fläche von 1–10 ha; 27,8 % hatten eine Betriebsgröße von 100 ha und mehr, auf die aber über 90 % der Fläche entfielen. In der Regel handelt es sich bei diesen Großbetrieben um Genossenschaften oder Kapitalgesellschaften, die aus den ehemaligen LPG gebildet wurden. Die *Zahl der Beschäftigten* in der Landwirtschaft wurde sehr stark abgebaut; sie sank von 850000 in der ehem. DDR (1989) auf 208000 (Mitte 1992), v. a. durch Rationalisierungsmaßnahmen und Aufgabe unrentabler Betriebsteile. Die Produktion wird mit staatlicher Hilfe auf EG-Standard umgestellt, d. h. Umorientierung von der bisher erwünschten Maximalproduktion auf marktgerechte und qualitativ hochwertige Agrarerzeugung.

Der **Selbstversorgungsgrad Deutschlands** (einschl. neue Bundesländer) **mit Nahrungsmitteln** erreichte im Wirtschaftsjahr 1991/92, v. a. aufgrund beträchtlicher Mehrproduktion bei Getreide und Ölsaaten, einen noch höheren Wert als im Vorjahr. Er betrug insgesamt 100 % bzw. 90 % ohne Berücksichtigung der tierischen Produktion aus importierten Futtermitteln (1990/91 98 % bzw. 88 %). *Hohe Überschüsse* wurden bei Zucker, Rind- und Kalbfleisch, Milch und Milchprodukten, aber auch bei Weizen und Gerste erzielt. Dagegen bestand 1992

ein *Netto-Einfuhrbedarf* bei Pflanzenfetten, Obst und Gemüse, Eiern, Wein, Schweine- und Geflügelfleisch, an hochwertigen Futtermitteln und selbstverständlich an tropischen und subtropischen Nahrungs- und Genußmitteln.

Deutschland war 1992 nach den USA der zweitgrößte *Nahrungs- und Genußmittelimporteur* der Welt, stand aber auch bei den *Agrarexporten* an 5. Stelle im Welthandel. Die *Importe* stiegen um 8,6 % an; sie bestanden zu über 50 % aus landwirtschaftlichen Rohstoffen; die *Agrarexporte*, die um 8,7 % anwuchsen, enthielten dagegen zu über 80 % be- und verarbeitete Nahrungs- und Genußmittel. Die *Einfuhren/Ausfuhren* an Nahrungs- und *Genußmitteln* (ohne Industrierohstoffe) betrugen im Wirtschaftsjahr 1991/92 69,979/36,433 Mrd. DM. Der Einfuhrüberschuß stieg auf 33,546 Mrd. DM. Auf die einzelnen Ländergruppen entfielen 1991/92 in Mrd. DM von den *Einfuhren:* EG-Mitgliedsländer 46,667 – Entwicklungsländer 12,094 – westliche Industrieländer (ohne EG) 8,612 (davon USA 2,841) – ostmittel- und osteuropäische Länder 2,606; von den *Ausfuhren:* EG-Mitgliedsländer 25,373 – westliche Industrieländer (ohne EG) 5,135 (davon USA 0,991) – Entwicklungsländer 2,621 – ostmittel- und osteuropäische Länder 3,304. Haupt-Agrarhandelspartner waren also – wie beim gesamten deutschen Außenhandel – die EG- und die sonstigen westlichen Industrieländer. – *Hauptimportgüter* waren 1992 Futtergetreide, Ölsaaten, Kaffee, Obst und Gemüse, Südfrüchte und Fleisch; *Hauptexportgüter* waren Fleisch und Fleischwaren, Zucker, Kaffee- und Kakao-Erzeugnisse, Milch und Milchprodukte, Wein, Tabakwaren, veredelte Öle und Fette.

Die *Nahrungsmittelpreise* für den Verbraucher (einschl. Genußmittel) stiegen 1992 gegenüber dem Vorjahr um 2,6 %, verglichen mit einer Erhöhung der Verbraucherpreise insgesamt von 4,0 % (nur alte Bundesländer). Der Ausgabenanteil für Nahrungs- und Genußmittel an den gesamten privaten Ausgaben der Bevölkerung betrug 1991/92 nur noch rd. 23 % (1950 noch 44 %), ohne Genußmittel sogar nur 19 %.

Ausgewählte Zahlen über Produktion und Verbrauch

(Angaben vorwiegend nach »FAO Quarterly Bulletin of Statistics«, »FAO Production Yearbook«, »FAO Trade Yearbook«, »Statistical Yearbook« der UNO sowie nach Landwirtschaftsstatistiken einzelner Länder; S = Schätzung; Zahlen für 1992 z. T. vorläufig und gerundet.)

Welternte 1992 (1991) in Mio. t

Getreide	1914,756	(1877,952)
Wurzelfrüchte	572,706	(568,236)
Gemüse und Melonen	459,292	(459,153)
Früchte	359,895	(345,721)
Ölfrüchte (Ölinhalt)	77,871	(77,355)
Hülsenfrüchte	55,650	(57,118)
Pflanzenfasern	24,261	(26,865)
Nüsse	4,750	(4,517)

Agrumen (Zitrusfrüchte): *Ernte* 1991 in 1000 t:
Orangen: Brasilien 18 967 – USA 7115 – VR China 5385 – Spanien 2531 – Mexiko 2175 – Italien 1942 – Indien 1890 – Ägypten 1624 – Iran 1270 – Pakistan 1100 – Marokko 920 – Griechenland 770 – Argentinien 740 – Türkei 739. *Welternte* 1991 (1990) 55,212 (51,960) Mio. t.
Mandarinen, Clementinen, Tangerinen, Satsumas: Japan 1579 – Spanien 1409 – Brasilien 625 – Rep. Korea (Süd-K.) 600 – Italien 512 – Pakistan 430. *Welternte* 1991 (1990) 8,551 (8,518) Mio. t.
Zitronen: Italien 832 – USA 713 – Mexiko 707 – Indien 570 – Spanien 518 – Argentinien 430 – Brasilien 430 – Ägypten 413. *Welternte* 1991 (1990) 6,752 (6,479) Mio. t.
Die wichtigsten *Ausfuhrländer* für Südfrüchte sind Spanien, die USA, Marokko, Israel und Südafrika; bedeutende *Einfuhrländer* sind Frankreich, Deutschland, Großbritannien und die Niederlande. Der *Verbrauch* von Zitrusfrüchten in *Deutschland* betrug 1992 36,0 kg pro Kopf und Jahr (einschl. Verarbeitung). Hauptlieferanten sind Spanien, Marokko, Italien und Israel.

Ananas *Ernte* 1991 in 1000 t: Thailand 1931 – Philippinen 1171 – VR China 922 – Brasilien 780 – Indien 700 – USA 504 – Vietnam 475 – Mexiko 345 – Kenia 245 – Kolumbien 240 – Côte d'Ivoire 220 – Südafrika 210 – Zaire 145. *Welternte* 1991 (1990) 10,045 (9,684) Mio. t.

Bananen *Ernte* 1991 in Mio. t: Indien 6,400 – Brasilien 5,485 – Ecuador 3,525 – Philippinen 3,452 – Indonesien 2,400 – VR China 2,105 – Mexiko 1,868 – Kolumbien 1,630 – Thailand 1,620 – Burundi 1,580 – Costa Rica 1,550 – Papua-Neuguinea 1,250 – Vietnam 1,250 – Panama 1,170 – Venezuela 1,170 – Honduras 1,100. *Welternte* 1991 (1990) 47,853 (47,063) Mio. t. – Wichtigste *Exportländer* sind die mittelamerikanischen Staaten, bedeutende

Einfuhrländer die USA, die EG-Staaten und Japan. *Deutschland* importierte 1992 1,380 Mio. t Bananen im Wert von 1,220 Mrd. DM, davon rd. 90% aus Mittelamerika (sog. »Dollar-Bananen« US-amerikanischer Konzerne). Anf. 1993 wurde eine neue *EG-Marktordnung* für Bananen verabschiedet, durch die der Import von »Dollar-Bananen« begrenzt und verteuert werden soll, während Bananen aus der EG (französ. Übersee-Territorien) und den assoziierten AKP-Staaten bevorzugt werden. Der Beschluß wurde seitens der amerikanischen Exporteure und der deutschen Importeure scharf kritisiert.

Baumwollfasern (entkernt)
Ernte 1991 (1990 und 1980) in 1000 t (nach FAO)

VR China	5663	(4508)	(2707)
USA	3834	(3375)	(2422)
UdSSR	2420	(2634)	(2804)
Pakistan	2123	(1637)	(715)
Indien	1955	(1959)	(1292)
Brasilien	700	(660)	(553)
Türkei	565	(611)	(500)
Australien	410	(305)	(83)
Ägypten	294	(303)	(529)
Argentinien	290	(254)	(120)
Paraguay	260	(225)	(86)
Mexiko	202	(201)	(340)

Weltproduktion 1991 (1990) 20,906 (18,700) Mio. t. Die bedeutendsten *Ausfuhrländer* sind die USA, die ehem. UdSSR, China, Pakistan und Indien; wichtigste *Importeure* sind Japan, Süd-Korea, Hongkong und die EG-Staaten. Die *Weltmarktpreise* für Baumwolle hielten sich auch 1992 auf relativ niedrigem Niveau, da erneut die Nachfrage geringer war als die Ernte und die hohen Lagerbestände. Insbesondere die desolate wirtschaftliche Lage in Osteuropa wirkte sich in starkem Nachfragerückgang aus. Für die nächsten Jahre wird mit geringerer Produktion aufgrund von Anbaukürzungen in den USA und von gravierenden Umweltschäden in den zentralasiatischen Republiken der GUS gerechnet.

Baumwollsaat → *WA '93, Sp. 873*

Butter *Erzeugung* 1991 (1990 und 1980) in 1000 t (nach FAO)

UdSSR (S)	1570	(1802)	(1373)
Indien (einschl. »ghee«, S)	1040	(970)	(640)
Deutschland	645	(665)	(856)

Butter *(Forts.)*

USA	623	(608)	(519)
Frankreich	480	(527)	(536)
Pakistan (S)	300	(284)	(217)
Neuseeland	291	(242)	(249)
Polen	220	(300)	(319)
Niederlande	169	(178)	(181)
Irland	151	(148)	(111)
ČSFR	133	(158)	(128)
Großbritannien	114	(138)	(169)
Türkei	114	(113)	(115)
u. a. Österreich	42	(41)	(43)
Schweiz	40	(38)	(34)

Weltproduktion 1991 (1990) 7,398 (7,753) Mio. t. Wichtige *Ausfuhrländer* 1990 in 1000 t: Neuseeland 217,3 – Niederlande 196,3 – Deutschland 137,8 – Belgien-Lux. 107,3 – Frankreich 94,5 – Irland 67,9. Wichtige *Einfuhrländer* 1990 in 1000 t: UdSSR 298,9 – Großbritannien 112,4 – Deutschland 103,5 – Niederlande 96,6.

Die seit den 70er Jahren durch *Überproduktion* entstandenen »Butterinterventionsbestände« der EG, der sog. »Butterberg«, konnte in den letzten Jahren durch starke Produktionseinschränkungen und Maßnahmen zur Absatzsteigerung (v. a. Exportsubventionen) erheblich verringert werden *(→ Milch)*. Die eingelagerten Bestände betrugen 1986 noch 1,367 Mio. t; bis Ende 1992 waren sie bis auf 250 Tsd. t, davon 49 Tsd. t in Deutschland, abgebaut. Der *Butterverbrauch* sank in *Deutschland* 1992 auf 6,8 kg pro Kopf (1990 noch 7,3), v. a. wegen des zunehmenden Verbrauchs von Butterer-

satzstoffen (pflanzliche Produkte). Der *Selbstversorgungsgrad* mit Butter sank in den *EG-Ländern* von 109% (1991) auf 108% (1992), in Deutschland von 101% (1991) auf nur noch 86% (1992), da die Butterproduktion zum Abbau der Lagerbestände stärker gedrosselt wurde.

Datteln → *WA '93, Sp. 874*

Eier (Hühnereier) *Erzeugung* 1991 in 1000 t (meist S): VR China 6845 – UdSSR 4400 – USA 4092 – Japan 2502 – Brasilien 1400 – Indien 1357 – Mexiko 1141 – Frankreich 942 – Deutschland 912 – Italien 707 – Spanien 657 – Großbritannien 646 – Niederlande 646 – Indonesien 400 – Türkei 375 – Rumänien 370 – Polen 364 – Kanada 324 – u. a. Österreich 93 – Schweiz 36. *Weltproduktion* 1991 (1990) 35,930 (34,772) Mio. t. Wichtigste *Ausfuhrländer* sind die Niederlande (über 50% der Weltexporte) und China; wichtigstes *Einfuhrland* ist Deutschland (über 40% der Weltimporte). Der *Verbrauch* an Hühnereiern ging in *Deutschland* 1992 auf 239 Stück pro Kopf und Jahr zurück (einschl. industrieller Verbrauch), v. a. wegen der Furcht vor Salmonelleninfektionen. Die durchschn. Legeleistung einer Henne belief sich 1992 auf rd. 270 Eier.

Erdnüsse → *WA '93, Sp. 874*

Esel → *WA '93, Sp. 874*

FISCHEREI

(See- und Binnenfischerei; einschl. Krustentiere und Mollusken, aber ohne Wassersäugetiere; Anlandungen im In- und Ausland; nach FAO-Angaben) *Fangerträge* 1989 (1988) in 1000 t

UdSSR	11310	(11332)		Vietnam	868	(874)
VR China	11220	(10359)		Brasilien	850	(830)
Japan	11175	(11967)		Großbritannien		
Peru	6833	(6638)		(ohne Kanalinseln u. Man)	842	(929)
Chile	6454	(5210)		Rep. China (Taiwan, S)	840	(830)
USA	5744	(5937)		Bangladesch	833	(830)
Indien	3619	(3126)		Ecuador	724	(771)
Rep. Korea (Süd-K.)	2832	(2727)		Myanmar/Birma	703	(705)
Thailand	2823	(2823)		Malaysia	609	(612)
Dänemark (ohne Grönland)	2222	(2331)		Polen	565	(655)
Philippinen	2099	(2010)		Italien	551	(577)
Norwegen	1900	(1840)		Neuseeland	514	(503)
DVR Korea (Nord-K., S)	1700	(1700)		Argentinien	487	(493)
Kanada	1554	(1597)		Türkei	457	(676)
Island	1505	(1760)		Pakistan	445	(445)
Mexiko	1417	(1372)		Niederlande	422	(399)
Spanien	1370	(1430)		u. a. BR Deutschland	234	(210)
Südafrika	879	(1298)		DDR	174	(179)
Frankreich	876	(884)				

Weltfangerträge 1989 (1988) 99,535 (98,762) Mio. t, davon rd. 10% aus Binnengewässern.

In *Deutschland* betrugen die *Anlandungen* der nunmehr gemeinsamen *Fischereiflotte* 1991 253,556 Tsd. t (1990: 215,503 bzw. 116,682 Tsd. t für die alten bzw. neuen Bundesländer; jeweils einschl. Anlandungen im Ausland). Von der Gesamtfangmenge entfielen 1991 139,3 Tsd. t auf die Große Hochseefischerei und 114,2 Tsd. t auf die Kleine Hochsee- und Küstenfischerei. Gegenüber der früheren Fangmenge der beiden deutschen Staaten ergab sich 1990–91 ein Rückgang um 23,7%, der v. a. auf die starke Reduzierung der weitgehend unrentabel arbeitenden und vielfach technisch veralteten ehem. DDR-Flotte zurückging. Außerdem konnte in gewissen Meeresgebieten nicht mehr gefischt werden, in denen die DDR Fangrechte besaß. Die wichtigsten *Fanggebiete* waren 1991: Nordsee 57,3% – westbritische Gewässer 14,6% – Ostsee 12,4% – Grönland 7,3% – Ostküste Nordamerikas 5,9% – norwegische Küste 2,1%.- Als wichtigste *Fischarten* wurden 1991 gefangen: Heringe 25,5% – Muscheln 16,3% – Kabeljau 15,6% – Seelachs 8,0% – Makrelen 7,6% – Krabben und Krebse 6,9% – Rotbarsch 6,7%.

Die **Seefischerei der BR Deutschland** landete Mitte der 70er Jahre noch Fänge von rd. 500 Tsd. t an. Der sehr starke Rückgang v. a. der Hochseefischerei ist hauptsächlich auf die Aufteilung der Meere in nationale Fischereizonen zurückzuführen (200-Seemeilen-Zone). Die deutschen Fänge stammten früher zu etwa ²/₃ aus den 200-sm-Zone von Ländern außerhalb der EG. Das entsprechende Gebiet vor Island wurde 1978 völlig für ausländische Fangschiffe gesperrt. In anderen Teilen des Nordatlantiks (Norwegen, Grönland, USA, Kanada) wurden die Fangmengen für Ausländer auf geringe Quoten begrenzt. – Für das »*EG-Meer*« (200-sm-Zone vor den Küsten der EG-Staaten in Nordsee und Nordatlantik) und für EG-Fangrechte vor Drittländern werden jährlich neue nationale Fangquoten festgelegt. Für die *deutsche Seefischerei* ergaben sich für 1992 Quoten in Höhe von 212000 t im EG-Meer und 136000 t im externen Bereich (vor Drittstaaten und in internationalen Gewässern). Von der Gesamtquote entfielen 134000 t auf die Kutterfischerei und 214000 t auf die Hochseefischerei. – Aus Erhaltungsgründen senkte die EG in den letzten Jahren bei verschiedenen Beständen die Fangmengen, so bei Kabeljau und Schellfisch in der Nordsee sowie Dorsch in der Ostsee.

Wegen des *Rückgangs der Fangmöglichkeiten* wurde die *Seefischereiflotte der BR Deutschland* (alte Bundesländer) von 1975–1992 von 71 Schiffen (32 Fabrikschiffe und 39 Fischereitrawler) mit 121601 BRT auf 15 Schiffe (5 bzw. 10) mit 24442 BRT vermindert. In den neuen Bundesländern existierten 1990 noch 21 Fabrikschiffe, deren Zahl bis 1992 durch staatlich geförderte Ab-

wrackungen auf 8 mit 16824 BRT reduziert wurde.
Die *Versorgung Deutschlands mit Fisch* erfolgte auch 1991/92 weitgehend durch Importe. 1991 betrugen die *Importe* 1,321 Mio. t, die *Exporte* 0,474 Mio. t.
Die deutsche *Binnenfischerei* produzierte 1991 46,8 Tsd. t Speisefisch, hauptsächlich Forellen und Karpfen.

Flachs → *WA '93, Sp. 876*

Fleischerzeugung *Weltproduktion* von *Fleisch* insges. (nach FAO) 1991 (1990) 178,830 (176,629) Mio. t, davon *Schweinefleisch* 70,852 (69,883) – *Rind-, Kalb- u. Büffelfleisch* 53,612 (53,679) – *Geflügelfleisch* 40,891 (39,870) – *Schaf- u. Ziegenfleisch* 9,734 (9,592) – *Pferdefleisch* 0,477 (0,466) Mio. t. *Weltproduktion* an *eßbaren Innereien* 13,032 (12,842) Mio. t.
Wichtige *Ausfuhrländer* 1990 in 1000 t: *Rindfleisch:* Australien 674,3 – Deutschland 612,2 – Frankreich 377,6 – USA 340,5 – Niederlande 306,1 – Irland 281,4 – Neuseeland 236,1. *Schaffleisch:* Neuseeland 374,5 – Australien 165,8. *Schweinefleisch:* Niederlande 771,1 – Dänemark 471,6 – Belgien-Lux. 278,1 – Deutschland 224,5 – Kanada 220,4. *Geflügelfleisch:* USA 564,1 – Frankreich 457,4 – Brasilien 303,0 – Niederlande 275,4 – Ungarn 193,2.
Wichtige *Einfuhrländer* 1990 in 1000 t: *Rindfleisch:* USA 699,7 – Italien 450,8 – Frankreich 376,4 – Japan 376,1 – Deutschland 250,9 – UdSSR 200,0. *Schaffleisch:* Großbritannien 130,2 – Frankreich 124,7 – Japan 64,6. *Schweinefleisch:* Deutschland 550,1 – Italien 503,2 – Japan 343,4 – Frankreich 290,8 – USA 233,8. *Geflügelfleisch:* Deutschland 302,4 – Japan 301,4 – UdSSR 260,0 – Saudi-Arabien 220,0.
In den *EG-Ländern* ging die *Produktion von Rind- und Kalbfleisch* von 8,710 Mio. t (1991) auf 8,350 Mio. t (1992) zurück, die von *Schweinefleisch* sank im gleichen Zeitraum von 14,368 auf 14,300 Mio. t. Der *Selbstversorgungsgrad* nahm dadurch von 115% auf 112% ab (Rindfleisch) bzw. von 104% auf 103% (Schweinefleisch). In *Deutschland* allein betrug er 1992 120% bzw. 80%.
Trotz des Produktionsrückgangs lag auch 1992 in der *EG* die *Rindfleischerzeugung* wesentlich höher als der Bedarf, da sowohl der *Verbrauch* als auch die *Exporte* zurückgingen. Die unverkäuflichen »Interventionsbestände« (eingelagerte Vorräte) wuchsen daher auf 860 Tsd. t an, und die *Preise* lagen weiterhin sehr niedrig und deckten kaum die Erzeugungskosten. Bei *Schweinefleisch* wurde dagegen in der gesamten EG und in Deutschland ein Gleichgewicht zwischen Produktion und Absatz erreicht, und die Rentabilität der Schweinemast er-

FLEISCHERZEUGUNG

(Angaben nach FAO; die Gesamtmenge stimmt wegen Zähldifferenzen z. T. nicht mit der Summe der einzelnen Fleischarten überein; z. T. Schätzungen)

Produktion in 1000 t	1991	insges. (1990)	(1980)	Rind-, Kalb- u. Büffelfl.	Schaf- u. Ziegenfl.	Schweine-fleisch	Geflügel-fleisch
VR China	32 047	(29 792)	(24 160)	1 505	1 122	25 608	3 456
USA	29 473	(28 542)	(24 133)	10 534	165	7 258	11 254
UdSSR	18 610	(20 008)	(15 227)	8 200	900	6 200	3 000
Brasilien	6 828	(6 489)	(4 971)	2 885	78	1 160	2 694
Deutschland	6 796	(7 292)	(6 312)	2 183	47	3 910	602
Frankreich	5 707	(5 535)	(5 614)	1 860	177	1 820	1 543
Italien	3 956	(3 956)	(3 555)	1 164	83	1 330	1 105
Spanien	3 552	(3 466)	(2 618)	504	247	1 869	840
Großbritannien	3 505	(3 356)	(2 899)	1 019	382	980	1 112
Argentinien	3 504	(3 383)	(3 422)	2 700	91	180	440
Japan	3 446	(3 502)	(3 146)	574	–	1 483	1 383
Mexiko	3 403	(3 478)	(1 766)	1 550	66	812	897
Indien	3 255	(3 198)	(980)	1 813	586	364	362
Australien	3 190	(3 070)	(2 632)	1 760	673	312	416
Polen	3 074	(2 964)	(2 058)	632	34	2 067	320
Kanada	2 791	(2 838)	(2 438)	879	9	1 134	742
Niederlande	2 650	(2 687)	(1 955)	495	16	1 639	499
Ungarn	1 712	(1 602)	(1 553)	92	5	1 120	480
Dänemark	1 629	(1 547)	(1 318)	213	–	1 272	139
Pakistan	1 596	(1 521)	(840)	765	665	–	152
Belgien-Luxemburg	1 521	(1 340)	(1 183)	381	7	915	190
Jugoslawien	1 494	(1 540)	(1 465)	310	67	815	295
Rumänien	1 453	(1 555)	(1 914)	165	75	850	350
Südafrika	1 377	(1 348)	(1 033)	678	168	126	394
ČSFR.	1 321	(1 609)	(1 369)	294	7	771	210
Thailand	1 301	(1 235)	(852)	242	–	340	717
u. a. Österreich	803	(847)	(654)	220	–	490	82
Schweiz	481	(477)	(494)	172	–	266	33

höhte sich. – Der *Fleischverbrauch* nahm in *Deutschland* weiter ab; er betrug 1992 (1991) 19,7 (21,2) kg Rind- und Kalbfleisch und 55,8 (56,0) kg Schweinefleisch pro Kopf.

Gerste *Ernte → Getreide.* Wichtige *Ausfuhrländer* 1990 in Mio. t: Frankreich 3,891 – Kanada 3,751 – USA 2,257 – Großbritannien 2,015. Wichtige *Einfuhrländer* 1990 in Mio. t: Saudi-Arabien 4,200 – UdSSR 3,396 – Belgien-Lux. 1,408 – Japan 1,271 – Niederlande 1,232 – Deutschland 0,906.

Getreide Die *Welt-Getreideproduktion* nahm 1992 – im Gegensatz zum Vorjahr – wieder zu (auf 1,915 Mrd. t; 1991: 1,878 Mrd. t), erreichte aber nicht die Rekordernte des Jahres 1990. *(Genaue Angaben → Tab.)* Die Entwicklung war jedoch regional sehr unterschiedlich. Eine starke Zunahme erzielte v. a. Nordamerika aufgrund günstiger Witterungsbedingungen und stärkerer Ausdehnung der Anbauflächen; kleinere Zunahmen verzeichneten u. a. Lateinamerika, Süd- und Ostasien und Australien. Stärkere Abnahmen der *Getreideerzeugung* zeigten die EG-Länder wegen des zu trockenen

Sommers und wegen Flächenstillegungen in einigen Staaten, die meisten ost- und südosteuropäischen Länder aufgrund der wirtschaftlichen Umstrukturierung sowie Afrika, auch hier v. a. wegen ungünstiger Witterungsverhältnisse. Zunahmen verzeichneten Rußland und andere Staaten der ehem. UdSSR, deren Produktion in den letzten Jahren stark abgenommen hatte. – Insgesamt lag 1992 die *Welt-Getreideproduktion* ungefähr in Höhe der Verbrauchsmenge, so daß die Lagerbestände sich bei rd. 18–20 % eines Welt-Jahresverbrauchs hielten und die Weltmarktpreise auf relativ niedrigem Niveau stabil blieben.

Auf dem *Weltmarkt für Getreide* traten 1992 v. a. die Staaten der ehem. UdSSR (insbes. Rußland), die VR China, Japan und andere Länder Süd- und Ostasiens sowie des Nahen Ostens und Nordafrikas als Käufer auf. Besonders in China, Japan, Korea, auf dem indischen Subkontinent, in Rußland sowie in Teilen Lateinamerikas und Afrikas konnte die Erzeugung den einheimischen Markt nicht befriedigen. Viele der ärmsten Entwicklungsländer hatten zwar Importbedarf, konnten ihn aber aus Devisenmangel nicht decken. Die *Hauptexportländer* für Getreide

GETREIDE *Produktion* 1992 (1991) in Mio. t (nach Angaben der FAO, 1992 meist Schätzungen)

	Getreide insges.[1]		Weizen		Reis (ungeschält)		Mais (Körnermais)	
VR China	398,515	(395,039)	101,004	(95,954)	187,150	(186,083)	95,340	(99,091)
USA	338,011	(279,945)	66,920	(53,919)	7,560	(7,006)	227,039	(189,859)
Indien	197,630	(191,426)	54,200	(54,522)	109,500	(106,500)	9,400	(8,700)
GUS	179,975	(155,138)	89,898	(71,809)	2,290	(1,986)	5,500	(9,600)
Frankreich	58,979	(60,341)	32,592	(34,397)	–	–	13,255	(12,797)
Indonesien	52,564	(50,556)	–	–	45,800	(44,300)	6,764	(6,256)
Kanada	49,894	(53,849)	28,696	(31,946)	–	–	6,865	(7,413)
Brasilien	44,259	(36,828)	2,729	(2,921)	10,045	(9,496)	30,679	(23,775)
Deutschland	34,824	(39,267)	15,579	(16,610)	–	–	2,018	(1,937)
Türkei	29,053	(31,148)	19,300	(20,418)	–	–	2,100	(2,180)
Bangladesch	28,835	(27,870)	1,065	(1,004)	27,695	(26,791)	–	–
Thailand	23,803	(24,374)	–	–	20,000	(20,315)	3,522	(3,793)
Mexiko	23,511	(23,843)	3,595	(4,072)	0,520	(0,347)	14,356	(14,253)
Argentinien	23,493	(21,227)	8,400	(9,661)	0,753	(0,348)	10,622	(7,768)
Australien	23,237	(18,653)	14,130	(10,602)	0,924	(0,740)	–	–
Großbritannien	22,190	(22,649)	14,200	(14,400)	–	–	–	–
Pakistan	20,682	(21,138)	14,709	(14,565)	4,200	(4,865)	1,279	(1,203)
Polen	19,937	(27,861)	7,279	(9,269)	–	–	–	–
Italien	19,688	(19,214)	8,490	(9,416)	1,275	(1,236)	7,646	(6,238)
Vietnam	19,165	(21,157)	–	–	18,500	(20,500)	0,660	(0,652)
Iran	16,426	(14,423)	10,200	(8,900)	2,500	(2,197)	–	–
Japan	14,662	(13,079)	0,800	(0,759)	13,489	(12,005)	–	–
Myanmar	14,340	(13,652)	–	–	13,771	(13,197)	–	–
Philippinen	14,242	(14,329)	–	–	9,092	(9,673)	5,150	(4,655)
Ägypten	13,585	(13,839)	4,618	(4,483)	2,858	(3,448)	5,226	(5,122)
Spanien	13,389	(19,233)	4,167	(5,392)	0,505	(0,587)	2,483	(3,182)
Rumänien	13,029	(19,300)	3,300	(5,484)	0,025	(0,031)	7,700	(10,497)
Jugoslawien	12,910	(19,215)	4,100	(6,530)	–	–	8,000	(11,557)
Nigeria	12,523	(13,018)	–	–	3,453	(3,185)	1,700	(1,900)
DVR Korea (Nord-K.) .	10,756	(10,580)	–	–	5,800	(5,600)	4,470	(4,500)
Ungarn	10,455	(15,470)	3,426	(5,954)	–	–	4,910	(7,509)
ČSFR	10,431	(11,853)	5,239	(6,205)	–	–	0,730	(0,862)
u. a. Österreich	4,340	(5,045)	1,200	(1,375)	–	–	1,350	(1,571)
Weltproduktion	1 914,756	(1 877,952)	556,783	(545,660)	520,510	(513,978)	512,127	(490,861)

[1] = durch Runden und Zähldifferenzen ergeben sich z. T. Unterschiede zwischen der Gesamtmenge und der Summe der Getreidearten.

waren die USA, Kanada, die EG-Länder, Australien und Argentinien sowie Thailand (für Reis). Weltgrößter *Importeur* waren auch 1992 die Staaten der ehem. UdSSR, die insgesamt rd. 38 Mio. t Getreide (einschl. Futtermittel) einführten. Der Bedarf war zwar größer, konnte jedoch mangels Devisen und wegen fehlender Transportkapazitäten nicht gedeckt werden. Größter Lieferant der Staaten der ehem. UdSSR waren 1992, wie schon seit Jahren, die USA, die rd. 15,5 Mio. t lieferten. Zwischen den USA und der EG bestanden auch 1992 Spannungen, da die EG ihre Getreideexporte nach Ansicht der USA zu stark subventioniert und durch Dumpingpreise die USA vom Markt verdrängt. In den *EG-Ländern* sank die *Getreideerzeugung* 1991–92 aufgrund von Flächenstillegungen und zu trockener Witterung von 179,988 auf 165,464 Mio. t (Getreideeinheiten). Der *Selbstver-*

sorgungsgrad ging dadurch auf 119 % zurück. Da auch der *Verbrauch* leicht sank, blieben trotz des Produktionsrückgangs und erhöhter Ausfuhren (36,783 Mio. t) die »Interventionsbestände« (eingelagerte Überschüsse) ziemlich hoch; sie betrugen 1992 26,4 Mio. t, davon 11,5 Mio. t in Deutschland. Da der Abstand zwischen dem EG-Preis und dem (niedrigeren) Weltmarktpreis groß blieb, ergaben sich wieder erhebliche Exporterstattungen. Die gesamten *EG-Marktordnungskosten* für Getreide erreichten 1992 (1991) 5,457 (5,077) Mrd. ECU (=11,187 Mrd. DM).

Gurken → *WA '93, Sp. 883*

Hafer → *WA '93, Sp. 883*

Hanf → *WA '93, Sp. 883*

Gerste		Hirse (mit Sorghum)		Hafer		Roggen		
2,000	(2,000)	10,122	(9,011)	0,600	(0,600)	0,600	(0,600)	. . . . VR China
9,936	(10,109)	21,675	(14,720)	4,012	(3,520)	0,304	(0,248)	. . . . USA
1,630	(1,642)	22,900	(20,062)	–	–	–	–	. . . . Indien
45,618	(39,772)	2,250	(1,767)	13,872	(13,486)	19,147	(15,342)	. . . . GUS
10,397	(10,647)	0,567	(0,395)	0,707	(0,734)	0,218	(0,217)	. . . . Frankreich
–	–	–	–	–	–	–	–	. . . . Indonesien
10,524	(11,617)	–	–	2,821	(1,794)	0,247	(0,339)	. . . . Kanada
–	–	0,294	(0,254)	0,335	(0,228)	0,007	(0,006)	. . . . Brasilien
12,341	(14,494)	–	–	1,306	(1,867)	2,426	(3,324)	. . . . . . Deutschland
6,900	(7,800)	0,005	(0,005)	0,260	(0,255)	0,230	(0,256)	. . . . Türkei
–	–	–	–	–	–	–	–	. . . . Bangladesch
–	–	0,265	(0,250)	–	–	–	–	. . . . Thailand
0,470	(0,738)	4,467	(4,308)	0,100	(0,121)	–	–	. . . . Mexiko
0,500	(0,568)	2,657	(2,327)	0,450	(0,450)	0,045	(0,045)	. . . . Argentinien
5,120	(4,470)	1,195	(0,772)	1,486	(1,756)	0,018	(0,020)	. . . . Australien
7,400	(7,600)	–	–	0,500	(0,527)	0,030	(0,049)	. . . . . . Großbritannien
0,140	(0,142)	0,354	(0,363)	–	–	–	–	. . . . Pakistan
2,840	(4,257)	–	–	1,236	(1,873)	3,968	(5,899)	. . . . Polen
1,716	(1,793)	0,174	(0,150)	0,360	(0,359)	0,023	(0,019)	. . . . Italien
–	–	0,005	(0,005)	–	–	–	–	. . . . Vietnam
3,700	(3,300)	0,020	(0,019)	–	–	–	–	. . . . Iran
0,340	(0,283)	–	–	0,008	(0,008)	–	–	. . . . Japan
–	–	0,167	(0,122)	–	–	–	–	. . . . Myanmar
–	–	–	–	–	–	–	–	. . . . Philippinen
0,213	(0,110)	0,670	(0,676)	–	–	–	–	. . . . Ägypten
5,607	(9,141)	0,042	(0,102)	0,291	(0,410)	0,187	(0,242)	. . . . Spanien
1,700	(2,951)	–	–	0,250	(0,258)	0,050	(0,075)	. . . . Rumänien
0,600	(0,754)	0,011	(0,011)	0,200	(0,250)	0,065	(0,071)	. . . . Jugoslawien
–	–	7,300	(7,843)	–	–	–	–	. . . . Nigeria
0,145	(0,145)	0,078	(0,078)	0,062	(0,062)	–	–	. . DVR Korea (Nord-K.)
1,721	(1,552)	0,009	(0,010)	0,144	(0,140)	0,140	(0,225)	. . . . Ungarn
3,682	(3,793)	–	–	0,275	(0,346)	0,316	(0,484)	. . . . ČSFR
1,210	(1,427	–	–	0,200	(0,226)	0,300	(0,350)	. . . . . . u. a. Österreich
155,641	(166,449)	94,093	(82,680)	32,474	(33,596)	29,049	(28,673)	

Hirse → WA '93, Sp. 883

Holz *Einschlag* 1991 (nach FAO) in Mio. m³:
Rundholz (ohne Brennholz): USA 415,100 – UdSSR 283,900 – Kanada 148,641 – VR China (S) 91,540 – Deutschland 80,357 – Brasilien 72,760 – Schweden 51,430 – Malaysia 42,316 – Finnland 38,663 – Frankreich 34,276 – Indonesien 30,525 – Japan 29,307 – Indien 24,420 – Australien 17,434 – Polen 16,848 – ČSFR 16,072 – Spanien 15,168 – Österreich 14,600 – Rumänien 13,475 – Südafrika 12,283 – Chile 12,060 – Norwegen 10,875 – Jugoslawien 9,532 – u. a. Schweiz 5,901. *Weltproduktion an Rundholz* für Verarbeitungszwecke 1991 (1990) 1,652 (1,654) Mrd. m³.
Brennholz und Holzkohle (meist S): Indien 250,040 – Brasilien 186,482 – VR China 185,477 – Indonesien 141,007 – Nigeria 99,864 – USA 85,900

– UdSSR 80,700 – Äthiopien 40,793 – Zaire 36,063 – Thailand 34,588 – Philippinen 33,565 – Tansania 32,240 – Bangladesch 30,054 – Vietnam 24,149 – Pakistan 23,960 – Sudan 20,682 – Myanmar 17,782 – Nepal 17,657 – Kolumbien 16,712 – Mexiko 15,525 – Mosambik 15,022 – u. a. Deutschland 4,366 – Österreich 2,770 – Schweiz 0,877. *Weltproduktion* 1991 (1990) 1,798 (1,797) Mrd. m³.
In *Deutschland* betrug 1991 der *Holzeinschlag* insges. 28,748 Mio. m³. Er erreichte damit wieder die langjährig übliche Menge, nachdem der Einschlag 1990 aufgrund der Sturmschäden auf 75,021 Mio. m³ angestiegen war. Vom Gesamtaufkommen entfielen 1991 (in Mio. m³) auf Fichte, Tanne, Douglasie 18,383 – Rotbuche u.ä. 5,438 – Kiefer, Lärche u.ä. 4,035 – Eiche 0,892. Der *Selbstversorgungsgrad* mit Holz betrug 1991 70,7 % (einschl. der Wiederverwendung von inländischem

Altpapier, das 1991 20,9 Mio. m³ betrug). Den *Einfuhrbedarf* an Holz, der sich 1991 auf netto 26,4 Mio. m³ belief, deckten vor allem skandinavische, osteuropäische und nordamerikanische Länder sowie Österreich. Die im Zusammenhang mit dem Schutz der Regenwälder umstrittene *Einfuhr von Tropenholz* ging weiter zurück (Laubstammholz 316,8 – Laubschnittholz 358,0 Tsd. m³) und machte weniger als 1 % der Holzimporte aus (überwiegend aus Asien und Afrika). Wertmäßig betrugen 1991 die *Einfuhren* der Holzwirtschaft (einschl. Holzwaren, Möbel usw.) 31,5 Mrd. DM, die *Ausfuhren* 23,3 Mrd. DM.

Die deutsche *Holz- und Papierwirtschaft* (nur alte Bundesländer) erreichte 1991 mit 493,0 Tsd. Beschäftigten einen Umsatz von 103,311 Mrd. DM. Hiervon entfielen u. a. auf Holzverarbeitung 52,515 – Zellstoff-, Papier- u. Pappeerzeugung 20,229 – Holzbearbeitung 12,038 – Holzhandel 10,854 Mrd. DM.

Die *Waldfläche Deutschlands* nahm in den letzten Jahren leicht zu, verursacht durch Aufforstungen v. a. in ländlichen Räumen bei gleichzeitigen geringen Abnahmen in den Verdichtungsräumen. Insgesamt betrug die Waldfläche 1991 in den alten Bundesländern 7,75 Mio. ha (31 % der Gesamtfläche), in den neuen Ländern der ehem. DDR 2,98 Mio. ha (27,5 % der Fläche). In Westdeutschland wurde die Waldfläche von 433,5 Tsd. Betrieben der Land- und/oder Forstwirtschaft bewirtschaftet, in Ostdeutschland wurden die Eigentumsverhältnisse 1991/92 neu geordnet (insbes. Rücküberweisung an die früheren Eigentümer). – Verteilung der westdeutschen Waldfläche nach Eigentümern: Privatwald 46 % – Staatswald 30 % – Körperschaftswald (Gemeinden, Kirchen, Stiftungen u.ä.) 24 %; nach Baumarten: Fichte, Tanne, Douglasie 41 % – Kiefer, Lärche 21 % – Buche u.ä. 31 % – Eiche 7 %.

Die **Waldbestände** mit ihrer großen ökologischen Bedeutung und das **Holz** als regenerierbarer Rohstoff sind **weltweit auf doppelte Weise gefährdet:**
1. In den meisten *Entwicklungsländern,* v. a. in den Tropen und Subtropen, geht die Waldfläche seit Jahren durch *übermäßigen Holzeinschlag* ohne nachfolgende Wiederaufforstung sowie durch *planmäßiges Abbrennen* (zur Gewinnung neuer Siedlungs- und Landwirtschaftsflächen) in erschreckendem Umfang zurück. Trotz bereits starker Störungen des Naturhaushalts und der Drohung gravierender ökologischer Folgen gehen weiterhin jährlich über 20 Mio. ha tropischer und subtropischer Regen- und Trockenwälder verloren. In einigen Ländern Westafrikas, Südamerikas und Südostasiens verringerte sich die Waldfläche in den letzten 15–20 Jahren um mehr als 50 %. Die Wälder Thailands und der Philippinen sind inzwischen zu über 60 %, Madagaskars zu über 90 % und der Côte d'Ivoire fast völlig abgeholzt. Die FAO berechnete,

daß in den Tropen jährlich 1 % der verbliebenen Waldfläche abgeholzt wird.
2. In den *Industrieländern* werden seit längerem umfangreiche *Waldschäden* beobachtet, die v. a. auf *Luftverunreinigungen* zurückgeführt werden. In Deutschland finden die Waldschäden (*»Waldsterben«*) seit Anfang der 80er Jahre größere Beachtung und gelten als eines der zentralen Umweltprobleme. Für die alten Bundesländer liegen seit 1984 Ergebnisse von *Waldschadenserhebungen* vor, die seit 1990 auch in den neuen Bundesländern durchgeführt werden. Die Erhebung 1992 ergab ein weiteres, allerdings regional sehr unterschiedliches Fortschreiten der Schäden. Besonders die Laubbäume zeigten zunehmende Schädigungen, aber auch bei den Nadelbäumen stieg der Anteil deutlich geschädigter Bäume weiter an. 1992 waren von den 35,7 Mio. ha Wald im gesamten Bundesgebiet nur 32 % ohne Schadmerkmale (in den ostdeutschen Ländern sogar nur 25 %); 41 % waren »schwach geschädigt«, 27 % »mittelstark geschädigt«, »stark geschädigt« oder »abgestorben« (Schadstufe 2–4). Am stärksten betroffen waren die Wälder der ostdeutschen Bundesländer (34 % in den Schadstufen 2–4), am wenigsten die nordwestdeutschen Bundesländer (Niedersachsen, Nordrhein-Westfalen, Schleswig-Holstein, zusammen 14 %). Die größten Schäden traten überall bei Tannen, Eichen und Buchen auf.

Schäden ähnlicher Größenordnung werden schon seit langem aus osteuropäischen Ländern gemeldet, seit einigen Jahren auch aus west- und südeuropäischen Staaten und aus den USA. Seit einigen Jahren stellt die UNO für Europa einen *Waldschadensbericht* aus nationalen Erhebungen zusammen. 1991 beteiligten sich bereits 33 Staaten mit 78 % der europäischen Waldfläche (168 von 214 Mio. ha). Hierbei wurden u. a. folgende Zahlen angegeben: *(Schädigung der Laub- und Nadelbäume,* Schadstufen 1–4 1991): Großbritannien 94,0 % – Polen 90,8 % – ČSFR 75,9 % – Litauen 75,4 % – Schweiz 68,0 % – Deutschland 64,2 % – Dänemark 58,5 % – Belgien 56,6 % – Bulgarien 55,3 % – Griechenland 48,2 % – Niederlande 47,5 % – Schweden 45,3 % – Italien 41,6 % – Slowenien 37,1 % – Spanien 35,7 % – Frankreich 23,6 % (Zahlen nicht voll vergleichbar).
Zur *Ursache des Waldsterbens* → WA '93, Sp. 886 f.

Honig → WA '93, Sp. 887

Hopfen → WA '93, Sp. 887

Hühner → WA '93, Sp. 887

Hülsenfrüchte → WA '93, Sp. 888

Jute → *WA '93, Sp. 888*

Kaffee (grün) *Ernte* 1991 (1990 und 1980) in 1000 t (nach FAO)

Brasilien	1523	(1465)	(1060)
Kolumbien	870	(845)	(724)
Indonesien	480	(411)	(295)
Mexiko	299	(440)	(222)
Côte d'Ivoire	250	(295)	(250)
Guatemala	208	(200)	(163)
Uganda	180	(129)	(110)
Indien	178	(118)	(150)
Äthiopien	175	(206)	(187)
Costa Rica	158	(151)	(109)
El Salvador	149	(156)	(165)
Ecuador	139	(135)	(69)
Philippinen	133	(134)	(145)
Honduras	122	(118)	(76)
Zaire	102	(120)	(75)
Kenia	87	(93)	(91)
Peru	82	(81)	(102)

Welternte 1991 (1990) 6,264 (6,349) Mio. t.

Die wichtigsten *Exportländer* sind Brasilien, Kolumbien, Indonesien, Mexiko, Côte d'Ivoire, Uganda und die mittelamerikanischen Staaten; die bedeutendsten *Importeure* sind die USA, Deutschland, Frankreich, Japan und Italien.

Der *Welt-Kaffeemarkt* war auch 1992 – wie schon in den Vorjahren – durch Angebotsüberschüsse gekennzeichnet, die zu einem weiteren Absinken der Preise führten. Mitte 1992 erreichten die Kaffeepreise den niedrigsten Stand seit 17 Jahren und stiegen erst zum Jahresende mäßig an. Vor allem für die kleineren Kaffee-Exportländer brachte der Preisverfall große wirtschaftliche Probleme. Die *ICO* (»Internat. Kaffee-Organisation« aus Erzeuger- und Abnehmerländern) bemühte sich wegen des brasilianischen Widerstands bisher vergeblich, ein neues *Kaffee-Abkommen* mit reduzierten Anbauflächen

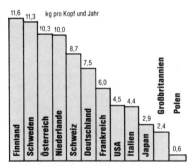

Kaffee-Verbrauch im Ländervergleich
(Durchschnittlicher Pro-Kopf-Verbrauch Anf. der 90er Jahre)

und festen Exportquoten zum Zwecke der Preisstabilisierung auszuhandeln.

Kakao (Kakaobohnen) *Ernte* 1991 (1990 und 1980) in 1000 t (nach FAO):

Elfenbeinküste	750	(815)	(400)
Brasilien	320	(356)	(318)
Ghana	265	(295)	(250)
Malaysia	240	(247)	(32)
Indonesien	180	(154)	(15)
Kamerun	105	(115)	(117)
Nigeria	100	(155)	(155)
Ecuador	100	(97)	(91)
Kolumbien	59	(56)	(40)

Welternte 1991 (1990) 2,384 (2,576) Mio. t.

Der *Exportanteil* an der Ernte ist relativ hoch; wichtigste *Ausfuhrländer* sind Côte d'Ivoire, Ghana, Malaysia und Brasilien. Bedeutendste *Importeure* sind die USA, die Niederlande und Deutschland. Der *Welt-Kakaomarkt* war 1992 durch weiter fallende Preise gekennzeichnet. Zwar überstieg der *Weltverbrauch* leicht die Erzeugung, doch sorgten stark verringerte Einfuhren der osteuropäischen Länder und hohe Lagerbestände dafür, daß der Druck auf die Preise anhielt. Der Versuch der *ICCO* (»Internationale Kakao-Organisation«), ein neues preisstabilisierendes System von Ausfuhrquoten zu erreichen, scheiterte bisher an der Uneinigkeit der Exportländer, die zur Preisstabilisierung ihre Produktion einschränken müßten.

Kartoffeln *Ernte* 1991 (1990 und 1980) in Mio. t (nach FAO)

UdSSR	64,500	(63,700)	(67,000)
VR China (S)	35,500	(32,030)	(25,000)
Polen	29,038	(36,313)	(26,400)
USA	18,970	(18,239)	(13,737)
Indien	15,254	(14,771)	(8,327)
Deutschland	10,225	(14,039)	(17,184)
Niederlande	6,735	(7,036)	(6,267)
Großbritannien	6,700	(6,504)	(7,109)
Frankreich	6,300	(5,800)	(6,618)
Spanien	5,179	(5,331)	(5,737)
Türkei	4,600	(4,300)	(3,000)
Japan	3,700	(3,552)	(3,421)
Kanada	2,781	(2,959)	(2,500)
ČSFR	2,713	(2,534)	(2,695)
u. a. Österreich	0,790	(0,794)	(1,264)
Schweiz	0,725	(0,712)	(0,853)

Welternte 1991 (1990) 262,747 (268,705) Mio. t.

Wichtige *Ausfuhrländer* sind die Beneluxländer, Deutschland (für Kartoffelprodukte) und Frankreich, die wichtigsten *Einfuhrländer* sind Deutschland und ebenfalls die Beneluxländer (für Frühkartoffeln).

In *Deutschland* nahm die *Kartoffel-Anbaufläche* in den letzten Jahren in den westlichen Bundesländern leicht zu, in den östlichen stark ab; sie betrug 1992 insges. 363,534 Tsd. ha (1990 noch 548,403 Tsd. ha). Die *Ernte* belief sich 1992 (1991) auf 10,401 (10,201) Mio. t, davon 0,644 (0,597) Mio. t. Frühkartoffeln. Die Bedeutung der Kartoffel als Grundnahrungs- bzw. Futtermittel hat gegenüber früher stark abgenommen; der *Pro-Kopf-Verbrauch* betrug 1992 rd. 74 kg.

Käse (alle Arten) *Erzeugung* 1991 in 1000 t: USA 3129 – UdSSR 1845 – Frankreich 1498 – Deutschland 1259 – Italien 692 – Niederlande 610 – Ägypten 319 – Großbritannien 310 – Polen 293 – Kanada 291 – Dänemark 287 – Argentinien 280 – Griechenland 209 – Iran 184 – ČSFR 181 – Australien 176 – Spanien 155 – Bulgarien 153 – VR China 143 – Türkei 141 – u.a. Schweiz 132 – Österreich 113. *Weltproduktion* 1991 (1990) 14,311 (14,627) Mio. t. Wichtigste *Exportländer* waren 1991/92 die Niederlande, Frankreich, Deutschland und Dänemark; bedeutendste *Importeure* waren Deutschland, Italien und Großbritannien. *Deutschland* importierte 1992 446,5 Tsd. t Käse (davon 47% aus den Niederlanden, 26% aus Frankreich und 12% aus Dänemark), exportiert wurden 345,0 Tsd. t. – In *Deutschland* stieg die *Käseproduktion* 1992 auf 1,258 Mio. t, davon (in Tsd. t) Schnittkäse 332,224 – Hartkäse 177,543 – Weichkäse 96,319 – Frischkäse 652,259 (darunter Quark 350,873).

Kautschuk (Naturkautschuk) *Erzeugung* 1991 (1990 und 1980) in 1000 t (Trockengewicht)

Thailand	1300	(1250)	(465)
Indonesien	1284	(1246)	(989)
Malaysia	1252	(1292)	(1552)
Indien	330	(297)	(155)
VR China	296	(264)	(113)
Philippinen	181	(185)	(68)
Nigeria	137	(88)	(45)
Sri Lanka	102	(113)	(133)

Weltproduktion 1991 (1990) 5,199 (5,070) Mio. t. Rd. 90% der Weltproduktion werden exportiert. Bedeutendste *Exporteure* sind Malaysia, Indonesien und Thailand; die wichtigsten *Einfuhrländer* sind die USA, Japan, China, Deutschland und Frankreich. *Anteil von Naturkautschuk* an der gesamten Kautschukproduktion (einschl. Synthet.): 1939 99% – 1955 56% – 1965 38% – 1975 33% – 1991/92 ca. 35%. Der Anteil des Naturprodukts am gesamten Kautschukverbrauch stieg in den letzten Jahren wieder leicht an, da er für gewisse Anwendungsbereiche Vorteile aufweist (z.B. Winterreifen). In den letzten Jahren erhöhte sich außerdem der Bedarf an Latex für die Herstellung von medizinischen Handschuhen und Kondomen. 1992 ging der Kautschukverbrauch jedoch wegen der nachlassenden Automobilkonjunktur stärker zurück. Das »Internationale Naturkautschuk-Abkommen« im Rahmen der

INRO (»Internationale Naturkautschuk-Organisation«), das zunächst bis Ende 1993 gilt, sorgte durch Marktinterventionen dafür, daß der durch ein Überangebot verursachte niedrige *Weltmarktpreis* 1992 nicht weiter zurückging.

Kohl → *WA '93, Sp. 891*

Kopra → *WA '93, Sp. 891*

Leinsaat → *WA '93, Sp. 891*

Mais *Ernte* → *Getreide*. Wichtige *Ausfuhrländer* 1990 in Mio. t: USA 52,172 – Frankreich 7,195 – VR China 3,405 – Argentinien 2,998 – Südafrika 1,500. Wichtige *Einfuhrländer* 1990 in 1000 t: Mexiko 4,102 – Deutschland 2,044 – Niederlande 2,012 – Ägypten 1,960 – Spanien 1,810 – Großbritannien 1,627 – Malaysia 1,400 – Jugoslawien 1,072.

Maultiere → *WA '93, Sp. 891*

Milch *Erzeugung* von *Kuhmilch* 1991 (1990 und 1980) in Mio. t (nach FAO)

UdSSR (S)	100,000	(108,700)	(90,200)
USA	67,370	(67,276)	(58,298)
Deutschland	29,054	(31,307)	(32,981)
Indien	27,000	(27,500)	(13,000)
Frankreich	25,880	(26,561)	(33,300)
Brasilien	15,300	(14,919)	(10,265)
Großbritannien	15,022	(15,203)	(15,883)
Polen	14,906	(15,832)	(16,480)
Niederlande	11,050	(11,226)	(12,148)
Italien	10,000	(10,376)	(10,490)
Japan	8,260	(8,189)	(6,504)
Neuseeland	7,870	(7,693)	(6,770)
Kanada	7,450	(7,535)	(8,025)
Mexiko	6,925	(6,332)	(6,750)
Australien	6,401	(6,262)	(5,562)
Argentinien	6,200	(6,400)	(5,307)
Spanien	6,000	(5,825)	(6,053)
ČSFR	5,826	(6,931)	(5,909)
Irland	5,527	(5,402)	(4,850)
u.a. Schweiz	3,850	(3,866)	(3,655)
Österreich	3,300	(3,350)	(3,430)

Weltproduktion von *Kuhmilch* 1991 (1990) 463,671 (477,672) Mio. t, von *Büffelmilch* 43,374 (41,326) Mio. t, davon 1991: Indien 27,700 – Pakistan 11,256 – VR China 1,950 – Ägypten 1,256; von *Schafmilch* 8,821 (8,981) Mio. t, davon 1991: Türkei 1,123 – Frankreich 1,100 – Iran 0,810 – Griechenland 0,465; von *Ziegenmilch* 9,750 (9,788) Mio. t, davon 1991: Indien 2,000 – Iran 0,897 – Somalia 0,640 – Frankreich 0,520 – Griechenland 0,465 – Pakistan 0,409. Wichtige *Ausfuhrländer* für *Trockenmilch* sind Neuseeland, die Niederlande, Deutschland und Frankreich, für *Frisch- und Kondensmilch* die Niederlande und Deutschland.

Die in den EG-Ländern seit 1. 4.1984 geltende »Garantiemengenregelung« zur *Eindämmung der Überproduktion* zeigte 1992 erneut ihre Wirksamkeit; die Milchablieferung unterschritt sogar leicht die Garantiemengen. Die *Produktion von Kuhmilch* betrug 1992 (1991) 112,969 (114,276) Mio. t. Der *Milchkuhbestand* nahm weiter ab auf 22,589 (22,964) Mio., doch erhöhte sich der Milchertrag je Kuh weiter auf 4878 (4758) kg/Jahr. Die *Gesamt-Milcherzeugung* (einschl. Ziegen und Schafe) sank auf 116,609 (117,899) Mio. t. Da sich auch der *Verbrauch* von Milch und Milchprodukten nur leicht verringerte, betrug der *Selbstversorgungsgrad der EG* mit Milch 1992 (1991) weiterhin 110 %.

In *Deutschland* stieg der *Milchverbrauch* 1991–92 von 27,401 auf 27,500 Mio. t. Da gleichzeitig die *Milcherzeugung* abnahm, und zwar von 29,085 auf 28,050 Mio. t, sank auch der *Selbstversorgungsgrad* 1992 (1991) auf 102 (106) %.

Aufgrund der verschiedenen Maßnahmen zum Abbau der Vorräte (Anlieferquoten, Exporte in Drittländer, v. a. Käse und Milchpulver) verringerten sich trotz des Verbrauchsrückgangs 1992 die *Lagerbestände der EG* (»Interventionsbestände«). Die Bestände an Milchpulver nahmen von Ende 1991 bis Ende 1992 von 421 auf 50 Tsd. t ab, die an Butter von 302 auf 250 Tsd. t. Die Kosten für die *EG-Milchmarktordnung* konnten dadurch von 5,637 Mrd. ECU (1991) auf 4,007 Mrd. ECU (1992) gesenkt werden (= 8,214 Mrd. DM). Durch die »*Garantiemengenregelung*«, die seit 1991 auch in den neuen Bundesländern gilt, soll in Zukunft ein ausgeglichenes Angebots-Nachfrage-Verhältnis erreicht werden. Die Abnahme- und Preisgarantie gilt nach dieser Regelung nur noch für eine bestimmte »Garantiemenge«, d. h. Höchstmenge pro Erzeuger. Für *Deutschland* betrug die Garantiemenge im Wirtschaftsjahr 1991/92 21,392 Mio. t, die leicht überschritten wurde.

Die *Milchproduktion* war auch 1992 die mit Abstand wichtigste Einnahmequelle der deutschen Landwirte. Sie erbrachte in den alten Bundesländern 13,200 Mrd. DM, d. h. 25,3 % der *Verkaufserlöse* der Landwirtschaft, in den neuen Bundesländern dagegen nur 2,781 Mrd. DM (= 21,6 %). (→ *Butter*, → *Käse*).

Obst *Ernte* 1991 in 1000 t (meist S):
Äpfel: UdSSR 6000 – VR China 4816 – USA 4477 – Frankreich 2000 – Türkei 2000 – Italien 1793 – Iran 1515 – Polen 1146 – Argentinien 1100 – Deutschland 1081 – Japan 1046 – Indien 1020 – Ungarn 950 – Chile 760 – DVR Korea (Nord-K.) 650 – Spanien 567 – Rumänien 543 – Südafrika 542 – u. a. Österreich 340 – Schweiz 190. *Welternte* 1991 (1990) 39,404 (40,518) Mio. t.

Birnen: VR China 2483 – Italien 864 – USA 824 – UdSSR 500 – Türkei 420 – Spanien 412 – Japan 412 – Frankreich 280 – Deutschland 210 – Südafrika 204 – u. a. Schweiz 95 – Österreich 60. *Welternte* 1991 (1990) 9,359 (9,509) Mio. t.

Pflaumen u. Zwetschgen: UdSSR 950 – VR China 946 – USA 705 – Jugoslawien 550 – Rumänien 360 – Deutschland 233 – Frankreich 190 – Türkei 190. *Welternte* 1991 (1990) 5,651 (5,736) Mio. t.

Pfirsiche u. Nektarinen: Italien 1389 – USA 1316 – Griechenland 824 – VR China 808 – Spanien 691 – Frankreich 450 – UdSSR 420 – Türkei 360 – u. a. Deutschland 11 – Österreich 11. *Welternte* 1991 (1990) 8,682 (8,902) Mio. t.

Oliven → *WA '93, Sp. 893*

Palmkerne/Palmöl → *WA '93, Sp. 893*

Pferde → *WA '93, Sp. 894*

Rapssaat → *WA '93, Sp. 894*

Reis *Ernte* → *Getreide.* Die *Welternte* erreichte 1992 mit 520,510 Mio. t (vorl. Wert) einen merklich höheren Wert als 1991 (513,978 Mio. t), blieb aber knapp unter der Menge von 1989 und 1990 (521,044 Mio. t). Die Produktionszunahme ergab sich v. a. durch erhöhte Erntemengen in einigen Hauptproduktionsländern (China, Indien, Indonesien, Bangladesch u. a.), während die Produktion in Afrika, aber auch im wichtigsten Exportland Thailand leicht abnahm. Von der Gesamterntemenge entfielen 494,047 Mio. t (= 95 %) auf Entwicklungsländer. Der Reisbedarf konnte hier i. a. gedeckt werden, ausgenommen China, Indien und gewisse afrikanische und vorderasiatische Länder, die Importbedarf hatten. – Wichtige *Ausfuhrländer* 1990 in Mio. t: Thailand 4,017 – USA 2,474 – Vietnam 1,500 – Pakistan 0,744 – Italien 0,577. Insgesamt gelangen nur rd. 3 % der Weltreisproduktion in den Außenhandel, d. h. 97 % werden im Ursprungsland verbraucht. – Wichtige *Einfuhrländer* 1990 in 1000 t: Iran 610 – Philippinen 593 – Saudi-Arabien 400 – Hongkong 374 – Senegal 357 – Irak 340 – Malaysia 330 – Bangladesch 324 – UdSSR 320 – u. a. Deutschland 277.

Rinder *Bestand* 1991 (1990 und 1980) in Mio. (nach FAO)

	1991	1990	1980
Indien (ohne Büffel)	196,870	(197,300)	(182,500)
Brasilien	152,000	(147,102)	(92,000)
UdSSR	115,600	(118,400)	(115,100)
USA	98,896	(98,162)	(111,190)
VR China	81,407	(79,493)	(52,490)
Argentinien	50,080	(50,582)	(55,760)
Äthiopien (S)	30,000	(30,000)	(26,000)

Rinder *(Forts.)*

Mexiko	29,847	(32,054)	(29,000)
Kolumbien	24,350	(24,384)	(23,950)
Australien	23,662	(23,191)	(23,260)
Bangladesch (S)	23,500	(23,244)	(21,000)
Frankreich	21,446	(21,419)	(23,920)
Sudan	21,028	(20,583)	(18,350)
Deutschland	19,488	(20,287)	(20,650)
Pakistan	17,711	(17,677)	(15,040)
Nigeria (S)	15,140	(14,640)	(12,300)
Kenia	13,700	(13,793)	(10,500)
Südafrika	13,512	(13,398)	(13,600)
Venezuela	13,368	(13,272)	(10,630)
Kanada	12,369	(12,249)	(13,300)
u. a. Österreich	2,584	(2,562)	(2,550)
Schweiz	1,829	(1,855)	(2,030)

Weltbestand an *Rindern* 1991 (1990) 1294,408 (1293,755) Mio., an *Büffeln* 144,255 (142,331) Mio., davon 1991: Indien 75,840 – VR China 21,635 – Pakistan 17,818 Mio. – In *Deutschland* sank der Rinderbestand bis Dez. 1992 (1991) auf 16,267 (17,134) Mio. (13,393 Mio. in den alten und 2,873 Mio. in den neuen Bundesländern), davon 5,382 (5,632) Mio. Milchkühe und 5,482 (5,753) Mio. Kälber. Der in Deutschland seit Jahren zu beobachtende Rückgang der Zahl der milchkuhhaltenden Betriebe ist eine Auswirkung der EG-Milchpreispolitik, durch die die Milchüberschüsse verringert werden sollen *(→ Milch)*.

Roggen *Ernte → Getreide*

Schafe *Bestand* 1991 in Mio. (meist S): Australien 163,238 – UdSSR (S) 134,000 – VR China 112,820 – Indien 55,739 – Neuseeland 55,162 – Iran 45,000 – Türkei 40,553 – Südafrika 32,580 – Großbritannien 29,954 – Argentinien 27,552 – Pakistan 26,338 – Spanien 24,500 – Äthiopien 23,000 – Sudan 20,700 – Brasilien 20,300 – Syrien 15,321 – Rumänien 14,062 – Marokko 14,000 – Nigeria 13,000 – Italien 11,575 – u. a. Deutschland 4,100. *Weltbestand* 1991 (1990) 1184,169 (1201,197) Mio.

Schweine *Bestand* 1991 (1990 und 1980) in Mio.

VR China	370,975	(360,594)	(325,120)
UdSSR	75,600	(78,900)	(73,900)
USA	54,477	(53,821)	(67,350)
Brasilien (S)	34,000	(33,623)	(34,180)
Deutschland	26,251	(34,178)	(34,500)
Polen	21,868	(19,464)	(21,330)
Spanien	16,100	(16,002)	(10,600)
Mexiko	15,902	(15,203)	(13,220)
Niederlande	13,788	(13,634)	(10,140)
Frankreich	12,239	(12,366)	(11,450)
Rumänien	12,003	(11,671)	(10,900)
Japan	11,335	(11,816)	(10,000)
u. a. Österreich	3,688	(3,773)	(4,000)
Schweiz	1,723	(1,787)	(2,100)

Weltbestand 1991 (1990) 863,471 (855,440) Mio. – In *Deutschland* stieg der Schweinebestand bis Dez. 1992 gegenüber dem Vorjahr um 1,5 % auf 26,466 Mio., davon 22,058 Mio. in den alten und 4,408 Mio. in den neuen Bundesländern.

Seide → *WA '93, Sp. 896*

Sesamsaat → *WA '93, Sp. 896*

Sisal → *WA '93, Sp. 896*

Sojabohnen *Erzeugung* 1991 (1990 und 1980) in Mio. t

USA	54,039	(52,416)	(48,772)
Brasilien	14,897	(19,898)	(15,156)
Argentinien	10,726	(10,700)	(3,500)
VR China	9,718	(11,008)	(7,966)
Indien	2,200	(2,419)	(0,340)
Indonesien	1,549	(1,487)	(0,653)
Kanada	1,406	(1,292)	(0,713)
Italien	1,325	(1,751)	
Paraguay	1,304	(1,795)	(0,610)

Welternte 1991 (1990) 102,850 (108,186) Mio. t. Die wichtigsten *Ausfuhrländer* sind die USA, Brasilien und Argentinien; bedeutendste *Importeure* sind Japan, die Niederlande und Deutschland. *Sojabohnen* werden v. a. als proteinhaltiges Viehfutter *(Sojaschrot)* und für die Margarineherstellung *(Sojaöl)* verwendet. Sie sind weltweit die wichtigste Ölpflanze. Von der gesamten *Welterzeugung an Ölsaaten* von 224,2 Mio. t (1992) entfielen allein 110,590 Mio. t auf Soja, davon 57,376 Mio. t in den USA. Die *Weltmarktpreise* blieben im Laufe des Jahres 1992 weitgehend stabil, da zwischen Angebot und Nachfrage ein annäherndes Gleichgewicht bestand.

Sonnenblumensaat → *WA '93, Sp. 896*

Tabak (Rohtabak) *Ernte* 1991 in 1000 t: VR China (S) 3064 – USA 753 – Indien 558 – Brasilien 418 – Türkei 247 – UdSSR (S) 240 – Italien 192 – Simbabwe 178 – Griechenland 166 – Indonesien 145 – Malawi 125 – Argentinien 94 – Philippinen 85 – Pakistan 75 – Bulgarien 74 – Thailand 71 – Kanada 71 – Japan 70 – Rep. Korea (Süd-K.) 70 – u. a. Deutschland 9. *Welternte* 1991 (1990) 7,574 (7,124) Mio. t.
Die wichtigsten *Ausfuhrländer* sind die USA, Brasilien, Griechenland, Italien, die Türkei und Simbabwe; bedeutende *Importeure* sind die USA, Deutschland, Großbritannien, die Niederlande und Japan. – In *Deutschland* wurden 1992 rd. 11 000 t Tabak geerntet, davon rd. 75 % in den westlichen Bundesländern.

(Zigaretten → Sp. 1030)

Tee *Ernte* 1991 (1990 und 1980) in 1000 t (nach FAO):

Indien	742	(715)	(572)
VR China	568	(562)	(328)
Sri Lanka	241	(238)	(191)
Kenia	204	(197)	(90)
Indonesien	158	(149)	(106)
Türkei	136	(123)	(96)
UdSSR	118	(136)	(130)
Japan	88	(90)	(102)
Argentinien	48	(43)	(28)
Bangladesch	46	(39)	(36)
Iran	45	(44)	(19)
Malawi	41	(39)	(16)

Welternte 1991 (1990) 2,596 (2,532) Mio. t.
Die wichtigsten *Exporteure* sind Indien, Sri Lanka, China und Kenia; die bedeutendsten *Importländer* sind Großbritannien, Rußland, Pakistan, die USA und die arabischen Länder. *Deutschland* bezieht Tee v. a. aus Indien, Sri Lanka, Indonesien und Kenia. – Der *Welt-Teeverbrauch* zeigte auch 1992 leicht ansteigende Tendenz, v. a. wegen des zunehmenden Eigenverbrauchs in den Hauptproduktionsländern. Die *Weltmarktpreise* gingen zurück, da trotz Ernterückgängen in Indien und Sri Lanka der Importbedarf der europäischen Verbrauchsländer gedeckt werden konnte und Rußland, früher der Hauptabnehmer indischen Tees, seine Einfuhren drastisch reduzierte. – In *Deutschland* betrug der Verbrauch pro Kopf und Jahr rd. 23 l (1992).

Tomaten → *WA '93, Sp. 897*

Wein *Weintraubenernte* 1991 (1990) in Mio. t: Italien 9,230 (8,438) – Frankreich 7,020 (8,200) – UdSSR 5,400 (5,600) – Spanien 5,087 (6,474) – USA 4,944 (5,135) – Türkei 3,600 (3,500) – Argentinien 2,000 (2,342) – Iran 1,550 (1,402) – Jugoslawien 1,528 (1,109) – Südafrika 1,470 (1,463) – Portugal 1,450 (1,600) – Griechenland 1,300 (1,192) – Deutschland 1,160 (1,149) – Chile 1,130 (1,171) – VR China 1,105 (0,962) – Ungarn 0,863 (0,863) – Australien 0,851 (0,824) – u. a. Österreich 0,420 (0,427) – Schweiz 0,178 (0,174). *Welternte* 1991 (1990) 57,570 (59,687) Mio. t.
Weinerzeugung 1991 (1990) in Mio. t: Italien 5,915 (5,487) – Frankreich 4,298 (6,553) – Spanien 3,100 (4,012) – UdSSR 1,800 (1,570) – USA 1,490 (1,585) – Argentinien 1,200 (1,404) – Deutschland 1,015 (0,949) – Portugal 0,991 (1,097) – Südafrika 0,963 (0,952) – Rumänien 0,600 – (0,598) – Ungarn 0,547 (0,547) – Jugoslawien 0,500 (0,517) – Griechenland 0,450 (0,353) – Australien 0,394 (0,445) – Chile 0,390 (0,398) – Brasilien 0,311 (0,311) – Österreich 0,300 (0,317) – u. a. Schweiz 0,124 (0,123). *Weltproduktion* 1991 (1990) 25,544 (28,352) Mio. t.

In *Deutschland* verringerte sich die im Ertrag stehende *Rebfläche* 1991–92 leicht; sie betrug nach Angaben des Statistischen Bundesamts 1992 (1991) 82,396 (82,833) Tsd. ha in den alten und 604 (494) ha in den neuen Bundesländern. Aufgrund günstiger Witterungsbedingungen erhöhte sich der Ertrag pro ha und damit der Gesamtertrag, so daß 1992 (1991) insgesamt 13,375 (10,170) Mio. hl *Weinmost* erzeugt wurden (davon 48,3 Tsd. hl in den neuen Bundesländern). Von der Gesamtmenge entfielen 1992 11,175 Mio. hl auf Weiß- und 2,200 Mio. hl auf Rotmost. Regional verteilte sich die Ernte 1992 folgendermaßen: Rheinland-Pfalz 68,7 % – Baden-Württemberg 22,8 % – Bayern 5,3 % – Hessen 2,6 % – Sachsen-Anhalt 0,2 % – Rest: Sachsen, Saarland, Nordrhein-Westfalen, Thüringen. – Der Absatz des Weins konnte auch 1992 gesteigert werden, doch blieben die Preise wegen des erhöhten Angebots hinter den Erwartungen der Winzer zurück. Wegen der seit 1990 EG-weit verbindlichen Mengenregulierung zur Eindämmung der Überschüsse ergaben sich z. T. Probleme durch die Mehrerträge. Der *Pro-Kopf-Verbrauch* an Wein (einschl. Sekt) betrug 1991 in Deutschland 25,1 l. Der *Selbstversorgungsgrad* mit Wein lag in Deutschland 1992 bei rd. 58 %; importiert wurde Wein v. a. aus Italien und Frankreich; die deutschen Exporte gingen zu über 50 % nach Großbritannien, kleinere Mengen u. a. in die Niederlande, die USA und nach Japan.

Weizen *Ernte* → Getreide. Weizen ist weltweit das wichtigste Getreide. Die *Ernte* nahm 1992 gegenüber 1991 um rd. 2 % auf 556,783 Mio. t zu, erreichte aber damit noch längst nicht die Rekordernte von 1990 (592,513 Mio. t). Eine stärkere Zunahme verzeichneten v. a. die *USA* als wichtigstes Weizenexportland, wo sowohl eine vergrößerte Anbaufläche, als auch höhere Flächenerträge (witterungsbedingt) für eine erhöhte Produktion sorgten. Auch die Nachfolgestaaten der *UdSSR* erreichten wieder eine größere Erntemenge (+12,5 % gegenüber 1991), da günstigere Witterungsbedingungen und die Stabilisierung der Wirtschaftsorganisation sich positiv auswirkten. Dagegen nahm in der *EG* die Weizenernte 1992 erheblich ab, weil größere Anbauflächen wegen der eingelagerten Überschüsse stillgelegt wurden und zudem die Erträge wegen der trockenen Witterung zurückgingen.
Wichtigste *Exportländer* für Weizen und Weizenmehl 1990 (in Mio. t): USA 28,749 – Frankreich 19,337 – Kanada 18,166 – Australien 11,629 – Argentinien 6,032 – Großbritannien 4,561 – Niederlande 2,840 – Deutschland 2,829 – Italien 1,777. Wichtige *Einfuhrländer* 1990 in Mio. t: UdSSR 15,275 – VR China 13,487 – Ägypten 6,615 – Japan 5,474 – Italien 4,705 – Iran 4,420 – Algerien 3,834 –

Niederlande 3,249 – Rep. Korea (Süd-K.) 2,516 – Türkei 2,188 – Pakistan 2,047 – Deutschland 1,996 – Irak 1,869 – Indonesien 1,767 – Der *Welt-Weizenmarkt* zeigte 1992 leicht anziehende Preise (110–125 US-$/t, je nach Qualität), da die Nachfrage stärker zunahm.

Wolle (Schafwolle roh) *Erzeugung* 1991 in 1000 t: Australien 843 – UdSSR 447 – Neuseeland 305 – VR China 241 – Argentinien 130 – Südafrika 104 – Uruguay 101 – Großbritannien 75 – Türkei 50 – Algerien 49 – Pakistan 48 – Syrien 38 – Marokko 35 – u. a. Deutschland 15. *Weltproduktion* 1991 (1990) 3,024 (3,062) Mio. t. Die größten Produzenten sind auch *Haupt-Exporteure*, Japan und die EG-Länder sind die wichtigsten *Importeure*. Der *Anteil der Wolle* am Rohstoffverbrauch der Textilindustrie beträgt z. Z. weltweit rd. 25 %, verglichen mit etwa 50 % Chemiefasern. Die *Wollpreise* sanken 1992 weiter, nachdem es bereits 1991 Rückgänge um rd. 40 % gegeben hatte. Ursache war die 1991 erfolgte Aufhebung des Preisstützungssystems im Hauptexportland Australien, das zu hohen Überschüssen geführt hatte. Auch 1992 wirkten sich die großen Lagerbestände preissenkend aus. Hinzu kamen starke Verbrauchsrückgänge in der GUS. Für die nächsten Jahre wird mit einer Verringerung der australischen Schafbestände und damit einer Marktstabilisierung gerechnet.

Ziegen → WA '93, Sp. 899

Zucker (Rohzucker, zentrif., Zucker aus Zuckerrohr und -rüben) *Erzeugung* 1991 (1990 und 1980) in Mio. t (nach FAO)

Indien	13,290	(11,168)	(4,191)
Brasilien	9,250	(7,835)	(8,547)
VR China	9,030	(7,233)	(3,650)
Kuba	7,623	(8,445)	(6,805)
UdSSR	7,065	(9,130)	(7,150)
USA	6,532	(6,344)	(5,331)
Frankreich	4,423	(4,744)	(4,253)
Deutschland	4,245	(4,671)	(3,594)
Thailand	4,017	(3,506)	(1,098)
Mexiko	3,943	(3,278)	(2,765)
Australien	3,535	(3,515)	(3,329)
Indonesien	2,334	(2,218)	(1,500)
Pakistan	2,121	(1,961)	(0,780)
Südafrika	2,028	(2,226)	(1,611)
Türkei	1,957	(1,946)	(1,186)
Philippinen	1,780	(1,810)	(2,343)
Italien	1,640	(1,584)	(1,934)
Kolumbien	1,617	(1,589)	(1,260)
Polen	1,606	(2,219)	(1,186)
Argentinien	1,594	(1,351)	(1.560)
u. a. Österreich	0,466	(0,451)	(0,456)

Welterzeugung von Zucker 1991 (1990) 113,351 (110,542) Mio. t.

Zuckerrohr 1991 (1990) 1085,991 (1047,883) Mio. t, davon 1991 in Mio. t: Brasilien 263,406 – Indien 240,287 – VR China 72,703 – Kuba 71,000 – Thailand 40,661 – Mexiko 36,683 – Pakistan 34,210 – USA 27,446 – Australien 24,625.
Zuckerrüben 1991 (1990) 299,209 (306,937) Mio. t, davon 1991 in Mio. t: UdSSR 79,000 – Frankreich 28,991 – Deutschland 28,991 – USA 25,485 – VR China 16,237 – Türkei 14,900 – Italien 13,085 – u. a. Österreich 2,522.
Wichtige *Ausfuhrländer* von Zucker (Rohzucker) sind Kuba, Australien, Frankreich, Brasilien, Thailand, Deutschland, die Benelux-Länder und Südafrika. Wichtige *Einfuhrländer* sind Rußland, China, Japan, USA, Indien und Großbritannien.
In *Deutschland* wurden im Wirtschaftsjahr 1991/92 (1990/91) 3,911 (4,301) Mio. t Zucker erzeugt (geringere Anbaufläche); der Verbrauch betrug 2,865 (2,796) Mio. t, der Nahrungsverbrauch stieg 1992 leicht auf 2,820 Mio. t (=35,1 kg pro Kopf/Jahr). – Die *EG-Länder* erzeugten 1991/92 (1990/91) 14,896 (15,889) Mio. t bei einem Verbrauch von 11,900 (11,753) Mio. t. Trotz der verringerten Erzeugung standen weiterhin hohe Überschüsse für den Export zur Verfügung, die wegen der weltweiten Lagerbestände und niedrigen Preise nur mit Hilfe von Ausfuhrsubventionen abzusetzen waren. Die Zucker-Marktordnungsausgaben der EG stiegen daher 1992 auf 1,937 Mrd. ECU (= 3,971 Mrd. DM).
Die *Welterzeugung von Zucker* sank im Wirtschaftsjahr 1991/92 auf 113,6 Mio. t (1990/91: 115,3 Mio. t). Da der *Verbrauch* sich leicht auf 111,1 Mio. t erhöhte, vergrößerten sich die weltweiten Überschüsse nicht mehr so stark wie in den Vorjahren. Die gesamten Welt-Überschußbestände an Zucker betrugen Ende 1992 mehr als $1/3$ des Jahresverbrauchs, und der *Weltmarktpreis* sank erneut auf nur noch 8,4 cts/lb. Der Tiefstand hatte 1987 bei 6,2 cts gelegen, während der Preis Mitte der 70er Jahre noch mehr als 60 cts/lb betrug. Für die zuckerexportierenden Entwicklungsländer blieben die durch die relativ niedrigen Einnahmen verursachten Probleme bestehen; für das wichtigste Exportland *Kuba* ergaben sich durch den weitgehenden Ausfall der Lieferungen in die ehem. Ostblockländer besondere Probleme. Auch für die nächsten Jahre ist kaum mit einer Änderung der Überschußsituation zu rechnen, da die globale Produktion eher zunehmende Tendenz zeigt, andererseits in den westlichen Industrieländern der Zuckerverbrauch seit längerem rückläufig ist (Konkurrenz von Süßstoffen, Gesundheitsgründe). – Die *EG* versucht, die Zuckererzeugung durch Verringerung der Anbauflächen zu drosseln bzw. neue Absatzmöglichkeiten im technischen Bereich zu erschließen (z. B. Alkoholerzeugung).

Treibstoff-Alkohol aus Zucker wird z. Z. hauptsächlich in Brasilien, daneben auch in den USA produziert, jedoch wird diese Art der Zuckerverwendung inzwischen eher negativ gesehen (ökologische Schäden durch den forcierten Zuckeranbau, mangelnde preisliche Konkurrenz gegenüber dem billigeren Erdöl). Der Anteil der mit Zuckeralkohol angetriebenen Pkw, der in Brasilien zeitweise 90 % der Neuzulassungen betragen hatte, ging daher inzwischen wieder auf rd. 10 % zurück.

Zwiebeln → *WA '93, Sp. 902*

BERGBAU, ROHSTOFFGEWINNUNG UND -VERSORGUNG

Rohstoffe, ihre **Gewinnungs- und Bezugsmöglichkeiten,** ihre **Verfügbarkeit** und ihre **Preisentwicklung,** aber auch ihre möglichst umweltschonende **Förderung, Verarbeitung, Nutzung** und schließlich **Entsorgung** bzw. **Wiederaufbereitung (Recycling)** stehen im Spannungsfeld von Ökonomie und Ökologie. Wichtige Anstöße zur Problemerfassung gaben der erste »Ölschock« von 1973 und die pessimistische Studie des »Club of Rome« über die »Grenzen des Wachstums« (1972), in der die baldige Erschöpfung vieler Rohstoffvorräte prognostiziert worden war. Seit Anfang der 80er Jahre zeigt sich jedoch deutlich, daß – entgegen den meisten Vorhersagen – bei fast allen **Rohstoffen,** den bergbaulichen wie den landwirtschaftlichen, global gesehen **keine Mangellage,** sondern im Gegenteil ein ausreichendes Angebot, z. T. sogar ein **Überangebot** eingetreten ist. Aus diesem Grund waren auch in den letzten Jahren die **Preise** für die meisten Rohstoffe stabil, vielfach sogar rückläufig. Gewisse *Preisschwankungen,* auch kurzzeitige Erhöhungen von einem niedrigen Ausgangsniveau aus, wie sie in den letzten Jahren mehrfach zu beobachten waren, gingen nicht auf eine generelle Verknappung von Rohstoffen zurück, sondern auf teils konjunkturbedingte, teils technisch oder politisch verursachte, teils auch spekulativ bedingte Lieferengpässe und zeitweilige Ungleichgewichte zwischen Angebot und Nachfrage. So führten zuletzt das Auseinanderbrechen der Sowjetunion und die Unsicherheit über die Zukunft des wichtigen Rohstofflieferanten Südafrika zu Besorgnissen über mögliche Unterbrechungen von Rohstofflieferungen und zu kurzzeitigen Preiserhöhungen. Insgesamt gab es jedoch auch 1992, wie schon in den Vorjahren, eine **mehr als ausreichende Versorgung,** und die Hauptprobleme lagen auch 1992/93 darin, den Produzenten angemessene Preise zu sichern sowie Abbau, Transport, Verwendung und schließlich Entsorgung von Rohstoffen in umweltschonender Weise durchzuführen.

Die Ursachen für die bei praktisch allen Rohstoffen zu beobachtende *günstige Versorgungssituation,* die sich häufig in beträchtlichen Angebotsüberschüssen äußert, sind vielfältig. Sie liegen

a) im stagnierenden oder nur noch leicht ansteigenden Bedarf durch
– *Sättigungseffekte* und Strukturwandlungen in den *westlichen Industriestaaten* (z. B. Bedarfsdeckung bei vielen Gebrauchsgütern, daher lediglich Ersatzbedarf);
– *Devisenknappheit* der *osteuropäischen Staaten* und der *Entwicklungsländer,* wodurch der industrielle Aufbau und die Güterproduktion behindert und die Rohstoffnachfrage gebremst wird;
– *Einsparung von Rohstoffen durch verstärkte Wiederverwendung gebrauchten Materials (Recycling),* Anwendung neuer Technologien (z. B. energiesparende Maschinen), Verwendung von Kunststoffen anstelle metallischer bzw. mineralischer Stoffe u. ä. So wuchs in der *BR Deutschland* 1978–90 das Bruttoinlandsprodukt jährlich im Schnitt um 2,2 %, während der Rohstoffverbrauch um 0,4 % zurückging.

b) in der Erhöhung des Angebots, das in den letzten Jahren bei vielen Rohstoffen, bergbaulichen wie landwirtschaftlichen, zu verzeichnen war, und zwar durch
– *Mehrproduktion wichtiger Lieferanten* (z. B. exportabhängige Entwicklungsländer), die zur Deckung ihres Devisenbedarfs dringend auf erhöhte Einnahmen durch Rohstoffausfuhren angewiesen sind und auf sinkende Preise häufig mit vermehrtem Angebot reagieren;
– ferner durch *Lieferungen aus neuen Lagerstätten,* deren Erschließung v. a. durch das hohe Preisniveau der 70er Jahre rentabel geworden war. Nach derzeitigen wissenschaftlichen Erkenntnissen ist auf absehbare Zeit **bei keinem bergbaulich zu gewinnenden Rohstoff eine Verknappung** durch Erschöpfung der Lagerstätten zu befürchten. Lediglich bei einigen strategisch wichtigen Rohstoffen, z. B. seltenen Metallen (Stahlveredler u. a.), deren Vorkommen auf wenige bzw. umstrittene Länder konzentriert sind (z. B. Südafrika, politisch labile Entwicklungsländer, GUS-Staaten, China), könnten sich evtl. Versorgungsschwierigkeiten durch Kriege, Störung der Transportwege, Embargos oder Boykottmaßnahmen ergeben. Das **Rohstoffproblem der Gegenwart** besteht also – aus der Sicht der Indu-

strieländer gesehen – nicht in der früher häufig vorhergesagten Knappheit aufgrund einer baldigen Erschöpfung der Lagerstätten, sondern vielmehr in der
– *Sicherung des Zugangs* und den *Kosten der Erschließung* und v. a. in den
– *Folgen eines zu wenig umweltschonenden Umgangs mit den Rohstoffen* (z. B. Luftverunreinigung durch Verbrennen von Energierohstoffen, Schwermetallbelastung der Böden, Abwasserbelastung der Gewässer usw.).

Bei der Diskussion über Rohstoff- und Energieprobleme wird häufig zu wenig beachtet, daß die **Höhe der Reserven** überwiegend vom **Preis** und vom **Stand der Abbau- und Fördertechnik** abhängt. Bei steigenden Preisen steigt regelmäßig auch die Menge der verfügbaren Reserven an, da sich dann der Abbau vorher vernachlässigter ärmerer Lagerstätten rentiert bzw. da ein Anreiz zur Erforschung und Erschließung noch unbekannter oder bisher nicht wirtschaftlich nutzbarer Ressourcen entsteht. Ein Beispiel ist die Inangriffnahme schwieriger und sehr kostspieliger untermeerischer Erdölbohrungen seit den enormen Preissteigerungen der 70er Jahre. Der Preisverfall seit Mitte der 80er Jahre ließ die Förderung des Nordseeöls an die Rentabilitätsschwelle stoßen, und in den USA wurden seit 1986 zahlreiche Fördertürme stillgelegt, da die Förderkosten durch den Erlös nicht mehr gedeckt waren. Insofern haben auch die Mineralölfirmen Europas und Nordamerikas ein Interesse daran, daß die Ölpreise eine gewisse Höhe nicht unterschreiten.

Alle *Angaben über Rohstoffvorkommen und -vorräte* sind also unter der Prämisse »nach dem gegenwärtigen Stand der Technik und zu den gegenwärtigen Preisen wirtschaftlich gewinnbar« zu sehen. Dementsprechend hat in den 70er und beginnenden 80er Jahren bei fast allen bergbaulich zu gewinnenden Rohstoffen die *statische Lebensdauer* (= Vorräte bei gleichbleibender Jahresförderung) aufgrund der gestiegenen Preise, der verbesserten Abbautechniken und der Erforschung neuer Lagerstätten trotz des Abbaus größerer Mengen nicht ab-, sondern zugenommen.

festzustellen. Viele Planungen zur Erschließung neuer Kohleabbaufelder und Metallerzbergwerke, Projekte zur Gewinnung von Mineralöl aus Teersanden und Ölschiefern (z. B. in Kanada und USA), Vorhaben zur Förderung von Mineralien vom Meeresboden (z. B. Manganknollen) u.ä. wurden wegen der für die Erzeuger unbefriedigenden Preissituation und aufgrund des weltweiten Überangebots bis auf weiteres aufgeschoben.

Die **Preisentwicklung für bergbauliche Rohstoffe** war 1992 *uneinheitlich* und bei vielen Metallen durch Preissprünge gekennzeichnet, die teils auf politische Ereignisse, teils auf Spekulation oder Veränderung von Währungsrelationen zurückgingen. Tendenziell blieben aber die *Rohstoffpreise auf niedrigem Niveau,* und zum Jahresende 1992 lagen die Preise der Bergbauprodukte im Durchschnitt nur leicht über dem Stand vom Jahresbeginn. Die Ursachen für das *anhaltend niedrige Welt-Rohstoffpreisniveau* waren wiederum vielfältig. Neben z. T. *erhöhten Fördermengen* durch Staaten, die dringend Rohstoffexporte zur Devisenbeschaffung benötigen, ist v. a. die *konjunkturelle Abschwächung* in wichtigen Industrieländern zu nennen (USA, Großbritannien, Frankreich, Deutschland), die ihren Rohstoffbedarf minderte. Hinzu kam der *wirtschaftliche Zusammenbruch der ehemaligen Sowjetunion* und der anderen ehemals sozialistischen Staaten. Er führte zu stark verminderter Nachfrage bei gleichzeitigem Export von Lagerbeständen, so daß die Preise zweifach unter Druck gerieten. – Auch die *Preise für Gold und Silber* wiesen wegen verringerten industriellen Bedarfs und größerer Exporte der GUS-Staaten weiter fallende Tendenz auf. Außerdem drückte das *zunehmende Angebot von Recyclingmaterial* die Preise, und das private Kaufinteresse aus Renditeüberlegungen blieb gering, da die Geld- und Wertpapiermärkte lukrativer waren. – Auch für Erdöl, Kohle und andere *Energierohstoffe* blieben aufgrund des reichlichen Angebots bei stagnierender Nachfrage die Preise niedrig.

Statistische Lebensdauer ausgewählter Rohstoffe in Jahren (Stand 1992/93): Chrom 350 – Eisen 280 – Mangan 250 – Braunkohle 210 – Nickel 160 – Steinkohle 180 – Zinn 120 – Kupfer 90 – Blei 80 – Erdgas 60 – Silber 50 – Erdöl 42 – (einschl. Öl aus Teersanden und Ölschiefern rd. 100) – Zink 40 – Quecksilber 35.

Seit Mitte der 80er Jahre ist als Reaktion auf die stark *gesunkenen Rohstoffpreise* wiederum ein gewisser Rückzug auf die Ausbeutung der besonders kostengünstig abzubauenden Lagerstätten

---

Die Preisentwicklung ausgewählter mineralischer Rohstoffe

	Ende 1991	Ende 1992
Kupfer (£/t)	1 165,50	1 506,00
Blei (£/t)	288,12	296,00
Zink (US-$/t)	1 174,00	1 058,00
Zinn (US-$/t)	5 604,00	5 780,00
Nickel (US-$/t)	7 166,00	5 920,00
Aluminium (US-$/t) . . .	1 117,75	1 232,00
Gold (US-$/oz.)	353,40	332,90
Silber (cts./oz.)	386,00	366,30
Platin (US-$/oz.)	338,70	356,00

Der **Rohstoffbedarf** der westlichen Industrieländer stieg in den letzten Jahren – auch 1992/93 – wesentlich schwächer als die Güterverwendung und das industrielle Wachstum, da die Anstrengungen zur *Wiederverwendung gebrauchter Rohstoffe (Recycling)* weiter verstärkt wurden. Im Gegensatz zu fossilen Energierohstoffen, die beim Verbrennen unwiderruflich verbraucht werden, handelt es sich bei der Verarbeitung mineralischer (z. B. Metall) und z. T. auch organischer Rohstoffe (z. B. Kautschuk, Papier) eher um ein »Durchgangsstadium«. Ein beträchtlicher Teil der Rohstoffe kann nach Ablauf der Verwendungszeit wieder zurückgewonnen werden. Dieses Recycling schont nicht nur die Ressourcen; es ist auch oft kostengünstiger als die Verwendung »neuer« Rohstoffe und vor allem ökologisch sinnvoller als die Beseitigung von Altmaterialien durch Deponieren oder Verbrennen, wobei beträchtliche Umweltschäden auftreten können (Abgase, Gewässer- und Grundwasserverschmutzung, Belastung des Bodens, Inanspruchnahme großer Flächen und Landschaftsverschandelung). Bei *optimaler Abfallsortierung* und *konsequenter Wiederverwendung* könnten etwa folgende *Recyclingraten* erreicht werden: Kupfer 75–80 % (z. Z. über 40 %) – Zinn 65–70 % (z. Z. über 50 %) – Papier 60–65 % (z. Z. über 40 %) – Blei über 60 % (z. Z. über 50 %) – Aluminium über 50 % (z. Z. rd. $1/3$) – Nickel, Eisen, Stahl je 45–50 % (z. Z. knapp 40 %) – Glas 50–55 % (z. Z. rd. $1/3$) – Zink 35–40 % (z. Z. knapp $1/3$).
In der *BR Deutschland* (nur alte Bundesländer) werden u. a. jährlich wiederverwendet: rd. 5 Mio. t Papier und Pappe (Papier- und Kartonverpackungen bestehen heute zu fast 90 % aus Altpapier) – 1,187 Mio. t Glas, d. h. 45,2 % des Behälterglasabsatzes (1990) – rd. 400 Tsd. t Eisenschrott – rd. 280 Tsd. t Weißblech – rd. 280 Tsd. t Altöl.
Welche *Recyclingmöglichkeiten* selbst beim *Hausmüll* noch gegeben sind, geht aus seiner Zusammensetzung hervor. 1990 fielen in der *BR Deutschland* 15 Mio. t Hausmüll an; davon waren rd. 4,3 Mio. t organische Abfälle, rd. 4,1 Mio. t Verpackungen (u. a. Glas 1,2 – Papier und Pappe 1,4 – Kunststoffe 0,9 – Metalle 0,5 Mio. t), 0,5 Mio. t metallische Gegenstände. In den letzen Jahren gelang es in Deutschland, durch laufend verbesserte Abfallsortierung und Wiederverwendung die lange Zeit relativ konstante *Müllmenge* von rd. 250 Mio. t

(einschl. eigenentsorgter Industrie- und Bergbauabfälle) zu vermindern. Die Entsorgung durch die *öffentliche Abfallbeseitigung* umfaßt jährlich rd. 100 Mio. t, davon (in Mio. t) Bodenaushub 30 – Haus- und Kleingewerbemüll 29 – Bauschutt 25 – Industrieabfälle 7 – Aschen und Schlacken 4 – Klärschlämme 4.

Für diejenigen **Entwicklungsländer,** die aus wirtschaftlichen Gründen auf den *Export von Bergbauprodukten* angewiesen sind, besserte sich auch 1992/93 wegen der erneut stagnierenden bis sinkenden Erlöse die Situation nicht. Die Entwicklung dieser Länder litt v. a. auch darunter, daß zwar die Deviseneinnahmen für Rohstoffexporte vielfach zurückgingen, dagegen die Ausgaben für Industriegüterimporte weiter anstiegen. Nach Untersuchungen der UNCTAD sind *rd. 85 Entwicklungsländer* am stärksten betroffen, die *mehr als 50 % ihrer Exporteinnahmen mit bergbaulichen und/oder agrarischen Rohstoffen* erzielen.
Ein Beispiel für *entwicklungspolitische Zusammenarbeit zwischen Industrie- und Entwicklungsländern im Rohstoffbereich* sind die seit 1975 geltenden Abkommen über Finanzhilfe und handelspolitische Zusammenarbeit zwischen der **EG** und den (1993) 69 **AKP-Staaten** (Entwicklungsländer aus dem afrikanischen, karibischen und pazifischen Raum). Das neueste, als »*Lomé IV*« (nach der togoischen Hauptstadt) bezeichnete Abkommen wurde am 15. 12. 1989 unterzeichnet, trat am 1. 3. 1990 in Kraft und gilt bis Ende Febr. 2000. Es wurde mit einem Finanzvolumen von 12,000 Mrd. ECU (= rd. 24,960 Mrd. DM) ausgestattet. Der wichtigste Teil des Abkommens besteht im unbeschränkten Zugang – frei von Zöllen und mengenmäßigen Beschränkungen – der AKP-Staaten zum EG-Markt bezüglich Exporten von agrarischen und mineralischen Rohstoffen. Durch das *Stabex-System* sollen die Ausfuhrerlöse stabilisiert werden (Zuschüsse), durch den Sonderfonds für Bergbauerzeugnisse *(Sysmin)* sollen Investitionen in den AKP-Staaten gefördert und die Ausfuhrerlöse stabilisiert werden, während die Versorgung der EG-Staaten gesichert bleiben soll. Außerdem wurden in den neuen Vertrag Regelungen zur Erleichterung der Verschuldungssituation und umweltrelevante Abmachungen aufgenommen (z. B. Verbot von Giftmüllexporten).

Ausgewählte Zahlen über Produktion und Verbrauch

Antimon *Produktion* → WA '93, Sp. 907

Bauxit (unterschiedl. Nässegehalt u. Zusammensetzung) *Produktion* (nach »Metallstatistik«) in Mio. t 1991 (1990 und 1980)

Australien	40,503	(41,391)	(27,179)
Guinea	17,054	(17,524)	(13,911)
Jamaika (Trockengew.) .	11,609	(10,937)	(11,978)
Brasilien	10,414	(9,876)	(4,152)
Indien	4,835	(5,277)	(1,785)
UdSSR (S; einschl.			
Alunit und Nephelin) . .	4,800	(5,350)	(6,400)
VR China (S)	3,000	(3,200)	(1,700)
Suriname	3,136	(3,267)	(4,903)
Jugoslawien	2,542	(2,951)	(3,138)
Guyana (Trockengew.) .	2,204	(1,424)	(3,052)
Griechenland	2,134	(2,496)	(3,012)
Ungarn	2,037	(2,559)	(2,950)
Venezuela	1,992	(0,785)	(–)
Indonesien	1,406	(1,206)	(1,249)
Sierra Leone	1,288	(1,445)	(0,766)

Weltproduktion 1991 (1990) 110,803 (112,692) Mio. t.
Als Zwischenprodukt für die Aluminiumherstellung wird aus Bauxit zunächst *Tonerde* (Aluminiumoxid) gewonnen; *Produktion* 1991 in Mio. t: Australien 11,713 – USA 5,415 – UdSSR (S) 3,600 – Jamaika 3,015 – Brasilien 1,739 – Suriname 1,510 – Venezuela 1,481 – Indien 1,435 – VR China (S) 1,200 – Deutschland 1,148 – Kanada 1,131. *Weltproduktion* 1991 41,181 Mio. t.
Die *Weltexporte* von Bauxit bzw. Tonerde entfallen zu über 3/4 auf Entwicklungsländer. Zum Teil erbringen Bauxit-, Tonerde- und Aluminiumausfuhren mehr als 60% der Exporterlöse (z. B. Jamaika, Guinea, Suriname). Die führenden Ausfuhrländer sind in der *IBA* (»Intern. Bauxite Association«) zusammengeschlossen. Die *Weltmarktpreise* für Bauxit bzw. Aluminium stagnierten 1992 auf einem derart niedrigen Niveau, daß die meisten europäischen Aluminiumhütten mit Verlusten arbeiteten (→ *Aluminium, Kap. Industrie*). Einem erhöhten Angebot der Bauxitproduzenten stand geringer Verbrauch aufgrund der weltwirtschaftlichen Schwäche gegenüber.

Blei *(Bergwerksproduktion;* Pb-Inhalt, nach »Metallstatistik«) *Gewinnung* 1991 (1990 und 1980) in 1000 t

Australien	579,0	(560,5)	(397,5)
USA	476,7	(496,5)	(573,1)
UdSSR	460,0	(490,0)	(580,0)
VR China	319,7	(315,3)	(170,0)
Kanada	278,1	(241,3)	(296,6)
Peru	199,8	(187,8)	(189,2)
Mexiko	167,7	(187,1)	(151,6)
Schweden	87,0	(84,2)	(72,1)

Blei *(Forts.)*

Jugoslawien	84,5	(83,0)	(121,5)
DVR Korea (Nord-K.,S) . . .	80,0	(70,0)	(100,0)
Südafrika	76,3	(69,4)	(86,1)
Marokko	71,2	(66,9)	(115,5)
Spanien	49,2	(61,5)	(88,6)
Polen	47,0	(45,4)	(47,5)
Bulgarien	40,6	(45,2)	(76,0)
u. a. Deutschland	7,3	(8,6)	(31,3)

Weltproduktion 1991 (1990) 3,341 (3,345) Mio . t.
Produktion von *raffin. Blei* (einschl. Rückgewinnung) 1991 (1990) 5,540 (5,668) Mio. t, davon 1991 in 1000 t: USA 1194,5 – UdSSR (S) 670,0 – Deutschland 362,5 – Japan 332,2 – Großbritannien 311,0 – VR China 296,1 – Frankreich 283,3. *Weltverbrauch* von *raffin. Blei* 1991 (1990) 5,414 (5,605) Mio. t, davon 1991 in 1000 t: USA 1246,8 – UdSSR (S) 600,0 – Japan 422,2 – Deutschland 413,5 – Großbritannien 263,7 – Italien 259,0 – Frankreich 252,5.
Die wirtschaftlich zu gewinnenden *Welt-Bleivorräte* werden auf 180–200 Mio. t geschätzt, davon etwa 2/3 in den westlichen Industriestaaten. – Die *Bleipreise* erhöhten sich 1992 nur leicht über den Tiefststand von 1991, da sich durch neue Produktionsanlagen in Kanada und Mexiko und verstärktes Recycling das Angebot vermehrte (trotz geringerer Exporte aus der GUS), während gleichzeitig durch die weltweite nachlassende Automobilkonjunktur der Bedarf zurückging. Über 60% des *Welt-Bleibedarfs* entfallen auf die Herstellung von Starterbatterien, wobei die Recyclingrate inzwischen in Deutschland bei rd. 90% liegt. Zweitgrößter Verbraucher ist die chemische Industrie (knapp 20%). Auf Bleizusatz in Benzin entfallen nur noch weniger als 5% mit weiter abnehmender Tendenz.

Braunkohle (Lignit) *Förderung* 1991 (1990 und 1980) in Mio. t (nach UNO-Angaben)

Deutschland	279,384	(387,516)	(384,960)
VR China	in den Zahlen für Steinkohle enthalten		
UdSSR	152,340	(156,504)	(159,936)
USA	78,960	(82,608)	(42,312)
ČSFR	78,624	(85,524)	(96,896)
Polen	69,348	(67,584)	(36,864)
Jugoslawien	58,344	(75,552)	(46,620)
Griechenland (1990/'89)	51,696	(51,864)	(23,196)
Türkei	46,368	(43,848)	(15,048)
Australien (1990/'89) . .	46,248	(48,288)	(32,892)
Kanada	31,224	(30,660)	(16,512)
Bulgarien	28,320	(31,524)	(29,904)
Rumänien	27,972	(33,516)	(27,108)
Spanien	19,644	(21,072)	(15,456)
Ungarn	15,276	(15,840)	(22,925)
u. a. Österreich	2,424	(2,508)	(1,721)

Weltförderung (ohne VR China) 1991 (1990) 1,049 (1,219) Mrd. t. Die *Weltreserven* belaufen sich (nach UNO-Angaben, nicht vollständig) auf ca. 2900 Mrd. t, davon u. a.: UdSSR 1800 – USA 650 – Australien 90 – Deutschland 84.

Deutschland war auch 1992 – trotz eines beträchtlichen Förderrückganges in den neuen Bundesländern – mit großem Abstand weltweit *größter Braunkohlenproduzent*. Die *Förderung* sank 1992 (1991) um 13,5 % auf 241,807 (279,403) Mio. t (1989 noch 410,666 Mio. t). Von der Gesamtförderung entfielen (in Mio. t) auf das Rheinische Revier (Köln-Aachen) 107,505 – die Lausitz (Cottbus) 93,143 (1989 noch 195,139) – das mitteldeutsche Revier (Halle/Leipzig) 36,275 (1989 noch 105,651) – Helmstedt 4,694 – Nordhessen (Borken) 0,135 – Nordostbayern (Oberfranken) 0,055. Die Zahl der *Beschäftigten im Braunkohlebergbau* sank von 97 157 (1991) auf 73 419 (1992), davon 56 697 in Ostdeutschland und nur 16 722 in den stärker rationalisierten westdeutschen Revieren. Zur Inlandsförderung kamen relativ geringe Mengen importierter Braunkohle aus der ČSFR zur Verfeuerung in oberfränkischen Kraftwerken.

In den *westlichen Bundesländern* wurden 1992 84,9 % der Braunkohle zur *Elektrizitätsgewinnung* verfeuert; der Rest entfiel auf die Herstellung von Briketts (2,325 Mio. t) und Braunkohlenstaub (2,398 Mio. t). Der *Verbrauch* von Braunkohle (einschl. Briketts) *im Haushalt* ging in den letzten 25 Jahren um über 85 % zurück; er betrug 1992 nur noch 1,2 Mio. t. – Insgesamt trug die Braunkohle 1992 (1991) in Westdeutschland 18,8 (18,5) % zur *Stromerzeugung* und 8,2 (8,0) % zur gesamten *Primärenergieversorgung* bei.

In *Ostdeutschland* (ehem. DDR) wurde die Braunkohle als einzige bedeutende einheimische Energiequelle und zur Deviseneinsparung dazu ausersehen, die Hauptlast der Strom- und Wärmeerzeugung zu tragen. Trotz starker *Drosselung der Förderung* seit der Wiedervereinigung stellte sie auch 1992 noch 55,7 % des *Primärenergiebedarfs* und 91,1 % der *Stromerzeugung* sicher. Die *Förderung* in den neuen Bundesländern sank 1992 von 300,790 Mio. t (1989) auf 129,418 Mio. t (1989: = 39,6 Mio. t SKE). Die Förderung und Verbrennung (in Kraftwerken und als Hausbrand) der stark schwefelhaltigen Braunkohle bringt eine sehr hohe *Umweltbelastung* mit sich, so daß Abbau und Verwendung der Braunkohle in Zukunft weiter gedrosselt werden, obwohl die Vorräte noch für mehrere Jahrhunderte reichen. Neben umweltfreundlicherer Umrüstung der Kraftwerke (Rauchgasreinigungsanlagen) ist mittel- bis längerfristig auch mit einem stärkeren Ersatz durch Steinkohle, Öl und Erdgas zu rechnen. Bisher spielt die Braunkohle noch eine große Rolle für den *Hausbrand* (Brikett-

heizung). Vom ostdeutschen Verbrauch entfielen 1992 noch 18,5 % auf Haushalte und Kleinverbraucher.

Cadmium (Kadmium) *Gewinnung* → *WA '93, Sp. 910*

Chrom *Bergwerksproduktion* von Chromerz 1989 (1988) in 1000 t: Südafrika (einschl. Namibia und Bophuthatswana) 4275 (4245) – UdSSR (S) 3800 (3700) – Indien 1003 (821) – Türkei 850 (853) – Albanien 700 (750) – Simbabwe 627 (562) – Finnland 499 (536) – Philippinen 380 (166). *Weltproduktion* 1989 (1988) 12,700 (12,300) Mio. t. Die *Weltreserven* sind relativ groß, aber stark konzentriert; sie liegen zu rd. 75 % in Südafrika, 15 % in Simbabwe und 5 % in der UdSSR. Die Rep. Südafrika deckte in den letzten Jahren jeweils über $^1/_3$ des Weltbedarfs und rd. $^3/_4$ des deutschen Bedarfs an Chrom.

Diamanten *Gewinnung* 1989 (1988) in 1000 Karat Industrie-/Schmuck-Diamanten (nach UNO)

Zaire	16 150	(15 993)/ 2 850	(2 734)
Botsuana	4576	(4186)/10 676	(11 043)
UdSSR (S)	6500	(6500)/ 4500	(4 500)
Südafrika	5106	(4687)/ 4010	(3 818)
Namibia	30	(30)/ 970	(901)
Angola	50	(50)/ 950	(950)
Ghana	452	(495)/ 168	(165)
Brasilien	200	(180)/ 350	(353)
Zentralafr. Rep. . . .	60	(59)/ 280	(284)
Sierra Leone	75	(75)/ 100	(100)
Liberia	100	(263)/ 68	(67)
Tansania	45	(45)/ 105	(105)
Guinea	10	(10)/ 138	(136)

Weltproduktion 1989 (1988) 35,558 (32,743) Mio. Karat *Industriediamanten* und 25,299 (25,288) Mio. Karat *Schmuckdiamanten*. Wertmäßig machen Schmuckdiamanten über 80 % der Förderung aus. Rd. $^3/_4$ des Bedarfs an Industriediamanten werden synthetisch hergestellt. Über 80 % der Rohdiamanten der Welt werden über die **CSO** (»Central Selling Organization«) des südafrikanischen de Beers-Konzerns vermarktet. Der Diamantenverkauf der CSO ging 1992 (1991) konjunkturbedingt auf 3,417 (3,927) Mrd. US-$ zurück.

Eisenerz *Förderung* 1991 (1990) in Mio. t (nach UNO- und Eurostat-Angaben; %-Zahlen = durchschnittlicher Fe-Gehalt)

UdSSR (60 %)	198,9	(236,2)
VR China (60 %)	175,3	(169,4)
Brasilien (65 %)	150,7	(152,3)
Australien (62 %)	121,8	(113,5)
Indien (63 %)	56,9	(53,7)

Eisenerz *(Forts.)*

USA (62 %)	55,5	(56,4)
Kanada (64 %)	36,6	(36,4)
Südafrika (64 %)	29,0	(30,3)
Venezuela (64 %)	20,0	(20,1)
Schweden (64 %)	19,3	(19,9)
Mauretanien (61 %)	10,2	(11,4)
DVR Korea (Nord-K., 48 %)	9,5	(9,5)
Chile (60 %)	8,7	(7,8)
Mexiko	7,8	(8,3)
Frankreich (30 %)	7,5	(8,7)
Iran (46 %)	6,2	(5,5)
u. a. Österreich (30 %)	2,1	(2,3)
Deutschland (30 %)	0,1	(0,1)

Weltförderung von Eisenerz nach UNO-Angaben 1991 (1990) 949,2 (980,4) Mio. t.

Der *Eisenerzbedarf* nahm 1992 wegen der zurückgehenden Stahlproduktion ab *(→ Stahl, Kap. Industrie)*; es bestand daher trotz rückläufiger Förderung erneut ein Angebotsüberschuß. Die *Schwerpunkte des Eisenerzabbaus* verschoben sich auch 1992 weiter nach Übersee, wo in der Regel weitaus höherwertige Erze billiger gefördert und angeboten werden können als durch die europäischen Produzenten. In Ländern wie Frankreich, Schweden, Norwegen oder Österreich wird die Eisenerzförderung nur noch mit Hilfe staatlicher Subventionen in begrenztem Umfang zur Arbeitsplatzsicherung aufrechterhalten. Auch in der *BR Deutschland* existierten um 1960 noch 60 Eisenerzgruben; die letzte (in der Oberpfalz) wurde 1987 wegen Unrentabilität geschlossen. Die *Eisenerzvorräte in Deutschland* betragen zwar noch über 2,5 Mrd. t, doch lohnt der Abbau dieser »armen« Erze (10– max. 45 % Fe-Gehalt) derzeit nicht, da hochwertiges überseeisches Erz einschließlich Transportkosten billiger angeboten wird.

Erdgas (»Naturgas«, einschl. Erdölgas) *Netto-Förderung* (d. h. Brutto-Förderung abzügl. zurückgepreßtes und abgefackeltes Gas und Eigenverbrauch; nach »ESSO-Öldorado«) 1992 (1991 und 1980) in Mrd. m³

GUS	807,9	(810,5)	–*
USA	515,0	(505,4)	(547,2)
Kanada	121,0	(115,6)	(69,8)
Niederlande	86,0	(82,4)	(96,2)
Algerien	56,0	(54,8)	(11,6)
Großbritannien	55,0	(55,2)	(36,5)
Indonesien	50,0	(48,8)	(18,5)
Saudi-Arabien	33,0	(32,0)	(10,6)
Norwegen	28,0	(27,0)	(25,1)
Mexiko	27,0	(26,5)	(28,9)
Iran	27,0	(26,0)	(8,3)
Ver. Arab. Emirate	26,5	(25,9)	(10,5)
Rumänien	25,0	(24,8)	(33,5)
Venezuela	24,0	(23,5)	(16,7)
Malaysia	22,0	(21,2)	(1,1)

Erdgas *(Forts.)*

Deutschland	21,1	(21,4)	(27,0)
Australien	21,0	(19,7)	(9,6)
Argentinien	18,0	(18,2)	(9,5)
Italien	17,4	(17,4)	(12,1)
VR China	15,0	(14,9)	(14,3)
Pakistan	16,0	(15,1)	(8,1)
u. a. Österreich	1,4	(1,4)	(1,9)

* Zahlen der UdSSR v. 1980 nicht vergleichbar

Weltförderung 1992 (1991) 2152,7 (2118,3) Mrd. m³.

Außer der wirtschaftlich genutzten Fördermenge werden jährlich immer noch größere Mengen Erdgas »abgefackelt«, d. h. an Ort und Stelle nutzlos verbrannt. Es handelt sich meist um Gas, das bei der Erdölförderung als sog. assoziiertes, d. h. erdölgebundenes Gas anfällt und mangels Absatzmöglichkeiten noch nicht sinnvoll verwendet werden kann.

Die *Erdgasförderung* nahm aufgrund des *Verbrauchsanstiegs* 1992 erneut zu (+1,6 %). Am stärksten stieg die Förderung im Nahen Osten (+7,9 %), in Südostasien (+4,4 %) und in Nordamerika (+2,4 %), geringer in Westeuropa, während sie in Südamerika und der ehem. UdSSR stagnierte bzw. leicht zurückging. Noch 1982 waren die USA mit Abstand der größte Erdgasproduzent, während inzwischen die ehem. UdSSR weit an der Spitze liegt.

Die nachgewiesenen *Erdgas-Reserven* stiegen 1992 um 11,5 % auf 138 095 Mrd. m³, die höchste bisher festgestellte Menge. Sie erhöhten sich v. a. durch neue Funde in der GUS, in Nordamerika und in Nahost, d. h., hier wurde jeweils eine größere Menge an Erdgas neu entdeckt als gefördert. Insgesamt wurden bisher auf der Erde rd. 182 000 Mrd. m³ Erdgas entdeckt und knapp 30 % davon in den letzten rd. 120 Jahren gefördert und verbraucht. Die gegenwärtig bekannten Reserven reichen bei Aufrechterhaltung der 92er Fördermenge und ohne Berücksichtigung zu erwartender neuer Funde noch für ca. 64 Jahre. Rd. 40 % der *Weltreserven* lagern in der ehem. UdSSR (54 967 Mrd. m³); die weitere Verteilung in Mrd. m³: *Naher Osten* 43 035 (davon Iran 19 787 – Katar 6424 – Ver. Arab. Emirate 5793 – Saudi-Arabien 5168) – *Afrika* 9816 (davon Algerien 3622 – Nigeria 3396) – *Mittel- u. Fernost* und *Australien* 9650 (davon Malaysia 1919 – Indonesien 1822 – VR China 1398) – *Nordamerika* 7437 (davon USA 4728 – Kanada 2709) – *Mittel- u. Südamerika* 7342 (davon Venezuela 3577 – Mexiko 2006) – *Westeuropa* 5254 (davon Norwegen 1999 – Niederlande 1949 – Großbritannien 540 – Italien 368 – Deutschland 187) – *ehem. RGW-Länder* (ohne UdSSR) 594 (davon Polen 158).

Der *Anteil des Erdgases an der Welt-Energie-*

versorgung steigt seit 1970 (19,5%) laufend an; er lag 1991 bei 22,7%. Allerdings ist die Erdgasverwendung stärker konzentriert als bei anderen Energieträgern. 1990 entfielen 63,8% des *Weltverbrauchs* allein auf Nordamerika und die ehem. UdSSR.

Der *Außenhandel* mit Erdgas hat sich wegen der Transportschwierigkeiten erst relativ spät entwickelt, und er ist bis heute auf wenige Handelsströme begrenzt. Exportiert wurden 1960 erst 3,4 Mrd. m³ (= 1,0% der Weltförderung), 1970 46,1 Mrd. m³ (=3,8%), 1980 bereits 212,3 Mrd. m³ (=12,6%) und 1990 rd. 310,3 Mrd. m³ (=15%). Der *Transport* des international gehandelten Erdgases erfolgt zu rd. 75% per Pipeline und zu 25% in LNG-Tankern (»liquefied natural gas«, Flüssiggastanker). Die wichtigsten *Erdgas-Exporteure* waren 1990 (nach »Energy Statistics Yearbook« der UNO, in Mio. TJ/Terajoule): UdSSR 3,736 – Kanada 1,536 – Algerien 1,222 – Niederlande 1,202 – Indonesien 1,043 – Norwegen 1,031 – Malaysia 0,365 – Brunei 0,315 – *Weltexporte* insges. 1990 (1989) 11,204 (10,416) Mio. TJ. Die wichtigsten *Erdgas-Importeure* waren 1990 (in Mio. TJ): Deutschland 1,982 – Japan 1,939 – USA 1,526 – Frankreich 1,148 – Italien 0,945 – ČSFR 0,482 – Belgien 0,382 – Großbritannien 0,287 – Polen 0,284.

In *Deutschland* verminderte sich der *Erdgasverbrauch* 1991–92 leicht von 76,310 auf 76,000 Mrd. m³ (alte Bundesländer 68,000 – neue 8,000 Mrd. m³; jeweils einschl. anderer Naturgase, wie Grubengas). Der *Anteil am gesamten Primärenergieverbrauch* stieg trotzdem – wegen des insgesamt geringeren Energieverbrauchs – von 16,7% auf 17,1% an. Der Verbrauch wurde 1992 zu 24% aus inländischer Gewinnung und zu 76% aus *Importen* gedeckt. Diese kamen (in Mrd. m³) aus den Niederlanden (24,8), der GUS (23,8), Norwegen (10,7) und Dänemark (0,9), und zwar ausschließlich per Pipeline. Die *Inlandsförderung* betrug 1992 (1991) 18,50 (18,47) Mrd. m³ und kam zu rd. 60% aus der Region Weser-Ems, der Rest aus dem Emsmündungsgebiet, dem Raum Unterweser und dem Alpenvorland. Der Anteil von Ostdeutschland an der Förderung betrug 1992 1,6 Mrd. m³. Vom *Gasabsatz* entfielen 1992 (in Mrd. m³) auf die Industrie 35,0 – private Haushalte 21,7 – Elektrizitätswerke 6,4 – sonstige 10,8 (Handel, öffentliche Einrichtungen usw.). Die Zahl der *gasbeheizten Wohnungen* erhöhte sich von 3,0 Mio. (1973) auf rd. 9,0 Mio. (1992). Gas war 1992 in den alten Bundesländern zu mehr als 1/3 an der Beheizung der Wohnungen beteiligt.

Der *Verbrauch von Flüssiggas* erreichte in den westl. Industrieländern 1992 rd. 112 Mio. t, davon rd. 40% in den USA und je etwa 20% in Japan und Westeuropa.

Erdöl *Förderung* 1992 (1991 und 1980) in Mio. t, für 1992 z. T. vorläufig (einschl. Naturbenzin, Kondensate, Flüssiggas und Öl aus Teersanden; nach »Petroleum Economist« und UNO-Angaben)

GUS (ehem. UdSSR) . . .	450,241	(515,416)	(603,0)
Saudi-Arabien[1]	420,209	(410,047)	(496,4)
USA	411,241	(422,079)	(482,2)
Iran[1]	172,817	(166,731)	(76,6)
Mexiko	155,430	(155,270)	(106,8)
VR China	141,566	(138,592)	(106,0)
Venezuela[1]	120,819	(122,545)	(112,9)
Ver. Arab. Emirate[1] . . .	112,582	(117,900)	(82,6)
Norwegen	106,305	(92,394)	(24,4)
Kanada	97,262	(93,181)	(83,0)
Nigeria[1]	96,987	(96,455)	(101,8)
Großbritannien	94,094	(91,112)	(80,5)
Indonesien[1]	76,456	(78,859)	(78,5)
Libyen[1]	73,206	(73,968)	(85,9)
Algerien[1]	58,065	(58,454)	(51,5)
Kuwait[1]	52,973	(9,567)	(81,4)
Ägypten	44,991	(45,790)	(30,1)
Oman	36,991	(34,857)	(14,0)
Brasilien	32,506	(31,703)	(9,4)
Malaysia	30,374	(30,342)	(13,2)
Indien	29,984	(31,287)	(9,4)
Argentinien	28,588	(24,783)	(25,2)
Syrien	27,060	(24,644)	(8,4)
Angola	25,569	(24,751)	(7,4)
Australien	24,719	(25,376)	(18,0)
Kolumbien	22,326	(21,503)	(6,5)
Katar[1]	20,871	(18,823)	(22,8)
Irak[1]	20,870	(14,876)	(130,0)
Ecuador[1]	15,885	(14,843)	(10,8)
Gabun[1]	14,898	(14,982)	(8,9)
Jemen	9,959	(9,804)	(–)
u. a. Deutschland	3,224	(3,404)	(4,6)
Österreich	1,196	(1,282)	(1,5)

[1] = OPEC-Länder (Ecuador 1993 ausgetreten)

Die *Weltförderung* von Erdöl betrug 1992 (1991) 3,169 (3,150) Mrd. t, davon rd. 20% aus untermeerischen Quellen (»off-shore«). Die *Förderung* stieg damit nur leicht an (+0,6%), da wegen der schwachen Wirtschaftskonjunktur in den großen Industrieländern und der stark geschrumpften wirtschaftlichen Tätigkeit im ehem. »Ostblock« der *Weltverbrauch* stagnierte. Im einzelnen gab es jedoch einige starke Veränderungen bei den wichtigsten Förderländern. Durch technische Probleme und das wirtschaftliche Chaos in den Staaten der ehem. UdSSR nahm deren Förderung um 12,7% ab und erreichte nur noch 450,2 Mrd. t (verglichen mit 624 Mrd. t 1988). Auch die Förderung der USA nahm ab (–2,6% wegen Erschöpfung vieler Quellen). Ausgeglichen wurde dieser Förderrückgang v. a. durch eine starke Steigerung im Nahostraum (+8,2%). Die Hauptkontrahenten im Golfkrieg von 1991 – Kuwait und Irak – konnten ihre Förderung wieder erhöhen, ohne jedoch an die Mengen der 80er Jahre heranzukommen. Auch der Iran und

Saudi-Arabien steigerten ihre Fördermengen beträchtlich. Saudi-Arabien rangierte mit 13,3 % der Weltförderung noch vor den USA (13,0 %) an 2. Stelle, hatte allerdings 1980 bereits einen Anteil von 16,1 %. Zu den Staaten mit stärkerer Zunahme der Ölförderung gehörte 1992 auch Norwegen (+15,1 %), das wieder bedeutendster westeuropäischer Öllieferant war. Insgesamt entfielen 1992 auf den Nahen Osten 27,8 % der *weltweiten Erdölförderung* (1991: 25,8 %), auf Nordamerika 16,0 % (16,2 %), auf die GUS 14,2 % (16,4 %), auf Mittel- und Südamerika 12,4 % (12,3 %), auf Afrika 10,6 % (10,7 %), auf Süd- und Ostasien (mit Australien) 10,4 % (10,4 %) und auf Europa (ohne GUS) 7,4 % (7,0 %). Die westeuropäische Förderung wurde zu 92,4 % aus der Nordsee gewonnen.

Die wichtigsten *Exporteure für Rohöl* waren 1990 in Mio. t (Gesamtexporte 1,386 Mrd. t): Saudi-Arabien 241,742 – Iran 118,282 – UdSSR 108,700 – Verein. Arab. Emirate 93,611 – Irak 78,159 – Nigeria 76,769 – Norwegen 66,602 – Mexiko 66,390 – Venezuela 63,271 – Großbritannien 54,022 – Libyen 49,065 – Indonesien 40,317 – Kuwait 32,620 – Kanada 32,166 – Oman 31,193 – VR China 29,250.

Die wichtigsten *Importeure* waren 1990 (in Mio. t): USA 295,042 – Japan 189,684 – Deutschland 92,927 – Italien 74,725 – Frankreich 69,566 – Spanien 50,630 – Niederlande 45,397.

Erdöl ist nach wie vor der *wichtigste Energielieferant* und deckte 1992 38 % des kommerziellen *Welt-Energieverbrauchs* (1974 noch 48 %). Dieser hohe Anteil sollte nach den Planungen, die während der »Erdölkrisen« in den 70er Jahren aufgestellt wurden, in den 80er und 90er Jahren durch Einsparungen und verstärkten Einsatz anderer Energieträger (bes. Kernenergie) kontinuierlich gesenkt werden, um die allzu große Abhängigkeit vom Energieträger Erdöl abzubauen. Wegen der wieder stark gesunkenen Preise für Erdölprodukte und aufgrund der hohen Kosten für Erschließung und Ausbau anderer Energieträger, auch wegen der Akzeptanzkrise der Kernenergie (→ *Energie, Kap. Industrie*), erfolgte bisher die *Mineralölsubstitution* wesentlich langsamer als in den 70er Jahren geplant. In einigen Ländern, wie in Italien, steigt der Erdölanteil am Energieverbrauch sogar wieder an, verursacht durch die Abkehr von Kernenergieplanungen (zugunsten von Öl- und Kohlekraftwerken) und wegen der weiter fortschreitenden Motorisierung. Für den *Kfz.-Verkehr* ist bisher keine ins Gewicht fallende Alternative zum benzin- bzw. dieselbetriebenen Motor in Sicht.

Die bestätigten *Weltreserven an Erdöl* stiegen 1992 um rd. 0,6 % auf 135,428 Mrd. t, ohne das in Sanden und Schiefern enthaltene Mineralöl. Die Zunahme der Reserven – die durch Bohrungen geortet sind und mit der gegenwärtigen Technik wirtschaftlich gewonnen werden können – geht vor allem auf geringere Explorationstätigkeit in Nordafrika, Lateinamerika und Südostasien zurück. Dagegen nahmen in den USA und Kanada sowie in der GUS und in China die Reserven 1992 ab, da die Entdeckung neuer Fundorte nicht Schritt hielt mit der Förderung. *Saudi-Arabien* ist nach wie vor das ölreichste Land; es verfügt über 26,0 % aller bestätigten Erdölreserven der Welt (Irak, Iran, Kuwait und Verein. Arab. Emirate je 9–10 %). Bei gleichbleibender Jahresförderung reichen die z. Z. bekannten Reserven insgesamt noch rd. 43 Jahre; in den USA nur 8–9, in der GUS 13–14 Jahre, dagegen im Nahen Osten rd. 102 Jahre.

Verteilung der Reserven 1992 in Mrd. t: *Naher Osten* 89,940 (davon Saudi-Arabien 35,210 – Irak 13,417 – Kuwait 13,024 – Ver. Arab. Emirate 12,892 – Iran 12,695) – *Mittel- und Südamerika* 17,097 (davon Venezuela 8,764 – Mexiko 6,979) – *Afrika* 8,241 (davon Libyen 3,005 – Nigeria 2,429) – *ehem. RGW-Länder* 8,051 (davon GUS 7,755) – *Süd- u. Ostasien* und *Australien* 6,021 (davon VR China 3,288 – Indonesien 0,813) – *Nordamerika* 4,308 (davon USA 3,529) – *Westeuropa* 2,039 (davon Norwegen 1,183 – Großbritannien 0,553 – u. a. Deutschland 0,031 – Österreich 0,013).

Seit Beginn der Erdölförderung 1859 sind bis 1992 rd. 226 Mrd. t Erdöl entdeckt worden. Davon wurden bis Anf. 1993 rd. 98 Mrd. t (= 43 %) gefördert und verbraucht. Der *Mineralöl-Weltverbrauch* nahm seit dem bisherigen Höchststand von 1979 (3,178 Mrd. t) bis 1983 sowie 1985 (2,842 Mrd. t) jährlich ab. Seit 1986 ist wieder eine Steigerung zu verzeichnen, und auch 1992 stieg der Verbrauch wieder an (um 1,4 %) auf 3,167 Mrd. t). Die Verbrauchszunahme betraf Industrie- und Entwicklungsländer gleichermaßen und wurde besonders durch Zunahme beim Verkehr und bei der Industrieproduktion verursacht. Lediglich beim zweitgrößten Verbraucher, der GUS, gab es wegen des wirtschaftlichen Rückgangs erneut eine Verbrauchsabnahme. Vom Weltverbrauch an Erdöl entfielen 1992 allein 26,6 % auf Nordamerika – 19,8 % auf Westeuropa – 12,9 % auf die GUS, aber nur 7,7 % auf Mittel- und Südamerika sowie 3,2 % auf Afrika. – *Größte Verbraucher* waren 1992 (1991) in Mio. t: USA 766,9 (756,6) – GUS 410,0 (414,4) – Japan 251,2 (245,6) – Deutschland 134,3 (133,1) – VR China 107,0 (102,0) – Italien 96,5 (92,4) – Frankreich 93,1 (92,0) – Großbritannien 83,3 (83,8) – Mexiko 81,0 (79,0) – Kanada 75,6 (74,2) – Brasilien 60,0 (59,5) – Indien 57,5 (57,0; 1975 erst 20,9) – Spanien 51,3 (48,4) – u. a. Schweiz 13,6 (13,1) – Österreich 11,4 (11,4). Auf die 10 größten Erdölverbraucher entfielen 1991 66,3 % des Weltverbrauchs.

Die *Welt-Raffineriekapazität* wurde 1992 vermindert (v. a. wegen der Stillegung von Raffinerien in der GUS) und betrug Ende 1992 3,659 Mrd. Jahres-t. Die in den letzten Jahren zu beobachtende Verschiebung der Raffineriekapazität von den Verbrauchsländern in die Förderländer, die den Export von Fertigprodukten steigern wollen, setzte sich 1991–92 fort. So sank die Raffineriekapazität in Nordamerika von 861,6 auf 854,1 Mio. Jahres-t, während sie in verschiedenen OPEC-Ländern und v. a. in Ostasien zunahm.

In **Deutschland** nahmen die *Rohöleinfuhren* 1991–92 um 11,5 % auf 98,940 Mio. t. zu, wobei einer Importsteigerung in Westdeutschland auf 85,610 Mio. t ein leichter Rückgang in Ostdeutschland auf 13,330 Mio. t gegenüberstand. Die deutsche *Einfuhr von Mineralölprodukten* ging dagegen leicht zurück, und zwar von 48,0 (1991) auf 46,6 Mio. t (1992). Gegenüber früheren Jahren hat sich die Herkunft des importierten Rohöls stark gewandelt. So entfielen 1973 96,4 % der *Importe* von 100,493 Mio. t auf OPEC-Länder; 1992 lieferten sie nur 44,7 %, während 29,6 % auf Nordseeöl entfielen (1973 nur 0,3 %). Außerdem erhielt durch die traditionellen Handelsbeziehungen zur ehem. DDR die GUS größere Bedeutung als Lieferant auch für Gesamtdeutschland (1992: 16,8 %).

Die deutschen *Ausgaben für den Import von Erdöl und -produkten* stiegen aufgrund der höheren Bezüge 1992 an, obwohl der Rohölpreis frei deutsche Grenze von 254 (1991) auf 228 DM/t im Durchschnitt fiel. Insgesamt wurden für den Import von Rohöl 1992 (1991) 20,792 (19,801) Mrd. DM ausgegeben (1982 noch 44,712 Mrd. DM).

Die eigene *deutsche Förderung* nahm 1991–92 erneut ab und erreichte nur noch 3,3 Mio. t (1991: 3,5 – 1970 noch 7,5 Mio. t). Die wichtigsten Fördergebiete waren 1992: Emsland und Weser-Ems-Gebiet, Schleswig-Holstein und Elbe-Weser-Gebiet.

Gesamtimporte 98,940 Mio. t

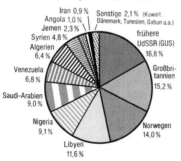

Die Rohöllieferanten Deutschlands 1992
(West- und Ostdeutschland; nach Angaben des Statistischen Bundesamtes)

Die deutsche *Raffineriekapazität* blieb 1991–92 annähernd konstant. Sie betrug 1992 110,9 Mio. t/Jahr, davon 89,9 Mio. t in Westdeutschland. Die Kapazitätsauslastung der Raffinerien betrug 1992, wie im Vorjahr, rd. 91 % (97 % in den alten Bundesländern). Die größten *Raffineriestandorte* waren (Kapazität in Mio. t): Nordrhein-Westfalen 23,5 – Bayern 20,2 – Baden-Württemberg/Hessen 14,5 – Hamburg, Bremen und Schleswig-Holstein 11,8.

Gesamtbilanz für Deutschland: Das Aufkommen an Mineralölprodukten stieg 1992 (1991) auf 148,8 (140,3) Mio. t. Davon betrug (nach Abzug der Exporte von 13,0 [8,7] Mio. t, des Raffinerieverbrauchs und der Verarbeitungsverluste) der Inlandsabsatz 125,6 (123,6) Mio. t. Die bedeutendsten abgesetzten Produkte waren 1992 (1991) in Mio. t: leichtes Heizöl 37,137 (37,328), davon 93 % in Westdeutschland (u. a. über 40 % der Wohnungen), Steigerung durch kühlere Witterung und höhere Bevorratung – Motorenbenzin 31,361 (30,987), Zunahme in West-, leichter Rückgang in Ostdeutschland – Dieselkraftstoff 23,939 (22,706), Zunahme in ganz Deutschland durch Steigerung des Straßengüterverkehrs – schweres Heizöl 8,771 (8,836) – sonstiges (Rohbenzin, Bitumen, Flugturbinenkraftstoff usw.) 24,450 (23,709). – Vom *Benzinverbrauch* entfielen 1992 14,247 Mio. t auf bleifreies Super- und 12,412 Mio. t auf bleifreies Normalbenzin, nur noch 4,702 Mio. t auf verbleites Superbenzin.

Nach *Verbrauchsbereichen* entfielen vom Mineralölabsatz 1992: Verkehr 45,6 % – Haushalte und Kleinverbraucher 29,5 % – Industrie 23,4 % – öffentliche Kraftwerke 1,5 %.

Der Anteil der **OPEC-Länder** (»Organization of Petroleum Exporting Countries«, 1993: 12 Mitglieder) an der Welt-Erdölförderung, der 1973 noch 54 % betragen hatte, stieg vom Tiefstand 1987 (31,9 %) auf 39,1 % (1992) an. Auf die OPEC-Länder entfallen rd. 78 % der sicheren Welt-Erdölreserven, und wegen ihres relativ geringen Eigenverbrauchs stammten auch 1992 rd. 2/3 des international gehandelten Rohöls aus dem OPEC-Bereich. Der bis Ende der 70er Jahre beherrschende Einfluß dieser Länder auf das Welt-Energiepreisniveau besteht jedoch nicht mehr. Der *Erdölmarkt* war – global gesehen – auch 1992/93 ein *Käufermarkt mit Angebotsüberschüssen*, zumal sich nach dem Ende des Golfkriegs die Produktion Kuwaits und des Irak wieder erhöhten. Angesichts der entspannten Versorgungslage zeigte der *Weltrohölmarkt* 1993 keine großen Preisschwankungen. Der *Rohöl-Spotpreis* lag – je nach Sorte – meistens zwischen 17–20 US-$/barrel (Richtpreis der OPEC 21 US-$/b). Die vereinbarten Förderquoten der OPEC-Länder (2. Quartal 1993: 23,6 Mio. barrel/Tag) wurden während der meisten Zeit des Jahres überschritten, was sich zusätzlich preissenkend auswirkte.

Die Folgen des nach wie vor *relativ niedrigen Rohölpreises* waren auch 1992 in vielen Ländern deutlich spürbar. Für die *erdölimportierenden Industriestaaten* (z. B. Deutschland, Frankreich, Japan) bedeuteten die verringerten Ausgaben eine starke Stütze der Konjunktur und der Geldwertstabilität. Für die *erdölexportierenden Entwicklungsländer* wirkten sich die Einnahmeverluste hemmend auf die Wirtschaftsentwicklung aus, besonders für die hochverschuldeten Staaten wie Nigeria und Mexiko. Aber auch die reichen OPEC-Staaten, wie Saudi-Arabien und die Ver. Arab. Emirate, müssen seit einigen Jahren ihre Importe gegenüber der Hochpreisphase um 1980 stark einschränken und eine beträchtliche Verlangsamung des wirtschaftlichen und infrastrukturellen Aufbaus hinnehmen. Die *Erdöleinnahmen* aller OPEC-Staaten betrugen 1992 (1991) 130 (128) Mrd. US-$, verglichen mit dem Höchststand von 285 Mrd. US-$ (1980).

Erzeugung von **Mineralölprodukten** → *Kap. Industrie.*

Gold *Gewinnung* 1990 (1989) in t (Goldinhalt der Erze)

Südafrika	603,000	(601,524)
UdSSR (S)	290,000	(202,000)
Australien	240,000	(238,500)
USA	220,000	(265,500)
Kanada	135,000	(159,494)
Brasilien	85,000	(82,400)
VR China (S)	80,000	(90,000)
Papua-Neuguinea	40,000	(40,000)
Philippinen	35,000	(34,000)
Kolumbien	32,000	(28,000)
Chile	24,000	(22,559)
Simbabwe	15,000	(14,800)

Weltgewinnung 1990 (1989) 1950,000 (1919,049) t.

Auch 1991/92 stand *Südafrika* mit einer Förderung von rd. 600 t pro Jahr mit Abstand an der Spitze der Förderländer, doch verringert sich seit Jahren sein Anteil an der Gesamtförderung durch Zunahme der Goldgewinnung in anderen Ländern und die Erschließung neuer Vorkommen (z. B. in Australien, Brasilien, China und den USA). Über die Fördermenge des zweitgrößten Produzenten *Rußland* existieren keine genauen Angaben; sie dürfte in den letzten Jahren stark gesunken sein.

Die derzeit bekannten Lagerstätten *(Weltvorräte)* belaufen sich auf rd. 50000 t, davon fast 50% im südlichen Afrika. Die *Rep. Südafrika* hat wegen der beträchtlichen Tiefe der meisten Bergwerke den Nachteil besonders hoher Förderkosten. Sie betrugen 1992 über 320 US-$ pro Unze gegenüber weni-

ger als 280 US-$ in den meisten anderen Förderländern. Beim gegenwärtig niedrigen Goldpreis arbeiten daher viele südafrikanische Minen kaum mehr rentabel, so daß 1992 die Zahl der Bergleute weiter reduziert wurde.

Die *Verwendung des Goldes* – bei einer seit langem hohen Recyclingquote – erfolgte 1992 zu rd. 60 % für industrielle Zwecke (einschließlich Schmuckherstellung und Zahngold) sowie für Regierungszwecke (Münzen, Golddepots der Zentralbanken, Regierungskäufe) und private Hortung. Die *Goldbestände* der staatlichen Zentralbanken betrugen Ende 1992 u. a. in Mio. Unzen: USA 262 – Deutschland 95 – Schweiz 83 – Frankreich 82 – Italien 67 – Niederlande 32 – Japan 24 – Österreich 20 – Großbritannien 19 – Spanien 16. Der *Goldpreis* sank 1992 – in US-$ ausgedrückt – auf den tiefsten Stand seit 6–7 Jahren. Ursachen waren zunehmendes Recycling, größere Verkäufe aus staatlichen und privaten Beständen (z. B. Verkäufe der niederländischen, belgischen und jugoslawischen Notenbanken) und eine nur verhaltene Nachfrage nach Schmuckgold.

Kupfer (Cu-Inhalt von Erzen und Konzentraten; nach »Metallstatistik«) *Bergwerksproduktion* 1991 (1990 und 1980) in 1000 t

Chile	1 814,3	(1 588,4)	(1 105,5)
USA	1 631,0	(1 587,2)	(1 181,1)
UdSSR (S)	840,0	(900,0)	(980,0)
Kanada	797,6	(793,7)	(716,4)
Sambia	423,0	(496,0)	(595,8)
Peru	381,2	(317,7)	(366,7)
VR China (S)	350,0	(360,0)	(165,0)
Polen	320,3	(329,3)	(343,0)
Australien	320,0	(327,0)	(243,5)
Mexiko	267,0	(291,3)	(186,7)
Zaire	235,0	(356,2)	(505,2)
Indonesien	211,7	(169,5)	(60,5)
Papua-Neuguinea . .	204,5	(170,2)	(146,8)
Südafrika	193,0	(209,1)	(211,9)
Philippinen	150,6	(180,5)	(304,5)
u. a. BR Deutschland .	–	–	(1,3)
DDR	–	(3,6)	(16,2)

Weltproduktion 1991 (1990) 9,112 (9,040) Mio. t. Der *Weltverbrauch* an raffin. Kupfer sank 1991 (1990) auf 10,755 (10,825) Mio. t, davon 1991 in Tsd. t: USA 2124,5 – Japan 1613,2 – Deutschland 1000,6 – UdSSR (S) 880,0 – VR China 590,0 – Frankreich 481,2 – Italien 470,8 – Rep. China (Taiwan) 399,1 – Belgien-Luxemburg 372,0. – Die sicheren und wahrscheinlichen *Weltkupfervorräte* werden auf über 600 Mio. t geschätzt, davon in Chile 120 – USA 100 – UdSSR 60 – Sambia 40 – Kanada 36 Mio. t.

Die wichtigsten *Exportländer* Chile, Peru, Australien, Indonesien, Sambia, Zaire und Papua-Neuguinea sind zwecks Preisstabilisierung im »Rat der kupferexportierenden Länder« *(CIPEC)* zusammengeschlossen. Kupfer gehörte zu den wenigen Metallen, deren *Preis am Weltmarkt* 1992 stark *angestiegen* ist (29%). Die Ursachen waren – neben einer Verbrauchszunahme in den USA und stark erhöhten chinesischen Importen – v. a. spekulativer Natur, denn der Bedarf konnte durch gestiegene Ausfuhren aus Chile, der GUS, Australien und Sambia leicht gedeckt werden. Produktionsausfälle gab es dagegen in Zaire (politische Unruhen) und Polen (Streiks). – Längerfristig dürfte der *Kupferverbrauch* eher sinken, da sich die Recyclingraten erhöhen und Kupfer in vielen Anwendungsbereichen durch andere Werkstoffe ersetzt wird, z. B. durch Glasfasern (Elektrokabel), Aluminium (Bauwesen) und Kunststoffe.

Magnesium *Hüttenproduktion* (nach »Metallstatistik«) 1991 (1990) in 1000 t: USA 131,1 (139,3) – UdSSR (S) 75,0 (80,0) – Norwegen 44,3 (48,2) – Kanada 35,5 (26,7) – VR China (S) 15,5 (16,0) – Frankreich 14,0 (14,6). *Weltproduktion* 1991 (1990) 343,9 (359,0) Tsd. t. *Weltverbrauch* 1991 (1990) 308,7 (332,6) Tsd. t, davon 1990 in Tsd. t: USA 91,9 – UdSSR (S) 70,0 – Japan 27,2 – Deutschland 21,0.

Mangan *Förderung* von Mn-Erz 1989 in Mio. t: UdSSR 8,800 – Südafrika 3,548 – VR China 2,722 – Gabun 2,306 – Australien 2,124 – Brasilien 1,633 – Indien 1,361. *Weltproduktion* 1989 (1988) 23,961 (23,750) Mio. t. – Mangan wird v. a. für Stahllegierungen verwendet. Die bekannten *Weltreserven* betragen rd. 1,8 Mrd. t Mn-Erz und liegen zu etwa 45 % in Südafrika und 38 % in den Staaten der GUS.

Molybdän *Bergwerksproduktion* (Mo-Inhalt, nach »Metallstatistik«) 1989 in 1000 t: USA 63,1 – Chile 16,6 – Kanada 13,7 – UdSSR (S) 11,5 – Mexiko 4,5. *Weltproduktion* 1989 (1988) 116,5 (94,7) Tsd. t. Verwendung v. a. für Stahllegierungen.

Nickel (Ni-Inhalt, z. T. von Konzentraten, nach »Metallstatistik«) *Bergwerksproduktion* 1991 (1990 und 1980) in 1000 t

UdSSR (S)	200,0	(212,0)	(143,0)
Kanada	196,9	(196,2)	(184,8)
Neukaledonien	99,7	(85,0)	(86,6)
Australien	69,0	(67,0)	(74,3)
Indonesien	66,1	(68,6)	(40,5)
Kuba	33,3	(40,8)	(38,2)
Dominikanische Rep.	29,1	(28,7)	(18,0)
Südafrika	29,0	(30,0)	(25,7)
VR China	25,0	(26,0)	(11,0)

Weltproduktion 1991 (1990) 870,6 (880,8) Tsd. t. *Weltverbrauch* 1991 (1990) 805,9 (856,5) Tsd. t, davon 1991 in Tsd. t: Japan 180,1 – USA 126,7 –

UdSSR (S) 85,0 – Deutschland 77,0 – Frankreich 36,8 – Italien 31,5 – Großbritannien 29,5.

Phosphat *Gewinnung* 1989 (1988) in Mio. t. (ohne Guano): USA 46,000 (45,389) – UdSSR (S) 36,000 (38,820) – VR China 19,827 (18,237) – Marokko 18,687 (20,078) – Jordanien 6,642 (5,628) – Tunesien 6,200 (6,027) – Brasilien 4,600 (4,672) – Togo 3,200 (3,464) – Israel 2,762 (2,648) – Südafrika 2,900 (2,910). *Weltproduktion* 1989 (1988) 158,986 (161,479) Mio. t.

Platin *Gewinnung* von Platinmetallen (einschl. Palladium, Iridium und Osmium) 1989 (1988) in t: Südafrika (einschl. Bophuthatswana) 135,8 (133,3) – UdSSR 127,5 (127,5) – Kanada 10,4 (12,5) – USA 6,3 (5,0) – Japan 1,8 (1,8) – Australien 0,5 (0,5). *Weltproduktion* 1989 (1988) 283,8 (281,9) t. Wichtigster *Lieferant* war auch 1992 die Rep. Südafrika. *Hauptverbraucher* sind Japan und die USA (je rd. 35 %, für Abgaskatalysatoren, elektronische Bauteile und Schmuck) und Westeuropa (rd. 25 %, mit zunehmender Tendenz). Wichtigstes Anwendungsgebiet für Platin ist seit 1989 der Bau von Abgaskatalysatoren (rd. 40 % des Bedarfs) vor der Verwendung für Münzen und Schmuck (v. a. in Japan sehr beliebt), in der Elektronik und Chemie. – Die *Platinpreise* stiegen 1992 auf dem Weltmarkt an, da infolge der Unruhen in Südafrika und technischer Probleme in der GUS die Liefermengen nicht mit der Nachfrage Schritt hielten. Auch für die nächsten Jahre wird mit fester Preistendenz gerechnet, da strengere Abgasnormen in der EG (Katalysatoren) und der Nachholbedarf Osteuropas einen Mehrbedarf erwarten lassen. Ein Unsicherheitsfaktor liegt jedoch in der Entwicklung der Autoindustrie; außerdem ist mit zunehmender Recyclingrate aus Katalysatoren zu rechnen.

Quecksilber *Produktion* (nach »Metallstatistik«) 1991 (1990) in t: UdSSR (S) 1200 (1400) – VR China (S) 1000 (930) – Mexiko 720 (735) – Algerien 431 (637) – ČSFR 75 (126) – Finnland 74 (140) – Spanien 52 (962) – USA 40 (500) – Jugoslawien 35 (37). *Weltproduktion* 1991 (1990) 3652 (5514) t.

Silber (Ag-Inhalt, nach »Metallstatistik«) *Bergwerksproduktion* 1991 (1990 und 1980) in t

Mexiko	2 289,7	(2 398,6)	(1 556,8)
USA	1 848,0	(2 125,0)	(1 005,5)
Peru	1 769,2	(1 781,4)	(1 314,8)
Kanada	1 337,8	(1 501,5)	(1 070,0)
UdSSR (S)	1 270,0	(1 380,0)	(1 550,0)
Australien	1 180,0	(1 143,0)	(766,8)
Polen	867,3	(832,0)	(766,0)
Chile	673,7	(654,6)	(298,5)
Bolivien	337,0	(310,5)	(189,7)

Silber *(Forts.)*

DVR Korea (Nord-K.,S) .	300,0	(280,0)	(290,0)
Schweden	253,0	(225,0)	(166,0)
Marokko	233,9	(240,5)	(98,1)
Spanien	208,0	(270,0)	(177,6)
VR China (S)	180,0	(150,0)	(60,0)
Südafrika	170,8	(160,7)	(232,0)
u. a. BR Deutschland . .	7,0	(8,0)	(37,7)
DDR	–	(20,0)	(93,0)

Weltproduktion 1991 (1990) 14 240,8 (14 834,4) t. Größte *Verbrauchsländer* sind die USA, Japan und Deutschland. *Hauptverbraucher* sind die Fotochemie (rd. $^2/_3$ des Weltbedarfs), die Elektro- und Elektronikindustrie, Schmuck- und Besteckherstellung sowie die Verwendung für Münzen und Medaillen. Neben der Bergwerksproduktion beruhte auch 1992/93 das Silberangebot zu einem beträchtlichen Teil auf der Aufarbeitung und Rückgewinnung. Im industriellen Bereich beträgt die *Recyclingrate* inzwischen über 50 % (insbesondere aus Filmen). Bei Berücksichtigung von eingeschmolzenen Münzen, Schmuck u. dergl. entfällt weit über die Hälfte des Silberangebots auf Umschmelz- und Recyclingware. Die bereits 1991 sehr niedrigen *Silberpreise* fielen 1992 weiter, da größere Mengen für Anlagezwecke gehortetes Silber auf den Markt kamen. Dadurch wurden Rückgänge der Bergwerksproduktion mehr als kompensiert, zumal die Nachfrage seitens der Elektronikindustrie stagnierte.

Steinkohle *Förderung* 1991 (1990) in Mio. t (nach UNO- und Eurostat-Angaben)

VR China (inkl. Braunkohle) . . .	1 058,5	(1 050,6)
USA	821,4	(861,6)
UdSSR	474,2	(542,7)
Indien	209,4	(207,8)
Südafrika	171,6	(174,8)
Australien	159,1	(154,8)
Polen	140,3	(147,7)
Großbritannien	91,3	(89,3)
Deutschland	72,7	(76,6)
DVR Korea (Nord-K., S)	40,5	(40,0)
Kanada	39,9	(37,7)
Kolumbien	23,0	(21,0)
ČSFR	19,5	(22,4)
Spanien	18,3	(19,6)
Rep. Korea (Süd-K.)	13,7	(15,8)
Mexiko	10,6	(11,8)
Frankreich	10,1	(10,5)

Weltförderung 1991 (1990) 3,453 (3,542) Mrd. t. Die *Weltreserven* werden auf rd. 780 Mrd. t SKE (Steinkohleeinheiten) geschätzt, davon (in Mrd. t) USA 215 – UdSSR 175 – China 100 – Westeuropa 95 – Südafrika 55 – Osteuropa 50 – Australien 45. *Steinkohle* war bis 1966 weltweit der wichtigste *Energielieferant* und wurde dann vom Erdöl überholt. 1992 lieferte Steinkohle rd. 29 % der *Welt-Primärenergie* (Erdöl 38 %). Der internationale Handel mit Kohle stieg seit den 70er Jahren stark an. Der *Kohle-Welthandel* erhöhte sich von 363 (1985), 410 (1990) und 415 (1991) auf 420 Mio. t (1992), davon rd. 80 % über See. Die größten *Steinkohle-Exporteure* waren 1992 Australien, USA, Südafrika, die GUS-Staaten, Polen und Kanada. Größte *Importeure* waren Japan, die EG-Länder und die Staaten Ostmittel- und Osteuropas.

Die *Weltförderung* nahm auch 1992 zu, hauptsächlich in überseeischen Ländern, in denen die Kohle teils zur Deckung des zunehmenden eigenen Energiebedarfs (z. B. China, Indien, Südafrika), teils für den Export gefördert wird (insbes. Australien, Südafrika, Kanada). In den *EG-Ländern* nahm die Steinkohleförderung dagegen auch 1992 ab; sie betrug 1992 (1991) nur noch 183,445 (193,388) Mio. t, verglichen mit 244,700 Mio. t (1983). Die EG-Länder konnten auch diese verringerte Fördermenge nur dank massiver Subventionen erhalten (z. B. »Kohlepfennig« in Deutschland). Auch 1992 wurde die europäische Steinkohle – die wegen der hohen Förderkosten zu den teuersten Energielieferanten gehört – von 2 Seiten bedrängt: von überseeischer Importkohle, die wegen günstigerer Abbaubedingungen inkl. Transportkosten wesentlich billiger angeboten wird (deren Einsatz jedoch durch Kontingentierungen begrenzt ist), und von Heizöl, Gas und Kernenergie, gegen die die einheimische Kohle ebenfalls preislich nicht konkurrieren kann (→ *Energie, Kap. Industrie*).

Aufgrund der seit Mitte der 80er Jahre wieder relativ niedrigen Erdölpreise wurden die in den 70er Jahren entworfenen Pläne zum verstärkten Einsatz der Steinkohle als Energielieferant in den meisten europäischen Staaten stark reduziert. Auch Pläne zum Bau von *Kohleverflüssigungsanlagen* zur Treibstoffgewinnung wurden aus Kostengründen – bis auf einige Versuchsanlagen – wieder storniert. Die dadurch hervorgerufene *Reduzierung des Kohleverbrauchs* – zu dem auch noch die gesunkene Stahlproduktion kam (Kokskohle) – führte in allen westeuropäischen Kohleabbauländern zu starkem Beschäftigungsrückgang und regional zu wirtschaftlichen Problemen und Arbeitslosigkeit. Umgekehrt stieg die Bedeutung der exportorientierten überseeischen Kohleproduzenten, v. a. von Australien und Südafrika. 1992 wurde Importkohle für 80–90 DM/t (frei deutsche Grenze) angeboten, verglichen mit 280 DM/t für einheimische Steinkohle. Ähnlich wie beim Erdöl herrschte auch bei der Kohle 1992 ein *Überangebot auf dem Weltmarkt*, das sich in den nächsten Jahren verschärfen könnte, wenn weitere Produzenten das Exportgeschäft aufnehmen bzw. ihre Abbaukapazitäten erhöhen.

In *Deutschland* sank die *Steinkohleförderung* 1992 (1991) um 0,8 % auf 72,153 (72,749) Mio. t.

Die Haldenbestände stiegen auf 19,678 (15,977) Mio. t, da der *Absatz* stärker abnahm als die Förderung. Die größten *Kohleabnehmer* (für Inlandslieferungen und Importe) waren 1992 öffentliche Kraftwerke mit 38,522 Mio. t und Kokereien mit 19,987 Mio. t, während die Haushaltslieferungen nur noch 1,723 Mio. t betrugen.

Die *Ausfuhren in andere EG-Länder* sanken 1992 (1991) auf 1,510 (3,188) Mio. t, diejenigen in Drittländer betrugen nur noch 0,023 (0,124) Mio. t. Die *Einfuhren* beliefen sich 1992 (1991) auf 15,031 (14,630) Mio. t, davon aus Südafrika 6,134 (5,455) – Polen 2,889 (3,443) – USA 1,207 (1,287) – Australien 0,639 (0,569) – Kolumbien 0,607 (0,438) Mio. t.

Der *Beitrag der Steinkohle zur Energieversorgung* (Anteil am Primärenergieverbrauch) betrug 1992 (1991) 17,6 (18,7)% in den alten und 3,7 (3,8)% in den neuen Bundesländern, der Anteil an der *Stromerzeugung* sank auf 30,8 (32,6)% bzw. 0,7 (0,5)%. Die *Zahl der Beschäftigten* im Steinkohlebergbau ging 1992 auf 115 000 zurück, davon 75 600 unter Tage (zum Vergleich: 1957 noch 605 000 Beschäftigte); ihre Leistung betrug durch den hohen Mechanisierungsgrad 0,700 t Kohle je Mann unter Tage/Stunde. Die Zahl der *Zechen* verringerte sich in den letzten Jahren weiter (Höchststand 1956 mit 175 Bergwerken). Derzeit fördern noch 24 Kohlezechen, davon 16 im Ruhrrevier (80 % der Gesamtförderung), 5 im Saarland (12 %), 2 im Aachener Revier (5 %) und eine in Ibbenbüren (3 %).

Die *Steinkohleförderung* und der Kohleeinsatz in Kraftwerken sind in *Deutschland* seit Jahren nur noch durch hohe *Subventionen* aufrechtzuerhalten. Auch 1992 betrugen sie rd. 10 Mrd. DM (insbes. Beihilfen für den Absatz von Kohle und Koks in der Eisen- und Stahlindustrie sowie der von den Stromverbrauchern zu tragende sog. »Kohlepfennig«). Eine gewisse Abnahmegarantie bedeutet für den Kohlebergbau der sog. »Jahrhundertvertrag« mit der Elektrizitätswirtschaft, der 1980 geschlossen wurde, ursprünglich bis 1995 terminiert war und vorsieht, jährlich 40,9 Mio. t einheimische Steinkohle an Elektrizitätswerke zu liefern. 1991 einigte sich eine »Kohlerunde« aus Vertretern von Bund, Kohleländern, Bergbau und Kraftwerken darauf, von 1995–2005 eine Verstromungsmenge von jährlich 35 Mio. t SKE zu sichern und durch den Bund zu subventionieren, um die Differenz zur weitaus billigeren Importkohle auszugleichen. Auch der Kokskohleeinsatz bei der Stahlverhüttung soll durch Subventionen auf einer Höhe von rd. 20 Mio. t/Jahr gehalten werden. Insgesamt soll jedoch die Steinkohleförderung nach 2000 auf rd. 50 Mio. t/Jahr gesenkt werden (Reduzierung der Arbeitsplätze um weitere 30 000).

Uran *Gewinnung* (nach UNO-Angaben) 1989 (1988 und 1980) in t U_3O_8:

Kanada	11 427	(12 400)	(7 150)
USA	5 322	(5 050)	(16 800)
Australien	3 656	(3 532)	(1 561)
Frankreich	3 241	(3 394)	(2 634)
Namibia	3 078	(3 511)	(4 042)
Niger	2 970	(2 970)	(4 128)
Südafrika	2 943	(3 799)	(6 146)
Gabun	865	(930)	(1 033)
Spanien	227	(228)	(190)
Indien	210	(200)	(200)
Portugal	128	(144)	(82)
Argentinien	52	(142)	(187)
u. a. BR Deutschland	36	(38)	(35)

Für die Länder des ehem. RGW (einschl. UdSSR und DDR) sowie für China liegen keine Angaben vor. *Gesamtproduktion* von Uran in der westlichen Welt 1989 (1988) 34 278 (36 489) t. *Uranreserven* (nach OECD) 1989 in 1000 t U (Vorräte bei Produktionskosten bis max. 130 US-$ pro kg U): Australien 538 – Südafrika 419 – USA 378 – Kanada 235 – Niger 176 – Brasilien 163 – Namibia 107 – Frankreich 59 – u. a. BR Deutschland 4,8. Für die ehem. RGW-Länder und die VR China wurden bisher keine Angaben veröffentlicht, doch werden die Vorräte im Gebiet der ehem. UdSSR und Chinas hoch eingeschätzt.

Wegen der großen *energiewirtschaftlichen und militärischen Bedeutung* des Urans wurde in den 60er und 70er Jahren intensive Lagerstättenforschung betrieben. Als sich auf dem Weltmarkt ein Überangebot entwickelte, wurde jedoch der Abbau in vielen Förderländern gedrosselt. Zwar stieg auch 1992 der Bedarf für Kernkraftwerke (→ *Energie, Kap. Industrie*), doch längst nicht in dem Ausmaß, wie es in den 60er und 70er Jahren erwartet worden war. Seit längerem wird jährlich mehr Uran gefördert, als in Kernkraftwerken gebraucht wird, so daß z. Z. ein Vorrat des 3–4fachen Welt-Jahresbedarfs existiert. Der *Weltmarktpreis* für Uran lag auch 1992 erheblich unter den Preisen der 70er Jahre.

In *Deutschland* bestehen abbauwürdige Lagerstätten im Schwarzwald (Menzenschwand), in Nordostbayern und im Erzgebirge. Von einer kommerziellen Nutzung wird z. Z. abgesehen, da der Bedarf problemlos im westlichen Ausland gedeckt werden kann (Hauptlieferanten: USA, Südafrika, Australien, Kanada, Frankreich). Auch die in der ehem. DDR für den sowjetischen Bedarf betriebene Förderung im Erzgebirge wird nicht weiter betrieben. Die Halden mit Förderrückständen bilden hier ein enormes Sanierungsproblem.

Vanadium (V-Inhalt von Erzen und Konzentraten) 1989 (1988) nach »Metallstatistik« in 1000 t: Südafrika mit Namibia 16,5 (16,4) – UdSSR (S) 9,6 (9,6) – VR China (S) 4,5 (4,5) – USA 2,4 (3,0).

Weltproduktion 1989 (1988) 33,8 (34,3) Tsd. t. – Verwendung v. a. als Stahlveredler. Vorräte sind reichlich vorhanden, aber stark auf Südafrika und Rußland konzentriert. Beide Staaten sind Hauptlieferanten Deutschlands.

Wasser Nach Baumgartner u. Reichel (Die Weltwasserbilanz, München 1975) beläuft sich der gesamte *Wasservorrat der Erde* auf 1 384 120 000 km³; davon befinden sich 97,39 % in den Meeren, 2,01 % in den polaren Eiskappen und in sonstigen Gletschern, 0,58 % im Grundwasser, 0,02 % in Seen und Flüssen und 0,001 % in der Atmosphäre. – Nach Brockhaus-Enzyklopädie wird der Wasservorrat der Erde auf 1,64 x 10^{18} t geschätzt, wovon 1,37 x 10^{18} t als flüssiges Wasser auf Meere, Seen und Flüsse, 29,1 x 10^{15} t auf das Eis der Polkappen und Gletscher, 12,4 x 10^{12} t auf den Wasserdampf der Atmosphäre und 36 x 10^{15} t auf Wasser in gebundener Form in den Sedimentgesteinen entfallen.

Die zur *Bewässerung landwirtschaftlicher Flächen* benötigte Wassermenge nahm auch in den letzten Jahren weiter zu. Die *künstlich bewässerten Flächen* betrugen (nach FAO) 1990 in Mio. ha: Asien 150,250 – Nord- und Mittelamerika 26,641 – Europa 17,086 – Afrika 11,273 – Südamerika 8,775 – Australien und Ozeanien 2,181. – Länder mit der größten *Bewässerungsfläche* in Mio. ha 1990: VR China 47,837 – Indien 43,050 – UdSSR 21,215 – USA 18,771 – Pakistan 16,500 – Indonesien 7,600 – Iran 5,750 – Mexiko 5,180 – Thailand 4,300 – Spanien 3,370 – Rumänien 3,216 – Italien 3,120 – Bangladesch 2,933 – Japan 2,847 – Brasilien 2,700 – Afghanistan 2,700 – Ägypten 2,607 – Irak 2,550 – Türkei 2,370 – Sudan 1,900 – Australien 1,900 – Vietnam 1,840 – Argentinien 1,680 – Philippinen 1,560 – DVR Korea (Nord-K.) 1,420 – Rep. Korea (Süd-K.) 1,355 – Marokko 1,270 – Chile 1,265 – Bulgarien 1,263 – Peru 1,260 – u. a. Deutschland 0,482 – Schweiz 0,025 – Österreich 0,004.

In vielen Trockengebieten der Erde gehört *Trinkwassermangel* zu den größten Problemen. In den Industrieländern, die in der Regel über ausreichende Wasservorräte verfügen (bzw. die die technischen Voraussetzungen zu ihrer Erschließung besitzen), nimmt demgegenüber die Verschmutzung der Trinkwasservorräte durch die Einleitung ungereinigter Abwässer in Flüsse und Seen, Überdüngung landwirtschaftlicher Nutzflächen, übermäßige Ausbringung von Pestiziden auf Landwirtschaftsflächen, Sickerwässer aus Mülldeponien u.ä. laufend zu. Nach Berechnungen der WHO leiden über 800 Mio. Menschen an Krankheiten, die durch Mangel an einwandfreiem Trinkwasser verursacht werden.

In *Deutschland* (nur alte Bundesländer) beträgt das *Wasserdargebot* jährlich rd. 75 Mrd. m³ Oberflächen- und 25 Mrd. m³ Grundwasser. Von diesen insges. 100 Mrd. m³ werden z. Z. 12,2 Mrd. m³ jährlich entnommen (Trinkwasser 2,5 – Industrie 8,6 – Landwirtschaft 1,1). Hinzu kommen rd. 25 Mrd. m³, die als Kühlwasser für Kraftwerke genutzt werden. Die öffentlichen Wasserwerke fördern jährlich rd. 5 Mrd. m³, davon rd. 62 % Grundwasser, je 10 % Quellwasser und angereichertes Grundwasser, 9 % See- und Talsperrenwasser, 6 % Uferfiltrat, 2 % Flußwasser. – Pro Einwohner und Tag werden rd. 145 l *Trinkwasser* verbraucht, davon für Baden und Duschen sowie für WC-Spülung je 40 l, Wäsche waschen 30 l, Trinken, Kochen und Geschirrspülen 15 l, Körperpflege und Wohnungsreinigung je 10 l. Die deutsche Industrie deckt ihren Brauchwasserbedarf zu 90 % aus eigener Versorgung.

Wolfram (W-Inhalt von Erzen und Konzentraten) *Gewinnung* 1989 (1988) in 1000 t: VR China (S) 21,0 (21,0) – UdSSR (S) 9,3 (9,2) – Rep. Korea (Süd-K.) 2,3 (2,0) – Mongolei (S) 1,5 (1,5) – Australien 1,3 (1,3) – Portugal 1,3 (1,4) – Österreich 1,2 (1,2) – Bolivien 1,1 (0,9) – DVR Korea (Nord-K.) 1,1 (1,0). *Weltgewinnung* 1989 (1988) 43,4 (42,5) Tsd. t.

Zink (Zn-Inhalt von Erzen und Konzentraten; nach »Metallstatistik«) *Bergwerksproduktion* 1991 (1990 und 1980) in 1000 t

	1991	1990	1980
Kanada	1 148,2	(1 203,2)	(1 058,7)
Australien	1 048,0	(938,6)	(495,3)
UdSSR (S)	800,0	(870,0)	(1 000,0)
VR China	710,0	(618,9)	(275,7)
Peru	627,8	(583,9)	(468,2)
USA	546,6	(543,2)	(348,5)
Mexiko	317,1	(306,7)	(243,4)
Spanien	261,3	(257,5)	(179,3)
DVR Korea (Nord-K.,S)	215,0	(195,0)	(130,0)
Irland	187,5	(166,5)	(228,7)
Schweden	157,5	(159,9)	(167,4)
Polen	144,7	(154,8)	(216,7)
u. a. BR Deutschland	54,0	(58,1)	(120,8)
Österreich	14,8	(16,7)	(21,7)

Weltbergwerksproduktion 1991 (1990) 7,513 (7,366) Mio. t Zn-Inhalt. *Welthüttenproduktion* 1991 (1990) 7,189 (7,054) Mio. t, davon 1991 UdSSR (S) 800,0 – Japan 730,8 – Kanada 660,6 – VR China 576,7 – USA 377,3 – Deutschland 345,7 Tsd. t. Der *Weltverbrauch* an Rohzink belief sich 1991 (1990) auf 6,888 (6,963) Mio. t, davon 1991 USA 933,2 – Japan 845,5 – UdSSR (S) 775,0 – Deutschland 540,1 – VR China 530,0.

Zinn (Sn-Inhalt von Erzen und Konzentraten; nach »Metallstatistik«) *Bergwerksproduktion* 1991 (1990 und 1980) in 1000 t

	1991	1990	1980
VR China (S)	33,7	(35,8)	(16,0)
Indonesien	30,1	(30,2)	(32,5)

Zinn *(Forts.)*

Brasilien	29,3	(39,1)	(6,9)
Malaysia	20,7	(28,5)	(61,4)
Bolivien	16,8	(17,3)	(27,5)
UdSSR (S)	11,0	(13,0)	(16,0)
Thailand	10,9	(14,6)	(33,7)
Peru	6,6	(5,1)	(1,4)
u. a. DDR	–	(1,8)	(1,7)

Weltbergwerksproduktion (Sn-Inhalt) 1991 (1990) 179,3 (209,1) Tsd. t; *Welthüttenproduktion* (Reinzinn) 1991 (1990) 195,0 (226,8) Tsd. t.

Weltverbrauch an Rohzinn 1991 (1990) 221,9 (232,4) Tsd. t, davon 1991 USA 35,3 – Japan 34,8 – Deutschland 20,3 – UdSSR (S) 17,0 Tsd. t. – Der *Weltmarktpreis* für Zinn, der in den letzten Jahren aufgrund weltweiten Überangebots stark gefallen war, stagnierte 1992. Einer verringerten Förderung durch Bergwerksstillegungen in Südostasien und Lateinamerika stand leicht erhöhter Bedarf gegenüber. Die *ATPC* (»Association of Tin Producing Countries«) bemühte sich, mit Exportquoten die Preise zu stabilisieren.

INDUSTRIE

Die Industrie konnte sich – weltweit gesehen – 1992 wieder leicht erholen. Nachdem die Produktion 1991 etwas zurückgegangen war, wird für 1992 nach ersten Schätzungen eine *Zunahme der globalen Industrieproduktion* von rd. 1 % geschätzt (verglichen mit Steigerungsraten, die 1989 noch 5 % und 1990 3,5 % betragen hatten). Die Situation in den einzelnen Wirtschaftsräumen war allerdings extrem unterschiedlich: Während die *westlichen Industrieländer* im Durchschnitt leichte Zunahmeraten meldeten, nahm im Bereich des *ehemaligen Ostblocks* die Industrieproduktion infolge des allgemeinen wirtschaftlichen Zusammenbruchs erneut sehr stark ab. Dagegen meldeten die *Entwicklungsländer* ein Wachstum von rd. 8 %, das allerdings überwiegend auf die ostasiatischen »*Schwellenländer*« zurückging.

Für den OECD-Bereich **(westliche Industrieländer)** wird für 1992 ein Industriewachstum von rd. 1 % geschätzt, verglichen mit nur 0,2 % im Vorjahr, aber 2,5 % (1990). Die wichtigsten westlichen *Industriestaaten* sind nach wie vor die USA, Japan und Deutschland. Zusammen mit Frankreich, Großbritannien, Italien und Kanada bilden sie die Gruppe der 7 führenden Wirtschaftsmächte (sog. »*G-7*«), die sich jährlich zum »Weltwirtschaftsgipfel« treffen (Juli 1992 in München, Juli 1993 in Tokio).

Die wichtigsten *Probleme im Bereich der Industrie* liegen – neben den Fragen des Umweltschutzes (→ Kap. Bergbau/Rohstoffe) – für die marktwirtschaftlich orientierten Industrieländer im Bereich der *Arbeitsplatz- bzw. Arbeitslosensituation*. Die Arbeitsmarktlage im industriellen Bereich verbesserte sich in den letzten Jahren nicht im gleichen Maße wie der Produktionsanstieg. Die Arbeitslosenquoten blieben nicht nur generell relativ hoch, sondern stiegen in vielen Ländern noch weiter. Die leichte *Erhöhung der Industrieproduktion* erfolgte in der Regel weniger durch Neueinstellungen, sondern v. a. durch erhöhte Produktivität,

verbesserte Auslastung der Anlagen, verstärkte *Automatisierung* und Robotereinsatz. So erhöhte sich in *Deutschland* 1991–92 der Industrieumsatz um 0,1 %, während die Zahl der Industriebeschäftigten um 10,7 % zurückging. Die *Industrieroboter* nahmen von 12 400 (1986) auf 29 000 (1992) zu (zum Vergleich 1991: Japan 240 000 – USA 45 000 – Italien 12 000 – Frankreich 8000 – Großbritannien 7000).

Besonders die hohen *Lohn- und Lohnnebenkosten* im Vergleich zu den ostasiatischen Industrie- und »Schwellenländern« veranlassen die Industrie in den westlichen Staaten zu verstärkter Rationalisierung, um die Konkurrenzfähigkeit zu sichern. Aber auch innerhalb Europas und zwischen Europa und Nordamerika haben sich inzwischen starke Unterschiede in den Produktionskosten herausgebildet. Zu den Ländern mit überdurchschnittlich hohen *Arbeitskosten* in der Industrie (Löhne und Personalzusatzkosten) gehören Deutschland, die Schweiz, die skandinavischen und die Benelux-Länder. Wesentlich geringer sind die Arbeitskosten – abgesehen von überseeischen »Schwellenländern« – in den europäischen Mittelmeerländern, in Großbritannien und Irland, während Japan, USA, Kanada, Österreich und Frankreich mittlere Positionen einnehmen.

Arbeitskosten in der Industrie 1992 (Lohn- und Personalzusatzkosten pro Stunde in DM): Deutschland (alte Bundesländer) 42,00 – Schweiz 39,20 – Norwegen 38,90 – Schweden 38,50 – Belgien 34,30 – Niederlande 33,75 – Österreich 33,20 – Dänemark 33,00 – Italien 32,85 – Japan 30,00 – Frankreich 27,75 – USA 24,80 – Spanien 22,90 – Großbritannien 22,80 – Irland 22,25 – Griechenland 11,00 – Portugal 9,00 – Türkei 6,50.

Einen besonders hohen Anteil am Wachsen der Produktionskosten in den europäischen Staaten hatten zuletzt die Arbeitszeitverkürzungen.

> **Arbeitszeit für Industriearbeiter** 1991 (tarifliche Jahresarbeitszeit in Stunden): Japan 2119 – Portugal 1935 – USA 1904 – Schweiz 1864 – Griechenland 1840 – Irland 1810 – Spanien 1790 – Schweden 1784 – Großbritannien 1769 – Italien 1764 – Frankreich 1763 – Belgien 1737 – Norwegen 1718 – Finnland 1716 – Österreich 1714 – Niederlande 1709 – Dänemark 1672 – BR Deutschland 1643 (nach Institut der dt. Wirtsch. und Bundesvereig. d. Dt. Arbeitgeberverb.).

Die größten Industrieunternehmen der Welt nach ihrem Umsatz 1992 (nach »SZ«; Umrechnung in DM nach dem mittleren Kurs 1992: 1 US-$ = 1,56 DM)

1992 (1991)			Umsatz 1992 in Mrd. DM
1.	(1.)	General Motors/USA (Kfz.)	207,1
2.	(3.)	Exxon/USA (Mineralöl)	161,5
3.	(4.)	Ford/USA (Kfz.)	157,2
4.	(2.)	Royal Dutch/Shell/Großbrit./ Niederl. (Mineralöl)	154,3
5.	(5.)	Toyota/Japan (Kfz.)	123,4
6.	(7.)	IRI/Italien	105,3
7.	(6.)	IBM/USA (Elektronik)	101,5
8.	(11.)	Daimler-Benz/Deutschland (Kfz.)	98,5
9.	(8.)	General Electric/USA (Elektro)	97,0
10.	(9.)	Hitachi/Japan (Elektronik)	95,9
11.	(10.)	BP/Großbrit. (Mineralöl)	92,3
12.	(12.)	Matsushita/Japan (Elektro)	89,6
13.	(13.)	Mobil Oil/USA (Mineralöl)	89,5
14.	(17.)	VW/Deutschland (Kfz.)	85,4
15.	(18.)	Siemens/Deutschland (Elektronik)	78,5
16.	(14.)	Nissan Motor/Japan (Kfz.)	78,4
17.	(15.)	Philip Morris/USA (Nahrungsmittel)	78,2
18.	(19.)	Samsung/Süd-Korea (Elektro)	77,1
19.	(16.)	Fiat/Italien (Kfz.)	74,7
20.	(20.)	Unilever/Großbrit./Niederlande (Lebensmittel)	68,6
21.	(23.)	Elf Aquitaine/Frankreich (Mineralöl)	61,9
22.	(26.)	VEBA/Deutschland (Energie)	61,4
23.	(25.)	Nestlé/Schweiz (Nahrungsmittel)	60,9
24.	(24.)	Chevron/USA (Mineralöl)	60,1
25.	(27.)	Toshiba/Japan (Elektro)	58,4
37.	(35.)	Hoechst/Deutschland (Chemie)	45,9
39.	(41.)	RWE/Deutschland (Energie)	44,6
40.	(39.)	BASF/Deutschland (Chemie)	44,5
45.	(43.)	Bayer/Deutschland (Chemie)	41,2

In den **Reformländern Ostmittel-, Ost- und Südosteuropas** (ehem. Staatswirtschaftsländer des »Ostblocks«) ist die *Industrieproduktion 1992 weiter zurückgegangen,* nachdem bereits 1991 ein kräf-

tiger Einbruch zu verzeichnen war. Die systemimmanenten Mängel der sozialistischen Planwirtschaft hatten schon seit Jahren nur noch leichte Zuwächse der Produktion zugelassen, die zudem mit immer größeren Umweltschädigungen erkauft wurden. Bereits 1991 hatten der allgemeine Zusammenbruch des bisherigen politischen und wirtschaftlichen Systems und die Schwierigkeiten des Übergangs zur Marktwirtschaft zu *Rückgängen der Industrieproduktion* geführt, die zwischen rd. 12% (ehem. UdSSR) und fast 30% (Bulgarien) lagen. 1992 setzte in Ungarn, Polen und der ehem. ČSFR eine Konsolidierung ein, und die Industrieproduktion nahm in einigen Branchen wieder leicht zu. Dagegen verstärkte sich in Rumänien, Bulgarien und in den Nachfolgestaaten der UdSSR der Rückgang der Produktion, zumal jegliche Investitionstätigkeit praktisch zum Erliegen gekommen ist.

Das Kieler »Institut für Weltwirtschaft« schrieb bezüglich der *GUS* von einem »institutionellen Chaos, das die Unsicherheiten für die Wirtschaftsobjekte erhöht und die wirtschaftliche Aktivität lähmt«. Die von Präsident Jelzin angestrebte *Privatisierung der Industrie* erwies sich als schwierig durchzuführen, nicht nur wegen des Fehlens marktwirtschaftlich ausgebildeter Unternehmer, aus Kapitalmangel und wegen vielfältiger Widerstände seitens der alten Wirtschaftsbürokratie, sondern auch wegen der überwiegend großbetrieblichen Struktur der Unternehmen. 1990 gab es in der UdSSR nur 46 700 Industriebetriebe mit durchschnittlich 756 Beschäftigten pro Betrieb. Ein neuer Versuch zur Privatisierung wurde seit dem 1. 10. 1992 durch die Ausgabe von »Voucher« begonnen, die 1993 den Erwerb von Anteilsscheinen ermöglichen sollen.

Die **Entwicklungsländer** zeigten 1992 – als Gesamtheit gesehen – ein im globalen Maßstab überdurchschnittliches *Wachstum der Industrieproduktion,* doch bestanden erneut enorme Unterschiede zwischen diesen Ländern. Insgesamt stieg der *Anteil der Entwicklungsländer an der Welt-Industrieproduktion* nur langsam von rd. 6% (1960) über 7% (1965) und 7,5% (1970) auf etwa 18% (1992), davon rd. 10% in Ost- und Südostasien und 6% in Lateinamerika. Das durchschnittliche jährliche Wachstum der Industrie beschleunigte sich in den letzten Jahren auf rd. 8% und lag somit wesentlich höher als in den Industriestaaten. Derzeit gilt besonders *Ost- und Südostasien* weltweit als bedeutendster *industrieller Wachstumspol.*

Auch 1992/93 waren – wie in den Vorjahren – die *Hindernisse für eine kräftigere industrielle Entwicklung* in vielen Ländern v. a. finanzieller Art. Die überaus hohe Verschuldung, insbes. vieler industrialisierungsfähiger Staaten (z. B. in Lateiname-rika), behinderte stark den dringend notwendigen weiteren Kapitalzufluß. Außerdem reduzieren die relativ niedrigen Erlöse für Rohstoffausfuhren stark die notwendigen Deviseneinnahmen der Exportländer. Das *niedrige Rohstoffpreisniveau (→ Kap. Bergbau)* begünstigt seit Jahren stark die Industrieländer, deren Produkte stärker im Preis stiegen als die Rohstoffe. − Daneben verhinderten auch 1992/93 in vielen Fällen labile politische Verhältnisse, innere Unruhen, die absolut unzureichende und sich oft eher verschlechternde Versorgungslage und Verkehrsinfrastruktur, vielfach auch ideologische Vorbehalte gegenüber den westlichen Industrieländern, daß sich private Unternehmen aus Europa oder Nordamerika nennenswert in Form von Investitionen in Entwicklungsländern engagierten. Demgegenüber erreichten, wie Ostasien zeigt, erneut diejenigen Staaten das *stärkste Industriewachstum,* die ausländische Investitionen und privates Unternehmertum begünstigten und sich intensiv am Welthandel beteiligten.

Besonders betroffen vom niedrigen Stand vieler Rohstoffpreise (z. B. Energierohstoffe) und von der Verschuldungskrise waren auch 1992/93 die **rohstoffreichen Entwicklungsländer,** deren Einnahmen weitgehend vom Export bergbaulicher (z. B. Erdöl, Metallerze) oder landwirtschaftlicher Produkte (z. B. Kaffee, Kakao) abhängen. Sie besitzen zwar von der Energie- und Rohstoffbasis und z. T. auch von der Finanzausstattung und der Infrastruktur her günstige Voraussetzungen für eine Industrialisierung. Sie sind aber, wie sich in den letzten Jahren zeigte, stark von Preis- und Nachfrageschwankungen auf dem Weltmarkt abhängig. Als Staaten dieser Gruppe befinden sich z. Z. Saudi-Arabien und die arabischen Golfstaaten, Brasilien, Venezuela und Mexiko in einer *industriellen Aufbauphase.*

Die **energie- und rohstoffarmen Entwicklungsländer** haben dagegen kaum Chancen für eine baldige Industrialisierung. Eine Ausnahme bilden Länder mit relativ gut ausgebauter Infrastruktur, höherem Bildungsniveau, einer zahlenmäßig stärkeren Führungsschicht und ähnlichen günstigen Voraussetzungen für eine wachstumsorientierte Entwicklungsstrategie auf der Basis arbeitsintensiver Exportindustrien (häufig in Industrieparks oder Freihandelszonen) oder von Dienstleistungen (z. B. Tourismus), in der Regel auf der Basis ausländischen Kapitals. Für diesen Weg haben sich die Länder entschieden, die als **»Schwellenländer«** bzw. **»Länder mit mittlerem Einkommen«** (nach der UNO-Bezeichnung) gelten, z. B. Singapur, Hongkong, Rep. China/Taiwan, Rep. Korea/Süd-K., verschiedene karibische Inselstaaten u. a. Den »alten« Industrieländern erwächst hier auf dem Weltmarkt

zunehmend Konkurrenz, insbesondere bei Massengütern und Produkten, die mit ausgereifter Technologie durch angelernte Arbeitskräfte in großen Serien hergestellt werden können (z. B. Textilien, Schuhe, Elektrogeräte, Spielzeug, einfachere Maschinen). Beispiele für die zunehmende Bedeutung der »Schwellenländer« als Produzenten und Exporteure von Industriegütern bieten die → Textilindustrie, die → Elektrotechnik, die Kunststofferzeugung *(→ chemische Industrie),* aber auch etwa die Spielwarenindustrie.

Die **VR China** meldete für 1992 ein sehr starkes *Wachstum der industriellen Produktion* (+20%), das in amtlichen Publikationen v. a. auf Reformen in der Betriebsführung, verstärkte Einführung von Marktmechanismen und höhere ausländische Investitionen zurückgeführt wurde. Besonders in den »Sonderwirtschaftszonen« wurde mit Hilfe ausländischen Kapitals ein rascher industrieller Aufbau durchgeführt. Die sonstigen Industriebetriebe, v. a. ältere staatliche Werke, arbeiten jedoch nach wie vor vielfach zu ineffektiv. So schreibt das Staatliche Statistikamt: »Der Wirtschaftlichkeitsstand der ganzen Industrie blieb niedrig. Die für die Herstellung von Erzeugnissen ... erforderlichen Geldmittel lagen ziemlich hoch, und die Zahl der staatseigenen Verlustbetriebe war relativ groß.« Hauptprobleme der chinesischen Industrie sind nach wie vor die Knappheit an Rohstoffen und Energie und die völlig unzureichende Verkehrs- und Kommunikationsinfrastruktur. In diese Bereiche soll in den nächsten Jahren verstärkt investiert werden.

Die **deutsche Industrie** mußte 1992 in vielen wichtigen Branchen starke Rückgänge hinnehmen (z. B. Stahl, Textil, Maschinenbau). In den westlichen Bundesländern ging die *Abschwächung der Industriekonjunktur,* die sich schon 1991 angekündigt hatte, 1992 in eine echte Rezession über. Einerseits wirkte sich das schwache wirtschaftliche Umfeld in Westeuropa ungünstig aus (sinkende Exportnachfrage), andererseits flaute der durch die Wiedervereinigung hervorgerufene Boom ab, und schließlich wirkte sich das sehr hohe deutsche Lohnniveau im In- und Ausland zunehmend hemmend auf den Absatz von Industriegütern aus angesichts der billigeren ausländischen Konkurrenz. Besonders die Grundstoff- und Investitionsgüterindustrie litt unter stärkerem Nachfragerückgang.

Insgesamt nahm der *Umsatz der Industrie* (Betriebe des Produzierenden Gewerbes mit mind. 20 Beschäftigten) 1991−92 von 1949,556 Mrd. DM auf 1955,357 Mrd. DM zu, d. h. nominal um 0,3%, was real (d. h. nach Abzug von Preissteigerungen) einem Rückgang um rd. 3% entsprach. Der *Auslandsumsatz* stagnierte 1992 bei 523,145 Mrd.

DM (1991: 522,690 Mrd. DM), d. h. bei 26,8 % des Umsatzes. Die *Zahl der Industriebeschäftigten* wurde stark abgebaut; sie sank im Monatsdurchschnitt von 7,515 Mio. (1991) auf 7,335 Mio. (1992) und betrug im Jan. 1993 nur noch 7,020 Mio.
In den *neuen Bundesländern* (ehem. DDR) setzte sich 1992/93 der *Anpassungsprozeß der Industrie an die marktwirtschaftlichen Verhältnisse* fort, der zur Schließung weiterer Betriebe, der Entlassung oder Kurzarbeit großer Teile der Beschäftigten und zu starkem Rückgang der Produktion führte. Verschärft wurde die Situation durch die Konjunkturschwäche und den verstärkten Konkurrenzkampf in den westlichen Bundesländern. Das Hauptproblem der Industrie in der ehem. DDR lag in der unrationellen, ineffektiven und veralteten Produktionsweise, die zudem noch sehr stark umweltbelastend war (geringe Automatisierung, überalterter Maschinenpark, Energieverschwendung, personeller Überbesatz, geringe Rücksichtnahme der Produktion auf Kundenwünsche u. ä.). Die staatlichen (»volkseigenen«) Industriebetriebe waren 1990 von der »Treuhand-Anstalt« übernommen worden und werden seitdem nach Möglichkeit an Privatunternehmer, meist westliche Betriebe, verkauft oder aufgelöst, wenn eine Sanierung nicht erfolgversprechend erscheint. Der *Gesamtumsatz der Industrie* in den neuen Bundesländern sank von 96,617 Mrd. DM (1991) auf 91,865 Mrd. DM (1992), die *Zahl der Beschäftigten* ging von 1,333 Mio. (Dez. 1991) über 943,3 Tsd. (Durchschnitt 1992) auf nur noch 775,0 Tsd. (Jan. 1993) zurück.

Die größten Industrieunternehmen Deutschlands

nach ihrem Umsatz 1992 (1991)
(nach »SZ«; Umsätze ohne Mehrwertsteuer)

	Umsatz in Mrd. DM		Beschäftigte in Tsd.	
	1992	(1991)	1992	(1991)
1. Daimler-Benz (m. AEG u. DASA)	98,549	(96,276)	376,5	(388,7)
2. VW (mit Audi). .	85,403	(76,315)	273,0	(277,0)
3. Siemens	78,509	(73,008)	410,0	(419,0)
4. VEBA	65,419	(59,505)	129,8	(117,0)
5. RWE (m. DEA u. Hochtief)	52,400	(51,737)	113,6	(105,6)
6. Hoechst	45,570	(47,186)	177,7	(179,3)
7. BASF	44,522	(46,626)	123,3	(129,4)
8. Bayer	41,195	(42,401)	156,4	(164,2)
9. Thyssen	35,755	(36,562)	147,3	(148,3)
10. Bosch	34,432	(33,600)	177,2	(181,5)
11. BMW	31,241	(29,839)	73,6	(74,4)
12. Opel	29,222	(27,149)	53,1	(56,8)
13. Mannesmann. .	28,018	(24,315)	136,7	(125,2)
14. Metallgesellschaft	25,558	(21,180)	59,4	(38,2)
15. Ruhrkohle . . .	24,550	(24,700)	118,3	(122,5)
16. Preussag	24,474	(25,455)	73,7	(71,7)
17. VIAG	24,311	(23,587)	84,5	(74,1)
18. Hoesch-Krupp .	23,157	(25,461)	90,6	(97,2)
19. Ford	22,002	(22,360)	47,7	(48,2)
20. ESSO	19,665	(19,451)	2,4	(2,4)
21. MAN	19,171	(19,031)	63,3	(64,6)
22. Bertelsmann . .	15,955	(14,483)	48,8	(45,1)
23. Ruhrgas	14,425	(15,275)	11,3	(10,1)
24. Henkel	14,101	(12,905)	42,2	(41,5)
25. IBM Deutschland	13,787	(14,802)	27,9	(30,8)
26. Deutsche BP . .	13,066	(14,059)	3,6	(4,2)
27. Degussa	12,815	(13,350)	33,4	(34,5)
28. Ph. Holzmann .	12,472	(11,003)	43,7	(40,4)
29. Deutsche Shell .	12,238	(13,687)	3,3	(3,3)
30. Continental . . .	9,690	(9,377)	50,6	(49,9)

Ausgewählte Produktionszahlen und Branchenübersichten

Aluminium *Gesamtproduktion,* d. h. Hüttenproduktion und Gewinnung aus Schrott, Abfällen u. ä. 1991 (1990 und 1980) in 1000 t (nach UNO-Angaben)

USA	6331,2	(5962,8)	(6122,4)
UdSSR (S)	2900,0	(3100,0)	(2500,0)
Kanada (Hüttenprod.) . . .	1821,6	(1567,2)	(1074,0)
Australien (Hüttenprod.) .	1236,0	(1234,8)	(283,2)
Deutschland	1216,8	(1254,0)	(1135,2)
Brasilien (Hüttenprod.) . .	1139,6	(930,0)	(260,4)
VR China (S)	900,0	(860,0)	(420,0)
Norwegen	844,8	(894,0)	(666,0)
Venezuela (Hüttenprod.) .	609,7	(546,0)	(327,6)
Japan	548,4	(1060,8)	(1896,0)
Indien (Hüttenprod.) . . .	503,9	(428,4)	(228,0)
Frankreich	469,2	(534,0)	(594,0)
Großbritannien	430,8	(410,4)	(536,4)

Aluminium *(Forts.)*

Niederlande	367,2	(392,4)	(318,0)
Spanien (Hüttenprod.) . .	355,2	(355,2)	(386,4)
Italien	258,0	(244,8)	(271,2)
u. a. Österreich (1990/'89)	172,8	(169,2)	(126,0)
Schweiz (S)	100,0	(100,0)	(90,0)

Weltproduktion nach UNO-Angaben 1991 (1990) 22,365 (22,378) Mio. t.
Erzeugung von Hüttenaluminium (nach »Metallstatistik«) 1991 in 1000 t: USA 4121,2 – UdSSR (S) 2100,0 – Kanada 1821,6 – Australien 1235,0 – Brasilien 1139,6 – VR China (S) 900,0 – Norwegen 885,9 – Deutschland 690,3 – Venezuela 609,7 – Indien 503,9 – Spanien 355,2 – Jugoslawien 314,0.
Weltproduktion von Hüttenaluminium 1991 (1990) 18,473 (18,120) Mio. t.

Gesamtverbrauch von Aluminium (Hütten- u. Umschmelzalu.) 1991 (1990) 24,604 (25,472) Mio. t, davon 1991 in 1000 t: USA 6701,7 – Japan 3,566,3 – Deutschland 2106,5 – Italien 1172,0 – Frankreich 1020,9 – Großbritannien 550,0 – Kanada 488,1.

Wegen des hohen Stromverbrauchs bei der *Aluminiumproduktion* wurden in den letzten Jahren zunehmend Produktionskapazitäten in Ländern mit billiger Energie neu errichtet, z. B. in Brasilien (Wasserkraft), Venezuela und arabischen OPEC-Staaten, wie Bahrain und Ver. Arab. Emirate (Erdöl und -gas), Australien und Südafrika (Kohle). Die *Weltmarktpreise* stagnierten 1992 auf niedrigem Niveau, so daß viele europäische Aluminiumhütten mit Verlust arbeiteten. Die Ursachen lagen in der Überproduktion (neue Werke in Kanada, Brasilien, Frankreich; vermehrte Billig-Exporte aus der GUS) bei gleichzeitig stagnierender Nachfrage (schwache Wirtschaftskonjunktur, erhöhte Wiederverwendungsrate von z. T. über 50 % in einigen Ländern). In *Deutschland* wird Aluminium v. a. im Fahrzeugbau verwendet (Straßen-, Schienen- und Luftfahrzeuge), daneben für Verpackungen (Folien), Dosen und im Maschinenbau.

Bauindustrie Zahl der fertiggestellten *Wohnungen* (Neubauten) nach UNO-Angaben 1991 in 1000: Japan 1488,8 – USA 1020,0 – Kanada 335,1 – Deutschland 300,0 – Spanien[1] (1990) 280,7 – Frankreich[1] 249,3 – Türkei (1988) 205,5 – Großbritannien (ohne Nordirland) 173,0 – Australien 129,7 – Polen 129,5 – Griechenland (1989) 117,3 – Niederlande[1] 82,9 – u. a. Schweiz (1988) 17,9 – keine Angaben u. a. für Rußland, China und für die meisten Entwicklungsländer. Wegen unterschiedlicher Definition des Begriffs »Wohnung« und nicht vollständiger Erfassung ist die internationale Vergleichbarkeit sehr erschwert.

([1] = einschl. Instandsetzung)

In *Deutschland* setzte sich 1992 der 1989 begonnene Aufschwung bei der Bautätigkeit fort. In den alten Bundesländern stieg die Zahl der *Baugenehmigungen im Wohnungsbau* von 214552 (1988) über 391430 (1990) und 400586 (1991) auf rd. 410000 Wohnungen (1992) an, lag aber im Vergleich zu früheren Jahren immer noch sehr niedrig (z. B. 1972: 768636). Die Zahl der *fertiggestellten Wohnungen* stieg ebenfalls an, und zwar von 208621 (1988) über 256488 (1990) und 314544 (1991) auf rd. 380000 Wohnungen (1992). Im *Nichtwohnbau* (Industrie, Gewerbe, Büros, Landwirtschaft usw.) übertraf die Bauleistung 1992 nach ersten Ergebnissen leicht das Ergebnis von 1991 (167,119 Mio. m³ umbauter Raum). Hier ist aufgrund der Konjunkturschwäche 1993 mit einem Rückgang zu rechnen. Im *Tiefbau* (Straßen-, Ka-

nalbau u.ä.) wuchs die Bauleistung 1991–92 aufgrund der Knappheit öffentlicher Mittel nur noch leicht. In den *östlichen Bundesländern* stieg die gesamte Bautätigkeit wegen der staatlichen Förderung relativ stark an. Insgesamt erhöhte sich der *Umsatz des deutschen Bauhauptgewerbes* 1991–92 um 18,0% auf 217,018 Mrd. DM. Die *Zahl der Beschäftigten* stieg um 1,5% auf 1,412 Mio. (davon 1,076 Mio. in den westlichen Ländern). Als Probleme für das gesamte Baugewerbe erwiesen sich der Mangel an Fachpersonal und an Nachwuchs, andererseits die Konkurrenz billiger, häufig »schwarz« arbeitender Bauarbeiter aus Osteuropa.

Bis Mitte der 80er Jahre war in der *BR Deutschland* weitestgehende Bedarfsdeckung mit Wohnungen erreicht worden. Seit 1987/88 wurde v. a. in den Verdichtungsräumen wieder ein Mangel an preisgünstigen Mietwohnungen spürbar, der inzwischen auch auf dem Markt für Einfamilienhäuser und Eigentumswohnungen übergriff und zu starken Preissteigerungen führte. Dieses neue Ungleichgewicht auf dem Wohnungsmarkt wurde einerseits durch den überraschend starken Zuzug ins Bundesgebiet verursacht (deutsche Aussiedler aus Osteuropa und Ausländer, seit Ende 1989 auch aus der ehem. DDR), andererseits durch die steigende Nachfrage nach Zweitwohnungen und die sinkende Bereitschaft von Hausbesitzern, freiwerdende Wohnungen wieder zu vermieten (z. B. Umwandlung von Zwei- in Einfamilienhäuser). Durch *staatliche Förderung* und erleichterte Baugenehmigungen soll erreicht werden, daß auch 1993 und in den folgenden Jahren jeweils rd. 400000 Wohnungen in den alten Bundesländern gebaut werden. In den *neuen Ländern* besteht v. a. ein sehr großer Renovierungs- und Sanierungsbedarf angesichts von 1,5 Mio. (von insges. 7 Mio.) kaum mehr bewohnbaren Wohnungen. Man schätzt den Neubaubedarf auf rd. 1 Mio. Wohnungen, einschl. Ersatz für rd. 700000 Wohnungen, die mittelfristig wegen ihres Zustandes abgebrochen werden müssen. 1992 wurden nur rd. 30000 neue Wohnungen gebaut, da v. a. ungeklärte Eigentumsfragen und die Finanzierung große Probleme darstellen.

Insgesamt betrug nach Angaben des Statistischen Bundesamtes die *Zahl der Wohnungen* am 31. 12. 1990 in *Deutschland* 33,856 Mio., davon 26,839 in den alten und 7,017 Mio. in den neuen Bundesländern. Die *Wohnfläche* je Wohnung betrug 86,5 bzw. 64,4 m².

Bier *Ausstoß* (nach EG- und UNO-Angaben) 1989 in Mio. hl: USA (1988) 231,985 – BR Deutschland 87,761 – VR China 64,339 – Japan 62,869 – UdSSR 60,182 – Großbritannien 54,950 – Brasilien 42,343 – DDR 24,843 – Spanien (1987) 24,788 – Kanada

(1986) 23,547 – ČSFR 22,770 – Australien 19,508 – Frankreich (1986) 19,000 – Niederlande 18,810 – Jamaika 18,744 – Südafrika 18,610 – Belgien (1988) 13,792 – Rep. Korea (Süd-K.) 12,108 – Polen 12,082 – Kolumbien (1988) 11,973 – Jugoslawien 11,286 – Italien 10,615 – Rumänien 10,573 – Ungarn 9,722 – Österreich 9,174 – Dänemark (1988) 9,160 – Nigeria (1987) 6,695 – u. a. Schweiz (1987) 4,045. *Weltproduktion* 1989 1044,835 Mio. hl (nur Bier aus Malz).

In *Deutschland* nahm der *Bierausstoß* 1992 erneut zu; es wurden 120,172 Mio. hl gebraut, davon 31,366 Mio. hl in Nordrhein-Westfalen, 29,301 Mio. hl in Bayern und 13,015 Mio. hl in den neuen Bundesländern (mit Berlin). Der Bierkonsum liegt z. Z. bei rd. 143 l/Einw. und Jahr. Die Zahl der *Brauereien* betrug 1992 in den westlichen Bundesländern 1310.

Chemische Industrie

Die *chemische Industrie* stagnierte 1992 im weltweiten Durchschnitt als Folge der Konjunkturschwäche in wichtigen Industriestaaten und des wirtschaftlichen Niedergangs in Osteuropa. *Stagnation bis Rückgang der Produktion* meldeten Deutschland, Frankreich, die USA, Japan, besonders aber die Staaten der ehem. UdSSR. Größere *Zuwächse* waren lediglich in den ostasiatischen »Schwellenländern« zu verzeichnen. In vielen Ländern litt die chemische Industrie unter den wirtschaftlichen Problemen der Landwirtschaft (verringerter Absatz an Dünger und Pflanzenschutzmitteln), in anderen unter der Konjunkturschwäche des Kraftfahrzeugbaus (Kunststoffe, Lacke, Gummi) und den Problemen der Textilindustrie (Kunstfasern). Begünstigt wurde die chemische Industrie auch 1992 durch die anhaltend niedrigen Preise für Erdöl und -gas, Kohle und andere Rohstoffe.

Die *Verlagerung von Produktionskapazitäten* aus den Industrie- in Entwicklungsländer setzte sich fort und betraf v. a. die Petrochemie. So kam es in den letzten Jahren zur Errichtung neuer Produktionsstätten für Mineralölprodukte, Kunststoffe und -fasern, Düngemittel u. a. in Erdölförderländern sowie in lateinamerikanischen und ostasiatischen »Schwellenländern«, während gleichzeitig die Kapazitäten in Westeuropa und Nordamerika stagnierten und z. T. verringert wurden. Aufgrund der verschärften *Umweltgesetzgebung* wurde hier weniger in neue Anlagen als in Um- und Ausbauten bestehender Produktionsstätten investiert mit dem Ziel, schädliche Emissionen zu verringern. Neben den weltweit höchsten Arbeitskosten wurde auch die Kostenbelastung durch zunehmend verschärfte Umweltschutz-Auflagen für die deutsche Chemie zu einem Problem, das ihre internationale Wettbewerbsfähigkeit betrifft.

In *Deutschland* zeigte die *chemische Industrie* 1992 einen ausgeprägten West-Ost-Gegensatz. Während es in den alten Bundesländern bei leicht rückläufiger *Beschäftigtenzahl* (von 589,8 auf 573,6 Tsd. im Lauf des Jahres) noch eine leichte *Umsatzzunahme* gab (um 1,1 % auf 201,944 Mrd. DM), schrumpfte die Chemie in der ehem. DDR weiter. Durch die weitere Schließung umweltschädigender und nicht wettbewerbsfähiger Fabriken ging die Zahl der Beschäftigten um 43,5 % auf 69,4 Tsd. zurück; der Umsatz sank um 10,5 % auf 7,752 Mrd. DM. Erneut wurden erhebliche Summen in die Umstrukturierung und Modernisierung der ostdeutschen chemischen Industrie investiert. – Im *Welthandel mit Chemieprodukten* (Exporte) steht *Deutschland* zusammen mit den USA und Japan an der Spitze, doch ging der Export 1992 zurück. Der gesamte Auslandsumsatz der deutschen Chemie sank 1992 um 2,0 % auf 81,577 Mrd. DM, d. h. 38,9 % (1989 noch 43,7 %).

Produktion der chemischen Industrie

Kunstfasern auf Zellulose- und Synthetikbasis *Produktion* 1990 (1989) in 1000 t: USA 3115 (3382) – Rep. China (Taiwan) 1770 (1671) – Japan 1701 (1654) – VR China 1512 (1408) – UdSSR 1475 (1478) – Rep. Korea (Süd-K.) 1270 (1190) – Deutschland 1210 (1351) – Indien 648 (566) – Italien 597 (575) – Mexiko 323 (338) – Spanien 287 (295) – Türkei 269 (283) – Brasilien 261 (301) – Großbritannien 253 (240) – u. a. Österreich 135 (136). *Weltproduktion* 1990 (1989) 17,715 (17,682) Mio. t, davon 14,869 (14,805) Mio. t Synthetics.

1992 erhöhte sich die *Weltproduktion von Chemiefasern* um 3 % auf rd. 20,2 Mio. t. Die Zunahme entfiel überwiegend auf die 3 aufstrebenden ostasiatischen Erzeugerländer VR China, Rep. China (Taiwan) und Rep. Korea (Südkorea), die zusammen auf rd. 25 % der Weltproduktion kamen. Der Anteil der USA ging 1992 auf 18,9 %, derjenige Westeuropas auf 17,3 % zurück.

Kunststoffe (Plastik) *Produktion* 1990 (1989) in Mio. t: USA 16,188 (18,786) – Japan 11,085 (10,417) – Deutschland 10,004 (10,357) – UdSSR (1988) 4,634 – Belgien (1988) 3,980 – Frankreich 3,782 (3,770) – Niederlande 3,428 (3,265) – Italien (1989) 3,239 – Rep. Korea (Süd-K.) 2,788 (2,301) – VR China 2,270 (2,058) – Großbritannien (1989) 1,827 – ČSFR 1,174 (1,186) – Österreich 0,919 (0,919) – Jugoslawien 0,667 (0,742) – Polen 0,627 (0,721).

Synthetischer Kautschuk *Produktion* 1990 (1989) in 1000 t: UdSSR 2365 (2280) – USA 2115 (2261) – Japan 1426 (1352) – Deutschland 630 (651) – Frankreich 522 (587) – VR China 316 (289) – Italien 300 (295) – Großbritannien 299 (311) – Brasilien 252 (257) – Niederlande 236 (213) – Rep. Korea

(Süd-K.) 227 (169) – Kanada 213 (188) – Rep. China (Taiwan) 154 (139) – Mexiko 133 (141) – Belgien 125 (120) – Polen 103 (125). *Weltproduktion* 1990 (1989) 10,000 (10,040) Mio. t.

Hauptanwendungsgebiet für Synthesekautschuk sind Fahrzeugreifen und -schläuche, auf die rd. 50 % entfallen.

Schwefelsäure (H_2SO_4) *Produktion* 1990 in Mio. t: USA 40,163 – UdSSR 27,267 – VR China 11,969 – Japan 6,887 – Deutschland 4,400 – Brasilien (1988) 4,049 – Frankreich 3,727 – Kanada (1989) 3,560 – Tunesien (1988) 3,316 – Spanien (1989) 3,311 – Indien (1989) 3,293 – Großbritannien 1,996 – Belgien 1,906 – Italien 1,904 – Polen 1,721 – Australien 1,464 – Jugoslawien 1,350. *Weltprodukion* 1989 142,280 Mio. t.

Ätznatron (NaOH) *Produktion* 1990 in Mio. t: USA (1989) 9,516 – Japan 3,917 – Deutschland 3,871 – VR China 3,354 – UdSSR 2,974 – Kanada (1989) 1,679 – Frankreich 1,426 – Italien 1,101 – Brasilien (1989) 0,991 – Indien (1989) 0,903 – Rumänien 0,556. *Weltprodukion* 1989 35,346 Mio. t.

Mineraldünger (Handelsdünger) *Produktion* 1990/91 (nach FAO) in Mio. t:
Stickstoffdünger (N): VR China 14,915 – USA 13,552 – UdSSR 13,094 – Indien 6,993 – Kanada 2,683 – Indonesien 2,462 – Niederlande 1,875 – Frankreich 1,524 – Mexiko 1,366 – Polen 1,303 – Rumänien 1,249 – Deutschland 1,165 – Pakistan 1,120 – Großbritannien 0,980 – Japan 0,957 – Türkei 0,947 – Bulgarien 0,915 – Spanien 0,886 – Italien 0,762 – u. a. Österreich 0,227 – Schweiz 0,027. *Weltprodukion* 1990/91 (1989/90) 82,270 (84,640) Mio. t.

Phosphatdünger (P_2O_5): USA 10,096 – UdSSR 8,961 – VR China 4,196 – Indien 2,089 – Marokko 1,180 – Brasilien 1,057 – Frankreich 0,921 – Indonesien 0,589 – Türkei 0,525 – Polen 0,467 – Japan 0,429 – Rep. Korea (Süd-K.) 0,414 – Rumänien 0,387 – Kanada 0,348 – Deutschland 0,294 – Australien 0,270. *Weltprodukion* 1990/91 (1989/90) 38,906 (39,733) Mio. t.

Kalidünger (K_2O): UdSSR 9,037 – Kanada 7,520 – Deutschland 4,462 – Israel 1,295 – Frankreich 1,292 – USA 1,008 – Spanien 0,642. *Weltprodukion* 1990/91 (1989/90) 26,720 (28,328) Mio. t.

Eisen Erzeugung von Roheisen einschl. Hochofenlegierungen (nach »Statist. Jahrbuch d. Stahlindustrie«) 1991 (1990) in Mio. t

UdSSR	90,953	(110,167)
Japan	79,985	(80,228)
VR China	67,164	(62,606)
USA	44,037	(49,666)
Deutschland	30,989	(32,256)
Rep. Korea (Süd-K.)	18,510	(15,339)
Brasilien	18,296	(21,141)

Eisen *(Forts.)*

Indien	14,176	(12,645)
Frankreich	13,646	(14,416)
Großbritannien (ohne Leg.)	12,094	(12,497)
Belgien-Luxemburg	11,839	(12,104)
Italien	10,856	(11,883)
ČSFR	8,479	(9,667)
Kanada	8,268	(7,346)
Südafrika	6,968	(6,257)
Polen	6,297	(8,423)
DVR Korea (Nord-K., S)	6,000	(5,900)
Australien	5,633	(6,127)
Spanien	5,404	(5,482)
Niederlande	4,696	(4,960)
Rumänien (S)	4,644	(6,355)
Türkei	4,589	(4,827)
Österreich	3,439	(3,452)

Welterzeugung von Roheisen und Eisenlegierungen 1991 (1990) 507,876 (531,835) Mio. t. – Zur aktuellen Problematik der *Eisen- und Stahlindustrie* → *Stahl.*

Elektrotechnische Industrie

Das Wachstum der *Welt-Elektro- bzw. Elektronikindustrie* schwächte sich 1992 weiter ab und erreichte nur noch rd. 1 %. In den meisten europäisch-nordamerikanischen Industriestaaten stagnierten die Umsätze (z. B. Haushaltsgeräte, Unterhaltungselektronik, elektron. Datenverarbeitung) oder gingen sogar konjunkturbedingt zurück (Kfz.-Elektronik). Dagegen verstärkten die ostasiatischen Länder ihre führende Rolle bei der Unterhaltungselektronik (Japan, VR China, Rep. China/Taiwan, Hongkong, Singapur, Rep. Korea/Süd-K.). Besonders die geringen Lohn- und Lohnnebenkosten in diesen Ländern lassen eine sehr preisgünstige Erzeugung zu, so daß auch deutsche Firmen ihre Produktionsstätten zunehmend nach Ostasien verlagern. Japan ist außerdem, vor den USA, führender Produzent von Mikroprozessoren (Chips).

In *Deutschland* verzeichnete die Elektrotechnik im engeren Sinn (d. h. ohne EDV) 1992 ein minimales Wachstum, das allein auf die westlichen Bundesländer entfiel, während in den neuen Ländern weiterhin Kapazitäten und Personal abgebaut wurden. Der *Umsatz* stieg 1991–92 insgesamt um 3,4 % (nach Abzug von Preissteigerungen 1 %) auf 226,805 Mrd. DM, der Anteil des Auslandsumsatzes sank auf 27,8 %. Die Zahl der *Beschäftigten* reduzierte sich zum Jahresende 1992 auf 1,067 Mio. Produktionssteigerungen erbrachten 1992 die Bereiche Telekommunikation (Nachholbedarf in Ostdeutschland), Datentechnik und Haushaltsgeräte; Rückgänge verzeichneten die Unterhaltungselektronik, Meßtechnik, Energieerzeugung und Kfz.-Elektrik.

Produktion elektrotechnischer Geräte

Fernsehgeräte *Produktion* 1990 in Mio.: VR China 26,847 – Rep. Korea (Süd-K.) 15,838 – USA (1989) 14,718 – Japan 13,243 – Hongkong (1987) 11,269 – UdSSR 10,540 – Deutschland 4,227 – Großbritannien 3,659 – Rep. China (Taiwan) 3,398 – Frankreich 2,819 – Italien 2,324 – Belgien (1988) 0,946 – Polen 0,748 – ČSFR 0,505. *Weltproduktion* 1988 109,500 Mio.

Kühlschränke (Haushaltsk.) *Produktion* 1990 in Mio.: USA 7,101 – UdSSR 6,499 – Italien 5,762 – Japan 5,048 – Deutschland 5,042[1] – VR China 4,631 – Rep. Korea (Süd-K.) 2,827 – Großbritannien 1,499[1] – Jugoslawien 0,979 – Polen 0,606 – ČSFR 0,449. *Weltproduktion* 1988 54,417 Mio.
[1] = einschl. Gefrierschränke

Rundfunkgeräte *Produktion* 1990 in Mio.: Hongkong (S) 40,000 – VR China 21,030 – Singapur (1988) 19,618 – Japan (1988) 10,969 – UdSSR 9,168 – Deutschland 6,477 – Rep. China (Taiwan) 5,893 – USA (1989) 2,596 – Frankreich 1,846 – Polen 1,433 – Rep. Korea (Süd-K.; 1988) 1,414 – Indien (1989) 1,044 – Südafrika (1989) 0,428. *Weltproduktion* 1988 146,608 Mio.

Waschmaschinen (vollautomat. Haushaltsw.) *Produktion* 1990 in Mio.: UdSSR 7,818 – VR China 6,627 – USA 6,192 – Japan 5,576 – Italien 4,349 – Deutschland 3,135 – Rep. Korea (Süd-K.) 2,163 – Frankreich 1,636 – Großbritannien 1,324 – Polen 0,483 – ČSFR (1989) 0,454. *Weltproduktion* 1988 47,267 Mio.

Energieproduktion und -verbrauch
Erzeugung fossiler, mineralischer und pflanzlicher Energieträger → *Braunkohle, Erdgas, Erdöl, Steinkohle, Uran; Holz*

Elektrizitätserzeugung 1991 (1990) in Mrd. kWh (nach UNO-Angaben)

USA[1]	2 821,572	(3 005,340)
UdSSR	1 633,872	(1 673,460)
Japan	772,828	(857,268)
VR China	671,016	(618,000)
Kanada	489,852	(481,788)
Deutschland	542,300	(564,386)
Frankreich	454,550	(419,219)
Großbritannien	320,204	(318,063)
Indien[2]	281,729	(264,300)
Brasilien (1990 bzw. '89)	222,192	(229,824)
Italien	220,364	(216,928)
Australien	156,160	(154,572)
Spanien	155,705	(150,585)
Südafrika	143,600	(147,240)
Schweden	142,416	(142,008)
Polen	134,592	(136,320)
Norwegen	124,800	(121,584)
Mexiko[1]	119,900	(122,472)
Rep. Korea (Süd-K.)[2]	118,620	(107,664)
ČSFR	83,352	(84,720)
u. a. Schweiz	54,025	(55,800)
Österreich	51,480	(50,412)

[1] = Nettoproduktion, nur öffentl. Erzeugung
[2] = ohne industrielle Eigenproduktion

Welterzeugung an Elektrizität 1991 (1990) 10,730 (11,179) Mrd. kWh.

Die *Elektrizitätserzeugung* erfolgt durch unterschiedliche *Primärenergien*, deren Anteile in den einzelnen Ländern stark differieren. Der Anteil des *Erdöls* an der Stromerzeugung ist v. a. in den arabischen Ländern (fast 100%), aber auch in Italien (rd. $^2/_3$) und Japan (25%) relativ hoch. Einen hohen Anteil des *Erdgases* erreichen z. B. die Niederlande (rd. 65%) und Irland (45%); die *Steinkohle* dominiert in Dänemark, Südafrika (je 90–95%), Großbritannien (65%), den USA (fast 60%) und Spanien (über 40%), die *Braunkohle* in den neuen deutschen Bundesländern (1992 91%) und in Griechen-

a) Westdeutschland (»alte« Bundesländer)

Gesamterzeugung 461,7 Mrd. kWh

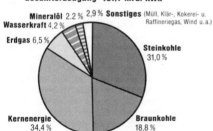

Mineralöl 2,2% 2,9% Sonstiges (Müll, Klär-, Kokerei- u. Raffineriegas, Wind u. a.)
Wasserkraft 4,2%
Erdgas 6,5%
Steinkohle 31,0%
Kernenergie 34,4%
Braunkohle 18,8%

b) Ostdeutschland (»neue« Bundesländer)

Gesamterzeugung 74,9 Mrd. kWh

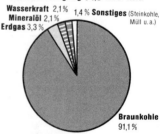

Wasserkraft 2,1% 1,4% Sonstiges (Steinkohle, Müll u. a.)
Mineralöl 2,1%
Erdgas 3,3%
Braunkohle 91,1%

Die Stromerzeugung in Deutschland 1992
(Elektrizitätserzeugung in öffentlichen und privaten Kraftwerken)

Versorgungsstruktur der Kraftwerke in Deutschland (nach VDEW) Stand 1.1.1992
Engpaßleistung in MW (brutto)

	öffentl. Versorg.	Industrie	Bahn	Insgesamt	
Steinkohle	27012	6591	576	34179	(27,1%)
Braunkohle	25771	3722	40	29533	(23,5%)
Kernenergie	23592	–	155	23747	(18,9%)
Erdgas	13233	4556	215	18004	(14,3%)
Heizöl	9225	1221	–	10446	(8,3%)
Wasserkraft	8181	220	339	8740	(6,9%)
Müll u. sonst.	704	602	–	1306	(1,0%)
Insgesamt	107718	16912	1325	125955	(100,0%)

land (rd. 65%), *Stein- und Braunkohle* zusammen in der VR China (rd. 75%) und in Deutschland (alte und neue Bundesländer zus. 1992 55,4%); der Anteil der *Kernenergie* ist relativ hoch in Frankreich (75%), Belgien (61%), Ungarn (48%), Schweden (47%), Rep. Korea/Süd-K. (45%), Schweiz (42%), Rep. China/Taiwan (39%), Spanien (36%), Finnland (35%), Bulgarien (30%), aber auch in Deutschland (1992 29,6%; in Westdeutschland allein 34,4%). Der Anteil der *Wasserkraft* erreicht hohe Werte z. B. in Österreich (64%), Kanada (62%), der Schweiz (55%) sowie in vielen Entwicklungsländern (z. B. Ghana 99%, Brasilien 93%, Kenia 83%, Venezuela 61%, Südamerika zusammen 77%). Derartige Berechnungen weichen in verschiedenen Quellen oft voneinander ab, je nachdem auf welcher Basis umgerechnet wird und ob nur die öffentliche oder auch die industrielle Stromerzeugung einbezogen wird.

In *Deutschland* verringerte sich das *Aufkommen an Elektrizität* 1991–92 wegen einer erneuten Abnahme in Ostdeutschland (neue Bundesländer) bei stagnierenden westdeutschen Werten von 530,8 (1991) auf 526,5 (1992) Mrd. kWh. Diese Summe setzte sich zusammen aus der *inländischen Stromerzeugung* von 1992 (1991) brutto 536,6 (539,4) bzw. netto (abzüglich Eigenverbrauch der Kraftwerke) 497,9 (500,4) Mrd. kWh und aus *Stromimporten* von 28,6 (30,4) Mrd. kWh. Vom *Gesamtaufkommen* entfielen 1992 (1991) 33,5

(31,0) Mrd. kWh auf *Exporte* sowie 26,2 (26,9) Mrd. kWh auf Pumpstromverbrauch der Kraftwerke und Netzverluste, so daß sich für 1992 (1991) ein *Netto-Stromverbrauch* von 466,8 (472,9) Mrd. kWh ergab, d. h. ein Rückgang von 1,3%. Der Brutto-Stromverbrauch betrug 1992 (1991) 487,9 (494,6) Mrd. kWh. Vom Nettoverbrauch entfielen 1992 (1991) 407,9 (409,7) Mrd. kWh auf West- und 58,9 (63,2) kWh auf Ostdeutschland.

Eine Aufgliederung nach *Nutzergruppen* für 1992 ergab (in Mrd. kWh) für die Industrie 225,0 = 48,2% – private Haushalte 123,0 = 26,3% – sonstige Kleinverbraucher (Gewerbe, Landwirtschaft, öffentliche Einrichtungen) 104,0 = 22,3% – Verkehr 15,0 = 3,2%. Die *Abnahme des Stromverbrauchs* in Deutschland 1991–92 geht auf die Konjunkturschwäche der Industrie zurück, während der Verbrauch der übrigen Gruppen stagnierte bis leicht zunahm. Vom *Haushaltsstromverbrauch* entfielen im Durchschnitt der letzten Jahre u. a. auf Raumheizung 24% – Kühlschrank und Gefriergerät 23% – Warmwasser (Küche, Bad) 13% – Elektroherd 9% – Waschmaschine u. Wäschetrockner 7% – Beleuchtung 6% – Fernseher u. Radio 5% – Geschirrspüler 2% – Sonstiges 11% (nur alte Bundesländer).

Die *installierte Kraftwerksleistung* enthält größere Reserven für Leistungsspitzen, Kraftwerksausfälle usw. Während in den alten Bundesländern Steinkohle (32,2%) und Kernenergie (22,7%) an der

Einsatz von Energieträgern für den Welt-Energieverbrauch 1970–1991
(nach »ESSO« und »Yearbook of World Energy Statistics«, UNO)

	1970		1980		1985		1990		1991	
	Mio. t SKE	%	Mio. t SKE	%	Mio. t SKE	%	Mio. t SKE	%	Mio. t SKE	%
Erdöl	3009	45,3	3996	44,7	3797	39,1	4192	38,5	4208	38,3
Kohle	2184	32,9	2632	29,5	3038	31,2	3269	30,0	3245	29,6
Erdgas	1293	19,5	1834	20,5	2104	21,6	2428	23,1	2490	22,7
Kernenergie	10	0,1	251	2,8	535	5,5	725	6,7	758	6,9
Wasserkraft, Sonst.	145	2,2	218	2,4	249	2,6	269	2,5	277	2,5
Insgesamt	6641	100,0	8931	100,0	9723	100,0	10883	100,0	10978	100,0

Spitze der Primärenergien für die Versorgung der Kraftwerke stehen, rückte im vereinigten Deutschland die Braunkohle an die 2. Stelle, da in Ostdeutschland allein 79,2% der Kraftwerksleistung auf Braunkohle entfallen. Von der gesamten deutschen Kraftwerkskapazität entfielen 1992 83% auf West- und 17% auf Ostdeutschland. – Ein Vergleich der vorhandenen *Kraftwerke* (vgl. Tab.) mit der *Stromerzeugung* (vgl. Abb.) zeigt, daß der Bedarf ganz überwiegend durch die Kohle- und Kernkraftwerke gedeckt wird (zusammen 85% bei nur 69% der installierten Kraftwerksleistung), während Öl- und Gaskraftwerke, insbesondere die Anlagen der öffentlichen Versorgung, hauptsächlich für den Spitzenbedarf und für Notfälle vorgehalten werden.

Energieproduktion

Die *Welterzeugung von Energie* erreichte 1992 nach ersten Schätzungen rd. 11 Mrd. t SKE (Steinkohleeinheiten). Die letzten genaueren Berechnungen über *Welterzeugung und Weltverbrauch* von Energie liegen für 1991 vor (»Energy Statistics Yearbook« der UNO) und ergaben (1991 bzw.1990) eine *Primärenergieproduktion* von 10,978 (10,883) Mrd. t SKE und einen *Energieverbrauch* von 10,285 (10,272) Mrd. t SKE.

Erzeugung und Verbrauch von Energie sind stark konjunkturabhängig. Nach einer Zeit geringer Zuwächse zu Beginn der 80er Jahre gab es zur Zeit starken weltwirtschaftlichen Wachstums Mitte bis Ende der 80er Jahre auch größere Steigerungen des Energieverbrauchs. Hinzu kam die nach wie vor starke Zunahme der Weltbevölkerung. Seit Anfang der 90er Jahre ist mit der wirtschaftlichen Rezession in den wichtigsten Industrieländern (zunächst USA und Großbritannien, dann auch Deutschland und Japan) und dem Zusammenbruch der Volkswirtschaften des ehem. »Ostblocks« auch eine deutliche Verlangsamung der Energieverbrauchs-Zuwächse festzustellen. Einige Schätzungen gehen sogar für 1992/93 von einem Rückgang gegenüber 1991 aus. Außerdem werden stärkere Verbrauchssteigerungen durch die Einsparungsbemühungen in den Industrieländern und den Kapitalmangel der Entwicklungsländer verhindert. Die Tabelle zeigt den globalen Einsatz der wichtigsten Energieträger und ihre Veränderungen bezüglich des Verbrauchs bis 1991. Derartige Berechnungen können in verschiedenen Quellen beträchtlich voneinander abweichen, je nach dem Umrechnungsmodus und nach dem Ausmaß der Einbeziehung nichtkommerzieller Energieträger (z. B. tierische Energie wie Zug- oder Lasttiere, Brennholz, privat genutzte Wind- und Wasserkräfte, Solarenergie u. ä.).

Der **Weltverbrauch von Primärenergie** steigerte sich 1970–1991 um 65,3%. Ein erster Höchststand war bereits 1979 mit 8,950 Mrd. t SKE erreicht worden; dieser Jahresverbrauch sank dann infolge des weltwirtschaftlichen Produktionsrückgangs und der Einsparungsbemühungen nach den »Ölpreisschocks« und wurde erst 1984 wieder überschritten. Der *wichtigste Energieträger* ist weiterhin mit großem Abstand das *Erdöl* (1991: 38,3%). Sein Verbrauch nahm v. a. in den 60er und 70er Jahren stark zu und deckte einen Großteil des damaligen Mehrbedarfs an Energie, insbesondere auch für die zunehmende Motorisierung. Seit 1979 ist der Erdölanteil prozentual rückläufig. Beim *Erdgas* war dagegen die jährliche Steigerung wesentlich höher als die allgemeine Zunahme des Energieverbrauchs; sein Anteil stieg von 19,5% (1970) über 20,5% (1980) und 21,6% (1985) auf 22,7% (1991). Der Weltverbrauch des »klassischen« Energierohstoffs *Stein- und Braunkohle*, des zweitwichtigsten Energieträgers, nahm zwar in den 60er und 70er Jahren zu, aber sein Anteil am Gesamtverbrauch sank (1970: 32,9% – 1980: 29,5%); er stieg ab 1980 durch den gezielten und von vielen Staaten durch Subventionen geförderten Einsatz zur Erdölsubstitution zeitweise wieder an (1985: 31,2%), ging jedoch Ende der 80er Jahre bzw. Anfang der 90er Jahre wieder leicht zurück (1990: 30,0% – 1991: 29,6%). Die höchsten Zuwachsraten verzeichnete der Einsatz der *Kernenergie*, v. a. bis Mitte der 80er Jahre (1970: 0,1% – 1975: 1,7% – 1980: 2,8% – 1985: 5,5% – 1990: 6,7% – 1991: 6,9%). Der Anteil der *Wasserkraft* und anderer *regenerierbarer Energiequellen* nahm von 1970 (2,2%) über 1975 (2,3%) und 1980 (2,4%) bis 1985 (2,6%) leicht zu und stagniert seitdem bei 2,5%. Größere Bedeutung hat die Wasserkraft v. a. in vielen Entwicklungsländern. In den Industrieländern ist ihr Anteil relativ unbedeutend und nur schwer steigerungsfähig.

Aufgrund von Schätzungen und unter Berücksichtigung der weiteren Entwicklung beim Kraftwerksbau und bei der Motorisierung kann davon ausgegangen werden, daß die Anteile der einzelnen Energieträger sich 1992/93 und in den kommenden Jahren nicht wesentlich gegenüber 1991 verändern.

Energieverbrauch nach Kontinenten und Regionen (in Mrd. t SKE; nach »Energy Statistics Yearbook« der UNO)

	1980	1985	1990
Europa (ohne UdSSR bzw. GUS) .	2,189	2,153	2,144
UdSSR bzw. GUS	1,508	1,757	1,931
Nord- u. Mittelamerika	2,790	2,718	2,963
Südamerika	0,247	0,258	0,298
Afrika	0,191	0,221	0,275
Asien	1,564	1,979	2,527
davon China	0,545	0,729	0,922
Japan	0,433	0,457	0,512
Australien und Ozeanien	0,105	0,125	0,148

Der **Energieverbrauch pro Einwohner** ist in den einzelnen Staatengruppen der Erde extrem unterschiedlich, je nach wirtschaftlicher und technischer Entwicklung. Weltweit sank der *Energieverbrauch pro Kopf* von seinem Höchststand 1979 (2,061 kg SKE) auf 1,932 kg SKE (1990), und zwar aus unterschiedlichen Ursachen:
– *sparsamerer Umgang mit Energie* in den hochentwickelten westlichen Industriestaaten (z. B. Rückgang des Pro-Kopf-Verbrauchs 1980–90 in Europa um 5 %, in Nordamerika um 7 %),
– *wirtschaftliche Schwierigkeiten der rohstoffarmen Entwicklungsländer,* in denen größere Energieimporte durch Devisenmangel verhindert werden, so daß hier die Bevölkerungszahl stärker wächst als der Energieverbrauch,
– *Zusammenbruch großer Teile der Industrie im ehem. »Ostblock«,* wodurch der Energieverbrauch stark sank.
Auf *Nordamerika* und *Europa* mit nur rd. 13 % der Weltbevölkerung entfielen 1990 trotz der genannten Einsparungen immer noch fast 50 % des Weltenergieverbrauchs. Dagegen verbrauchten *Afrika* mit 11,9 % und *Südamerika* mit 8,4 % der Weltbevölkerung 1990 nur 2,7 bzw. 2,9 % des Weltenergieangebots. Die größten *Energieverbraucher* waren 1990 in Mio. t SKE: USA 2482 – UdSSR 1931 – VR China 922 – Japan 512 – Deutschland 457 – Großbritannien 287 – Indien 265 – Frankreich 223 – Italien 210.

Energieverbrauch pro Kopf in ausgewählten Ländern (nur kommerzielle Energie in kg SKE, nach »Energy Statistics Yearbook«):

	1980	1985	1990
Tschad	23	21	18
Burundi	14	17	20
Nepal	17	20	20
Mali	28	26	24
Äthiopien	21	19	26
Madagaskar	86	50	40
Sri Lanka	110	113	130
Honduras	247	219	170
Philippinen	330	243	301
Ägypten	512	628	736
Brasilien	762	708	766
Algerien	1 322	903	1 482
Portugal	1 281	1 393	1 868
Spanien	2 321	2 218	2 526
Italien	3 346	3 431	3 676
Schweiz	3 835	3 753	3 911
Frankreich	4 507	4 020	3 966
Österreich	4 139	3 962	4 063
Japan	3 710	3 781	4 148
Großbritannien	4 809	4 842	4 988
BR Deutschland	6 036	5 741	5 572
UdSSR	5 677	6 332	6 692
DDR	7 208	7 605	7 115
USA	10 381	9 523	9 958

Der *Pro-Kopf-Verbrauch an Energie* hängt stark vom technischen Entwicklungsstand eines Landes ab, aber auch von der Wirtschaftsstruktur und der Zusammensetzung der Industrie (z. B. hoher Verbrauch der Montan- und chemischen Industrie), dem Grad der Motorisierung, dem Klima (Dauer der Heizperiode), außerdem von den verwendeten Energieträgern und dem Grad der Rationalisierung bzw. Verschwendung beim Energieeinsatz (vgl. ehem. DDR und UdSSR). Während der Verbrauch in den aufstrebenden Entwicklungsländern (»Schwellenländer«) zunimmt, machen sich in den meisten westlichen Industriestaaten seit einigen Jahren Abnahmetendenzen bemerkbar (Automatisierung, Einsparungen, verbesserte Heizungs- und Verkehrstechniken, Wärmedämmung der Gebäude, Abbau der Schwerindustrie usw.)

Die **Weltvorräte an Energierohstoffen** bzw. die **Potentiale an regenerierbaren Energieträgern** sind nur schwer abzuschätzen. Selbst Expertenaussagen differieren stark, je nachdem, ob nur die heute wirtschaftlich ausbeutbaren Vorkommen berücksichtigt werden oder die nach derzeitigem Kenntnisstand überhaupt vorhandenen oder auch die nur vermuteten. Große Unsicherheit besteht v. a. darüber, inwieweit regenerierbare bzw. sog. »alternative« Energiequellen wirtschaftlich und ökologisch sinnvoll einsetzbar sind (z. B. Sonnen- und Windenergie, Gezeiten- und geothermische Energie, Wasserkraftnutzung). Die Haupthindernisse für eine vermehrte *Nutzung der regenerativen Energiequellen* sind
– meist *geringe Energiedichte* und, damit verbunden,
– häufig ein *ungünstiges Verhältnis zwischen Aufwand und Ertrag,*
– starke *Eingriffe in den Natur- und Landschaftshaushalt* (z. B. Wasserkraftwerke),
– meist sehr hohe *Abhängigkeit von Tages- und Jahreszeiten, klimatischen und geologischen Verhältnissen* u. a. (Problem der Speicherung elektrischer Energie).
Eine großtechnische Anwendung kommt daher, abgesehen von der in vielen Industrieländern schon sehr stark ausgebauten Wasserkraft, nur in seltenen Fällen in Frage; eher ist im Einsatz zur Lösung von Energieproblemen im regionalen und lokalen Maßstab möglich, z. B. in Entwicklungsländern mit mangelhafter Versorgungsinfrastruktur. Hier können *regenerative Energiequellen* dazu beitragen, den Raubbau am Wald (Brennholz) zu begrenzen, zumal Importe von Energierohstoffen (Kohle, Öl u. a.) für die meisten Entwicklungsländer finanziell kaum erschwinglich sind.
Über die bekannten und wirtschaftlich gewinnbaren *Reserven an fossilen und mineralischen*

Energieträgern gibt eine Studie der Bundesanstalt für Geowissenschaften und Rohstoffe (1989) Auskunft. Sie betragen: Uran 2350 Mrd. t SKE (Einsatz in Schnellen Brütern) bzw. 50 Mrd. t SKE (Einsatz in Leichtwasserreaktoren) – Kohle 609 Mrd. t SKE – Erdöl (ohne Ölschiefer und -sande) 182 Mrd. t SKE – Erdgas 146 Mrd. t SKE. Hinzu kommen Ölschiefer und -sande mit rd. 185 Mrd. t SKE, die nur bei höheren Erdölpreisen wirtschaftlich gewinnbar sind. Die bekannten *Vorräte* nehmen z. Zt. noch jährlich zu, da das Volumen der Neuentdeckungen größer ist als das des Abbaus. Dennoch ist die *Erschöpfung dieser Energieträger* absehbar, bei den Mineralöl- und Gasvorkommen mittel- bis längerfristig, bei den Kohle- und Uranvorkommen erst nach mehreren Jahrhunderten. Zu einer evtl. möglichen *Energienutzung des Wasserstoffs* mit Hilfe der *Kernverschmelzung*, die fast unbegrenzte Reserven bieten würde, lassen sich noch keine gesicherten Prognosen abgeben.

Weltweit gesehen dürfte mittelfristig der Anteil des Erdöls – längerfristig auch des Erdgases – an der Energieversorgung langsam, aber kontinuierlich geringer werden. Er wird voraussichtlich durch Kohle und Kernenergie ersetzt, die nach den Planungen der meisten Industriestaaten mittel- bis längerfristig die führende Rolle übernehmen und auch den weiteren Zuwachs des Verbrauchs decken sollen, der v. a. in den großen Entwicklungsländern zu erwarten ist. Eine Änderung ist nur wahrscheinlich, wenn es zu einem Durchbruch bei der Kernverschmelzung oder, was eher möglich erscheint, bei der großtechnischen Anwendung regenerativer Energien (z. B. Solarenergie) kommen sollte. Die *IEA* (Internationale Energie-Agentur) erwartet jedoch, daß die Abhängigkeit von den traditionellen fossilen Energieträgern und von Uran voraussichtlich noch Jahrzehnte bestehenbleibt.

In der **BR Deutschland** (alte Bundesländer) erhöhte sich der **Energieverbrauch** von 211 Mio. t SKE (1960) über 337 Mio. t SKE (1970) auf rd. 408,2 Mio. t SKE (1979). Danach fiel der Energieverbrauch zunächst im Zuge der wirtschaftlichen Rezession auf 361,5 Mio. t SKE (1982) und stieg dann im Laufe des wirtschaftlichen Aufschwungs wieder an. In dieser Phase war ein »*Abkoppeln*« *des Energieverbrauchs von der Wirtschaftsentwicklung* festzustellen, d. h., der Energieverbrauch nahm wesentlich schwächer zu als das Wirtschaftswachstum. So stieg der Primärenergieverbrauch 1973–92 um rd. 11 %, während das reale Bruttosozialprodukt um fast 50 % zunahm. 1991–92 kam es zu einer leichten *Abnahme des Energieverbrauchs* (–0,3 %), obwohl die Einwohnerzahl anstieg und die Wirtschaftstätigkeit (reales BSP) um 0,8 % zunahm. Ursachen dieser längerfristigen Ent-

wicklung waren die verstärkten Anstrengungen zur Einführung energiesparender Technologien in der Industrie (z. B. chemische und Stahlindustrie), zur Verminderung von Energieverlusten, verbesserter Wärmedämmung und Heizungstechnik bei Wohnhäusern, benzinsparender Automotoren usw. 1992 kam als kurzfristig wirkender Einfluß die milde Witterung und die Konjunkturschwäche im Bereich der Schwerindustrie hinzu.

Der *westdeutsche Energieverbrauch* lag somit 1991 und 1992 mit 410,2 bzw. 409,0 Mio. t SKE in der Nähe des bisherigen Höchstwertes 408,2 (1979). In den *neuen Bundesländern* sank dagegen der Energieverbrauch 1991–92 um 13,7 % von 83,4 auf 72,0 Mio t SKE. Trotz zunehmenden Verbrauchs durch die stärkere Motorisierung schlugen v. a. die zahlreichen Betriebsschließungen in Industrie und Gewerbe zu Buche.

Für die *gesamte BR Deutschland* ergab sich 1991–92 eine *Verminderung des Primärenergieverbrauchs* von 493,6 auf 481,0 Mio. t SKE (–2,6 %). Hiervon entfielen 1992 (1991) auf Mineralöl 190,8 (189,6) bzw. 39,7 (38,4) % – Erdgas 82,0 (82,3) bzw. 17,1 (16,7) % – Steinkohle 74,7 (80,0) bzw. 15,5 (16,2) % – Braunkohle 73,7 (84,7) bzw. 15,3 (17,2) % – Kernenergie 50,7 (47,3) bzw. 10,5 (9,6) % – Wasserkraft 5,4 (4,7) bzw. 1,1

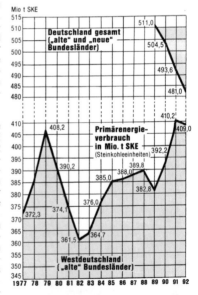

Der Energieverbrauch der BR Deutschland
(Primärenergie 1977 – 1992)

a) Westdeutschland (»alte« Bundesländer)   b) Ostdeutschland (»neue« Bundesländer)

Gesamtverbrauch 409,0 Mio t SKE   **Gesamtverbrauch 72,0 Mio t SKE**

Wasserkraft u. sonst. 2,3 %
Braunkohle 8,2 %
Kernenergie 12,4 %
Mineralöl 41,5 %
Steinkohle 17,6 %
Erdgas 18,0 %

Steinkohle 3,7 %
Erdgas 11,8 %
Wasserkraft und sonstiges −0,4 %
(negativer Wert durch Stromaußenhandel)
Mineralöl 29,2 %
Braunkohle 55,7 %

Die Energieträger in Deutschland 1992
Anteile am Primärenergieverbrauch
(nach »Arbeitsgemeinschaft Energiebilanzen«)

(0,9) % – Müll, Brennholz und sonstiges 5,3 (5,3) bzw. 1,1 (1,1) % – Strom-Außenhandelssaldo −1,6 (−0,3) bzw. −0,3 (−0,1) % (nach »Energiewirtsch. Tagesfragen« 3/1993).

Die absolute wie anteilige *Zunahme des Mineralölverbrauchs* geht auf vermehrte Heizenergie (Zunahme der Ölheizungen in Ostdeutschland), v. a. aber auf den erneuten Zuwachs des Benzin- und Dieselölverbrauchs für den verstärkten Kfz.-Verkehr zurück. – Der leichte Rückgang des *Erdgasverbrauchs* – trotz gestiegener Zahl der angeschlossenen Wohnungen – ergibt sich aus der milden Witterung (geringerer Heizungsbedarf). – Der relativ starke Rückgang der *Steinkohlenverwendung* ist eine Folge des verminderten Bedarfs der Stahlindustrie und anderer Branchen und der Kraftwerke. Ihr Bedeutungsverlust ist v. a. längerfristig bemerkenswert; 1955 deckte sie noch 72 % des Energiebedarfs der BR Deutschland. – Die *Braunkohle* rückte von der 2. an die 4. Stelle der Energieträger, da ihr Einsatz für die Energieversorung Ostdeutschlands aus Umweltschutzgründen drastisch reduziert wurde. – Der Einsatz der *Kernenergie* erhöhte sich 1991–92 wegen erhöhter Auslastung der Kraftwerke, deren Zahl konstant blieb. – Die Ursache der vermehrten Stromerzeugung durch *Wasserkraft* war die günstigere Wasserführung der Flüsse.

Der *Pro-Kopf-Verbrauch* an Energie betrug 1992 rd. 6,0 t SKE (6,3 t SKE in West- und 4,6 t SKE in Ostdeutschland). Der *»spezifische Energieverbrauch«* (Verhältnis zum erwirtschafteten Bruttosozialprodukt) belief sich 1992 in Westdeutschland auf 148 kg SKE je 1000 DM BSP, in Ostdeutschland wegen der ineffizienteren Energienutzung dagegen auf 311 kg SKE (1991 noch 427). Vom gesamten

Weltenergieverbrauch entfielen 1992 rd. 4 % auf *Deutschland* (bei 1,5 % der Weltbevölkerung). Vom *Energieverbrauch der privaten Haushalte* entfallen z. B. auf Raumheizung 51 % – Auto 35 % – Warmwasserzubereitung 7 % – Hausgeräte 6 % – Beleuchtung 1 %. An der *Raumheizung* sind z. Zt. folgende Energieträger beteiligt (alte/neue Bundesländer): Heizöl 43/1 % – Erdgas 32/8 % – Kohle 8/65 % – Fernwärme 9/23 % – Strom 8/3 %.

Für 1993/94 ist wegen der wirtschaftlichen Rezession und dem weiteren Abbau energieintensiver Industriezweige in Ost-, aber auch in Westdeutschland (z. B. Stahlindustrie), mit einem noch stärkeren *Rückgang des Energieverbrauchs* zu rechnen. Einflußfaktoren des Energiebedarfs sind daneben die Wintertemperaturen (Heizungsbedarf), die weitere Entwicklung des Personen- und Güterverkehrs, andererseits die zu erwartende weitere Rationalisierung bei der Energieverwendung. V. a. in Ostdeutschland liegt ein hohes Energiesparpotential (veraltete Maschinen, geringe Wärmedämmung usw.). Insgesamt wird für Deutschland für 1993 ein weiterer Rückgang des Energieverbrauchs von mindestens 3–4 % angenommen. Für die folgenden Jahre rechnen die meisten Prognosen damit, daß sich längerfristige Einsparungstrends fortsetzen und der *Energieverbrauch* v. a. durch die Wirtschaftskonjunktur bestimmt wird. Die Unsicherheit liegt – neben dem Konjunkturverlauf und der Geschwindigkeit des wirtschaftlichen Aufbaus in den neuen Bundesländern – auch im Ausmaß der tatsächlichen Ausnutzung des möglichen Einsparungspotentials. Die Erfahrungen zeigen, daß in Zeiten des Wirtschaftswachstums und steigender Realeinkommen die Einsparungsbemühungen insbesondere der Privathaushalte stark nachlassen (z. B. Kfz.-Verkehr). Spürbare Einsparungen sind daher v. a. durch gesetzliche Regelungen und technische Verbesserungen zu erwarten (z. B. Wärmedämmung der Gebäude, bessere Energieausnutzung durch Maschinen und Geräte, Verringerung der Umwandlungsverluste bei der Stromerzeugung, sparsamere Automotoren u. a.).

Die Shell-AG legte 1993 zwei alternative *Energieszenarien für Deutschland* bis zum Jahr 2020 vor, die, je nach politischer, binnen- und weltwirtschaftlicher Entwicklung, zum Ergebnis führen, daß der Primärenergieverbrauch auf 590 Mio. t SKE steigen oder auf 470 Mio. t SKE fallen könnte.

Weniger unsicher als Gesamtprognosen sind *Vorausschätzungen über den zukünftigen Anteil der einzelnen Energieträger,* da hierfür durch politische Entscheidungen und Investitionen der Energiewirtschaft frühzeitig die Weichen gestellt werden. So nehmen die meisten Prognosen bis 2020 für Deutschland einen Rückgang des Erdölanteils auf 32–36 % (v. a. für Kfz.-Verkehr und Raumheizung) und eine Stagnation der Steinkohle bei 15–18 % an (v. a. zur Stromerzeugung). Der Braunkohleanteil dürfte auf 8–12 % zurückgehen (Verlust seiner überragenden Bedeutung für Ostdeutschland), während für das Erdgas mit einer Steigerung auf 22–25 % gerechnet wird (v. a. für Raumheizung). Besonders ungewiß ist der künftige Anteil der Kernenergie (Prognosen zwischen 8–12 %, zur Stromerzeugung), da hier weniger wirtschaftliche als politisch-ideologische Entscheidungen eine Rolle spielen. Über den künftigen Anteil regenerativer Energien bestehen vielfach sehr optimistische Schätzungen, doch dürfte er bei realistischer Betrachtung bis 2020 kaum über 7–8 % ansteigen (einschl. Wasserkraft), da hier die Investitionskosten im Verhältnis zum Ertrag besonders hoch sind.

Alle Prognosen über künftige Anteile der einzelnen Energieträger müssen selbstverständlich die **energiepolitischen Ziele der Bundesregierung** einbeziehen, durch die wichtige Weichen gestellt werden
– v. a. bezüglich der Subventionierung einzelner Energieträger (z. B. Steinkohle). Die Bundesregierung formulierte als *energiepolitische Ziele »Versorgungssicherheit, Wirtschaftlichkeit, Umweltverträglichkeit und Ressourcenschonung«.* Um dies zu erreichen, fördert sie u. a.
– marktwirtschaftliche Ausrichtung der Energiepolitik,
– Diversifizierung nach Energieträgern und Bezugsquellen unter zunehmender Einbindung in den europäischen Binnenmarkt,
– Maßnahmen zur Energieeinsparung in Wirtschaft, Verkehr und im Wohnungsbereich,
– Verminderung der energiebedingten CO_2-Emissionen,

– weitere Nutzung der heimischen Stein- und Braunkohle, jedoch auf niedrigerem Niveau als bisher,
– weitere Nutzung der Kernenergie, »solange andere vergleichbar versorgungssichere, umweltfreundliche und preisgünstige Energieträger nicht zur Verfügung stehen«,
– die Entwicklung technisch nutzbarer alternativer Energiequellen und neuer Methoden rationeller Energieverwendung.

Die weitere **Nutzung der Kernenergie** war auch 1992/93 in *Deutschland* politisch umstritten. Versuche, zu einem »Energiekonsens« zwischen Energiewirtschaft, Bundes- und Landesregierungen zu kommen (Vereinbarung über die künftige Energiepolitik), scheiterten bisher an den nicht zu vereinbarenden Haltungen gegenüber der Atomenergie. Während die SPD und die Grünen einen mittelfristigen bzw. sofortigen Ausstieg aus der Atomenergienutzung fordern – auch unter Inkaufnahme wirtschaftlicher Nachteile –, beharrt die *Bundesregierung* auf der *weiteren Nutzung der Kernenergie.* Die Abschaffung der mit höchstem Sicherheitsstandard ausgestatteten deutschen Kernkraftwerke bringe keinen Sicherheitsgewinn, solange in den Nachbarländern KKW nicht nur weiter betrieben, sondern auch neu gebaut werden (z. B. Frankreich). Auch wirtschaftlich wäre es verantwortungslos, auf die Kernenergie zu verzichten. Deutschland würde wegen der dann notwendigen Einsparungsmaßnahmen und Strompreiserhöhungen seine Konkurrenzfähigkeit unter den großen Industriestaaten verlieren; außerdem sei der dann notwendige Betrieb weiterer großer Wärmekraftwerke wegen ihres Schadstoffausstoßes umweltpolitisch nicht zu verantworten.

Die *Hauptargumente der Kernenergiegegner* sind die Gefahren für Mensch und Umwelt bei möglichen schweren Unfällen (unter Umständen sehr weitflächige Strahlenverseuchung) und die Problematik der Endlagerung langfristig strahlender radioaktiver Abfälle, die für Jahrtausende sicher verwahrt werden müssen. Die *Kernenergiebefürworter* argumentieren demgegenüber v. a. mit der Umweltverträglichkeit (keine Abgase), der Schonung der fossilen Brennstoffe (Kohle, Erdöl, Gas) und den Betriebskosten (preisgünstige Stromerzeugung im Grundlastbereich). Zu den Gefahren wird angeführt, daß – störungsfreien Normalbetrieb der Atomkraftwerke vorausgesetzt – alle konventionellen Großkraftwerke gefährlicher und umweltbelastender arbeiten, wenn man alle Gefahren beim Bau und Betrieb von Kraftwerken, bei der Gewinnung und beim Transport der Brennstoffe und bei der Abfallbeseitigung berücksichtigt.

Unterstützung bekamen die Befürworter der Kernenergie in letzter Zeit vermehrt von Klimatologen, die vor den Folgen einer weiteren Erwärmung der Erdatmosphäre durch *Verstärkung des »Treibhauseffektes«* warnen. Hauptverursacher dieses Effektes, durch den die Wärmeabstrahlung der Erde verringert wird, ist das Kohlendioxid (CO_2), das bei jeder Verbrennung entsteht. Ein Ersatz von Kernkraftwerken durch konventionelle Wärmekraftwerke würde also die Bestrebungen zur CO_2-Verminderung zunichte machen.

Am 1. 2. 1993 waren **weltweit** in 30 Staaten **423 Kernkraftwerksblöcke** mit einer Bruttoleistung von insges. 348,893 Tsd. Megawatt (MW) in Betrieb, davon 328 Leichtwasserreaktoren. Die *Stromerzeugung durch Kernkraftwerke* stieg 1992 um 3,2 % auf 1,848 Mio. GWh (Gigawattstunden; ohne ehem. Ostblockländer, für die keine entspr. Daten vorliegen). *Kernenergie* lieferte 1992 rd. 20 % der *Weltstromproduktion*.

1992 wurden in 4 Ländern insgesamt 8 Kernkraftwerksblöcke mit einer Bruttoleistung von 7446 MW in Betrieb genommen, davon 4 in Japan, 2 in Kanada, je 1 in Indien und Frankreich. Im Bau waren Anf. 1993 70 Blöcke in 20 Ländern. Endgültig stillgelegt wurden 1992 4 Blöcke. (Alle Zahlen nach »Atomwirtschaft – Atomtechnik« 1993/3; die Angaben über KKW sind in verschiedenen Quellen z. T. unterschiedlich, je nachdem, ob Forschungs- und Versuchsreaktoren oder zeitweilig abgeschaltete Kraftwerke einbezogen werden.)

Zahl und Bruttoleistung (in Gigawatt = 1 Mrd. Watt) *der Kernkraftwerke* (Blöcke) Anfang 1993: USA 108/103,635 – Frankreich 55/58,994 – Japan 46/37,361 – Großbritannien 37/14,630 – Rußland 28/20,242 – Kanada 21/15,777 – Deutschland 20/22,507 – Ukraine 15/13,818 – Schweden 12/10,386 – Rep. Korea (Süd-K.) 9/7,616 – Spanien 9/7,367 – Indien 9/2,035 – Belgien 7/5,756 – Rep. China (Taiwan) 6/5,144 – Bulgarien 6/3,760 – Schweiz 5/3,079 – Finnland 4/2,400 – Ungarn 4/1,800 – Slowakei 4/1,760 – Tschech. Rep. 4/1,760 – Litauen 2/3,000 – Südafrika 2/1,930 – Argentinien 2/1,015 – Niederlande 2/0,538 – Mexiko 1/0,675 – Brasilien 1/0,657 – VR China 1/0,300 – Kasachstan 1/0,150 – Pakistan 1/0,137. Zusätzlich zu diesen Ländern waren 1992/93 Anlagen im Bau in Kuba, Rumänien, im Iran und auf den Philippinen.

Gemessen an der Stromerzeugung waren auch 1992 *deutsche Kernkraftwerke* weltweit unter den leistungsfähigsten bzw. zuverlässigsten. Nach der *Bruttostromproduktion* 1992 (in GWh) führten: Brokdorf 11338, Grohnde 11006, Neckar–2 10915 (alle Deutschland), South Texas–2 10808, Palo Verde–2 10760 (beide USA), Emsland 10733, Isar–2 10463 (beide Deutschland), Ohi–3 10364 (Japan).

Betriebsergebnisse der Kernkraftwerke in Deutschland 1992

(nach »Atomwirtschaft – Atomtechnik« 1993/3; Reihenfolge nach dem Datum der Inbetriebnahme)

Kraftwerke (Bruttoleistung, Jahr der Inbetriebnahme)	Bruttostromerzeugung in Mrd. kWh 1992	bisher insges.
Obrigheim (357 MW, 1968)	1,983	56,453
Stade (672 MW, 1972)	4,467	98,213
Würgassen (670 MW, 1972)	3,978	65,264
Biblis A (1204 MW, 1974	7,353	128,952
Biblis B (1300 MW, 1976)	8,115	117,180
Neckar–1 (840 MW, 1976)	6,169	92,423
Brunsbüttel (806 MW, 1976)	3,646	63,550
Isar–1 (Ohu; 907 MW, 1977)	6,146	82,475
Unterweser (Esenshamm; 1320 MW, 1978)	9,232	128,904
Philippsburg–1 (900 MW, 1979)	6,794	72,574
Grafenrheinfeld (1300 MW, 1981)	10,182	105,145
Krümmel (1316 MW, 1983)	8,749	84,607
Gundremmingen B (1300 MW, 1984)	7,795	76,708
Grohnde (1394 MW, 1984)	11,006	87,678
Gundremmingen C (1308 MW, 1984)	9,842	70,615
Philippsburg–2 (1390 MW,1984)	9,894	80,427
Brokdorf (1395 MW, 1986)	11,338	60,238
Isar–2 (Ohu; 1400 MW, 1988)	10,463	47,064
Emsland (1363 MW, 1988)	10,733	50,022
Neckar–2 (1365 MW,1989)	10,915	40,946

In *Deutschland* ging 1992/93 *kein neues Kernkraftwerk* in Betrieb, es war auch keines im Bau. In den westlichen Bundesländern blieb das betriebsfertige Kernkraftwerk Mülheim-Kärlich aus baurechtlichen Gründen abgeschaltet, während die 5 KKW in den östlichen Bundesländern bereits 1990 aus Sicherheitsgründen endgültig abgeschaltet worden waren. Die *Stromerzeugung aus KKW* stieg 1992 in *Deutschland* auf 158,8 (1991: 147,4) Mrd. kWh und erreichte einen Anteil von 30,0 % an der *Stromproduktion* bzw. von 10,5 % am gesamten *Primärenergieverbrauch*.

Holzindustrie → *Holz, Sp. 949 ff.*

Kraftfahrzeugherstellung → *Straßenverkehr (Kap. Verkehr)*

Maschinenbau Der Maschinenbau gehörte auch 1992, wie in den Vorjahren, weltweit zu den wichtigsten Industriebranchen. Er litt daher in vielen Industriestaaten auch besonders stark unter der wirtschaftlichen Konjunkturschwäche. In *Deutschland* kam außerdem der Niedergang des Maschinenbaus in der ehem. DDR hinzu, wo durch die Schließung vieler Maschinenfabriken mit veralteter Ausrüstung und unrentabler Produktion die Zahl der Beschäftigten von 311400 (Durchschn. 1991) auf 138200 (Ende 1992) sank. Insgesamt nahm in

Deutschland der *Umsatz* des Maschinenbaus 1991–92 nominal um 2,2% auf 223,385 Mrd. DM ab (realer Rückgang rd. 6%); die *Zahl der Beschäftigten* sank um 3,5% auf 1,204 Mio. im Jahresdurchschnitt 1992, da auch in Westdeutschland versucht wurde, durch Rationalisierung und Automatisierung Personal einzusparen. Trotzdem war der Maschinenbau nach der Beschäftigtenzahl wieder die *größte Industriebranche*.

Aufgrund der Konjunkturschwäche in wichtigen Abnehmerländern (z. B. USA) und verstärkter Konkurrenz kostengünstiger produzierender ostasiatischer Länder (insbes. Japan) mußten 1992 – wie schon im Vorjahr – im Export weitere Einbußen hingenommen werden. Der *Auslandsumsatz* ging um 3,0% zurück und erreichte nur noch 39,4% des Gesamtumsatzes (1989 noch 45,9%). Trotzdem gehörte *Deutschland* auch 1992 – zusammen mit Japan und den USA – zu den weltweit größten Maschinenexporteuren (rd. 20% der Weltausfuhren). Größte Abnehmer deutscher Maschinen waren die EG-Länder und die USA.

Mineralölprodukte *Produktion* von ① Benzin – ② Kerosin und Flugzeugbenzin – ③ leichtem Heizöl – ④ schwerem Heizöl (nach UNO-Angaben) 1991 in Mio. t

	①	②	③	④
USA	300,6	69,4	149,5	51,5
Japan	32,9	24,0	56,3	34,1
VR China	23,6	4,0	27,8	32,3
Großbritannien	27,8	9,5	26,1	15,4
Italien (1990)	18,5	5,2	29,1	23,7
Deutschland (1990)	21,1	2,3	35,0	8,7
Saudi-Arabien (1990)	9,6	6,4	24,1	26,7
Frankreich (1990)	17,8	5,1	27,9	12,4
Kanada	25,9	5,9	22,2	7,6
Mexiko	20,4	3,2	14,5	22,8
Niederlande	8,8	5,3	17,6	14,5
Rep. Korea (Süd-K.)	3,4	1,9	17,8	21,5
Venezuela (1990)	14,4	3,5	12,3	13,9
Brasilien (1990)	8,4	2,7	20,9	12,0
Spanien (1990)	7,8	4,4	14,9	15,0
Indien	3,5	5,3	18,8	9,4
Indonesien	4,6	6,6	10,0	10,4
Belgien	5,9	1,6	11,0	7,3
Australien	11,5	2,9	8,9	2,3
Kuwait (1990)	1,9	2,8	7,3	12,0
u. a. Österreich	2,4	0,4	3,2	1,3
Schweiz (1990)	0,8	0,2	1,2	0,5

Nahrungsmittelindustrie

Das *Produzierende Ernährungsgewerbe* (Nahrungsmittelbe- und -verarbeitung, nur Betriebe ab 20 Beschäftigte) gehörte auch 1992 dem Umsatz nach zu den größten *deutschen Industriebranchen* (vergleichbar mit dem Umsatz von Maschinenbau oder Elektrotechnik). Der Export dieser Branche ist dagegen nur schwach entwickelt und

betrug 1992 nur 8,8% des Umsatzes. Das *Ernährungsgewerbe* hatte 1992 (1991) einen *Umsatz* von 202,204 (197,184) Mrd. DM (nur westliche Bundesländer); hiervon entfielen 1992 in Mrd. DM u. a. auf Molkereien und Käsereien 27,831 – Brauereien 18,555 – Fleischwarenindustrie 15,571 – Süßwarenherstellung 16,161 – Backwarenherstellung 10,670 – Obst- und Gemüseverarbeitung 10,555 – Schlachthäuser 10,300 – Futtermittelherstellung 10,107 – Mineralwasser- und Limonadenherstellung 10,038 – Kaffee- und Teeverarbeitung 8,459 – Nährmittelherstellung 7,424 – Herstellung von Dauermilch, Milchpräparaten und Schmelzkäse 7,220 – Spirituosenherstellung 6,840 – Zuckerindustrie 6,471. Die *Zahl der Beschäftigten* betrug Ende 1992 (1991) 484,257 (496,254) Tsd., davon Backwarenherstellung 91,574 – Brauereien 52,548 – Fleischwarenindustrie 42,820 – Süßwarenherstellung 41,021. – Da in der gesamten Branche kaum noch Verbrauchszuwächse stattfinden, verändern sich die Inlandsumsätze v. a. im Rahmen von Preisschwankungen einzelner Produkte und von längerfristigen Ernährungstrends. Rückgänge bei einzelnen Produktionsbereichen waren 1992 v. a. eine Folge der nachlassenden Nachfrage aus den neuen Bundesländern.

Papier *Produktion* 1990 (1989) in Mio. t von *Papier und Pappe*/davon *Zeitungspapier*

USA	71,965	(69,514) / 6,000	(5,524)
Japan	28,088	(26,809) / 3,479	(3,217)
Kanada	16,466	(16,555) / 9,068	(9,640)
VR China (1989/'88)	15,336	(14,144) / 0,300	(0,220)
Deutschland	12,999	(12,592) / 1,233	(1,078)
UdSSR	10,388	(10,654) / 1,722	(1,720)
Finnland	8,780	(8,579) / 1,430	(1,321)
Schweden	8,426	(8,362) / 2,268	(2,170)
Frankreich	7,049	(6,754) / 0,422	(0,378)
Italien	5,582	(5,640) / 0,233	(0,252)
Großbritannien	4,980	(4,475) / 0,696	(0,572)
Brasilien (1988/'87)	4,600	(4,446) / 0,240	(0,232)
Spanien (1989/'88)	3,446	(3,408) / 0,166	(0,175)
Mexiko (1989/'88)	3,375	(3,375) / 0,121	(0,143)
Österreich	2,872	(2,754) / 0,332	(0,256)
Niederlande	2,770	(2,572) / 0,300	(0,280)
Indien (1989/'88)	1,940	(1,940) / –	–
u. a. Schweiz	1,295	(1,259) / 0,280	(0,272)

Weltproduktion 1989 (1988) an Papier insges. 230,962 (225,404) Mio. t, davon 32,314 (31,999) Mio. t Zeitungspapier.

Deutschland war auch 1992 der größte Papierproduzent Europas. Die *Papierindustrie* erzeugte 1992 12,7 Mio. t Papier, Karton und Pappe. Der Verbrauch betrug 1991 16,0 Mio. t, davon für Druck- und Presseerzeugnisse 42% – Verpackungen 38% – Büropapier 8% – Hygienepapier und technische Spezialpapiere je 6–7%. Der *Einsatz von Altpapier* betrug in *Deutschland* 47% (bezogen auf die

Papierproduktion; zum Vergleich: Österreich 40%, Frankreich 46%, Schweiz 50%, Großbritannien 58%, dagegen Kanada nur 12%, Schweden 14%, USA 27%).

Schiffbau → *Kap. Verkehr*

Schuhe *Produktion* von Straßenschuhen (ganz oder teilweise aus Leder) 1990 in Mio. Paar: UdSSR 843 – Italien (1984) 420 – USA 198 – Frankreich (1989) 168 – ČSFR 117 – Polen 105 – Rep. China (Taiwan) 97 – Deutschland 67 – Japan 54 – Großbritannien (1989) 48 – Bulgarien (1989) 32 – Australien 19. *Weltproduktion* 1988 4,448 Mio. Paar.
In *Deutschland* ging die Schuhproduktion 1992 auf rd. 58,4 Mio. Paar zurück (nur alte Bundesländer); 1970 waren es noch 160 Mio. Paar. Der *Umsatz* der deutschen Schuhindustrie sank 1992 um 9% auf 5,7 Mrd. DM, während die *Importe* erneut zunahmen (1992 rd. 300 Mio. Paar). Von den verkauften Schuhen waren über 90% importiert.

Stahl (Rohstahl) *Erzeugung* 1991 (1990 und 1980) in Mio. t (nach »Stat. Jahrbuch d. Stahlindustrie«)

UdSSR	132,666	(154,414)	(147,996)
Japan	109,649	(110,339)	(111,384)
USA	79,242	(89,723)	(100,800)
VR China	70,436	(66,349)	(37,116)
Deutschland	42,169	(44,000)	(51,120)
Rep. Korea (Süd-K.)	26,001	(23,125)	–
Italien	25,046	(25,472)	(26,496)
Brasilien	22,617	(20,567)	(15,252)
Frankreich	18,442	(19,016)	(23,172)
Großbritannien	16,519	(17,895)	(11,280)
Indien	16,394	(14,963)	(9,432)
Belgien-Luxemburg	14,727	(15,013)	(12,420)
Kanada	12,987	(12,281)	(15,888)
Spanien	12,798	(12,936)	(12,552)
ČSFR	12,071	(14,775)	(15,228)
Rep. China (Taiwan)	10,957	(9,747)	(5,000)
Polen	10,439	(13,625)	(19,488)
Südafrika	9,358	(8,619)	(8,976)
Türkei	9,336	(9,322)	–
Mexiko	7,883	(8,726)	(7,008)
Rumänien	7,092	(9,754)	(13,176)
DVR Korea (Nord-K.)	7,000	(7,000)	–
Australien	6,141	(6,676)	(7,896)
Niederlande	5,171	(5,412)	(5,268)
Schweden	4,248	(4,454)	(5,200)
Österreich	4,186	(4,291)	(5,028)

Weltproduktion von Rohstahl 1991 (1990) 733,734 (769,991) Mio. t.
Die wichtigsten *Stahl-Exporteure* waren 1991 (in Mio. t): Deutschland 18,280 – Japan 17,632 – Belgien-Lux. 14,532 – Frankreich 11,031 – UdSSR (1987) 9,118 – Brasilien (S) 8,500 – Rep. Korea (Süd-K., S) 7,500 – Großbritannien 7,483 – Italien 6,066. *Haupt-Importländer* waren 1991 (in

Mio. t): Deutschland 15,291 – USA 15,080 – Italien 9,563 – Frankreich 9,245.
Die *Weltproduktion* von Stahl ging 1992, wie schon im Vorjahr, noch einmal zurück und erreichte nur noch rd. 725 Mio. t. Die *Abnahme der Stahlerzeugung* hatte ihre Ursachen einerseits in der wirtschaftlichen Rezession in wichtigen westlichen Industrieländern; so sank der *Stahlverbrauch* in der EG von 123 (1990) über 118 (1991) auf 112 Mio. t (1992). Noch stärkere Auswirkungen hatte der wirtschaftliche Niedergang der ehem. UdSSR und der osteuropäischen Staaten, in denen Stahlerzeugung und -verbrauch 1992 weiter abnahmen. Als einzige Ländergruppe konnten die fortgeschrittenen Entwicklungsländer *(»Schwellenländer«)* auch 1992 ihre Erzeugung steigern. Diese relativ billig produzierenden Länder konnten im Export weitere Anteile zuungunsten der traditionellen europäisch-nordamerikanischen Stahlproduzenten gewinnen, v. a. bei Massenstahl. Gute Absatzmöglichkeiten für Stahl aus USA und den EG-Ländern bestehen auf dem Weltmarkt heute nur noch bei stark spezialisierten hochwertigen Produkten (z. B. Speziallegierungen, nahtlose Stahlrohre). Die *Kostennachteile Deutschlands und der USA* zeigt die Berechnung der *Arbeitskosten* je Stunde für Stahlarbeiter (1991). Sie betrugen für die USA 45,92 DM, Deutschland (West) 45,86 DM, Japan 42,31 DM, Frankreich 37,57 DM, Großbritannien 30,99 DM, für Süd-Korea dagegen nur 15,07 DM. Hinzu kommt die relativ geringe Produktivität in Deutschland wegen der niedrigen Wochen- und Jahresarbeitszeit der Beschäftigten, die z. B. 22% unter der in Großbritannien liegt.
In den *EG-Ländern* nahm die *Stahlerzeugung* 1992 gegenüber 1991 um 4% ab, da alle größeren Stahlproduzenten der Gemeinschaft als Folge der schwachen Industriekonjunktur und verringerter Ausfuhrmöglichkeiten Rückgänge aufwiesen. Insgesamt betrug die *EG-Stahlerzeugung* 1992 (1991) 132,139 (137,537) Mio. t. Der *Abbau der Beschäftigten* setzte sich fort. Ihre Zahl sank in den EG-Ländern von 397,6 Tsd. (Mitte 1991) auf 370,0 Tsd. (Mitte 1992), verglichen mit rd. 800 Tsd. (1975). Die gesamte *EG-Stahlindustrie* konnte wegen der starken außereuropäischen Konkurrenz nur mit hohen Subventionen selbst auf ihrem derzeitigen Niveau gehalten werden. Insgesamt wurde sie 1975–92 mit rd. 125 Mrd. DM subventioniert.
In *Deutschland* erreichte die *Stahlerzeugung* 1992 (1991) 39,711 (42,169) Mio. t, d. h. nur wenig mehr als 1990 in beiden deutschen Staaten zusammen (38,434 Mio. t). Die *Zahl der Beschäftigten,* die in den letzten Jahren sehr stark abgebaut worden war (alte Bundesländer 1980: 201 Tsd. – 1989: 130,5 Tsd.), ging 1992 weiter zurück und betrug

Anf. 1993 nur noch 132,0 Tsd. – Der *deutsche Stahl-Außenhandel* betrug 1992 14,290 Mio. t Importe und 14,660 Mio. t Exporte.

Anf. 1993 geriet die *deutsche Stahlindustrie* in starke Turbulenzen. Als Beitrag zum EG-Plan, Stahl-Kapazitäten drastisch zu reduzieren, wurde die Stillegung des Krupp-Stahlwerks Rheinhausen beschlossen.

Textilindustrie

Die *deutsche Textil- und Bekleidungsindustrie* (alte Länder) mußte 1992 einen starken Konjunktureinbruch hinnehmen. Der *Umsatz der Textilindustrie* sank 1991–92 um 4,6% auf 39,769 Mrd. DM, nachdem er schon in den vergangenen Jahren stagniert hatte. Der *Auslandsumsatz* (Exporte) ging um 2,5% zurück und erreichte einen Anteil von 27,8% am Gesamtumsatz. Die *Bekleidungsindustrie* zeigte ein ähnlich ungünstiges Bild; der *Umsatz* schrumpfte um 4,5% auf 27,106 Mrd. DM.

Damit scheint der *Niedergang der westdeutschen Textil- und Bekleidungsindustrie,* der v. a. in den 70er Jahren zu beobachten war, nach einer Stabilisierungsphase weiter voranzuschreiten. Insbes. in den letzten 15–25 Jahren waren die Kapazitäten dieses Industriezweiges durch zahlreiche Betriebsstillegungen an die geschrumpften Absatzmöglichkeiten angepaßt worden. So sank die *Zahl der Beschäftigten in der Textil- und Bekleidungsindustrie* von zusammen 820 000 (1960) auf nur noch 318 700 (Dez. 1992, davon Textil 181 000 und Bekleidung 137 700). Die Ursache dieser Abnahme sind Rationalisierungsmaßnahmen und die wachsenden Importe. Mit 56,998 Mrd. DM an Einfuhren (nur alte Bundesländer) war *Deutschland* 1992 zweitgrößter *Textil- und Bekleidungsimporteur* nach den USA. Bei bestimmten Artikeln, wie Herrenhemden, Damenkostüme und Miederwaren, beträgt die Importquote über 90%. Allerdings gehört Deutschland auch zu den wichtigsten *Exporteuren* von Textilien und Bekleidung (1992 33,553 Mrd. DM Exporte).

In der Textilindustrie der *neuen Bundesländer* (ehem. DDR) setzte sich 1992 der *drastische Rückgang* fort, der nach der Wiedervereinigung begonnen hatte. Die Erzeugnisse der ostdeutschen Textilindustrie sind seit dem Wegfall der früheren staatlichen Subventionen nicht mehr konkurrenzfähig; außerdem sind die vorherigen Hauptabsatzmärkte in Osteuropa weitestgehend entfallen. Von den ursprünglich 318 000 Arbeitsplätzen der Textil- und Bekleidungsindustrie der DDR (1989) blieben Ende 1992 nur noch 37 000 übrig (davon 22 000 in der Textilindustrie). Der Umsatz der ostdeutschen Textilindustrie sank 1991–92 um 18,6% auf 1,451 Mrd. DM. Für 1993 wird ein weiterer Abbau auf einen relativ kleinen »Kern« der Branche erwartet.

Einer gewissen Regulierung des Welthandels dient das *Welttextilabkommen* (seit 1973). Dem WTA gehören z. Zt. 54 Länder an; es regelt und begrenzt vor allem die Textil- und Bekleidungsexporte aus Entwicklungsländern (sog. »Niedriglohnländer«) durch Quotenregelungen, um die europäische und nordamerikanische Industrie eine gewisse Zeit vor übermäßiger Konkurrenz zu schützen und ihre Umstrukturierung zu erleichtern. Die deutschen Einfuhren fallen zu etwa 50% (mengenmäßig) bzw. 40% (wertmäßig) unter die Regelungen des WTA.

Produktion von Geweben (nach UNO-Angaben) 1991 (1990)

Baumwollgewebe (ganz oder überwiegend aus Baumwolle)

in Mio. lfd. m		
VR China	16 855,2	(16 310,4)
Indien	13 314,0	(14 310,0)
USA (1987 bzw. '86)	3 271,2	(2 306,4)
Rep. China (Taiwan; S)	1 500,0	(1 450,0)
Ägypten (1990/'89)	596,4	(608,4)
Türkei[1]	458,4	(495,6)
ČSFR[1]	450,0	(655,2)
Polen[1]	290,4	(427,2)
Großbritannien	154,8	(165,6)
Bulgarien[1]	124,8	(276,0)
in 1000 t		
Italien (1988 bzw. '87)	216,0	(224,4)
Deutschland	158,4	(169,2)
Frankreich	127,2	(136,8)
Mexiko[1] (1987 bzw. '86)	85,2	(76,8)
Portugal	74,4	(75,6)
u. a. Österreich	19,2	(18,0)
in Mio. m²		
UdSSR	7 012,8	(7 849,2)
Japan	1 603,2	(1 765,2)
Hongkong (1990/'89)	817,2	(818,4)
Rep. Korea (Süd-K.)[1]	586,8	(607,2)
Rumänien[1]	411,6	(532,8)
Pakistan[1]	306,0	(292,8)
DDR (1989/'88)	304,8	(303,6)
Kuba (1989/'88)	182,4	(202,8)
Jugoslawien	154,8	(266,4)

Wollgewebe (ganz oder teilweise aus Wolle)

in Mio. lfd. m		
VR China (1988/'87)	266,4	(258,4)
CSFR[1]	44,3	(57,7)
Polen[1]	44,2	(64,7)
Bulgarien[1] (1990/'89)	33,7	(36,7)
in 1000 t		
Frankreich	43,8	(47,8)
Belgien	31,4	(34,2)
Deutschland[1]	30,5	(30,5)
Portugal	10,4	(9,7)
u. a. Österreich	2,3	(2,5)
in Mio. m²		
UdSSR	589,2	(704,2)
Japan	344,9	(334,8)

Wollgewebe *(Forts.)*

Jugoslawien	56,3	(82,9)
Großbritannien	39,0	(42,2)
Rep. Korea (Süd-K.).[1]	19,8	(21,2)

[1] = Menge bzw. Gewicht nach dem Fertigungsprozeß (Bleichen, Färben usw.)

Zement *Erzeugung* 1991 (1990 und 1980) in Mio. t (nach UNO-Angaben)

VR China	244,656	(209,712)	(79,860)
UdSSR	122,400	(137,328)	(124,800)
Japan	89,568	(84,444)	(87,960)
USA (ohne Naturzem.) .	65,052	(70,944)	(67,884)
Indien (1990/'89)	45,720	(45,048)	(17,700)
Italien (1990/'89)	40,788	(39,708)	(41,856)
Rep. Korea (Süd-K.) . .	39,168	(33,912)	(15,636)
Deutschland	31,812	(30,432)	(46,704)
Spanien	27,576	(28,092)	(28,008)
Brasilien	27,492	(25,848)	(27,192)
Türkei.	25,200	(24,636)	(14,808)
Frankreich	25,020	(26,508)	(29,100)
Mexiko	24,648	(24,504)	(16,260)
Thailand	19,164	(17,500)	(6,732)
Indonesien (1990/'89) .	15,972	(15,660)	(7,800)
Großbritannien (1990/'89)	14,736	(16,548)	(14,808)
Polen	12,024	(12,516)	(18,844)
Griechenland	11,808	(13,944)	(11,500)
u. a. Schweiz (1990/'89)	5,136	(5,436)	(4,248)
Österreich	5,016	(4,908)	(5,460)

Weltproduktion 1991 (1990) 1,135 (1,140) Mrd. t.
In *Deutschland* wurden 1992 33,7 Mio. t Zement

erzeugt. Davon wurden 2,5 Mio. t exportiert, während 5,4 Mio. t importiert wurden, vornehmlich aus der ČSFR und Polen.

Zigaretten *Produktion* (nach UNO-Angaben) 1989 in Mrd. Stück: VR China (1988) 1980,000 – USA (1988) 676,331 – UdSSR 343,288 – Japan (1987) 309,100 – Brasilien (1987) 161,400 – BR Deutschland 159,477 – Indonesien (1987) 124,432 – Bulgarien (einschl. Zigarren; 1988) 89,215 – Großbritannien[1] (1988) 87,900 – Spanien (1987) 87,362 – Rep. Korea (Süd-K.) 86,259 – Polen 81,342 – Italien 67,942 – Niederlande 63,148 – Philippinen (1987) 61,072 – Indien 58,066 – Frankreich (1987) 54,120 – Kanada (1987) 54,030 – Jugoslawien 51,287 – Mexiko (1988) 50,507 – u. a. DDR 28,625 – Schweiz (1987) 24,863 – Österreich 14,402.

[1] = ohne kleinere Fabriken

Weltproduktion 1989 (1988) 5151,930 (5081,340) Mrd. Stück.
In *Deutschland* stagnierten 1992 im Vergleich zum Vorjahr sowohl *Produktion* als auch *Verbrauch* von Zigaretten und anderen Tabakerzeugnissen. Folgende Mengen wurden 1992 (1991) im Inland versteuert: Zigaretten 134,260 (149,747) Mrd. – Zigarillos und Zigarren 1,320 (1,397) Mrd. – Feinschnitt 20,276 (15,631) Tsd. t – Pfeifentabak 1,345 (1,358) Tsd. t. Der Zigarettenverbrauch betrug 1991 1910 Stück pro Einw. und Jahr.

WELTHANDEL

Entwicklung des Welthandels (Exporte) 1980–1992 (in Mrd. US-$, nach UNO-Angaben)

	1980	1982	1984	1986	1988	1989	1990	1991	1992
Volumen . .	1996,5	1830,8	1909,4	2120,6	2814,1	3003,1	3392,5	3398,7	3580,9
Veränderung gegenüber Vorjahr									
nominal . .	+22%	−7%	+5%	+10%	+13%	+7%	+18%	+0%	+5%
real	+2%	−3%	+7%	+6%	+9%	+6%	+5%	+3%	+4%

Der **Welthandel** entwickelte sich in den letzten Jahren – den Konjunkturzyklen folgend – wellenförmig. Zu Beginn der 80er Jahre hatte er ein stagnierendes und zeitweise (z. B. 1982) sogar rückläufiges Volumen aufgewiesen *(vgl. Tab.)*. 1986 begann eine stärkere Expansion, die auch 1987 und 1988 (real 9%) anhielt. 1989 zeigte sich ein leichter Rückgang der Zuwachsraten (6%), der sich 1990/91 in den meisten Industriestaaten fortsetzte (5% bzw. 3%). 1992 zeigte sich dagegen erstmals wieder eine Wachstumsbeschleunigung, d. h., der Welthandel

nahm nach vorläufigen Angaben real um 4% zu. Nominal, d. h. ohne Abzug von Preis- und Wechselkursänderungen, betrug die *Steigerung des Welthandelsvolumens* in den letzten Jahren 13% (1988), 7% (1989), 13% (1990), 0,1% (1991) bzw. 5% (1992). Für die zeitweise große Differenz zwischen nominaler und realer Zunahme sorgten v. a. Preisveränderungen bei weltweit gehandelten Rohstoffen (z. B. Mineralöl, Erze, landwirtschaftliche Güter), aber auch bei Industrieerzeugnissen, sowie die Wechselkursveränderungen vieler Währungen

Die führenden Welthandelsländer
(Nach Angaben der UNO und des IWF, Werte für 1992 vorläufig, Einfuhr cif, Ausfuhr fob)

1992	(1991)	Einfuhr in Mrd. US-$	1992	(1991)	1992	(1991)	Ausfuhr in Mrd. US-$	1992	(1991)
1.	(1.)	USA	548,295	(509,320)	1.	(1.)	USA	447,829	(421,730)
2.	(2.)	Deutschland	408,538	(382,050)	2.	(2.)	Deutschland	429,965	(391,295)
3.	(4.)	Frankreich	238,908	(230,786)	3.	(3.)	Japan	340,483	(314,525)
3.	(3.)	Japan	233,548	(236,744)	4.	(4.)	Frankreich	231,940	(213,299)
5.	(5.)	Großbritannien	222,655	(210,019)	5.	(5.)	Großbritannien	190,052	(185,212)
6.	(6.)	Italien	192,000	(183,850)	6.	(6.)	Italien	175,000	(169,399)
7.	(7.)	Niederlande	134,475	(125,906)	7.	(7.)	Niederlande	139,944	(133,554)
8.	(8.)	Belgien-Luxemburg	125,058	(121,271)	8.	(8.)	Kanada	134,223	(126,833)
9.	(10.)	Hongkong	123,428	(101,540)	9.	(9.)	Belgien-Luxemburg	123,066	(118,550)
10.	(9.)	Kanada	122,477	(118,119)	10.	(10.)	Hongkong	119,511	(98,615)
11.	(11.)	Spanien	101,121	(93,314)	11.	(14.)	VR China	84,635	(71,844)
12.	(13.)	Rep. Korea (Süd-K.)	81,616	(81,557)	12.	(12.)	Rep. China (Taiwan)	81,480	(76,161)
13.	(16.)	VR China	80,315	(63,791)	13.	(13.)	Rep. Korea (Süd-K.)	76,072	(71,898)
14.	(15.)	Singapur	72,216	(66,108)	14.	(15.)	Schweiz	65,783	(61,537)
15.	(17.)	Rep. China (Taiwan)	72,000	(62,862)	15.	(17.)	Singapur	63,516	(59,046)
16.	(14.)	Schweiz	65,924	(66,509)	16.	(16.)	Spanien	62,883	(60,182)
17.	(18.)	Österreich	53,388	(50,740)	17.	(18.)	Schweden	56,021	(55,129)
18.	(19.)	Schweden	49,835	(49,759)	18.	(20.)	Österreich	44,284	(41,086)
19.	(20.)	Australien	40,696	(38,576)	19.	(19.)	Australien	42,417	(41,693)
20.	(–)	Rußland	35,000	–	20.	(21.)	Saudi-Arabien	41,500	(38,500)

gegenüber dem US-$, in dem die Welthandelsstatistik geführt wird.

Nach vorläufigen Berechnungen von GATT und UNO belief sich der Wert der **Exporte aller am Welthandel beteiligten Länder** 1992 auf 3580,9 Mrd. US-$, verglichen mit 3398,7 Mrd. US-$ im Vorjahr.

Der **freie Welthandel** wurde auch 1992/93 durch *staatlichen Protektionismus* stark beeinträchtigt, d. h. Maßnahmen zum Schutz der eigenen Wirtschaft vor Importen, besonders wenn diese billiger oder qualitativ besser sind. Viele *Entwicklungsländer* versuchen, Einfuhren von Industriegütern zum Schutz der eigenen, im Aufbau begriffenen Industrie sowie zur Deviseneinsparung zu reglementieren bzw. zu verhindern. Andererseits wollen viele *Industrieländer* ihre eigene Industrie durch Importrestriktionen vor der Konkurrenz billiger produzierender Entwicklungsländer (besonders »Schwellenländer« wie Hongkong, Taiwan, Süd-Korea) schützen, um Arbeitsplätze zu erhalten (z. B. Schutz der westeuropäischen Textilindustrie durch das Welt-Textilabkommen, → *Textilindustrie*). Aber auch im Handel der Industrieländer untereinander nahmen in den letzten Jahren *protektionistische Tendenzen* zu (z. B. Maßnahmen der USA gegen japanische Einfuhren, auf Druck der USA zustande gekommene »Selbstbeschränkungsvereinbarungen« mit Japan, Konkurrenz zwischen USA und EG-Ländern im Agraraußenhandel). Z. Zt. unterliegen nach Untersuchungen von Weltbank und IWF über 50 % des Welthandelsvolumens mit verarbeiteten Produkten irgendwelchen Restriktionen zusätzlich zu regulären Zöllen (sog. »*Nichttarifäre Handels-*

hemmnisse«, z. B. Importabgaben, Ausfuhrsubventionen, diskriminierende Einfuhrhindernisse, »freiwillige« Exportbeschränkungen usw.).

Eine andere den Welthandel hemmende Tendenz ist die zunehmende Forderung nach *Kompensations- (Gegen-) Geschäften* (»countertrade«, »bartertrade«) bis hin zum reinen Waren-Tauschhandel. Insbesondere Entwicklungsländer, die Staaten der GUS und Osteuropas fordern wegen ihrer Devisenknappheit und hohen Verschuldung häufig Gegengeschäfte. Der Gesamtumfang von Gegengeschäften aller Art wird z. Zt. auf rd. 25 % des Welthandelsvolumens geschätzt, beim sog. »Osthandel« auf 40 %.

Um die *Beseitigung von Handelshemmnissen* wurde 1992 – bis Mitte 1993 ohne Erfolg – im Rahmen des **GATT** (Welthandelsabkommen) verhandelt. Insbesondere der Handelskonflikt zwischen den USA und der EG und Japan konnte nicht gelöst werden. Die USA werfen den beiden wichtigsten Konkurrenten auf dem Weltmarkt seit langem vor, ihre Exporte zu subventionieren, ihre eigenen Märkte aber zu stark gegen ausländische Konkurrenten abzuschotten.

Die **Richtung der wichtigsten Welthandelsströme** änderte sich 1991–92 nicht wesentlich. Die Tendenzen der Vorjahre setzten sich fort, d. h., die westlichen Industrieländer (einschl. Japan) und die exportorientierten ostasiatischen »Schwellenländer« konnten ihre führende Position als Welthandelsmächte halten bzw. weiter ausbauen, die rohstoffexportierenden Entwicklungsländer behielten ihre Bedeutung, während die übrigen Entwicklungs-

Die wichtigsten deutschen Außenhandelspartner
(Herstellungs- und Verbrauchsländer, nach Angaben des Statistischen Bundesamtes)

Einfuhr	in Mrd. DM		in %	Ausfuhr	in Mrd. DM		in %
	1992	(1991)	1992		1992	(1991)	1992
1. Frankreich	76,426	(78,866)	12,0	1. Frankreich	86,982	(87,506)	13,0
2. Niederlande	61,160	(62,665)	9,6	2. Italien	62,382	(61,289)	9,3
3. Italien	58,616	(59,965)	9,2	3. Niederlande	55,728	(56,058)	8,3
4. Belgien-Luxemburg	44,830	(45,892)	7,0	4. Großbritannien	51,591	(50,773)	7,7
5. Großbritannien	43,628	(42,704)	6,8	5. Belgien-Luxemburg	49,566	(48,626)	7,4
6. USA	42,363	(43,012)	6,6	6. USA	42,599	(41,687)	6,4
7. Japan	38,049	(39,686)	6,0	7. Österreich	39,919	(39,539)	6,0
8. Österreich	28,008	(26,909)	4,4	8. Schweiz	35,603	(37,645)	5,3
9. Schweiz	25,352	(25,330)	4,0	9. Spanien	27,425	(26,507)	4,1
10. Spanien	17,080	(16,883)	2,7	10. Schweden	14,628	(14,983)	2,2
11. Dänemark	14,364	(13,384)	2,3	11. Japan	14,600	(16,494)	2,2
12. Schweden	14,094	(14,508)	2,2	12. Dänemark	12,973	(12,406)	1,9
13. VR China	11,650	(11,557)	1,8	13. Rußland (S)	11,400	–	1,7
14. Rußland (S)	11,000	–	1,7	14. ČSFR	8,240	(4,966)	1,2
15. Norwegen	9,139	(8,379)	1,4	15. Polen	8,231	(8,476)	1,2
16. Polen	8,288	(7,251)	1,3	16. Iran	7,960	(6,728)	1,2
17. Rep. China (Taiwan)	7,426	(8,018)	1,2	17. Griechenland	7,552	(6,416)	1,1
18. ČSFR	7,282	(5,099)	1,1	18. Portugal	7,122	(7,516)	1,1
19. Türkei	6,832	(6,402)	1,1	19. Türkei	6,601	(7,029)	1,0
20. Finnland	6,535	(6,580)	1,0	20. VR China	5,744	(4,062)	0,9

länder und die Länder des ehem.»Ostblocks« weiterhin nur relativ gering am Welthandel beteiligt waren.

Vom *Gesamtwert der Weltexporte* entfielen 1992 (1991) 74,0 (72,9)% (= rd. 2650,057 [2478,213] Mrd. US-$) auf die westlichen Industrieländer. Die Exporte der Entwicklungsländer stiegen v. a. wegen der anhaltenden Exportoffensive der ostasiatischen »Schwellenländer« auf 881,957 (825,770) Mrd. US-$ (= 24,6 [24,4]% der Weltexporte). Die OPEC-Länder als Gruppe innerhalb der Entwicklungsländer konnten ihre Bedeutung für den Weltexport mit Ausfuhren von 168,700 (1991: 158,393) Mrd. US-$ leicht erhöhen, während die ärmsten und am wenigsten entwickelten Länder (»LDC«) nur auf eine Exportsumme von 12,240 (1991: 11,679) Mrd. US-$ kamen. – In der Tabelle der *führenden Welthandelsländer* gab es verhältnismäßig geringe Verschiebungen, abgesehen vom weiteren Bedeutungsverlust der Staaten der ehem. UdSSR (insbes. Rußlands als größter Nachfolgestaat) und der überdurchschnittlichen Zunahme der ostasiatischen »Schwellenländer«. Es muß beachtet werden, daß sich Veränderungen der Außenhandelswerte, die international in US-$ berechnet werden, auch durch Wechselkursschwankungen gegenüber dem $ ergeben können.

Nach vorläufigen Berechnungen der UNO lagen auch 1992, wie schon im Vorjahr, die **USA** mit Ausfuhren von 447,829 Mrd. US-$ an 1. Stelle der *exportierenden Staaten*. **Deutschland** konnte die Ausfuhren wieder etwas kräftiger steigern als 1991

(391,295 Mrd. US-$) und stand 1992 mit 429,965 Mrd. US-$ an 2. Stelle der Exportrangliste. Die Ausfuhren **Japans** erhöhten sich erneut, so daß das Land mit 340,483 (1991: 314,525) Mrd. US-$ wieder mit großem Abstand an 3. Stelle stand. – Bei den *Importen* rangierten die **USA** mit einem auf 548,295 (1991: 509,320) Mrd. US-$ gestiegenen Wert wiederum sehr weit vor **Deutschland** mit nur leicht erhöhten Einfuhren von 408,538 (1991: 382,050) Mrd. US-$. Dann folgten knapp aufeinander **Frankreich** mit 238,908 und **Japan** mit 233,548 Mrd. US-$ Importen. Das Handelsbilanzdefizit der USA erreichte mit 100,466 Mrd. US-$ wieder einen sehr hohen Wert, der gegenüber 1991 (−87,590 Mrd. US-$) sogar erneut anstieg. Japan (+106,935 Mrd. US-$) und Deutschland (+21,427 Mrd. US-$) konnten dagegen wieder hohe bis mäßige Außenhandelsüberschüsse erwirtschaften.

Die *führenden Welthandelsländer* waren auch 1992 die USA, Deutschland und Japan, gefolgt von Frankreich und Großbritannien. Auf den nächsten Plätzen standen wiederum die übrigen großen westlichen Industriestaaten Italien, Kanada, die Niederlande und Belgien (mit Luxemburg). Auf den nächsten Plätzen der Außenhandels-Rangliste ist v. a. die noch zunehmende Bedeutung Ost- und Südostasiens mit der VR China und den »Schwellenländern« Rep. China (Taiwan), Rep. Korea (Süd-K.), Hongkong und Singapur bemerkenswert. Als ausgesprochene Rohstoffexporteure erscheinen Australien und Saudi-Arabien in der Tabelle. Rußland als größter Nachfolgestaat der ehem. UdSSR verlor weiter an Bedeutung und rangiert dem Handelsvolumen nach um den 20. Platz.

Die **Rüstungsexporte** gingen 1992 beträchtlich zurück. Das Stockholmer Internationale Friedensforschungsinstitut *(SIPRI)* ermittelte die wichtigsten Waffenexporteure (in Mrd. DM)

	1992	1991	1990
1. USA	13,7	18,9	17,5
2. Rußland (UdSSR)	3,3	6,7	15,7
3. Deutschland	3,1	4,1	2,7
4. VR China	2,5	2,8	2,0
5. Frankreich	1,9	1,3	3,4
6. Großbritannien	1,5	1,4	2,4
7. ČSFR	1,3	0,2	1,1
8. Italien	0,5	0,3	0,3
9. Niederlande	0,5	0,6	0,4
10. Schweden	0,2	0,2	0,4

Der **deutsche Außenhandel** (obige und alle folgenden Angaben einschließl. der neuen Bundesländer, soweit nicht anders vermerkt) zeigte 1992 eine leichte Tendenzwende gegenüber dem negativen Trend der letzten Jahre. 1990 und 1991 waren jeweils die Ausfuhren zurückgegangen, und die Einfuhren hatten sich erhöht, so daß der Handelsbilanzüberschuß von 134,5 Mrd. DM (1989) auf nur noch 21,9 Mrd. DM (1991) abnahm. 1992 stieg der *Ausfuhrüberschuß* wieder leicht auf 32,8 Mrd. DM an, da die *Exporte* sich um 0,7 % auf 670,6 Mrd. DM erhöhten, während die *Importe* um 0,9 % auf 637,8 Mrd. DM zurückgingen. Insgesamt ergab sich also keine wesentliche Veränderung gegenüber dem Vorjahr; die bedeutendsten Faktoren, die den *deutschen Außenhandel 1992* beeinflußten, waren:
a) die *Aufwertung der DM* gegenüber den Währungen der meisten anderen Industrieländer,

wodurch sich deutsche Exporte verteuerten (z. B. gegenüber den Währungen der EG-Partner um 2,5 %);
b) die ausgeprägte *Konjunkturschwäche* in vielen wichtigen Außenhandels-Partnerländern, wodurch die Nachfrage nach Einfuhren aus Deutschland spürbar gebremst wurde;
c) die im Durchschnitt *gesunkenen Importpreise*, wodurch sich trotz weiterhin sehr lebhafter Nachfrage nach Importgütern der nominale Rückgang der Einfuhren ergab.
Eine grobe *regionale Aufgliederung der Handelsströme* zeigt, daß die Bedeutung der *westlichen Industrieländer*, insbesondere der *EG-Partner*, für den deutschen Außenhandel weiterhin sehr groß ist und teilweise weiter zugenommen hat. Der Handelsaustausch mit den *Entwicklungsländern* stagnierte, ebenso wie derjenige mit den *Ländern Ostmittel-, Ost- und Südosteuropas*, den ehemaligen »sozialistischen« Staatshandelsländern. Diese beiden Ländergruppen erreichten zusammen weniger als 20 % am deutschen Außenhandelsvolumen.
Aufgrund des – im Vergleich zu den 80er Jahren – nur noch relativ geringen Außenhandelsüberschusses zeigte auch 1992 die gesamte *deutsche Leistungsbilanz* ein negatives Ergebnis. Ihr Saldo betrug 1992 (1991) –34,130 (–32,888) Mrd. DM. (→ *Deutschland, Sp. 374 f.*; alle folgenden Zahlenangaben nach der Außenhandelsstatistik des Statistischen Bundesamtes).
Deutschland war, trotz seines stagnierenden Handelsvolumens, auch 1992 das *zweitwichtigste Welthandelsland* – nach den USA und vor Japan, Frankreich und Großbritannien. Beim Export von Industriegütern stand Deutschland wiederum an 1. Stelle im Welthandel. Insgesamt sanken die **Einfuhren** 1992 nominal auf 637,814 Mrd. DM (1991: 643,914 Mrd. DM). Die **Ausfuhren** stiegen auf 670,637 Mrd. DM (1991: 665,813 Mrd. DM), wor-

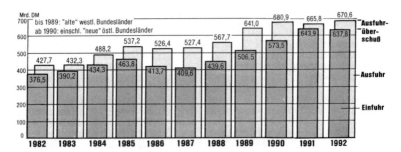

Die Entwicklung des deutschen Außenhandels 1982–1992
(Nach Angaben des Statistischen Bundesamtes)

Der Außenhandel der BR Deutschland[1] nach Ländergruppen

Liefer- bzw. Bezugsländer	Importe in Mrd. DM			Exporte in Mrd. DM		
	1990	1991	1992	1990	1991	1992
Westliche Industrieländer	460,204	524,451	519,236	554,332	550,317	549,213
darunter						
EG-Länder.	289,286	334,936	331,867	353,373	360,002	364,619
andere europ. Länder	90,391	96,892	96,800	122,472	118,651	114,515
Nordamerika	41,784	47,062	46,635	51,741	46,709	46,802
Ostmittel- und osteuropäische Länder	–	32,564	35,034	–	37,436	37,309
Entwicklungsländer	67,467	74,808	71,116	67,155	72,726	77,229
darunter in						
Afrika	13,703	14,269	13,334	11,612	11,210	10,865
Amerika	15,702	15,854	14,680	13,119	13,455	14,303
Asien u. Ozeanien	38,061	44,684	43,182	42,425	48,061	52,564
Insgesamt	573,479	643,914	637,814	680,857	665,813	670,637

[1] = die Daten beziehen sich für alle Vergleichsjahre auf das Gebiet der heutigen BR Deutschland, d. h. einschl. ehem. DDR

aus sich die erwähnte *Zunahme des Außenhandelsüberschusses* auf 32,823 Mrd. DM ergab (1991 nur 21,899 Mrd. DM).

Die höchsten **Überschüsse** (in Mrd. DM) erzielte *Deutschland* 1992 im Handel mit Österreich (11,911), Frankreich (10,555 gegenüber noch 18,774 [1990]), Spanien (10,344), der Schweiz (10,251), Großbritannien (8,318 gegenüber 17,872 [1990]), dem Iran (6,829), Belgien-Lux. (4,736), Griechenland (3,862), Italien (3,766) und Mexiko (3,465). Die größten **Defizite** (in Mrd. DM) ergaben sich im Handel mit Japan (–23,449), der VR China (–5,905), den Niederlanden (–5,432), Norwegen (–3,481), Irland (–3,216), Brasilien (–2,476), der Rep. China/Taiwan (–2,448) und Libyen (–1,977).

Der im Vergleich zu den 80er Jahren beträchtlich gesunkene deutsche *Außenhandelsüberschuß* resultierte 1992 überwiegend aus den *positiven Salden* im Warenaustausch mit einigen westeuropäischen Staaten und mehreren rohstoffexportierenden Entwicklungsländern. *Negative Salden* traten v. a. im Handel mit den ostasiatischen Industrie- und »Schwellenländern« auf, die Industrieprodukte exportieren, sowie gegenüber den meisten Rohstofflieferanten unter den Entwicklungsländern (z. B. Erdöl, Kaffee, Erze). Hinzu traten auch 1992 wieder verschiedene westliche Industrieländer, mit denen der Handelsaustausch negative Salden für Deutschland ergab (z. B. Niederlande, Dänemark).

Die wichtigsten **Außenhandelspartner Deutschlands** waren auch 1992 – wie schon in den Vorjahren – mit weitem Abstand die übrigen **westlichen Industriestaaten**, und zwar sowohl als Einkaufswie auch als Käuferländer (Ursprungs- und Bestimmungsländer). Auf sie entfielen 1992 (1991) 81,9 (82,7) % der deutschen Ausfuhren, und sie lieferten 81,4 (81,4) % der Einfuhren. Die **EG-Länder** waren allein zu 54,4 (54,1) % an den Exporten und zu 52,0

(52,0) % an den Importen nach Deutschland beteiligt. Auf die anderen europäischen Industrieländer des Westens (v. a. **EFTA**) entfielen 17,1 (17,8) % der Ausfuhren und 15,2 (15,0) % der Einfuhren. Der Anteil des Handels mit den EG-Partnern – Ein- und Ausfuhren zusammengezählt – erhöhte sich 1992 auf 53,2 % des gesamten deutschen Außenhandelsvolumens. Der Exportüberschuß im Handel mit den anderen EG-Ländern erhöhte sich 1992 wieder auf 32.752 Mrd. DM (1991 nur 25,066 Mrd. DM), da die Ausfuhren in die EG-Partnerländer um 1,3 % anstiegen, während die deutschen Einfuhren konjunkturbedingt um 0,9 % abnahmen.

Die vorderen Plätze in der *Im- und Exportstatistik* wurden auch 1992 von EG-Ländern eingenommen. **Frankreich** behielt seinen 1. Rang als **Abnehmerland** (13,0 % aller deutschen Ausfuhren), und es blieb auch 1992 wichtigstes **Lieferland** mit 12,0 % aller Importe nach Deutschland. Den 2. und 3. Platz bei den Lieferanten nahmen auch 1992 wieder die **Niederlande** und **Italien** mit 9,6 % bzw. 9,2 % der Importe ein; es folgten **Belgien-Luxemburg** an 4., **Großbritannien** an 5. Stelle sowie an 6. Stelle die **USA** als größter überseeischer Lieferant. – Bei den wichtigsten deutschen **Exportkunden** folgten nach **Frankreich** die gleichen Länder wie bei den Importen, nur in leicht veränderter Reihenfolge: **Italien, Niederlande, Großbritannien, Belgien-Luxemburg** und **USA**. Letztere verlieren seit mehreren Jahren anteilsmäßig an Bedeutung als deutsche Exportkunden (1992: 6,4 % – 1986 noch 10,5 %, 1987 9,5 %). Vor allem der $-Kurs machte sich negativ für die deutsche Exportwirtschaft bemerkbar. So konnte im deutschen Außenhandel mit den USA auch 1992 nur ein kleiner Überschuß erwirtschaftet werden. Während sich z. B. 1986 noch ein positiver Saldo von 28,342 Mrd. DM für die BR Deutschland ergeben hatte, sank der deutsche Überschuß im USA-

Handel 1990 auf 9,787 Mrd. DM und 1992 auf nur noch 0,236 Mrd. DM.

Wichtigster *überseeischer Handelspartner* war, nach den USA, auch 1992 **Japan** mit einem 7. Platz unter den Liefer-, aber nur 11. Rang bei den Abnehmerländern. Da sich 1991–92 sowohl die deutschen Importe aus Japan verringerten (von 39,686 auf 38,049 Mrd. DM) als auch die Exporte dorthin (von 16,494 auf 14,600 Mrd. DM), blieb das schon traditionelle *deutsche Außenhandelsdefizit* mit Japan von 23,449 Mrd. DM relativ stabil.

Beim Handel mit den **außereuropäischen Entwicklungsländern** setzte sich der seit einigen Jahren zu beobachtende Aufschwung zumindest bei den Ausfuhren fort. Neben den EG-Ländern waren die Entwicklungsländer die einzige Ländergruppe, in die die deutschen Exporte zunahmen. Wegen der Devisenarmut und hohen Verschuldung der meisten dieser Länder entfiel allerdings ein großer Teil dieser Ausfuhren auf die relativ reichen Entwicklungsländer, v. a. die **OPEC-Länder** und die **ostasiatischen »Schwellenländer«** (z. B. Zunahme der deutschen Exporte in den Iran um 18,3 % auf 7,960 Mrd. DM, nach Hongkong um 20,6 % auf 4,248 Mrd. DM, nach Saudi-Arabien um 5,2 % auf 4,234 Mrd. DM, nach Venezuela um 12,7 % auf 1,263 Mrd. DM). Insgesamt stiegen die deutschen *Exporte in die Entwicklungsländer* um 6,2 % auf 77,229 Mrd. DM. Die *Einfuhren aus den Entwicklungsländern* sanken dagegen, und zwar um 4,9 % auf 71,116 Mrd. DM. Hier spielte v. a. die sich abschwächende Konjunktur in Deutschland eine Rolle (geringerer Rohstoffbedarf), daneben auch die sinkenden Preise gewisser bergbaulicher oder landwirtschaftlicher Rohstoffe sowie geringere Industriegütereinfuhren aus Ländern wie Hongkong, Taiwan (Rep. China) und Südkorea (Rep. Korea). Der bedeutendste deutsche Lieferant unter den Entwicklungsländern war 1992 die *VR China*. Sie konnte ihre Lieferungen nach Deutschland sogar leicht auf 11,650 Mrd. DM steigern.

Auch die *Importe aus den OPEC-Ländern* nahmen 1992 leicht zu (um 0,4 % auf 15,325 Mrd. DM). Hier liegt die Ursache in erhöhten Erdöllieferungen – von 40,195 (1991) auf 44,044 Mio. t (1992) – wodurch Preissenkungen kompensiert wurden (von 254 DM/t auf 228 DM/t 1992). Die *Ausfuhren in die OPEC-Länder* konnten um 7,4 % auf 23,120 Mrd. DM gesteigert werden. Hieran waren, wie oben erwähnt, v. a. der Iran und Saudi-Arabien beteiligt. Insgesamt betrug jedoch der OPEC-Anteil an den deutschen Ausfuhren nur 3,4 % gegenüber 9 % zu Beginn der 80er Jahre. Per Saldo ergab der Handel mit den OPEC-Ländern 1992 einen deutschen Überschuß von 7,795 Mrd. DM, da der Erdölbedarf nur noch zu rd. 50 % von OPEC-Ländern gedeckt wurde (1974 noch 94,9 %).

Im Handel mit den **Entwicklungsländern** insgesamt, bei dem seit 1988 Defizite auftraten, ergab sich durch die Zunahme der deutschen Exporte um 6,2 % auf 77,229 Mrd. DM bei gleichzeitigem Rückgang der Importe um 4,9 % auf 71,116 Mrd. DM 1992 erstmals wieder ein *deutscher Handelsbilanzüberschuß* (+6,113 Mrd. DM). Er resultierte v. a. aus den verstärkten Exporten in die OPEC-Staaten und die »Schwellenländer« Ostasiens und aus der Tatsache, daß durch die Konjunkturschwäche der deutschen Wirtschaft der Bedarf an Rohstoffeinfuhren zurückging. Der *Anteil aller Entwicklungsländer am deutschen Außenhandel* blieb relativ niedrig und betrug 1992 (1991) bei den Exporten 11,5 (10,9) % und bei den Importen 11,2 (11,6) %.

Die Entwicklung des deutschen Außenhandels mit ausgewählten Entwicklungsländern

Handelspartner	Einfuhr		Ausfuhr	
	in Mrd. DM			
	1992	(1991)	1992	(1991)
Brasilien	5,380	(5,454)	2,903	(3,021)
Mexiko	0,889	(1,093)	4,353	(4,101)
Chile	1,252	(1,431)	0,976	(0,786)
Saudi-Arabien	1,993	(2,073)	4,234	(4,024)
Indien	2,688	(2,770)	2,842	(2,395)
Malaysia	3,484	(3,138)	2,125	(2,232)
Nigeria	2,278	(1,967)	1,609	(1,627)
Ägypten	0,416	(0,447)	1,919	(1,815)

Die **ehem. sozialistischen »Staatshandelsländer«** in Europa werden inzwischen meist als **»Reformländer« Ostmittel- und Osteuropas** bezeichnet. Der Handelsaustausch mit ihnen entwickelte sich sehr unterschiedlich. Während die deutschen Lieferungen leicht abnahmen (um 0,3 % auf 37,309 Mrd. DM), erhöhten sich die deutschen Bezüge um 7,6 % auf 35,034 Mrd. DM. Insgesamt ergab sich somit ein *deutscher Handelsbilanzüberschuß* von 2,275 Mrd. DM. Die wichtigsten *Handelspartner* in diesem Raum waren 1992 *Rußland* und die Nachbarländer *Polen* und die (ehem.) *ČSFR*. So erhöhten sich z.B. die deutschen Ausfuhren in die ČSFR 1991–92 um 66 % auf 8,240 Mrd. DM, die Einfuhren von dort um 43 % auf 7,282 Mrd. DM. Für Rußland lassen sich keine exakten Jahresdaten angeben, da die Außenhandelsstatistik erst seit Mai 1992 Zahlen für die Nachfolgestaaten der ehem. UdSSR angibt.

Insgesamt war der Anteil des *»Osthandels«* am deutschen Außenhandel auch 1992 relativ unbedeutend, obwohl mit der ehem. DDR früher sehr enge Handelsverflechtungen bestanden. Die Schwierigkeiten des wirtschaftlichen Neuaufbaus beeinträchtigten jedoch den Handelsaustausch. Die *Exporte* betrugen 1992 5,6 % aller deutscher Ausfuhren, die *Importe* machten 5,5 % der Einfuhren aus. Bei den deutschen Ost-Exporten dominierten auch 1992 –

wie in den Vorjahren – die Lieferungen von Maschinen, Fahrzeugen, Chemikalien und spezialisierten Metallerzeugnissen. Die deutschen Bezüge bestanden überwiegend aus Rohstoffen (z. B. Erdöl und -gas aus Rußland, landwirtschaftliche Produkte), erst in geringerem Umfang aus Industrieerzeugnissen (z. B. aus der ehem. ČSFR).

Bei den **Waren und Gütern**, die im deutschen Ex- und Import 1992 gehandelt wurden, ergaben sich gegenüber den Vorjahren keine wesentlichen Veränderungen. Insgesamt dominierte wieder sehr stark der Außenhandel mit Waren der gewerblichen Wirtschaft (Rohstoffe, Halb- und Fertigwaren); ihr Anteil betrug 1992 (1991) bei der Einfuhr 87,7 (88,4) %, bei der Ausfuhr sogar 94,1 (94,3) %. Der Anteil der Land- und Ernährungswirtschaft erreichte infolgedessen nur 10,9 (10,6) % bzw. 5,5 (5,4) % des Außenhandels.

Die wichtigsten **Einfuhrgüter** waren 1992 nach dem Anteil am Gesamt-Einfuhrwert in %: Straßenfahrzeuge 10,9 – elektrotechnische Erzeugnisse 10,2 – chemische Erzeugnisse 9,0 – Maschinen 6,8 – Nahrungs- und Genußmittel 6,4 – Textilien 5,2 – Erzeugnisse der Land- und Forstwirtschaft und Fischerei 5,2 – Erdöl und Erdgas 4,8 (1985 noch an 1. Stelle mit 12,4) – Büromaschinen und Datenverarbeitungsgeräte 4,1 – Bekleidung 3,8 – Luft- und Raumfahrzeuge 3,4 – NE-Metalle und Metallhalbzeug 2,9 – Eisen und Stahl 2,6 – Eisen-, Blech- und Metallwaren 2,2.

Die höchsten *Zuwachsraten* bei den Einfuhren hatten 1991–92 Stahlbauerzeugnisse und Schienenfahrzeuge (+12,6%) – Steine und Erden (+13,9%) – Holzwaren (+12,3%) – Gummiwaren (+10,0%) – Nahrungs- und Genußmittel (+7,2%).

Bei der **Ausfuhr** dominierten 1992 (Anteil an der Gesamtausfuhr) in fast gleicher Reihenfolge wie im Vorjahr: Straßenfahrzeuge 18,0 – Maschinen 15,0 – chemische Erzeugnisse 12,7 – elektrotechnische Erzeugnisse 11,9 – Nahrungs- und Genußmittel 4,6 – Textilien 3,6 – Eisen und Stahl 3,0 – Luft- und Raumfahrzeuge 2,8 – Eisen-, Blech- und Metallwaren 2,8 – Kunststofferzeugnisse 2,6 – Büromaschinen und Datenverarbeitungsgeräte 2,0 – NE-Metalle und Metallhalbzeug 1,9 – feinmechanische und optische Erzeugnisse 1,9.

Höhere *Zuwachsraten* gegenüber 1991 zeigte die Ausfuhr von Mineralölerzeugnissen (+11,4%) – Wasserfahrzeugen (+11,3%) – Straßenfahrzeugen (+8,2%) – land- und forstwirtschaftlichen Erzeugnissen (+8,1%). *Rückgänge* beim Export gab es 1991–92 u. a. bei Kohle und Briketts (−29,2%) – Eisen und Stahl (−9,5%) – Büromaschinen und DV-Geräten (−7,5%).

Die **Außenhandelsbilanz der Waren und Güter** ergab 1992 für die BR Deutschland (alte Bundesländer) folgendes Bild: Der größte *Einfuhrüberschuß*

war – wie schon im Vorjahr – bei Erdöl und Erdgas zu verzeichnen, die trotz verringerten Importwertes (wegen der niedrigeren Preise) mit 29,935 Mrd. DM wieder an 1. Stelle standen (1991: 32,250 Mrd. DM Importüberschuß). An 2. Stelle standen Erzeugnisse der Land- und Forstwirtschaft und Fischerei mit einem Einfuhrüberschuß von 24,882 Mrd. DM (1991: 26,297 Mrd. DM). Es folgten mit hohen Passiva in Mrd. DM 1992 (1991): Bekleidung 13,874 (16,337) – Büromaschinen und Datenverarbeitungsgeräte 12,804 (11,004) – Nahrungs- und Genußmittel 9,730 (7,618) – Textilien 9,637 (9,469) – Mineralölerzeugnisse 8,355 (12,118) – NE-Metalle und Metallhalbzeug 6,105 (6,178) – Papier, Pappe, Zellstoff 5,656 (6,670) – Schuhe 5,382 (5,718).

Die größten *Ausfuhrüberschüsse* ergaben sich (in Mrd. DM) 1992 (1991) bei: Maschinen 57,463 (56,021) – Straßenfahrzeuge 51,010 (40,292) – chemische Erzeugnisse 27,744 (27,389) – elektrotechnische Erzeugnisse 15,240 (13,776) – Kunststofferzeugnisse 5,231 (4,741) – Eisen-, Blech- und Metallwaren 4,511 (5,006) – Druckereierzeugnisse 2,996 (2,804) – Stahlbauerzeugnisse und Schienenfahrzeuge 3,733 (3,920) – Papier- und Pappewaren 2,307 (2,239).

In **Österreich** nahm der *Außenhandel* zwar auch 1992 zu, doch schwächte sich das Wachstum gegenüber den Vorjahren stark ab. Der *Export* stieg, v. a. aufgrund der Konjunkturabschwächung in wichtigen Industrieländern, nominal nur noch um 1,8% auf 487,556 Mrd. S (1991: 479,029 Mrd. S). Da die *Einfuhren* noch schwächer wuchsen, nämlich um 0,3% auf 593,924 Mrd. S (1991: 591,898 Mrd. S), ermäßigte sich das *Handelsbilanzdefizit* 1992 (1991) auf 106,368 (112,869) Mrd. S.

Bei den *Importen* dominierten wieder die EG-Länder, aus denen Österreich 67,9% seiner Einfuhren bezog (Deutschland allein 42,9%). Der Anteil der EFTA-Partnerländer betrug demgegenüber nur 6,8%, und auch derjenige der ehem. »Ostblock«-Länder in Ostmittel-, Ost- und Südosteuropa stieg nur leicht auf 7,3%. Bei den *Ausfuhren* stieg der EG-Anteil auf 66,1%. Das schon traditionell hohe *Defizit im EG-Handel* konnte leicht gesenkt werden und erreichte 1992 81,130 Mrd. S (1991: 85,953 Mrd. S). Hiervon entfielen allein auf den Handel mit Deutschland 60,499 Mrd. S, während z. B. mit Großbritannien und Spanien Ausfuhrüberschüsse erreicht wurden. Mit der *EFTA* (8,6% der Exporte) ergab sich ein gegenüber den Vorjahren stark verringerter Außenhandelsüberschuß von 1,613 (1990 noch 8,006) Mrd. S, der v. a. auf den positiven Saldo im Handel mit der Schweiz zurückging (5,138 Mrd. S). Der Saldo mit den *ehem. Ostblockstaaten* war mit +12,954 Mrd. S stärker positiv als 1991 (+7,290 Mrd. S). Das Defizit im *Ent-*

wicklungsländerhandel ging leicht zurück (Einfuhren 46,806 – Ausfuhren 36,625 Mrd. S).

Die wichtigsten Außenhandelspartner Österreichs 1992

(Einfuhr/Ausfuhr in Mrd. S): 1. Deutschland 254,635/194,136 – 2. Italien 51,232/42,919 – 3. Schweiz 23,782/28,920 – 4. Frankreich 26,372/21,368 – 5. USA 23,392/12,853 – 6. Japan 28,067/7,492 – 7. Großbritannien 16,160/17,406 – 8. Niederlande 16,045/14,221 – 9. Ungarn 11,959/15,558 – 10. Belgien/Luxemburg 16,934/9,028 – 11. ČSFR 11,077/13,816 – 12. Spanien 7,459/11,557 – 13. Schweden 10,703/7,229 – 14. Rußland 7,490/6,867 – 15. Polen 5,011/7,058.

Bei den *Einfuhrgütern* standen 1992 Maschinen und Fahrzeuge mit 234,771 Mrd. S (davon Pkw 47,179) an erster Stelle vor Textilien und Bekleidung (51,716), Ernährungsgütern (26,733) und Erdöl und Erdgas (24,184). – Bei den *Ausfuhren* dominierten ebenfalls Maschinen und Fahrzeuge (189,662) vor Textilien und Bekleidung (39,652), Papier und Papierwaren (28,615) sowie Eisen und Stahl (25,629 Mrd. S).

In der **Schweiz** erhöhte sich 1992 das *Außenhandelsvolumen* leicht, wobei sich jedoch Ein- und Ausfuhren unterschiedlich entwickelten. Während die *Exporte* um fast 5 % anstiegen, verringerten sich die *Importe* wegen der ausgeprägten Rezession der Binnenwirtschaft. Der Rückgang der Nachfrage betraf v. a. Importe von Rohstoffen, Maschinen und Fahrzeugen, die stark abnahmen. Als Folge verringerte sich das *Außenhandelsdefizit* stark, so daß erstmals seit rd. 15 Jahren wieder eine fast ausgeglichene Handelsbilanz erreicht wurde (→ *Tabelle*).

	Einfuhr	Ausfuhr	Saldo
	(in Mrd. sfr.)		
1980	58,972	48,581	–10,392
1982	58,060	52,659	–5,401
1984	69,024	60,654	–8,370
1986	73,511	67,004	–6,507
1988	82,399	74,064	–8,335
1990	96,611	88,257	–8,354
1991	95,032	87,947	–7,085
1992	92,330	92,142	–0,188

Der weitaus größte Teil des Außenhandels wurde wieder mit den *EG-Staaten* abgewickelt (Einfuhren 66,641 – Ausfuhren 54,254 Mrd. sfr), mit denen sich ein gegenüber dem Vorjahr verringertes Defizit von 12,387 Mrd. sfr ergab. Allein 9,287 Mrd. sfr entfielen hiervon auf den Handel mit Deutschland. Der Handel mit den *EFTA-Partnerländern* ergab ebenfalls ein Defizit (Exporte 5,812 – Importe 6,365 Mrd. sfr); der Handel mit den *ehemals sozialistischen Ländern Osteuropas* nahm stark ab und ergab ebenso wie der Handel mit den *Entwicklungsländern* (Exporte 15,662 – Importe 6,627 Mrd. sfr).

Die bedeutendsten Außenhandelspartner der Schweiz 1992

(Einfuhr/Ausfuhr in Mrd. sfr): 1. Deutschland 30,880/21,593 – 2. Frankreich 9,987/8,726 – 3. Italien 9,248/8,058 – 4. USA 5,866/7,787 – 5. Großbritannien 5,336/6,063 – 6. Japan 3,982/3,449.

Die wichtigsten *Einfuhrgüter* waren 1992 (in Mrd. sfr): Maschinen 18,224 – Chemikalien 11,453 – Instrumente, Uhren, Schmuck 10,369 – Fahrzeuge 9,909 – Textilien, Bekleidung, Schuhe 8,781 – Erzeugnisse der Land- und Forstwirtschaft und Fischerei 7,979 – Metalle 7,731 – Energierohstoffe 3,898 – Papier und Papierwaren 3,819. Die wichtigsten *Ausfuhrgüter* waren 1992 (in Mrd. sfr): Maschinen 25,392 – Chemikalien 21,258 – Instrumente, Uhren, Schmuck 19,026 – Metalle und Metallwaren 7,701 – Textilien, Bekleidung, Schuhe 4,592 – Erzeugnisse der Land- und Forstwirtschaft und Fischerei 3,360 (darunter Nahrungs- und Genußmittel 2,248) – Leder, Kautschuk, Kunststoffe 2,641 – Papier und Papierwaren 2,271.

Die **EG** als Wirtschaftsgemeinschaft bzw. Zollunion mit gemeinsamem Außentarif war auch 1992 die mit Abstand *größte am Welthandel beteiligte Wirtschaftseinheit*, auf die über 40 % des Welthandelsumsatzes entfielen (EG-Binnen- und -Außenhandel). Der *innergemeinschaftliche Handel* nahm 1991–92 um 1,9 % zu und betrug 1992 715,997 Mrd. ECU (1 ECU=2,05 DM), wobei die Niederlande (+14,8 Mrd. ECU) und Deutschland (+6,3 Mrd. ECU) die höchsten Bilanzüberschüsse, Spanien (–10,0 Mrd. ECU) und Frankreich (–9,6 % Mrd. ECU) die höchsten Defizite aufwiesen. Seit 1. 1. 1993 besteht der gemeinsame »*Europäische Binnenmarkt*«, in dem ungehinderter Warenverkehr ohne Zollschranken besteht. Allerdings existieren immer noch eine Vielzahl anderer Handelshemmnisse zwischen den EG-Ländern, die einem ungehinderten Warenaustausch entgegenstehen, z. B. unterschiedlich hohe Mehrwert- und Verbrauchssteuern, technische Normen, lebensmittelrechtliche Vorschriften, Grenzwerte für Schadstoffe und Emissionen usw.

Im *außergemeinschaftlichen Handel*, d. h. im

Handel mit Drittländern, betrugen 1992 (1991) die *Exporte* der EG 435,660 (423,497) Mrd. ECU, die *Importe* 487,730 (493,990) Mrd. ECU. Das *Defizit* im Handel mit der übrigen Welt verringerte sich also von 70,493 (1991) auf 52,070 Mrd. ECU (1992). Besonders groß war das Defizit wieder im Handel der EG mit Japan (–31,004 Mrd. ECU) und den USA (–12,859 Mrd. ECU).

Die **USA** waren auch 1992 das *führende Welthandelsland,* und zwar v. a. aufgrund ihrer hohen Importe. Aber auch bei den Ausfuhren standen sie wieder an der Spitze, wie 1991, als sie Deutschland überholten. Der seit 1988 zu beobachtende positive Trend der *Handelsbilanz-Entwicklung* setzte sich jedoch nicht fort. Seit 1981 (–34,6 Mrd. $) hatte es ein jährlich zunehmendes Defizit der Handelsbilanz gegeben, das 1987 die Rekordsumme von 170,320 Mrd. US-$ erreichte. 1988–91 konnte dieses Defizit jährlich verringert werden. 1992 vergrößerte sich dagegen der Einfuhrüberschuß wieder, da die Exporte zwar um 6,3 % auf 447,829 Mrd. US-$ anstiegen, die Importe jedoch um 8,3 % auf 548,295 Mrd. US-$ zunahmen. Es ergab sich somit 1992 ein *Außenhandelsdefizit* von 100,466 Mrd. US-$, das v. a. auf die hohen Importe von Erdöl, EDV-Geräten und Verbrauchsgütern zurückging. Fast die Hälfte des Defizits entfiel auf den zunehmend ungünstiger verlaufenden *Handel mit Japan,* der 1992 (1991) einen Importüberschuß von 49,4 (43,4) Mrd. US-$ erbrachte. Ein wichtiges Thema der US-amerikanischen Außenhandelspolitik war daher auch 1992 die Frage, wie dieses Defizit verringert werden könnte. Die USA drohten verstärkt mit Einfuhrbeschränkungen, falls Japan in Zukunft nicht mehr amerikanische Waren abnimmt.
Die bedeutendsten *Handelspartner* der USA waren 1992 (nach dem Handelsvolumen) Kanada, Japan, Mexiko, Deutschland und Großbritannien. Die wichtigsten *Einfuhrgüter* waren 1992: Rohöl, elektrische Maschinen und Geräte, Datenverarbeitungsanlagen, Bekleidung, Agrarprodukte und Kraftfahrzeuge. Die bedeutendsten *Ausfuhrgüter* waren 1992: Agrarprodukte, Elektromaschinen, Datenverarbeitungsanlagen, Flugzeuge und Werkzeugmaschinen.

Japan, das *drittgrößte Welthandelsland,* erreichte 1992 einen *Außenhandelsüberschuß* von 106,935 Mrd. US-$, was ein sprunghaftes Anwachsen gegenüber dem Ergebnis von 1991 (+77,781 Mrd. US-$) bedeutet. Die Entwicklung war gekennzeichnet durch eine Steigerung der *Exporte* um 8,1 % auf 340,483 Mrd. US-$, der nur ein geringfügiger Anstieg der *Importe* gegenüberstand (+0,7 % auf 233,548 Mrd. US-$). Wegen der starken Abschwächung der Binnenkonjunktur stagnierte die

Importnachfrage, und die japanische Industrie wandte sich verstärkt den Auslandsmärkten zu; auch profitierte Japan von den niedrigen Rohstoffpreisen und der günstigen Konjunktur in den ost- und südostasiatischen »Schwellenländern«, die zu wichtigen Handelspartnern wurden. Die Exporte Japans in diese Länder (ASEAN-Länder und »newly industrialized countries«, wie Südkorea, Hongkong und Taiwan) nahmen 1985–92 von 17,0 % auf 28,4 % der Ausfuhren zu. Die Exporte in die USA nahmen im Zuge dieser zunehmenden pazifischen Verflechtung Japans anteilsmäßig ab, wenn sie auch volumenmäßig zunahmen. Die USA erließen weitere Einfuhrrestriktionen, um das hohe Defizit im Handel mit Japan abzubauen und um Japan zu einer liberaleren Einfuhrpolitik zu zwingen.
Die wichtigsten *Abnehmer japanischer Exporte* waren 1992 die USA, Deutschland, Rep. Korea/Süd-Korea, Rep. China/Taiwan, Hongkong, Großbritannien und die VR China. Die wichtigsten *Lieferanten für Importe* waren die USA, Indonesien, Australien und die VR China.
Die wichtigsten *Exportgüter* waren 1992 Kraftfahrzeuge, Elektro- und Elektronikerzeugnisse und Maschinen. Die bedeutendsten *Einfuhrgüter* waren Roh- und Brennstoffe, Maschinen und Fahrzeuge, Nahrungsmittel, Chemikalien und Textilien.

Der **»Ost-West-Handel«** zwischen den westlichen Industrieländern (OECD-Staaten) und dem bisherigen Ostblock (ehem. RGW-Staaten) stagnierte 1992, v. a. wegen des *stark verringerten Handelsaustausches mit den Staaten der ehem. UdSSR.* Dagegen waren die anderen ostmittel- und südosteuropäischen Staaten (z. B. Polen, ČSFR, Ungarn) bestrebt, ihre bisherige einseitige Bindung an die ehem. UdSSR zu lockern und durch verstärkten Handelsaustausch mit westeuropäischen Staaten ihre Wirtschaftsreformen zu festigen. Bisher ist der »Ost-West-Handel« noch sehr unausgewogen. Die *OECD-Importe aus Osteuropa* bestehen zu einem hohen Anteil aus Energie- und sonstigen Rohstoffen (fast 50 %) und gewerblichen Massenartikeln (Eisen, Stahl, Textilien), während hochwertige Industrieerzeugnisse kaum geliefert werden können (mangelndes technologisches Niveau der RGW-Länder). Die *westlichen Lieferungen* bestehen dagegen hauptsächlich aus Maschinen und Fahrzeugen, chemischen Erzeugnissen, Nahrungsmitteln (Getreide u. a.) und hochwertigen Stählen. Exporte in diesen Raum werden allerdings durch die Devisenknappheit der osteuropäischen Länder stark behindert, so daß sich häufig Tausch- und Gegengeschäfte entwickeln.
Am stärksten ging der Außenhandel **Rußlands** zurück. Die *Exporte* fielen 1991–92 von rd. 78 auf 42 Mrd. US-$, die *Importe* von 70 auf 38 Mrd. US-

$. Eine Hauptursache des starken Rückgangs der Ausfuhren lag in der gesunkenen Erdölförderung, denn der Anteil von Erdöl und -produkten stieg 1992 auf über 50 % des gesamten Ausfuhrwertes. Maschinen machten nur noch rd. 20 % der Exporte aus. Die Importe Rußlands bestanden wieder überwiegend aus Nahrungsmitteln, Maschinen und sonstigen Industrieprodukten. Noch weitgehend ungeklärt ist die Zukunft der *Austauschbeziehungen innerhalb der GUS,* insbes. zwischen Rußland und den übrigen Nachfolgestaaten der UdSSR, die bei der Versorgung z. T. stark aufeinander angewiesen sind. Das zunehmende Ausscheren von Staaten aus dem Rubel-Währungsverbund erschwert den Handel, trägt aber dazu bei, die starke Abhängigkeit von Rußland abzubauen.

Wichtigster *Handelspartner Rußlands* außerhalb der GUS war auch 1992 Deutschland, nachdem früher die DDR unter den »östlichen« und die BR Deutschland unter den »westlichen« Ländern jeweils an der Spitze standen.

Die **VR China** weitete 1992 ihren Außenhandel stark aus, wobei die Importe prozentual stärker anstiegen als die Exporte und der *Außenhandelsüberschuß* sich verminderte. Nach offiziellen Angaben erhöhte sich der Exportwert 1991–92 um 18,2 % auf 85 Mrd. US-$; die Importe nahmen um 26,4 % auf 80,6 Mrd. US-$ zu. Die wichtigsten chinesischen *Exportmärkte* waren wiederum Hongkong, Japan, Singapur und – unter den europäisch-nordamerikanischen Industriestaaten – die USA, Deutschland und Großbritannien. Die *Einfuh-*

ren kamen v. a. aus Japan, Hongkong, den USA und aus Deutschland. Zu den wichtigsten wirtschaftlichen Zielen der VR China gehört in den nächsten Jahren die weitere Förderung von *Exportindustrien* (z. B. Textilien, elektrische Geräte, Kunststoffartikel u.ä.), aber auch die verstärkte Vermarktung der reichen Vorkommen an Bodenschätzen. Der Export, der früher stark rohstofforientiert war, bestand 1992 bereits zu 80 % aus Industriegütern. Über 20 % davon stammten aus jungen Industrien, die mit Hilfe ausländischen Kapitals in den letzten Jahren gegründet wurden (»joint ventures«).

Eine erstaunliche Entwicklung zeigt seit den 80er Jahren die **Rep. China (Taiwan).** Durch eine gezielte Förderung von *Exportindustrien* rückte Taiwan 1992 auf den 13. Rang unter den Handelsnationen bzw. sogar auf den 12. Rang der exportierenden Länder vor. Bis 1991 hatten die Exporte Taiwans sogar diejenigen der VR China übertroffen. Mit *Exporten* von 81,480 Mrd. US-$ und *Importen* von 72,000 Mrd. US-$ wurde wieder ein beträchtlicher *Handelsbilanzüberschuß* erzielt (+9,480 Mrd. US-$). Hauptkunde der Rep. China waren die USA (über ¼ der Exporte) vor Hongkong, Japan und Deutschland, wobei der Handel mit Hongkong hauptsächlich Transithandel mit der VR China ist, mit der offiziell kein Handelsaustausch besteht. Die wichtigsten *Ausfuhrgüter* waren 1992 elektrische und elektronische Maschinen und Apparate, Textilien, Metallwaren, Kunststoffartikel, Schuhe, Spiel- und Sportartikel.

Verkehr

Die *Nachfrage nach Personen- und Güterverkehrsleistungen* stieg global im Zuge des weltwirtschaftlichen Aufschwungs seit 1983 bis 1990 jährlich an. 1991 dagegen stagnierte sowohl der Güter- als auch der Personenverkehr wegen der Rezession in vielen westlichen Industriestaaten und des wirtschaftlichen Zusammenbruchs des ehemaligen »Ostblocks«. 1992 gab es – global gesehen – nach ersten Berechnungen wieder einen mäßigen *Anstieg des Verkehrs*, und zwar sowohl im Zusammenhang mit der Konjunkturbelebung in den USA und dem wieder zunehmenden Welthandel (Güterverkehr) als auch bedingt durch das Wachstum des internationalen Reiseverkehrs (Tourismus). Dagegen stagnierte der Verkehr wegen der schlechten wirtschaftlichen Lage in den Ländern Osteuropas und der ehem. UdSSR. In den meisten Entwicklungsländern ist der Verkehr nach wie vor relativ unbedeutend im Vergleich zu den Industriestaaten.

Die **Verkehrsleistungen in Deutschland** wurden vom Statistischen Bundesamt für 1990 folgendermaßen berechnet [a) alte, b) neue Bundesländer]:

Öffentlicher Personenverkehr: beförderte Personen/zurückgelegte Personen-km: a) 7,108 Mrd./ 127,993 Mrd., b) 3,273 Mrd./43,894 Mrd., davon Eisenbahnverkehr a) 1,172 Mrd./44,588 Mrd., b) 0,470 Mrd./17,397 Mrd. – Straßen- (Bus-, Straßenbahn-) Verkehr a) 5,873 Mrd./64,963 Mrd., b) 2,802 Mrd./23,876 Mrd. [davon bei a) Linienverkehr 5,478 Mrd./35,619 Mrd. – Berufs- und Schülerverkehr u.ä. 0,314 Mrd./5,310 Mrd. – Ausflugs- und Ferienreiseverkehr 0,081 Mrd./24,033 Mrd.] – Luftverkehr a) 0,063 Mrd./18,442 Mrd. (nur Inland), b) 0,001 Mrd./2,621 Mrd.

Güterverkehr (nur alte Bundesländer): 3,599 Mrd. t beförderte Güter, 299,641 Mrd. geleistete t-km, davon (in Mio.) Eisenbahnverkehr 310,4/62864 – Lkw-Fernverkehr 438,1/120444 – Lkw-Nahverkehr 2410,0/49400 – Binnenschiffsverkehr 231,6/ 54803 – Seeverkehr 143,8/- – Luftverkehr 1,1/393 – Erdölfernleitungen 64,3/11737.

Die größten *Transport-, Verkehrs- und Touristikunternehmen der BR Deutschland* waren 1992 (Umsatz in Mrd. DM/Beschäftigte in Tsd.): Bundespost Postdienst 25,600/378,0 – Bundesbahn 19,684/224,8 – Lufthansa 17,239/49,3 – Schenker-Rhenus 8,400/18,7 – Kühne & Nagel 5,408/9,1 – Hapag-LLoyd 3,786/8,9.

Der von der Bundesregierung am 15.7.1992 beschlossene *»Bundesverkehrswegeplan '92«* sieht für die Jahre 1991–2010 **Investitionen** in Höhe von 493,0 Mrd. DM vor, die sich folgendermaßen aufteilen:

Investitionen im »Bundesverkehrswegeplan '92« (1991–2010)	Mrd. DM	in %
Schienennetz der DB und DR	194,9	39,5
Bundesfernstraßen (Bundesstraßen und Autobahnen)	191,4	38,8
Bundeswasserstraßen	28,0	5,7
Finanzhilfen für den Gemeindeverkehr (Öffentlicher Verkehr und Straßenbau)	76,1	15,4
Sonstiges	2,6	0,6
Summe der Investitionen	493,0	100,0

Kraftfahrzeugbestand und -produktion
Straßenverkehr und Straßenbau

Weltbestand an Kraftfahrzeugen (ohne motor. Zweiräder, landwirtsch. Zugmaschinen, Anhänger, Polizei- und Militärfahrzeuge) nach UNO-Angaben und neueren Schätzungen 1991 rd. 567 Mio., davon 432 Mio. Pkw sowie 135 Mio. Lkw und Busse. Hiervon entfielen auf Nordamerika und Westeuropa je rd. 35 % – Asien 15 % – Osteuropa und ehem. UdSSR 5 % – übrige Kontinente zusammen 10 %.

Kraftfahrzeugbestand 1989/90 (nach UNO und Statist. Bundesamt, z. T. S) in 1000 Pkw/Lkw und Busse: **Europa:** Deutschland 32035/5292[1] – Italien (1988) 25290/3299[1] – Frankreich 23550/4740[1] – Großbritannien 19742/2861[1] – UdSSR 16562/- – Spanien 12011/2385[1] – Niederlande 5509/546 – Polen 5261/1137 – Belgien 3833/402[1] – Schweden 3578/310 – Jugoslawien 3324/247 – ČSFR 3122[1]/ 447 – Schweiz 3012[1]/285 – Österreich 2991/262[1] –

Finnland 1926/270[1] – Ungarn 1848/207 – Dänemark 1656/246[1] – **Afrika:** Südafrika 3317/1462[1] – Ägypten 827/551[1] – Algerien (1987) 667[1]/324 – Marokko 634/256[1] (1987) – Nigeria (1987) 391[1]/40 – Tunesien 320/174[1] – Simbabwe 282[1]/82 – **Amerika:** USA 143081/44179[1] – Brasilien (1988) 14996/1610 – Kanada 12811/3458[1] – Mexiko 6068[1]/2606 – Argentinien (1986) 3898/1435[1] – Venezuela (1986) 2300/1248 – Kolumbien 1099/230[1] – Chile 828/145. **Asien:** Japan 35924/22865[1] – Saudi-Arabien (1986) 2245[1]/2023 – Rep. China (Taiwan) 2155[1]/623 – Iran 2000[1]/870 – Türkei 1885/900[1] – Indien 1863/1445 – Malaysia 1530/316[1] – Rep. Korea (Süd-K.) 1559/1092[1] – Indonesien 1182/1391[1] – Thailand 1000/835[1] – Israel 778/149 – Pakistan 733/204[1] – Philippinen 413/672[1]. **Australien/Ozeanien:** Australien 7442/1995[1] – Neuseeland 1277/279.

[1] = einschl. Kombi

Neuzulassung von Kraftfahrzeugen 1991 in 1000 (nach UNO-Angaben) Pkw/Lkw und Busse: USA 8234,0/4345,0 – Japan 4576,0/1083,0 – Deutschland 3428,4/214,8 – Italien 2273,8/188,3 – Frankreich 2031,4/409,7 – Großbritannien 1665,8/203,1 – Spanien 914,0/232,7 – Kanada 873,2/414,6 – UdSSR (alle Kfz., 1990) 786,0 – Belgien 498,6/52,3 – Niederlande 490,4/74,3 – Australien 417,3/81,3 – Schweiz 310,1/23,4 – Österreich 303,7/28,0 – Schweden 194,7/22,8 – Südafrika 182,6/64,0 – keine Daten für die meisten osteuropäischen und Entwicklungsländer verfügbar.

Die **Weltproduktion von Kraftwagen** belief sich 1992 auf rd. 46,5 Mio. (davon 34,5 Mio. Pkw und Kombi); sie sank damit gegenüber 1991 leicht ab. Die größten **Automobilhersteller** waren 1991 in 1000 Pkw/Nutzfahrzeuge (einschl. Lkw und Busse) – ohne Montage importierter Bausätze: Japan 9756,0/3498,0 – USA (Fabrikabgabe) 5407,2/3372,0 – Deutschland 4269,6/390,0 – Frankreich 3121,2/492,0 – Spanien 1830,0/219,6 – Italien 1627,2/258,0 – Großbritannien 1278,0/222,01 – UdSSR 1184,4/733,2 – Rep. Korea (Süd-K.)[1] 1131,6/318,0 – Kanada 890,4/789,6 – Mexiko[1] 733,2/144,0 – Schweden (1990) 336,0/74,4 – Australien[1] 310,8/18,0 – Brasilien 292,81/684,0 – Jugoslawien 218,41/32,4 – Indien 193,2/146,4 – ČSFR 176,4/- – Polen 166,8/21,6 – Argentinien[1] (1990) 114,0/14,4 – Niederlande 85,2/30,0 (1990) – u. a. Österreich 14,4/4,8.

[1] = einschl. Montage

Montage von Kfz. aus importierten Teilen 1991 in 1000 Stück: Belgien 1065,0/89,2 – Südafrika 221,5 (1990)/120,3 (1989) – Türkei 198,0/48,6 – Malaysia 152,5/64,1 – Portugal 78,0/51,8 – Thailand 76,9/206,2 – Indonesien (1990) 57,4/

202,2 – Marokko (1989) 47,8/9,6 – Kolumbien 35,3/8,9.

Auch 1992 war *Japan* wieder der *größte Autoproduzent* (mit rd. 15,4 Mio. Fahrzeugen) vor USA, Deutschland und Frankreich.

In **Deutschland** stieg die *Produktion von Kraftfahrzeugen* 1992 erneut an und erreichte das bisher höchste Ergebnis. Die *deutsche Automobilindustrie* produzierte 1992 (1991) 5,175 (5,015) Mio. Fahrzeuge, davon 4,800 (4,660) Mio. Pkw und Kombi sowie 0,375 (0,355) Mio. Nutzfahrzeuge (insbes. Lkw). Der *Umsatz der Automobilindustrie* stieg 1992 (1991) auf 237 (232) Mrd. DM; die *Beschäftigtenzahl* sank durch Automatisierung trotzdem auf 733 (777) Tsd. Personen. Die erneute *Produktionssteigerung* ergab sich ausschließlich durch eine *Zunahme der Exporte* auf 2,6 Mio. Pkw (1991: 2,2 Mio.), denn der *Inlandsabsatz* ging um 4 %, bei den Pkw um 5,5 % zurück. Gegen Jahresende schwächte sich auch der Export ab, und ab Anf. 1993 geriet die deutsche Automobilindustrie in eine deutliche Rezession.

Der **Bestand an zugelassenen bzw. im Verkehr befindlichen Kraftfahrzeugen** betrug in *Deutschland* 1991 (alte/neue Bundesländer) 37,404/9,200 Mio., davon in Mio. Pkw und Kombi 31,322/6,300 (ohne Kombi) – Traktoren 1,755/0,264 (1990) – Motorräder 1,481/1,900 (einschl. Mopeds u.ä.) – Lkw 1,440/0,264 (1990; einschl. Kombi) – Busse 0,070/0,072 (1990; einschl. Kleinbusse) – sonstige (z. B. Wohnmobile, Feuerwehr-, Krankenfahrzeuge usw.) 0,463/0,174 (1990) – zulassungsfreie Mopeds, Mofas u.ä. 0,874/- – ferner Kfz.-Anhänger 2,365/1,500.

Die **Neuzulassungen von Kraftfahrzeugen** in *Deutschland* sanken nach Angaben des Kraftfahrtbundesamts 1992 (1991) auf 4,475 (4,668) Mio. fabrikneue Kfz., darunter 3,939 (4,159) Mio. Pkw und Kombi. Die bedeutendsten *Marken* bei den Neuzulassungen waren 1992 VW (mit Audi, Seat und Skoda) 1,150 Mio. – Opel 671 – Ford 377 – Mercedes-Benz 256 – BMW 244 Tsd. Die beliebtesten ausländischen Marken waren japanische (538 Tsd.) und französische Wagen (378 Tsd.).
Der *Gebrauchtwagenhandel* ging 1991–92 in Deutschland um 5,8 % zurück. Es wurden 8,24 Mio. Kfz., davon 7,5 Mio. Pkw, auf neue Besitzer umgeschrieben.

In **Westeuropa** ging die *Autoproduktion* 1992 weiter zurück und erreichte nur noch rd. 14,5 Mio. Pkw (mit Kombi) gegenüber 15 Mio. (1991) bzw. 15,5 Mio. (1990). In vielen Ländern schwächte sich die Nachfrage nach einheimischen Modellen deutlich ab; hinzu kamen Rückgänge beim Export nach Übersee sowie andererseits zunehmende Einfuhren aus Japan, so daß sich die Autowerke des EG-Raumes auch für 1993 auf stärker *sinkende Produktionszahlen* einstellten. 1991–92 betrug der *Rückgang der Neuzulassungen* in Westeuropa 0,1 % (13,494 Mio. Pkw). Den höchsten *europäischen Marktanteil* erreichte wieder VW (mit Audi, Seat und Skoda) mit 17,5 % (2,36 Mio. verkaufte Pkw), gefolgt von der Fiat-Gruppe, Peugeot (mit Citroen) und General Motors (mit Opel und Vauxhall). Der Anteil japanischer Autos erhöhte sich insgesamt auf 13 %, obwohl einige Länder (Frankreich, Spanien, Italien u. a.) den Import japanischer Pkw durch Restriktionen behindern. Der Aufbau von Zweigwerken japanischer Firmen in Europa (v. a. Großbritannien) wurde 1992/93 fortgesetzt. Das bedeutendste *Autoproduktionsland in Europa* war auch 1992 Deutschland, gefolgt von Frankreich, Spanien und Italien. Nach der *Zahl der Neuzulassungen* führte 1992 Deutschland (3,939 Mio.) vor Italien (2,375 Mio.), Frankreich (2,106 Mio.), Großbritannien (1,594 Mio.) und Spanien (0,979 Mio.). Eine neue Situation für den Automarkt ergab sich in den *osteuropäischen Staaten* nach der Abkehr vom Sozialismus. Pkw-Produktion und -Bestand sind im Vergleich zu Westeuropa relativ gering. Wegen der enormen wirtschaftlichen Probleme der Bevölkerung wird auch erst mittelfristig mit einer stärkeren Motorisierung gerechnet. Eine Modernisierung und Steigerung der Kfz.-Produktion erfolgt v. a. durch Zusammenarbeit mit westeuropäischen Firmen (z. B. Engagement des Fiat-Konzerns in Polen, Übernahme der Skoda-Werke in der Tschech. Rep. durch VW).

In den **USA** nahm 1992 die *Pkw-Produktion* leicht zu (rd. 10,0 Mio. Fahrzeuge). Erstmals nach Jahren konnten die US-amerikanischen Hersteller ihren Anteil am Markt wieder leicht erhöhen (auf 72,5 %) auf Kosten der japanischen Konkurrenz, die 23,8 % der Neuzulassungen lieferte. Die Obergrenze für japanische Einfuhren lag aufgrund eines »Selbstbeschränkungsabkommens« 1992 bei 1,650 Mio. Wagen, jedoch lieferten japanische Firmen zusätzlich rd. 1,1 Mio. Pkw aus Werken in den USA.

Japan war trotz leicht rückläufiger Zahlen auch 1992 wieder *weltgrößter Kfz.-Produzent* mit rd. 15,4 Mio. Fahrzeugen, davon 12,9 Mio. Pkw. Die *Produktionsabnahme* ergab sich sowohl durch leicht verminderte Exporte (5,6 Mio.) als auch durch den Inlandsabsatz, der wegen der herrschenden Konjunkturschwäche zurückging. Gesteigert wurde dagegen die Produktion in den ausländischen Werken (USA, Großbritannien u. a.). Unter dem sinkenden Absatz in Japan litten auch die Importe; so gingen die Lieferungen deutscher Pkw nach Japan um 12,1 % auf 104,7 Tsd. zurück (von insges. 281,4 Tsd. importierten Wagen).

Der **Individualverkehr mit Pkw** nahm auch 1992 in *Deutschland* weiter zu; er stieg – gerechnet in Personen-km – um rd. 3 %. Dies geht allein auf den erhöhten Pkw-Bestand zurück, da sich die durchschnittliche *jährliche Fahrleistung pro Pkw* leicht verminderte (1991 12 920 km, 1992 rd. 12 880 km). Der Benzin- und Dieselverbrauch nahm zwar wegen der größeren Kfz.-Zahl zu (→ *Erdöl, Kap. Bergbau*), doch sank der Verbrauch weiter und betrug 1992 (1991) 9,40 (9,42) l/100 km (Benzin) bzw. 7,95 (7,95) l (Diesel). Nach dem Programm von Bundesumweltminister *Töpfer* für ein »*umweltfreundliches Auto*« soll der durchschnittliche *Kraftstoffverbrauch* bis 2005 auf 5 l/ 100 km gesenkt werden. Eine Studie von ESSO erwartet 8,5 l/100 km (Benzin) um 2000. Der weiteren *Senkung von Schadstoffemissionen* soll der Einbau von geregelten Dreiwegekatalysatoren dienen, der ab 1993 für alle neuen Pkw in allen EG-Ländern Pflicht werden soll.

Die Zahl der **Tankstellen** in *Deutschland* nahm in den letzten Jahren weiter ab bei gleichzeitiger Konzentration auf größere Betriebe. Anf. 1992 gab es in Gesamtdeutschland 18 584 Straßentankstellen, davon rd. 1600 in den neuen Bundesländern. Hier ist noch eine Zunahme zu erwarten.

Im **Straßenbau** wurden auch 1992/93 größere Projekte v. a. in großflächigen Staaten mit noch ungenügender Verkehrserschließung durchgeführt, z. B. in China sowie in lateinamerikanischen und afrikanischen *Entwicklungsländern*. Generell nahm jedoch das *Neubauvolumen* in den letzten Jahren aus finanziellen Gründen ab, so daß verschiedene entwicklungspolitisch erwünschte Vorhaben nicht durchgeführt wurden. Dagegen wurde in den meisten *Industrieländern* der Straßenbau in den letzten Jahren deutlich eingeschränkt, weil der vordringliche Bedarf weitestgehend gedeckt ist und Gesichtspunkte des Natur- und Umweltschutzes gegen eine weitere Verdichtung des Straßennetzes sprechen.

Das **Straßennetz der BR Deutschland** betrug 1991 in den alten Bundesländern rd. 494 000 km; hiervon waren 320 000 km Gemeindestraßen und 173 995 km Straßen des überörtlichen Verkehrs, davon (in km) Bundesautobahnen 8959 – Bundesstraßen 30 860 – Landes- bzw. Staatsstraßen 63 162 – Kreisstraßen 71 014; in den neuen Bundesländern (1990) 47 201 km klassifizierte Straßen, davon 1850 km Autobahnen, 11 320 km Fernstraßen, 34 031 km Bezirksstraßen.

Straßenverkehrsunfälle: Eine umfassende Statistik über Unfälle im Straßenverkehr auf vergleichbarer internationaler Basis existiert nicht, doch schätzt die Weltgesundheitsorganisation (WHO), daß weltweit über 250 000 Menschen pro Jahr im Straßenverkehr getötet werden. Während die Zahl der Verkehrsopfer in den meisten Industrieländern zurückgeht, steigt sie in den Entwicklungsländern weiter an. Die Zahl der Verletzten wird auf jährlich über 12 Mio. geschätzt.

Verkehrstote/Verletzte in Tsd. 1990: USA 44,5/3643,7 (1989) – Deutschland 11,0/510,9 – Frankreich 10,3/224,0 – Polen 7,3/59,6 – Spanien 6,9/155,5 – Italien 6,6/221,0 – Großbritannien 5,4/347,5 – Jugoslawien (1989) 4,6/61,4 – Ungarn 2,4/37,0 – Portugal 2,4/64,9 – Belgien 2,0/85,3 – ČSFR 2,0/38,3 – Griechenland 1,7/27,4 – Bulgarien 1,6/6,8 – Niederlande 1,4/52,0 – Österreich 1,4/60,7 – Schweiz 1,0/29,2 – Schweden 0,8/22,5.

In der **BR Deutschland** (alte Bundesländer) sind (nach Angaben des Statistischen Bundesamts) von Anf. 1953 bis Ende 1992 rd. 530 000 Menschen bei Straßenverkehrsunfällen getötet und rd. 17,950 Mio. verletzt worden. 1953 belief sich die Zahl der Verkehrstoten auf 11 449. Sie stieg dann fast jährlich an und erreichte 1970 mit 19 193 Getöteten ihren Höhepunkt. Die Zahl sank dann wieder und hielt sich ab 1974 bei weniger als 15 000 jährlich. Von 1979 (13 222) bis 1984 (10 199) war erneut ein stärkerer Rückgang zu verzeichnen. 1985 ging die Zahl erneut stark zurück (8400 Verkehrstote, eine Zahl, die bereits Mitte der 30er Jahre im Deutschen Reich zu verzeichnen war). Ende der 80er Jahre hielt sich die Zahl der Verkehrstoten bei rd. 8000 jährlich und sank 1992 auf 7263 (alte Bundesländer). Dagegen stieg die Zahl der Verkehrstoten in der ehem. DDR durch die starke Verkehrszunahme seit der Wiedervereinigung stärker an: 1784 (1989) – 3140 (1990) – 3733 (1991) – 3380 (1992).

Für ganz *Deutschland* betrug 1992 (1991) die Zahl der gemeldeten *Schadensunfälle* 2,378 (2,304) Mio. Hiervon waren 393 042 (384 447) Unfälle mit Personenschaden. Die Zahl der *Verletzten* betrug 513 146 (503 636), die der *Getöteten* 10 643 (11 248).

Eisenbahnverkehr

Das **Streckennetz der Eisenbahn** (Personen- und Güterverkehr) umfaßte 1992 weltweit rd. 1,3 Mio. km, davon rd. 225 000 km in Nordamerika (USA und Kanada) und rd. 150 000 km in der EG. Erweiterungen des Netzes wurden auch 1992/93 in einigen großflächigen *Entwicklungsländern* zur besseren Raumerschließung vorgenommen, z. B. in China, Indien, Lateinamerika (insgesamt 1992 rd. 400 km neue Strecken bzw. Modernisierung und Instandsetzung von Strecken).

In den westlichen *Industrieländern* war auch 1992/93 eine weitere Konzentration der Eisenbahn auf stark befahrene Hauptstrecken und Linien in Verdichtungsräumen zu verzeichnen (»Rückzug aus der Fläche«). Einerseits wurden gering frequentierte Nebenbahnstrecken, v. a. im ländlichen Raum, wegen mangelnder Auslastung völlig oder nur im Personenverkehr stillgelegt. Andererseits werden derzeit in vielen Ländern stark belastete Hauptstrecken modernisiert und teilweise neu trassiert, um den Verkehr zu beschleunigen und die Transportkapazität zu erhöhen (z. B. in Deutschland, Österreich, der Schweiz, Italien, Frankreich, Großbritannien, Spanien, Japan).

Das *größte europäische Neubauprojekt* ist der *Eisenbahntunnel unter dem Ärmelkanal* zwischen England und Frankreich (50 km, davon 38 km untermeerisch). Seit der Ratifizierung der Baugesetze Mitte 1987 wird an diesem Projekt (2 parallele Tunnels) gearbeitet; der Durchstich des in der Mitte liegenden Versorgungstunnels erfolgte am 1. 12. 1990, der der beiden Eisenbahntunnel am 22. 5. bzw. 28. 6. 1991. Seitdem wird am Innenausbau und an den Zulaufstrecken gearbeitet. Die Inbetriebnahme der Tunnelstrecke, deren Kosten bei 8,4 Mrd. £ (= umgerechnet 24,4 Mrd. DM) liegen werden, soll nach langwierigen Verzögerungen im Frühjahr 1994 erfolgen und die Fahrzeit Paris – London von derzeit 6½ (Bahn und Fähre) auf 3 Stunden verkürzen. Ein anderes Tunnelprojekt, der *Brennerbasistunnel* zwischen dem Tiroler Inntal und Südtirol zur Aufnahme der jährlich wachsenden Verkehrsströme über die Alpen auf der Brennerroute, ist noch nicht baureif, da zwischen Deutschland, Österreich und Italien noch keine Einigung über den genauen Verlauf, v. a. nicht über die Trassierung der Zulaufstrecken besteht (z. B. Alternative Inntal oder Karwendeltunnel). Seit 1992 wächst in Tirol der Widerstand gegen den Tunnel generell. Größere Chancen auf Realisierung hat daher das *Schweizer NEAT-Projekt* (Neue Alpen-Transversale), das im Sept. 1992 in einem Referendum gebilligt worden ist. Es sieht den Bau zweier neuer Alpen-Basistunnel (Gotthard und Lötschberg) zur Erleichterung des europäischen Nord-Süd-Verkehrs vor.

In **Deutschland** wurden 1991 die beiden ersten längeren *Neubaustrecken* seit Jahrzehnten in voller Länge in Betrieb genommen: die Schnellfahrstrecken Hannover–Würzburg (327 km) und Mannheim–Stuttgart (99 km). Beide Strecken wurden in die ersten beiden *ICE-Linien* einbezogen, die mit Geschwindigkeiten bis 250 km/h befahren werden: seit Sommer 1991 die Linie München–Stuttgart–Mannheim–Frankfurt–Kassel–Hannover–Hamburg und seit Sommer 1992 die Linie München – Nürnberg–Würzburg–Kassel-Hannover–Hamburg. Am Aus- bzw. Neubau weiterer moderner *Schnellfahrstrecken* wird gearbeitet bzw. geplant, z. B. Hannover–Berlin, Hamburg–Berlin, Köln–Frankfurt (Neubau rechtsrheinisch), München–Nürnberg–Berlin. Neben dem ICE-, dem IC- und dem EC-Netz *(»Intercity«* bzw. *»Eurocity«)* wird seit 1988 das IR-Netz *(»Interregio«)* laufend erweitert. Die im Taktfahrplan verkehrenden Züge dieser neuen Netze werden in den nächsten Jahren die bisherigen D- und FD-Züge ersetzen.

Auch im *Güterverkehr*, wo seit langem starke Umsatzrückgänge zugunsten des Lkw-Transports auftreten, soll durch Beschleunigung des Verkehrs und bessere Zusammenarbeit mit Speditionen (z. B. Haus-Haus-Service) das Verkehrsaufkommen der Bahn wieder erhöht werden.

Im Wettbewerb mit der herkömmlichen Bahn (Rad-Schiene-Technik) steht die *Magnetschwebetechnik*, die in den letzten Jahren in der BR Deutschland entwickelt und auf einer Versuchsstrecke im Emsland erprobt wurde *(»Transrapid«)*. Die technische Einsatzreife wurde Anf. 1992 durch ein Gutachten bestätigt. Eine erste Transrapid-Strecke soll von Hamburg nach Berlin gebaut werden (287 km), doch ist bisher die Finanzierungsfrage noch ungeklärt.

Transportleistung der Eisenbahn 1991 (nach UNO-Angaben) in Mio. Netto-Tonnen-km/Mio. Passagierkm (ohne Militär-, Post- und Gepäckbeförderung, ohne Straßen-, Industrie- u. Seilbahnen): UdSSR 3 311 736/372 960 – USA 1 526 076/10 056 (nur Fernverk.) – VR China (1990) 1 060 116/261 012 – Kanada (1988) 263 436/2136 – Indien (1990) 233 292/277 272 – Südafrika (mit Namibia; 1987) 92 184/21 408 – Deutschland 80 628/55 380 – Polen 65 148/40 116 – Frankreich 51 588/62 160 – ČSFR 49 932/17 832 – Australien (1984) 39 444/ – – Rumänien 37 848/25 428 – Mexiko 32 988/4728 – Japan 27 348/391 032 – Jugoslawien (1990) 24 444/11 052 – Schweden 18 288/5412 – Großbritannien (ohne Nordirland; 1990) 15 828/34 068 – Rep. Korea (Süd-K.) 14 496/33 468 – Österreich (nur staatl.) 12 864/8964 – Ungarn 11 940/9. 864 – Spanien 10 668/15 228 – Bulgarien 8688/4872 – u. a. Schweiz 8112/12 384.

In **Deutschland** betrieben (nach Angaben des Statistischen Bundesamts) 1991 die *Deutsche Bun-* desbahn und *103 nichtbundeseigene Eisenbahnen* Schienenverkehr in den alten sowie die *Deutsche Reichsbahn* in den neuen Bundesländern. Die *Streckenlänge* betrug 29 810 bzw. 14 308 km, die Gleislänge 65 159 bzw. 25 601 km. Von der Streckenlänge waren 12 035 km (40,4 %) bzw. 4025 km (28,1 %) elektrifiziert. Die Zahl der *Bahnhöfe* ging weiter zurück und betrug Anf. 1991 in den alten Bundesländern 3028 (1970 noch 4886), in der ehem. DDR 1787 (zusätzlich 1904 bzw. 1184 Haltestellen). Im Gegensatz zu weiteren Betriebseinschränkungen im ländlichen Raum wurden erneut beträchtliche Summen investiert a) in den *Neubau bzw. den Ausbau von Fernverkehrsstrecken*, b) in die *Verbesserung des Schienennenverkehrs in den Verdichtungsräumen*. Insbesondere der *S-Bahn-Ausbau* wurde weitergeführt (z. B. Berlin, Rhein-Ruhr, Rhein-Main, München, Stuttgart, Nürnberg).

Fahrzeugbestände der deutschen Eisenbahnen Anf. 1991 (alte/neue Bundesländer): Elektrische Loks 2554/1313, Dieselloks 3807/4325, Triebwagen 2502/740, Reisezugwagen 11 493/7742, Güterwagen 263 833/162 181. – Der *Personalbestand* betrug 1991 245 960 (DB), 10 451 (nichtbundeseigene Eisenbahnen) bzw. 258 376 (DR).

Die *Transportleistung* der Bahnen betrug 1990 in West-/Ostdeutschland: beförderte Personen 1,172 Mrd./0,470 Mrd. – geleistete Personen-km 44,588 Mrd./17,397 Mrd. – beförderte Güter 344,525/ 230,975 Mio. t, davon u. a.(nur alte Länder): feste Brennstoffe 74,187 – Eisen, Stahl und NE-Metalle 55,107 – Erze 35,434 – Erdöl, Mineralölerzeugnisse, Gase 25,127 – Steine, Erden, Kies, Salz u.ä. 21,648 – Maschinen, Elektrogeräte, Metallhalb- und -fertigwaren 8,966 – Nahrungs-und Genußmittel 8,737 – Düngemittel 7,136 Mio. t.

Die beiden *deutschen Staatsbahnen, Bundesbahn/DB* (West) und *Reichsbahn/DR* (Ost), erwirtschafteten 1992 im Personen- und Güterverkehr sehr unterschiedliche Ergebnisse. Im *Personenverkehr* stieg der Umsatz insgesamt um 742 Mio. DM (= +5,6%) auf 13,908 Mrd. DM, davon 10,758 Mrd. DM bei der DB und 3,150 Mrd. DM bei der DR. Insbesondere die neuen Angebote der IC/EC- und ICE-Züge brachten stärkere Umsatzzuwächse. Im IC/EC-Verkehr wurden 44 Mio. und im ICE-Verkehr 13 Mio. Fahrgäste befördert. Im *Güterverkehr* ging der Umsatz aus konjunkturellen Gründen um 15 % (–1,86 Mrd. DM) auf nur noch 10,489 Mrd. DM zurück, da v. a. der Massengütertransport (Erze, Stahl, Kohle) stark abnahm und beim Stückgut- und Containertransport der Anteil des Lkw-Transports weiter anstieg. Insgesamt betrug der Umsatz im Güterverkehr bei der DB 8,757 Mrd. DM und bei der DR 1,732 Mrd. DM. Die *finan-*

zielle Situation der Bahnen verschlechterte sich weiter. Die Schulden erhöhten sich um rd. 9 Mrd. DM bei der DB und 6 Mrd. DM bei der DR auf insgesamt rd. 56 Mrd. DM. Der *Personalbestand* wurde weiter abgebaut; bei der DB verringerte sich 1992 das Personal um 6000 auf rd. 224000 (1970 noch 410000), bei der DR um 22000 auf rd. 175000. – Die Pläne für eine völlige *Neuorganisa-*

tion der Bahnen wurden weiter vorangetrieben. Bis Anf. 1994 soll aus den beiden Behörden DB und DR ein teilprivatisiertes Wirtschaftsunternehmen *»Deutsche Bahn AG«* entstehen. Für *Investitionen* sind 1993 knapp 3 Mrd. DM vorgesehen (Um- und Neubau von Strecken, Beschaffung neuer Loks und Reisezugwagen, Schließung weiterer Lücken entlang der ehem. DDR-Grenze usw.).

Schiffahrt (Binnen- und Seeschiffahrt); Schiffbau

In **Deutschland** hatten die befahrbaren **Binnenwasserstraßen** (ohne Seen) 1990 eine Länge von 6830 km, davon 2029 km Kanäle. Die Zahl der *Schiffe* der 1645 *deutschen Binnenschiffahrtsunternehmen* (nur alte Bundesländer) betrug Mitte 1990 4648, darunter (Tragfähigkeit in 1000 t) Gütermotorschiffe 1798 (1779,9) – Tankmotorschiffe 409 (557,0) – Schubleichter 418 (654,3) – Schuten und Leichter 943 (200,1) – Schlepper 252 (–) – Schubboote 102 (–) – Fahrgastschiffe 628 (128,7 Tsd. Passagierplätze). Bei der *Güterbeförderung* hielt auch 1992 die Tendenz an, die Zahl der Schiffe zu vermindern und gleichzeitig die durchschnittliche Ladekapazität zu vergrößern.

An der *Güterbeförderung auf den deutschen Binnenwasserstraßen* waren außer einheimischen Schiffen v. a. solche der Rhein-Anliegerstaaten, in geringerem Umfang auch solche Polens, der ČSFR, Österreichs und der übrigen Donau-Anlieger beteiligt. Der Binnenverkehr innerhalb des westlichen Bundesgebietes wurde 1990 zu 88,5 % von deutschen Schiffen durchgeführt; der Gütertransport ins Ausland bzw. aus dem Ausland zu 54,5 % von Schiffen der Niederlande und zu 29,7 % von deutschen Schiffen (u. a. Schiffe Belgiens 5,0 %, der Schweiz 4,1 %).

Die *beförderte Menge* verringerte sich 1990 gegenüber dem Vorjahr um 1,4 % auf 231,574 Mio. t (nur alte Bundesländer). Die wichtigsten *beförderten Güter* waren (1990 in Mio. t): Sand, Kies, Bims, Ton u.ä. 47,1 – Kraftstoffe und Heizöl 34,8 – Eisenerze 34,5 – Steinkohle 21,7 – chemische Grundstoffe 10,4 – Steine, Erden u.ä. 9,2 – Getreide 6,7 – chemische Düngemittel 5,9 – Futtermittel 5,8 – pflanzliche und tierische Öle und Fette, Ölsaaten 5,7 – Mineralölerzeugnisse 4,6.

Die bedeutendsten *Binnenwasserstraßen* sind (geleistete t-km 1990 in Mio.): Rhein 38166,4 – Mosel 3189,9 – Mittellandkanal mit Zweigkanälen 2663,2 – Main mit Main-Donau-Kanal bis Roth 2299,2 – Dortmund-Ems-Kanal mit Ems 2176,1 – Neckar 1395,2 – Wesel-Datteln-Kanal 918,8 – Elbe (nur Binnenverkehr) 873,1 – Rhein-Herne-Kanal

657,7 – Elbe-Seitenkanal 616,3 – Weser (nur Binnenverkehr) 596,4 – Donau 418,9. *Gesamtverkehr auf den Binnenwasserstraßen der BR Deutschland* (alte Bundesländer) 1990 54802,5 Mio. t-km, davon 8717,5 Mio. t-km Transitverkehr.

Die bedeutendsten **Binnenhäfen** sind (Umschlag 1990 in Mio. t): Duisburger Häfen 48,899 – Karlsruhe 11,826 – Köln 10,054 – Hamburg (nur Binnenverkehr) 9,031 – Ludwigshafen 8,914 – Mannheim 7,774 – Berlin 7,680 – Heilbronn 5,918 – Frankfurt/am Main 5,368 – Dortmund 5,051 – Neuss 4,643 – Saarlouis-Dillingen 3,771 – Mainz 3,602 – Krefeld-Uerdingen 3,601 – Hamm 3,498 – Gelsenkirchen 3,485 – Wesseling 3,410 – Essen 3,409 – Magdeburg 3,372 – Düsseldorf 2,851 – Bremen (nur Binnenverkehr) 2,611 – Andernach 2,524.

Der Bau des *Main-Donau-Kanals* wurde 1992 beendet; die **Rhein-Main-Donau-Schiffahrtsstraße** wurde am 25. 9. 92 in voller Länge in Betrieb genommen. Damit wurde ein Kanalprojekt beendet, das als erster Karl der Große 793 – erfolglos – in Angriff genommen hatte. Der erste durchgehende Kanal wurde durch den bayerischen König Ludwig I. erbaut und als »Ludwig-Donau-Main-Kanal« 1846 dem Verkehr übergeben. Dieser schmale Kanal verlor jedoch durch die Konkurrenz der neu aufkommenden Eisenbahn bald völlig an Bedeutung. Der heutige Bau geht auf einen Staatsvertrag zwischen dem Deutschen Reich und dem Freistaat Bayern vom 13. 6. 1921 zurück, der im »Duisburger Vertrag« vom 16. 9. 1966 zwischen dem Bund und Bayern leicht modifiziert wurde. Darin wurde festgelegt, 1969 das damals noch fehlende Teilstück der Großschiffahrtsstaße von Nürnberg bis Vilshofen in Angriff zu nehmen, um den Bau bis 1989 fertigzustellen. Zur Finanzierung wurden staatliche zinslose Darlehen (in Form einer Vorfinanzierung) gegeben, die von der »Rhein-Main-Donau AG« aus den Erträgen der gleichzeitig zu bauenden Wasserkraftwerke zurückzuzahlen sind. Die verzögerte Fertigstellung geht v. a. darauf zurück, daß es zu Anfang der 80er Jahre in der Bundesregierung Bestrebungen gab, den Kanalbau einzustellen. Die Gegner einer Fertigstellung – die den Kanal auch heute z. T. für unsinnig halten – argumentierten hauptsächlich mit ökologischen und wirtschaftlichen Gründen: Der Kanal beeinträchtige die natürlichen Grundlagen der Landschaft und sei außerdem unrentabel, da die zu erwartende Verkehrsmenge zu gering sei und ohne weiteres durch die Bahn befördert werden könne. Die Befürworter verwiesen v. a. auf die günstige Energiebilanz des Gütertransports per Schiff, auf die zu erwartenden belebenden Effekte für die ostbayerische Wirtschaft, die Tatsache, daß ein Rückgängigmachen der bisherigen Ausbauten (mit »Renaturierung« der Landschaft) beim fortgeschrittenen Bauzustand kaum weniger teuer wäre als der Weiterbau, und nicht zuletzt auf die wasserwirtschaftliche Funktion des Kanals: Er dient auch dazu, Brauchwasser aus dem Donauraum in das Wassermangelgebiet Franken überzuleiten. *(Einzelheiten über die gesamte Rhein-Main-Donau-Wasserstraße → Abb.).* Zur Sicherung der ganzjährigen Befahrbarkeit der Donau sind in nächster Zeit weitere Bauvorhaben (Staustufen) zwischen Straubing und Vilshofen geplant.

Die **Welthandelsflotte** bestand am 1.1. 1992 aus insgesamt 34330 Schiffen mit 405,149 Mio. BRT bzw. 658,012 Mio. dwt, davon u. a. 17165 Stückgutfrachter (101,741 Mio. dwt), 6035 Öltanker (263,482 Mio. dwt), 4685 Massengut- und Erzfrachter (203,306 Mio. dwt), 2918 Passagier- und Fährschiffe (3,875 Mio. dwt), 1273 Containerschiffe (29,595 Mio. dwt), 1031 Tanker für Chemikalien (6,682 Mio. dwt), 865 Flüssiggastanker (12,047 Mio. dwt).

Der **Welt-Seegüterverkehr** (geladene Güter im Außenhandel) belief sich (nach ISL, Bremen) 1991 (1990) auf 4,025 (3,977) Mrd. t, davon (in Mio. t) u. a. Rohöl 1200 (1190) – Kohle 360 (342) – Eisenerz 352 (347) – Mineralölprodukte 323 (336) – Getreide 180 (192). Die *Ladungsmengen im Seegüterverkehr* erhöhten sich nach vorläufigen Berechnungen 1992 mit +3,0 % wieder stärker als 1991 (+1,2 %); sie erreichten aber aus konjunkturellen Gründen nicht mehr die Zuwachsraten von 1988 (+6,2 %) oder 1989 (+5,0 %), als sich das überseeische Welthandelsvolumen besonders stark ausgeweitet hatte. Da in den 80er Jahren der Handelsschiffsbestand nicht im gleichen Maße zugenommen hatte wie das Handelsvolumen, ergibt sich für die Schiffahrt eine günstige Erlössituation. Positiv wirkten sich zudem die niedrigen Ölpreise auf die Transportkosten aus. Eine weitere Möglichkeit, Kosten zu sparen, sahen auch 1992/93 viele Reeder der europäischen Hochlohnländer darin, ihre Schiffe »auszuflaggen«, d. h., unter sog. »Billigflaggen« mit niedriger entlohnten ausländischen Seeleuten zu fahren. Allein in Deutschland wurden 1992 47 Schiffe »ausgeflaggt«.

Der **Schiffsbestand der BR Deutschland** (Handelsflotte) belief sich am 1.1.1992 auf 832 Einheiten

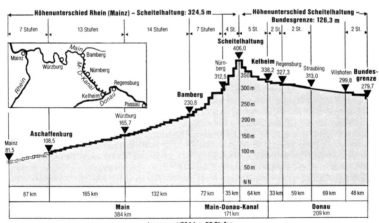

Die Rhein-Main-Donau-Schiffahrtsstraße
(Eröffnung im September 1992)

Handelsflotte

Schiffsbestand am 1. 1.1992; Seeschiffs-Einheiten von 300 BRT und darüber (nach »Shipping Statistics Yearbook«, hrsg. v. »Institut für Seeverkehrswirtschaft und -logistik«, Bremen)

Land (Flagge)	Schiffe (Zahl)	in 1000 BRT	in 1000 dwt	Land (Flagge)	Schiffe (Zahl)	in 1000 BRT	in 1000 dwt
Liberia*	1545	52598,7	93686,7	Deutschland	832	5482,6	6937,3
Panama*	3574	45560,7	73646,5	Großbritannien	508	5148,6	6781,3
Japan	3833	24171,3	36968,2	Dänemark (DIS)**	374	5011,4	7584,4
Griechenland	1423	23559,9	43531,1	Iran	176	4470,8	8298,7
Norwegen (NIS)**	849	21620,7	38520,8	Türkei	688	4268,6	7434,7
Zypern*	1314	19657,4	35127,3	Frankreich	199	3591,2	5377,5
Bahamas*	847	18332,5	30390,9	Rumänien	286	3550,5	5525,8
UdSSR	2547	17760,7	23121,3	St. Vincent*	574	3521,6	5631,8
USA	514	14908,4	23658,1	Niederlande	528	3301,8	4368,3
VR China	1591	13020,5	19791,7	Schweden	282	3148,3	3735,2
Malta*	725	8833,9	15066,1	Bermuda*	65	3041,5	5129,7
Singapur*	559	8648,5	14049,9	Polen	268	2985,1	4189,8
Philippinen	811	8185,1	13701,6	Spanien	368	2777,9	5059,2
Italien	828	7447,4	10671,6	Australien	127	2291,8	3386,6
Rep. Korea (Süd-K.)	673	7149,9	1674,4	Vanuatu*	124	2007,0	3055,5
Hongkong	241	6277,3	10621,9	Indonesien	789	1978,5	2964,5
Indien	347	5938,1	9861,5	u. a. Schweiz	22	359,2	632,0
Rep. China (Taiwan)	238	5901,2	9248,0	Österreich	32	139,3	233,6
Brasilien	312	5521,5	9348,1				

* überwiegend »Billigflaggen« (sog. »Fluchttonnage«)
** NIS/DIS = »Norway/Denmark International Shipping Register« (»Billigflagge«)

mit 5,483 Mio. BRT (6,937 Mio. dwt), davon 564 Trockenfrachter mit 2,381 Mio. BRT, 129 Containerschiffe mit 2,340 Mio. BRT, 63 Tanker mit 0,414 Mio. BRT (darunter 29 Öl-, 20 Flüssiggas- und 14 Chemikalientanker), 76 Fahrgastschiffe mit 0,349 Mio. BRT. Dazu kamen rd. 450 nicht Handelszwecken dienende Schiffe (Fischereifahrzeuge, Jachten usw.). Nicht enthalten sind in obigen Zahlen Schiffe der Bundesmarine sowie deutsche Schiffe, die unter fremder Flagge fahren (v. a. Zypern, Panama und Liberia). Deren Zahl ist in den letzten Jahren stark gestiegen, besonders aus Gründen der Steuerersparnis und wegen der strengen Arbeits- und Sozialgesetzgebung in Deutschland. 1992 fuhren 289 deutsche Schiffe mit 3,288 Mio. BRT unter fremder Flagge. Um eine weitere »Ausflaggung« deutscher Schiffe zu verhindern, wurde am 1. 4. 1989 ein »Zweit-« oder »Zusatzregister« eingerichtet *(»Deutsches Internationales Schiffsregister«)*, für das die strengen nationalen Vorschriften des Erstregisters nicht gelten. Auf Schiffen in diesem »Zweitregister« dürfen ausländische Seeleute zu den billigeren Löhnen ihrer Heimatländer beschäftigt werden. Die *Zahl der Beschäftigten auf deutschen Schiffen* sank vom Höchststand 48000 (1971) auf 15000 (1990, westl. Bundesländer) bzw. 25000 (1991, Gesamtdeutschland).

Die **deutschen Seehäfen** waren 1992 vom Konjunkturrückgang noch wenig betroffen. Die leichte Erhöhung des Außenhandels führte dazu, daß trotz eines Rückgangs bei gewissen Massengütern der Umschlag stabil blieb. Der *grenzüberschreitende Güterverkehr über See* mit Häfen der (»alten«) BR Deutschland betrug 1990 im Versand 44,256 Mio. t und im Empfang 96,545 Mio. t. Wichtigste *Güter* beim Versand waren (in Mio. t): chem. Grundstoffe 4,360 – Stahlbleche und Bandstahl 2,868 – chem. Düngemittel 2,428 – elektrotechn. Erzeugnisse 2,384 – Fahrzeuge 2,001 – Kraftstoffe und Heizöl 1,654 – Getreide 1,640 – Futtermittel 1,581 – Stahlrohre u.ä. 1,174; beim Empfang (in Mio. t): Rohöl 21,345 – Eisenerz 11,081 – Kraftstoffe und Heizöl 10,357 – Steinkohle 4,525 – Futtermittel 3,881 – Steine und Erden 3,567 – NE-Metallerze 3,010 – Zellstoff und Altpapier 2,864 – Ölfrüchte und -saaten, pflanzliche und tierische Öle und Fette 2,308.

Güterumschlag in den wichtigsten Seehäfen (nur Seeverkehr, ohne Binnenschiffahrt, Aus- und Einladungen in Mio. t) 1990 (1989): Hamburg 56,760 (53,857) – Wilhelmshaven 15,927 (14,499) – Bremerhaven 14,344 (15,077) – Bremen 13,362 (14,825) – Rostock 13,197 (20,775) – Lübeck 12,259 (11,748) – Brunsbüttel 7,320 (6,314) – Puttgarden 5,031 (4,339) – Brake 4,486 (4,595) –

Wismar 2,999 (3,346) – Kiel 2,913 (3,193) – Nordenham 2,343 (2,154) – Emden 1,801 (3,024) – Cuxhaven 0,880 (0,854) – Stralsund 0,844 (1,002).

Güterverkehr in führenden Seehäfen 1991
(Auswahl, nach Angaben des.»Inst. f. Seeverkehrswirtschaft«, Bremen, und anderen Quellen) *Umschlag* in Mio. t/davon Mineralöl und -produkte (– = keine Angaben)

Rotterdam (Niederlande)	290,815 /	122,433
Singapur	206,429 /	–
Kobe (Japan)	174,101 /	–
Chiba (Japan, 1989)	164,182 /	57,572
Shanghai (VR China, 1990)	139,590 /	13,680
Nagoya (Japan)	136,794 /	37,618
Yokohama (Japan)	121,942 /	45,119
Hongkong	104,502 /	–
Antwerpen (Belgien)	101,346 /	–
Kitakyushu (Japan)	98,680 /	9,671
Osaka (Japan)	98,659 /	–
Kawasaki (Japan, 1987)	90,442 /	15,945
Marseille (Frankreich)	89,360 /	63,714
Tokio (Japan, 1990)	79,335 /	–
Kaohsiung (Rep. China/Taiwan)	77,126 /	24,063
Long Beach (USA)	72,398 /	30,986
Inchon (Rep. Korea/Süd-K.)	70,959 /	17,657
Los Angeles (USA)	70,910 /	27,584
Vancouver (Kanada)	70,714 /	4,526
Pusan (Rep. Korea/Süd-K.)	66,547 /	–
Hampton Roads (USA)	66,358 /	–
Hamburg (Deutschland)	65,533 /	15,400
Corpus Christi (USA)	63,894 /	–
Houston (USA)	61,290 /	–
Philadelphia (USA)	58,831 /	46,947
London (Großbritannien, 1990)	58,149 /	25,353
Le Havre (Frankreich)	57,220 /	36,907
Richards Bay (Südafrika)	56,596 /	–
Tubarao (Brasilien, 1987)	56,083 /	–
Tampa (USA)	46,302 /	10,788
Newcastle (Australien)	43,873 /	–
New Orleans (USA)	43,100 /	–
Port Hedland (Australien)	43,092 /	–
New York/New Jersey (USA)	42,716 /	–
Tees & Hartlepool (Großbrit.)	42,427 /	25,286
Genua (Italien)	41,836 /	26,022
Dünkirchen (Frankreich)	40,737 /	11,080
Milford Haven (Großbritannien)	35,819 /	35,318
Triest (Italien)	35,494 /	29,105
Sao Sebastiao (Brasilien, 1988)	33,496 /	–
Arzew (Algerien, 1987)	33,096 /	18,319
Tarent (Italien, 1987)	32,558 /	7,321
Gladstone (Australien)	31,977 /	0,448
Amsterdam (Niederlande)	31,227 /	–
Zeebrügge (Belgien)	30,853 /	1,543
Bremen/Bremerhaven (Deutschl.)	30,707 /	2,579
Southampton (Großbritannien, 1990)	28,848 /	22,559
Bilbao (Spanien)	27,380 /	16,291
Port Kelang (Malaysia)	26,297 /	3,971
Göteborg (Schweden)	26,312 /	17,234
Bombay (Indien)	26,260 /	–
Tarragona (Spanien, 1989)	26,015 /	15,827
Gent (Belgien)	25,455 /	0,305

Güterverkehr *(Forts.)*

St. Nazaire (Frankreich)	25,162 /	16,783
Santos (Brasilien, 1990)	24,911 /	2,740
Venedig (Italien)	24,864 /	–
Angra dos Reis (Brasilien, 1988)	24,712 /	0,0
Liverpool/Merseyside	24,659 /	11,664
Algeciras/La Linea (Spanien,1990)	24,538 /	13,275
Durban (Südafrika)	24,268 /	–
Forcados (Nigeria)	22,853 /	22,853
Baltimore (USA)	21,701 /	0,890

Die wichtigsten **Kanäle für den Seeschiffsverkehr** waren 1991 (Transittonnage in Mio. t): Suez-Kanal 272,542 (davon rd. 30 % Mineralöl und -produkte) – Panama-Kanal 162,698 – Nord-Ostsee-Kanal 51,635 – St.-Lorenz-Seeweg 45,188.

Schiffbau *fertiggestellte Handelsschiffe* 1991 (1990) in 1000 BRT (nach ISL): Japan 7283 (6824; 1975 noch 16991) – Rep. Korea (Süd-K.) 3497 (3460) – Rep. China (Taiwan; 1990 bzw.'89) 775 (1202) – Deutschland 775 (856) – Dänemark 442 (395) – Italien 500 (372) – Jugoslawien 355 (457) – Spanien 317 (363) – Brasilien 231 (256) – Niederlande 211 (163) – Polen 194 (104) – Großbritannien 186 (131) – Finnland 157 (247) – Norwegen 124 (80) – Frankreich 109 (60) – Schweden 38 (29) – u. a. USA 9 (15; 1980 noch 555) – keine Angaben für die UdSSR und die VR China.

Der *Welt-Schiffbau* betrug 1991 (1990) 1574 (1672) Handels- und Passagierschiffe (ab 100 BRT) mit 16,095 (15,885) Mio. BRT. Über den Bau von Kriegsschiffen liegen keine Daten vor.

Der bisherige Höchststand im **Welt-Schiffbau** war 1974 mit 34,624 Mio. BRT erzielt worden, v. a. durch den Bau von Großtankern für den Erdöltransport. Bis 1979 sank der Schiffbau dann auf lediglich 11,458 Mio. BRT ab und blieb auch in den folgenden Jahren auf niedrigem Niveau. Insbesondere der Bau großer Erdöltanker wurde wegen des verringerten Erdölverbrauchs und der Verkürzung der Transportwege (Nordseeöl!) fast völlig überflüssig. Erst Ende der 80er Jahre kam es wieder zu verstärkter Neubautätigkeit. Durch die Steigerung des Welthandels und die zunehmende Überalterung des vorhandenen Schiffsbestandes wird sich der Bedarf an Schiffsneubauten in den nächsten Jahren weiter erhöhen.

Weltweit haben sich in den 70er und 80er Jahren die *Schwerpunkte im Schiffbau* stark verschoben. Ehemals führende Schiffbaunationen, wie Großbritannien (in den 60er Jahren an 2. Stelle in der Welt), Norwegen oder Niederlande sind heute fast bedeutungslos. Der Schiffbau konzentrierte sich aus Kostengründen immer stärker auf Ostasien (1975 51,6 % – 1991 rd. 75 % des Weltschiffbaus), während Westeuropa zurückfiel (1975 41,3 % – 1991 nur noch rd. 16 % der Neubautonnage). Überall – auch in Japan – sind heute hohe unausgelastete Kapazitäten in der *Werftindustrie* vorhanden, obwohl in den letzten Jahren bereits viele Werften stillgelegt wurden (z. B. in Großbritannien, Frankreich, Deutschland). In den meisten Ländern überlebt der Schiffbau nur noch durch staatliche Subventionen und militärische Aufträge (in obigen Zahlen nicht enthalten).

In *Deutschland* wurde Anf. 1993 von der Bundesregierung beschlossen, die *Subventionen für die Werften* fortzusetzen und für 1993 126,4 Mio. DM zur Verfügung zu stellen, um dem Schiffbau angesichts der billigeren Konkurrenz das Überleben zu sichern. Die *deutschen Werften* lagen zwar 1991/92 auf dem 4. Platz im internationalen Handelsschiffbau, doch reichte die Produktion nicht mehr entfernt an die Zahlen der 70er Jahre heran. Die meisten Werften konnten zudem ihre Rentabi-

lität nur durch Diversifizierung (Reparaturen, Stahlbau, militärische Aufträge) und v. a. durch Spezialisierung auf den Bau hochwertiger Spezialschiffe mit aufwendiger Technologie bewahren. Die Werften in der ehem. DDR (Mecklenburg-Vorpommern) gerieten 1991/92 in eine kritische Situation, da sie bisher ohne Rücksicht auf Wirtschaftlichkeit und in hohem Maße für den Bedarf der UdSSR produziert hatten.

Insgesamt wurden 1991 in *Deutschland* (alte und neue Länder) 106 Seeschiffe mit 928,1 Tsd. BRT fertiggestellt, darunter 43 Frachtschiffe, 22 Containerschiffe, 12 Fähren und Passagierschiffe, 6 Fischereifahrzeuge und 8 Tanker. Der *Umsatz der Werften* belief sich 1991 auf 9,288 Mrd; der *Personalbestand* im Schiffbau sank 1991 auf 61,5 Tsd. (einschl. Binnenschiffwerften), verglichen mit 111,9 Tsd. (1975).

Luftverkehr

Der **Welt-Luftverkehr** hatte 1991 erstmals seit dem Zweiten Weltkrieg abgenommen. Der Golfkrieg und der wirtschaftliche Zusammenbruch der osteuropäischen Staaten hatten zu einem Rückgang um rd. 2 % geführt. 1992 erholte sich die Luftfahrt wieder und erreichte weltweit einen *Zuwachs* von 6 % insgesamt bzw. von 11 % im internationalen Verkehr. Die Gesellschaften der 174 Mitgliedsländer der *Internationalen Zivilluftfahrtorganisation* (ICAO) erbrachten 1992 eine *Flugleistung* von 245 Mrd. t-km, davon 143 Mrd. t-km in grenzüberschreitenden Verkehr. Die Zahl der *beförderten Passagiere* erhöhte sich auf 1,17 Mrd., davon 290 Mio. auf internationalen Flügen. Die Nutzung des Flugzeug-Platzangebots betrug 67 %.

Wegen der starken Konkurrenz und der dadurch häufig nicht kostendeckenden Preise verschlechterte sich – trotz der Passagierzunahme – die *wirtschaftliche Lage der Luftfahrtgesellschaften* weiter. Die 212 Mitgliedsgesellschaften der »*International Air Transport Association*« (IATA) erwirtschafteten 1992 Defizite von zusammen über 3 Mrd. US-$; auch die Lufthansa mußte erneut einen Verlustabschluß hinnehmen und reduzierte ihren Personalbestand weiter, um Kosten zu sparen.

In **Deutschland** nahm der Flugverkehr 1992 entsprechend der weltweiten Entwicklung kräftig zu. Die *Fluggastzahl der Verkehrsflughäfen* erhöhte sich um 11,4 % auf rd. 88 Mio., der *Luftfrachtumschlag* stieg konjunkturbedingt nur um 1,9 % auf 1,5 Mio. t. Eine überdurchschnittliche Zunahme verzeichnete der Charterverkehr (v. a. in den Mittelmeerraum), der um 19,5 % anstieg, während auf den Linienverkehr eine Zunahme um 9,1 % entfiel.

Vom gesamten *Personenflugverkehr* entfielen 1991 72,4 % auf Passagiere in Liniendiensten, 27,6 % auf Charterflüge (insbes. Flugreisen durch Reiseveranstalter). Hauptziel der Pauschalreisenden war, wie in den Vorjahren, Spanien (3,9 Mio. Urlauber, d. h. rd. 50 % aller deutschen Flugtouristen); weitere wichtige *Charterflugziele* waren (in Tsd. Passagieren) u. a. Griechenland 1100 – Türkei 835 – Tunesien 350 – Portugal 311 – Kenia 110 – Ägypten 73. Hauptziele im Auslands-Linienverkehr waren Nordamerika (3,0 Mio.), Asien (1,6 Mio.) und Afrika (0,4 Mio. Fluggäste).

Die *Zahl der in Deutschland zugelassenen Flugzeuge* betrug Anf. 1992 17405, davon 6400 einmotorige Flugzeuge, 1010 mehrmotorige Flugzeuge bis 20 t, 355 Maschinen über 20 t, 531 Hubschrauber, 1638 Motorsegler, 7468 Segelflugzeuge und 3 Luftschiffe.

Insgesamt 333 Unternehmen betrieben 1991 *gewerblichen Luftverkehr*, davon 173 ausländische. Zum Inlands-Linienverkehr – ausgenommen Berlin-Verkehr – war früher nur die Deutsche Lufthansa zugelassen. Im Zuge der Liberalisierung des Luftverkehrs im Rahmen der EG erhielten seit 1989 5 weitere Unternehmen die Genehmigung; die übrigen sind nur im Charterverkehr tätig. Im Linienverkehr mit dem Ausland waren neben deutschen noch 117 ausländische Gesellschaften tätig, im Charterverkehr 7 deutsche und 56 ausländische.

Die Zahl der *Arbeitsplätze auf den deutschen Flughäfen* stieg 1992 auf rd. 96000; bei den deutschen Luftverkehrsgesellschaften waren 1990 53200 Personen beschäftigt.

Das Problem der *Überlastung großer Teile des*

europäischen Luftraums war 1992 weniger gravierend als in den Vorjahren, da die Zahl der Militärflüge zurückging und organisatorische Maßnahmen Verbesserungen brachten. Um dem zukünftigen Verkehr gerecht zu werden, waren 1992/93 auf verschiedenen deutschen Flughäfen größere *Baumaßnahmen* im Gang, insbes. Erweiterung der Kapazitäten (z. B. durch Verlängerung von Start- und Landebahnen, Neubau von Abfertigungsgebäuden, Flugzeughallen usw.) in Stuttgart, Hannover, Hamburg, Düsseldorf, Frankfurt und Köln/Bonn. Als größtes Neubauprojekt seit dem Zweiten Weltkrieg wurde am 17. 5. 1992 der *neue Münchner Flughafen* »Franz Josef Strauß« zwischen Freising und Erding nach mehr als 25jähriger Planungs- und Bauzeit eröffnet. Dieser – nach Frankfurt – zweitgrößte deutsche Flughafen bedeckt eine Fläche von 15 km², besitzt 2 je 4000 m lange Start- und Landebahnen und ist für eine Kapazität von rd. 14 Mio. Passagieren jährlich ausgelegt. – In *Berlin* wird die Frage diskutiert, ob der ehem. DDR-Flughafen Schönefeld ausgebaut werden soll (auch als Ersatz für die beiden West-Berliner Flughäfen Tegel und Tempelhof) oder ob ein völlig neuer Großflughafen südlich oder nördlich von Berlin gebaut werden soll.

Die **Flugzeugindustrie** befand sich 1992 weltweit in einer *Rezession,* da die Fluggesellschaften wegen ihrer schlechten wirtschaftlichen Lage wesentlich weniger Neubauten bestellten. So meldeten sowohl Airbus als auch Boeing 1992 einen verminderten Bestelleingang. Bei Boeing sank der Auftragsbestand 1991–92 von 93 auf 83 Mrd. US-$, und Airbus kündigte ab 1993 eine Senkung der Monatsproduktion von 22 auf 15 Jets an. Insgesamt lieferten die Flugzeughersteller 1992 776 Jets aus (davon Airbus 157), bestellt wurden weltweit 476 Maschinen. Erst ab Mitte der 90er Jahre wird wieder mit stärkeren Zuwächsen gerechnet, u. a. wegen des stark überalterten Flugzeugparks in Osteuropa. Nach Untersuchungen der Dt. Aerospace AG (DASA) werden in den nächsten 20 Jahren 16 800 neue Verkehrsflugzeuge benötigt (zum Vergleich: z. Zt. fliegen insges. rd. 13 100 Verkehrsmaschinen). Eine starke Umstrukturierung der *Flugzeugindustrie* wurde durch das Ende der Ost-West-Konfrontation verursacht. Bisher lebten die meisten Flugzeugwerke überwiegend von lukrativen Militäraufträgen, die weitgehend reduziert wurden. So sollen beim DASA-Konzern (u. a. MBB) rd. 11 000 von 82 000 Stellen verlorengehen. Im zivilen Bereich produzieren z. Z. weltweit außerhalb Rußlands nur 3 Werke *Großraum-Verkehrsflugzeuge:* der weltgrößte Flugzeugproduzent Boeing in Seattle (USA) mit 55 % Marktanteil, McDonnell Douglas (USA) und das multinationale europäische Unternehmen Airbus (Sitz Toulouse, Frankreich, 30 %). Zur Entwicklung eines neuen »Super-Jumbos« werden vermutlich alle Firmen zusammenarbeiten, da die Entwicklungskosten von rd. 25 Mrd. US-$ nur gemeinsam aufzubringen sind.

Verkehrsleistungen der deutschen Verkehrsflughäfen 1992
(Nach ADV; einschl. Transit und nicht-gewerbl. Verkehr)

Flughafen	Flugzeug-bewegungen	Fluggäste (an, ab, Transit)	Veränderung geg. 1991	Luftfracht insges. (t)	Veränderung geg. 1991	Luftpost insges. (t)
Frankfurt a. M.	340 468	30 746 463	+ 9,7 %	1 115 858	+ 1,8 %	164 250
Düsseldorf	162 156	12 274 464	+ 8,5 %	49 601	+ 10,0 %	8 801
München	192 153	12 018 202	+ 11,3 %	56 847	+ 3,0 %	25 557
Berlin-Tegel	99 480	6 664 045	+ 3,0 %	16 426	+ 25,4 %	20 503
Berlin-Schönefeld . .	39 456	1 523 726	+ 37,8 %	5 872	− 7,2 %	1 366
Berlin-Tempelhof . .	55 919	836 551	+ 107,0 %	974	+ 37,9 %	19
Hamburg	143 580	6 925 273	+ 6,8 %	39 140	+ 3,8 %	20 561
Stuttgart	130 690	4 770 186	+ 12,6 %	14 834	+ 0,0 %	16 622
Köln/Bonn	119 046	3 552 708	+ 16,8 %	187 578	− 1,4 %	22 804
Hannover	96 979	3 093 895	+ 6,9 %	14 121	− 3,4 %	12 521
Nürnberg	77 363	1 667 810	+ 16,9 %	10 832	+ 2,3 %	11 783
Bremen	53 105	1 154 842	+ 13,0 %	3 370	− 5,3 %	4 317
Leipzig/Halle	42 962	1 073 378	+ 69,2 %	1 345	+ 105,7 %	7 266
Dresden	37 430	1 001 149	+ 64,5 %	717	+ 138,2 %	4 701
Münster/Osnabrück .	53 193	415 681	+ 45,4 %	5 566	+ 70,8 %	4 381
Saarbrücken	25 167	325 031	+ 18,7 %	350	− 25,7 %	0
Insgesamt	1 668 047	88 043 404	+ 11,4 %	1 518 290	+ 1,9 %	325 452

Verkehrsleistungen führender internationaler Flughäfen 1991 (1990)
(nach »Arbeitsgemeinschaft der deutschen Verkehrsflughäfen«/ADV 1992)

Flughafen	Fluggäste (in Mio.) 1991	(1990)	Veränderung in %	Luftfracht (in Tsd. t) 1991	(1990)	Veränderung in %
			jeweils Ankünfte und Abflüge			
Chicago/O'Hare Intern., USA	59,852	(60,010)	−0,3	695,067	(738,350)	−5,9
Dallas-Fort Worth, USA	48,198	(48,515)	−0,7	547,008	(556,749)	−1,7
Los Angeles/Internat., USA	45,668	(45,810)	−0,3	1 141,196	(1 164,926)	−2,0
Tokio/Haneda, Japan	42,015	(40,188)	+4,5	489,255	(484,901)	+0,9
London/Heathrow, Großbritannien	40,495	(42,964)	−5,7	736,324	(779,356)	−5,5
Atlanta/W. B. Hartsfield, USA	37,915	(48,025)	−21,1	599,674	(610,450)	−1,8
San Francisco/Intern., USA	31,775	(31,059)	+2,3	606,008	(567,177)	+6,8
Denver/Stapleton Internat., USA	28,285	(27,433)	+3,1	292,625	(280,145)	+4,5
Frankfurt/Rhein-Main, Deutschland	27,872	(29,368)	−5,1	1 059,855	(1 124,445)	−5,7
New York/J. F. Kennedy, USA	27,441	(29,794)	−7,9	1 257,069	(1 322,434)	−4,9
Miami/Internat., USA	26,591	(25,837)	+2,9	967,239	(966,443)	+0,1
Osaka/Intern., Japan	23,483	(23,511)	−0,1	499,604	(494,451)	+1,0
Paris/Orly, Frankreich	23,320	(24,342)	−4,2	296,421	(287,787)	+3,0
New Jersey/Newark, USA	23,055	(22,255)	+3,6	483,622	(504,962)	−4,2
Honolulu/Internat., USA	22,225	(23,368)	−4,9	336,049	(332,747)	+1,0
Phoenix/Sky Harbour Internat., USA	22,140	(21,718)	+1,9	118,846	(114,238)	+4,0
Paris/Ch. de Gaulle, Frankreich	21,975	(22,516)	−2,4	615,699	(647,423)	−4,9
Boston/Logan, USA	21,547	(22,936)	−6,1	347,795	(364,276)	−4,5
Detroit/Wayne County, USA	21,309	(21,784)	−2,2	210,785	(191,717)	+9.9
Tokio/Narita, Japan	20,710	(21,665)	−4,4	1 383,599	(1 390,254)	−0,5
Minneapolis/Internat., USA	20,601	(20,381)	+1,1	268,114	(266,355)	+0,7
New York/La Guardia, USA	20,545	(22,765)	−9,8	108,777	(116,831)	−6,9
Las Vegas/McCarran Intern., USA	20,172	(19,089)	+5,7	32,228	(36,457)	−11,6
Hongkong/Kai Tak	19,748	(19,365)	+2,0	849,786	(801,939)	+6,0
St. Louis/Lambert, USA	19,151	(20,066)	−4,6	105,416	(108,047)	−2,4
London/Gatwick, Großbritannien	18,821	(21,185)	−11,2	212,905	(227,782)	−6,5
Toronto/L. B. Pearson Int., Kanada	18,488	(20,304)	−8,9	−	(322,929)	−
Seoul/Kimpo Intern., Rep. Korea	18,467	(16,821)	+9,8	704,334	(703,654)	+0,1
Orlando/Internat., USA	18,411	(18,397)	+0,1	118,471	(101,201)	+17,1
Houston/Intercont., USA	18,118	(17,519)	+3,4	230,304	(223,013)	+3,3
Charlotte/Internat., USA	16,877	(15,614)	+8,1	140,341	(124,178)	+13,0
Pittsburgh, USA	16,735	(17,145)	−2,4	78,545	(82,544)	−4,8
Amsterdam/Schiphol, Niederlande	16,542	(16,470)	+0,4	654,195	(630,153)	+3,8
Rom/Fiumicino, Italien	16,492	(17,714)	−6,9	278,550	(285,735)	−2,5
Seattle/Tacoma Intern., USA	16,313	(16,240)	+0,4	247,124	(245,135)	+0,8
Singapur/Changi	16,285	(15,621)	+4,3	652,922	(632,535)	+3,2
Madrid/Barajas, Spanien	16,019	(16,226)	−1,3	188,739	(226,499)	−16,7
Bangkok/Internat.,Thailand	15,239	(15,918)	−4,3	403,087	(405,855)	−0,7
Philadelphia/Internat., USA	15,042	(16,307)	−7,8	351,059	(332,071)	+5,7
Washington/National, USA	14,863	(15,570)	−4,5	59,432	(61,219)	−2,9
Sydney/Kingsford-Smith, Australien	14,039	(11,829)	+18,7	248,129	(250,120)	−0,8
Fukuoka/Internat., Japan	13,443	(13,228)	+1,6	222,425	(216,950)	+2,5
Mexiko City/B. Juarez, Mexiko	13,002	(12,153)	+7,0	136,248	(132,191)	+3,1
Salt Lake City/Internat., USA	12,478	(11,982)	+4,1	45,572	(46,339)	−1,7
Zürich/Kloten, Schweiz	12,226	(12,770)	−4,3	248,452	(255,513)	−2,8
Stockholm/Arlanda, Schweden	11,922	(13,979)	−14,7	97,489	(94,222)	+3,5
Palma de Mallorca, Spanien	11,754	(11,319)	+3,8	16,837	(17,868)	−5,8
San Diego/Lindbergh Internat., USA	11,423	(11,206)	+1,9	48,177	(52,821)	−8,8
Kopenhagen/Kastrup, Dänemark	11,400	(12,128)	−6,0	176,327	(172,950)	+2,0
Düsseldorf, Deutschland	11,291	(11,912)	−5,2	44,706	(52,884)	−15,5
Manchester/Internat., Großbritannien	10,869	(10,819)	+0,5	66,176	(72,804)	−9,1
Washington/Dulles, USA	10,790	(10,236)	+5,4	163,823	(174,856)	−6,3
München/Riem, Deutschland	10,763	(11,364)	−5,3	54,543	(60,645)	−10,1
Taipeh/Tschiang-Kai-Schek, Rep. China (Taiwan)	10,614	(10,095)	+5,1	632,311	(594,669)	+6,3
Cincinnati/Internat., USA	10,127	(9,198)	+10,1	162,553	(150,870)	+7,7
Baltimore/Washington Internat., USA	9,885	(10,210)	−3,2	148,531	(150,238)	−1,1

Post- und Fernmeldewesen

vgl. Fischer Weltalmanach '93, Sp. 1005–1008

Fremdenverkehr

Internationaler Touristenreiseverkehr 1989/90 *Zahl der einreisenden Touristen (in Mio.)/Einnahmen aus dem internationalen Tourismus (in Mrd. US-$):* Italien 60,296/19,742 – Frankreich 53,157/20,167 – Spanien 52,044/18,426 – USA 39,772/39,253 – Österreich 18,202/11,754 – Großbritannien 18,021/13,722 – Kanada 15,258/5,260 – BR Deutschland 14,653/10,683 – Ungarn 14,236/0,067 – Schweiz 12,600/6,858 – Jugoslawien 8,644/2,754 – Griechenland 8,082/2,573 – ČSFR 8,039/0,450 – UdSSR[1] 7,204/0,250 (1989) – Portugal 8,020/3,531 – Mexiko 6,393/4,794 – Hongkong[1] 5,933/4,595 – Rumänien 4,852/0,170 – Bulgarien 4,316/0,362 – Polen 3,293/0,202 – Türkei[1] 5,389/3,349 – Singapur 5,323/2,907 – Thailand 5,299/3,754 – Malaysia 3,954/0,839 – Irland 3,666/1,447 – Niederlande 3,542/3,612 – Marokko 3,468/1,146 – Japan[1] 3,236/3,583 – Tunesien 3,222/0,930 – Belgien 3,007/2,778 – Rep. Korea (Süd-K.)[1] 2,959/3,556 – Ägypten 2,351/1,646.

[1]= einschl. Tagesausflügler

(Daten nach Statist. Bundesamt und »World Tourism Organization«, Madrid).

Als »Tourist« wird i. a. jeder Ausländer gezählt, der die Grenze überschreitet und sich mindestens 24 Std. im Land aufhält (ohne Transitreisende, ausländ. Arbeitnehmer u.ä.). Teilweise werden nur die Ankünfte in Hotels gezählt, oft nur Stichproben gemacht; die Daten sind daher vielfach ungenau und nur bedingt vergleichbar. Die Angaben über die Deviseneinnahmen sind meist Schätzungen bzw. erfassen nur den offiziellen Geldumtausch.

Der **Welt-Tourismus** erlebte 1992 wieder einen Aufschwung, nachdem 1991 wegen des Golfkrieges, wegen der Wirren in Osteuropa und wegen der Rezession in einigen großen Industriestaaten (USA, Großbritannien) die Zahl der Urlaubsreisen stagniert hatte. 1992 wurde weltweit ein *Zuwachs von 4,6% auf 476 Mio. Reisen ins Ausland* gezählt (internationaler Tourismus). Die *Zahl der Touristen insgesamt* (einschl. Inland und Mehrfachzählungen) dürfte ca. 5,2 Mrd. betragen. Die *Ausgaben bzw. Einnahmen im grenzüberschreitenden Tourismus* werden auf rd. 320 Mrd. US-$, im Tourismus insgesamt auf 3,5 Bill. US-$ geschätzt, so daß der Fremdenverkehr zu den wirtschaftlich bedeutendsten Aktivitäten gehört (rd. 6%

des weltweiten Bruttosozialprodukts). In *Deutschland* steuert die Tourismusbranche knapp 5% zum Volkseinkommen bei.

Auch 1992 war *Europa* der am meisten von Touristen besuchte Erdteil. Es wurden hier rd. 288 Mio. *Gästeankünfte* gezählt (nur Auslandstourismus); die *Einkünfte* beliefen sich auf rd. 120 Mrd. US-$. *Nordamerika* erreichte 75 Mio. Touristenankünfte und Einnahmen von 55 Mrd. US-$. Der Raum *Ostasien/Pazifik* kam auf 50 Mio. anreisende Touristen und 30 Mrd. US-$ Einnahmen. Die Räume *Afrika/Nahost/Südasien* hatten auch 1992 nur geringe und kaum zunehmende Touristenzahlen aufzuweisen. Die mangelnde Attraktivität für ausländische Touristen geht einerseits auf die noch weitgehend fehlende Fremdenverkehrsinfrastruktur zurück, andererseits auf innere Unruhen, Kriege usw. in diesen Regionen.

In den Ländern *Ostmittel-, Ost- und Südosteuropas* entwickelte sich der Tourismus sehr unterschiedlich. Mit zunehmender Freizügigkeit (z. B. Aufhebung der Visapflicht) und der Verbesserung des Gastronomie- und Hotellerieangebots nahm die Zahl der Urlaubsreisenden (einschl. Kurzurlaube) aus westlichen Ländern nach Ungarn, Polen und in die ehem. ČSFR weiterhin stark zu. Dagegen hielt sich die Zahl der Reisen in die GUS-Staaten, nach Bulgarien, Rumänien und Albanien wegen der unsicheren politischen Lage und der Versorgungs-

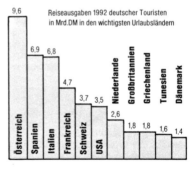

Die Ausgaben deutscher Touristen in Mrd. DM in den wichtigsten Urlaubsländern 1992

schwierigkeiten auf sehr niedrigem Stand. Die Bewohner der ehem. Ostblockländer gewannen zwar 1990/91 ihre Reisefreiheit, konnten sie jedoch aus finanziellen Gründen auch 1992 kaum ausnutzen.

Wie schon in den Vorjahren, wurden auch 1992 über 80% aller *Auslandsreisen* von den westlichen Industrieländern aus unternommen; rd. 52% aller Tourismusausgaben der Welt wurden in Westeuropa getätigt. Beliebteste Ferienziele der *deutschen Touristen* waren 1992 Österreich, Italien, Spanien, Frankreich, die Schweiz und, als wichtigstes Überseeziel, die USA. Weiterhin steigende Zahlen deutscher Urlauber verzeichneten Griechenland, die Türkei, und – unter den Fernreisezielen – die Karibik und Südostasien.

Devisenausgaben und -einnahmen im internationalen Reiseverkehr 1990 (1989) (nach OECD)

	Ausgaben	Einnahmen
	in Mrd. US-$	
USA	38,376 (34,229)	39,253 (34,432)
Deutschland	29,836 (23,674)	10,683 (8,752)
Japan	24,354 (22,552)	3,583 (3,156)
Großbritannien. . .	17,614 (15,305)	13,828 (11,360)
Italien[1]	13,826 (6,773)	19,742 (11,987)
Frankreich	12,423 (10,031)	20,185 (16,245)
Kanada	8,434 (7,370)	5,260 (5,013)
Niederlande	7,331 (6,450)	3,612 (3,020)
Österreich	6,212 (6,266)	11,754 (10,716)
Schweden	6,067 (4,969)	2,896 (2,544)
Schweiz	6,016 (4,953)	6,869 (5,598)
Belgien-Luxemburg .	5,445 (4,338)	3,699 (3,083)
Spanien	4,211 (3,080)	18,426 (16,252)
Australien	4,142 (3,850)	3,654 (3,155)
Dänemark	3 674 (2,928)	3,322 (2,311)
Norwegen	3,414 (2,851)	1,517 (1,335)
u. a. Griechenland . .	1,093 (0,822)	2,577 (2,003)
Türkei	0,522 (0,569)	3,349 (2,603)
Jugoslawien . .	– –	2,774 (2,228)

[1] = 1990 und 1989 wegen methodischer Änderungen nicht vergleichbar

In **Deutschland** stagnierte 1992 der Fremdenverkehr entsprechend der sich abschwächenden Wirtschaftskonjunktur in den Industrieländern. Für die alten Bundesländer stellte das Statistische Bundesamt einen leichten *Rückgang der Gästezahlen* bei gleichzeitig leichter *Zunahme der Übernachtungszahlen* fest. Allerdings nahm ausschließlich die Zahl der ausländischen Touristen ab (–3,2%), während die der inländischen noch um 0,6% anstieg. Bei den Gästeübernachtungen betrug der Rückgang bei den Ausländern sogar 3,9% (inländische Gäste +0,8%, Touristen insgesamt +0,2%). Im einzelnen wurde gemeldet: Die Zahl der *Gästeankünfte* in Beherbergungsstätten betrug 1992 (1991) 75,320 (75,419) Mio., die der *Übernachtungen* 266,790 (266,209) Mio., davon 234,836 (232,963) Mio. Inländer und 31,953 (33,246) Mio. Ausländer. Die durchschnittliche *Aufenthaltsdauer* der Gäste lag bei 3,5 (3,5) Tagen, die *Bettenausnutzung* der Betriebe sank auf 43,2 (44,0)%. (Diese Zahlen der amtlichen Statistik beziehen sich nur auf Beherbergungsbetriebe mit mindestens 9 Gästebetten; Privatquartiere, Camping-Übernachtungen, Kinderheime, Jugendherbergen u.ä. sind nicht enthalten.)

Unter den *Bundesländern* entfielen vom Gesamttourismus 1992 auf Bayern 28,7% – Baden-Württemberg 15,1% – Nordrhein-Westfalen 13,6% – Niedersachsen 12,3% – Hessen 10,5% – Schleswig-Holstein 8,3% – Rheinland-Pfalz 6,8% – Berlin 2,2% – Hamburg 1,5% – Saarland 0,7% – Bremen 0,4%. Bedeutendste *Fremdenverkehrsstadt* war 1992 erneut München mit 6,541 Mio. Übernachtungen vor Berlin/West (5,8 Mio.) und Hamburg (4,0 Mio.). (Für die neuen Bundesländer stehen vergleichbare Daten noch nicht zur Verfügung.)

Neben den Beherbergungsbetrieben entfielen 1992 außerdem 19,496 Mio. Übernachtungen auf Campingplätze (davon 4,133 Mio. von Ausländern) und rd. 8,5 Mio. auf Jugendherbergen u.ä.

Übernachtungen von *Ausländern* 1992 (1991) *nach Herkunftsländern* in Mio.: Niederlande 5,415 (6,025) – USA 3,491 (3,380) – Großbritannien 2,895 (2,982) – Italien 1,728 (1,834) – Frankreich 1,582 (1,672) – Schweiz 1,528 (1,595) – Schweden 1,455 (1,674) – Belgien 1,381 (1,374) – Japan 1,217 (1,158) – Österreich 1,184 (1,187) – Dänemark 1,181 (1,411) – Polen 0,866 (0,852) – Spanien 0,616 (0,664) – Jugoslawien 0,554 (0,541) – ehem. UdSSR 0,490 (0,500) – Norwegen 0,430 (0,448).

Kulturpreise
Friedens- und Nobelpreise
(in Auswahl)

Hinter dem Namen des Preisträgers steht in Klammern im allgemeinen das Herkunftsland (→ auch Abkürzungsverzeichnis Sp. 17), sofern er im Land der Preisvergabe Ausländer ist.

ARCHITEKTUR, DENKMALPFLEGE, DESIGN

DÄNEMARK
Jensen (Georg)-Preis 1992 der Tuborg Stiftung (150000 Kronen) für besonders förderungswürdige nordische Kunsthandwerker an den Designer *Stefan Lindfors* (SF).

DEUTSCHLAND
Architekturpreis Berlin 1992 des Berliner Landesverbandes im Bund Deutscher Architekten (BDA) an *Christoph Langhof* u. *Stefan Scholz*.
Architekturpreis Beton 1993 des Bundesverbands der Deutschen Zementindustrie für beispielhafte Leistungen bei der Gestaltung von Einzelbauwerken oder Bauwerksgruppen an das Architekturbüro *Kauffmann/Theilig*.
Architekturpreis der Stadt München 1992 (15000 DM) an den Architekten *Busso von Busse* für den Entwurf des neuen Münchner Flughafens.
Deutscher Preis für Denkmalschutz 1992 an die Autorin *Gisela Graichen* für ihre Gesamtkonzeption der ZDF-Sendereihe »C 14 – Vorstoß in die Vergangenheit«.
Deutscher Stahlbaupreis 1992 des Deutschen Stahlbauverbandes (10000 DM) an die Architekten *von Gerkan, Marg u. Partner* für das Passagiergebäude des Stuttgarter Flughafens.
Großer Kulturpreis des Rheinischen Sparkassen- u. Giroverbandes 1992/93 (60000 DM) an den Architekten *Gottfried Böhm* für seine »urbane und humane Bauweise«; **Förderpreis** (10000 DM) an den Architekten *Stefan Schmitz.*
Großer Preis des Bundes Deutscher Architekten 1993 an den Architekten *Thomas Herzog.*
Herder (Gottfried von)-Preis 1993 der Stiftung F. V. S. zu Hamburg (30000 DM) an den Architekten *Dionysis Zivas* (GR).
Kunstpreis Berlin der Akademie der Künste 1993 – Jubiläumsstiftung 1848/1948 – Förderpreis Sparte Baukunst (10000 DM) an *Peter Mischnig* u. *Lutz Penske.*
Lucky Strike Designer Award 1992 der Raymond Loewy Stiftung zur Förderung von zeitgemäßem Industriedesign (60000 DM) in Bonn an den Industriedesigner *Richard Sapper.*

Schelling (Ernst)-Architekturpreis 1992 (insges. 50000 DM) an das Architektenteam *Coop Himmelblau* (A) u. den Bauhistoriker *Werner Durth.*
Schinkel (Karl Friedrich)-Preis 1993 – Sparte Städtebau an die Studenten *Jan Löken* u. *Christian Simons*, Sparte Landschaftsarchitektur an *Anne Englert* u. *Julia Röder.*
Schumacher (Fritz)-Preis 1992 der gleichnam. Stiftung u. der Stiftung F. V. S. zu Hamburg (je 25000 DM) an den Architekten *Aldo van Eyck* (NL) sowie die Ingenieure *Jörg Schlaich* u. *Rudolf Bergermann.*
Tessenow (Heinrich)-Medaille in Gold 1992 der Stiftung F. V. S. zu Hamburg (25000 DM) an den Architekten *Giorgio Grassi* (I).

FRANKREICH
»Medaille de la Recherche et de la Technique« 1993 der Pariser Architekturakademie an den Architekten *Stefan Polonyi* (D).

JAPAN
Praemium Imperiale 1993 der Japan Art Association (je 100000 $, gilt als Nobelpreis im Bereich der Künste), Sparte Architektur an *Kenzo Tange* (J).

TUNESIEN
Aga-Khan-Preis für Architektur 1992 (insges. 500000 $) u. a. an die Gesellschaft zur Erhaltung der Medina von Kairouan für die Restaurierung der historischen Altstadt; an das East-Wahdat-Aufbauprogramm in der jordanischen Hauptstadt Amman für die Gestaltung eines menschenwürdigen Lebensraumes.

VEREINIGTE STAATEN VON AMERIKA
Goldmedaille 1992 des American Institute of Architects an den Architekten *Kevin Roche* für seine maßgebl. Mitarbeit am Bau des Hochhauskomplexes der Vereinten Nationen.
Pritzker (Jay A.)-Preis für Architektur 1993 (100000 $, finanziert von der Hyatt-Stiftung, gilt als bedeutendster Preis dieser Art) an den Architekten *Fumihiko Maki* (J).

FERNSEHEN, HÖRFUNK, PRESSE

DEUTSCHLAND
Baeck (Leo)-Preis 1992 des Zentralrats der Juden in Deutschland (10000 DM) an den Norddeutschen Rundfunk (NDR) für den »Panorama«-Beitrag »Auschwitz verfällt«.
45. Bambi-Medienpreis 1992 der Zeitschriften »Bild + Funk« u. »Bunte« (Burda Verlag) – an den Regisseur *Helmut Dietl* für den Film »Schtonk« u. an die Hauptdarsteller in diesem Film *Veronica Ferres, Götz George, Christiane Hörbiger, Harald Juhnke* u. *Uwe Ochsenknecht;* in der Sparte Klassik: an die Opernsängerin *Barbara Hendricks* (USA); in der Sparte TV-Serie an die Sendereihe »Golden Girls« (USA); für TV-Moderation an *Margarethe Schreinemakers* für ihre SAT-1-Sendung »schreinemakers live«; als beste Nachwuchsdarstellerin an *Jane March* (GB) für ihre Rolle in der Verfilmung des Romans »Der Liebhaber« v. Marguerite Duras; Sparte Pop an *Marius Müller-Westernhagen;* weitere Bambis an den Meeresforscher u. Umweltschützer *Jacques Cousteau,* den Leiter der »documenta« 1992 in Kassel, *Jan Hoet,* u. die Schwimmerin *Franziska van Almsick;* Sonder-Bambi an die Initiatoren der Münchner Lichterkette gegen Ausländerfeindlichkeit: der Journalist *Giovanni di Lorenzo,* der Filmproduzent *Gil Bachrach,* der Gastronom *Christoph Fisser* u. die Werbemanagerin *Chris Häberlein.*
Bayerischer Fernsehpreis 1992 – Der »Weißblaue Panther« des Freistaates Bayern, verl. im Rahmen der Münchner Medientage, (je 25 000 DM) an die Moderatorin der ARD-»Tagesthemen« *Sabine Christiansen* für ihre präzisen, kompetenten und verläßlichen Informationen, den Fernsehreporter *Detlev Kleinert* für seinen Fernsehbericht »Die Hölle von Sarajevo« (BR), an den Schauspieler *Götz George* u. den Regisseur *Hajo Gies* für die Serie »Tatort« (ARD), *Christian Frey* u. *Heiner Sylvester* gemeinsam für den Film »Clara Mosch oder die schöpferische Zersetzung« (Mitteldt. Rundfunk), *Maxim Dessau* für die Kameraführung in dem Filmporträt »Denn seinen Freunden gibt er's schlafend« über den russ. Pianisten *Ugorski, Susanne Schneider* (Drehbuch) u. *Jürgen Bretzinger* (Regie) gemeinsam für den Fernsehfilm »Fremde, liebe Fremde« (BR), *Roger Willemsen* als Newcomer-Moderator des Magazins »0137« (Sender »Premiere«); **Sonderpreis des Bayerischen Ministerpräsidenten** (50000 DM) an den Schauspieler *Hans Christian Blech;* **Ehrenpreis** an *Rudolf Mühlfenzl* als Rundfunkbeauftragter für die neuen Länder.
Börne (Ludwig)-Preis 1993 für deutschspr. Autoren, die in den Bereichen Essay, Kritik u. Reportage

Hervorragendes geleistet haben (erstm., 40000 DM), an den Kritiker *Joachim Kaiser* (»Süddeutsche Zeitung«).
Bruckhaus (Friedwart)-Förderpreis 1992 der Hanns-Martin-Schleyer-Stiftung für junge Wissenschaftler u. Journalisten an die Politologin *Christa Hoffmann* u. an den Wirtschaftsredakteur *Wolfram Weimer* (»Frankfurter Allgemeine Zeitung«).
Civis '92, Hörfunk- u. Fernsehpreis für Verständigung mit Ausländern, an die Fernsehsendung »Zum Beispiel Berlin. Über den Umgang mit Ausländerfeindlichkeit« (WDR) v. *Felix Kuballa, Gert Montheim, Yoash Tatari* u. *Peter Schran;* Kategorie Unterhaltung an die Redakteurin *Ille Simon* für »Ausländer in Deutschland« im »100 Grad-Magazin« (Rias-TV) u. an »Ich bin ein Kanake« v. *Thomas Draeger* aus der Kinderfilmreihe »Karfunkel« (ZDF); **Sonderpreis** an das redaktionelle Konzept u. die Realisierung des Sendetags »Fremde Heimat« (3sat).
Columbus-Preis 1993 für hervorragende Berichterstattung aus den Vereinigten Staaten an *Theo Sommer,* Mitherausgeber der Wochenzeitung »Die Zeit«, für seine Artikelserie zum Präsidentschaftswahlkampf, 2. Preis an die Produktion »Oh Gott Amerika – 24 Stunden Los Angeles« (WDR).
DAG-Fernsehpreis 1993, 29. Verleihung (15 000 DM) – **Gold** an *Cordt Schnibben* u. *Horst Königstein* für das Fernsehspiel »Hamburger Gift« (NDR), **Silber** zu gleichen Teilen an *Norbert Kückelmann* für das Drehbuch zu »Abgetrieben« (ZDF) u. an *Horst Bieber* für »Gerichtstag« (NDR).
Deutsch-amerikanischer Medienpreis 1993 der Steuben-Schurz-Gesellschaft an den Jazzsänger *Bill Ramsey* u. die Jazz- u. Rockkritiker *Ulrich Olshausen* u. *Peter Kemper.*
Deutscher Fernsehspiel-Preis 1992 an »Schlafende Hunde« (ZDF) v. *Max Färberböck;* **Sonderpreis:** für beste Regie an die SWF/NDR-Koproduktion »Unter Kollegen« v. *Claus-Michael Bohne,* für die beste Darstellung an *Traugott Buhre* für die Hauptrolle in »Gütt – Ein Journalist« (NDR), für beste Kameraführung an »Fremde, liebe Fremde« (BR).
Deutscher Kamerapreis 1992, verliehen von der Dt. Gesellschaft für Photographie u. der Stadt Köln zus. mit WDR u. ZDF anläßl. der »Photokina« – Kategorie Spielfilm an *Elfi Mikesch* für Kameraführung u. Lichtgestaltung in »Malina« v. *Werner Schroeter;* Kategorie Fernsehspiel an *Martin Kukula* für »Kinderspiele« v. *Wolfgang Becker;* Kategorie Bericht an *Klaus Kirchberg* für »Radsport in Belgien« (ZDF); Kategorie Reportagen an *Per Mustelin* für »Schiffbruch zwischen Feuer und Eis«; Kategorie Dokumentar- u. Kulturfilm an *Volker Tittel* für »Al Oud«; **Förderpreis** an *Jörg Jeshel* für »Wer hat

Angst vor Rot Gelb Blau« v. *Heiko Schier;* Preis für nichtszenischen Schnitt (erstm. verg.) an *Elfi Kreiter* für die Reportage »Letzte Chance für Haiti« v. *Georg Stefan Troller* (ZDF); für szenischen Schnitt (erstm. verg.) an *Karin Nowarra* für »Wer hat Angst vor Rot Gelb Blau«.

Deutscher Preis für Medienpublizistik 1992 an die Journalistin *Cornelia Bolesch* (»Süddeutsche Zeitung«).

Deutscher Umweltpreis für Publizistik 1993 des Verlags Brockhaus u. der Umweltstiftung WWF-Deutschland an den Biologen, Juristen u. freien Publizisten *Jörg Weber* für sein Buch »Die Erde ist nicht Untertan«.

Deutsch-französischer Journalistenpreis 1993 (30 000 DM) an das Journalistenteam der franz. Medien-Agentur CAPA für ihre 24-Stunden-Reportage »Görlitz – die Neiße-Brücke«; **Hörfunkpreis** an die Journalisten *Gaby Mayr* u. *Günter Beyer* für ihr Hörspiel »Tanz der Schienbeine«; **Sonderpreis der Jury** (10 000 DM) an *Erika Fehse* (WDR) für ihren Film »Kurze Zeit des Ruhms – Si Mustapha Müller«; **Sonderpreis des Deutsch-Franz. Kulturrats** an *Georg Bense* (SR) für die Dokumentation »Der Kupferstecher Jacques Callot«.

Erhard (Ludwig)-Preis für Wirtschaftspublizistik 1993 der gleichnam. Stiftung für hervorragende publizistische oder wissenschaftliche Leistungen (10 000 DM) an den Ministerpräsidenten der Tschechischen Republik u. Publizisten *Václav Klaus;* **Förderpreis** für junge Autoren u. Wissenschaftler (je 5000 DM) an *Carsten Blessing, Heike Göbel* u. *Olaf Wilke.*

Geisendörfer (Robert)-Preis 1993 der EKD, der Evang. Akademie in Tutzing, des Gemeinschaftswerks der evang. Publizistik u. der Evang.-luth. Kirche in Bayern – 1. Preis an den Dokumentarfilm »Lebenserfahrungen: Do Sanh« (ZDF) v. *Hans-Dieter Grabe* (Buch/Regie/Redaktion); 2. Preis an den Film »Nie wieder nach Berlin« v. *Micha Peled* (Buch/Regie); 3. Preis für die Produktion »Harte Zeiten für wilde Herzen« (NDR) v. *Thomas Crecelius* (Buch/Regie).

Görres (Joseph)-Preis für Publizistik 1992 (30000 DM) an *Joachim Fest,* Mitherausgeber der »Frankfurter Allgemeinen Zeitung«, für sein Buch »Der zerstörte Traum – Vom Ende des utopischen Zeitalters«.

Goldene Kamera 1993, 28. Verleihung der Programm-Illustrierten »HÖR ZU« für die besten Fernsehleistungen des Jahres, an die Moderatorinnen u. Moderatoren *Linda de Mol* (RTL) für »Traumhochzeit«, *Margarethe Schreinemakers* (Sat 1) für »schreinemakers live« u. *Jürgen von der Lippe* (ARD) für »Geld oder Liebe«, die Schauspielerin *Vanessa Redgrave* (GB) für »Wiedersehen in Howards End«, die Schauspieler *Glenn Close* (USA)

für »Das Geisterhaus« u. *Armin Mueller-Stahl* für »Utz« u. »Hautnah«, an den Rocksänger *Rod Stewart* (GB), die behinderte Sportlerin u. Goldmedaillengewinnerin bei »Paralympica '92« *Britta Siegers,* den Pianisten *Justus Frantz* für »Achtung Klassik« (ZDF), den Naturfilmer *David Attenborough* (GB); **Sonderpreis** an die Schauspielerin *Susanna Wellenbrink* für »Mutter mit 16« (ZDF); **Preis des Publikums** an die ZDF-Fernsehserie »Forsthaus Falkenau«.

Goldener Gong 1993 an *Heinrich Breloer* (Autor u. Regie) u. *Monika Bednarz-Rauschenbach* (Schnitt) für das Fernsehspiel »Wehner – Die unerzählte Geschichte« (ARD).

29. Grimme (Adolf)-Preis 1992/93, Fernsehpreis des Deutschen Volkshochschul-Verbandes e.V. in Marl für Produktionen des Jahres – **Gold,** Sparte Fernsehspiel: für »Abgetrieben« (ZDF) v. *Norbert Kückelmann* (Buch u. Regie), Sparte Information: für »Sponsae Christi – Die Bräute Christi« (ZDF) v. *Thomas Riedelsheimer* (Buch, Regie, Kamera, Schnitt), Sparte Kultur: für »Die geheime Sammlung von Salvatore Dali« (ZDF) v. *Otto Kelmer* (Buch u. Regie), Fernseh-Moderation: an *Roger Willemsen* für seine Interviews in der Sendung »0137« des Pay-TV-Kanals »premiere«, Wettbewerb Spezial: an den Kabarettisten *Matthias Beltz* für ARD-Tagesthemen-»Nachschlag« (HR); **Silber,** Sparte Dokumentation: an *Werner Herzog* (Regie) u. *Paul Berriff* (Kamera) für »Lektionen in Finsternis« über die brennenden Ölquellen nach dem Golfkrieg, Sparte Unterhaltung: an das satirische 3-sat-Magazin »KAOS«, Sparte Serien: für den tschechn. Kinderfilm »Katja und die Gespenster«, Sparte Fernsehspiel: für »Landschaft mit Dornen« v. *Uwe Saeger* (ORB) u. »Verlorene Landschaft« (ZDF); **Bronze,** Sparte Dokumentation: für »Unter deutschen Dächern: Der Ami geht heim« v. *Christian Bauer* (RB) u. »Der Autobahnkrieg« v. *Thomas Schadt* (SWF), ferner für die Tatort-Produktion »Kinderspiel« (ORF) u. für »Wolffs Revier« (SAT 1) sowie die WDR-Geschichtsreihe »Rückblende«; **Sonderpreis des Kultusministers von Nordrhein-Westfalen** an den Regisseur *Egon Günther* für »Lenz« (SR/ORB) über das Leben des Dichters *Siegfried Lenz.*

Hörfunkpreis der Freien Wohlfahrtsverbände 1993 (7500 DM) an die Journalistin *Eva Schindele* für ihre Sendung »Der ewige Schlaf. Der Tod als gesellschaftliches Tabu« (RB).

Hörfunkpreis der Landesanstalt für Rundfunk (LfR) von Nordrhein-Westfalen 1992 (erstm., je 3000 DM) – Kategorie Kultur an *Frank Gollenbeck* (Westmünsterland Welle) für seinen Beitrag über »Wildpferdefang im Merfelderbruch«; Kategorie Politik an *Guido Schulenberg* (Radio Funk im Vest, Kreis Recklinghausen) für seinen Kommentar über den Bischof von Münster; Sonderkategorie Bürgerfunk an eine »Müllsendung« über den Grünen Punkt.

»Hörspiel des Jahres« 1992 der Deutschen Akademie der Darstellenden Künste in Frankfurt/M. an »Der Erdbebenforscher« (NDR) v. *Gisela von Wysocki* u. *Hans Gerd Krogmann* (Regie).

Hörspielpreis der Kriegsblinden 1993, 42. Verleihung durch den Bund der Kriegsblinden Deutschlands e. V., an den Autor *Werner Fritsch* für sein Stück »Sense« (SWF).

Hörspielpreis des Ostdeutschen Rundfunks Brandenburg 1993 **(ORB),** anläßl. des 100. Geburtstags von *Hans Fallada* unter dem Motto »Kleiner Mann – was nun?« an *Christoph Gahl*.

13. Internat. Radio- und Fernsehwettbewerb »Prix Futura« 1993 in Berlin – Sparte Dokumentation: an »Monika und Jonas« v. *Taka-aki Sato* (J), »Der letzte Walzer« v. *Leo de Bocks* (B), »Unbekannte Landschaften« v. *Melle Van Essen* (NL) u. »An der Grenze« v. *Piet Hurkmanns* u. *Peter Gielissen;* Sparte Fernsehspiel: an »La controverse de Valladolid« v. *Jean-Claude Carrière* (F), »Das Leben eines Komödianten« v. *Jonas Cornell* (S), »Mulo – eine Zigeuner-Geschichte« v. *Iva Svarcova* (Tschech. Rep.) u. »Dream on« v. der Gruppe *Amber Production Team* (GB); Sparte Radio-Feature: an »Paroles du dedans« v. *René Farabet* (F) u. »Hochzeit mit dem Feind« v. *Helmut Kopetzky*/SFB; Sparte Hörspiel: an »Wenn der Kuckuck auf der Seine singt« v. *Janina Jansson* (SF) u. »Wenn es schön ist, sollten wir rausgehen« v. *Zuzana Janska* (Slowak. Rep.).

Journalistenpreis der Deutsch-Britischen Stiftung 1993 (je 10000 DM) an *Edmund Fawcett* (»The Economist«), *Reinhart Jäcker* (»Stuttgarter Zeitung«, »Kölner Stadtanzeiger« u. »Hannoversche Allgemeine«) u. *Cosima Dannoritzer* (»Skyscraper Productions«).

Journalistenpreis des Bundes für Umwelt und Naturschutz Deutschland (BUND) 1992 an das Umwelt-Fernsehmagazin »Ozon« des Ostdeutschen Rundfunks Brandenburg (ORB) unter *Hartmut Sommerschuh*.

Journalistenwettbewerb 1992 der Bayerischen Volks- u. Raiffeisenbanken – 1. Preis (10000 DM) an *Andreas Oldag* (»Süddeutsche Zeitung«) für seine Reportage »Abräumen im Hauptstadt-Monopoly«.

Kerr (Alfred)-Preis für Literaturkritik 1993 des Börsenblatts für den Deutschen Buchhandel »für einen besonders bemerkenswerten Literaturteil einer deutschsprachigen Zeitung oder Zeitschrift, eines deutschsprachigen Hörfunk- oder Fernsehprogramms ... « (5000 DM) an die Zeitschrift »neue deutsche literatur«.

Kisch (Egon-Erwin)-Preis für Journalisten 1992 – 1. Preis (25000 DM) an *Alexander Osang*, 2. Preis

(15000 DM) an *Uwe Prieser,* 3. Preis (10000 DM) an *Johanna Romberg*.

Kritikerpreis 1992 **des Verbandes der deutschen Kritiker e. V.** Berlin (West) für Fernsehen an den Journalisten *Klaus Bednarz*.

Kulturpreis der Stadt München 1992 für Publizistik (15000 DM) an den Journalisten *Erich Kuby*.

Leuschner (Wilhelm)-Medaille 1992 des Landes Hessen an den Literaturkritiker *Marcel Reich-Ranicki*.

»LiteraVision«-Fernsehpreis 1993 für Literaturbeiträge im Fernsehen (je 10000 DM), Sparte Kurzfilme u. Magazinbeiträge an *Alfred Ammer* für seinen Beitrag über den Südtiroler Dichter *Norbert C. Kaser* (BR), Sparte Langfilme über Autoren u. Bücher an *Susanne Freund* für ihre Arbeit »Kobalek oder Das Sichtbare und das Verborgene« (ORF).

Maier (Franz-Karl)-Preis 1992 der Pressestiftung Tagesspiegel für herausragende u. unabhängige politische Kommentierung an *Monika Zimmermann* (»Neue Zeit«) u. *Thomas Löffelholz* (»Stuttgarter Zeitung«).

Medienpreis »Glashaus« 1992 der IG Medien an den Norddeutschen Rundfunk (NDR) für das Fernsehspiel »Die vier Wände« v. *Rainer Jogschies;* **Ehrenpreis** an das ZDF-Team v. *Thomas Euting* u. *Dietmar Schumann* für einen Bericht über die rechtsradikalen Krawalle in Rostock.

»Medizin in den Medien« 1992 des Kollegiums der Medizinjournalisten (insges. 10000 DM) – 1. Preis an *Christian Floto* für eine Live-Reportage im Hessischen Rundfunk über eine Bypass-Operation am Herzen, 2. Preis an *Claudia Eberhard-Metzger* für den Bericht »Kabelbrand im Gehirn« (»Hannoversche Allgemeine Zeitung«), 3. Preis an *Kristine Henss* (SFB) für den Film »Kinderlos durch Umweltgifte«.

Ökomedia – 9. Internat. Freiburger Tage des ökologischen Films 1992, Preis für die beste künstlerische Leistung, zu gleichen Teilen an *Sigrid Faltin* u. *Peter Ohlendorf* (SWF-Landesstudio Freiburg) für ihre »Montagsreportage« über »Mein Leben nach dem Verkehrsinfarkt«, für beste journalistische Leistung an *Trevor Graham* für »Paper Trail«; **Hoimar-von-Ditfurth-Preis** für die beste ökologische Darstellung für Kinder und Jugendliche (5000 DM) an die ZDF-Serie »Ökowelt – Auto Mortale«; **Journalistenpreis »Grüner Zweig«** an das TV-Magazin »Ozon« (Ostdeutscher Rundfunk Brandenburg).

Omnia Journalisten-Preis für Wohnkultur 1992 der gleichnam. Stiftung zur »Förderung herausragender Arbeiten im Printmedienbereich, die das Thema Wohnen als Kulturgut mit individuellen Einrichtungen behandeln,« (insges. 25000 DM) – 1. Preis nicht verliehen, 2. Preis an *Stefan Willecke* für »Unser bestes Stück« (»Zeitmagazin«) u. an *Heinrich Scharfenorth* für »Tresseras Totems«

(»Architektur und Wohnen«), 3. Preis an *Isolde von Merci* für »Alle Wände werden Bilder« (»Architektur und Wohnen«).

Rhein (Eduard)-Preis 1993 (100 000 DM) an die Journalisten *Ernst Waldemar Bauer* u. *Gero von Boehm* für ihre herausragenden Fernsehbeiträge.

Schinkel (Karl Friedrich)-Ring 1992 des Deutschen Nationalkomitees für Denkmalschutz an den Fernsehjournalisten *Dieter Wieland* (BR); **Journalistenpreis** (5000 DM) an die Rundfunkredakteure *Martina Zöllner* (SDR), *Marlene Apmann* (SR) u. *Erich Faßbender* (SWF).

Schneider (Ernst)-Preis 1992 der dt. Industrie- u. Handelskammer an *Dieter Mayer-Simeth* für seine Sendung »Parfum. Etüden über ein duftendes Thema« (BR/RIAS/ORF).

Springer (Axel)-Preis für Nachwuchsjournalisten 1992 – 1. Preis (10 000 DM) an *Christian Kracht* für eine Reportage über die »Heimatlosen von London« (»Tempo«); 2. Preis (8000 DM) an *Oliver Schröm* u. *Stefan Scheytt* für »Lebenslänglich Bundesbürger« (»Die Zeit«); 3. Preis (5000 DM) an *Bärbel Könecke* für die Serie »Hausbesuche in Deutschland« (»Bild«).

TeleStar 1992 Ehrenpreis für Fernsehunterhaltung, gestiftet vom WDR, verliehen in Zusammenarbeit mit dem ZDF, Sparte Fernsehspiel an *Senta Berger* für ihre Rolle in »Sie und Er« (WDR) v. *Frank Beyers* u. *Klaus Poches*, an *Heinz Hoenig* für seine Rolle in »Die Angst wird bleiben« (ZDF) v. *Diethard Klantes*; Sparte Serie an *Veronika Fitz* in »Die Hausmeisterin« (ARD) u. *Günter Strack* in »Diese Drombuschs« u. »Mit Leib und Seele« (ZDF); Sparte Regie an *Sohrab S. Saless* für »Rosen für Afrika« (ZDF); Sparte Unterhaltung an *Jürgen von der Lippe* für die WDR-Show »Geld oder Liebe«; Sparte Information an *Ulrich Wickert* für die Moderation der ARD-»Tagesthemen« sowie an *Thomas Euting* u. *Dietmar Schumann* für ihren Beitrag aus einem Heim für Asylsuchende in Rostock in der ZDF-Sendung »Kennzeichen D«, für Dokumentation an *Werner Filmer* für seinen Beitrag »Süchtig« (WDR); **Förderpreis** (je 10 000 DM) an die Schauspielerin *Muriel Baumeister* für ihre Rolle in »Widerspenstige Victoria«, an den Autor u. Regisseur *Max Färberböck* für »Schlafende Hunde« u. an *Michael Steinbrecher* als Moderator in »Aktuelles Sportstudio« (ZDF).

»Upjohn-Fellowship« 1993 in Heppenheim für herausragende journalistische Leistungen auf dem Gebiet der Biowissenschaften (10 000 DM) an die Journalistin *Silvia Schattenfroh* (»Frankfurter Allgemeine Zeitung«).

Wächterpreis der Tagespresse 1993 der Fiduziarischen Stiftung »Freiheit der Presse«, 1. Preis (15 000 DM) an *Hannes Krill* (»Süddeutsche Zei-

tung«), 2. Preis an *Bettina Markmeyer* u. *Henrike Thomsen* (»Berliner Tageszeitung«), 3. Preis an *Karl-Friedrich Kassel* u. *Jörn Rehbein* (»Elbe-Jeetzel-Zeitung«).

WDR-Kulturpreis 1992 der 5.»Videonale« in Bonn (erstm. verg.) – 1. Preis (7000 DM) an den Videokünstler *Istvan Kantor* (CDN) für »Jericho«, 2. Preis (3000 DM) an *Juha van Ingen* (SF) für »Integrator«.

Wissenschaftspublizistik-Preis 1992 der Deutschen Gesellschaft für Psychologie an die Redakteurin *Lilo Berg* (»Süddeutsche Zeitung«).

Wolff (Theodor)-Preis 1993 des Bundesverbandes Deutscher Zeitungsverleger für hervorragenden Tageszeitungsjournalismus (je 8000 DM) an *Anton Notz* (»Stuttgarter Nachrichten«), *Michael Best* (»Freies Wort«, Suhl), *Christoph Dieckmann* (»Die Zeit«), *Gabi Novak-Oster* (»Rhein-Zeitung«), *Sabine Schwieder* (»Cellesche Zeitung«) u. *Wolfgang Ehemann* (»Fränkischer Tag«).

EUROPA

Europäischer Umwelt-Medienpreis 1992 (je 10 000 ECU) an die Bukarester Tageszeitung »Adevarul« für eine Artikelserie über Giftmülltransporte nach europ. Industrieländern nach Rumänien, an die Amsterdamer Tageszeitung »De Volkskrant« für Beiträge über Haushalts- u. Industrieabfälle, an »L' Eco di Bergamo« für seine engagierte Lokalberichterstattung u. an die Stockholmer Zeitung »Dagens Nyheter« für eine Serie über ein Wasserschutzprogramm; **Sonderpreis** für einen humorist. Beitrag über Umweltschutz an »Begun« (Istanbul).

Natali (Lorenzo)-Journalistenpreis 1992 der EG-Kommission (5000 ECU) an das Magazin »Reportes sans frontières« (F) für sein engagiertes Eintreten für Menschenrechte und Demokratie in Ländern der Dritten Welt.

Prix Europa 1992 der EG für die besten europäischen Fernsehprogramme (je 12 500 DM) – in der Kategorie Non-Fiction an Danmarks Radio für die Dokumentation »Flugten til Europa«; in der Kategorie Fiction an Channel 4 (GB) für den Film »Bye Bye Baby«; in der Kategorie Serien/Mehrteiler an BBC Television für »Goodbye Cruel World«.

ITALIEN

49. Internat. Filmfestival 1992 in Venedig – Spezialpreis an den Regisseur *Edgar Reitz* (D) für die Fernsehserien »Heimat« u. »Die zweite Heimat – Chronik einer Jugend«.

Prix Italia 1992 in Parma – Spezialpreis an das Hörspiel »Schliemanns Radio« v. *Heiner Goebbels*.

JAPAN

»Orden der edlen Krone« 1992 bzw. **»Orden der aufgehenden Sonne am Band« 1992** der japanischen Regierung an die Journalisten *Irmtraud Schaarschmidt-Richter* u. *Siegfried Schaarschmidt* (»Frankfurter Allgemeine Zeitung«).

MONACO
33. Internationales Fernsehfestival von Monte Carlo 1993 – Goldene Nymphe für den besten Fernsehfilm an »World International Network« (USA) für »Till murder do as part«.

NIEDERLANDE
»World Press Photo«-Wettbewerb für das beste Pressefoto des Jahres 1992 in Amsterdam – 1. Preis in der Kategorie allgemeine Nachrichten an *James Nachtwey* (USA) für die Aufnahme einer sterbensschwachen Somalierin, die ihr Kind begräbt; 2. Preis in der Kategorie Menschen in den Nachrichten an *Bastienne Schmidt* (»Frankfurter Allgemeine Zeitung«) für eine Aufnahme der Friedensnobelpreisträgerin *Rigoberta Menchu*.

ÖSTERREICH
Internat. Publizistikpreis 1992 der Landeshauptstadt Klagenfurt (150000 S) an die Feuilletonredakteurin *Verena Lueken* (»Frankfurter Allgemeine Zeitung«); **Preis des Landes Kärnten** (75000 S) an den Journalisten *Christoph Dieckmann* (»Die Zeit«); **Preis der Creditanstalt** (40000 S) an den freien Autor *Rüdiger Dilloo* (D) für seine Kolumnen »Hausmanns Dilemma« im »Zeitmagazin«; **Joseph-Roth-Preis** der Kärntner Industrie an den Korrespondenten *Rudolf Chimelli* (»Süddeutsche Zeitung«) für seine Reportagen aus Jekaterinburg u. über Stierkampf in Frankreich.
Österreichischer Staatspreis für Kulturpublizistik 1993 (je 100000 S) an die Literaturkritikerin *Sigrid Löffler* u. den Kunsthistoriker *Wieland Schmied*.

SCHWEIZ
33. Goldene Rose von Montreux 1993, Internat. Fernsehwettbewerb für Unterhaltungssendungen (10000 sfr), an die Sketchfolge »The Kids in the Hall« des Komiker-Quintetts »Canadian Broadcasting Corporation«, außerdem den **Preis der Stadt Montreux**; **Silberne** Rose an die unabhängige Musiksendung »Djabote« (F) u. an den CPB-Beitrag »Music with Joann Falletta« (USA); **Bronzene** Rose an »The Nicholas Brothers: We sing and we dance« v. Pictures Music International (GB), »Auf der Straße zur Synagoge« (Tschech. Rep.) u. »The Lion's roar« (NL).
Ostschweizer Radio- u. Fernsehpreis 1993 (je 3000 sfr) an die Hörspielautorin *Charlotte Heer* u. den Fernsehjournalisten *Daniel Blickensdorfer*.
Türler Medienpreis 1992 in Zürich (10000 sfr) an den Historiker *Gerhard Dohrn van Rossum* (D) für sein Buch »Die Geschichte der Stunde«.

SLOWAKEI
»Prix Danube«, internat. Wettbewerb für Kinder- u. Jugendfernsehen 1993 in Bratislava – Bereich Dokumentation an den »U – aus Jugoslawien« (N); Bereich Fernsehfilm u. Serien an »Erste Liebe« (S) u. an »Das Taschenmesser« (NL); an »Erste Liebe« außerdem **Preis der Vereinigung slowak. Fernsehkünstler** sowie den **Kritikerpreis d. internat. Journalistenjury**; an »Das Taschenmesser« außerdem **Sonderpreis der CIFEJ-Jury; Preis der Kinderjury** an »Dona Benita« (E); **Sonderpreis der Stiftung »Janko Hrasko«** an »Afrodita«.

SPANIEN
1. Europ. Fernsehfestival »Palmares« 1992 in Madrid – bestes Fernsehspiel Europas: »Welcome in Vienna« v. *Axel Corti* (D) mit *Claudia Messner* u. *Gabriel Barylli* (ZDF/ORF), beste Unterhaltungssendung: die Satire »Gala – Heiraten mit Harald Schmidt« v. *Harald Schmidt* (D, Radio Bremen), beste Informationssendung: »Pa graensen til liv« (DK) über die menschlichen u. medizinischen Begleitumstände einer Frühgeburt in einem Krankenhaus.

VEREINIGTE STAATEN VON AMERIKA
44. Emmy Awards 1992 der National Academy of Television Arts and Sciences, New York – beste Komödienserie: »Murphy Brown«, für beste weibl. Hauptdarstellung in dieser Serie an *Candice Bergen*, für beste Regie an *Barnett Kelman*, ebenfalls in »Murphy Brown«; beste Drama-Serie: »Northern Exposure«; beste weibl. Hauptdarstellung in dieser Kategorie an *Dana Delany* in »China Beach«; beste männl. Hauptdarstellung an *Christopher Lloyd* in »Avonlea«; bester Fernseh-Spielfilm: »Miss Rose White«; beste Kurzserie: »A woman named Jackie«; bestes Programm in der Kategorie Varieté/Musik/Komödie: Die »Tonight Show«; 1 Emmy an die Schauspielerin *Bette Midler* in »Tonight Show« u. an *Richard Dysart* als besten Nebendarsteller.
50. Golden Globe 1993 für herausragende Leistungen im Fernsehen an *Maximilian Schell* als bester Nebendarsteller in »Stalin«, an *Tina Sinatra* für ihre TV-Produktion über das Leben ihres Vaters.
Pulitzer-Preise für Journalismus 1993, verliehen v. d. Columbia University, New York (3000 $) – Sparte internat. Reportagen an *John Burns* (»New York Times«) für seine Berichte über die Zerstörung in Sarajevo u. die Schrecken des Krieges in Bosnien u. an *Roy Gutman* (»Newsday«) für seine Berichte über den Krieg u. die Menschenrechtsverletzungen in Kroatien u. Bosnien; Sparte aktuelle Berichterstattung an die »Los Angeles Times« für »ihre ausgewogene u. kompetente Berichterstattung« über die Rassenunruhen 1992; Sparte inländ.

Reportagen an die »Washington Post« u. a. für die Serie über den Präsidentschaftskandidaten *Bill Clinton* u. für *George Lardeners* Hintergrundrecherchen über den Mord an seiner Tochter; Sparte Verdienste um die Öffentlichkeit an die Tageszeitung »Miami Herald« für die Berichterstattung über die Verwüstungen durch den Hurrikan »Andrew«; für **Fotografie** an die »Dallas Morning News« für ihre Bilder von den Olympischen Spielen in Barcelona u. an die Nachrichtenagentur AP für ihre Feature-Fotos aus dem amerik. Präsidentschaftswahlkampf.

FILM UND FOTOGRAFIE

DEUTSCHLAND

Bayerischer Filmpreis 1992/93 des Freistaats Bayern – Produzentenpreis (500000 DM) an *Joseph Vilsmaier,* gemeinsam mit *Bob Arnold, Hanno Huth* u. *Günter Rohrbach,* für »Stalingrad«, Preis für Kamera u. Gesamtkonzeption (50000 DM) an *Joseph Vilsmaier* u. für besten Filmschnitt (40000 DM) an *Hannes Nikel,* beide ebenfalls für »Stalingrad«, Regiepreis (je 50 000 DM) an *Helmut Dziuba* für »Jana und Jan« u. *Juraj Herz* für »Die dumme Augustine« als besten Kinderfilm, Darstellerpreis (je 20000 DM) an *Gedeon Burkhard, Jürgen Vogel* u. *Kai Wiesinger,* alle in »Kleine Haie« v. *Sönke Wortmann,* Dokumentarfilmpreis an *Heiner Stadler* (50000 DM) für »Das Ende einer Reise«, **Ehrenpreis** an den Schauspieler *Martin Benrath.*

Biermann (Aenne)-Preis für deutsche Gegenwartsfotografie 1992 (4000 DM) an *Frank Gaudlitz* für die Bilderserien »Abzug der GUS-Truppen« u. »Flotell Casa Marina«.

Claasen (Axel)-Preis für Fotografie 1993 (10000 DM) an *Otto Hütte.*

Deutscher Dokumentarfilmpreis 1992 der Arbeitsgemeinschaft der Filmjournalisten, vergeb. bei der 16. Duisburger Filmwoche (15000 DM), an *Thomas Heise* für seinen Film »Stau – jetzt geht's los« über rechtsradikale Jugendliche aus Halle; **Nachwuchspreis** (insges. 10000 DM) an *Alexander Rodnyanski* für seinen Film »Good-Bye UdSSR. Film Nr. 1. Persönlich«.

Deutscher Filmpreis 1993, verliehen vom Bundesminister des Innern; Filmband in **Gold** für einen Spielfilm nicht vergeben; Filmband in **Silber** u. Prämie von je 700000 DM an »Kleine Haie« v. *Sönke Wortmann,* »Wir können auch anders« v. *Detlev Buck* u. an »Der Olympische Sommer« v. *Gordian Maugg;* Filmband in **Gold** für hervorragende Einzelleistung (je 20000 DM) für beste Darstellung an *Barbara Auer* in »Meine Tochter gehört mir« v. *Vivian Naefe, Heinz Hoenig* in »Krücke« v. *Jörg Grünlers, Horst Krause* u. *Joachim Król* in »Wir können auch anders« v. *Detlev Buck* u. an *Renate Krößner* für die beste Nebenrolle in »Nordkurve« v. *Adolf Winkelmann;* Filmband in **Gold** für bestes Drehbuch an *Ernst Kahl* u. *Detlev Buck* (»Wir können auch anders«), für beste Kamera an *Ger-*

not Roll (»Kleine Haie«, »Krücke« u. »Meine Tochter gehört mir«), für beste Musik an *Detlef Petersen* (»Wir können auch anders«), für beste Ausstattung an *Heike Bauersfeld* (»Krücke«), für beste Montage an *Adolf Winkelmann* (»Nordkurve«); Filmband in **Gold** für hervorragende Verdienste um den deutschen Film an den Schauspieler *Erwin Geschonneck,* die Filmtheaterbesitzerin *Lieselotte Wilhelm* u. den Filmhistoriker u. Publizisten *Enno Patalas.*

Deutscher Filmpreis für Kurzfilme 1992, verliehen vom Bundesminister des Innern; Filmband in **Gold** (30000 DM) an »Swamp – Sumpf« v. *Gil Alkabetz* (IL); Filmband in **Silber** (je 10000 DM) an »Carnevale del Animale« v. *Horst Schier* u. an »Dobranoc – Gute Nacht« v. *Barbara Lipinska-Leidinger.*

Deutscher Videopreis 1993 für besondere Leistungen in der Filmwirtschaft (erstm. vergeben) an den Schauspieler *Götz George,* den Nachwuchsregisseur *Sönke Wortmann* u. den Regisseur *Volker Schlöndorff* für sein Engagement um die Defa-Studios in Babelsberg.

Deutscher Wirtschaftsfilmpreis 1992 in der Kategorie Umweltschutz/Umweltgefährdung an *Thomas Weidenbach* für »Keine Welt für alle. Entwicklungsländer – Verlierer im Treibhaus-Zeitalter«.

Ehrfurth (Hugo)-Preis 1993, internat. Fotopreis der Stadt Leverkusen u. der Agfa-Gevaert AG (20000 DM), an *William Klein* (USA/F).

Europ. Fotopreis 1992 der Deutschen Leasing AG in Bad Homburg für Nachwuchstalente – 1. Preis (20000 DM) an die Fotografin *Eva Schlegel* (A), 2. Preis (10000 DM) an den Maler u. Fotografen *Mikolaj Smoczyński* (PL), 3. Preis (5000 DM) an den Künstler u. Fotografen *Erasmus Schröter.*

5. Europ. Medienkunst-Festival 1992 in Osnabrück (je 1000 DM) – Preis der deutschen Filmkritik für Experimentalfilm an die Filmemacherin *Birgit Hein;* Preis der Arbeitsgemeinschaft der Filmjournalisten für Video an *Atsushi Ogata* (D/J) für sein Werk »Timeless Scent«.

Filmpreis der Stadt München 1992 (15000 DM) an den Autor, Schauspieler, Regisseur u. Produzenten *Herbert Achternbusch.*

Filmpreis des Landes Rheinland-Pfalz 1992 (25000 DM) an die Regisseurin *Sibylle Schönemann* für ihren Dokumentarfilm »Verriegelte Zeit«.

Hessischer Filmpreis 1992 (insges. 300 000 DM) an den Spielfilm »Stilles Land« v. *Andreas Dresen*, den Dokumentarfilm »Tausend Kraniche mußt du falten« v. *Thomas Bauermeister* u. den Kurzfilm »Remedio« v. *Walburg von Waldenfels*.

43. Internat. Filmfestspiele Berlin 1993 – Goldener Berliner Bär (Großer Preis) zu gleichen Teilen an »Die Frauen vom See der duftenden Seelen« v. *Xie Fei* (VRC) u. »Das Hochzeitsbankett« v. *Ang Lee* (Taiwan); **Silberner Berliner Bär** als Spezialpreis der Jury an »Arizona Dream« v. *Emir Kusturica* (F); für die beste Regie an *Andrew Birkin* (GB) für die Koproduktion »The Cement Garden« (D/GB/F); für die beste Einzelleistung als Darstellerin an *Michelle Pfeiffer* in »Love Field« v. *Jonathan Kaplan* (USA), als bester Darsteller an *Denzel Washington* in »Malcolm X« v. *Spike Lee* (USA); außerdem an »Die Sonne der Wachenden« v. *Temur Babluani* (Georgien) u. an »Samba Traoré« v. *Idrissa Ouédraogo* über das alltägliche Leben in Burkina Faso; »**Der blaue Engel«, Großer Preis der Europ. Film- u. Fernsehakademie**, an »Le jeune Werther« v. *Jacques Doillon* (F); **Goldener Bär** für den besten Kurzfilm an »Bolero« v. *Ivan Maximov* (GUS); **Silberner Bär** für den besten Kurzfilm an »Es lebe die Maus!« v. *Pavel Koutsky* (CS); **Goldener Bär Ehrenpreis** an den Schauspieler *Gregory Peck* (USA) für sein Lebenswerk; **Preis der Internat. Filmkritik (Fipresci)** an »Gorilla Bathes at Noon« v. *Dusan Makavejev* u. an das Programm »Neue Filme aus China« im **Internat. Forum des Jungen Films; Preis der Internat. Ökumenischen Jury** an »Le jeune Werther« (F) u. »Der Walzer auf der Petschora« v. *Lana Gogoberidse* (Georgien); **Berlinale Kamera** an die Schauspielerinnen *Victoria Abril* (E), *Gong Li* (VRC), *Corinna Harfouch, Johanna ter Steege* (NL) u. *Yuliette Binoche* (F); **lobende Erwähnung** an *Assi Dayan* (IL) für »Das Leben, von Agfa gezeugt« u. an *Detlev Buck* für »Wir können auch anders...«.

Internat. Filmfesttage 1992 »**Magdeburger Otto**« u. Spezialpreis für den besten europäischen Film an »Hitlerjunge Salomon« v. *Agnieszka Holland* (D/F), »Ottos« ferner an den Kurzfilm »Trauma« v. *Gerhard Johannes Rekel* (A), den Spielfilm »Erdnußmann« v. *Dietmar Klein* u. an den Schauspieler *Heinz Rühmann* für sein Gesamtwerk; Spezialpreis als bester Schwarzweißfilm an den Kurzfilm »Niemandszeit« v. *Radu Mendera* (D/RO), Spezialpreis für die beste Regie an »Strictly Ballroom« v. *Baz Luhrmann* (AUS). – »**Magdeburger Otto**« **1993** an den Schauspieler u. Regisseur *Klaus Maria Brandauer* (A) für sein gesamtes Schaffen.

41. Internat. Film-Festival Mannheim 1992 – Großer Preis (30 000 DM) an »Nur für Verrückte« v. *Arvo Iho* (EW); **Josef-von-Sternberg-Preis** für den eigenwilligsten Film (10 000 DM) an »Kyodai bringt's« v. *Ian Kerkhof* (NL); **Dokumentarfilmpreis des Süddt. Rundfunks** (10 000 DM) an das Tanzporträt »Bhavantarana« v. *Kumar Shahani* (IND).

26. Internat. Hofer Filmtage 1992 – Filmpreis der Stadt Hof an den Regisseur *Wim Wenders*.

39. Internat. Kurzfilmtage Oberhausen 1993 – Großer Preis der Stadt Oberhausen (10 000 DM) an »Silvester« v. *Jochen Kuhn*; **Hauptpreise** (je 2000 DM) an »Zefiro torna oder Szenen aus dem Leben von George Maciunas« v. *Jonas Mekas* (USA), »Die Versuchung der Heiligkeit« v. *Simon Pummell* (GB), »89 mm von Europa« v. *Marcel Lozinski* (PL) u. »Zoe, die Boxerin« v. *Karim Dridi* (F); **Preis** für den besten Experimentalfilm (5000 DM) an »Mexico« v. *Mike Hoolboom* u. *Steve Sanguedolce* (CDN); **Preis der Internat. Filmkritik (Fipresci)** (2000 DM) an »Der Ritt zum Abgrund« v. *Georges Schwizgebel* (CH); **Preis der Arbeitsgemeinschaft der Filmjournalisten** (5000 DM) für den besten deutschen Kurzfilm an »Joanes Gesetz« v. *Dominique Faix* u. *Dobrivoie Kerpenisan*; für die beste Erstlingsarbeit (5000 DM) an »Costalero« v. *Katharina Großmann*; **Förderpreis** an »Das ist das Haus vom Nikolaus« v. *Lutz Garmsen*; **Preis des Kultusministers des Landes Nordrhein-Westfalen** (5000 DM) an »Der Besuch« v. *Orla Walsh* (IRL).

Internat. Dokumentarfilm-Festival München 1993 – 1. Preis an den ukrain. Regisseur *Jurij Chaschtschewatskij*.

Internat. Tanzfilm-Wettbewerb Dance Screen 1993 in Frankfurt/M. – 1. Preis an *Elliot Caplan* (USA) für »Beach Birds for Camera«; bester experimenteller Film »Wank Stallions« v. *Alison Murray* (GB).

18. Internat. Kinderfilm-Festival 1992 in Frankfurt/M. – 1 Guckkastenmännchen »Lukas« zu gleichen Teilen an »Die Kinder des Schiffbrüchigen« v. *Jérôme Foulon* (F) u. an »Hexen aus der Vorstadt« v. *Drahuse Králová* (ČSFR).

Käutner (Helmut)-Preis 1992/93 in Düsseldorf (15 000 DM) an die Filmschauspielerin *Hildegard Knef*.

3. Kölner Film-Festival 1992 – Europ. Vertriebsförderpreis – 1. Preis (100 000 DM) an »Il ladro di bambini« v. *Gianni Amelio* (I/F), 2. Preis (80 000 DM) an »The Crying Game« v. *Neil Jordan* (GB), 3. Preis (70 000 DM) an »L.627/Auf offener Straße« v. *Bertrand Tavernier* (F).

Kritikerpreis 1992 des Verbandes der deutschen Kritiker e. V. in Berlin (West) für Film an den Regisseur *Andreas Dresen*.

Kultureller Ehrenpreis 1992 der Stadt München (20 000 DM) an den Regisseur u. Filmemacher *Edgar Reitz* für seine Filme »Heimat« u. »Zweite Heimat«.

Kunstpreis Berlin der Akademie der Künste – Jubiläumsstiftung 1848/1948, Hauptpreis 1993 Sparte Film- u. Medienkunst (30000 DM) an den Regisseur *Otar Iosseliani* (Georgien); **Förderpreis** (je 10000 DM) an *Gertrud Koch* u. *Heide Schlüpmann*.

35. Leipziger Festival für Dokumentar- u. Animationsfilm 1992: Goldene Taube (7000 DM) für den besten 45-Min.-Film an *Volker Koepp*.

Lubitsch (Ernst)-Preis 1993 des Clubs der Filmjournalisten e. V., Berlin, an den Schauspieler *Harald Juhnke* »für seine herausragende komödiantische Leistung in dem Film ›Schtonk‹«.

Murnau (Friedrich-Wilhelm)-Preis 1993 (15000 DM) an den Kameramann *Henri Alekan* (F) für sein Gesamtwerk.

Nordische Filmtage 1992 in Lübeck – **Förderpreis des Norddeutschen Rundfunks (NDR)** (25000 DM), **Preis der baltischen Jury** u. »**Lübecker Filmlinse**« an den Film »Haus der Engel« v. *Colin Nutley* (GB); **Preis der Nord. Filminstitute** an »Sofie« v. *Liv Ullmann* (N); **Preis der IG Metall** (5000 DM) an »Im Angesicht des Todes« v. *Lars Westman* (S).

Ökomedia – 9. Internat. Freiburger Tage des ökologischen Films 1992 – für den besten Naturfilm an »Shadows in a desert sea« v. *Howard Hall* (GB); **Förderpreis der Stadt Freiburg** (10000 DM) geteilt an den Video-Film »Air dan Romi« v. *Garin Nugroho* (RI) u. »Deadly Deception. General Electric, Nuclear Weapons And Our Environment« v. *Debra Chasnoff* (USA); **Sonderpreis des Bundesministers für Umwelt** (7000 DM) an »Aux Guerriers du Silence« v. *Cesar Paes* (B/F); **Sonderpreis der Jury** an »El futuro esta en nuestras manos« v. *Diego Leon Hoyos* (CO) u. an den kolumbianischen Umweltspot »El contaminacion de las aguas«.

Ophüls (Max)-Preis 1993 der Stadt Saarbrücken (15000 DM) für Nachwuchsregisseure des deutschsprach. Raums an den Regisseur *Pol Cruchten* (L) für »Hochzäitsnuecht«; **Preis des Ministerpräsidenten** (20000 DM) an den Regisseur *Hans-Erich Viet* für seinen Film »Frankie, Jonnie und die anderen (Schattenkämpfer)«; beste Nebendarstellerin *Anna Thalbach* in »Zärtliche Erpresserin« v. *Beat Lottaz*; **Siegel der Landeshauptstadt** an Max Ophüls' Schwester *Friedl Heilbronner* für ihre Verdienste um das Festival.

Potsdamer Filmfestival »Europ. Salon für Liebhaber des jungen Films« 1993 – Kategorie Spielfilm: 1. Preis (22500 DM) an »Video Blues« v. *Arpad Sopsits* (H) u. an »Souvenance« v. *Thomas Harlan* (F); Kategorie Dokumentation: 1. Preis (10000 DM) an »Znak Tire« v. *Sergei Bukowski* (GUS).

Regie-Förderpreis der Hypo-Bank für den deutschen Film 1993 (60000 DM) an *Dani Levy* für seinen Beitrag in »Neues Deutschland«.

Salomon (Erich)-Preis 1992, höchste Auszeichnung der Deutschen Gesellschaft für Photographie in Essen, an den Kriegsfotografen *Don McCullin* (GB).

Staudte (Wolfgang)-Preis 1992 der Berliner »Pressestiftung Tagesspiegel« u. des Internat. Forums der jungen Films (20000 DM) an den Regisseur *Nick Gomez* (USA) für seinen Erstlingsfilm »Laws of Gravity«.

Ufa-Ehrenpreis 1993 an die Schauspielerin *Maria Schell* u. den Komiker *Otto Waalkes*; **Ufa-Filmpreis** an »Basic Instinct« mit *Michael Douglas* u. *Sharon Stone*.

Weiss (Peter)-Preis 1992 der Stadt Bochum an den Filmautor u. Regisseur *Marcel Ophüls* (F).

EUROPA

Europäischer Filmpreis 1992 – Felix-Verleihung in Babelsberg, Filmpreis des Jahres an den Regisseur *Billy Wilder* (USA) für sein Lebenswerk; Felix für besondere Verdienste an das »Museum of Moving Image« in London; bester Film »Il ladro di bambini« v. *Gianni Amelio* (I); bester junger Film »De noorderlingen« v. *Alex van Warmerdam* (NL), außerdem **Mercedes Award** (erstm. verg., 100000 DM); bester Dokumentarfilm »Neregiu Zeme« v. *Audruis Stonys* (Litauen), außerdem **Preis des europ. Kulturkanals »Arte«** (50000 DM); Felix für bestes Drehbuch an *István Szabó* (H) für »Edes Emma, draga Böbe«, beste Kamera an *Jan-Yves Escoffier* für »Les amants du Pont-Neuf«, beste Filmkomposition an *Vincent van Warmerdam* in »De noorderlingen«, bestes Produktions-Design an *Rikke Jelier* (»De noorderlingen«), besten Schnitt an *Nelly Quettier* für »Les amants du Pont-Neuf«; Felix für beste Darstellerin an *Juliette Binoche* in »Les amants du Pont-Neuf« v. *Léos Carax* (F), für besten Darsteller an *Matti Pellonpää* in »La vie de Bohème« v. *Aki Kaurismäki* (F), für beste Nebendarstellerin an *Ghita Nørby* in »Freud flyttar hemifran« (S), für besten Nebendarsteller an *André Wilms* in »La vie de Bohème«.

Goldener Cartoon 1992 (35000 ECU) für den besten europäischen Trickfilm an *Daniel Greaves* (GB) für »Manipulation«.

FRANKREICH

18. César der Akademie für Filmkunst u. Kinotechnik 1993 in Paris für den besten franz. Film 1992 an »Les Nuits fauves« v. *Cyril Collard*, der Césars auch für das beste Erstlingswerk u. für den besten Schnitt erhielt; César für beste Nachwuchsdarstellerin an *Romane Bohringer* in »Les Nuits fauves«; 5 Césars an »Indochine« v. *Régis Wargnier* mit *Catherine Deneuve* als bester Hauptdarstellerin u. *Dominique Blanc* in der besten Nebenrolle sowie für besten Ton, beste Ausstattung u. Kamera; César für die beste Musik an *Gabriel Yared* in »Der Lieb-haber« v. *Jean-Jacques Annaud*; César für be-sten Film in ausländischer Sprache an »Tacones le-janos« v. *Pedro Almodovar* (E); Ehren-César an den Schauspieler *Marcello Mastroianni* (I).

Europäisches Filmfestival 1992 in La Baule – Großer Preis an den Regisseur *Jan Sverak* (Tschech. Rep.) für sein Erstlingswerk »Obecna Skola«; **Sonderpreis** an *Pupi Avati* (I) für »Fratelli e Sorelle«; Preis für das beste Drehbuch an *Neil Jordan* (IRL) für »The Crying Game«, für beste darstellerische Leistung an *Brigitte Rouan* (F) in »Olivier, Olivier« v. *Agnieszka Holland* u. an *Benoît Poelvoorde* (B) in »C'est arrivé chez vous«.

Festival »Cinema du Reel« 1993 in Paris – Großer Preis an den Dokumentarfilm »Ein sizilianisches Schicksal« v. *Robert Young* u. *Susan Todd* (USA); Kurzfilmpreis an »Wen die Götter lieben« v. *Johannes Holzhausen* (A).

Festival des nordischen Films 1993 in Rouen – Großer Preis an »Ingalo« v. *Asdis Thoroddsen* (IS); Preis für beste Hauptdarstellerin an *Solveig Arnarsdottir* in »Ingalo«; für besten Hauptdarsteller an *Erland Josephson* (DK) in »Sofie« v. *Liv Ullmann* (N).

Festival des Phantastischen Films 1993 in Avoriaz – Großer Preis an den Regisseur *Peter Jackson* (NZ) für seinen Film »Braindead«; für beste weibliche Darstellung an *Virginia Madsen*.

Grand Premiere Prix 1993 des Filmfestivals in Paris an den SWF-Dokumentarfilm »Rostige Bilder« (D).

Grand Prix du film der Académie française 1993 an *Claude Sautet* für seinen Film »Un cœur en hiver«.

Grand Prix Nationaux 1992 (50000 FF) an den Filmautor u. -regisseur *Bertrand Tavernier*.

32. Internat. Woche der Kritik 1993 – Großer Kritikerpreis (60000 FF) an *Guillermo del Toro* (MEX) für »Cronos«.

46. Internat. Filmfestival in Cannes 1993 – Goldene Palme für den besten Film zu gleichen Teilen an »The Piano« v. *Jane Campion* (NZ) u. »Bawang Bieji« v. *Chen Kaige* (VRC), für ihn auch der Preis der Internat. Filmkritik; Großer Preis der Jury an »In weiter Ferne, so nah!« v. *Wim Wenders*; Preis der Jury an »Raining Stones« v. *Ken Loach* (GB); für beste Darsteller an *Holly Hunter* in »The Piano« u. an *David Thewlis* (GB) in »Naked« v. *Mike Leigh*, der auch den Preis für die beste Regie erhielt; Goldene Kamera für das beste Erstlingswerk an »L'odeur de la papaye verte« v. *Tran Anh Hung* (VN); Goldene Palme für den besten Kurzfilm an »Coffee and Cigarettes« v. *Jim Jarmusch*; Großer Technikpreis an »Mazeppa« v. *Bartabas*; **Preis der UNESCO u. des Internat. Film- und Fernsehrats** an »Padma Nadir Majhi« v. *Goutam Ghose* (IND); **Prix de la Jeunesse** zu gleichen Teilen an »L'odeur de la pa-paye verte« v. *Tran Anh Hung* u. an »Moi Ivan, toi Abraham« v. *Yolande Zauberman*; **Roberto-Rossellini-Preis** ex aequo an den poln. Filmhistoriker *Jerzy Toeplitz* u. an die kubanische Filmschule »Escuela de tres Mundos«.

Prix Louis Delluc 1992 an die Regisseurin *Christine Pascal* für den Film »Le Petit Prince a dit«.

»Prix Melies«, Preis der franz. Filmkritik 1993, an den Regisseur *Claude Sautet* für »Un cœur en hiver«.

GROSSBRITANNIEN

British Academy of Film and Television Arts (BAFTA) Awards 1993 – bester Film: »Wiedersehen in Howards End« v. *James Ivory*, beste Schauspielerin: *Emma Thompson* in diesem Film, bester Schauspieler: *Robert Downey* in »Charlie Chaplin« v. *Richard Attenborough*, beste Regie: »The Player« v. *Robert Altman*, bestes Drehbuch: »Ehemänner und Ehefrauen« v. *Woody Allen* (USA).

ITALIEN

46. Filmfestival von Locarno 1993 – Goldener Leopard an »Mein Uniformhut« v. *Ermek Shinarbaew* (Kasachst.), **Silberner Leopard** an »Hart an der Grenze« v. *Dito Tsintsadze* (Georg.), **Bronzener Leopard** an »Travolta und ich« v. *Patricia Mazuy* (F); **Goldener Leopard** für Darstellung an *André Eisermann* (D) für die Titelrolle in »Kaspar Hauser – Verbrechen am Seelenleben eines Menschen« v. *Peter Sehr*, **Silberner Leopard** an *Valeria Bruni-Tedeschi* (I) für die Hauptrolle in »Die normalen Leute haben nichts Besonderes an sich« v. *Laurence Ferreira Barbosa* (F).

10. Internat. Filmfestival 1992 in Turin – 1. Preis an den Kurzfilm »Zum Greifen« v. *Veit Helmer* (D).

49. Internat. Filmfestival 1992 in Venedig – Goldener Löwe für den besten Film an »Die Geschichte von Qiu Ju« v. *Zhang Yimou* (VRC), für die künstlerische Laufbahn an die Schauspielerin *Jeanne Moreau* (F), den Regisseur u. Produzenten *Francis Ford Coppola* (USA) u. an den Schauspieler u. Komiker *Paolo Villaggio* (I), **Coppa Volpi** für die beste Schauspielerin an *Gong Li* in »Die Geschichte von Qiu Ju«, für den besten Schauspieler an *Jack Lemmon* in »Glengarry Glen Ross« v. *James Foley* (USA), **Goldener Löwe der Fotografie** an den ital.-amerik. Schauspieler *Joe Pesci* für seine Darstellung eines Fotografen in dem Film »The Public Eye«; **Silberner Löwe** für die Filme »Un cœur en hiver« v. *Claude Sautet* (F), »Jamon, Jamon« v. *Bigas Luna* (E) u. »Hotel de Lux« v. *Dan Pita* (RO); **Spezialpreis der Jury** an »Tod eines neapolitanischen Mathematikers« v. *Mario Martone*; **Goldmedaille des Senatspräsidiums** an »Guelwaar« v. *Ousmane Sembene* (SN); Spezialpreis auch an den Regisseur *Edgar Reitz* (D).

Visconti (David Lucchino)-Preis 1993 in Rom in der Sparte internat. Regie an *Edgar Reitz* (D) für sein Werk »Die zweite Heimat – Chronik einer Jugend«.

JAPAN

Internat. Filmfestival 1992 in Tokio – **Grand Prix** u. Preis für beste Regie an »White Badge« v. *Chung Ji-Young* (ROK), Preis für das beste Drehbuch an *Helmut Dietl* u. *Ulrich Limmer* für »Schtonk« (D); **Spezialpreis der Jury** an »About Love, Tokio« v. *Mitsuo Yanagimachi*.

NIEDERLANDE

Internat. Filmfestival 1993 in Rotterdam – **Preis der Internat. Filmkritik (Fipresci)** an den Regisseur *Rosa von Praunheim* (D) für das Porträt »Ich bin meine eigene Frau« über das Leben des Transvestiten *Charlotte von Mahlsdorf*.

PORTUGAL

Internat. Festival des Fantastischen Films 1993 in Porto – Großer Preis an »Braindead« v. *Peter Jackson* (NZ); Preis für beste Regie an *Jean-Claude Lauzon* (CDN) für »Leolo«.

SCHWEIZ

Festival internat. du film sur l'art 1992 (»Fifart«) in Lausanne – **Preis der Stadt Lausanne** an »La porte de l'enfer d'Auguste Rodin« v. *Laurène Allinec;* »Fifart«-Preis an »Les couleurs de mon père« über Leben u. Werk des kanad. Malers *Sam Borenstein*.

17. Schweizer Jugend-Film- u. Video-Tage 1993 – »Springender Panther« an »S Qluiz« v. *Cyril Kramer,* »Aussichten« v. *Isabelle Favez,* »Das Geheimnis« v. *Robert Gücker* u. »Gannok« v. *Andreas Geiger;* **Christiane-Brunne-Spezialpreis** an *Gabriela Meier* für »S Bundesreisli«.

SPANIEN

23. Filmfestival von Cartagena 1993 – bester lateinamerik. Film »Mascaro« v. *Constante Diego* (C); Preis für beste Regie an *Eliseo Subiela* (RA) für »Die Schattenseite des Herzens«.

Goya-Preis 1993 der span. Filmakademie an »Indochine« v. *Régis Wargnier* (F).

40. Internat. Filmfestival von San Sebastian 1992 – »Goldene Muschel« (ca. 200 000 DM) an den Film »Ein Platz in der Welt« v. *Adolfo Aristarain* (RA), Sparte Erstlingswerk (ca. 300 000 DM) an »Langer Gang« v. *Yilmaz Arslan* (D); »Silberne Muschel« für beste Regie an »Tito und ich« v. *Goran Markovic* (Serb.), für beste weibl. Darstellung an *Krystina Janda* in »Falscher Ausgang« (PL/F), für beste männl. Darstellung an *Robert Sosa* in »Highway Patrolman« (MEX); **Spezialpreis der Jury** an

»Falscher Ausgang«; **besondere Erwähnung** an »Herzsprung« v. *Helke Misselwitz* (D); bester Dokumentarfilm »JFK Assassination – The Jim Garrison Tapes« v. *John Barbour.*

VEREINIGTE STAATEN VON AMERIKA

50. Golden Globe 1993 der Hollywood Foreign Press – Drama: bester Film des Jahres »Scent of a Woman« v. *Martin Brest* mit *Al Pacino,* beste Regie *Clint Eastwood* für »Erbarmungslos«, bestes Drehbuch *Bo Goldman* für »Scent of a Woman«, beste Hauptdarsteller *Emma Thompson* in »Howards End« u. *Al Pacino* in »Scent of a Woman«; Musical/Komödie: bester Film des Jahres »The Player« v. *Robert Altman,* bester Hauptdarsteller *Tim Robbins* in »The Player«, beste komische Darstellerin *Miranda Richardson* in »Enchanted April«, beste Nebendarsteller *Joan Plowright* in »Enchanted April« u. *Gene Hackman* in »Unforgiven«; bester ausländ. Film »Indochine« v. *Régis Wargnier* (F); **Cecil B. deMille-Preis** an die Schauspielerin *Lauren Bacall* für ihre Lebensleistung.

65. »Oscar«-Verleihung – Motion Picture Academy Awards 1993 in Hollywood für Filme 1992 – bester Film und beste Regie für »Erbarmungslos« v. *Clint Eastwood,* bestes Original-Drehbuch *Neil Jordan* für »The Crying Game«, bestes Drehbuch nach literarischer Vorlage *Ruth Prawer Jhabvala* für »Wiedersehen in Howards End«, beste Kamera *Philippe Rousselot* für »Aus der Mitte entspringt ein Fluß« v. *Robert Redford,* beste Hauptdarstellerin *Emma Thompson* in »Wiedersehen in Howards End«, bester Hauptdarsteller *Al Pacino* in »Der Duft der Frauen« v. *Martin Brest,* beste Nebendarstellerin *Marisa Tomei* in »Mein Vetter Winnie« v. *Jonathan Lynn,* bester Nebendarsteller *Gene Hackman* in »Erbarmungslos«, bester Schnitt *Joel Cox* für »Erbarmungslos«, bester Ton *Chris Jenkins, Doug Hemphill, Mark Smith* u. *Tom Woodruff* für »Der letzte Mohikaner« v. *Michael Mann,* beste Toneffekte *Tom McCarthy* u. *David Stone* für »Bram Stoker's Dracula« v. *Francis Ford Coppola,* beste Originalmusik *Alan Menken* für »Alladin« v. *Walt Disney,* bester Originalsong *Alan Menken* u. *Tim Rice* für »A Whole New World« in »Alladin«, beste Kostüme *Eiko Ishioka* für »Bram Stoker's Dracula«, beste Maske *Greg Cannom, Michele Burke* u. *Matthew Mungle* für »Bram Stoker's Dracula«, beste Bauten *Luciana Arrighi* für »Wiedersehen in Howards End«, beste Spezialeffekte *Ken Ralston, Doug Chiang, Doug Smythe* u. *Tom Woodruff* für »Der Tod steht ihr gut« v. *Robert Zemeckis,* bester nicht englischsprachiger Film »Indochine« v. *Régis Wargnier* (F), bester Dokumentarfilm »The

Panama Deception« v. *Barbara Trent* u. *David Kasper,* bester Kurzfilm »Omnibus« v. *Sam Karmann,* bester dokumentarischer Kurzfilm »Educating Peter« v. *Thomas Goodwin* u. *Geraldine Würzburg,* bester Zeichentrickfilm »Mona Lisa Descending a Staircase« v. *Joan Gratz;* **Ehren-Oscar** an den Regisseur *Federico Fellini* (I) für sein Lebenswerk.

Preis der US-Filmkritik 1992 – für besten Film des Jahres an »Unforgiven« u. beste Regie an *Clint Eastwood* für diesen Film, für bestes Drehbuch an *David Webb Peoples* u. für beste Nebendarstellung an *Gene Hackman,* beide ebenfalls für »Un-

forgiven«, für besten ausländ. Film an »Die rote Laterne« v. *Zhang Yimou* (VRC); Kategorie bester Film 2. Preis an »The Crying Game« v. *Neil Jordan* (IRL), 3. Preis an »The Player« v. *Robert Altman.*

Preis des Amerik. Filminstituts 1993 an die Schauspielerin *Elizabeth Taylor* für ihr künstlerisches Gesamtwerk.

Tape Forum Award 1992, internat. Filmwettbewerb »Kinder dieser Welt – Probleme u. Lösungen« – **Branchen Oscar** (15000 $), an den Regisseur *Alexander Michael Black* (GB) für »The Christmas Card« über geistig u. körperlich behinderte Kinder.

KUNST (BILDENDE)

DEUTSCHLAND

»Art Cologne« 1992, gestiftet vom Bundesverband Deutscher Galerien und von der Kölner Messe, (20000 DM) an die Galeristin *Denise René* (F).

Badisch-Elsässischer Kulturpreis 1993 in Rastatt (erstm. vergeb., 10000 DM) an den Karikaturisten, Zeichner u. Fotografen *Tomi Ungerer.*

Barlach (Ernst)-Preis 1993 der Stiftung Andreas Schmolze (20000 DM) an den Maler *Andreas Girth.*

Beckmann (Max)-Preis 1993 der Stadt Frankfurt/M. (50000 DM) an den Maler *Ilya Kabakow* (R/UKR).

Brandenburg-Preis für Bildende Kunst 1992 (erstm. vergeb., 15000 DM) an den Maler *Hans Scheuerecker,* **Förderpreis** (je 6000 DM) an *Erika Stürmer-Alex, Reinhard Zabka* u. *Olga Maslo.*

Corinth (Lovis)-Preis 1993 der Künstlergilde Esslingen (15000 DM) an den Maler *Sigmar Polke* für sein Gesamtwerk.

Deutscher Künstlerbundpreis der Sparkassen 1992 (30000 DM) an die Bildhauerin *Andrea Ostermeyer.*

Einstein (Carl)-Preis 1992 der Kunststiftung Baden-Württemberg (15000 DM) an die Kunstkritikerin *Thea Herold.*

Elsheimer (Adam)-Preis 1993 für Kunstvermittlung an *Knud W. Jensen,* Gründer u. Leiter des Louisiana-Museums in Humlebaek b. Kopenhagen.

Europäischer Holographiepreis 1993 in Pulheim (10000 DM) an die Künstlerin *Setsuko Ishii* (J).

Fruhtrunk (Günter)-Preis 1992 des Münchner Akademievereins (10000 DM) an *Rosemarie Trockel.*

Gallitzin-Preis 1993 der gleichnam. Stiftung (10000 DM) an die Kunstwissenschaftlerin *Ursula Heiderich* für ihr Werkverzeichnis zu den Skizzenbüchern u. Einzelzeichnungen von August Macke.

Graf Kessler (Harry)-Preis 1992 des Deutschen Künstlerbundes an *Carlfriedrich Claus* für sein künstlerisches Lebenswerk.

Grohmann (Will)-Preis 1992 der Akademie der Künste Berlin (12500 DM) an die Malerin *Nelly Rudin* (CH).

Gulbransson (Olaf)-Preis 1993 in Tegernsee (erstm. verg., 10000 DM) an den Zeichner u. Cartoonisten *Tullio Pericoli* (I).

Gutenberg-Preis 1993 der Stadt Leipzig (20000 DM) an den Maler, Zeichner, Illustrator u. Buchkünstler *Kurt Löb* (NL).

Herder (Gottfried von)-Preise 1993 der Stiftung F. V. S. zu Hamburg, der »Pflege u. Förderung der kulturellen Beziehungen zu den ost- u. südosteurop. Völkern ... gewidmet« (30000 DM), u. a. an den Maler *Jerzy Tchórzewski* (PL).

Hofer (Karl)-Förderpreis 1992 der Hochschule der Künste Berlin (insges. 10000 DM) an *Nana Petzet, Marcus Kaichel* u. *Jens-Ole Kracht.*

Kaiserring der Stadt Goslar 1993 an den Maler u. Graphiker *Roman Opalka* (PL).

Kritikerpreis 1992 des Verbandes der deutschen Kritiker e. V. in Berlin (West) für Bildende Kunst an *Werner Schmidt.*

Kunstpreis Berlin 1993 der Akademie der Künste – Jubiläumsstiftung 1848/1948, Förderpreis Sparte Bildende Kunst (10000 DM) an *Mira Wunderer.*

Kunstpreis der Bernhard-Kaufmann-Gesellschaft Worpswede 1992 an die Malerin *Elke Rehder.*

Kunstpreis der Deutschen Angestellten-Gewerkschaft (DAG) 1993 an den Maler u. Grafiker *Winfried Wolk.*

Kunstpreis der Heinz u. Gisela Friederichs-Stiftung 1992 in Frankfurt/M. (erstm. verg., 150000 DM) an den Lichtkünstler *James Turrell* (USA) für seine »Lichträume«.

Kunstpreis der Heitland Foundation 1993 (25000 DM) an den Bildhauer *Joachim Kuhlmann.*

Kunstpreis der Stadt Bonn 1992 (10000 DM) an den Maler *Martin Noël.*

Kunstpreis der Stadt Darmstadt 1992 zur Förderung Bildender Künstler (10000 DM) an den Maler

u. Filmregisseur *Strawalde* (eigentl. *Jürgen Bött-cher*) für seine »nonkonformistische Bildsprache«.
Kunstpreis der Stadt Erfurt 1992 für Malerei (20000 DM) an *Michael Stephan.*
Kunstpreis der Stadt München 1992 (15000 DM) an den Holzbildhauer *Rudolf Wachter.*
Kunstpreis der Stadt Wolfsburg 1992 (20000 DM) an den Maler, Grafiker u. Zeichner *Johannes Grützke.*
Kunstpreis der Theo-Wormland-Stiftung 1992 (insges. 100000 DM) für Erforschung, Vermittlung u. Pflege der bildenden Kunst an *Stephanie Barron* (USA), Chefkuratorin des Country Museum of Art in Los Angeles, an das Museum der Bildenden Künste in Leipzig, an den Kunstkritiker *Hans Kinkel* u. an *Werner Schade*, Direktor der Anhaltischen Galerie in Dessau.
Ponto (Jürgen)-Förderpreis 1993 der gleichnam. Stiftung (je 20000 DM) an den Objektkünstler *Martin Gehri* u. an die Multimedia-Künstlerin *Ingrid Hochschorner.*
Preis der Darmstädter Sezession 1993 (8000 DM) an den Maler *Franz Baumgartner.*
Preis des Freundeskreises des Künstlerbundes Baden-Württemberg 1992 (10000 DM) an den Plastiker *Karl Heger.*
Rheinischer Kunstpreis 1993 des Kunstvereins Aachen (30000 DM) an den Maler *Hans-Ruprecht Leiß.*
Rietschel (Ernst)-Kunstpreis für Bildhauerei 1993 (insges. 18000 DM) an die Künstler *Wolfgang Kuhle, Horst Weisse* u. *Helmut Heinze.*
Schmidt-Rottluff (Karl)-Stipendium 1993 für Nachwuchskünstler (je 55000 DM) an *Anke Doberauer* (F), *Katharina Grosse* u. *Norbert Kottmann.*
Schwabinger Kunstpreis 1992 (10000 DM) an den Verlag Anje Kunstmann für sein anspruchsvolles u. vielseitiges Programm u. an die Fotografin *Sigrid Neubert.*
Soest (Konrad von)-Preis 1992 des Landschaftsverbandes Westfalen-Lippe (25000 DM) an die Künstlerin *Rosemarie Trockel.*
Stetten (Dorothea von)-Kunstpreis 1993 in Bonn (15000 DM) an *Berend Strik* (NL).
Thieler (Fred)-Preis 1993 der Berlinischen Galerie (30000 DM) an den Maler u. Bildhauer *Peter Bömmels.*
Thoma (Hans)-Preis 1993 des Landes Baden-Württemberg (20000 DM) an den Maler *Dieter Krieg.*
Weimarpreis 1992 (10000 DM) an den Maler u. Grafiker *Hans Winkler.*

FRANKREICH
Grand Prix Nationaux 1992 (50000 FF) an die Künstler *Sarkis* u. *Daniel Buren.*

ITALIEN
45. Kunst-Biennale Venedig 1993 – »Goldener Löwe« an die Künstler *Hans Haacke* (D) u. *Nam June Paik* (ROK) für die Gestaltung des deutschen Ausstellungspavillons, für Malerei zu gleichen Teilen an *Richard Hamilton* (GB) u. *Antoni Tapies* (E), für Bildhauerei an *Robert Wilson* (USA); **Großer Preis der Jury** an den Schriftsteller *Ernst Jünger* (D).

JAPAN
Praemium Imperiale 1993 der Japan Art Association (je 100000 $, gilt als Nobelpreis im Bereich der Künste), Sparte Malerei an *Jasper Johns* (USA); Sparte Bildhauerei an *Max Bill* (CH).

ÖSTERREICH
Förderungspreis 1992 der Stadt Wien für Bildende Kunst (je 40000 S) an *Rainer Wölzl* u. *Manfred Schluderbacher.*
Maurer (Otto)-Preis 1992 (100000 S) an den Maler *Lois Renner.*

RUSSLAND
Kulturpreis »Triumph« 1993 des russ. Automobilkonzerns Logovas (erstm. verg., 10000 $) an den Künstler *Dmitri Krasnopewzew.*

SCHWEIZ
Beuys (Joseph)-Preis 1993 der gleichnam. Stiftung in Basel (20000 sfr) an den Künstler *Ilya Kabakov* (R/UKR).
Bündner Vilan-Kunstpreis 1992 (15000 sfr) an den Fotografen *Hans Danuser.*
Ernst (Carl-Heinrich)-Kunstpreis 1992 der gleichnam. Stiftung in Winterthur (10000 sfr) an den Kunstmaler *Martin Schwarz.*
Kulturpreis der Innerschweiz 1993 (15000 sfr) an den Bildhauer *Kurt Sigrist* für sein künstlerisches Gesamtwerk.
Preis der Jubiläumsstiftung für Gegenwartskunst 1992 einer Zürcher Privatbank (ca. 100000 $) zu gleichen Teilen an *Edward Dwurnik* (PL), *Helga Fanderl* (D) u. *Dan Graham* (USA).
Vordemberge-Gildewart-Stiftung, Stipendium 1992 – (30000 sfr) an den Waadtländer Künstler *Bernard Voita* für seine Skulpturen, Installationen und Fotografien; **Anerkennungspreis** (10000 sfr) an die Video-Künstlerin *Marie-José Burki.*

LITERATUR

BELGIEN
Großer Preis für französische Literatur außerhalb Frankreichs 1993 der Belgischen Königlichen Akademie für französische Sprache und Literatur an den Schriftsteller *Georges Haldas* (CH) für sein Gesamtwerk.

DEUTSCHLAND
Abendroth (Wolfgang)-Preis 1993 des Bundes demokratischer Wissenschaftler für die erste kritische Gesamtausgabe der »Gefängnishefte« von *Antonio Gramsci* in Deutschland.
Alternativer Büchner-Preis 1993 (60000 DM), gestiftet von einem Darmstädter Unternehmer, an den kirchenkritischen Autor *Karlheinz Deschner* »für sein umfangreiches literarisches Werk, das ihn als konsequenten Ankläger jeglichen Mißbrauchs erweist«.
Arnim (Bettina von)-Preis 1993 für Kurzgeschichten der Zeitschrift »Brigitte« – 1. Preis (25000 DM) an *Susanne Geiger* für ihre Erzählung »Studio Dreizehn«, 2. Preis (15000 DM) an *Karla Schneider*, 3. Preis (10000 DM) an *Sabine Ludwig*.
Ball (Hugo)-Preis 1993 der Stadt Pirmasens (20000 DM) an den Schriftsteller *Cees Nooteboom* (NL).
Bayerische Akademie der Schönen Künste in München, **Großer Literaturpreis 1993** (30000 DM) an den Schriftsteller *Günter de Bruyn* für sein literarisches Gesamtwerk; **Wilhelm-Hausenstein-Ehrung** für Verdienste um kulturelle Vermittlung (10000 DM) an die Journalistin *Barbara Bondy*.
Bienek (Horst)-Preis für Lyrik 1992 (30000 DM) an den Dichter *Tomas Tranströmer* (S); **Sonderpreis** (10000 DM) an den Lyriker u. Übersetzer *Manfred Peter Hein* für seine Anthologie »Auf der Karte Europas ein Fleck«.
Böll (Heinrich)-Preis der Stadt Köln 1993 (25000 DM) an den Schriftsteller, Film- und Fernsehregisseur *Alexander Kluge*.
Born (Nicolas)-Preis 1993 (15000 DM) an den Lyriker *Durs Grünbein*.
Braem (Helmut M.)-Übersetzerpreis 1992, gestiftet vom Freundeskreis zur internat. Förderung literar. u. wissenschaftl. Übersetzungen u. dem Verlagsausschuß des Börsenvereins der Dt. Buchhandels (15000 DM), an *Verena Reichel* für die Übersetzung von Lars Gustafssons »Der Nachmittag eines Fliesenlegers«.
Brandenburgischer Literaturpreis 1992 (20000 DM) an die Schriftstellerin *Helga Schütz;* **Förderpreise** (je 7000 DM) an *Grit Poppe, Matthias Körner* u. den Übersetzer *Asterinos Koutoulas*.
Bremer Literaturpreis 1993 (30000 DM) an den Autor u. Übersetzer *Georges-Arthur Gold-*

schmidt für seine Erzählung »Der unterbrochene Wald«; **Förderpreis** (10000 DM) an den Autor *Hans-Ulrich Treichel* für sein Buch »Von Leib und Seele«.
Büchner (Georg)-Preis 1993 der Deutschen Akademie für Sprache u. Dichtung e.V. in Darmstadt (60000 DM) an den Dichter u. Lyriker *Peter Rühmkorf*.
»Buxtehuder Bulle« 1993 für das beste Jugendbuch (10000 DM) an die Schriftstellerin *Mecka Lind* (S) für ihr Buch »Manchmal gehört mir die ganze Welt«.
Cassens (Mara)-Preis des Literaturhauses Hamburg für den ersten Roman 1992 (20000 DM) an den Schriftsteller *Ralf Rothmann*.
Chamisso (Adelbert von)-Preis 1993 der Robert-Bosch-Stiftung in Stuttgart für fremdsprach. Autoren, deren Werk der deutschen Literatur zuzurechnen ist, (20000 DM) an den Erzähler *Rafik Schami* (SYR); **Förderpreis** (10000 DM) an den kurd. Autor *Ismet Elçi*.
Curtius (Ernst Robert)-Preis für Essayistik 1993, gest. von Thomas Grundmann (15000 DM), an den Schriftsteller u. Philosophen *Peter Sloterdijk*; **Förderpreis** für Essayistik (7500 DM) an den Rechtstheoretiker u. Schriftsteller *Joachim Vogel*.
Deutscher Jugendliteraturpreis 1993 des Bundesministers für Jugend u. Familie (insges. 60000 DM) an *Henning Mankell* (S) u. die Übersetzerin *Angelika Kutsch* für das Kinderbuch »Der Hund, der unterwegs zu einem Stern war«, an *Wolf Erlbruch* für das Bilderbuch »Das Bärenwunder«; in der Sparte Jugendbuch an *A. M. Homes* (USA) u. den Übersetzer *Hans-Georg Noack* für »Jack«; Sparte Jugendsachbuch (15000 DM) an *Helmut Hornung* für »Safari ins Reich der Sterne. Eine Einführung in die Himmelskunde«; **Sonderpreis** (20000 DM) an den Dichter *Josef Guggenmos* für sein lyrisches Gesamtwerk.
Deutscher Krimi-Preis 1993 des Bochumer Krimi-Archivs an den Schriftsteller *Bernhard Schlink* für seinen Roman »Selbst Betrug«; für den besten **ausl. Kriminalroman** an *Andreu Martin* (E) für »Bis daß der Mord euch scheidet«.
Döblin (Alfred)-Preis 1993, gestiftet v. Günter Grass für unveröffentlichte u. noch nicht fertiggestellte Manuskripte (22000 DM), an den Autor *Reinhard Jirgl;* Förderpreis (10000 DM) an den Autor *Andreas Neumeister*.
»Dormagener Federkiel« 1993 (4000 DM) an den Schriftsteller *Wolfgang Bittner* für sein Jugendbuch »Narrengold«.
Ehrengaben der Deutschen Schillerstiftung 1993 in Weimar (je 10000 DM) an die Autoren *Angelika Mechtel, Brigitte Struzyk, Georg K. Glaser,*

Gert Neumann, Richard Pietraß, Helmut H. Schulz u. *Walter Werner* sowie an den Literaturwissenschaftler *Fritz Mierau* für sein Gesamtwerk.

Eichendorff (Joseph v.)-Literaturpreis 1993 des Wangener Kreises/Gesellschaft für Literatur und Kunst »Der Osten« e. V. (10 000 DM) an den Schriftsteller *Erich Scholz.*

Feuchtwanger (Lion)-Preis 1992 der Akademie der Künste zu Berlin (Ost) (10 000 DM) an den Schriftsteller *Peter Härtling.*

Fleißer (Marieluise)-Preis 1992 der Stadt Ingolstadt (15 000 DM) an den Erzähler u. Dramatiker *Thomas Hürlimann* (CH).

Frank (Leonhard)-Ring 1992 der Arbeitsgemeinschaft Würzburger Literaturtage an den Schriftsteller u. Staatspräsidenten der Tschech. Republik, *Václav Havel.*

Freud (Sigmund)-Preis 1993 für wissenschaftliche Prosa, verliehen von der Deutschen Akademie für Sprache u. Dichtung e. V. in Darmstadt (20 000 DM) an den Literaturwissenschaftler *Norbert Miller.*

George (Stefan)-Preis 1992 der Heinrich-Heine-Universität Düsseldorf (ca. 4400 DM) an die Übersetzerin *Katja Anding* für den Erzählband »La Main sèche« des kongolesisch. Schriftstellers *Tchicaya U Tamsi.*

Geschwister-Scholl-Preis 1992 der Stadt München u. des Verbandes Bayerischer Verlage u. Buchhandlungen e. V. (20 000 DM) an Heft Nr. 7 der »Dachauer Hefte«, Motto »Solidarität und Widerstand«, hrsg. v. *Barbara Distel* u. *Wolfgang Benz.*

Glauser-Preis 1993 (10 000 DM) für seinen Kriminalroman »Feuerfalter« an *Martin Grzimek.*

Goethe (Johann Wolfgang v.)-Medaille 1993 des Goethe-Instituts in Weimar an die Schriftsteller *José Maria Carandell* (E) u. *Michel Tournier* (F) für besondere künstlerische Leistungen.

Grimmelshausen (Johann-Jacob-Christoph von)-Preis 1993 (erstm., 20 000 DM) an die Germanistin u. Autorin *Ruth Klüger* für ihr Buch »weiter leben«.

Gryphius (Andreas)-Preis 1993 der Künstlergilde Esslingen (15 000 DM) an die Schriftstellerin *Dagmar Nick*; Ehrengaben (je 7000 DM) an den Redakteur *Franz Heinz,* den Ethnologen *Hans Joachim Sell* u. den Wissenschaftler *Claus Stephani.*

Hasenclever (Walter)-Preis für Literatur 1992 der Stadt Aachen (10 000 DM) an die deutsch schreibende Schriftstellerin *Emine Sevgi Özdamar* (TR); **Förderpreis** (3000 DM) an die Jugendbuchautorin *Sigrid Zeevaert.*

Härtling (Peter)-Preis für Kinderliteratur 1992/93 (10 000 DM) an den Autor *Josef Holub* für sein Manuskript »Der rote Nepomuk«.

Hebbel (Friedrich)-Förderpreis 1993 der gleichnam. Stiftung in Wesselburen an den Germanisten u. Schriftsteller *Dirk von Petersdorff.*

Heidelberger Preis für Exilliteratur 1992 (30 000 DM) an die Lyrikerin *Hilde Domin.*

Heine (Heinrich)-Preis 1993 der Stadt Düsseldorf (25 000 DM) an den Liedermacher *Wolf Biermann.*

Heinse (Wilhelm)-Medaille 1992 der Akademie der Wissenschaften u. Literatur in Mainz an den Essayisten, Lyriker u. Übersetzer *Philippe Jaccottet* (CH).

Herder (Gottfried von)-Preis 1993 der Stiftung F. V. S. zu Hamburg (25 000 DM) an die lettische Schriftstellerin *Mara Zalite.*

Hölderlin (Friedrich)-Preis 1993 der Stadt Bad Homburg (25 000 DM) an die Schriftstellerin u. Lyrikerin *Friederike Mayröcker* (A) für ihr Gesamtwerk; **Förderpreis** (10 000 DM) an die Lyrikerin *Zehra Cirak* (TR).

Hoferichter (Ernst)-Preis 1993 (10 000 DM) in München an die Journalistin u. Autorin *Asta Scheib,* den Schriftsteller u. Verleger *Lothar-Günther Buchheim* u. den Journalisten u. Schriftsteller *Helmut Seitz.*

Huchel (Peter)-Preis für Lyrik 1993, gestiftet vom Südwestfunk u. dem Land Baden-Württemberg (15 000 DM), an die Schriftstellerin *Sarah Kirsch* für den Gedichtband »Erlkönigs Tochter«.

Kasseler Literaturpreis für grotesken Humor 1993 (15 000 DM) an den Schriftsteller *Christoph Meckel.*

Kleist (Heinrich von)-Preis 1993 der gleichnam. Gesellschaft in Berlin, gestiftet von den Verlagen dtv, Klett, Rowohlt u. S. Fischer (25 000 DM), an den Schriftsteller *Ernst Jandl* (A).

Kranich mit dem Stein 1993, Autorenpreis des Wettbewerbs »Kranichsteiner Literaturtage« für ehem. Stipendiaten des Deutschen Literaturfonds e. V. in Darmstadt (20 000 DM), an den Schriftsteller *Jan Faktor* für sein noch unveröffentlichtes Prosawerk »Körpertexte«; New-York-Stipendium an die Autorin *Brigitte Burmeister.*

Kritikerpreis 1992 des Verbands der deutschen Kritiker e. V. in Berlin (West) für Literatur an die Schriftstellerin *Herta Müller* für ihr Buch »Der Fuchs war damals schon der Jäger«.

Kulturpreis 1993 des Kreises Offenbach (6000 DM) an die Schriftstellerin u. Malerin *Hanne F. Juritz* vor allem für ihr lyrisches Werk.

Kunstpreis Berlin 1993 der Akademie der Künste – Jubiläumsstiftung 1848/1948, **Förderpreis Sparte Literatur** (10 000 DM) an *Durs Grünbein.*

Langgässer (Elisabeth)-Literaturpreis 1993 der Stadt Alzey (15 000 DM) an den Lyriker *Wulf Kirsten.*

Leonce-und-Lena-Preis 1993 für deutschsprachige Nachwuchslyriker (15 000 DM) an *Kathrin Schmidt.*

Lessing (Gotthold Ephraim)-Preis 1992 des Freistaates Sachsen an den Schriftsteller *Hans Sahl* für sein Lebenswerk; **Förderpreis** an den Theaterregisseur *Lutz Graf* für seine Inszenierungen zeitgenöss. Autoren.

Literatur-Förderpreis 1993 der Jürgen Ponto-Stiftung an den Autor *Peter Weber* (CH) für sein Manuskript »Der Wettermacher«.

Literatur-Förderpreis der Stadt Stuttgart 1992 (insges. 30 000 DM) an die Schriftstellerin *Tina Stroheker* u. den Essayisten *Rolf Vollmann;* **Übersetzerpreis** (10 000 DM) an *Helga Pfetsch*.

Literaturpreis 1993 der Bestenliste des Südwestfunks (15 000 DM) an den Schriftsteller *Laszlo Krasznahorkai* (H) für seinen Roman »Melancholie des Widerstands«.

Literaturpreis der Freien Hansestadt Bremen 1993, verliehen von der Rudolf-Alexander-Schröder-Stiftung (30 000 DM), an den Schriftsteller *Georges-Arthur Goldschmidt* für sein Buch »Der unterbrochene Wald«; **Förderpreis** (10 000 DM) an den Schriftsteller *Hans-Ulrich Treichel* für sein Buch »Von Leib und Seele«.

Literaturpreis der Konrad-Adenauer-Stiftung 1993 in Weimar (erstm. vergeb., 30 000 DM) an die Lyrikerin *Sarah Kirsch* für ihr Engagement für Freiheit und Menschenrechte in ihren Werken.

Literaturpreis Marburg-Biedenkopf 1992 (15 000 DM) an den Lyriker *Durs Grünbein;* **Förderpreis** (10 000 DM) an den Schriftsteller *Robert Schindel* (A); **Übersetzerpreis** (10 000 DM) an *Eckhard Thiele.*

Literaturpreis Ruhrgebiet 1992 des Kommunalverbandes Ruhrgebiet (15 000 DM) an den Roman- u. Sachbuchautor *Hans Dieter Baroth;* **Förderpreise** (je 5000 DM) an die Autoren *Inge Methfessel* u. *Rudi Godau.*

Literaturpreis der Stadt München 1993 (15 000 DM) an den Schriftsteller *Gert Hofmann* für sein Lebenswerk.

Märker (Friedrich)-Preis 1992 für Essayisten (12 000 DM) an die Schriftstellerin *Eva Hesse.*

Mann (Thomas)-Preis 1993 der Hansestadt Lübeck (15 000 DM) an den Literaturwissenschaftler u. Leiter des Thomas-Mann-Archivs der Eidgenöss. Techn. Hochschule in Zürich, *Hans Wysling* (CH).

Merck (Johann Heinrich)-Preis 1993 für literarische Kritik u. Essay, verliehen von der Deutschen Akademie für Sprache u. Dichtung e. V. in Darmstadt, (20 000 DM) an den Kritiker u. Essayisten *Hans Egon Holthusen.*

Montblanc-Literaturpreis für kurze Geschichten 1993 in Hamburg (20 000 DM) an die Autorin *Katrin Gloggengießer.*

Niederrheinischer Literaturpreis 1992 der Stadt Krefeld (10 000 DM) an den Schriftsteller *Andreas Mand* für seinen Roman »Grovers Erfindung«.

Nossack-Akademiepreis für Dichter und ihre

Übersetzer 1993 der Akademie der Wissenschaften u. der Literatur in Mainz (20 000 DM) an den Schriftsteller *Michel Butor* (F) u. seinen Übersetzer *Helmut Scheffel.*

Nossack (Hans-Erich)-Preis 1993 des Kulturkreises im Bundesverband der Deutschen Industrie (BDI) (20 000 DM) an den Schriftsteller *Rudolf Haufs;* **Förderpreise** für Literatur (je 15 000 DM) an die Autoren *Sigrid Damm* u. *Markus Werner.*

Petrarca-Preis 1993, gestiftet vom Verleger Hubert Burda (25 000 DM), an den Dichter *Gennadij Ajgi* (GUS); **Petrarca-Übersetzerpreis** (10 000 DM) an *Hanns Grössel.*

Preis der Deutschen Schiller-Stiftung 1992 in Weimar (10 000 DM) an den Schriftsteller *Georg K. Glaser* für sein literarisches Schaffen.

»Preis für Europäische Poesie« der Stadt Münster 1993 (25 000 DM) an den Lyriker *Andrea Zanzotto* (I); **Übersetzerpreis** an *Donatella Capaldi, Ludwig Paulmichl* u. *Peter Waterhouse,* alle für den Gedichtband »Lichtbrechung«.

Preis der Neuhoff-Fricke Stiftung Nienburg 1993 (15 000 DM) an den Schriftsteller *Rainer Sabelleck* für sein Buch »Jüdisches Leben in einer nordwestdeutschen Stadt: Nienburg«.

Preis »Das politische Buch« 1993, verl. von der Friedrich-Ebert-Stiftung, an den Schriftsteller *Hans Magnus Enzensberger* für sein Buch »Die große Wanderung«; **Sonderpreis** an *Regina Griebel, Marlies Coburger* u. *Heinrich Scheel* für die Fotodokumentation »Erfaßt?«.

Puschkin (Alexander)-Preis 1993 der Stiftung F. V. S. zu Hamburg für zeitgenössische russische Literatur (40 000 DM) an den kaukas. Schriftsteller *Fasil Iskander;* **Sonderpreis** an den Schriftsteller *Oleg Vulkov* (GUS).

Remarque (Erich-Maria)-Friedenspreis 1993 der Stadt Osnabrück (25 000 DM) an den Schriftsteller *Hans Magnus Enzensberger* für sein Gesamtwerk; **Sonderpreis** (7500 DM) an *Dörte von Westernhagen* für ihr Buch »Die Kinder der Täter«.

Reuter (Fritz)-Preis 1993 für niederdeutsche Literatur der Stiftung F. V. S. zu Hamburg (10 000 DM) an den Erzähler u. Schriftsteller *Reimer Bull.*

Roswitha-Gedenkmedaille 1993, Literaturpreis der Stadt Bad Gandersheim (10 000 DM) an die Schriftstellerin *Christa Reinig* für ihr lyrisches u. erzählerisches Gesamtwerk.

Rowohlt (Maria-Ledig)-Übersetzerpreis 1992 (erstm. vergeb., 25 000 DM) an den Schriftsteller *Hans Wolf.*

Sachs (Nelly)-Preis 1991, Kulturpreis der Stadt Dortmund, (20 000 DM) an den Schriftsteller *David Grossman* (IL).

Schocken (Jeanette)-Preis 1993 – Bremerhavener Bürgerpreis für Literatur (10 000 DM) an die Schriftstellerin *Hanna Krall.*

Schubart (Christian Friedrich Daniel)-Literaturpreis 1993 der Stadt Aalen (12 000 DM) an den Autor *Thomas Rosenlöcher* für sein Buch »Die Wiederentdeckung des Gehens beim Wandern«.

Schumann (Robert)-Preis 1993 der Stiftung F. V. S. zu Hamburg (50 000 DM) an den Schriftsteller *Ernst Jünger* für sein jahrhundertumspannendes Werk.

Senatsmedaille für Kunst u. Wissenschaft 1992 der Hansestadt Bremen an den russ. Schriftsteller *Lew Kopelew.*

Shakespeare (William)-Preis 1993 der Stiftung F. V. S. zu Hamburg (40 000 DM) an den Schriftsteller *Julian P. Barnes* (GB).

Sinsheimer (Hermann)-Preis 1993 für Literatur u. Publizistik an die Schriftstellerin u. Lyrikerin *Hilde Domin.*

Staatspreis Rheinland-Pfalz 1992 (20 000 DM) an den Diplomaten und Schriftsteller *Erwin Wickert.*

Stadtschreiber von Mainz 1992, gewählt von der Stadt Mainz u. dem ZDF (24 000 DM), an den Autor *Dieter Kühn.*

Tagore (Rabindranath)-Literaturpreis 1993 der Deutsch-Indischen Gesellschaft (10 000 DM) an den Autor u. Journalisten *Thomas Ross* u. postum an den Kunsthistoriker u. Indologen *Heinz Mode.*

Übersetzerpreis der DVA-Stiftung 1993 zur Förderung der dt.-franz. Beziehungen (je 20 000 DM) an *Michaela Meßner* u. *Pierre Rusch* (F).

Voss (Johann Heinrich)-Preis 1993 für literarische Übersetzung, verl. von der Deutschen Akademie für Sprache u. Dichtung e. V. in Darmstadt (20 000 DM), an die Autorin *Roswitha Matwin-Buschmann* für die Übertragungen polnischer u. russischer Dichtungen ins Deutsche.

Vossler (Karl)-Literaturpreis 1992 des bayerischen Kultusministeriums (25 000 DM) an den Sprach- u. Literaturwissenschaftler *Harald Weinrich.*

Wieland-Übersetzerpreis 1993 des Landes Baden-Württemberg (15 000 DM) an *Brigitta Kicherer* für die Übersetzung von *Peter Pohls* Jugendbüchern »Jan, mein Freund« u. »Nennen wir ihn Anna« aus dem Schwedischen.

Wolfskehl (Karl)-Preis für Exilliteratur 1992 der Bayerischen Akademie der Schönen Künste (25 000 DM) an den Schriftsteller *Tadeusz Nowakowski* (PL).

Wolgast (Heinrich)-Preis 1993 der Gewerkschaft Erziehung u. Wissenschaft (GEW) für gute Jugendliteratur (3000 DM) an den Schriftsteller *Andreas Lettau.*

Würzburger Kulturpreis 1992 an den Schriftsteller *Yehuda Amichai* (IL).

Zinn (Alexander)-Preis 1992 der Hansestadt Hamburg (15 000 DM) an den Publizisten *Jürgen Serke* für die Entdeckung bisher unentdeckter großer

europ. Literatur. – **1993** an den Schriftsteller *Helmut Heißenbüttel.*

Zuckmayer (Carl)-Medaille 1993 des Landes Rheinland-Pfalz für besondere Verdienste um die deutsche Sprache u. für sein Lebenswerk an den Schriftsteller u. Übersetzer *Hans Sahl.*

EUROPA

Bentinck (Adolph)-Preis 1993 (15 000 $) an den Schriftsteller u. Präsidenten der Tschech. Republik *Václav Havel* für sein Buch »Sommermeditation«.

Europ. Preis für Literatur und Übersetzung 1992 der EG (20 000 ECU) an den Schriftsteller *Vázquez Montalbán* (E) für seinen Roman »Gallíndez« u. an den Autor *Sokrates Kapsaskis* (GR) für seine Übertragung des »Ulysses« v. *James Joyce.*

FRANKREICH

Grand Prix de francophonie 1993 der Académie française (400 000 FF) an den Dichter *Nguyen Khac Vien* (VN).

Grand Prix de littérature 1993 der Académie française an *Louis Nucera.*

Grand Prix Nationaux 1992 (50 000 FF) an den Übersetzer *Bernard Lortholary* u. an den Dichter *Bernard Noel.*

Grand Prix de poésie 1993 der Académie française an *Georges Saint-Clair.*

Grand Prix du roman 1993 der Académie française (100 000 FF) an den Schriftsteller u. Journalisten *Franz-Olivier Giesbert* für seinen Roman »L'Affreux«.

Literaturpreis der arabischen Welt 1993 in Paris an den Schriftsteller *Abdelhak Serhane* (MK) (50 000 FF) für seinen Roman »Le Soleil des Obscurs«.

Literaturpreis der Menschenrechte 1992 der franz. Nationalversammlung an die Regimegegnerin u. Friedensnobelpreisträgerin 1992 *Aung San Suu Kyi* (Myanmar) für ihr Werk in franz. Sprache »Sich von der Angst befreien«.

Prix Chateaubriand 1992 (50 000 FF) an den Rechtsanwalt u. Autor *Pierre Hebey* für seine Untersuchung »La Nouvelle Revue Française dans les années sombres«.

Prix fémina 1992 an die Autorin *Anne-Marie Garat* für ihr Buch »Aden«.

Prix fémina Essai 1993 an den Schriftsteller *Gilles Perrault* für »Le Secret du Roi«.

Prix Fémina-étranger 1992 an den Schriftsteller *Julian Barnes* (GB) für sein Buch »Talking it over«.

Prix Goncourt 1993 an den Schriftsteller *Patrick Chamoiseau* für »Texaco«.

Prix Goncourt du premier roman 1993 an *Bernard Chambaz* für »L'arbre de vie«.

Prix Interallié 1992 an die Journalistin u. Schriftstellerin *Dominique Bona* für ihren Roman »Malika«.

Prix Médicis 1992 an den Schriftsteller *Michel Rio* für den Roman »Tlacuilo«.

Prix Médicis-étranger 1992 an den Autor *Louis Begley* (PL/USA) für seinen Roman »Une education polonaise«.

Prix Médicis-essay 1992 an den Philosophen *Luc Ferry* für seine antiökologische Streitschrift »Le Nouvel ordre écologique«.

Prix mondial Cino del Duca 1992 für Werke, die »eine Botschaft des modernen Humanismus« darstellen, (200000 FF) an den Schriftsteller *Ismail Kadaré* (AL) für das literarische Gesamtwerk.

Prix Théophraste Renaudot 1993 an den Schriftsteller *François Weyergans* für »La Démence du Boxeur«.

GROSSBRITANNIEN

Booker McConnell Prize for Fiction 1992 für den besten englischsprach. Roman (20000 £) zu gleichen Teilen an den Autor *Michael Ondaatje* (CL/CND) für »The English Patient« u. *Barry Unsworth* (N/I) für »Sacred Hunger«.

Cohen (David)-Literaturpreis 1993 (erstm. vergeb., 30000 £) an den Schriftsteller *V. S. Naipaul* (IND) für sein Gesamtwerk.

Whitbread Literary Award 1993, gestiftet von der gleichnam. Brauerei für das beste englischsprach. Werk des Jahres (20500 £), an den Autor *Jeff Torrington* für seinen Erstlingsroman »Swing Hammer Swing«.

INDIEN

Literaturpreis 1993 der Sahitya Akademie (Akademie für Literatur) in Neu-Delhi an den in Deutschland lebenden bengalischen Lyriker *Alokeranjan Dasgupta* für seinen Gedichtband »Marami Karat«.

ISRAEL

Jerusalem-Preis 1993 an den Schriftsteller *Stefan Heym* in Anerkennung seines Beitrags für die Freiheit des einzelnen in der Gesellschaft.

ITALIEN

Europ. Märchenpreis 1993 der Stadt Sestri Levante für das beste Märchen in deutscher Sprache an den Kinderbuchautor *Petr Chudožilov* (CH), für den franz. Sprachraum an *Max Rouquette,* für den engl. Sprachraum an *Joan Aiken.*

Feltrinelli (Antonio)-Literaturpreis 1992 (200 Mill. Lire, höchstdot. Literaturpreis der Welt) an den Schriftsteller *John Ashbery* (USA).

Lyrikpreis 1993 der Stadt Meran u. der Provinz Bozen an die Schriftsteller *Kurt Drawert, Kerstin Hensel* (beide D) u. *Christoph Aigner* (A).

Premio Strega 1993 in Rom – 1. Preis an den Schriftsteller *Domenico Rea* für seinen Roman »Ninfa plebea«, 2. Preis an die Schriftstellerin *Dacia Maraini* für den Roman »Bagheria«.

KANADA

Governor General's Award 1993 – Sparte Roman engl. Sprache an *Michael Ondaatje* für »The English Patient«, Roman franz. Sprache an *Anne Hébert* für »L'enfant chargé de songes«; Lyrik engl. an *Lorna Crozier* für »Inventing the Hawk«, Lyrik franz. an *Gilles Cyr* für »Andromède attendra«; Theater engl. an *John Mighton* für »Possible Worlds« u. »A Short History of Night«, Theater franz. an *Louis-Dominique Lavigne* für »Les petits orteils«; Sachbuch engl. an *Maggie Siggins* für »Revenge of the Land: A Century of Greed, Tragedy and Murder on a Saskatchewan Farm«, Sachbuch franz. an *Pierre Turgeon* für »La radissonie – Le pay de la Baie James«; Jugendliteratur engl. an *Julie Johnston* für »Hero of Lesser Causes«, Jugendliteratur franz. an *Christian Duchesne* für »Victor«.

KUBA

Literaturpreis »Casa de las Americas« 1993 – Sparte Roman an die Schriftstellerin *Liliana del Carmen Belone* (RA) für »Augustus«, Sparte Essay an die Autorin *Begona Huertas Uhagon* (E) für »Die kubanische Erzählung der 80er Jahre«, für beste Reportageliteratur an *Enrique Cirules* für »Das Reich von Havanna«.

LATEINAMERIKA

Rulfo (Juan)-Literaturpreis 1992 für Lateinamerika u. die Karibik (100000 $) an den Schriftsteller *Juan José Arreola* (MEX). – **1993** an den Schriftsteller *Eliseo Diego* (C).

NIEDERLANDE

AKO-Literaturpreis 1993 (50000 hfl) an den Schriftsteller *Marcel Möring* für den Roman »Het grote verlangen«.

Großer Niederländischer Literaturpreis 1992 an die flämische Dichterin *Christine D'haen.*

Kulturpreis »Goldene Gänsefeder« 1992 des Niederländischen Verlegerverbandes an den Autor *Arthur Lehning* (D) für seine Studien u. Ausgaben zur Revolutionstheorie u. -geschichte.

Mekka-Preis 1993 in Amsterdam für das »beste Buch 1992« (erstm. vergeb.) an den Schriftsteller *Harry Mulisch* für seinen Roman »Die Entdeckung des Himmels«.

Multatuli-Prosapreis 1993 der Stadt Amsterdam an den Schriftsteller *Harry Mulisch* für seinen Roman »Die Entdeckung des Himmels«.

Nijhoff (Martinus)-Preis 1993 des Prins-Bernhard-Fonds für literarische Übersetzungen ins Niederländische (25000 hfl) an *René Kurpershoek* für die Übertragung von »Ada« v. *Vladimir Nabokov.*

ÖSTERREICH

17. Bachmann (Ingeborg)-Wettbewerb 1993 für erzählende Prosa in Klagenfurt, **Ingeborg-Bachmann-Preis** (200000 S) an den Autor *Kurt Drawert* (D) für seine Erzählung »Haus ohne Menschen«. Ein Zustand«; **Preis des Landes Kärnten** (100000 S) an die Autorin *Hanna Johansen* für »Zwielichtgeschichte«; **Ernst-Willner-Preis** (gestiftet von 19 Verlagen, 75000 S) an *Sandra Kellein* (D); **3-SAT-Stipendium** an *Dirk Brauns*; **Bertelsmann-Stipendium** an *Jan Peter Bremer*.

Förderungspreis für Literatur 1992 der Stadt Wien (40000 S) an den Autor *Lucas Cejpek*.

Fried (Erich)-Preis für Literatur und Sprache 1993 der gleichnam. Gesellschaft in Wien und des österr. Kulturministeriums (200000 S) an den Schriftsteller *Robert Schindel*.

Fritsch (Gerhard)-Literaturpreis 1993 in Salzburg an den Arzt u. Schriftsteller *Enrico Danieli* (CH) für seine Erzählung »Reisen nach Striland«.

Grillparzer (Franz)-Preis 1993 der Hamburger Stiftung F. V. S. u. der Universität Wien (30000 DM) an den Schriftsteller *Albert Drach*.

Internat. Book Award 1993 in Wien an die Kinder- und Jugendbuchautorin *Astrid Lindgren* (S).

Kafka (Franz)-Literaturpreis 1993 an den Schriftsteller *Peter Rosei*.

Kinder- u. Jugendbuchpreis der Stadt Wien 1992 an die Schriftstellerinnen *Jutta Treiber* für »Das Dazwischenkind« u. *Marianne Gruber* für »Esras abenteuerliche Reise auf dem blauen Planeten« sowie an die Buchillustratorin *Susanne Riha* für »Wir leben rund um Haus und Hof«.

Österreichischer Kinderbuchpreis 1993 (30000 S) an die Schriftstellerin *Hanna Johansen* für ihr Buch »Dinosaurier gibt es nicht«.

Österreichischer Staatspreis für Kinderlyrik 1992 (50000 S) an *Hans Manz*.

Österreichischer Staatspreis für literarische Übersetzer 1992 (100000 S) an *Utta Roy-Seifert* u. *Ludvik Kundera*.

Rauriser Literaturpreis 1993, gestiftet vom Land Salzburg, verl. bei den Rauriser Literaturtagen, (80000 S) für die beste Prosa-Erstveröffentlichung in deutscher Sprache, an die Schriftstellerin *Ruth Klüger* für ihre Lebensbeschreibung »Weiter leben. Eine Jugend«.

Wildgans (Anton)-Preis 1992 der österr. Industrie (ca. 14000 DM) an die Schriftstellerin *Waltraud Anna Mitgutsch*.

Würdigungspreis des Bundesministeriums für Unterricht, Kunst u. Sport 1992 für Literatur (100000 S) an den Autor *Josef Winkler*.

RUSSLAND

Booker-Literaturpreis 1992 für den besten Roman in russ. Sprache (10000 £) in Moskau an den Schriftsteller *Mark Charitonow* für »Schicksalslinie oder Milaschewitschs Truhe«.

Kulturpreis »Triumph« 1993 (10000 $) an den Literaturwissenschaftler, Übersetzer u. Lyriker *Sergej Awerinzew*.

Puschkin (Alexander)-Medaille 1992 an den Schriftsteller u. Übersetzer *Wolfgang Kasack* (D).

Russischer Staatspreis für Literatur 1992 (erstm. vergeb., 500000 Rubel) an den Schriftsteller *Andrej Bitow* für sein Buch »Das Puschkin-Haus«.

SCHWEDEN

Nordischer Literaturpreis 1993 (200000 skr) in Stockholm an den Schriftsteller *Peer Hultberg* (DK) für seinen Roman »Die Stadt und die Welt«.

Seifert (Jaroslav)-Preis 1992 der Stiftung Charta 77 in Stockholm an den Dichter u. Übersetzer *Josef Hiřsal*.

Tucholsky (Kurt)-Stipendium 1992 des schwed. Pen-Clubs (ca. 23000 DM) an den indisch-brit. Schriftsteller *Salman Rushdie*.

SCHWEIZ

Aargauer Literaturpreis 1992 (20000 sfr) an den Schriftsteller *Klaus Merz* für die literarische Qualität seines Gesamtwerkes.

Auden (Wystan-Hugh)-Übersetzerpreis 1993 für Kinder- u. Jugendliteratur an *Kemal Boztepe* u. *Sabine Zelger* für die Übertragung von »Laß sie den Drachen nicht erschießen« aus dem Türkischen.

Basler Literaturpreis 1993 (20000 sfr) an den Dramatiker u. Romancier *Dieter Forte* (D).

Europ. Essay-Preis 1992 der Stiftung Charles Veillon in Lausanne (20000 sfr) an den kroatischen Schriftsteller u. Essayisten *Predrag Matvejevitch* anläßl. der Übersetzung seines Werkes »Bréviaire méditerranéen« ins Französische.

Ganz (Hermann)-Preis 1993 des schweizerischen Schriftstellerinnen- u. Schriftstellerverbands (10000 sfr) an *Christina Viragh* u. *Flurin Spescha*.

Großer Literaturpreis des Kantons Waadt 1993 (100000 sfr) an den Romancier *Jacques Chessex*.

Innerschweizer Literaturpreis 1992 (15000 sfr) an den Schriftsteller *Thomas Hürlimann*.

Kinder- und Jugendbuchpreis »Blaue Brillenschlange« 1992, gest. vom Kinderbuchfonds Dritte Welt in Basel, an den Schriftsteller *Norman Silver* (RSA) für »Keine Tiger in Afrika«.

Literaturpreis 1993 des Kantons Neuenburg (20000 sfr) an den Schriftsteller *Yves Velan* (F) für sein Gesamtwerk.

Montaigne-Preis 1992 der Stiftung F. V. S. zu Hamburg (40000 DM) in Lausanne an den Schriftsteller *Bertil Galland*.

Mozart (Wolfgang Amadeus)-Preis 1993 der Jo-

hann-Wolfgang-von-Goethe-Stiftung Basel (25000 sfr) an den Schriftsteller *Thomas Hürlimann*.
Preis Ramuz 1992 der gleichnam. Stiftung in Pully, VD, (3000 sfr) an den Schriftsteller *Alain Rochat* für seine Gedichte.
Preis der Schweizerischen Schillerstiftung 1993 für die Deutschschweiz an *Niklaus Meienberg* (10000 sfr) für sein bisheriges Werk, an *Dieter Fringeli* für den Roman »Fingernägel, 23 Anfälle«, *Rolf Hörler* für seine Gedichte »Nesselblumenworte« u. *Markus Werner* für den Roman »Bis bald« (je 6000 sfr); für die Westschweiz an *Horia Liman* (10000 sfr) für sein bisheriges Werk u. an *Albert Py* (6000 sfr) für seinen Gedichtband »Tessons gravés«; im Tessin (je 6000 sfr) an die Autorinnen *Donata Berra* für »Santi quattro coronati« u. *Elvige Livello* für »Poesie«.
Preis der Schweizerischen Schriftstellerstiftung 1992 an *Emil Zopfi* für seinen Roman »Die Fabrikglocke«.
Preis der Stiftung für Freiheit und Menschenrechte 1992 in Bern (10000 sfr) an den tschech. Schriftsteller *Ludvik Vaculik,* Verfasser u. a. des »Manifests der 2000 Worte«.
»Prix BPT« 1993 – Literaturpreis der Westschweiz (8000 sfr) an den Schriftsteller *Jacques-Etienne Bovard* für seinen Roman »La Griffe«.
Prix Colette 1993 (35000 sfr) der Stiftung Armleder, verg. anläßl. der Genfer Buchmesse, an den Schriftsteller *Salman Rushdie* (IND/GB).
Walser (Robert)-Preis 1993 der Stadt Biel (25000 sfr) an die Schriftstellerin *Malika Wagner* für ihren Roman »Terminus Nord«.
Zürcher Kinderbuchpreis »La vache qui lit« 1992 an die Autorin *Tilde Michels* für ihren Roman »Lena vom Wolfsgraben«.
Zurlauben-Literaturpreis 1993 für herausragende Leistungen im Bereich der Belletristik (erstm., 100000 sfr) an den Zürcher Ammann-Verlag.

SLOWENIEN
Preseren (France)-Preis für Literatur 1993, höchster slow. Literaturpreis, an den Schriftsteller *Drago Jancar.*

SPANIEN
Premio Josep Pla 1993 des Verlags Planeta in Barcelona für ein Werk in katalanischer Sprache (2 Mill. Pta) an den Schriftsteller *Xavier Roca.*
Premio Nacional de Literatura Miguel de Cervantes 1992 (12 Mill. Pta) für ein Gesamtwerk des span. Sprachraums (höchste Auszeichnung der span. Literatur) an die Lyrikerin *Dulce María Loynaz* (C).
Premio Nadal 1993 des Verlags Destino in Barcelona (3 Mill. Pta) an den Schriftsteller u. Philosophen *Rafael Argullol* für sein Gesamtwerk.
Premio Planeta 1992 des gleichnam. Verlages in

Barcelona (50 Mill. Pta) an den Schriftsteller *Fernando Sánchez Dragó* für seinen Roman »La prueba des laberinto«; 2. Preis an den Journalisten *Eduardo Chamorro* für seinen histor. Roman über den Maler Velazquez.

TSCHECHISCHE REPUBLIK
Jungmann (Josef)-Preis für Übersetzer 1992 in Prag, gest. vom Literaturfonds (erstm. vergeb.), an den Anglisten *Pavel Dominik* für seine Übertragung von Nabokovs »Lolita« ins Tschechische.
Theiner (Georg)-Preis 1993 in Prag an den Schriftsteller *Ivan Klíma* für seinen Roman »Liebe und Müll«.

VENEZUELA
Gallegos (Rómulo)-Preis 1993, vergeb. von der venez. Regierung, an den Schriftsteller *Mempo Giardinelli* (RA) für den Roman »Santo oficio de la memoria«.

VEREINIGTE STAATEN VON AMERIKA
Cooper (James Fenimore)-Prize for Historical Fiction 1993 (erstm. vergeb.) an den Autor *Noah Gordon* für seinen Roman »Der Schamane«.
Eliot (T.S.)-Preis 1992 der Ingersoll-Stiftung (20000 $) an die Schriftstellerin und Lyrikerin *Muriel Spark* »für ihre Fähigkeit, über ernste Themen in populärer Weise zu schreiben, u. die starke moralische Dimension ihres Werkes«.
National Book Award 1992 (10000 $) an den Autor *Cormac McCarthy* für seinen Roman »All the pretty horses«.
Nebular-Award für Science Fiction-Literatur 1993 des amerik. Schriftstellerverbandes an die Autoren *Connie Willis* u. *James Morrow.*
Noma Award 1992 an den Autor *Souad Khodja* (DZ) für »A comme Algériennes« u. an *Charles Mungoshi* (ZW) für sein Kinderbuch »One Day, Long Ago, More Stories from a Shona Childhood«.
Poet-laureat 1992 of the United States – beste US-Dichterin des Jahres (35000 $) – an *Mona Van Duyn;* – **1993** an die afro-amerik. Schriftstellerin *Rita Dove.*
Pulitzer Prizes in Letters 1993, verliehen von der Columbia University, New York (je 3000 $) – Sparte Non-fiction an *Gary Wills* für »Lincolns at Gettysburg. The Words that Remade America«; Sparte Lyrik an *Louise Glück* für »The Wild Iris«; Sparte Biographie an *David McCullough* für »Truman«; Sparte Prosa an *Robert Olen Butler* für »A Good Scent from a Strange Mountain«; Sparte Geschichte an *Gordon S. Wood* für »The Radicalism of the American Revolution«.
Rea Award für die beste Kurzgeschichte 1992 der Dunganon Stiftung (25000 $) an die Autorin *Grace Paley.*

MUSIK

BELGIEN
13. Internat. Musikwettbewerb »Reine Elisabeth de Belgique« 1993 in Brüssel – Violin-Wettbewerb: 1. Preis an *Yayoi Toda* (J).

DEUTSCHLAND
Bach (Johann Sebastian)-Preis 1993 der Hansestadt Hamburg (20000 DM) an den Komponisten *Alfred Schnittke;* **Bach-Stipendium** (10000 DM) an den Tonsetzer *Jan Müller-Wieland.*
Barchet (Siegfried)-Wettbewerb für Violoncello 1992 des Richard Wagner-Verbandes – 1. Preis (4000 DM) an *Wolfgang Schmidt,* 2. Preis (2000 DM) sowie **Sonderpreis** für die beste Interpretation einer Barchet-Suite an *Hans-Georg Mathe,* 3. Preis an *Annette Cleary* (IRL).
Bundeswettbewerb Gesang 1992 in Berlin – Fach Oper/Operette: 1. Preis (10000 DM) an *Alexandra Petersamer,* 2. Preis (6000 DM) an *Hermine May,* 3. Preis (5000 DM) an *Katharina Kammerloher;* **Sonderpreis der Robert-Stolz-Stiftung** (5000 DM) an *Ina Stachelhaus;* Fach Konzert: 1. Preis (10000 DM) an *Jochen Kupfer,* zwei 3. Preise (je 5000 DM) an *Yvonne Albes* u. *Tobias Scharfenberger;* **Sonderpreis der Walter-Kaminsky-Stiftung** (5000 DM) an *Cornelia Götz.*
19. Deutscher Musikwettbewerb 1993, veranst. vom Deutschen Musikrat in Bonn (je 10000 DM) – Fach Klavier an *Markus Groh,* Fach Trompete an *Wolfgang Bauer,* Fach Oboe an *Stefan Schilli,* Fach Orgel an *Leonhard Amselgruber;* Kammermusik u. Klavierpartner keine Preise.
Duisburger Musikpreis 1993, verl. von der Stadt Duisburg u. der Köhler-Osbahr-Stiftung (20000 DM), an den Geiger u. Dirigenten *Yehudi Menuhin* (USA).
Ebermann (Wolf)-Preis 1993 des Vereins der Förderer des Internat. Theaterinstituts (ITI) an den Komponisten *Jonas Forssell* (S) für seine Oper »Riket är ditt«.
Echo-Preis der Deutschen Phono-Akademie 1993: 3 Auszeichnungen an *Marius Müller-Westernhagen* als erfolgreichster Produzent, erfolgreichster nationaler Künstler u. für »7 + 1« als erfolgreichstes Video; Künstlerin des Jahres: die Disko-Sängerin *Sandra;* Preis in der Kategorie Schlager an *Nicole* für »Ein bißchen Frieden«; erfolgreichste dt. Popgruppe: die *Prinzen;* Preis für sein Lebenswerk an den Sänger u. Liedermacher *Reinhard Mey.*
Förderpreis der Münchner Konzertgesellschaft 1992 – 1. Preis (10000 DM) an die Pianistin *Ragna Schirmer,* 2. Preis nicht vergeben, 3. Preis (3000 DM) an *Gloria d'Atri* (I).
Herder (Gottfried v.)-Preis 1993 der Stiftung F. V. S. zu Hamburg (30000 DM) an den Komponisten *György Kurtag* (H).

41. Internat. Musikwettbewerb der ARD 1992 in München – Fach Violoncello/Klavier: 1. Preis (17000 DM) an das Duo *Andrzej Bauer* u. *Ewa Kupiec-Bauer* (PL), 2. Preis (14500 DM) an die Geschwister *Shana* u. *Avi Downes* (USA), 3. Preis (12000 DM) an *Oren Shevlin* (GB) u. *Mariko Ashikawa* (J); Fach Klavier-Duo: 1. Preis nicht vergeben, 2. Preis (14500 DM) an *Thomas Hech* u. *Sandra Shapiro* (USA), 3. Preis (12000 DM) an *Silke Thora Matthies* u. *Christian Köhn;* Fach Gesang: 1. Preis nicht vergeben, 2. Preis (je 9000 DM) an *Melinda Paulsen* (USA), *Rika Shiratsuchi* (J) u. *Philip Zawisza* (USA), 3. Preis (je 7000 DM) an *Reginaldo Pinheiro* (BR) u. *Locky Chung* (ROC).
Internat. Koloratur-Gesangswettbewerb 1992 in Stuttgart – Kategorie A: 1. Preis (12000 DM) u. **Publikumspreis** an die Sopranistin *Martina Rüpling,* 2. Preis (9000 DM) an den Bassisten *Peter Volpe,* 3. Preis (6000 DM) an den Tenor *Axel Everaert,* **Förderpreis** an den lettischen Bassisten *Egils Silins;* Kategorie B (Nachwuchsinterpreten): 1. Preis an *Melanie Diener,* 2. Preis an *Annette Nödinger;* **Förderpreis** an die Sopranistin *Maria Tselegidis* (GR), den Bariton *Bernhard Spingler* u. an die Mezzosopranistin *Anke Sieloff.*
17. Internat. Wettbewerb für Streichquartette 1993 – Großer Preis (36000 DM) an das *Lyoner Quatuor Debussy.*
Jazz-Preis des Südwestfunks 1992, gest. zus. mit dem Land Rheinland-Pfalz (15000 DM), an den Komponisten, Klarinettisten u. Saxophonisten *Michael Riessler.*
»Jugend musiziert« – Bundeswettbewerb 1993: u. a. **Klassikpreis,** gest. v. der Stadt Münster zus. mit dem WDR, für die beste Interpretation eines Werkes von J. Haydn bzw. L. v. Beethoven an *Kimiko Ishizaka* (Klavier), *Kiyondo Ishizaka* (Violine) u *Danjulo Ishizaka* (Violoncello); *Cornelia Gartemann* (Violine), *Julia Gartemann* (Viola) u. *Tobias Bloos* (Violoncello); *Anja Krauß* u. *Margret Baumgartl* (Violine), *Anne Schönherr* (Viola) u. *Albrecht Vogel* (Violoncello); **Erlanger Preis,** gest. v. der Stadt Erlangen, für die beste Interpretation zeitgenössischer Musik an *Kimiko Ishizaka* (Klavier), *Kiyondo Ishizaka* (Violine) u. *Danjulo Ishizaka* (Violoncello); *Susanne Borsch* u. *Martin Schmeding* (Blockflöte); *Ursula Funk* (Posaune) u. *Dorothee Schaal* (Klavier); *Charlotte Heinke* (Mezzosopran); *Daniel Koschitzki* (Blockflöte); *Christina Matthei* (Querflöte).
Kritikerpreis 1992 des Verbandes der deutschen Kritiker e. V. in Berlin für Musik an die Dirigenten *Klaus Sanderling* u. *Günter Wand.*
Kunstpreis Berlin 1993 – Jubiläumsstiftung

1848/1948 – Förderpreis für Musik (10 000 DM) an *Andre Werner* u. *Helmut Zapf.*

Kunstpreis des Saarlandes 1992 (15 000 DM) an den Komponisten *Rolf Riehm* für sein Gesamtwerk.

Liebermann (Rolf)-Preis für Opernkomponisten 1993 (30 000 DM) an *Detlev Glanert* für sein Werk »Der Spiegel des großen Kaisers«.

Musikpreis der Stadt Duisburg 1992, vergeben zus. mit der Köhler-Osbahr-Stiftung (20 000 DM), an den Geiger u. Dirigenten *Yehudi Menuhin* (USA) für sein gesamtes künstlerisches Schaffen.

Musikpreis 1993 der Stadt Frankfurt/M., des Bundesverbandes der deutschen Musikinstrumentenhersteller u. der Messe Frankfurt (25 000 DM) an den Opernregisseur *Harry Kupfer.*

Musikpreis 1992 der Stadt München (15 000 DM) an *Klaus Doldinger.*

Preis »kultur aktuell« 1992 des Landeskulturverbandes Schleswig-Holstein (10 000 DM) an den litauischen Cellisten *David Geringas.*

Prix Davidoff 1993, verliehen beim Schleswig-Holstein-Musikfestival (10 000 DM) an die Klarinettistin *Sharon Kam* (IL).

Schumann (Robert)-Preis 1993 der Stadt Zwickau (10 000 DM) an den Pianisten *Jozef De Beenhouwer* (B) für seine Gesamtaufnahme aller Klavierwerke v. *Clara Schumann.*

Siemens (Ernst von)-Musikpreis 1993 der gleichnam. Stiftung in München u. Zug (250 000 DM) an den Komponisten *György Ligeti.*

Stamitz (Johann Wenzel)-Preis 1993 der Künstlergilde e. V. in Esslingen (15 000 DM, dotiert vom Bundesminister des Innern) an den tschech. Komponisten, Pianisten u. Organisten *Petr Eben.*

Steffens (Henrik)-Preis 1993 der Stiftung F. V. S. zu Hamburg (40 000 DM) an den Komponisten *Arne Nordheim* (N).

Strauss (Richard)-Wettbewerb 1992 – Fach Gesang: Plakette in Silber an Christian Rieger, **Förderpreis** an *Alexandra von der Weth* u. *Matthias Rettner.*

Stuttgarter Komponistenpreis 1992 – 1. Preis an *Caspar Johannes Walter,* 2. Preis an *Michael Jarrell.*

Würth-Preis der Jeunesses Musicales Deutschland 1992 (10 000 DM) an das »Arcis-Bläserquintett« München; – **1993** (10 000 DM) an den Komponisten *Philip Glass* (USA).

Zentis-Dirigentenpreis 1993, vergeb. anläßl. des Schleswig-Holstein-Musikfestivals (10 000 DM), an *Valery Gergiev* (GUS).

FRANKREICH

Grand Prix Nationaux 1992 (je 50 000 FF) – Kategorie Klassik an den Komponisten *Ivo Malec* (ehem. YU); Kategorie Chanson an den Sänger u. Komponisten *Georges Moustaki.*

Großer Chanson-Preis 1993 der franz. Schallplatten-Akademie an die Schauspielerin und Sängerin *Ute Lemper* (D).

Internat. Long-Thibaud-Klavierwettbewerb 1992 in Paris – 1. Preis an *Midori Nohara* (J), 2. Preis an *Wojciech Switala* (PL), 3. Preis an *Olivier Cazal* (F).

Ritter der franz. Ehrenlegion 1992 an den Dirigenten *Wolfgang Sawallisch* (D).

GROSSBRITANNIEN

Brit Award 1993 an den Rockmusiker *Rod Stewart* u. den Leadsänger der Popgruppe »Simply Red's« *Mick Hucknall,* als beste weibliche Interpretin an *Annie Lennox,* für ihre Platte »Diva« als bestes Album, für beste Filmmusik an »Wayne's World« (USA), in der Sparte Klassik an den Geiger *Nigel Kennedy* (USA).

IRLAND

Grand Prix Eurovision de la Chanson 1993 – 1. Preis an *Niamh Kavanagh* für ihren Song »In your eyes«, 2. Preis an *Sonia* (GB) mit dem Lied »Better the devil you know«, 3. Preis an *Annie Cotton* (CDN/CH) für »Moi, tout simplement«.

JAPAN

5. Internat. Musikwettbewerb 1992 in Tokio – 1. Preis an den Pianisten *Zhong Xu* (ROC), 2. Preis an den Pianisten *Koji Oikawa.*

2. Internat. Orgelwettbewerb 1992 in Tokio – 1. Preis (ca. 12 000 DM) u. **Sonderpreis** für die beste Interpretation eines japan. Orgelwerkes an *Leonhard Amselgruber* (D).

Praemium Imperiale 1993 der Japan Art Association (100 000 $, gilt als Nobelpreis im Bereich der Künste), Sparte Musik an den Cellisten *Mstislaw Rostropowitsch* (GUS).

MONACO

Weltmusikpreis 1993 in Monte Carlo an den Popsänger *Michael Jackson* (USA) als bester Künstler seines Landes, des Jahres und seiner Zeit, an den Tenor *Luciano Pavarotti* (I) als bester klassischer Künstler, an den Gitarristen *Eric Clapton* (GB) als bester Rockkünstler und an die Sängerin *Tina Turner* (USA) für ihr Lebenswerk.

ÖSTERREICH

Förderungspreis der Stadt Wien 1992 für Musik (40 000 S) an *Olga Neuwirth.*

Internat. Belvedere-Wettbewerb für Opern- u. Operettengesang 1993 in Wien, veranstaltet von der Wiener Kammeroper, 1. Preis im Fach Operngesang (50 000 S) sowie Medienpreis der internat. Journalistenjury, Kammeroper-Publikumspreis u. drei weitere Sonderpreise an die Sopranistin *Anna*

Rita Taliento (I), 2. Preis an den Tenor *Luisa Is-lam-Ali-Zade* (Taschkent), 3. Preis an den Baß *Maxim Michailow* (GUS); 1. Preis im Fach Operette an *Althea Maria Papoulias* (GR); **Sonderpreis** für den besten Tenor an *Deng-feng Zhao* (VRC).
3. Internat. Fritz-Kreisler-Violinwettbewerb 1992 in Wien an *Florin Croitoru* (RO).

RUSSLAND
Kulturpreis »Triumph« 1993 des russ. Automobilkonzerns Logovas in Moskau (10 000 $) an den Komponisten *Alfred Schnittke* (GUS/D).
Russischer Staatspreis für Musik 1993 (je 500 000 Rubel) an die Komponisten *Sofia Gubaidulina* u. *Rodion Schtschedrin*.

SCHWEDEN
Polarmusikpreis 1993 der Königl.-Schwedischen Akademie (je 1 Mill. dkr) an den Komponisten *Witold Lutoslawski* (PL) u. postum an den Jazz-Trompeter *Dizzy Gillespie* (USA).

SCHWEIZ
Internat. Kompositionswettbewerb 1992 des Frauenmusik-Forums Schweiz (FMF) – 1. Preis an den Liederzyklus »Loquela« v. *Caroline Wilkins* (GB), 2. Preis an die Komposition »Thunder, perfect mind« für Sopran, Flöte u. Klavier v. *Linda J. Dusman* (USA), 3. Preis an die »5 Stücke für Bläserquintett und Kontrabaß« v. *Mia Schmidt* (D).
Kulturpreis der Stadt Biel 1992 (10 000 sfr) an die Pianistin u. Musikpädagogin *Gertrud Schneider.*
Thurgauer Kulturpreis 1992 (20 000 DM) an das Ensemble »Klangverein« für sein Bemühen, neue musikalische Ausdrucksformen zu erschließen.

VEREINIGTE STAATEN VON AMERIKA
35. Grammy Awards 1993 der National Academy of Recording Arts and Sciences in 63 Kategorien – für die beste klassische Musikaufzeichnung des Jahres an »Mahlers 9. Sinfonie« in einer Aufnahme der Berliner Philhamoniker unter *Leonard Bernstein*, für die beste Opernaufnahme an »Frau ohne Schatten« v. *Richard Strauss* mit den Wiener Philharmonikern unter *Sir George Solti* u. *Placido Domingo* als Solist; 6 Grammys an die Rockmusiker *Eric Clapton* (GB) für das beste Album (»Unplugged«), Platte u. Song des Jahres (»Tears in Heaven«), als bester männl. Pop-Sänger, bester männl. Rock-Sänger, für besten Rocksong (»Layla«, zus. mit *Jim Gordon*); 5 Grammys an die Musik des Zeichentrickfilms »Die Schöne und das Biest« für beste Aufführung eines Duos od. Gruppe (*Celine Dion* u. *Peabo Bryson*), beste Instumentaleinspielung (Nürnberger Symphoniker unter *Richard Kaufmann*), bestes Kinderalbum (*Alan Menken* u. *Howard Ashman*), beste Instrumentalkomposition (*Alan Menken*) u. besten Filmsong (*Alan Menken* u. *Howard Ashman*); Grammys außerdem: Kategorie Gruppengesangsleistung an die irische Rockgruppe *U 2* für »Achtung Baby«, für beste weibl. Rockstimme an *Melissa Etheridge* für »Ain't It Heavy«, Kategorie Hard Rock mit Gesang an die »Red Hot Chili Peppers« für »Ain't It Heavy«, an *Michael Jackson* für »Dangerous« als Album mit der besten Tontechnik; 1 Grammy postum für Instrumentalrock an *Stevie Ray Vaughan* für »Little Wing« u. an den Jazztrompeter *Miles Davis* für sein Album »Doo-Bop«.
Internat. Van-Cliburn-Klavier-Wettbewerb 1993 – Goldmedaille an *Simone Pedroni* (I), Silbermedaille an *Valeryi Kuleshov* (GUS), Bronzemedaille an *Christopher Taylor.*
»Musiker des Jahres 1993«, verl. von der Fachzeitschrift »Musical America«, an den Dirigenten *Kurt Masur* (D).
Pulitzer-Preis 1993 für Musik, verliehen von der Columbia University New York (3000 $), an *Christopher Rouse* für sein »Trombone Concerto«.
Szeryng (Henryk) Foundation Award 1992 der gleichnam. Stiftung an die Geiger *Elissa Lee Kokkonen* u. *Evgeni Bushkov* (GUS).

TANZ (BALLETT) UND THEATER

AUSTRALIEN
Fringe Festival 1992 in Melbourne – **Sonderpreis des ABC-Awards** als beste Produktion an das Theater Granserraglio Turin für seine Inszenierung von *Herbert Achternbuschs* »Ella«.

DEUTSCHLAND
43. Bad Hersfelder Festspiele 1993 – Großer Hersfeld-Preis an den Schauspieler *Andreas Wimberger* für die Rollen des Molière u. des Scapin in der Molière-Komödie »Die Streiche des Scapin«; Preise außerdem an *Karin Boyd* für ihre Doppelrolle der Madame Molière u. der Tochter Zerbinette im selben Stück u. an *Jiri Sova* für die Darstellung des Woof im Musical »Hair«.
Bayerischer Theaterpreis 1992, vergeb. anläßl. der Bayer. Theatertage (20 000 DM), zu gleichen Teilen an das Theater Bamberg, das Stadttheater Würzburg u. an die Schauspielerin *Katrin Spinnler*; **Hauptpreis** (12 000 DM) an das E. T. A. Hoffmann Theater Bamberg; – **Förderpreis 1993** (insges. 20 000 DM) an *Madeleine Giese* (E. T. A. Hoffmann Theater Bamberg), *Uwe Kraus* (Landestheater Schwaben), *Martin Hofer* (Stadttheater Ingol-

stadt) u. *Jutta Richter-Haaser* (Städt. Bühnen Nürnberg) für ihre Einzelleistungen; für Ensembleleistungen an »Am Ziel« (Theater Erlangen), »Geschlossene Gesellschaft« (Theater Hof) u. »Tätowierung« (Stadttheater Ingolstadt).

Brüder-Grimm-Preis 1992 des Landes Berlin (20000 DM) zu gleichen Teilen an das Kammertheater Neubrandenburg u. das Berliner Grips-Theater.

Deutscher Kleinkunstpreis 1992 des Mainzer Forum-Theaters »unterhaus« (insges. 40000 DM) in der Sparte Kabarett: *Richard Rogler;* Sparte Lied/Chanson/Musik: die Chansongruppe »Mad Dodo« (CH); **Förderpreis** der Stadt Mainz an die Entertainerin *Sissi Perlinger;* **Ehrenpreis** an den Tiroler Autor u. Schauspieler *Otto Grünmandl.*

Deutscher Tanzpreis 1993 des Berufsverbandes für Tanzpädagogik u. der Zeitschrift »Ballett-Journal/Das Tanzarchiv« an den Choreographen *Hans van Manen* (NL) für seine Verdienste um den künstlerischen Tanz in Deutschland.

Dramen-Preis des Goethe-Instituts München 1993 (erstm. vergeb.) an die Autorin *Dea Loher* für ihr Stück »Tätowierung« u. an die Autoren *Peter Handke* für »Die Stunde da wir nichts voneinander wußten« u. *Peter Turrini* für »Alpenglühen« (beide A).

Eysoldt (Gertrud)-Ring 1992 der Deutschen Akademie der Darstellenden Künste (20000 DM) an den Schauspieler *Rolf Boysen* für seine Rolle als King Lear in den Münchner Kammerspielen; **Förderpreis für Regie**, vergeb. von der Ringelband-Stiftung (10000 DM), an *Crescentia Dünßer* u. *Otto Kukla* für ihre Tübinger Inszenierung von *Marieluise Fleißers* »Fegefeuer in Ingolstadt«.

Goethe (Johann Wolfgang von)-Medaille 1993 des Goethe-Instituts in Weimar an den Theater-, Opern- u. Filmregisseur *Patrice Chéreau* (F) für besonders künstlerische Leistungen.

Hauptmann (Gerhart)-Preis 1992 des Vereins der Freien Volksbühne Berlin (10000 DM) an den Autor u. Filmemacher *Matthias Zschokke* für sein Theaterstück »Die Alphabeten«.

Kasten (Otto)-Förderpreis 1993 der deutschen Intendanten (20000 DM) zu gleichen Teilen an den Opernregisseur *Christof Loy* u. den Schauspieler *Wolfgang Maria Bauer.*

Kerr (Alfred)-Darstellerpreis 1993 (10000 DM) an den Schauspieler *Daniel Morgenroth* für die Rolle des Sigismund in »Der Turm« v. *Hugo von Hofmannsthal.*

Kortner (Fritz)-Preis 1992 der Zeitschrift »Theater heute« (10000 DM) an den Schauspieler *Gert Voss.*

Kritikerpreis 1992 des Verbandes der deutschen Kritiker e. V. in Berlin (West) für Theater an das »Roma Theater Pralipe«, für Tanz postum an den Tänzer *Gerhard Bohner.*

Kunstpreis Berlin 1993 der Akademie der Künste –

Jubiläumsstiftung 1848/1948 – Förderpreis Sparte Darstellende Kunst (10 000 DM) zu gleichen Teilen an *Michael von Au* u. *Carsten Voigt.*

Lasker-Schüler (Else)-Dramatikerpreis 1993 in Kaiserslautern (30000 DM) an *Kerstin Specht* für ihr Stück »Mond auf dem Rücken«.

Luft (Friedrich)-Preis 1993 für die beste Theaterinszenierung in Berlin (erstm. vergeb., 15000 DM) an *Frank Castorf*, Intendant der Berliner Volksbühne, für die Inszenierung von *Arnolt Bronnens* »Rheinische Rebellen«.

Mülheimer Theatertage 1993 – Dramatikerpreis für ein in der laufenden Spielzeit uraufgeführtes Stück eines deutschsprach. Autors (20000 DM) an *Rainald Goetz* für sein Melodram »Katarakt«; **Publikumspreis** an »Alpenglühen« von *Peter Turrini.*

12. NRW-Theatertreffen Mülheim 1993, Preis für herausragende Inszenierung (12000 DM) an das Roma-Theater Pralipe für die Produktion »O Baro Phani«; für die beste Darstellung (10000 DM) an *Matthias Kniesbeck* für die Rolle des Othello im Theater Oberhausen.

Preis des deutschen Zentrums des Internat. Theaterinstituts 1993 (ITI) an die Intendanten des Deutschen Theaters Berlin, *Thomas Langhoff.*

Schiller (Friedrich)-Gedächtnispreis 1992 des Landes Baden-Württemberg (40000 DM) an den Dramatiker *Volker Braun;* **Förderpreise** (je 15000 DM) an die Theaterautoren *Eugen Ruge* u. *Werner Schwab* (A).

Shakespeare (William)-Preis 1993 der Stiftung F. V. S. zu Hamburg für »Beiträge zur europ. Kultur aus dem engl. Sprachraum Europas« (40000 DM) an den Schriftsteller *Julian P. Barnes* (GB).

Theaterpreis Berlin 1993 der Stiftung Preußische Seehandlung (30000 DM) an den Dramatiker *Botho Strauß.*

Theaterpreis der Stadt München 1992 (15000 DM) an Max Keller.

Türks (Katrin)-Preis 1992 für Autorinnen des Kinder- u. Jugendtheaters (10000 DM) an die Schriftstellerin *Susanne Dancker* für ihr Stück »Bruch und Blinddarm«.

Wolf (Konrad)-Preis 1992 der Akademie der Künste zu Berlin (Ost) an den Theater- u. Opernregisseur *Peter Konwitschny.*

CHILE

Chilenischer Kritikerpreis 1993 des Circulo de Critico de Arte Santiago für die beste ausländ. Theaterpräsentation an das Theater an der Ruhr in Mülheim.

FRANKREICH

Grand Prix du théatre 1993 der Académie française an *Fernando Arrabal.*

Grand Prix Nationaux 1992 in Paris (50000 FF) an den Theatermacher *Jérome Dechamps.*

Kulturorden »Arts et Lettres« 1992 an die Primaballerina *Galina Ulanowa* (GUS).

Molière-Theaterpreis 1993 der Vereinigung der franz. Bühnenschaffenden, 3 Preise an die Schauspielerin *Edwige Feuillère*: als beste Darstellerin, für ihre Bemühungen zur Dezentralisierung des Kulturlebens in Frankreich u. einen Ehren-»Molière« für ihr Lebenswerk; »Molière« an *Michel Aumont* als bester Schauspieler für seine Leistung in »Macbett« v. *Eugène Ionesco*, an die »Comédie Française« als beste subventionierte Truppe für »Serva amorosa« v. *Goldoni*, an das Théâtre la Bruyère als bestes Privattheater für »Temps contre temps« v. *Ronald Harwood*, außerdem für die beste nichtsubventionierte Aufführung, die beste Regie (*Laurent Terzieff*) u. mit *Françoise Bertin* als bester Nebendarstellerin, »Molière« an die taubstumme *Emmanuelle Laborit* als beste Nachwuchsdarstellerin, an *René de Obaldia* als bester Autor für »Monsieur Klebs und Rozalie« sowie Ehren-»Molière« für sein Gesamtwerk.

Ritter der Französ. Ehrenlegion 1992, höchste Auszeichnung des Staatspräsidenten, an den Regisseur *Peter Stein* (D).

30. Syndicat professionnel de la critique dramatique 1993 – Grand Prix als beste Produktion des Jahres an »La Compagnie des Hommes« (Regie *Alain Françon*); **Prix Georges-Lerminier** für die beste Inszenierung in den Regionen an *Stuart Seide* für »Heinrich VI.«, Preis für die beste Uraufführung an »Ce qui arrive et ce qu'on attend« v. *Jean Pierre Besset* (Regie *Patrice Kerbrat*), für die beste ausländ. Produktion an *Robert Lepage* für seine Inszenierungen beim Festival d'Automne; Preis als Entdeckung des Jahres an *Stanislas Nordey* u. seine Compagnie für die Aufführungen »Tabataba« v. *Bernard-Marie Koltès*, »La dispute« v. *Marivaux* u. »Calderon« v. *Pier Paolo Pasolini*.

JAPAN

Praemium Imperiale 1993 der Japan Art Association (100000 $) Sparte Tanz/Film an den Tänzer u. Choreographen *Maurice Béjart* (F).

NIEDERLANDE

Dramatikerpreis 1992 des Amsterdamer Het Theaterfestivals (20000 hfl) an die Autorin *Su-*

zanne van Lohuizen für ihr Kinderstück »Weißt du, wo mein kleiner Junge ist?«.

ÖSTERREICH

Kainz (Josef)-Medaille der Stadt Wien 1993 an die Schauspieler *Johann Adam Oest* für seine Rolle im »Schlußchor« v. *Botho Strauß* u. *Andrea Clausen* für ihre Rolle als »Honey« in »Wer hat Angst vor Virginia Woolf?« v. *Edward Albee* u. an den Regisseur *Thomas Langhoff* für seine Inszenierung von »Der Turm« v. *Hugo von Hofmannsthal*; **Förderpreis** an die Schauspieler *Michou Friesz* u. *Josef Hader*, den Regisseur *Robert Quitta* u. die Bühnenbildnerin *Susanne Pfanner-Thomasberger*.

Nestroy (Johann)-Ring 1992 der Stadt Wien an die Schauspielerin *Gusti Wolf* u. den Liedermacher *Heli Deinböck*.

RUSSLAND

Kulturpreis »Triumph« 1993 des russ. Automobilkonzerns Logovas (je 10000 $) an die Ballerina *Nina Ananiaschwili*, die Schauspielerin *Tatjana Schestakowa* u. den Regisseur *Lew Dodin*.

SCHWEIZ

Fondation pour Genève 1992 an den Direktor des Genfer Grand Théâtre, *Hugues R. Gall*.

UNESCO

Picasso (Pablo)-Medaille 1993 der UNESCO an die Choreographin *Pina Bausch*.

VEREINIGTE STAATEN VON AMERIKA

Pulitzer-Prize 1993 für Dramatik, verliehen von der Columbia University New York (3000 $) an den Theaterautor *Tony Kushner* für sein Stück »Angels in America«.

47. Tony-Verleihung (Antoinette Perry Awards) 1993 für die besten Produktionen am Broadway – bestes Stück: das Aids-Drama »Angels in America« v. *Tony Kushner*, beste Regie: *George C. Wolfe*, bester Hauptdarsteller: *Ron Leibman;* bestes Musical: »Kiss of the Spider Woman«, beste Hauptdarstellerin: *Chita Rivera*, bester Hauptdarsteller: *Brent Carver* sowie bestes Drehbuch, beste Originalmusik u. beste Kostüme.

PREISE FÜR FRIEDEN UND VERSTÄNDIGUNG, GESAMTSCHÖPFERISCHE LEISTUNGEN, NATUR- UND UMWELTSCHUTZ

ALTERNATIVER NOBELPREIS 1992

der Right Livelihood Awards Foundation in Douglas/Isle of Man u. Bradford/GB, gestiftet vom dt.-schwed. Wissenschaftler *Jakob von Uexküll*

als Beitrag zur Lösung der drängendsten Menschheitsprobleme, überreicht im Schwedischen Reichstag am Vortag der Nobelpreis-Verleihung (ges. 120000 $) je zu einem Viertel an die Menschenrechtlerin *Helen Mack* in Guatemala, die seit 1990 für die Aufklärung der vermutl. politisch motivierten Ermordung ihrer Schwester kämpft, den Atomphysiker *John Gofman* (USA), der sich mit schädl. Auswirkungen radioaktiver Niedrigstrahlung in der Umgebung von Atomanlagen befaßt, die ukrain. Journalistin *Alla Jaroschinskaja*, die das wahre Ausmaß der Atomkatastrophe von Tschernobyl zu enthüllen sucht, sowie an die bengalische Organisation Gonoshasthaya Kendra »für die Förderung von Gesundheit und einer humanen Entwicklung«; **Ehrenpreis** an die finnische Initiative Kylatoiminta, die sich gegen die Landflucht engagiert.

DEUTSCHLAND

»Aachener Friedenspreis« 1993 an die »Initiative Friedenssteuer« u. an *Jean-Bertrand Aristide*, Präsident von Haiti.

Agrar-Kultur-Preis 1993 der Schweisfurth-Stiftung München (insges. 130000 DM) für verantwortungsvollen Umgang mit Natur und Umwelt an *Maria* u. *Friedrich Kuhlendahl* von Hof Judt bei Düsseldorf, den Bauernhof *Dannwisch* bei Hamburg u. an das Ökozentrum Werratal in Thüringen.

Akademiepreis 1993 der Rheinisch-Westfälischen Akademie der Wissenschaften (20000 DM) zu gleichen Teilen an den Arbeitsrechtler *Abbo Junker* u. den Religionswissenschaftler *Wassilios Klein.*

Barth (Karl)-Preis 1992, gest. von der Evangel. Kirche der Union (EKU) (20000 DM), an den Theologen *Hans Küng.*

Beck (Ludwig)-Löwenpfote 1992 in München an den Leiter des Münchner Filmmuseums, *Enno Patalas*, u. die Initiatoren der Lichterketten-Aktion gegen Ausländerfeindlichkeit »Eine Stadt sagt nein« *Giovanni di Lorenzo, Gil Bachrach, Christoph Visser* u. *Chris Häberlein.*

Beckurts (Karl-Heinz)-Preis 1993 (insges. 180000 DM) an die Wissenschaftler *Dieter Seitzer, Peter H. Seeburg* u. *Sigmar Wittig.*

Bertelsmann (Carl)-Preis 1992 der gleichnam. Stiftung (300000 DM) an das Land Schweden »für seine progressive Einwanderungs- u. Integrationspolitik«.

Brücke-Preis 1993 der Stadt Görlitz (erstm. verl.) an die Mitherausgeberin der Wochenzeitung »Die Zeit«, *Marion Gräfin Dönhoff*, für ihr Wirken für die Ost-West-Verständigung.

Bruckhaus (Friedwart)-Förderpreis 1992 der Hanns-Martin-Schleyer-Stiftung für junge Wissenschaftler und Journalisten an *Christa Hoffmann* für ihre wissenschaftl. Arbeit »Stunden Null? Vergangenheitsbewältigung in Deutschland 1945 und 1989« u. an *Wolfram Weimer* für sieben Beiträge in der »Frankfurter Allgemeinen Zeitung« über Folgen u. Bewältigung der totalitären Vergangenheit in der DDR.

Buber-Rosenzweig-Medaille 1993 in Dresden an die »Aktion Sühnezeichen – Friedensdienste«.

Burkhardt (Arthur)-Preis 1993 für besondere Verdienste um die Verbindung von Natur- und Geisteswissenschaften (25000 DM) an den Physiker *Hermann Haken.*

De-Gaulle-Adenauer-Preis 1993 für bes. Verdienste um die deutsch-franz. Zusammenarbeit an den Literaturwissenschaftler *Pierre Grappin* (F) u. *Alfred Töpfer*, Gründer der Friedrich-von-Schiller-Stiftung Hamburg.

Dehio (Georg)-Preis 1993 der Künstlergilde Esslingen für Kultur- und Geistesgeschichte (15000 DM) an den Germanisten *Louis Ferdinand Helbig* für seine Leistungen zur Kultur- und Geistesgeschichte; **Ehrengabe** zum Georg-Dehio-Preis (7000 DM) an den Autor *Richard Pietsch* in Würdigung seines Lebenswerks u. für seine Verdienste bei der Dokumentation u. Pflege der kurdischen Sprache; **Förderpreis** (7000 DM) an den Historiker und Slawisten *Joachim Rogall.*

Deutscher Kulturpreis 1993 der Stiftung Kulturförderung (100000 DM) an den Leiter des Landschaftspflegeverbandes Thüringer Wald, *Florian Meusel;* **Ehrenpreis** (je 10000 DM) an den Publizisten *Joseph Rovan* u. den jüdischen Religionsphilosophen *Pinchas Lapide.*

Deutscher Kunstpreis der Volks- u. Raiffeisenbanken 1992 – Nachwuchsförderpreis: 1. Preis (20000 DM) an den Maler *Michael van Ofen*, 2. Preis an *Annette Haas*, 3. Preis an *Daniel Poensgen.*

Deutscher Umweltpreis 1993 (erstm., 1 Mill. DM) an die Firma Faron Hausgeräte GmbH in Sachsen für die Herstellung des ersten FCKW-freien Kühlschranks u. an den Ökologen *Wolfgang Haber* für sein Lebenswerk im Dienste des Natur- u. Landschaftsschutzes.

Ehrlich (Paul) und Darmstaedter (Ludwig)-Preis 1993 der gleichnam. Stiftung in Frankfurt/M. (90000 DM) an die Biomediziner *Philippa Marrack* u. *John W. Kappler* (USA) sowie an den Wissenschaftler *Harald von Boehmer* (CH).

Förderpreis für die Europ. Wissenschaft 1992 der Hamburger Körber-Stiftung (1,25 Mill. DM) *an René Schwarzenbach* (CH), *Philippe Behra* (F), *Wolfgang Kinzelbach* u. *Ludwig Luckner* sowie *Laura Sigg* (CH); **Grüne Rosette der Europ. Wissenschaft** an *Ghislain de Marsily* (F) u. *Werner Stumm* (CH).

Forschungspreis des Landes Baden-Württemberg 1993 (je 300000 DM) an die Wissenschaftler *Ina Rösing-Diederich* u. *Dietmar Vestweber.*

Friedenspreis des Deutschen Buchhandels 1993 (25000 DM) an den Pfarrer u. Bürgerrechtler *Friedrich Schorlemmer*, Mitbegründer der Bürgerbewegung »Demokratischer Aufbruch«.

Goethe (Johann Wolfgang v.)-Medaille 1993 des

Goethe-Instituts in Weimar an den Germanisten u. Publizisten *Adam Krzeminski* (PL) für hervorragende Verdienste um die deutsche Sprache.
Goethe (Johann Wolfgang v.)-Medaille 1993 der Internat. Goethe-Gesellschaft in Weimar an die Forscher *Wilhelm Emrich, Arthur Henkel* u. *Victor Lange* (USA) u. an den russ. Schriftsteller *Lew Kopelew* für ihre Verdienste in der Goethe-Forschung.
Goethe (Johann Wolfgang v.)-Medaille in Gold 1992 der Stiftung F. V. S. zu Hamburg an den Kunstsammler *Hans-Heinrich v. Thyssen-Bornemisza.*
Guardini (Romano)-Preis 1992 der Kath. Akademie in Bayern (10 000 DM) an den Mediziner *August Wilhelm von Eiff* für seine Streßforschung.
Gundolf (Friedrich)-Preis 1993 der Deutschen Akademie für Sprache und Dichtung e. V. in Darmstadt für die Vermittlung deutscher Kultur im Ausland (20 000 DM) an den Theaterregisseur *Patrice Chéreau* (F).
Hahn (Otto)-Friedensmedaille in Gold 1993 an den Philosophen *Karl Popper* (A).
Heinemann (Gustav)-Bürgerpreis 1993 (20 000 DM) an die SPD-Politikerin u. Sozialministerin des Landes Brandenburg, *Regine Hildebrandt,* »für Aufrichtigkeit, Glaubwürdigkeit und selbstloses Engagement«.
Heinemann (Gustav)-Friedenspreis 1992 (10 000 DM), vergeb. vom Ministerpräsidenten des Landes Nordrhein-Westfalen, an den Autor *Arnulf Zitelmann* für sein Buch »Paule Pizolka oder Eine Flucht durch Deutschland«.
Herder (Gottfried von)-Preis 1993 der Stiftung F. V. S. zu Hamburg (je 30 000 DM) an die Direktorin des Archäologischen Museums in Sofia, *Vassilka Gerassimova-Tomova* (BG), den Dekan der philosoph. Fakultät der Universität Kiew, *Petro Kononenko,* den Kunsthistoriker *Razvan Theodorescu* (RO), die Geschichtsphilosophin u. Herder-Expertin *Elena Varossova* (SLO) u. den Germanisten *Viktor Zmegac* (HV).
Hessischer Kulturpreis 1992 (je 30 000 DM) an die Medizinerin *Eilke Helm,* an das Frankfurter »Ensemble Modern« für die Interpretation moderner Musik u. an den Filmregisseur *Marcel Ophüls* (F); – **1993** an den Literaturwissenschaftler *Hans-Albert Walter,* den Künstler *Friedrich Karl Waechter* u. an den Komponisten u. Avantgarde-Musiker *Heiner Goebbels.*
Heuss (Theodor)-Preis 1993 der gleichnam. Stiftung zur Förderung der politischen Bildung u. Kultur (20 000 DM) an den Schriftsteller u. Präsidenten der Tschechischen Republik, *Václav Havel,* »für sein beispielhaftes Engagement für Freiheit und Menschenrechte … sowie für seine Glaubwürdigkeit als Politiker u. Staatsmann«; **Theodor-Heuss-Medail-**

len an die Initiatoren der europ. Stiftung Kreisau/ Krzyzowa, an Schüler der Freien Waldorfschule Mannheim u. ihren Lehrer *Anton Winter* für ihre Mitarbeit am Kuppelbau eines rumän. Kindergartens sowie an *Frederic Delouche* u. die zwölf Autoren des ersten europ. Geschichtsbuches.
Hirsch (Otto)-Medaille 1993 der Stadt Stuttgart u. der Gesellschaft für Christlich-Jüdische Zusammenarbeit an die Journalistin *Elisabet Plünnecke.*
Historikerpreis 1993 der Stadt Münster (20 000 DM) an *Jacques Le Goff* (F) für seine Verdienste um eine besonders lebendige Geschichtsschreibung des Mittelalters.
Internat. Bodensee-Kulturpreis 1992 an den Kulturwissenschaftler *Martin Schmid.*
Internat. Karlspreis der Stadt Aachen 1993 für hervorragende Leistungen im europäischen Raum (10 000 DM) an den spanischen Ministerpräsidenten *Felipe Gonzalez.*
Janssen (Hans)-Preis 1992 der Göttinger Akademie der Wissenschaften an den Kunsthistoriker *Georg Satzinger.*
Jaspers (Karl)-Preis 1992 der Universität u. Stadt Heidelberg an die Philosophin und Jaspers-Schülerin *Jeanne Hersch* (CH) für ihr Lebenswerk.
Jung (Ernst)-Preis für Medizin in Hamburg (400 000 DM) zu gleichen Teilen an die Forscher *Charles A. Dinarello* u. *Robert Machemer* (beide USA).
Kahn (Walter)-Preis 1992 (10 000 DM), verliehen beim internat. Kongreß der Europäischen Märchengesellschaft, an den Philosophen u. Mythenforscher *Franz Vonessen; –* **1993** an den Arzt u. Psychiater *Wolfdietrich Siegmund.*
Kant (Immanuel)-Preis 1993 der Stiftung F. V. S. zu Hamburg (100 000 DM) an den Präsidenten von Georgien, *Eduard Schewardnadse,* für seine Verdienste um die historische Wende in Europa.
Karry (Heinz Herbert)-Preis 1993 (10 000 DM) an den Vorsitzenden des Zentralrats der Juden in Deutschland, *Ignatz Bubis.*
Kassler Bürgerpreis »Das Glas der Vernunft« 1992 an den Physiker und Philosophen *Carl-Friedrich v. Weizsäcker.*
Koch (Robert)-Preis 1992 (100 000 DM) an den Biochemiker *Kary B. Mullis* (USA); **Robert-Koch-Medaille** an die Wissenschaftler *Howard Charles Goodmann* (F) u. *Piet Borst* (NL).
Krüger (Anna)-Preis 1993 des Wissenschaftskollegs (50 000 DM) an den Molekularbiologen u. Essayisten *Jens Reich.*
Krupp (Alfried)-Förderpreis 1993 der Alfried-Krupp-von-Bohlen-und-Halbach-Stiftung für junge Hochschullehrer (850 000 DM) an den Mathematiker *Albrecht Böttcher* u. den Physiker *Martin Wegener.*
Leibniz (Gottfried Wilhelm)-Förderpreis 1993 der

Deutschen Forschungsgemeinschaft (je bis zu 3 Mill. DM für 5 Jahre) an den Gelehrten für Internat. Privatrecht *Christian von Bar*, den Informatiker *Johannes Buchmann*, die Mathematiker *Claus-Peter Schnorr* u. *Jürgen Jost*, den Chemiker *Dieter Enders*, den Biochemiker *Gunter Fischer*, den Neuroanatomen *Michael Frotscher*, die Molekulargenetikerin *Regine Kahmann*, den Kernphysiker *Wolfgang Krätschmer*, den Hochfrequenztechniker *Klaus Petermann*, den Psychologen *Wolfgang Prinz*, den Sinologen *Rudolf Wagner* u. an *Jürgen Warnatz*, Professor für Technische Verbrennung.

Lilje (Hanns)-Preis 1992 der Göttinger Akademie der Wissenschaften zur Förderung der theolog. Wissenschaft zu gleichen Teilen an *Ulrich Hübner* u. *Christoph Uehlinger*.

Lucas (Leopold)-Preis 1993 der Evang.-Theolog. Fakultät der Universität Tübingen für Verdienste um die Verbreitung des Toleranzgedankens und Förderung der Beziehungen zwischen Menschen und Völkern (50 000 DM) an den Schriftsteller, Bibel- u. Koranübersetzer *André Chouraqui* (IL).

Medaille für Kunst u. Wissenschaft 1993, gestift. vom Senat der Stadt Hamburg für hervorragende Verdienste auf den Gebieten der Forschung, Wissenschaft u. Kunst, an *Ralph Giordano*.

Merkle-Forschungspreis 1992 der Universität Ulm (30 000 DM) an die Wissenschaftler *Peter Malfertheiner*, *Bernhard Brenner* u. *Ulf Thewalt*.

Morris (Philip)-Forschungspreis 1993 »Herausforderung Zukunft« des gleichnam. Konzerns (200 000 DM) zu gleichen Teilen an die Biochemikerin *Ursula Erhardt*, das Forscherteam um den Biologen *Norbert Hampp*, den Physiker *Wolfgang Heckl* u. den Ingenieur *Gunter Schänzer*.

Morris (Philip)-Kunstpreis 1993 des gleichnam. Konzerns der Reihe »Grenzgänge« (8000 DM) für Produktion an das »Brüssel Projekt Berlin« unter der Leitung des Architekten *Matthias Wittekindt* u. für Darstellung an den Schauspieler *Matthias Hirth* für seine Leistung in dem Stück »Unten«.

Moser (Hugo)-Förderpreis 1993 der gleichnam. Stiftung für germanistische Sprachwissenschaft (12 000 DM) an den Linguisten *Peter Ernst* (A).

Oce-van-der-Grinten-Umweltpreis 1993 (50 000 DM) an den Forscher *Rolf Steinhilper*.

Ossietzky (Carl v.)-Medaille 1992 der Internat. Liga für Menschenrechte an den Ausländerbeauftragten der Stadt Rostock, *Wolfgang Richter*, u. die Berichterstatter des ZDF-Fernsehmagazins »Kennzeichen D« *Thomas Euting*, *Dietmar Schumann*, *Thomas Höpker*, *Jürgen Podzkiewitz* u. *Jochen Schmidt*, »weil sie sich in einer durch Brandstifter herbeigeführten lebensgefährlichen Situation mutig, vorbehaltlos und besonnen für das Leben der bedrohten Vietnamesen eingesetzt haben«.

Plakette der Freien Akademie der Künste 1992 in Hamburg an den Schriftsteller *Günter Grass* u. den Komponisten *Isang Yun* (ROK) in Anerkennung ihres Lebenswerks.

Planck (Max)-Forschungspreis 1992 (je 150 000 bzw. 200 000 DM) u. a. an die Wissenschaftler *Bernt Krebs*, *Rudolf P. Huebener* u. *Manfred Fahle*, *Franz Durst*, *Kemal Hanjalic* (Bosn.-Herzeg.), *Dietrich Harrer* u. *Robert J. Silbey* (USA) sowie *Ernst-Detlef Schulze* u. *Harold A. Mooney* (USA).

Planck (Max)-Medaille 1993 der Deutschen Physikal. Gesellschaft an den Forscher *Kurt Binder*.

Preis der Bayer. Akademie der Wissenschaften 1992 (10 000 DM) an Verhaltensforscherin *Dagmar von Helversen*.

Preis für politische Kultur 1993 der Stadt Herdecke/Ruhr (25 000 DM) an *Marion Gräfin Dönhoff*, Mitherausgeberin der Wochenzeitung »Die Zeit«.

Preis des Verbandes der Historiker Deutschlands 1992 (10 000 DM) an den Wissenschaftler *Folker E. Reichert* für sein Buch »Begegnungen mit China – Die Entdeckung Ostasiens im Mittelalter«.

Ramsauer (Carl)-Forschungspreis 1993 der AEG (60 000 DM) an die Wissenschaftler *Dirk Hennig*, *Hans-Jürgen Gustat*, *Robert Weismantel*, *Robert Heiz*, *Eugen Weschke* u. *Dominik Winau*.

Reuchlin-Preis 1993 der Stadt Pforzheim (15 000 DM) an den Philosophen *Werner Beierwaltes*.

Rhein (Eduard)-Ehrenring 1992 an den Forscher *Rudolf Hell* in Anerkennung seines Lebenswerks.

Schering (Ernst)-Forschungspreis 1992 (75 000 DM) an den Biochemiker *Peter Seeburg*; – **1993** an die Entwicklungsbiologin *Christiane Nüsslein-Volhard*.

Schiller (Friedrich von)-Preis 1993 der Stiftung F. V. S. zu Hamburg (je 10 000 DM) an den Bankier und Wirtschaftshistoriker *Wolfgang Oppenheimer* u. an den Theologen u. Schriftsteller *Georges Kempf* (F).

Schleyer (Hanns Martin)-Preis 1992 u. 1993 der gleichnam. Stiftung, vergeb. für hervorrag. Verdienste um die Festigung u. Förderung der Grundlagen eines freiheitl. Gemeinwesens, an *Birgit Breuel*, Präsidentin der dt. Treuhandanstalt, u. an Kardinal *Franz König*.

Schott (Otto)-Forschungspreis 1993 in Mainz (je 50 000 DM) an die Wissenschaftler *Dieter Fuchs* u. *Prabhat Gupta* (USA).

Schubert (Bruno-H.)-Preis 1993 in Frankfurt (100 000 DM) für Umwelt- u. Naturschutz an den Limnologen *Sven Björk* (S).

Staatspreis 1992 des Landes Nordrhein-Westfalen (50 000 DM) an den Bankier u. Kunstmäzen *Hermann Josef Abs*.

»The New Europe Prize« 1993 zur Förderung osteurop. Wissenschaft, eine amerik.-westeurop. Auszeichnung (75 000 DM), an den Altertumsforscher *Alexander Gavrilov* (GUS) u. den Kunsthistoriker *Andrei Plesu* (RO).

Tiburtius (Joachim)-Preis 1992 des Landes Berlin an die Musikpädagogin u. -wissenschaftlerin *Gesine Schröder.*

Vondel (Joost van den)-Preis 1992 der Stiftung F. V. S. zu Hamburg (30 000 DM) an den Wissenschaftsphilosophen *Max Wildiers* (B); – **1993** (je 40 000 DM) an den Theaterdirektor u. Schauspieler *Hans Croiset* (NL) u. die flämische Stiftung »Ons Erfdeel« für herausragende Leistungen im niederländ., flämischen u. niederdt. Kulturraum.

Warburg (Aby-M.)-Preis 1993 der Stadt Hamburg (30 000 DM) an den Historiker *Carlo Ginzburg* (I).

Wartburg-Preis 1992 an den ehemal. Bundesaußenminister *Hans-Dietrich Genscher* u. die Außenminister *Roland Dumas* (F) u. *Krzysztof Skubiszewski* (PL).

Winter (Fritz)-Preis 1992 für herausragende wissenschaftliche Leistungen (25 000 DM) an die Physiker *Eberhard Altstadt* u. *Reinhard Meinel*, den Akustik-Ingenieur *Gerald Gerlach*, den Bauarchäologen *Reinhard Schmitt* u. den Mediziner *Andreas Schulze.*

Wissenschaftspreis Hannover 1992 (insges. 30 000 DM) an die Chemikerin *Monique Suhren,* den Geologen *Harald Elsner* u. den Maschinenbauingenieur *Stephan Kabelac.*

Wissenschaftspreis Ulm 1993 (30 000 DM) an den Forscher *Bernd Tibken.*

Woitschach-Forschungspreis 1993 der Ellen-und-Max-Woitschach-Stiftung für ideologiefreie Wissenschaft (15 000 DM) an die Literaturwissenschaftler *Peter V. Zima* (A) u. den Psychologen *Jörg-Michael Thurm.*

Zeiss (Carl)-Forschungspreis 1992 (50 000 DM) an die Physiker *Yoshihisa Yamamoto* (J) u. *Ahmed Zewail* (ET).

EUROPA

Europ. Umweltpreis 1992 (50 000 DM) an die Bürgerinitiative »Für Rügen«.

Europ. Wettbewerb für junge Wissenschaftler 1993 – 1. Preis an die Botaniker *Dominik Zeiter, Ewald Amherd* u. *Reinhard Furrer* (alle CH).

Preis »Frauen für Europa« 1993 an die Präsidentin des EG-Wirtschafts- u. Sozialausschusses, *Susanne Tiemann.*

Sacharow (Andrei Dimitrijewitsch)-Preis für Menschenrechte des Europa-Parlaments 1992 für Persönlichkeiten, die sich für die Verbesserung der Ost-West-Beziehungen oder das Recht auf Meinungs- u. Forschungsfreiheit eingesetzt haben (ca. 10 000 DM), an die argentinische Menschenrechtsgruppe »Mütter der Plaza de Mayo«.

FRANKREICH

Großer Hug (Walther)-Preis 1993 in Straßburg an die Juristin *Denise Bindschedler-Robert* (CH), Richterin am Europ. Gerichtshof für Menschenrechte.

Schumann (Robert)-Preis Straßburg 1992 der Stiftung F. V. S. zu Hamburg (50 000 DM) an *Frère Roger Schütz,* Gründer und Leiter der ökumenischen Gemeinschaft von Taizé.

GRIECHENLAND

Onassis-Preis 1993 für Mensch und Menschheit (je 100 000 $) an den Schriftsteller *Václav Havel*, Präsident der Tschech. Rep., den Regisseur *Peter Brook* (GB), *Eunice Kennedy Shriver,* die die Olymp. Spiele für Behinderte ins Leben rief, u. *Maurice Strong*, Organisator des Umweltgipfels in Rio de Janeiro.

GROSSBRITANNIEN

Mitchell (Jan)-Preis 1992 für Kunstgeschichte (15 000 $) in London an *Joseph Leo Koerner.*

INDIEN

Nehru (Jawaharlal)-Preis für internat. Verständigung 1993 (75 000 DM) in Neu-Delhi an den Bunderkanzler *Helmut Kohl* (D).

ISRAEL

»Honorary Fellow of the City of Jerusalem« 1993, höchste Auszeichnung des Rates der Stadt, an die dt. Bertelsmann Stiftung.

Israelpreis 1993, höchste Auszeichnung des israel. Staates, an den Philosophen *Jeshaja Leibowitz* »für sein Lebenswerk u. sein spezielles Verdienst um Staat u. Gesellschaft«.

Jerusalem-Preis 1993 für die Freiheit des Menschen in der Gesellschaft an den Schriftsteller *Stefan Heym* (D).

ITALIEN

»Die goldenen Pferde von San Marco« 1992 in Venedig an den Direktor des Dt. Archäol. Instituts in Rom, *Bernard Andreae,* für seine Ausgrabungen u. zahlr. Publikationen.

Italienischer Friedenspreis »Goldene Taube« 1993 an die UN-Hochkommissarin für Flüchtlinge *Sadako Ogata* (J).

Preis der Internat. Balzan-Stiftung 1992 (je 350 000 sfr) an den Mathematiker *Armand Borel* (CH), den Literaturhistoriker u. -kritiker *Giovanni Macchia* u. den Arzt für präventive Medizin *Ebrahim Samba* (WAG).

JAPAN

Internat. Preis für Biologie 1992, in Japan für Forschungen vergeben, die durch den Nobelpreis für

Physik u. Physiologie nicht abgedeckt sind, an den Wissenschaftler *Knut Schmidt-Nielsen* (USA).
Kyotopreis 1993 (je ca. 700 000 DM) an den Komponisten *Witold Lutoslawski* (PL), den Wissenschaftler *Jack St. Clair Kilby* (USA) u. den Verhaltensforscher *Donald Hamilton* (GB).

NIEDERLANDE
Amsterdam-Preis für Umweltforschung 1992 der Königlich-Niederländischen Akademie der Künste und Wissenschaften an den Wissenschaftler *Marko Branica.*
Erasmus-Preis 1993 für Personen oder Institutionen, »die einen hervorragenden Beitrag für die Kultur, die Sozialwissenschaft oder die Wahrheit geleistet haben«, (ca 180 000 DM) an den Theaterregisseur *Peter Stein* (D).

ÖSTERREICH
Aimé-Wouwermans-Wissenschaftspreis 1992 des Österr. Produktivitäts- u. Wirtschaftlichkeitszentrums in Wien an die Wissenschaftlerin *Birgit Friedl.*
Preis der Stadt Wien für Wissenschaft u. Volksbildung 1992 an *Alfred Gisel* (Medizin. Wiss.), *Wilhelm von der Emde* (Natur- u. Techn. Wiss.), *Karl Hochwarter* (Volksbildung) u. *Werner Hofmann* (Geistes- u. Sozialwissenschaften).

RUSSLAND
Karpinskij (Alexander-Petrowitsch)-Preis I 1992 der Stiftung F. V. S. zu Hamburg (40 000 DM) in Moskau an den Mikrobiologen *Alexander S. Spirin;* **Preis II** (40 000 DM) an den Geologen, Geographen u. Paläontologen *Boris S. Sokolov.*

SCHWEDEN
Wallenberg (Marcus)-Preis 1992 für wissenschaftl. Leistungen im Bereich der Forst-Industrie (1 Mill. skr) an *Nils Hartler* u. *Ants Teder.*

SCHWEIZ
Benoist (Marcel)-Preis 1992 in Bern an die Wissenschaftler *Duilio Arigoni* u. *Kurt Wüthrich.*
Burckhardt (Jacob)-Preis 1993 der Johann-Wolfgang-von-Goethe-Stiftung Basel (20 000 DM) an den Geisteswissenschaftler *Georges Gusdorf* (F).
Jeantet (Louis)-Forschungspreis für Medizin 1993 (1,7 Mill. Forschungsgelder u. je 100 000 sfr) an die Wissenschaftler *Richard Henderson* (GB), *Jean-Pierre Changeux* (F) u. *Kurt Wüthrich* (CH).
Latsis-Preis 1992 (100 000 sfr) an die Philosophin *Maria-Cristina Pitassi.*
Monnet (Jean)-Preis 1992 der Johann-Wolfgang-von-Goethe-Stiftung Basel (45 000 sfr) an die Generalsekretärin des Europarates, *Catherine Lalumière.*

Nansen-Medaille 1992 des UNO-Flüchtlingskommissariats in Genf an den dt. Bundespräsidenten *Richard v. Weizsäcker.*
Oberrheinischer Kulturpreis 1993 der Johann-Wolfgang-von-Goethe-Stiftung in Basel (30 000 sfr) an den Politiker *Albert Muller* (F), den Forstwirtschaftsfachmann *Albert Hauser* u. den Organisten *Ludwig Doerr.*
Preis der Stiftung J. E. Brandenberger 1992 (150 000 sfr) an den Genfer Gelehrten *Alfred Berchtold.*
Sisyphus-Preis der Stadt Bern 1992 für Kulturförderer (10 000 sfr) an den Schauspieler *Norbert Klassen.*
Steiner (Josef)-Krebsforschungspreis 1992 in Bern (400 000 sfr) an *Bernard Fisher* (USA) u. *Gianni Bonadonna* (I).
Waadtländer Kunstpreis 1992 in Lausanne (je 100 000 sfr) an die Komödiantin u. Sängerin *Yvette Théraulaz* u. den Schriftsteller *Jacques Chessex;* **Prix »Jeunes créateurs«** (je 15 000 sfr) an den Maler *Jean-Luc Manz,* den Tänzer u. Choreographen *Serge Campardon* u. den Video-Künstler *Philippe Nicolet;* **»Prix Rayonnement«** (15 000 sfr) an den Komödianten *Jean-Quentin Châtelain;* **»Prix de l'Eveil«** (15 000 sfr) an den Musiker u. Pädagogen *Jacques Pache;* **Spezialpreis** u. a. an den Organisten *André Luy.*
Wenner (Robert)-Preis 1993 der Schweiz. Krebsliga (insges. 240 000 sfr) an den Biochemiker u. Zellbiologen *Erich A. Nigg* u. die Mediziner *Martin F. Fey* u. *Andreas Tobler.*

SPANIEN
Prinz von Asturien-Preis 1992 an die Schauspielerin *Elizabeth Taylor* (USA) für ihren Einsatz gegen die Immunschwächekrankheit AIDS.
Hidalgo-Preis 1993 des span. Zigeunerverbandes Presencia Gitana an den Schriftsteller *Günter Grass* (D).

TSCHECHISCHE REPUBLIK
Hlavka (Josef)-Medaille 1992 der Prager Akademie der Wissenschaften an den Wissenschaftler *Helmut Metzner.*
Palacký (Frantisek)-Medaille 1993 der Akademie der Wissenschaften in Prag an den Historiker *Winfried Eberhard* (D).

UNESCO
Bolívar (Simon)-Preis 1992 der UNESCO (25 000 $) zu gleichen Teilen an *Aung San Suu Kyi,* Oppositionspolitikerin aus Myanmar u. Friedensnobelpreisträgerin 1991, u. an den ehemal. tansanischen Präsidenten *Julius Nyerere.*
Picasso (Pablo)-Medaille in Gold 1993 der UNESCO an die Unternehmerin und UNESCO-»Bot-

schafterin für Kinder in Not«, *Ute-Henriette Oho-ven* (D).

UNESCO-»Botschafter des guten Willens« 1993 an den Geiger u. Dirigenten *Yehudi Menuhin* (USA).

UNESCO-Preis für Alphabetisierungsforschung 1992 (10000 $) an die Erziehungswissenschaftlerin u. Organisatorin von Grundbildungskursen für Erwachsene, *Catherine Stercq* (B).

UNESCO-Friedenspreis 1993 an die Internat. Rechtsakademie in Den Haag.

VEREINIGTE STAATEN VON AMERIKA

Afrika-Preis für Führerschaft 1992 der US-Organisation »Das Hunger Projekt« an *Grace S. Machel*, Präsidentin d. »National Organ. of Children« (MOC) u. *Ebrahim M. Samba*, Direktor d. »Onchocerciasis Control Programme« (WAG); – 1993 an Präs. *Jerry John Rawling* (GH) u. *Father Nzamujo Godfrey Ugwueghulam* (BZ).

Award of Achievement 1993 der Gleitsman Foundation in Kalifornien an die Künstlerin u. Bürgerrechtlerin *Bärbel Bohley* (D).

»Award of Merit in Retina Research« 1992 in New York (50000 $), höchste Auszeichnung für Augenheilkunde, an die Medizinerin *Ingrid Kreissig* (D).

Comenius (Johan-Amos)-Medaille 1992/93 des Moavian College in Bethlehem/Pennsylvania an den Theologen *Jürgen Moltmann* (D).

Hersholt (Jean)-Preis 1993 für humanitäre Verdienste an die Schauspielerinnen *Audrey Hepburn* u. *Elizabeth Taylor*.

Horwitz-Preis 1992 der Columbia University in New York (22000 $) an die Entwicklungsbiologin *Christiane Nüsslein-Volhard* (D) u. den Wissenschaftler *Edward B. Lewis*.

Waever (Richard M.)-Preis 1992 der Ingersoll-Stiftung für wissenschaftl. Arbeiten (20000 DM) an den Historiker *Walter Burkert* (CH).

NOBELPREISE 1991

Friedensnobelpreis des Nobelkomitees des norwegischen Parlaments in Oslo an die guatemaltekische Menschenrechtskämpferin *Rigoberta Menchu* (* 1959 Guatemala). Sie erhielt die Auszeichnung »in Anerkennung ihrer Arbeit für soziale Gerechtigkeit und ethnisch-kulturelle Versöhnung auf der Basis von Respekt für die Rechte der Urbevölkerung«. Die Indianerin vom Volk der Quiché habe eine immer herausragendere Rolle als Anwältin für die Rechte der Eingeborenen übernommen. *Rigoberta Menchus* Vater, Gründer der Landarbeitergewerkschaft (CUC), machte als einer der ersten Indigenas in den 70er Jahren im Ausland auf die Not der Guatemalteken aufmerksam. Nach der Ermordung ihrer Eltern mußte *Rigoberta Menchu* fliehen. Seit vielen Jahren führt sie ihren Kampf um die Menschenrechte in Guatemala von Mexiko aus. Die Preissumme von 1,8 Mill. DM will die Friedensnobelpreisträgerin zur Gründung einer Stiftung zum Schutz der indianischen Ureinwohner Lateinamerikas verwenden.

Nobelpreis für Literatur der Schwedischen Akademie der Schönen Künste in Stockholm an den karibischen Schriftsteller und Lyriker *Derek Walcott* (* 1930 Insel Santa Lucia). Als wichtiger Autor des westindischen Kulturkreises gilt *Walcott* auch als einer der bedeutendsten Poeten der Gegenwart. Von Anfang an konfrontierte er die Welt, aus der er stammte, mit den europäischen Versionen darüber. In ihm vereinen sich die Kulturen Amerikas, Afrikas und Europas; seine Vorfahren waren schwarze Sklaven. *Walcott* lebt heute in Trinidad und lehrt in Boston Dramaturgie. In seinem umfangreichen und vi-

talen autobiographischen Gedichtzyklus »Another Life« (1965–1972) schildert er vor allem seine Jugend auf Santa Lucia. Die Sammlung wurde 1973 veröffentlicht. Mit ihr wuchs sein Ruhm.

Nobelpreis für Chemie der Schwedischen Akademie der Wissenschaften in Stockholm an den amerikanischen Forscher *Rudolph A. Marcus* (* 21. 7. 1923 Montreal/CA). Bereits in den 50er und 60er Jahren analysierte *Marcus* die Überführung eines Elektrons zwischen zwei Molekülen. Er fand für die mit dem Elektronentransfer einhergehenden Veränderungen der Energiezustände einfache mathematische Gleichungen, mit denen sich die unterschiedlichen Geschwindigkeiten dieser Reaktionen berechnen lassen. Die Marcus-Theorie habe den experimentell tätigen Chemikern ein wertvolles Werkzeug an die Hand gegeben, heißt es in der Laudatio. *Marcus* arbeitet seit 1978 am California Institute of Technology in Pasadena/CA.

Nobelpreis für Physik der Schwedischen Akademie der Wissenschaften in Stockholm an den französischen Forscher *Georges Charpak* (* 1. 8. 1924 Polen) für Forschungen aus den 60er Jahren auf dem Gebiet der Teilchenphysik. Seine Entdeckung erlaube allen Forschern einen besseren Einblick in die kleinsten Teilchen unserer Materie. Mehrere tausend Wissenschaftler hätten aus *Charpaks* Erfindung Nutzen gezogen. *Charpak* wurde als Jude 1943 ins Konzentrationslager Dachau verschleppt, wo er bei Kriegsende befreit wurde. Seit 1959 arbeitet der Wissenschaftler am Europ. Kernforschungszentrum CERN in Genf. Er ist außerdem Joliot-Curie-Professor an der École Supérieur de Physique et Chimie der Stadt Paris sowie Mitglied der Franz. Akademie der Wissenschaften.

Nobelpreis für Medizin und Physiologie der Nobelversammlung des Karolinischen Instituts in Stockholm an die amerikanischen Biochemiker *Edmond H. Fischer* (* 6. 4. 1920 Schanghai) u. *Edwin G. Krebs* (* 6. 6. 1918 Lansing/IA) »für ihre Entdeckungen über die reversible Proteinphosphorylierung als biologischer Regulationsmechanismus«, ohne den der Körper nicht funktionieren würde. So spielt z. B. dieser Regulationsmechanismus eine wesentliche Rolle bei verschiedenen zellulären Vorgängen wie der Muskeltätigkeit, der Verarbeitung von Sinneseindrücken und dem Wachstum von Zellen, ebenso bei der Entstehung von krankhaften Störungen wie Krebs oder Depressionen. *Fischer* kam 1947 als Research Fellow der Rockefeller-Stiftung nach USA. Seit 1953 ist er Professor für Biochemie an der Universität von Washington in

Seattle. *Krebs* lehrte ebenfalls dort Biochemie und Pharmakologie. Er arbeitete außerdem an der Universität von Kalifornien in Davis u. am Howard Hughes Medical Institute in Seattle. Seit 1988 ist er emeritiert.

Nobel-Gedenkpreis für Wirtschaftswissenschaften der Schwedischen Akademie der Wissenschaften in Stockholm an den Amerikaner *Gary S. Becker*, Professor der Wirtschafts- u. Sozialwissenschaften der Universität von Chicago (* 2. 12. 1930 Pottsville/PA), »für seine Verdienste um die Ausdehnung der mikroökonomischen Theorie auf einen weiten Bereich menschlichen Verhaltens und menschlicher Zusammenarbeit«. *Becker* formulierte die Theorie, wonach nicht nur Unternehmen, sondern auch Verbraucher rational vorgehen. Er weitete dies zu einer Wirtschaftstheorie der Familie aus, um so menschliches Verhalten wie Heirat, Scheidung, Entscheidung für Kinder oder deren Erziehung zu analysieren.

FRIEDENSPREISE DES DEUTSCHEN BUCHHANDELS
1950 – 1992

In diesem »Fischer Weltalmanach« werden die Friedenspreisträger des Deutschen Buchhandels in chronologischer Folge vorgestellt. Der Friedenspreis wird jährlich an Persönlichkeiten vergeben, die in hervorragendem Maße besonders durch ihre Tätigkeit auf den Gebieten der Literatur, Wissenschaft und Kunst zur Verwirklichung des Friedensgedankens beigetragen haben.

Die Preisträger

1950 Max Tau – (* 19. 1. 1897 Beuthen/Oberschlesien, † 13. 3. 1976 Oslo). *Tau* studierte Philologie. 1938 mußte er Deutschl. verlassen u. fand in Norwegen eine neue Heimat. 1942 Flucht nach Schweden, 1945 Rückkehr nach Oslo. Er bemühte sich in seinen Werken um Frieden u. Völkerverständigung. Herausg. d. Internat. Friedensbücherei. Mehrfach geehrt, u. a. Nelly-Sachs-Preis (1965) u. Sonning-Preis (1970).

1951 Albert Schweitzer – (* 14. 1. 1875 Kaysersberg/Elsaß, † 4. 9. 1965 Lambarene/Kongo). Evangel. Theologe, Philosoph, Musiker u. Arzt. 1913 als Missionsarzt nach Lambarene. Gründete dort ein Hospital. Geldmittel dafür beschaffte er sich durch Vorträge, Orgelkonzerte u. seine schriftstell. Arbeit. Erhielt u. a. 1952 d. Friedensnobelpreis. Bereits 1957 warnte *Schweitzer* vor den Atomgefahren.

1952 Romano Guardini – (* 17. 2. 1885 Verona/Italien, † 1. 10. 1968 München). *Guardini* wuchs in Deutschl. auf, studierte Natur- u. Staatswissenschaften u. Theologie. Arbeitete zunächst in d. Seelsorge. 1923–1939 Professor für Religionsphilosophie u. kath. Weltanschauung in Breslau, zwangsemeritiert. 1945 Ruf an d. Universität Tübingen, 1948 nach München. 1958 Orden Pour le mérite.

1953 Martin Buber – (* 8. 2. 1878 Wien, † 13. 6. 1965 Jerusalem). Kindheit im Haus seines Großvaters, d. rabb. Gelehrten *Salomon Buber.* Studium in Berlin, München, Leipzig, Zürich u. Wien. Frühzeitig schloß sich *Buber* der Zion. Beweg. um *Theodor Herzl* an. Lehrte bis zu seiner Entlassung 1933 in Frankfurt a. M. vergleichende Religionswissenschaft. 1938 Emigration nach Israel. Gemeinsam mit *Franz Rosenzweig* erarbeitete er »Die Verdeutschung der Schrift«.

1954 Carl J. Burckhardt – (* 10. 9. 1891 Basel, † 3. 3. 1974 Genf). 1918–1921 Gesandtschaftsattaché in Wien. Von 1927–1937 Lehrtätigkeit, zunächst in Zürich, anschl. am Inst. des Hautes Etudes Internat. in Genf. Missionstätigkeit für das Internat. Rote Kreuz in Kleinasien u. Japan. Als Völkerbundkommissar in Danzig 1937–1939 war er um Ausgleich zwischen Deutschl. u. Polen bemüht. Tätigkeit im Internat. Komitee des Roten Kreuzes, dessen Präs. er später war. 1945–1950 Gesandter d. Schweiz in Paris. 1955 Orden Pour le mérite.

1955 Hermann Hesse – (* 2. 7. 1877 Calw, † 9. 8. 1962 Montagnola/Schweiz). Vater Missionsprediger, Mutter Tochter eines Missionars. Verließ 1892 nach einjähr. Ausbildung das evang.-theolog. Seminar. Ab 1895 Buchhandelslehre in Tübingen, ab 1899 Buchhändler u. Antiquar in Basel. 1904 erste literar. Erfolge als freier Schriftsteller. Indienreise u. Reisen durch Europa. Tätigkeiten beim Roten Kreuz u. in d. Gefangenenfürsorge. 1923 wurde er Schweizer Staatsbürger. 1946 Nobelpreis für Literatur, 1954 Orden Pour le mérite.

1956 Reinhold Schneider – (* 13. 5. 1903 Baden-Baden, † 6. 4. 1958 Freiburg/Br.). Dichter u. Historiker. Reisen durch mehrere europ. Länder. Arbeitete lange als freier Schriftsteller. Im Zweiten Weltkrieg Publikationsverbot, verbreitete daraufhin illegal Traktate u. Sonette. Bedeut. Vertreter d. geistig. Widerstandes geg. d. Nationalsoz. 1952 Orden Pour le mérite.

1957 Thornton Wilder – (* 17. 4. 1897 Madison/Wisc., † 7. 12. 1975 Hamden/Con.). Als Sohn d. amerik. Generalkonsuls einige Kindheitsjahre in China. 1914 Rückkehr nach USA. Studium der neueren Sprachen. Stipendiat der Amerik. Akademie in Rom. Div. Europa-Aufenthalte. Ab 1936 Prof. für Dichtkunst an d. Harvard-Univ. Cambridge/ Mass. Als Dramatiker wurde *Wilder* bald auch in Europa bekannt. 1956 Orden Pour le mérite.

1958 Karl Jaspers – (* 23. 2. 1883 Oldenburg, † 26. 2. 1969 Basel). *Jaspers* studierte Jura u. Medizin. 1909–1915 wissenschaftl. Assist. d. Psychiatr. Klinik Heidelberg. Habilitation für Psychologie. Lehrte in Heidelberg Philosophie. 1937 zwangsemeritiert, 1945 Wiedereinsetzung. Seit 1948 Lehrstuhl für Philosophie an d. Universität Basel. Umfangr. Werk. 1964 Orden Pour le mérite.

1959 Theodor Heuss – (* 31. 1. 1884 Brackenheim, † 12. 12. 1963 Stuttgart). Studium d. Kunstgeschichte u. d. Staatswissenschaften. Schloß sich früh d. Kreis um *Friedrich Naumann* an. Reichstagsabgeordneter, nach Kriegsende Kultusmin. v. Württemb.-Baden. Herausg. d. »Rhein-Neckar-Zeitung«. Lehrte Geschichte u. polit. Wissenschaften an d. Techn. Hochschule Stuttgart. 1949 erster dt. Bundespräs.

1960 Victor Gollancz – (* 9. 4. 1893 London, †8. 2. 1967 London). Während d. Ersten Weltkriegs in Fernost tätig. Rückkehr nach London. 1927 gründete er einen eigenen Verlag, 1936 d. »Left Book Club«. Engagierte sich geg. Hitler u. setzte sich nach Kriegsende überall für hungernde u. notleidende Menschen ein. *Gollancz* wurde 1946/47 bekannt durch seine Aktion »Save Europe Now« u. sein Eintreten als Jude geg. d. dt. Kollektivschuld.
1961 Sarvepalli Radhakrishnan – (* 5. 9. 1888 Tiruttani/Madras, †17. 4. 1975 Mylapore/Madras). Bereits mit 21 J. Prof. für Philosophie. Vorlesungen an versch. Universitäten, u. a. in Oxford. In den 50er Jahren zweimal Präs. d. UNESCO. Ind. Botschafter in Moskau. 1952 Vizepräs., 1962–1967 Präs. d. Republ. Indien. Erhielt 1955 als erster Inder den Orden Pour le mérite.
1962 Paul Tillich – (* 20. 8. 1886 Starzeddel/Kr. Guben, †22. 10. 1965 Chicago). Studium in Berlin, Tübingen u. Halle. Lehrte Theologie u. Religionsphilosophie an versch. Universitäten. Lehrstuhl für Philosophie u. Soziologie in Frankfurt a. M. 1933 mußte *Tillich* in d. USA emigrieren. Wurde 1955 Prof. an d. Harvard-Universität, nach seiner Emeritierung Ruf nach Chicago.
1963 Carl Friedrich von Weizsäcker – (* 28. 6. 1912 Kiel). Schüler v. *Werner Heisenberg* u. *Niels Bohr*. Assistent am Berliner Kaiser-Wilhelm-Institut für Chemie, als *Otto Hahn* dort die Uranspaltung entdeckte. Lehrte an versch. Universitäten, arbeitete am Max-Planck-Inst. Göttingen, 1970–1980 Dir. des MPI Starnberg z. Erforschung d. Lebensbedingungen in d. wiss.-techn. Welt. Lebt als Philosoph u. Friedensforscher in Söcking/Obb. 1961 Orden Pour le mérite, 1969 Erasmus-Preis.
1964 Gabriel Marcel – (* 7. 12. 1889 Paris, †8. 10. 1973 Paris). Philosoph u. Dramatiker. Erhielt mit kaum 21 J. seine Agrégation. *Marcel* widmete sich während d. Ersten Weltkriegs d. Roten Kreuz. 1922 verließ er d. Lehrberuf. Arbeit in Verlagen. Gesuchter Theaterkritiker. 1948 Grand Prix de Littérature der Académie française. 1969 Erasmus-Preis.
1965 Nelly Sachs – (* 10. 12. 1891 Berlin, †12. 5. 1970 Stockholm). 1940 Emigration nach Stockholm. Umfangr. lyrisches Werk, entstanden aus d. Verbundenheit mit d. Schicksal u. d. literar. Tradition d. jüd. Volkes. Auch Dramatikerin u. Übersetzerin schwed. Lyrik. 1966 Nobelpreis für Literatur, zus. mit *Samuel Agnon*. 1960 Droste-Preis. 1961 d. nach ihr benannten Kulturpreis d. Stadt Dortmund.
1966 Willem A. Visser't Hooft – (* 20. 9. 1900 Haarlem, †4. 7. 1985 Genf)/**Augustin Kardinal Bea** (* 28. 5. 1881 Riedböhringen/Baden, †16. 11. 1968 Rom). *Hooft* studierte Theologie. Tätigkeiten in d. Niederlanden u. in Genf. 1931 Generalsekr. d. Christl. Stud.-Weltbundes, seit 1937 an allen Ökumen. Weltkonferenzen beteiligt. 1948 Generalsekr.

d. Ökumen. Rates d. Kirchen in Genf. 1967 Sonning-Preis. – *Kardinal Bea* studierte Theologie, Philosophie u. Philologie. Trat 1902 in d. Gesellschaft Jesu ein, 1912 zum Priester geweiht. 1924 Professor an d. Gregoriana u. am Päpstl. Bibelinstitut in Rom, dessen Rektor er von 1930–1949 war. 1959 v. *Johannes XXIII.* zum Kurienkardinal erhoben.
1967 Ernst Bloch – (* 8. 7. 1885 Ludwigshafen, †4. 8. 1977 Tübingen). Studierte Philosophie, dt. Philologie u. Physik. Beschäftigung mit *Karl Marx*. Arbeit als freier Schriftsteller. Verließ Deutschl. aus Protest geg. d. Ersten Weltkrieg. Rückkehr nach d. Novemberrevolution. *Bloch* warnte frühzeitig vor dem Nationalsozialismus. 1933 Emigration, kam 1938 in d. USA, wo sein Hauptwerk entstand. 1949 Rückkehr nach Leipzig, blieb nach d. Mauerbau 1961 in Westdeutschland.
1968 Léopold Sédar Senghor – (* 9. 10. 1906 Joal-la-Portugaise/Senegambien). Zunächst Priesterseminar, später Lehrtätigkeit, u. a. Griechisch u. Latein, Lehrstuhl für afrik. Sprachen u. Kulturen. Gleichzeitig Beginn polit. Laufbahn. 1946 Mitgl. d. Senats, d. Franz. Gemeinsch. u. d. berat. Vers. d. Europarates. Abgeordneter in d. franz. Nationalvers. Wurde Mitgl. d. UNESCO. 1960 erster Präs. d. unabh. Republ. Senegal. Freiw. Rücktritt nach 20 J. Seit 1984 Mitgl. d. Académie française.
1969 Alexander Mitscherlich – (* 20. 9. 1908 München, †26. 6. 1982 Frankfurt a. M.). Studierte zunächst Geschichte, Philosophie u. Literaturwissenschaft. Anfang d. 30er Jahre Emigration in d. Schweiz, dort Beginn d. Medizinstudiums. Facharzttätigkeit. Psychosomatik, Psychoanalyse u. Sozialpsychologie sowie Stadtplanung wurden seine Schwerpunkte. A. o. Prof., ab 1967 Ordinarius f. Psychologie in Frankfurt a. M.
1970 Alva Myrdal – (* 31. 1. 1902 Uppsala, †1. 2. 1986 Stockholm)/**Gunnar Myrdal** – (* 6. 9. 1898 Orsa/Dalecarlia, †17. 5. 1987 Stockholm). *Alva Myrdal* studierte Religions- u. Literaturgeschichte, später Psychologie u. Psychiatrie sowie Sozialpsychologie. Widmete sich in versch. Organisationen sozialen u. Bildungsfragen, Delegationsmitgl. d. UN-Vollvers., Chefdelegierte bei d. Genfer Abrüstungskonferenz u. Reichstagsabgeordnete. 1964 Gründung d. Inst. f. Friedensforschung (SIPRI). 1982 Friedensnobelpreis zus. m. *Garcia Robles*. - *Gunnar Myrdal* studierte Jura. Lehrtätigkeit in Wirtschaftswissenschaften, Nationalökonomie u. Finanzwissenschaften. Wurde Reichstagsabgeordn., 1945 Handelsmin. in Stockholm. 1947–1957 Generalsekr. d. UN-Wirtschaftskomm. f. Europa in Genf. 1961–1970 Prof. f. Internat. Economics an d. Univ. Stockholm, dort auch Gründer u. Direktor d. Inst. für Internat. Economic Studies. Vorstandsvors. d. SIPRI. 1974 Nobelpreis f. Wirtschaftswissenschaften zus. m. *F. A. v. Hayek*.

1971 Marion Gräfin Dönhoff – (*2. 12. 1909 Ostpreußen). Studium der Volkswirtschaft, u. a. in Oxford. Jahrelange Mitarbeit im Widerstandskreis d. Hitler-Attentäter v. 20. 7. 1944. 1945 Flucht aus Ostpreußen. Bei Gründung der Wochenzeitung »Die Zeit« Eintritt in d. Redaktion, 1955 polit. Leiterin, 1968 Chefredakteurin. Seit 1973 Mitherausgeberin der »Zeit«. 1966 Theodor-Heuss-Preis.

1972 Janusz Korczak (*22. 7. 1878 Warschau, †Aug. 1942 Treblinka). Geb. als *Henryk Goldszmit*. Studierte Medizin. Als *Janusz Korczak* veröffentlichte er mit 20 J. erste literar. Texte. Gab Arztpraxis auf u. leitete ab 1907 jüd. Waisenhaus, später auch Heim f. verwaiste Arbeiterkinder. In zahlr. Veröffentl. setzte sich *Korczak* f. das Recht d. Kindes auf Achtung, Liebe u. Bildung ein. 1940 mußte er mit 200 Waisenkindern ins Warschauer Ghetto ziehen. 1942 ging er mit diesen Kindern in Treblinka in den Tod. Befreiung ohne die Kinder lehnte er ab.

1973 The Club of Rome – (gegründet 1968). Zusammenschluß v. Vertretern aus Wissenschaft, Industrie u. Wirtschaft aus über 30 Staaten. Erklärte Absicht: vor allem d. polit. Verantwortlichen zum Nachdenken über d. Situation d. Menschheit anzuregen, vergibt dazu Forschungsaufträge. 1972 erregte sein Bericht »Die Grenzen des Wachstums« erstmals weltweit Aufsehen und Betroffenheit.

1974 Frère Roger – (*12. 5. 1915 Provence/ Schweiz). Eigentl. *Roger Schutz*. Studierte Theologie. Gründete 1940 in Taizé/Burgund d. Communauté de Taizé. Heute leben in dieser ökumen. Gemeinschaft ca. 70 Brüder aller christl. Kirchen aus über 10 Ländern. *Frère Roger* ist seit 1949 ihr Prior. Sie wirken vor allem in Elends- u. Armenvierteln der Welt.

1975 Alfred Grosser – (*1. 2. 1925 Frankfurt a. M.). 1933 emigrierte d. Familie nach Frankreich. *Grosser* studierte Germanistik, später Politologie. Seit Kriegsende engagierter Förderer d. dt.-franz. Verständigung. Wurde u. a. Herausg. d. Zeitschr. »Allemagne«. Seit 1956 hauptamtl. Forschungsdirektor an d. »Fondation nationale des sciences politiques« u. Prof. am »Inst. d'études politiques« in Paris, wo er heute lebt.

1976 Max Frisch – (*15. 5. 1911 Zürich, †4. 4. 1991 Zürich). Studium d. Germanistik u. Architektur. Lebte seit 1954 als freier Schriftsteller. Veröffentlichte seit 1934 Theaterstücke, Romane, Hörspiele u. kurze Prosa, Tagebücher u. Kommentare. Seine Themen: Schule, Macht u. Gerechtigkeit, auch Fragen d. Identität u. persönl. Freiheit. Zahlr. Auszeichnungen, u. a. Georg-Büchner-Preis (1958) u. Jerusalem-Preis (1965).

1977 Leszek Kolakowski – (*23. 10. 1927 Radom/ Polen). Philosophiestud. in Warschau. Führendes Mitgl. d. polit. Reformbewegung v. 1956. Trotz öffentl. Kritik erhielt er Auslandsstipendien. Herausg.

d. Zeitschr. »Studia Filozificzne«. 1958 Lehrstuhl f. Geschichte u. Philosophie. 1966 Parteiausschluß wegen Kritik an Beschränkung d. Meinungsfreiheit. 1968 Lehrstuhlentzug. Reiste nach Kanada aus. Umfangr. Lehrtätigkeit auch in USA. Seit 1970 in Oxford.

1978 Astrid Lindgren (*14. 11. 1907 Näs/Smaland). 1941 begann sie Kinderbücher zu schreiben. Bald eine der am häufigsten ausgezeichneten Autorinnen. Ihre Bücher wurden in viele Sprachen übersetzt u. von Generationen v. Kindern in aller Welt gelesen. *Lindgrens* Anliegen: Kindern d. Schatz der Phantasie zu erhalten u. ihr Vertrauen in das Leben zu stärken. Lebt in Stockholm.

1979 Yehudi Menuhin – (*22. 4. 1916 New York). Sohn russ. Eltern. Spielte bereits mit 5 J. Geige, als Wunderkind gefeiert. 1935 erste Welttournee mit 110 Konzerten. Nach Kriegsende erster Künstler, d. in befreiten europ. Städten konzertierte. Verzichtete oft zugunsten humanit. Zwecke auf Gage. 1963 gründete er in England d. Yehudi Menuhin-School. Träger höchster Auszeichn., u. a. Nehru-Preis f. internat. Verständigung. Sir *Menuhin* lebt in London.

1980 Ernesto Cardenal – (*20. 1. 1925 Granada/ Nicaragua). Studierte Philosophie u. Literaturwissenschaft. Schon früh schriftstellerisch tätig. Beteiligte sich an April-Rebellion geg. Somoza. 1957 Eintritt in Trappistenkloster, Studium d. Theol. u. 1965 zum Priester geweiht. Gründete christl. Kommune: Solentiname. 1977 im Exil nach Costa Rica, v. dort f. d. Sandin. Befreiungsfront aktiv. Nach Sturz d. Somoza-Regimes Rückkehr nach Nicaragua. Seitdem Kulturminister. Lebt in Managua.

1981 Lew Kopelew – (*9. 4. 1912 Kiew). Nach Studium Lehrtätigk am Moskauer Institut f. Geschichte, Philosophie u. Literatur. 1941–1945 Offizier in d. Roten Armee. Versuchte bei Einmarsch in Ostpreußen Grausamkeiten geg. d. dt. Bevölkerung zu verhindern. 10 J. Straflager wegen »Mitleid mit dem Feind«. Danach schriftstellerische Tätigkeit. Seit 1960 Gastvorlesungen an sowj. Universitäten. 1975 Auftritts- u. Publikationsverbot. Ausbürgerung während einer Reise in d. BRD. Lebt seit 1981 in Köln.

1982 George F. Kennan – (*16. 2. 1904 Milwaukee/Wisconsin). Geschichtsstudium, später u. a. noch russ. Sprache u. Lit. Seit 1926 im diplom. Dienst. Seine Stationen waren Riga, Wien, Moskau u. Prag, Außenministerium in Washington u. wieder Lissabon, London u. Moskau. 1947 Chef d. außenpolit. Planungsausschusses d. USA. Rücktritt, weil er seine Pläne nicht durchsetzen konnte. Wieder Botschafter in Moskau, später in Belgrad. Von 1963–1974 Lehrtätigkeit in Princeton, wo *Kennan* heute lebt. U. a. 1976 Orden Pour le mérite.

1983 Manès Sperber (*12. 12. 1905 Zablotow/Ostgalizien, †5. 2. 1984 Paris). 1916 Übersiedlung d.

Familie nach. Wien. Wurde Mitgl. d. Kommun. Partei. 1927–1933 Lehrer f. Individualpsychologie in Berlin. 1933 Emigration zunächst nach Jugosl., dann Paris. 1937 Parteiaustritt. 1939 wichtige erste Essays. 1950 begründete der Roman »Der verbrannte Dornbusch« seinen literar. Ruhm. U. a. Hansisch. Goethe-Preis (1973), Georg-Büchner-Preis (1975) u. Buber-Rosenzweig-Med. (1979).

1984 Oktavio Paz – (* 31. 3. 1914 Mexiko-Stadt). Veröffentl. m. 14 J. erste Gedichte. Studium d. Rechts- u. Literaturwissenschaften. In Yucatan initiierte er eine Schule f. d. Kinder d. Campesinos. Ging später nach Madrid, Paris, San Francisco u. New York. Gründete mehrere Zeitschr. Ab 1945 im dipl. Dienst Mexikos nach Paris, Tokio u. Neu-Delhi. Rücktritt anläßl. d. Massakers an Studenten in Mexiko 1968. Beginn umfangr. Lehrtätigkeit. Mitgl. d. Americ. Association of Arts and Letters. Preise u. a.: Jerusalem-Preis u. Nationalpreis f. Literatur in Mexiko (1977) u. Cervantes-Preis (1981).

1985 Teddy Kollek – (* 27. 5. 1911 Wien). Seit 1922 Mitgl. d. zionist. Jugendvereinigung, 1935 Auswanderung nach Palästina. Wurde f. d. He-Halutz tätig, um verfolgte Juden aus Deutschl. zu retten. Seit 1940 für d. Jewish Agency tätig. Nach israel. Staatsgründung 1951–52 Gesandter in USA. 1952 unter *Ben Gurion* Leiter d. Ministerpräs.-Büros. Seit 1965 Bürgermeister v. Jerusalem.

1986 Wladyslaw Bartoszewski – (* 19. 2. 1922 Warschau). Mehrere Monate im KZ Auschwitz. 1942 begann er in kath. Widerstandsgruppen mit Hilfsaktion für Juden u. beteiligte sich 1944 am Aufstand im Warschauer Ghetto. Mehrere Jahre Haft wegen angebl. Spionagetätigkeit. Arbeit f. Zeitschriften u. Zeitungen. 1972–1982 Generalsekr. d. poln. PEN. Nach Verhängung d. Kriegsrechts 1980/81 kurze Inhaftierung. Seitdem Vorlesungen über poln. Zeitgeschichte. Wiederholt als Gastprof. an dt. Universitäten. Lebt in Warschau.

1987 Hans Jonas – (* 10. 5. 1903 Mönchengladbach, † 5. 2. 1993 New York). Studierte Philosophie, Theologie u. Kunstgeschichte. Mit 27 J. erste Buchveröffentl. 1933 Emigration nach England, 1935 nach Palästina. Dozent a. d. Hebräisch. Universität. Im Zweiten Weltkrieg Dienst in d. brit. Armee. Nach Kriegsende bis zur Emeritierung 1976 Lehrtätigkeit in Jerusalem, Kanada, USA, später auch in Deutschl. 1979 erstm. wieder Buchveröffentl. in dt. Sprache. Mehrere Auszeichnungen, u. a. 1984 Leop.-Lucas-Preis.

1988 Siegfried Lenz – (* 17. 3. 1926 Lyck/Ostpreußen). Kriegsdienst b. d. Marine, desertierte kurz v. Kriegsende nach Dänemark. Nach 1945 Studium d. Philosophie u. Literatur. Feuilletonredak-

teur. 1951 erste Buchveröffentlichung. Seitdem freier Schriftsteller. Gehörte zur »Gruppe 47«. Mitgl. d. Verb. dt. Schriftst., d. PEN-Zentrums d. BRD, d. Freien Akademie d. Künste in Hamburg u. d. Dt. Akademie f. Sprache u. Dichtung. Zahlreiche Preise u. Auszeichn., u. a. Gerh.-Hauptmann-Preis (1961), Thomas-Mann-Preis (1979) u. Manès-Sperber-Preis (1985).

1989 Václav Havel – (* 5. 10. 1936 Prag). Wegen »bourgeoiser Herkunft« zunächst Abitur verwehrt, ebenso Studium. Schlug sich u. a. als Taxifahrer, Bühnenarbeiter u. Beleuchter durch. 1960 Hausautor am Theater am Geländer. Dort Aufführung seiner ersten Stücke. Kritisierte bei einem Schriftstellerkongreß Absurdität d. Machtapparats d. KP. Während d. »Prager Frühlings« Vors. d. Clubs unabhäng. Schriftsteller. Nach d. Intervention Aufführungs- u. Publikationsverbot. Unterzeichner u. Wortführer d. »Charta 77«. 1977–1989 immer wieder im Gefängnis. Nach d. Zusammenbruch d. kommun. Regimes erster Staatspräs. d. CSFR, nach d. Trennung d. beiden Landesteile erster Präs. d. Tschech. Republ. 1993 Theodor-Heuss-Preis.

1990 Karl Dedecius – (* 20. 5. 1921 Lodz). Arbeits-, Wehr- u. Kriegsdienst. 1943 Gefangennahme in Stalingrad. 1951 Oberassist. u. wissenschaftl. Übersetzer am Dt. Theater-Inst. Weimar. Ende 1952 Umzug nach Westdeutschl. 1954 Leiter der Abteil. Ausbildung, Presse, Werbung einer großen Versicherung in Frankfurt a. M. Seit 1979 Leiter d. Dt. Polen-Instituts in Darmstadt.

1991 György Konrád – (* 2. 4. 1933 Debrecen/Ungarn). Studium d. Literatur, Soziologie u. Psychologie. Viele Freunde u. Mitglieder seiner jüd. Familie wurden Opfer d. Nazionalsozialisten. Zwischen 1959 u. 1965 erste Essays. Zusammenarbeit m. d. Soziologen u. Urbanisierungstheoretiker *Iván Szelényi*. 1969 Romandebüt. 1974 verhaftet, nach weltweiten Protesten wieder freigelassen. Auslandsstipendien u. Reisen. 1978–88 Publikationsverbot in Ungarn. 1990 Präs. d. Internat. PEN. Lebt in Budapest.

1992 Amos Oz – (* 4. 5. 1939 Jerusalem als *Amos Klausner*). Sohn rechts-zionist. Gelehrtenfamilie aus Odessa. Nach d. Eintritt in Kibbuz u. Abschluß d. weltl. Oberschule nahm er d. Namen *Amos Oz* an. Nach Wehrdienst u. Studium d. Literatur u. Philosophie Rückkehr in d. Kibbuz. Teilnahme sowohl am Sechs-Tage-Krieg 1967 als auch im Jom-Kippur-Krieg 1973. Mitherausg. d. »Gespräche mit israelischen Soldaten«, aus deren Kreis d. Friedensbewegung »Schalom achschaw« hervorging. Kritiker d. israel. Libanonpolit. *Oz* tritt f. Kompromiß zw. Israelis u. Palästinensern ein.

Historische Gedenktage 1994

Hier ausgewählte Gedenktage und Jubiläen der Welt-, Kultur- und Zeitgeschichte sollen in erster Linie an **zahlreichen Kalendertagen** des Jahres 1994 auf **Ereignisse** der Vergangenheit aufmerksam machen. Sie gewährleisten keine Darstellung historischer **Zusammenhänge**, wie sie ein Geschichtsbuch bietet. Militärputsche in Drittweltstaaten werden nur verzeichnet, wenn sich daraus grundlegende und langfristige Neuentwicklungen für das Land ergaben. Auf Entdeckungen und Forschungen, die mit Nobelpreisen ausgezeichnet sind, wird aus Platzgründen kaum eingegangen (→ dazu Abschnitt Nobelpreise mit den Sonderkapiteln in den Ausgaben WA'84 sowie WA'88 bis WA'93).

Zum Gebrauch des Kalendariums: Sie wollen z. B. wissen, ob der 11. Januar als Gedenktag verzeichnet ist. Im Kalender finden Sie hier unter anderem die Ziffer **3**. Auf den folgenden Seiten treffen Sie an einem Zeilenende ebenfalls auf die halbfette Ziffer **3**: Sie wissen nun, daß am 11. Januar 1494 Ghirlandaio gestorben ist. Es sind bis zu drei Gedenktage pro Kalendertag verzeichnet (z. B. am 1. Januar).

	1.	2.	3.	4.	5.	6.	7.	8.	9.	10.	11.	12.	13.	14.	15.	16.	17.	18.	19.	20.	21.	22.	23.	24.	25.	26.	27.	28.	29.	30.	31.
Januar	63	98	98	193	98	193	98	30	193	31	3	193	98	193	98	193		4	191	191	194	117	83	14	117	117	184	117	117	117	117
	137										132												117	141	191						
	193										196									191	191										
Februar	143	178	117	64	117	117	117	117	117	117	117	65	117	117	84	117	117	117	117	41	117	117	117	117	117	197	61	117			
März	117	175	117	117	144	117	117	5	117	117	117	117	117	117	54	117	117	42	99	66	117	117	117	6	117	32	187	56	56	44	61
		180	175	175	162	175	175	33	175	175	175	175	175	175			184	99	117	117				24	187	198		100	100	100	100
					175			39																43		199		200	187	187	187
April	100	100	100	85	25	100	100	100	100	100	100	100	100	100	45	111	111	111	111	111	111	111	111	111	46	179	111	117			
	117	117	117	100	100	145	117	117	130	117	117	117	117	117	117	176	117	117	117	117	117	117	117	117	117			178			
	176	176	176	176	176	176	176	176	180	176	176	176	176	176	176	193	176	176	183	176	176	176	176	176							
Mai	111	201	111	111	111	111	111	26	111	111	111	118	118	118	118	118	118	118	118	118	13	131	131	131	131	40	131	131	15	131	
																		163			131	133		192		131				131	
Juni	16	131	131	36	36	36	1	131	95	23	23	23	23	23	23	23	23	23	23	23	101	23	179	23	20	95	95	95	95		
	22			47	131	39	131	159	132	48	95	119	131	112	113	113	95	95	113	135	134	101	188	95	95	101	101	101	101		
	179			131	160	160	160	160	160	129	129	129	131	202	179	131	131	113	113	188	188	188	188	194	101	101	113	113	113		
Juli	75	75	75	75	75	75	75	75	75	75	75	75	75	177	177	177	177	177	161	124	113	67	124	120	27	120	29	28	29	177	90
	162				203		146													127	124	75		124	124	49	29	102			148
					204														161	161	191			205		120	120	120	120		177
August	37	55	55	55	50	55	55	55	55	55	7	182	182	182	86	12	68	150	182	103	77	103	103	151	17	91	91	91	91	105	105
	125	76	177			55	206	90									129				103				91						
	149	90	182					139									207				184				104						
Sept.	164	96	208	106	78	106	106	69	79	79	79	8	175	106	54	80	81	81	81	81	81	81	58	173	18	77	152	77	9	166	
					106				106	130	172	80	79			92	97	106							126			165			
											121				107																
Okt.	20	136	77	136	77	136	34	136	136	128	136	133	87	70	51	19	108	108	108	108	93	114	52	114	114	57	57	57	114	114	
	189						77						170	127	190	190	114	114	108	168	130		153					109		169	
																	167														
Nov.	59	88	59	59	10	21	38	21	21	21	111	122	195	79	79	79	2	195	195	71	195	22	185	116	53	116	116	35	116	116	
							138							195	195	195	158		195					158	116			116		154	
																	195											171			
Dez.	62	62	72	62	185	185	73	110	110	82	110	110	110	110	110	94	94	94	11	58	58	58	94	94	123	123	123	123	123	157	123
					185	209		110			181	155				156	110	110	74	94	94	110	110								
										140						185	174	110	94	110	110				123						

≈ = ungefähr (kein genaues Tages-/Jahresdatum bekannt)

* = geboren; gegründet; Begründer; Gründung des/der...

⚭ = heiratet, vermählt mit ...; Zusammenschluß (zweier Vereinigungen)

† = gestorben/hingerichtet; Auflösung, Abschaffung

Es geschah vor 500 Jahren: **1494** – *Kolonisierung Amerikas/Renaissance in Italien*

Vertrag von Tordesillas (7. 6.): Überseeische Interessensphären (Entdeckungen) zwischen Portugal u. Spanien (Kastilien) werden auf Grundlage eines Schiedsspruchs von Papst Alexander VI. (»für Gott die Seelen, das Land dem König«) durch Nord-Süd-Linie 370 Meilen westlich der Kapverdischen Inseln neu abgegrenzt (zuletzt 1493: → WA'93/1085f.): Spanien erhält den Westen, Portugal den Osten   **1**
Europa: Karl VIII. von Frankreich zieht auf Italien-Feldzug am 17. 11. in Florenz ein u. vertreibt die Medici. Der Dominikanerbußprediger Girolamo Savonarola (1452–1498) ruft mit Unterstützung Frankreichs Christus zum König von Florenz aus und errichtet eine republikan. Theokratie (besteht bis 1512)   **2**

WISSENSCHAFT, SCHÖNE KÜNSTE UND PERSÖNLICHKEITEN

(Periode von Cranach d.Ä., Dürer, Luther, Michelangelo, Riemenschneider, Tizian und da Vinci)
† 11. 01. **Ghirlandaio** [Domenico di Tomaso Bigordi], ital. Freskenmaler (* 1449), in Florenz   **3**
† 17. 01. Giovanni **Pico della Mirandola**, italien. Humanist u. Philosoph d. Renaissance, versuchte die Lehren von Platon u. Aristoteles miteinander zu verbinden (* 1463), bei Florenz   **4**
* 08. 03. **Rosso Fiorentino** [Giovanni Battista di Iacopo di Guasparre], ital. Maler († 1540), in Florenz   **5**
* 24. 03. Georgius **Agricola** [Georg Bauer], dt. Naturforscher († 1555), in Glauchau   **6**
† 11. 08. Hans (Jan) **Memling**, niederld. religiöser Tafelmaler (*≈1433), in Brügge   **7**
* 12. 09. **Franz I.**, ab 1515 König von Frankreich († 1547), in Cognac   **8**
† 29. 09. Angelo **Poliziano** [Angiolo Ambrogini], italien. Humanist u. Dichter/Schauspiel »Orpheus« als 1. weltliches Drama der italien. Literatur (* 1454), in Florenz   **9**
* 05. 11. Hans **Sachs**, dt. Meistersinger u. Dichter, Luther-Befürworter († 1576), in Nürnberg   **10**
† 19. 12. Matteo Maria **Boiardo**, Graf von Scandiano, ital. Dichter (*≈1434), in Reggio nell'Emilia   **11**

Vor 250 Jahren: **1744** – *Zeitalter der Kriegsseefahrt*

Europa / 2. Schlesischer Krieg (bis 1745): Preußenkönig Friedrich II. erobert am 16. 8. im Bündnis mit Bayern (Karl VII.) und Frankreich die Stadt Prag. – Österreich, Sachsen, Großbritannien und die Niederlande schließen daraufhin Quadrupelallianz gegen Preußen.
Frankreich tritt an Seite Spaniens in Seekrieg gegen England ein   **12**
Deutschland: In der »Frankfurter Union« verbinden sich am 22. 5. Kaiser Karl VII., Preußen, Pfalz und Hessen-Kassel zur Aufrechterhaltung der Reichsverfassung (Anerkennung und Restitution des Kaisers)   **13**
† 23. 01. Giovanni Battista **Vico**, italien. * neuzeitl. Geschichtsphilosophie (* 1668), in Neapel   **14**
† 30. 05. Alexander **Pope**, engl. klassizist. Dichter, Schriftsteller, Satiriker (* 1688), in London   **15**
* 01. 06. Christian Gotthilf **Salzmann**, dt. ev. Theologe u. Pädagoge († 1811), in Sömmerda   **16**
* 25. 08. Johann Gottfried **Herder**, dt. Philosoph, Theologe u. Dichter († 1803), in Mohrungen   **17**
* 25. 09. **Friedrich Wilhelm II.**, Kurfürst v. Brandenburg, Kg. v. Preußen († 1797), in Berlin   **18**
† 17. 10. Giuseppe Antonio **Guarneri**, italien. Geigenbauer/Zeichen: IHS (* 1698), in Cremona   **19**

Vor 200 Jahren: **1794** – *Schlußphase der Französischen Revolution*

Europa: Schlacht bei Fleurus (26. 6.): Frz. Revolutionstruppen schlagen Österreich vernichtend; die südl. (österreichischen) Niederlande fallen am 1. 10. 1795 an Frankreich   **20**
– Preußische Truppen erobern am 6. 11. Warschau, um den polnischen Aufstand des Tadeusz Kosciuszko niederzuschlagen. – *Preußen und Rußland planen eine weitere Teilung Polens*   **21**
Deutschland: »Allgemeines Landrecht für die preußischen Staaten« (im Geist der Aufklärung gehaltener, noch heute angewendeter Rechtscode), u. a. von J. v. Carmer u. K. Svarez, in Preußen in Kraft (1. 6.)
– Von Johann L. Böckmann in Karlsruhe errichtete 1. dt. Telegraphenlinie nimmt am 22. 11. Betrieb auf   **22**
Frankreich: Neues Terrorgesetz (10. 6.) stellt Verhängung der Todesstrafe in die Willkür des Revolutionstribunals; Maximilien **Robespierre** beseitigt alle Rivalen; die Opfer der Schreckensherrschaft werden allein in Paris auf rd. 15 000 geschätzt. – Unter den in Paris **durch die Guillotine Hingerichteten**:   **23**
† 24. 03. Jacques René **Hébert** [Père Duchesne], Journalist u. Revolutionär (* 1757)   **24**
† 05. 04. Georges Jacques **Danton**, Revolutionär, führendes Mitgl. im Wohlfahrtsausschuß (* 1759)   **25**
† 08. 05. Antoine Laurent **de Lavoisier**, Mitbegründer der modernen Chemie (* 1743)   **26**
† 25. 07. Friedrich Frhr. **von der Trenck**, preuß. Offizier u. Abenteurer (* 1726), als österr. Spion   **27**
† 28. 07. Louis Antoine Léon **de Saint-Just**, Revolutionär u. Revolutionstheoretiker (* 1767)   **28**
– Der Terror des Wohlfahrtsausschusses und die Siege der französischen Armeen führen zu einer **antijakobinischen Front** aller politischen Gruppierungen: **Robespierre** (* 1758), Präs. des Konvents u. des

Wohlfahrtsausschusses, wird am 27. 7. durch die »Thermidorianer« **gestürzt** und am 28. 7. hingerichtet; am 29. 7. wird fast die ganze Commune guillotiniert: *Ende der Schreckensherrschaft.*　　**29**

† 08. 01. Justus **Möser**, dt. Historiker, Schriftsteller u. Staatsmann d. Aufklärung (* 1720), in Osnabrück　**30**

† 10. 01. Georg **Forster**, dt. Reiseschriftsteller/»Reise um die Welt« (* 1745), in Paris　　　　　**31**

* 26. 03. Julius **Schnorr von Carolsfeld**, dt. Maler u. Zeichner († 1872), in Leipzig　　　　　**32**

† 08. 06. Gottfried August **Bürger**, dt. Dichter/»Lenore« (* 1747), in Göttingen　　　　　**33**

* 07. 10. Wilhelm **Müller** [genannt *Griechen-Müller*], dt. Dichter († 1827), in Dessau　　　　**34**

† 28. 11. Friedrich Wilhelm **von Steuben**, General dt. Herkunft in US-Diensten (Unabhängigkeitskrieg) (* 1730), in Oneida County/N. Y. (USA)　　　　　　　　　　　　　　　　**35**

Vor 150 Jahren: **1844** *– Zeitalter der Romantik/deutscher Vormärz*

Deutschland/Preußen: Weberaufstand in Schlesien (4.–6. 6.) gegen unzulängl. Lohnverhältnisse, hervor-gerufen durch Anfänge der Industrialisierung, wird vom Militär niedergeworfen (11 Tote)　　**36**

– * 1. 8. erster zoologischer Garten Deutschlands in Berlin　　　　　　　　　　　　　　**37**

– Kaspar Braun veröff. in München 1. Nummer der 1. dt. satir. Zeitschrift »Fliegende Blätter« (7. 11.)　**38**

Schweden: † 8. 3. Karl XIV. Johann, Kg. v. Schweden u. Norwegen seit 1818; Nachf.: Sohn Oskar I.　**39**

USA: Samuel Morse sendet 1. Telegramm über Versuchslinie Baltimore–Washington (27. 5.)　　**40**

* 20. 02. Ludwig **Boltzmann**, österr. Physiker, * der kinetischen Gastheorie († 1906), in Wien　　**41**

* 18. 03. Nikolai Andrejewitsch **Rimskij-Korssakow**, russ. Komponist († 1908), in Tischwin　　**42**

† 24. 03. Bertel **Thorvaldsen**, dän. Bildhauer des Hochklassizismus (* 1768), in Kopenhagen　　**43**

* 30. 03. Paul **Verlaine**, frz. lyrischer Dichter († 1896), in Metz　　　　　　　　　　　**44**

* 16. 04. Anatole **France**, frz. Schriftsteller, Nobelpreis 1921 († 1924), in Paris　　　　　**45**

* 27. 04. Alois **Riehl**, österr. Philosoph, Neu-Kantianer († 1924), in Bozen　　　　　　**46**

* 03. 06. Detlev Frhr. **von Liliencron**, dt. Dichter († 1909), in Kiel　　　　　　　　　**47**

* 10. 06. Carl **Hagenbeck**, dt. Tierhändler/* des Hamburger Zoos († 1913), in Hamburg　　　**48**

† 27. 07. John **Dalton**, brit. Naturforscher, * chem. Atomtheorie (* 1766), in Manchester　　**49**

* 05. 08. Ilja **Repin**, russ. naturalist. Maler († 1930), in Tschugujew/Charkow　　　　　　**50**

* 15. 10. Friedrich [Wilhelm] **Nietzsche**, dt. Philosoph u. klass. Philologe († 1900), in Röcken bei Lützen　**51**

* 23. 10. Wilhelm **Leibl**, süddt. realist. Maler/* in München den *Leibl-Kreis* († 1900), in Köln　**52**

* 25. 11. Carl **Benz**, dt. Ingenieur u. Automobilpionier († 1929), in Karlsruhe　　　　　　**53**

Vor 100 Jahren: **1894** *– Zeitalter des Imperialismus*

Afrika: Dtld. verzichtet in Vertrag mit Frankreich (15. 3.) auf Hinterland von Kamerun und auf Verbindung zum Zentralsudan, erhält dafür Zugang zum Sanga (Kongo-Nebenfluß) u. Teil d. Schari-Oberlaufs.

Dt. Schutztruppe unter Major Theodor Leutwein wirft am 15. 9. einen von Häuptling Hendrik Witbooi († 1905) angeführten Hottentottenaufstand in Deutsch-Südwestafrika nieder　　　　**54**

Asien: Japan bezieht den chinesischen Vasallenstaat Korea in seinen Interessenbereich ein: **Chinesisch-Ja-panischer Krieg** (1. 8. 1894–17. 4. 1895)　　　　　　　　　　　　　　　　**55**

Deutschland: * 28./29. 3. Zusammenschluß von 34 Frauenvereinen zum »Bund deutscher Frauenvereine/ BDF« unter Vorsitz von Auguste Schmidt (»Selbstauflösung« 1933)　　　　　　　　**56**

– Kaiser Wilhelm II. entläßt am 26. 10. den preuß. Ministerpräs. Botho Graf zu Eulenbach und Reichskanz-ler Leo Graf v. Caprivi; Nachf. beider wird am 29. 10. Chlodwig Fürst zu Hohenlohe-Schillingsfürst　**57**

Frankreich: * Gewerkschaftsbund CGT am 23. 9., heute bedeutendste frz. Gewerkschaftsorganisation

– Der französisch-jüdische Offizier Alfred Dreyfus wird am 22. 12. in Paris wegen angeblichem Landesver-rat zu lebenslänglicher Deportation verurteilt (1906 rehabilitiert)　　　　　　　　　　**58**

Rußland: † 1. 11. Alexander III., Zar seit 1881 (* 1845) in Liwadja/Krim; Nachfolger (und letzter Zar) wird sein Sohn **Nikolaus II.** (bis 1917; erschossen 1918), vermählt mit Alix von Hessen-Darmstadt　**59**

USA: 750000 Arbeiter streiken (1. 5.), Arbeitslosen-»Armeen« marschieren nach Washington D. C. und fordern Arbeitsbeschaffungsprogramme　　　　　　　　　　　　　　　　**60**

WISSENSCHAFT UND TECHNIK, SCHÖNE KÜNSTE UND PERSÖNLICHKEITEN

Anthroposophie: Hauptwerk Rudolf Steiners (27. 2.1861–30. 3.1925) »Die Philosophie der Freiheit«; in der Folge * Waldorfschulen: freie Schulen; Eurythmie　　　　　　　　　　　　　**61**

Meteorologie: Der dt. Meteorologe und Aeronaut Arthur Berson (1859–1942) erreicht am 4. 12. im Freibal-lon 9155 m Höhe (1901: 10 800 m) und weist die Stratosphäre (Teil der Erdatmosphäre) nach　**62**

†01. 01. Heinrich Rudolf **Hertz**, dt. Physiker/* elektromagnet. Wellen u. Photoeffekt (* 1857), in Bonn   **63**

†04. 02. Antoine Joseph **Sax** [Adolphe Sax], belg. Instrumentenbauer/* Saxophon (* 1814), in Paris   **64**

†12. 02. Hans Guido **von Bülow**, dt. Pianist u. Dirigent (* 1830), in Kairo   **65**

†20. 03. Lajos **von Kossuth**, ungarischer Politiker (* 1802), i. d. Emigration in Turin   **66**

* 22. 07. Oskar Maria **Graf**, dt. Schriftsteller († 1967), in Berg (Starnberg)   **67**

* 17. 08. Otto **Suhr**, dt. Volkswirtschaftler, Reg. Bürgermeister von Berlin († 1957), in Oldenburg i. O.   **68**

†08. 09. Hermann **von Helmholtz**, dt. Physiker und Physiologe (* 1821), in Charlottenburg   **69**

* 14. 10. Heinrich **Lübke**, dt. CDU-Politiker, Bundespräs. 1959–69 († 1972), in Enkhausen   **70**

†20. 11. Anton G. **Rubinstein**, russ. Komponist (* 1829), in Peterhof (Pedrodworez)   **71**

†03. 12. Robert Louis [Balfour] **Stevenson**, schott. Schriftsteller (* 1850), bei Apia/Westsamoa   **72**

†07. 12. Ferdinand Marie Vicomte **de Lesseps**, frz. Diplomat u. Ingenieur/Intitiator u. Leiter des Suezkanalbaus u. des Panamakanalprojekts (* 1805), auf Schloß La Chênaie in Indre   **73**

* 19. 12. Paul **Dessau**, dt. Komponist, u. a. Brecht-Bühnenmusiker († 1979), in Hamburg   **74**

Vor 50 Jahren: **1944** *– Zweiter Weltkrieg (Chronologie)*

1.–22. 7. **Konferenz in Bretton-Woods** (New Hampshire/USA) von 44 Staaten über Währungs-, Zahlungs- und Handelsfragen empfiehlt Errichtung des Internationalen Währungsfonds/IMF und der Weltbank/IBRD *(→ UNO im Kap. »Internationale Organisationen«)*   **75**

02. 08. Türkei bricht diplomatische Beziehungen zu Deutschland ab   **76**

21. 08.–7. 10. **Konferenz von Dumbarton Oaks** (bei Washington D. C.) zwischen USA, Großbritannien, Sowjetunion und China arbeitet Vorschläge über internat. Organisationen nach dem Kriege aus: **Die »Vereinten Nationen« sollen den Völkerbund ablösen**   **77**

05. 09. Nach Befreiung Belgiens einigen sich B., Niederlande u. Luxemburg auf **Zollunion BENELUX**   **78**

12. 09. »Europäische Beratende Kommission« in London legt **künftige Besatzungszonen** für die drei Großmächte in Deutschland fest: das **1. Zonenprotokoll** teilt Deutschland in drei Besatzungszonen und ein besonderes Gebiet Groß-Berlin (Grenzen von 1920); das **2. Zonenprotokoll** (14. 11.) legt Grenze zwischen britischer u. US-amerikan. Zone fest (kurz danach Aufnahme Frankreichs in die Kommission)   **79**

11.–16. 9. US-Präs. Franklin D. Roosevelt und der brit. Prem. Winston Churchill nehmen auf Konferenz in Quebec **Morgenthauplan** (Dtld. um Ostgebiete verkleinert u. aufgeteilt, Industrie abgebaut) an;   **80**

22. 09. Roosevelt verzichtet jedoch wg. Opposition von US-Kriegsminister Henry L. Stimson und US-Außenminister Cordell Hull sowie Kritik in der US-Öffentlichkeit auf den Morgenthauplan   **81**

10. 12. Gegen Deutschland gerichteter französ.-sowjet. Bündnisvertrag (währt bis 7. 5. 1955)   **82**

Die Kämpfe in Italien und im Mittelmeerraum:

22. 01. Die 5. US-Armee landet mit 70 000 Mann bei Anzio südlich von Rom   **83**

15. 02. Benediktinerkloster Monte Cassino (Latium) wird durch alliierte Bomber u. Artillerie zerstört   **84**

04. 06. **Alliierte besetzen Rom** kampflos (»Freie Stadt«)   **85**

15. 08. Alliierte Landung in Südfrankreich zw. Cannes u. Toulon (Operation »Anvil«)   **86**

13. 10. Brit. Truppen rücken in das von Deutschen geräumte und zur »Freien Stadt« erklärte Athen ein   **87**

02. 11. Dt. Truppen (»Heeresgruppe E«) ziehen sich hinter Nordgrenze Griechenlands zurück   **88**

Die Landung der Alliierten in der Normandie / Gescheiterte deutsche Ardennenoffensive:

06. 06. (6. 30 Uhr) »D-Day«: Landung der Alliierten in der Normandie zwischen der Orne-Mündung bei Caen und Cherbourg (Operation »Overlord«), i. d. Folge Ausbau von Brückenköpfen nach Osten   **89**

31. 07. US-Durchbruch bei Avranches, Bewegungskrieg mit starken alliierten Panzerverbänden beginnt   **90**

25. 08. US-Truppen und Truppen von Gen. Charles de Gaulle ziehen in Paris ein; Stadtkommandant Dietrich von Choltitz widersetzt sich der von Adolf Hitler befohlenen Zerstörung der Stadt   **91**

17. 09. Alliierte Luftlandungen bei Arnheim (gescheitert) und Nimwegen (Landeplatz hält sich)   **92**

21. 10. Alliierte erobern (als 1. dt. Großstadt) Aachen   **93**

16.–24. 12. Dt. Ardennenoffensive zwischen Monschau/Eifel und Echternach/Lux.: Letzter Versuch Hitlers, den Ring der Alliierten im Westen zu durchbrechen, scheitert   **94**

Der Umschwung in Finnland:

09. 06. Beginn einer sowjetischen Offensive, die die karelische Front durchbricht   **95**

02. 09. Neue finn. Regierung bricht dipl. Beziehungen zu Dtld. ab, verlangt Rückzug der dt. Truppen   **96**

19. 09. Finn.-sowjet. **Waffenstillstand** von Moskau setzt Grenze von 1940 mit einzelnen Abänderungen wieder in Kraft (12. 2. 1947 in Paris bestätigt); Zugeständnis: russ. Stützpunkt in Porkkala   **97**

Die Kämpfe im Osten und auf dem Balkan/Abfall Rumäniens und Bulgariens:
03. 01. **Rote Armee dringt bis zur ehemaligen polnischen Ostgrenze vor** 98
18./19. 03. **Dt. Truppen besetzen Ungarn** (»Fall Margarete I«); rd. 700 000 Juden nach Auschwitz 99
28. 03. **Eindringen der Roten Armee in Rumänien:** 10. 4. Übergang über den Sereth, dann Stocken der
Offensive; und in Galizien: am 15. 4. Eroberung von Tarnopol 100
22. 06. **Beginn sowjet. Sommeroffensive zwischen Pripjetsümpfen und Düna** gegen dt. »Heeresgruppe
Mitte«, deren Gros eingekesselt wird und kapituliert.
Daraufhin rasches Vordringen gegen Westen 101
29. 07. Rote Armee erreicht Rigaer Bucht bei Tukkum: dt. »Heeresgruppe Nord« in Estland und im nördlichen Lettland ist von Landverbindungen abgeschnitten 102
20. 08. Sowjet. Großoffensive an der rumän.-dt. Front in der Moldau und in Bessarabien; nach Einschließung der dt. 6. Armee durch Rote Armee am 23. 8. (150 000 Gefangene) entläßt Rumäniens König
Michael den Marschall Ion Antonescu (1946 als Kriegsverbrecher hinger.) und stellt den Kampf ein 103
25. 08. Rumänien erklärt Dtld. nach dt. Luftangriff auf Bukarest den Krieg 104
30. 08. **Rote Armee** erobert rumän. Ölgebiete (dt. Benzinversorgung!), **besetzt Bukarest** (31. 8.) 105
04. 09. Bulgarien bricht dipl. Beziehungen zu Dtld. ab; Sowjetunion erklärt am 5. 9. Bulgarien, Bulgarien am
8. 9. Dtld. den Krieg; Sofia gerät am 19. 9. in sowjetische Hand 106
12. 09. Waffenstillstand Rumäniens mit Sowjetunion, USA u. Großbritannien 107
20. 10. Belgrad von Roter Armee und von Partisanen Titos (→ Ziff. 133) eingenommen 108
28. 10. Waffenstillstand Bulgariens mit UdSSR, Großbritannien und den USA 109
08. 12. Beginn sowjet. Großoffensive in Ungarn, Einschließung Budapests am 24. 12. 110

Die Kämpfe in Ostasien und im Pazifik:
17. 04. Beginn der japanischen Großoffensive in Südchina 111
15. 06. USA landen auf der Marianen-Insel Saipan 112
21. 07. USA landen nach täglichen Luftangriffen und Beschießungen (seit 16. 6.) auf Guam/Indik 113
19. 10. USA beginnen mit Landung auf Insel Leyte und Wiedereroberung der Philippinen (bis 4/1945) 114
11. 11. Japan erobert letzte große US-Luftbasen in Südchina, stellt Landverbindung mit Südchina her 115
24. 11. **US-Luftoffensive gegen das japanische Mutterland beginnt** mit Luftangriff auf Tokio 116

Der Luft- und Seekrieg/Juni 1944 bis Mai 1945: Endphase der »Schlacht im Atlantik«:
21./22. 1. Starke dt. Luftwaffenverbände greifen seit 1941 erstmals wieder London an (bis 4/1944) 117
12. 05. Beginn alliierter Luftoffensive zur entscheidenden Zerstörung der dt. Treibstoffindustrie (Merse-
burg, Tröglitz, Böhlau u. a.) 118
12./13. 6. Erster Einsatz dt. »Vergeltungs«-Waffen (**»V 1«**) auf den Großraum London 119
24.–29. 7. Rd. 600 brit. Bomber zerstören Großteil der Stuttgarter Innenstadt 120
08. 09. Erster Abschuß einer dt. **V-2**-Rakete auf London (u. Antwerpen). Bis 27. 3.1945 werden 1115 V-2
gegen London abgeschossen, 2050 gegen Antwerpen, Brüssel und Lüttich (bis 2. 4. 1945) 121
12. 11. Brit. Bomber versenken dt. Schlachtschiff »Tirpitz« im Tromsö-Fjord 122
24. 12. Alliierte Luftwaffe fliegt rd. 6000 Angriffe gegen dt. Kräfte im Raum der Ardennenoffensive 123

DEUTSCHLAND: Innenpolitik, einschließlich eingegliederter und besetzter Gebiete
– **Mißglücktes Bombenattentat auf Hitler am 20. 7.** im Führerhauptquartier »Wolfsschanze« bei Rasten-
burg (Ostpreußen) durch Oberst i. G. Claus Graf Schenk von Stauffenberg (1907–1944). – Stauffenberg
und 3 weitere Offiziere werden am gleichen Tag standrechtlich erschossen, die Verschwörung zur Beendigung des NS-Regimes ist am Abend niedergeschlagen. Die führenden Verschwörer, Offiziere, Bürgerliche, Konservative und Sozialisten, enden i. d. Folge durch Selbstmord, militär. Standgerichte oder Todesurteil des Volksgerichtshofs (Vorsitz: Roland Freisler) 124
– Hitler verfügt am 1. 8. für die Wehrmacht **»Sippenhaftung«** bei Verrat an Deutschland 125
– Alle »waffenfähigen« Männer (16–60 J.) werden am 25. 9. zum **»Deutschen Volkssturm«** aufgerufen 126
– Generalfeldmarschall Erwin **Rommel** begeht (von Hitler nach Attentat vom 20. 7. vor die Option Freitod
oder Volksgerichtshof gestellt) am 14. 10. nahe Herrlingen **Selbstmord** 127

AUSLAND
Albanien: Die nach Abzug der dt. Truppen in Tirana am 10. 11. gebildete kommunist. Regierung des Parti-
sanen-Obersten Enver Hoxha (Hodscha) wird von den Alliierten anerkannt 128
Frankreich: Dt. Waffen-SS zerstört am 10. 6. das Dorf Oradour-sur-Glane und ermordet alle Bewohner.
Ministerpräs. Pierre Laval (1942 auf dt. Druck ernannt) tritt am 17. 8. zurück 129

- Gen. Charles de Gaulle, am 9. 4. zum Oberbefehlshaber der Streitkräfte des »kämpfenden Frankreichs« ernannt, bildet nach Einzug in Paris (→ Ziff. 91) am 9. 9. Provisorische, von den Alliierten am 23. 10. anerkannte Regierung:
  Ende der mit den dt. Besatzungstruppen kollaborierenden Vichy-Regierung **130**
Island/Dänemark: Nach Volksbefragung (22. 5.) Loslösung Islands von Dänemark und Proklamierung der Republik Island (17. 6.); erster Staatspräsident wird Sveinn Björnsson (bis † 1952) **131**
Italien: Hinrichtung am 11. 1. von Galeazzo Graf Ciano, Außenminister von 1936 bis zur Entlassung 1943 (nach Kritik an Kriegspolitik Mussolinis), in Verona. – König Viktor Emmanuel III. ernennt nach Einnahme Roms durch die Alliierten (→ Ziff. 85) am 9. 6. seinen Sohn Umberto (* 1904, † 1983) zum Generalstatthalter des Königreichs **132**
Jugoslawien: Partisanenführer (Marschall der »Volksbefreiungsarmee«) [Josip Broz] Tito entgeht am 23. 5. knapp der Verhaftung durch dt. Besatzungstruppen (»Unternehmen Rösselsprung«).
  – König Peter überträgt auf brit. Druck am 12. 9. die alleinige Führung des Widerstandes an Tito **133**
Polen: Infolge des dt. Angriffs auf die Sowjetunion kommt es am 22. 6. zur dt. Besetzung des (bisher sowjetisch besetzten) Teils Ostpolens **134**
- * 1. 1. Landesnationalrat in Warschau, der am 21. 7. das »Polnische Komitee für die Nationale Befreiung« (Lubliner Komitee) einsetzt **135**
- Aufstand der national-polnischen »Heimatarmee« unter Gen. Tadeusz Bór-Komorowski in Warschau am 1. 8. wird von der Roten Armee nicht unterstützt und endet am 2. 10. mit Kapitulation vor den dt. Truppen, die am 10. 10. mit der Zerstörung Warschaus beginnen **136**
Syrien wird am 1. 1. souverän; »Großsyrische Bewegung« der Oberschicht wünscht Union mit Irak **137**
USA: Roosevelt wird am 7. 11. trotz schlechter Gesundheit zum 4. Mal zum US-Präsidenten gewählt **138**

WISSENSCHAFT UND TECHNIK, SCHÖNE KÜNSTE UND PERSÖNLICHKEITEN

Technik: Der US-amerikan. Mathematiker Howard Hathaway Aiken (1900–1973) nimmt am 7. 8. an der Harvard University den 1. programmgesteuerten elektromechan. Rechenautomaten »Mark I« (auch ASCC = Automatic Sequence Controlled Calculator genannt) in Betrieb **139**
Physik: Friedrich [Fritz] Straßmann (1902–1980) und Otto Hahn (1879–1968) erhalten für die Entdeckung der Atomkernspaltung am 10. 12. den Physik-Nobelpreis **140**
† 23. 01. Edvard **Munch**, norweg. Maler u. Graphiker/Mitbegr. Expressionismus (* 1863), in Ekely **141**
† 31. 01. Jean **Giraudoux**, frz. Dramatiker und Romancier (* 1882), in Paris **142**
† 01. 02. Piet **Mondrian**, niederl. Maler, Mitbegründer der abstrakten Malerei (* 1872), in New York **143**
† 05. 03. Max **Jakob**, frz. surrealist. Dichter u. Maler (* 1876), im KZ Drancy bei Paris **144**
† 06. 04. E. O. **Plauen** [Erich Ohser], dt. Zeichner/»Vater und Sohn« (* 1903), Suizid in NS-Haft Berlin **145**
† 07. 07. Erich **Salomon**, dt. Fotograf, Pionier d. Fotoreportage (* 1886), im KZ Auschwitz **146**
† 25. 07. Jakob Frhr. **von Uexküll**, dt. Biologe und Umweltforscher (* 1864), auf Capri **147**
† 31. 07. Antoine Comte **de Saint-Exupéry**, frz. Romancier, Erzähler (* 1900), Flugzeugabsturz bei Korsika **148**
† 01. 08. Jean **Prévost**, frz. Schriftsteller (* 1901), gef. als Widerstandskämpfer bei Sassenage/Isère **149**
† 18. 08. Ernst **Thälmann**, dt. kommunist. Politiker (* 1886), im KZ Buchenwald **150**
† 24. 08. Rudolf **Breitscheid**, SPD-Politiker (* 1874), bei Fliegerangriff im KZ Buchenwald **151**
† 27. 09. Aristide **Maillol**, frz. Bildhauer, Maler, Graphiker (* 1861), in Banyuls-sur-Mer **152**
† 23. 10. Charles **Barkla**, brit. Physiker/* Röntgenspektroskopie, Nobelpr. 1917 (* 1877), in Edinburgh **153**
† 30. 11. Max **Halbe**, dt. Dramatiker und Erzähler (* 1865), auf Gut Neuötting/Bayern **154**
† 13. 12. Wassily **Kandinsky**, russ. Maler/abstrakte Malerei (* 1866), in Neuilly-sur-Seine **155**
† 16. 12. Glenn **Miller**, US-amerikan. Klarinettist u. Bandleader (* 1904), bei Flugzeugabsturz **156**
† 30. 12. Romain **Rolland**, frz. Schriftsteller/Nobelpr. 1915 (* 1866), in Vézelay/Yonne **157**

Vor 25 Jahren: **1969** – *Ende der Großen Koalition in der Bundesrepublik Deutschland*

WELTGESCHEHEN

Abrüstung: USA und UdSSR beginnen am 17. 11. in Helsinki Gespräche über Begrenzung interkontinentaler Nuklearwaffen (SALT; Interimsabkommen 1972 unterzeichnet);
- am 24. 11. ratifizieren beide Staaten den Kernwaffensperrvertrag von 1968 (→ Ziff. 171/173) **158**
Südostasien/USA: Als erstes Ergebnis der Vietnam-Friedensgespräche in Paris (seit 1968) beginnen die USA am 8. 6. mit Abzug von 25 000 Mann aus Südvietnam (»Vietnamisierung des Krieges«) **159**

Libyen: König Idris (1890–1983) durch **Militärputsch** gestürzt; »Revolutionärer Kommandorat« unter Armee-Stabschef Muhammar al-Gaddafi (* 1942) übernimmt Staatsgewalt und ruft die Republik aus **186**

Pakistan: Präs. Mohammed Ayub Khan (seit 1958) tritt nach blutigen Unruhen am 25. 3. zurück; Machtübernahme durch Armee, Gen. Mohammed Yahya Khan wird am 31. 3./1. 4. neuer Staatspräsident.

Beginn der separatistischen Bewegung in Ost-Pakistan (seit 1972 Bangladesch) **187**

Rhodesien (heute Simbabwe): Referendum zur Republik (81 % der Weißen dafür) am 20. 6.
Brit. Gouverneur tritt zurück, brit. Regierung bricht dipl. Beziehungen wg. Rassenpolitik ab (24. 6.) **188**

Schweden: Tage Fritjof Erlander tritt am 1. 10. als Ministerpräs. und Vors. der Sozialdemokraten (beides seit 1946) zugunsten Olof Palmes (* 1927, 1986 ermordet) zurück **189**

Somalia: Staatsstreich gegen Präsident Shermake (15. 10. ermordet). Oberster Revolutionsrat ab 16. 10. unter Gen. Mohammed Siyad Barre (bis 1992) ruft sozialistische Republik aus **190**

Spanien: Verhängung des Ausnahmezustands am 24. 1. wegen polit. Unruhen v. a. an Universitäten

– Staatschef Gen. Francisco Franco bestimmt mit Zustimmung der Cortes Juan Carlos von Bourbon, Enkel des 1932 abgedankten Alfons XIII., zu seinem Nachfolger und zum künft. span. König (22. 7.) **191**

Sudan: Machtübernahme durch linksger. Revolutionsrat unter Gen. Jaafar an-Numeiri (25. 5.) **192**

Tschechoslowakei: Neue Föderationsverfassung (1. 1.): Tschechische und Slowakische Republik mit Recht auf eigene Sprache und Kultur, gemeinsames Bundesparlament und Staatsoberhaupt.

– Der Student Jan Palach verbrennt sich am 16. 1. auf dem Prager Wenzelsplatz aus Protest gegen die politische Entwicklung nach dem Einmarsch der Truppen der Warschauer-Pakt-Staaten 1968.

– Gustav Husak löst am 17. 4. Alexander Dubcek (1970 Parteiausschluß, † 1992) als KP-Chef ab **193**

USA: Republikaner Richard Milhous Nixon (Vizepräsident 1953–1961) wird am 20. 1. als 37. US-Präsident vereidigt (wiedergewählt 1972, 1974 durch *Impeachment* amtsenthoben).

– **Guam-Doktrin** (24. 7.): Länder Asiens sollen ihre Sicherheitsprobleme zunehmend selbst lösen **194**

USA/Vietnam: In Washington D. C. demonstrieren am 13./14. 11. rd. 250000 Menschen gegen den Vietnamkrieg; offizielle Stellen in Washington und Saigon nehmen am 20. 11. Untersuchungen über das Massaker einer US-Einheit im südvietnamesischen Dorf My Lai (am 16. 3. 1968) auf **195**

NEKROLOG

† 11. 01. Leopold **von Wiese**, dt. Soziologe u. Nationalökonom (* 1876), in Köln **196**

† 26. 02. Karl **Jaspers**, dt. Philosoph/*hermeneutisch-geisteswiss. Psychopathologie (* 1883), in Basel **197**

† 26. 03. Günther **Weisenborn**, dt. Dramatiker u. Erzähler (* 1902), in Berlin (West) **198**

† 26. 03. Bruno **Traven** [Hermann A. O. M. Feige], dt.-mexikan. Schriftsteller (* 1890), in Mexiko **199**

† 28. 03. Dwight D. **Eisenhower**, US-General, US-Präsident 1953–61 (* 1890), in Washington D. C. **200**

† 02. 05. Franz **von Papen**, dt. Zentrumspolitiker (* 1879), in Obersasbach/Schwarzwald **201**

† 14. 06. Marek **Hlasko**, poln. Schriftsteller (* 1934), im polit. Asyl in Wiesbaden **202**

† 05. 07. Wilhelm **Backhaus**, dt. Pianist, Beethoven- und Brahmsinterpret (* 1884), in Villach/A **203**

† 05. 07. Walter **Gropius**, dt.-US-amerikan. Architekt/*»Bauhaus« (* 1883), in Boston/USA **204**

† 25. 07. Otto **Dix**, dt. nachexpressionist. Maler u. Graphiker (* 1891), in Singen/Hohentwiel **205**

† 06. 08. Theodor W. **Adorno**, dt. Philosoph, Soziologe u. Musiktheoretiker (* 1903), in Visp/Wallis **206**

† 17. 08. Ludwig **Mies van der Rohe**, dt.-US-amerikan. Architekt/»Bauhaus«-Kreis (* 1886), in Chicago **207**

† 03. 09. **Ho Chi Minh**, * der Vietminh-Unabhängigkeitsbewegung, nordvietnames. kommunist. Präsident seit 1954/Symbolfigur des Kampfes gegen USA (* 1890), in Hanoi **208**

† 05. 12. Claude **Dornier**, dt. Flugzeugkonstrukteur, u. a. * des Senkrechtstarters (* 1884), in Zug/CH **209**

Weiterführende Literatur (anstelle des bisherigen philatelistischen Kalenders):

Archiv für deutsche Postgeschichte, Frankfurt/Main : 41 (1993), halbjährlich

DBZ/Deutsche Briefmarkenzeitung und **sammler-express**, Nassau : 68 (1993), zweiwöchentlich

Philatelie (mit Philatelie und Postgeschichte), Mainz : 45 (1993), monatlich

Postgeschichte – Internationale Fachzeitschrift, Zürich : 14 (1993), vierteljährlich

Unser Hobby – Das Journal vom Sammler-Service, Bonn : 2 (1993), vierteljährlich

Verstorbene Persönlichkeiten

1992 (September – Dezember)

Amade, *Louis* (72), franz. Schriftsteller, Dichter u. Chansontexter, 4. 10. Paris

Amini, *Ali* (85), iran. Politiker, fr. Ministerpräsident, 14. 12. Paris

Anders, *Günther* (90), dt. Schriftsteller u. Philosoph, 17. 12. Wien

Andersch, *Martin* (71), dt. Buch- u. Schriftkünstler, 22. 11. Hamburg

Andrews, *Dana* (83), amerik. Schauspieler, 17. 12. Los Alamitos/CA

Andrews, *Jerome* (84), franz. Tänzer, Choreograph u. Musikpädagoge, 26. 10. Paris

Angermann, *Erich* (65), dt. Historiker, verankerte die Forschung zur Geschichte der USA an den dt. Hochschulen, 10. 11. Köln

Argan, *Giulio Carlo* (83), ital. Kunsthistoriker u. -kritiker, Denkmalpfleger u. Politiker, 11. 11. Rom

Bagouet, *Dominique* (41), franz. Tänzer u. Choreograph, 9. 12. Montpellier

Bastian, *Gert* (69), dt. Grünen-Politiker u. Pazifist, ehem. Generalmajor, 1. 10. Bonn

Baumann, *Guido* (66), Schweizer Journalist u. Fernsehunterhalter, 23. 12. München

Bielka, *Erich* (84), österr. Diplomat u. Politiker, Außenminister 1974–1976, 1. 9. Wien

Blackwell, *Ed* (63), amerik. Jazzschlagzeuger, 7. 10. Hartford/CT

Bloom, *Allan* (62), amerik. Philosoph u. Autor, 7. 10. Chicago

Boljahn, *Richard* (79), dt. Gewerkschafter, SPD-Politiker, 18. 10. Bremen

Booth, *Shirley* (96), amerik. Schauspielerin, 16. 10. Cape Cod/MA

Borngräber, *Christian* (47), dt. Architekturhistoriker u. Designtheoretiker, 15. 10. Berlin

Bornheim, *Werner* (77), dt. Denkmalpfleger, 29. 10.

Bottomore, *Thomas* (72), brit. Soziologe, Dez. Sussex

Brandauer, *Karin* (49), österr. Filmregisseurin, 13. 11. Wien

Brandt, *Willy* (78), dt. Politiker, 1969–1974 erster SPD-Bundeskanzler, Vors. d. Sozialist. Internationale, Leiter d. Nord-Süd-Kommission, Friedensnobelpreis 1971, 8. 10. Unkel b. Bonn

Camacho, *Luis Rosales* (82), span. Lyriker, 24. 10. Madrid

Camaro, *Alexander* (91), dt. Maler, Grafiker u. Tänzer, 20. 10. Berlin

Cardoza y Aragon, *Luis* (88), guatemal. Schriftsteller, Sept. Mexiko-City

Culliford, *Pierre* (64), belg. Cartoonist, Erfinder der »Schlümpfe«, 24. 12. Brüssel

Damus, *Renate* (53), dt. Politikwissenschaftlerin, 17./18. 10. Osnabrück

Darasse, *Xavier* (58), franz. Komponist u. Organist, Nov. Toulouse

Delblanc, *Sven* (61), schwed. Schriftsteller, Literaturhistoriker, 16. 12. Stockholm

Despotopoulos, *Johannes* (gen. *Jan Despo*, 83), griech. Architekt, 1. 10. Athen

Deutsch, *Karl W.* (80), dt.-amerik. Politikwissenschaftler, 1. 11. Cambridge/MA

Devapriam, *Ryder* (61), ind. Bischof, Vors. der Südind. Kirche, 5./6. 9. Schwäb. Gmünd

Domela, *César* (93), franz. Maler u. Bildhauer, 31. 12. Paris

Donn, *Jorge* (45), argent. Tänzer u. Choreograph, 30. 11. Lausanne

Douglas-Home, *William* (80), brit. Bühnenautor, 28. 9. Winchester

Dubček, *Alexander* (70), tschechoslowak. Reformpolitiker, Symbolfigur des »Prages Frühlings« u. letzter Präs. d. tschechoslowak. Bundesparlaments, 7. 11. Prag

Elliott, *Denholm* (70), brit. Schauspieler, 6. 10. Ibiza

Ernst, *Richard* (93), dt. Schriftsteller u. Autor der »Wörterbücher der industriellen Technik«, 26. 10. Grünwald b. München

Evans, *Geraint* (70), brit. Opernsänger, 19. 9. Wales

Foreman, *John* (67), amerik. Filmproduzent, 20. 11. Beverly Hills/CA

Friederichsen, *Edgar* (82), dt. Verleger, ehem. Geschäftsf. des Rowohlt Verlags, 8. 9.

Füssel, *Karl Heinz* (68), österr. Komponist, Herausgeber u. Pädagoge, 4. 9. Wien

Gardenia, *Vincent* (70), amerik. Schauspieler, 9. 12. Philadelphia

Garrison, *Jim* (71), amerik. Oberstaatsanwalt, Ermittler im Kennedy-Mord, 21. 10. New Orleans

Gazzelloni, *Severino* (73), ital. Flötist, 22. 11. Rom

Geiler, *Voli* (77), Schweizer Kabarettistin, 11. 11. Zürich

Gleichauf, *Robert* (78), dt. CDU-Politiker, ehem. Finanzminister von Bad.-Württ., 24./25. 10. Oberndorf/Neckar

Glöckle, *Hanns* (70), dt. Schriftsteller, 2. 11.

Growe, *Bernd* (42), dt. Kunsthistoriker u. Kritiker, 17. 9.

Guimarães, *Ulysses* (76), bras. Politiker, Vors. der Partei der Demokrat. Brasil. Bewegung, 12. 10.

Gutbier, *Rolf* (89), dt. Architekt, 26. 9. Aich b. Stuttgart

Hanauer, *Rudolf* (84), dt. CSU-Politiker, fr. bayer. Landtagspräsident, 29. 12. Herrsching

Haqqi, *Jahja* (87), ägypt. Schriftsteller, Dez. Kairo

Hasenclever, *Walter* (82), dt. Autor u. Übersetzer, 4. 12.

Heizmann, *Gertrud* (87), Schweizer Jugendschriftstellerin, 9. 12. Murten

Herkenrath, *Peter* (92), dt. Maler, 12. 11. Mainz

Hinz, *Harry* (66), dt. Journalist, Mitbegründer u. Leiter der Axel Springer-Journalistenschule in Hamburg, 14. 10. Hamburg

Holm, *Hanya* (eigentl. *Johanna Eckert*, 99), dt.-amerik. Tänzerin, Tanzpädagogin u. Choreographin, 3. 11. New York

Jacobs, *Lou* (89), amerik. Clown, 12. 9. Sarasota/ FL

Jacobson, *Leonard* (71), amerik. Architekt, 26. 12.

Jahrreiß, *Hermann* (98), dt. Völker- u. Staatsrechtler, 23. 10. Köln

Jaroszewicz, *Piotr* (83), poln. Politiker, Ministerpräsident 1970–1980, ermordet 1. 9. b. Warschau

Joseph, *Helen* (87), brit. Anti-Apartheid-Kämpferin, 25. 12. Johannesburg

Kaiser, *Wolf* (76), dt. Schauspieler, 22. 10. Berlin

Kelly, *Petra* (44), dt. Grünen-Politikerin u. Friedensaktivistin, 1. 10. Bonn

Kemeny, *John* (66), ungar.-amerik. Mathematiker u. Mitentwickler der Computersprache Basic, 26. 12. b. Hannover

King, *Albert* (69), amerik. Sänger u. Bluesgitarrist, 21. 12. Memphis

Kirsten, *Dorothy* (82), amerik. Sopranistin, 18. 11. Los Angeles

Klein, *Hans-Wilhelm* (81), dt. Romanist, 3. 11. Aachen

Kneip, *Gustav* (86), dt. Komponist, 23. 10. Hamburg

Kocherscheidt, *Kurt* (49), österr. Maler, 13. 11. Wels

Koenig, *Otto* (78), österr. Biologe u. Verhaltensforscher, 6. 12. Klosterneuburg

Kopley, *Eddie* (90), erster Generalsekr. d. internat. Organisation der Druckindustrie, 1. 12. London

Koroljow, *Juri* (63), Leiter der Tretjakow-Gemäldegalerie in Moskau, 25. 12. Moskau

Kotschin, *Wladimir* (49), russ. Dirigent, Nov. Paris

Kotzias, *Alexandros* (66), griech. Schriftsteller, Literaturkritiker u. Übersetzer, 19. 9. Insel Kea

Lehmbruck, *Manfred* (80), dt. Architekt, 28. 11. Stuttgart

Leppich, *Johannes* (77), dt. Jesuitenpater (»Maschinengewehr Gottes«), 7. 12. München

Le Roux, *Maurice* (69), franz. Dirigent u. Komponist, 19. 10. Avignon

Lilar, *Suzanne* (91), belg. Schriftstellerin, 11. 12. Brüssel

Lippert, *Georg* (84), österr. Architekt, 14. 10. Wien

Lord, *Audre* (58), schwarze amerik. Autorin u. Feministin, 17. 11. St. Croix/Karibik

Maas, *Walter* (83), dt. Förderer Neuer Musik, Gründer der Stiftung »Gaudeamus«, 1. 12. Amsterdam

MacMillan, *Sir Kenneth* (62), schott. Choreograph u. langj. Direktor d. Londoner Royal Ballet, 29. 10. London

Maddow, *Ben* (83), amerik. Drehbuchautor, 9. 10. Los Angeles

Magaloff, *Nikita* (80), russ.-schweizer. Pianist, 26. 12. Vevey

Manrique, *César* (72), span. Architekt, Maler u. Bildhauer, 25. 9. Lanzarote

Markopoulos, *Gregory J.* (64), griech.-amerik. Filmemacher, 12. 11. Freiburg/Br.

Martin, *Jacques* (84), franz. Kardinal, 27. 9. Rom

Martin, *Paul* (89), kanad. Jurist u. Politiker, fr. Außenminister, 14. 9. Windsor/Ontario

Mayerhofer, *Elfie* (69), österr. Opern- u. Operettensängerin, Schauspielerin, 26. 12. Maria-Enzersdorf

McClintock, *Barbara* (90), amerik. Botanikerin, Genforscherin, Nobelpreis Medizin 1983, 2. 9. Huntington/NY

Meissner, *Hans-Otto* (83), dt. Reiseschriftsteller, 8. 9. Unterwössen

Metternich-Winneburg, *Paul Alfons Fürst von* (75), fr. Präs. des Automobilclubs von Deutschland (AvD), Urenkel d. österr. Staatskanzlers, 21. 9. Genf

Miller, *Roger* (56), texan. Countrysänger u. Komponist, 25. 10. Los Angeles

Milstein, *Nathan* (87), russ.-amerik. Geiger u. Pädagoge, 21. 12. London

Mischke, *Ferdinand Otto* (87), franz. Militärschriftsteller u. Publizist, 23. 12. Le Chesnay Trianon

Mitchell, *Joan* (66), amerik. Malerin, 30. 10. Paris

Mitchell, *Keith »Red«* (65), amerik. Jazz-Bassist, 8. 11. Los Angeles

Nelson, *Ruth* (87), amerik. Schauspielerin, 12. 9. Manhattan

Neuberger, *Hermann* (72), dt. Sportfunktionär u. Manager, Präs. d. Deutschen Fußball-Bundes, 27. 9. Fenne/Saar

Niehoff, *Karena* (71), dt. Theater- u. Filmkritikerin, 18. 9. Berlin

Nolan, *Sir Sidney* (75), austral. Maler, 27. 11. London

Nureddin al Atassi, (63), ehem. Präs. Syriens, Nov. Paris

Ohana, *Maurice* (78), franz. Komponist, 13. 11. Paris

Perkins, *Anthony* (60), amerik. Filmschauspieler, 12. 9. Los Angeles

Phomvihane, *Kaysone* (72), laot. Politiker, Ministerpräs. 1975–1991, dann Staatspräs., 21. 11.

Pigler, *Andor* (93), ungar. Kunsthistoriker, 1. 10.

Prakke, *Hendricus Johannes* (92), niederl.-dt. Verleger u. Kommunikationswissenschaftler, 14. 12.

Pucci, *Emilio* (78), ital. Modeschöpfer, 29. 11. Florenz

Reichardt, *Werner* (68), dt. Biologe, Mitglied des Ordens Pour le mérite, 18. 9. Dortmund

Reifferscheid, *Eduard* (93), dt. Verleger, 21. 12. Neuwied

Roach, *Hal* (100), amerik. Filmproduzent, u. a. Initiator der Komikerfilme »Dick u. Doof«, 2. 11. Los Angeles

Rockefeller, *Blanchette Ferry Hooker* (83), amerik. Kunstmäzenin u. langj. Präs. d. New Yorker Museums of Modern Art, 29. 11. Briarcliff Manor/NY

Rosales Camacho, *Luis* (82), span. Lyriker, 24. 10. Madrid

Ross, *Steven* (65), amerik. Medienmanager, 20. 12. Los Angeles

Rülicke-Weiler, *Käthe* (70), fr. Brecht-Mitarbeiterin u. Chefdramaturgin im ehem. DDR-Fernsehfunk, Prorektorin an d. Hochschule für Film- u. Fernsehen in Potsdam-Babelsberg, 5./6. 9. Berlin

Sanjust, *Filippo* (67), ital. Bühnenbildner, Dez. Rom

Sauer, *Karl Adolf* (83), dt. Schriftsteller u. Volksbildner, 13. 9. Ravensburg

Schiffer, *Charlotte* (83), dt. CDU-Politikerin u. Mitbegründerin des israel. Friedensdorfes Neve Shalom, 7. 11. Fulda

Schmidt-Duisburg, *Margarete* (86), dt. Pianistin, Komponistin u. Musikpädagogin, 30. 11. Frankfurt/M.

Schobert (eigentl. *Wolfgang Schulz*, 52), dt. Liedermacher, 24. 9. Berlin

Schoonderbeek von Kaulbach, *Hedda* (92), dt. Malerin u. Musikerin, Tochter des Malers *Fritz August von Kaulbach,* 24. 10. Garmisch

Schulte-Bulmke, *Gerhard* (87), dt. Verleger, 23. 11. Frankfurt/M.

Semjonow, *Wladimir S.* (81), fr. sowjet. Botschafter in Deutschland, stellvertr. Außenminister, 18. 12. Köln

Seufert, *Karl Rolf* (68), dt. Autor histor. Abenteuerbücher, 18. 10.

Shklar, *Judith* (64), lett. Politikphilosophin, 19. 9.

Spannocchi, *Emil Graf* (76), österr. General, Vater der »Spannocchi-Doktrin« der flexiblen Raumverteidigung, 1. 9. Wiener Neustadt

Sporken, *Paul* (65), dt. Schriftsteller, 11. 9.

Summerson, *Sir John* (87), brit. Architekt, Nov. London

Symo, *Margit* (79), dt. Schauspielerin u. Varieté-tänzerin, 6. 10. München

Thurau, *Hanno* (53), dt. Schauspieler u. Mitglied des »Ohnsorg«-Theaters Hamburg, 15. 10. Hamburg

Trenner, *Franz* (77), dt. Richard-Strauss-Forscher, Nov. München

Treue, *Wilhelm* (83), dt. Kultur-, Sozial- u. Wirtschaftshistoriker, 18. 10. Göttingen

Trojan, *Alexander* (78), österr. Schauspieler, Ehrenmitglied d. Burgtheaters, 20. 9. Wien

Ungeheuer, *Edgar* (72), dt. Chirurg, Generalsekr. d. Deutschen Gesellschaft f. Chirurgie, 16. 10. Frankfurt/M.

Wagener, *Hilde* (88), österr. Schauspielerin, 26. 12. Baden b. Wien

Warburg, *Edward* (84), amerik. Kunstmäzen, 21. 9. Norwalk/CT

Weinhold *Gertrud* (93), dt. Sammlerin privater Volkskunst (»Ökumenische und vergleichende Sammlung Weinhold«), Nov. Berlin

Weiske, *Fritz* (82), dt. Germanist u. Romanist, 30. 10. Stuttgart

Whitney, *Cornelius Vanderbilt* (93), amerik. Multimillionär, Kunstmäzen, Filmproduzent, Flugpionier, 13. 12. Saratoga Springs

Worden, *Hank* (91), amerik. Westerndarsteller, 6. 12. Los Angeles

Zemlinsky, *Louise* (92), österr. Opernsängerin, 19. 10. New York

Zimmer, *Hans Peter* (56), dt. Maler u. Bildhauer, Mitbegründer d. Münchener »Gruppe Spur«, 5. 9. Braunschweig

Züllig, *Hans* (78), dt. Tänzer u. Tanzpädagoge, 8. 11. Essen

1993 (Januar – August)

Adorno, *Gretel* (91), dt. Chemikerin, Frau d. Philosophen *Theodor W. Adorno*, 16. 7. Frankfurt/M.

Adschubei, *Alexej* (69), russ. Journalist u. Publizist, 19. 3. Moskau

Agostini, *Peter* (80), amerik. Bildhauer, März New York

Albertz, *Heinrich* (78), dt. evang. Theologe u. fr. Regier. Bürgermeister v. Berlin, engagiert u. a. auch in der Friedensbewegung, 17./18. 5. Bremen

Alexandra von Jugoslawien (71), Witwe des fr. Königs *Peter II.* von Jugoslawien, 30. 1. Sussex

Anderson, *Marian* (91), amerik. Opernsängerin, 8. 4. Portland/OR

Antuñez, *Nemesio* (85), chilen. Maler, 19. 5. Santiago

Arzberger, *Klaus* (42), dt. Kostümbildner, 15. 1. Berlin

Ashe, *Arthur* (49), erster farbiger amerik. Tennis-Profi, 6. 2. New York

Auböck, *Carl* (69), österr. Designer u. Architekt, 3. 2. Wien

Auger, *Arleen* (53), kalif. Sopranistin u. Gesangspädagogin, 10. 6. Leusden

Baggio, *Sebastiano* (79), ital. Kurienkardinal, 21. 3. Rom

Baudissin, *Wolf Graf* (86), dt. Generalleutnant, Mitbegründer der Bundeswehr u. des Konzepts der Streitkräfte in der Demokratie, 5. 6. Hamburg

Baudouin I. (62), König Belgiens, 44 Jahre Staatsoberhaupt der parlament. Monarchie, 31. 7. Motril

Bauza, *Mario* (82), kuban. Jazzmusiker u. Arrangeur, 12. 7. New York

Bayrhammer, *Gustl* (71), dt. Volksschauspieler, 24. 4. München

Bechteler, *Theo* (90), dt. Bildhauer, 22. 6. Augsburg

Beckel, *Albrecht* (67), dt. CDU-Politiker, fr. Präs. d. Zentralkomitees d. dt. Katholiken, 20. 1. Münster

Beirer, *Hans* (82), österr. Kammersänger, Heldentenor u. Wagner-Interpret, 24. 6. Berlin

Benet, *Juan* (65), span. Schriftsteller, 5. 1. Madrid

Benoît, *Pierre-André* (71), franz. Kunstverleger u. -drucker, 20. 1. Montpellier

Bérégovoy, *Pierre* (67), franz. Politiker, ehem. Premierminister, 1. 5. Nevers (Selbstmord)

Berger, *Wilhelm Georg* (62), rumän.-dt. Komponist u. Musikwissenschaftler, 8. 3.

Bertram, *Hans* (86), dt. Flugpionier, Drehbuchautor u. Filmregisseur, 8. 1. München

Best, *Werner* (65), dt. SPD-Politiker, erster Umweltminister eines dt. Bundeslandes, 10. 1. Waldgirmes b. Wetzlar

Beyer, *Uwe* (48), dt. Hammerwerfer u. Schauspieler, 15. 4. Antalya

Blech, *Hans Christian* (78), dt. Schauspieler, 5. 3. München

Bochmann, *Werner* (93), dt. Filmmusik-Komponist, 3. 6. Schliersee

Bosl, *Karl* (84), dt. Historiker, 18. 1. München

Bourgès-Maunoury, *Maurice* (79), franz. Politiker, 10. 2. Paris

Brabo, *Pilar* (50), span. Widerstandskämpferin, später Abgeordnete, Polizeichefin u. Generaldirektorin für Zivilschutz, 22. 5.

Bridges, *James* (57), amerik. Hollywood-Regisseur, 5. 6. Los Angeles

Brusati, *Franco* (73), ital. Filmregisseur, 28. 2. Rom

Budd, *Roy* (46), brit. Jazzpianist u. Komponist, 7. 8. London

Bussche, *Axel Freiherr von dem* (73), kirchl. Würdenträger, Widerstandskämpfer gegen Hitler, 26. 1. Bonn

Bußmann, *Walter* (79), dt. Neuzeit-Historiker, 20. 4.

Cahn, *Sammy* (79), amerik. Liedermacher, 15. 1. Los Angeles

Calderón, *Eduardo* (83), kolumb. Schriftsteller, 3. 4. Bogota

Campbell, *John* (41), amerik. Bluessänger u. Gitarrist, 12. 6. New York

Cau, *Jean* (67), franz. Schriftsteller u. Literaturkritiker, 18. 6. Paris

Charteris, *Leslie* (85), brit. Kriminalschriftsteller, 15. 4. Windsor

Chavez, *Cesar* (66), mexik.-amerik. Gewerkschaftsführer, 23. 4. Yuma/AZ

Crichton, *Robert* (68), amerik. Schriftsteller, 23. 3. New York

Christoff, *Boris* (79), bulgar. Opernsänger, 28. 6. Rom

Collard, *Cyril* (35), franz. Filmregisseur u. Schriftsteller, 5. 3.

Colombo, *Gianni* (55), ital. Künstler, 3. 2. Mailand

Constantine, *Eddie* (75), amerik.-franz. Schauspieler u. Chansonnier, 25. 2. Wiesbaden

Correia, *Natália* (69), portug. Schriftstellerin, März Lissabon

Cseres, *Tibor* (78), ungar. Schriftsteller, Juni Budapest

Czapski, *Joseph* (97), poln. Schriftsteller u. Maler, 21. 1. Maisons-Lafitte

Dannenmann, *Arnold* (86), dt. evang. Theologe, Gründer u. Präs. (1960–1985) des Christlichen Jugenddorfwerks Deutschland (CJD), 1. 3. Göppingen

Dawson, *Les* (59), brit. Komiker, 10. 6. London

Del Mestri, *Guido* (82), bosn. Kardinal, 2. 8. Nürnberg

Diebenkorn, *Richard* (71), amerik. Maler, 30. 3. Berkeley

Diem, *Eugen* (97), dt. Schriftsteller u. Kunsthistoriker, 10. 2. München

Diezcanseco, *Pareja* (84), ecuador. Schriftsteller u. Historiker, 3. 5. Quito

Diwald, *Hellmut* (69), dt. Historiker, 26. 5. Würzburg

Djaout, *Tahar* (39), alger. Schriftsteller, Anfang Juni (ermordet)

Dohrn, *Klaus* (88), dt. Bankier u. Mäzen, 25. 7. Oberbayern

Dorsey, *Thomas* (93), amerik. Jazzpianist u. Komponist, »Vater der Gospelmusik«, 23. 1. Chicago

Drew, *Kenny* (64), amerik. Jazzpianist, 4. 8. Kopenhagen

Duve, *Pascal de* (29), belg. Schriftsteller, April Paris

Eckstein, *Volker* (46), dt. Schauspieler, 26. 3. Berlin

Eckstine, *Billy* (79), amerik. Jazzmusiker, 8. 3. Pittsburgh

Edel, *Alfred* (61), dt. Filmschauspieler, 17. 6. Frankfurt/M.

Ehrenwirth, *Franz* (88), dt. Verleger, 25. 2. München

Elisabeth (70), Erzherzogin, Prinzessin von u. zu Liechtenstein, 6. 1. Graz

Ernesaks, *Gustav* (84), estn. Komponist u. Dirigent, 24. 1. Tallinn

Faber, *Gustav* (80), dt. Reiseschriftsteller, 5. 4. Badenweiler

Faerber, *Meir Marcel* (85), israel. Schriftsteller, 19. 8. Tel Aviv

Färber, *Otto* (101), dt. Journalist, Publizist u. Verleger, Mitbegründer der »Stuttgarter Nachrichten«, 15. 3. Telfs-Bairbach

Ferré, *Léo* (77), franz. Komponist u. Chansonnier, 14. 7. bei Siena

Fischer, *Hanns-Jörg* (85), dt. Verleger, Gründer u. Inhaber d. Boje-Verlags, 28. 1. Stuttgart

Flemming, *Charlotte* (72), dt. Kostümbildnerin, 3. 3. München

Fonseca, *Manuel da* (81), portug. Schriftsteller, 11. 3. Lissabon

Fradkin, *Ilja* (78), russ. Germanist, 24. 3. Moskau

Frénaud, *André* (85), franz. Dichter, 21. 6. Paris

Frink, *Elisabeth* (62), brit. Bildhauerin, 18. 4. Dorset

Froese, *Hildegard »Lutze«* (56), dt. Bildhauerin, 7. 4. Berlin

Galindo, *Blas* (83), mexik. Komponist, 19. 4.

Gallán, *Gabriel y* (52), span. Schriftsteller, 13./14. 3. Madrid

Geiser, *Walther* (95), Schweizer Komponist, 6. 3. Oberwil b. Basel

Gillespie, *Dizzy* (75), amerik. Jazztrompeter, 6. 1. Englewood/NJ

Gilliat, *Penelope* (61), brit. Schriftstellerin u. Journalistin, 9. 5.

Gimenez, *Carlos* (47), argent.-venezol. Theaterregisseur, 28. 3.

Gish, *Lilian* (96), amerik. Schauspielerin der Stummfilmzeit, 27. 2. New York

Götz, *Karl* (70), dt. Schlagerkomponist, 18. 2. Frankfurt/M.

Goeyvaerts, *Karel* (69), fläm. Komponist, 3. 2. Antwerpen

Goldberg, *Szymon* (84), poln. Geiger u. Dirigent, 19. 7. Toyama/Jap.

Golding, *Sir William* (81), brit. Schriftsteller, 1983 Literaturnobelpreis, 19. 6. Perranarworthal

Gordon, *Michael* (83), amerik. Filmregisseur, 29. 4. Los Angeles

Graetzer, *Wilhelm* (79), österr.-argent. Komponist u. Musikpädagoge, Jan. Buenos Aires

Granger, *Stewart* (80), amerik. Schauspieler, 16. 8. Santa Monica

Greindl, *Josef* (80), dt. Baßbariton, Wagner-Interpret u. Gesangspädagoge, 16. 4. Mannheim

Gruenter, *Rainer* (74), dt. Historiker u. Germanist, 5. 2.

Gruhl, *Herbert* (71), dt. Umweltpolitiker u. Publizist, 26. 6. Regensburg

Gutman, *Amos* (38), israel. Regisseur, 16. 2. Tel Aviv

Hani, *Chris* (50), südafrik. schwarzer Oppositionspolitiker, 10. 4.

Harding, *Denys Wyatt* (86), brit. Literaturkritiker, 17. 4.

Havenith, *Raymund* (45), dt. Pianist u. Musikpädagoge, 17. 7. Frankfurt/M.

Hayes, *Helen* (92), amerik. Schauspielerin, »First Lady des amerik. Theaters«, 17. 3. New York

Hearst, *William Randolph* (85), amerik. Zeitungsverleger 14./15. 5. New York

Heilmann, *Irmgard* (79), dt. Schriftstellerin, Stifterin des Hamburger Autorenpreises, 8. 7. Hamburg

Held, *Philipp* (81), dt. CSU-Politiker, fr. Justizminister Bayerns, 22. 5. Wolfersdorf

Hellwig, *Judith* (85), slowak. Sopranistin, 25. 1. Wien

Hemingway, *Maggie* (47), brit. Schriftstellerin, 9. 5.

Henning, *Erwin* (91), dt. Maler, 8. 3. Karlsruhe

Hepburn, *Audrey* (63), amerik. Schauspielerin, 20. 1. Tolochenaz/Schweiz

Hersey, *John* (78), amerik. Schriftsteller, 24. 3. Florida

Hodes, *Art* (88), amerik. Jazzpianist, 4. 3. Chicago

Hofmann, *Gert* (62), dt. Romancier u. Erzähler, 1. 7. Erding b. München

Holley, *Robert W.* (71), amerik. Biochemiker, Medizinnobelpreis 1968, 11. 2. Los Gatos/CA

Holt, *Victoria* (eigentl. *Eleanor Hibbert,* 82), brit. Unterhaltungsschriftstellerin, 18./19. 1.

Honda, *Ishiro* (81), jap. Monsterfilm-Regisseur, 28. 2. Tokio

Hopf, *Hans* (77), dt. Heldentenor, Wagner-Sänger, 25. 6. München

Hoppe, *Heinz* (69), dt. Tenor, Kammersänger, 7. 4. Mannheim

Horszowski, *Mieczyslaw* (100), poln. Pianist, 22. 5. Philadelphia

Hourani, *Albert* (78), brit.-arab. Historiker u. Schriftsteller, 17. 1. Oxford

Howe, *Irving* (72), amerik. Literaturkritiker u. Sachbuchautor, 5. 5. New York

Ibuse, *Masuji* (95), jap. Schriftsteller, 10. 7. Tokio

Inokuma, *Genichiro* (90), jap. Maler, 17. 5. Tokio

Jacobsen, *Robert* (80), dän. Bildhauer, 25. 1. Egtved/Ost-Jütland

Jonas, *Hans* (85), dt. Philosoph u. Religionswissenschaftler, Friedenspreisträger d. Deutschen Buchhandels, 5. 2. New York

Juan de Borbón y Battenberg (79), Graf von Barcelona, fr. Thronprätendent, Vater des span. Königs *Juan Carlos,* 1. 4. Pamplona

Junejo, *Mohammad Kahn* (60), pakist. Landwirtschaftsfachmann u. Politiker, fr. Ministerpräsident (1985–1988), 16. 3. Baltimore

Junghanns, *Rolf* (47), dt. Cembalist u. Hammerflügelspieler, April Bad Krozingen

Károlyi, *Julian von* (79), dt.-ungar. Pianist, 1. 3. München

Keeler, *Ruby* (83), amerik. Schauspielerin u. Tänzerin, 28. 2. Los Angeles

Kempner, *Robert W.* (93), dt. Jurist, stellv. Chefankläger der Amerikaner beim Nürnberger Kriegsverbrecherprozeß, 15. 8. Königstein

Kettner, *Gerhard* (64), dt. Zeichner u. Grafiker, 14. 6. Dresden

Kewenig, *Wilhelm Alexander* (58), dt. Rechtswissenschaftler, Innensenator in Berlin, 18./19. 6. Berlin

Klug, *Ulrich* (79), dt. Politiker u. Jurist, 7. 5. Köln

Kobo Abe (68), jap. Schriftsteller, 21. 1. Tokio

Kolbenhoff, *Walter* (84), dt. Schriftsteller, Mitbegründer der »Gruppe 47«, 29. 1. Germering b. München

Kosch, *Peter* (56), dt. Jazzpianist, 5. 6. Heidelberg

Kramer, *Ernst* (81), dt. Architekt, Kunsthistoriker u. Schriftsteller, Mai Fulda

Kurrus, *Karl* (81), dt. Mundartdichter, 6. 1. Freiburg

Kurtzman, *Harvey* (68), amerik. Comic-Zeichner u. Gründer d. Zeitschrift »Mad«, 21. 2. New York

Kusch, *Polykarp* (82), amerik. Kernphysiker, Nobelpreis 1955, 20. 3. Dallas

Kušniewicz, *Andrzej* (88), poln. Schriftsteller, 14. 5. Warschau

Lachs, *Manfred* (79), poln. Jurist u. Diplomat, 14. 1. Den Haag

Lamborghini, *Ferruccio* (76), ital. Autokonstrukteur, 20. 2. Perugia

Lapoujade, *Robert* (72), franz. Maler u. Filmregisseur, 17. 5. Saincy

Lauts, *Jan* (84), dt. Kunsthistoriker, 19. 1. Karlsruhe

Lebert, *Hans* (74), österr. Erzähler, 20.8.

Lecanuet, *Jean* (72), franz. Politiker, Bürgermeister v. Rouen, fr. Justizminister u. Vorsitzender d. »Zentristen«, 21./22. 2. Rouen

Liewehr, *Fred* (84), österr. Kammersänger, 19. 7. Wien

Lindemann, *Klaus* (57), dt. Filmemacher u. Kapellmeister, 22. 5. Lindau

Litvine, *Mordechaï* (90), litau. Übersetzer u. Literaturkritiker, übertrug zahlr. franz., dt. u. russ. Lyriker ins Jiddische, Juli Paris

Lötsch, *Manfred* (56), dt. Sozialwissenschaftler, 7. 1.

Löwenthal, *Leo* (92), dt.-amerik. Soziologe, 21. 1. Berkeley

Lopatka, *Jan* (53), tschech. Schriftsteller, 9.7.

Lorentz, *Kay* (72), dt. Kabarettist, Gründer des Düsseldorfer »Kom(m)ödchens«, 29. 1. Düsseldorf

Loth, *Wilhelm* (72), dt. Bildhauer, 17. 2. Darmstadt

Madaule, *Jacques* (94), franz. Historiker, 9. 3. Paris

Mahr, *Kurt* (eigentl. *Klaus Mahn,* 59), dt. Science-fiction-Autor, Juli New York

Mankiewicz, *Joseph L.* (83), amerik. Filmautor, -regisseur u. -produzent, 5. 2. Bedford/NY

Manessier, *Alfred* (81), franz. Maler u. Grafiker, 1. 8. Orleans

Markov, *Walter* (83), österr.-dt. Historiker, 3. 7.

Marshall, *Thurgood* (84), amerik. Jurist u. Bürgerrechtler, kämpfte für die Gleichberechtigung der Schwarzen, 24. 1. Bethesda

Masini, *Gianfranco* (55), ital. Dirigent, 18. 6. Reggio Emilia

Matejka, *Viktor* (91), österr. Kulturpolitiker, 2. 4. Wien

May, *Helmut* (86), dt. Kunsthistoriker u. Museumsdirektor, 17. 3. Köln

Mayr, *Hans* (66), österr. Fotograf, Leiter d. Gesellschaft der bildenden Künstler Österreichs, 15. 2. Wien

Metzger, *Ludwig* (90), dt. SPD-Politiker, fr. Oberbürgermeister v. Darmstadt, 13. 1. Darmstadt

Meyer, *Friedrich* (78), dt. Komponist, Arrangeur u. Pianist, 20. 8 München

Mille, *Hervé* (83), franz. Journalist, 22. 2. Paris

Minnich, *Bernd* (52), dt. Maler, 30. 6.

Miransky, *Peretz* (85), kanad. Dichter, 17. 7. Toronto

Mnouchkine, *Alexander* (85), russ.-franz. Filmproduzent, 3. 4. Neuilly

Montoya, *Carlos* (89), span.-amerik. Flamencogitarrist, 3. 3. Wainscott/NY

Moreno, *Mario* »*Cantiflas*« (81), mexik. Komödiant, 20. 4. Mexiko-City

Mortensen, *Richard* (82), dän. Maler, 12. 1. Kopenhagen

Müller, *Gotthold* (89), dt. Verleger, 21. 6. München

Muth, *Jakob* (66), dt. Wissenschaftler u. Pädagoge, 26. 4. Bochum

Nabijew, *Rachman* (62), tadschik. Politiker, bisher einziger demokrat. gewählt. Präs. seines Landes, 10. 4. Chodschand

Negulesco, *Jean* (93), amerik.-rumän. Maler, Bühnenbildner u. Filmregisseur, 21. 7. Marbella

Nienstedt, *Gerd* (61), dt. Bariton, Opernsänger, 14. 8.

Nikolais, *Alwin* (82), amerik. Choreograph, Komponist u. Pianist, 8. 5. New York

Nouira, *Hédi* (81), fr. tunes. Ministerpräs. 25. 1. Tunis

Nurejew, *Rudolf* (54), russ. Tänzer u. Choreograph, 6. 1. Paris

Özal, *Turgut* (65), türk. Politiker, Staatspräsident seit 1989, 17. 4. Ankara

Okita, *Saburo* (78), jap. Wirtschaftswissenschaftler, fr. Außenminister, 9. 2. Tokio

Oppermann, *Anna* (53), dt. Malerin, 8. 3. Celle

Palucca, *Gret* (91), dt. Tänzerin, Choreographin u. Pädagogin, 22. 3. Dresden

Parkinson, *Cyril Northcote* (83), brit. Schriftsteller u. Historiker, entdeckte die Gesetzmäßigkeit in der Entwicklung von Bürokratien (Parkinsonsches Gesetze), 9. 3. Canterbury

Paul, *Wolfgang* (74), dt. Autor u. Publizist, 5. 1. Berlin

Pels-Leusden, *Hans* (84), dt. Maler, Galerist u. Mäzen, 26. 4. Berlin

Phelps, *Gilbert* (78), brit. Romancier u. Literaturhistoriker, 15. 6. Finstock

Pignon, *Edouard* (88), franz. Maler, 14. 5. Couture-Boussey

Pleven, *René* (91), franz. Politiker, fr. Wirtschafts-, Kolonial- u. Finanzminister, 13. 1. Paris

Pochath, *Werner* (51), dt. Fernsehschauspieler, 18. 4. Starnberg

Preil, *Gabriel* (84), amerik. Dichter, Juli Jerusalem

Premadasa, *Ranasinghe* (69), Staatspräsid. v. Sri Lanka, 1. 5. Colombo

Pulitzer, *Joseph Jr.* (80), amerik. Zeitschriftenverleger u. Journalist, 26. 5. St. Louis

Rabenalt, *Arthur Maria* (87), dt. Film- u. Theaterregisseur, 26. 2. Wildbad Kreuth

Rebner, *Wolfgang E.* (82), dt. Komponist u. Pianist, 26. 1. München

Reichenbach, *François* (71), franz. Dokumentarfilmer, 2. 2. Neuilly-sur-Seine

Renault, *Michel* (65), franz. Tänzer u. Choreograph, 29. 1. Suresnes

Rhein, *Eduard* (92), dt. Schriftsteller, Journalist u. Erfinder, 15. 4. Cannes

Richter, *Hans Werner* (84), dt. Schriftsteller, Gründer der »Gruppe 47«, 23. 3. München

Riess, *Curt* (91), dt. Theaterkritiker u. Schriftsteller, 13. 5. Zürich

Rösler, *Louise* (86), dt. Malerin, 26. 6. Hamburg

Rosine, *Paul* (45), karib. Sänger, Pianist u. Leiter des Orchesters Malavoi, 30. 1. Malavoi

Sabin, *Albert Bruce* (86), russ.-amerik. Virologe u. Arzt, 3. 3. Washington

Sachs, *Hans* (81), dt. Jurist u. Fernseh-Beruferater, 20. 6. Berlin

Sahl, *Hans* (90), dt. Schriftsteller, Film- u. Literaturkritiker, 27. 4. Tübingen

Salisbury, *Harrison* (84), amerik. Schriftsteller u. Journalist, 5. 7. Providence/RI

Salzer, *Hartmut* (76), dt. Verleger, 5. 4. Heilbronn

Sauvé, *Jeanne* (70), kanad. Politikerin u. Journalistin, 26. 1. Montreal

Schäferdiek, *Willi* (90), dt. Schriftsteller, März Troisdorf b. Köln

Schmidt, *Walther* (94), dt. Architekt, 24. 4. Augsburg

Schmidt-Clausen, *Kurt* (72), dt. ev. Theologe, 25. 1. Hannover

Schmidt-Osten, *Hans* (89), dt. Jurist u. Journalist, u. a. Mitbegründer d. Deutschen Journalisten-Verbandes, Initiator des bad.-württemb. Landespressegesetzes, 26. 1. Stuttgart

Schmitthenner, *Hansjörg* (84), dt. Schriftsteller u. Hörspielautor, 26. 5. München

Schmückle, *Hans Ulrich* (76), dt. Bühnenbildner, 2. 6. Augsburg

Schneider, *Alexander* (84), litau. Geiger, Dirigent u. Lehrer, 2. 2. New York

Schnyder, *Franz* (82), Schweizer Filmregisseur, 8. 2. Bern

Schoeck, *Helmut* (71), dt. Soziologe, Schriftsteller u. Kolumnist, 2. 2.

Schumacher, *Hans* (83), Schweizer Schriftsteller, Lyriker u. Journalist, 20. 3. Zürich

Schwarz, *Henning* (64), dt. CDU-Politiker, Bundesminister u. fr. stellvertr. Ministerpräs. in Schleswig-Holst., 13. 4.

Seippel, *Edda* (73), dt. Schauspielerin, 12. 5. München

Sekoto, *Gerard* (81), südafrik. Maler, 20. 3. Paris

Senn, *Otto H.* (90), Schweizer Architekt, 4. 5. Basel

Simson, *Otto Georg von* (80), dt. Kunsthistoriker, 24./25. 5. Berlin

Smith, *Joseph* (91), amerik. General, organisierte 1948 Luftbrücke nach West-Berlin, Mai Andrews

Sonnemann, *Ulrich* (81), dt. Philosoph, Sozialwissenschaftler u. Essyist, 27. 3. Gudensberg

Stadelmann, *Li* (92), dt. Pianistin, Cembalistin u. Musikpädagogin, 17. 1. Gauting

Stark, *Freya* (100), brit. Reiseschriftstellerin, 9. 5. Asolo/Italien

Stave, *John* (64), dt. Schriftsteller, Gründer der Satire-Zeitschrift »Eulenspiegel«, Juli Berlin

Steenberghen, *Fernand Van* (89), belg. Philosoph u. Philosophiehistoriker, 16. 4. Brüssel

Stein, *Bernhard* (88), Altbischof von Trier, 20. 2. Trier

Stein, *Matthias* (44), dt. Bühnenbildner, 12. 4. (Autounfall)

Stein, *Werner* (79), dt. Politiker, Verfasser v. »Steins Kulturfahrplan«, 31. 3. Berlin

Stocker, *Werner* (38), dt. Schauspieler, 27. 5. Starnberger See

Strassner, *Fritz* (73), dt. Volksschauspieler, 8. 2. München

Suchoň, *Eugen* (85), slowak. Komponist, 5. 8. Bratislava

Sun Ra (79), amerik. Jazzavantgardist, 30. 5. Birmingham/AL

Supek, *Rudi* (79), jugosl. Philosoph, Herausgeber d. linkssozialist. Zeitschrift »Praxis« u. Organisator der internat. Sommeruniversität Korcula, 1. 1. Zagreb

Susini, *Marie* (77), franz. Schriftstellerin, 22.8.

Tambo, *Oliver* (75), südafrik. Widerstandskämpfer, ANC-Präs., 24. 4. Johannesburg

Tawastjerna, *Erik* (76), schwedischsprachiger finn. Pianist u. Musikwissenschaftler, 22. 1.

Testori, *Giovanni* (69), ital. Schriftsteller, Kunst- u. Literaturkritiker, 16. 3. Mailand

Thalheim, *Karl C.* (93), dt. Wirtschaftswissenschaftler, 1. 6. Berlin

Theisen, *Werner* (65), dt. Verleger, 5. 5. Koblenz

Thews, *Günter* (47), dt. Kabarettist, 30. 1. Berlin

Todd, *Ann* (82), brit. Filmschauspielerin, 6. 5. London

Tortel, *Jean* (88), franz. Lyriker, März Avignon

Treurnicht, *Andries Petrus* (72), südafrik. Politiker, Verfechter der Apartheid, 22. 4. Kapstadt

Troyanos, *Tatiana* (55), amerik. Mezzosopranistin, 21.8. New York

Trypanis, *Konstantinos* (84), griech. Philologe, 18. 1. Athen

Tucker, *Luther* (57), amerik. Bluesgitarrist, 23. 6. Los Angeles

Twitty, *Conway* (60), amerik. Countrymusiker, 5. 6. Springfield

Tyrlova, *Hermina* (92), tschech. Trickfilm-Regisseurin, 3. 5. Zlin

Valentin, *Erich* (86), dt. Mozart-Forscher u. Pädagoge, 16. 3. Bad Aibling

Verney, *John* (79), brit. Schriftsteller u. Maler, 2. 2. Clare

Vetters, *Hermann* (78), österr. Archäologe, Ausgräber in Ephesos, Mai Baden b. Wien

Wallington, *George* (68), amerik. Jazzpianist u. Komponist, 15. 2. New York

Waltschew, *Mischo* (73), bulg. Politiker, Justizminister (1992–1993), 15. 5. Sofia

Wang Zhen (84), chines. Vizepräs., 12. 3. Guangzhou

Wasowski, *Andrzej* (69), poln. Pianist, Chopin-Interpret, Mai Washington

Weber-Kellermann, *Ingeborg* (75), dt. Volkskundlerin, 12. 6. Marburg

Weitpert, *Hans* (87), dt. Verleger, 28. 3. Stuttgart

Weitzmann, *Kurt* (89), dt. Kunsthistoriker, 7. 6. Princeton

Weston, *Brett* (81), amerik. Fotograf, 22. 1. Hawaii

Wieland, *Guido* (86), österr. Schauspieler, 10. 3.

Wiener, *Hugo* (89), österr. Schriftsteller, Komponist u. Kabarettist, 14. 5. Wien

Wildenmann, *Rudolf* (72), dt. Politik- u. Sozialwissenschaftler, entwickelte Wahlanalysen u. -hochrechnungen, 14. 7. Mannheim

Wilson, *Lester* (51), amerik. Tänzer, Regisseur u. Choreograph, 14. 2. Los Angeles

Wimschneider, *Anna* (73), niederbayer. Bauersfrau u. Autorin, 1. 1. Pfarrkirchen

Wolter, *Jupp* (76), dt. Karikaturist, 28. 7. Bonn

Woßidlo, *Otto* (91), Mitbegründer d. Verlags Neue Wirtschaftsbriefe, 1. 2. Herne

Wykes, *Alan* (79), brit. Schriftsteller, 11. 7. Reading

Zabaleta, *Nicanor* (86), bask. Harfenist, 5. 4. Puerto Rico

Zakythinos, *Dionysos* (87), griech. Historiker, 18. 1. Athen

Zanotelli, *Hans* (65), dt. Dirigent, 13. 7. Stuttgart

Zuckerman, *Lord Solly* (88), brit. Zoologe, wissensch. Berater der Regierung, 1. 4. London

Personen- und Sachregister

Die Zahlen verweisen auf die linke oder rechte Spalte einer Seite. **Halbfetter Druck** bedeutet eine Hauptfundstelle. Aus Platzgründen konnten nur wichtigere Namen und Begriffe aufgenommen werden. So wurden z. B. die »Historischen Gedenktage 1994« (Sp. 1149 ff) nur mit einem Stichwort berücksichtigt, und aus dem Kapitel »Kulturpreise« (Sp. 1077 ff) wurden nur die Überschriften (wie z. B. »Literaturpreise«) festgehalten.